使い方

陽子のコンプトン波長から1パーセクまで10のn乗（100は10の2乗，
0.001は10の−3乗です）で表し，電子の質量から銀河系の可視総質量
照してください）．

暦 天 気 物 地 生 環 附 索

2025 Chronological Scientific Tables

令和7年｜第98冊

理科年表

国立天文台 編

丸善出版

Rika Nenpyo
(Chronological Scientific Tables 2025)
https://official.rikanenpyo.jp/

Edited by
National Astronomical Observatory of Japan
https://www.nao.ac.jp/

Published by Maruzen Publishing Co., Ltd., 2024
https://www.maruzen-publishing.co.jp/

序

人類の叡智は多くの知識と記録の積み重ねの上に成り立っています．中でも理科年表は，科学技術の基本となる物理・化学定数，天文・気象現象や地学・生物などの最新の知識と記録，さらには人類の活動にも関係した環境に関する記録などを広く掲載しています．2024 年は年初から能登半島地震が発生，夏にも記録的猛暑に加え豪雨災害が発生しました．理科年表が，科学技術のさらなる発展の礎となり，自然災害の克服に貢献，人類の幸せな未来の構築に寄与することを願いながら，2025 年版をお届けします．

理科年表 2025 のおもな改訂点をご紹介します．各部で，最新のデータへの更新が行われています．暦部のトピックスでは，土星の環について解説していますが，2025 年には，環がほとんど見えなくなる『環の消失』が起こります．また，月食が 2 回見られます．天文関係では，太陽活動が活発化しており，また重力波の観測も進んでいます．トピックスでは，宇宙から降り注ぐ粒子である宇宙線は，どのような天体現象が起源なのかについて，説明が難しい超高エネルギーの宇宙線の起源も含め，最先端の研究が進展しつつある様子が解説されています．また，市民参加天文学の例としてすばる望遠鏡で撮影した銀河を 2 万個以上調べた研究も紹介されています．今年は日本各地で猛暑が観測され，観測史上最高気温が観測されました．線状降水帯やゲリラ豪雨も増えており，気象部では，気温に加えて降水量や数値の入れ替えも増えています．物理／化学部では，基礎物理定数 CODATA 2022 の推奨値が 2024 年 5 月に公表されたことなどに伴い，「基礎物理定数」「エネルギー換算表」などの数値が改訂されています．地学部では，最大規模の構造物や掘削記録をまとめた「世界と日本における最大規模の人工構造物・掘削」が新規掲載されました．その他，岩石分布や火山の溶岩・マグマの粘度などが大改訂されました．生物部では，ちょうど 2024 年ノーベル生理学・医学賞の研究対象となった「マイクロ RNA」などの解説をトピックスで行っています．また「植物分類表」「藻類分類表」「菌類分類表」を更新しています．環境部では，気候変動や地球温暖化など，人為的要因が影響しているかもしれない地球上のおもな気候について，長期にわたる観測結果や最新の数値を掲載しています．またトピックスでは言葉の歌起源説が紹介されています．

以上のように，理科年表は，毎年のきめ細かい改訂により信頼性の高い最新の情報を，様々なトピックスも交えながら，提供しています．どうか皆様のお仕事，研究，勉強などに広くお役立てください．

2024 年 10 月

国立天文台　台長　土 居　　守

監修者一覧

部	国立天文台	
文部	同	
象部	気象庁	
理／化学部	鳥井寿夫	東京大学大学院総合文化研究科 教授
	佃　達哉	東京大学大学院理学系研究科 教授
学部		
地理	須貝俊彦	東京大学大学院新領域創成科学研究科 教授
地質および鉱物	小澤一仁	東京大学大気海洋研究所 特任研究員
火山	藤井敏嗣	特定非営利活動法人環境防災総合政策研究機構 環境・防災研究所 所長
地震	纐纈一起	慶應義塾大学 SFC 研究所 上席所員
地磁気および重力	田口　聡	京都大学大学院理学研究科 教授
電離圏	津川卓也	国立研究開発法人情報通信研究機構 電磁波研究所電磁波伝搬研究センター 宇宙環境研究室 室長
物部	浅島　誠	帝京大学先端総合研究機構 機構長
境部	同	
	須貝俊彦	東京大学大学院新領域創成科学研究科 教授
	肱岡靖明	国立研究開発法人国立環境研究所 気候変動適応センター センター長
	気象庁	

なお地学部については，国土地理院，海上保安庁海洋情報部・日本海洋データセンター，国土交通省水管理・国土保全局から資料の提供をうけ，編集している．

2025年版の改訂にあたり，以下の諸氏・機関により執筆および資料の提供をいただいた．

【暦部】 山岡　均，片山真人，柴田　雄，遠藤勇夫(以上国立天文台)，松永典之(東京大学大学院理学系研究科)，鳴沢真也(兵庫県立大学自然・環境科学研究所)，海上保安庁海洋情報部

【天文部】 平松正顕，渡部潤一，原　弘久，青木和光，布施哲治，臼田知史，矢野太平，花岡庸一郎，田村良明，冨永　望，内藤誠一郎，廣田朋也，竝木則行，山下卓也，片山真人，柴田　雄，遠藤勇夫，臼田-佐藤功美子(以上国立天文台)，竹内　努(名古屋大学大学院理学研究科)，高田将郎，田村元秀(以上東京大学大学院理学系研究科)，

千葉柾司，児玉忠恭(以上東北大学大学院理学研究科)，中村昭子(神戸大学大学院理学研究科)，臼井文彦，山口弘悦，吉川 真(以上国立研究開発法人宇宙航空研究開発機構)，田中貴浩(京都大学大学院理学研究科)，真貝寿明(大阪工業大学情報科学部)，池田優二(京都産業大学/京都虹光房)，安田直樹(東京大学国際高等研究所カブリ数物連携宇宙研究機構)，田中孝明(甲南大学理工学部)

【気象部】 気象庁，登内道彦，熊谷泰一(以上一般財団法人気象業務支援センター)

【物理／化学部】 山田鉄兵(東京大学大学院理学系研究科)，渡辺 正(東京大学名誉教授)，時任宣博(京都大学名誉教授)，難波俊雄(東京大学素粒子物理国際研究センター)，桧垣正吾(東京大学アイソトープ総合センター)，井本英夫(宇都宮大学名誉教授)，米田成一(独立行政法人国立科学博物館)，田中健太郎(名古屋大学大学院理学研究科)，加藤晃一(自然科学研究機構生命創成探究センター)，土肥哲也(一般財団法人小林理学研究所)，田中隆次(国立研究開発法人理化学研究所)，田中義人(兵庫県立大学大学院理学研究科)，能崎幸雄(慶應義塾大学理工学部)，河野淳也(学習院大学理学部)，尾関智二(日本大学文理学部)，佐々木誠(東北大学大学院生命科学研究科)，西澤精一(東北大学大学院理学研究科)，島田敏宏(北海道大学大学院工学研究院)，佐藤守俊，岡本拓司，前田京剛(以上東京大学大学院総合文化研究科)，後藤 敬(東京科学大学理学院)，吉田 健(徳島大学大学院社会産業理工学研究部)，河野俊哉(東京大学大学院教育学研究科)

【地学部】 気象庁地震火山部，総務省消防庁，米国地質調査所，日本山岳会，環境省自然環境局，山梨県富士山科学研究所，小田木洋子(京都大学大学院理学研究科附属地磁気世界資料解析センター)，吉井敏尅，永原裕子，中田節也(以上東京大学名誉教授)，金子隆之，安田 敦(以上東京大学地震研究所)，石川有三(静岡大学防災総合センター)，吉本充宏(山梨県富士山科学研究所)，江崎雄治(専修大学文学部)，小林達雄(國學院大學名誉教授)，谷口康浩(國學院大學文学部)，堤 隆(浅間縄文ミュージアム)，西岡未知(国立研究開発法人情報通信研究機構)，畠山唯達(岡山理科大学フロンティア理工学研究所)，中島 隆，山岡 健(以上国立研究開発法人産業技術総合研究所)，原田智也

【生物部】 厚生労働省大臣官房統計情報部人口動態統計課，吉田廸弘(北海道大学名誉教授)，柁原 宏，角井敬知，仲田崇志(以上北海道大学大学院理学研究院)，関澤信一，矢守 航(以上東京大学大学院農学生命科学研究科)，平林容子(国立医薬品食品衛生研究所)，加治和彦(株式会社コーセー 研究所)，米川博通(公益財団法人東京都医学総合研究所)，松永幸大(東京大学大学院新領域創成科学研究科)，上羽悟史(東京理科大学生命医科学研究所)，箸本春樹，岸本健雄(東京工業大学名誉教授)，志賀向子，古屋秀隆(以上大阪大学大学院理学研究科)，嬉 正勝(佐賀大学教育学部)，八杉貞雄(東京都立大学名誉教授)，康 東天(一般社団法人医療データ活用基盤整備機構 JLAC センター)，眞重文子，奈良信雄(日本医学教育評価機構)，遠藤一佳，塩見美喜子，平形樹生，山﨑啓也(以上東京大学大学院理学系研究科)，広瀬雅人(北里大学海洋生命科学部)，佐々木猛智(東京大学総合研究博物館)，吉澤和徳(北海道大学農学部)，高橋英樹，大原昌宏(以上北海道大学総合博物館)，疋田 努(京都大学名誉教授)，本川雅治(京都大学総合博物館)，伊勢優史，今原幸光(以上公益財団法人黒潮生物研究所)，西川輝昭(名古屋大学名誉教授)，中野裕昭(筑波大学下田臨海実験センター)，後藤太一郎(三重大学教育学部)，佐藤拓哉(京都大学生態学研究センター)，長澤和也(広島大学名誉教授)，阿部 渉(獨協医科大学基本医学)，鶴崎展巨(鳥取大学名誉教授)，田辺 力(熊本大学大学院先端科学研究部)，山崎博史(九州大学基幹教育院)，田中正敦(慶應義塾大学生物学教室)，嶋田大輔(日本大学経済学部)，並河 洋，西海 功，藤田敏彦，細矢 剛(以上独立行政法人国立科学博物館)，松浦啓一(国立科学博物館名誉研究員)，柳 研介(千葉県立中央博物館分館海の博物館)，鈴木隆仁(滋

賀県立琵琶湖博物館)，伊勢戸徹(国立研究開発法人海洋研究開発機構地球情報科学技術センター)，大矢佑基(桜美林大学リベラルアーツ学群)，安富佐織

【環境部】　気象庁，国立研究開発法人国立環境研究所，環境省，農林水産省大臣官房統計部生産流通消費統計課漁業生産統計班，一般財団法人自然環境研究センター，井口泰泉(基礎生物学研究所名誉教授)，伊藤元己(東京大学大学院総合文化研究科)，角谷　拓(国立研究開発法人国立環境研究所)，久保拓也(京都大学大学院工学研究科)，大森博雄，小池勲夫(以上東京大学名誉教授)，清水英佑(東京慈恵会医科大学名誉教授)，津田洋幸(名古屋市立大学大学院医学研究科)，酒井伸一(京都高度技術研究所)，平井康宏，矢野順也(以上京都大学環境安全保健機構環境管理部門)，幸塚久典(東京大学大学院理学系研究科附属臨海実験所)，宮原裕一(信州大学理学部)，宗林由樹(京都大学化学研究所)，池田　勉(北海道大学名誉教授)，石坂丞二(名古屋大学宇宙地球環境研究所)，山口峰生(国立研究開発法人水産研究・教育機構フェロー)，平譯　享(情報・システム研究機構国立極地研究所)，髙橋昭久，吉田由香里(以上群馬大学重粒子線医学研究センター)，永松愛子(国立研究開発法人宇宙航空研究開発機構)，佐藤達彦(国立研究開発法人日本原子力研究開発機構)，浜田信行(一般財団法人電力中央研究所)，熊谷直喜(国立研究開発法人国立環境研究所気候変動適応センター)，岡ノ谷一夫(帝京大学先端総合研究機構)

【附録】　岡本拓司(東京大学大学院総合文化研究科)

(順不同)

凡　例

1. 本書は暦部，天文部，気象部，物理／化学部，地学部，生物部，環境部，附録により構成している．

2. 本書のページ数字は，部門別ページ数および通しページ数によって表している〔例　**気 100**(282)．ここで**気**とは気象部のことであり，同様に暦部は**暦**，天文部は**天**，物理／化学部は**物**，地学部は**地**，生物部は**生**，環境部は**環**，附録は**附**である〕．なお索引を使用する際は，かっこの中に示される通しページ数によって参照されたい．

3. 本書の中の時刻は，午前午後の呼び方ではなく 0^h から 24^h まで数える方法を用いてある．12^h から 24^h までは午後に相当する．また場合によって世界時を用いた箇所もある．中央標準時は協定世界時 Coordinated Universal Time（UTC）+ 9^h である．

4. 暦部，天文部，物理／化学部では，単位の表記法についてできるだけ国際単位系（SI，**物 1**(361)）を用いるようにした．ただし，定義そのものが他の単位系でなされている量，および数値を変えてしまうとこれまでの慣行から著しい不便が生じると予想される場合については，旧単位系の表示を残し，そのかわりに SI への換算が容易にできるように配慮した．
　物理量の値の表記法については，国際単位系（SI）で推奨されている方式に従う．不確かさまでを含めて表記する場合も SI で推奨されている方式に従う．詳しくは**物 5** を参照のこと．

5. 本書の中の略号はつぎのとおりである．キロ，ミリ等の接頭語については**物 5** を参照のこと．

E	東	km	キロメートル	h	時
W	西	m	メートル	m または min	分(時)
S	南	cm	センチメートル	s または sec	秒(時)
N	北	mm	ミリメートル	ms	ミリ秒
°	度	kg	キログラム	MHz	メガヘルツ
′	分(角)	g	グラム	kHz	キロヘルツ
″	秒(角)	mg	ミリグラム	Hz	ヘルツ

6. この年表で使われている東京の経緯度（世界測地系）
日本経緯度原点（東京都港区麻布台 2 丁目 18 番 1）
　東経　139°　44′　28″.8869
　北緯　35°　39′　29″.1572

目　　次

暦　　部

天　文　部

気 象 部

物理／化学部

単　位

音

光と電磁波

光学的性質

原子，原子核，素粒子

物質の化学式および反応

生 体 物 質

生理活性物質

地　学　部

地　理

地質および鉱物

火　　山

地　震

地磁気および重力

電　離　圏

生　物　部

生物のかたちと系統

生殖・発生・成長

細胞・組織・器官

遺伝・免疫

生　　理

代謝・生合成系

環 境 部

気候変動・地球温暖化

オゾン層

大気汚染

水循環

水域環境

陸域環境

物質循環

化学物質・放射線

附　録

暦　　部

令和 7 年　　西暦 2025 年　　（平年）

令和 7 年は，年の干支は乙巳(きのとみ)である．1 月 1 日の干支は庚午(かのえうま)，1 月 1 日世界時 0^h のユリウス日（JD）は 246 0676.5 である．ユリウス日より 240 0000.5 日を引いたものを MJD（Modified Julian Date）という．

凡　　例

この年表で使われている時刻には，中央標準時，世界時（UT1）の 2 種があり，その関係はつぎのとおりである．（詳細は**天 82** を参照）

中央標準時＝協定世界時＋9^h

協定世界時＝世界時－ΔUT1

ただし，ΔUT1 は観測により決められる値で，計算では ΔUT1＝0 としている．そのことによる誤差は表値には一切現れない．なお，本年の計算においては ΔT＝地球時－世界時として 69^s を用いた．

日付の表記について，表中 1 月 0 日以前は前年の，12 月 32 日以降は翌年の日付を表す．たとえば 1 月 0 日＝前年 12 月 31 日，1 月 −1 日＝前年 12 月 30 日，12 月 32 日＝翌年 1 月 1 日，12 月 33 日＝翌年 1 月 2 日である．

二十四節気，雑節　太陽の視黄経が各節名に記した値を取る時刻である．彼岸，土用はそれぞれ彼岸の入り，土用の入りを表す．

赤経，赤緯　太陽・月・惑星の視赤経，視赤緯は真春分点に基づき光行差を含む．他天体の赤経，赤緯は国際天文基準座標系での天文測定位置である．

東京の日の出入，月の出入，惑星の出入　日の出入の時刻は太陽の上辺が旧東京天文台（日本経緯度原点）における地平線に一致する時刻である．月の出入，惑星の出入はそれぞれの中心が同地平線に一致する時刻である．地平大気差の定数として 35′08″ を用い，標高の効果は考慮していない．

均時差　視太陽の時角から平均太陽の時角を引いたものである．

太陽の黄経，黄緯　黄経，黄緯は J2000.0 の平均黄道座標系に基づいている．

距離，視差，視半径　距離は天文単位（149 597 870.7 km）で表した地球からの真距離である．ただし，月の距離は月と地球の平均距離（384 400 km）を単位として表す．視差は赤道地平視差で，その正弦は地球の赤道半径と地球・月間の距離の比に等しい．太陽の視半径は距離が 1 天文単位のときの値を 961.″18 として計算した．これらの諸量は光行差の影響を含まない．

正午月齢　直前の朔から当日の中央標準時12時までに経過した時間を日単位で表す．

朔･弦･望　朔，上弦，望，下弦の時刻は月と太陽との視黄経の差がそれぞれ0°，90°，180°，270°になる時刻である．

分点均差　視恒星時から平均恒星時を引いた値．赤経における章動と同じ．

夜明，日暮　視太陽の中心の伏角が7°21′40″になる時刻である．

日出入方位，日南中高度　方位は東または西を基準として南北に測ったもので，北を正としている．高度は大気差を算入した太陽の中心の視高度である．

惑星現象　留，合（内合，外合），衝，最大離角　留の時刻は惑星の地心視黄経の時間変化が0となる時刻である．合の時刻は太陽と惑星との地心視黄経が等しくなる時刻で，内惑星（水星，金星）は内合，外合がある．衝の時刻は太陽と外惑星との地心視黄経の差が180°となる時刻である．最大離角の時刻は太陽と内惑星との地心真角距離が最大となる時刻である．

日食，月食　要素には視赤経の合または衝の時刻とそのときの要素を，状況には地球全体でもっとも早く，またはもっとも遅く日食を見ることができる時刻とその地点の経緯度，あるいは月食の始めと終りの時刻とそのとき月が天頂に見える地点の経緯度を示している．ただし，太陽の視半径は距離が1天文単位のときの値を15′59.″63として，月の視半径s_Mは視差π_Mから$\sin s_M =$ $0.2725076 \sin \pi_M$により算出したものであり，月の黄経・黄緯には重心と形状中心の差としてそれぞれ0.″5，−0.″25の補正を加えてある．日食の食分は欠けた部分の最大の幅と太陽の視直径との比であるが，皆既または金環中では太陽と月の視半径の和から両中心の角距離を引いた値と太陽の視直径との比をいう．月食の食分は本影によっておおわれた部分の最大の幅と月の視直径との比であるが，皆既中では本影と月の視半径の和から両中心の角距離を引いた値と月の視直径との比をいい，1より大きくなる．位置角は太陽面の中心に対する月の中心の方向，あるいは月面の中心に対する本影の中心の方向を示すもので，いずれも天頂に向う方向から反時計まわりに測った角度である．ただし皆既の始めと終りでは，太陽の中心から太陽と月の接点の方向，あるいは月面の中心から月面と影の接点の方向を示している．日本で見えるものについては，太陽や月が欠けながら出る，あるいは入る場合には，出入り時刻を記してある．この場合の出入り時刻は上辺が地平線に一致する時刻である．

【附記】　潮汐の数値は海上保安庁海洋情報部による．

国民の祝日　令和7年　2025

名称	月	日	名称	月	日
	月	日		月	日
元日	1	1	こどもの日	5	5
成人の日	1	13	海の日	7	21
建国記念の日	2	11	山の日	8	11
天皇誕生日	2	23	敬老の日	9	15
春分の日	3	20	秋分の日	9	23
昭和の日	4	29	スポーツの日	10	13
憲法記念日	5	3	文化の日	11	3
みどりの日	5	4	勤労感謝の日	11	23

2月24日，5月6日，11月24日は休日になる．

日曜表　令和7年　2025

月	日	月	日
1	5　12　19　26	7	6　13　20　27
2	2　9　16　23	8	3　10　17　24　31
3	2　9　16　23　30	9	7　14　21　28
4	6　13　20　27	10	5　12　19　26
5	4　11　18　25	11	2　9　16　23　30
6	1　8　15　22　29	12	7　14　21　28

二十四節気，雑節　令和7年　2025

名称	太陽黄経	中央標準時				名称	太陽黄経	中央標準時			
		月	日	時刻				月	日	時刻	
	°	月	日	h	m		°	月	日	h	m
小寒	285	1	5	11	33	寒露	195	10	8	9	41
大寒	300	1	20	5	0	霜降	210	10	23	12	51
立春	315	2	3	23	10	立冬	225	11	7	13	4
雨水	330	2	18	19	7	小雪	240	11	22	10	36
啓蟄	345	3	5	17	7	大雪	255	12	7	6	5
春分	0	3	20	18	1	冬至	270	12	22	0	3
清明	15	4	4	21	49						
穀雨	30	4	20	4	56	土用	297	1	17	6	16
立夏	45	5	5	14	57	節分		2	2		
小満	60	5	21	3	55	彼岸		3	17		
芒種	75	6	5	18	57	土用	27	4	17	3	16
夏至	90	6	21	11	42	八十八夜		5	1		
小暑	105	7	7	5	5	入梅	80	6	11	0	24
大暑	120	7	22	22	29	半夏生	100	7	1	23	13
立秋	135	8	7	14	52	土用	117	7	19	19	5
処暑	150	8	23	5	34	二百十日		8	31		
白露	165	9	7	17	52	彼岸		9	20		
秋分	180	9	23	3	19	土用	207	10	20	12	29

その他　伝統的七夕　8月29日，中秋の名月　10月6日

太　陽　令和7年　1月　2025

日次	七曜	通日	世界時 0h 視赤経 (h m s)	世界時 0h 視赤緯 (° ′ ″)	世界時 0h 均時差 (m s)	東京，中央標準時 出 (h m)	東京，中央標準時 南中 (h m s)	東京，中央標準時 入 (h m)
1	水	1	18 47 02.4	−22 59 54	−03 26.5	6 51	11 44 32	16 39
2	木	2	18 51 27.2	−22 54 42	−03 54.8	6 51	11 45 0	16 39
3	金	3	18 55 51.7	−22 49 03	−04 22.6	6 51	11 45 28	16 40
4	土	4	19 00 15.7	−22 42 57	−04 50.1	6 51	11 45 55	16 41
5	日	5	19 04 39.3	−22 36 24	−05 17.2	6 51	11 46 22	16 42
6	月	6	19 09 02.5	−22 29 25	−05 43.8	6 51	11 46 49	16 43
7	火	7	19 13 25.1	−22 21 58	−06 09.9	6 51	11 47 15	16 44
8	水	8	19 17 47.3	−22 14 05	−06 35.5	6 51	11 47 41	16 44
9	木	9	19 22 08.9	−22 05 46	−07 00.6	6 51	11 48 6	16 45
10	金	10	19 26 30.0	−21 57 01	−07 25.1	6 51	11 48 30	16 46
11	土	11	19 30 50.5	−21 47 51	−07 49.0	6 51	11 48 54	16 47
12	日	12	19 35 10.4	−21 38 15	−08 12.3	6 51	11 49 17	16 48
13	月	13	19 39 29.6	−21 28 14	−08 35.0	6 51	11 49 40	16 49
14	火	14	19 43 48.3	−21 17 48	−08 57.1	6 50	11 50 2	16 50
15	水	15	19 48 06.2	−21 06 58	−09 18.5	6 50	11 50 23	16 51
16	木	16	19 52 23.5	−20 55 44	−09 39.2	6 50	11 50 44	16 52
17	金	17	19 56 40.2	−20 44 05	−09 59.3	6 49	11 51 4	16 53
18	土	18	20 00 56.1	−20 32 03	−10 18.7	6 49	11 51 23	16 54
19	日	19	20 05 11.3	−20 19 38	−10 37.4	6 49	11 51 42	16 55
20	月	20	20 09 25.8	−20 06 50	−10 55.3	6 48	11 51 59	16 56
21	火	21	20 13 39.6	−19 53 38	−11 12.5	6 48	11 52 17	16 57
22	水	22	20 17 52.6	−19 40 05	−11 29.0	6 47	11 52 33	16 58
23	木	23	20 22 04.9	−19 26 10	−11 44.7	6 47	11 52 49	16 59
24	金	24	20 26 16.4	−19 11 53	−11 59.7	6 46	11 53 4	17 0
25	土	25	20 30 27.2	−18 57 14	−12 13.9	6 46	11 53 18	17 1
26	日	26	20 34 37.2	−18 42 15	−12 27.3	6 45	11 53 31	17 2
27	月	27	20 38 46.4	−18 26 55	−12 40.0	6 45	11 53 44	17 3
28	火	28	20 42 54.8	−18 11 15	−12 51.8	6 44	11 53 55	17 4
29	水	29	20 47 02.4	−17 55 16	−13 02.8	6 43	11 54 6	17 5
30	木	30	20 51 09.1	−17 38 57	−13 13.0	6 43	11 54 16	17 6
31	金	31	20 55 15.1	−17 22 19	−13 22.4	6 42	11 54 26	17 7

日次	世界時 0h 黄経 (° ′ ″)	黄緯 (″)	距離	視半径 (′ ″)	章動 黄経 (″)	章動 黄道傾斜 (″)	黄道傾斜 (° ′ ″)
1	280 28 12.3	+10.7	0.98335	16 17.5	+00.2	+08.5	23 26 18.2
5	284 32 53.3	+10.8	0.98333	16 17.5	+00.4	+08.7	23 26 18.4
9	288 37 28.9	+11.0	0.98337	16 17.4	+00.3	+08.7	23 26 18.4
13	292 41 56.9	+10.8	0.98351	16 17.3	+00.9	+08.6	23 26 18.3
17	296 46 18.0	+10.1	0.98375	16 17.1	+01.2	+08.9	23 26 18.5
21	300 50 33.5	+09.1	0.98409	16 16.7	+00.9	+08.9	23 26 18.6
25	304 54 42.5	+08.3	0.98450	16 16.3	+01.0	+08.8	23 26 18.5
29	308 58 42.2	+07.8	0.98498	16 15.8	+01.6	+09.0	23 26 18.6

月　令和7年　1月　2025

日	次	世界時 0^h 視赤経	視赤緯	視差	東京, 中央標準時 出	南中	入	正午月齢
		h m s	° ′ ″	′ ″	h m	h m	h m	
1		19 46 43.3	−25 51 38	57 26.5	8 6	12 53	17 44	1.2
2		20 43 52.7	−22 17 33	57 55.4	8 48	13 48	18 55	2.2
3		21 38 28.9	−17 28 10	58 19.9	9 23	14 40	20 4	3.2
4		22 30 34.5	−11 42 01	58 39.6	9 53	15 29	21 13	4.2
5		23 20 50.4	−05 18 54	58 54.6	10 21	16 16	22 21	5.2
6	E	00 10 20.3	+01 21 31	59 05.3	10 48	17 3	23 29	6.2
7	◐	01 00 18.7	+07 59 46	59 11.9	11 16	17 51	— —	7.2
8	P	01 52 00.9	+14 15 45	59 14.2	11 45	18 42	0 38	8.2
9		02 46 31.8	+19 48 02	59 11.7	12 20	19 36	1 50	9.2
10		03 44 27.6	+24 14 01	59 03.6	13 0	20 34	3 2	10.2
11		04 45 33.0	+27 12 09	58 49.2	13 50	21 34	4 14	11.2
12	N	05 48 26.4	+28 26 40	58 28.0	14 48	22 36	5 22	12.2
13		06 50 56.1	+27 52 44	58 00.3	15 52	23 35	6 22	13.2
14	○	07 50 49.7	+25 38 30	57 27.1	17 0	— —	7 12	14.2
15		08 46 43.3	+22 02 01	56 50.4	18 8	0 31	7 53	15.2
16		09 38 16.7	+17 25 18	56 12.5	19 12	1 22	8 26	16.2
17		10 25 58.6	+12 09 23	55 36.2	20 14	2 8	8 54	17.2
18		11 10 44.0	+06 31 54	55 04.2	21 12	2 51	9 19	18.2
19	E	11 53 37.4	+00 46 43	54 38.7	22 9	3 31	9 41	19.2
20		12 35 45.4	−04 55 06	54 21.7	23 6	4 11	10 4	20.2
21	A	13 18 12.8	−10 24 03	54 14.4	— —	4 50	10 26	21.2
22	◑	14 02 02.5	−15 30 50	54 17.5	0 3	5 31	10 51	22.2
23		14 48 12.7	−20 05 03	54 31.2	1 2	6 14	11 19	23.2
24		15 37 31.3	−23 54 18	54 54.9	2 3	7 0	11 52	24.2
25		16 30 24.1	−26 43 55	55 27.4	3 5	7 51	12 33	25.2
26	S	17 26 40.3	−28 18 10	56 06.7	4 7	8 45	13 22	26.2
27		18 25 22.3	−28 23 09	56 50.0	5 5	9 42	14 20	27.2
28		19 24 54.7	−26 50 55	57 34.3	5 57	10 40	15 26	28.2
29	●	20 23 35.5	−23 42 36	58 15.8	6 42	11 36	16 37	29.2
30		21 20 12.5	−19 08 56	58 51.2	7 21	12 31	17 49	0.6
31		22 14 22.2	−13 27 45	59 17.9	7 54	13 22	19 0	1.6

名称	中央標準時	名称	中央標準時	名称	中央標準時	距離
	日 h m		日 h m		日 h	
上弦	7 8 56	赤道通過	6 4 8	最近	8 9	0.963
望	14 7 27	最北	12 13 23	最遠	21 14	1.052
下弦	22 5 31	赤道通過	19 12 15			
朔	29 21 36	最南	26 22 21			

● 朔, ◐ 上弦, ○ 望, ◑ 下弦, S 最南, E 赤道通過, N 最北, P 最近, A 最遠

太陽　令和7年　2月　2025

日次	七曜	通日	世界時 0^h 視赤経	世界時 0^h 視赤緯	世界時 0^h 均時差	東京，中央標準時 出	東京，中央標準時 南中	東京，中央標準時 入
			h m s	° ′ ″	m s	h m	h m s	h
1	土	32	20 59 20.2	−17 05 23	−13 31.0	6 41	11 54 34	17 8
2	日	33	21 03 24.5	−16 48 09	−13 38.8	6 40	11 54 42	17 9
3	月	34	21 07 28.0	−16 30 37	−13 45.7	6 40	11 54 49	17 11
4	火	35	21 11 30.6	−16 12 48	−13 51.7	6 39	11 54 54	17 12
5	水	36	21 15 32.4	−15 54 43	−13 57.0	6 38	11 55 0	17 13
6	木	37	21 19 33.4	−15 36 21	−14 01.4	6 37	11 55 4	17 14
7	金	38	21 23 33.5	−15 17 43	−14 05.0	6 36	11 55 7	17 15
8	土	39	21 27 32.9	−14 58 50	−14 07.8	6 35	11 55 10	17 16
9	日	40	21 31 31.4	−14 39 41	−14 09.8	6 34	11 55 12	17 17
10	月	41	21 35 29.2	−14 20 18	−14 10.9	6 33	11 55 13	17 18
11	火	42	21 39 26.1	−14 00 41	−14 11.3	6 32	11 55 13	17 19
12	水	43	21 43 22.3	−13 40 50	−14 11.0	6 31	11 55 13	17 20
13	木	44	21 47 17.7	−13 20 46	−14 09.9	6 30	11 55 12	17 21
14	金	45	21 51 12.4	−13 00 28	−14 08.0	6 29	11 55 10	17 22
15	土	46	21 55 06.4	−12 39 58	−14 05.4	6 28	11 55 7	17 23
16	日	47	21 58 59.6	−12 19 15	−14 02.1	6 27	11 55 4	17 24
17	月	48	22 02 52.1	−11 58 21	−13 58.1	6 26	11 55 0	17 25
18	火	49	22 06 44.0	−11 37 15	−13 53.4	6 25	11 54 55	17 26
19	水	50	22 10 35.2	−11 15 58	−13 48.0	6 24	11 54 49	17 27
20	木	51	22 14 25.7	−10 54 30	−13 42.0	6 22	11 54 43	17 28
21	金	52	22 18 15.6	−10 32 52	−13 35.3	6 21	11 54 37	17 29
22	土	53	22 22 04.9	−10 11 04	−13 28.0	6 20	11 54 29	17 30
23	日	54	22 25 53.5	−09 49 07	−13 20.1	6 19	11 54 21	17 30
24	月	55	22 29 41.6	−09 27 00	−13 11.6	6 18	11 54 13	17 31
25	火	56	22 33 29.1	−09 04 45	−13 02.6	6 16	11 54 3	17 32
26	水	57	22 37 16.0	−08 42 22	−12 52.9	6 15	11 53 54	17 33
27	木	58	22 41 02.4	−08 19 51	−12 42.7	6 14	11 53 44	17 34
28	金	59	22 44 48.2	−07 57 12	−12 32.0	6 12	11 53 33	17 35

日次	世界時 0^h 黄経	黄緯	距離	視半径	章動 黄経	章動 黄道傾斜	黄道傾斜
	° ′ ″	″		′ ″	″	″	° ′ ″
2	313 02 27.3	+07.7	0.98551	16 15.3	+01.5	+09.2	23 26 18.9
6	317 05 51.8	+07.5	0.98610	16 14.7	+01.3	+09.1	23 26 18.8
10	321 08 52.6	+06.9	0.98676	16 14.1	+01.8	+09.2	23 26 18.8
14	325 11 30.1	+05.8	0.98749	16 13.4	+01.8	+09.4	23 26 19.1
18	329 13 45.9	+04.6	0.98831	16 12.5	+01.3	+09.5	23 26 19.1
22	333 15 40.9	+03.6	0.98919	16 11.7	+01.4	+09.4	23 26 19.0
26	337 17 14.0	+03.0	0.99012	16 10.8	+01.7	+09.5	23 26 19.1

月　令和7年　2月　2025

日次		世界時 0^h 視赤経	視赤緯	視差	東京，中央標準時 出	南中	入	正午月齢
		h m s	° ′ ″	′ ″	h m	h m	h m	
1		23 06 26.2	−07 00 46	59 34.3	8 23	14 12	20 10	2.6
2	EP	23 57 16.7	−00 10 55	59 40.4	8 51	15 0	21 20	3.6
3		00 48 01.2	+06 39 08	59 37.0	9 19	15 49	22 30	4.6
4		01 39 50.7	+13 07 19	59 26.0	9 48	16 39	23 41	5.6
5	◐	02 33 48.6	+18 52 00	59 09.3	10 21	17 32	— —	6.6
6		03 30 35.1	+23 32 07	58 48.8	10 59	18 28	0 53	7.6
7		04 30 08.7	+26 48 26	58 25.6	11 44	19 27	2 5	8.6
8	N	05 31 32.1	+28 26 27	58 00.6	12 38	20 27	3 13	9.6
9		06 32 59.8	+28 20 08	57 34.1	13 40	21 26	4 15	10.6
10		07 32 33.9	+26 34 10	57 06.3	14 46	22 22	5 7	11.6
11		08 28 47.0	+23 22 27	56 37.4	15 53	23 14	5 50	12.6
12	○	09 21 04.7	+19 04 05	56 07.9	16 58	— —	6 25	13.6
13		10 09 40.1	+13 59 00	55 38.7	18 0	0 1	6 55	14.6
14		10 55 15.5	+08 25 21	55 11.2	19 0	0 45	7 20	15.6
15	E	11 38 47.2	+02 38 28	54 46.8	19 58	1 27	7 44	16.6
16		12 21 15.2	−03 08 54	54 27.3	20 55	2 6	8 6	17.6
17		13 03 39.8	−08 45 48	54 14.4	21 52	2 46	8 28	18.6
18	A	13 46 59.4	−14 02 14	54 09.4	22 51	3 26	8 52	19.6
19		14 32 09.1	−18 48 02	54 13.8	23 50	4 8	9 19	20.6
20		15 19 56.5	−22 51 58	54 28.2	— —	4 52	9 49	21.6
21	◑	16 10 54.1	−26 01 17	54 52.8	0 51	5 41	10 26	22.6
22		17 05 07.4	−28 02 03	55 27.4	1 52	6 32	11 10	23.6
23	S	18 02 04.1	−28 40 45	56 10.5	2 51	7 27	12 3	24.6
24		19 00 34.4	−27 47 11	57 00.2	3 45	8 24	13 5	25.6
25		19 59 09.7	−25 17 42	57 53.0	4 33	9 21	14 13	26.6
26		20 56 32.9	−21 16 55	58 44.8	5 15	10 16	15 25	27.6
27		21 52 03.4	−15 57 29	59 30.9	5 50	11 9	16 37	28.6
28	●	22 45 43.7	−09 38 21	60 06.7	6 21	12 1	17 50	0.1

名称	中央標準時	名称	中央標準時	名称	中央標準時	距離
	日 h m		日 h m		日 h	
上弦	5 17 2	赤道通過	2 9 38	最近	2 12	0.956
望	12 22 53	最北	8 19 30	最遠	18 10	1.053
下弦	21 2 33	赤道通過	15 19 54			
朔	28 9 45	最南	23 7 24			

●朔，◐上弦，○望，◑下弦，S 最南，E 赤道通過，N 最北，P 最近，A 最遠

太陽　令和7年　3月　2025

日次	七曜	通日	世界時 0^h 視赤経	世界時 0^h 視赤緯	世界時 0^h 均時差	東京，中央標準時 出	東京，中央標準時 南中	東京，中央標準時 入
			h m s	° ′ ″	m s	h m	h m s	h m
1	土	60	22 48 33.5	−07 34 27	−12 20.7	6 11	11 53 21	17 36
2	日	61	22 52 18.3	−07 11 35	−12 09.0	6 10	11 53 10	17 37
3	月	62	22 56 02.6	−06 48 36	−11 56.7	6 9	11 52 57	17 38
4	火	63	22 59 46.4	−06 25 33	−11 44.0	6 7	11 52 44	17 39
5	水	64	23 03 29.7	−06 02 23	−11 30.8	6 6	11 52 31	17 40
6	木	65	23 07 12.6	−05 39 09	−11 17.1	6 5	11 52 18	17 41
7	金	66	23 10 55.1	−05 15 51	−11 03.0	6 3	11 52 3	17 41
8	土	67	23 14 37.1	−04 52 29	−10 48.5	6 2	11 51 49	17 42
9	日	68	23 18 18.8	−04 29 02	−10 33.6	6 0	11 51 34	17 43
10	月	69	23 22 00.1	−04 05 33	−10 18.3	5 59	11 51 19	17 44
11	火	70	23 25 41.0	−03 42 01	−10 02.7	5 58	11 51 3	17 45
12	水	71	23 29 21.7	−03 18 26	−09 46.8	5 56	11 50 47	17 46
13	木	72	23 33 02.0	−02 54 49	−09 30.6	5 55	11 50 31	17 47
14	金	73	23 36 42.0	−02 31 10	−09 14.1	5 53	11 50 14	17 48
15	土	74	23 40 21.8	−02 07 29	−08 57.3	5 52	11 49 57	17 48
16	日	75	23 44 01.4	−01 43 48	−08 40.3	5 51	11 49 40	17 49
17	月	76	23 47 40.7	−01 20 05	−08 23.1	5 49	11 49 23	17 50
18	火	77	23 51 19.9	−00 56 22	−08 05.7	5 48	11 49 6	17 51
19	水	78	23 54 58.9	−00 32 39	−07 48.2	5 46	11 48 48	17 52
20	木	79	23 58 37.7	−00 08 56	−07 30.5	5 45	11 48 30	17 53
21	金	80	00 02 16.5	+00 14 47	−07 12.7	5 44	11 48 13	17 53
22	土	81	00 05 55.2	+00 38 28	−06 54.8	5 42	11 47 55	17 54
23	日	82	00 09 33.8	+01 02 09	−06 36.8	5 41	11 47 37	17 55
24	月	83	00 13 12.3	+01 25 48	−06 18.8	5 39	11 47 19	17 56
25	火	84	00 16 50.8	+01 49 24	−06 00.8	5 38	11 47 1	17 57
26	水	85	00 20 29.3	+02 12 59	−05 42.7	5 36	11 46 43	17 58
27	木	86	00 24 07.8	+02 36 31	−05 24.6	5 35	11 46 25	17 58
28	金	87	00 27 46.3	+02 59 59	−05 06.6	5 34	11 46 7	17 59
29	土	88	00 31 24.8	+03 23 24	−04 48.6	5 32	11 45 49	18 0
30	日	89	00 35 03.4	+03 46 46	−04 30.6	5 31	11 45 31	18 1
31	月	90	00 38 42.1	+04 10 03	−04 12.7	5 29	11 45 13	18 2

日次	世界時 0^h 黄経	黄緯	距離	視半径	章動 黄経	章動 黄道傾斜	黄道傾斜
	° ′ ″	″		′ ″	″	″	° ′ ″
2	341 18 22.0	+02.7	0.99108	16 09.8	+01.3	+09.7	23 26 19.3
6	345 18 59.1	+02.3	0.99205	16 08.9	+01.2	+09.5	23 26 19.1
10	349 19 02.1	+01.5	0.99306	16 07.9	+01.5	+09.6	23 26 19.2
14	353 18 31.3	+00.2	0.99412	16 06.9	+01.2	+09.8	23 26 19.4
18	357 17 29.0	−01.1	0.99522	16 05.8	+00.7	+09.7	23 26 19.3
22	1 15 57.5	−02.1	0.99635	16 04.7	+00.8	+09.6	23 26 19.2
26	5 13 58.1	−02.7	0.99751	16 03.6	+01.0	+09.7	23 26 19.3
30	9 11 29.5	−02.9	0.99866	16 02.5	+00.5	+09.7	23 26 19.3

暦

月 令和7年 3月 2025

日	次	世界時 0^h 視赤経	視赤緯	視差	東京，中央標準時 出	南中	入	正午月齢
		h m s	° ′ ″	′ ″	h m	h m	h m	
1	E	23 38 11.3	−02 42 31	60 28.5	6 50	12 51	19 2	1.1
2	P	00 30 24.5	+04 24 42	60 34.7	7 19	13 41	20 14	2.1
3		01 23 29.7	+11 17 11	60 25.6	7 48	14 32	21 28	3.1
4		02 18 27.5	+17 29 11	60 03.6	8 20	15 26	22 42	4.1
5		03 15 57.3	+22 36 32	59 32.2	8 58	16 22	23 56	5.1
6		04 15 58.1	+26 18 28	58 55.3	9 42	17 21	— —	6.1
7	◐	05 17 35.7	+28 20 24	58 16.1	10 34	18 21	1 7	7.1
8	N	06 19 10.3	+28 36 51	57 37.3	11 33	19 21	2 10	8.1
9		07 18 49.8	+27 12 41	57 00.4	12 37	20 17	3 5	9.1
10		08 15 10.9	+24 21 18	56 26.4	13 43	21 10	3 50	10.1
11		09 07 39.7	+20 20 39	55 55.6	14 48	21 58	4 27	11.1
12		09 56 28.0	+15 29 28	55 27.9	15 51	22 42	4 57	12.1
13		10 42 15.7	+10 04 57	55 03.4	16 51	23 24	5 24	13.1
14	○	11 25 56.5	+04 22 08	54 42.2	17 49	— —	5 47	14.1
15	E	12 08 27.5	−01 25 58	54 24.8	18 46	0 4	6 10	15.1
16		12 50 45.8	−07 07 45	54 11.8	19 43	0 43	6 32	16.1
17		13 33 46.1	−12 32 23	54 04.1	20 41	1 23	6 55	17.1
18	A	14 18 19.2	−17 29 03	54 02.8	21 40	2 4	7 20	18.1
19		15 05 09.1	−21 46 28	54 09.0	22 40	2 48	7 49	19.1
20		15 54 46.3	−25 12 30	54 23.6	23 41	3 34	8 23	20.1
21		16 47 19.3	−27 34 28	54 47.5	— —	4 24	9 3	21.1
22	◑ S	17 42 26.1	−28 40 12	55 20.9	0 40	5 16	9 52	22.1
23		18 39 12.7	−28 20 05	56 03.3	1 35	6 11	10 49	23.1
24		19 36 26.2	−26 29 09	56 53.7	2 24	7 6	11 52	24.1
25		20 32 58.2	−23 08 41	57 49.4	3 7	8 1	13 1	25.1
26		21 28 07.1	−18 26 21	58 46.9	3 45	8 54	14 12	26.1
27		22 21 48.0	−12 35 28	59 41.4	4 17	9 46	15 23	27.1
28		23 14 30.1	−05 54 19	60 27.2	4 47	10 36	16 36	28.1
29	● E	00 07 06.4	+01 14 34	60 59.1	5 16	11 27	17 49	29.1
30	P	01 00 42.1	+08 24 56	61 13.2	5 45	12 18	19 3	0.7
31		01 56 21.3	+15 07 54	61 08.0	6 17	13 12	20 20	1.7

名称	中央標準時	名称	中央標準時	名称	中央標準時	距離
	日 h m		日 h m		日 h	
上弦	7 1 32	赤道通過	1 18 8	最近	2 6	0.942
望	14 15 55	最北	8 0 43	最遠	18 2	1.056
下弦	22 20 29	赤道通過	15 3 4	最近	30 14	0.932
朔	29 19 58	最南	22 15 37			
		赤道通過	29 4 53			

●朔，◐上弦，○望，◑下弦，S 最南，E 赤道通過，N 最北，P 最近，A 最遠

太　陽　令和7年　4月　2025

日次	七曜	通日	世界時 0^h 視赤経	世界時 0^h 視赤緯	世界時 0^h 均時差	東京，中央標準時 出	東京，中央標準時 南中	東京，中央標準時 入
			h m s	° ′ ″	m s	h m	h m s	h
1	火	91	00 42 20.8	+04 33 15	−03 55.0	5 28	11 44 55	18 3
2	水	92	00 45 59.7	+04 56 23	−03 37.3	5 26	11 44 37	18 3
3	木	93	00 49 38.7	+05 19 25	−03 19.7	5 25	11 44 20	18 4
4	金	94	00 53 17.8	+05 42 21	−03 02.2	5 24	11 44 2	18 5
5	土	95	00 56 57.0	+06 05 11	−02 44.9	5 22	11 43 45	18 6
6	日	96	01 00 36.5	+06 27 55	−02 27.8	5 21	11 43 28	18 7
7	月	97	01 04 16.1	+06 50 32	−02 10.8	5 19	11 43 11	18 8
8	火	98	01 07 55.9	+07 13 01	−01 54.1	5 18	11 42 54	18 8
9	水	99	01 11 35.9	+07 35 24	−01 37.5	5 17	11 42 38	18 9
10	木	100	01 15 16.2	+07 57 38	−01 21.3	5 15	11 42 22	18 10
11	金	101	01 18 56.7	+08 19 44	−01 05.2	5 14	11 42 6	18 11
12	土	102	01 22 37.5	+08 41 42	−00 49.5	5 13	11 41 50	18 12
13	日	103	01 26 18.6	+09 03 32	−00 34.1	5 11	11 41 34	18 12
14	月	104	01 30 00.1	+09 25 12	−00 19.0	5 10	11 41 19	18 13
15	火	105	01 33 41.9	+09 46 43	−00 04.2	5 9	11 41 5	18 14
16	水	106	01 37 24.0	+10 08 04	+00 10.2	5 7	11 40 50	18 15
17	木	107	01 41 06.5	+10 29 15	+00 24.2	5 6	11 40 36	18 16
18	金	108	01 44 49.4	+10 50 16	+00 37.9	5 5	11 40 23	18 17
19	土	109	01 48 32.8	+11 11 07	+00 51.1	5 3	11 40 10	18 17
20	日	110	01 52 16.5	+11 31 46	+01 03.9	5 2	11 39 57	18 18
21	月	111	01 56 00.7	+11 52 15	+01 16.3	5 1	11 39 44	18 19
22	火	112	01 59 45.4	+12 12 31	+01 28.2	5 0	11 39 33	18 20
23	水	113	02 03 30.5	+12 32 36	+01 39.6	4 58	11 39 21	18 21
24	木	114	02 07 16.1	+12 52 28	+01 50.6	4 57	11 39 10	18 22
25	金	115	02 11 02.1	+13 12 08	+02 01.1	4 56	11 39 0	18 22
26	土	116	02 14 48.7	+13 31 35	+02 11.0	4 55	11 38 50	18 23
27	日	117	02 18 35.8	+13 50 48	+02 20.5	4 54	11 38 41	18 24
28	月	118	02 22 23.4	+14 09 48	+02 29.5	4 53	11 38 32	18 25
29	火	119	02 26 11.5	+14 28 34	+02 37.9	4 52	11 38 23	18 26
30	水	120	02 30 00.1	+14 47 05	+02 45.8	4 50	11 38 15	18 27

日次	世界時 0^h 黄経	黄緯	距離	視半径	章動 黄経	章動 黄道傾斜	黄道傾斜
	° ′ ″	″		′ ″	″	″	° ′ ″
3	13 08 27.6	−03.4	0.99979	16 01.4	+00.5	+09.5	23 26 19.1
7	17 04 49.0	−04.3	1.00091	16 00.3	+00.8	+09.5	23 26 19.1
11	21 00 34.1	−05.5	1.00203	15 59.2	+00.4	+09.6	23 26 19.2
15	24 55 45.7	−06.7	1.00316	15 58.2	+00.1	+09.4	23 26 19.0
19	28 50 27.3	−07.5	1.00429	15 57.1	+00.2	+09.3	23 26 18.8
23	32 44 41.9	−07.9	1.00540	15 56.0	+00.4	+09.4	23 26 18.9
27	36 38 30.6	−08.0	1.00648	15 55.0	+00.0	+09.3	23 26 18.9

月　令和7年　4月　2025

日	次	世界時 0^h 視赤経	視赤緯	視差	東京, 中央標準時 出	南中	入	正午月齢
		h m s	° ′ ″	′ ″	h m	h m	h m	
1		02 54 49.8	+20 54 00	60 44.8	6 53	14 10	21 37	2.7
2		03 56 12.5	+25 16 21	60 07.3	7 35	15 10	22 53	3.7
3		04 59 34.0	+27 55 09	59 20.6	8 26	16 12	— —	4.7
4	N	06 03 03.3	+28 41 51	58 29.7	9 25	17 14	0 2	5.7
5	◐	07 04 31.1	+27 40 56	57 38.8	10 29	18 13	1 1	6.7
6		08 02 19.8	+25 07 12	56 51.2	11 36	19 7	1 49	7.7
7		08 55 50.3	+21 20 27	56 08.7	12 41	19 56	2 29	8.7
8		09 45 16.0	+16 40 36	55 32.4	13 44	20 41	3 1	9.7
9		10 31 22.0	+11 25 10	55 02.5	14 44	21 23	3 28	10.7
10		11 15 06.6	+05 48 49	54 38.7	15 43	22 3	3 53	11.7
11	E	11 57 31.2	+00 04 01	54 20.7	16 39	22 42	4 15	12.7
12		12 39 35.1	−05 38 09	54 08.0	17 36	23 22	4 37	13.7
13	○	13 22 14.1	−11 06 57	54 00.5	18 34	— —	5 0	14.7
14	A	14 06 19.2	−16 11 28	53 58.1	19 32	0 2	5 24	15.7
15		14 52 33.5	−20 40 03	54 01.2	20 32	0 45	5 52	16.7
16		15 41 26.7	−24 20 14	54 10.2	21 33	1 31	6 24	17.7
17		16 33 06.5	−26 59 18	54 25.8	22 32	2 19	7 2	18.7
18	S	17 27 11.5	−28 25 25	54 48.6	23 28	3 10	7 47	19.7
19		18 22 50.1	−28 29 29	55 19.3	— —	4 4	8 40	20.7
20		19 18 52.9	−27 07 02	55 57.9	0 19	4 58	9 40	21.7
21	◑	20 14 14.2	−24 19 04	56 44.0	1 3	5 51	10 45	22.7
22		21 08 13.3	−20 11 47	57 36.1	1 41	6 43	11 53	23.7
23		22 00 44.3	−14 55 36	58 31.8	2 14	7 34	13 2	24.7
24		22 52 14.2	−08 44 20	59 27.2	2 44	8 23	14 11	25.7
25	E	23 43 35.0	−01 55 11	60 17.2	3 12	9 12	15 22	26.7
26		00 35 54.2	+05 10 37	60 56.4	3 41	10 2	16 35	27.7
27		01 30 24.3	+12 07 13	61 19.4	4 11	10 55	17 51	28.7
28	● P	02 28 08.0	+18 24 39	61 23.0	4 45	11 51	19 9	0.3
29		03 29 33.5	+23 31 18	61 06.6	5 25	12 51	20 28	1.3
30		04 34 06.1	+26 59 07	60 32.4	6 13	13 55	21 43	2.3

名称	中央標準時	名称	中央標準時	名称	中央標準時	距離
	日 h m		日 h m		日 h	
上弦	5 11 15	最北	4 7 3	最遠	14 8	1.057
望	13 9 22	赤道通過	11 9 17	最近	28 1	0.929
下弦	21 10 36	最南	18 22 12			
朔	28 4 31	赤道通過	25 15 32			

●朔, ◐上弦, ○望, ◑下弦, S最南, E赤道通過, N最北, P最近, A最遠

太　陽　令和7年　5月　2025

日次	七曜	通日	世界時 0^h 視赤経	世界時 0^h 視赤緯	世界時 0^h 均時差	東京，中央標準時 出	東京，中央標準時 南中	東京，中央標準時 入
			h m s	° ′ ″	m s	h m	h m s	h m
1	木	121	02 33 49.3	+15 05 21	+02 53.3	4 49	11 38 8	18 28
2	金	122	02 37 39.0	+15 23 23	+03 00.1	4 48	11 38 1	18 28
3	土	123	02 41 29.2	+15 41 09	+03 06.5	4 47	11 37 55	18 29
4	日	124	02 45 19.9	+15 58 40	+03 12.3	4 46	11 37 49	18 30
5	月	125	02 49 11.2	+16 15 54	+03 17.6	4 45	11 37 44	18 31
6	火	126	02 53 03.0	+16 32 52	+03 22.4	4 44	11 37 39	18 32
7	水	127	02 56 55.3	+16 49 33	+03 26.6	4 43	11 37 35	18 33
8	木	128	03 00 48.2	+17 05 58	+03 30.2	4 42	11 37 31	18 33
9	金	129	03 04 41.7	+17 22 05	+03 33.3	4 41	11 37 28	18 34
10	土	130	03 08 35.7	+17 37 55	+03 35.8	4 40	11 37 26	18 35
11	日	131	03 12 30.3	+17 53 27	+03 37.8	4 39	11 37 24	18 36
12	月	132	03 16 25.4	+18 08 41	+03 39.2	4 39	11 37 23	18 37
13	火	133	03 20 21.2	+18 23 37	+03 40.0	4 38	11 37 22	18 37
14	水	134	03 24 17.5	+18 38 14	+03 40.3	4 37	11 37 22	18 38
15	木	135	03 28 14.3	+18 52 33	+03 40.0	4 36	11 37 22	18 39
16	金	136	03 32 11.8	+19 06 32	+03 39.1	4 35	11 37 23	18 40
17	土	137	03 36 09.8	+19 20 12	+03 37.7	4 35	11 37 25	18 41
18	日	138	03 40 08.4	+19 33 32	+03 35.6	4 34	11 37 27	18 41
19	月	139	03 44 07.5	+19 46 33	+03 33.0	4 33	11 37 29	18 42
20	火	140	03 48 07.3	+19 59 13	+03 29.9	4 33	11 37 33	18 43
21	水	141	03 52 07.5	+20 11 33	+03 26.2	4 32	11 37 36	18 44
22	木	142	03 56 08.4	+20 23 33	+03 21.9	4 31	11 37 41	18 44
23	金	143	04 00 09.7	+20 35 11	+03 17.1	4 31	11 37 46	18 45
24	土	144	04 04 11.7	+20 46 28	+03 11.7	4 30	11 37 51	18 46
25	日	145	04 08 14.1	+20 57 24	+03 05.8	4 30	11 37 57	18 47
26	月	146	04 12 17.0	+21 07 58	+02 59.4	4 29	11 38 3	18 47
27	火	147	04 16 20.5	+21 18 10	+02 52.6	4 29	11 38 10	18 48
28	水	148	04 20 24.4	+21 28 00	+02 45.2	4 28	11 38 18	18 49
29	木	149	04 24 28.7	+21 37 28	+02 37.4	4 28	11 38 26	18 49
30	金	150	04 28 33.5	+21 46 33	+02 29.2	4 27	11 38 34	18 50
31	土	151	04 32 38.8	+21 55 15	+02 20.5	4 27	11 38 43	18 51

日次	世界時 0^h 黄経	黄緯	距離	視半径	章動 黄経	章動 黄道傾斜	黄道傾斜
	° ′ ″	″		′ ″	″	″	° ′ ″
1	40 31 51.0	−08.3	1.00751	15 54.0	+00.3	+09.0	23 26 18.6
5	44 24 40.0	−09.0	1.00848	15 53.1	+00.7	+09.1	23 26 18.6
9	48 16 57.7	−10.0	1.00941	15 52.2	+00.4	+09.1	23 26 18.6
13	52 08 47.0	−10.9	1.01032	15 51.4	+00.2	+08.9	23 26 18.4
17	56 00 12.2	−11.3	1.01119	15 50.5	+00.6	+08.8	23 26 18.3
21	59 51 17.5	−11.3	1.01203	15 49.8	+00.8	+08.9	23 26 18.4
25	63 42 05.9	−11.1	1.01280	15 49.0	+00.6	+08.8	23 26 18.3
29	67 32 37.0	−11.2	1.01350	15 48.4	+01.2	+08.5	23 26 18.0

月　令和7年　5月　2025

日	次	世界時 0^h 視赤経			視赤緯			視差		東京，中央標準時 出		南中		入		正午月齢
		h	m	s	°	′	″	′	″	h	m	h	m	h	m	
1	N	05	39	55.0	+28	30	40	59	45.1	7	10	15	0	22	49	3.3
2		06	44	23.7	+28	04	20	58	50.2	8	15	16	2	23	43	4.3
3		07	45	15.2	+25	53	37	57	53.1	9	23	17	0	—	—	5.3
4	◐	08	41	20.0	+22	20	41	56	58.4	10	31	17	52	0	27	6.3
5		09	32	39.1	+17	48	55	56	09.2	11	36	18	39	1	3	7.3
6		10	19	58.4	+12	38	38	55	27.3	12	38	19	22	1	32	8.3
7		11	04	23.0	+07	05	56	54	53.8	13	37	20	3	1	57	9.3
8	E	11	47	01.7	+01	23	33	54	28.7	14	34	20	42	2	20	10.3
9		12	29	00.4	−04	17	52	54	11.6	15	30	21	21	2	42	11.3
10		13	11	20.7	−09	48	25	54	01.8	16	27	22	2	3	5	12.3
11	A	13	54	58.3	−14	57	51	53	58.5	17	25	22	43	3	28	13.3
12		14	40	40.8	−19	34	54	54	01.2	18	25	23	28	3	55	14.3
13	○	15	29	02.4	−23	27	06	54	09.1	19	26	—	—	4	25	15.3
14		16	20	15.0	−26	21	10	54	22.1	20	26	0	16	5	2	16.3
15		17	13	59.4	−28	04	29	54	40.0	21	23	1	7	5	45	17.3
16	S	18	09	23.3	−28	27	14	55	03.0	22	15	1	59	6	36	18.3
17		19	05	12.2	−27	24	38	55	31.4	23	1	2	53	7	34	19.3
18		20	00	13.1	−24	57	55	56	05.4	23	40	3	47	8	36	20.3
19		20	53	37.7	−21	13	48	56	44.7	—	—	4	38	9	42	21.3
20	◑	21	45	14.6	−16	22	49	57	28.9	0	14	5	28	10	49	22.3
21		22	35	27.1	−10	37	47	58	16.4	0	44	6	16	11	56	23.3
22		23	25	05.2	−04	13	16	59	04.7	1	12	7	3	13	4	24.3
23	E	00	15	16.3	+02	33	53	59	50.2	1	39	7	51	14	13	25.3
24		01	07	17.6	+09	23	22	60	28.3	2	7	8	40	15	25	26.3
25		02	02	25.1	+15	50	13	60	54.4	2	39	9	33	16	40	27.3
26	P	03	01	35.3	+21	25	03	61	04.5	3	15	10	31	17	58	28.3
27	●	04	04	54.8	+25	36	48	60	56.5	3	59	11	33	19	16	29.3
28		05	11	09.6	+27	59	26	60	30.7	4	52	12	39	20	28	1.0
29	N	06	17	47.1	+28	20	20	59	50.1	5	55	13	44	21	30	2.0
30		07	21	52.8	+26	44	57	58	59.3	7	4	14	46	22	20	3.0
31		08	21	24.7	+23	33	24	58	03.6	8	15	15	42	23	0	4.0

名称	中央標準時 日 h m	名称	中央標準時 日 h m	名称	中央標準時 日 h	距離
上弦	4 22 52	最北	1 15 24	最遠	11 10	1.057
望	13 1 56	赤道通過	8 14 50	最近	26 11	0.934
下弦	20 20 59	最南	16 3 30			
朔	27 12 2	赤道通過	23 0 1			
		最北	29 1 3			

●朔，◐上弦，○望，◑下弦，S 最南，E 赤道通過，N 最北，P 最近，A 最遠

太　陽　　令和7年　6月　2025

日次	七曜	通日	世界時 0ʰ 視赤経	世界時 0ʰ 視赤緯	世界時 0ʰ 均時差	東京，中央標準時 出	東京，中央標準時 南中	東京，中央標準時 入
			h m s	° ′ ″	m s	h m	h m s	h m
1	日	152	04 36 44.4	+22 03 35	+02 11.5	4 27	11 38 52	18 51
2	月	153	04 40 50.3	+22 11 31	+02 02.1	4 26	11 39 1	18 52
3	火	154	04 44 56.7	+22 19 04	+01 52.3	4 26	11 39 11	18 53
4	水	155	04 49 03.3	+22 26 13	+01 42.2	4 26	11 39 21	18 53
5	木	156	04 53 10.3	+22 32 59	+01 31.7	4 25	11 39 32	18 54
6	金	157	04 57 17.6	+22 39 21	+01 21.0	4 25	11 39 42	18 54
7	土	158	05 01 25.2	+22 45 19	+01 09.9	4 25	11 39 53	18 55
8	日	159	05 05 33.1	+22 50 54	+00 58.6	4 25	11 40 5	18 55
9	月	160	05 09 41.2	+22 56 04	+00 47.0	4 25	11 40 16	18 56
10	火	161	05 13 49.6	+23 00 50	+00 35.2	4 25	11 40 28	18 56
11	水	162	05 17 58.2	+23 05 11	+00 23.2	4 25	11 40 40	18 57
12	木	163	05 22 07.0	+23 09 09	+00 11.0	4 25	11 40 52	18 57
13	金	164	05 26 15.9	+23 12 42	−00 01.4	4 25	11 41 5	18 58
14	土	165	05 30 25.1	+23 15 50	−00 14.0	4 25	11 41 17	18 58
15	日	166	05 34 34.4	+23 18 34	−00 26.7	4 25	11 41 30	18 58
16	月	167	05 38 43.8	+23 20 53	−00 39.5	4 25	11 41 43	18 59
17	火	168	05 42 53.3	+23 22 48	−00 52.5	4 25	11 41 56	18 59
18	水	169	05 47 02.8	+23 24 17	−01 05.5	4 25	11 42 9	18 59
19	木	170	05 51 12.5	+23 25 22	−01 18.6	4 25	11 42 22	19 0
20	金	171	05 55 22.2	+23 26 03	−01 31.7	4 25	11 42 35	19 0
21	土	172	05 59 31.9	+23 26 18	−01 44.9	4 25	11 42 48	19 0
22	日	173	06 03 41.6	+23 26 08	−01 58.0	4 26	11 43 2	19 0
23	月	174	06 07 51.2	+23 25 34	−02 11.1	4 26	11 43 15	19 1
24	火	175	06 12 00.8	+23 24 35	−02 24.2	4 26	11 43 28	19 1
25	水	176	06 16 10.4	+23 23 11	−02 37.1	4 27	11 43 41	19 1
26	木	177	06 20 19.7	+23 21 22	−02 49.9	4 27	11 43 53	19 1
27	金	178	06 24 29.0	+23 19 09	−03 02.6	4 27	11 44 6	19 1
28	土	179	06 28 38.0	+23 16 31	−03 15.1	4 28	11 44 19	19 1
29	日	180	06 32 46.9	+23 13 28	−03 27.4	4 28	11 44 31	19 1
30	月	181	06 36 55.5	+23 10 01	−03 39.5	4 28	11 44 43	19 1

日次	世界時 0ʰ 黄経	黄緯	距離	視半径	章動 黄経	章動 黄道傾斜	黄道傾斜
	° ′ ″	″		′ ″	″	″	° ′ ″
2	71 22 47.9	−11.7	1.01411	15 47.8	+01.6	+08.7	23 26 18.2
6	75 12 38.3	−12.4	1.01466	15 47.3	+01.3	+08.7	23 26 18.2
10	79 02 10.9	−12.8	1.01514	15 46.8	+01.4	+08.5	23 26 17.9
14	82 51 29.8	−12.8	1.01558	15 46.4	+02.0	+08.4	23 26 17.9
18	86 40 40.2	−12.3	1.01596	15 46.1	+02.1	+08.6	23 26 18.1
22	90 29 46.4	−11.8	1.01627	15 45.8	+02.0	+08.5	23 26 18.0
26	94 18 49.4	−11.6	1.01649	15 45.6	+02.7	+08.4	23 26 17.8
30	98 07 47.2	−11.8	1.01661	15 45.5	+03.0	+08.6	23 26 18.0

月　　令和 7 年　6 月　2025

日次		世界時 0^h 視赤経	視赤緯	視差	東京，中央標準時 出	南中	入	正午月齢
		h m s	° ′ ″	′ ″	h m	h m	h m	
1		09 15 45.3	+19 11 41	57 07.9	9 23	16 33	23 32	5.0
2		10 05 24.0	+14 04 19	56 16.3	10 28	17 18	23 59	6.0
3	◐	10 51 24.2	+08 31 02	55 31.8	11 29	18 1	— —	7.0
4	E	11 34 59.5	+02 46 43	54 55.9	12 27	18 41	0 24	8.0
5		12 17 22.5	−02 57 13	54 29.5	13 24	19 20	0 46	9.0
6		12 59 41.1	−08 31 03	54 12.7	14 21	20 0	1 8	10.0
7	A	13 42 57.4	−13 45 25	54 04.8	15 18	20 41	1 32	11.0
8		14 28 06.0	−18 30 06	54 05.2	16 17	21 25	1 57	12.0
9		15 15 49.8	−22 33 21	54 12.7	17 18	22 12	2 27	13.0
10		16 06 30.8	−25 42 03	54 26.1	18 18	23 2	3 1	14.0
11	○	17 00 00.1	−27 42 46	54 44.5	19 17	23 55	3 42	15.0
12	S	17 55 31.3	−28 24 07	55 06.7	20 11	— —	4 31	16.0
13		18 51 47.8	−27 39 30	55 32.2	20 59	0 49	5 28	17.0
14		19 47 25.8	−25 28 59	56 00.4	21 41	1 43	6 30	18.0
15		20 41 22.5	−21 59 17	56 31.1	22 16	2 35	7 35	19.0
16		21 33 12.7	−17 21 51	57 04.0	22 47	3 25	8 42	20.0
17		22 23 10.1	−11 50 40	57 38.7	23 15	4 13	9 48	21.0
18		23 11 58.5	−05 40 48	58 14.6	23 41	5 0	10 54	22.0
19	◑ E	00 00 41.5	+00 51 52	58 50.4	— —	5 46	12 0	23.0
20		00 50 34.1	+07 29 54	59 24.0	0 8	6 33	13 9	24.0
21		01 42 55.3	+13 52 55	59 52.6	0 37	7 23	14 20	25.0
22		02 38 55.5	+19 36 42	60 13.1	1 10	8 17	15 35	26.0
23	P	03 39 13.6	+24 13 36	60 22.3	1 49	9 15	16 51	27.0
24		04 43 25.1	+27 16 09	60 18.0	2 37	10 18	18 5	28.0
25	● N	05 49 41.0	+28 24 15	59 59.4	3 35	11 23	19 12	29.0
26		06 55 12.3	+27 32 49	59 27.6	4 41	12 27	20 8	0.7
27		07 57 20.7	+24 53 52	58 45.5	5 52	13 27	20 53	1.7
28		08 54 38.8	+20 51 00	57 56.9	7 4	14 22	21 29	2.7
29		09 47 00.0	+15 50 49	57 06.4	8 11	15 10	21 59	3.7
30		10 35 10.0	+10 16 51	56 17.9	9 15	15 55	22 25	4.7

名称	中央標準時	名称	中央標準時	名称	中央標準時	距離
	日 h m		日 h m		日 h	
上弦	3 12 41	赤道通過	4 20 35	最遠	7 20	1.055
望	11 16 44	最南	12 8 42	最近	23 14	0.945
下弦	19 4 19	赤道通過	19 5 52			
朔	25 19 32	最北	25 10 31			

●朔，◐上弦，○望，◑下弦，S 最南，E 赤道通過，N 最北，P 最近，A 最遠

太　陽　　令和7年　7月　2025

日次	七曜	通日	世界時 0^h 視赤経	世界時 0^h 視赤緯	世界時 0^h 均時差	東京，中央標準時 出	東京，中央標準時 南中	東京，中央標準時 入
			h m s	° ′ ″	m s	h m	h m s	h r
1	火	182	06 41 03.9	+23 06 10	−03 51.3	4 29	11 44 55	19 1
2	水	183	06 45 11.9	+23 01 54	−04 02.8	4 29	11 45 6	19 1
3	木	184	06 49 19.7	+22 57 14	−04 14.0	4 30	11 45 17	19 1
4	金	185	06 53 27.2	+22 52 11	−04 24.9	4 30	11 45 28	19 1
5	土	186	06 57 34.3	+22 46 43	−04 35.5	4 31	11 45 39	19 0
6	日	187	07 01 41.0	+22 40 52	−04 45.7	4 31	11 45 49	19 0
7	月	188	07 05 47.4	+22 34 37	−04 55.5	4 32	11 45 59	19 0
8	火	189	07 09 53.4	+22 27 59	−05 05.0	4 32	11 46 8	19 0
9	水	190	07 13 59.0	+22 20 57	−05 14.0	4 33	11 46 17	18 59
10	木	191	07 18 04.2	+22 13 33	−05 22.6	4 33	11 46 26	18 59
11	金	192	07 22 08.9	+22 05 45	−05 30.8	4 34	11 46 34	18 59
12	土	193	07 26 13.2	+21 57 35	−05 38.5	4 35	11 46 41	18 58
13	日	194	07 30 17.1	+21 49 03	−05 45.8	4 35	11 46 49	18 58
14	月	195	07 34 20.4	+21 40 08	−05 52.6	4 36	11 46 55	18 58
15	火	196	07 38 23.3	+21 30 50	−05 58.9	4 37	11 47 2	18 57
16	水	197	07 42 25.7	+21 21 11	−06 04.7	4 37	11 47 7	18 57
17	木	198	07 46 27.6	+21 11 10	−06 10.1	4 38	11 47 13	18 56
18	金	199	07 50 28.9	+21 00 47	−06 14.9	4 39	11 47 17	18 56
19	土	200	07 54 29.8	+20 50 03	−06 19.2	4 39	11 47 22	18 55
20	日	201	07 58 30.2	+20 38 58	−06 23.0	4 40	11 47 25	18 55
21	月	202	08 02 30.0	+20 27 32	−06 26.2	4 41	11 47 29	18 54
22	火	203	08 06 29.2	+20 15 45	−06 28.9	4 41	11 47 31	18 53
23	水	204	08 10 27.9	+20 03 38	−06 31.0	4 42	11 47 33	18 53
24	木	205	08 14 26.0	+19 51 10	−06 32.6	4 43	11 47 35	18 52
25	金	206	08 18 23.6	+19 38 23	−06 33.6	4 44	11 47 36	18 51
26	土	207	08 22 20.5	+19 25 16	−06 33.9	4 44	11 47 36	18 50
27	日	208	08 26 16.8	+19 11 50	−06 33.7	4 45	11 47 36	18 50
28	月	209	08 30 12.5	+18 58 05	−06 32.9	4 46	11 47 35	18 49
29	火	210	08 34 07.6	+18 44 01	−06 31.4	4 47	11 47 33	18 48
30	水	211	08 38 02.1	+18 29 39	−06 29.3	4 47	11 47 31	18 47
31	木	212	08 41 55.9	+18 14 59	−06 26.6	4 48	11 47 28	18 46

日次	世界時 0^h 黄経	黄緯	距離	視半径	章動 黄経	章動 黄道傾斜	黄道傾斜
	° ′ ″	″		′ ″	″	″	° ′ ″
4	101 56 38.8	−12.1	1.01664	15 45.4	+02.8	+08.6	23 26 18.0
8	105 45 25.8	−12.0	1.01661	15 45.5	+03.0	+08.4	23 26 17.9
12	109 34 12.1	−11.6	1.01651	15 45.6	+03.5	+08.5	23 26 18.0
16	113 23 03.0	−10.7	1.01636	15 45.7	+03.5	+08.8	23 26 18.2
20	117 12 03.7	−09.9	1.01614	15 45.9	+03.4	+08.6	23 26 18.1
24	121 01 16.1	−09.4	1.01584	15 46.2	+04.1	+08.6	23 26 18.1
28	124 50 38.9	−09.3	1.01545	15 46.6	+04.1	+08.9	23 26 18.3

月　令和7年　7月　2025

日	次	世界時 0^h 視赤経	視赤緯	視差	東京，中央標準時 出	南中	入	正午月齢
		h m s	° ′ ″	′ ″	h m	h m	h m	
1		11 20 17.7	+04 27 37	55 34.7	10 16	16 37	22 48	5.7
2	E	12 03 36.8	−01 23 00	54 59.4	11 14	17 17	23 11	6.7
3	◐	12 46 18.4	−07 04 09	54 33.4	12 12	17 57	23 34	7.7
4		13 29 28.5	−12 26 27	54 17.4	13 9	18 38	23 59	8.7
5	A	14 14 07.2	−17 20 27	54 11.5	14 8	19 20	— —	9.7
6		15 01 04.9	−21 35 37	54 15.2	15 8	20 6	0 27	10.7
7		15 50 55.2	−24 59 48	54 27.4	16 8	20 55	0 59	11.7
8		16 43 44.8	−27 19 49	54 46.8	17 8	21 47	1 38	12.7
9	S	17 39 02.7	−28 23 06	55 11.8	18 5	22 41	2 24	13.7
10		18 35 41.6	−28 00 38	55 40.6	18 55	23 36	3 19	14.7
11	○	19 32 14.6	−26 09 40	56 11.5	19 39	— —	4 20	15.7
12		20 27 24.4	−22 54 50	56 43.0	20 17	0 30	5 26	16.7
13		21 20 27.8	−18 27 10	57 13.6	20 49	1 22	6 33	17.7
14		22 11 22.7	−13 01 39	57 42.6	21 18	2 11	7 40	18.7
15		23 00 41.5	−06 55 05	58 09.3	21 45	2 58	8 47	19.7
16	E	23 49 20.0	−00 24 52	58 33.4	22 11	3 44	9 53	20.7
17		00 38 27.8	+06 11 02	58 54.7	22 39	4 31	11 1	21.7
18	◑	01 29 20.0	+12 33 28	59 12.4	23 10	5 19	12 10	22.7
19		02 23 07.7	+18 21 09	59 25.7	23 45	6 10	13 22	23.7
20	P	03 20 42.0	+23 10 26	59 33.4	— —	7 5	14 35	24.7
21		04 22 07.9	+26 36 49	59 34.0	0 28	8 5	15 48	25.7
22	N	05 26 20.3	+28 19 31	59 26.1	1 21	9 8	16 57	26.7
23		06 31 06.4	+28 07 52	59 09.1	2 23	10 11	17 56	27.7
24		07 33 51.6	+26 05 57	58 42.9	3 32	11 12	18 45	28.7
25	●	08 32 42.9	+22 30 59	58 09.0	4 43	12 9	19 25	0.3
26		09 26 58.7	+17 47 09	57 29.5	5 53	13 0	19 57	1.3
27		10 16 59.0	+12 19 02	56 47.5	6 59	13 47	20 25	2.3
28		11 03 38.1	+06 27 47	56 06.0	8 2	14 30	20 50	3.3
29	E	11 48 03.0	+00 30 13	55 28.1	9 2	15 12	21 13	4.3
30		12 31 22.3	−05 20 32	54 56.5	10 0	15 52	21 36	5.3
31		13 14 41.4	−10 53 47	54 33.0	10 58	16 33	22 0	6.3

名称	中央標準時	名称	中央標準時	名称	中央標準時	距離
	日 h m		日 h m		日 h	
上弦	3 4 30	赤道通過	2 3 17	最遠	5 11	1.053
望	11 5 37	最南	9 14 55	最近	20 23	0.957
下弦	18 9 38	赤道通過	16 10 30			
朔	25 4 11	最北	22 18 33			
		赤道通過	29 11 2			

●朔，◐上弦，○望，◑下弦，S最南，E赤道通過，N最北，P最近，A最遠

太陽　　令和7年　8月　2025

日次	七曜	通日	世界時 0^h 視赤経	世界時 0^h 視赤緯	世界時 0^h 均時差	東京，中央標準時 出	東京，中央標準時 南中	東京，中央標準時 入
			h m s	° ′ ″	m s	h m	h m s	h m
1	金	213	08 45 49.1	+18 00 01	−06 23.3	4 49	11 47 25	18 45
2	土	214	08 49 41.7	+17 44 45	−06 19.3	4 50	11 47 21	18 45
3	日	215	08 53 33.7	+17 29 12	−06 14.7	4 50	11 47 16	18 44
4	月	216	08 57 25.0	+17 13 22	−06 09.5	4 51	11 47 11	18 43
5	火	217	09 01 15.8	+16 57 15	−06 03.7	4 52	11 47 5	18 42
6	水	218	09 05 05.9	+16 40 52	−05 57.2	4 53	11 46 59	18 41
7	木	219	09 08 55.4	+16 24 13	−05 50.2	4 54	11 46 51	18 40
8	金	220	09 12 44.3	+16 07 19	−05 42.5	4 54	11 46 44	18 39
9	土	221	09 16 32.6	+15 50 09	−05 34.3	4 55	11 46 35	18 38
10	日	222	09 20 20.4	+15 32 43	−05 25.5	4 56	11 46 26	18 36
11	月	223	09 24 07.5	+15 15 03	−05 16.1	4 57	11 46 17	18 35
12	火	224	09 27 54.1	+14 57 08	−05 06.1	4 57	11 46 7	18 34
13	水	225	09 31 40.2	+14 38 59	−04 55.6	4 58	11 45 56	18 33
14	木	226	09 35 25.7	+14 20 36	−04 44.6	4 59	11 45 45	18 32
15	金	227	09 39 10.7	+14 01 59	−04 33.0	5 0	11 45 34	18 31
16	土	228	09 42 55.2	+13 43 08	−04 21.0	5 1	11 45 22	18 30
17	日	229	09 46 39.2	+13 24 04	−04 08.4	5 1	11 45 9	18 28
18	月	230	09 50 22.7	+13 04 48	−03 55.3	5 2	11 44 56	18 27
19	火	231	09 54 05.7	+12 45 19	−03 41.8	5 3	11 44 42	18 26
20	水	232	09 57 48.2	+12 25 37	−03 27.8	5 4	11 44 28	18 25
21	木	233	10 01 30.3	+12 05 44	−03 13.3	5 4	11 44 14	18 23
22	金	234	10 05 11.9	+11 45 39	−02 58.3	5 5	11 43 59	18 22
23	土	235	10 08 53.1	+11 25 23	−02 42.9	5 6	11 43 43	18 21
24	日	236	10 12 33.8	+11 04 56	−02 27.1	5 7	11 43 27	18 20
25	月	237	10 16 14.1	+10 44 19	−02 10.9	5 8	11 43 11	18 18
26	火	238	10 19 54.0	+10 23 32	−01 54.2	5 8	11 42 54	18 17
27	水	239	10 23 33.4	+10 02 34	−01 37.1	5 9	11 42 37	18 16
28	木	240	10 27 12.5	+09 41 27	−01 19.7	5 10	11 42 20	18 14
29	金	241	10 30 51.2	+09 20 11	−01 01.8	5 11	11 42 2	18 13
30	土	242	10 34 29.6	+08 58 47	−00 43.6	5 11	11 41 44	18 12
31	日	243	10 38 07.6	+08 37 13	−00 25.1	5 12	11 41 25	18 10

日次	世界時 0^h 黄経	黄緯	距離	視半径	章動 黄経	章動 黄道傾斜	黄道傾斜
	° ′ ″	″		′ ″	″	″	° ′ ″
1	128 40 10.6	−09.3	1.01496	15 47.0	+03.8	+08.9	23 26 18.3
5	132 29 51.8	−08.8	1.01441	15 47.5	+04.0	+08.8	23 26 18.2
9	136 19 45.0	−08.0	1.01380	15 48.1	+04.4	+09.0	23 26 18.4
13	140 09 55.1	−06.8	1.01315	15 48.7	+04.1	+09.2	23 26 18.6
17	144 00 27.5	−05.7	1.01246	15 49.4	+04.0	+09.1	23 26 18.5
21	147 51 25.1	−05.1	1.01170	15 50.1	+04.5	+09.1	23 26 18.5
25	151 42 46.8	−04.8	1.01087	15 50.8	+04.3	+09.4	23 26 18.8
29	155 34 30.8	−04.5	1.00997	15 51.7	+03.9	+09.3	23 26 18.7

月　　令和7年　8月　2025

日	次	世界時 0^h 視赤経 (h m s)	視赤緯 (° ′ ″)	視差 (′ ″)	東京, 中央標準時 出 (h m)	南中 (h m)	入 (h m)	正午月齢
1	◐	13 59 01.0	−15 59 50	54 19.1	11 57	17 15	22 26	7.3
2	A	14 45 14.3	−20 28 46	54 15.3	12 56	17 59	22 57	8.3
3		15 34 02.1	−24 09 40	54 21.9	13 57	18 47	23 33	9.3
4		16 25 43.7	−26 50 23	54 38.3	14 57	19 38	— —	10.3
5	S	17 20 06.7	−28 18 36	55 03.3	15 55	20 31	0 16	11.3
6		18 16 22.1	−28 23 52	55 35.3	16 48	21 26	1 7	12.3
7		19 13 13.5	−27 00 25	56 12.2	17 35	22 20	2 6	13.3
8		20 09 20.4	−24 09 14	56 51.2	18 15	23 14	3 11	14.3
9	○	21 03 45.7	−19 58 20	57 29.6	18 50	— —	4 19	15.3
10		21 56 09.8	−14 41 25	58 04.8	19 20	0 4	5 27	16.3
11		22 46 50.3	−08 35 43	58 34.6	19 48	0 53	6 36	17.3
12	E	23 36 32.4	−02 00 26	58 57.4	20 15	1 41	7 44	18.3
13		00 26 17.9	+04 44 13	59 12.8	20 42	2 28	8 52	19.3
14		01 17 16.1	+11 17 16	59 20.9	21 12	3 16	10 1	20.3
15	P	02 10 34.1	+17 16 48	59 22.5	21 46	4 7	11 13	21.3
16	◑	03 07 02.8	+22 20 04	59 18.3	22 26	5 1	12 26	22.3
17		04 06 55.9	+26 04 34	59 09.3	23 14	5 58	13 39	23.3
18		05 09 29.3	+28 11 11	58 55.8	— —	6 59	14 47	24.3
19	N	06 12 57.8	+28 28 47	58 38.0	0 12	8 1	15 49	25.3
20		07 15 06.8	+26 58 13	58 16.0	1 17	9 2	16 40	26.3
21		08 14 04.6	+23 52 08	57 49.9	2 27	9 59	17 22	27.3
22		09 08 57.2	+19 30 51	57 20.1	3 36	10 52	17 57	28.3
23	●	09 59 47.8	+14 16 56	56 47.7	4 43	11 40	18 26	29.3
24		10 47 17.5	+08 31 32	56 13.9	5 47	12 24	18 51	0.9
25	E	11 32 24.7	+02 32 40	55 40.7	6 49	13 6	19 15	1.9
26		12 16 12.1	−03 24 44	55 10.1	7 48	13 47	19 38	2.9
27		12 59 41.2	−09 08 15	54 44.3	8 46	14 28	20 1	3.9
28		13 43 49.7	−14 27 00	54 25.1	9 45	15 10	20 27	4.9
29		14 29 28.8	−19 10 38	54 14.2	10 44	15 53	20 56	5.9
30	A	15 17 20.0	−23 08 35	54 12.7	11 44	16 39	21 29	6.9
31	◐	16 07 47.5	−26 09 43	54 21.5	12 44	17 28	22 9	7.9

名　称	中央標準時 (日 h m)	名　称	中央標準時 (日 h m)	名　称	中央標準時 (日 h)	距離
上　弦	1 21 41	最　南	5 22 31	最　遠	2 6	1.051
望	9 16 55	赤道通過	12 16 9	最　近	15 3	0.961
下　弦	16 14 12	最　北	19 0 48	最　遠	30 1	1.052
朔	23 15 7	赤道通過	25 19 11			
上　弦	31 15 25					

●朔, ◐上弦, ○望, ◑下弦, S 最南, E 赤道通過, N 最北, P 最近, A 最遠

太　陽　　令和7年　9月　2025

日次	七曜	通日	世界時 0^h 視赤経	世界時 0^h 視赤緯	世界時 0^h 均時差	東京，中央標準時 出	東京，中央標準時 南中	東京，中央標準時 入
			h m s	° ′ ″	m s	h m	h m s	h m
1	月	244	10 41 45.3	+08 15 32	−00 06.2	5 13	11 41 6	18 9
2	火	245	10 45 22.7	+07 53 43	+00 13.0	5 14	11 40 47	18 7
3	水	246	10 48 59.7	+07 31 46	+00 32.5	5 14	11 40 27	18 6
4	木	247	10 52 36.5	+07 09 42	+00 52.2	5 15	11 40 8	18 5
5	金	248	10 56 13.1	+06 47 31	+01 12.3	5 16	11 39 48	18 3
6	土	249	10 59 49.4	+06 25 14	+01 32.5	5 17	11 39 27	18 2
7	日	250	11 03 25.4	+06 02 50	+01 53.0	5 17	11 39 7	18 0
8	月	251	11 07 01.3	+05 40 21	+02 13.7	5 18	11 38 46	17 59
9	火	252	11 10 37.0	+05 17 46	+02 34.5	5 19	11 38 25	17 57
10	水	253	11 14 12.6	+04 55 05	+02 55.5	5 20	11 38 4	17 56
11	木	254	11 17 48.0	+04 32 19	+03 16.6	5 20	11 37 43	17 54
12	金	255	11 21 23.3	+04 09 29	+03 37.9	5 21	11 37 22	17 53
13	土	256	11 24 58.6	+03 46 33	+03 59.2	5 22	11 37 1	17 52
14	日	257	11 28 33.8	+03 23 34	+04 20.5	5 23	11 36 39	17 50
15	月	258	11 32 08.9	+03 00 31	+04 41.9	5 23	11 36 18	17 49
16	火	259	11 35 44.1	+02 37 24	+05 03.3	5 24	11 35 56	17 47
17	水	260	11 39 19.2	+02 14 14	+05 24.7	5 25	11 35 35	17 46
18	木	261	11 42 54.4	+01 51 02	+05 46.1	5 26	11 35 14	17 44
19	金	262	11 46 29.6	+01 27 46	+06 07.5	5 26	11 34 52	17 43
20	土	263	11 50 04.8	+01 04 29	+06 28.8	5 27	11 34 31	17 41
21	日	264	11 53 40.1	+00 41 10	+06 50.1	5 28	11 34 10	17 40
22	月	265	11 57 15.5	+00 17 50	+07 11.2	5 29	11 33 49	17 38
23	火	266	12 00 51.0	−00 05 32	+07 32.3	5 29	11 33 28	17 37
24	水	267	12 04 26.6	−00 28 54	+07 53.2	5 30	11 33 7	17 35
25	木	268	12 08 02.3	−00 52 16	+08 14.0	5 31	11 32 46	17 34
26	金	269	12 11 38.3	−01 15 39	+08 34.7	5 32	11 32 25	17 33
27	土	270	12 15 14.4	−01 39 01	+08 55.1	5 33	11 32 5	17 31
28	日	271	12 18 50.6	−02 02 22	+09 15.4	5 33	11 31 45	17 30
29	月	272	12 22 27.1	−02 25 42	+09 35.5	5 34	11 31 25	17 28
30	火	273	12 26 03.9	−02 49 00	+09 55.3	5 35	11 31 5	17 27

日次	世界時 0^h 黄経	黄緯	距離	視半径	章動 黄経	章動 黄道傾斜	黄道傾斜
	° ′ ″	″		′ ″	″	″	° ′ ″
2	159 26 36.1	−03.8	1.00901	15 52.6	+04.0	+09.3	23 26 18.6
6	163 19 03.9	−02.7	1.00802	15 53.5	+04.1	+09.4	23 26 18.8
10	167 11 57.5	−01.3	1.00701	15 54.5	+03.7	+09.5	23 26 18.9
14	171 05 22.2	−00.2	1.00598	15 55.5	+03.7	+09.3	23 26 18.7
18	174 59 21.2	+00.4	1.00493	15 56.5	+04.0	+09.4	23 26 18.8
22	178 53 53.8	+00.8	1.00384	15 57.5	+03.5	+09.6	23 26 18.9
26	182 48 57.4	+01.2	1.00271	15 58.6	+03.1	+09.4	23 26 18.8
30	186 44 29.9	+02.0	1.00155	15 59.7	+03.3	+09.3	23 26 18.7

月　令和7年　9月　2025

日	次	世界時 0^h 視赤経	世界時 0^h 視赤緯	世界時 0^h 視差	東京，中央標準時 出	東京，中央標準時 南中	東京，中央標準時 入	正午月齢
		h m s	° ′ ″	′ ″	h m	h m	h m	
1		17 00 50.5	−28 02 41	54 40.5	13 43	18 20	22 56	8.9
2	S	17 55 56.5	−28 37 15	55 09.4	14 38	19 14	23 51	9.9
3		18 52 05.7	−27 46 19	55 46.9	15 27	20 8	— —	10.9
4		19 48 06.7	−25 27 56	56 31.0	16 9	21 1	0 53	11.9
5		20 43 00.7	−21 46 12	57 18.8	16 46	21 53	1 59	12.9
6		21 36 18.3	−16 50 59	58 06.7	17 19	22 43	3 8	13.9
7		22 28 05.0	−10 56 51	58 50.7	17 48	23 32	4 17	14.9
8	○	23 18 55.5	−04 22 03	59 26.9	18 16	— —	5 26	15.9
9	E	00 09 44.3	+02 32 25	59 52.3	18 43	0 21	6 36	16.9
10	P	01 01 36.1	+09 23 14	60 05.1	19 13	1 10	7 47	17.9
11		01 55 35.3	+15 45 30	60 05.3	19 46	2 1	9 0	18.9
12		02 52 31.2	+21 13 40	59 54.2	20 25	2 55	10 15	19.9
13		03 52 37.9	+25 23 23	59 34.2	21 11	3 52	11 29	20.9
14	◑	04 55 14.2	+27 54 53	59 08.1	22 6	4 53	12 40	21.9
15	N	05 58 40.4	+28 37 06	58 38.3	23 9	5 55	13 44	22.9
16		07 00 47.9	+27 30 50	58 06.9	— —	6 56	14 38	23.9
17		07 59 48.6	+24 48 01	57 35.1	0 17	7 54	15 22	24.9
18		08 54 48.3	+20 47 37	57 03.7	1 26	8 47	15 58	25.9
19		09 45 48.5	+15 50 41	56 33.0	2 32	9 35	16 28	26.9
20		10 33 27.6	+10 17 06	56 03.3	3 36	10 20	16 54	27.9
21		11 18 41.4	+04 24 13	55 35.0	4 38	11 3	17 18	28.9
22	●E	12 02 30.4	−01 32 59	55 08.7	5 37	11 44	17 41	0.3
23		12 45 54.0	−07 21 29	54 45.3	6 36	12 24	18 4	1.3
24		13 29 47.1	−12 49 28	54 25.9	7 34	13 5	18 29	2.3
25		14 14 58.6	−17 45 43	54 12.0	8 34	13 48	18 56	3.3
26	A	15 02 07.7	−21 59 09	54 04.8	9 33	14 33	19 28	4.3
27		15 51 38.1	−25 18 37	54 05.6	10 33	15 21	20 5	5.3
28		16 43 31.4	−27 33 15	54 15.6	11 32	16 11	20 48	6.3
29	S	17 37 22.1	−28 33 30	54 35.4	12 28	17 3	21 39	7.3
30	◐	18 32 19.9	−28 12 33	55 05.2	13 18	17 56	22 37	8.3

名称	中央標準時	名称	中央標準時	名称	中央標準時	距離
	日 h m		日 h m		日 h	
望	8 3 9	最南	2 6 56	最近	10 21	0.949
下弦	14 19 33	赤道通過	9 0 13	最遠	26 19	1.055
朔	22 4 54	最北	15 6 7			
上弦	30 8 54	赤道通過	22 2 44			
		最南	29 14 59			

●朔，◐上弦，○望，◑下弦，S 最南，E 赤道通過，N 最北，P 最近，A 最遠

太　陽　　令和7年　　10月　　2025

日次	七曜	通日	世界時 0^h 視赤経	世界時 0^h 視赤緯	世界時 0^h 均時差	東京，中央標準時 出	東京，中央標準時 南中	東京，中央標準時 入
			h m s	° ′ ″	m s	h m	h m s	h
1	水	274	12 29 40.9	−03 12 17	+10 14.8	5 36	11 30 45	17 25
2	木	275	12 33 18.1	−03 35 32	+10 34.1	5 36	11 30 26	17 24
3	金	276	12 36 55.7	−03 58 44	+10 53.2	5 37	11 30 7	17 22
4	土	277	12 40 33.5	−04 21 53	+11 11.9	5 38	11 29 48	17 21
5	日	278	12 44 11.7	−04 44 58	+11 30.2	5 39	11 29 30	17 20
6	月	279	12 47 50.3	−05 08 01	+11 48.2	5 40	11 29 12	17 18
7	火	280	12 51 29.2	−05 30 59	+12 05.8	5 41	11 28 54	17 17
8	水	281	12 55 08.5	−05 53 53	+12 23.0	5 41	11 28 37	17 15
9	木	282	12 58 48.3	−06 16 42	+12 39.8	5 42	11 28 21	17 14
10	金	283	13 02 28.5	−06 39 27	+12 56.1	5 43	11 28 4	17 13
11	土	284	13 06 09.3	−07 02 07	+13 12.0	5 44	11 27 48	17 11
12	日	285	13 09 50.5	−07 24 41	+13 27.3	5 45	11 27 33	17 10
13	月	286	13 13 32.2	−07 47 09	+13 42.1	5 45	11 27 18	17 9
14	火	287	13 17 14.5	−08 09 30	+13 56.4	5 46	11 27 4	17 7
15	水	288	13 20 57.3	−08 31 45	+14 10.1	5 47	11 26 51	17 6
16	木	289	13 24 40.7	−08 53 53	+14 23.3	5 48	11 26 37	17 5
17	金	290	13 28 24.7	−09 15 54	+14 35.8	5 49	11 26 25	17 3
18	土	291	13 32 09.3	−09 37 46	+14 47.8	5 50	11 26 13	17 2
19	日	292	13 35 54.6	−09 59 30	+14 59.1	5 51	11 26 2	17 1
20	月	293	13 39 40.4	−10 21 06	+15 09.8	5 52	11 25 51	17 0
21	火	294	13 43 26.9	−10 42 32	+15 19.8	5 52	11 25 41	16 58
22	水	295	13 47 14.1	−11 03 49	+15 29.2	5 53	11 25 32	16 57
23	木	296	13 51 02.0	−11 24 56	+15 37.9	5 54	11 25 23	16 56
24	金	297	13 54 50.5	−11 45 52	+15 45.9	5 55	11 25 15	16 55
25	土	298	13 58 39.7	−12 06 38	+15 53.3	5 56	11 25 8	16 54
26	日	299	14 02 29.7	−12 27 13	+15 59.9	5 57	11 25 2	16 53
27	月	300	14 06 20.3	−12 47 36	+16 05.8	5 58	11 24 56	16 51
28	火	301	14 10 11.7	−13 07 47	+16 10.9	5 59	11 24 51	16 50
29	水	302	14 14 03.9	−13 27 45	+16 15.4	6 0	11 24 46	16 49
30	木	303	14 17 56.8	−13 47 31	+16 19.0	6 1	11 24 43	16 48
31	金	304	14 21 50.4	−14 07 03	+16 22.0	6 2	11 24 40	16 47

日次	世界時 0^h 黄経	黄緯	距離	視半径	章動 黄経	章動 黄道傾斜	黄道傾斜
	° ′ ″	″		′ ″	″	″	° ′ ″
4	190 40 30.3	+03.2	1.00039	16 00.8	+03.3	+09.5	23 26 18.8
8	194 37 00.2	+04.5	0.99924	16 01.9	+02.8	+09.4	23 26 18.8
12	198 34 03.7	+05.5	0.99811	16 03.0	+03.0	+09.2	23 26 18.5
16	202 31 44.0	+06.0	0.99700	16 04.1	+03.2	+09.3	23 26 18.6
20	206 30 00.7	+06.2	0.99589	16 05.1	+02.8	+09.3	23 26 18.6
24	210 28 50.6	+06.6	0.99478	16 06.2	+02.6	+09.1	23 26 18.4
28	214 28 10.3	+07.3	0.99368	16 07.3	+02.9	+08.9	23 26 18.3

月　令和7年　10月　2025

日	次	世界時 0^h 視赤経	視赤緯	視差	東京，中央標準時 出	南中	入	正午月齢
		h m s	° ′ ″	′ ″	h m	h m	h m	
1		19 27 23.2	−26 27 40	55 44.5	14 3	18 49	23 40	9.3
2		20 21 37.8	−23 20 55	56 32.2	14 41	19 41	——	10.3
3		21 14 34.1	−18 58 54	57 25.7	15 15	20 31	0 47	11.3
4		22 06 13.4	−13 32 13	58 21.6	15 45	21 20	1 54	12.3
5		22 57 05.3	−07 15 02	59 15.4	16 14	22 8	3 3	13.3
6	E	23 48 01.0	−00 25 12	60 01.8	16 41	22 57	4 13	14.3
7	○	00 40 04.6	+06 35 22	60 35.9	17 11	23 48	5 24	15.3
8	P	01 34 23.7	+13 20 44	60 54.0	17 43	——	6 38	16.3
9		02 31 54.5	+19 21 55	60 54.5	18 20	0 43	7 54	17.3
10		03 32 59.1	+24 09 23	60 38.3	19 5	1 41	9 12	18.3
11		04 36 59.5	+27 17 51	60 08.5	19 59	2 43	10 27	19.3
12	N	05 42 09.1	+28 32 07	59 29.2	21 1	3 47	11 36	20.3
13		06 46 02.2	+27 51 18	58 45.0	22 9	4 50	12 34	21.3
14	◑	07 46 32.6	+25 28 08	57 59.6	23 18	5 49	13 22	22.3
15		08 42 36.7	+21 43 21	57 15.8	——	6 44	14 0	23.3
16		09 34 15.2	+16 59 23	56 35.6	0 25	7 33	14 32	24.3
17		10 22 10.8	+11 36 32	55 59.7	1 29	8 19	14 59	25.3
18		11 07 24.9	+05 51 49	55 28.4	2 31	9 2	15 23	26.3
19	E	11 51 02.6	−00 00 34	55 01.8	3 30	9 42	15 46	27.3
20		12 34 06.5	−05 48 18	54 39.6	4 28	10 23	16 9	28.3
21	●	13 17 33.7	−11 19 52	54 21.7	5 26	11 3	16 33	29.3
22		14 02 14.4	−16 23 57	54 08.4	6 25	11 45	16 59	0.6
23		14 48 48.5	−20 49 03	53 59.9	7 24	12 30	17 29	1.6
24	A	15 37 40.3	−24 23 26	53 56.9	8 24	13 16	18 4	2.6
25		16 28 51.5	−26 55 48	54 00.4	9 24	14 6	18 45	3.6
26	S	17 21 56.7	−28 16 22	54 11.3	10 20	14 57	19 33	4.6
27		18 16 06.0	−28 18 30	54 30.4	11 12	15 49	20 28	5.6
28		19 10 17.6	−26 59 43	54 58.5	11 58	16 41	21 28	6.6
29		20 03 36.9	−24 22 10	55 35.6	12 38	17 32	22 31	7.6
30	◐	20 55 33.5	−20 31 47	56 21.5	13 12	18 21	23 36	8.6
31		21 46 07.0	−15 37 21	57 14.6	13 43	19 8	——	9.6

名称	中央標準時	名称	中央標準時	名称	中央標準時	距離
	日 h m		日 h m		日 h	
望	7 12 48	赤道通過	6 10 27	最近	8 22	0.936
下弦	14 3 13	最北	12 12 14	最遠	24 9	1.057
朔	21 21 25	赤道通過	19 8 58			
上弦	30 1 21	最南	26 21 40			

● 朔，◐ 上弦，○ 望，◑ 下弦，S 最南，E 赤道通過，N 最北，P 最近，A 最遠

太陽　令和7年　11月　2025

日次	七曜	通日	世界時 0^h 視赤経	世界時 0^h 視赤緯	世界時 0^h 均時差	東京，中央標準時 出	東京，中央標準時 南中	東京，中央標準時 入
			h m s	° ′ ″	m s	h m	h m s	h
1	土	305	14 25 44.8	−14 26 22	+16 24.1	6 3	11 24 38	16 46
2	日	306	14 29 40.0	−14 45 27	+16 25.5	6 4	11 24 37	16 45
3	月	307	14 33 36.0	−15 04 17	+16 26.0	6 5	11 24 36	16 44
4	火	308	14 37 32.7	−15 22 53	+16 25.8	6 6	11 24 36	16 43
5	水	309	14 41 30.3	−15 41 13	+16 24.8	6 7	11 24 37	16 42
6	木	310	14 45 28.8	−15 59 18	+16 22.9	6 8	11 24 39	16 41
7	金	311	14 49 28.0	−16 17 07	+16 20.2	6 9	11 24 42	16 40
8	土	312	14 53 28.1	−16 34 40	+16 16.6	6 9	11 24 46	16 40
9	日	313	14 57 29.1	−16 51 56	+16 12.2	6 10	11 24 50	16 39
10	月	314	15 01 30.9	−17 08 55	+16 07.0	6 11	11 24 56	16 38
11	火	315	15 05 33.6	−17 25 37	+16 00.9	6 12	11 25 2	16 37
12	水	316	15 09 37.2	−17 42 01	+15 53.9	6 13	11 25 9	16 36
13	木	317	15 13 41.6	−17 58 06	+15 46.0	6 14	11 25 17	16 36
14	金	318	15 17 46.9	−18 13 53	+15 37.2	6 15	11 25 26	16 35
15	土	319	15 21 53.0	−18 29 21	+15 27.6	6 16	11 25 35	16 34
16	日	320	15 26 00.1	−18 44 29	+15 17.2	6 17	11 25 46	16 34
17	月	321	15 30 07.9	−18 59 18	+15 05.9	6 18	11 25 57	16 33
18	火	322	15 34 16.6	−19 13 46	+14 53.7	6 19	11 26 10	16 33
19	水	323	15 38 26.2	−19 27 53	+14 40.7	6 20	11 26 23	16 32
20	木	324	15 42 36.6	−19 41 39	+14 26.9	6 21	11 26 37	16 32
21	金	325	15 46 47.8	−19 55 04	+14 12.2	6 22	11 26 51	16 31
22	土	326	15 50 59.8	−20 08 07	+13 56.8	6 23	11 27 7	16 31
23	日	327	15 55 12.6	−20 20 48	+13 40.6	6 24	11 27 23	16 30
24	月	328	15 59 26.1	−20 33 07	+13 23.6	6 25	11 27 40	16 30
25	火	329	16 03 40.5	−20 45 02	+13 05.8	6 26	11 27 58	16 29
26	水	330	16 07 55.5	−20 56 34	+12 47.3	6 27	11 28 17	16 29
27	木	331	16 12 11.3	−21 07 43	+12 28.1	6 28	11 28 36	16 29
28	金	332	16 16 27.8	−21 18 28	+12 08.1	6 29	11 28 56	16 29
29	土	333	16 20 45.0	−21 28 48	+11 47.5	6 30	11 29 17	16 28
30	日	334	16 25 02.8	−21 38 44	+11 26.3	6 31	11 29 38	16 28

日次	世界時 0^h 黄経	黄緯	距離	視半径	章動 黄経	章動 黄道傾斜	黄道傾斜
	° ′ ″	″		′ ″	″	″	° ′ ″
1	218 27 56.8	+08.4	0.99261	16 08.3	+02.9	+09.0	23 26 18.4
5	222 28 09.4	+09.5	0.99157	16 09.3	+02.5	+08.9	23 26 18.2
9	226 28 50.3	+10.2	0.99061	16 10.3	+03.0	+08.7	23 26 17.9
13	230 30 02.8	+10.3	0.98970	16 11.2	+03.3	+08.7	23 26 18.0
17	234 31 46.3	+10.3	0.98883	16 12.0	+03.0	+08.7	23 26 18.0
21	238 33 57.5	+10.5	0.98801	16 12.8	+03.1	+08.4	23 26 17.7
25	242 36 31.7	+11.0	0.98722	16 13.6	+03.6	+08.4	23 26 17.7
29	246 39 24.7	+11.7	0.98648	16 14.4	+03.6	+08.5	23 26 17.8

月　　令和 7 年　　11 月　　2025

日次		世界時 0^h 視赤経	視赤緯	視差	東京，中央標準時 出	南中	入	正午月齢
		h m s	° ′ ″	′ ″	h m	h m	h m	
1		22 35 46.0	−09 49 53	58 12.5	14 11	19 55	0 42	10.6
2	E	23 25 20.7	−03 22 47	59 11.2	14 38	20 43	1 49	11.6
3		00 15 57.4	+03 27 05	60 05.5	15 6	21 32	2 58	12.6
4		01 08 50.6	+10 18 06	60 49.6	15 37	22 25	4 10	13.6
5	○	02 05 11.6	+16 43 03	61 18.0	16 12	23 22	5 25	14.6
6	P	03 05 47.7	+22 10 07	61 27.0	16 54	— —	6 43	15.6
7		04 10 28.7	+26 07 07	61 15.5	17 45	0 24	8 3	16.6
8	N	05 17 40.0	+28 09 09	60 45.6	18 46	1 29	9 18	17.6
9		06 24 35.7	+28 06 59	60 01.6	19 55	2 35	10 23	18.6
10		07 28 25.9	+26 09 52	59 09.0	21 6	3 39	11 16	19.6
11		08 27 26.3	+22 40 08	58 13.4	22 16	4 37	11 59	20.6
12	◑	09 21 17.6	+18 04 12	57 19.1	23 22	5 30	12 34	21.6
13		10 10 40.1	+12 45 56	56 29.5	— —	6 17	13 2	22.6
14		10 56 41.7	+07 04 27	55 46.4	0 25	7 1	13 27	23.6
15	E	11 40 36.0	+01 14 30	55 10.7	1 25	7 42	13 51	24.6
16		12 23 33.5	−04 32 00	54 42.5	2 23	8 22	14 14	25.6
17		13 06 38.2	−10 04 31	54 21.4	3 20	9 3	14 37	26.6
18		13 50 46.5	−15 12 40	54 06.9	4 18	9 44	15 3	27.6
19		14 36 43.9	−19 45 30	53 58.2	5 17	10 27	15 31	28.6
20	●A	15 25 00.9	−23 31 17	53 55.0	6 17	11 13	16 5	29.6
21		16 15 44.3	−26 18 08	53 57.0	7 17	12 2	16 44	0.8
22		17 08 31.8	−27 55 21	54 04.2	8 14	12 53	17 30	1.8
23	S	18 02 32.3	−28 15 17	54 16.9	9 8	13 45	18 23	2.8
24		18 56 37.7	−27 14 58	54 35.7	9 55	14 36	19 21	3.8
25		19 49 44.9	−24 56 42	55 01.2	10 36	15 27	20 22	4.8
26		20 41 14.2	−21 27 09	55 33.8	11 12	16 16	21 26	5.8
27		21 30 58.8	−16 55 43	56 13.7	11 43	17 2	22 29	6.8
28	◐	22 19 22.2	−11 33 12	57 00.3	12 11	17 48	23 34	7.8
29		23 07 12.0	−05 31 21	57 52.3	12 37	18 33	— —	8.8
30	E	23 55 32.9	+00 56 33	58 47.2	13 4	19 20	0 39	9.8

名称	中央標準時	名称	中央標準時	名称	中央標準時	距離
	日 h m		日 h m		日 h	
望	5 22 19	赤道通過	2 20 58	最近	6 7	0.928
下弦	12 14 28	最北	8 20 30	最遠	20 12	1.058
朔	20 15 47	赤道通過	15 14 7			
上弦	28 15 59	最南	23 3 0			
		赤道通過	30 5 34			

●朔，◐上弦，○望，◑下弦，S 最南，E 赤道通過，N 最北，P 最近，A 最遠

太陽　令和7年　12月　2025

日次	七曜	通日	世界時 0^h			東京，中央標準時		
			視赤経	視赤緯	均時差	出	南中	入
			h m s	° ′ ″	m s	h m	h m s	h
1	月	335	16 29 21.3	−21 48 16	+11 04.3	6 32	11 30 0	16 28
2	火	336	16 33 40.4	−21 57 22	+10 41.8	6 33	11 30 23	16 28
3	水	337	16 38 00.1	−22 06 03	+10 18.6	6 34	11 30 46	16 28
4	木	338	16 42 20.4	−22 14 18	+09 54.9	6 35	11 31 10	16 28
5	金	339	16 46 41.3	−22 22 08	+09 30.6	6 35	11 31 34	16 28
6	土	340	16 51 02.7	−22 29 31	+09 05.7	6 36	11 31 59	16 28
7	日	341	16 55 24.7	−22 36 29	+08 40.3	6 37	11 32 25	16 28
8	月	342	16 59 47.2	−22 43 00	+08 14.4	6 38	11 32 50	16 28
9	火	343	17 04 10.1	−22 49 04	+07 48.0	6 39	11 33 17	16 28
10	水	344	17 08 33.6	−22 54 42	+07 21.1	6 39	11 33 44	16 28
11	木	345	17 12 57.4	−22 59 52	+06 53.8	6 40	11 34 11	16 28
12	金	346	17 17 21.7	−23 04 35	+06 26.1	6 41	11 34 39	16 28
13	土	347	17 21 46.3	−23 08 51	+05 58.0	6 42	11 35 7	16 28
14	日	348	17 26 11.3	−23 12 39	+05 29.6	6 42	11 35 36	16 29
15	月	349	17 30 36.6	−23 15 59	+05 00.9	6 43	11 36 4	16 29
16	火	350	17 35 02.1	−23 18 51	+04 31.8	6 44	11 36 33	16 29
17	水	351	17 39 28.0	−23 21 16	+04 02.6	6 44	11 37 3	16 30
18	木	352	17 43 54.0	−23 23 12	+03 33.1	6 45	11 37 32	16 30
19	金	353	17 48 20.2	−23 24 40	+03 03.5	6 46	11 38 2	16 31
20	土	354	17 52 46.5	−23 25 40	+02 33.8	6 46	11 38 32	16 31
21	日	355	17 57 12.9	−23 26 12	+02 03.9	6 47	11 39 1	16 31
22	月	356	18 01 39.4	−23 26 16	+01 34.0	6 47	11 39 31	16 32
23	火	357	18 06 05.8	−23 25 51	+01 04.1	6 48	11 40 1	16 32
24	水	358	18 10 32.3	−23 24 58	+00 34.2	6 48	11 40 31	16 33
25	木	359	18 14 58.7	−23 23 37	+00 04.4	6 48	11 41 1	16 34
26	金	360	18 19 25.0	−23 21 47	−00 25.4	6 49	11 41 31	16 34
27	土	361	18 23 51.1	−23 19 30	−00 55.0	6 49	11 42 0	16 35
28	日	362	18 28 17.1	−23 16 44	−01 24.4	6 50	11 42 30	16 36
29	月	363	18 32 42.9	−23 13 30	−01 53.6	6 50	11 42 59	16 36
30	火	364	18 37 08.4	−23 09 49	−02 22.6	6 50	11 43 28	16 37
31	水	365	18 41 33.7	−23 05 39	−02 51.4	6 50	11 43 57	16 38

日次	世界時 0^h						
	黄経	黄緯	距離	視半径	章動 黄経	章動 黄道傾斜	黄道傾斜
	° ′ ″	″		′ ″	″	″	° ′ ″
3	250 42 33.1	+12.4	0.98581	16 15.0	+03.5	+08.3	23 26 17.6
7	254 45 57.5	+12.6	0.98523	16 15.6	+04.3	+08.1	23 26 17.4
11	258 49 40.2	+12.3	0.98475	16 16.1	+04.6	+08.3	23 26 17.6
15	262 53 41.4	+11.9	0.98434	16 16.5	+04.4	+08.2	23 26 17.5
19	266 57 57.6	+11.7	0.98399	16 16.8	+04.7	+08.1	23 26 17.3
23	271 02 24.2	+11.9	0.98371	16 17.1	+05.2	+08.1	23 26 17.4
27	275 06 55.6	+12.3	0.98349	16 17.3	+05.3	+08.3	23 26 17.5
31	279 11 27.1	+12.5	0.98335	16 17.5	+05.3	+08.1	23 26 17.3
35	283 15 57.3	+12.1	0.98330	16 17.5	+06.1	+08.1	23 26 17.3

月　令和7年　12月　2025

日次		世界時 0^h 視赤経	視赤緯	視差	東京，中央標準時 出	南中	入	正午月齢
		h m s	° ′ ″	′ ″	h m	h m	h m	
1		00 45 41.3	+07 34 15	59 40.9	13 32	20 9	1 46	10.8
2		01 38 58.2	+14 00 42	60 28.5	14 3	21 2	2 57	11.8
3		02 36 35.6	+19 48 55	61 04.4	14 41	22 0	4 12	12.8
4	P	03 39 08.4	+24 26 55	61 23.5	15 27	23 4	5 31	13.8
5	○	04 45 54.5	+27 22 58	61 22.7	16 24	— —	6 49	14.8
6	N	05 54 34.2	+28 15 18	61 01.8	17 31	0 12	8 1	15.8
7		07 01 49.4	+27 01 14	60 23.3	18 44	1 19	9 2	16.8
8		08 04 53.1	+23 57 45	59 32.3	19 58	2 22	9 51	17.8
9		09 02 30.3	+19 32 57	58 34.5	21 8	3 19	10 31	18.8
10		09 54 53.3	+14 15 53	57 35.5	22 14	4 11	11 3	19.8
11		10 43 03.8	+08 30 42	56 39.9	23 16	4 57	11 30	20.8
12	◑ E	11 28 19.8	+02 35 34	55 50.8	— —	5 40	11 54	21.8
13		12 11 59.2	−03 16 04	55 10.2	0 16	6 21	12 17	22.8
14		12 55 13.8	−08 53 33	54 38.8	1 14	7 1	12 41	23.8
15		13 39 07.2	−14 07 17	54 16.8	2 12	7 42	13 6	24.8
16		14 24 33.4	−18 47 29	54 03.5	3 10	8 25	13 33	25.8
17	A	15 12 12.2	−22 43 29	53 58.1	4 10	9 10	14 5	26.8
18		16 02 21.7	−25 43 44	53 59.7	5 10	9 58	14 42	27.8
19		16 54 50.8	−27 36 57	54 07.1	6 8	10 48	15 27	28.8
20	● S	17 48 55.2	−28 14 03	54 19.6	7 3	11 40	16 18	0.1
21		18 43 25.9	−27 30 19	54 36.4	7 53	12 33	17 15	1.1
22		19 37 10.0	−25 26 49	54 57.2	8 36	13 24	18 16	2.1
23		20 29 13.7	−22 10 02	55 22.0	9 13	14 13	19 19	3.1
24		21 19 16.4	−17 50 19	55 50.8	9 45	15 0	20 23	4.1
25		22 07 30.7	−12 39 48	56 23.9	10 14	15 46	21 26	5.1
26		22 54 36.5	−06 51 19	57 01.1	10 40	16 30	22 29	6.1
27	E	23 41 32.1	−00 38 01	57 41.9	11 5	17 15	23 34	7.1
28	◐	00 29 28.7	+05 45 47	58 25.2	11 32	18 1	— —	8.1
29		01 19 45.4	+12 03 15	59 08.6	12 0	18 50	0 40	9.1
30		02 13 40.8	+17 53 24	59 49.0	12 34	19 44	1 51	10.1
31		03 12 15.7	+22 50 12	60 22.4	13 14	20 43	3 5	11.1

名称	中央標準時	名称	中央標準時	名称	中央標準時	距離
	日 h m		日 h m		日 h	
望	5 8 14	最北	6 6 43	最近	4 20	0.929
下弦	12 5 52	赤道通過	12 19 33	最遠	17 15	1.057
朔	20 10 43	最南	20 8 7			
上弦	28 4 10	赤道通過	27 11 23			

●朔，◐上弦，○望，◑下弦，S最南，E赤道通過，N最北，P最近，A最遠

グリニジ視恒星時　　世界時 0^h　　令和 7 年　　2025

日次	1 月	2 月	3 月	4 月	5 月	6 月
	h m s	h m s	h m s	h m s	h m s	h m s
1	06 43 35.9	08 45 49.2	10 36 12.7	12 38 25.9	14 36 42.6	16 38 55.8
2	06 47 32.5	08 49 45.8	10 40 09.3	12 42 22.5	14 40 39.1	16 42 52.4
3	06 51 29.0	08 53 42.3	10 44 05.8	12 46 19.0	14 44 35.7	16 46 49.0
4	06 55 25.6	08 57 38.9	10 48 02.4	12 50 15.6	14 48 32.2	16 50 45.5
5	06 59 22.1	09 01 35.4	10 51 59.0	12 54 12.1	14 52 28.8	16 54 42.1
6	07 03 18.7	09 05 32.0	10 55 55.5	12 58 08.7	14 56 25.4	16 58 38.6
7	07 07 15.2	09 09 28.5	10 59 52.1	13 02 05.3	15 00 21.9	17 02 35.2
8	07 11 11.8	09 13 25.1	11 03 48.6	13 06 01.8	15 04 18.5	17 06 31.7
9	07 15 08.4	09 17 21.7	11 07 45.2	13 09 58.4	15 08 15.0	17 10 28.3
10	07 19 04.9	09 21 18.2	11 11 41.8	13 13 54.9	15 12 11.6	17 14 24.8
11	07 23 01.5	09 25 14.8	11 15 38.3	13 17 51.5	15 16 08.1	17 18 21.4
12	07 26 58.0	09 29 11.3	11 19 34.9	13 21 48.0	15 20 04.7	17 22 18.0
13	07 30 54.6	09 33 07.9	11 23 31.4	13 25 44.6	15 24 01.2	17 26 14.5
14	07 34 51.2	09 37 04.4	11 27 28.0	13 29 41.1	15 27 57.8	17 30 11.1
15	07 38 47.7	09 41 01.0	11 31 24.5	13 33 37.7	15 31 54.3	17 34 07.7
16	07 42 44.3	09 44 57.5	11 35 21.0	13 37 34.2	15 35 50.9	17 38 04.2
17	07 46 40.9	09 48 54.1	11 39 17.6	13 41 30.8	15 39 47.5	17 42 00.8
18	07 50 37.4	09 52 50.6	11 43 14.1	13 45 27.3	15 43 44.0	17 45 57.3
19	07 54 34.0	09 56 47.2	11 47 10.7	13 49 23.9	15 47 40.6	17 49 53.9
20	07 58 30.5	10 00 43.7	11 51 07.3	13 53 20.4	15 51 37.1	17 53 50.4
21	08 02 27.1	10 04 40.3	11 55 03.8	13 57 17.0	15 55 33.7	17 57 47.0
22	08 06 23.6	10 08 36.9	11 59 00.4	14 01 13.6	15 59 30.2	18 01 43.5
23	08 10 20.2	10 12 33.4	12 02 56.9	14 05 10.1	16 03 26.8	18 05 40.1
24	08 14 16.7	10 16 30.0	12 06 53.5	14 09 06.7	16 07 23.3	18 09 36.7
25	08 18 13.3	10 20 26.5	12 10 50.0	14 13 03.2	16 11 19.9	18 13 33.2
26	08 22 09.8	10 24 23.1	12 14 46.6	14 16 59.8	16 15 16.5	18 17 29.8
27	08 26 06.4	10 28 19.7	12 18 43.2	14 20 56.3	16 19 13.0	18 21 26.4
28	08 30 03.0	10 32 16.2	12 22 39.7	14 24 52.9	16 23 09.6	18 25 22.9
29	08 33 59.5		12 26 36.2	14 28 49.4	16 27 06.2	18 29 19.5
30	08 37 56.1		12 30 32.8	14 32 46.0	16 31 02.7	18 33 16.0
31	08 41 52.7		12 34 29.3		16 34 59.3	

1 月		2 月		3 月		4 月		5 月		6 月	
日次	分点均差	日次	分点均差	日次	分点均差	日次	分点均差	日次	分点均差	日次	分点均差
	s		s		s		s		s		s
1	+0.01	2	+0.09	2	+0.08	3	+0.03	1	+0.02	2	+0.10
5	+0.02	6	+0.08	6	+0.07	7	+0.05	5	+0.04	6	+0.08
9	+0.02	10	+0.11	10	+0.09	11	+0.03	9	+0.02	10	+0.09
13	+0.05	14	+0.11	14	+0.08	15	+0.00	13	+0.01	14	+0.12
17	+0.07	18	+0.08	18	+0.05	19	+0.02	17	+0.04	18	+0.13
21	+0.06	22	+0.08	22	+0.05	23	+0.03	21	+0.05	22	+0.12
25	+0.06	26	+0.10	26	+0.06	27	+0.00	25	+0.04	26	+0.16
29	+0.10			30	+0.03			29	+0.07	30	+0.18

グリニジ視恒星時　世界時 0^h　令和7年　2025

日次	7月	8月	9月	10月	11月	12月
	h m s	h m s	h m s	h m s	h m s	h m s
1	18 37 12.6	20 39 25.9	22 41 39.1	00 39 55.7	02 42 08.9	04 40 25.6
2	18 41 09.1	20 43 22.4	22 45 35.6	00 43 52.3	02 46 05.5	04 44 22.2
3	18 45 05.7	20 47 19.0	22 49 32.2	00 47 48.8	02 50 02.0	04 48 18.7
4	18 49 02.3	20 51 15.5	22 53 28.8	00 51 45.4	02 53 58.5	04 52 15.3
5	18 52 58.8	20 55 12.1	22 57 25.3	00 55 41.9	02 57 55.1	04 56 11.8
6	18 56 55.4	20 59 08.7	23 01 21.9	00 59 38.5	03 01 51.7	05 00 08.4
7	19 00 51.9	21 03 05.2	23 05 18.4	01 03 35.0	03 05 48.2	05 04 05.0
8	19 04 48.5	21 07 01.8	23 09 15.0	01 07 31.6	03 09 44.8	05 08 01.5
9	19 08 45.0	21 10 58.3	23 13 11.5	01 11 28.1	03 13 41.4	05 11 58.1
10	19 12 41.6	21 14 54.9	23 17 08.1	01 15 24.7	03 17 37.9	05 15 54.7
11	19 16 38.2	21 18 51.4	23 21 04.6	01 19 21.2	03 21 34.5	05 19 51.2
12	19 20 34.7	21 22 48.0	23 25 01.2	01 23 17.8	03 25 31.0	05 23 47.8
13	19 24 31.3	21 26 44.5	23 28 57.7	01 27 14.4	03 29 27.6	05 27 44.3
14	19 28 27.9	21 30 41.1	23 32 54.3	01 31 10.9	03 33 24.1	05 31 40.9
15	19 32 24.4	21 34 37.6	23 36 50.9	01 35 07.5	03 37 20.7	05 35 37.4
16	19 36 21.0	21 38 34.2	23 40 47.4	01 39 04.0	03 41 17.2	05 39 34.0
17	19 40 17.5	21 42 30.8	23 44 44.0	01 43 00.6	03 45 13.8	05 43 30.5
18	19 44 14.1	21 46 27.3	23 48 40.5	01 46 57.1	03 49 10.3	05 47 27.1
19	19 48 10.6	21 50 23.9	23 52 37.1	01 50 53.7	03 53 06.9	05 51 23.7
20	19 52 07.2	21 54 20.5	23 56 33.6	01 54 50.2	03 57 03.5	05 55 20.2
21	19 56 03.7	21 58 17.0	00 00 30.2	01 58 46.8	04 01 00.0	05 59 16.8
22	20 00 00.3	22 02 13.6	00 04 26.7	02 02 43.3	04 04 56.6	06 03 13.4
23	20 03 56.9	22 06 10.1	00 08 23.3	02 06 39.9	04 08 53.1	06 07 09.9
24	20 07 53.4	22 10 06.7	00 12 19.8	02 10 36.4	04 12 49.7	06 11 06.5
25	20 11 50.0	22 14 03.2	00 16 16.4	02 14 33.0	04 16 46.3	06 15 03.0
26	20 15 46.6	22 17 59.8	00 20 12.9	02 18 29.6	04 20 42.8	06 18 59.6
27	20 19 43.1	22 21 56.3	00 24 09.5	02 22 26.1	04 24 39.4	06 22 56.1
28	20 23 39.7	22 25 52.9	00 28 06.0	02 26 22.7	04 28 35.9	06 26 52.7
29	20 27 36.2	22 29 49.4	00 32 02.6	02 30 19.2	04 32 32.5	06 30 49.3
30	20 31 32.8	22 33 46.0	00 35 59.2	02 34 15.8	04 36 29.0	06 34 45.8
31	20 35 29.3	22 37 42.5		02 38 12.4		06 38 42.4

7月		8月		9月		10月		11月		12月	
日次	分点均差	日次	分点均差	日次	分点均差	日次	分点均差	日次	分点均差	日次	分点均差
	s		s		s		s		s		s
4	+0.17	1	+0.23	2	+0.24	4	+0.20	1	+0.18	3	+0.21
8	+0.18	5	+0.24	6	+0.25	8	+0.17	5	+0.16	7	+0.26
12	+0.22	9	+0.27	10	+0.22	12	+0.18	9	+0.19	11	+0.28
16	+0.21	13	+0.25	14	+0.22	16	+0.20	13	+0.20	15	+0.27
20	+0.21	17	+0.25	18	+0.24	20	+0.17	17	+0.19	19	+0.29
24	+0.25	21	+0.27	22	+0.22	24	+0.16	21	+0.19	23	+0.32
28	+0.25	25	+0.26	26	+0.19	28	+0.17	25	+0.22	27	+0.32
		29	+0.24	30	+0.20			29	+0.22	31	+0.32
										35	+0.37

夜明，日暮，日出入方位，日南中高度

東 京　令和7年　2025

月 日	中央標準時		日出入	日南中	月 日	中央標準時		日出入	日南中
	夜 明	日 暮	方 位	高 度		夜 明	日 暮	方 位	高 度
月 日	h m	h m	°	° ′	月 日	h m	h m	°	°
1 1	6 15	17 14	−28.0	31 23	7 5	3 53	19 38	+29.1	77 07
6	6 16	17 18	−27.4	31 53	10	3 56	19 37	+28.4	76 33
11	6 16	17 22	−26.5	32 35	15	3 59	19 34	+27.5	75 50
16	6 15	17 27	−25.4	33 27	20	4 3	19 31	+26.4	74 58
21	6 13	17 31	−24.1	34 30	25	4 7	19 27	+25.1	73 58
26	6 11	17 36	−22.5	35 41	30	4 11	19 23	+23.6	72 49
31	6 8	17 41	−20.9	37 01	8 4	4 16	19 18	+22.0	71 32
2 5	6 4	17 46	−19.0	38 29	9	4 20	19 12	+20.2	70 09
10	6 0	17 51	−17.1	40 04	14	4 25	19 6	+18.4	68 39
15	5 55	17 56	−15.0	41 44	19	4 29	19 0	+16.4	67 04
20	5 50	18 0	−12.8	43 30	24	4 33	18 53	+14.3	65 23
25	5 44	18 5	−10.5	45 19	29	4 37	18 46	+12.1	63 39
3 2	5 38	18 9	− 8.2	47 12	9 3	4 42	18 39	+ 9.8	61 50
7	5 31	18 14	− 5.8	49 08	8	4 46	18 31	+ 7.6	59 59
12	5 24	18 18	− 3.4	51 06	13	4 50	18 24	+ 5.2	58 05
17	5 17	18 22	− 1.0	53 04	18	4 53	18 16	+ 2.8	56 10
22	5 10	18 26	+ 1.5	55 02	23	4 57	18 9	+ 0.4	54 13
27	5 3	18 31	+ 3.9	57 00	28	5 1	18 2	− 2.0	52 16
4 1	4 55	18 35	+ 6.3	58 57	10 3	5 5	17 54	− 4.3	50 20
6	4 48	18 39	+ 8.6	60 51	8	5 9	17 48	− 6.7	48 25
11	4 41	18 44	+10.9	62 43	13	5 13	17 41	− 9.0	46 32
16	4 34	18 48	+13.2	64 31	18	5 17	17 35	−11.3	44 41
21	4 27	18 53	+15.3	66 15	23	5 22	17 29	−13.5	42 54
26	4 21	18 57	+17.4	67 55	28	5 26	17 23	−15.6	41 12
5 1	4 15	19 2	+19.4	69 28	11 2	5 30	17 18	−17.7	39 34
6	4 9	19 7	+21.2	70 56	7	5 35	17 14	−19.6	38 03
11	4 4	19 11	+22.9	72 16	12	5 40	17 10	−21.4	36 38
16	3 59	19 16	+24.5	73 29	17	5 44	17 7	−23.0	35 21
21	3 55	19 20	+25.8	74 34	22	5 49	17 5	−24.4	34 12
26	3 52	19 24	+27.1	75 30	27	5 53	17 4	−25.7	33 13
31	3 50	19 28	+28.1	76 17	12 2	5 58	17 3	−26.7	32 24
6 5	3 48	19 32	+28.9	76 54	7	6 2	17 3	−27.6	31 45
10	3 47	19 34	+29.5	77 22	12	6 5	17 4	−28.2	31 17
15	3 47	19 37	+29.9	77 40	17	6 9	17 5	−28.5	31 00
20	3 47	19 38	+30.0	77 47	22	6 11	17 8	−28.6	30 56
25	3 48	19 39	+29.9	77 44	27	6 14	17 11	−28.5	31 03
30	3 50	19 39	+29.7	77 30	32	6 15	17 14	−28.1	31 21

日出入・南中の時刻については太陽のページを参照のこと.

各地の日出入　　令和 7 年　2025　中央標準時

月	日	那覇 日出	那覇 日入	長崎 日出	長崎 日入	佐賀 日出	佐賀 日入	福岡 日出	福岡 日入
月	日	h m	h m	h m	h m	h m	h m	h m	h m
1	1	7 17	17 49	7 23	17 25	7 22	17 22	7 23	17 21
	11	7 18	17 56	7 23	17 34	7 23	17 31	7 23	17 30
	21	7 18	18 4	7 21	17 43	7 20	17 40	7 21	17 39
	31	7 14	18 12	7 16	17 52	7 15	17 50	7 15	17 49
2	10	7 9	18 19	7 8	18 1	7 7	17 59	7 7	17 58
	20	7 1	18 25	6 59	18 10	6 57	18 8	6 57	18 7
3	2	6 52	18 31	6 47	18 18	6 46	18 16	6 46	18 16
	12	6 42	18 37	6 35	18 26	6 33	18 24	6 33	18 24
	22	6 31	18 41	6 22	18 33	6 20	18 32	6 20	18 31
4	1	6 21	18 46	6 9	18 41	6 7	18 39	6 6	18 39
	11	6 10	18 51	5 56	18 48	5 54	18 46	5 53	18 46
	21	6 1	18 56	5 44	18 55	5 42	18 54	5 41	18 54
5	1	5 52	19 1	5 34	19 2	5 31	19 1	5 30	19 1
	11	5 45	19 7	5 25	19 9	5 22	19 9	5 21	19 9
	21	5 40	19 12	5 18	19 17	5 15	19 16	5 14	19 16
	31	5 37	19 17	5 14	19 23	5 11	19 22	5 10	19 23
6	10	5 36	19 21	5 12	19 28	5 9	19 28	5 8	19 28
	20	5 37	19 24	5 13	19 32	5 10	19 31	5 8	19 32
	30	5 40	19 26	5 16	19 33	5 13	19 32	5 11	19 33
7	10	5 44	19 25	5 20	19 31	5 17	19 31	5 16	19 31
	20	5 49	19 22	5 26	19 27	5 23	19 27	5 22	19 27
	30	5 54	19 18	5 33	19 21	5 30	19 20	5 29	19 20
8	9	5 59	19 11	5 40	19 12	5 37	19 11	5 36	19 11
	19	6 3	19 2	5 46	19 1	5 44	19 0	5 43	19 0
	29	6 8	18 52	5 53	18 49	5 51	18 48	5 50	18 48
9	8	6 12	18 42	6 0	18 36	5 57	18 35	5 57	18 35
	18	6 16	18 31	6 6	18 23	6 4	18 21	6 4	18 21
	28	6 20	18 19	6 12	18 10	6 11	18 8	6 10	18 7
10	8	6 25	18 9	6 19	17 57	6 18	17 54	6 18	17 54
	18	6 30	17 59	6 27	17 44	6 25	17 42	6 25	17 41
	28	6 36	17 50	6 35	17 34	6 33	17 31	6 34	17 30
11	7	6 42	17 44	6 43	17 25	6 42	17 22	6 42	17 21
	17	6 49	17 39	6 52	17 19	6 51	17 16	6 52	17 15
	27	6 57	17 37	7 1	17 15	7 0	17 12	7 1	17 11
12	7	7 4	17 38	7 9	17 14	7 9	17 11	7 9	17 10
	17	7 10	17 41	7 16	17 17	7 16	17 14	7 16	17 12
	27	7 15	17 46	7 21	17 22	7 21	17 19	7 21	17 18
	37	7 18	17 52	7 23	17 29	7 23	17 26	7 23	17 25
東経		127° 40′		129° 52′		130° 18′		130° 24′	
北緯		26° 13′		32° 45′		33° 15′		33° 35′	

東京の日出入については太陽のページを参照のこと．

各地の日出入　令和7年　2025　中央標準時

月	日	鹿児島 日出	鹿児島 日入	熊本 日出	熊本 日入	宮崎 日出	宮崎 日入	大分 日出	大分 日入
月	日	h m	h m	h m	h m	h m	h m	h m	h
1	1	7 17	17 25	7 19	17 22	7 15	17 21	7 17	17 17
	11	7 18	17 33	7 20	17 30	7 15	17 29	7 18	17 25
	21	7 16	17 42	7 18	17 39	7 13	17 38	7 15	17 35
	31	7 11	17 51	7 13	17 49	7 8	17 47	7 10	17 44
2	10	7 4	18 0	7 5	17 58	7 1	17 56	7 2	17 54
	20	6 55	18 9	6 55	18 7	6 52	18 5	6 52	18 3
3	2	6 44	18 16	6 44	18 15	6 41	18 13	6 41	18 11
	12	6 32	18 24	6 32	18 23	6 28	18 20	6 28	18 19
	22	6 19	18 31	6 18	18 30	6 16	18 27	6 15	18 26
4	1	6 7	18 37	6 5	18 37	6 3	18 34	6 2	18 34
	11	5 54	18 44	5 53	18 44	5 51	18 41	5 49	18 41
	21	5 43	18 51	5 41	18 51	5 39	18 48	5 37	18 48
5	1	5 33	18 58	5 30	18 59	5 29	18 55	5 26	18 56
	11	5 24	19 5	5 21	19 6	5 20	19 2	5 17	19 3
	21	5 18	19 11	5 15	19 13	5 14	19 8	5 10	19 11
	31	5 14	19 17	5 10	19 20	5 10	19 15	5 6	19 17
6	10	5 12	19 22	5 8	19 25	5 8	19 20	5 4	19 22
	20	5 13	19 26	5 9	19 28	5 9	19 23	5 4	19 26
	30	5 16	19 27	5 12	19 29	5 12	19 24	5 7	19 27
7	10	5 20	19 26	5 17	19 28	5 16	19 23	5 12	19 25
	20	5 26	19 22	5 23	19 24	5 22	19 19	5 18	19 21
	30	5 32	19 16	5 29	19 17	5 28	19 13	5 25	19 15
8	9	5 39	19 7	5 36	19 9	5 35	19 4	5 32	19 6
	19	5 45	18 57	5 43	18 58	5 41	18 54	5 39	18 55
	29	5 51	18 46	5 50	18 46	5 48	18 42	5 46	18 43
9	8	5 57	18 33	5 56	18 33	5 54	18 30	5 52	18 30
	18	6 3	18 20	6 2	18 20	6 0	18 17	5 59	18 16
	28	6 9	18 7	6 9	18 6	6 6	18 4	6 5	18 2
10	8	6 16	17 54	6 16	17 53	6 13	17 51	6 12	17 49
	18	6 23	17 43	6 23	17 41	6 20	17 39	6 20	17 37
	28	6 30	17 32	6 31	17 30	6 27	17 29	6 28	17 26
11	7	6 39	17 24	6 40	17 21	6 36	17 20	6 37	17 17
	17	6 47	17 18	6 49	17 15	6 44	17 14	6 46	17 11
	27	6 56	17 15	6 58	17 11	6 53	17 11	6 55	17 7
12	7	7 4	17 14	7 6	17 11	7 1	17 10	7 4	17 6
	17	7 11	17 17	7 13	17 13	7 8	17 13	7 11	17 9
	27	7 16	17 22	7 18	17 18	7 13	17 18	7 15	17 14
	37	7 18	17 29	7 20	17 26	7 15	17 25	7 18	17 21
東経		130° 33′		130° 43′		131° 25′		131° 37′	
北緯		31 36		32 48		31 54		33 14	

東京の日出入については太陽のページを参照のこと.

各地の日出入　令和7年　2025　中央標準時

月	日	松山 日出	松山 日入	高知 日出	高知 日入	高松 日出	高松 日入	徳島 日出	徳島 日入
月	日	h m	h m	h m	h m	h m	h m	h m	h m
1	1	7 14	17 11	7 10	17 9	7 10	17 5	7 7	17 3
	11	7 14	17 19	7 11	17 17	7 10	17 13	7 8	17 12
	21	7 12	17 29	7 8	17 26	7 8	17 23	7 5	17 21
	31	7 6	17 39	7 3	17 36	7 2	17 33	7 0	17 31
2	10	6 58	17 48	6 55	17 46	6 54	17 42	6 52	17 41
	20	6 48	17 57	6 45	17 55	6 44	17 52	6 41	17 50
3	2	6 36	18 6	6 33	18 3	6 32	18 1	6 30	17 59
	12	6 24	18 14	6 20	18 11	6 19	18 9	6 17	18 7
	22	6 10	18 22	6 7	18 19	6 5	18 17	6 3	18 15
4	1	5 57	18 30	5 54	18 26	5 51	18 25	5 49	18 22
	11	5 44	18 37	5 41	18 34	5 38	18 32	5 36	18 30
	21	5 31	18 45	5 29	18 41	5 25	18 40	5 24	18 38
5	1	5 20	18 52	5 18	18 49	5 14	18 48	5 13	18 46
	11	5 11	19 0	5 9	18 56	5 5	18 56	5 3	18 53
	21	5 4	19 7	5 2	19 4	4 58	19 3	4 56	19 1
	31	4 59	19 14	4 57	19 10	4 53	19 10	4 52	19 7
6	10	4 58	19 19	4 55	19 16	4 51	19 16	4 50	19 13
	20	4 58	19 23	4 56	19 19	4 52	19 19	4 50	19 16
	30	5 1	19 24	4 59	19 20	4 55	19 20	4 53	19 17
7	10	5 6	19 22	5 4	19 19	5 0	19 19	4 58	19 16
	20	5 12	19 18	5 10	19 14	5 6	19 14	5 4	19 12
	30	5 19	19 11	5 17	19 8	5 13	19 7	5 11	19 5
8	9	5 26	19 2	5 24	18 59	5 20	18 58	5 19	18 56
	19	5 33	18 51	5 31	18 48	5 28	18 47	5 26	18 44
	29	5 40	18 39	5 38	18 36	5 35	18 34	5 33	18 32
9	8	5 47	18 26	5 44	18 22	5 42	18 21	5 40	18 19
	18	5 54	18 12	5 51	18 9	5 49	18 7	5 47	18 5
	28	6 1	17 58	5 58	17 55	5 56	17 53	5 54	17 51
10	8	6 8	17 44	6 5	17 41	6 3	17 39	6 1	17 37
	18	6 16	17 32	6 13	17 29	6 11	17 26	6 9	17 24
	28	6 24	17 21	6 21	17 18	6 20	17 15	6 18	17 13
11	7	6 33	17 12	6 30	17 9	6 29	17 5	6 27	17 4
	17	6 43	17 5	6 39	17 2	6 39	16 59	6 36	16 57
	27	6 52	17 1	6 48	16 58	6 48	16 55	6 45	16 53
12	7	7 0	17 0	6 57	16 58	6 57	16 54	6 54	16 52
	17	7 7	17 2	7 4	17 0	7 4	16 56	7 1	16 55
	27	7 12	17 8	7 9	17 5	7 9	17 1	7 6	17 0
	37	7 14	17 15	7 11	17 13	7 11	17 9	7 8	17 7
東経		132° 46′		133° 32′		134° 03′		134° 33′	
北緯		33° 50′		33° 33′		34° 21′		34° 04′	

東京の日出入については太陽のページを参照のこと.

各地の日出入　令和 7 年　2025　中央標準時

月	日	山口 日出 h	m	山口 日入 h	m	広島 日出 h	m	広島 日入 h	m	松江 日出 h	m	松江 日入 h	m	岡山 日出 h	m	岡山 日入 h	m
1	1	7	20	17	15	7	16	17	11	7	17	17	6	7	11	17	4
	11	7	20	17	24	7	17	17	19	7	17	17	14	7	12	17	13
	21	7	18	17	33	7	14	17	29	7	14	17	24	7	9	17	22
	31	7	12	17	43	7	9	17	39	7	8	17	35	7	3	17	32
2	10	7	4	17	53	7	0	17	49	7	0	17	45	6	55	17	42
	20	6	54	18	2	6	50	17	58	6	49	17	55	6	44	17	52
3	2	6	42	18	11	6	38	18	7	6	36	18	4	6	32	18	1
	12	6	29	18	19	6	25	18	15	6	23	18	13	6	19	18	9
	22	6	15	18	27	6	11	18	23	6	9	18	21	6	5	18	17
4	1	6	2	18	35	5	58	18	31	5	55	18	29	5	52	18	25
	11	5	48	18	43	5	44	18	39	5	41	18	37	5	38	18	33
	21	5	36	18	50	5	32	18	47	5	28	18	46	5	25	18	41
5	1	5	25	18	58	5	21	18	55	5	16	18	54	5	14	18	49
	11	5	16	19	6	5	11	19	2	5	7	19	2	5	5	18	57
	21	5	8	19	13	5	4	19	10	4	59	19	10	4	57	19	5
	31	5	4	19	20	4	59	19	17	4	54	19	17	4	53	19	11
6	10	5	2	19	25	4	57	19	22	4	52	19	23	4	51	19	17
	20	5	2	19	29	4	58	19	26	4	53	19	26	4	51	19	20
	30	5	5	19	30	5	1	19	27	4	56	19	27	4	54	19	21
7	10	5	10	19	28	5	6	19	25	5	1	19	25	4	59	19	20
	20	5	17	19	24	5	12	19	21	5	7	19	21	5	6	19	15
	30	5	24	19	17	5	19	19	14	5	15	19	14	5	13	19	8
8	9	5	31	19	8	5	27	19	4	5	22	19	4	5	20	18	59
	19	5	38	18	57	5	34	18	53	5	30	18	52	5	28	18	48
	29	5	45	18	44	5	41	18	41	5	38	18	39	5	35	18	35
9	8	5	52	18	31	5	48	18	27	5	45	18	25	5	42	18	21
	18	5	59	18	17	5	55	18	13	5	52	18	11	5	49	18	7
	28	6	6	18	3	6	2	17	59	6	0	17	56	5	56	17	53
10	8	6	14	17	49	6	10	17	45	6	8	17	42	6	4	17	39
	18	6	22	17	37	6	18	17	33	6	16	17	29	6	12	17	26
	28	6	30	17	25	6	26	17	21	6	25	17	17	6	21	17	15
11	7	6	39	17	16	6	36	17	12	6	35	17	8	6	30	17	5
	17	6	49	17	9	6	45	17	5	6	45	17	0	6	40	16	58
	27	6	58	17	5	6	54	17	1	6	55	16	56	6	49	16	54
12	7	7	6	17	4	7	3	17	0	7	3	16	55	6	58	16	53
	17	7	14	17	7	7	10	17	2	7	11	16	57	7	5	16	56
	27	7	18	17	12	7	15	17	7	7	15	17	2	7	10	17	1
	37	7	21	17	19	7	17	17	15	7	17	17	10	7	12	17	8

	山口 °	′	広島 °	′	松江 °	′	岡山 °	′
東経	131	28	132	27	133	03	133	56
北緯	34	11	34	23	35	28	34	40

東京の日出入については太陽のページを参照のこと．

各地の日出入　　令和7年　2025　中央標準時

月	日	鳥取 日出		鳥取 日入		和歌山 日出		和歌山 日入		神戸 日出		神戸 日入		大阪 日出		大阪 日入	
月	日	h	m	h	m	h	m	h	m	h	m	h	m	h	m	h	m
1	1	7	12	17	1	7	5	17	1	7	6	16	59	7	5	16	58
	11	7	12	17	10	7	6	17	9	7	7	17	8	7	6	17	7
	21	7	10	17	19	7	3	17	18	7	4	17	17	7	3	17	16
	31	7	4	17	30	6	58	17	28	6	58	17	27	6	57	17	26
2	10	6	55	17	40	6	49	17	38	6	50	17	37	6	49	17	36
	20	6	44	17	50	6	39	17	47	6	39	17	47	6	38	17	46
3	2	6	32	17	59	6	27	17	56	6	27	17	56	6	26	17	55
	12	6	18	18	8	6	14	18	5	6	14	18	4	6	13	18	3
	22	6	4	18	16	6	1	18	12	6	0	18	12	5	59	18	11
4	1	5	50	18	25	5	47	18	20	5	47	18	20	5	45	18	19
	11	5	36	18	33	5	34	18	28	5	33	18	28	5	32	18	27
	21	5	23	18	41	5	21	18	36	5	20	18	36	5	19	18	35
5	1	5	12	18	49	5	10	18	43	5	9	18	44	5	8	18	43
	11	5	2	18	58	5	1	18	51	5	0	18	52	4	58	18	51
	21	4	54	19	5	4	54	18	59	4	52	19	0	4	51	18	58
	31	4	49	19	12	4	49	19	5	4	48	19	7	4	46	19	5
6	10	4	47	19	18	4	47	19	11	4	46	19	12	4	44	19	11
	20	4	48	19	22	4	48	19	14	4	46	19	15	4	45	19	14
	30	4	51	19	23	4	51	19	15	4	49	19	17	4	48	19	15
7	10	4	56	19	21	4	55	19	14	4	54	19	15	4	53	19	14
	20	5	2	19	16	5	2	19	9	5	1	19	10	4	59	19	9
	30	5	10	19	9	5	9	19	3	5	8	19	3	5	6	19	2
8	9	5	17	18	59	5	16	18	53	5	15	18	54	5	14	18	53
	19	5	25	18	48	5	23	18	42	5	23	18	43	5	21	18	42
	29	5	33	18	35	5	30	18	30	5	30	18	30	5	29	18	29
9	8	5	40	18	21	5	37	18	16	5	37	18	16	5	36	18	15
	18	5	48	18	6	5	44	18	2	5	44	18	2	5	43	18	1
	28	5	55	17	52	5	51	17	48	5	51	17	48	5	50	17	47
10	8	6	3	17	37	5	59	17	34	5	59	17	34	5	58	17	33
	18	6	12	17	24	6	7	17	22	6	7	17	21	6	6	17	20
	28	6	21	17	13	6	15	17	11	6	16	17	10	6	15	17	9
11	7	6	30	17	3	6	24	17	1	6	25	17	0	6	24	16	59
	17	6	40	16	56	6	34	16	54	6	35	16	53	6	33	16	52
	27	6	50	16	51	6	43	16	50	6	44	16	49	6	43	16	48
12	7	6	59	16	50	6	52	16	49	6	53	16	48	6	52	16	47
	17	7	6	16	52	6	59	16	52	7	0	16	51	6	59	16	49
	27	7	11	16	57	7	4	16	57	7	5	16	56	7	4	16	54
	37	7	13	17	5	7	6	17	4	7	7	17	3	7	6	17	2

	鳥取	和歌山	神戸	大阪
東経	134° 14′	135° 10′	135° 11′	135° 29′
北緯	35° 30′	34° 14′	34° 41′	34° 41′

東京の日出入については太陽のページを参照のこと.

各地の日出入　令和 7 年　2025　中央標準時

月	日	京都 日出 h	m	京都 日入 h	m	奈良 日出 h	m	奈良 日入 h	m	大津 日出 h	m	大津 日入 h	m	福井 日出 h	m	福井 日入 h	m
1	1	7	5	16	56	7	4	16	57	7	4	16	56	7	6	16	52
	11	7	5	17	5	7	4	17	5	7	5	17	4	7	6	17	0
	21	7	2	17	14	7	1	17	15	7	2	17	14	7	3	17	10
	31	6	57	17	25	6	56	17	25	6	56	17	24	6	57	17	21
2	10	6	48	17	35	6	47	17	35	6	48	17	34	6	48	17	31
	20	6	38	17	44	6	37	17	44	6	37	17	44	6	37	17	41
3	2	6	25	17	53	6	25	17	53	6	25	17	53	6	24	17	51
	12	6	12	18	2	6	12	18	2	6	12	18	2	6	11	18	0
	22	5	58	18	10	5	58	18	10	5	58	18	10	5	56	18	8
4	1	5	44	18	18	5	44	18	18	5	44	18	18	5	42	18	17
	11	5	31	18	26	5	30	18	26	5	30	18	26	5	28	18	25
	21	5	18	18	34	5	18	18	33	5	17	18	34	5	14	18	34
5	1	5	6	18	42	5	7	18	41	5	6	18	42	5	3	18	42
	11	4	57	18	50	4	57	18	49	4	56	18	50	4	53	18	51
	21	4	49	18	58	4	50	18	57	4	49	18	58	4	45	18	59
	31	4	45	19	5	4	45	19	4	4	44	19	5	4	40	19	6
6	10	4	42	19	11	4	43	19	9	4	42	19	10	4	38	19	12
	20	4	43	19	14	4	44	19	13	4	43	19	14	4	38	19	15
	30	4	46	19	15	4	47	19	14	4	46	19	15	4	41	19	16
7	10	4	51	19	13	4	52	19	12	4	51	19	13	4	46	19	14
	20	4	57	19	9	4	58	19	8	4	57	19	8	4	53	19	10
	30	5	5	19	2	5	5	19	1	5	4	19	1	5	1	19	2
8	9	5	12	18	52	5	12	18	51	5	12	18	52	5	8	18	52
	19	5	20	18	41	5	20	18	40	5	19	18	41	5	16	18	41
	29	5	27	18	28	5	27	18	28	5	27	18	28	5	24	18	27
9	8	5	35	18	14	5	34	18	14	5	34	18	14	5	32	18	13
	18	5	42	18	0	5	42	18	0	5	41	18	0	5	40	17	58
	28	5	49	17	46	5	49	17	45	5	49	17	45	5	48	17	44
10	8	5	57	17	32	5	56	17	32	5	56	17	31	5	56	17	29
	18	6	5	17	19	6	5	17	19	6	5	17	18	6	4	17	16
	28	6	14	17	7	6	13	17	7	6	14	17	7	6	14	17	4
11	7	6	23	16	58	6	22	16	58	6	23	16	57	6	23	16	54
	17	6	33	16	50	6	32	16	51	6	33	16	50	6	33	16	46
	27	6	43	16	46	6	42	16	47	6	42	16	46	6	43	16	42
12	7	6	51	16	45	6	50	16	46	6	51	16	45	6	52	16	41
	17	6	59	16	47	6	57	16	48	6	58	16	47	7	0	16	43
	27	7	3	16	53	7	2	16	53	7	3	16	52	7	4	16	48
	37	7	5	17	0	7	4	17	1	7	5	17	0	7	6	16	56

	京都	奈良	大津	福井
東経	135° 45′	135° 50′	135° 52′	136° 13′
北緯	35 01	34 41	35 00	36 04

東京の日出入については太陽のページを参照のこと.

各地の日出入　　令和7年　2025　中央標準時

月	日	津				金沢				岐阜				名古屋			
		日出		日入		日出		日入		日出		日入		日出		日入	
月	日	h	m	h	m	h	m	h	m	h	m	h	m	h	m	h	m
1	1	7	1	16	54	7	5	16	49	7	2	16	51	7	1	16	51
	11	7	1	17	2	7	5	16	57	7	2	17	0	7	1	17	0
	21	6	59	17	12	7	2	17	7	6	59	17	9	6	58	17	9
	31	6	53	17	22	6	56	17	18	6	53	17	20	6	52	17	20
2	10	6	45	17	32	6	47	17	29	6	45	17	30	6	44	17	30
	20	6	34	17	42	6	36	17	39	6	34	17	40	6	33	17	39
3	2	6	22	17	51	6	23	17	49	6	22	17	49	6	21	17	49
	12	6	9	17	59	6	9	17	58	6	8	17	58	6	7	17	57
	22	5	55	18	7	5	54	18	7	5	54	18	6	5	53	18	6
4	1	5	41	18	15	5	40	18	15	5	40	18	14	5	39	18	14
	11	5	28	18	23	5	25	18	24	5	26	18	22	5	26	18	22
	21	5	15	18	31	5	12	18	33	5	13	18	31	5	13	18	30
5	1	5	4	18	39	5	0	18	41	5	2	18	39	5	1	18	38
	11	4	54	18	47	4	50	18	50	4	52	18	47	4	52	18	46
	21	4	47	18	54	4	42	18	58	4	44	18	55	4	44	18	54
	31	4	42	19	1	4	37	19	6	4	39	19	2	4	40	19	1
6	10	4	40	19	7	4	35	19	11	4	37	19	8	4	37	19	6
	20	4	41	19	10	4	35	19	15	4	38	19	11	4	38	19	10
	30	4	44	19	11	4	38	19	16	4	41	19	12	4	41	19	11
7	10	4	49	19	10	4	43	19	14	4	46	19	10	4	46	19	9
	20	4	55	19	5	4	50	19	9	4	52	19	6	4	52	19	5
	30	5	2	18	58	4	58	19	2	5	0	18	59	5	0	18	58
8	9	5	10	18	49	5	6	18	52	5	7	18	49	5	7	18	48
	19	5	17	18	38	5	14	18	40	5	15	18	38	5	15	18	37
	29	5	24	18	25	5	22	18	26	5	23	18	25	5	22	18	24
9	8	5	32	18	11	5	30	18	12	5	30	18	11	5	30	18	10
	18	5	39	17	57	5	38	17	57	5	38	17	56	5	37	17	55
	28	5	46	17	43	5	46	17	42	5	45	17	42	5	45	17	41
10	8	5	54	17	29	5	54	17	27	5	53	17	27	5	52	17	27
	18	6	2	17	16	6	3	17	14	6	1	17	14	6	1	17	14
	28	6	11	17	4	6	13	17	1	6	10	17	3	6	10	17	2
11	7	6	20	16	55	6	22	16	51	6	20	16	53	6	19	16	53
	17	6	29	16	48	6	33	16	44	6	30	16	46	6	29	16	45
	27	6	39	16	44	6	43	16	39	6	40	16	41	6	38	16	41
12	7	6	48	16	43	6	52	16	38	6	48	16	40	6	47	16	40
	17	6	55	16	45	6	59	16	40	6	56	16	42	6	54	16	42
	27	7	0	16	50	7	4	16	45	7	0	16	47	6	59	16	47
	37	7	2	16	58	7	6	16	52	7	2	16	55	7	1	16	55
東経		136°		31′		136°		39′		136°		46′		136°		55′	
北緯		34°		44′		36°		34′		35°		25′		35°		10′	

東京の日出入については太陽のページを参照のこと.

各地の日出入　令和7年　2025　中央標準時

月	日	富山 日出 h	m	富山 日入 h	m	長野 日出 h	m	長野 日入 h	m	静岡 日出 h	m	静岡 日入 h	m	甲府 日出 h	m	甲府 日入 h	m
1	1	7	3	16	46	6	59	16	42	6	54	16	46	6	55	16	43
	11	7	3	16	55	7	0	16	51	6	55	16	54	6	56	16	52
	21	7	0	17	5	6	56	17	1	6	52	17	4	6	53	17	2
	31	6	54	17	16	6	50	17	12	6	46	17	14	6	47	17	12
2	10	6	45	17	26	6	41	17	22	6	38	17	24	6	38	17	22
	20	6	34	17	37	6	30	17	33	6	27	17	34	6	27	17	32
3	2	6	21	17	46	6	17	17	43	6	15	17	43	6	15	17	42
	12	6	7	17	56	6	3	17	52	6	2	17	51	6	1	17	51
	22	5	52	18	5	5	48	18	1	5	48	18	0	5	47	17	59
4	1	5	37	18	13	5	34	18	9	5	34	18	8	5	33	18	7
	11	5	23	18	22	5	19	18	18	5	20	18	16	5	19	18	16
	21	5	10	18	31	5	6	18	27	5	7	18	24	5	6	18	24
5	1	4	58	18	39	4	54	18	35	4	56	18	32	4	54	18	32
	11	4	47	18	48	4	44	18	44	4	46	18	40	4	44	18	41
	21	4	40	18	56	4	36	18	52	4	39	18	48	4	37	18	48
	31	4	34	19	4	4	31	19	0	4	34	18	54	4	32	18	56
6	10	4	32	19	9	4	28	19	5	4	32	19	0	4	29	19	1
	20	4	32	19	13	4	29	19	9	4	33	19	3	4	30	19	5
	30	4	36	19	14	4	32	19	10	4	36	19	4	4	33	19	6
7	10	4	41	19	12	4	37	19	8	4	41	19	3	4	38	19	4
	20	4	47	19	7	4	44	19	3	4	47	18	58	4	45	18	59
	30	4	55	19	0	4	51	18	56	4	54	18	51	4	52	18	52
8	9	5	3	18	50	4	59	18	46	5	2	18	42	5	0	18	42
	19	5	11	18	38	5	8	18	34	5	9	18	30	5	8	18	31
	29	5	20	18	24	5	16	18	20	5	17	18	18	5	15	18	18
9	8	5	28	18	10	5	24	18	6	5	24	18	4	5	23	18	4
	18	5	35	17	55	5	32	17	51	5	31	17	49	5	30	17	49
	28	5	44	17	39	5	40	17	36	5	39	17	35	5	38	17	34
10	8	5	52	17	25	5	48	17	21	5	46	17	21	5	46	17	20
	18	6	1	17	11	5	57	17	7	5	55	17	8	5	55	17	7
	28	6	10	16	59	6	7	16	55	6	3	16	57	6	4	16	55
11	7	6	20	16	49	6	17	16	45	6	13	16	47	6	13	16	45
	17	6	31	16	41	6	27	16	37	6	22	16	40	6	23	16	38
	27	6	41	16	36	6	37	16	33	6	32	16	36	6	33	16	33
12	7	6	50	16	35	6	46	16	31	6	41	16	35	6	42	16	32
	17	6	57	16	37	6	53	16	33	6	48	16	37	6	49	16	34
	27	7	2	16	42	6	58	16	38	6	53	16	42	6	54	16	40
	37	7	4	16	50	7	0	16	46	6	55	16	50	6	56	16	47
東経		137°	13′			138°	11′			138°	23′			138°	34′		
北緯		36	41			36	39			34	58			35	40		

東京の日出入については太陽のページを参照のこと.

各地の日出入　令和7年　2025　中央標準時

月	日	新潟		前橋		横浜		さいたま	
		日出	日入	日出	日入	日出	日入	日出	日入
月	日	h m	h m	h m	h m	h m	h m	h m	h m
1	1	7 0	16 35	6 55	16 39	6 50	16 39	6 51	16 38
	11	6 59	16 44	6 55	16 48	6 51	16 48	6 52	16 47
	21	6 56	16 55	6 52	16 58	6 48	16 58	6 49	16 57
	31	6 49	17 6	6 46	17 9	6 42	17 8	6 43	17 7
2	10	6 40	17 17	6 37	17 19	6 33	17 18	6 34	17 18
	20	6 28	17 28	6 26	17 29	6 22	17 28	6 23	17 28
3	2	6 14	17 38	6 13	17 39	6 10	17 37	6 10	17 37
	12	6 0	17 48	5 59	17 48	5 57	17 46	5 57	17 46
	22	5 45	17 57	5 45	17 57	5 43	17 55	5 42	17 55
4	1	5 29	18 7	5 30	18 6	5 28	18 3	5 28	18 3
	11	5 15	18 16	5 16	18 14	5 15	18 11	5 14	18 11
	21	5 1	18 25	5 3	18 23	5 2	18 19	5 1	18 20
5	1	4 48	18 34	4 51	18 31	4 50	18 28	4 49	18 28
	11	4 37	18 44	4 41	18 40	4 40	18 36	4 39	18 37
	21	4 29	18 52	4 33	18 48	4 33	18 44	4 32	18 45
	31	4 24	19 0	4 28	18 55	4 28	18 51	4 27	18 52
6	10	4 21	19 6	4 25	19 1	4 26	18 56	4 25	18 57
	20	4 21	19 9	4 26	19 5	4 26	19 0	4 25	19 1
	30	4 25	19 10	4 29	19 6	4 29	19 1	4 28	19 2
7	10	4 30	19 8	4 34	19 4	4 34	18 59	4 33	19 0
	20	4 37	19 3	4 41	18 59	4 41	18 54	4 40	18 55
	30	4 45	18 55	4 48	18 52	4 48	18 47	4 47	18 48
8	9	4 54	18 45	4 56	18 42	4 56	18 38	4 55	18 38
	19	5 2	18 32	5 5	18 30	5 4	18 26	5 3	18 27
	29	5 11	18 18	5 13	18 16	5 11	18 13	5 11	18 13
9	8	5 19	18 3	5 20	18 2	5 19	17 59	5 18	17 59
	18	5 28	17 48	5 28	17 47	5 26	17 45	5 26	17 45
	28	5 37	17 32	5 36	17 32	5 34	17 30	5 34	17 30
10	8	5 45	17 17	5 44	17 18	5 42	17 16	5 42	17 16
	18	5 55	17 3	5 53	17 4	5 50	17 3	5 50	17 2
	28	6 5	16 50	6 3	16 52	5 59	16 51	6 0	16 50
11	7	6 15	16 39	6 12	16 42	6 9	16 41	6 9	16 41
	17	6 26	16 31	6 23	16 34	6 18	16 34	6 19	16 33
	27	6 37	16 26	6 33	16 30	6 28	16 30	6 29	16 29
12	7	6 46	16 24	6 42	16 28	6 37	16 28	6 38	16 27
	17	6 53	16 26	6 49	16 30	6 44	16 31	6 45	16 30
	27	6 58	16 31	6 54	16 36	6 49	16 36	6 50	16 35
	37	7 0	16 39	6 56	16 43	6 51	16 43	6 52	16 42
		° ′		° ′		° ′		° ′	
東経		139 02		139 04		139 39		139 39	
北緯		37 55		36 23		35 27		35 51	

東京の日出入については太陽のページを参照のこと.

各地の日出入　令和7年　2025　中央標準時

月	日	宇都宮 日出 h	m	宇都宮 日入 h	m	秋田 日出 h	m	秋田 日入 h	m	千葉 日出 h	m	千葉 日入 h	m	山形 日出 h	m	山形 日入 h	m
1	1	6	52	16	36	7	0	16	26	6	49	16	37	6	55	16	29
	11	6	53	16	44	7	0	16	35	6	49	16	46	6	55	16	38
	21	6	49	16	54	6	56	16	46	6	46	16	56	6	51	16	49
	31	6	43	17	5	6	48	16	58	6	40	17	6	6	44	17	0
2	10	6	34	17	16	6	38	17	10	6	32	17	16	6	35	17	11
	20	6	23	17	26	6	26	17	21	6	21	17	26	6	23	17	22
3	2	6	10	17	36	6	11	17	32	6	8	17	36	6	9	17	33
	12	5	56	17	45	5	56	17	43	5	55	17	44	5	55	17	43
	22	5	41	17	54	5	40	17	53	5	41	17	53	5	39	17	52
4	1	5	27	18	3	5	24	18	3	5	26	18	1	5	24	18	2
	11	5	13	18	11	5	8	18	13	5	13	18	9	5	9	18	11
	21	4	59	18	20	4	54	18	23	5	0	18	18	4	55	18	20
5	1	4	47	18	29	4	40	18	34	4	48	18	26	4	42	18	30
	11	4	37	18	37	4	29	18	43	4	38	18	34	4	31	18	39
	21	4	29	18	45	4	20	18	53	4	31	18	42	4	23	18	48
	31	4	24	18	53	4	14	19	1	4	26	18	49	4	17	18	55
6	10	4	22	18	58	4	11	19	7	4	23	18	55	4	15	19	1
	20	4	22	19	2	4	11	19	11	4	24	18	58	4	15	19	5
	30	4	25	19	3	4	15	19	12	4	27	18	59	4	18	19	6
7	10	4	30	19	1	4	20	19	9	4	32	18	58	4	24	19	4
	20	4	37	18	56	4	28	19	4	4	39	18	53	4	31	18	59
	30	4	45	18	49	4	36	18	55	4	46	18	46	4	39	18	51
8	9	4	53	18	39	4	46	18	44	4	54	18	36	4	48	18	40
	19	5	1	18	27	4	55	18	31	5	1	18	24	4	57	18	27
	29	5	9	18	13	5	4	18	16	5	9	18	11	5	5	18	13
9	8	5	17	17	59	5	14	18	0	5	17	17	57	5	14	17	58
	18	5	25	17	44	5	23	17	44	5	24	17	43	5	23	17	42
	28	5	33	17	29	5	32	17	27	5	32	17	28	5	31	17	27
10	8	5	41	17	14	5	42	17	11	5	40	17	14	5	40	17	11
	18	5	50	17	1	5	52	16	56	5	48	17	1	5	50	16	57
	28	6	0	16	48	6	3	16	43	5	57	16	49	6	0	16	44
11	7	6	10	16	38	6	14	16	31	6	7	16	39	6	11	16	33
	17	6	20	16	31	6	26	16	23	6	17	16	32	6	22	16	25
	27	6	30	16	26	6	37	16	17	6	27	16	27	6	32	16	20
12	7	6	39	16	25	6	47	16	15	6	35	16	26	6	42	16	18
	17	6	46	16	27	6	54	16	17	6	43	16	28	6	49	16	20
	27	6	51	16	32	6	59	16	22	6	48	16	34	6	54	16	25
	37	6	53	16	40	7	1	16	30	6	49	16	41	6	56	16	33

	宇都宮	秋田	千葉	山形
東経	139° 53′	140° 07′	140° 07′	140° 21′
北緯	36° 34′	39° 43′	35° 36′	38° 15′

東京の日出入については太陽のページを参照のこと.

各地の日出入　令和7年　2025　中央標準時

月	日	福島 日出 h	m	福島 日入 h	m	水戸 日出 h	m	水戸 日入 h	m	青森 日出 h	m	青森 日入 h	m	仙台 日出 h	m	仙台 日入 h	m
1	1	6	53	16	30	6	50	16	34	7	1	16	20	6	53	16	27
	11	6	53	16	39	6	50	16	42	7	1	16	30	6	53	16	36
	21	6	50	16	49	6	46	16	52	6	56	16	41	6	49	16	47
	31	6	43	17	0	6	40	17	3	6	48	16	53	6	42	16	58
2	10	6	34	17	12	6	31	17	14	6	38	17	5	6	33	17	9
	20	6	22	17	22	6	20	17	24	6	25	17	17	6	21	17	20
3	2	6	9	17	33	6	7	17	34	6	10	17	29	6	7	17	31
	12	5	54	17	42	5	54	17	43	5	54	17	40	5	53	17	41
	22	5	39	17	52	5	39	17	51	5	37	17	51	5	37	17	50
4	1	5	24	18	1	5	25	18	0	5	21	18	2	5	22	18	0
	11	5	9	18	10	5	10	18	9	5	5	18	12	5	7	18	9
	21	4	55	18	19	4	57	18	17	4	50	18	23	4	53	18	18
5	1	4	43	18	28	4	45	18	26	4	36	18	33	4	40	18	28
	11	4	32	18	37	4	35	18	34	4	24	18	44	4	29	18	37
	21	4	24	18	46	4	27	18	42	4	15	18	53	4	21	18	46
	31	4	18	18	54	4	22	18	50	4	8	19	2	4	15	18	53
6	10	4	16	18	59	4	20	18	55	4	5	19	8	4	13	18	59
	20	4	16	19	3	4	20	18	59	4	5	19	12	4	13	19	3
	30	4	19	19	4	4	23	19	0	4	9	19	13	4	16	19	4
7	10	4	25	19	2	4	29	18	58	4	14	19	10	4	22	19	2
	20	4	32	18	57	4	35	18	53	4	22	19	4	4	29	18	57
	30	4	40	18	49	4	43	18	46	4	31	18	55	4	37	18	49
8	9	4	48	18	39	4	51	18	36	4	41	18	44	4	46	18	38
	19	4	57	18	26	4	59	18	24	4	51	18	30	4	54	18	25
	29	5	5	18	12	5	7	18	11	5	1	18	15	5	3	18	11
9	8	5	14	17	57	5	15	17	56	5	10	17	58	5	12	17	56
	18	5	22	17	42	5	23	17	41	5	20	17	42	5	20	17	40
	28	5	31	17	26	5	30	17	27	5	30	17	25	5	29	17	25
10	8	5	40	17	11	5	39	17	12	5	40	17	8	5	38	17	9
	18	5	49	16	57	5	48	16	58	5	51	16	53	5	48	16	55
	28	5	59	16	44	5	57	16	46	6	3	16	39	5	58	16	42
11	7	6	9	16	34	6	7	16	36	6	14	16	27	6	9	16	31
	17	6	20	16	26	6	17	16	29	6	26	16	18	6	20	16	23
	27	6	30	16	21	6	27	16	24	6	37	16	12	6	30	16	18
12	7	6	40	16	19	6	36	16	23	6	47	16	9	6	40	16	16
	17	6	47	16	21	6	43	16	25	6	55	16	11	6	47	16	18
	27	6	52	16	26	6	48	16	30	7	0	16	16	6	52	16	23
	37	6	54	16	34	6	50	16	38	7	1	16	24	6	54	16	31

	福島	水戸	青森	仙台
東経	140° 28′	140° 29′	140° 44′	140° 52′
北緯	37° 45′	36° 22′	40° 49′	38° 16′

東京の日出入については太陽のページを参照のこと.

各地の日出入　令和7年　2025　中央標準時

月	日	盛岡				小笠原				札幌				根室			
		日出		日入		日出		日入		日出		日入		日出		日入	
月	日	h	m	h	m	h	m	h	m	h	m	h	m	h	m	h	
1	1	6	56	16	22	6	21	16	49	7	6	16	10	6	50	15	52
	11	6	56	16	31	6	22	16	56	7	5	16	20	6	49	16	3
	21	6	52	16	42	6	21	17	4	7	0	16	32	6	44	16	15
	31	6	44	16	54	6	17	17	12	6	51	16	46	6	35	16	28
2	10	6	34	17	6	6	12	17	20	6	39	16	59	6	23	16	41
	20	6	22	17	17	6	4	17	26	6	25	17	12	6	9	16	55
3	2	6	7	17	28	5	54	17	33	6	9	17	25	5	53	17	8
	12	5	52	17	39	5	44	17	38	5	52	17	37	5	36	17	20
	22	5	36	17	49	5	33	17	44	5	35	17	49	5	18	17	32
4	1	5	20	17	59	5	22	17	49	5	17	18	1	5	0	17	44
	11	5	4	18	9	5	11	17	54	5	0	18	12	4	43	17	56
	21	4	50	18	19	5	2	17	59	4	43	18	24	4	26	18	7
5	1	4	36	18	29	4	53	18	4	4	29	18	36	4	11	18	19
	11	4	25	18	39	4	46	18	10	4	16	18	47	3	58	18	31
	21	4	16	18	48	4	40	18	16	4	6	18	57	3	48	18	41
	31	4	10	18	56	4	37	18	21	3	59	19	6	3	41	18	50
6	10	4	7	19	3	4	36	18	25	3	55	19	13	3	37	18	57
	20	4	7	19	7	4	37	18	28	3	55	19	17	3	37	19	1
	30	4	11	19	7	4	40	18	30	3	58	19	18	3	40	19	2
7	10	4	16	19	5	4	44	18	29	4	5	19	15	3	47	18	59
	20	4	24	18	59	4	49	18	26	4	13	19	8	3	55	18	52
	30	4	32	18	51	4	54	18	21	4	23	18	59	4	5	18	42
8	9	4	42	18	40	4	59	18	14	4	33	18	46	4	16	18	30
	19	4	51	18	26	5	4	18	5	4	44	18	31	4	27	18	15
	29	5	0	18	12	5	9	17	55	4	55	18	15	4	38	17	59
9	8	5	10	17	56	5	13	17	44	5	6	17	58	4	49	17	41
	18	5	19	17	40	5	18	17	33	5	17	17	40	5	0	17	23
	28	5	28	17	23	5	22	17	21	5	28	17	22	5	11	17	5
10	8	5	38	17	7	5	27	17	10	5	40	17	4	5	23	16	47
	18	5	48	16	52	5	32	17	0	5	51	16	48	5	35	16	30
	28	5	59	16	39	5	38	16	51	6	4	16	32	5	47	16	15
11	7	6	10	16	27	5	45	16	44	6	16	16	20	6	0	16	2
	17	6	22	16	19	5	52	16	40	6	29	16	9	6	13	15	52
	27	6	33	16	13	6	0	16	37	6	41	16	3	6	25	15	45
12	7	6	42	16	11	6	7	16	38	6	52	16	0	6	36	15	42
	17	6	50	16	13	6	14	16	41	7	0	16	1	6	44	15	43
	27	6	55	16	18	6	19	16	46	7	5	16	6	6	49	15	48
	37	6	56	16	26	6	22	16	52	7	6	16	15	6	50	15	57
		°	′			°	′			°	′			°	′		
東経		141	09			142	11			141	21			145	35		
北緯		39	42			27	05			43	04			43	20		

東京の日出入については太陽のページを参照のこと.

太陽と月の出入・南中推算表

この表は東京における太陽と月の出入・南中時刻をもとにしてわが国周辺の任意の地点に対する概略の時刻を求めるためのもので，その方法は以下のとおりである．

1．その地点の東経を引数として第1表から補助数 M を求める．

2．その地点の北緯を引数として第2表から補助数 N を求める．

3．東京における出から入までの時間の1/2を p とし，これを引数として第3表から補助数 n を求める．

4．東京の出入または南中の時刻を T_0 とすれば，所要の時刻 T はつぎの式から求められる．

$$T=T_0+M\mp N\cdot n$$

ただし（−）は出，（+）は入，南中には $N\cdot n$ の項を省く．

惑星の出入および南中は太陽の表を代用して求められるが，やや不精密な結果が出ることはまぬがれない．

第　1　表

東経	太陽 M 差	月 M 差	東経	太陽 M 差	月 M 差	東経	太陽 M 差	月 M 差
°	h m	h m	°	h m	h m	°	h m	h m
120	+1 19$_4$	+1 22$_4$	133	+0 27$_4$	+0 28$_4$	146	−0 25$_4$	−0 26$_4$
121	+1 15$_4$	+1 18$_5$	134	+0 23$_4$	+0 24$_4$	147	−0 29$_4$	−0 30$_4$
122	+1 11$_4$	+1 13$_4$	135	+0 19$_4$	+0 20$_5$	148	−0 33$_4$	−0 34$_4$
123	+1 7$_4$	+1 9$_4$	136	+0 15$_4$	+0 15$_4$	149	−0 37$_4$	−0 38$_4$
124	+1 3$_4$	+1 5$_4$	137	+0 11$_4$	+0 11$_4$	150	−0 41$_4$	−0 42$_5$
125	+0 59$_4$	+1 1$_4$	138	+0 7$_4$	+0 7$_4$	151	−0 45$_4$	−0 47$_4$
126	+0 55$_4$	+0 57$_4$	139	+0 3$_4$	+0 3$_4$	152	−0 49$_4$	−0 51$_4$
127	+0 51$_4$	+0 53$_4$	140	−0 1$_4$	−0 1$_4$	153	−0 53$_4$	−0 55$_4$
128	+0 47$_4$	+0 49$_5$	141	−0 5$_4$	−0 5$_4$	154	−0 57$_4$	−0 59$_4$
129	+0 43$_4$	+0 44$_4$	142	−0 9$_4$	−0 9$_4$	155	−1 1$_4$	−1 3$_4$
130	+0 39$_4$	+0 40$_4$	143	−0 13$_4$	−0 13$_5$	156	−1 5$_4$	−1 7$_4$
131	+0 35$_4$	+0 36$_4$	144	−0 17$_4$	−0 18$_4$	157	−1 9$_4$	−1 11$_5$
132	+0 31$_4$	+0 32$_4$	145	−0 21$_4$	−0 22$_4$	158	−1 13$_4$	−1 16$_4$
133	+0 27	+0 28	146	−0 25	−0 26	159	−1 17	−1 20

第　2　表

北緯	N 差	北緯	N 差	北緯	N 差	北緯	N 差	北緯	N 差
°	m	°	m	°	m	°	m	°	m
20	−71$_4$	26	−46$_4$	32	−19$_5$	38	+13$_5$	44	+50$_7$
21	−67$_4$	27	−42$_5$	33	−14$_5$	39	+18$_6$	45	+57$_7$
22	−63$_4$	28	−37$_4$	34	− 9$_6$	40	+24$_6$	46	+64$_7$
23	−59$_5$	29	−33$_5$	35	− 3$_5$	41	+30$_7$	47	+71$_8$
24	−54$_4$	30	−28$_5$	36	+ 2$_5$	42	+37$_6$	48	+79$_8$
25	−50$_4$	31	−23$_4$	37	+ 7$_6$	43	+43$_7$	49	+87$_8$
26	−46	32	−19	38	+13	44	+50	50	+95

第 3 表

p	太陽 n	差	月 n	差
4ʰ 20ᵐ			−0.84	9
30			−0.75	8
40	−0.60	7	−0.67	8
50	−0.53	8	−0.59	8
5 0	−0.45	8	−0.51	7
10	−0.37	7	−0.44	8
20	−0.30	7	−0.36	7
30	−0.23	7	−0.29	7
40	−0.16	7	−0.22	7
50	−0.09	7	−0.15	7
6 0	−0.02	7	−0.08	7
10	+0.05	7	−0.01	7
20	+0.12	7	+0.06	7
30	+0.19	7	+0.13	7
40	+0.26	7	+0.20	7
50	+0.33	8	+0.27	7
7 0	+0.41	7	+0.34	8
10	+0.48	8	+0.42	7
20	+0.56		+0.49	8
30			+0.57	8
40			+0.65	8
50			+0.73	9
8 0			+0.82	

例1. 令和7年 1月1日 水戸 太陽 | 東経 140°.5 北緯 36.4

M −0ʰ 3ᵐ | p 4ʰ 54
N +0 4 | n −0.50

記号	日出	日南中	日入
T_0	6ʰ 51ᵐ	11ʰ 45ᵐ	16ʰ 39
M	−0 3	−0 3	−0 3
$\mp N\cdot n$	+0 2		−0 2
T	6 50	11 42	16 34

例2. 令和7年 2月4〜5日 鳥取 月 | 東経 134°.2 北緯 35.5

M +0ʰ 23ᵐ | p 6ʰ 57ᵐ
N −0 1 | n +0.32

記号	月出	月南中	月入
T_0	4日 9ʰ 48ᵐ	4日 16ʰ 39ᵐ	4日 23ʰ 41
M	+0 23	+0 23	+0 23
$\mp N\cdot n$	+0 0		−0 0
T	4 10 11	4 17 2	5 0 4

各地の日出入方位, 日南中高度

北緯	日出入方位 夏至	立夏 立秋	春分 秋分	立春 立冬	冬至	日南中高度 夏至	立夏 立秋	春分 秋分	立春 立冬	冬至
20°	+25°.4	+17°.7	+0°.3	−17°.1	−24°.7	93°.4	86.3	70.0	53°.7	46°.6
25	+26.5	+18.5	+0.4	−17.7	−25.6	88.4	81.3	65.0	48.7	41.6
30	+27.9	+19.5	+0.5	−18.4	−26.8	83.4	76.3	60.0	43.7	36.6
32	+28.6	+19.9	+0.5	−18.8	−27.4	81.4	74.3	58.0	41.7	34.6
34	+29.3	+20.4	+0.6	−19.2	−28.0	79.4	72.3	56.0	39.7	32.6
36	+30.2	+21.0	+0.6	−19.7	−28.7	77.4	70.3	54.0	37.7	30.6
38	+31.1	+21.6	+0.7	−20.2	−29.5	75.4	68.3	52.0	35.7	28.6
40	+32.1	+22.3	+0.7	−20.8	−30.5	73.4	66.3	50.0	33.7	26.6
45	+35.3	+24.4	+0.9	−22.5	−33.2	68.4	61.3	45.0	28.7	21.6
50	+39.5	+27.1	+1.0	−24.8	−37.0	63.4	56.3	40.0	23.7	16.6

東京　潮　汐　令和7年　2025　中央標準時

日次	1月 満潮		1月 干潮		2月 満潮		2月 干潮		3月 満潮		3月 干潮	
	h m	h m	h m	h m	h m	h m	h m	h m	h m	h m	h m	h m
1	6 37	17 5	11 54	— —	7 10	18 31	0 40	12 57	6 5	17 47	— —	12 2
2	7 10	17 45	0 13	12 32	7 36	19 17	1 13	13 35	6 28	18 31	0 21	12 37
3	7 45	18 27	0 52	13 11	8 1	20 8	1 44	14 15	6 50	19 17	0 52	13 12
4	8 19	19 13	1 29	13 53	8 26	21 9	2 13	15 2	7 12	20 7	1 20	13 50
5	8 53	20 10	2 6	14 41	8 51	22 31	2 39	16 5	7 32	21 5	1 46	14 34
6	9 27	21 21	2 43	15 39	9 19	— —	2 59	17 35	7 53	22 34	2 5	15 31
7	10 1	22 51	3 24	16 55	9 58	— —	— —	19 10	8 12	— —	2 4	17 1
8	10 40	— —	4 15	18 20	4 18	11 37	7 36	20 25	8 24	— —	— —	18 55
9	0 59	11 29	5 41	19 32	4 34	14 14	9 24	21 25	4 3	12 40	9 46	20 19
10	3 18	12 37	7 28	20 32	4 55	15 19	10 11	22 13	4 10	14 34	9 41	21 16
11	4 18	13 59	8 51	21 25	5 16	16 4	10 45	22 54	4 25	15 23	10 4	21 59
12	4 58	15 5	9 54	22 15	5 38	16 41	11 15	23 29	4 42	16 2	10 29	22 35
13	5 32	15 56	10 43	23 0	5 58	17 15	11 44	— —	4 59	16 36	10 55	23 6
14	6 2	16 39	11 23	23 41	6 18	17 47	0 0	12 11	5 17	17 8	11 21	23 34
15	6 30	17 17	11 59	— —	6 37	18 20	0 28	12 38	5 35	17 40	11 46	— —
16	6 56	17 52	0 18	12 31	6 56	18 54	0 53	13 5	5 52	18 13	0 1	12 11
17	7 21	18 27	0 51	13 3	7 16	19 30	1 16	13 33	6 10	18 46	0 26	12 36
18	7 44	19 3	1 21	13 34	7 37	20 11	1 38	14 2	6 29	19 21	0 49	13 1
19	8 8	19 43	1 48	14 8	7 59	21 1	1 59	14 37	6 49	19 59	1 12	13 28
20	8 33	20 32	2 13	14 46	8 23	22 13	2 16	15 26	7 10	20 45	1 33	13 59
21	8 59	21 36	2 39	15 37	8 51	— —	2 23	16 58	7 32	21 53	1 53	14 39
22	9 30	23 13	3 5	16 58	9 30	— —	— —	18 53	7 56	— —	2 7	15 48
23	10 7	— —	3 41	18 34	4 1	11 0	7 35	20 11	8 27	— —	— —	17 55
24	3 12	10 57	5 49	19 43	4 12	13 41	9 1	21 7	3 16	10 24	7 59	19 35
25	3 57	12 17	7 43	20 37	4 32	14 52	9 45	21 53	3 30	13 33	8 54	20 39
26	4 26	13 51	8 55	21 24	4 54	15 40	10 21	22 34	3 50	14 42	9 26	21 27
27	4 53	14 55	9 48	22 7	5 17	16 23	10 55	23 12	4 11	15 32	9 58	22 9
28	5 20	15 43	10 30	22 48	5 41	17 5	11 28	23 47	4 33	16 17	10 30	22 47
29	5 48	16 26	11 9	23 28					4 56	17 1	11 4	23 24
30	6 16	17 6	11 45	— —					5 20	17 46	11 38	23 58
31	6 43	17 48	0 5	12 21					5 43	18 32	— —	12 14

各地潮時の平均改正数

地　名	改正数	地　名	改正数	地　名	改正数	地　名	改正数
	h m		h m		h m		h m
長　崎	+3 20	鹿児島	+2 20	高　知	+1 10	高　松	+6 20

この平均改正数を加えると各地の概略の値が得られる．ただし，その誤差は大きくなる場合がある．

東京　潮　汐　令和 7 年　2025　中央標準時

日次	4月 満潮 h m	4月 満潮 h m	4月 干潮 h m	4月 干潮 h m
1	6 6	19 20	0 30	12 51
2	6 28	20 12	1 0	13 30
3	6 51	21 15	1 27	14 15
4	7 12	23 2	1 52	15 12
5	7 31	— —	2 14	16 38
6	2 42	— —	— —	18 27
7	2 58	13 6	8 56	19 50
8	3 16	14 25	9 11	20 45
9	3 35	15 12	9 35	21 27
10	3 53	15 51	10 0	22 2
11	4 11	16 26	10 26	22 35
12	4 30	17 0	10 52	23 5
13	4 48	17 34	11 18	23 33
14	5 8	18 7	11 43	— —
15	5 28	18 41	0 0	12 9
16	5 49	19 17	0 26	12 36
17	6 11	19 56	0 52	13 4
18	6 35	20 45	1 18	13 37
19	7 0	21 54	1 47	14 19
20	7 30	23 53	2 26	15 21
21	8 18	— —	4 4	17 1
22	1 34	10 53	7 14	18 43
23	2 17	13 10	8 12	19 55
24	2 47	14 23	8 49	20 49
25	3 14	15 19	9 24	21 35
26	3 40	16 9	10 0	22 17
27	4 7	16 58	10 36	22 57
28	4 33	17 47	11 14	23 35
29	5 1	18 36	11 53	— —
30	5 29	19 26	0 11	12 34
31				

日次	5月 満潮 h m	5月 満潮 h m	5月 干潮 h m	5月 干潮 h m
1	5 58	20 20	0 46	13 17
2	6 28	21 22	1 22	14 5
3	7 1	22 38	2 3	15 1
4	7 43	— —	3 5	16 11
5	0 6	9 31	5 27	17 33
6	1 12	12 27	7 35	18 50
7	1 53	13 54	8 20	19 51
8	2 23	14 51	8 53	20 39
9	2 49	15 36	9 23	21 21
10	3 14	16 17	9 52	21 58
11	3 38	16 54	10 20	22 33
12	4 2	17 30	10 49	23 6
13	4 27	18 5	11 17	23 37
14	4 52	18 40	11 47	— —
15	5 19	19 17	0 8	12 18
16	5 47	19 58	0 39	12 52
17	6 17	20 46	1 13	13 30
18	6 52	21 44	1 52	14 14
19	7 37	22 49	2 44	15 8
20	8 52	23 51	4 6	16 18
21	10 49	— —	5 59	17 41
22	0 44	12 37	7 14	18 58
23	1 27	14 0	8 4	20 2
24	2 5	15 9	8 47	20 57
25	2 41	16 8	9 29	21 46
26	3 17	17 2	10 11	22 33
27	3 54	17 52	10 54	23 17
28	4 31	18 41	11 39	— —
29	5 8	19 29	0 0	12 24
30	5 47	20 15	0 42	13 10
31	6 28	21 1	1 24	13 57

日次	6月 満潮 h m	6月 満潮 h m	6月 干潮 h m	6月 干潮 h m
1	7 12	21 46	2 10	14 4[illegible]
2	8 9	22 30	3 4	15 3[illegible]
3	9 32	23 14	4 19	16 2[illegible]
4	11 20	23 58	5 57	17 3[illegible]
5	— —	13 2	7 12	18 3[illegible]
6	0 42	14 24	8 1	19 4[illegible]
7	1 24	15 25	8 40	20 3[illegible]
8	2 5	16 12	9 15	21 2[illegible]
9	2 43	16 52	9 49	22 4
10	3 20	17 28	10 23	22 4[illegible]
11	3 54	18 3	10 57	23 20
12	4 28	18 38	11 33	23 56
13	5 3	19 14	— —	12 9
14	5 38	19 51	0 32	12 47
15	6 16	20 31	1 10	13 26
16	6 59	21 12	1 52	14 6
17	7 52	21 53	2 40	14 50
18	9 3	22 34	3 40	15 39
19	10 30	23 16	4 55	16 38
20	— —	12 5	6 13	17 53
21	0 0	13 45	7 17	19 11
22	0 48	15 14	8 12	20 21
23	1 42	16 20	9 3	21 24
24	2 38	17 12	9 54	22 21
25	3 32	17 57	10 43	23 11
26	4 21	18 38	11 32	23 57
27	5 6	19 15	— —	12 18
28	5 49	19 48	0 38	13 1
29	6 31	20 19	1 16	13 39
30	7 15	20 48	1 55	14 15
31				

各地潮時の平均改正数

地名	改正数 h m	地名	改正数 h m	地名	改正数 h m	地名	改正数 h m
下関	+4 20	広島	+4 50	神戸	+2 30	敦賀	−2 40

この平均改正数を加えると各地の概略の値が得られる．ただし，その誤差は大きくなる場合がある．

東京　潮　汐　　令和7年　2025　中央標準時

日次	7月				8月				9月			
	満潮		干潮		満潮		干潮		満潮		干潮	
	h m	h m	h m	h m	h m	h m	h m	h m	h m	h m	h m	h m
1	8 4	21 17	2 36	14 49	9 31	21 6	3 19	14 58	— —	21 4	4 28	— —
2	9 3	21 47	3 24	15 24	10 51	21 37	4 20	15 31	15 42	22 13	6 19	19 14
3	10 17	22 21	4 27	16 6	14 15	22 18	5 45	17 0	— —	15 56	7 44	20 51
4	11 53	22 59	5 46	17 7	15 44	23 24	7 6	19 13	1 11	16 15	8 44	21 33
5	14 1	23 45	6 58	18 30	— —	16 15	8 10	20 40	2 33	16 36	9 32	22 7
6	— —	15 28	7 53	19 47	1 15	16 42	9 3	21 38	3 23	16 57	10 13	22 39
7	0 45	16 15	8 40	20 51	2 38	17 8	9 50	22 22	4 6	17 19	10 50	23 11
8	1 51	16 51	9 23	21 43	3 30	17 33	10 33	22 59	4 48	17 42	11 26	23 44
9	2 49	17 24	10 4	22 29	4 13	17 59	11 12	23 34	5 30	18 5	11 59	— —
10	3 36	17 55	10 44	23 9	4 54	18 24	11 48	— —	6 13	18 27	0 18	12 31
11	4 18	18 26	11 24	23 47	5 35	18 50	0 8	12 23	6 59	18 50	0 53	13 1
12	4 57	18 56	— —	12 2	6 17	19 14	0 43	12 55	7 49	19 11	1 30	13 29
13	5 37	19 27	0 24	12 39	7 2	19 39	1 18	13 26	8 46	19 33	2 12	13 54
14	6 18	19 58	1 1	13 15	7 52	20 2	1 56	13 56	10 4	19 56	3 3	14 12
15	7 4	20 28	1 40	13 50	8 49	20 27	2 38	14 24	— —	20 18	4 19	— —
16	7 56	20 58	2 21	14 24	9 58	20 53	3 30	14 50	— —	15 34	6 6	— —
17	8 57	21 28	3 8	15 0	11 54	21 26	4 42	15 12	— —	15 43	7 39	21 15
18	10 10	22 0	4 7	15 41	15 50	22 25	6 15	18 8	1 57	16 1	8 44	21 42
19	11 43	22 39	5 21	16 39	— —	16 10	7 42	20 49	2 59	16 19	9 33	22 9
20	14 9	23 33	6 39	18 21	1 19	16 34	8 51	21 50	3 42	16 38	10 12	22 37
21	— —	15 51	7 49	20 6	2 51	16 57	9 47	22 28	4 20	16 56	10 45	23 5
22	0 59	16 39	8 51	21 27	3 44	17 19	10 33	23 0	4 55	17 15	11 16	23 32
23	2 31	17 15	9 48	22 26	4 26	17 41	11 11	23 31	5 30	17 33	11 44	23 58
24	3 35	17 47	10 40	23 11	5 4	18 1	11 45	— —	6 4	17 51	— —	12 11
25	4 25	18 17	11 26	23 49	5 39	18 20	0 0	12 14	6 39	18 11	0 24	12 36
26	5 8	18 43	— —	12 6	6 14	18 39	0 29	12 41	7 15	18 31	0 51	13 0
27	5 47	19 7	0 24	12 41	6 50	18 59	0 56	13 6	7 55	18 52	1 18	13 23
28	6 26	19 30	0 56	13 12	7 28	19 19	1 25	13 30	8 42	19 14	1 49	13 44
29	7 4	19 52	1 28	13 40	8 10	19 40	1 54	13 52	9 51	19 38	2 29	14 4
30	7 46	20 14	2 1	14 7	9 0	20 4	2 28	14 12	— —	20 5	3 31	— —
31	8 33	20 39	2 36	14 32	10 10	20 30	3 13	14 27				

各地潮時の平均改正数

地名	改正数	地名	改正数	地名	改正数	地名	改正数
	h m		h m		h m		h m
名古屋	+1 0	新潟	−2 10	横浜	0 0	銚子	−1 0

この平均改正数を加えると各地の概略の値が得られる．ただし，その誤差は大きくなる場合がある．

東京　潮　汐　　令和7年　　2025　　中央標準時

日次	10月 満潮		10月 干潮		11月 満潮		11月 干潮		12月 満潮		12月 干潮	
	h m	h m	h m	h m	h m	h m	h m	h m	h m	h m	h m	h m
1	— —	14 51	5 25	— —	0 36	14 21	7 24	20 31	1 31	13 35	7 28	20 [illegible]
2	— —	15 9	7 7	20 40	1 57	14 48	8 19	21 4	2 46	14 13	8 27	21 [illegible]
3	1 4	15 28	8 13	21 10	2 56	15 14	9 6	21 38	3 47	14 52	9 18	21 [illegible]
4	2 19	15 48	9 1	21 40	3 47	15 41	9 49	22 14	4 42	15 31	10 6	22 [illegible]
5	3 11	16 10	9 43	22 11	4 36	16 9	10 30	22 51	5 32	16 10	10 52	23 [illegible]
6	3 56	16 32	10 21	22 43	5 25	16 37	11 9	23 30	6 20	16 49	11 35	— —
7	4 40	16 55	10 58	23 17	6 14	17 7	11 46	— —	7 6	17 28	0 3	12 [illegible]
8	5 25	17 19	11 33	23 52	7 4	17 38	0 12	12 23	7 51	18 9	0 49	13 [illegible]
9	6 11	17 43	— —	12 7	7 57	18 10	0 56	13 1	8 35	18 52	1 35	13 [illegible]
10	6 59	18 7	0 29	12 38	8 57	18 44	1 44	13 42	9 18	19 42	2 20	14 [illegible]
11	7 52	18 31	1 9	13 9	10 8	19 26	2 38	14 38	10 0	20 53	3 5	15 [illegible]
12	8 54	18 56	1 54	13 38	11 28	20 50	3 42	16 25	10 42	22 39	3 53	17 [illegible]
13	10 26	19 20	2 49	14 11	12 36	23 44	4 59	19 0	11 25	— —	4 52	18 [illegible]
14	13 20	19 43	4 6	16 0	— —	13 22	6 18	19 57	0 38	12 10	6 4	19 [illegible]
15	— —	14 22	5 47	20 20	1 28	13 56	7 23	20 34	2 19	12 58	7 15	20 [illegible]
16	0 11	14 48	7 15	20 45	2 34	14 25	8 15	21 6	3 25	13 46	8 16	21 [illegible]
17	1 54	15 9	8 16	21 12	3 24	14 52	8 59	21 37	4 11	14 29	9 7	21 [illegible]
18	2 50	15 29	9 1	21 40	4 7	15 18	9 39	22 6	4 49	15 9	9 51	22 [illegible]
19	3 33	15 48	9 39	22 8	4 45	15 44	10 15	22 35	5 22	15 44	10 31	22 [illegible]
20	4 11	16 8	10 13	22 35	5 21	16 10	10 49	23 4	5 54	16 18	11 7	23 [illegible]
21	4 47	16 28	10 45	23 2	5 55	16 36	11 21	23 34	6 25	16 51	11 41	23 [illegible]
22	5 22	16 48	11 15	23 29	6 29	17 4	11 52	— —	6 57	17 24	— —	12 [illegible]
23	5 57	17 9	11 43	23 56	7 5	17 32	0 5	12 23	7 30	17 58	0 31	12 [illegible]
24	6 32	17 31	— —	12 11	7 43	18 1	0 38	12 55	8 4	18 36	1 5	13 [illegible]
25	7 8	17 54	0 23	12 38	8 26	18 33	1 13	13 32	8 40	19 21	1 40	14 [illegible]
26	7 47	18 18	0 52	13 4	9 17	19 13	1 53	14 18	9 18	20 19	2 17	15 [illegible]
27	8 34	18 43	1 25	13 33	10 15	20 12	2 39	15 28	9 56	21 38	2 57	16 [illegible]
28	9 40	19 12	2 5	14 11	11 15	21 57	3 37	17 19	10 37	23 15	3 46	17 35
29	11 23	19 52	3 0	15 34	12 8	23 56	4 53	18 49	11 21	— —	4 54	18 51
30	13 2	22 3	4 26	18 51	— —	12 54	6 17	19 43	1 9	12 12	6 26	19 51
31	— —	13 50	6 8	19 55					3 1	13 10	7 51	20 43

各地潮時の平均改正数

地　名	改正数	地　名	改正数	地　名	改正数	地　名	改正数
	h m		h m		h m		h m
石　巻	−1 20	函　館	−1 40	室　蘭	−1 50	釧　路	−2 0

この平均改正数を加えると各地の概略の値が得られる．ただし，その誤差は大きくなる場合がある．

水 星　令和7年　2025

月 日	世界時 0^h 等級	世界時 0^h 視赤経	世界時 0^h 視赤緯	世界時 0^h 距離	世界時 0^h 視半径	東京，中央標準時 出	東京，中央標準時 南中	東京，中央標準時 入
月 日	等	h m s	° ′ ″		″	h m	h m	h m
1 0	−0.4	17 10 52.1	−21 41 58	1.131	3.0	5 15	10 12	15 9
5	−0.4	17 39 09.2	−22 47 37	1.212	2.8	5 27	10 21	15 14
10	−0.4	18 09 45.5	−23 31 08	1.278	2.6	5 41	10 32	15 23
15	−0.4	18 41 54.1	−23 47 01	1.330	2.5	5 54	10 44	15 34
20	−0.5	19 15 05.4	−23 31 50	1.369	2.5	6 7	10 58	15 49
25	−0.7	19 48 59.1	−22 43 17	1.396	2.4	6 18	11 12	16 6
30	−0.9	20 23 20.4	−21 19 46	1.410	2.4	6 28	11 27	16 26
2 4	−1.2	20 57 58.2	−19 20 14	1.410	2.4	6 36	11 42	16 48
9	−1.5	21 32 44.3	−16 44 10	1.396	2.4	6 43	11 57	17 11
14	−1.5	22 07 29.6	−13 32 00	1.363	2.5	6 48	12 12	17 37
19	−1.4	22 41 56.4	−09 46 25	1.308	2.6	6 52	12 27	18 3
24	−1.3	23 15 20.1	−05 35 12	1.225	2.7	6 53	12 40	18 29
3 1	−1.0	23 45 59.9	−01 16 01	1.114	3.0	6 52	12 51	18 52
6	−0.6	00 10 56.8	+02 40 01	0.981	3.4	6 46	12 56	19 7
11	+0.1	00 26 27.6	+05 33 14	0.843	4.0	6 33	12 52	19 10
16	+1.4	00 29 53.5	+06 48 50	0.724	4.6	6 14	12 35	18 56
21	+3.9	00 21 53.8	+06 12 01	0.640	5.3	5 48	12 7	18 26
26	+5.7	00 07 38.8	+04 05 10	0.601	5.6	5 20	11 33	17 45
31	+3.3	23 54 42.6	+01 28 10	0.602	5.6	4 55	11 1	17 6
4 5	+1.8	23 48 29.5	−00 38 32	0.635	5.3	4 35	10 35	16 35
10	+1.0	23 50 26.7	−01 45 19	0.688	4.9	4 20	10 17	16 14
15	+0.7	23 59 37.5	−01 49 04	0.753	4.5	4 10	10 7	16 4
20	+0.5	00 14 30.0	−00 57 22	0.825	4.1	4 2	10 2	16 2
25	+0.3	00 33 46.9	+00 40 27	0.900	3.7	3 57	10 2	16 7
30	+0.1	00 56 38.3	+02 55 59	0.977	3.4	3 54	10 5	16 17
5 5	−0.1	01 22 40.7	+05 42 10	1.055	3.2	3 52	10 11	16 32
10	−0.3	01 51 53.9	+08 52 29	1.131	3.0	3 52	10 21	16 51
15	−0.7	02 24 36.5	+12 19 45	1.202	2.8	3 55	10 34	17 15
20	−1.1	03 01 18.2	+15 54 05	1.264	2.7	4 0	10 51	17 43
25	−1.7	03 42 20.1	+19 20 20	1.307	2.6	4 10	11 12	18 16
30	−2.4	04 27 16.0	+22 16 39	1.322	2.5	4 25	11 38	18 52
6 4	−1.7	05 14 14.4	+24 19 29	1.301	2.6	4 45	12 5	19 26
9	−1.2	06 00 23.1	+25 15 08	1.248	2.7	5 8	12 32	19 56
14	−0.7	06 43 10.6	+25 05 50	1.174	2.9	5 31	12 55	20 18
19	−0.3	07 21 12.0	+24 04 14	1.090	3.1	5 54	13 13	20 31
24	+0.0	07 53 54.6	+22 25 40	1.003	3.4	6 13	13 26	20 38
29	+0.3	08 21 07.1	+20 24 35	0.918	3.7	6 27	13 33	20 38

水　星　　令和7年　2025

月	日	世界時 0^h 等級	視赤経	視赤緯	距離	視半径	東京，中央標準時 出	南中	入
月	日	等	h m s	° ′ ″		″	h m	h m	h
7	4	+0.5	08 42 37.4	+18 14 08	0.836	4.0	6 37	13 35	20 32
	9	+0.8	08 58 02.1	+16 07 01	0.761	4.4	6 39	13 30	20 20
	14	+1.1	09 06 42.7	+14 16 30	0.693	4.9	6 34	13 19	20 3
	19	+1.8	09 07 57.1	+12 56 56	0.638	5.3	6 20	13 0	19 39
	24	+2.9	09 01 35.1	+12 22 11	0.601	5.6	5 56	12 34	19 11
	29	+4.7	08 49 08.0	+12 40 11	0.588	5.7	5 24	12 2	18 40
8	3	+5.0	08 34 50.0	+13 44 30	0.607	5.5	4 46	11 28	18 10
	8	+2.8	08 24 48.9	+15 12 16	0.661	5.1	4 12	10 58	17 45
	13	+1.2	08 24 20.2	+16 33 27	0.751	4.5	3 47	10 38	17 30
	18	+0.2	08 35 48.4	+17 20 17	0.869	3.9	3 36	10 30	17 25
	23	−0.5	08 58 44.6	+17 10 11	1.003	3.4	3 39	10 34	17 28
	28	−1.0	09 30 22.5	+15 49 22	1.133	3.0	3 55	10 46	17 36
9	2	−1.4	10 06 34.3	+13 20 08	1.243	2.7	4 19	11 2	17 45
	7	−1.6	10 43 32.9	+10 00 36	1.321	2.5	4 46	11 20	17 52
	12	−1.8	11 19 09.9	+06 13 22	1.370	2.5	5 14	11 36	17 56
	17	−1.5	11 52 47.0	+02 16 04	1.394	2.4	5 39	11 49	17 59
	22	−1.0	12 24 31.7	−01 39 59	1.398	2.4	6 2	12 1	17 59
	27	−0.7	12 54 46.3	−05 27 59	1.387	2.4	6 24	12 12	17 59
10	2	−0.5	13 23 54.1	−09 03 42	1.363	2.5	6 44	12 21	17 58
	7	−0.4	13 52 13.5	−12 24 02	1.327	2.5	7 3	12 30	17 56
	12	−0.3	14 19 55.4	−15 26 22	1.279	2.6	7 20	12 38	17 55
	17	−0.2	14 46 59.9	−18 07 55	1.221	2.8	7 36	12 45	17 54
	22	−0.2	15 13 09.7	−20 25 21	1.151	2.9	7 50	12 52	17 53
	27	−0.1	15 37 39.3	−22 14 23	1.069	3.1	8 1	12 56	17 51
11	1	−0.1	15 58 54.1	−23 29 03	0.976	3.4	8 7	12 58	17 48
	6	+0.1	16 13 57.6	−24 00 22	0.874	3.8	8 4	12 53	17 41
	11	+0.6	16 18 03.2	−23 33 35	0.774	4.3	7 47	12 37	17 26
	16	+2.5	16 06 14.1	−21 48 33	0.698	4.8	7 10	12 5	17 0
	21	+6.1	15 41 32.9	−18 52 16	0.679	5.0	6 17	11 21	16 26
	26	+1.5	15 20 39.4	−16 15 21	0.735	4.6	5 27	10 41	15 54
12	1	+0.1	15 16 29.8	−15 27 20	0.843	4.0	5 0	10 17	15 34
	6	−0.3	15 27 40.7	−16 17 22	0.966	3.5	4 54	10 9	15 23
	11	−0.5	15 48 22.7	−17 56 14	1.080	3.1	5 0	10 10	15 19
	16	−0.5	16 14 26.4	−19 47 22	1.178	2.9	5 12	10 16	15 19
	21	−0.5	16 43 38.3	−21 30 16	1.259	2.7	5 27	10 26	15 23
	26	−0.5	17 14 50.5	−22 53 54	1.322	2.5	5 44	10 37	15 30
	31	−0.6	17 47 26.5	−23 51 56	1.370	2.5	6 0	10 50	15 40
	36	−0.7	18 21 04.7	−24 20 17	1.403	2.4	6 16	11 4	15 52

金 星　令和7年　2025

月日	世界時 0^h 等級	視赤経	視赤緯	距離	視半径	東京, 中央標準時 出	南中	入
月 日	等	h m s	° ′ ″		″	h m	h m	h m
1 −5	−4.4	21 36 39.7	−16 07 05	0.795	10.5	9 43	14 58	20 14
5	−4.5	22 17 28.1	−11 48 38	0.721	11.6	9 31	14 59	20 28
15	−4.6	22 54 31.4	−07 10 34	0.647	12.9	9 15	14 57	20 39
25	−4.7	23 27 24.4	−02 27 28	0.573	14.6	8 54	14 50	20 46
2 4	−4.8	23 55 17.5	+02 05 46	0.501	16.7	8 30	14 38	20 47
14	−4.9	00 16 24.6	+06 10 33	0.432	19.3	8 0	14 20	20 40
24	−4.9	00 27 57.6	+09 21 50	0.370	22.6	7 23	13 52	20 21
3 6	−4.7	00 26 39.8	+11 03 30	0.319	26.2	6 37	13 11	19 45
16	−4.2	00 11 35.9	+10 32 10	0.287	29.1	5 44	12 16	18 48
26	−4.2	23 49 57.4	+07 47 16	0.282	29.6	4 52	11 16	17 39
4 5	−4.5	23 34 51.0	+04 17 32	0.306	27.3	4 7	10 21	16 35
15	−4.7	23 33 51.4	+01 46 01	0.353	23.6	3 34	9 41	15 48
25	−4.8	23 46 23.5	+00 52 18	0.415	20.1	3 10	9 14	15 19
5 5	−4.7	00 08 39.8	+01 27 21	0.487	17.1	2 51	8 57	15 4
15	−4.6	00 37 22.1	+03 09 25	0.563	14.8	2 35	8 47	14 58
25	−4.5	01 10 27.3	+05 37 49	0.643	13.0	2 21	8 40	14 59
6 4	−4.4	01 46 43.1	+08 33 34	0.723	11.5	2 10	8 37	15 5
14	−4.3	02 25 36.1	+11 40 20	0.803	10.4	2 0	8 36	15 14
24	−4.2	03 06 56.6	+14 43 32	0.882	9.5	1 52	8 38	15 25
7 4	−4.1	03 50 38.8	+17 29 04	0.960	8.7	1 47	8 43	15 38
14	−4.1	04 36 36.7	+19 44 10	1.035	8.1	1 46	8 49	15 52
24	−4.0	05 24 37.2	+21 17 19	1.107	7.5	1 49	8 58	16 6
8 3	−4.0	06 14 09.9	+21 59 01	1.177	7.1	1 57	9 8	16 19
13	−4.0	07 04 33.6	+21 43 11	1.243	6.7	2 9	9 19	16 29
23	−3.9	07 55 03.7	+20 27 33	1.305	6.4	2 24	9 30	16 35
9 2	−3.9	08 44 56.8	+18 14 17	1.363	6.1	2 42	9 40	16 38
12	−3.9	09 33 45.5	+15 09 18	1.416	5.9	3 1	9 50	16 38
22	−3.9	10 21 22.3	+11 21 03	1.466	5.7	3 21	9 58	16 34
10 2	−3.9	11 07 54.8	+07 00 01	1.510	5.5	3 42	10 5	16 28
12	−3.9	11 53 45.9	+02 17 30	1.550	5.4	4 2	10 12	16 21
22	−3.9	12 39 29.3	−02 34 52	1.586	5.3	4 22	10 18	16 13
11 1	−3.9	13 25 41.1	−07 24 40	1.616	5.2	4 43	10 25	16 6
11	−3.9	14 12 58.0	−11 59 14	1.643	5.1	5 4	10 32	16 0
21	−3.9	15 01 52.8	−16 05 32	1.665	5.0	5 26	10 42	15 57
12 1	−3.9	15 52 43.7	−19 30 09	1.682	5.0	5 49	10 53	15 58
11	−3.9	16 45 29.7	−22 00 29	1.695	4.9	6 11	11 7	16 3
21	−3.9	17 39 46.5	−23 26 00	1.705	4.9	6 31	11 22	16 13
31	−3.9	18 34 43.9	−23 39 59	1.710	4.9	6 47	11 37	16 28
41	−3.9	19 29 20.8	−22 40 59	1.711	4.9	6 59	11 52	16 46

火　星　　令和7年　　2025

月日	世界時 0^h					東京，中央標準時		
	等級	視赤経	視赤緯	距離	視半径	出	南中	入
月　日	等	h m s	° ′ ″		″	h m	h m	h
1 −5	−1.1	08 27 44.4	+22 54 15	0.675	6.9	18 33	1 50	9
5	−1.3	08 14 45.0	+23 59 11	0.649	7.2	17 37	0 58	8 1
15	−1.5	07 58 19.7	+25 00 57	0.643	7.3	16 37	0 3	7 2
15							23 57	
25	−1.3	07 41 33.4	+25 46 30	0.659	7.1	15 38	23 1	6 2
2 4	−1.0	07 27 40.0	+26 09 57	0.697	6.7	14 44	22 8	5 3
14	−0.7	07 18 53.2	+26 13 05	0.753	6.2	13 56	21 21	4 5
24	−0.4	07 15 51.1	+26 01 15	0.823	5.7	13 14	20 38	4
3 6	−0.2	07 18 15.0	+25 38 40	0.903	5.2	12 39	20 2	3 28
16	+0.1	07 25 16.7	+25 07 23	0.991	4.7	12 9	19 30	2 54
26	+0.3	07 35 59.3	+24 27 55	1.083	4.3	11 42	19 1	2 2
4 5	+0.5	07 49 35.7	+23 39 40	1.177	4.0	11 20	18 35	1 54
15	+0.7	08 05 24.1	+22 41 56	1.272	3.7	11 0	18 12	1 27
25	+0.8	08 22 50.6	+21 34 07	1.366	3.4	10 42	17 50	1 1
5 5	+1.0	08 41 31.1	+20 15 42	1.459	3.2	10 25	17 29	0 36
15	+1.1	09 01 04.9	+18 46 35	1.549	3.0	10 11	17 10	0 11
25	+1.2	09 21 16.7	+17 07 01	1.636	2.9	9 57	16 50	23 44
6 4	+1.3	09 41 57.5	+15 17 15	1.720	2.7	9 44	16 32	23 19
14	+1.3	10 02 58.5	+13 18 00	1.800	2.6	9 32	16 13	22 54
24	+1.4	10 24 15.5	+11 10 05	1.875	2.5	9 20	15 55	22 30
7 4	+1.5	10 45 47.4	+08 54 18	1.946	2.4	9 9	15 37	22 5
14	+1.5	11 07 32.9	+06 31 50	2.012	2.3	8 58	15 20	21 41
24	+1.5	11 29 33.8	+04 03 47	2.073	2.3	8 48	15 2	21 16
8 3	+1.6	11 51 53.5	+01 31 21	2.129	2.2	8 38	14 45	20 52
13	+1.6	12 14 35.0	−01 03 58	2.180	2.1	8 29	14 28	20 28
23	+1.6	12 37 43.6	−03 40 46	2.226	2.1	8 20	14 12	20 4
9 2	+1.6	13 01 25.2	−06 17 24	2.266	2.1	8 12	13 57	19 41
12	+1.6	13 25 44.8	−08 51 59	2.302	2.0	8 5	13 41	19 18
22	+1.6	13 50 49.4	−11 22 38	2.333	2.0	7 58	13 27	18 56
10 2	+1.6	14 16 44.9	−13 47 07	2.359	2.0	7 51	13 14	18 36
12	+1.5	14 43 36.2	−16 02 59	2.380	2.0	7 46	13 1	18 16
22	+1.5	15 11 28.2	−18 07 44	2.397	2.0	7 41	12 50	17 58
11 1	+1.5	15 40 23.6	−19 58 36	2.409	1.9	7 37	12 39	17 41
11	+1.4	16 10 21.5	−21 32 44	2.418	1.9	7 32	12 30	17 27
21	+1.4	16 41 19.9	−22 47 26	2.422	1.9	7 28	12 21	17 14
12 1	+1.3	17 13 11.8	−23 40 05	2.424	1.9	7 24	12 14	17 3
11	+1.2	17 45 46.3	−24 08 31	2.422	1.9	7 19	12 7	16 55
21	+1.2	18 18 51.4	−24 11 08	2.418	1.9	7 13	12 1	16 49
31	+1.1	18 52 11.0	−23 47 05	2.411	1.9	7 5	11 54	16 44
41	+1.1	19 25 29.2	−22 56 21	2.403	1.9	6 56	11 48	16 41

木 星　令和7年　2025

月日	世界時 0h 等級	視赤経	視赤緯	距離	視半径	東京, 中央標準時 出	南中	入
月 日	等	h m s	° ′ ″		″	h m	h m	h m
1 −5	−2.8	04 50 26.3	+21 51 02	4.149	23.8	15 0	22 9	5 22
5	−2.7	04 45 47.1	+21 45 00	4.224	23.3	14 17	21 25	4 38
15	−2.7	04 42 14.3	+21 40 39	4.324	22.8	13 34	20 42	3 55
25	−2.6	04 40 00.2	+21 38 36	4.447	22.2	12 53	20 1	3 13
2 4	−2.5	04 39 11.6	+21 39 14	4.586	21.5	12 13	19 21	2 33
14	−2.4	04 39 50.1	+21 42 36	4.738	20.8	11 34	18 42	1 55
24	−2.3	04 41 52.4	+21 48 30	4.896	20.1	10 56	18 5	1 18
3 6	−2.3	04 45 13.7	+21 56 34	5.058	19.5	10 20	17 29	0 42
16	−2.2	04 49 46.9	+22 06 16	5.219	18.9	9 44	16 54	0 8
26	−2.1	04 55 24.0	+22 17 00	5.374	18.3	9 10	16 21	23 31
4 5	−2.1	05 01 57.7	+22 28 11	5.521	17.9	8 37	15 48	22 59
15	−2.0	05 09 19.7	+22 39 13	5.658	17.4	8 4	15 16	22 28
25	−2.0	05 17 22.8	+22 49 33	5.781	17.1	7 32	14 45	21 57
5 5	−2.0	05 26 00.3	+22 58 43	5.889	16.7	7 1	14 14	21 27
15	−1.9	05 35 05.2	+23 06 17	5.980	16.5	6 30	13 44	20 57
25	−1.9	05 44 31.3	+23 11 58	6.054	16.3	6 0	13 14	20 28
6 4	−1.9	05 54 13.3	+23 15 29	6.108	16.1	5 30	12 44	19 58
14	−1.9	06 04 04.8	+23 16 42	6.144	16.0	5 0	12 15	19 29
24	−1.9	06 14 00.9	+23 15 31	6.159	16.0	4 31	11 45	18 59
7 4	−1.9	06 23 56.2	+23 11 58	6.154	16.0	4 2	11 16	18 30
14	−1.9	06 33 45.3	+23 06 08	6.130	16.1	3 32	10 46	18 0
24	−1.9	06 43 23.4	+22 58 11	6.086	16.2	3 3	10 16	17 30
8 3	−1.9	06 52 44.7	+22 48 22	6.023	16.4	2 34	9 46	16 59
13	−1.9	07 01 43.8	+22 37 02	5.942	16.6	2 4	9 16	16 28
23	−2.0	07 10 15.1	+22 24 33	5.845	16.9	1 34	8 45	15 56
9 2	−2.0	07 18 12.3	+22 11 27	5.731	17.2	1 3	8 14	15 24
12	−2.0	07 25 29.0	+21 58 17	5.605	17.6	0 32	7 42	14 51
22	−2.1	07 31 58.7	+21 45 37	5.467	18.0	23 57	7 9	14 18
10 2	−2.1	07 37 33.8	+21 34 09	5.320	18.5	23 24	6 35	13 43
12	−2.2	07 42 07.2	+21 24 31	5.168	19.1	22 49	6 0	13 8
22	−2.2	07 45 32.0	+21 17 22	5.014	19.7	22 14	5 24	12 31
11 1	−2.3	07 47 41.0	+21 13 16	4.862	20.3	21 37	4 47	11 54
11	−2.4	07 48 29.5	+21 12 37	4.716	20.9	20 58	4 9	11 15
21	−2.5	07 47 54.1	+21 15 38	4.581	21.5	20 18	3 29	10 36
12 1	−2.5	07 45 55.4	+21 22 14	4.462	22.1	19 36	2 48	9 55
11	−2.6	07 42 39.1	+21 31 55	4.363	22.6	18 53	2 5	9 13
21	−2.6	07 38 15.9	+21 43 59	4.290	23.0	18 9	1 21	8 30
31	−2.7	07 33 03.0	+21 57 23	4.245	23.2	17 23	0 37	7 46
41	−2.7	07 27 23.3	+22 10 59	4.232	23.3	16 38	23 48	7 2

土　星　　令和7年　　2025

月日	世界時 0^h 等級	視赤経	視赤緯	距離	視半径	東京，中央標準時 出	南中	入
月　日	等	h m s	° ′ ″		″	h m	h m	h m
1 −5	+1.0	23 04 29.5	−08 05 43	9.934	8.4	10 46	16 24	22 3
5	+1.1	23 07 13.0	−07 47 15	10.084	8.2	10 8	15 48	21 27
15	+1.1	23 10 25.0	−07 25 58	10.220	8.1	9 31	15 12	20 52
25	+1.1	23 14 01.2	−07 02 16	10.339	8.0	8 54	14 36	20 18
2 4	+1.1	23 17 57.7	−06 36 35	10.438	8.0	8 18	14 1	19 44
14	+1.1	23 22 09.9	−06 09 23	10.515	7.9	7 41	13 25	19 10
24	+1.1	23 26 33.4	−05 41 09	10.569	7.9	7 5	12 51	18 36
3 6	+1.1	23 31 04.0	−05 12 20	10.597	7.8	6 29	12 16	18 3
16	+1.1	23 35 37.4	−04 43 24	10.600	7.8	5 52	11 41	17 29
26	+1.2	23 40 09.5	−04 14 48	10.579	7.9	5 16	11 6	16 56
4 5	+1.2	23 44 36.4	−03 46 59	10.532	7.9	4 40	10 31	16 22
15	+1.2	23 48 53.9	−03 20 25	10.462	7.9	4 4	9 56	15 49
25	+1.2	23 52 58.4	−02 55 29	10.370	8.0	3 27	9 21	15 15
5 5	+1.2	23 56 46.1	−02 32 38	10.258	8.1	2 51	8 45	14 40
15	+1.1	00 00 13.1	−02 12 17	10.129	8.2	2 14	8 9	14 5
25	+1.1	00 03 16.1	−01 54 46	9.986	8.3	1 37	7 33	13 30
6 4	+1.1	00 05 51.7	−01 40 27	9.831	8.5	0 59	6 56	12 54
14	+1.0	00 07 56.7	−01 29 38	9.669	8.6	0 22	6 19	12 17
24	+1.0	00 09 28.6	−01 22 32	9.503	8.7	23 40	5 41	11 39
7 4	+0.9	00 10 25.1	−01 19 23	9.338	8.9	23 1	5 3	11 1
14	+0.9	00 10 44.9	−01 20 14	9.178	9.1	22 22	4 24	10 22
24	+0.8	00 10 27.6	−01 25 01	9.027	9.2	21 43	3 44	9 42
8 3	+0.8	00 09 33.9	−01 33 37	8.890	9.3	21 3	3 4	9 2
13	+0.7	00 08 06.5	−01 45 37	8.771	9.5	20 23	2 24	8 20
23	+0.7	00 06 09.0	−02 00 32	8.674	9.6	19 42	1 42	7 38
9 2	+0.6	00 03 46.8	−02 17 41	8.603	9.7	19 1	1 1	6 56
12	+0.6	00 01 07.4	−02 36 12	8.560	9.7	18 20	0 19	6 13
22	+0.6	23 58 18.6	−02 55 09	8.547	9.7	17 39	23 32	5 30
10 2	+0.6	23 55 29.5	−03 13 32	8.564	9.7	16 58	22 50	4 47
12	+0.7	23 52 49.5	−03 30 21	8.611	9.6	16 17	22 8	4 4
22	+0.7	23 50 26.8	−03 44 45	8.687	9.6	15 36	21 27	3 22
11 1	+0.8	23 48 29.3	−03 55 57	8.788	9.5	14 55	20 45	2 40
11	+0.8	23 47 03.2	−04 03 23	8.912	9.3	14 14	20 5	1 59
21	+0.9	23 46 12.7	−04 06 42	9.053	9.2	13 34	19 25	1 19
12 1	+0.9	23 46 00.8	−04 05 41	9.207	9.0	12 55	18 45	0 39
11	+1.0	23 46 28.4	−04 00 21	9.370	8.9	12 16	18 6	0 0
11								23 57
21	+1.0	23 47 35.0	−03 50 49	9.535	8.7	11 37	17 28	23 19
31	+1.0	23 49 19.1	−03 37 20	9.699	8.6	10 59	16 50	22 42
41	+1.0	23 51 37.8	−03 20 16	9.856	8.4	10 21	16 13	22 6

天王星　　令和7年　　2025

月日	世界時 0^h					東京，中央標準時		
	等級	視赤経	視赤緯	距離	視半径	出	南中	入
月 日	等	h m s	° ′ ″		″	h m	h m	h m
1 −5	+5.7	03 25 55.5	+18 28 27	18.800	1.9	13 48	20 45	3 47
5	+5.7	03 24 53.9	+18 24 54	18.923	1.9	13 7	20 5	3 6
15	+5.7	03 24 10.8	+18 22 28	19.066	1.8	12 28	19 25	2 26
25	+5.7	03 23 47.7	+18 21 17	19.222	1.8	11 48	18 45	1 46
2 4	+5.7	03 23 46.1	+18 21 24	19.388	1.8	11 9	18 6	1 7
14	+5.7	03 24 06.0	+18 22 51	19.559	1.8	10 30	17 27	0 28
24	+5.8	03 24 47.1	+18 25 35	19.728	1.8	9 51	16 48	23 45
3 6	+5.8	03 25 48.3	+18 29 31	19.891	1.8	9 12	16 10	23 7
16	+5.8	03 27 08.2	+18 34 33	20.043	1.8	8 34	15 32	22 30
26	+5.8	03 28 44.7	+18 40 30	20.180	1.7	7 56	14 54	21 52
4 5	+5.8	03 30 35.7	+18 47 15	20.299	1.7	7 18	14 17	21 15
15	+5.8	03 32 38.7	+18 54 35	20.396	1.7	6 40	13 39	20 38
25	+5.8	03 34 51.1	+19 02 21	20.470	1.7	6 3	13 2	20 2
5 5	+5.8	03 37 10.2	+19 10 22	20.518	1.7	5 25	12 25	19 25
15	+5.8	03 39 33.2	+19 18 28	20.540	1.7	4 48	11 48	18 49
25	+5.8	03 41 57.2	+19 26 28	20.535	1.7	4 11	11 11	18 12
6 4	+5.8	03 44 19.8	+19 34 14	20.503	1.7	3 33	10 34	17 36
14	+5.8	03 46 37.8	+19 41 38	20.446	1.7	2 56	9 57	16 59
24	+5.8	03 48 48.8	+19 48 31	20.364	1.7	2 18	9 20	16 22
7 4	+5.8	03 50 50.1	+19 54 47	20.260	1.7	1 41	8 43	15 45
14	+5.8	03 52 39.3	+20 00 21	20.136	1.8	1 3	8 5	15 8
24	+5.8	03 54 14.1	+20 05 06	19.995	1.8	0 25	7 28	14 31
8 3	+5.8	03 55 32.3	+20 08 58	19.841	1.8	23 43	6 50	13 53
13	+5.8	03 56 32.2	+20 11 54	19.677	1.8	23 4	6 11	13 15
23	+5.7	03 57 12.5	+20 13 50	19.509	1.8	22 25	5 33	12 36
9 2	+5.7	03 57 32.0	+20 14 46	19.339	1.8	21 46	4 54	11 57
12	+5.7	03 57 30.3	+20 14 40	19.174	1.8	21 7	4 14	11 18
22	+5.7	03 57 07.8	+20 13 34	19.018	1.9	20 27	3 35	10 38
10 2	+5.7	03 56 25.1	+20 11 28	18.876	1.9	19 47	2 55	9 58
12	+5.6	03 55 24.1	+20 08 29	18.751	1.9	19 7	2 14	9 17
22	+5.6	03 54 07.1	+20 04 41	18.650	1.9	18 27	1 34	8 36
11 1	+5.6	03 52 37.2	+20 00 14	18.574	1.9	17 46	0 53	7 55
11	+5.6	03 50 58.5	+19 55 17	18.526	1.9	17 6	0 12	7 14
21	+5.6	03 49 14.9	+19 50 02	18.509	1.9	16 25	23 27	6 33
12 1	+5.6	03 47 31.2	+19 44 44	18.524	1.9	15 44	22 46	5 52
11	+5.6	03 45 52.0	+19 39 38	18.569	1.9	15 3	22 5	5 10
21	+5.6	03 44 21.5	+19 34 57	18.643	1.9	14 23	21 24	4 29
31	+5.6	03 43 03.8	+19 30 56	18.744	1.9	13 43	20 43	3 48
41	+5.7	03 42 02.4	+19 27 47	18.868	1.9	13 2	20 3	3 8

海王星　　令和7年　　2025

月日	世界時 0ʰ 等級	視赤経	視赤緯	距離	視半径	東京，中央標準時 出	南中	入
月 日	等	h m s	° ′ ″		″	h m	h m	h m
1 −5	+7.8	23 51 51.9	−02 17 11	30.006	1.1	11 16	17 12	23 7
5	+7.8	23 52 20.5	−02 13 42	30.176	1.1	10 37	16 33	22 28
15	+7.8	23 53 00.9	−02 08 57	30.336	1.1	9 58	15 54	21 50
25	+7.8	23 53 52.1	−02 03 06	30.482	1.1	9 20	15 16	21 12
2 4	+7.8	23 54 52.9	−01 56 14	30.611	1.1	8 41	14 37	20 34
14	+7.8	23 56 01.8	−01 48 33	30.718	1.1	8 2	13 59	19 56
24	+7.8	23 57 17.1	−01 40 15	30.800	1.1	7 24	13 21	19 18
3 6	+7.8	23 58 37.1	−01 31 31	30.856	1.1	6 46	12 43	18 41
16	+7.8	23 59 59.8	−01 22 34	30.884	1.1	6 7	12 5	18 3
26	+7.8	00 01 23.3	−01 13 35	30.884	1.1	5 29	11 27	17 26
4 5	+7.8	00 02 45.9	−01 04 47	30.856	1.1	4 50	10 49	16 48
15	+7.8	00 04 05.7	−00 56 22	30.800	1.1	4 12	10 11	16 11
25	+7.8	00 05 20.9	−00 48 31	30.718	1.1	3 34	9 33	15 33
5 5	+7.8	00 06 30.0	−00 41 23	30.614	1.1	2 55	8 55	14 55
15	+7.8	00 07 31.4	−00 35 09	30.489	1.1	2 17	8 17	14 17
25	+7.8	00 08 23.9	−00 29 57	30.347	1.1	1 38	7 38	13 39
6 4	+7.8	00 09 06.3	−00 25 52	30.193	1.1	0 59	7 0	13 0
14	+7.8	00 09 37.7	−00 23 00	30.029	1.1	0 20	6 21	12 22
24	+7.8	00 09 57.6	−00 21 24	29.861	1.1	23 37	5 42	11 43
7 4	+7.7	00 10 05.6	−00 21 07	29.694	1.1	22 58	5 3	11 4
14	+7.7	00 10 01.6	−00 22 06	29.532	1.2	22 19	4 23	10 24
24	+7.7	00 09 45.9	−00 24 20	29.379	1.2	21 39	3 44	9 45
8 3	+7.7	00 09 19.2	−00 27 44	29.240	1.2	20 59	3 4	9 5
13	+7.7	00 08 42.5	−00 32 09	29.120	1.2	20 20	2 24	8 24
23	+7.7	00 07 57.2	−00 37 27	29.021	1.2	19 40	1 44	7 44
9 2	+7.7	00 07 04.9	−00 43 26	28.947	1.2	19 0	1 4	7 4
12	+7.7	00 06 07.5	−00 49 52	28.901	1.2	18 20	0 24	6 23
22	+7.7	00 05 07.3	−00 56 32	28.884	1.2	17 40	23 39	5 42
10 2	+7.7	00 04 06.6	−01 03 09	28.897	1.2	17 0	22 59	5 2
12	+7.7	00 03 07.8	−01 09 29	28.940	1.2	16 20	22 19	4 21
22	+7.7	00 02 13.1	−01 15 16	29.011	1.2	15 40	21 38	3 41
11 1	+7.7	00 01 24.8	−01 20 17	29.109	1.2	15 0	20 58	3 0
11	+7.7	00 00 45.0	−01 24 19	29.230	1.2	14 20	20 18	2 20
21	+7.7	00 00 15.1	−01 27 12	29.372	1.2	13 41	19 39	1 40
12 1	+7.7	23 59 56.6	−01 28 49	29.528	1.2	13 1	18 59	1 1
11	+7.7	23 59 50.4	−01 29 04	29.696	1.1	12 22	18 19	0 21
21	+7.8	23 59 56.8	−01 27 57	29.868	1.1	11 43	17 40	23 38
31	+7.8	00 00 16.0	−01 25 26	30.041	1.1	11 3	17 1	22 59
41	+7.8	00 00 47.6	−01 21 37	30.208	1.1	10 24	16 23	22 21

冥王星，Eris，Makemake，Haumea　令和 7 年　2025

世界時 0^h における位置を示す．距離は地球から天文単位で測ってある．名前に続く数字は黄経の衝の日付（中央標準時）と実視等級である．年内に衝とならない場合，（　）内に前後の衝を記載している．

冥王星　7 月 25 日　15.0 等

月	日	等級	赤経*	赤緯*	距離
月	日	等	h m	° ′	
1	−15	15.2	20 12.8	−23 17	35.950
	5	15.2	20 15.3	−23 10	36.115
	25	15.1	20 18.1	−23 03	36.169
2	14	15.2	20 20.7	−22 56	36.106
3	6	15.2	20 23.1	−22 51	35.937
	26	15.2	20 25.0	−22 48	35.683
4	15	15.2	20 26.2	−22 48	35.375
5	5	15.2	20 26.7	−22 50	35.051
	25	15.2	20 26.3	−22 55	34.748
6	14	15.1	20 25.3	−23 02	34.504
7	4	15.1	20 23.7	−23 10	34.347
	24	15.0	20 21.8	−23 18	34.297
8	13	15.1	20 19.8	−23 26	34.364
9	2	15.1	20 18.2	−23 32	34.540
	22	15.2	20 17.0	−23 36	34.808
10	12	15.2	20 16.5	−23 37	35.138
11	1	15.3	20 16.8	−23 36	35.493
	21	15.3	20 17.9	−23 32	35.833
12	11	15.2	20 19.7	−23 26	36.120
	31	15.2	20 22.1	−23 18	36.321
	51	15.1	20 24.8	−23 11	36.415

Eris　10 月 18 日　18.6 等

月	日	等級	赤経*	赤緯*	距離
月	日	等	h m	° ′	
1	−15	18.7	01 45.1	−00 44	95.131
	5	18.7	01 44.8	−00 42	95.448
	25	18.7	01 44.8	−00 39	95.785
2	14	18.7	01 45.0	−00 35	96.100
3	6	18.7	01 45.5	−00 29	96.354
	26	18.7	01 46.2	−00 24	96.518
4	15	18.6	01 46.9	−00 18	96.575
5	5	18.7	01 47.7	−00 13	96.518
	25	18.7	01 48.4	−00 09	96.355
6	14	18.7	01 49.0	−00 07	96.105
7	4	18.7	01 49.4	−00 06	95.796
	24	18.7	01 49.5	−00 07	95.461
8	13	18.7	01 49.4	−00 10	95.137
9	2	18.7	01 49.0	−00 13	94.861
	22	18.6	01 48.5	−00 17	94.664
10	12	18.6	01 47.8	−00 21	94.570
11	1	18.6	01 47.0	−00 25	94.593
	21	18.6	01 46.3	−00 27	94.730
12	11	18.7	01 45.7	−00 28	94.965
	31	18.7	01 45.4	−00 27	95.270
	51	18.7	01 45.3	−00 24	95.605

Makemake　3 月 31 日　17.1 等

月	日	等級	赤経*	赤緯*	距離
月	日	等	h m	° ′	
1	−15	17.2	13 25.7	+20 34	52.947
	5	17.2	13 26.3	+20 40	52.642
	25	17.1	13 26.5	+20 50	52.343
2	14	17.1	13 26.1	+21 02	52.088
3	6	17.1	13 25.2	+21 14	51.908
	26	17.1	13 24.1	+21 24	51.824
4	15	17.1	13 22.7	+21 31	51.845
5	5	17.1	13 21.4	+21 34	51.967
	25	17.1	13 20.3	+21 33	52.175
6	14	17.2	13 19.6	+21 27	52.443
7	4	17.2	13 19.3	+21 18	52.740
	24	17.2	13 19.4	+21 05	53.033
8	13	17.2	13 20.1	+20 51	53.290
9	2	17.2	13 21.2	+20 37	53.483
	22	17.1	13 22.5	+20 24	53.589
10	12	17.1	13 24.1	+20 13	53.597
11	1	17.2	13 25.7	+20 05	53.503
	21	17.2	13 27.2	+20 02	53.317
12	11	17.2	13 28.4	+20 03	53.059
	31	17.2	13 29.2	+20 08	52.759
	51	17.2	13 29.5	+20 17	52.454

Haumea　4 月 22 日　17.3 等

月	日	等級	赤経*	赤緯*	距離
月	日	等	h m	° ′	
1	−15	17.4	14 39.1	+13 55	50.456
	5	17.4	14 40.2	+13 59	50.180
	25	17.4	14 40.9	+14 08	49.872
2	14	17.3	14 41.1	+14 19	49.569
3	6	17.3	14 40.7	+14 31	49.306
	26	17.3	14 39.8	+14 43	49.115
4	15	17.3	14 38.6	+14 54	49.018
5	5	17.3	14 37.3	+15 00	49.023
	25	17.3	14 35.9	+15 03	49.129
6	14	17.3	14 34.8	+15 01	49.321
7	4	17.3	14 34.1	+14 55	49.575
	24	17.4	14 33.8	+14 45	49.862
8	13	17.4	14 34.0	+14 32	50.149
9	2	17.4	14 34.7	+14 18	50.403
	22	17.3	14 35.8	+14 05	50.596
10	12	17.3	14 37.3	+13 52	50.704
11	1	17.3	14 39.0	+13 43	50.714
	21	17.3	14 40.7	+13 37	50.622
12	11	17.4	14 42.3	+13 35	50.436
	31	17.4	14 43.5	+13 38	50.178
	51	17.4	14 44.4	+13 45	49.876

＊　国際天文基準座標系における天文測定位置．　等級はすべて＋である．

Ceres，Pallas　　令和 7 年　　2025

世界時 0ʰ における位置を示す．距離は地球から天文単位で測ってある．
前に続く数字は黄経の衝の日付(中央標準時)と実視等級である．年内に衝
ならない場合，(　)内に前後の衝を記載している．

Ceres　10 月 2 日　7.6 等

月	日	等級	赤経*	赤緯*	距離
月	日	等	h m	° ′	
1	−5	9.2	20 42.9	−25 26	3.755
	5	9.2	20 58.8	−24 26	3.825
	15	9.2	21 14.8	−23 22	3.881
	25	9.1	21 30.8	−22 13	3.922
2	4	9.0	21 46.7	−21 01	3.949
	14	9.0	22 02.4	−19 46	3.961
	24	9.0	22 18.0	−18 29	3.957
3	6	9.1	22 33.3	−17 11	3.939
	16	9.2	22 48.4	−15 52	3.906
	26	9.2	23 03.2	−14 34	3.859
4	5	9.3	23 17.6	−13 17	3.798
	15	9.3	23 31.7	−12 03	3.725
	25	9.3	23 45.4	−10 51	3.639
5	5	9.3	23 58.6	−09 44	3.543
	15	9.3	00 11.2	−08 42	3.436
	25	9.2	00 23.3	−07 47	3.321
6	4	9.2	00 34.6	−06 58	3.198
	14	9.1	00 45.2	−06 18	3.070
	24	9.0	00 54.7	−05 47	2.937
7	4	8.9	01 03.2	−05 27	2.801
	14	8.8	01 10.3	−05 18	2.666
	24	8.7	01 15.9	−05 21	2.533
8	3	8.5	01 19.6	−05 37	2.406
	13	8.4	01 21.4	−06 05	2.288
	23	8.2	01 20.9	−06 45	2.182
9	2	8.0	01 18.2	−07 34	2.092
	12	7.8	01 13.2	−08 28	2.024
	22	7.7	01 06.4	−09 23	1.979
10	2	7.6	00 58.4	−10 12	1.961
	12	7.6	00 49.9	−10 48	1.971
	22	7.8	00 41.8	−11 07	2.008
11	1	8.0	00 35.0	−11 08	2.071
	11	8.1	00 30.0	−10 49	2.155
	21	8.3	00 27.3	−10 13	2.257
12	1	8.5	00 26.8	−09 21	2.373
	11	8.6	00 28.6	−08 16	2.498
	21	8.7	00 32.4	−07 02	2.628
	31	8.8	00 38.0	−05 39	2.761
	41	8.9	00 45.3	−04 10	2.893

Pallas　8 月 8 日　9.4 等

月	日	等級	赤経*	赤緯*	距離
月	日	等	h m	° ′	
1	−5	10.4	18 34.4	+02 54	4.163
	5	10.4	18 48.6	+02 57	4.179
	15	10.4	19 02.6	+03 10	4.182
	25	10.4	19 16.4	+03 33	4.170
2	4	10.4	19 29.8	+04 04	4.143
	14	10.5	19 42.8	+04 43	4.103
	24	10.5	19 55.3	+05 30	4.048
3	6	10.5	20 07.1	+06 24	3.981
	16	10.5	20 18.2	+07 23	3.901
	26	10.5	20 28.5	+08 26	3.810
4	5	10.5	20 37.9	+09 34	3.708
	15	10.4	20 46.2	+10 43	3.598
	25	10.4	20 53.4	+11 53	3.482
5	5	10.3	20 59.2	+13 03	3.360
	15	10.2	21 03.5	+14 09	3.235
	25	10.2	21 06.1	+15 10	3.111
6	4	10.0	21 07.0	+16 03	2.989
	14	9.9	21 06.1	+16 44	2.873
	24	9.8	21 03.3	+17 10	2.766
7	4	9.7	20 58.6	+17 18	2.673
	14	9.6	20 52.4	+17 02	2.597
	24	9.5	20 45.1	+16 23	2.541
8	3	9.4	20 37.3	+15 18	2.509
	13	9.4	20 29.6	+13 50	2.502
	23	9.4	20 22.7	+12 05	2.522
9	2	9.5	20 17.2	+10 06	2.567
	12	9.6	20 13.5	+08 03	2.636
	22	9.8	20 11.7	+06 01	2.725
10	2	9.9	20 12.0	+04 05	2.832
	12	10.0	20 14.3	+02 18	2.951
	22	10.1	20 18.4	+00 44	3.080
11	1	10.2	20 24.3	−00 36	3.214
	11	10.3	20 31.5	−01 43	3.350
	21	10.3	20 40.1	−02 35	3.484
12	1	10.4	20 49.7	−03 15	3.613
	11	10.4	21 00.3	−03 42	3.734
	21	10.4	21 11.5	−03 58	3.845
	31	10.4	21 23.4	−04 02	3.945
	41	10.4	21 35.8	−03 58	4.031

＊　国際天文基準座標系における天文測定位置．　等級はすべて＋である．

Juno, Vesta　令和 7 年　2025

Juno　5 月 15 日　10.1 等　　　Vesta　5 月 2 日　5.7 等

月	日	等級	赤経*	赤緯*	距離	月	日	等級	赤経*	赤緯*	距離
月	日	等	h　m	°　′		月	日	等	h　m	°　′	
1	−5	11.4	15 06.6	−09 27	3.841	1	−5	8.1	13 47.5	−04 08	2.458
	5	11.4	15 18.2	−09 47	3.736		5	8.0	14 03.0	−05 10	2.332
	15	11.4	15 29.0	−09 58	3.619		15	7.9	14 17.7	−06 02	2.203
	25	11.4	15 39.0	−10 00	3.492		25	7.8	14 31.4	−06 43	2.074
2	4	11.3	15 47.8	−09 54	3.359	2	4	7.6	14 43.8	−07 13	1.944
	14	11.2	15 55.3	−09 38	3.221		14	7.4	14 54.7	−07 30	1.816
	24	11.1	16 01.4	−09 13	3.082		24	7.3	15 03.6	−07 34	1.693
3	6	11.0	16 05.7	−08 38	2.944	3	6	7.1	15 10.1	−07 25	1.576
	16	10.9	16 08.1	−07 56	2.812		16	6.8	15 13.9	−07 05	1.468
	26	10.8	16 08.5	−07 06	2.690		26	6.6	15 14.6	−06 34	1.373
4	5	10.6	16 06.7	−06 11	2.582	4	5	6.3	15 12.0	−05 56	1.294
	15	10.4	16 02.9	−05 12	2.493		15	6.1	15 06.4	−05 14	1.233
	25	10.3	15 57.1	−04 14	2.426		25	5.8	14 58.4	−04 36	1.195
5	5	10.1	15 50.0	−03 19	2.385	5	5	5.7	14 48.9	−04 06	1.181
	15	10.1	15 41.9	−02 32	2.372		15	5.9	14 39.5	−03 52	1.191
	25	10.2	15 33.7	−01 56	2.387		25	6.1	14 31.3	−03 57	1.224
6	4	10.3	15 26.1	−01 33	2.429	6	4	6.3	14 25.3	−04 22	1.277
	14	10.5	15 19.6	−01 26	2.496		14	6.6	14 22.4	−05 06	1.347
	24	10.6	15 14.8	−01 32	2.585		24	6.8	14 22.4	−06 06	1.431
7	4	10.8	15 11.8	−01 52	2.692	7	4	7.0	14 25.5	−07 18	1.525
	14	10.9	15 10.7	−02 22	2.811		14	7.2	14 31.2	−08 40	1.627
	24	11.0	15 11.6	−03 02	2.940		24	7.3	14 39.4	−10 09	1.733
8	3	11.1	15 14.3	−03 48	3.074	8	3	7.5	14 49.8	−11 41	1.843
	13	11.2	15 18.6	−04 39	3.211		13	7.6	15 02.0	−13 14	1.954
	23	11.3	15 24.5	−05 33	3.346		23	7.7	15 15.9	−14 47	2.065
9	2	11.4	15 31.7	−06 29	3.478	9	2	7.8	15 31.3	−16 18	2.176
	12	11.4	15 40.2	−07 25	3.604		12	7.9	15 48.0	−17 44	2.284
	22	11.5	15 49.7	−08 20	3.722		22	7.9	16 05.8	−19 04	2.390
10	2	11.5	16 00.1	−09 13	3.830	10	2	8.0	16 24.8	−20 16	2.492
	12	11.5	16 11.4	−10 03	3.926		12	8.0	16 44.6	−21 20	2.590
	22	11.5	16 23.5	−10 50	4.010		22	8.1	17 05.3	−22 14	2.683
11	1	11.4	16 36.2	−11 31	4.079	11	1	8.1	17 26.6	−22 56	2.770
	11	11.4	16 49.4	−12 07	4.134		11	8.1	17 48.6	−23 27	2.851
	21	11.3	17 03.1	−12 38	4.172		21	8.1	18 10.9	−23 44	2.924
12	1	11.2	17 17.1	−13 02	4.195	12	1	8.1	18 33.6	−23 49	2.991
	11	11.2	17 31.5	−13 19	4.200		11	8.0	18 56.4	−23 41	3.049
	21	11.1	17 46.0	−13 29	4.189		21	8.0	19 19.3	−23 20	3.099
	31	11.2	18 00.6	−13 32	4.160		31	7.9	19 42.0	−22 47	3.141
	41	11.2	18 15.2	−13 27	4.115		41	7.8	20 04.6	−22 02	3.173

惑星現象　令和7年　2025

中央標準時			現象	
月	日	h		
1	4	22	地球	近日点通過
	10	14	金星	東方最大離角
	12	23	火星	地球最近
	16	12	火星	衝
	31	4	天王星	留
2	4	22	木星	留
	9	21	水星	外合
	15	8	金星	最大光度
	24	19	火星	留
	28	12	金星	留
3	8	15	水星	東方最大離角
	12	19	土星	合
	15	6	水星	留
	20	8	海王星	合
	23	10	金星	内合
	25	5	水星	内合
4	6	15	水星	留
	10	24	金星	留
	22	4	水星	西方最大離角
	27	19	金星	最大光度
5	18	9	天王星	合
	30	13	水星	外合
6	1	12	金星	西方最大離角
6	25	0	木星	合
7	4	5	地球	遠日点通過
	4	13	水星	東方最大離角
	5	24	海王星	留
	14	17	土星	留
	17	16	水星	留
8	1	9	水星	内合
	11	3	水星	留
	19	19	水星	西方最大離角
9	6	14	天王星	留
	13	20	水星	外合
	21	15	土星	衝
	23	22	海王星	衝
10	30	7	水星	東方最大離角
11	10	8	水星	留
	12	5	木星	留
	20	18	水星	内合
	21	21	天王星	衝
	29	10	土星	留
	30	0	水星	留
12	8	6	水星	西方最大離角
	11	9	海王星	留

日　食　令和7年　2025

本年は日食が2回あるが，いずれも日本では見られない．

部分日食　3月29日

. 要　素　　視赤経の合　　3月29日　20^{h} 46^{m} 17^{s} (中央標準時)

名称	太陽	毎時変化	月	毎時変化
視赤経	00^{h} 33^{m} $12^{s}.03$	$+9^{s}.11$	00^{h} 33^{m} $12^{s}.03$	$+133^{s}.83$
視赤緯	$+03^{\circ}$ $34'$ $52''.3$	$+58''.4$	$+04^{\circ}$ $47'$ $12''.9$	$+1079''.2$
視差	08.8		61　08.4	
視半径	16　01.1		16　39.6	

. 状　況

名称	中央標準時	経度	緯度
食の始め	3月 29日 17^{h} 50^{m} 42^{s}	42° $23'$ W	14° $00'$ N
食の最大	3　29　19　47　26	77　13　W	61　16　N
食の終り	3　29　21　43　45	90　52　E	71　13　N
	食の最大における食分　0.938		

この日食は一般に北アメリカ大陸北東部，グリーンランド，大西洋北部，ユーラシア大陸北西部，アフリカ大陸北西部などで見られる．
日本では見られない．

部分日食　9月22日

. 要　素　　視赤経の合　　9月22日　5^{h} 50^{m} 29^{s} (中央標準時)

名称	太陽	毎時変化	月	毎時変化
視赤経	11^{h} 56^{m} $47^{s}.14$	$+8^{s}.98$	11^{h} 56^{m} $47^{s}.14$	$+108^{s}.77$
視赤緯	$+00^{\circ}$ $20'$ $54''.0$	$-58''.4$	-00° $46'$ $12''.4$	$-889''.9$
視差	08.8		55　12.0	
視半径	15　55.9		15　02.5	

. 状　況

名称	中央標準時	経度	緯度
食の始め	9月 22日 2^{h} 29^{m} 42^{s}	174° $06'$ W	13° $59'$ S
食の最大	9　22　4　41　54	153　25　E	61　04　S
食の終り	9　22　6　53　45	61　16　W	72　16　S
	食の最大における食分　0.855		

この日食は一般に太平洋南西部，南極大陸の一部などで見られる．
日本では見られない．

月　　食　令和 7 年　2025

本年は月食が 2 回あり，日本では 2 回とも見られる.

1. 皆既月食　3 月 14 日

イ. 要　素　　視赤経の衝　　3 月 14 日　15^h　35^m　59^s (中央標準時)

名　称	太　陽			毎時変化	月			毎時変化
視赤経	23^h	37^m	42.48^s	$+9.16^s$	11^h	37^m	42.48^s	$+106.64^s$
視赤緯	-02°	$24'$	$39.3''$	$+59.2''$	$+02^\circ$	$46'$	$25.4''$	$-871.1''$
視　差			08.8			54	37.1	
視半径		16	05.2			14	53.0	

ロ. 状　況

名　称	中央標準時				名　称	中央標準時			
	月	日	h	m		月	日	h	m
半影食の始め	3	14	12	55.7	皆既の終り	3	14	16	31.9
食の始め	3	14	14	9.3	食の終り	3	14	17	48.2
皆既の始め	3	14	15	25.6	半影食の終り	3	14	19	1.9
食の最大	3	14	15	58.8	食の最大における食分　1.183				

名　称	北極基準位置角	月天頂					
		経　度			緯　度		
食の始め	140°	75°	37′	W	3°	07′	N
食の終り	279	128	52	W	2	14	N

この月食は一般にアフリカ大陸西部，ヨーロッパ西部，大西洋，南北アメリカ大陸，太平洋，アジア北東部，オーストラリア大陸東部，南極大陸の一部などで見られる.

日本では一般に北海道・東北地方（一部を除く）・関東地方東部・小笠原諸島で月出帯食が見られる.

日本各地における状況はつぎのとおりである．

地名	月の出					食の終り			
	中央標準時			位置角	食分	中央標準時			位置角
	日	h	m	°		日	h	m	°
東京	14	17	47.7	333	0.008	14	17	48.2	333
仙台	14	17	42.3	329	0.085	14	17	48.2	330
札幌	14	17	39.0	324	0.134	14	17	48.2	326

皆既月食　9月8日

. 要　素　　視赤経の衝　　9月8日　2^{h}　55^{m}　53^{s} (中央標準時)

名称	太陽			毎時変化	月			毎時変化
視赤経	11^{h}	06^{m}	$06^{s}.73$	$+8^{s}.99$	23^{h}	06^{m}	$06^{s}.73$	$+126^{s}.75$
視赤緯	$+05^{\circ}$	$46'$	$02''.5$	$-56''.3$	-06°	$04'$	$36''.4$	$+1006''.6$
視差			08.7			59	18.7	
視半径		15	52.4			16	09.7	

. 状　況

名称	中央標準時				名称	中央標準時			
	月	日	h	m		月	日	h	m
半影食の始め	9	8	0	26.9	皆既の終り	9	8	3	53.2
食の始め	9	8	1	26.8	食の終り	9	8	4	56.9
皆既の始め	9	8	2	30.4	半影食の終り	9	8	5	56.6
食の最大	9	8	3	11.8	食の最大における食分　1.367				

名称	北極基準位置角	月天頂					
		経度			緯度		
食の始め	46°	112°	03′	E	6°	29′	S
食の終り	257	61	14	E	5	31	S

この月食は一般に太平洋西部，ユーラシア大陸，オーストラリア大陸，インド洋，南極大陸（一部を除く），アフリカ大陸，大西洋東部などで見られる．

日本では全国で皆既食が見られる．

日本各地における状況はつぎのとおりである.

地　名	食の始め		皆既の始め		食の最大		
	中央標準時	位置角	中央標準時	位置角	中央標準時	位置角	食
	日 h m	°	日 h m	°	日 h m	°	
那　覇	8 1 26.8	22	8 2 30.4	165	8 3 11.8	282	1.367
福　岡	8 1 26.8	24	8 2 30.4	170	8 3 11.8	288	1.367
京　都	8 1 26.8	19	8 2 30.4	167	8 3 11.8	287	1.367
東　京	8 1 26.8	16	8 2 30.4	165	8 3 11.8	286	1.367
仙　台	8 1 26.8	17	8 2 30.4	167	8 3 11.8	288	1.367
札　幌	8 1 26.8	21	8 2 30.4	171	8 3 11.8	292	1.367

地　名	皆既の終り		食の終り	
	中央標準時	位置角	中央標準時	位置角
	日 h m	°	日 h m	°
那　覇	8 3 53.2	42	8 4 56.9	197
福　岡	8 3 53.2	49	8 4 56.9	204
京　都	8 3 53.2	48	8 4 56.9	204
東　京	8 3 53.2	47	8 4 56.9	204
仙　台	8 3 53.2	50	8 4 56.9	206
札　幌	8 3 53.2	54	8 4 56.9	211

北極星の子午線通過，最大離角　東京　令和 7 年　2025

北緯が φ である任意地点の方位角は $A''=P\sec\varphi$ の式で求められる．ただし
″は角度の秒で表した方位角である．方位角は北を基準として東方または西
へ測る．上の計算法は北緯 50° 以北の地点には不精密になる．

月	日	上方通過 中央標準時		上方通過 真高度		下方通過 中央標準時		下方通過 真高度		東方最大離角		西方最大離角		P
月	日	h	m	°	′	h	m	°	′	h	m	h	m	
1	−5	20	24.4	36	17.1	8	26.4	35	1.9	14	27.2	2	25.6	2255
	5	19	44.9	36	17.0	7	46.8	35	1.9	13	47.6	1	46.0	2252
	15	19	5.3	36	17.0	7	7.3	35	2.0	13	8.1	1	6.5	2250
	25	18	25.7	36	17.0	6	27.7	35	2.0	12	28.5	0	26.9	2249
2	4	17	46.0	36	17.0	5	48.0	35	2.0	11	48.8	23	43.3	2248
	14	17	6.4	36	17.0	5	8.4	35	2.0	11	9.2	23	3.6	2248
	24	16	26.8	36	17.0	4	28.8	35	2.0	10	29.6	22	24.0	2249
3	6	15	47.2	36	17.0	3	49.1	35	2.0	9	49.9	21	44.4	2250
	16	15	7.6	36	17.0	3	9.5	35	2.0	9	10.3	21	4.8	2252
	26	14	28.0	36	17.1	2	30.0	35	1.9	8	30.8	20	25.3	2254
4	5	13	48.6	36	17.1	1	50.5	35	1.9	7	51.3	19	45.8	2257
	15	13	9.1	36	17.1	1	11.1	35	1.8	7	11.9	19	6.3	2260
	25	12	29.7	36	17.2	0	31.7	35	1.8	6	32.5	18	27.0	2262
5	5	11	50.5	36	17.2	23	48.5	35	1.7	5	53.2	17	47.7	2265
	15	11	11.2	36	17.3	23	9.2	35	1.7	5	14.0	17	8.4	2269
	25	10	32.0	36	17.3	22	30.0	35	1.6	4	34.8	16	29.2	2271
6	4	9	52.9	36	17.4	21	50.9	35	1.6	3	55.7	15	50.1	2274
	14	9	13.8	36	17.4	21	11.8	35	1.6	3	16.6	15	11.0	2276
	24	8	34.7	36	17.5	20	32.8	35	1.5	2	37.5	14	31.9	2278
7	4	7	55.7	36	17.5	19	53.8	35	1.5	1	58.5	13	52.9	2279
	14	7	16.7	36	17.5	19	14.8	35	1.5	1	19.5	13	13.9	2280
	24	6	37.8	36	17.5	18	35.8	35	1.5	0	40.6	12	35.0	2280
8	3	5	58.8	36	17.5	17	56.8	35	1.5	0	1.6	11	56.0	2280
	3									23	57.7			
	13	5	19.8	36	17.5	17	17.9	35	1.5	23	18.7	11	17.0	2279
	23	4	40.9	36	17.5	16	38.9	35	1.5	22	39.8	10	38.1	2278
9	2	4	1.9	36	17.4	16	0.0	35	1.5	22	0.8	9	59.1	2277
	12	3	22.9	36	17.4	15	21.0	35	1.6	21	21.8	9	20.1	2275
	22	2	43.9	36	17.4	14	41.9	35	1.6	20	42.8	8	41.1	2272
10	2	2	4.9	36	17.3	14	2.9	35	1.7	20	3.7	8	2.1	2269
	12	1	25.8	36	17.3	13	23.8	35	1.7	19	24.7	7	23.0	2266
	22	0	46.7	36	17.2	12	44.7	35	1.8	18	45.5	6	43.9	2263
11	1	0	7.5	36	17.1	12	5.5	35	1.8	18	6.3	6	4.7	2259
	11	23	24.4	36	17.1	11	26.3	35	1.9	17	27.1	5	25.5	2255
	21	22	45.1	36	17.0	10	47.0	35	2.0	16	47.8	4	46.2	2252
12	1	22	5.7	36	17.0	10	7.7	35	2.0	16	8.5	4	6.9	2248
	11	21	26.3	36	16.9	9	28.3	35	2.1	15	29.1	3	27.5	2245
	21	20	46.9	36	16.8	8	48.8	35	2.1	14	49.6	2	48.0	2242
	31	20	7.3	36	16.8	8	9.3	35	2.2	14	10.1	2	8.5	2239
	41	19	27.8	36	16.8	7	29.8	35	2.2	13	30.5	1	29.0	2236

東京三鷹で見える掩蔽 (1)　令和 7 年　2025

東京三鷹で見える月による掩蔽(星食)の予報を掲げる．星表番号は J. Roberts (1940) の“Catalog of 3539 Zodiacal Stars”中の星の番号である．現象欄左列の は潜入（惑星食では潜入の終了），R. は出現（惑星食では出現の開始）を意味する また右列の B. は明縁，D. は暗縁，† は月食中を表す．P は北極基準位置角（月 の見かけの中心を基準にして天の北極方向から左まわり，すなわち反時計まわり 測った角）である．＊は重星を示す．

任意の地点 (λ, φ) における現象時刻の大略は以下で求められる．

$$(\text{三鷹の時刻}) + a\,(\lambda - 139^\circ\!.54) + b\,(\varphi - 35^\circ\!.67)$$

ただし，λ, φ はその地点の経度と緯度で，それぞれ，東経，北緯を正とする．

月	日	星表番号	星	名	等級	現象	月齢	中央標準時 h	m	a	b	P
月	日				等			h	m	m/°	m/°	
1	21	1888	50	Vir	6.0	R.D.	20.9	6	3.4	—	—	25
2	5	435	47	Ari	5.8	D.D.	7.0	20	46.4	—	—	13
	6	552	＊η	Tau	2.9	D.D.	7.7	14	55.5	+1.1	+1.2	8
	6	552	＊η	Tau	2.9	R.B.	7.8	15	59.1	+0.7	+2.4	219
	10	1088	47	Gem	5.8	D.D.	11.2	1	48.8	+0.4	−1.7	11
	18	1949	＊550 B.	Vir	5.9	R.D.	19.2	3	22.1	+1.6	−1.3	315
	21	2287	＊π	Sco	2.9	D.B.	22.2	2	45.3	+0.7	−0.2	13
	21	2287	＊π	Sco	2.9	R.D.	22.3	4	3.5	+2.0	+0.4	281
3	2	98	60	Psc	6.0	D.D.	2.4	18	29.7	+0.5	+1.0	30
	5	536	16	Tau	5.5	D.D.	5.5	22	10.8	+0.2	−1.0	86
	5	537	＊17	Tau	3.7	D.D.	5.5	22	18.4	−0.4	−2.4	127
	5	539	＊19	Tau	4.3	D.D.	5.5	22	28.0	+0.5	+0.1	48
	5	541	＊20	Tau	3.9	D.D.	5.5	22	36.6	+0.1	−0.7	75
	5	542	21	Tau	5.8	D.D.	5.5	22	52.5	+0.8	+1.1	28
	9	1169	76	Gem	5.3	D.D.	9.4	19	43.9	+1.8	−2.7	144
	16	1807	25	Vir	5.9	R.D.	15.7	2	35.8	+0.1	−3.2	2
	21	2383	τ	Sco	2.8	D.B.	20.8	4	26.3	—	—	161
	21	2383	τ	Sco	2.8	R.D.	20.8	5	17.9	—	—	226
	24	2831	234 B.	Sgr	6.0	R.D.	23.8	4	5.5	+1.7	+1.5	250
4	4	1008	49	Aur	5.3	D.D.	6.1	23	1.8	+0.8	−0.2	56
	10	1678	89	Leo	5.8	D.D.	12.0	18	46.5	+1.4	+0.6	104
	19	2609	＊W	Sgr	4.7	R.D.	20.2	1	26.3	—	—	216
	21	2914	60	Sgr	4.8	R.D.	22.3	2	8.6	+1.6	+2.2	225
5	2	1088	47	Gem	5.8	D.D.	4.7	20	53.5	+0.6	−1.1	88
	8	1663	τ	Leo	5.0	D.D.	9.8	0	17.6	+0.1	−2.8	169
	10	1949	＊550 B.	Vir	5.9	D.D.	12.7	22	14.0	+3.5	+0.3	82
	13	2287	＊π	Sco	2.9	D.B.	15.8	22	55.5	+1.6	−0.4	126
	14	2287	＊π	Sco	2.9	R.D.	15.8	0	25.1	+2.5	−0.4	281
	31	1308	γ	Cnc	4.7	D.D.	4.3	19	49.1	+1.2	−0.9	80
6	1	1418	8	Leo	5.7	D.D.	5.4	20	31.7	+0.8	−1.6	106
	14	2848	＊248 B.	Sgr	5.6	R.D.	17.6	3	1.6	+2.4	−0.8	276

東京三鷹で見える掩蔽 (2)　令和7年　2025

月	日	星表番号	星	名	等級	現象	月齢	中央標準時	*a*	*b*	*P*
月	日				等			h m	m/°	m/°	°
7	3	1884	49	Vir	5.2	D.D.	8.1	22 53.4	+0.6	−1.8	112
8	1	2051	236 G.	Vir	5.9	D.D.	7.7	20 52.4	+1.3	−0.5	64
	3	2276	4	Sco	5.6	D.D.	9.6	19 42.7	+2.4	−0.7	104
	11	3412	ϕ	Aqr	4.2	R.D.	17.7	21 56.4	+0.8	+2.1	217
	12	3430	＊96	Aqr	5.6	R.D.	17.9	1 29.2	+0.9	+1.9	204
	16	537	＊17	Tau	3.7	R.D.	22.8	23 55.1	−0.2	+1.5	240
	16	539	＊19	Tau	4.3	R.D.	22.8	23 55.2	—	—	324
	16	536	16	Tau	5.5	R.D.	22.8	23 57.0	+0.2	+0.9	277
	17	541	＊20	Tau	3.9	R.D.	22.8	0 22.5	+0.3	+1.1	273
9	6	3237	ι	Aqr	4.3	D.D.	14.4	23 55.6	+0.2	+2.0	9
	8	3379	81	Aqr	6.2	D.†	15.4	1 42.8	+1.3	+0.3	57
	8	3379	81	Aqr	6.2	R.†	15.5	2 51.4	+0.7	+0.5	225
	8	3383	82	Aqr	6.2	D.†	15.5	2 57.4	+0.1	+1.9	11
	8	3383	82	Aqr	6.2	R.†	15.5	3 44.7	+1.0	−1.6	276
	9	3520	60 B.	Psc	5.8	R.D.	16.5	3 59.0	+0.4	+1.6	199
	10	103	62	Psc	5.9	R.D.	17.6	4 50.7	+0.5	+2.4	190
	18	1308	γ	Cnc	4.7	R.D.	25.5	3 31.5	+0.4	+1.0	275
	19	1418	8	Leo	5.7	R.D.	26.6	4 26.2	+0.4	+1.7	259
	27	2287	＊π	Sco	2.9	D.D.	5.3	11 17.8	+1.1	+1.4	85
	27	2287	＊π	Sco	2.9	R.B.	5.3	12 20.8	+0.3	−0.7	327
10	5	3430	＊96	Aqr	5.6	D.D.	13.6	18 37.5	+0.9	+1.9	44
	28	2848	＊248 B.	Sgr	5.6	D.D.	6.9	18 43.5	+2.6	−1.5	108
	31	3237	ι	Aqr	4.3	D.D.	9.9	19 15.0	+1.1	+1.6	29
11	4	103	62	Psc	5.9	D.D.	13.2	1 13.4	—	—	122
	4	105	δ	Psc	4.4	D.D.	13.2	1 23.5	+1.0	−0.4	70
	7	536	16	Tau	5.5	R.D.	16.1	0 1.4	—	—	174
	7	539	＊19	Tau	4.3	R.D.	16.1	0 45.9	+1.6	+2.1	219
	7	538	＊18	Tau	5.7	R.D.	16.1	0 55.9	+2.5	−1.8	296
	7	542	21	Tau	5.8	R.D.	16.2	1 13.0	+1.7	+1.7	225
	8	885	＊406 B.	Tau	5.6	R.D.	18.0	20 32.9	+0.3	+0.6	287
	10	1088	47	Gem	5.8	R.D.	19.2	3 15.7	+1.9	−1.8	311
	13	1487	＊α	Leo	1.4	D.D.	22.5	10 4.9	—	—	206
	13	1487	＊α	Leo	1.4	R.D.	22.5	10 15.4	—	—	224
	27	3190	δ	Cap	2.9	D.D.	7.1	17 9.0	—	—	109
	27	3190	δ	Cap	2.9	R.B.	7.1	17 54.3	—	—	175
12	11	1547	＊ρ	Leo	3.8	R.D.	20.5	4 56.8	+2.2	−0.9	290
	16	2051	236 G.	Vir	5.9	R.D.	25.6	6 14.9	+1.2	−0.3	308
	18	2287	＊π	Sco	2.9	D.B.	27.6	6 23.1	+0.9	+0.7	107
	18	2287	＊π	Sco	2.9	R.D.	27.7	7 39.7	+1.2	−0.1	304
	31	538	＊18	Tau	5.7	D.D.	11.5	22 23.6	+1.9	+0.4	67
	31	542	21	Tau	5.8	D.D.	11.5	23 6.0	—	—	153

長周期変光星の推算極大　令和 7 年　2025

比較的明るくて，観測しやすい星の予想極大の日付を示したものである．変範囲や周期等は Samus et al.（eds.）2018, General Catalogue of Variable Sta（5.1 版）を参考にし，アメリカ変光星観測者協会のデータベースにまとめられた近の観測を考慮して推算した．＊は年内に複数回の極大が予想されることを示す

星　名	変光範囲	周期	極　大	星　名	変光範囲	周期	極　大
	等　等	日	月　日		等　等	日	月　日
R And	5.8—15.2	409	4 28	S Her	6.5—13.5	308	1 7 ＊
W And	6.7—14.6	397	11 7	T Her	7.2—13.6	165	4 18 ＊
R Aqr	7.5—12.5	380	10 20	U Her	6.7—13.0	406	4 18
T Aqr	7.4—13.5	202	2 16 ＊	RS Her	7.5—13.5	220	3 12 ＊
R Aql	5.7—11.3	270	3 30 ＊	RU Her	7.2—14.3	470	8 3
R Ari	8.0—13.0	186	3 3 ＊	R Hya	5.4— 8.4	368	8 29
R Aur	6.7—14.0	465	11 16	T Hya	7.8—13.5	288	10 16
R Boo	6.5—12.5	223	6 26	R Leo	5.0—11.3	310	1 19 ＊
R Cam	8.8—13.0	270	1 18 ＊	R LMi	6.3—13.2	380	8 13
X Cam	7.5—13.8	144	3 12 ＊	R Lep	6.4—10.0	430	8 3
R Cnc	7.0—12.3	362	7 27	RS Lib	7.3—12.7	218	1 14 ＊
W Cnc	8.5—15.2	395	2 13	V Mon	6.0—13.9	330	8 28
R CVn	6.7—12.7	329	1 2 ＊	R Oph	7.0—13.8	300	10 12
R CMi	7.2—11.5	338	8 8	X Oph	6.4— 9.0	335	7 14
S CMi	6.8—13.4	345	9 2	U Ori	5.2—13.0	368	5 27
V CMi	7.5—15.5	366	2 7	R Peg	7.0—13.0	378	8 7
R Cas	5.0—12.0	434	7 29	S Peg	8.0—13.0	319	7 14
T Cas	7.7—11.0	440	9 22	V Peg	8.0—15.4	302	8 24
V Cas	6.9—13.3	229	7 13	R Psc	8.0—15.0	344	4 22
T Cep	6.0—10.5	374	7 19	R Sgr	6.7—13.1	270	5 28
U Cet	6.8—13.4	233	7 24	T Sgr	8.0—12.9	395	11 6
W Cet	7.4—14.8	351	1 6 ＊	RR Sgr	6.0—13.5	347	9 26
o Cet	2.5— 9.0	332	4 11	RR Sco	5.4—11.8	288	6 22
T Col	6.6—12.7	226	3 8 ＊	S Scl	6.2—13.5	363	12 1
R Com	8.4—15.0	363	7 31	R Ser	5.7—13.8	356	4 9
S CrB	5.6—13.5	357	6 4	S Ser	8.0—14.0	372	11 11
V CrB	7.5—12.0	358	8 8	R Tri	5.5—12.2	267	8 25
R Crv	7.0—14.0	320	9 12	R UMa	6.5—13.4	302	10 5
R Cyg	6.1—14.4	426	6 2	S UMa	7.4—12.5	230	3 6 ＊
U Cyg	7.4—12.2	480	9 12	T UMa	6.6—13.5	257	3 3 ＊
Z Cyg	8.0—14.0	264	1 12 ＊	U UMi	7.5—12.0	327	11 7
RT Cyg	6.5—13.0	190	3 14 ＊	R Vir	6.1—12.1	146	2 21 ＊
χ Cyg	4.0—14.0	408	8 20	S Vir	6.3—13.2	375	7 5
R Dra	6.7—13.2	248	5 31	RS Vir	8.0—14.0	354	10 11
Y Dra	8.3—14.6	326	5 11	R Vul	7.5—14.0	138	4 20 ＊
R Gem	6.4—14.0	370	3 21				

明るい食連星の推算極小　令和 7 年　2025

10 の食連星（食変光星ともいう）について，主極小時刻を中央標準時で示した．るく，短周期で，変光範囲が大きな星を採用し，それぞれの星について，比的観察しやすい季節から毎月 2 回選んでいる．星名の下に，変光範囲（Samus al. (eds.) 2018, General Catalogue of Variable Stars（5.1 版）による等級），転周期（日），主極小継続時間（h）を記す．

星名/変光範囲/公転周期/主極小継続時間	主極小 月	日	h	星名/変光範囲/公転周期/主極小継続時間	主極小 月	日	h
TV Cas	8	6	22	TX UMa	1	4	1
7.22—8.22	8	15	23	7.06—8.80	1	7	3
1.813	9	4	22	3.063	2	12	21
8	9	13	23	12	2	15	23
	10	3	22		3	27	18
	10	23	20		3	30	20
	11	1	22		4	2	22
	11	21	20		4	5	23
U Cep	9	23	0	U CrB	4	2	1
6.75—9.24	9	28	0	7.66—8.79	4	8	22
2.493	10	22	22	3.452	5	10	0
10	10	27	22	10	5	16	22
	11	6	21		6	16	23
	11	11	21		6	23	21
	12	1	20		7	24	23
	12	6	19		7	31	21
RZ Cas	9	20	22	AI Dra	5	22	1
6.18—7.72	9	26	22	7.05—8.09	5	28	0
1.195	10	8	21	1.199	6	21	0
5	10	14	20	4	6	27	0
	11	20	21		7	20	23
	11	26	21		7	26	23
	12	2	20		8	25	22
	12	8	20		8	31	22
β Per	9	9	3	U Sge	6	8	23
2.12—3.39	9	12	0	6.45—9.28	6	19	2
2.867	10	4	22	3.381	7	6	0
10	10	27	21	13	7	22	22
	11	16	22		8	2	1
	11	19	19		8	18	23
	12	9	21		9	4	20
	12	29	23		9	15	0
R CMa	1	13	23	V505 Sgr	6	11	0
5.70—6.34	1	21	22	6.46—7.51	6	24	0
1.136	2	15	22	1.183	7	7	0
4	2	23	20	6	7	25	22
	11	12	3		8	13	21
	11	20	2		8	26	21
	12	23	0		9	8	21
	12	30	23		9	27	20

最近三百二十年年代表 (1)

「前」とあるのは「令和7年 (2025年) より前の年数」である.

年	西暦	前	年	西暦	前	年	西暦	前	年	西暦	前
宝永 3	1706	319	延享 3	1746	279	天明 6	1786	239	文政 9	1826	19
4	1707	318	4	1747	278	7	1787	238	10	1827	19
5	1708	317	寛　延	1748	277	8	1788	237	11	1828	19
6	1709	316	2	1749	276	寛　政	1789	236	12	1829	19
7	1710	315	3	1750	275	2	1790	235	天　保	1830	19
正　徳	1711	314	宝　暦	1751	274	3	1791	234	2	1831	19
2	1712	313	2	1752	273	4	1792	233	3	1832	19
3	1713	312	3	1753	272	5	1793	232	4	1833	19
4	1714	311	4	1754	271	6	1794	231	5	1834	19
5	1715	310	5	1755	270	7	1795	230	6	1835	19
享　保	1716	309	6	1756	269	8	1796	229	7	1836	18
2	1717	308	7	1757	268	9	1797	228	8	1837	18
3	1718	307	8	1758	267	10	1798	227	9	1838	18
4	1719	306	9	1759	266	11	1799	226	10	1839	18
5	1720	305	10	1760	265	12	1800	225	11	1840	18
6	1721	304	11	1761	264	享　和	1801	224	12	1841	18
7	1722	303	12	1762	263	2	1802	223	13	1842	18
8	1723	302	13	1763	262	3	1803	222	14	1843	18
9	1724	301	明　和	1764	261	文　化	1804	221	弘　化	1844	18
10	1725	300	2	1765	260	2	1805	220	2	1845	18
11	1726	299	3	1766	259	3	1806	219	3	1846	17
12	1727	298	4	1767	258	4	1807	218	4	1847	17
13	1728	297	5	1768	257	5	1808	217	嘉　永	1848	17
14	1729	296	6	1769	256	6	1809	216	2	1849	17
15	1730	295	7	1770	255	7	1810	215	3	1850	17
16	1731	294	8	1771	254	8	1811	214	4	1851	174
17	1732	293	安　永	1772	253	9	1812	213	5	1852	17
18	1733	292	2	1773	252	10	1813	212	6	1853	17
19	1734	291	3	1774	251	11	1814	211	安　政	1854	171
20	1735	290	4	1775	250	12	1815	210	2	1855	17
元　文	1736	289	5	1776	249	13	1816	209	3	1856	16
2	1737	288	6	1777	248	14	1817	208	4	1857	168
3	1738	287	7	1778	247	文　政	1818	207	5	1858	167
4	1739	286	8	1779	246	2	1819	206	6	1859	16
5	1740	285	9	1780	245	3	1820	205	万　延	1860	165
寛　保	1741	284	天　明	1781	244	4	1821	204	文　久	1861	164
2	1742	283	2	1782	243	5	1822	203	2	1862	163
3	1743	282	3	1783	242	6	1823	202	3	1863	162
延　享	1744	281	4	1784	241	7	1824	201	元　治	1864	161
2	1745	280	5	1785	240	8	1825	200	慶　応	1865	160

最近三百二十年年代表 (2)

前」とあるのは「令和 7 年 (2025 年) より前の年数」である.

年	西暦	前	年	西暦	前	年	西暦	前	年	西暦	前
慶応 2	1866	159	明治 39	1906	119	昭和 21	1946	79	昭和 61	1986	39
3	1867	158	40	1907	118	22	1947	78	62	1987	38
明　治	1868	157	41	1908	117	23	1948	77	63	1988	37
2	1869	156	42	1909	116	24	1949	76	平　成	1989	36
3	1870	155	43	1910	115	25	1950	75	2	1990	35
4	1871	154	44	1911	114	26	1951	74	3	1991	34
5	1872	153	大　正	1912	113	27	1952	73	4	1992	33
6	1873	152	2	1913	112	28	1953	72	5	1993	32
7	1874	151	3	1914	111	29	1954	71	6	1994	31
8	1875	150	4	1915	110	30	1955	70	7	1995	30
9	1876	149	5	1916	109	31	1956	69	8	1996	29
10	1877	148	6	1917	108	32	1957	68	9	1997	28
11	1878	147	7	1918	107	33	1958	67	10	1998	27
12	1879	146	8	1919	106	34	1959	66	11	1999	26
13	1880	145	9	1920	105	35	1960	65	12	2000	25
14	1881	144	10	1921	104	36	1961	64	13	2001	24
15	1882	143	11	1922	103	37	1962	63	14	2002	23
16	1883	142	12	1923	102	38	1963	62	15	2003	22
17	1884	141	13	1924	101	39	1964	61	16	2004	21
18	1885	140	14	1925	100	40	1965	60	17	2005	20
19	1886	139	昭　和	1926	99	41	1966	59	18	2006	19
20	1887	138	2	1927	98	42	1967	58	19	2007	18
21	1888	137	3	1928	97	43	1968	57	20	2008	17
22	1889	136	4	1929	96	44	1969	56	21	2009	16
23	1890	135	5	1930	95	45	1970	55	22	2010	15
24	1891	134	6	1931	94	46	1971	54	23	2011	14
25	1892	133	7	1932	93	47	1972	53	24	2012	13
26	1893	132	8	1933	92	48	1973	52	25	2013	12
27	1894	131	9	1934	91	49	1974	51	26	2014	11
28	1895	130	10	1935	90	50	1975	50	27	2015	10
29	1896	129	11	1936	89	51	1976	49	28	2016	9
30	1897	128	12	1937	88	52	1977	48	29	2017	8
31	1898	127	13	1938	87	53	1978	47	30	2018	7
32	1899	126	14	1939	86	54	1979	46	令　和	2019	6
33	1900	125	15	1940	85	55	1980	45	2	2020	5
34	1901	124	16	1941	84	56	1981	44	3	2021	4
35	1902	123	17	1942	83	57	1982	43	4	2022	3
36	1903	122	18	1943	82	58	1983	42	5	2023	2
37	1904	121	19	1944	81	59	1984	41	6	2024	1
38	1905	120	20	1945	80	60	1985	40	7	2025	0

世界各地の標準時 (1)

おもな国や地域の標準時を掲げた．+/−は協定世界時との時差を表す．＊印は夏時刻実施地を示すが，通年夏時刻の場合はその時刻の欄に無印で掲げている．

h	m	
+14	0	キリバス(ライン諸島)
+13	0	キリバス(フェニックス諸島)，サモア，トンガ
+12	0	キリバス(ギルバート諸島)，ツバル，ナウル，ニュージーランド＊，フィジー，マーシャル諸島，ロシア(カムチャツカ，チュクチ)
+11	0	ソロモン諸島，バヌアツ，ミクロネシア(東部)，ロシア(サハ東部，マガダン周辺)
+10	0	オーストラリア(東部南＊，東部北)，パプアニューギニア，ミクロネシア(西部)，ロシア(サハ中部，ハバロフスク)
+ 9	30	オーストラリア(中部南＊，中部北)
+ 9	0	(日本，中央標準時)―インドネシア(東部)，パラオ，ロシア(サハ西部周辺)，朝鮮，東ティモール，日本
+ 8	0	インドネシア(中部)，オーストラリア(西部)，シンガポール，フィリピン，ブルネイ，ホンコン，マカオ，マレーシア，モンゴル(西部を除く)，ロシア(バイカル湖周辺)，台湾，中国
+ 7	0	インドネシア(西部)，カンボジア，タイ，ベトナム，モンゴル(西部)，ラオス，ロシア(クラスノヤルスク周辺)
+ 6	30	ミャンマー
+ 6	0	キルギス，バングラデシュ，ブータン，ロシア(オムスク)
+ 5	30	インド，スリランカ
+ 5	0	ウズベキスタン，カザフスタン，タジキスタン，トルクメニスタン，パキスタン，モルディブ，ロシア(ウラル地方)
+ 4	30	アフガニスタン
+ 4	0	アゼルバイジャン，アラブ首長国連邦，アルメニア，オマーン，ジョージア，セーシェル，モーリシャス，レユニオン，ロシア(ウドムルティア，サマーラ)
+ 3	30	イラン
+ 3	0	イエメン，イラク，ウガンダ，エチオピア，エリトリア，カタール，クウェート，ケニア，サウジアラビア，シリア，ジブチ，ソマリア，タンザニア，トルコ，バーレーン，ベラルーシ，マダガスカル，ヨルダン，ロシア(西部)
+ 2	0	(東部欧州標準時)―イスラエル＊，ウクライナ＊，エジプト＊，エストニア＊，エスワティニ，キプロス＊，ギリシャ＊，コンゴ(東部)，ザンビア，ジンバブエ，スーダン，ナミビア，フィンランド＊，ブルガリア＊，ブルンジ，ボツワナ，マラウイ，モザンビーク，モルドバ＊，ラトビア＊，リトアニア＊，リビア，ルーマニア＊，ルワンダ，レソト，レバノン＊，南アフリカ

世界各地の標準時 (2)

h	m	
1	0	(中部欧州標準時)―アルジェリア，アルバニア*，アンゴラ，イタリア*，オーストリア*，オランダ*，カメルーン，ガボン，クロアチア*，コンゴ(西部)，サンマリノ*，ジブラルタル*，スイス*，スウェーデン*，スペイン*，スロバキア*，スロベニア*，セルビア*，チェコ*，チャド，チュニジア，デンマーク*，ドイツ*，ナイジェリア，ニジェール，ノルウェー*，ハンガリー*，バチカン*，フランス*，ベナン，ベルギー*，ボスニア･ヘルツェゴビナ*，ポーランド*，マルタ*，モナコ*，モロッコ，モンテネグロ*，リヒテンシュタイン*，ルクセンブルク*，赤道ギニア，中央アフリカ，北マケドニア*
0	0	(西部欧州標準時)(協定世界時)―アイスランド，アイルランド*，イギリス*，カナリー諸島*，ガーナ，ガンビア，ギニア，ギニアビサウ，コートジボワール，シエラレオネ，セネガル，トーゴ，ブルキナファソ，ポルトガル*，マリ，モーリタニア，リベリア
-1	0	アゾレス*，カーボベルデ
-2	0	グリーンランド(一部を除く)*
-3	0	アルゼンチン，ウルグアイ，スリナム，チリ(マガリャネス地方)，ブラジル(南東部，北東部)
-3	30	カナダ(ニューファンドランド)*
-4	0	(北米，大西洋標準時)―カナダ(ラブラドル)*，ガイアナ，グアドループ，グリーンランド(チューレ地区)*，チリ(一部を除く)*，トリニダード･トバゴ，ドミニカ，バーミューダ*，バルバドス，パラグアイ*，ブラジル(中部，北西部)，プエルトリコ，ベネズエラ，ボリビア，小アンティル諸島
-5	0	(北米，東部標準時)―エクアドル，カナダ(東部諸州)*，キューバ*，コロンビア，ジャマイカ，ハイチ*，バハマ*，パナマ，ブラジル(西部)，ペルー，メキシコ(キンタナ･ロー)，米国(東部諸州)*
-6	0	(北米，中部標準時)―エルサルバドル，カナダ(中部諸州*，サスカチュワン)，グアテマラ，コスタリカ，ニカラグア，ベリーズ，ホンジュラス，メキシコ(一部を除く)，米国(中部諸州)*
-7	0	(北米，山岳標準時)―カナダ(山岳部諸州*，ユーコン)，メキシコ(ソノラ周辺)，米国(山岳部諸州*，アリゾナ)
-8	0	(北米，太平洋標準時)―カナダ(太平洋岸諸州)*，メキシコ(バハカリフォルニア北部)*，米国(太平洋岸諸州)*
-9	0	アラスカ*
-10	0	ハワイ

ユリウス日

ユリウス日は－4712 年 1 月 1 日から数えた通日である. 1599 年まではユリ
ス暦, 1600 年以後はグレゴリオ暦に対するユリウス日が表から得られる. 本表
は紀元元年の前年を 0 年としているため, これを紀元前 1 年とする方法とは 1
ずつの差異がある(たとえば－4712 年は紀元前 4713 年). 2025年7月5日のユ
ウス日は第 1 表(2000)から 245 1545, 第 2 表(25)から 9131, 第 3 表(平年, 7
0 日＋5 日)から 186 を求め, 合計して 246 0862 を得る. ユリウス日に小数を
けて時刻を示す場合には世界時より 12 時間(0.5 日)遅れたグリニジ平均天文
に相当する値を用いる. 同日世界時 0 時におけるユリウス日は 246 0861.5 である

第 1 表 年	第 1 表 日	第 2 表 年	日	年	日	年	日
－1000	135 5808	0	＊	35	1 2783	70	2 5567
－ 900	139 2333	1	365	36	1 3148	71	2 5932
－ 800	142 8858	2	730	37	1 3514	72	2 6297
－ 700	146 5383	3	1095	38	1 3879	73	2 6663
－ 600	150 1908	4	1460	39	1 4244	74	2 7028
－ 500	153 8433	5	1826	40	1 4609	75	2 7393
－ 400	157 4958	6	2191	41	1 4975	76	2 7758
－ 300	161 1483	7	2556	42	1 5340	77	2 8124
－ 200	164 8008	8	2921	43	1 5705	78	2 8489
－ 100	168 4533	9	3287	44	1 6070	79	2 8854
0	172 1058	10	3652	45	1 6436	80	2 9219
100	175 7583	11	4017	46	1 6801	81	2 9585
200	179 4108	12	4382	47	1 7166	82	2 9950
300	183 0633	13	4748	48	1 7531	83	3 0315
400	186 7158	14	5113	49	1 7897	84	3 0680
500	190 3683	15	5478	50	1 8262	85	3 1046
600	194 0208	16	5843	51	1 8627	86	3 1411
700	197 6733	17	6209	52	1 8992	87	3 1776
800	201 3258	18	6574	53	1 9358	88	3 2141
900	204 9783	19	6939	54	1 9723	89	3 2507
1000	208 6308	20	7304	55	2 0088	90	3 2872
1100	212 2833	21	7670	56	2 0453	91	3 3237
1200	215 9358	22	8035	57	2 0819	92	3 3602
1300	219 5883	23	8400	58	2 1184	93	3 3968
1400	223 2408	24	8765	59	2 1549	94	3 4333
1500	226 8933	25	9131	60	2 1914	95	3 4698
1600	230 5448	26	9496	61	2 2280	96	3 5063
1700	234 1972	27	9861	62	2 2645	97	3 5429
1800	237 8496	28	1 0226	63	2 3010	98	3 5794
1900	241 5020	29	1 0592	64	2 3375	99	3 6159
2000	245 1545	30	1 0957	65	2 3741		
2100	248 8069	31	1 1322	66	2 4106		
2200	252 4593	32	1 1687	67	2 4471		
2300	256 1117	33	1 2053	68	2 4836		
2400	259 7642	34	1 2418	69	2 5202		

第 3 表 月	日	平年	閏年
1	0	0	[illegible]
	10	10	1
	20	20	2
2	0	31	3
	10	41	4
	20	51	5
3	0	59	6
	10	69	7
	20	79	8
4	0	90	9
	10	100	101
	20	110	111
5	0	120	121
	10	130	131
	20	140	141
6	0	151	152
	10	161	162
	20	171	172
7	0	181	182
	10	191	192
	20	201	202
8	0	212	213
	10	222	223
	20	232	233
9	0	243	244
	10	253	254
	20	263	264
10	0	273	274
	10	283	284
	20	293	294
11	0	304	305
	10	314	315
	20	324	325
12	0	334	335
	10	344	345
	20	354	355

＊　平年のときは 0, 閏年のときは－1.

太陽の自転軸　令和7年　2025

太陽の自転　太陽面上に現われる黒点の毎日の位置の変化から太陽は自転ていることがわかる．自転軸の方向は赤経 19^h05^m，赤緯 +63.°9 (2025.0) でる．地球に対する自転の周期は 27.2753 日で，恒星に対する周期は 25.38 である．(カリントン周期；太陽緯度 ±16° 付近，磁場基準)

自転軸の位置　本表では世界時 0^h における自転軸の位置を 10 日ごとに掲ている．P は地球から見た自転軸の傾きで，軸の北極側が天球の北より東にくものを (+)，西に傾くものを (−) としている．B_0，L_0 は地球から見た陽面の中点の日面緯度および日面経度で，日面経度は 1854 年 1 月 1 日グリジ平均正午において黄道面に対する太陽の赤道面の昇交点を通る日面子午を経度の原点としたものである．L_0 は太陽の自転に伴って 1 日あたり約° 減少し，P と B_0 は 4 年ごとに大体同じ値になる．

世界時 0^h 月	日	P	B_0	L_0	世界時 0^h 月	日	P	B_0	L_0
		°	°	°			°	°	°
1	−5	+ 4.84	−2.31	155.69	**7**	4	− 1.24	+3.20	168.21
	5	+ 0.01	−3.49	23.99		14	+ 3.26	+4.23	35.86
	15	− 4.76	−4.56	252.30		24	+ 7.60	+5.15	263.55
	25	− 9.29	−5.48	120.63	**8**	3	+11.67	+5.92	131.28
2	4	−13.44	−6.23	348.97		13	+15.36	+6.54	359.06
	14	−17.11	−6.79	217.30		23	+18.60	+6.97	226.89
	24	−20.22	−7.13	85.61	**9**	2	+21.34	+7.21	94.78
3	6	−22.73	−7.25	313.89		12	+23.52	+7.24	322.71
	16	−24.59	−7.15	182.11		22	+25.10	+7.06	190.69
	26	−25.77	−6.83	50.26	**10**	2	+26.02	+6.67	58.72
4	5	−26.25	−6.32	278.35		12	+26.24	+6.09	286.78
	15	−26.00	−5.62	146.35		22	+25.73	+5.32	154.88
	25	−25.02	−4.76	14.28	**11**	1	+24.45	+4.39	23.00
5	5	−23.31	−3.76	242.13		11	+22.38	+3.31	251.15
	15	−20.90	−2.67	109.90		21	+19.55	+2.14	119.32
	25	−17.84	−1.51	337.62	**12**	1	+16.01	+0.89	347.52
6	4	−14.21	−0.31	205.29		11	+11.89	−0.39	215.74
	14	−10.13	+0.90	72.94		21	+ 7.34	−1.66	84.00
	24	− 5.76	+2.07	300.57		31	+ 2.55	−2.88	312.28
						41	− 2.28	−4.01	180.57

土星の環の消失

土星は，太陽系の惑星の中でも，とくに際立った存在感を放つ天体である．まず，赤
半径は 60,268 km～地球の約 9.4 倍で木星に次ぐ大きさを持ちながら，質量は 5.7
10^{26} kg～地球の約 95 倍で平均密度は 0.69×10^{3} kg m^{-3} と，惑星で唯一水より低密度な
体となっている．また，近年はすばる望遠鏡などによる衛星発見の報告[1]が相次ぎ，報
された総数は 149 で最多となった[2]．土星の衛星といえば，液体メタンの湖を持つタイタ
地下に水の海を持つエンケラドゥスなど，これまたユニークな姿が探査機カッシーニ
よって明らかにされている．

その中でもとくに際立つ特徴といえば，やはり，たいへん見ごたえのある環の存在であろう．この環は一枚の板ではなく，土星の周囲を高速で公転する氷の粒が集まったもので，太陽光を反射することにより明るく輝いている．2025 年，この環がほとんど見えなくなる「環の消失」という現象が発生する．

土星から見て地球や太陽が赤道方向に来る場合

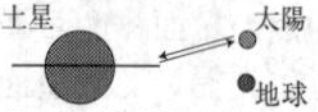

土星から見て地球と太陽が南北に分かれる場合

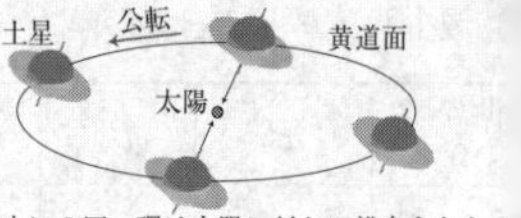

1 公転中に 2 回，環は太陽に対して横向きとなる

土星から見た太陽と地球の緯度

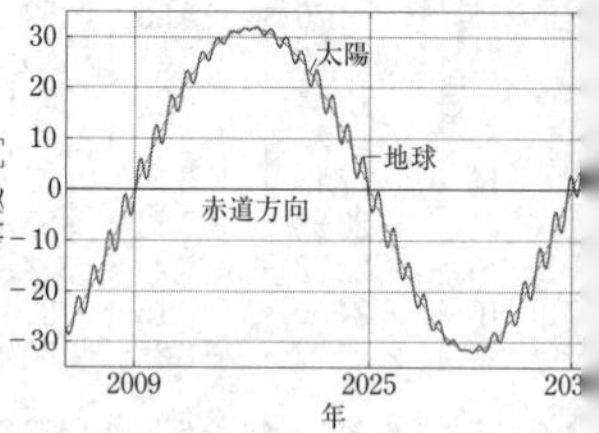

環が見えなくなる条件は大きく 3 つに分かれる．まずは，土星から見て地球が赤道方向にある場合で，環はたいへん薄いため，横向きではほとんど見えなくなる．つぎに，土星から見て太陽が赤道方向にある場合も，薄い環に太陽光が当たらないため，ほとんど見えなくなる．このような場合は，約 29.5 年の公転周期中に 2 回だから，およそ 15 年に 1 回チャンスがある．土星から見れば，地球も太陽も似たような方向にあるので，前者も似たような時期に起こるが，逆行のためチャンスは最大 3 回もありうる．最後に，土星に対して地球と太陽が南北に分かれる場合も，地球から見えるのは太陽光の当たらない面となるため，環はほとんど見えなくなる．

土星から見た地球と太陽の方向を緯度で表すと，このグラフのようになる．赤道方向は緯度 0° だから，これを横切るタイミングで環の消失は発生し，前回は 2009 年，次回は 2039 年と，大まかな頻度も見て取れる．

2025 年の場合，まず 3 月 24 日に地球が土星の北側から南側へ移り，続いて 5 月 7 日
太陽も南側へ移る．前者が第 1 の条件，後者が第 2 の条件，その間が第 3 の条件に合致し
ている．ただし，3 月から 4 月中旬までは太陽に近いため，観望には適さない．5 月 7 日
頃は，夜明け前の東の低い空に，金星を目印として探すとよいだろう．さらに，グラフを
よく見ると，2025 年にはもう 1 回，地球が土星の赤道方向に近づくこともわかる．これ
は 11 月 25 日頃で，こちらは夕方から夜にかけて高度も十分にあり，観望しやすい．なお
環の観望には少なくとも三脚付きの望遠鏡は欠かせない．

2025 年に向け，徐々に「消失」してゆく環の変化を今から楽しんでいきたい．

【片山真人

1) https://subarutelescope.org/jp/news/topics/2023/05/22/3264.html などを参照．
2) 2024 年 4 月現在．疑わしいものを除くと 146．https://www.nao.ac.jp/new-info/satellite.html を参照．

天 文 部

地球の形および大きさ　地球の形は回転楕円体で近似され，子午線の形は楕円なる．世界測地系で採用している測地基準系 1980(GRS80)楕円体の要素はつぎのとおりである（a_E と f が基本定数，他はそれから導出されている）．他の地球楕円体については**地 2** を参照．

赤 道 半 径　$a_E = 6\,378.137$ km
極　半　径　$a_P = 6\,356.752$ km
扁　平　率　$f = (a_E - a_P)/a_E$
　　　　　　$= 1/298.257\,222\,101$
子午線象限　$l = 10\,001.966$ km

天文定数系　第 27 回および第 28 回国際天文学連合（IAU）総会（2009, 2012）の決議に基づく．天文単位を表す記号 au は 2012 年の総会で小文字で表すことになった．

（標準元期 J2000.0＝2000 年 1 月 1.5 日 TT＝JD 2 451 545.0 TT）

1)　定義定数（Defining Constants）

光　速　度	$c = 2.997\,924\,58 \times 10^8\ \mathrm{m \cdot s^{-1}}$
天 文 単 位	$\mathrm{au} = 1.495\,978\,707 \times 10^{11}$ m
$1 - \mathrm{d(TT)/d(TCG)}$	$L_G = 6.969\,290\,134 \times 10^{-10}$
$1 - \mathrm{d(TDB)/d(TCB)}$	$L_B = 1.550\,519\,768 \times 10^{-8}$
T_0 における TDB − TCB	$\mathrm{TDB_0} = -6.55 \times 10^{-5}$ s （T_0＝JD 2 443 144.500 372 5 TCB）
地球自転角（2000 年 1 月 1.5 日 UT1）	$\theta_0 = 0.779\,057\,273\,264\,0$ revolutions
地球自転角の時間変化率	$\mathrm{d}\theta/\mathrm{d}t = 1.002\,737\,811\,911\,354\,48$ revolutions(UT1-day)$^{-1}$

2)　その他の定数

重 力 定 数	$G = 6.674\,28 \times 10^{-11}\ \mathrm{m^3 \cdot kg^{-1} \cdot s^{-2}}$
$1 - \mathrm{d(TCG)/d(TCB)}$ の平均値	$L_C = 1.480\,826\,867\,41 \times 10^{-8}$
地球の赤道半径	$a_E = 6.378\,136\,6 \times 10^6$ m
地球の力学的形状係数	$J_2 = 1.082\,635\,9 \times 10^{-3}$
J_2 の長期変化率	$\mathrm{d}J_2/\mathrm{d}t = -3.0 \times 10^{-9}\ \mathrm{cy^{-1}}$
日心重力定数	$GM_S = 1.327\,124\,400\,41 \times 10^{20}\ \mathrm{m^3 \cdot s^{-2}}$
地心重力定数	$GM_E = 3.986\,004\,356 \times 10^{14}\ \mathrm{m^3 \cdot s^{-2}}$
ジオイドのポテンシャル	$W_0 = 6.263\,685\,60 \times 10^7\ \mathrm{m^2 \cdot s^{-2}}$
地球の名目平均角速度	$\omega = 7.292\,115 \times 10^{-5}\ \mathrm{rad \cdot s^{-1}}$
黄道の平均傾斜角（J2000.0）	$\varepsilon_{J2000} = 8.438\,140\,6 \times 10^{4}{}''$

GM_S，GM_E の値は TDB に基づくもの．a_E と J_2 は潮汐による永久変形のうち，直接効果を除去し間接効果を除去しないもの．単位の cy は 36 525 日を表す．他のおもな定数をつぎに示す．

赤経の歳差(J2000.0)＝$307^{\mathrm{s}}.477\ \mathrm{cy^{-1}}$，赤緯の歳差(J2000.0)＝$2\,004''.19\ \mathrm{cy^{-1}}$

太陽年＝365.242 19 日，恒星年＝365.256 36 日，近点年＝365.259 64 日

1 平均恒星日＝0.997 269 57 平均太陽日＝$23^{\mathrm{h}}56^{\mathrm{m}}04^{\mathrm{s}}.090\,5$ 平均太陽時

1 平均太陽日＝1.002 737 91 平均恒星日＝$24^{\mathrm{h}}03^{\mathrm{m}}56^{\mathrm{s}}.555\,4$ 平均恒星時

惑　星

惑星の定義は2007年版暦部トピックスを参照のこと．水星，金星，火星，木星
土星は太古より知られており，天王星は1781年，海王星は1846年に発見された
つぎの表は惑星の軌道の要素およびこれと関係のある定数を記したものである

	軌道長半径 a (天文単位)	離心率 e	軌道傾斜 i 黄道	軌道傾斜 i 不変面	近日点黄経 ϖ	昇交点黄経 Ω	元期平均近点離角 M_0
水星	0.3871	0.2056	7°.003	6°.343	77°.496	48°.299	251°.396
金星	0.7233	0.0068	3.394	2.196	131.565	76.609	118.934
地球	1.0000	0.0167	0.003	1.577	103.019	174.812	119.753
火星	1.5237	0.0934	1.848	1.680	336.173	49.483	189.446
木星	5.2026	0.0485	1.303	0.328	14.386	100.509	69.016
土星	9.5549	0.0555	2.490	0.934	93.201	113.600	266.562
天王星	19.2184	0.0464	0.773	1.028	173.028	74.025	249.601
海王星	30.1104	0.0095	1.770	0.726	48.128	131.782	311.586

太陽，惑星およ

	太陽より受ける輻射量 (地球＝1)	視半径 (地球より平均最近距離にて)	赤道半径	扁平率	力学的形状係数 J_2	赤道重力 (地球＝1)	体積 (地球＝1)	衛星数
太陽	——	15′59″.64	695 700 km	0	0	28.04	1302000	—
水星	6.67	5.49	2 439.4	0	0.050×10^{-3}	0.38	0.056	0
金星	1.91	30.16	6 051.8	0	0.004×10^{-3}	0.91	0.857	0
地球	1.00	——	6 378.1	0.00335	1.083×10^{-3}	1.00	1.000	1(1)
火星	0.43	8.94	3 396.2	0.00589	1.956×10^{-3}	0.38	0.151	2(2)
木星	0.037	23.46	71 492	0.06487	14.70×10^{-3}	2.37	1321	72(95)
土星	0.011	9.71	60 268	0.09796	16.32×10^{-3}	0.93	764	66(149)
天王星	0.0027	1.93	25 559	0.02293	3.51×10^{-3}	0.89	63	27(28)
海王星	0.0011	1.17	24 764	0.01708	3.54×10^{-3}	1.11	58	14(16)
月	1.00	15 32.28	1 737.4	3軸不等	0.202×10^{-3}	0.17	0.0203	—

太陽から受ける輻射量は一定の面積の上の太陽の平均輻射量．太陽と月の視半径は地球からの平均距離における値．ただし，太陽の視半径は光学的な半径696000 kmに対する値である．惑星の質量(太陽＝1)には衛星も加えてある．太陽の質量は1.988×10^{30} kg．地球の質量は5.972×10^{24} kg．平均密度の単位は10^3 kg·m^{-3}(＝g·cm^{-3})．自転周期は対恒星自転周期で，太陽についてはカリントン周期，木星・土星・天王星については体系III，海王星については体系IIの周期を示した．赤道傾斜角は各天体の赤道面の軌道面に対する角度である．ただし太陽の赤道傾斜角は黄道(地球の平均軌道面)に対する角度である．極大等級は地球から見てもっとも明るく見えるときの等級である．

天3 下表は，惑星の環の名前とその位置（母惑星の赤道半径を単位とした母惑星中心からの平均距離）を示したもので，IAUの惑星系命名作業部会（WGPSN）の報告に基づいている．

衛星数は，軌道が確定し，IAUによって登録番号がつけられた各惑星の衛星数で，2024年8月末までに発見の報がIAU回報等になされた衛星総数を（　）内に示した．

表

;期 2025 年 5 月 5.0 日 TT＝JD 2 460 800.5 TT．軌道要素はすべて平均要素であり，
00 年 1 月 1.5 日 TT＝JD 2 451 545.0 TT の黄道と平均春分点に準拠している．対
星公転周期の単位は2015年版から太陽年に代えてユリウス年（365.25日）にした．

太陽からの距離 (10^8 km)			作用圏半径 (10^6 km)	対恒星平均運動 μ (平均太陽日)	対恒星公転周期 P (ユリウス年)	軌道平均速度 (km·s^{-1})	会合周期 (太陽日)	
最小 $(1-e)$	長半径 a	最大 $a(1+e)$						
0.460	0.579	0.698	0.11	14732.″42	0.24085	47.36	115.9	Mercury
1.075	1.082	1.089	0.62	5767.67	0.61520	35.02	583.9	Venus
1.471	1.496	1.521	0.92	3548.19	1.00002	29.78	——	Earth
2.066	2.279	2.492	0.58	1886.52	1.88085	24.08	779.9	Mars
7.405	7.783	8.161	48.20	299.13	11.8620	13.06	398.9	Jupiter
13.501	14.294	15.087	54.65	120.45	29.4572	9.65	378.1	Saturn
27.417	28.750	30.084	51.84	42.23	84.0205	6.81	369.7	Uranus
44.618	45.044	45.470	86.77	21.53	164.7701	5.44	367.5	Neptune

び　月　定　数　表

質量		平均密度	脱出速度	自転周期	赤道傾斜角	反射能[1]	極大等級	
(太陽＝1)	(地球＝1)	10^3 kg·m^{-3}	km·s^{-1}	日	°		等	
1.000	332 946	1.41	617.7	25.3800	7.25	——	−26.8	Sun
1.6601×10^{-7}	0.05527	5.43	4.25	58.6461	0.03	0.08	−2.5	Mercury
2.4478×10^{-6}	0.8150	5.24	10.36	243.0185	177.36	0.76	−4.9	Venus
3.0404×10^{-6}	1.0000	5.51	11.18	0.9973	23.44	0.30	——	Earth
3.2272×10^{-7}	0.1074	3.93	5.02	1.0260	25.19	0.25	−3.0	Mars
9.5479×10^{-4}	317.83	1.33	59.53	0.4135	3.12	0.34	−2.9	Jupiter
2.8589×10^{-4}	95.16	0.69	35.48	0.4440	26.73	0.34	−0.6	Saturn
4.3662×10^{-5}	14.54	1.27	21.29	0.7183	97.77	0.30	+5.4	Uranus
5.1514×10^{-5}	17.15	1.64	23.50	0.6653	28.35	0.29	+7.7	Neptune
3.6943×10^{-8}	0.012300	3.34	2.38	27.3217	6.70	0.11	−12.9	Moon

) ボンドアルベド（Bond albedo）：各惑星について，入射全エネルギーに対する反射全エネルギーの割合

木星の環		土星の環		天王星の環			
Halo	1.399–1.718	D	1.112–1.236	ζ	1.549	γ	1.864
Main	1.718–1.807	C	1.236–1.526	6	1.637	δ	1.889
Gossamer	1.807–2.996	B	1.526–1.950	5	1.652	λ	1.957
海王星の環		A	2.025–2.269	4	1.666	ε	2.001
Galle	1.69	F	2.327	α	1.750	ν	2.633
Leverrier	2.15	G	2.75–2.89	β	1.787	μ	3.823
Lassell	2.24	E	3.0–8.0	η	1.846		
Arago	2.33						
Adams	2.54						

お　も　な　衛

軌道の標準長半径は１天文単位にあるときの値で，任意のときの見かけ
値はそのときの母天体の距離(天文単位)で割れば得られる．軌道の長半径

番　号		衛 星 名	発見者（発見年）	等級	軌道の標準長半径	軌道の長半径
				等	″	
火　星	I	Phobos	Hall (1877)	12	12.93	2.76
	II	Deimos	Hall (1877)	13	32.35	6.91
木　星	I	Io	Galileo (1610)	5	581.9	5.90
	II	Europa	Galileo (1610)	5	925.2	9.39
	III	Ganymede	Galileo (1610)	5	1475.3	14.97
	IV	Callisto	Galileo (1610)	5	2596.3	26.34
	V	Amalthea	Barnard (1892)	14	249.8	2.53
	VI	Himalia	Perrine (1904)	15	15793	160.1
	VII	Elara	Perrine (1905)	16	16171	163.9
	VIII	Pasiphae	Melotte (1908)	17	32757	330.9
	IX	Sinope	Nicholson (1914)	18	33022	333.6
	X	Lysithea	Nicholson (1938)	18	16148	163.7
	XI	Carme	Nicholson (1938)	18	32229	325.6
	XII	Ananke	Nicholson (1951)	19	29117	294.4
	XIII	Leda	Kowal (1974)	19	15388	156.0
	XIV	Thebe	Voyager I (1979)	16	306	3.10
	XV	Adrastea	Voyager II (1979)	19	178	1.80
	XVI	Metis	Voyager I (1979)	18	176	1.79
土　星	I	Mimas	Herschel (1789)	13	255.82	3.08
	II	Enceladus	Herschel (1789)	12	328.43	3.95
	III	Tethys	Cassini (1684)	10	406.73	4.89
	IV	Dione	Cassini (1684)	10	520.71	6.27
	V	Rhea	Cassini (1672)	10	727.13	8.75
	VI	Titan	Huygens (1655)	8	1684.6	20.27
	VII	Hyperion	Bond, Lassell (1848)	14	2042.2	24.58
	VIII	Iapetus	Cassini (1671)	11	4911.5	59.10
	IX	Phoebe	Pickering (1898)	16	17799	213.9
	X	Janus	Dollfus (1966), Pascu (1980)	14	208.8	2.51
	XI	Epimetheus	Fountainら(1977), Cruikshank(1980)	16	208.8	2.51
	XII	Helene	Laques, Lecacheux (1980)	18	520.36	6.26
	XIII	Telesto	Reitsemaら (1980)	19	406.28	4.89
	XIV	Calypso	米国海軍天文台 (1980)	19	406.28	4.89
	XV	Atlas	Voyager I (1980)	19	189.8	2.28
	XVI	Prometheus	Voyager I (1980)	16	192.1	2.31
	XVII	Pandora	Voyager I (1980)	16	195.4	2.35
	XVIII	Pan	Showalter (1990)	19	184.2	2.22
天王星	I	Ariel	Lassell (1851)	13	263.3	7.47
	II	Umbriel	Lassell (1851)	14	366.8	10.41
	III	Titania	Herschel (1787)	13	601.6	17.07
	IV	Oberon	Herschel (1787)	13	804.6	22.83
	V	Miranda	Kuiper (1948)	15	179.1	5.08
海王星	I	Triton	Lassell (1846)	13	489.1	14.33
	II	Nereid	Kuiper (1949)	20	7603.6	222.6

木星，土星，天王星，海王星には上記のほかに多数の衛星が発見されている．その総数は天 2
参照．それらの衛星名等の詳細は，https://www.nao.ac.jp/new-info/satellite.html を参照．

星の表

天体の赤道半径を単位として測ったものである．等級は母天体が地球に対して衡の位置にあるときの平均等級，質量は母天体を単位としたものである．

公転周期	離心率	軌道傾斜・基準面‡		半径	質量	番号	
日		°		km			
0.3189	0.0151	1.1	L(赤道面)	13×11×9	1.65×10^{-8}	火星	I
1.2624	0.0002	1.8	L(赤道面)	8×6×5	2.36×10^{-9}		II
1.7691	0.004	0.04	L(赤道面)	1830×1819×1816	4.70×10^{-5}	木星	I
3.5512	0.009	0.47	L(赤道面)	1563×1560×1560	2.53×10^{-5}		II
7.1546	0.002	0.18	L(赤道面)	2631	7.80×10^{-5}		III
16.6890	0.007	0.19	L(赤道面)	2410	5.67×10^{-5}		IV
0.4982	0.003	0.4	L(赤道面)	125×73×64	1.10×10^{-9}		V
250.1	0.16	29	黄道面	75×60×60	2.21×10^{-9}		VI
259.1	0.21	28	黄道面	43	4.58×10^{-10}		VII
744.2	0.41	151	黄道面	30	1.58×10^{-10}		VIII
753.2	0.26	158	黄道面	19	3.95×10^{-11}		IX
258.5	0.12	28	黄道面	18	3.32×10^{-11}		X
726.3	0.26	165	黄道面	23	6.95×10^{-11}		XI
624.1	0.23	149	黄道面	14	1.58×10^{-11}		XII
240.5	0.16	28	黄道面	10	5.76×10^{-12}		XIII
0.6745	0.015	0.8	L(赤道面)	58×49×42	7.89×10^{-10}		XIV
0.2983	0.002	0.1	L(赤道面)	10×8×7	3.95×10^{-12}		XV
0.2948	0.001	0.02	L(赤道面)	30×20×20	6.31×10^{-11}		XVI
0.9424	0.0191	1.56	赤道面	208×197×191	6.61×10^{-8}	土星	I
1.3702	0.0049	0.03	赤道面	257×251×248	1.90×10^{-7}		II
1.8878	0.0	1.10	赤道面	538×528×526	1.09×10^{-6}		III
2.7369	0.0022	0.01	赤道面	563×561×560	1.93×10^{-6}		IV
4.5175	0.0003	0.35	赤道面	765×763×762	4.06×10^{-6}		V
15.9454	0.0291	0.30	赤道面	2575	2.37×10^{-4}		VI
21.2767	0.1035	0.64	赤道面	180×133×103	9.82×10^{-9}		VII
79.3310	0.0283	18.5	黄道面	746×746×712	3.18×10^{-6}		VIII
546.4	0.1756	173.73	黄道面	109×109×102	1.46×10^{-8}		IX
0.6947	0.007	0.14	赤道面	102×93×76	3.33×10^{-9}		X
0.6943	0.009	0.34	赤道面	65×57×53	9.25×10^{-10}		XI
2.74	0.0	0.212	赤道面	22×19×13	4.48×10^{-11}		XII
1.8878	0.001	1.158	赤道面	16×12×10	1.27×10^{-11}		XIII
1.8878	0.001	1.473	赤道面	15×12×7	6.33×10^{-12}		XIV
0.6021	0.002	0.3	赤道面	20×18×9	1.01×10^{-11}		XV
0.6132	0.002	0.0	赤道面	68×40×30	2.81×10^{-10}		XVI
0.6285	0.004	0.0	赤道面	52×41×32	2.41×10^{-10}		XVII
0.575	0.0	0.0	赤道面	17×16×10	8.70×10^{-12}		XVIII
2.5204	0.0012	0.04	赤道面	581×578×578	1.44×10^{-5}	天王星	I
4.1442	0.0040	0.13	赤道面	585	1.47×10^{-5}		II
8.7059	0.0014	0.08	赤道面	789	3.92×10^{-5}		III
13.4632	0.0016	0.07	赤道面	761	3.54×10^{-5}		IV
1.4135	0.0013	4.34	赤道面	240×234×233	7.42×10^{-7}		V
5.8769	0.0000	156.3	赤道面	1355×1353×1352	6.26×10^{-5}	海王星	I
360.135	0.751	6.68	黄道面	170	3.01×10^{-7}		II

おもに Astronomical Almanac 2024 を参照．‡)L はラプラス面で，L（赤道面）は惑星赤道面に近い．

月

公転　月の公転に関する定数はつぎのとおりである.

朔望月　29.530 589 日　　恒星月　27.321 662 日　　交点月　27.212 221 日
分点月　27.321 582 日　　近点月　27.554 550 日
対恒星近点順行周期　3 232.605 日（＝約 8.85 年）
対恒星交点逆行周期　6 793.477 日（＝約 18.6 年）
対恒星平均運動　13°.176 358 日$^{-1}$
軌道長半径　384 399 km＝約 60.268 2×地球赤道半径
平均離心率　0.055 545 5　　平均傾斜角　5°09′24″.08（対黄道）
(平均離心率と平均傾斜角は2016年版から接触軌道要素の永年項の値にした
黄経の永年加速(対恒星, 36 525 日あたり)

平 均 黄 経　−6″.87(−12″.93)
近地点黄経　−38″.26(＋0″.19)　（　）内の数値は潮汐によるもの
昇交点黄経　＋6″.36(−0″.05)

主要周期項	振幅 黄経	振幅 距離	周期		
中心差	22 640″ (6°.29)	20 905 km	1 近点月	章	19 太陽年＝6 939.602 日 / 235 朔望月＝6 939.688 日 }235＝19×12＋
出　差	4 586 (1.27)	3 699	31.812 日	サロス食期	19 食　年＝6 585.781 日
二均差	2 370 (0.66)	2 956	半朔望月		242 交点月＝6 585.357 日
年　差	666 (0.19)	49	1 近点年		223 朔望月＝6 585.321 日
					239 近点月＝6 585.537 日
月角差	125 (0.03)	109	1 朔望月	食季節循環期(食年)	346.620 1 日

月の重力係数	月の慣性能率比と形状
J_2 = 20.22×10^{-5}	$(B-A)/C=2.28\times10^{-4}$, $(C-A)/B=6.32\times10^{-4}$, $C/MR^2=0.39$
C_{22} = 2.23×10^{-5}	月の形状楕円体の半径：地球方向 1 738.4 km, 極軸方向
J_3 = 1.21×10^{-5}	1 736.7 km, 両者に垂直な方向 1 737.5 km
C_{31} = 3.07×10^{-5}	日本の月探査機「かぐや」などの観測によると, 月の形状
S_{31} = 0.56×10^{-5}	中心は月の重心に対し, 月面経度 202°.38 E, 月面緯度 7°.12 N
C_{41} = −0.72×10^{-5}	の方向に 1.93 km ずれている（月面経緯度の基準は平均地球方向と極軸）.

自転　月の赤道は黄道と 1°32′33″.6（Newhall & Williams 1997, CMDA, **66**）の傾斜をなし, 月の赤道の黄道に対する昇交点は白道の黄道に対する降交点と一致する. 月の対恒星自転周期は正しく 1 恒星月に等しく, これによって月は常にその半面を地球に向け決して他の半面を向けることがない. ただし, 月の公転には幾多の不等があり, 白道は黄道に対して約 5° 傾斜しており, かつまた観測者は地球の中心以外の場所からこれを見るためにその表面は上下左右に移動するように見える. これを月の光学秤動という. 光学秤動により, 月の全表面のうち約 59% を地球から見ることができる.

明るさ　月の実視等級のおよその値を次表に示す. 詳しくは Harris 1961 Planets and Satellites および Astronomical Almanac 2021 を参照.

太陽と月との角距離	180°	150°	120°	90°	60°	30°
およその月齢（日）	14.8	12.3 17.2	9.8 19.7	7.4 22.1	4.9 24.6	2.5 27.1
実視等級（等）	−12.7	−11.9	−11.0	−10.0	−8.7	−6.9

近時の日食

赤経の合(世界時)					日出時中心食		正午中心食		日入時中心食		種類(皆既最大継続時間)
					経度	緯度	経度	緯度	経度	緯度	
年	月	日	h	m	°	°	°	°	°	°	(m)
017	2	26	14	38.8	−114	−43	−36	−37	+27	−11	金環
	8	21	18	13.2	−172	+40	−93	+39	−27	+11	皆既(2.7)
018	2	15	20	15.1	——	——	——	——	——	——	部分
	7	13	3	9.1	——	——	——	——	——	——	部分
	8	11	9	20.1	——	——	——	——	——	——	部分
019	1	6	1	43.7	——	——	——	——	——	——	部分
	7	2	19	21.7	−160	−38	−109	−17	−58	−36	皆既(4.6)
	12	26	5	14.5	+48	+26	+101	+1	+157	+19	金環
2020	6	21	6	41.4	+18	+1	+80	+31	+148	+11	金環
	12	14	16	18.2	−133	−8	−66	−41	+11	−24	皆既(2.2)
2021	6	10	11	1.1	−90	+50	(−165)	(+88)	+157	+64	金環
	12	4	7	56.2	−51	−53	(−121)	(−79)	−134	−67	皆既(2.0)
2022	4	30	19	40.8	——	——	——	——	——	——	部分
	10	25	10	3.8	——	——	——	——	——	——	部分
2023	4	20	3	55.6	+64	−48	+121	−15	−179	+3	金環皆既
	10	14	17	36.6	−147	+49	−88	+17	−29	−6	金環
2024	4	8	18	36.1	−159	−8	−99	+31	−20	+48	皆既(4.5)
	10	2	19	8.1	−166	+8	−110	−28	−37	−49	金環
2025	3	29	11	46.3	——	——	——	——	——	——	部分
	9	21	20	50.5	——	——	——	——	——	——	部分
2026	2	17	11	18.8	(+137)	(−72)	——	——	+99	−50	金環
	8	12	17	3.9	+113	+75	(+105)	(+85)	+5	+39	皆既(2.4)
2027	2	6	15	44.5	−131	−39	−53	−35	+4	+6	金環
	8	2	10	1.0	−44	+28	+31	+27	+90	−12	皆既(6.4)
2028	1	26	15	24.8	−106	+3	−48	+6	+2	+41	金環
	7	22	3	15.8	+76	−18	+133	−19	−180	−51	皆既(5.2)
2029	1	14	17	46.9	——	——	——	——	——	——	部分
	6	12	4	0.1	——	——	——	——	——	——	部分
	7	11	16	14.5	——	——	——	——	——	——	部分
	12	5	15	5.5	——	——	——	——	——	——	部分
2030	6	1	6	30.8	+4	+29	+82	+57	+164	+34	金環
	11	25	6	54.3	+2	−16	+73	−44	+151	−26	皆既(3.8)
2031	5	21	7	12.3	+15	−17	+71	+9	+130	−5	金環
	11	14	21	1.0	+164	+26	−139	−0	−79	+8	金環皆既
2032	5	9	13	7.2	−43	−70	−18	−55	+31	−56	金環
	11	3	5	6.2	——	——	——	——	——	——	部分
2033	3	30	18	33.3	+178	+61	——	——	(+143)	(+82)	皆既(2.7)
	9	23	14	37.5	——	——	——	——	——	——	部分
2034	3	20	10	27.2	−38	−1	+25	+18	+93	+35	皆既(4.2)
	9	12	16	32.4	−129	−6	−69	−21	−5	−41	金環
2035	3	9	22	49.7	+127	−43	−160	−32	−98	−9	金環
	9	2	1	43.9	+80	+38	+154	+31	−143	+5	皆既(3.0)

解説は天 10 参照.

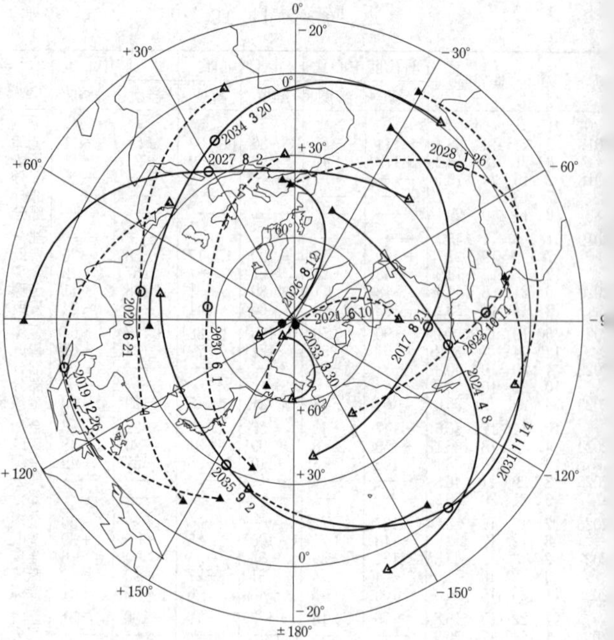

天第 1 図 A　日 食 中 心 線 図

図は 2017 年から 2035 年までに起こる皆既，金環，金環皆既食の中心線を示すもの（日付は世界時による）で，記号は

△：そこの日出の瞬間に中心食の起こる地点
○：そこの地方視太陽時正午に中心食の起こる地点
▲：そこの日入の瞬間に中心食の起こる地点
●：そこの地方視太陽時正子に中心食の起こる地点

を示す．

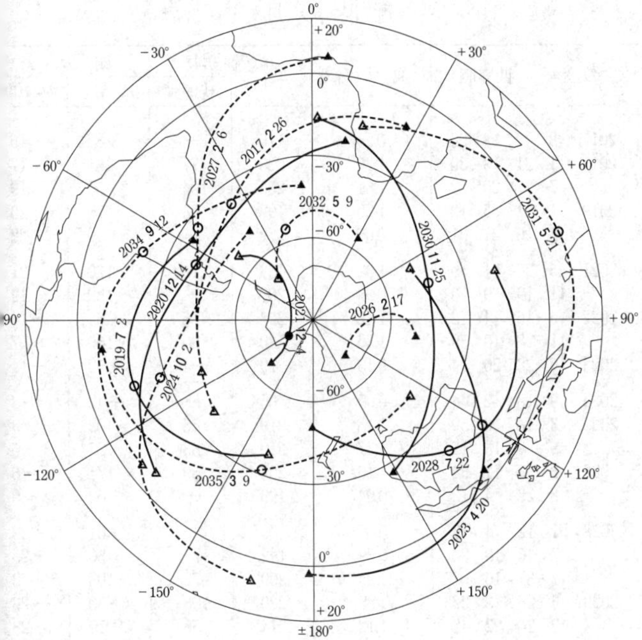

天第１図Ｂ　日 食 中 心 線 図

また

————————	皆既食
- - - - - - - - - -	金環食
- - - -———- - - -	金環皆既食

を示す．（実線は皆既食を示す）

近時の月食

食の最大（世界時）					食分	継続時間		月天頂	
							皆既食	経度	緯度
年	月	日	h	m		m	m	°	
2017	8	7	18	20	0.25	116	—	+86	−15
2018	1	31	13	30	1.32	203	77	+161	+17
	7	27	20	22	1.61	235	104	+56	−19
2019	1	21	5	12	1.20	197	63	−75	+20
	7	16	21	31	0.66	179	—	+39	−22
2021	5	26	11	19	1.02	188	19	−170	−21
	11	19	9	3	0.98	209	—	−139	+19
2022	5	16	4	12	1.42	208	86	−64	−19
	11	8	10	59	1.36	220	86	−169	+17
2023	10	28	20	14	0.13	79	—	+52	+14
2024	9	18	2	44	0.09	65	—	−42	−3
2025	3	14	6	59	1.18	219	66	−102	+3
	9	7	18	12	1.37	210	83	+87	−6
2026	3	3	11	34	1.16	208	59	−171	+6
	8	28	4	13	0.94	199	—	−63	−9
2028	1	12	4	13	0.07	58	—	−61	+23
	7	6	18	20	0.39	142	—	+86	−23
	12	31	16	52	1.25	209	72	+108	+23
2029	6	26	3	22	1.85	220	103	−50	−23
	12	20	22	42	1.12	214	55	+19	+23
2030	6	15	18	33	0.51	145	—	+82	−23
2032	4	25	15	14	1.20	212	66	+131	−14
	10	18	19	3	1.11	197	48	+71	+10
2033	4	14	19	13	1.10	216	50	+72	−9
	10	8	10	55	1.36	203	80	−167	+6
2034	9	28	2	46	0.02	31	—	−44	+1
2035	8	19	1	11	0.11	78	—	−17	−12

2017年から2035年までに起こる日食を**天7**に，同期間に起こる月食を上表に掲げる．経度は＋が東経，－が西経，緯度は＋が北緯，－が南緯である．**天7**の表で，日出時中心食，正午中心食，日入時中心食の欄の数字に（　）をつけたものは，それぞれ日入時中心食，正子中心食，日出時中心食を表す．なお，皆既食や金環食でも日出時中心食と日入時中心食の経緯度が与えられていないのは中心食にならない皆既食または金環食であることを意味する．

おもな太陽系天体の大気組成

太陽系天体の大気組成は，地球上からの天体望遠鏡による分光観測とともに，探査機からのリモート観測，探査機を大気に突入させての分光観測，質量分析，ガス分析，ガスクロマトグラフ分析などの方法で求める．

下記の表のうち，金星，地球，火星の大気組成は表面近くでの実測値である．外惑星の組成は，地球および探査機からの赤外・紫外線測光・分光観測による．

水星および月の大気は，非常に希薄な大気であり，時間変化が激しい．トリトンおよび冥王星の大気も希薄であり，季節変化があると考えられる．このほか，木星の衛星であるガニメデには希薄な酸素およびオゾンの大気が，エウロパには酸素の大気が存在することが確認されている．

物質名	水星	金星	地球[4)]	火星	木星	土星	天王星	海王星	冥王星	月	タイタン	トリトン
	体積百分率	体積百分率	体積百分率	体積百分率	体積百分率	体積百分率	体積百分率	体積百分率	体積百分率	体積百分率	体積百分率	体積百分率
水素 H_2					86	96	82.5	80		23	0.099	
ヘリウム He	1.4[5)]	1.2×10^{-3}	5.2×10^{-4}		13.6	3.25	15.2	19		26		
ネオン Ne		7×10^{-4}	1.8×10^{-3}	2.5×10^{-4}						29		
アルゴン Ar		7×10^{-3}	9.3×10^{-1}	1.6						19		
ナトリウム Na	86[2),5)]		—[2)]									
カリウム K	$<3.7\times10^{-1}$ [5)]											
窒素 N_2		3.5	78	2.7					>90		94.2	~100
酸素 O_2			21	1.3×10^{-1}								
二酸化炭素 CO_2		96.5	3.9×10^{-2} [1)]	95.3					$(5\sim7.5)\times10^{-2}$			
二酸化硫黄 SO_2		1.5×10^{-2}										
水 H_2O		2×10^{-3}	0-4[2),4)]	2.1×10^{-2} [2)]	$>5\times10^{-2}$							
一酸化炭素 CO		1.7×10^{-3}	1.2×10^{-5}	7×10^{-2}	$\sim10^{-7}$			$\sim10^{-6}$	5×10^{-2}			
オゾン O_3			—[2)]	3×10^{-6}								
メタン CH_4					1.8×10^{-1}	4.5×10^{-1}	2.3	1.5	0.25		5.65	0.015
アンモニア NH_3					7×10^{-2}	1.25×10^{-2}		3×10^{-4}				
アセチレン C_2H_2					1.0×10^{-5}	3×10^{-5}	2×10^{-2}	10^{-4}	3×10^{-4}			
エタン C_2H_6					5.8×10^{-4}	7.0×10^{-4}		1.5×10^{-4}				
リン化水素 PH_3					$\sim10^{-4}$	$\sim10^{-4}$						
表面大気圧 (10^5 Pa)	$<5\times10^{-15}$ [2)]	92	1	0.006					1.3×10^{-5}	3×10^{-15} [2)]	1.5	1.9×10^{-5} [2)]
大気量 (kg)	<10000	4.8×10^{20}	5.1×10^{18}	2.5×10^{16}						25000		
〃 (km atm)[3)]					75±15	75±20	225±75	225±75				
有効温度 (K)	437	227 (雲上)	255 (太陽直下)	210	124.4±0.3	95.0±0.4	59.1±0.3	59.6±0.7	39	274	82	38
表面温度 (K)	442	737	288	215					45±3	120-396	93.6	

注 1) 2012 年の値．漸増しつつある．　2) 変化する．　3) 水素量，1 気圧，0℃における厚さ(km)．　4) 地球大気組成の百分率は水を除く乾燥大気として計算される．5) 水星の大気成分として水素，ヘリウム，酸素の原子に加え，ナトリウム，カリウム，カルシウム，マグネシウムといった金属元素の原子が検出されている．

準惑星および冥王星型天体

太陽系の準惑星とは，(a) 太陽の周りを回っており，(b) 質量が十分大きいため，自重力で強くまとまり，ほぼ球形（流体力学的平衡の形状）になっており，(c) その軌道領域でほかの天体を力学的に一掃してはおらず，(d) 衛星でない天体のことである．20年8月の国際天文学連合(IAU)総会の決議直後は dwarf planet とも呼ばれていた．現のところ5天体が属するが，数は増える可能性があり，その手続きは今後IAUが制定す太陽系外縁部に存在する準惑星をとくに冥王星型天体と呼び，Ceres 以外が含まれる．

準惑星の 2024 年 3 月 31 日 0 時力学時(JD2 460 400.5)における軌道要素およびその物的諸量を下表に示す．m_0 は衝の位置にあるときの平均実視等級，M_0 は平均近点離角，Ω, i はそれぞれ近日点引数，昇交点黄経，軌道傾斜で，分点は J2000.0 であり，e は離心率 a は天文単位で表した軌道長半径である(主として Minor Planet Circulars による)．実絶対等級は太陽および地球から天体までの距離を 1 天文単位とし，位相角 0° のときの均等級のことで，反射能は幾何学的アルベド(geometric albedo)である．

小惑星番号	天体名	m_0	M_0	ω	Ω	i	e	a	発見年
		等	°	°	°	°			
1	Ceres	6.8	103.0	73.4	80.3	10.6	0.079	2.767	1801
134340	冥王星	15.5	50.1	114.0	110.3	17.2	0.247	39.453	1930
136108	Haumea	16.5	220.3	240.9	121.9	28.2	0.199	42.899	2003
136472	Makemake	16.3	168.1	296.5	79.3	29.0	0.165	45.331	2005
136199	Eris	17.1	210.0	150.8	36.1	43.8	0.433	68.137	2003

天体名	直　径	平均密度	実視絶対等級	反射能	自転周期	公転周期
	km	10^3 kg·m^{-3}	等		日	年
Ceres	939	2.2	3.34	0.09	0.38	4.60
冥王星	2 377	1.85	−0.7	～0.6	6.4	248
Haumea	990×1540×1920*	2.6	0.13	0.73	0.16	282
Makemake	1 400	1.7	−0.44	0.6	0.95	305
Eris	2 400	2.3	−1.2	0.86	1.1	561

準惑星の衛星の軌道要素および物理的諸量を下表に示す．冥王星 I，II，III の等級は衝の位置にあるときの平均実視等級，冥王星 IV および V は発見時の実視等級で，Eris I Haumea I，II の等級は発見時の近赤外線での明るさを実視等級に換算したおおよその値 Makemake I は AB 等級である．冥王星 II–冥王星 V の軌道半径は冥王星と冥王星 I の重心から測った値で，冥王星 I–冥王星 V の軌道傾斜は冥王星の赤道を基準とし，Haumea I II，Makemake I の軌道傾斜は J2000.0 の平均黄道座標系を基準とする．

*　Haumea の値について，理科年表 2014 年版までの直径は半径を，2017 年版までの自転周期は単位が時間を示していた．

番　号	衛星名	発見者	発見年	等級	軌道半径	公転周期	離心率	軌道傾斜	半径	質量 (母天体=1)
				等	km	日		°	km	
冥王星 I	Charon	Christy	1978	18.0	19 600	6.4	0.0	0.1	606	0.1
冥王星 II	Nix	Weaver ほか	2005	24.4	48 694	24.9	0.0	0.1	25×18×17	4×10^{-5}
冥王星 III	Hydra	Weaver ほか	2005	24.5	64 738	38.2	0.0	0.2	33×23×13	2×10^{-5}
冥王星 IV	Kerberos	Showalter ほか	2011	26.1	57 783	32.2	0.0	0.4	10×5×5	—
冥王星 V	Styx	Showalter ほか	2012	27.0	42 656	20.2	0.0	0.8	8×5×4	—
Haumea I	Hi'iaka	Brown ほか	2005	19	49 880	49.4	0.1	126	195	5×10^{-3}
Haumea II	Namaka	Brown ほか	2005	21	25 657	18.3	0.2	113	100	5×10^{-4}
Makemake I	S/2015(136472)1	Parker ほか	2015	25	≧21000	>12.4	0 ?	63-87?	88 ?	—
Eris I	Dysnomia	Brown ほか	2005	22	37 400	15.8	0.0	—	—	—

太陽系小天体

太陽の周りを公転する天体のうち，惑星，準惑星，衛星以外のすべての天体を太陽系小体と総称する．つまり太陽系小天体には，太陽系外縁天体(冥王星型天体を除く)，小惑(Ceres を除く)，彗星，ほかの小天体が含まれる．

太陽系外縁天体　単に外縁天体とも呼ぶ．従来はエッジワース・カイパーベルト天体もくはカイパーベルト天体といわれていた天体(理科年表 2007 年版では英語名の trans-eptunian object と表記)である．海王星以遠の領域に約 4800 個が発見されている．これの大部分は黄道面付近に帯状に分布し，海王星の平均運動(21.5″・日$^{-1}$)と太陽系外縁天の平均運動が簡単な整数比になっているものや惑星との接近により散乱されたもの(散天体，例：90377 Sedna)，また衛星を伴うものもある．

代表的な太陽系外縁天体の 2024 年 3 月 31 日 0 時力学時(JD2 460 400.5)における軌道要を下表に示す．分点と記号の意味は準惑星の表と同じである(主として Minor Planet irculars による)．太陽系外縁天体も小惑星番号を持つ．

小惑星番号	天体名	m_0	M_0	ω	Ω	i	e	a	海王星との平均運動の比
		等	°	°	°	°			
79969	1999 CP133	23.1	68.8	154.2	334.3	3.2	0.083	34.727	4:5
15836	1995 DA2	23.6	73.1	331.3	127.5	6.6	0.075	36.258	3:4
15788	1993 SB	23.9	2.0	79.0	354.8	1.9	0.327	39.715	2:3
15809	1994 JS	23.8	0.5	238.1	56.4	14.1	0.217	42.201	3:5
50000	Quaoar	18.7	291.7	161.8	189.1	8.0	0.039	43.245	
60620	2000 FD8	23.0	332.0	82.1	184.9	19.5	0.217	43.481	4:7
486958	Arrokoth	27.5	310.1	187.3	159.1	2.4	0.040	44.209	
15760	Albion	23.6	33.0	6.8	359.4	2.2	0.076	44.320	
20161	1996 TR66	24.2	61.3	310.5	343.0	12.4	0.397	48.169	1:2
69988	1998 WA31	24.3	49.2	310.8	20.6	9.4	0.431	55.745	2:5
	2012 VP113	28.4	3.5	294.1	90.9	24.0	0.706	273.813	
90377	Sedna	28.9	358.6	310.8	144.3	11.9	0.861	548.299	

天第 2 図 A は，太陽系外縁天体の軌道長半径 a と離心率 e の分布を示す軌道長半径，離心率ともに一部のみを表示)．上部の数字は海王星との平均運動の比を意味し，左下から右上に伸びる曲線は各軌道長半径における海王星軌道と交差する最小の離心率を表す．

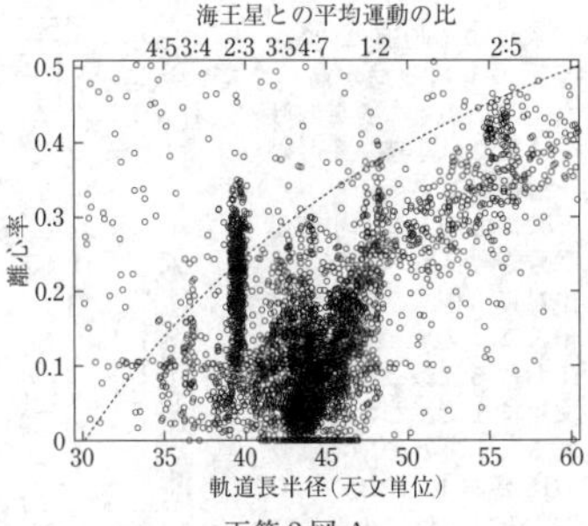

天第 2 図 A

彗星核と同じ反射率(0.04)を仮定すると，発見された天体の直径は数十km から数百 km，大きいものは 1 000 km を超える．明るい天体については変光観測が行われ，自転周期は数時間から 10 数時間である．

互いの衝突や接近などにより，太陽系外縁天体が惑星軌道を横切るように進化した天体を Centaur と呼ぶ．小惑星の Chiron を含む，約 300 天体が発見されている．

小惑星　主として火星と木星の軌道の間に点在する小惑星のうち，大型のものや，特異な軌道を持つものの 2024 年 3 月 31 日 0 時力学時（JD2 460 400.5）における軌道要素を次表に示す．分点と記号の意味は準惑星の表と同じである(主として Minor Planet Circulars による)．近日点距離が小さく地球軌道に接近するものや，衛星を伴うものも発見されている．2024 年 5 月 15 日までに軌道が確定し小惑星番号が与えられたものは 699 991 番まであり，軌道が未確定の小惑星はさらに数十万個に上る．

小惑星番号	小 惑 星 名	m_0	M_0	ω	Ω	i	e	a	発見年
		等	°	°	°	°			
2	Pallas	7.6	83.3	310.9	172.9	34.9	0.230	2.770	1802
3	Juno	8.4	82.2	247.8	169.8	13.0	0.256	2.670	1804
4	Vesta	5.8	223.7	151.7	103.7	7.1	0.090	2.361	1807
8	Flora	8.7	17.7	285.5	110.8	5.9	0.157	2.202	1847
9	Metis	8.9	38.9	5.7	68.9	5.6	0.123	2.386	1848
24	Themis	11.4	311.0	108.7	36.4	0.7	0.116	3.145	1853
25	Phocaea	10.5	290.2	90.2	214.1	21.6	0.254	2.401	1853
153	Hilda	13.1	38.7	39.4	228.1	7.8	0.139	3.972	1875
158	Koronis	13.0	218.6	147.1	277.6	1.0	0.053	2.869	1876
170	Maria	12.4	45.2	158.4	301.2	14.4	0.061	2.554	1877
221	Eos	11.7	235.8	192.5	141.7	10.9	0.101	3.013	1882
243	Ida	13.7	246.0	114.0	323.6	1.1	0.045	2.860	1884
253	Mathilde	13.6	90.2	157.7	179.5	6.7	0.264	2.647	1885
279	Thule	14.3	28.4	28.0	71.9	2.3	0.044	4.265	1888
401	Ottilia	14.0	256.6	301.7	36.0	6.0	0.031	3.348	1895
433	Eros	9.5	334.7	178.9	304.3	10.8	0.223	1.458	1898
434	Hungaria	12.6	158.8	124.1	175.3	22.5	0.074	1.944	1898
588	Achilles	15.0	27.4	133.9	316.5	10.3	0.148	5.211	1906
617	Patroclus	15.0	352.5	308.5	44.4	22.1	0.140	5.207	1906
887	Alinda	16.7	289.5	350.5	110.4	9.4	0.571	2.472	1918
903	Nealley	14.4	344.6	233.8	159.4	11.8	0.047	3.238	1918
944	Hidalgo	17.7	142.3	56.5	21.4	42.6	0.662	5.728	1920
951	Gaspra	13.6	233.0	129.9	253.0	4.1	0.173	2.210	1916
1221	Amor	18.6	197.6	26.7	171.3	11.9	0.435	1.920	1932
1373	Cincinnat	16.1	18.9	99.0	297.4	38.9	0.316	3.420	1935
1566	Icarus	11.2	344.8	31.4	88.0	22.8	0.827	1.078	1949
1862	Apollo	15.3	142.3	286.0	35.6	6.4	0.560	1.471	1932
2060	Chiron*	16.8	201.0	339.3	209.3	6.9	0.377	13.710	1977
2062	Aten	9.6	130.7	148.1	108.5	18.9	0.183	0.967	1976
5261	Eureka	15.6	277.6	95.5	245.0	20.3	0.065	1.524	1990
25143	Itokawa	17.4	13.2	162.8	69.1	1.6	0.280	1.324	1998
162173	Ryugu	16.3	175.7	211.6	251.3	5.9	0.191	1.191	1999

*　Chiron は物理的に彗星の性質を示す．

木星の平均運動(300″・日$^{-1}$)と小惑星の平均運動が簡単な整数比になっているものを群と呼ぶ．右表中の所属数は小惑星番号が与えられた小惑星による．

群の名称	Hilda 群	Thule 群	Trojan 群
平 均 運 動	450″・日$^{-1}$	400″・日$^{-1}$	300″・日$^{-1}$
木星との比	3：2	4：3	1：1
所　属　数	3075	15	木星の前方 4993 木星の後方 2555

天第2図Bは，小惑星番号が与えられている小惑星について，0.01天文単位ごとの軌道長半径 a における度数分布を6天文単位まで示したものである．木星との平均運動の比が2:1，7:3，5:2，3:1の付近は，小惑星がほとんど存在せず空隙になっている．

数は少ないが，地球，火星，海王星にも木星の Trojan 群に相当する小惑星が見つかっている．

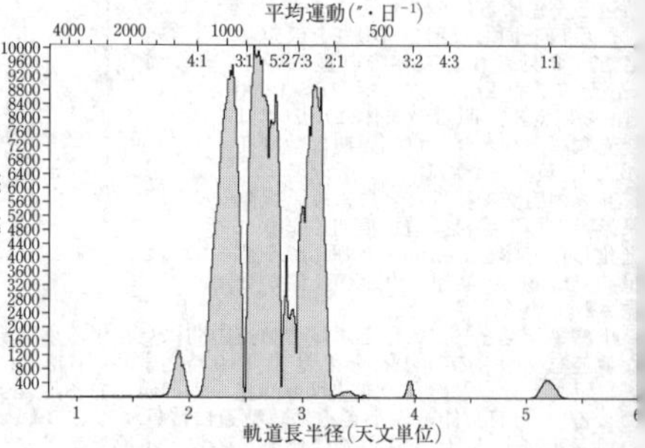

天第2図B

小惑星と隕石の物理的特性

小惑星の物理的特性[1)]

小惑星は，小さいものほど数が多く，形は不規則である．一般に，平均密度は対応する隕石グループの平均密度よりも小さく，内部に空隙を含むと考えられている．

番号	小惑星名	天体サイズ（km）	平均密度 $(10^3\ kg \cdot m^{-3})$	実視絶対等級(等)	反射能（可視幾何アルベド）	自転周期 (h)	型
2	Pallas	582×556×500[*1]	2.400±0.250[*1]	4.13	0.150[*2]	7.8132	B
3	Juno	282×249×220[*3]	3.32±0.40[*3]	5.33	0.246[*2]	7.210	S
4	Vesta	573×557×446[*4]	3.456±0.001[*4]	3.20	0.34±0.02[*4]	5.342	V
21	Lutetia	121×101×75[*5]	3.4±0.3[*5]	7.35	0.19±0.01[*5]	8.168270	Xc
243	Ida	59.8×25.4×18.6[*6]	2.6±0.5[*6]	9.94	0.206±0.032[*6]	4.633632	S
§	Dactyl	1.6×1.4×1.2[*6]	—	—[*7]	0.198±0.050[*6]	>8	S
253	Mathilde	66×48×46[*8]	1.3±0.2[*8]	10.3	0.047±0.005[*8]	417.7	Cb
433	Eros	34.4×11.2×11.2[*8]	2.67±0.03[*8]	11.16	0.23[*8]	5.270	S
951	Gaspra	18.2×10.5×8.9[*6]	—	11.46	0.23±0.06[*6]	7.042	S
2867	Steins	6.67×5.81×4.47[*5]	—	12.7	0.3[*9]	6.04679	Xe
5535	Annefrank	6.6×5.0×3.4[*10]	—	13.7	0.18－0.24[*10]	15.12	S
9969	Braille	2.1×1×1[*11]	—	15.9	0.34±0.03[*11]	226.4	Q
25143	Itokawa	0.535×0.294×0.209[*12]	1.9±0.1[*12]	19.2	0.24±0.02[*12]	12.1324[*12]	S
65803	Didymos	0.849×0.851×0.620[*13]	2.400±0.300[*13]	18.16[*14]	0.15±0.04	2.2600	S
†	Dimorphos	0.177×0.174×0.116[*13]	—	—	—	11.92148[*15]	—
01955	Bennu	0.5647×0.5361×0.4985[*16]	1.190±0.013[*16]	20.9	0.044±0.002[*16]	4.296057[*16]	B
52830	Dinkinesh	0.719[*17, 18]	2.400±0.350[*17]（Dinkinesh・Selam）	17.62	0.27[*19]	3.7387	S
‡	Selam	0.212 と 0.234[*17, 18, 20]		—	—	52.67	—
62173	Ryugu	1.004×1.004×0.875[*21]	1.19±0.02[*21]	19.3	0.045±0.002[*21]	7.63262[*21]	C

1)　探査機の「その場」観測によって精度のよい測定が行われている．（＊4 Dawn，＊5 Rosetta，＊6 Galileo，＊8 NEAR Shoemaker，＊10 Stardust，＊11 Deep Space 1，＊12 Hayabusa，＊13 DART，＊16 OSIRIS-REx，＊17 Lucy，＊21 Hayabusa2）

＊1 Schmidt et al. 2009, Science, **326**, 275.　＊2 Usui et al. 2011, PASJ, **63**, 1117.　＊3 Viikinkoski et al. 2015, A&A, **581**, L3.　＊7 探査で得られたサイズと反射能を仮定すると Ida より約 7 等暗い．＊9 Masiero et al. 2011, ApJ, **741**, 68.　＊14 Rivkin et al. 2021. Planet. Sci. J, **2**, 173.　＊15 DART による小惑星衝突実験によって自転周期が 11.92148 h から 11.372 h に 33.0 分遅くなったことが確認されている．＊18 同じ体積を持つ球に換算したときの直径．＊19 McFadden et al. 2023. ApJL, **957**, L2.　＊20 接触二重小惑星（接触している 2 つの天体からなる）．
§ Idaの衛星：243 Ida I．† Didymosの衛星：65803 Didymos I．‡ Dinkineshの衛星：152830 Dinkinesh I．

自転周期

直径数 km より大きな小惑星の自転周期は 2.2 時間以上である．連星をなす小惑星の自転周期には短いものが見られる．非主軸回転をしている小惑星の多くは自転周期が長い．

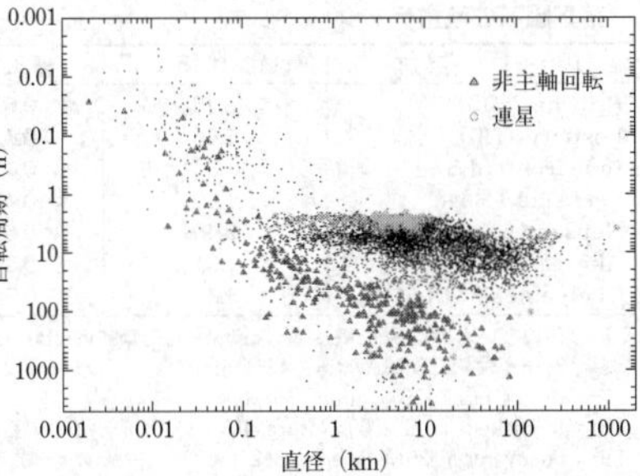

天第 3 図　小惑星の自転周期[2)]

自転周期の精度のよい 6614 個の小惑星についてプロットした．

2)　Warner et al. 2009, Icarus, **202**, 134. 2021 年 12 月 14 日更新. (https://www.MinorPlanet.info/php/lcdb.php)

隕石の密度[3]

分類	タイプ	平均粒子密度	平均バルク密度
		$(10^3\ kg \cdot m^{-3})$	
炭素質コンドライト	CI	2.5	1.6
	CM	2.9	2.3
	CO	3.4	3.0
	CV	3.3－3.5	2.8－3.1
	CK	3.6	2.9
普通コンドライト	H	3.7	3.4
	L	3.6	3.4
	LL	3.5	3.2
HED	ホワルダイト	3.2	3.0
	ユークライト	3.2	2.9
	ダイオジェナイト	3.5	3.2

3) Consolmagno, Britt, Macke 2008, ChEG, **68**, 1 による.

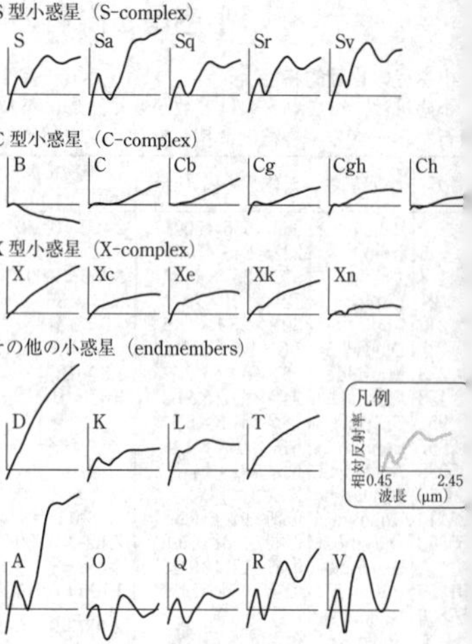

天第 4 図　小惑星の反射スペクトル[4]

小惑星の反射スペクトル

0.45－2.45 μm の波長範囲の反射スペクトルをタイプごとに示す．横軸は波長，縦軸は 0.55 μm を基準にした反射率．スペクトルの特徴などから隕石グループとの対応づけが行われている．C 型小惑星の多くは炭素質コンドライト，V 型小惑星は HED 隕石と対応づけられている．S 型小惑星については普通コンドライトの母天体と目されるものもある．

4) DeMeo et al. 2009, Icarus, **202**, 160.（http://smass.mit.edu/busdemeoclass.html）

落下隕石の軌道データ[5]

隕　石（タイプ）	軌道長半径(au)	離心率	軌道傾斜(°)	落下日
Pribram（H5）[6]	2.40	0.67	10.8	1959 **4** 7
Lostcity（H5）	1.66	0.42	12.0	1970 **1** 3
Innisfree（LL5）	1.87	0.47	12.3	1977 **2** 6
Peekskill（H6）[7]	1.49	0.41	4.9	1992 **10** 9
Neuschwanstein (EL6)[6]	2.40	0.67	11.4	2002 **4** 6
Almahata Sitta (Ureilite)[8]	1.31	0.31	2.5	2008 **10** 7
Chelyabinsk（LL5）[9]	1.8	0.58	4.9	2013 **2** 15

5) 注のないものは Schaifers & Voigt（Eds.）, Landolt-Börnstein, 1981 による.
6) Spurný et al. 2003, Nature, **423**, 151.
7) Brown et al. 1994, Nature, **367**, 624.
8) Jenniskens et al. 2009, Nature, **458**, 485. 落下前は，小惑星 2008 TC_3.
9) Popova et al. 2013, Science, **342**, 1069.

周　期　彗　星　(1)

軌道特性が確かで登録番号(番号の欄)が与えられた周期彗星のうち，彗星全体の明るさを表す絶等級が8.5等よりも明るい彗星を示す．T は近日点通過の年月日，q は天文単位で表した近日点離．その他の記号の意味は準惑星の表と共通である．角度要素の分点はJ2000.0．おもにJPL (ASA)のデータによった．

番号	T			q	e	ω	Ω	i	絶対等級	公転周期	彗星名
	TT					°	°	°	等	年	
P	1986	2	8	0.575	0.968	112.2	59.1	162.2	5.5	75.9	Halley
2P	2024	4	21	0.781	0.955	199.0	255.9	74.2	5.0	71.2	Pons-Brooks
3P	2024	6	29	1.163	0.930	64.7	85.9	44.6	5.4	67.9	Olbers
3P	1989	9	11	0.479	0.972	129.6	311.6	19.3	7.8	70.5	Brorsen-Metcalf
1P	2010	9	29	3.424	0.193	17.9	114.2	4.6	7.2	8.7	Schwassmann-Wachmann 2
5P	1939	8	9	0.748	0.974	29.3	356.0	64.2	8.3	155.0	Herschel-Rigollet
9P	2023	4	9	5.712	0.228	89.7	303.6	1.5	6.8	20.1	Oterma
3P	2013	4	10	1.951	0.651	169.0	358.0	19.8	6.5	13.2	Wild 1
4P	2009	7	26	3.550	0.148	86.6	77.1	6.7	6.8	8.5	Smirnova-Chernykh
2P	2001	8	30	3.626	0.123	227.5	239.6	1.1	7.6	8.4	Gehrels 3
9P	2016	12	14	2.221	0.408	250.1	41.5	12.1	8.3	7.3	Russell 2
0P	2017	6	19	2.975	0.510	29.3	13.3	9.6	7.0	15.0	Gehrels 1
1P	2005	6	27	2.606	0.330	354.9	247.9	14.1	7.7	7.7	Russell 3
9P	2022	4	8	4.726	0.230	174.2	28.2	4.3	6.7	15.2	Kowal 1
09P	1992	12	11	0.960	0.963	153.0	139.4	113.5	4.5	133.0	Swift-Tuttle
10P	2014	12	16	2.464	0.316	167.4	287.5	11.7	4.3	6.8	Hartley 3
11P	2013	1	30	3.704	0.110	3.4	89.8	4.2	8.4	8.5	Helin-Roman-Crockett
16P	2016	1	11	2.187	0.372	173.3	21.0	3.6	7.6	6.5	Wild 4
17P	2014	3	27	3.049	0.255	222.5	58.9	8.7	6.5	8.3	Helin-Roman-Alu 1
20P	2004	9	29	2.744	0.337	30.0	4.4	8.8	6.6	8.4	Mueller 1
21P	2004	9	14	2.675	0.340	10.6	97.4	19.1	5.9	8.2	Shoemaker-Holt 2
22P	1995	10	6	0.659	0.963	13.0	79.6	85.4	7.5	74.3	de Vico
23P	2019	2	4	2.126	0.449	102.9	46.5	15.4	8.2	7.6	West-Hartley
28P	2017	1	10	3.054	0.322	210.5	214.3	4.4	6.8	9.6	Shoemaker-Holt 1
28P-B	1997	11	20	3.047	0.321	210.2	214.5	4.4	5.6	9.5	Shoemaker-Holt 1-B
34P	2014	5	21	2.572	0.587	18.6	202.1	4.4	5.3	15.5	Kowal-Vavrova
35P	1999	12	10	2.717	0.290	22.7	213.4	6.1	7.0	7.5	Shoemaker-Levy 8
36P	2016	5	31	2.976	0.292	225.3	137.5	9.4	7.2	8.6	Mueller 3
39P	2008	4	20	3.403	0.248	165.7	242.4	2.3	7.2	9.6	Vaisala-Oterma
47P	2008	9	22	2.756	0.276	346.8	93.8	2.4	4.5	7.4	Kushida-Muramatsu
53P	2002	3	18	0.507	0.990	34.7	93.4	28.1	4.0	365.0	Ikeya-Zhang
54P	2013	12	12	1.608	0.671	49.0	343.5	17.8	7.7	10.8	Brewington
58P	2012	9	23	4.577	0.031	232.5	137.3	7.9	7.0	10.3	Kowal-LINEAR
60P	2012	9	18	2.067	0.479	18.2	337.0	17.3	6.7	7.9	LINEAR
165P	2000	6	15	6.830	0.622	126.2	0.6	15.9	5.9	76.7	LINEAR
166P	2002	5	20	8.564	0.383	321.9	64.5	15.4	7.0	51.7	NEAT
168P	2012	10	1	1.415	0.610	13.9	356.5	21.9	7.0	6.9	Hergenrother
179P	2007	12	4	4.114	0.307	296.3	115.6	19.9	5.3	14.5	Jedicke
180P	2015	12	12	2.489	0.355	94.9	84.6	16.9	7.1	7.6	NEAT
186P	2008	5	28	4.322	0.127	287.3	327.6	28.5	6.5	11.0	Garradd
187P	2008	10	22	3.715	0.173	134.7	111.7	13.7	7.3	9.5	LINEAR
193P	2014	11	24	2.166	0.394	8.4	335.2	10.7	7.6	6.8	LINEAR-NEAT
195P	2009	1	21	4.430	0.316	249.5	243.2	36.4	5.1	16.5	Hill
199P	2009	4	8	2.929	0.508	191.8	92.6	24.8	7.4	14.5	Shoemaker 4
200P	2008	8	25	3.272	0.333	133.7	234.8	12.1	7.0	10.9	Larsen
211P	2016	1	27	2.352	0.339	4.3	117.3	18.9	7.8	6.7	Hill
213P-B	2011	6	16	2.123	0.380	3.3	312.7	10.2	7.3	6.3	Van Ness-B
219P	2017	2	21	2.365	0.352	107.5	231.0	11.5	8.4	7.0	LINEAR
231P	2011	5	16	3.032	0.247	42.4	133.1	12.3	7.1	8.1	LINEAR-NEAT
232P	2009	10	1	2.983	0.335	53.4	56.1	14.6	7.2	9.5	Hill

周 期 彗 星 (2)

番号	T			q	e	ω	Ω	i	絶対等級	公転周期	彗星名
	TT					°	°	°	等	年	
234P	2009	12	23	2.861	0.251	358.4	179.7	11.5	7.5	7.5	LINEAR
235P	2010	3	21	2.748	0.313	333.7	204.5	8.9	7.3	8.0	LINEAR
237P	2023	5	14	1.987	0.434	25.2	245.4	14.0	6.7	6.6	LINEAR
238P	2022	6	5	2.369	0.252	324.2	51.6	1.3	8.3	5.6	Read
242P	2012	4	3	3.980	0.278	247.7	180.7	32.5	6.9	12.9	Spahr
244P	2012	1	20	3.921	0.199	92.8	354.1	2.3	6.9	10.8	Scotti
246P	2013	1	28	2.880	0.285	176.2	78.8	16.0	6.1	8.1	NEAT
261P	2012	9	30	2.184	0.392	59.0	298.4	6.3	7.4	6.8	Larson
269P	2014	11	25	4.077	0.435	223.9	249.0	6.6	6.7	19.4	Jedicke
271P	2013	7	5	4.250	0.391	35.1	9.6	6.9	7.2	18.4	van Houten-Lemmon
291P	2013	12	15	2.591	0.431	176.0	241.0	6.0	8.3	9.7	NEAT
297P	2008	3	21	2.409	0.309	131.8	98.3	10.3	6.7	6.5	Beshore
299P	2024	4	29	3.146	0.282	323.9	271.6	10.5	6.8	9.2	Catalina-PANSTARRS
324P	2010	6	22	2.618	0.154	58.9	270.7	21.4	7.5	5.4	La Sagra
328P	2007	5	11	1.880	0.552	30.3	341.8	17.7	7.2	8.6	LONEOS-Tucker
332P	2010	10	13	1.579	0.489	152.4	3.8	9.4	5.2	5.4	Ikeya-Murakami
334P	2017	5	19	4.188	0.355	81.1	92.8	19.1	6.5	16.5	NEAT
336P	2006	8	18	2.633	0.453	314.0	299.2	18.6	8.2	10.6	McNaught
343P	2017	1	27	2.277	0.584	137.6	257.3	5.6	6.0	12.8	NEAT-LONEOS
344P	2006	1	10	2.825	0.422	140.4	273.3	3.5	5.3	10.8	Read
356P	2017	12	17	2.689	0.354	226.2	160.8	9.6	7.4	8.5	WISE
357P	2008	12	24	2.512	0.436	1.3	44.7	6.3	5.1	9.4	Hill
358P	2023	11	11	2.395	0.239	299.8	85.7	11.1	7.8	5.6	PANSTARRS
361P	2018	7	2	2.780	0.438	219.2	203.3	13.9	4.6	11.0	Spacewatch
370P	2002	1	24	2.504	0.612	356.8	55.3	19.4	7.2	16.4	NEAT
371P	2010	3	26	2.174	0.478	308.6	67.4	17.4	4.3	8.5	LINEAR-Skiff
372P	2009	4	21	3.804	0.154	27.5	325.9	9.5	7.1	9.5	McNaught
373P	2011	11	6	2.305	0.394	221.2	232.0	13.8	6.0	7.4	Rinner
374P	2007	12	9	2.671	0.463	51.4	8.2	10.8	7.4	11.1	Larson
380P	2019	6	6	3.050	0.326	90.1	133.1	8.2	7.6	9.6	PANSTARRS
382P	2022	7	8	4.380	0.276	175.5	181.7	7.9	6.9	14.9	Larson
385P	2010	11	9	2.555	0.402	44.3	357.2	16.9	7.4	8.8	Hill
393P	2009	5	26	4.202	0.120	328.6	36.4	16.8	7.6	10.4	Spacewatch-Hill
402P	2021	12	9	3.916	0.439	327.0	123.1	30.9	5.5	18.4	LINEAR
403P	2020	9	15	2.684	0.504	277.9	163.9	12.3	7.1	12.6	CATALINA
407P	2020	1	31	2.125	0.385	92.3	80.8	4.9	7.2	6.4	PANSTARRS-Fuls
408P	2022	9	28	3.487	0.271	224.7	189.8	19.2	7.5	10.5	Novichonok-Gerke
415P	2021	2	16	3.312	0.195	346.5	160.3	31.8	7.4	8.4	Tenagra
419P	2015	3	15	2.542	0.279	187.3	40.4	2.8	7.3	6.6	PANSTARRS
422P	2006	5	28	3.092	0.506	306.0	36.1	39.6	7.1	15.7	Christensen
425P	2021	9	21	2.901	0.542	200.2	210.3	16.4	7.1	16.0	Kowalski
437P	2012	11	24	3.410	0.252	206.6	245.9	3.7	7.7	9.7	Lemmon-PANSTARRS
440P	2022	3	26	2.047	0.761	183.3	329.0	12.4	7.4	25.1	Kobayashi
443P	2022	10	9	2.956	0.285	145.0	109.0	19.9	6.4	8.4	PANSTARRS-Christensen
447P	2022	8	1	4.666	0.181	95.1	302.8	7.4	7.6	13.6	Sheppard-Tholen
450P	2004	9	12	5.448	0.313	21.6	124.9	10.6	6.8	22.3	LONEOS
464P	2023	2	28	3.372	0.281	267.7	309.6	21.7	7.1	10.2	PANSTARRS
465P	2008	8	18	2.322	0.614	141.5	217.9	25.9	6.9	14.7	Hill
470P	2023	12	19	2.728	0.389	152.2	246.2	8.8	8.1	9.4	PANSTARRS
471P	2023	12	20	2.123	0.628	95.0	283.4	4.8	8.1	13.6	2023 KF3
472P	2003	6	26	3.397	0.556	217.8	209.0	11.0	7.1	21.2	NEAT-LINEAR
477P	2018	10	9	1.756	0.416	305.9	59.2	8.9	7.8	5.2	PANSTARRS
485P	2023	8	23	3.999	0.416	195.7	261.7	10.0	7.7	17.9	Sheppard-Tholen

彗星の物理的諸量

彗星の数　2024 年 7 月現在，JPL（NASA）から，3949 個の彗星の軌道が発表さている．978 個は周期が 200 年以内の周期彗星であり，そのうち 568 個の彗星に号が与えられている．

核の大きさと反射能　大きさは，宇宙探査機が核に接近して観測した結果によ．反射能は幾何学的アルベド（geometric albedo）．

号	彗星名	大きさ(km)	反射能	番号	彗星名	大きさ(km)	反射能
1P	Halley	14.4×7.4×7.4 15.3×7.22×7.2	0.04	67P	Churyumov-Gerasimenko	4.1×3.3×1.8 および 2.6×2.3×1.8 が合体	0.06
9P	Tempel 1	7.6×4.9	0.04	81P	Wild 2	5.4×3.8×3.0	0.04
19P	Borrelly	4.0×1.58	0.029	103P	Hartley 2	0.69×2.33	0.04

コマの大きさ　彗星が日心距離 2.5-3 天文単位になると，コマが発生する．観測れた最大のコマは 1811 年の大彗星のもので，直径 180 万 km，1962 年の Humason III 彗星では，132 万 km に達した．コマがほとんど見られない彗星もある．

彗星の尾　直線状に伸びる電離ガスの(タイプⅠ)と，曲がったダストの尾(タプⅡ)がある．1997 年 Hale-Bopp 彗星ナトリウムの尾が発見された．なお右で，尾の見かけの長さは観測条件に大く左右されるので，実長もあくまでひつの目安に過ぎない．

彗 星 名	見かけの長さ	尾の実長
1843 Ⅰ	65°	3.2 億 km
1882 Ⅱ	40	2.1
1811 Ⅰ	25	1.6
Halley	125	1.2
池谷-関	25	1.2

おもなスペクトル線(写真波長域)

頭部	波　長(nm)	尾部	波　長(nm)
OH	309	CO_2^+	351, 367
NH	336	CO^+	378, 380, 400, 402, 425, 427, 454, 457
CN	388, 422	N_2^+	391
C_2	(帯頭)438, 474, 517, 564	H_2O^+	615, 620, 654, 658, 659, 669, 670
C_3	405	Na	589
[O]	630		

おもな流星群

	略符	流星群名	出現期間	極大	放射点 α	放射点 δ	出現数	母天体
定常群	QUA	しぶんぎ座	12 28 − 1 12	1 4	230°	49°	多	—
	LYR	4 月こと座	4 14 − 4 30	4 22	271	34	中	C/1861 G1
	ETA	みずがめ座η	4 19 − 5 28	5 6	338	−1	多	1P/Halley
	SDA	みずがめ座δ南	7 12 − 8 23	7 31	340	−16	中	—
	PER	ペルセウス座	7 17 − 8 24	8 12	48	58	多	109P/Swift-Tuttle
	STA	おうし座南	9 20 − 11 20	11 5	52	15	少	2P/Encke
	ORI	オリオン座	10 2 − 11 7	10 21	95	16	中	1P/Halley
	NTA	おうし座北	10 20 − 12 10	11 12	58	22	少	2P/Encke
	GEM	ふたご座	12 4 − 12 20	12 14	112	33	多	(3200) Phaethon
周期群	DRA	10 月りゅう座	10 6 − 10 10	10 8	262	54	変動する(＊1)	21P/Giacobini-Zinner
	LEO	しし座	11 6 − 11 30	11 17	152	22	変動する(＊2)	55P/Tempel-Tuttle
昼間群	ARI	おひつじ座昼間	5 14 − 6 24	6 7	43	24	多	—
	ZPE	ペルセウス座ζ昼間	5 20 − 7 5	6 5	67	23	多	—
	BTA	おうし座β昼間	6 5 − 7 17	6 25	82	20	中	—

略符は IAU で決定されたもので，流星群名は，IAU に従って定めた和名である．
出現期間，極大，放射点（極大における位置）は IMO（International Meteor Organization）による．極大日は年によって前後 1-2 日移動することがある．
出現期間は流星数が非常に少ない時期も含む．
＊1　次回は2038年，＊2　次回は2034-2037年に活動が活発化すると予想される．

おもな流星群の特性

略 符	H_B	H_E	V_E	V_H	q	e	Ω	ω	i
	km	km	km·s⁻¹	km·s⁻¹	au		°	°	°
QUA	103	91	40.5	38.2	0.975	0.614	283	171	71
LYR	107	88	47.1	41.8	0.920	0.966	32	214	80
ETA	116	100	65.3	40.7	0.571	0.940	44	96	164
SDA	100	88	38.6	34.1	0.069	0.958	306	155	28
PER	114	94	58.6	40.7	0.942	0.902	140	149	113
ORI	117	99	64.5	39.3	0.562	0.854	27	87	164
STA NTA	—	—	29.6	37.1	0.343	0.843	224	296	3
GEM	100	80	32.9	31.3	0.143	0.896	261	324	24
DRA	104	91	19.3	37.8	0.994	0.611	195	171	30
LEO	128	87	70.4	41.3	0.983	0.901	235	173	161
ARI	—	—	35.6	32.1	0.085	0.938	77	26	25
ZPE	—	—	25.1	33.8	0.365	0.755	81	61	7
BTA	—	—	27.2	34.5	0.274	0.834	102	52	0
*	99	85	33.5						

*　散在流星の平均値.

軌道要素は主として Meteor showers (G. W. Kronk, 1988) による. H_B, H_E は流星平均の発光点, 消滅点の地上からの高さ, V_E, V_H は地心, 日心速度, その他の記号の意は小惑星・彗星のものと同じである.

略 符	出現が著しく, 流星雨として記録された年
LYR	−686, −14, 582, 1093, 1094, 1095, 1096, 1122, 1123, 1136, 1803, 1922 1945, 1982
PER	36, 714, 830, 833, 835, 841, 924, 925, 926, 933, 989, 1007, 1029, 1042 1243, 1451, 1779, 1784, 1789, 1862, 1991, 1992, 1993, 1994, 2021
ORI	585, 930, 1436, 1439, 1465, 1623, 2006, 2007
DRA	1926, 1933, 1946, 1985, 1998, 2011
LEO	585, 902, 931, 934, 967, 1002, 1035, 1037, 1202, 1237, 1238, 1366, 1466 1532, 1533, 1538, 1554, 1566, 1582, 1602, 1625, 1666, 1698, 1799, 1833 1866, 1901, 1965, 1966, 1998, 1999, 2001, 2002

流星スペクトルのおもな輝線 (波長の単位：nm)

速 い 流 星		遅 い 流 星		赤外部の輝線	
Ca II	393, 397	Na I	589, 590	Ca II	854, 866
Si II	635, 637	Fe I	401, 405, 406	O I	777, 778, 822,
Na I	589, 590		527, 533, 537		823, 845
Mg I	517, 518			N I	744, 747
Fe I	527, 533, 537				
[O I]	558				

太陽の諸定数

径	6.957×10^{8} m	**質量**	1.9884×10^{30} kg
均密度	1.41×10^{3} kg·m^{-3}	**表面重力**	2.74×10^{2} m·s^{-2}
出速度	617.7 km·s^{-1}	**スペクトル型**	G2V
輻射量	3.828×10^{26} W	**実視絶対等級**	+4.82
視等級	−26.75	**有効温度**	5772 K

指数　$B-V = +0.650$　$U-B = +0.195$

球に対する太陽の自転周期（日）　$27.44 + 3.10^{*}\sin^{2}\phi + 7.25^{*}\sin^{4}\phi$
（Snodgrass et al. 1984, Solar Phys., **90**, 199 より．ϕ は太陽面上の緯度．ドップラー速度観測による光球の自転周期）

放射量　1.361 kW·m^{-2}（= 1.952 cal·cm^{-2}·min^{-1}）
（地球の大気圏外で太陽に正対する単位面積が単位時間に受ける太陽の総輻射量．0.1% 程度変動．長らく太陽定数と呼ばれていた．）

太陽面の輝度分布　周縁で急激に減光し，たとえば波長 0.5 μm では，縁から太陽半径の 2% のところで中心強度の 42% となる．

太陽面諸現象*

発生する層	名　称	大きさ (1000 km)	寿　命	温度 (K)	備　考
光　球	粒状斑	1.0	10 分	±300†	
	振動斑	3-太陽全面	5 分 (周期)	光球と同じ	太陽の固有振動
	超粒状斑	30	~20 時間	光球と同じ	水平流速 0.4 km·s^{-1}
	黒点	10 (暗部) 30 (半暗部)	6 日-2 月	−1600† (暗部)	磁場 0.2-0.4 テスラ
	白斑点	~0.2	~18 分	数百度高い†	磁場 0.1 テスラ
彩　層	プラージュ (羊斑)	150	1-6 月	≧6×10^{3}	平均磁場 0.005 テスラ
	スピキュール	0.2-0.8	1-8 分	~7×10^{3}	電子密度~10^{17} 個·m^{-3}
	フレア (彩層域)	10-30	数分-数時間	~10^{4}	電子密度~10^{19} 個·m^{-3}
コロナ	プロミネンス (紅炎)	5 (幅) × 30 (長さ)	数分-数ヵ月	~7×10^{3}	電子密度~10^{17} 個·m^{-3} 磁場 0.0005~0.01 テスラ
	コロナ·コンデンセーション	100	3 週間	~2×10^{6}	電子密度~10^{15} 個·m^{-3}
	コロナ流線	300	数ヵ月	~10^{6}	電子密度~10^{14} 個·m^{-3}
	フレア (コロナ域)	10-30	数分-数時間	~2×10^{7}	電子密度~10^{16} 個·m^{-3}

*　この表に示す各数値は代表的な値で実際にはその値のまわりにばらつく．
†　この温度は光球の温度（6000 K）からのずれを示す．
Cox (ed.) 2000, Allen's Astrophysical Quantities

太陽輻射量（エネルギー）の波長分布

太陽面の単位面積 (m^2) から単位立体角内に毎秒出る単位波長域（1 μr
内のエネルギーをジュールで示す．地球大気外の 1 m^2 における波長域 0.
μm 内の輻射量をワットで表したものに換算するには表の値を真数に直
6.8×10^{-7} を乗ずる．Cox (ed.) 2000, Allen's Astrophysical Quantities による

波長(μm)	0.20	0.22	0.24	0.30	0.34	0.37	0.39	0.40	0.42	0.4
log(輻射エネルギー)	5.00	5.85	5.90	6.92	7.13	7.22	7.18	7.34	7.40	7.4
波長(μm)	0.46	0.50	0.60	0.8	1.0	1.4	2.0	5.0	10.0	20.0
log(輻射エネルギー)	7.48	7.45	7.42	7.23	7.05	6.71	6.23	4.74	3.56	2.3

太陽外層の構造

名称	太陽中心からの距離(太陽半径＝1.0)	基準面からの高さ(km)	log P_g (Pa)	温度(K)	log N (m^{-3})	log N_e (m^{-3})	τ_5
光球	1.000	−50	4.19	7900	23.11	20.84	4.13
	1.000	0	4.07	6520	23.07	19.89	1
	1.000	125	3.68	5270	22.78	18.89	0.14
	1.000	250	3.24	4880	22.37	18.42	0.02
	1.001	400	2.66	4560	21.82	17.87	2.0 × 10
	1.001	525	2.14	4400	21.32	17.38	2.4 × 10
彩層	1.001	855	0.93	5650	20.00	17.08	1.9 × 10
	1.002	1278	−0.28	6390	18.73	16.90	4.0 × 10
	1.002	1580	−0.96	6900	18.00	16.74	2.1 × 10
	1.003	2017	−1.69	8400	17.08	16.63	5.4 × 10
コロナ-惑星間空間	1.01		−2.6	10^6	14.4	14.4	
	1.10		−2.9	10^6	14.0	14.0	
	1.4		−3.7	10^6	13.2	13.2	
	3		−5.4	10^6	11.5	11.5	
	20				9.2	9.2	
	215(1 天文単位)			2×10^5	6.7	6.7	

P_g：ガス圧，N：中性および電離原子の数，N_e：電子の数，τ_5：0.5 μm における光学
深さ．$\tau_5 = 1$ となる深さが基準面．Cox (ed.) 2000, Allen's Astrophysical Quantities による

太陽内部の構造

中心からの距離(太陽半径＝1.0)	圧力(10^{14} Pa)	温度(10^6 K)	密度(10^3 kg·m^{-3})	内部の質量(太陽の質量＝1.0)	輻射量(表面総輻射量＝1.0)	水素含有量(質量比)
0.0	240	15.8	156	0.0	0.0	0.333
0.1	137	13.2	88	0.08	0.46	0.537
0.2	43	9.4	35	0.35	0.94	0.678
0.3	10.9	6.8	12.0	0.61	1.0	0.702
0.4	2.7	5.1	3.9	0.79	1.0	0.707
0.6	0.21	3.1	0.50	0.94	1.0	0.712
0.7	0.065	2.3	0.20	0.97	1.0	0.728
0.8	0.017	1.37	0.09	0.99	1.0	0.735
1.0	1.3×10^{-10}	0.0064	2.7×10^{-7}	1.00	1.0	0.735

Bahcall & Pinsonneault 1995, Rev. Mod. Phys., **67**, 781

おもな太陽吸収線

主として「ローランド第2改訂表」中の強い線を示す．強度は等価幅（線輪郭と同じ面積をつ連続光の波長幅）で 10^{-4} nm の単位である．＊は他の元素とも関係がある．＊＊は磁場定によく使われる線．記号は Cox (ed.) 2000, Allen's Astrophysical Quantities による．

記号	波長(nm)	元素	強度	記号	波長(nm)	元素	強度	記号	波長(nm)	元素	強度
	279.54	Mg^+			370.926	Fe^*	573		407.772	Sr^{+*}	428
	280.23	Mg^+			371.995	Fe	1664	Hδ	410.175	H^*	3133
	285.16	Mg		M	373.487	Fe	3027		413.207	Fe^*	404
	288.11	Si			373.714	Fe	1071		414.388	Fe	466
	306.726	Fe^*	663		374.557	Fe^*	1202		416.728	Mg	200
	313.412	Ni^*	414		374.827	Fe	497		420.204	Fe	326
	324.201	Ti^+	270		374.950	Fe	1907	g	422.674	Ca	1476
	324.757	Cu	246		375.825	Fe	1647		423.595	Fe^*	385
	333.669	Mg	416		375.930	Ti^+	334		425.013	Fe^*	342
	341.478	Ni	816		376.380	Fe	829		425.080	Fe^*	400
	343.358	Ni^*	492		376.720	Fe	820		425.435	Cr^*	393
O {	344.063	Fe	1243		378.789	Fe	512		426.049	Fe	595
	344.102	Fe	634		379.501	Fe^*	547		427.177	Fe	756
	344.388	Fe	655		380.672	Fe^*	209		432.578	Fe^*	793
	344.627	Ni	470		381.585	Fe	1272	Hγ	434.048	H	2855
	345.847	Ni	656	L	382.044	Fe	1712	d	438.356	Fe	1008
	346.167	Ni	758		382.589	Fe	1519		440.476	Fe	898
	347.546	Fe	622		382.783	Fe	897		441.514	Fe^*	417
	347.671	Fe	465		382.937	Mg	874		452.863	Fe^*	275
	349.059	Fe	830		383.231	Mg	1685		455.404	Ba^+	159
	349.298	Ni	826		383.423	Fe	624		470.300	Mg	326
	349.784	Fe	726		383.830	Mg	1920	Hβ	486.134	H	3680
	351.033	Ni	489		384.045	Fe	567		489.150	Fe	312
	351.507	Ni	718		384.106	Fe^*	517		492.051	Fe^*	471
	352.127	Fe	381		384.998	Fe	608		495.761	Fe^*	696
	352.454	Ni	1271		385.638	Fe	648	b_4	516.733	Mg^*	935
	355.494	Fe	404		385.992	Fe	1554	b_2	517.270	Mg	1259
	355.853	Fe^*	485		387.803	Fe	555	b_1	518.362	Mg	1584
	356.540	Fe	990		388.629	Fe	920		525.022	Fe^{**}	62
	356.638	Ni	458		389.972	Fe	436	E	526.955	Fe^*	478
	357.013	Fe	1380		390.296	Fe^*	530		532.805	Fe	375
	357.869	Cr	488		390.553	Si	816		552.842	Mg	293
N	358.121	Fe	2144		392.027	Fe	341	D_2	588.997	Na^*	752
	358.699	Fe	532		392.292	Fe^*	414	D_1	589.594	Na	564
	359.350	Cr	436		392.793	Fe	187		610.273	Ca	135
	360.887	Fe	1046		393.031	Fe	108		612.223	Ca	222
	361.878	Fe	1410	K	393.368	Ca^{+*}	20253		616.218	Ca	222
	361.940	Ni	568		394.402	Al	488		630.250	Fe^{**}	83
	363.148	Fe^*	1364		396.154	Al	621	Hα	656.281	H	4020
	364.785	Fe^*	970	H	396.849	Ca^{+*}	15467		849.806	Ca^+	1470
	367.992	Fe^*	448		404.583	Fe	1174		854.214	Ca^+	3670
	368.520	Ti^+	275		406.361	Fe^*	787		866.217	Ca^+	2600
	370.558	Fe	562		407.175	Fe	723				

おもな太陽紫外域輝線および連続光

Heroux & Hinteregger 1978, J.Geophy. Res., **83**, 53

波長(nm)	元素	強度	波長(nm)	元素	強度	波長(nm)	元素	強度
5–10		0.11	70–90		0.18	130.603	O I	0.01
10–40		1.2	70.336	O III	0.010	133.453	C II	0.02
25.63	He II, Si X	0.036	76.515	N IV	0.004	133.570	C II	0.03
28.415	Fe XV	0.015	77.041	Ne VIII	0.007	139.376	Si IV	0.01
30.331	Si XI	0.052	78.936	O IV	0.011	140.277	Si IV	0.01
30.378	HeII(Lyα)	0.45	90–110		0.39	150–194		33
36.807	MgIX	0.035	97.702	C III	0.089	154.819	C IV	0.04
40–70		0.22	102.572	H I(Lyβ)	0.068	155.077	C IV	0.02
46.522	Ne VII	0.012	103.191	O VI	0.040	156.10	C I	0.03
55.437	O IV	0.026	110–150		5.1	165.72	C I	0.10
58.433	He I	0.044	121.567	H I(Lyα)	4.1	180.801	Si II	0.10
60.976	Mg X	0.017	130.217	O I	0.017	181.645		0.06
62.973	O V	0.050	130.486	O I	0.017	181.693		0.15

強度は地球の大気圏外で測った値 (10^{-3} W·m^{-2} あるいは mW·m^{-2}) で概略の値を示す

おもな彩層輝線

Dunn et al. 1968, ApJS, **15**, 2

波長(nm)	元素	強度	波長(nm)	元素	強度	波長(nm)	元素	強度
368.519	Ti$^+$	90	383.829	Mg	60	518.360	Mg	65
369.156	H(H18)	29	388.905	H$_{H\zeta}$	381	587.565	He(D$_3$)	994
369.715	H(H17)	35	393.366	Ca$^+$	1100	656.282	H(Hα)	4740
370.386	H(H16)	43	396.847	Ca$^+$	1000	706.518	He	138
371.197	H(H15)	53	397.007	H(Hε)	306	777.196	O	91
372.194	H(H14)	73	402.636	He	24	777.418	O	75
373.437	H(H13)	99	407.771	Sr$^+$	75	777.540	O	53
375.015	H(H12)	108	410.174	H(Hδ)	459	849.802	Ca$^+$	380
375.929	Ti$^+$	90	421.552	Sr$^+$	51	854.209	Ca$^+$	1000
376.132	Ti$^+$	82	422.673	Ca	22	854.538	H(P15)	23
377.063	H(H11)	116	424.683	Sc$^+$	18	859.839	H(P14)	26
379.790	H(H10)	157	434.047	H(Hγ)	505	866.214	Ca$^+$	800
381.961	He	5	447.169	He	121	866.502	H(P13)	34
382.043	Fe	14	468.568	He$^+$	2	875.047	H(P12)	46
382.936	Mg	20	471.314	He	9	1082.91	He	
383.230	Mg	46	486.133	H(Hβ)	1630	1083.03	He	
383.539	H(H9)	228	501.567	He	6			

強度は光球より 1000 km 以上の高さについて積分した値で，単位は 10^6 W·m^{-1}·sr^{-1} あいは MW·m^{-1}·sr^{-1}

おもなコロナ輝線

Cox (ed.) 2000, Allen's Astrophysical Quantiti

波長(nm)	元素	強度	波長(nm)	元素	強度	波長(nm)	元素	強度
332.9	Ca XII	0.7	423.20	Ni XII	1.1	637.45	Fe X	5
338.82	Fe XIII	10	425.64	K XI	0.1	670.19	Ni XV	1.2
353.40	V X	1	435.10	Co XV	0.1	674.0	K XIV	0.1
360.09	Ni XVI	1.3	441.24	Ar XIV	0.3	705.96	Fe XV	0.8
364.28	Ni XIII	0.4	456.66	Cr IX	0.5	789.19	Fe XI	6
368.5	Mn XII	0.2	511.60	Ni XIII	0.8	802.42	Ni XV	0.3
380.07	Co XII	0.5	530.28	FeXIV	20	1074.68	Fe XIII	50
398.71	Fe XI	0.7	544.55	Ca XV	0.2	1079.79	Fe XIII	30
399.8	Cr XI	0.1	553.6	Ar X	0.3	*1252.49	S IX	—
408.65	Ca XIII	0.4	569.44	Ca XV	0.3	*1430.8	Si X	—

強度は K コロナの連続光レベルに対する等価幅で，単位は 10^{-1} nm

＊　Kuhn et al. 1996, ApJ, **456**, L6

太陽黒点の分類

チューリッヒの分類（左が太陽面上で西に相当する）

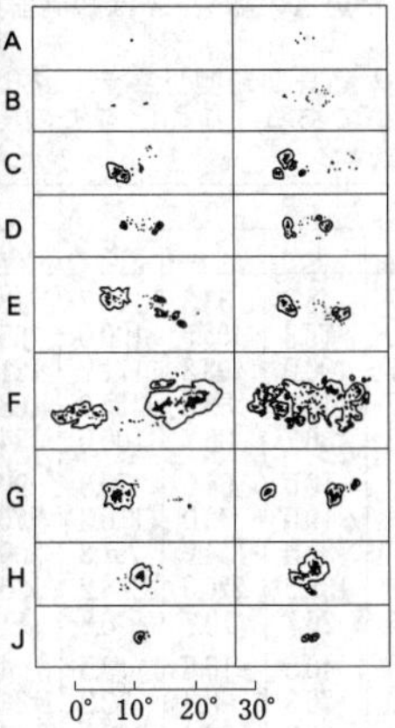

天第5図　太陽黒点の分類

A型：半暗部のない単一黒点，またはその小数の集まり．

B型：双極性の黒点群でともに半暗部を有しない．

C型：双極性の黒点群で，その一方の主黒点は半暗部を有する．

D型：双極性黒点群でともに半暗部を有する．東西の広がりは 10° 以内．

E型：大きな双極性黒点群でともに半暗部を有し，その間には小黒点が散在する．東西の広がりは 10° 以上．

F型：非常に大きな双極性黒点群または複雑な黒点群で東西の広がりは 15° 以上あるもの．

G型：半暗部を有する大きな双極性黒点群で，その間には小黒点が散在しないもの．東西の広がりは 10° 以上．

H型：半暗部を有する単極性黒点で，直径が 2.5° 以上．

J型：半暗部を有する単極性黒点で，直径が 2.5° 以下．

最近の黒点相対数

1933年以後の毎月の平均値は，理科年表1941年版以降に7年ずつをまとめて載せてある．この表の値はベルギー王立天文台の黒点数・太陽長期観測世界データセンター（WDC-SILSO，ブリュッセル）による確定値である．なお，過去の黒点数データは2015年に全面改訂された．

	2017	2018	2019	2020	2021	2022	2023	2024
1 月	26.1	6.8	7.7	6.2	10.4	55.3	144.4	126.0
2 月	26.4	10.7	0.8	0.2	8.2	60.9	111.3	123.0
3 月	17.7	2.5	9.4	1.5	17.2	78.6	123.3	103.7
4 月	32.3	8.9	9.1	5.2	24.5	84.0	97.6	*136.5*
5 月	18.9	13.1	9.9	0.2	21.2	96.5	137.4	*171.7*
6 月	19.2	15.6	1.2	5.8	25.0	70.3	160.5	*164.2*
7 月	17.8	1.6	0.9	6.1	34.3	91.4	160.0	*196.5*
8 月	32.6	8.7	0.5	7.5	22.0	74.6	114.8	
9 月	43.7	3.3	1.1	0.6	51.3	96.0	134.2	
10 月	13.2	4.9	0.4	14.6	37.4	95.5	99.9	（斜体は暫定値である）
11 月	5.7	4.9	0.5	34.5	34.8	80.5	107.1	
12 月	8.2	3.1	1.5	23.1	67.5	112.8	113.5	
年平均	21.7	7.0	3.6	8.8	29.6	83.2	125.5	

年平均＝年合計/年日数

太陽の黒点相対数

太陽の黒点相対数 R は黒点の多少を示すもので $R=k(10g+f)$ なる式
計算される．ただし g は黒点群の数，f は観測した黒点の総数，k は観測器
観測者等による係数である．

この表の値はベルギー王立天文台の黒点数・太陽長期観測世界データセ
ター(WDC-SILSO，ブリュッセル)による確定値である．なお，過去の黒
数データは2015年に全面改訂された．

年代	年									
	0	1	2	3	4	5	6	7	8	9
1700	8.3	18.3	26.7	38.3	60.0	**96.7**	48.3	33.3	16.7	13.3
1710	5.0	0.0	0.0	3.3	18.3	45.0	78.3	**105.0**	100.0	65.0
1720	46.7	43.3	36.7	18.3	35.0	66.7	130.0	**203.3**	171.7	121.7
1730	78.3	58.3	18.3	8.3	26.7	56.7	116.7	135.0	**185.0**	168.3
1740	121.7	66.7	33.3	26.7	8.3	18.3	36.7	66.7	100.0	134.8
1750	**139.0**	79.5	79.7	51.2	20.3	16.0	17.0	54.0	79.3	90.0
1760	104.8	**143.2**	102.0	75.2	60.7	34.8	19.0	63.0	116.3	**176.8**
1770	168.0	136.0	110.8	58.0	51.0	11.7	33.0	154.2	**257.3**	209.8
1780	141.3	113.5	64.2	38.0	17.0	40.2	138.2	**220.0**	218.2	196.8
1790	149.8	111.0	100.0	78.2	68.3	35.5	26.7	10.7	6.8	11.3
1800	24.2	56.7	75.0	71.8	**79.2**	70.3	46.8	16.8	13.5	4.2
1810	0.0	2.3	8.3	20.3	23.2	59.0	**76.3**	68.3	52.9	38.5
1820	24.2	9.2	6.3	2.2	11.4	28.2	59.9	83.0	108.5	115.2
1830	**117.4**	80.8	44.3	13.4	19.5	85.8	192.7	**227.3**	168.7	143.0
1840	105.5	63.3	40.3	18.1	25.1	65.8	102.7	166.3	**208.3**	182.5
1850	126.3	122.0	102.7	74.1	39.0	12.7	8.2	43.4	104.4	178.3
1860	**182.2**	146.6	112.1	83.5	89.2	57.8	30.7	13.9	62.8	123.6
1870	**232.0**	185.3	169.2	110.1	74.5	28.3	18.9	20.7	5.7	10.0
1880	53.7	90.5	99.0	**106.1**	105.8	86.3	42.4	21.8	11.2	10.4
1890	11.8	59.5	121.7	**142.0**	130.0	106.6	69.4	43.8	44.4	20.2
1900	15.7	4.6	8.5	40.8	70.1	**105.5**	90.1	102.8	80.9	73.2
1910	30.9	9.5	6.0	2.4	16.1	79.0	95.0	**173.6**	134.6	105.7
1920	62.7	43.5	23.7	9.7	27.9	74.0	106.5	114.7	**129.7**	108.2
1930	59.4	35.1	18.6	9.2	14.6	60.2	132.8	**190.6**	182.6	148.0
1940	113.0	79.2	50.8	27.1	16.1	55.3	154.3	**214.7**	193.0	190.7
1950	118.9	98.3	45.0	20.1	6.6	54.2	200.7	**269.3**	261.7	225.1
1960	159.0	76.4	53.4	39.9	15.0	22.0	66.8	132.9	**150.0**	149.4
1970	148.0	94.4	97.6	54.1	49.2	22.5	18.4	39.3	131.0	**220.1**
1980	218.9	198.9	162.4	91.0	60.5	20.6	14.8	33.9	123.0	**211.1**
1990	191.8	203.3	133.0	76.1	44.9	25.1	11.6	28.9	88.3	136.3
2000	**173.9**	170.4	163.6	99.3	65.3	45.8	24.7	12.6	4.2	4.8
2010	24.9	80.8	84.5	94.0	**113.3**	69.8	39.8	21.7	7.0	3.6
2020	8.8	29.6	83.2	125.5						

太字は極大年を示す．

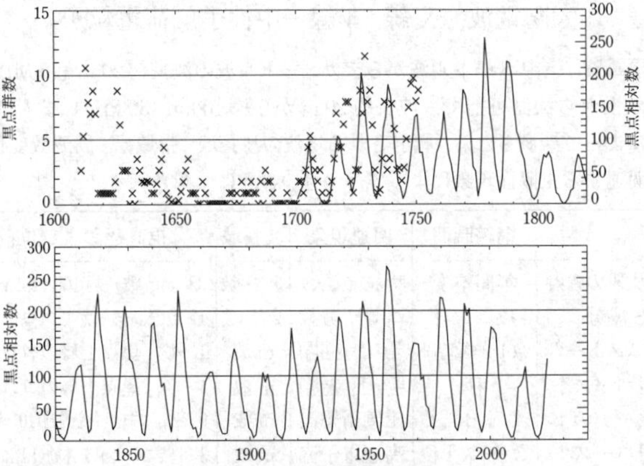

天第6図　太陽の黒点相対数

この図の実線（黒点相対数）および×印（黒点群数）はベルギー王立天文台の黒点数・太陽長期観世界データセンター（WDC-SILSO，ブリュッセル）による確定値である．なお，過去の黒点数データは2015年に全面改訂された．

最近の大きなフレア

年	月	日	発生時刻（UT）h	m	緯度 °	経度 °	X線強度
2001	4	2	22	03			X 20.0
	4	6	19	31	S 21	E 31	X 5.6
	4	15	13	55	S 20	W 85	X 14.4
	8	25	17	04	S 17	E 34	X 5.3
	12	13	14	35	N 16	E 09	X 6.2
	12	28	21	32			X 3.4
2002	7	15	20	14	N 19	W 01	X 3.0
	7	20	21	54			X 3.3
	7	23	00	47	S 13	E 72	X 4.8
	8	24	01	31	S 02	W 81	X 3.1
2003	5	28	00	39			X 3.6
	10	23	08	49	S 21	E 88	X 5.4
	10	28	11	24	S 16	E 08	X 17.2
	10	29	21	01	S 15	W 02	X 10.0
	11	2	17	39	S 14	W 56	X 8.3
	11	3	10	19	N 08	W 77	X 3.9
	11	4	20	06	S 19	W 83	X 28.0
2004	7	16	14	01	S 10	E 35	X 3.6
2005	1	17	10	07	N 15	W 25	X 3.8
	1	20	07	26	N 14	W 61	X 7.1
	9	7	18	03	S 11	E 77	X 17.0
	9	8	21	17	S 12	E 75	X 5.4

年	月	日	発生時刻（UT）h	m	緯度 °	経度 °	X線強度
2005	9	9	10	08	S 11	E 66	X 3.6
	9	9	20	36	S 12	E 67	X 6.2
2006	12	5	10	45	S 07	E 68	X 9.0
	12	6	19	00	S 05	E 64	X 6.5
	12	13	02	57	S 06	W 23	X 3.4
2011	8	9	08	08			X 6.9
2012	3	7	00	40	N 17	E 27	X 5.4
2013	5	14	01	20			X 3.2
	11	5	22	15	S 13	E 44	X 3.3
2014	2	25	01	03	S 12	E 82	X 4.9
	10	24	22	13			X 3.1
2017	9	6	12	02	S 08	W 33	X 9.3
	9	10	16	06			X 8.2
2023	12	31	21	55	N 04	E 73	X 5.0
2024	2	09	13	14			X 3.3
	2	22	22	34			X 6.3
	5	06	06	35	N 24	W 32	X 4.5
	5	10	06	54			X 3.9
	5	11	01	23	S 15	W 45	X 5.8
	5	14	16	51			X 8.7
	5	15	08	18			X 3.4

2001年以降に発生したX線強度X3.0以上のフレア（ftp://ftp.ngdc.noaa.gov/STP/space-weather/solar-data/solar-features/solar-flares/x-rays/goes/およびftp://ftp.swpc.noaa.gov/pub/warehouse/による）

太陽電波，X 線，γ線・中性子，荷電粒子

太陽電波　ミリメートル波からデカメートル波の波長約 20 m (15 MHz) でが地上から観測可能で，波長約 20 m から約 10 km (30 kHz) までは人衛星によって観測される．輻射される電波の波長域，帯域幅，周波数変化，たは関連する太陽面現象によって，つぎのように分類される．

分　　類	継続時間	関連現象	波長域	視直径および位置
静常太陽の輻射	年間不変	太陽の電離大気	全波長域	32′(mm 波)-約 100′(15 MHz)
S 成分	数　日	コロナ凝縮	cm, dm 波	1′-数分，彩層からコロナ下部
ノイズストーム	数十分-数時間	黒点(黒点磁場)	m 波	1′-4′，黒点上層のコロナ中
I 型バースト	秒	黒点(黒点磁場)	m 波	1′-4′，黒点上層のコロナ中
II 型バースト	数分-10 分	磁気衝撃波	m 波	6′-12′，コロナ中を運動(10^3 km·s^{-1})
III 型バースト	数秒-数十秒	高速電子流	m 波	3′-8′，コロナ中を運動(10^5 km·s^{-1})
IV 型バースト	数分-数十分	太陽面爆発	m, dm 波	4′-20′，コロナ中
マイクロ波バースト	数十秒-数分	太陽面爆発	cm 波	<1′-2′，コロナ下部

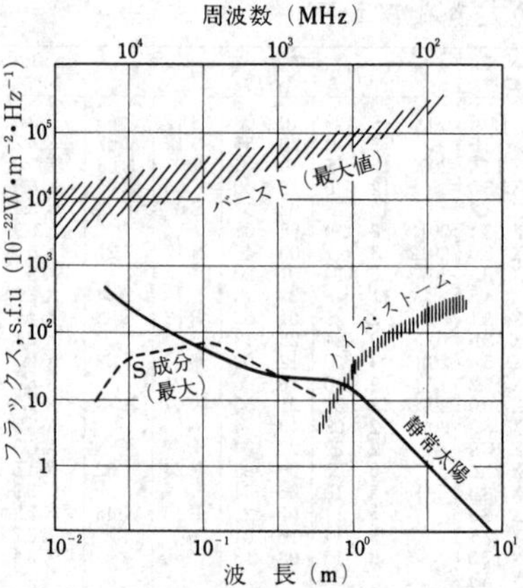

天第 7 図　太陽電波各成分のスペクトル

電波フラックス F は，

$$F=\frac{2kT_b}{\lambda^2}\Omega(\mathrm{W\cdot m^{-2}\cdot Hz^{-1}})$$

ただし，

k：ボルツマン定数(J·K^{-1})

T_b：電波源輝度温度(K)，

λ：波長(m)，

Ω：電波源立体角 (ステラジアン)

電波干渉計などによって Ω が測られると T_b が求まる．T_b は S 成分で数百万度 K，バーストでは 1 億度 K 以上になる．

太陽 X 線

エネルギー域	スペクトル	強度(C-X クラスフレア)	継続時間	X 線源の大きさ	備考
軟 X 線(0.1-10 keV)	指数関数的	10^{-6}-10^{-3} W·m^{-2}	数分-数時間	数″-2′	熱的輻射[1]
硬 X 線(10 keV 以上)	べき関数的	10^{-10}-10^{-6} W·m^{-2}	数十秒-数分[2]	<1′	[3]

注 1)　フレアのとき，下部コロナ中に形成される高温度領域からの熱輻射で，その領域の温度は 10^7-3×10^7 K，体積エミッション・メジャー $n_e{}^2V$ は 10^{51}-10^{53} m^{-3}，電子密度 n_e は 10^{16}-10^{17} 個・m^{-3}.

2)　Hαフレアおよび軟X線バーストの初相の強度増加がもっとも大きい時期に起きる.

3)　スペクトルは 10-300 keV で，べき関数型が多いが，指数関数型も見られ，フレアごとの変化が大きい.

γ線・太陽中性子　フレアで加速された高エネルギー陽子や原子核が，太陽大気中で核と衝突して，各種の励起された原子核や中性子をつくる．励起された原子核 ^{12}C（4.44 MeV）や ^{16}O（6.13 MeV）からはプロンプト核γ線が放射され，相対的にエネルギーの低い（熱化した）中性子は次式で表される過程により中性子捕獲の核γ線を放射する.

$$n+p \rightarrow d+\gamma \quad (2.223\ \mathrm{MeV})$$

これらの核γ線は，高エネルギー電子による制動放射のγ線と合わせて観測される.

一方，相対的にエネルギーの高い中性子は，その寿命は約 900 秒と短いものの，もとの加速された粒子の情報を保持したまま，途中で崩壊することなく地球近傍まで到達することができる．約 100 MeV 以上の中性子が，おもに地上のモニターで検出されている.

太陽荷電粒子線

種　類	強度(個·m^{-2}·s^{-1})	遅延時間[1]	発生経度(太陽面)[2]	関　連　現　象
電子成分	10^5-10^8(>40 keV)	15 分-数時間	30°E-90°W	Ⅲ型バースト，μ波初相バースト，硬 X 線フレア
イオン	10-10^6(>10 MeV)	10 分-数時間	60°E->90°W	Ⅱ型，Ⅳ型マイクロ波バースト，硬 X 線フレア，相対論的電子

注 1)　対応する Hα フレアの初相あるいは最大時刻（太陽面上）より，地球近くでの粒子線増加開始時刻までの時間.

2)　対応する Hα フレア，あるいはマイクロ波電波源の太陽面上での経度.

星　座 (1)

星座名	略符	学名	概略位置		20時に正中	
			赤経	赤緯	正中	
			h m	°	月	
アンドロメダ	And	Andromeda (e)	00 40	+38	11	下
いっかくじゅう(一角獣)	Mon	Monoceros (tis)	07 00	−03	3	上
*いて(射手)	Sgr	Sagittarius (i)	19 00	−25	9	上
いるか(海豚)	Del	Delphinus (i)	20 35	+12	9	下
インディアン	Ind	Indus (i)	21 20	−58	10	上
*うお(魚)	Psc	Pisces (ium)	00 20	+10	11	下
うさぎ(兎)	Lep	Lepus (oris)	05 25	−20	2	上
うしかい(牛飼)	Boo	Boötes (is)	14 35	+30	6	下
うみへび(海蛇)	Hya	Hydra (e)	10 30	−20	4	下
エリダヌス	Eri	Eridanus (i)	03 50	−30	1	中
*おうし(牡牛)	Tau	Taurus (i)	04 30	+18	1	下
おおいぬ(大犬)	CMa	Canis Major (is)	06 40	−24	2	下
おおかみ(狼)	Lup	Lupus (i)	15 00	−40	7	上
おおぐま(大熊)	UMa	Ursa (e) Major (is)	11 00	+58	5	上
*おとめ(乙女)	Vir	Virgo (inis)	13 20	−02	6	上
*おひつじ(牡羊)	Ari	Aries (tis)	02 30	+20	12	下
オリオン	Ori	Orion (is)	05 20	+03	2	上
がか(画架)	Pic	Pictor (is)	05 30	−52	2	上
カシオペヤ	Cas	Cassiopeia (e)	01 00	+60	12	上
かじき(旗魚)	Dor	Dorado (us)	05 00	−60	1	下
*かに(蟹)	Cnc	Cancer (ri)	08 30	+20	3	下
かみのけ(髪)	Com	Coma (e) Berenices	12 40	+23	5	下
カメレオン	Cha	Chamaeleon (tis)	10 40	−78	4	下
からす(烏)	Crv	Corvus (i)	12 20	−18	5	下
かんむり(冠)	CrB	Corona (e) Borealis	15 40	+30	7	中
きょしちょう(巨嘴鳥)	Tuc	Tucana (e)	23 45	−68	11	中
ぎょしゃ(馭者)	Aur	Auriga (e)	06 00	+42	2	中
きりん(麒麟)	Cam	Camelopardalis	05 40	+70	2	中
くじゃく(孔雀)	Pav	Pavo (nis)	19 10	−65	9	上
くじら(鯨)	Cet	Cetus (i)	01 45	−12	12	中
ケフェウス	Cep	Cepheus (i)	22 00	+70	10	中
ケンタウルス	Cen	Centaurus (i)	13 20	−47	6	上
けんびきょう(顕微鏡)	Mic	Microscopium (i)	20 50	−37	9	下
こいぬ(小犬)	CMi	Canis Minor (is)	07 30	+06	3	中
こうま(小馬)	Equ	Equuleus (i)	21 10	+06	10	上
こぎつね(小狐)	Vul	Vulpecula (e)	20 10	+25	9	中
こぐま(小熊)	UMi	Ursa (e) Minor (is)	15 40	+78	7	中
こじし(小獅子)	LMi	Leo (nis) Minor (is)	10 20	+33	4	下
コップ	Crt	Crater (is)	11 20	−15	5	上
こと(琴)	Lyr	Lyra (e)	18 45	+36	8	下
コンパス	Cir	Circinus (i)	14 50	−63	6	下
さいだん(祭壇)	Ara	Ara (e)	17 10	−55	8	上
*さそり(蠍)	Sco	Scorpius (i)	16 20	−26	7	下
さんかく(三角)	Tri	Triangulum (i)	02 00	+32	12	中
*しし(獅子)	Leo	Leo (nis)	10 30	+15	4	下
じょうぎ(定規)	Nor	Norma (e)	16 00	−50	7	中
たて(楯)	Sct	Scutum (i)	18 30	−10	8	下
ちょうこくぐ(彫刻具)	Cae	Caelum (i)	04 50	−38	1	下
ちょうこくしつ(彫刻室)	Scl	Sculptor (is)	00 30	−35	11	下
つる(鶴)	Gru	Grus (is)	22 20	−47	10	下
テーブルさん(テーブル山)	Men	Mensa (e)	05 40	−77	2	上
*てんびん(天秤)	Lib	Libra (e)	15 10	−14	7	上

注) 星座名はひらがな，カタカナで表記する．この表ではその意味がわかるよう( )内に漢字を示した

星　座 (2)

星座名	略符	学名	概略位置 赤経	赤緯	20時に正中	
			h m	°	月	旬
とかげ (蜥蜴)	Lac	Lacerta (e)	22 25	+43	10	下
とけい (時計)	Hor	Horologium (i)	03 20	−52	1	上
とびうお (飛魚)	Vol	Volans (tis)	07 40	−69	3	中
とも (船尾)	Pup	Puppis	07 40	−32	3	中
はえ (蝿)	Mus	Musca (e)	12 30	−70	5	下
はくちょう (白鳥)	Cyg	Cygnus (i)	20 30	+43	9	下
はちぶんぎ (八分儀)	Oct	Octans (tis)	21 00	−87	10	上
はと (鳩)	Col	Columba (e)	05 40	−34	2	上
ふうちょう (風鳥)	Aps	Apus (odis)	16 00	−76	7	中
ふたご (双子)	Gem	Gemini (orum)	07 00	+22	3	上
ペガスス	Peg	Pegasus (i)	22 30	+17	10	下
へび (蛇)	Ser	Serpens (tis)	15 35	+08	7	中
			18 00	−05	8	中
へびつかい (蛇遣)	Oph	Ophiuchus (i)	17 10	−04	8	上
ヘルクレス	Her	Hercules (is)	17 10	+27	8	上
ペルセウス	Per	Perseus (i)	03 20	+42	1	上
ほ (帆)	Vel	Vela (orum)	09 30	−45	4	上
ぼうえんきょう (望遠鏡)	Tel	Telescopium (i)	19 00	−52	9	上
ほうおう (鳳凰)	Phe	Phoenix (cis)	01 00	−48	12	上
ポンプ	Ant	Antlia (e)	10 00	−35	4	中
みずがめ (水瓶)	Aqr	Aquarius (i)	22 20	−13	10	下
みずへび (水蛇)	Hyi	Hydrus (i)	02 40	−72	12	下
みなみじゅうじ (南十字)	Cru	Crux (cis)	12 20	−60	5	下
みなみのうお (南魚)	PsA	Piscis Austrinus (i)	22 00	−32	10	中
みなみのかんむり (南冠)	CrA	Corona (e) Australis	18 30	−41	8	下
みなみのさんかく (南三角)	TrA	Triangulum (i) Australe (is)	15 40	−65	7	中
や (矢)	Sge	Sagitta (e)	19 40	+18	9	中
やぎ (山羊)	Cap	Capricornus (i)	20 50	−20	9	下
やまねこ (山猫)	Lyn	Lynx (cis)	07 50	+45	3	中
らしんばん (羅針盤)	Pyx	Pyxis (dis)	08 50	−28	3	下
りゅう (竜)	Dra	Draco (nis)	17 00	+60	8	上
りゅうこつ (竜骨)	Car	Carina (e)	08 40	−62	3	下
りょうけん (猟犬)	CVn	Canes (um) Venatici (orum)	13 00	+40	6	上
レチクル	Ret	Reticulum (i)	03 50	−63	1	中
ろ (炉)	For	Fornax (cis)	02 25	−33	12	下
ろくぶんぎ (六分儀)	Sex	Sextans (tis)	10 10	−01	4	中
わし (鷲)	Aql	Aquila (e)	19 30	+02	9	上

現行の星座は古代からの幾多の変遷ののち，1928 年に開催された第 3 回国際天文学連合(IAU) 総会までの議論を受けて，1930 年に IAU が出版した書物 “DÉLIMITATION SCIENTIFIQUE DES CONSTELLATIONS” (E.Delporte 著) によって確定した．星座の境界は 1875.0 年分点における時圏，赤緯圏を使用し，星座の総数は 88 と定めた．

表の星座名に＊印をつけたものは，黄道星座で，古くから知られている黄道12宮と密接な関係がある．星座の学名はラテン語で示され，個々の星を表すときには，星を示すギリシャ文字またはローマ字などのあとにラテン名の属格をつけて呼ぶ．表中，属格は学名の表記において下線をつけた部分のかわりに，(　) 内の文字をつけるか，下線のないものはその終りに (　) 内の文字をつけ加えてつくる．星座名の略符は上の属格を省略したもので，3 字からなるものが使われることが多い．

例　おおぐま座 α 星 → α Ursae Majoris あるいは α UMa (省略形)
　　かんむり座 R 星 → R Coronae Borealis あるいは R CrB (省略形)

また「20 時に正中」項は，各星座の概略位置が東京もしくは同経度において日本の中央標準時 20 時に子午線を通過する時期を示したものである．

おもな恒星　(1)

等級　星の見かけの明るさは等級で表す．光量が $\sqrt[5]{100}=2.512$ 倍ずつ等
的に増すごとに，等級を表す数字は1等級ずつ等差的に減少する．すなわち
等の星の光量 L_m と，n 等の星の光量 L_n との間には

$$n-m=2.5\log(L_m/L_n)\quad\text{(ポグソンの式)}$$

なる関係があり，等級の原点は一定の標準星の値によって決められている．
表（天 33-35）は実視等級が3等より明るい星のデータである．ほぼ肉
の分解能に当たる1′以下の角距離の重星は1つの星として扱い，合成等級
はdをつけて示した（この場合，固有運動，距離，視線速度のデータはも
とも明るい星の値を提示している）．著しく変光する星は，その極大等級
示しvをつけてある（天 47 参照）．

色指数　$B-V$ は，青色で測った等級 (B) と黄色を主とする実視光で測
た等級 (V) との差，$U-B$ は紫外域での等級 (U) と B との差で，ともに星
色を表現するのに用いる．青い星の色指数は負数，赤い星のそれは正数で
もっとも赤い星では+1等級以上にも及んでいる（天 46，48 参照）．

スペクトル型　（天 38 参照）

固有運動　太陽系や各恒星がそれぞれ空間を動いているために起こる天
上の位置のずれを固有運動という．次表では固有運動を赤経，赤緯の二成
$\mu_\alpha\cos\delta$, μ_δ で表してある．2009年版より改訂ヒッパルコス星表（2007年
による．

距離　距離は近距離の場合は年周視差（天体から地球の軌道の長半径を
る角度）によって測る．またスペクトルから絶対等級を見積もり，これと見
けの等級との差から距離を推定することもできる．表の値は改訂ヒッパル
ス星表（2007年）の年周視差から計算したものである．：印は誤差が10%を
えるものを示す（天 47 参照）．

視線速度　視線速度は視線方向の速度成分で，スペクトル線の波長のず
から求める．恒星が太陽系に対して遠ざかりつつある場合を(+)，近づき
つある場合を(−)とする．Vは視線速度が変動すると知られている場合（
動星など），Bはとくにその変動が連星系によるものとわかっている場合
あり，平均的な値が与えられている．

注）位置，等級，色指数，スペクトル型，視線速度は The Bright Star Cata logue, 5th Revised Edition（Hoffleit & Warren 1991）［Preliminary version, デジタルデータ版］を基にしている．

おもな恒星　(2)

星名	2000年分点		実視等級	色指数		スペクトル型	固有運動		距離	視線速度
	赤経	赤緯		$B-V$	$U-B$		$\mu_\alpha\cos\delta$	μ_δ		
	h m	° ′	等	等	等		10^{-3}(″・年$^{-1}$)	10^{-3}(″・年$^{-1}$)	光年	km・s^{-1}
And	00 08.4	+29 05	2.1	−0.11	−0.46	B8Ⅳp	+137	−163	97	−12B
Cas	00 09.2	+59 09	2.3	+0.34	+0.11	F2Ⅲ-Ⅳ	+524	−180	55	+12B
Hyi	00 25.8	−77 15	2.8	+0.62	+0.11	G2Ⅳ	+2220	+324	24	+23
Phe	00 26.3	−42 18	2.4	+1.09	+0.88	K0Ⅲ	+233	−356	85	+75B
Cas	00 40.5	+56 32	2.2	+1.17	+1.13	K0Ⅲa	+51	−32	228	−4V?
Cet	00 43.6	−17 59	2.0	+1.02	+0.87	G9.5Ⅲ	+233	+32	96	+13V?
Cas	00 56.7	+60 43	2.5	−0.15	−1.08	B0Ⅳe	+25	−4	549	−7B
And	01 09.7	+35 37	2.1	+1.58	+1.96	M0Ⅲa	+176	−112	197	+3V
Cas	01 25.8	+60 14	2.7	+0.13	+0.12	A5Ⅲ-Ⅳ	+297	−49	99	+7B
α Eri[1]	01 37.7	−57 14	0.5	−0.16	−0.66	B3Vpe	+87	−38	139	+16V
Ari	01 54.6	+20 48	2.6	+0.13	+0.10	A5V	+99	−110	59	−2B
α Hyi	01 58.8	−61 34	2.9	+0.28	+0.14	F0V	+264	+27	72	+1V
γ And	02 03.9	+42 20	2.2d	+1.17	+0.87	K3Ⅱb+(B8V+A0V)	+42	−49	393:	−12B
α Ari	02 07.2	+23 28	2.0	+1.15	+1.12	K2Ⅲ	+189	−148	66	−14B
β Tri	02 09.5	+34 59	3.0	+0.14	+0.10	A5Ⅲ	+149	−39	127	+10B
ο Cet[2]	02 19.3	−02 59	3.0v	+1.42	+1.09	M7Ⅲe+Bep	+9	−237	299:	+64V
α UMi[3]	02 31.8	+89 16	2.0	+0.60	+0.38	F7Ⅰb-Ⅱ	+44	−12	433	−17B
α Cet	03 02.3	+04 05	2.5	+1.64	+1.94	M1.5Ⅲa	−10	−77	249	−26V
β Per[4]	03 08.2	+40 57	2.1v	−0.05	−0.37	B8V+G	+3	−2	90	+4B
α Per	03 24.3	+49 52	1.8	+0.48	+0.37	F5Ⅰb	+24	−26	506	−2V
α Tau[5]	04 35.9	+16 31	0.9	+1.54	+1.90	K5Ⅲ	+63	−189	67	+54B
Aur	04 57.0	+33 10	2.7	+1.53	+1.78	K3Ⅱ	+7	−15	493	+18V
β Eri	05 07.8	−05 05	2.8	+0.13	+0.10	A3Ⅲ	−83	−75	89	−9
β Ori[6]	05 14.5	−08 12	0.1	−0.03	−0.66	B8Ⅰa	+1	+1	863	+21B
α Aur[7]	05 16.7	+46 00	0.1d	+0.80	+0.44	G5Ⅲe+G0Ⅲ	+75	−427	43	+30B
γ Ori	05 25.1	+06 21	1.6	−0.22	−0.87	B2Ⅲ	−8	−13	252	+18B?
β Tau	05 26.3	+28 36	1.6	−0.13	−0.49	B7Ⅲ	+23	−174	134	+9V
β Lep	05 28.2	−20 46	2.8	+0.82	+0.46	G5Ⅱ	−5	−86	160	−14V?
δ Ori	05 32.0	−00 18	2.2d	−0.22	−1.05	O9.5Ⅱ+B2V	+1	−1	692:	+16B
α Lep	05 32.7	−17 49	2.6	+0.21	+0.23	F0Ⅰb	+4	+1	2219	+24
ε Ori	05 36.2	−01 12	1.7	−0.19	−1.04	B0Ⅰa	+1	−1	1977:	+26B
α Col	05 39.6	−34 04	2.6	−0.12	−0.46	B7Ⅳe	+2	−25	261	+35V?
ζ Ori	05 40.8	−01 57	2.0	−0.21	−1.07	O9.7Ⅰb	+3	+2	736:	+18B
κ Ori	05 47.8	−09 40	2.1	−0.17	−1.03	B0.5Ⅰa	+1	−1	647	+21V?
α Ori[8]	05 55.2	+07 24	0.5	+1.85	+2.06	M1-2Ⅰa-Ⅰab	+28	+11	498:	+21B
β Aur	05 59.5	+44 57	1.9	+0.03	+0.05	A2Ⅳ	−56	−1	81	−18B
θ Aur	05 59.7	+37 13	2.6	−0.08	−0.18	A0p	+44	−74	166	+30B
β CMa	06 22.7	−17 57	2.0	−0.23	−0.98	B1Ⅱ-Ⅲ	−3	−1	493	+34B
α Car[9]	06 24.0	−52 42	−0.7	+0.15	+0.10	F0Ⅱ	+20	+23	309	+21
γ Gem	06 37.7	+16 24	1.9	+0.00	+0.04	A0Ⅳ	+14	−55	109	−13B
α CMa[10]	06 45.1	−16 43	−1.5	+0.00	−0.05	A1Vm	−546	−1223	8.6	−8B
ε CMa	06 58.6	−28 58	1.5	−0.21	−0.93	B2Ⅱ	+3	+1	405	+27
δ CMa	07 08.4	−26 24	1.8	+0.68	+0.54	F8Ⅰa	−3	+3	1607:	+34B
π Pup	07 17.1	−37 06	2.7	+1.62	+1.24	K3Ⅰb	−10	+6	807	+16
η CMa	07 24.1	−29 18	2.5	−0.08	−0.72	B5Ⅰa	−4	+6	1989:	+41V
β CMi	07 27.1	+08 17	2.9	−0.09	−0.28	B8Ve	−52	−38	162	+22B

1) Achernar, 2) Mira, 3) Polaris, 4) Algol, 5) Aldebaran, 6) Rigel, 7) Capella, 8) Betelgeuse, 9) Canopus, 10) Sirius

おもな恒星　(3)

星名	2000年分点		実視	色指数		スペクトル型	固有運動		距離	視線速度
	赤経	赤緯	等級	$B-V$	$U-B$		$\mu_\alpha\cos\delta$	μ_δ		
	h m	° ′	等	等	等		10^{-3}(″·年$^{-1}$)	10^{-3}(″·年$^{-1}$)	光年	km·s
α Gem[1]	07 34.6	+31 53	1.6d	+0.03	+0.01	A1V+A2Vm	−191	−145	51	+6B
α CMi[2]	07 39.3	+05 14	0.4	+0.42	+0.02	F5Ⅳ-V	−715	−1037	11	−3B
β Gem[3]	07 45.3	+28 02	1.1	+1.00	+0.85	K0Ⅲb	−627	−46	34	+3V
ζ Pup	08 03.6	−40 00	2.2	−0.26	−1.11	O5f	−30	+17	1084	−24V
γ Vel	08 09.5	−47 21	1.7d	−0.22	−0.98	(WC8+O9Ⅰ)+B1Ⅳ	−6	+10	1117:	+35B
ε Car	08 22.5	−59 31	1.9d	+1.28	+0.19	K3Ⅲ+B2V	−26	+22	605	+2
δ Vel	08 44.7	−54 43	2.0	+0.04	+0.07	A1V	+29	−103	81	+2V
λ Vel	09 08.0	−43 26	2.2	+1.66	+1.81	K4.5Ⅰb-Ⅱ	−24	+14	545	+18
β Car	09 13.2	−69 43	1.7	+0.00	+0.03	A2Ⅳ	−156	+109	113	−5V
ι Car	09 17.1	−59 17	2.2	+0.18	+0.16	A8Ⅰb	−19	+12	766	+13
κ Vel	09 22.1	−55 01	2.5	−0.18	−0.75	B2Ⅳ-V	−11	+12	572	+22B
α Hya	09 27.6	−08 40	2.0	+1.44	+1.72	K3Ⅱ-Ⅲ	−15	+34	180	−4V
α Leo[4]	10 08.4	+11 58	1.4	−0.11	−0.36	B7V	−249	+6	79	+6B
γ Leo	10 20.0	+19 51	2.1d	+1.15	+1.00	K1Ⅲb+G7Ⅲ	+304	−154	130	−37B
μ Vel	10 46.8	−49 25	2.7d	+0.90	+0.57	G5Ⅲ+G2V	+63	−54	117	+6B
β UMa	11 01.8	+56 23	2.4	−0.02	+0.01	A1V	+81	+33	80	−12B
α UMa	11 03.7	+61 45	1.8	+1.07	+0.92	K0Ⅲa	−134	−35	123	−9B
δ Leo	11 14.1	+20 31	2.6	+0.12	+0.12	A4V	+143	−130	58	−20V
β Leo	11 49.1	+14 34	2.1	+0.09	+0.07	A3V	−498	−115	36	+0V
γ UMa	11 53.8	+53 42	2.4	+0.00	+0.02	A0Ve	+108	+11	83	−13B
δ Cen	12 08.4	−50 43	2.6	−0.12	−0.90	B2Ⅳne	−50	−7	415	+11V
γ Crv	12 15.8	−17 33	2.6	−0.11	−0.34	B8Ⅲp	−159	+22	154	−4B
α Cru	12 26.6	−63 06	0.8d	−0.25	−1.00	B0.5Ⅳ+B1V	−36	−15	322	−11B
γ Cru	12 31.2	−57 07	1.6	+1.59	+1.78	M3.5Ⅲ	+28	−265	89	+21
β Crv	12 34.4	−23 24	2.7	+0.89	+0.60	G5Ⅱ	+1	−57	146	−8V
α Mus	12 37.2	−69 08	2.7	−0.20	−0.83	B2Ⅳ-V	−40	−13	315	+13V
γ Cen	12 41.5	−48 58	2.2	−0.01	−0.01	A1Ⅳ	−186	+6	130	−6B
β Cru	12 47.7	−59 41	1.2	−0.23	−1.00	B0.5Ⅲ	−43	−16	279	+16B
ε UMa	12 54.0	+55 58	1.8	−0.02	+0.02	A0p	+112	−8	83	−9B
α CVn	12 56.0	+38 19	2.8d	−0.09	−0.31	A0p+F0V	−235	+54	115	−3V
ζ UMa	13 23.9	+54 56	2.1d	+0.04	+0.04	A1Vp+A1m	+119	−26	86	−6B
α Vir[5]	13 25.2	−11 10	1.0d	−0.23	−0.93	B1Ⅲ-Ⅳ+B2V	−42	−31	250	+1B
ε Cen	13 39.9	−53 28	2.3	−0.22	−0.92	B1Ⅲ	−15	−12	427	+3
η UMa	13 47.5	+49 19	1.9	−0.19	−0.67	B3V	−121	−15	104	−11B
η Boo	13 54.7	+18 24	2.7	+0.58	+0.20	G0Ⅳ	−61	−356	37	+0B
ζ Cen	13 55.5	−47 17	2.5	−0.22	−0.92	B2.5Ⅳ	−57	−45	382	+7B
β Cen	14 03.8	−60 22	0.6	−0.23	−0.98	B1Ⅲ	−33	−23	392	+6B
θ Cen	14 06.7	−36 22	2.1	+1.01	+0.87	K0Ⅲb	−521	−518	59	+1
α Boo[6]	14 15.7	+19 11	0.0	+1.23	+1.27	K1.5Ⅲ	−1093	−2000	37	−5V
η Cen	14 35.5	−42 09	2.3	−0.19	−0.83	B1.5Vne	−35	−33	306	+0B
α Cen	14 39.6	−60 50	−0.3d	+0.75	+0.31	G2V+K1V	−3679	+474	4.3	−22B
α Lup	14 41.9	−47 23	2.3	−0.20	−0.89	B1.5Ⅲ/Vn	−21	−24	465	+5B
ε Boo	14 45.0	+27 04	2.6d	+0.97	+0.73	K0Ⅱ-Ⅲ+A2V	−51	+21	203	−17V
β UMi	14 50.7	+74 09	2.1	+1.47	+1.78	K4Ⅲ	−33	+11	131	+17V
α^2 Lib	14 50.9	−16 03	2.8	+0.15	+0.09	A3Ⅳ	−106	−68	76	−10B
β Lup	14 58.5	−43 08	2.7	−0.22	−0.87	B2Ⅲ/Ⅳ	−36	−40	383	+0B

1) Castor,　2) Procyon,　3) Pollux,　4) Regulus,　5) Spica,　6) Arcturus

おもな恒星　(4)

星名	2000年分点		実視	色指数		スペク	固有運動		距離	視線
	赤経	赤緯	等級	$B-V$	$U-B$	トル型	$\mu_\alpha\cos\delta$	μ_δ		速度
	h m	° ′	等	等	等		10⁻³(″・年⁻¹)	10⁻³(″・年⁻¹)	光年	km・s⁻¹
β Lib	15 17.0	−09 23	2.6	−0.11	−0.36	B8Ⅴ	−98	−20	185	−35B
α CrB	15 34.7	+26 43	2.2d	−0.02	−0.02	A0Ⅴ+G5Ⅴ	+120	−90	75	+2B
α Ser	15 44.3	+06 26	2.7	+1.17	+1.24	K2Ⅲb	+134	+45	74	+3V?
β TrA	15 55.1	−63 26	2.8	+0.29	+0.05	F2Ⅲ	−189	−402	40	+0
Sco	16 00.3	−22 37	2.3	−0.12	−0.91	B0.3Ⅳ	−10	−35	491:	−7B
β Sco	16 05.4	−19 48	2.5d	−0.06	−0.85	B1Ⅴ+B2Ⅴ	−5	−24	404	−1B
δ Oph	16 14.3	−03 42	2.7	+1.58	+1.96	M0.5Ⅲ	−48	−143	171	−20V
η Dra	16 24.0	+61 31	2.7	+0.91	+0.70	G8Ⅲab	−17	+57	92	−14B?
α Sco[1]	16 29.4	−26 26	1.0d	+1.83	+1.34	M1.5Ⅰab-Ⅰb+B4Ve	−12	−23	554:	−3B
β Her	16 30.2	+21 29	2.8	+0.94	+0.69	G7Ⅲa	−99	−15	139	−26B
ζ Oph	16 37.2	−10 34	2.6	+0.02	−0.86	O9.5Vn	+15	+25	366	−15V
α TrA	16 48.7	−69 02	1.9	+1.44	+1.56	K2Ⅱb-Ⅲa	+18	−32	391	−3
Sco	16 50.2	−34 18	2.3	+1.15	+1.27	K2.5Ⅲ	−615	−256	64	−3
η Oph	17 10.4	−15 43	2.4	+0.06	+0.09	A2Ⅴ	+40	+99	88	−1B
β Ara	17 25.3	−55 32	2.8	+1.46	+1.56	K3Ⅰb-Ⅱa	−9	−25	646:	+0
β Dra	17 30.4	+52 18	2.8	+0.98	+0.64	G2Ⅰb-Ⅱa	−16	+12	380	−20V
υ Sco	17 30.8	−37 18	2.7	−0.22	−0.82	B2Ⅳ	−2	−30	576	+8B
α Ara	17 31.8	−49 53	3.0	−0.17	−0.69	B2Vne	−33	−67	267	+0B
λ Sco	17 33.6	−37 06	1.6d	−0.22	−0.89	B2Ⅳ+B	−9	−31	571:	−3B
α Oph	17 34.9	+12 34	2.1	+0.15	+0.10	A5Ⅲ	+108	−222	49	+13B?
θ Sco	17 37.3	−43 00	1.9	+0.40	+0.22	F1Ⅱ	+6	−3	300:	+1
κ Sco	17 42.5	−39 02	2.4	−0.22	−0.89	B1.5Ⅲ	−6	−26	483	−14B
β Oph	17 43.5	+04 34	2.8	+1.16	+1.24	K2Ⅲ	−41	+159	82	−12V
γ Dra	17 56.6	+51 29	2.2	+1.52	+1.87	K5Ⅲ	−8	−23	154	−28
δ Sgr	18 21.0	−29 50	2.7	+1.38	+1.55	K3Ⅲa	+33	−26	348	−20V?
ε Sgr	18 24.2	−34 23	1.9	−0.03	−0.13	B9.5Ⅲ	−39	−124	143	−15
α Lyr[2]	18 36.9	+38 47	0.0	+0.00	−0.01	A0Va	+201	+286	25	−14V
σ Sgr	18 55.3	−26 18	2.0	−0.22	−0.75	B2.5Ⅴ	+15	−53	228	−11V
ζ Sgr	19 02.6	−29 53	2.6d	+0.08	+0.06	A2Ⅲ+A4Ⅳ	+11	+21	88	+22B
β Cyg	19 30.7	+27 58	2.9d	+0.86	+0.22	(K3Ⅱ+B9.5Ⅴ)+B8Ve	−7	−6	434	−24V
γ Aql	19 46.3	+10 37	2.7	+1.52	+1.68	K3Ⅱ	+17	−3	395	−2V
α Aql[3]	19 50.8	+08 52	0.8	+0.22	+0.08	A7Ⅴ	+536	+385	17	−26
γ Cyg	20 22.2	+40 15	2.2	+0.68	+0.53	F8Ⅰb	+2	−1	1832:	−8V
α Pav	20 25.6	−56 44	1.9	−0.20	−0.71	B2Ⅳ	+7	−86	179	+2B
α Cyg[4]	20 41.4	+45 17	1.2	+0.09	−0.24	A2Ⅰa	+2	+2	1412:	−5B
ε Cyg	20 46.2	+33 58	2.5	+1.03	+0.87	K0Ⅲ	+356	+331	73	−11B
α Cep	21 18.6	+62 35	2.4	+0.22	+0.11	A7Ⅴ	+151	+49	49	−10V
β Aqr	21 31.6	−05 34	2.9	+0.83	+0.56	G0Ⅰb	+19	−8	537	+7V?
ε Peg	21 44.2	+09 53	2.4	+1.53	+1.70	K2Ⅰb	+27	+0	690	+5V
α Aqr	22 05.8	−00 19	3.0	+0.98	+0.74	G2Ⅰb	+18	−9	524	+8V?
α Gru	22 08.2	−46 58	1.7	−0.13	−0.47	B7Ⅳ	+127	−147	101	+12
α Tuc	22 18.5	−60 16	2.9	+1.39	+1.54	K3Ⅲ	−71	−39	200	+42B
β Gru	22 42.7	−46 53	2.1	+1.60	+1.67	M5Ⅲ	+135	−4	177	+2
α PsA[5]	22 57.7	−29 37	1.2	+0.09	+0.08	A3Ⅴ	+329	−165	25	+7
β Peg	23 03.8	+28 05	2.4	+1.67	+1.96	M2.5Ⅱ-Ⅲ	+188	+137	196	+9V
α Peg	23 04.8	+15 12	2.5	−0.04	−0.05	B9Ⅴ	+60	−41	133	−4B

1) Antares,　2) Vega,　3) Altair,　4) Deneb,　5) Fomalhaut

近　距　離

順位	星　名	HIP	2000年分点 赤経	赤緯	視差	距離
			h m	° ′	″	光年
1[$]	α Cen A	71683	14 39.6	−60 50	0.755	4.3
	α Cen B	71681				
	α Cen C	70890	14 29.7	−62 41	0.768	4.2
2	バーナード星*	87937	17 57.8	+04 42	0.547	6.0
3[&§]	Wolf 359		10 56.5	+07 01	0.415	7.9
4	BD+36° 2147*	54035	11 03.3	+35 58	0.393	8.3
5[$]	シリウスA	32349	06 45.2	−16 43	0.379	8.6
	シリウスB				0.374	8.7
6[§]	Luyten 726−8=A		01 39.0	−17 57	0.374	8.7
	UV Cet=B				0.368	8.9
7	Ross 154	92403	18 49.8	−23 50	0.336	9.7
8[§]	Ross 248		23 41.9	+44 11	0.316	10.3
9[&]	ε Eri	16537	03 32.9	−09 27	0.311	10.5
10	CD−36° 15693	114046	23 05.9	−35 51	0.304	10.7
11[&]	Ross 128	57548	11 47.7	+00 48	0.296	11.0
12[!]	Luyten 789−6		22 38.6	−15 17	0.290	11.2
13	61 CygA*	104214	21 06.9	+38 45	0.286	11.4
	61 CygB*	104217			0.286	11.4
14[$]	プロキオンA	37279	07 39.3	+05 13	0.285	11.5
	プロキオンB					
15	BD+59° 1915A	91768	18 42.8	+59 38	0.284	11.5
	BD+59° 1915B	91772			0.284	11.5
16	BD+43° 44A	1475	00 18.4	+44 01	0.281	11.6
	BD+43° 44B		00 18.4	+44 02	0.281	11.6
17[§]	G51−15		08 29.8	+26 47	0.279	11.7
18	ε Ind	108870	22 03.4	−56 47	0.275	11.9
19[&]	τ Cet	8102	01 44.1	−15 56	0.274	11.9
20	Gaia DR3 4848140361962951552		03 36.0	−44 31	0.272	12.0
21	Gaia DR3 6412596012146801152		22 04.2	−56 47	0.271	12.0
22[$]		82724	16 54.5	−62 24	0.271	12.1
23[&]	Luyten 725−32	5643	01 12.5	−17 00	0.269	12.1
24	BD+5° 1668*	36208	07 27.4	+05 14	0.264	12.3
25	Gaia DR3 35227046884571776		02 53.0	+16 53	0.261	12.5
26	カプタイン星	24186	05 11.7	−45 01	0.254	12.8
27	CD−39° 14192	105090	21 17.3	−38 52	0.252	12.9
28[$]	Kr ger 60A	110893	22 28.0	+57 42	0.250	13.0
	Kr ger 60B					
29	Gaia DR3 6439125097427143808		18 45.1	−63 58	0.250	13.1
30[$]		72511	14 49.5	−26 06	0.248	13.2

W. Gliese による Landolt-Börnstein(1982)の表を参考にし，赤経，赤緯，視差，固有運動は Gaia DR3 (2022) によった（$は改訂ヒッパルコス星表 (2007) によった）．視線速度も Gaia DR3 によった（$，&，！を除く）．色指数は改訂ヒッパルコス星表 (2007) によった（§印の星を除く）．HIP はヒッパルコスカタログで観測された星につけられた番号である．スペクトル型は Allen's Astrophysical Quantities (2000)，等級はヒッパルコス星表によった．ただし，#印の等級は WDS (The Washington Double Star Catalog) によった．星名の A，B，C は連星であり，A が主星，その他は伴星である．＊は不可視

の　恒　星

線速度	空間速度	固有運動 大きさ	固有運動 位置角	スペクトル型	実視等級	絶対等級	色指数 B−V
km·s⁻¹	km·s⁻¹	″·年⁻¹	°		等	等	等
−22	32	3.71	277	G2V	−0.01	4.38	0.71
				K1V	1.35	5.86	0.90
−22	32	3.86	282	M5Ve	11.01	15.45	1.81
−110	143	10.39	356	M5V	9.54	13.23	1.57
+13	56	4.72	235	M8Ve	13.53	16.65	1.74
−85	103	4.81	187	M2Ve	7.49	10.46	1.50
−8	19	1.34	204	A1V	−1.44	1.45	0.01
		1.02	207	DA	8.58#	11.47	−0.12
+10	42	3.23	80	M6Ve	12.52	15.46	1.85
+21	49	3.43	81	M6Ve	13.02	15.96	
−11	15	0.67	107	M4.5Ve	10.37	13.01	1.51
−77	81	1.60	176	M6Ve	12.29	14.77	1.48
+16	22	0.97	271	K2V	3.72	6.18	0.88
+8	108	6.90	79	M2Ve	7.35	9.77	1.48
−13	25	1.37	154	M4.5Ve	11.12	13.49	1.75
−60	80	3.26	46	M7Ve	12.18	14.49	1.96
−66	110	5.28	52	K5Ve	5.20	7.49	1.07
−65	108	5.18	52	K7Ve	6.05	8.33	1.31
−3	21	1.26	215	F5IV−V	0.40	2.67	0.43
				DF	10.8#	13.1	
−1	37	2.22	324	M4V	8.94	11.18	1.50
+1	39	2.33	323	M5V	9.70	12.00	1.56
+11	51	2.92	82	M2V	8.09	10.32	1.56
+11	50	2.88	83	M6Ve	11.12#	13.35	1.80
		1.27	241		14.81	17.03	2.06
−40	91	4.71	123	K5Ve	4.69	6.89	1.06
−16	37	1.92	296	G8Vp	3.49	5.68	0.73
+1	15	0.83	117				
		4.68	122				
		0.39	56		11.96	14.12	1.73
+28	37	1.36	62	M5.5Ve	12.10	14.26	1.85
+17	70	3.74	171	M3.5	9.84	11.94	1.57
		5.12	138				
+245	294	8.64	131	M0V	8.86	10.90	1.54
+21	68	3.45	251	M0Ve	6.69	8.71	1.40
−26	32	0.98	242	M2V	9.59	11.58	1.61
				M5Ve	11.41#	13.40	1.8
		2.65	77				
		1.38	277		11.72	13.69	1.48

伴星または未確認伴星を持つ.

注）α Cen C，Luyten 726-8＝A，UV Cet＝B，Ross 154，Krüger 60B はせん光星（平常はかなり一定の光度を示すが，時々数分間，光度で数等も輝きを増し，その後徐々にもとの光度に戻る星）．Wolf 359 も多分，せん光星．BD＋43° 44A は分光連星．

恒星のスペクトル型

恒星のスペクトル型は各々の星の外層の物理的状態と化学組成とによっ異なる．現在もっとも普通に使われるスペクトル型は大体ハーバード式分法によったもので，スペクトル線の種類および強さによって，O, B, A, F, K, M, R, N, S の型に分ける．最近では M 型より低温側に L, T, Y 型が知れている．これらを細分する場合には，上記の文字の後に 0 から 9 までの数をつけ，O, M, N 型は a, b, c などをつけることもある．さらに細分するには，数や + − をつける．つぎに各型の実例と特徴を示す．

- O　(ζ Pup) 電離ヘリウム，高電離の酸素，窒素，炭素などの線がある．の広い輝線を持ったものをウォルフ・レイエ星ともいい，炭素または素の線の強いものをそれぞれ WC 型または WN 型と書く．
- B　(γ Ori) 水素吸収線が強まり，中性ヘリウム線はこの型で最強．
- A　(α CMa) 水素線が最強，電離金属線も次第に強くなる．
- F　(α CMi) 水素線はやや弱まり，カルシウム H, K 線および金属の線次第に強くなる．
- G　(太陽，α Aur) H, K 線が強く，水素線は目立たず，CH 分子の G 帯強まる．
- K　(α Boo) H, K 線は強く幅広く，いろいろな元素の金属線は重なりう．紫色部の連続スペクトルは弱い．
- M　(α Ori, o Cet) 酸化チタンの吸収帯が特徴．
- R, N　(19 Psc) 炭素，シアンの吸収帯が著しい．現在では R, N 型を併て C 型として分類することが多い．
- S　(π^1 Gru) 酸化ジルコニウムの吸収帯が特徴．
- L　(GD 165B) 金属水素化合物，アルカリ金属，水，一酸化炭素の吸収特徴．褐色矮星も入る．
- T　(Gliese 229B) メタン，水の吸収が特徴．褐色矮星．
- Y　(WISEP J1541) 非常に低温(表面温度は 400 K 以下)の褐色矮星．やメタンに加えてアンモニアの吸収が重要．

スペクトル型の順序はつぎのようで，大体は星の表面の温度の高いものか低いものに向かう順序になっており，色は青白く見えるものから白，黄，赤の序になっている．G 型付近からの分岐は化学組成の違いによる（**天48** 参照）

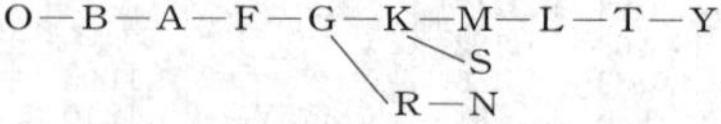

現在標準的に用いられているヤーキス式（モルガン・キーナン式またMK 式）分類法では絶対等級の階級を示すローマ数字（Ⅰ超巨星，Ⅱ明るい巨星，Ⅲ巨星，Ⅳ準巨星，Ⅴ主系列星，Ⅵ準矮星）をスペクトル型の後につる．これを細分するには，a, ab，b (a はより明るく，b はより暗い) を後につけるか，2 つの階級記号をハイフンでつないで中間を表す．一方，ウィルソン山式分類ではスペクトル型の前に c（超巨星），g（巨星），sg（準巨星），d（主系列星），sd（準矮星），w または D（白色矮星）をつけて光度階級を表す．白色矮星の D についてはスペクトルの特徴から DA (水素の線が顕著)，DB（中性ヘリウムの線が顕著)，… のようにさらに細分される．

スペクトル型の後につける添字については n および nn は吸収線が太くてぼやけているもの(主として星の自転による)，s は細くて鋭いもの，e は普通の吸収線のほかに輝線を持つもの，v はスペクトルの変化するもの，p はその他の特殊な様相を持つものを示す．Am と表示される星は金属線型 A 型星であり，カルシウム H, K 線が弱くて A 型星のように見えるが他の金属線は強くて F 型星に近い特徴も合わせ持つ特異星である．

変　光　星

変光星のうち，新星（天 41），超新星（天 42），食連星（天 45）を除く代表的ものについて記述する．

脈動変光星の型と特性　星自身の振動に伴って継続的に明暗を繰り返すものを動変光星という．これらは，ヘルツシュプルング・ラッセル図（HR 図）上の位と，変光周期や光度曲線などの特性から，天第 8 図に示すように数多くの型に類される．このうち，代表的な型の特性を次表に掲げる．

型	周期範囲	典型的周期	変光幅（実視等級）	スペクトル型	絶対等級 (M_V)
δ Cep 型	1-50 日	5-10 日	≲2	F5－K2	−0.5〜−6
RV Tau 型	20-150 日	75 日	≲4	F－G	−2 〜−4
W Vir 型	8-35 日	12-20 日	≲1.5	A5－G8	−0.5〜−2
BL Her 型	0.8-8 日	1.5 日	≲1.5	A5－G2	+0.5〜−1.5
RR Lyr 型	1.5-24 時間	0.5 日	≲2	A2－F2	+3 〜 0
δ Sct 型	1-4 時間	2 時間	≲0.9	A2－F5	+3 〜+2
β Cep 型	4-6 時間	5 時間	≲0.1	B1－B2	−3.5〜−4.5
ミラ型	100-700 日	270 日	≲11	M_e, R_e, N_e, S_e	+1 〜−2

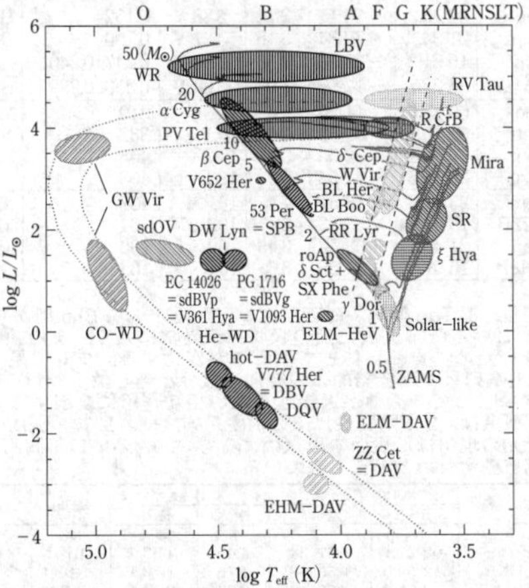

天第 8 図　種々の脈動変光星の HR 図上の位置（C.S. Jeffery et al. 2015, MNRAS, **447**, 2836）．太陽質量（$M_\odot$）の 0.5 倍から 50 倍までの星の進化経路と，主系列および白色矮星系列も表示してある．各領域の縞模様は，脈動（振動）の種類を表し，左上から右下への模様は，ガスの圧力を復元力とする（音波）振動を，右上から左下への模様は，浮力を復元力とする（重力波）振動を，また水平模様は，対流によって励起される音波振動を意味する．さらに垂直模様は，ストレンジ・モードと呼ばれる，脈動に伴う熱的エネルギーの変化が大きい特殊な振動を表す．

代表的な脈動変光星　等級欄の V は *UBV* 式（**天 46**），p は写真，v は眼視による観測を表す．Samus et al. 2013, General Catalogue of Variable Stars; http://www.sai.msu.su/gcvs/gcvs/による．

型	星　名	2000 年分点		等　級		周　期	スペクトル型
		赤経	赤緯	極大	極小		
		h m	° ′	等	等	日	
δ Cep 型	δ Cep	22 29.2	+58 25	3.48	4.37 V	5.366	F 5 Ib − G 1 Ib
	T Mon	06 25.2	+07 05	5.58	6.62 V	27.025	F 7 Iab − K 1 Iab
	SV Vul	19 51.5	+27 28	6.72	7.79 V	45.012	F 7 Iab − K 0 Iab
RV Tau 型	RV Tau	04 47.1	+26 11	9.8	13.3 p	79	G 2 Iae − M 2 Ia
W Vir 型	W Vir	13 26.0	−03 23	9.46	10.75 V	17.274	F 0 Ib − G 0 Ib
BL Her 型	BL Her	18 01.1	+19 15	9.70	10.62 V	1.307	F 0 − F 6 Ⅱ − Ⅲ
RR Lyr 型	DH Peg	22 15.4	+06 49	9.15	9.80 V	0.256	A 5 − F 0.5
	T Sex	09 53.5	+02 03	9.81	10.32 V	0.325	A 7 Ⅱ − Ⅲ − F 4 Ⅲ
	SW And	00 23.7	+29 24	9.14	10.09 V	0.442	A 7 Ⅲ − F 8 Ⅲ
	RR Lyr	19 25.5	+42 47	7.06	8.12 V	0.567	A 5 − F 7
δ Sct 型	DQ Cep	20 57.8	+55 29	7.22	7.32 V	0.079	F 4 Ⅲ
	δ Sct	18 42.3	−09 03	4.60	4.79 V	0.194, 0.187	F 3 Ⅲ p
						秒	
DAV 型	ZZ Cet	01 36.2	−11 21	14.13	(0.03) V	213, 274	DA
	VW Lyn	09 01.8	+36 07	14.55	(0.15) V	590, 260	DA
	ZZ Psc	23 28.8	+05 15	12.98	(0.23) V	612, 816	DA
						日	
β Cep 型	γ Peg	00 13.2	+15 11	2.78	2.89 V	0.152	B 2 Ⅳ
	β Cep	21 28.7	+70 34	3.16	3.27 V	0.190	B 2 Ⅲ ev
	σ Sco	16 21.2	−25 36	2.86	2.94 V	0.247, 0.240	B 2 Ⅲ
	β CMa	06 22.7	−17 57	1.93	2.00 V	0.250, 0.239	B 1 Ⅱ − Ⅲ
ミラ型	R Leo	09 47.6	+11 26	4.4	11.3 v	310	M 6 e − M 8 Ⅲe − M 9.5
	o Cet	02 19.3	−02 59	2.0	10.1 v	332	M 5 e − M 9 e
	χ Cyg	19 50.6	+32 55	3.3	14.2 v	408	S 6.2 e − S10.4 e (MS
	U Cyg	20 19.6	+47 54	5.9	12.1 v	463	C 7.2 e − C 9.2 (Npe)
半規則脈動変光星	Z Aqr	23 52.2	−15 51	7.4	10.2 v	137	M 1e − M 7 Ⅲ
	RR CrB	15 41.4	+38 33	8.4	10.1 p	61	M 5
	μ Cep	21 43.5	+58 47	3.43	5.1 v	730	M 2 Iae
	SX Her	16 07.5	+24 55	8.6	10.9 v	103	G 3 ep − K 0 (M3)

磁変星，フレア星，T Tau 型星　磁変星（α^2CVn 型）は，B8p 型から A7p 型の主系列星で，Si，Cr，Cr といった希土類元素の吸収線が異常に強く，また強い磁場を持つ．表面輝度が一様でないため，自転に伴って明るさが変化する．フレア星（UV Cet 型）は晩期型（Me 型）主系列星で，突発的に短時間（数分ないし数十分間）の急激な増光を起こす．他のフレア星として，活動が近接連星系の相互作用に起因する RS CVn 型もある（**天 45**）．T Tau 型星は，2 太陽質量以下の前主系列星で，1 ないし 12 日の周期で高速に自転している．変光の理由は，表面の黒点によるもの，あるいは星周円盤中の原始惑星や微惑星が星の一部を隠すためと考えられている．

型	星　名	2000 年分点		等級		周期	スペクトル型
		赤経	赤緯	極大	極小		
		h m	° ′	等	等	日	
磁変星（α^2CVn 型）	ι Cas	02 29.1	+67 24	4.45	4.53 V	1.741	B9p CrSr
	ε UMa	12 54.0	+55 58	1.76	1.78 V	5.089	A0p CrEu
	α^2 CVn	12 56.0	+38 19	2.84	2.98 V	5.469	B9.5Vp SiCrEu
	DO Eri	03 55.3	−12 06	5.97	6.00 V	12.458	A5p SiCrEu
フレア星（UV Cet 型）	UV Cet	01 38.8	−17 58	6.8	12.95 V	—	M5.5Ve
	AD Leo	10 19.7	+19 52	8.07	11.00 B	—	M4.5Ve
	YZ CMi	07 44.7	+03 34	8.6	12.93 B	—	M4.5Ve
	EV Lac	22 46.9	+44 20	8.28	11.83 B	—	M4.5Ve
T Tau 型	RW Aur	05 07.8	+30 24	9.6	13.6 p	—	G5Ve（T）
	T Tau	04 22.0	+19 32	9.3	13.5 v	—	F8Ve-K1IV-Ve（T）

新　　星

星が数日のうちに 9 から 13 等も爆発的に明るくなり，その後ゆるやかに減光し爆発前の態に戻るものをいう．爆発直後のスペクトル観測から，星の表面から物質が放出されてることがわかる．1 回の爆発で約 10^{38} J のエネルギーを出し，絶対等級は −6 から −7 等なる．白色矮星と G-M 型の晩期型星(多くは矮星)からなる近接連星において，白色矮星表面に相手の星から流入した水素を豊富に含む物質が降り積もっていき，溜まった水素層の底の温度が臨界値を超えて爆発的に核反応を起こしたものである．爆発後の減光がい新星 NA，遅い新星 NB，大変遅い新星 NC に分けられる．爆発が 2 回以上記録されてるものを反復新星 NR と呼ぶ．なお，新星，超新星は激変星の一種であるが，他の激変については，**天 45** を参照．

星　名	出現年	2000 年分点 赤経	赤緯	型	等級 爆発時	静穏時	軌道周期	爆　発　年
		h m s	° ′ ″		等	等	日	
K Vul	1670	19 47 38.0	+27 18 48	NB	2.7	20.7	—	
841 Oph	1848	16 59 30.4	−12 53 27	NB	4.3	13.5	0.6014	
Sco	1863	16 22 30.8	−17 52 43	NR	8.7	19.3	1.231	1906,1917,1936,1945,1969,1979,1987,1999,2010 年
CrB	1866	15 59 30.2	+25 55 13	NR	2.0	10.8	227.6	1946 年
G Peg	1870	21 51 01.9	+12 37 32	NC	6.0	8.4	820	
Cyg	1876	21 41 43.9	+42 50 29	NA	3.0	15.6	0.4202	
Pyx	1890	09 44 41.5	−32 22 47	NR	6.4	15.5	0.075	1890,1902,1920,1944,1966,2011 年
Aur	1891	05 31 59.1	+30 26 46	NB	4.1	15.5	0.2044	
S Oph	1898	17 50 13.2	−06 42 29	NR	4.3	12.5	455.72	1907?,1933,1958,1967,1985,2006 年
1059 Sgr	1898	19 01 51.0	−13 09 39	NA	4.5	16.5	—	
K Per	1901	03 31 12.0	+43 54 15	NA	0.2	14.0	1.9968	
M Gem	1903	06 44 12.1	+29 56 42	NA	4.8	16.5	0.1228?	
I Lac	1910	22 35 48.6	+52 42 59	NA	4.3	14.9	0.5438	
N Gem	1912	06 54 54.4	+32 08 28	NB	3.6	15.8	0.1279	
I Mon	1918	07 26 47.1	−06 40 30	NA	5.2	15.1	0.1802	
603 Aql	1918	18 48 54.6	+00 35 03	NA	−1.4	12.0	0.1385	
476 Cyg	1920	19 58 24.5	+53 37 07	NA	2.0	17.1	—	
R Pic	1925	06 35 36.1	−62 38 24	NB	1.2	12.5	0.145	
Q Her	1934	18 07 30.2	+45 51 32	NB	1.3	18.1	0.1936	
P Lac	1936	22 15 41.1	+55 37 02	NA	2.1	16.6	0.127?	
368 Aql	1936	19 26 34.4	+07 36 14	NA	5.0	15.7	0.3452	
630 Sgr	1936	18 08 48.5	−34 20 21	NA	1.6	17.5	0.118	
P Pup	1942	08 11 46.1	−35 21 05	NA	0.5	<17.0	0.06143	
K Lac	1950	22 49 47.0	+53 17 20	NA	5.0	15.5	—	
W UMi	1956	16 47 54.8	+77 02 12	NA	6.0	<21.0	0.0591	
446 Her	1960	18 57 21.6	+13 14 29	NA	2.8	18.8	0.207	
533 Her	1963	18 14 20.5	+41 51 23	NA	3.0	16.2	0.147	
Z Aur	1964	05 28 34.1	+33 18 22	NA	6.0	18.0	0.3575	
R Del	1967	20 42 20.3	+19 09 39	NB	3.7	12.4	0.2142	
V Vul	1968	19 48 01.0	+27 10 19	NA	5.2	16.9	—	
H Ser	1970	18 30 47.0	+02 36 52	NA	4.4	17.6	—	
1500 Cyg	1975	21 11 36.6	+48 09 02	NA	1.7	<21.0	0.1396	
1668 Cyg	1978	21 42 35.3	+44 01 55	NA	6.0	20.0	0.1384	
1370 Aql	1982	19 23 21.1	+02 29 26	NA	6.0	20.0	—	
U Vul	1984	20 26 47.0	+27 50 43	NA	5.2	17.5	0.1118	
842 Cen	1986	14 35 52.6	−57 37 35	NA	4.6	18.6	—	
838 Her	1991	18 46 31.5	+12 14 02	NA	5.0	20.0	0.2977	
1974 Cyg	1992	20 30 31.7	+52 37 51	NA	4.2	17.5	0.08126	
705 Cas	1993	23 41 47.2	+57 31 01	NA	5.8	<16.0	0.2280?	
1494 Aql	1999	19 23 05.3	+04 57 20	NA	5.0	16.0	0.1346	
382 Vel	1999	10 44 48.4	−52 25 31	NA	2.7	16.6	0.1462	
339 Del	2013	20 23 30.7	+20 46 04		4.3	<13.0	—	

超　新　星

1つの星がある日突然明るく輝き始め，1つの銀河全体に匹敵するほどの明るさに達する現象いう．星の一生の最期を飾る大爆発である．極大時のスペクトルに水素が見られないⅠ型と水素見られるⅡ型に大別されてきたが，Ⅰ型はさらに，極大時のスペクトルにより，ケイ素の吸収がいⅠa型，ヘリウムの吸収が顕著なⅠb型，それら以外のⅠc型に細分される．極大時から約半年の減光期のスペクトルを見ると，Ⅰa型は，鉄が主たる成分であるのに対し，Ⅰb型，Ⅰc型およⅡ型は，酸素とカルシウムが顕著である．Ⅰa型は，そのスペクトルの特徴，および大質量星が存しない楕円銀河にも出現することなどから，近接連星中の白色矮星が起こす大爆発であると考えれている．一方，その他の型のものは，減光期のスペクトル，および星形成が活発な渦巻銀河のに出現することなどから，大質量星の進化最終段階に中心部に形成された鉄のコアが重力崩壊をこすことに起因する星の大爆発であると考えられている．1つの銀河で100年に数個の割合で起きⅠb型，Ⅰc型およびⅡ型の場合には，中性子星もしくはブラックホールを残す．また飛散したガは重元素に富み，X線や電波を放射し，超新星残骸と呼ばれる．ある種のγ線バーストは超新星関係していると考えられている．

符号	2000年分点		極大等級	型	出現銀河(型)	記録または発見者	対応天体名
	赤経	赤緯					
	h m s	° ′ ″	等				
1006	15 02 08	−41 57	−8	Ⅰa	銀河系（SAB）	明月記，宋史 ほか	残骸 G 327.6＋14.6
1054	05 34 05	＋22 01	−6	Ⅱ	銀河系（SAB）	明月記，宋史 ほか	CM Tau，残骸 M1
1181	02 05 06	＋64 49	0	Ⅱ	銀河系（SAB）	明月記，宋史 ほか	残骸 3C 58
1572	00 25 03	＋64 09	−4	Ⅰa	銀河系（SAB）	Schuler，Tycho	B Cas，残骸 3C 10
1604	17 30 06	−21 29	−3	Ⅰa	銀河系（SAB）	Brunowski, Kepler ほか	V843 Oph，残骸 3C 35
1885A	00 42 43.07	＋41 16 04.3	5.8	Ⅰ	M 31（SA）	Hartwig	
1895B	13 39 57.4	−31 38 12	8.0	Ⅰa	NGC 5253（Ⅰ）	Fleming	
1920A	08 35 16.3	＋28 28 30	11.7	Ⅱ	NGC 2608（SB）	Wolf	
1921C	10 18 23.1	＋41 21 02	11.0	Ⅰ	NGC 3184（SAB）	Jones	
1937C	13 05 52.4	＋37 37 08	8.5	Ⅰa	IC 4182（SAm）	Zwicky	
1954A	12 15 45.8	＋36 16 14	9.8	Ⅰb	NGC 4214（Ⅰ）	Wild	
1962M	03 18 12.2	−66 31 38	11.5	Ⅱ	NGC 1313（SB）	Sersic	
1966J	10 19 45.8	＋45 30 10	11.3	Ⅰb	NGC 3198（SB）	Wild	
1968L	13 37 00.51	−29 51 59	11.9	Ⅱ	M 83（SAB）	Bennett	
1970A	12 32 41	＋14 02 31	11.0	Ⅱ?	IC 3476（Ⅰ）	Grizunova	
1970G	14 03 00.83	＋54 14 32.8	11.4	Ⅱ	NGC 5457（SAB）	Lovas	
1972E	13 39 53.2	−31 40 15	8.4	Ⅰa	NGC 5253（Ⅰ）	Kowal	
1979C	12 22 58.63	＋15 47 51.7	11.6	Ⅱ	M 100（SAB）	G. Johnson	
1980K	20 35 30.07	＋60 06 23.8	11.6	Ⅱ	NGC 6946（SAB）	Wild	
1983N	13 36 51.24	−29 54 02.7	11.4	Ⅰb	M 83（SAB）	Evans	
1987A	05 35 27.99	−69 16 11.5	2.9	Ⅱ	LMC（SBm）	Shelton ほか	
1991T	12 31 36.91	＋02 56 28.3	11.5	Ⅰa	NGC 4527（SA）	Knight ほか	
1993J	09 55 25	＋69 01 13	10.5	Ⅱ	M 81（SA）	Garcia	
1994D	12 34 02.45	＋07 42 04.7	11.8	Ⅰa	NGC 4526（SA）	UCB group	
1994I	13 29 54.01	＋47 11 31.7	12.8	Ⅰc	M 51（SA）	Puckett ほか	
1998S	11 46 06.18	＋47 28 55.5	12.0	Ⅱ	NGC 3877（SA）	Beijing Astron. Obs.	
1998bw	19 35 03.31	−52 50 44.8	13.5	Ⅰc	ESO 184-G82（SB）	Galama ほか	GRB 980425
2002ap	01 36 23.85	＋15 45 13.2	12.3	Ⅰc	M 74（SA）	広瀬洋治	
2004dj	07 37 17.02	＋65 35 57.8	11.2	Ⅱ	NGC 2403（SAB）	板垣公一	
2005cs	13 29 52.78	＋47 10 35.7	13.9	Ⅱ	M 51（SA）	Kloehr	
2006aj	03 21 39.71	＋16 52 02.6	17.3	Ⅰc	無　名	Swift チーム	GRB 060218
2006gy	03 17 27.1	＋41 24 19	14.2		NGC 1260	Quimby, Mondo	
2011fe	14 03 05.8	＋54 16 25	9.9	Ⅰa	M 101（SAB）	Palomar Transient Factory	
2018zd	06 18 03.19	＋78 22 01.2	13.8	Ⅱ	NGC 2146（SB）	板垣公一	

実視連星

軌道が知られているもので合成等級が4.3等ないしそれより明るいものを
げた．位置角のあとの記号 d は順行，r は逆行を示す．
artkopf, W. I., Mason, B. M., & Worley, C. E. 2012, Sixth Catalog of Orbits of
isual Binary Stars ; http://ad.usno.navy.mil/wds/orb6/orb6.html などによる．

星名	2000年分点 赤経	赤緯	実視等級	スペクトル型	周期	離心率	元期2000.0 角距離	位置角	視差
	h m	° ′	等 等		年		″	°	″
η Cas	00 49.1	+57 49	3.5 7.5	G0V K7V	480	0.50	12.85	317 d	0.176
α Psc	02 02.0	+02 46	4.2 5.2	A0p A3m	933	0.70	1.83	272 r	0.005
θ Per	02 44.2	+49 14	4.1 9.9	F7V M1V	2720	0.13	20.04	304 d	0.082
α For	03 12.1	−28 59	3.9 6.5	G8Ⅳ G7V	269	0.76	5.06	299 d	0.075
α Aur	05 16.7	+46 00	0.6 1.1	G8Ⅲ G0Ⅲ	0.285	0.00	0.05	52 r	0.080
σ Ori	05 38.7	−02 36	4.1 5.3	O9V B0V	157	0.07	0.24	115 r	0.007
μ Ori	06 02.4	+09 39	4.3 6.3	A1V F2V	18.6	0.74	0.11	30 r	0.028
α CMa	06 45.1	−16 43	−1.5 8.5	A1V DA	50.1	0.59	4.60	150 r	0.378
δ Gem	07 20.1	+21 59	3.6 8.2	F0Ⅳ K3V	1200	0.11	5.77	225 d	0.061
α Gem	07 34.6	+31 53	1.9 3.0	A1V A2Vm	467	0.34	3.98	67 r	0.067
α CMi	07 39.3	+05 14	0.4 10.8	F5Ⅳ-V DA	40.7	0.40	4.64	76 d	0.292
ε Hya	08 46.8	+06 25	3.8 5.3	G5Ⅲ F5	15.1	0.66	0.25	203 d	0.027
10 UMa	09 00.6	+41 47	4.1 6.0	F3V G5V	21.8	0.15	0.60	46 r	0.069
κ UMa	09 03.6	+47 09	4.2 4.4	A0Ⅳ-V A0V	35.6	0.56	0.13	139 r	0.016
ψ Vel	09 30.7	−40 28	4.1 4.6	F3Ⅳ F0Ⅳ	34.0	0.44	0.53	264 d	0.065
$\gamma^{1,2}$ Leo	10 20.0	+19 50	2.4 3.6	K1Ⅲ G7Ⅲ	510	0.84	4.41	125 d	0.022
p Vel	10 37.3	−48 14	4.2 5.1	F4Ⅳ A6	16.5	0.75	0.30	231 r	0.040
μ Vel	10 46.8	−49 25	2.7 5.6	G5Ⅲ G2V	116	0.79	2.50	58 d	0.022
α UMa	11 03.7	+61 45	2.0 5.0	K1Ⅱ-Ⅲ K0V	44.4	0.44	0.36	162 r	0.038
ξ UMa	11 18.2	+31 32	4.4 4.9	G0V F9V	59.8	0.40	1.77	273 r	0.137
ι Leo	11 23.9	+10 32	4.0 6.7	F1Ⅳ G3V	186	0.53	1.72	116 r	0.052
γ Cen	12 41.5	−48 58	2.9 2.9	A0Ⅲ A0Ⅲ	84.5	0.79	1.00	347 r	0.016
γ Vir	12 41.7	−01 27	3.5 3.5	F0V F0V	169	0.88	1.84	267 r	0.099
β Mus	12 46.3	−68 06	3.7 4.0	B2V B3V	194	0.60	1.29	43 d	0.015
d Cen	13 31.0	−39 24	4.5 4.7	G7Ⅲ G9Ⅲ	78.7	0.46	0.21	75 r	0.012
$\alpha^{1,2}$ Cen	14 39.6	−60 50	0.0 1.3	G2V K1V	79.9	0.52	14.14	222 d	0.750
ζ Boo	14 41.1	+13 44	4.5 4.8	A2Ⅲ A2Ⅲ	123	0.99	0.80	300 r	0.009
γ Lup	15 35.1	−41 10	3.0 4.5	B2Ⅳ-V B2Ⅳ-V	190	0.51	0.67	274 r	0.008
γ CrB	15 42.7	+26 18	4.0 5.6	B9Ⅳ A3V	91.1	0.48	0.76	114 r	0.033
ξ Sco	16 04.4	−11 22	4.9 5.2	F5Ⅳ F5Ⅳ	45.7	0.74	0.39	308 d	0.048
α Sco	16 29.4	−26 26	1.0変5.5	M1I B3Ve	1217	0.08	2.59	274 d	0.024
λ Oph	16 30.9	+01 59	4.2 5.2	A0V A4V	129	0.61	1.54	30 d	0.010
ζ Her	16 41.3	+31 36	2.9 5.4	F9Ⅳ G7V	34.5	0.46	0.75	13 r	0.102
η Oph	17 10.4	−15 43	3.0 3.5	A2V A3V	87.6	0.95	0.60	244 r	0.052
70 Oph	18 05.5	+02 30	4.2 6.0	K0V K4V	88.1	0.50	3.79	148 r	0.201
ζ Sgr	19 02.6	−29 53	3.2 3.4	A2Ⅲ A4Ⅳ	21.1	0.21	0.34	224 r	0.025
δ Cyg	19 45.0	+45 08	2.9 6.3	B9Ⅲ F1V	918	0.52	2.50	222 r	0.030
β Del	20 37.5	+14 36	3.6 4.9	F6Ⅲ F6Ⅳ	26.7	0.35	0.57	343 d	0.028
τ Cyg	21 14.8	+38 03	3.8 6.4	F2Ⅳ G0V	49.8	0.24	0.77	306 r	0.055
$\zeta^{1,2}$ Aqr	22 28.8	−00 01	4.3 4.5	F3V F6Ⅳ	487	0.34	2.10	192 r	0.022

分 光 連 星

分光連星とは，周期的なスペクトル線の移動やパルス周期の変動から連星系と
かるものをいう．実視等級が2.9 等ないしそれより明るいものといくつかの重要
連星を掲げた．Pourbaix, D., Tokovinin, A. A, Batten, A. H., Fekel, F. C., Hartko
W. I., Levato, H., Morrell, N. I., Torres, G., & Udry, S. 2004, The Ninth Spectr
scopic Binary Orbits ; http://sb9.astro.ulb.ac.be による．

星名	実視等級		スペクトル型		周期	離心率	視線速度振幅		平均視線速度	近星点経度	近星点通過時
	主星	伴星	主星	伴星			主星	伴星			
	等	等			日		$km \cdot s^{-1}$	$km \cdot s^{-1}$	$km \cdot s^{-1}$	°	JD2 400 000
PSR 1913+16	22.5変				0.323	0.62	199			179	42321.43
Sco X-1	12.25変		sdBe		0.787	0.0	58.2		−138.5	0	42565.74
δ Cap	2.83変		Am		1.023	0	75.3		−3.4	0	48105.79
π Sco	2.89変		B1V	B1V	1.570	0	124.1	196.1	−7.4	0	49818.02
Her X-1	13.0変		A		1.700	0	169.1			0	42859.73
Cen X-3	13.4変		O7		2.087	0.23	415.1	19	39	175	43586.95
V711 Tau	5.71変		K1V	G5IV	2.838	0	52.6	64.1	−15.9	0	42767.40
β Per A	2.12変		B8V	Am	2.867	0.02	44.0	201		62	28482.74
α^1 Gem	1.58変		Am	dM1e	2.928	0	31.9		−1.2	95	27501.70
SMC X-1	13.15変		B0I		3.892	0.0	299.5	19	180	0	42838.63
β Aur	1.90変	2.83 変	A2IV	A2IV	3.960	0	110.2	110.5	−15.8	139	43915.70
α Vir	0.97変		B1V	B3V	4.015	0.18	120	189	0	142	40284.78
Cyg X-1	8.89変		O9Iab		5.600	0.0	74.9		−2.7	0	43045.07
δ Ori	2.14変	2.26 変	O9II		5.733	0.09	97.5		20.4	117	45139.84
β Sco	2.63変		B0V		6.828	0.29	125.3	198.0	−1.7	17	18501.53
ζ Cen	2.54変		B2IV		8.024	0.5	110.7	159.4	6.5	290	29798.46
Vel X-1	6.88変		B0Ib		8.964	0.09	274.3	21.8		153	43956.33
α^2 Gem			A1V	dM1e	9.213	0.50	12.9		5.2	266	27543.94
α Pav	1.93変		B3IV		11.753	0.0	7.2		2.0	0	17547.68
PSR 2303+46					12.340	0.66	76.8			35	46108.05
SS 433	13.0変	15.13 変	特異		13.08	0.0	195		27	0	44133.5
α CrB	2.23変		B9IV	G	17.360	0.37	35.4	99.0	1.4	311	36751.52
ζ^1 Uma	2.27変		A2V		20.539	0.53	67.3	69.2	−6.3	285	38085.7
ι Ori	2.76変		O9III	B1III	29.134	0.76	111.9	195.7	31.3	130	51121.66
α And	2.17変		A0p		96.701	0.53	27.7	65.5	−10.0	77	47374.6
α Aur	0.06変		G5III	G0III	104.024	0.00	26.1	27.4	29.2	89	42040.9
β Ari	2.60変		A5V		106.994	0.88	34.1	66.6	−3.1	25	44809.1
κ Vel	2.50変		B2IV		116.65	0.19	46.5		21.9	96	16459.00
β Her	2.78変		G8III		413.1	0.59	12.3		−25.9	20	53310.9
η Boo	2.69変		G0IV		494.173	0.26	8.4		1.0	326	28136.19
β Per AB	2.12変		B8V	Am	680.081	0.23	12.0	31.6	3.7	313	34042.13
η Peg	2.96変		G2II	F0V	813	0.18	14.4		4.2	345	52025
τ Pup	2.92変		K0III		1066.0	0.09	4.1		36.4	64	20992.8
PSR 0820+02					1710	0.0	5.2			0	42910
α Phe	2.40変		K0III		3848.83	0.34	5.8		75.2	20	16201.85
α Tuc	2.85変		K3III		4197.7	0.39	7.2		42.2	49	18666.4
γ Per	2.94変		G8III	A3V	5329.89	0.79	13.7	18.6	3.1	350	32288.2
ε Aur	2.98変		F0Iap		9890	0.20	15.0		−1.4	346	33346
α UMi	2.02変		F8Ib	(A5)	11125.3	0.64	4.1		−16.4	307	25422.41
α CMi	0.35変		F5IV		14847.1	0.36	1.7		−4.1	88	
α UMa	1.79変		K0III	F	16070.7	0.35	2.0		−8.7	174	18636.2
α CMa	−1.47変		A1V	A5wd	18276.7	0.59	2.4		−7.6	146	
$\alpha^{1,2}$ Cen	−0.01変	1.33 変	G2V	K1V	29188.1	0.52	4.6	5.5	−22.4	52	35319.2

食　連　星

代表的な食連星(食変光星ともいう)を周期の順に掲げた．極大等級と深さは，視光または青色光(斜体)による．型は，光度曲線の種類(A：アルゴル型，B：こ座β型，W：おおぐま座W型）を示す．質量は太陽質量$M_\odot$を単位とする．分は，連星系のロッシュ・ローブと両成分星との大きさの比較による（D：分離型，D：半分離型，C：接触型)．星名に†をつけたものは，短時間に急激な増光を示激変星にも分類され，白色矮星を含む近接連星系を構成する．**天71** には，他の変星の例が挙げられている．

星名	周期	スペクトル型		極大等級	深さ		型	軌道傾斜角	質量		分類
		主星	伴星		第一極小	第二極小			主星	伴星	
	日			等	等	等		°	$M_\odot$	$M_\odot$	
AM CVn†	0.0122	DB		*13.86*	*0.03*	—	—				SD
WZ Sge†	0.0567	sdBe		15.21*	0.3	0.2	—	76	0.8	0.09	SD
U Gem†	0.177	sdBe	dM4	14.2*	0.8	—	—	67	1.18	0.56	SD
DQ Her†	0.194	sdBe	dM3	14.17*	1.7	—	—	70	0.62	0.44	SD
i Boo	0.268	G2V	G2V	5.3	0.17	0.14	W	68.1	0.96	0.49	C
W UMa	0.334	F8V	F8	7.9	0.73	0.64	W	80.3	1.29	0.86	C
AH Vir	0.408	K0V	K0	9.0	0.61	0.52	W	80.8	1.38	0.58	C
V566 Oph	0.410	F4V	F4V	7.5	0.46	0.41	W	78.2	1.30	0.44	C
UU Sge	0.465	sdO	KV	14.18	1.41	0.23	—	86.6	1.1	0.6	D
V471 Tau	0.521	DA	K2V	9.40	0.31		—	79.5	0.79	0.73	D
ε CrA	0.591	F2V	F3	4.74	0.26	0.19	W	70	1.5	0.15	C
YY Gem	0.814	M1Ve	M1Ve	9.27*	0.50	0.49	A	86.1	0.56	0.56	D
δ Cap	1.023	A7Ⅲm		2.83	0.22		A				
μ^1 Sco	1.440	B1V	B6	*2.93*	*0.28*	*0.17*	B	60.0	14.0	9.24	SD
V Pup	1.454	B1V	B3V	*4.74*	*0.51*	*0.49*	B	74.8	19.1	11.3	SD
ζ Phe	1.670	B6V	A0V	3.92	0.50	0.30	A	84.7	6.10	3.00	D
Her X-1	1.700	B–A		13.2			—	85	1.9	0.9	SD
U Cep	2.493	B7V	G8Ⅲ	6.80	2.30	0.09	A	86.4	3.19	1.53	SD
WW Aur	2.525	A3m	A4m	5.87	0.69	0.57	A	87.7	1.81	1.75	D
β Per	2.867	B8V	G8Ⅲ	2.12	1.28	0.07	A	81.2	3.15	0.74	SD
AO Cas	3.523	O9Ⅲ	O9Ⅲ	5.9	0.16	0.15	B	55.5	23.0	18.0	～C
λ Tau	3.953	B3V	A4Ⅳ	*3.5*	*0.50*	*0.09*	A	86	8.77	2.07	SD
β Aur	3.960	A2Ⅳ	A2Ⅳ	1.90	0.07	0.08	A	78.5	2.34	2.25	D
V444 Cyg	4.212	O6	WN5	*8.3*	*0.29*	*0.14*	A	78.4	25.6	10.1	SD
RS CVn	4.798	F4Ⅳ-V	K0Ⅳ	7.93	1.21	0.26	A	87	1.34	1.40	D
δ Ori	5.732	B0Ⅲ	O9V	*1.94*	*0.09*	*0.06*	A	67	26.9	10.2	D
η Ori	7.989	B0V	B0	*3.14*	*0.21*	*0.09*	B				
β Lyr	12.914	Bpe		3.34	1.00	0.50	B	80			
α CrB	17.360	A0V	G3	*2.21*	*0.11*	*0.02*	A	88.3	2.75	0.94	D
ε UMi	39.481	G5Ⅲ		4.22	0.06	0.03	A	82.4	2.36	1.19	D
υ Sgr	137.939	B8p	F2p	*4.34*	*0.10*	*0.06*	B				
μ Sgr	180.45	B8Iap		3.79	0.13		A				
ζ Aur	972.164	K4Ib	B6V	3.75	0.15		A	90	8.30	5.60	D
VV Cep	7430.	M2Ia	B1V	*6.65*	*0.81*		A	90	84.4	41.3	D
ε Aur	9892.	F0Iap		2.94	0.89		A	90			

*　これらは激変星ないし爆発型変光星でもあるが，静かなときの食変光星としての食外の等級を示した．

等級の種類と有効波長，空間吸収

等級の種類と有効波長　星の等級を測るときにもっとも有効に感ずる波長を，その星のその測定方法に関する有効波長という．星の（波長に依存する）輻射強度をI，測定方法の（波長に依存する）感度関数をS，光の波長をλとすれば，有効波長$=\int \lambda SI d\lambda \,/ \int SI d\lambda$．下の表は$I=$const. に対する有効波長と$S$の半値幅とを示す（単位 μm）．実際の星の輻射に対しては$I=$const. でないので，多少違った値を持つ．可視波長帯，赤外波長帯の詳細については，Fukugita et al. 1995, PASP, **107**, 945, Cox (ed.) 2000, Allen's Astrophysical Quantities をそれぞれ参照のこと．

光の空間吸収　遠距離の星の光は，星間物質による空間吸収のために実際よりも暗く見える．空間吸収は可視域では光の波長にほぼ反比例しており，青い光は赤い光よりも強く吸収される．そのため，遠方の星の光は実際よりも赤く見える．星の色指数(**天48**)の観測値と，その星のスペクトルに固有の平均色指数との差を色超過といい，空間吸収の目安となる．下表の空間吸収の値は，赤外線（有効波長 1.03 μm）に対する空間吸収を 0.27 等級とした場合の相対値である（Whitford 1948, ApJ, **107**, 102）．星間吸収の大きさは実視光で 1000 パーセクごとに～0.4–2.0 等ぐらいが一つの大ざっぱな目安であるが，実際は星間物質の密度分布に強く依存するので観測する天体の天球上の位置によってこれよりずっと大きい吸収になることもある（銀河面方向など）．

	等級の名称	有効波長 (μm)	半値幅 (μm)	空間吸収 (等級)	方法，文献
旧国際式	Pg(写真)	0.43	0.14	1.25	写真＋フィルター
	Pv(写真実視)	0.54	0.052	0.97	Seares & Joyner 1943, ApJ, **98**, 302
UBV式 (3色式)	U（紫外）	0.36	0.053	1.45	光電管＋フィルター，最近はCCD＋フィルターが多用される．
	B（青）	0.44	0.100	1.25	
	V（実視）	0.55	0.083	0.95	Johnson & Morgan 1953, ApJ, **117**, 313
赤	R_J（赤）	0.69	0.21	0.62	Johnson 1965, ApJ, **141**, 923 光電管＋フィルター，最近はCCD＋フィルターが多用される．
	I_J（近赤外）	0.88	0.17	0.27	
	R_C（赤）	0.66	0.16		Cousins 1978, MNSSA, **37**, 8
	I_C（近赤外）	0.81	0.15		Kron 1980, ApJS, **43**, 305
赤　外	J	1.26	0.31		HgCdTe 光起電力型（I, J, H, K），
	H	1.62	0.28		InSb 光起電力型（K, L, M）
	K	2.15	0.35		Si：As 光伝導型（M, N, Q）
	L	3.50	0.61		Johnson 1962, ApJ, **135**, 69
	M	4.85	0.62		Johnson 1965, ApJ, **141**, 923
	N	10.5	5.19		Low & Rieke 1974, Methods of
	Q	20.1	7.8		Experimental Physics, **12**, 415
中間帯域	u（紫外）	0.35	0.036		光電管＋干渉フィルター，最近はCCD＋干渉フィルターが多用される．
	v（紫）	0.41	0.020		Crawford & Barnes 1970, AJ, **75**, 978
	b（青）	0.47	0.018		
	y（黄）	0.55	0.024		
SDSS システム	u'（紫外）	0.35	0.063		CCD＋フィルター
	g'（緑）	0.48	0.14		Fukugita et al. 1996, AJ, **111**, 1748
	r'（赤）	0.62	0.14		
	i'（写真赤外）	0.76	0.15		
	z'（近赤外）	0.91	0.14		

天体の距離と絶対等級，赤方偏移

天体の距離　惑星など近い天体の距離は普通天文単位（**天 1** 参照）で表すが，恒その他の太陽系外の諸天体では，パーセク（pc）または光年を使う．1 パーセクは周視差(**天 32** 参照)1 秒に相当する距離で，年周視差 π 秒の天体の距離は $1/\pi$ パークとなる．1 光年は光が 1 年かかって到達する距離である．

絶対等級　一定の距離（10 パーセクすなわち 32.6 光年）から見た天体の等級を対等級といい，天体の実際の光度の大小を比較するために用いる．見かけの等級，絶対等級 M，年周視差 π（角度の秒）の間にはつぎの関係がある．

$$M = m + 5 + 5 \log \pi$$

の式によって m と π から M を求める．また，遠距離の星に対しては，ペクトルから推定した M と見かけの m から π（分光視差）を求めることができ．ただしこの場合は光の空間吸収（**天 46**）の補正が必要である．なお，$m-M$ 距離指数といい，天体の距離の表現法の 1 つである．

次表は距離の諸単位と距離指数との対照表である．

パーセク	光　年	天文単位	km	距離指数
3.24×10^{-14}	1.06×10^{-13}	6.68×10^{-9}	1	
4.85×10^{-6}	1.58×10^{-5}	1	1.50×10^{8}	−31.57
0.307	1	6.32×10^{4}	9.46×10^{12}	−7.57
1	3.26	2.06×10^{5}	3.09×10^{13}	−5.00

赤方偏移　より遠い天体までの距離は，赤方偏移（z）を使って表現することがい．赤方偏移とは，宇宙膨張によって生じる，遠くの天体からやってくる光の波のずれのことである．遠い天体ほど宇宙膨張に乗ってわれわれから大きい速度で ざかるため，観測される波長は伸びる．この伸び率（$\Delta\lambda/\lambda_0$）を赤方偏移（z）とし定義している．宇宙論パラメータを仮定することで，赤方偏移から距離（ルックックタイム，天体からの光が地球に到達するまでにかかる時間）に換算できる．

赤方偏移（z）	0.01	0.02	0.05	0.1	0.2	0.5	1	2	5	10
距　離（億光年）	1.44	2.86	7.00	13.5	25.2	52.2	79.6	105	126	133

換算には，ハッブル定数 $H_0 = 67.3\ \mathrm{km \cdot s^{-1}\ Mpc^{-1}}$ で，エネルギー密度に対する物質の密度の割合 $\Omega_m = 0.315$，暗黒エネルギーの割合（宇宙定数）$\Omega_\Lambda = 0.685$ を仮定．このとき宇宙年齢は 138 億年である．

Planck Collaboration et al. 2014, A&A, **571**, A16

星の光度，照度と輻射エネルギー

実視等級 $m_v = 0$ の星(天頂)による，地球上(大気外)の照度 $= 2.54 \times 10^{-6}$ ルクス

太陽($m_v = -26.75$)(天頂)による，地球上(大気外)の照度 $= 1.27 \times 10^{5}$ ルクス

実視絶対等級 $M_v = 0$ の星の光度 $= 2.45 \times 10^{29}$ カンデラ

太陽($M_v = +4.82$)の光度 $= 2.84 \times 10^{27}$ カンデラ

実視等級 $m_v = 0$ の星を地球（大気外）で観測したとき受ける輻射エネルギー（単位時間，単位面積，単位波長あたり）は，波長 555.6 nm（人間の目の感度の良い波長）で $3.56 \times 10^{-11}\ \mathrm{W \cdot m^{-2} \cdot nm^{-1}}$ (Gray, 2005, The Observation and Analysis of Stellar Atmospheres, 3rd ed.)

輻射等級 $m_{bol} = 0$ の星（天頂）から地球上（大気外）に来る全波長域にわたって積分した輻射エネルギー $= 2.48 \times 10^{-8}\ \mathrm{W \cdot m^{-2}}$

輻射絶対等級 $M_{bol} = 0$ の星の全輻射量 $= 2.97 \times 10^{28}$ W

太陽（$M_{bol} = +4.74$）の全輻射量 $= 3.85 \times 10^{26}$ W

Cox (ed.) 2000, Allen's Astrophysical Quantities による．

恒星の物理的諸量 (1)

(1) <u>有効温度</u> 星の表面の1 m^2 から1秒間に放出される光の全輻射量 E ジュールとするとき，ステファン・ボルツマンの法則 $E=5.67\times10^{-8}T_e^4$ 表される温度 T_e をその星の有効温度という．

(2) <u>輻射補正</u> 星からの全輻射量をポグソンの式(**天 32**)によって等級 表したもの(輻射等級)から実視等級を引いた差を輻射補正といい，一般に負 値になるがF型の星でもっともゼロに近づく．太陽(G2V型)の場合 −0.08である

(3) <u>色指数</u> 実視等級 V，青色等級 B，紫外線等級 U の相互の差をいい A0V型の場合にいずれも0になるように決められている．

(4), (5), (6) 主系列星の質量(太陽単位，$M_\odot$)，半径(太陽単位，$R_\odot$)，および 視絶対等級のおよその値を示す．実際の星の例は次頁参照．

スペクトル型（主系列）	(1) 有効温度	(2) 輻射補正	(3) 色指数 $B-V$	$U-B$	(4) 質量	(5) 半径	(6) 実視絶対等級
	K	等	等	等	$M_\odot$	$R_\odot$	等
O 5	45000	−4	} −0.3	−1.1	40	20	−5.5
B 0	29000	−2.8			15	8	−4
B 5	15000	−1.3	−0.16	−0.56	6	4	−1
A 0	9600	−0.2	0.00	0.00	3	2.5	+0.5
A 5	8300	0	+0.15	+0.11	2.0	1.7	+1.8
F 0	7200	0	+0.33	+0.03	1.7	1.4	+2.4
F 5	6600	0	+0.45	0.00	1.3	1.2	+3.2
G 0	6000	−0.1	+0.60	+0.12	1.1	1.0	+4.4
G 5	5600	−0.1	+0.68	+0.23	0.9	0.9	+5.1
K 0	5300	−0.2	+0.81	+0.46	0.8	0.8	+5.9
K 5	4400	−0.6	+1.15	+1.1	0.7	0.7	+7.2
M 0	3900	−1.2	+1.4	+1.2	0.5	0.6	+8.7
M 5	3300	−2.4	+1.6	+1.2	0.2	0.3	+12

(1), (2), (3) Schild et al. 1971, ApJ, **166**, 95 ; Davis & Webb 1970, IAU Symp., N 36 ; Johnson 1964, Bol. Tonantz. **3**. (4), (5) Allen 1973, Astrophysical Quantities. (6) Blaauw 1963, Basic Astr. Data.

主系列星，巨星，超巨星 スペクトル型(O, B, A, F, G, K, M)を横軸に 取り，絶対等級 M を縦軸に取って各恒星のスペクトル型と M との関係図，いわゆるヘルツシュプルング・ラッセル図(または略してHR図)を描くと，左 上から右下にかけての帯状の部分に多くの星が集まる．これを主系列という．

主系列星よりも明るい星を巨星，超巨星という．超巨星の絶対等級はおよそ −3から−8等，巨星はこれと主系列星（上表）との中間である．

白色矮星 絶対等級が+10から+20等程度で暗く，HR図上では主系列か らずっと下方に離れた星を白色矮星といい，高密度の縮退物質でできている (実例は**天 49**参照)．その空間密度はかなり大きい(**天 50**参照)．

恒星の物理的諸量 (2)

物理的諸量の実例　恒星の質量を直接に測りうるのは特定の観測条件をそなえた近距離の実視連星(1)と，食の観測される分光連星(2)に限られる．また半径は上の(2)の場合は直接決定される．あるいは(距離がわかれば角直径から半径は求まるので) 恒星干渉計(3)または強度干渉計(4)から角直径が測定されている場合も決定できる．表ではこれ以外の場合は輻射絶対等級と有効温度から角直径を算出して半径を導いている．視差は改訂ヒッパルコス星表 (2007) およびガイア DR2 (Gaia Data Release 2，値に † を付記) を採用し，質量と半径は太陽 ($M_\odot = 1.988 \times 10^{30}$ kg，$R_\odot = 6.960 \times 10^{8}$ m) を単位として表し，立体活字は実測値またはそれから導いた数値，斜体は統計(**天 48** など) を適用した数値またはそれを用いて導いた数値を示す．
＊は白色矮星(**天 48**)を，：は誤差が大きいと思われる数値を示す．

星名	スペクトル型	実視等級	視差 10^{-3}″	質量 $M_\odot$	角直径 10^{-3}″	半径 $R_\odot$	有効温度 K	平均密度 10^3 kg·m^{-3}	文献
太陽	G2 V	−26.75		1.00		1.00	5777	1.41	
η Cas A	G0 V	3.44	168	0.87		*1.03*	*5940*	*1.14*	1
η Cas B	M0 V	7.22	168	0.54		*0.81*	*3800*	*1.41*	1
40 Eri B*	DA	9.53	201	0.59		0.014	17100	3.3×10^5	6
α CMa A	A1 V	−1.46	379	2.14	6.0	1.7	10400	0.55	1, 3
α CMa B*	DA	8.44	379	0.98		0.0085	26000	2.3×10^6	6
α CMi A	F5Ⅳ-V	0.38	285	1.78	5.5	2.1	6450	0.25	1, 3
70 Oph A	K0 V	4.03	197	0.89		*0.85*	*5290*	*2.0*	1
70 Oph B	K6 V	5.98	197	0.66		*0.80*	*4250*	*1.8*	1
Kr. 60 A	M4 V	9.77	250	0.26		*0.32*	*3150:*	*11:*	1
Kr. 60 B	M6 V	11.43	250	0.16		*0.25:*	*2950:*	*14:*	1
Y Cyg A	O9.5	8.3:	0.58†	17.4		5.9	*30000:*	0.12	2
YY Gem A	M1e	9.82	66.2†	0.64		0.62	3800	3.8	2
Z Her A	F4Ⅳ-V	7.3:	11.7†	1.22		1.6	*6800:*	0.42	2
Z Her B	K0Ⅳ	7.9:		1.10		2.6	*4900:*	0.09	2
ζ Phe A	B6 V	3.9:	14.7†	6.1		3.4	*15000:*	0.22	2
ζ Phe B	A0 V	5.8:		3.0		2.0	*11000:*	0.53	2
Z Vul A	B3-4 V	7.9:	1.8†	5.4		4.7	*18000:*	0.074	2
Z Vul B	A2-3 Ⅲ	8.9:		2.3		4.7	*9100:*	0.031	2
ζ Aur A	K4 I b	4.0:	5.3†	8.3		160	*3700:*	2.4×10^{-6}	2
32 Cyg A	K6 I	4.2:	2.1†	23		350	*3200:*	7.5×10^{-7}	2
32 Cyg B	B3 V	5.6:		8.2		3.9	*19000:*	0.19	2
α Boo	K2 Ⅲp	−0.06	89		21	26	4200		3
α Sco	M1 I a	0.96	6:		40	720:	3500		3
β Peg	M2Ⅱ-Ⅲ	2.42	17		18	110	3300		3
o Cet	M7e	8.1	11:		53	570:	2000		3
α Leo	B7 V	1.35	41		1.4	3.7	13000		4
α Lyr	A0 V	0.03	130		3.2	2.6	9500		3
α PsA	A3 V	1.16	130		2.2	1.8	9300		3
α Aql	A7 V	0.77	195		3.5	1.9	8250		3
α Ori	M2Iab	0.42	7:		45	690:	3600:		5

(1), (2) Strand (ed.) 1963, Basic Astr. Data.　(3) Mozurkewich et al. 2003, AJ, **126**, 2502.
(4) Brown et at. 1967, MNRAS, **137**, 393.　(5) Dyck et al. 1996, AJ, **111**, 1705.
(6) Giammichele et al. 2012, ApJS, **199**, 29.

恒星の数と分布

全天の星の数　2 等より明るい星の数は（**天 33-35**）から数え，変光星は
（**天 39-40**）の最大等級とし，ほかは Allen 1973, Astrophysical Quantiti
によった．実視等級は 0.1 等の四捨五入で表してある．星比は 1 等級明るい
に対する数の比を表す．星明りは 1 平方度あたりの星の明るさを 10 等星の
に換算した値（**天 89** 参照）である．ただし，全天は約 41253 平方度である

1000 立方パーセクの空間中の星の数　太陽系近傍の空間に含まれる星の
を，スペクトル型と絶対等級に対して表にしたもので，HR 図（**天 39，48**
照）に相当する．空欄は信頼できる値がないことを表す．

観測される星のスペクトル型の頻度　ヘンリー・ドレーパーカタログの 8
等までの各スペクトル型の星の数の割合をパーセントで示す．

1 平方度あたりに観測される星の数　1 平方度あたりの星の数は，銀緯が高
ほど減少する．微光星ほど銀河赤道への集中度は強い．星の数は，この表では
れぞれの写真等級よりも明るい星の総数である（Allen 1973, Astrophysic
Quantities）．

全天の星の数

実視等級	星　数	星比	星明り
−1	2	—	1.2
0	7	(3.5)	1.7
1	12	(1.7)	1.2
2	67	(5.6)	2.6
3	190	2.8	2.9
4	710	3.7	4.3
5	2000	2.8	4.8
6	5600	2.8	5.4
7	1.6×10^{4}	2.8	6.1
8	4.3×10^{4}	2.7	6.5
9	1.2×10^{5}	2.8	7.2
10	3.5×10^{5}	3.0	8.4
11	8.7×10^{5}	2.5	8.4
12	2.3×10^{6}	2.7	9.0
13	5.6×10^{6}	2.4	8.6
14	1.3×10^{7}	2.4	8.2
15	3.2×10^{7}	2.4	7.9
16	6.9×10^{7}	2.1	6.7
17	1.4×10^{8}	2.0	5.3
18	2.8×10^{8}	2.0	4.2
19	4.2×10^{8}	1.5	2.5
20	7.1×10^{8}	1.7	1.7
21	1.3×10^{9}	1.8	1.2
>21.5	—	—	1.5
合計	2.9×10^{9}	—	118

1000 立方パーセクの空間中の星の数

M_v	O	B	A	F	G	K	M
−7	2×10^{-7}	5×10^{-7}	3×10^{-7}	3×10^{-7}	3×10^{-7}		
−6	5×10^{-7}	2.5×10^{-6}	1×10^{-6}	1×10^{-6}	1×10^{-6}	4×10^{-7}	$4\times10^{-}$
−5	1×10^{-6}	2.5×10^{-5}	1×10^{-5}	6×10^{-6}	8×10^{-6}	4×10^{-6}	$1\times10^{-}$
−4	3×10^{-6}	1.6×10^{-4}	1×10^{-5}	1.6×10^{-5}	2.5×10^{-5}	1.3×10^{-5}	$1.3\times10^{-}$
−3	1×10^{-5}	5×10^{-4}	5×10^{-5}	8×10^{-5}	8×10^{-5}	1×10^{-4}	$6\times10^{-}$
−2	1×10^{-5}	2.5×10^{-3}	8×10^{-5}	2×10^{-4}	3×10^{-4}	6×10^{-4}	$4\times10^{-}$
−1	1×10^{-5}	1.3×10^{-2}	1×10^{-3}	1.6×10^{-3}	1×10^{-3}	2.5×10^{-3}	$3\times10^{-}$
0	1×10^{-6}	2×10^{-2}	2×10^{-2}	2×10^{-3}	8×10^{-3}	2.5×10^{-2}	$1\times10^{-}$
1		3×10^{-2}	1×10^{-1}	3×10^{-2}	3×10^{-2}	1.2×10^{-1}	$1\times10^{-}$
2		2×10^{-2}	2×10^{-1}	1.6×10^{-1}	5×10^{-2}	1.1×10^{-1}	
3		1×10^{-2}	8×10^{-2}	7×10^{-1}	1.5×10^{-1}	1×10^{-1}	
4			3×10^{-2}	1.2	7×10^{-1}	1×10^{-1}	
5				6×10^{-1}	2	3×10^{-1}	
6				2×10^{-1}	1.5	1.5	$1\times10^{-}$
7				1×10^{-1}	8×10^{-1}	3	$1\times10^{-}$
8				1×10^{-2}	4×10^{-1}	2.5	1
9					2×10^{-1}	1.5	3
10		1×10^{-2}				4×10^{-1}	8
11		1×10^{-1}	3×10^{-2}	1×10^{-2}		2×10^{-1}	9
12		2×10^{-1}	4×10^{-1}	1×10^{-1}		1×10^{-1}	1×10
13		4×10^{-1}	6×10^{-1}	3×10^{-1}	1×10^{-1}	4×10^{-1}	1×10
14		8×10^{-1}	1	1	6×10^{-1}	8×10^{-1}	1×10
15		1.5	2	1	1.5	1.2	8
16		3	5	3	3		6

観測される星のスペクトル型の頻度

スペクトル型	O	B	A	F	G	K	M
星の数の%	1	10	22	19	14	31	3

1 平方度あたりに観測される星の数

写真等級	銀緯＝0°	±5°	±10°	±20°	±30°	±40°	±50°	±60°	±90°	平均
5	0.052	0.044	0.037	0.028	0.020	0.017	0.016	0.015	0.013	0.023
10	9.3	7.6	6.3	4.6	3.5	2.9	2.5	2.2	1.9	4.2
15	1200	1000	760	450	290	200	160	130	93	420
20	50000	50000	40000	16000	6000	4000	2500	2000	1300	15000

恒星の系統的運動

太陽運動　太陽近傍の個々の恒星の運動は，恒星集団全体の速度重心の運（銀河回転）と速度重心に相対的な無秩序運動（特有運動）との合成である．陽の特有運動をとくに太陽運動と称し，その方向を太陽向点と称する．太陽動の値と方向は準拠する太陽近傍星の種類やその解析方法に依存するが，表的なものを示す．太陽運動速度の3成分を，銀河系中心と反対方向 $u_⊙$，河回転方向 $v_⊙$，銀河円盤と垂直な方向 $w_⊙$ と表記している．

$u_⊙$ km·s^{-1}	$v_⊙$ km·s^{-1}	$w_⊙$ km·s^{-1}	全速度 km·s^{-1}	太陽向点 銀経	太陽向点 銀緯	文献
−9	12	7	16.5	53°	25°	Mihalas & Binney 1981, Galactic Astronomy
−11.10	12.24	7.25	18.0	48°	24°	Schönrich et al. 2010, MNRAS, **403**, 1829

恒星の速度分布　太陽近傍星の特有運動の速度分布は，三軸不等の楕円体速度楕円体）によってよい近似で表現される．速度分布のこのような非等方性恒星集団の統計的運動が未だ熱平衡状態に到達していないことを示す．速度円体の軸の向きおよび速度分散（$\sigma_1, \sigma_2, \sigma_3$）は，種類を異にした恒星集団ごと異なり，全速度分散は恒星集団の年齢のほぼ⅓−½乗に比例して増大する．

恒星の種類	色指数・スペクトル型	速度分散 σ_1	σ_2	σ_3	全速度分散	最長軸方向銀経
		km·s^{-1}	km·s^{-1}	km·s^{-1}	km·s^{-1}	°
主系列星	$0.14<B-V<0.31$	20	9	8	23	22.8
	$0.31<B-V<0.41$	22	12	9	27	19.8
	$0.41<B-V<0.47$	26	16	12	33	10.2
	$0.47<B-V<0.53$	30	18	13	37	6.9
	$0.53<B-V<0.58$	33	22	15	42	1.9
	$0.58<B-V<0.64$	38	23	21	49	10.2
	$0.64<B-V<0.72$	38	24	21	50	7.6
	$0.72<B-V<1.54$	37	26	18	49	13.1
巨　星	A型	22	13	9	27	27
	F型	28	15	9	33	14
	G型	26	18	15	35	12
	M型	31	21	16	41	7
準矮星		100	75	50	135	—
RR Lyr		180	111	93	231	—

Dehnen&Binney 1998, MNRAS, **298**, 387；Delhaye 1965, Stars and Stellar Systems, d. Blaauw & Schmidt, p. 61；Martin & Morrison 1998, AJ, **116**, 1724

運動星団　運動方向が共通で空間的に一群をなす数十ないし数百個の恒星集団を運動星団という．本来は散開星団（天 **56**）と同等のものである．運動星団を構成するメンバー星の固有運動・視線速度の大きさはほぼ一定であり，固有運動の向きは天球上のある1点に収束するように見える．この1点を運動星団の向点または収束点という．

名称	視線速度	固有運動 $\mu_\alpha \cos\delta$	固有運動 μ_δ	太陽に対する運動速度	向点(2000年分点) 赤経	向点(2000年分点) 赤緯
	km·s^{-1}	10^{-3}(″·年$^{-1}$)	10^{-3}(″·年$^{-1}$)	km·s^{-1}	°	°
ヒアデス	38.4	106.0	−29.6	45.4	98	6
Coma Ber	−1.2	−11.8	−8.7	6.1	102	−38
プレアデス	5.7	20.1	−45.4	28.9	93	−48
プレセペ	33.6	−35.8	−12.9	47.0	89	1
α Per	−1.6	22.7	−26.5	28.6	103	−33

van Leeuwen 2009, A&A, **497**, 209

太陽系外惑星系

系外惑星系の概要

主系列星を周回する 1/2 木星質量の天体の発見（1995 年）を契機として，系外惑星の観測と理は現代天文学の中心課題の 1 つとなった．2024 年 6 月までに約 5900 個以上の確認済み惑星が見されている．Kepler 衛星による系外惑星は約 2800 個，TESS 衛星による系外惑星も 470 個程確認されている．この発見ラッシュの背景には，1930 年代からの van de Kamp らによるバーナド星の観測や，Wolszczan らによるパルサーの惑星の発見（1992 年），Walker らの 12 年にもわる木星型惑星検出の試み（1995 年）などがあった．

おもな間接観測方法

1)　ドップラー法　　惑星の公転運動によって恒星自体も影響を受け，その位置や速度はふらく．この手法はその速度変動を測定する（別名，動径速度法）．1995 年の Mayor と Queloz によペガスス座 51 番星の観測（2019 年ノーベル物理学賞受賞）以来，成功している．太陽系の木星よび地球の公転による太陽の速度変動はそれぞれ 13 $m \cdot s^{-1}$ および 0.1 $m \cdot s^{-1}$ で，巨大惑星の検でさえも数 $m \cdot s^{-1}$ の速度精度が要求される．この手法により，惑星質量の下限値，軌道長半径離心率が求められる．

2)　アストロメトリー法　　惑星の公転による恒星の位置変動を精密測定することによって惑の存在を示す方法．古くから試みられたが，系外惑星検出に必要な位置測定精度は大気ゆらぎにべてはるかに小さい．10 pc の距離から太陽系を観測した場合，木星の影響で太陽は 0.5 ミリ秒角らつく．地球型惑星検出のためにはマイクロ秒角の精度が必要となる．

3)　トランジット法　　惑星が恒星の前面を通過することによる明るさの微小変化を検出する法(掩蔽法)．木星および地球による光度変化はそれぞれ約 1% および 0.01%．2000 年に Charboneau らは，ドップラー法の速度変動に合わせて HD209458 の光度変化を初めて検出し，独立な 2 の間接法によって惑星の存在が確立された．Kepler 衛星により多数の惑星が発見された．

4)　重力マイクロレンズ法　　遠方にある天体からの光が途中の恒星の重力により屈折し焦点結ぶ(重力レンズ)．レンズ天体が相対的に移動し，かつ，像が分解できない場合，明るさに特徴な増光パターンが見られる．さらに，レンズ天体に惑星が存在する場合，その増光曲線にはスパク状の非対称性が生じる．この増光をモニタ観測により検出することで惑星の存在が示唆される．

5)　パルサータイミング法　　惑星の公転運動による，中性子星からの規則的パルスのドップラー効果による周期変動を電波観測により検出する．パルサー PSR 1257＋12 は最初に（普通の恒星の周りではないが）系外惑星が発見された天体．下表ではパルサー以外のタイミング法も含む．

直接観測方法

惑星からの光を直接に撮像する観測である．そのためには高感度，高解像度，高コントラストを同時に実現する必要がある．最大の問題は，コントラストであり，惑星からの光は可視光および近赤外波長では太陽からの光の反射が主で，明るさの比は 9–10 桁にも達する．中間赤外より長波長では惑星自体の熱放射のため両者の明るさの比は多少緩和されるが，それでも約 7 桁となる．下表では，主星が褐色矮星の場合は除いた．

太陽系外惑星の観測の統計

手　法	惑星数	備　考
ドップラー法	1212	
トランジット法	4276	他の手法で確認済
マイクロレンズ法	287	
パルサータイミング法	111	パルサー以外も含む
直接撮像法	19	13 木星質量以下，100 au 以内，主星が恒星

2024 年 6 月時点．これら以外の手法で検出された惑星も存在する．

系外惑星の代表例

観測法	名前	質量下限値（木星質量）	軌道長半径（au）	周期（日）	距離（pc）	備考
ドップラー法	ペガスス座 51 番星 b	0.47	0.05	4.2	15	主系列星の周りで最初に発見された系外惑星
	かに座 55 番星 b	0.82	0.12	14.7	13	多重惑星系，かつ，主星に星周ダストが存在
	同 c	0.17	0.24	44.3	13	
	同 d	3.84	5.77	5 218	13	木星に類似
	同 e	0.027	0.016	0.7	13	
	同 f	0.14	0.78	260	13	
	HD20782b	1.9	1.4	592	36	これまでで離心率が最大（0.97）の系外惑星
	エリダヌス座 ε 星 b	1.55	3.4	2 502	3	30–60 au の距離に非対称なダストリングが存在
	プロキシマ b	0.004	0.049	11.2	1.3	太陽系にもっとも近い恒星まわりの惑星（1.3 地球質量）
	ロス 508b	0.012	0.053	10.8	11	赤外線ドップラー法で初検出
トランジット法＋ドップラー法	Kepler-11b	0.014	0.091	10.3	—	4 地球質量，ケプラー衛星が発見した多重惑星系
	同 c	0.043	0.106	13.0	—	14 地球質量
	同 d	0.019	0.159	22.7	—	6 地球質量
	同 e	0.026	0.194	32.0	—	8 地球質量
	同 f	0.007	0.25	46.7	—	2 地球質量
	同 g	<0.95	0.462	118.4	—	<302 地球質量
	HAT-P-7b	1.8	0.038	2.2	320	逆行惑星
	HD189733b	1.15	0.031	2.2	19.3	惑星大気中にナトリウム，水蒸気，メタンが発見された
	HD149026b	0.36	0.043	2.9	79	巨大コアを持つと考えられる惑星
	HD209458b	0.64	0.047	3.5	47	トランジット法とドップラー法で最初に確認された惑星
	トラピスト 1 b〜h	0.4–1.4 地球質量	0.02–0.06	1.5–20	12.1	7 個の地球型惑星系，トランジットタイミング法質量
	グリーゼ 12b	0.96 地球質量	0.07	12.8	12	赤外ドップラー法＋トランジット
それ以外の手法	PSR 1257＋12b	0.020 地球質量	0.19	25.3	300	パルサー法で発見，4 重惑星系
	同 c	4.3 地球質量	0.36	66.5	300	
	同 d	3.9 地球質量	0.46	98.2	300	
	OGLE-2013-BLG-0341 Lb	1.7 地球質量	0.70	—	910	マイクロレンズ法によって発見された中で最小質量の系外惑星の1つ
	S Ori 70	3	—	—	440	準褐色矮星の例，直接観測，類似天体候補多数
	HR8799b	7	68	470 年	39	A 型星を周回する惑星（直接撮像，年齢 6000 万年仮定）
	同 c	10	38	190 年	39	
	同 d	10	24	100 年	39	
	同 e	9	14.5	50 年	39	
	GJ 504 b	3	44	—	57	G 型星を周回する惑星（直接撮像，年齢 1 億年仮定）
	アンドロメダ座 κ 星 b	13	56	—	52	B 型星を周回する惑星（直接撮像，年齢 3000 万年仮定）
	ぎょしゃ座 AB 星 b	9	94	—	144	原始惑星（直接撮像，年齢 200 万年仮定）

本表には，まだ確定していない候補天体も含めてある．

注 1：褐色矮星は水素の核融合が安定して起こらないが重水素は燃焼する天体，惑星は重水素も燃焼しないほど軽くかつ恒星を周回する天体と定義されている．ほぼ木星質量の 13 倍がその境界．恒星を周回しない孤立した惑星質量天体は準褐色矮星または亜褐色矮星（sub-brown dwarf）と呼ばれる．浮遊惑星ともいう．マイクロレンズ法でも検出された．

注 2：ドップラー法とパルサー法による質量は軌道傾斜角の不確定性があるので下限値（$M \sin i$）．

注 3：トランジット法からは軌道傾斜角が求まるので，質量は下限値ではなく確定値．

注 4：最新のデータは Schneider, J. http://exoplanet.eu/ を参照．

褐色矮星

褐色矮星とは，質量が小さすぎるため安定して水素核融合反応を起こすとができない超低質量天体である．木星質量の約 80 倍(約 0.08 太陽質量)以の天体が対応する．このような天体は，誕生直後は収縮時の重力エネルギー重水素核融合反応などの影響で赤外線波長では比較的明るいが，時間ととに冷却して，可視光波長では非常に暗い天体となる．星のスペクトル型とは，M 型星の一部，それより低温の温度系列で L 型星の一部，T 型星の全が褐色矮星に対応する．林忠四郎・中野武宣とクマーによりすでに 1963 年理論的にその存在が予想されていたが，確実に褐色矮星と呼べるものは，よやく 1995 年に散開星団中のメンバーあるいは恒星の伴星として発見された現在では L 型褐色矮星と分類されている最初の例は 1988 年に発見された．近の広域探査によって銀河系内のフィールド，散開星団，星形成領域において，孤立している褐色矮星が多数発見されつつある．同様の超低質量天体のち，木星質量の 13 倍以下で恒星を周回するものを惑星と呼ぶことが多い．

褐色矮星の代表例

名称	2000 年分点		赤外等級 (等)*	距離 (光年)	質量 (木星質量)	スペクトル型	発見年	備考
	赤経	赤緯						
GD165 B	$14^{h}\ 24^{m}$	$+09^{\circ}\ 17'$	14.1	103	～70	L4	1988	白色矮星の伴星
Gliese 229 B	06 11	−21 52	14.4	19	40	T6	1995	M 型星の伴星
Teide 1	03 47	+24 23	15.1	380	55	M8	1995	散開星団メンバー
OTS 44	11 10	−76 32	14.6	554	～12	M9.5	1998	若い浮遊惑星
Orion 107-453	05 35	−05 25	17.9	1500	～5	～M8	2005	若い浮遊惑星
DANCe-3345	16 08	−23 04	16.8	473	～4	L6	2022	同領域で約 100 個の若い浮遊惑星発見
2M1207 A	12 08	−39 33	11.9	230	～25	M8	2002	惑星質量の伴星を持つ
2M1207 B	12 08	−39 33	16.9	230	～6	M8.5-L4	2004	連褐色矮星
Luhman 16A	10 49	−53 19	8.8	6.5	～5	L7.5	2013	太陽最近傍の連褐色矮星
Luhman 16B	10 49	−53 19	8.9	6.5	～4	T0.5	2013	
WISEP J1541	15 41	−22 50	～21	27	～12	Y0	2011	最低温褐色矮星の1つ (～350 K)
UGPS0722	07 22	−05 40	17.1	13	～10	T10	2010	地上観測で最低温 (～520 K) の1つ

* K または Ks バンド (波長約 2 μm) での等級.

銀　河　系

銀河系は，アンドロメダ銀河(NGC224)と同種の大型渦巻銀河であって，円盤部，円体部および暗黒ハロー部から構成される．円盤部は，高速で銀河回転する dG，K，dM 型星，O，B 型星，散開星団，星間ガスなどの重元素量の多い種族 I の天体らなる．星間ガスや散開星団は，円盤部において渦巻状に分布し，いて，オリオ，ペルセウスの 3 本の渦巻腕が明瞭に見える．太陽は，オリオン腕の銀河中心側ふちに位置する．楕円体部は，ほとんど銀河回転を示さない球状星団，星団型変星などの重元素量の少ない種族 II の天体からなる．暗黒ハロー部は，円盤部と楕体部を覆う不可視部分であって，球状星団やマゼラン雲などの伴銀河の運動，銀河と同種の銀河の銀河回転がその存在を示唆している．暗黒ハロー部の拡がりや質量関する確からしい数値はまだ不明であるが，球状星団や伴銀河の運動を用いた近年研究によると，銀河系可視部分の 10 倍ほどの拡がりや質量に達するものと推定れている．

銀河系円盤部の有効直径　10 万光年
球状星団系の有効直径　15 万光年
銀河系円盤部の厚さ　1.5 万光年(中核部)　0.2 万光年(太陽近傍)
銀河系の可視総質量　$10^{11}\ M_\odot$ ($M_\odot$は太陽質量)
太陽位置 †　銀河面内にあって銀河中心からの距離　2.8 ± 0.3 万光年
太陽近傍における銀河回転速度 †　220 ± 20 km・s^{-1}
太陽近傍における物質密度（星 + 星間ガス）　$4.3 \times 10^{-3}\ M_\odot$・(光年)$^{-3}$
太陽近傍における星間ガス密度　$5.8 \times 10^{-4}\ M_\odot$・(光年)$^{-3}$ = 0.8 水素原子・cm^{-3}

† 1985 年 IAU 第 33 委員会勧告値．近年の測定では，太陽位置が 2.6〜2.7 万光年で太陽近傍における銀河回転速度が 220 km・s^{-1} を超えている傾向があるが，確かな数値はまだ定まっていない．

銀河座標　天球上，電波強度(**天 74**)最大の大円(天の川の中心線にほぼ合致)を銀河赤道として銀河座標（銀経 l，銀緯 b）を定義する．銀経 l は，銀河中心とみなされているいて座の電波源 Sgr A の方向を基準にして測られる．赤道座標(1950.0)から銀河座標への換算は，理科年表 1989 年版天 65 を参照．J2000.0 分点の赤道座標からの変換には，以下の値を用いる．

銀河北極の赤経	$\alpha = 192^\circ\!.85948$	2000.0 年分点
銀河北極の赤緯	$\delta = +27^\circ\!.12825$	
銀河赤道の対赤道昇交点	$l = 32^\circ\!.93192$	

銀河回転　銀河系の回転速度分布は，銀河面に分布する中性水素ガス，H II 領域，CO 分子雲，散開星団，O，B 型星などの視線速度・固有運動の解析から得られる．銀河中心から 15 kpc の距離に至るまでの領域の銀河回転速度分布を天第 9 図に示す．最近の電波 VLBI 観測によれば，銀河中心からの距離が 3 kpc から 15 kpc の範囲では，回転速度がほぼ一定であるといわれている．さらに外側領域の銀河回転如何によって，銀河系の総質量は大きく左右されうる．

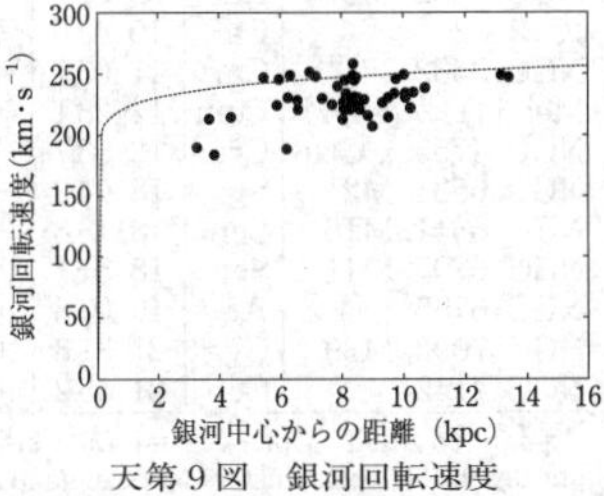

天第 9 図　銀河回転速度
Honma et al. 2012, PASJ, **64**, 136

銀 河 系 内

多数の恒星が天球の一小部分に密集しているものを星団といい，散開星団
球状星団の2種類がある．前者は比較的散漫な集団で，一般に距離は近い
後者は球状で中心に近いほど星が密集しており，一般に距離は遠い．散開星
は銀河面付近に多く約1500個，球状星団は銀河中心方向とそれを取り囲む
うに高銀緯のハローにまで広く分布し，約150個発見されている．散開星団

散開星団（おもなもの）

名　称	星座	2000年分点 赤　経	2000年分点 赤　緯	銀経 l	銀緯 b	視直径	一番明るい星	距離	色指数 ($B-$
		h　m	°　′	°	°	′	等	千光年	
NGC 188	Cep	00 47.5	+85 15	122.8	+22.4	13	10	5.05	0.8
NGC 581, M103	Cas	01 33.4	+60 39	128.1	− 1.8	6	9	8.80	0.3
NGC 752	And	01 57.7	+37 47	137.1	−23.3	49	8	1.30	0.7
NGC 869, h Per[1]	Per	02 19.0	+57 07	134.6	− 3.7	29	7	7.17	0.4
NGC 884, χ Per[1]	Per	02 22.4	+57 07	135.1	− 3.6	29	7	7.50	0.4
NGC 1039, M34	Per	02 42.1	+42 45	143.7	−15.6	35	9	1.43	0.1
NGC 1245	Per	03 14.7	+47 14	146.6	− 8.9	10	12	7.50	0.7
Mel 20, α Per	Per	03 22.1	+48 37	146.6	− 5.9	184	3	0.55	
M45, プレアデス	Tau	03 47.0	+24 07	166.6	−23.5	109	3	0.41	
NGC 1528	Per	04 15.4	+51 12	152.1	+ 0.3	23	10	2.61	0.4
Mel 25, ヒアデス	Tau	04 26.9	+15 52	180.1	−22.3	329	4	0.16	0.4
NGC 1912, M38	Aur	05 28.7	+35 50	172.3	+ 0.7	21	8	4.30	0.2
NGC 1960, M36	Aur	05 36.3	+34 08	174.5	+ 1.1	12	9	4.14	0.0
NGC 2099, M37	Aur	05 52.3	+32 33	177.6	+ 3.1	23	11	4.40	0.5
NGC 2264, S Mon	Mon	06 41.0	+09 53	202.9	+ 2.2	20	5	2.45	
NGC 2324	Mon	07 04.1	+01 02	213.5	+ 3.3	7	12	9.45	0.4
NGC 2362	CMa	07 18.7	−24 57	238.2	− 5.5	8	8	5.05	
M 44, プレセペ	Cnc	08 40.0	+19 59	205.5	+32.5	95	6	0.59	
IC 2391	Vel	08 40.5	−53 02	270.4	− 6.8	49	4	0.46	
NGC 2682, M67	Cnc	08 51.3	+11 48	215.7	+31.9	29	9	2.35	0.70
IC 2602	Car	10 43.0	−64 24	298.6	− 4.9	49	3	0.51	
NGC 3532	Car	11 05.7	−58 45	289.6	+ 1.3	55	8	1.63	0.28
Mel 111, かみのけ	Com	12 25.1	+26 06	221.4	+84.0	275	5	0.28	0.46
NGC 4755, κ Cru	Cru	12 53.7	−60 21	303.2	+ 2.5	10	7	7.63	0.31
NGC 6531, M21	Sgr	18 04.2	−22 29	7.7	− 0.4	13	8	4.24	0.12
NGC 6611, M16	Ser	18 18.8	−13 48	17.0	+ 0.8	6	11	8.15	0.58
NGC 6705, M11	Sct	18 51.1	−06 16	27.3	− 2.8	13	11	5.61	0.52
NGC 6755	Aql	19 07.8	+04 16	38.6	− 1.7	14	11	4.89	1.10
NGC 7092, M39	Cyg	21 31.8	+48 26	92.4	− 2.2	31	7	0.88	0.06
NGC 7142	Cep	21 45.2	+65 46	105.3	+ 9.5	4	11	3.26	1.06

Lynga (ed.) 1987, Open Cluster Data 5th Edition および Dias et al. 2002, New catalogue o
optically visible open clusters and candidates による．

1) 2つをまとめて h+χ Per と呼ぶこともある．

の 星 団

状星団とでは構成する星の種族(年齢と重元素量)が系統的に異なり，前者
若くて重元素量が多いのに対して，後者は古くて重元素量が少ない．次表は
のおもなもので，記号 NGC，IC，M はそれぞれ Dreyer の New General
atalogue，Index Catalogue および Messier の星表の番号．Pal は Palomar
図から Abell が発見したもの．

球状星団（おもなもの）

名　称	星座	2000 年分点 赤　経	赤　緯	銀経 l	銀緯 b	潮汐直径	実視等級	距離	色指数 $(B\text{-}V)$
		h　m	°　′	°	°	′	等	千光年	
NGC 104, 47Tuc	Tuc	00 24.1	−72 05	305.9	−44.9	94	4.0	14.7	0.88
NGC 2419	Lyn	07 38.1	+38 53	180.4	+25.2	17	10.4	274.5	0.66
Pal 4	UMa	11 29.3	+28 58	202.3	+71.8	7	14.2	356.0	
NGC 4147	Com	12 10.1	+18 33	252.9	+77.2	13	10.3	62.9	0.59
NGC 4590, M68	Hya	12 39.5	−26 45	299.6	+36.1	61	7.8	33.3	0.63
NGC 5024, M53	Com	13 12.9	+18 10	333.0	+79.8	44	7.6	58.0	0.64
NGC 5053	Com	13 16.5	+17 42	335.7	+78.9	27	9.5	53.5	0.65
NGC 5139, ω Cen	Cen	13 26.8	−47 29	309.1	+15.0	114	3.7	17.3	0.78
NGC 5272, M3	CVn	13 42.2	+28 23	42.2	+78.7	76	6.2	33.9	0.69
NGC 5466	Boo	14 05.5	+28 32	42.2	+73.6	68	9.0	51.8	0.67
Pal 5	Ser	15 16.1	−00 07	0.9	+45.9	33	11.8	75.6	
NGC 5904, M5	Ser	15 18.6	+02 05	3.9	+46.8	57	5.7	24.5	0.72
NGC 6121, M4	Sco	16 23.6	−26 32	351.0	+16.0	65	5.6	7.2	1.03
NGC 6171, M107	Oph	16 32.5	−13 03	3.4	+23.0	35	7.9	20.9	1.10
NGC 6205, M13	Her	16 41.7	+36 28	59.0	+40.9	50	5.8	25.1	0.68
NGC 6218, M12	Oph	16 47.2	−01 57	15.7	+26.3	35	6.7	16.0	0.83
NGC 6254, M10	Oph	16 57.1	−04 06	15.1	+23.1	43	6.6	14.3	0.90
NGC 6266, M62	Oph	17 01.2	−30 07	353.6	+ 7.3	18	6.5	22.5	1.19
NGC 6341, M92	Her	17 17.1	+43 08	68.3	+34.9	30	6.4	26.7	0.63
NGC 6356	Oph	17 23.6	−17 49	6.7	+10.2	16	8.3	49.6	1.13
NGC 6397	Ara	17 40.7	−53 40	338.2	−12.0	32	5.7	7.5	0.73
NGC 6402, M14	Oph	17 37.6	−03 15	21.3	+14.8	66	7.6	30.3	1.25
NGC 6522	Sgr	18 03.6	−30 02	1.0	− 3.9	33	8.3	25.4	1.21
NGC 6656, M22	Sgr	18 36.4	−23 54	9.9	− 7.6	58	5.1	10.4	0.98
NGC 6712	Sct	18 53.1	−08 42	25.4	− 4.3	15	8.1	22.5	1.17
NGC 6779, M56	Lyr	19 16.6	+30 11	62.7	+ 8.3	17	8.3	32.9	0.86
NGC 6838, M71	Sge	19 53.8	+18 47	56.7	− 4.6	18	8.2	13.0	1.09
NGC 7078, M15	Peg	21 30.0	+12 10	65.0	−27.3	43	6.2	33.6	0.68
NGC 7089, M2	Aqr	21 33.5	−00 49	53.4	−35.8	43	6.5	37.5	0.66
NGC 7492	Aqr	23 08.4	−15 37	53.4	−63.5	17	11.3	84.1	0.42

Harris (ed.) Catalog of Parameters for Milky Way Globular Clusters：The Database 2003；
Harris 1996, AJ, **112**, 1487 による．

銀河系内の星雲

星間空間で，電離ガスが発光，または固体微粒子が反射散乱光で輝くと，星間物質の度の高い領域は，星雲として見える．

散光星雲 近くの励起星によって光る電離領域（Emission の略記：E）および照明星よる反射星雲（Continuum の略記：C）で，直径は数十光年に達し，若い散開星団を伴ていることが多い．

惑星状星雲（略記：PN） 年老いた巨星から放出されたガスが，高温の中心星からの外線によって励起されて光るもので，直径は1光年位，寿命は数万年の程度である．

超新星残骸（略記：SNR） 超新星爆発の衝撃波で圧縮されたガスが光るもので，直径100光年位，寿命は10万年位である．

名称	星座	2000年分点 赤経	赤緯	銀経 l	銀緯 b	視直径	距離	分類記号
		h m	° ′	°	°	′	千光年	
NGC 7822, S171, W1	Cep	00 04	+68 37	119	+ 6	170	5.0	E
NGC 246	Cet	00 47	−11 53	119	−75	4	1.3	PN
NGC 281	Cas	00 52	+56 36	123	− 6	12	5.5	E
IC 1795, W3	Cas	02 26	+61 51	133	+ 1	20	6.4	E
IC 1805, W4	Cas	02 33	+61 26	135	+ 1	50	6.2	E
IC 1848, W5	Cas	02 51	+60 25	137	+ 1	50	4.9	E
NGC 1432	Tau	03 45	+24 22	167	−24	40	0.41	C
NGC 1499, カリフォルニア星雲	Per	04 00	+36 37	161	−12	140	2.3	E
NGC 1952, M1, かに星雲	Tau	05 34	+22 01	185	− 6	5	7.2	SNR
NGC 1976-7, M42, オリオン星雲, W10	Ori	05 35	−05 27	209	−19	35	1.4	E
IC 434, W12	Ori	05 41	−02 24	207	−17	30	1.1	CE
NGC 2068, M78	Ori	05 46	+00 03	205	−14	4	1.6	C
NGC 2174-5, W13	Ori	06 09	+20 30	190	0	15	5.2	E
NGC 2237-38-44-46, ばら星雲, W16	Mon	06 32	+05 03	206	− 2	60	4.6	E
NGC 2261, ハッブル変光星雲	Mon	06 39	+08 44	204	+ 1	0.5	4.9	CE
NGC 2264	Mon	06 40	+09 54	203	+ 2	60	2.6	E
NGC 3132, 8の字星雲	Ant	10 07	−40 26	272	+12	0.8	3.8	PN
NGC 3587, M97, ふくろう星雲	UMa	11 14	+55 01	148	+57	3	1.8	PN
NGC 6514, M20, 三裂星雲	Sgr	18 02	−23 02	7	0	15	5.6	E
NGC 6523, M8, 干潟星雲, W29	Sgr	18 03	−24 23	6	− 1	25	3.9	E
NGC 6611, M16, わし星雲, W37	Ser	18 18	−13 47	17	+ 1	12	5.5	E
NGC 6618, M17, オメガ星雲, W38	Sgr	18 20	−16 11	15	− 1	20	6.5	E
NGC 6720, M57, 環状星雲	Lyr	18 53	+33 02	63	+14	1	2.6	PN
NGC 6853, M27, あれい星雲	Vul	19 59	+22 43	61	− 4	7	0.82	PN
NGC 6960-92-95, 網状星雲	Cyg	20 45	+30 43	75	− 9	150	1.8	SNR
IC 5067-68-70, ペリカン星雲, W80	Cyg	20 48	+44 22	85	0	60	2.0	CE
NGC 7000, 北アメリカ星雲, W80	Cyg	20 58	+44 20	86	− 1	100	2.0	CE
NGC 7009, 土星状星雲	Aqr	21 04	−11 22	37	−34	0.7	4.1	PN
NGC 7027	Cyg	21 07	+42 14	84	− 3	0.3	4.4	PN
NGC 7293, らせん状星雲	Aqr	22 29	−20 48	36	−57	13	0.49	PN

Bečvář 1964；Allen 1973, Astrophysical Quantities；Cahn & Kaler 1971, ApJS, **22**, 319；Sk Catalog 2000.0.；Stanghellini et al. 2008, ApJ, **689**, 194 （天69，71，76参照）

銀　　河　(1)

銀河系外にあって，わが銀河系と同等の規模構造を持つ天体を銀河と呼び，形状によって大きく楕円（E），レンズ状（S0），渦巻（S），不規則（I）型の系列に分類する．この系列に沿ってEとSを細分する．Eは丸いものから扁平なものへ0から7の数字で，Sは渦巻の閉じたものから開いたものへa, b, c, d, mの文字で左から右に並べる．ハッブル系列と呼ばれるこの系列で，左（E側）にあるほど早期型，右(I側)にあるほど晩期型と呼ぶ．ただし，この用語法は実際の銀河の進化とは関係ない．棒状構造の有無をA（棒なし），B（棒あり），AB（中間）で表す．分類型記号後尾のpは特異性，先頭のdは矮小を示す．

銀河系とアンドロメダ銀河を中心として半径300万光年程度の範囲の銀河集団を局所銀河群と呼ぶ．下表に銀河系を除くそのおもなメンバーを，また次頁の表にはそれ以外の明るい銀河を掲げた．距離はTully et al. 2016, AJ, 152, 50から採った．複数の距離決定法による値の平均と標準偏差をそれぞれ距離と不確かさとして示した（理科年表2021年版トピックス参照）．

局所銀河群の銀河

名　称	2000年分点 赤経	2000年分点 赤緯	銀経 l	銀緯 b	型	等級 B	色指数 $B-V$	視直径	距離
	h　m	°　′	°	°		等	等	′　′	万光年
NGC 147	00 33.2	+48 30	119.8	−14.3	E5p	10.4	0.94	13× 8	218(15)
NGC 185	00 39.0	+48 20	120.8	−14.5	E3p	10.1	0.90	11× 10	206(13)
NGC 205, M110	00 40.4	+41 41	120.7	−21.1	E5p	8.9	0.84	17× 10	264(19)
NGC 221, M32	00 42.7	+40 52	121.2	−22.0	E2	9.2	0.94	8× 6	253(19)
NGC 224, M31	00 42.7	+41 16	121.2	−21.6	SAb	4.4	0.91	180× 63	250(14)
SMC	00 52.7	−72 50	302.8	−44.3	SBmp	2.8	0.50	280×160	20(1)
ちょうこくしつ座	01 00.0	−33 42	287.8	−83.2	dE3p	9	—	20× 20:	27(2)
IC 1613	01 04.8	+02 07	129.7	−60.6	IABm	10.0	0.60	12× 11	243(11)
NGC 598, M33	01 33.9	+30 39	133.6	−31.3	SAcd	6.3	0.55	62× 39	296(14)
ろ座	02 39.9	−34 31	237.3	−65.7	dE0p	9.0	—	20× 14	48(4)
LMC	05 23.6	−69 45	280.5	−32.9	SBm	0.6	0.55	650×550	16(1)
りゅうこつ座	06 41.6	−50 58	260.1	−22.2	dE	10.4:	—	24× 16:	35(3)
しし座I	10 08.5	+12 18	226.0	+49.1	dE3	11.1	0.97	11× 8	84(5)
しし座II	11 13.5	+22 10	220.2	+67.2	dE0p	12.4:	0.90	14× 13	78(6)
こぐま座	15 08.8	+67 12	105.0	+44.8	dE4	11.6:	—	32× 21	22(3)
りゅう座	17 20.0	+57 55	86.4	+34.8	dE0p	11.9:	—	40× 25	26(3)
NGC 6822	19 44.9	−14 48	25.3	−18.4	IBm	9.4	—	10× 10	157(9)

局所銀河群に属するとされる銀河は上表記載のもののほか，近年発見された非常に暗いものも含めると全体で90個近くになる．表中M31はアンドロメダ銀河，SMCは小マゼラン雲，LMCは大マゼラン雲．(:)は極めて不確かな値につけた．距離の欄のかっこ内の数字が不確かさ．

銀　河 (2)

局所銀河群以外の明るい銀河

名　称	星座	2000年分点 赤経	2000年分点 赤緯	銀経 l	銀緯 b	型	等級 B	色指数 $B-V$	視直径	距離
		h m	° ′	°	°		等	等	′ ′	万光年
NGC 55	Scl	00 14.9	−39 11	333	−76	SBm	7.9	—	32× 6	650(40
NGC 247	Cet	00 47.1	−20 46	114	−84	SABd	9.4	0.65	20× 7	1 150(60
NGC 253	Scl	00 47.6	−25 17	98	−88	SABc	8.0	0.97	25× 7	1 160(90
NGC 300	Scl	00 54.9	−37 41	299	−79	SAd	8.7	—	20×15	650(40
NGC 628, M74	Psc	01 36.7	+15 47	139	−46	SAc	9.8	0.58	10×10	3 190(290
NGC 1068, M77	Cet	02 42.7	−00 01	172	−52	SAb	9.5	0.70	7× 6	5 140(520
NGC 1291	Eri	03 17.3	−41 08	248	−57	SB0/a	9.4	0.93	10× 9	2 960(270
NGC 1313	Ret	03 18.3	−66 30	283	−45	SBd	9.4	—	9× 7	1 380(100
NGC 1316	For	03 22.7	−37 12	240	−57	SAB0p	9.7	0.90	7× 5	5 690(390
IC 342	Cam	03 46.8	+68 06	138	+11	SABcd	9.1	—	18×17	1 100(70
NGC 2403	Cam	07 36.9	+65 36	151	+29	SABcd	8.9	0.50	18×11	1 040(60
NGC 2903	Leo	09 32.2	+21 30	209	+45	SABbc	9.5	0.64	13× 7	3 040(420
NGC 3031, M81	UMa	09 55.6	+69 04	142	+41	SAab	7.8	0.93	26×14	1 180(70
NGC 3034, M82	UMa	09 55.8	+69 41	141	+41	I0	9.3	0.87	11× 5	1 150(80
NGC 3521	Leo	11 05.8	−00 02	256	+53	SABbc	9.7	0.84	10× 5	4 320(600
NGC 3627, M66	Leo	11 20.2	+12 59	242	+64	SABb	9.7	0.70	9× 4	2 930(180
NGC 4236	Dra	12 16.7	+69 28	127	+47	SBdm	10.0	0.40	19× 7	1 440(130
NGC 4258, M106	CVn	12 19.0	+47 18	138	+69	SABbc	9.0	0.68	18× 8	2 380(110
NGC 4449	CVn	12 28.2	+44 06	137	+72	IBm	9.9	0.41	5× 4	1 390(130
NGC 4472, M49	Vir	12 29.8	+08 00	287	+70	E2	9.3	0.94	9× 7	5 240(580
NGC 4486, M87	Vir	12 30.8	+12 24	284	+74	E0-1p	9.6	0.94	7× 7	5 390(700
NGC 4594, M104	Vir	12 40.0	−11 37	298	+51	SAa	9.3	0.97	9× 4	3 680(410
NGC 4631	CVn	12 42.1	+32 32	143	+84	SBd	9.8	0.54	15× 3	2 400(220
NGC 4649, M60	Vir	12 43.7	+11 33	296	+74	E2	9.8	1.00	7× 6	5 670(630
NGC 4725	Com	12 50.4	+25 30	295	+88	SABabp	10.0	0.74	11× 8	4 200(290
NGC 4736, M94	CVn	12 50.9	+41 07	123	+76	SAab	8.9	0.75	11× 9	1 500(110
NGC 4826, M64	Com	12 56.7	+21 41	316	+84	SAab	9.4	0.84	9× 5	1 730(120
NGC 4945	Cen	13 05.4	−49 28	305	+13	SBcd	9.5	—	20× 4	1 210(90
NGC 5055, M63	CVn	13 15.8	+42 02	106	+74	SAbc	9.3	0.73	12× 8	2 930(230
NGC 5128	Cen	13 25.5	−43 01	310	+19	S0p	8.0	0.98	18×14	1 190(70
NGC 5194, M51	CVn	13 29.9	+47 12	105	+69	SAbcp	9.0	0.60	11× 8	2 800(260
NGC 5236, M83	Hya	13 37.0	−29 52	315	+32	SABc	8.2	—	11×10	1 520(100
NGC 5457, M101	UMa	14 03.2	+54 21	102	+60	SABcd	8.2	0.46	27×26	2 270(130
NGC 6744	Pav	19 09.8	−63 51	332	−26	SABbc	9.0	—	15×10	2 920(230
NGC 6946	Cep	20 34.8	+60 09	96	+12	SABcd	9.6	0.80	11×10	2 510(90
NGC 7793	Scl	23 57.8	−32 35	5	−77	SAdm	9.7	0.59	9× 7	1 170(70

銀　河　群

3個以上数十個程度以下の銀河集団を銀河群と呼ぶ．典型的な銀河群は，メンバー数5個，直径150万光年，速度分散100 km·s^{-1}程度の値を持ち，平均密度は背景密度の20倍以上ある（Tully 1987, ApJ, **321**, 280; Geller & Huchra 1983, ApJS, **52**, 61）．表には局所銀河群メンバー以外で10等より明るい銀河を含む近距離銀河群を掲げる．

近距離銀河群

銀河群名	銀経 l	銀緯 b	視直径	視線速度	距離	おもな所属銀河のNGC番号(明るい順)
	°	°	°　°	km·s^{-1}	万光年	
ちょうこくしつ座群	5	−80	25×20	245	700^b	253, 55, 300, 247, 7793, 45
M 81 群	142	+41	40×20	220	1 200^b	3031, 2403, 3034, 4236, 2976
りょうけん座I群	162	+80	28×14	361	1 600	4736, 4258, 4826, 4449, 4214
NGC 5128 群	310	+20	30×—	315	1 400	5236, 5128, 4945, 5102, 5068
M 101 群	102	+60	23×16	511	2 200	5457, 5194, 5055, 5195, 5585
M 66 群	241	+64	7× 4	615	2 700	3627, 3628, 3623, 3489, 3593
りょうけん座II群	138	+75	22×12	687	3 000	4631, 4490, 3675, 4656, 4051
かみのけ座I群	198	+86	11× 5	1 031	4 500	4725, 4559, 4565, 4414, 4494
くじら座I群	178	−56	12× 9	1 350	5 900	1068, 936, 1084, 1087, 1055

G. de VaucouleursによるGalaxies and the Universe, 1975の表を参考にし，視線速度はSandage & Tammann (1981)によるカタログおよびTully (1987)によるカタログから求めた．距離の推定誤差が30%程度のものにはbをつけた．それ以外は50%程度の誤差がある．

銀　河　団

50個より多数の銀河が1000万光年程度の大きさの領域に密集している集団を銀河団と呼ぶ．銀河団の速度分散は数百から1000 km·s^{-1}程度である．シュミット望遠鏡によるサーベイに基づいて，エイベルらは全天で約4100個，ツビッキーらは赤緯−3°以北で約9600個の銀河団のカタログをつくっている．銀河団の見かけの形状は，円に近い規則的なものから不規則なものへと系列をなす．前者は後者より力学的進化が進んでいると考えられている．バウツとモルガンによるBM分類では，銀河団中のもっとも明るい銀河とそれ以外の銀河の対比によって，I型（中心のcD銀河が他を圧倒），II型（もっとも明るい銀河がcD銀河より暗く通常の楕円銀河より明るい），III型（とくに他を圧倒する銀河なし），および中間のI－II型，II－III型の5つの型に分類する．一方，ルードとサストリーによるRS分類では，明るいものから10個の銀河の見かけの様子により，cD (supergiant)，B (binary)，L (line)，C (core)，F (flat)，I(irregular)と分類する．近距離の著名な銀河団と比較的多くの観測データのある銀河団および遠方の銀河団の表を**天62**に掲げる．

銀　河　団

銀河団名称	エイベル番号	2000年分点 赤経	赤緯	BM型	RS型	等級[1]	銀河数[2]	赤方偏移 z[3]	距離[4]
		h　m	°　′						億光
おとめ座	—	12 30.8	+12 23	Ⅲ	—	9.4:	45	0.0039	0.5
ろ座	S373	03 38.5	−35 27	Ⅰ	—	10.3	—	0.0046	0.6
ポンプ座	S636	10 30.0	−35 19	Ⅰ−Ⅱ	—	13.4	1	0.0087	1.3
ケンタウルス座	A3526	12 48.9	−41 18	Ⅰ−Ⅱ:	—	13.2	33	0.0110	1.5
うみへび座Ⅰ	A1060	10 36.9	−27 31	Ⅲ	C	12.7	50	0.0114	1.6
くじゃく座Ⅱ	S805	18 47.2	−63 19	Ⅰ	—	14.7	8	0.0139	2.0
かに座	—	08 20.6	+21 04	—	—	13.4:	—	0.0160	2.3
ペルセウス座	A426	03 18.6	+41 30	Ⅱ−Ⅲ	L	12.5	88	0.0183	2.6
——	A1367	11 44.5	+19 50	Ⅱ−Ⅲ:	F	13.5	117	0.0215	3.1
かみのけ座	A1656	12 59.8	+27 58	Ⅱ	B	13.5	106	0.0232	3.3
——	A2199	16 28.6	+39 31	Ⅰ	cD	13.9	88	0.0309	4.4
ヘルクレス座	A2151	16 05.2	+17 44	Ⅲ	F	13.8	87	0.0371	5.3
——	A85	00 41.6	−09 20	Ⅰ	cD	15.7	59	0.0518	7.3
かんむり座	A2065	15 22.7	+27 43	Ⅲ	C	15.6	109	0.0721	9.9
——	A1132	10 58.3	+56 46	Ⅲ	B	17.0	74	0.136	18
——	A520	04 54.3	+02 56	Ⅲ	I	17.4	186	0.203	26
——	A370	02 39.8	−01 35	Ⅱ−Ⅲ	B	17.8	40	0.373	42
CL0024+1652	—	00 26.6	+17 10	—	—	—	—	0.394	44
CL0016+1609	—	00 18.6	+16 27	—	—	—	—	0.55	56
MS1054-0321	—	10 57.0	−03 37	—	—	—	—	0.82	72
RDCS J0910+5422	—	09 10.0	+54 22	—	—	—	—	1.11	84
RDCS J1252-2927	—	12 52.9	−29 27	—	—	—	—	1.24	88
XMM J2235.3-2557	—	22 35.3	−25 58	—	—	—	—	1.39	93
XCS J2215.9-1738	—	22 15.9	−17 38	—	—	—	—	1.46	94
CL J1449+0856	—	14 49.2	+08 56	—	—	—	—	2.00	105
CL J1001+0220	—	10 01.0	+02 20	—	—	—	—	2.51	112

1)　明るい方から10番目の銀河の赤色域の等級．コロンは実視等級．

2)　明るい方から3番目の銀河の等級 m_3 と m_3+2 等の間にある銀河数．

3)，4)　**天47**参照．

5)　遠方の銀河団については，X線で広がった天体として観測されていて，分光観測で赤方偏移が測定されているものの一部を掲載している．より詳細なリストはNASA/IPAC EXTRAGALACTIC DATABASEなどで調べることができる．

参考文献：Abell et al. 1989, ApJS, **70**, 1； Strubble & Rood 1987a, b, ApJS, **63**, 543, 555； Bruzual & Spinrad 1978, ApJ, **220**, 1； Allen 1973, Astrophysical Quantities; Stanford et al. 2002, AJ, **123**, 619； Hilton et al. 2009, ApJ, **697**, 436； Gobat et al. 2013, ApJ, **776**, 9；Wang et al. 2016, ApJ, **828**, 56

超銀河団と宇宙の大規模構造

複数個の銀河団や銀河群が連なり合って，1 億光年程度より大きな構造をつくるとき，これを超銀河団と呼ぶ. 銀河系から距離約 1 億光年以内にある銀河団は，おとめ座銀河団を中心とし，天第 10 図 A に示すように，薄い円盤部とそれを取り巻くハロー成分とからなる局所超銀河団を形成している．このほかに，超銀河団と同定されているものに，かみのけ-A1367，ヘルクレス，うお-ペルセウス，うみへび-ケンタウルス等がある．逆に 1 億光年以上のスケールにわたって銀河のほとんどない領域を超空洞 (ボイド) と呼ぶ．超銀河団とそれをつなぐフィラメントおよびボイドが入りまじって宇宙の大規模構造が形成されている(天第 10 図 B, C). このような大規模構造は約 25 億光年彼方まで宇宙にあまねく存在することが知られている.

銀河の色と数

銀河の色はその中にある星の種族の違いを反映しており, タイプによって系統的に変わる．早期型(E, S0)では赤く，若い星を多く含む晩期型になるほど青くなる．下表にいくつかの銀河のタイプに対して平均的な色を示す (U, B, V は Johnson, R_C, I_C は Cousins, u', g', r', i', z' は SDSS の測光系を表す).

タイプ	$U-B$	$B-V$	$V-R_C$	R_C-I_C	$u'-g'$	$g'-r'$	$r'-i'$	$i'-z'$
E	0.64	0.96	0.61	0.70	1.99	0.77	0.43	0.36
S0	0.42	0.85	0.54	0.61	1.70	0.68	0.34	0.29
Sab	0.33	0.78	0.56	0.65	1.60	0.66	0.38	0.32
Sbc	0.00	0.57	0.52	0.62	1.16	0.52	0.33	0.32
Scd	−0.08	0.50	0.50	0.57	1.04	0.48	0.28	0.29
Im	−0.35	0.27	0.31	0.33	0.64	0.20	0.04	0.11

Fukugita et al. 1995, PASP, **107**, 945

天球上で 1平方度あたりに観測される，実視等級が $m-0.25$等と $m+0.25$等の間にある銀河の個数を $N(m)$とする．いくつかのバンドにおける $\log N(m)$の概略値を以下の表に示す. 各バンドに対して左側の列は観測値 (銀河系の星も含む)，右側の列が銀河系の星を除いた後，観測の不完全性を補正した推定値.

m	B		V		R_C		i'		z'	
20.25	2.48	2.16	2.81	2.57	2.99	2.81	3.15	3.00	3.28	3.19
21.25	2.85	2.65	3.12	3.02	3.36	3.28	3.53	3.47	3.64	3.60
22.25	3.27	3.20	3.54	3.48	3.74	3.70	3.88	3.85	3.96	3.93
23.25	3.77	3.75	3.98	3.96	4.09	4.07	4.18	4.18	4.26	4.26
24.25	4.29	4.30	4.41	4.43	4.48	4.50	4.52	4.55	4.56	4.60
25.25	4.65	4.68	4.74	4.78	4.77	4.81	4.78	4.85	4.79	4.97
26.25	4.88	4.96	4.93	5.13	4.94	5.09	4.93	5.18	4.89	5.33
27.25	4.99	5.29	4.95	5.42	4.97	5.36				

Kashikawa et al. 2004, PASJ, **56**, 1011

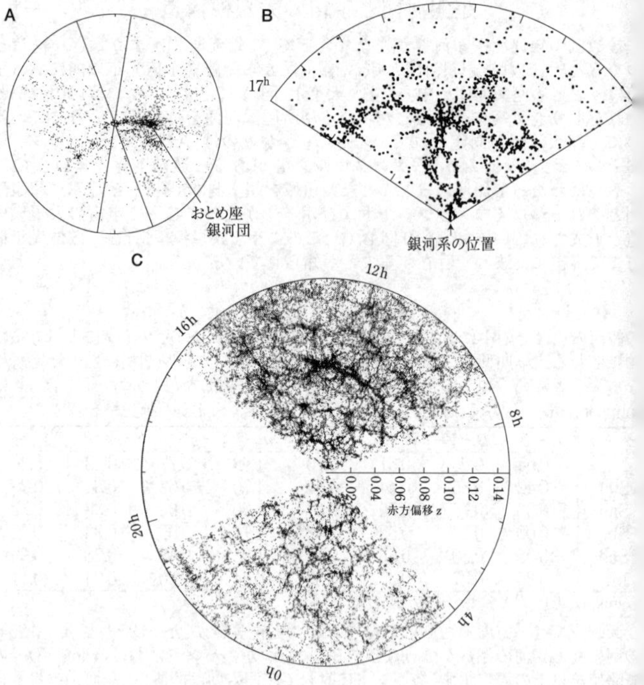

天第10図 A：局所超銀河団．銀河系を中心とする半径約 1.5 億光年以内の銀河の分布．円盤部とそれを包むハロー状の構造をしているが，これは円盤部を横から見た図．ほぼ垂直な 2 つの扇形状の領域は，銀河系内の塵の吸収によって銀河が観測できない領域（不透視帯）（Tully 1982, ApJ, **257**, 389）

B：近傍宇宙の大規模構造．赤経 8^h ～ 17^h，赤緯 +26°.5～ +38°.5 の帯状天域にある B = 15.5 等より明るい 1769 個の銀河の空間分布．赤緯 12° の幅を同一平面に投影してある．円の半径は約 7 億光年（Geller et al. 1987, IAU Symp., **124**, 301）．

C：広範囲の宇宙大規模構造．天の赤道を中心とする赤緯幅 2°.5 の環状天域にある r' = 17.8 等より明るい約 5 万個の銀河の空間分布．銀河系は中心にある．中心から右にのびる目盛は赤方偏移を表し，外周の円の位置が 0.15（約 19 億光年）に対応する．（スローン・デジタル・スカイサーベイによる：https://www.sdss4.org/science/orangepie/）

宇宙の元素組成

ビッグバン元素合成に始まり，その後の星形成，星内部の核反応，超新星爆発などさまざまな物理過程の連鎖を経て，宇宙を構成する物質の元素組成は変化してきた．元素組成は，宇宙および銀河の進化過程を解明するうえで必要な基本的な物理量の1つである．もっともよく調べられているのは太陽系の元素組成である．太陽光球面からの光のスペクトル分析に加え，太陽風の組成分析やCIコンドライトと呼ばれる隕石の化学分析などの直接的なデータから得られ，多くの元素で3-10%の精度で決定されている．表にケイ素（Si）で規格化した太陽系の元素組成（個数密度比）を示す．水素，炭素，酸素などの揮発性元素は隕石に保存されにくいため，太陽光のスペクトル分析に基づいて太陽系組成が決定されている．希ガスは太陽光球面からの光の分析では決められず，ヘリウムは日震学により精度よく求められているものの，ネオンやアルゴンなどはコロナからの光や太陽風の分析などに基づいており，決定精度は高くない．

一方，水素，ヘリウム，およびそれ以外の元素（重元素）の質量比（慣例でそれぞれX, Y, Zで表される）は，$X=0.7381$, $Y=0.2485$, $Z=0.0134$である（$X+Y+Z=1$）．表に示されている元素組成を用いると，元素Aの質量比は，(元素Aの原子量/水素の原子量)×(元素Aの個数密度比/水素の個数密度比)×(水素の質量比X）で求められる．たとえば，ケイ素の質量比は0.00067となる．

原子番号･元素	個数密度比	原子番号･元素	個数密度比	原子番号･元素	個数密度比
1 H	3.09×10^{10}	31 Ga	37.2	62 Sm	0.269
2 He	2.63×10^{9}	32 Ge	117	63 Eu	0.100
3 Li	56.2	33 As	6.17	64 Gd	0.347
4 Be	0.617	34 Se	67.6	65 Tb	0.0646
5 B	19.1	35 Br	10.7	66 Dy	0.417
6 C	8.32×10^{6}	36 Kr	55.0	67 Ho	0.0912
7 N	2.09×10^{6}	37 Rb	7.08	68 Er	0.257
8 O	1.51×10^{7}	38 Sr	23.4	69 Tm	0.0407
9 F	8.13×10^{2}	39 Y	4.57	70 Yb	0.257
10 Ne	2.63×10^{6}	40 Zr	10.5	71 Lu	0.0380
11 Na	5.75×10^{4}	41 Nb	0.794	72 Hf	0.158
12 Mg	1.05×10^{6}	42 Mo	2.69	73 Ta	0.0234
13 Al	8.32×10^{4}	44 Ru	1.78	74 W	0.138
14 Si	1.00×10^{6}	45 Rh	0.355	75 Re	0.0562
15 P	8.32×10^{3}	46 Pd	1.38	76 Os	0.692
16 S	4.37×10^{5}	47 Ag	0.490	77 Ir	0.646
17 Cl	5.25×10^{3}	48 Cd	1.58	78 Pt	1.29
18 Ar	7.76×10^{4}	49 In	0.178	79 Au	0.195
19 K	3.72×10^{3}	50 Sn	3.63	80 Hg	0.457
20 Ca	6.03×10^{4}	51 Sb	0.316	81 Tl	0.182
21 Sc	34.7	52 Te	4.68	82 Pb	3.39
22 Ti	2.51×10^{3}	53 I	1.10	83 Bi	0.138
23 V	282	54 Xe	5.37	90 Th	0.0335
24 Cr	1.35×10^{4}	55 Cs	0.372	92 U	0.00891
25 Mn	9.33×10^{3}	56 Ba	4.68		
26 Fe	8.71×10^{5}	57 La	0.457		
27 Co	2.29×10^{3}	58 Ce	1.17		
28 Ni	4.90×10^{4}	59 Pr	0.178		
29 Cu	550	60 Nd	0.871		
30 Zn	1.32×10^{3}				

Asplund et al. 2009, ARA&A, **47**, 481

太陽系外の天体の元素組成の情報はもっぱら星の光のスペクトル分析に基づいている．高精度の太陽スペクトルの分析や隕石の化学分析に比べると決定精度は劣るものの，さまざまな天体の元素組成が測定されており，宇宙における個々の元素合成過程や銀河の中での化学進化が解明されてきている．太陽系近傍の星の中で，太陽は概ね典型的な重元素量（金属量）と元素組成を持つ星といってよいが，銀河系全体でみると重元素量には数桁に及ぶ幅があり，星が誕生した年代や銀河系内の位置に対応づけることができると考えられている．さらに，高赤方偏移のクエーサーの視線方向に現れるライマン α 吸収線系の解析から，初期宇宙から現在に到るまでのガス雲の元素組成が調べられるようになってきている．

クエーサー吸収線系や近傍の星や星形成領域などの観測により，^{2}H, ^{3}He, ^{4}He, ^{7}Li の組成が調べられ，ビッグバン元素合成の理論への制限となっている．可視光だけでなく紫外線や赤外線，あるいは X 線や γ 線の観測により多くの元素の同定が行われ，超新星爆発や惑星状星雲において放出される物質の元素組成がわかるようになってきている．また，重元素量が低く，個々の星や超新星からの放出物質の影響が強く表れる宇宙の初期世代の星の元素組成の測定も，星や超新星による元素合成の観測的検証になる．この測定では，鉄より重い微量元素の測定が可能になる場合もあり，重元素を合成する速い中性子捕獲過程（r-プロセス）や遅い中性子捕獲過程（s-プロセス）の解明に用いられている．

宇　宙　線

宇宙線は隕石と同様に，宇宙の物質が地球に飛来したものである．太陽系内や近傍からの隕石は巨視的サイズを持つが，遠方からの到達には光速度に近い速度で宇宙空間を飛来することが必要で，高エネルギー微小粒子においてのみ実現されている．宇宙から地球へ降りそそぐ高エネルギーの素粒子や原子核が検出されており，宇宙線と呼ぶ．太陽からも放出される比較的エネルギーの低い数百 MeV 程度以下の成分は，太陽系内での伝播が太陽活動の 11 年周期変動の影響を受け，地磁気の影響も受けやすい．エネルギーの高い太陽系外からの成分はべき法則 $E^{-\alpha}$（α～2.7，E はエネルギー）に比例するスペクトルを持ち，少なくともエネルギー 10^{15} eV までの宇宙線の大部分は銀河系内に生成加速の起源を持つらしい．現在までに観測された最高エネルギー～10^{20} eV に達する宇宙線は，銀河系外から飛来したものと想像される．宇宙線の化学組成は 90–80% が陽子（水素の原子核）で，残りが α 粒子（ヘリウムの原子核）やもっと重い原子核である．この組成は宇宙の元素組成によく似ているが，Li, Be, B などの軽元素が比較的多く，これらは重い原子核の宇宙線が伝播中に星間物質と衝突し破砕されてつくられたと考えられる．宇宙線には，わずかではあるが電子や陽電子も含まれる．電子に対する陽電子の割合が，10^{10} eV よりも高いエネルギー帯域において，エネルギーとともに増加していることがわかり，近年注目を集めている．地球の外からのこれらの宇宙線を一次宇宙線と呼ぶ．

宇宙線は地球大気に突入して，空気原子と衝突し二次的に粒子を発生させる．数百 GeV 以上の宇宙線は次々と粒子発生を繰り返し多数の粒子群が飛来する空気シャワー現象を起こす．電子，陽電子，γ 線，π 中間子，ミューオン，中性子，陽子など大気で生成される二次宇宙線は地表で～10^{4} 個·m^{-2}·min^{-1} の強度を持ち，ミューオンが二次宇宙線中の荷電粒子の約 3/4 を占める．陽電子，π 中間子，ミューオンやストレンジネスを持つ素粒子の発見など，二次宇宙線は高エネルギー素粒子反応の研究に利用されてきた．物質との相互作用の弱いミューオンやニュートリノは地下深くまで貫通し，ニュートリノ振動などのニュートリノの相互作用の研究，あるいは，二次宇宙線から太陽ニュートリノを識別・検出する研究が続けられている．

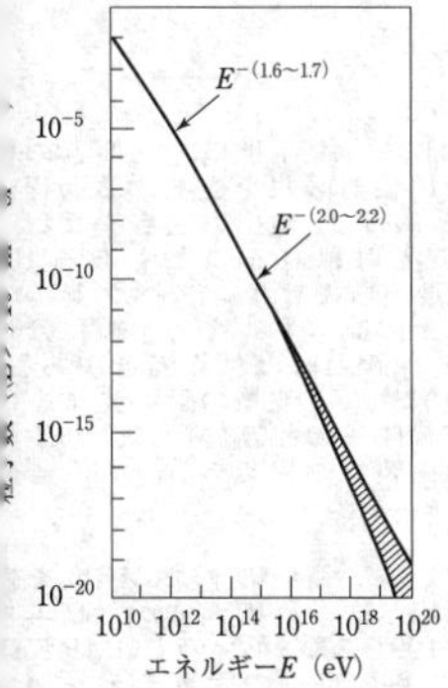

天第 11 図　宇宙線粒子全成分の積分エネルギースペクトル

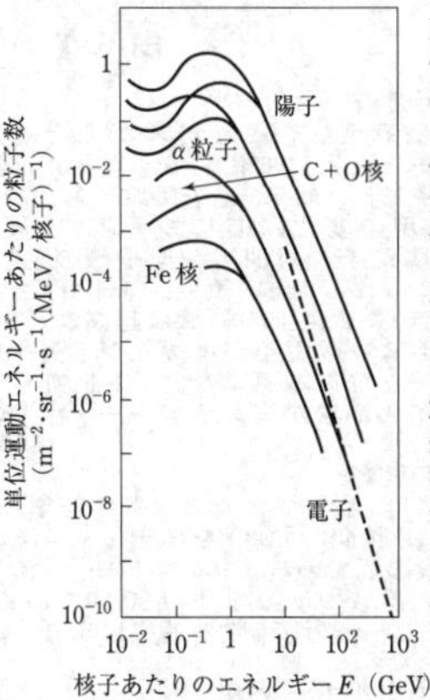

天第 12 図　地球近傍での一次宇宙線エネルギースペクトルを成分ごとに示す．低エネルギー側では，太陽活動期の影響を受ける．各々下側のカーブが，太陽活動最盛期のもの．破線は一次電子のエネルギースペクトルで，2×10^3 GeV まで直線関係にあることが実測されている．電子の場合，横軸はエネルギー，縦軸は電子数 ($m^{-2}\cdot sr^{-1}\cdot s^{-1}$ MeV^{-1}) である．

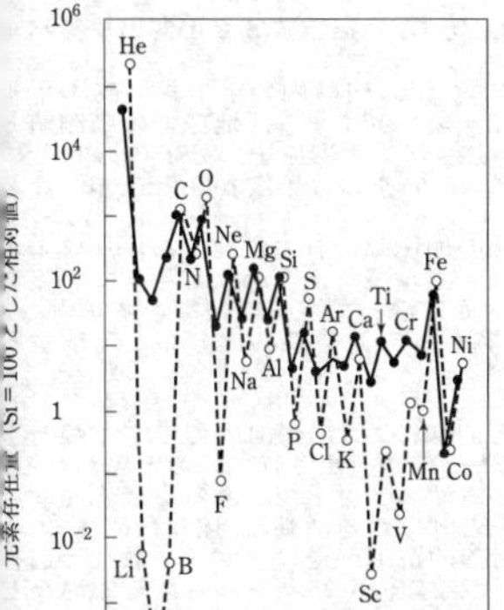

天第 13 図　地球近傍における宇宙線の化学組成（● は核子あたり 70–280 MeV のエネルギーを持つ成分，○ は宇宙組成）(Simpson 1983, Ann. Rev. Nucl. Part. Sci., **33**, 323)

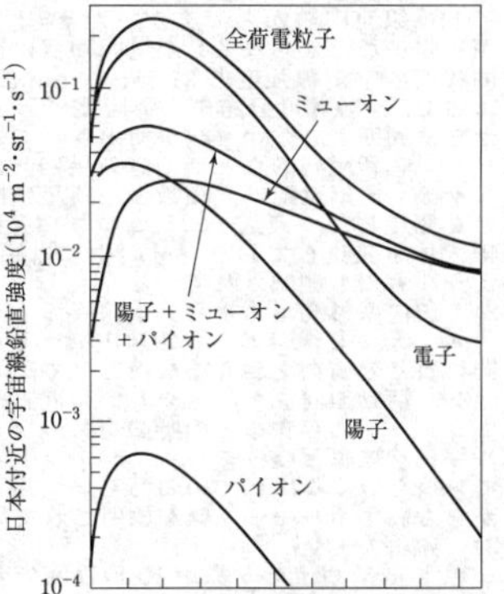

天第 14 図　鉛直方向から来る宇宙線の単位立体角あたりの粒子強度．地表近くでは $\cos^2\theta$ に比例し（θ は天頂角），極大では等方的となり，それより上方では横方向の入射が多くなる．横軸は，大気頂上からの空気の単位面積あたりの質量（気圧と等価）を取った．

宇宙 γ 線

γ 線の分類と発生機構

X 線より短い波長領域の光が γ(ガンマ)線と総称される．発生機構，物質との相互作用はエネルギーとともに変化する．たとえば物質による吸収を支配する過程は光電効果から，コンプトン効果，電子陽電子対生成へと移行し，検出方法も異なることになる．相互作用の変化に応じて γ 線は(1)硬 X 線と呼ばれることもある 100 keV 領域，(2)電子陽電子の対消滅や原子核の励起状態からのラインスペクトルの γ 線などで特徴づけられる MeV 領域，(3) 100 MeV 以上の高エネルギー γ 線に分類される．さらに数百 GeV 以上の領域は超高エネルギー γ 線と呼ばれる場合がある．高エネルギー電子および陽電子が可視光や宇宙背景放射光など波長の長い光子をはね飛ばしエネルギーを与える逆コンプトン散乱，宇宙線陽子の相互作用により生成された中性 π 中間子の崩壊が高エネルギー γ 線生成の主要な過程である．

代表的な γ 線源の種類

2008 年に打ち上げられたフェルミ γ 線宇宙望遠鏡は GeV 領域の γ 線に感度を持ち，打ち上げ後の 12 年間で 6000 を超える γ 線源を検出し，多種の天体から高エネルギー γ 線放射を検出している．コンプトン γ 線衛星（1991-2000 年）の COMPTEL 検出器による MeV 領域の γ 線源は約 30 個である．さらに最近の大気チェレンコフ望遠鏡や空気シャワー観測装置の進展により，超高エネルギー γ 線源は 300 個以上発見されている．

1)　銀河系内の高エネルギー γ 線天体

(a)　パルサー　　高エネルギー γ 線で 60 個以上の，MeV 領域で 1 個の γ 線パルサーが検出されている．

(b)　銀河円盤からの広がった γ 線，分子雲　　銀河円盤内の宇宙線（高エネルギー陽子などからなる）が星間物質に衝突して γ 線を生成する．地球での観測値と同程度の宇宙線強度と 21 cm や mm 波から推定される水素原子，分子の分布とによって，γ 線強度分布を大体説明できる．へびつかい座の分子雲 ρ Ophiuchus などからは周囲より強い γ 線が検出されている．

(c)　超新星残骸など　　超新星残骸は宇宙線の加速源の有力候補である．フェルミ γ 線宇宙望遠鏡は，複数の超新星残骸から高エネルギー γ 線が放射されていることを発見した．大気チェレンコフ望遠鏡は銀河面に沿って多くの超高エネルギー γ 線天体を発見しており，その中には超新星残骸からの X 線の強度分布と一致するようなものも観測されている．

2)　銀河系外高エネルギー γ 線天体

(a)　大マゼラン雲　　銀河円盤からの γ 線と同様に，この銀河内での宇宙線と星間物質との衝突をおもな機構として高エネルギー γ 線が放出されていると思われる．

(b)　活動銀河など　　激しい時間変動，硬い電波スペクトル，あるいは光速に近いジェットの存在などの特徴を持つブレーザーと呼ばれる活動銀河がおもな高エネルギー γ 線源となっている．ジェット内の相対論的電子が逆コンプトン散乱の過程で γ 線をつくり出しているらしい．最近では，電波銀河やスターバースト銀河などからも高エネルギー γ 線が放射されていることがわかってきた．

3)　γ 線バースト

数十 keV 以上の γ 線が 10 秒程度の間に一時的に放出される現象であり，知られている中で宇宙でもっとも光度が高い．発生源までの距離やその正体は 1970 年頃の発見以来謎に包まれてきた．1997 年頃から対応天体を X 線，可視光，電波で観測することが可能となった．このため，赤方偏移が 1 程度の宇宙論的な遠方の銀河内で起きている現象であること，γ 線バーストからの放射エネルギーの総量は太陽程度の大きさの質量エネルギーを一挙に解放したものに相当することが判明した．光速に極めて近い速さで噴出する「火の玉」に喩えられるモデルでおおよその振る舞いは説明できる．最近では，フェルミ衛星による GeV 帯域の γ 線放射の検出や，大気チェレンコフ望遠鏡 H. E. S. S. や MAGIC による 100 GeV を超えるような γ 線の検出，重力波と同期した γ 線バーストの発見などが報告されている．

おもな高エネルギーγ線源

名　称[1]	2000年分点[2] 赤　経	赤　緯	γ線[3] 強度	備　考
	h m s	° ′ ″		
4FGL J0024.0−7204	00 24 02.0	−72 04 44	0.5	球状星団 47 Tucanae
4FGL J0047.5−2517	00 47 35.5	−25 17 24	0.1	スターバースト銀河 NGC 253
4FGL J0240.5+6113	02 40 34.2	+61 13 43	4.6	X線連星 LS I+61 303
4FGL J0534.5+2200	05 34 31.8	+22 00 54	15.5	かにパルサー
4FGL J0617.2+2234e	06 17 14.4	+22 34 48	5.6	超新星残骸 IC 443[5]
4FGL J0835.3−4510	08 35 20.9	−45 10 41	133.3	ほ座パルサー
4FGL J0955.7+6940	09 55 47.3	+69 40 02	0.1	スターバースト銀河 M82[4]
4FGL J1104.4+3812	11 04 28.5	+38 12 25	3.4	活動銀河 Mrk 421 (z=0.030)[4]
4FGL J1229.0+0202	12 29 04.2	+02 02 43	0.5	活動銀河 3C 273 (z=0.0158)[5]
4FGL J1230.8+1223	12 30 51.0	+12 23 18	0.2	電波銀河 M87
4FGL J1256.1−0547	12 56 10.0	−05 47 19	4.1	活動銀河 3C 279 (z=0.536)[5]
4FGL J1325.5−4300	13 25 31.5	−43 00 59	0.4	電波銀河 Cen A[4]
4FGL J1653.8+3945	16 53 53.7	+39 45 34	1.0	活動銀河 Mrk 501 (z=0.034)
4FGL J1826.2−1450	18 26 15.3	−14 50 59	2.1	X線連星 LS 5039
4FGL J1855.9+0121e	18 55 57.6	+01 21 18	6.3	超新星残骸 W44
4FGL J2253.9+1609	22 53 59.1	+16 09 02	7.4	活動銀河 3C 454.3[5] (z=0.859)
			%	
HESS J0047−253	00 47 33.6	−25 18 08	0.3	スターバースト銀河 NGC 253
HESS J0534+220	05 34 32.0	+22 00 52	100	かに星雲[4]
HESS J0852−463	08 52 00.13	+46 22 00	100	超新星残骸 Vela Junior
HESS J1104+382	11 04 27.3	+38 12 32	300	活動銀河 Mrk 421 (z=0.030)
HESS J1514−591	15 14 07	−59 09 27	15	パルサー風星雲 MSH15−52
HESS J1713−397	17 13 57.6	−39 45 00	66	超新星残骸 RX J1713.7-3946
HESS J1826−148	18 26 13.8	−14 50 54	3	X線連星 LS 5039
HESS J2009−488	20 09 29.3	−48 49 19	2.5	活動銀河 PKS 2005−489 (z=0.071)
HESS J2158−302	21 58 52.7	−30 13 18	20	活動銀河 PKS 2155−304 (z=0.116)

1) 50 MeV 以上のγ線源のうち，他の波長での観測によって同定された（同定の候補を含む），代表的な天体を選択した．4 FGL はフェルミ衛星第四カタログであり，掲載した情報は，12 年間の観測データに基づく，その更新版（4FGL-DR3 カタログ；https://fermi.gsfc.nasa.gov/ssc/data/access/lat/12yr_catalog/）から引用した．名称の末尾の「e」は空間的広がりが検出されているγ線源であることを表す．HESS は H.E.S.S. 望遠鏡天体カタログ（https://www.mpi-hd.mpg.de/hfm/HESS/pages/home/sources/）の天体名である．位置は，γ線で決定された座標を記載した．同定された天体の電波などによる座標は SIMBAD データベースを参照のこと．4FGL-DR3 カタログには 6658 個のγ線源が記載されており，およそ 3 分の 2 はパルサーや活動銀河核などに相関するか同定されているが，残りは正体不明となっている．0.75-30 MeV の領域のγ線源のカタログ（V.Schönfelder et al. 2000, A & AS, **143**, 145）によるとパルサー 3 個，銀河系内ブラックホール候補天体 2 個，超新星残骸 1 個，活動銀河 10 個，および正体不明な 9 個のγ線源などが報告されている．位置は同定された天体の SIMBAD データベースによる．

2) これらの天体の銀経銀緯については，理科年表2007年版天 64 を参照のこと．

3) 4 FGL 天体に対しては，1 GeV から 100 GeV の強度で単位は 10^{-4} photon・m^{-2}・s^{-1}，TeV 天体に関しては，1 TeV 以上のγ線強度のかに星雲に対するおおよその比（%），活動銀河などでは激しい時間変動が観測される．

4) X 線源（**天 71** 参照）

5) 電波源（**天 77** 参照）

宇　宙　X　線

X 線の発生機構

素過程として，(a) 自由電子が陽子や原子核に接近し，その電場によって加速を受ける（電子は減速される）ときに発生する制動放射，(b) 自由電子の衝突や結合によって励起状態のイオンがつくられた際に，その後の脱励起過程よって発する線スペクトル放射，(c) 高エネルギー電子が磁場によって制動を受けることで発生するシンクロトロン放射，(d) 高エネルギー電子が低エネルギーの光子と衝して，光子のエネルギーを X 線帯域まで叩き上げる逆コンプトン効果などがある電子が熱平衡分布をしているときに放射される場合を熱放射と呼び，(a) と (b が主要な機構となる．そのスペクトルは連続成分と輝線成分からなり，両者の出はおもにガスの温度による．密度が十分高くなると黒体放射になる．

宇宙 X 線源の種類

1) 銀河系内 X 線源

(a) X 線連星　中性子星，ブラックホール，白色矮星などの高密度星と通常の星からなる連星で，恒星から高密度星にガスが降着することにより，重力エネギーが解放され，X 線を出す高温 (10^7–10^8 K) ガスを形成する．強い磁場を伴回転する中性子星は，連星中で降着駆動型 X 線パルサーとなる．ブラックホーを含む X 線新星には光速に近いジェットを放出するものもある．白色矮星を伴た連星（激変星）は，中性子星との連星系に比べて X 線光度が 2–3 桁弱い．

(b) 超新星残骸　超新星爆発による噴出物（元の星を構成した物質）と星間質の相互作用により生じた衝撃波が両物質を加熱し，その結果，熱的な X 線をす高温ガスが形成される．衝撃波速度が大きい場合は宇宙線の統計加速が起こり高エネルギー電子によるシンクロトロン放射も観測される．一部の超新星残骸は回転駆動型や磁気駆動型の強磁場中性子星を伴う．

(c) 恒星　太陽をはじめ晩期型星は高温 (10^6–10^7 K) のコロナからおもに軟線を放射するが，硬 X 線に及ぶフレアを起こすものもある．早期型星は，星風つくる衝撃波によって X 線を放射する．

2) 銀河系外 X 線源

(a) 銀河　渦巻銀河，楕円銀河ともに，高温の星間ガスからの X 線がしばし観測される．さらに，アンドロメダ銀河や大マゼラン雲などの近傍銀河では，近連星や超新星残骸などの個々の X 線天体も分離して検出できる．M82 X-1 に代される超高光度 X 線源（ULX）も，近傍銀河でしばしば発見される種族の X 線体であり，天の川銀河系内でもっとも明るい X 線星の 10 倍を超えるエネルギー放射する．

(b) 活動銀河　クエーサーやセイファート銀河，BL Lac 天体など活発な銀河心核は時間変動する X 線を出し，中心に太陽の数百万倍から数十億倍の質量をつ巨大ブラックホールが存在すると考えられている．

(c) 銀河団　暗黒物質が集中した領域に多数の銀河が重力的に束縛された天体銀河団であるが，その全域には銀河全体の数倍の質量の高温ガスが分布する．このガスは，暗黒物質がつくる重力に引き寄せられて高温化したため，空間的に拡がた X 線源となる．

3) X 線の背景放射

2 keV 以上の背景 X 線の大部分は，全天にほぼ一様に分布し，空間的に分解できない多数の遠方の活動銀河や銀河団などを起源とする．一方，エネルギー 0.1–2 keV の X 線では，太陽系を取り囲む近傍の高温ガス（約 10^6 K）と太陽系内の電荷交換反応による前景放射の寄与が大きく，方向により強度に差があり，後者は時間的にも変化する．

代表的なX線源

名称	2000年分点[1)] 赤経	赤緯	X線強度 最大強度[2)]	[変動率][3)]	備考
	h m	° ′			
銀河系内X線源					
The Sun	—	—	1×10^{-4}	[>100]	太陽（スペクトル型 G2V）
AM Her	18 16.2	+49 52.1	1.4×10^{-10}	[3]	強磁場激変星，3.1時間周期
Algol	03 08.2	+40 57.3	1.8×10^{-10}	[4]	β Per，2.9日周期食連星
ρ Oph	16 25.6	−23 26.7	5×10^{-11}		暗黒星雲，星生成領域，距離 160 pc
SS Cyg	21 42.7	+43 35.6	4×10^{-10}	[>20]	矮新星，9秒，6.6時間周期
ζ Pup	08 03.6	−40 00.2	1×10^{-11}	(0.1−2 keV)	早期型恒星（スペクトル型 O 4 If）
π¹ UMa	08 39.2	+65 01.2	5×10^{-12}	(0.15−4 keV)	晩期型恒星（スペクトル型 G 1.5 Vb）
HZ 43	13 16.4	+29 06.4	3×10^{-10}	(0.15−4 keV)	白色矮星
γ Cas	00 56	+60 43	1×10^{-10}		白色矮星とB型星の連星系
SS 433	19 11.8	+04 59.0	2×10^{-10}	[5]	0.26 c ジェット，13.1日周期連星
Her X-1	16 57.8	+35 20.5	3.2×10^{-9}	[>100]	1.24秒降着型パルサー，1.7日周期連星
Cyg X-3	20 32.4	+40 57.6	8.6×10^{-9}	[5]	4.8日周期連星，電波アウトバースト
Sco X-1	16 19.9	−15 38.4	3.8×10^{-7}	[3]	低質量中性子星連星系，0.79日周期
Vela X-1	09 02.1	−40 33.2	5.6×10^{-9}	[>10]	283秒星風降着型パルサー，8.96日周期連星
X 1636−536	16 40.9	−53 45.0	7.8×10^{-9}	[3]	X線バースター，1.7ミリ秒周期
GRS 1915+105	19 15.2	+10 56.7	6×10^{-8}	[>10 000]	0.92 c 電波ジェット，33日周期ブラックホール連星
Cyg X-1	19 58.4	+35 12.0	2.6×10^{-8}	[5]	5.6日周期ブラックホール連星
A 0620−00	06 22.8	−00 20.7	1×10^{-6}	[>10 000]	7.75時間周期ブラックホール連星
Crab Nebula	05 34.5	+22 01.0	2×10^{-8}		M1，中心集中型超新星残骸，33ミリ秒パルサー
Tycho SNR	00 25	+64 08	2×10^{-10}		シェル型超新星残骸，1572年のIa型超新星
Cas A	23 23.5	+58 50	1.1×10^{-9}		シェル型超新星残骸，重力崩壊型超新星
Cygnus loop	20 48.8	+32 05	3×10^{-8}	(0.1−4 keV)	網状星雲，シェル型超新星残骸
Vela SNR	08 35.4	−45 10.6	1.3×10^{-8}	(0.15−2 keV)	ガム星雲，複合型超新星残骸，89ミリ秒パルサー
銀河系外X線源					
SN 1987 A	05 35.5	−69 16.2	6×10^{-12}	(0.5−2 keV)	大マゼラン雲の超新星，X線強度は経年変化
M 31	00 42.7	+41 16.4	4×10^{-11}		アンドロメダ銀河，降着連星などが主成分
M 51	13 29.9	+47 11.5	3.5×10^{-12}		弱い活動的中心核を持つ渦巻銀河，距離 7 Mpc
M 82	09 55.9	+69 40.8	6×10^{-11}		スターバースト銀河，複数のULXを含む
NGC 4636	12 42.8	+02 41.2	6.6×10^{-12}	(0.5−4.5 keV)	楕円銀河，高温星間ガス，降着連星など
NGC 4151	12 10.5	+39 24.4	4×10^{-10}	[5]	1型セイファート銀河，$z=0.00332$
NGC 1068	02 42.7	−00 00.8	5×10^{-12}		2型セイファート銀河，$z=0.00379$
3C 273	12 29.1	+02 03.1	2×10^{-10}	[3]	電波が強いQSO，$z=0.15834$
Cen A	13 25.5	−43 01.1	6×10^{-10}	[3]	電波銀河 NGC 5128，$z=0.00183$
Mrk 421	11 04.5	+38 12.5	2×10^{-9}	[>100]	BL Lac 天体，$z=0.03002$，TeV γ 線源
Perseus cluster	03 19.8	+41 30.8	1×10^{-9}		ペルセウス座銀河団，電波銀河 NGC 1275，Per A
Virgo cluster	12 30.8	+12 23.5	4.6×10^{-10}		おとめ座銀河団，中心にM87銀河，VirA
Coma cluster	12 59.6	+27 57.7	4.4×10^{-10}		A1656，かみのけ座銀河団

銀河系内外のX線源のさまざまな種類を代表するものを取り上げた．（4U カタログ：Forman et al. 1978, ApJS, **38**, 357，HEAO A-1 カタログ：Wood et al. 1984, ApJS, **56**, 507，ほか）これらの天体は他の波長域でも観測されているものが多い（**天 69，73，76，77** 参照）．

1）もっとも確からしい位置，誤差 0.1 度以下．2）単位は 10^{-3} W·m^{-2}（=erg·cm^{-2}·s^{-1}）（　）内は積分エネルギー範囲．とくに示していない場合の積分エネルギー範囲は 2–10 keV.

3）変動が激しいものについては，最高と最低の強度比の目安を［　］内に示した．

宇宙赤外線

赤外線波長の分類

赤外線波長域1 μmから1 000 μmは，近赤外線1-5 μm，中間赤外線5-25 μm，および遠赤外線25-1 000 μmの3つの波長域に分類される（100-1 000 μm帯はサブミリ波と呼ぶことがある）．あらゆる天体は基本的にその温度に対応する熱放射成分として赤外域での放射をしているが，各波長帯における代表的な赤外線源は，以下に述べるように天体の種類・放射機構にそれぞれ特徴がある．

代表的な赤外線源の種類

1)　惑星・衛星・彗星およびその他の太陽系小天体　　太陽光の反射散乱による可視から近赤外域にかけての放射のほか，中間赤外から遠赤外域にかけてそれぞれの表面温度に対応する熱放射（近似的に黒体放射）を示す．

2)　赤色巨星・赤外線星　　恒星はすべて赤外線源であるが，とくに低温度の赤色巨星はもっとも強い(近)赤外線源である．また，塵を含む雲に周囲を囲まれた低温度星は，可視光が遮られて近赤外～中間赤外域に強い熱放射をしているものがあり，赤外線星と呼ばれる．

3)　前主系列星　　星の誕生は，星間ガス雲の分裂・収縮の結果，塵を含む分子雲の中で起こる．生れたての原始星から（中小質量星の場合）T Tau型星やハービック Ae/Be型星を経て主系列星まで進化する．これらの主系列星の前段階の星を前主系列星と呼び，その質量や時期に応じて赤外線の広い波長域にそれぞれ特徴的な塵の熱放射や分子ガスの輝線放射をする．

4)　分子雲　　銀河系内の星間物質は，さまざまの要因で密度のゆらぎを起こし，比較的高密度の分子雲を形成する．これらの領域はおもに分子ガスと低温度の塵を含み，とくに遠赤外線域の放射源として観測される．

5)　HⅡ領域・惑星状星雲　　これらの天体は高温の中心星からの紫外線によって電離したガスと塵からなり，各種イオン・原子の輝線と暖められた塵の熱放射を，近赤外から遠赤外にわたる広い波長域に強く放射する．

6)　系外銀河・セイファート銀河・クエーサー　　銀河の赤外線放射は，星の成分（赤色巨星がおもに寄与），星間物質の成分（塵の熱放射とガスの輝線）および中心核の成分の合成で表される．クエーサーは中心核における何らかの膨大なエネルギー放出機構により，中心核の成分が圧倒的に強く光っている．

7)　拡散光成分　　以上の代表的赤外線源のほか，拡がりを持つ赤外線放射として，惑星間塵の熱放射（中間赤外），銀河面に集中した分布を持つ星間塵の熱放射（遠赤外）およびほぼ一様な宇宙背景放射（近赤外～遠赤外）などがある．

おもな赤外線源

名　称	2000年分点 赤　経	赤　緯	赤外線強度 2.2 μm	10 μm	100 μm	備　考
	h m s	° ′ ″	等	等	Jy	
色巨星・赤外線星						
ML Tau	03 53 28.9	+11 24 22	−1.1	−4.6	101(IRAS)	赤外線星・M型
Ori	05 55 10.3	+07 24 25	−4.1	−5.2	95(IRAS)	2 μmでもっとも明るい星
Y CMa	07 22 58.3	−25 46 03	−0.7	−5.9	331(IRAS)	赤外線星・M型
RC+10216	09 47 57.4	+13 16 44	0.6(10″)	−7.8(10″)	2 100(54″)	赤外線星・C型
Car	10 45 03.6	−59 41 04	1.2	−7.9(16″)	5 200(32″)	20 μmでもっとも明るい星
Cyg	19 50 33.9	+32 54 51	−1.8	−3.4	17(IRAS)	長周期変光星・S型
ML Cyg	20 46 25.5	+40 06 59	0.4	−5.2	—	赤外線星・M型
FGL2688	21 02 18.3	+36 41 37	8.0	−2.3(8″)	—	Egg Nebula，原始惑星状星雲
主系列星						
Tau	04 21 59.4	+19 32 06	5.4(15″)	1.0	63(37″)	T Tau型星
1551-IRS5	04 31 34.2	+18 08 05	8.9(30″)	3.0(3.″8)	470(54″)	双極分子流天体
N Object	05 35 14.1	−05 22 23	4.5(15″)	−1.2(13″)	—	OMC-1，大質量原始星
L Nebula	05 35 14.5	−05 22 29	—	−2.2(26″)	90 000(1′)	OMC-1，大質量原始星，赤外線星雲
Mon	06 39 10.0	+08 44 10	5.2	0.4	42(37″)	ハービック Ae/Be型星，変光星雲
FGL2591	20 29 24.9	+40 11 19	5.5(26″)	−1.5(26″)	5 700(IRAS)	大質量原始星
140-IRS1	22 19 18.3	+63 18 46	5.5(32″)	−1.4(3.″5)	14 000(IRAS)	大質量原始星
分子雲・HⅡ領域・惑星状星雲						
kHα 101	04 30 14.4	+35 16 24	3.1	−2.4(26″)	510(37″)	若いHⅡ領域
D+30 3639	19 34 45.2	+30 30 59	8.1(20″)	0.0(11″)	55(55″)	惑星状星雲
335	19 37 01.0	+07 34 11	—	—	41(IRAS)	グロビュール(孤立した小型分子雲)
106	20 27 26.5	+37 22 42	9.6(6″)	4.9(5″)	13 000(IRAS)	双極型HⅡ領域
MWC 349	20 32 45.5	+40 39 37	3.3(10″)	−1.6(11″)	8.5(40″)	若いHⅡ領域
NGC 7027	21 07 01.6	+42 14 10	7.1(11″)	−1.1(11″)	206(55″)	惑星状星雲
系外銀河・セイファート銀河・クエーサー						
NGC 253	00 47 33.1	−25 17 20	6.9(25″)	2.1(6″)	1 000(2.′2)	渦巻銀河
NGC 1068	02 42 40.8	−00 00 48	7.5(12″)	0.6(5.″7)	239(IRAS)	セイファート銀河
M82	09 55 52.4	+69 40 47	4.9(7.″8)	0.5(25″)	1 400(2.′2)	特異銀河
NGC 4151	12 10 32.6	+39 24 21	8.7(22″)	3.6(6″)	8.0(2′)	セイファート銀河
C 273	12 29 06.7	+02 03 09	9.8	5.1(17″)	2.8(IRAS)	クエーサー
Arp220	15 34 57.2	+23 30 12	11.4(5″)	5.6(6″)	149(2′)	相互作用銀河
BL Lac	22 02 43.3	+42 16 40	10.4	6.4	0.4(40″)	BL Lac天体

表中の星の大部分は変光星である．赤外線強度の欄では，等級とJy($=10^{-26}$W·Hz^{-1}·m^{-2})が用いられている．波長2.2 μm，10 μmでの0等に相当する強度は，約630 Jy，43 Jyである．広がった天体は観測視野の大きさによって明るさが異なる．(　)内の数字は，観測された赤外線強度を得たときの視野の大きさを示す．(IRAS)は，IRAS衛星で測定された強度であることを示す．

宇宙電波

宇宙電波の発生機構

連続波放射は自由電子が加速度運動するときに発するものであり，高エネルギーにま加速された電子がローレンツ力により磁力線の周りを回るときに放射するシンクロトロ放射などの非熱的放射と，電離した星間ガス中の熱電子がイオンとクーロン力で相互作して放射する制動放射などの熱的放射とに分けられる．スペクトル線は原子内の電子エルギー準位間や分子の振動，回転準位間の遷移などにより放射される．

電波で観測されるおもな天体

1）超新星残骸　8–10 太陽質量以上の大質量星，あるいは伴星からの質量降着によチャンドラセカール質量に達した白色矮星が超新星爆発を起こした後に残る連続波電波で，2022 年現在，銀河系内に 300 個あまり確認されている．Cas A（カシオペヤ A）代表される球殻状で高周波数側で急激に弱くなる電波スペクトルを持つ球殻型(天第図)と，かに星雲に代表される中心集中し平坦な電波スペクトルを持つ中心集中型とに大される．

2）惑星状星雲　8 太陽質量以下の中質量星が質量放出してつくる天体で，電離ガスにる熱的連続波と，その周りで励起された分子輝線とが観測されている．

3）パルサー　超新星爆発による星の中心部の重力崩壊でつくられた中性子星が自転伴い規則正しいパルス状の非熱的連続波を出すものであり，光，X 線で観測されているのもある．これまでに 3 600 個あまり確認されている．また，連星をなすパルサーの公転期の変化から重力波の存在が示唆されている．

4）H II 領域　B 1 型（**天 38, 48** 参照）より高温の星によって放射された紫外線によ電離された星間ガス(H II)で，星の母胎である分子雲に隣接している．熱的連続波（天第図）のほかに，H^+, He^+, C^+, S^+などのイオンが電子と結合し電子エネルギー準位間を遷する際に放出される再結合線が観測される．

5）H I ガス　主として中性水素原子(H I)からなる低密度で暖かい星間ガス．水素原の超微細構造間遷移である 21 cm 線（1.42046 GHz）で観測され，銀河の構造と回転の研に利用されている．

6）分子雲と星惑星形成領域　比較的高密度の星間ガスで水素分子(H_2)や星間塵を主成とする．太陽質量の 10^{2-6} 倍の質量を持つ．水素分子の他にもさまざまな種類の星間分子検出されている（**天 78** 参照）．H_2 自体には電波の輝線はないが，CO(115.271 GHz などや H_2O(22.235 GHz）などの星間分子が輝線や吸収線で観測できる．また，星間塵から熱放射も電波で観測される．星や惑星の生成の場となっており，若い星周辺の高密度ガや中心星からのジェット，星周円盤などが観測される．（天第 17 図参照)．

7）恒星　太陽のような小質量星におけるフレアによる電波連続波，大質量星周囲で質量放出による衝撃波からの電波連続波が観測されることがある．また，進化の進んだ期型星では，膨張した恒星大気の電波光球からの連続波や，惑星状星雲を形成する以前星周ガスに存在する分子からの輝線，OH（1.667 GHz），H_2O，SiO（43.122 GHz など）どの強いメーザーが放射されることもある．

8）通常銀河と銀河背景放射　通常銀河では銀河内の星間磁場と高エネルギー電子と相互作用によるシンクロトロン放射の結果，銀河に付随し広がった連続波放射が観測さる．銀河系の場合これが銀河背景放射として観測される．渦巻銀河の場合，円盤部に集し，さらに中心集中している．H I ガスの放射する 21 cm 線はおもに渦巻銀河で観測されリング状の分布をしているものが多い．星間分子が放射する分子輝線もおもに渦巻銀河観測され，中心集中した分布の銀河と M31 に代表されるリング状分布の銀河がある．

9）クエーサーと電波銀河，活動銀河核　クエーサーは銀河の中心核での爆発的現象あり，ジェット状に高エネルギー粒子を放出している（天第 18 図)．電波銀河はジェッの先にさらに拡がったローブ状の構造を持つ．クエーサーは 2023 年現在 800 000 個以上か同定されている．電波が強いクエーサーは電波が弱いものの 10 分の 1 以下に過ぎない．

は非熱的で，放出エネルギーは 10^{40} J·s^{-1} に達するものがあり，極めて明るい．クエーーの赤方偏移は，大きいものでは $z=7$ を超えるものまで見つかっている．エネルギーは重力エネルギーの解放であると推測されるが，ジェットの発生機構などはまだよくわっていない．2019 年には活動銀河核にある超巨大ブラックホールが超長基線電波干渉（VLBI）によって撮像されている．

）宇宙背景放射　　天球上どの方向でも同じ強さで分布する電波であり，宇宙が生まれ張とともに冷えて電離状態から中性化したときに放射された熱放射が赤方偏移したものある．2.73 K の黒体放射のスペクトルをしている．われわれの銀河系が運動しているこによる見かけの双極子成分以外に，宇宙初期の重力場のゆらぎによる 3×10^{-5} K 程度の等方性が発見されている．

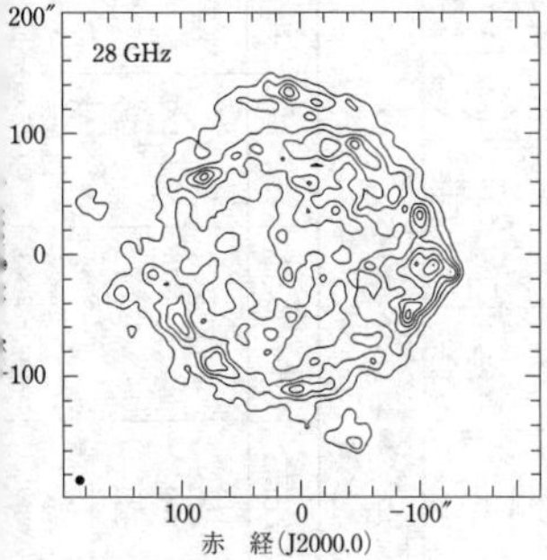

中心座標は赤経（J2000.0）=23ʰ23ᵐ25ˢ,
赤緯（J2000.0）=58°49′00″

天第 15 図　超新星残骸 Cas A の電波強度図
(Wright et al. 1999, ApJ, **518**, 284)

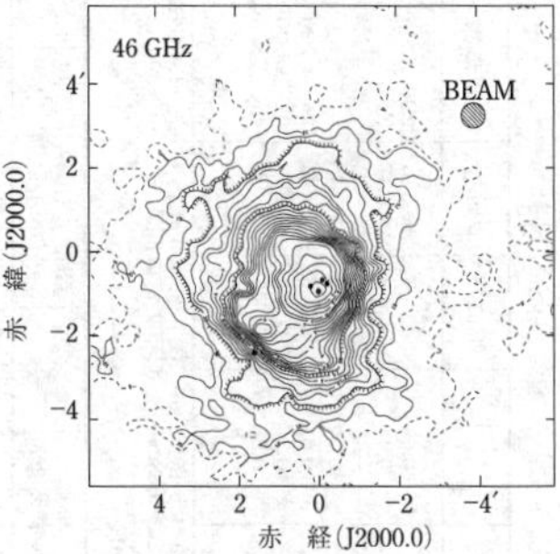

中心座標は赤経（J2000.0）=5ʰ35ᵐ15ˢ,
赤緯（J2000.0）=−5°22′30″

天第 16 図　H II 領域 Ori A (M42) の電波強度図(Akabane et al. 1985, PASJ, **37**, 123)

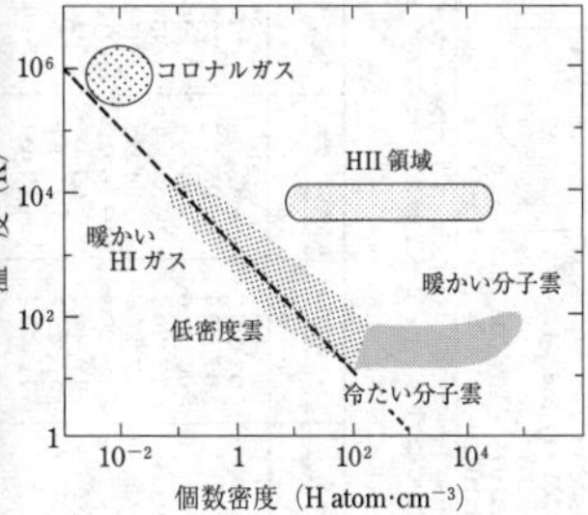

天第 17 図　星間ガスの温度と密度

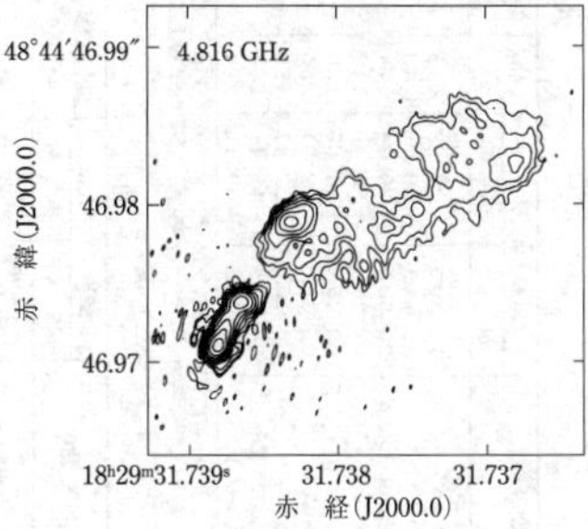

天第 18 図　クエーサー 3C 380 の電波強度図
(Kameno et al. 2000, PASJ, **52**, 1045)

超新星残骸(SNR)

名称	2000年分点 赤経	2000年分点 赤緯	銀経 l	銀緯 b	電波強度(1GHz) S 1)	スペクトル指数 α 2)	視直径	タイプ	膨張速度	距離	備考
	h m	° ′	°	°	Jy		′		km·s⁻¹	万光年	
Kepler	17 30.7	−21 28	5	+7	19	0.64	3	球殻	200−300	1.4	1604年爆発
W49B	19 11.1	+09 06	43	−0	38	0.48	4×3	球殻		3.3	
Cygnus Loop	20 50.0	+30 34	74	−9	210	—3)	230×160	球殻		0.18	網状星雲, NGC 6992/95
§Cas A	23 23.4	+58 49	112	−2	2 720	0.77	5	球殻	7 400	0.9	
Tycho	00 25.4	+64 09	120	+1	56	0.61	8	球殻	4 700	0.7−1.6	1572年爆発
△§Tau A	05 34.5	+22 01	185	−6	1 040	0.30	7×5	中心集中	1 500	0.7	かに星雲 M1, 1054年爆発
IC 443	06 16.9	+22 47	189	+3	160	0.36	45	球殻		0.2−0.5	
△§Vela XYZ	08 33.9	−45 11	264	−3	1 750	—3)	255	複合		0.16	
§SN1987A	05 35.5	−69 16	214	−34	0.14 4)	−0.2 4)	<1″		30 000	16	大マゼラン雲中で1987年爆発

1)　1 Jy $=10^{-26}$ W·Hz^{-1}·m^{-2}.　2)　$S\propto\nu^{-\alpha}$ と表した場合のべき指数.　3)　変化する.　4)　1.4 GHz. 爆発3日後の極大値.
△:おもな高エネルギーγ線源(天69参照)　§:代表的なX線源(天71参照)

パルサー

名称	2000年分点 赤経	2000年分点 赤緯	銀経 l	銀緯 b	電波強度 1)	半値パルス幅 2)	周期 P	周期変化率 dP/dt	距離	備考
	h m	° ′	°	°	mJy	ms	ms	10^{-15} s·s⁻¹	万光年	
△§PSR B0531+21	05 34.5	+22 01	185	−6	646	3.0	33.1	422.77	0.7	かに(Crab)パルサー SNR かに星雲(M1)の中心にある.
△§PSR B0833−45	08 35.3	−45 11	264	−3	5 000	2.1	89.3	125.01	0.09	ほ座(Vela)パルサー. 電波強度最大.
PSR J1748−2446ad	17 48.1	−24 47	4	+2	—	—	1.4	—	2.84	周期がもっとも短いパルサー
PSR J0250+5854	02 50.3	+58 54	138	−1	—	—	23 535.4	27.16	0.51	周期がもっとも長いパルサー
PSR B1913+16	19 15.5	+16 06	50	+2	4	7.0	59.0	0.0086	2.32	軌道周期465分の連星系をなしている.
PSR B1919+21	19 21.7	+21 53	56	+4	57	30.9	1 337.3	1.35	0.22	最初に発見されたパルサー

1)　電波強度は400 MHzでの1周期の時間平均.　2)　ピーク時の強度の50%のパルス幅
△:おもな高エネルギーγ線源(天69参照)　§:代表的なX線源(天71参照)

HⅡ領域

名称	2000年分点 赤経	2000年分点 赤緯	銀経 l	銀緯 b	電波強度(2.7 GHz)	視直径	直径	距離	備考
	h m	° ′	°	°	Jy	′	光年	万光年	
W3	02 25.7	+62 06	134	+1	110	1	2	0.64	IC 1795
Ori A	05 35.4	−05 27	209	−19	420	(芯)3×6	1×2	0.14	M42　オリオン星雲
W16	06 32.0	+04 55	206	−2	250	75	130	0.5	NGC 2244　ばら星雲
NGC 6334	17 20.6	−35 49	351	+1	176	6×10	4×6	0.44	
W22	17 25.6	−34 21	353	+1	269	13	13	0.3	NGC 6357
M17	18 20.4	−16 12	15	−1	552	5×7	10×13	0.65	オメガ星雲
W49A	19 10.2	+09 06	43	−0	53	2	20	3.6	
W51A	19 23.7	+14 31	50	−0	119	3×5	15×25	1.7	
Sgr A	17 45.7	−29 00	0	−0	250	ハロー2×3	20×30	2.8	銀河系中心核. 熱的お

星間分子雲

名称	2000年分点 赤経	2000年分点 赤緯	銀経 l	銀緯 b	電波強度 T_b(CO)[1]	視直径	直径	距離	備考
	h m	° ′	°	°	K		光年	光年	
おうし座分子雲-1	04 41.4	+25 47	172	−13	10	15′×5′	2×0.7	430	冷たい分子雲．巨大な暗黒星雲群の中にある．
オリオン座分子雲-1	05 35.2	−05 23	209	−19	10	7°×1.5°	170×40	1 400	巨大分子雲．大質量星が誕生している．個数密度
					(芯) 60	10′×3′	4×1.2		$10^{13}m^{-3}$ 以上のコンパクトな芯がある．
L183 (L134N)	15 54.1	−02 53	6	37	10	30′	5	520	冷たい分子雲
へびつかい座 ρ 分子雲	16 26.3	−24 26	353	17	10–25	2°×1°	18×9	450	赤外線星を多数含んだ芯がある．
Sgr A	17 45.7	−29 00	0	0	40	25′	250	28 000	銀河系中心にある巨大分子雲．激しい運動を示す．
Sgr B2	17 47.3	−28 23	1	0	20	15′	150	28 000	銀河系中心近くの巨大な分子雲．大質量星の誕生の場
M17	18 20.4	−16 14	15	−1	10–50	3°×0.5°	340×60	6 500	巨大分子雲．大質量星の誕生の場

1)　CO 分子の出す 115.271 GHz (J=1−0，波長 2.6 mm) の輝線の強度を温度で表したもの．分子ガスの温度とほぼ等しい．

電波銀河およびクエーサー

名称	2000年分点 赤経	2000年分点 赤緯	赤方偏移 z[1]	銀河の型	実視等級	電波強度 (2.7 GHz)	電波構造の拡がり	備考
電波銀河	h m	° ′			等	Jy[2]		
3C 84	03 19.8	+41 31	0.0176	ED 2	12.5	9.9*	ハロー(26′)	Per A，NGC 1275
							芯(10″, 0.001″)	セイファート銀河
PKS 0320−37	03 22.6	−37 14	0.0044	D 3−4	10.5	94	双対型(29′)	For A，NGC 1316
§3C 274	12 30.8	+12 23	0.0041	E 2	10.9	118.3	ハロー(12′×16′)	Vir A，M87
							芯(50″)	
△§PKS 1322−42	13 25.3	−43 01	0.0009	DE 3	6.1	890	双対型(200′ および 7′.2)	Cen A，NGC 5128
3C 348	16 51.1	+05 00	0.154	cD 4	18.0	22.4	双対型(31″)	Her A
3C 405	19 59.5	+40 44	0.056	cD 3	15.1	785	双対型(106″)	Cyg A
BL Lac	22 02.7	+42 17	0.069	—	14.7*	4.5*	0.007″	BL Lac 型天体
クエーサー								
3C 48	01 37.7	+33 10	0.367	—	16.2*	9.0		最初に同定されたクエーサー
PKS 0237−23	02 40.1	−23 09	2.225	—	16.6	5.3		非常に多くの吸収線あり
PKS 0458−02	05 01.3	−02 00	2.286	—	19.5	2.0		$z=2$ の 21 cm 線の吸収線あり
0957+561A, B	10 01.3	+55 54	1.413	—	17.0	0.2		最初に発見された重力レンズによる二重クエーサー
BR 1202−0725	12 05.4	−07 43	4.694	—	18.7‡	—		多量の分子ガスと星間塵を含む原始銀河候補天体
△§3C 273	12 29.1	+02 03	0.158	—	12.9*	41.4*		最初に z が測られたクエーサー
△3C 279	12 56.2	−05 47	0.538	—	17.8*	12.0*		
H 1413+117	14 15.8	+11 30	2.546	—	17.0	—		クローバーリーフクエーサー．重力レンズによる四重像
△3C 454.3	22 54.0	+16 09	0.859	—	16.1*	10.7*		

1)　天体までの距離は，z が1よりも十分小さい天体の場合，およそ $(cz/H_0)\{1-(q_0+1)z/2\}$，($H_0=67.3\ km\cdot s^{-1}\cdot Mpc^{-1}$ はハッブル定数，q_0 は減速定数；たとえば Einstein-de Sitter の宇宙モデルでは $q_0=0.5$) により求められる．

2)　$1\ Jy=10^{-26}\ W\cdot Hz^{-1}\cdot m^{-2}$

*　変光する．　†　多重構造のうちもっとも小さい構造を示す．　‡　R バンドでの等級．

△：おもな高エネルギー γ 線源 (天 69 参照)　　§：代表的な X 線源 (天 71 参照)

これまでに検出された星間分子のうち代表的なもの

簡単な水素化物，酸化物，硫黄化物，ハロゲン化物など				
H_2 (IR)	CO	H_2O	CS	$AlCl^{\star}$
HF	SiO	NH_3	SiS	KCl
HCl	SO_2	$CH_4^{\star}$ (IR)	H_2S	$NaCl$
N_2 (UV)	CO_2	$SiH_4^{\star}$ (IR)	OCS	
O_2	TiO	PH_3		
ニトリル，アセチレン誘導体など				
$C_2^{\star}$ (IR)	HCN	CH_3CN	HNC	$HC_2H^{\star}$ (IR)
$C_3^{\star}$ (IR)	HC_3N	CH_2CHCN	$HNCO$	$HC_4H^{\star}$ (IR)
$C_5^{\star}$ (IR)	HC_5N	CH_3CH_2CN	$HNCS$	$HC_6H^{\star}$ (IR)
C_3O	HC_7N	CH_3C_3N	$HNCCC$	$C_2H_4^{\star}$ (IR)
C_3S	HC_9N	n-C_3H_7CN	$HCCNC$	CH_3C_2H
$C_4Si^{\star}$	$KCN^{\star}$	i-C_3H_7CN	CH_3NC	CH_3C_4H
アルデヒド，アルコール，エーテル，ケトン，アミドなど				
H_2CO	CH_3OH	$HCOOH$	CH_2NH	H_2C_3
H_2CS	C_2H_5OH	$HCOSH$	CH_3CHNH	H_2C_4
CH_3CHO	CH_2CHOH	$HCOOCH_3$	NH_2CN	H_2C_5
NH_2CHO	NH_2OH	CH_3COOH	CH_3NH_2	H_2C_6
HC_2CHO	CH_3SH	H_2CCO	CH_3CONH_2	
CH_2OHCHO	$(CH_3)_2O$	H_2CCS	NH_2CH_2CN	
	$(CH_3)_2CO$			
環環状分子				
c-C_3H	c-SiC_2	c-C_2H_4O	c-C_6H_5CN	$C_{60}^{\star}$ (IR)
c-C_3H_2	c-$Si_2C^{\star}$	c-C_9H_8	1-$C_{10}H_7CN$	C_{60}^{+} (IR)
c-$C_6H_6^{\star}$ (IR)	c-$SiC_3^{\star}$		2-$C_{10}H_7CN$	$C_{70}^{\star}$ (IR)
分子イオン				
H_3^+	HCO^+	$HCNH^+$	CO^+	C_4H^-
HeH^+	HOC^+	H_3O^+	CF^+	C_6H^-
CH^+ (OPT)	HCS^+	H_2COH^+	SO^+	C_8H^-
OH^+	HN_2^+	HC_3NH^+	NH_4^+	CN^-
ArH^+	$HOCO^+$	HC_5NH^+		C_3N^-
ラジカル				
OH	C_2H	CN	NO	C_2O
CH	C_3H	C_2N	HNO	CH_3O
CH_2	C_4H	C_3N	NS	C_2S
CH_3	C_5H	C_5N	SO	$CP^{\star}$
NH (UV)	C_6H	H_2CN	PO	$SiC^{\star}$
NH_2	C_7H	CH_2CN	$MgNC$	HCO
SH (IR)	C_8H	$HCCS$	$MgCN^{\star}$	NCO

電波以外で観測される分子については，その波長域をカッコ内に示した．IR が赤外線，OPT が可視光，UV が紫外線である．★は，赤色巨星でのみ検出されていることを示す．全星間分子（2024 年 5 月現在約 310 種）は，理科年表オフィシャルサイト（https://official.rikanenpyo.jp/）の「プラス α」に掲載している．参考文献：The Cologne Database for Molecular Spectroscopy（Müller et al. 2001, A&A, **370**, L49）

重　力　波

重力波の生成機構　一般相対性理論によれば，大質量でコンパクトな天体が加速度運動することにより，重力波が発生する．重力波源としては連星の合体や超新星爆発，非球対称な星の高速回転や，宇宙初期に起源を持つ重力波が宇宙空間を伝播していると考えられる．これらのうち，データとの相関解析を可能にする波形予測ができるのは，連星合体からの重力波である．十分に合体前はニュートン力学に相対論補正を加えたポスト・ニュートン展開により，合体前後は数値シミュレーションにより，合体後ブラックホールが生じる場合にはブラックホール時空の摂動によっても波形モデルが得られる．これらのモデルと重力波干渉計で得られる信号の相関をとることで，連星ブラックホール（以下 BBH）や連星中性子星（BNS），および中性子星・ブラックホール連星（NSBH）の合体現象による重力波の検出，およびパラメータ推定が 2015 年以来可能になった．

重力波の観測　これまでに，米欧のレーザー干渉計 LIGO, Virgo によって，O3b と呼ばれる観測期間終了までに，BBH 波源の重力波が 85 例，BNS 波源が 2 例，NSBH 波源が 2 例，片方が BH で相方が不明なもの 1 例の合計 90 例が報告されている．日本の KAGRA（かぐら）も O3b の最後に共同観測に入った*．O4 観測は，2025 年 6 月まで行われる．

重力波イベントは，観測された年月日を用いて，GW150914 の形で命名される．O3a 期より，時分秒を加えた名称が正式となった．重力波イベントは速報体制が取られ，多波長電磁波追観測が可能になっているが，これまでに波源が特定されたのは GW170817 のみである．

重力波レーザー干渉計の位置と腕の向き

（例えば N 36°W は北から西方に 36° の向きを指す.）

干渉計	所在地	腕長（km）	緯度	経度	X-腕	Y-腕
LIGO Hanford	米国	4	46°27′19″ N	119°24′28″ W	N 36° W	W 36° S
LIGO Livingston	米国	4	30 33 46 N	90 46 27 W	W 18° S	S 18° E
Virgo	欧州	3	43 37 53 N	10 30 16 E	N 19° E	W 19° N
KAGRA	日本	3	36 24 36 N	137 18 36 E	E 28.3° N	N 28.3° W

観測期間（Observing Run）

観測期	Advanced LIGO	Advanced Virgo	KAGRA
	年 月 日　年 月 日	年 月 日　年 月 日	年 月 日　年 月 日
O1	2015 9 12 - 2016 1 19	—	—
O2	2016 11 30 - 2017 8 25	2017 8 1 - 2017 8 25	—
O3a	2019 4 1 - 2019 9 30	同左	—
O3b	2019 11 1 - 2020 3 27	同左	(O3GK) 2020 4 7 - 2020 4 21
O4a	2023 5 26 - 2024 1 16	—	2023 5 26 - 2023 6 25
O4b	2024 4 3 - 2025 6 9(予定)	同左	2025 年初旬に再開

*　KAGRA は能登半島地震でのダメージから復帰して 2025 年初旬に観測を再開する.

観測された中で特筆すべきイベント　突発的重力波カタログ 3（GWTC3）として 2021 年 11 月に発表されたものが最新の重力波イベントカタログである．

GW150914　最初に報告された重力波直接観測イベント．BBH の存在を明らかにし，太陽質量（$M_{\odot}$）の 30 倍以上の BH の存在を初めて確認した．GW1708 最初に報告された BNS イベント．直後に多くの追観測がなされ，マルチ・メッセンジャー天文学の初めての成功例となった．重力波波形から得られた中性子星の状態方程式に対する制限は核密度 $\rho_{\text{nuc}} = 2.8 \times 10^{14}$ g/cm^3 の 2 倍の密度における圧力として $(2\rho_{\text{nuc}}) = 3.5^{+2.7}_{-1.7} \times 10^{34}$ dyn/cm^2（90% 信頼区間）である．γ 線が重力波のピークと 1.7 秒差で到着したことから重力波伝播速度の光速からのずれの割合は 1 10^{-15} 以下と制限された．また，可視・赤外における追観測から鉄以上の重元素合成の形跡が見られ，r-過程元素合成の重要なチャンネルになっていることを示唆している．GW190412　明らかに質量比の大きな BBH からの重力波で，重力波の高次モードの検出が試みられた．GW190425　2 番目に発見された BNS．GW19052 総質量が最大の BBH で，合体後の質量が $150M_{\odot}$ 程度と考えられる．いわゆる中間質量 BH の領域の候補天体の初の発見となった．BBH の合体の第 2 世代の合体とも考えられている．GW190814　星の進化のシナリオでは直接形成が困難とされる $2\text{-}5M_{\odot}$ の質量領域（質量ギャップ）のコンパクト天体からの重力波と考えられる．GW190924　現在までで最小質量の BBH．GW200115　初めて高い確度で NSBH 合体として報告されたイベント．GW230529_181500　LIGO Livingston でのみ検出されたが，$1.2\text{-}2.0M_{\odot}$ と $2.5\text{-}4.5M_{\odot}$ の連星合体で，一方は NS の質量領域だが他方は質量ギャップ領域であることから，O4a 期のイベントとして速報された．

得られた科学的成果　連星系については，その合体頻度について，BBH は赤方偏移 z = 0.2 付近において 17.9 − 44/Gpc^3/yr，BNS は 10 − 1700/Gpc^3/yr，NSBH は 7.8 − 140/Gpc^3/yr と見積もられている．このほか，背景重力波に対して，宇宙膨張率に対して重力波のエネルギーが寄与する割合として（平坦なエネルギースペクトルを仮定したうえで）$\Omega_{\text{GW}} < 6.0 \times 10^{-8}$ の上限が得られている．連続重力波の重力波振幅に対しては，おおよそ 1×10^{-25} 程度（200 Hz まわり）の上限が得られている．また，既知のパルサーからの連続重力波に対しても個々に上限が得られている．

一般相対性理論の検証も行われ，数あるテストすべてで，一般相対性理論から得られる予言と観測されている重力波信号との間に矛盾は生じていない．今後，発見数が増すにつれて連星系の形成シナリオが明らかになることが期待される．将来的には，銀河系形成シナリオや初期宇宙の情報などにも，重力波観測から多くの知見がもたらされるであろう．

報告されたおもな重力波（2024 年 6 月現在）

連星の質量を M_1, M_2 としたときの，チャープ質量 $M_c=(M_1M_2)^{3/5}/(M_1+M_2)^{1/5}$，量比（中央値の比）$M_2/M_1$，有効スピン $\chi_{\rm eff}$，最終的に形成された BH の質量 $M_{\rm final}$(NS を含む場合は全質量 $M_{全}=M_1+M_2$)，距離，波源特定精度（平方度）$(\Delta\theta)^2$，グナル・ノイズ比（SNR）を示す．幅のある量は 90% の信頼区間．（種類ごとに付順．BBH については，GW190521 と SNR が 17.3 より大きいもののみ．）

イベント（BBH）	M_c ($M_\odot$)	質量比	$\chi_{\rm eff}$	$M_{\rm final}$ ($M_\odot$)	距離（Mpc）	$(\Delta\theta)^2$	SNR
GW150914	$28.6^{+1.7}_{-1.5}$	0.86	$-0.01^{+0.12}_{-0.13}$	$63.1^{+3.4}_{-3.0}$	440^{+150}_{-170}	250	26
GW170814	$24.1^{+1.4}_{-1.1}$	0.82	$0.07^{+0.12}_{-0.12}$	$53.2^{+3.2}_{-2.4}$	600^{+150}_{-220}	92	17.7
GW190412	$13.3^{+0.5}_{-0.5}$	0.32	$0.21^{+0.12}_{-0.13}$	$35.6^{+4.8}_{-4.5}$	720^{+240}_{-220}	240	19.8
GW190521	$63.3^{+19.6}_{-14.6}$	0.58	$-0.14^{+0.5}_{-0.45}$	$147.4^{+40.0}_{-16.0}$	3310^{+2790}_{-1800}	1000	14.3
GW190521_074359	$32.8^{+3.2}_{-2.8}$	0.77	$0.1^{+0.13}_{-0.13}$	$72.6^{+6.5}_{-5.4}$	1080^{+580}_{-530}	470	25.9
GW190814	$6.11^{+0.06}_{-0.05}$	0.11	$0^{+0.07}_{-0.07}$	$25.7^{+1.3}_{-1.3}$	230^{+40}_{-50}	22	25.3
GW191109_010717	$47.5^{+9.6}_{-7.5}$	0.72	$-0.29^{+0.42}_{-0.31}$	$107^{+18.0}_{-15.0}$	1290^{+1130}_{-650}	1600	17.3
GW191204_171526	$8.56^{+0.41}_{-0.28}$	0.72	$0.16^{+0.08}_{-0.05}$	$19.18^{+1.71}_{-0.93}$	640^{+200}_{-260}	350	17.4
GW191216_213338	$8.33^{+0.22}_{-0.19}$	0.64	$0.11^{+0.13}_{-0.06}$	$18.87^{+2.81}_{-0.93}$	340^{+120}_{-130}	490	18.6
GW200112_155838	$27.4^{+2.6}_{-2.1}$	0.79	$0.06^{+0.15}_{-0.15}$	$60.8^{+5.3}_{-4.3}$	1250^{+430}_{-460}	4300	19.8
GW200129_065458	$27.2^{+2.1}_{-2.3}$	0.84	$0.11^{+0.11}_{-0.16}$	$60.2^{+4.1}_{-3.2}$	890^{+260}_{-370}	130	26.8
GW200224_222234	$31.1^{+3.3}_{-2.7}$	0.82	$0.1^{+0.15}_{-0.16}$	$68.7^{+6.7}_{-4.8}$	1710^{+500}_{-650}	50.0	20
GW200311_115853	$26.6^{+2.4}_{-2.0}$	0.81	$-0.02^{+0.16}_{-0.2}$	$59^{+4.8}_{-3.9}$	1170^{+280}_{-400}	35	17.8
イベント（BNS）	M_c ($M_\odot$)	質量比	$\chi_{\rm eff}$	$M_{全}$ ($M_\odot$)	距離（Mpc）	$(\Delta\theta)^2$	SNR
GW170817	$1.186^{+0.001}_{-0.001}$	0.87	$0^{+0.02}_{-0.01}$	—	$40^{+7.0}_{-15.0}$	16	33
GW190425	$1.44^{+0.02}_{-0.02}$	0.62	$0.07^{+0.07}_{-0.05}$	$3.4^{+0.3}_{-0.1}$	150^{+80}_{-60}	8700	12.4
イベント（NSBH）	M_c ($M_\odot$)	質量比	$\chi_{\rm eff}$	$M_{全}$ ($M_\odot$)	距離（Mpc）	$(\Delta\theta)^2$	SNR
GW190917_114630	$3.7^{+0.2}_{-0.2}$	0.22	$-0.08^{+0.21}_{-0.43}$	$11.8^{+3.0}_{-2.8}$	720^{+300}_{-310}	2100	8.3
GW200115_042309	$2.43^{+0.05}_{-0.07}$	0.24	$-0.15^{+0.23}_{-0.42}$	$7.4^{+1.7}_{-1.7}$	290^{+150}_{-100}	370	11.3
GW230529_181500	$1.94^{+0.04}_{-0.04}$	0.39	$-0.1^{+0.12}_{-0.17}$	$5.1^{+0.6}_{-0.6}$	201^{+102}_{-96}	—	11.6

時　刻　系

1991年から2006年にかけた一連のIAU勧告による一般相対性理論に基づいた基準
標系の採用，歳差章動理論・天球および地球基準座標系定義の改訂に伴い，時刻系およ
極運動の定義が大幅に変わった．

世　界　時

地球時（TT，「力学時」参照）tにおける地球重心天文座標系GCRSと国際地球基準
標系ITRFの関係は，［GCRS］＝Q(t) R(t) W(t)［ITRF］と書ける．ここでQ(t)，R(
およびW(t)はそれぞれ天球極の天球座標系における運動，地球自転および極運動によ
回転である．R(t) W(t)［ITRF］により実現された座標系の極をCIPと呼ぶ．地球はC
の周りを自転する．CIPを極とする瞬時の真赤道上に固定された天球座標系の原点
CIO，自転する地球座標系の第1軸方向（≈経度0°）をTIOと呼ぶ．CIOから測っ
TIOまでの角が地球自転角ERAである．世界時UT1はERAの1次式で表され，UT
におけるERAとの関係は

$\mathrm{ERA}(T_u)=2\pi(0.779\,057\,273\,264\,0+1.002\,737\,811\,911\,354\,48\,T_u)$，

ただし，T_u＝Julian UT1 date－2 451 545.0，UT1＝UTC＋(UT1－UTC)である．UT1
UTCはVLBIなどによる観測から決まる．ERAとグリニジ恒星時GSTの関係はGST(T
t)＝ERA(T_u)＋tの多項式＋EE(t)で定義される．右辺の第2項までがグリニジ平均恒
時GMSTに対応し，以下で与えられる．

$\mathrm{GMST}(T_u,\ t)=\mathrm{ERA}(T_u)+0''.014\,506+4\,612''.156\,534t+1''.391\,581\,7t^2-4''.4\times10^{-7}t^3$
$2''.995\,6\times10^{-5}t^4-3''.68\times10^{-8}t^5$．EE($t$)は分点均差（Equation of Equinox）と呼ばれる
もに章動に起因する項で，周期項とt×周期項の和である．ここでtは地球時TTにお
るt＝(TT－2000年1月1日12^{h} TT) 日/36525とするユリウス世紀数である．極運動(x, y
（角度秒）はITRFにおけるCIPの運動である．位置天文観測から得られる世界時UT
には極運動による経度変化相当分

$\Delta\lambda=-1000(x\sin\lambda+y\cos\lambda)\tan\phi/15$ (ms)

が含まれ，UT1＝UT0＋$\Delta\lambda$の関係がある．ここでλ，ϕは観測地点の経度および緯度で
る．

x，y，UT1－UTC，UTC－TAIの確定値，速報値および予測値は国際地球回転・基
系事業（IERS）中央局が観測値をもとに算出し，公表している．また，UT1－UTCの
測値はDUT1として±0.1秒の精度で各国標準電波報時によって知ることができる．

力　学　時

力学時は一般相対性理論に基づく天体力学および暦に使われる時系で，太陽系重心座
時TCBおよび地球重心座標時TCGに分類される．太陽系天体の運動の記述にはTCB，
地球重心回りの運動の記述にはTCGを用いる．TCB－TCGは天体暦を用いて計算され，
TCB－TCG＝$L_{\mathrm{C}}\times(\mathrm{JD}_{\mathrm{TAI}}-2\,443\,144.5)\times86\,400/(1-L_{\mathrm{B}})$＋地球の速度と太陽系天体の位
に依存する項(s)，と表される．ここで$L_{\mathrm{B}}=1.550\,519\,768\times10^{-8}$および$L_{\mathrm{C}}=1.480\,826\,86$
41×10^{-8}であり，L_{B}は定義定数である．TCGは地球重心における時刻系であるため地表
の観測にはそのままでは使えない．地表での時刻としてジオイド面上で歩度がSI秒とな
一様な時刻として地球時TTを用いる．しかし，ジオイド面は十分な精度で実現できず，
TTは変換係数L_{G}を定義定数，JDを国際原子時TAIで表したユリウス日として，地球
心座標時TCGと以下の関係で定義される．

$\mathrm{TCG}-\mathrm{TT}=L_{\mathrm{G}}/(1-L_{\mathrm{G}})\times(\mathrm{JD}_{\mathrm{TAI}}-2\,443\,144.5)\times86\,400\ (\mathrm{s})$，$L_{\mathrm{G}}=6.969\,290\,134\times10^{-10}$

TTはTAIとTT＝TAI＋32^{s}.184との関係にある．TTとUT1の差ΔTは

$\Delta\mathrm{T}=\mathrm{TT}-\mathrm{UT1}=-(\mathrm{UT1}-\mathrm{UTC})-(\mathrm{UTC}-\mathrm{TAI})+32^{\mathrm{s}}.184$

と表され，2024年6月時点で約69.2秒である．UT1－UTCおよびUTC－TAIについて
は協定世界時を参照．従来のTDBは，TCBの一次式で地球重心におけるTTに近い時刻
として以下で再定義される．

$\mathrm{TCB}-\mathrm{TDB}=L_{\mathrm{B}}\times(\mathrm{JD}_{\mathrm{TCB}}-2\,443\,144.500\,372\,5)\times86\,400+\mathrm{TDB}_0(\mathrm{s})$．ここで
$\mathrm{TDB}_0=-6.55\times10^{-5}$は定義定数である．

国際原子時

時間間隔の単位「秒」は 1967 年 10 月パリにおける第 13 回国際度量衡総会においてつぎようにに決められた.「秒は，セシウム 133 の原子の基底状態における 2 つの超微細準位間遷移に対応する放射の，9 192 631 770 周期の継続時間とする.」この放射の周波数 192 631 770 Hz に準拠して測られた周波数 *f*Hz の発振器により，*f* 周期ごとに 1 秒をむ時計を構成するとき，この時計面の示す時刻を原子時と呼ぶ.

世界各地の原子時計データを比較総合して，国際度量衡局（Bureau International des oids et Mesures, BIPM, フランス）が合成する最終的な原子時を国際原子時（TAI）とぶ. TAI の原点は 1958 年 1 月 1 日 0 時 0 分 0 秒 UT2 の瞬間を同年同月同日 0 時 0 分 0 TAI と定められた.

協定世界時

協定世界時（UTC）は原子時に基づきながら，地球自転に基づく世界時との時刻差が一範囲内に収まるように管理された人工時系である. 1971 年末まで使われた旧 UTC で，周波数オフセット（周波数を定義値より一定値ずらす操作による秒間隔の調整）と 0.1 の秒信号のステップ調整とにより時刻差（UT2 − UTC）が ±0.1 秒の範囲内に収まるよに管理されていた. 1972 年 1 月 1 日から実施されている新 UTC では周波数オフセット廃止（秒間隔は定義どおりとし一切調整しない），1 秒単位の秒信号のステップ調整だけ，時刻差(UT1 − UTC)が ±0.9 秒(1975 年 1 月 1 日改訂)の範囲を超えないように管理さている. 現在，UTC と TAI の時刻差は常に整数秒である. グリニジ標準時（GMT）中央標準時（日本標準時）などは，協定世界時に標準子午線分の時差を加えた標準時をいている.

1 秒のステップ調整は，12 月か 6 月の末日（第 1 優先），3 月か 9 月の末日（第 2 優先），必要とあれば任意の月の末日の最終秒(UTC)の後へ 1 秒を挿入するか，または最終秒を引抜くことによって行われる. 1 秒のステップ調整の時期は IERS の中央局が決定している.この際挿入される（引抜かれる）1 秒を正（負）のうるう秒と呼ぶ. DUT1 は（UT1 − UTC)の予測値を 0.1 秒の精度で表す記号で，この数値(−0.8 から +0.8 秒)は，標準電波報時にのせて毎分コード形式で通報される（「時刻比較」参照）.

1971 年末まで使用した旧 UTC でのオフセットおよびステップ調整の時期と量は理科年表 1980 年版の天 78 参照.

1972 年以降の UTC − TAI の時期と量は次表のとおりである.

年 月 日	UTC − TAI	年 月 日	UTC − TAI	年 月 日	UTC − TAI
	s		s		s
1972 1 1	−10	1981 7 1	−20	1996 1 1	−30
1972 7 1	−11	1982 7 1	−21	1997 7 1	−31
1973 1 1	−12	1983 7 1	−22	1999 1 1	−32
1974 1 1	−13	1985 7 1	−23	2006 1 1	−33
1975 1 1	−14	1988 1 1	−24	2009 1 1	−34
1976 1 1	−15	1990 1 1	−25	2012 7 1	−35
1977 1 1	−16	1991 1 1	−26	2015 7 1	−36
1978 1 1	−17	1992 7 1	−27	2017 1 1	−37
1979 1 1	−18	1993 7 1	−28		
1980 1 1	−19	1994 7 1	−29		

時刻比較

時刻や周波数標準器の比較・校正の手段として，無線報時が利用できる．無線時には，短波標準電波報時と長波・超長波標準電波報時がある．これらは標準周数の搬送波を発射し，これに音声波あるいはパルス信号による変調または搬送波断続等によって時刻信号を表示する．時刻信号は協定世界時(UTC)の時刻目盛り与えられている．

短波標準電波報時の代表的な時刻信号形式は標準周波数の搬送波を連続に発し，秒信号はその搬送波を 5 ミリ秒間，200× n Hz の音声波で変調することにより示する．音声波の始点が正秒を示す．これは国際電気通信連合無線通信部門(ITU R) の勧告する形式で，たとえば HLA，WWV，WWVH については，n の値としそれぞれ 9，5，6 が用いられている．

DUT1 の値の表示形式は WWVH の例では DUT1 の値が +0.1× m 秒の場合は，毎分 1 秒から 8 秒までの間に m 個の信号により表示する．一方 DUT1 のが −0.1× n 秒の場合には，毎分 9 秒から 16 秒までの間に n 個の信号により表示る．m，n は DUT1 の値に応じて 0，1，2，……，8 のいずれかをとる．信号のな場合は DUT1=0 である．

長波・超長波標準電波は，地表波の高精度性から，主として時計の歩度や周波発信器の校正のために高精度の周波数標準として利用されてきた．さらに，国立究開発法人情報通信研究機構が運用する長波標準電波 (JJY) は，タイムコード (図参照．毎時 15 分と 45 分は 40 秒以降が呼出符号と停波予告に置き換わる)を重し，日本標準時の供給に利用されている．

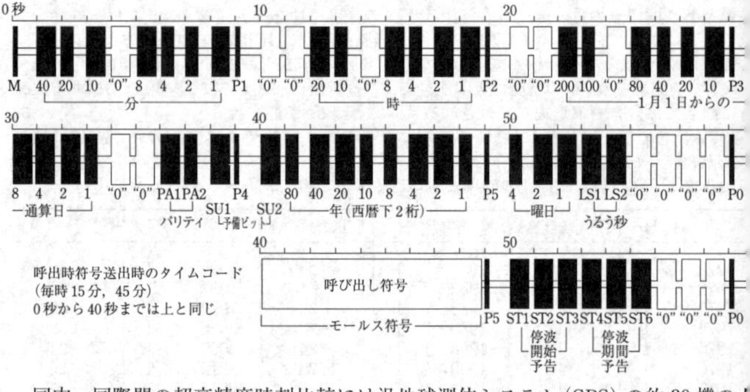

国内・国際間の超高精度時刻比較には汎地球測位システム (GPS) の約 30 機の工衛星が利用されている．GPS 衛星を利用した時計比較では，時計比較用の専用 GPS 受信機が用いられる．観測では，地球上の地域ごとに観測する衛星・観測

が定められて，それに従っての観測（コモンビュー観測）が行われる．設定され 13 分間の観測時間中に 7-11 個の衛星を受信し，各衛星から送信される時計情報の比較測定が行われる．3 分間の間隔を空けてこの測定を 1 日 90 回繰り返し，1 に延べ 700-800 回の測定が行われる．GPS 衛星との時計比較観測結果は 10 ナノ程度のばらつきが見られるが，1 日の観測から国際間の時計比較精度は 0.1 ナノ台に達する．

現在世界中で 80 以上の機関が国際的な時計比較に参加し，その比較のデータは日国際度量衡局に集められて協定世界時が構築されている．日本からは，情報通研究機構，産業技術総合研究所計量標準総合センター，国立天文台の 3 機関がこに寄与している．また，地球自転速度変動の観測（UT1 観測）には，日本から土地理院が参加している．国際協力のもと超長基線電波干渉法（VLBI）による測が実施されており，そのデータはうるう秒の調整に利用されるなど，IERS にる時刻系の維持に寄与している．

短波標準電波報時

発信局			標準電波	
呼出符号	所在地	経度/緯度	周波数(MHz)	発射時間(UTC)
BPM*	Pucheng China	109°31′ E 35 00 N	2.5, 5, 10, 15	(2.5)07:30-01:00, (15)01:00-09:00 5, 10 MHz は常時
CHU	Ottawa Canada	75 45 W 45 18 N	3.330, 7.850, 14.670	常時
HLA	Daejeon Rep. of Korea	127 22 E 36 23 N	5	常時
WWV	Fort-Collins CO, USA	105 03 W 40 41 N	2.5, 5, 10, 15, 20, 25	常時
WWVH	Kauai HI, USA	159 46 W 21 59 N	2.5, 5, 10, 15	常時

* BPM は毎時 25－29 分，55－59 分の間は UT1，ほかは 20 ミリ秒進めた UTC を報時．

長波標準電波報時*

発信局			標準電波	
呼出符号	所在地	経度/緯度	周波数(kHz)	発射時間(UTC)
JJY	大鷹鳥谷山 福島県，日本	140°51′ E 37 22 N	40.0	常時
JJY	羽金山 佐賀県，日本	130 11 E 33 28 N	60.0	常時
RTZ	Irkutsk Russia	103 41 E 52 26 N	50.0	00:00-19:00, 20:00-24:00
RAB-99	Khabarovsk Russia	134 50 E 48 30 N	25.0, 25.1, 25.5, 23.0, 20.5	02:06-02:36, 06:06-06:36

* アジア地域

極運動と自転速度変動

天第 19 図に，2018 年 1 月 1 日からの地球自転軸の北極位置（極運動）を，IEI
基準極原点(IRP)に準拠した座標系で示す．x 軸はグリニジ方向に，y 軸は西経 9
方向にとる．図中のマークはそれぞれの年の月初の位置を示す．値は IEI
中央局発行の EOP 14 C04（IAU2000）による毎日の確定値である．ある地点
IRP に準拠した平均経緯度（λ_0，φ_0）と，天文観測から求められたある時刻にお
る経緯度（λ，φ）との間には，東経を正として，

$$\lambda = \lambda_0 + 1000(x \sin \lambda_0 + y \cos \lambda_0) \tan \varphi_0 / 15 \text{ (ms)},$$

$$\varphi = \varphi_0 + (x \cos \lambda_0 - y \sin \lambda_0) \text{（角度の秒）}$$

という関係がある．

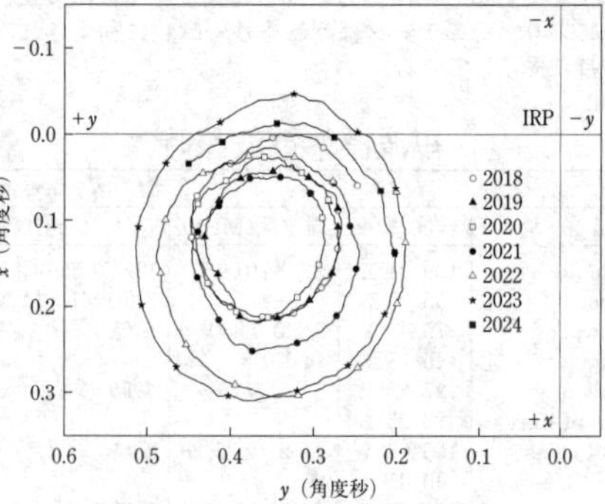

天第 19 図　極運動（2018.1.1～2024.6.1）

天第 20 図に 1 日の長さ（LOD）の 86 400 秒（24 時間）からの超過分の IERS 中
局発行の EOP 14 C04(IAU2000)による毎日の確定値を示す．ただし，長周期潮
による変動は取り除いてある（LODR）．

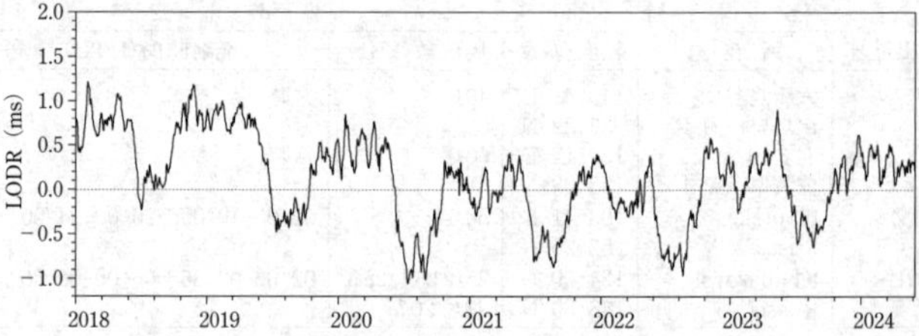

天第 20 図　1 日の長さの 24 時間からの超過（2018.1.1～2024.6.1）

歳差による位置の変化

地球の赤道部のふくらみに働く月と太陽の引力の影響で，地球の赤道面はたえず
いている．したがって，天の北極も天球上を移動するが，その動きは黄道の極の
りの，黄道傾斜角を一定とする周期約 26 000 年の回転と，振幅約 9″ の周期的な動
とに分けられる．前者を赤道の歳差，後者を章動という．また，黄道も地球と月
働く惑星の引力の影響で動いている．この動きを黄道の歳差という．赤道の歳差
黄道の歳差との合成を一般歳差という．

一般歳差による赤経 α と赤緯 δ の年変化率 $\Delta\alpha$，$\Delta\delta$ は次式で与えられる．

$$\Delta\alpha = 3^{\mathrm{s}}.075 + 1^{\mathrm{s}}.336 \sin\alpha\tan\delta$$

$$\Delta\delta = 20''.04 \cos\alpha$$

長期間にわたる，一般歳差による赤経・赤緯の変化量は，上式の値にその年数を
けることによって，近似的に求めることができる．この方法による誤差は，50 年
で赤緯が −80° から +80° までの天体で，赤経 10^{s} 以下，赤緯 20″ 以下であるが，極
近い天体では誤差が大きくなる．たとえば，北極星（α UMi）では 50 年間で，赤経
誤差が 10^{m} に達する．

大　気　差

気差 (R) = 視高度 − 真高度

気差の近似式（視高度＞10°）：$R = R_0 \tan Z + R_1 \tan^3 Z$（$Z = 90° -$ 視高度）

$R_0 = (n_0 - 1)(1 - H)$，$R_1 = \dfrac{1}{2}(n_0 - 1)^2 - (n_0 - 1)H$，$H \approx 0.001\,30$（$H$ は地球半径を
位とした大気のスケールハイト，R_0 と R_1 の単位はラジアン）

は観測地点の空気の屈折率で，炭酸ガス（CO_2）含有量 0.03% の空気の，気温 T
K)，気圧 P (hPa)，水蒸気圧 F (hPa)，観測波長 λ (μm) での値はつぎの式で与え
れる（Owens 1967, Applied Optics, **6**, 51）．

$$(n_0 - 1) \times 10^8 = C(\lambda) \times \frac{P}{T}\left[1 + P\left\{57.90 \times 10^{-8} - 9.325\,0 \times 10^{-4} \times \frac{1}{T} + 0.258\,44 \times \left(\frac{1}{T}\right)^2\right\}\right] \times \left(1 - 0.16\frac{F}{P}\right)$$

ここで，$C(\lambda) = 2\,371.34 + 683\,939.7\left(130 - \dfrac{1}{\lambda^2}\right)^{-1} + 4\,547.3\left(38.9 - \dfrac{1}{\lambda^2}\right)^{-1}$

例）　標準乾燥空気（$P = 1\,013.25$ hPa，$F = 0$，$T = 288.15$ K）の波長 0.575 μm にお
ける屈折率は，$n_0 = 1.000\,277\,4$ で，このとき $R_0 = 57''.14$，$R_1 = -0''.07$．

大気差：ラドーの算定（可視光，気圧 1 013.25 hPa，気温 10 ℃）

視高度	大気差	視高度	大気差	視高度	大気差	視高度	大気差	視高度	大気差
°	′　″	°	′　″	°	′　″	°	′　″	°	′　″
0.0	34 22	1.5	20 52	5.0	9 48	12	4 26	30	1 40
0.2	31 53	2.0	18 12	6.0	8 25	14	3 48	40	1 09
0.4	29 40	2.5	16 03	7.0	7 21	16	3 19	50	0 49
0.6	27 40	3.0	14 19	8.0	6 31	18	2 56	60	0 33
0.8	25 53	3.5	12 53	9.0	5 50	20	2 38	70	0 21
1.0	24 16	4.0	11 41	10.0	5 17	25	2 03	80	0 10

Connaissance des temps 1979

地理緯度と地心緯度との差

地 2, 3 を参照のこと.

大 気 の 減 光

地上における星の見かけの等級と，大気外における等級との差 Δm を大気の減光といい，$\Delta m = aF(z)$ で表される.

a は減光係数で，光の波長によって異なり，また大気の状態によって大いに異なる．つぎの表はその数値の一例（標準的な大気の状態に対応）を示す．透過度は $10^{-0.4a}$ によって計算したものである.

(Allen 1973, Astrophysical Quantities)

波長 (μm)	0.30	0.32	0.36	0.40	0.5	0.6	0.8	1.0	2.0
a(大気分子)	1.21	0.92	0.56	0.361	0.144	0.068	0.0215	0.0087	0.000[illegible]
a(オゾン吸収)	3.2	0.24	0.00	0.000	0.012	0.044	0.001		
a(固体微粒子)	0.143	0.132	0.113	0.099	0.074	0.058	0.040	0.030	0.012
合　計	4.5	1.30	0.68	0.46	0.23	0.170	0.062	0.039	0.013
透 過 度	0.011	0.273	0.51	0.63	0.79	0.84	0.939	0.962	0.987

$F(z)$ は光が大気外から地表に到達するまでの経路に沿っての空気量（天頂距離 z の関数であって，天頂における値を単位として表す）である.
$z < 60°$ では $F(z)$ は近似的に $\sec z$ に等しい.　(Hdb. d. Ap., II, 1, 1930)

z	$F(z)$	z	$F(z)$	z	$F(z)$	z	$F(z)$	z	$F(z)$
0°	1.000	20°	1.064	40°	1.30	60°	1.99	80°	5.60
5	1.004	25	1.103	45	1.41	65	2.36	85	10.4
10	1.015	30	1.154	50	1.56	70	2.90	87	15.4
15	1.035	35	1.220	55	1.74	75	3.82	89	27

つぎの表は国立天文台（三鷹）における月のない快晴夜の大気減光の実測値を示す（ブディ・デルマワン，福島英雄，2002 年）．B，V は UBV 式，R_C，I_C は赤測光バンドである（**天 46** 参照）.

z	B	V	R_C	I_C
°	等	等	等	等
0	0.44	0.27	0.24	0.12
20	0.47	0.28	0.25	0.13
40	0.57	0.35	0.31	0.16
60	0.87	0.53	0.47	0.25
80	2.45	1.49	1.32	0.69

大気吸収の波長依存性

地球大気の垂直方向の光学的厚み(τ_λ)が波長によってどのように変わるか，また大気にる電磁波の吸収におもにあずかるのはどのような分子の線かを可視域，近赤外域，中間外域のそれぞれの波長域について天第 21 図に示す．各図における 2 種類の線のうち上(τ_λ の大きい方）は地表での典型的な場合であり，下側（τ_λ の小さい方）はマウナケア山（高度約 4200 m，気圧は地表の 60%）に代表される高地サイトの場合である．

図中では $\tau_\lambda=1$ の位置を点線で示してあるが，大ざっぱにいって $\tau_\lambda<1$ を満たすような長帯は地球大気の吸収に大きく影響されずに地上から天体観測ができる領域であるので:気の窓」と呼ばれる．人間の目に感ずる可視域（0.4-0.7 μm）を含む約 0.3-1 μm は代表な窓であるが，約 1-5 μm の近赤外域における飛び飛びの窓はとくに重要で近赤外測光に，それぞれ J，H，K，L，L′，M と名付けられた帯域になっている．また同様に中間外域では N（〜10 μm）と Q（〜20 μm）の両バンドが定義されている．これらの図から，紫外域から赤外域にかけて地球大気による電磁波の吸収にとくに重要なのは，H_2O(水)，(酸素)，O_3(オゾン)，CO_2(二酸化炭素)，CH_4(メタン）などの分子による吸収であるとがわかる．

なお約 0.3 μm より短波長の紫外域や X 線領域では地球大気は不透明で地上では観測は可能である．一方，中間赤外より長波長の遠赤外域については大気は不透明であるが，百 μm の波長（サブミリ波帯）から窓が現れるようになり，ミリ波からメートル波まで電波領域では一般に大気は透明で地上からの観測が可能である（波長数十 m の長波帯にると電離層の吸収が始まる）．

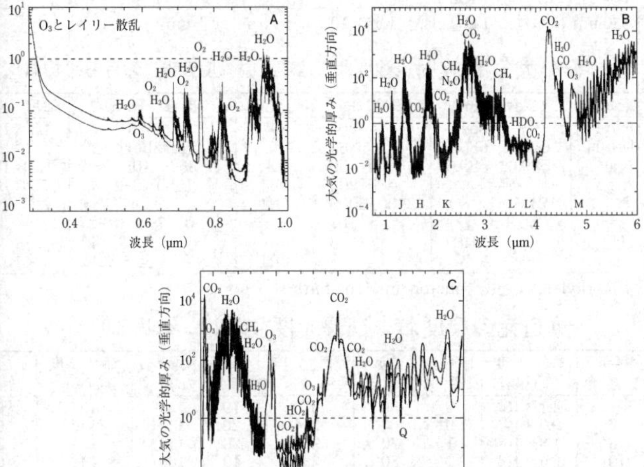

:天第 21 図　地球大気による電磁波の吸収（光学的厚み）の波長依存性ならびに吸収を引き起こすおもな分子．A：可視域付近，B：近赤外域，C：中間赤外域．
:ox (ed.) 2000, Allen's Astrophysical Quantities より．

夜天光

夜空からくる光全体を夜天光といい，主としてつぎの 3 種類の光源から る光である．

(1)　大気光：地球上層大気の分子，原子の発する光

(2)　黄道光：太陽系内の微塵が太陽光を散乱した光

(3)　星野光：星や星雲の集積光

これらの光の輝度は，天球上の位置や時間によって変化するが，平均的に 次表くらいの値を示す．輝度の単位は，

S_{10}(vis) = 1 平方度あたりの 10 等星（実視等級）の数で表した輝度．1 S_{10} 1 平方秒あたり 27.78 等に相当する．

各成分の光の天頂平均輝度（波長 530 nm）

成分光	輝度		備考
	S_{10}(vis)	10^{-11} J·m^{-2}·s^{-1}·sr^{-1}·nm^{-1}	
大気光	55	66	連続スペクトルのみ
黄道光	135	162	
星野光	130	156	

530 nm における 1 S_{10}(vis) = 1.20×10^{-11} J·m^{-2}·s^{-1}·sr^{-1}·nm^{-1}

おもな大気光放射（強度は，地球上中緯度天頂における平均値）

発光源	波長 (nm)	強度 (R)	発光源	波長 (nm)	強度 (R
[O I]	557.7	260	O_2	300 − 400 (Herzberg 帯)	4.3 × 1[illegible]
[O I]	630.0, 636.4	80			
Na I	589.0, 589.6	夏 30	O_2	864.5 (0–1) 帯	1.5 × 1[illegible]
		冬 200	OH	1580 (0–4) 帯	1.75 × 1[illegible]
H I	121.6 (Lyα)	2500–5000	OH	可視域 (5–0) (7–1) (8–2) (9–3) 帯	1.3 × 1[illegible]
	656.3 (Hα)	10?			
[N I]	519.9	3			
			OH	全波長域	4×10^6

1 R (rayleigh) = 10^{10} photon·m^{-2}(column)·s^{-1}

黄道光の輝度および偏光度（黄道上，波長 530 nm）

太陽からの離角	輝度 S_{10}(vis)	偏光度 (%)	太陽からの離角	輝度 S_{10}(vis)	偏光度 (%)	太陽からの離角	輝度 S_{10}(vis)	偏光度 (%)
1°	4.1×10^6	0	50°	570	19	130°	137	8
2	9.0×10^5	0	60	394	20	140	136	6
5	1.3×10^5	1	70	296	20	150	137	3
10	2.5×10^4	7	80	239	19	160	142	0
15	9600	14	90	202	17	170	158	−2
20	4990	15	100	174	14	180	180	0
30	1940	17	110	154	12			
40	920	18	120	142	10			

Leinert 1975, SSRv, **18**, 28

星野光の輝度の全天分布は 1983 年以前の理科年表を参照．

おもな地上望遠鏡群所在地

1．スペイン領カナリア諸島
ラ・パルマ島の国際天文台（西経 17 度 43 分，北緯 28 度 46 分，標高 2430 m）
　光学赤外線望遠鏡：WHT 4.2 m，TNG 3.6 m，INT 2.5 m，NOT 2.5 m，リバプール 2 m，GTC 10 m；ほかに 1 m 太陽望遠鏡，17 m 高エネルギーγ線望遠鏡など
2．チリ　アンデス山脈
チャナントール地域（西経 67.5 度，南緯 23 度，標高 5000 m）
　光学赤外線望遠鏡：東京大学アタカマ望遠鏡 6.5 m（TAO），1 m（miniTAO）
　電波望遠鏡：ASTE 10 m，CBI 2 1.37 m×13，APEX 12 m，NANTEN2 4 m（名古屋大学），ALMA 12 m×54 および 7 m×12 など
ラス・カンパナス天文台（西経 70 度 42 分，南緯 29 度 1 分，標高 2300 m）
　光学赤外線望遠鏡（カーネギー天文台）：デュポン 2.5 m，マゼラン 6.5 m×2 など
欧州南天文台
ラ・シヤ（西経 70 度 44 分，南緯 29 度 15 分，標高 2400 m）
　光学赤外線望遠鏡：3.6 m，2.2 m，NTT 3.5 m，デンマーク 1.5 m，スイス 1.2 m など
セロ・パラナル（西経 70 度 24 分，南緯 24 度 38 分，標高 2635 m）
　光学赤外線望遠鏡：VLT 8.1 m×4，VISTA 4 m，VST 2.5 m，AT 1.8 m×4
セロ・トロロ汎米天文台
　セロ・トロロ山頂域（西経 70 度 49 分，南緯 30 度 10 分，標高 2200 m）
　光学赤外線望遠鏡：ブランコ 4 m，1.5 m，YALO 1 m，0.9 m など
　セロ・パチョン（西経 70 度 43 分，南緯 30 度 14 分，標高 2700 m）
　光学赤外線望遠鏡：ジェミニ南 8 m，ベラ・ルービン 6.7 m，SOAR 4.1 m など
3．米　国
マウナケア国際天文台群（マウナケア山頂域，西経 155 度 28 分，北緯 19 度 50 分，標高 4200 m）
　光学赤外線望遠鏡：ケック 10 m×2，すばる 8.2 m，ジェミニ北 8 m，UKIRT 3.8 m，CFHT 3.6 m，IRTF 3 m，ハワイ大学 2.2 m
　電波望遠鏡：JCMT 15 m，SMA 6 m×8，山頂域以外に VLBA 用 25 m（超長基線観測）
グラハム山国際天文台（西経 109 度 53 分，北緯 32 度 42 分，標高 3000 m）
　光学赤外線望遠鏡：LBT 8.4 m×2，VATT 1.8 m
　電波望遠鏡：SMT 10 m
キットピーク国立天文台（西経 111 度 36 分，北緯 31 度 58 分，標高 2060 m）
　光学赤外線望遠鏡：メイヨール 3.8 m，WIYN 3.5 m & 0.9 m，KPNO 2.1 m など
　電波望遠鏡：KP 12 m
パロマー山観測所（西経 116 度 52 分，北緯 33 度 21 分，標高 1900 m）
　光学赤外線望遠鏡：ヘール 5.1 m，1.5 m，1.2 m など
4．南アフリカ　サザーランド
南アフリカ天文台（東経 20 度 49 分，南緯 32 度 23 分，標高 1750 m）
　光学赤外線望遠鏡：SALT 9.2 m，ラドクリフ 1.9 m，IRSF 1.4 m（名古屋大学）など
5．アジア
ロシア・スペシャル天体物理観測所（東経 41 度 26 分，北緯 43 度 39 分，標高 2070 m）
　光学赤外線望遠鏡：BTA 6 m，1 m，0.6 m など
岡山天体物理観測所（東経 133 度 36 分，北緯 34 度 26 分，標高 370 m）
　光学赤外線望遠鏡：せいめい 3.8 m，1.88 m，0.91 m，0.5 m など
野辺山観測所（東経 138 度 29 分，北緯 35 度 56 分，標高 1350 m）
　電波望遠鏡：45 m，10 m×6，0.8 m×84
韓国普賢山光学天文台（東経 128 度 58 分，北緯 36 度 10 分，標高 1160 m）
　光学赤外線望遠鏡：1.8 m，太陽フレア望遠鏡 0.2 m×2 & 0.15 m×2
中国興隆天文台（東経 117 度 35 分，北緯 40 度 24 分，標高 950 m）
　光学赤外線望遠鏡：2.16 m，1.26 m，0.85 m，0.8 m；ほかにシュミットや太陽望遠鏡など
インド Devasthal 観測所（東経 79 度 41 分，北緯 29 度 22 分，標高 2540 m）
　光学赤外線望遠鏡：ILMT 4 m，3.6 m，1.3 m
6．オーストラリア
サイディング・スプリング観測所（東経 149 度 4 分，南緯 31 度 17 分，標高 1160 m）
　光学赤外線望遠鏡：AAT 3.9 m，ATT 2.3 m，英国シュミット 1.2 m など
7．南　極
南極点（南緯 90 度，標高 2835 m）
　電波望遠鏡：AST/RO 1.7 m，SPT 10 m
　光学赤外線望遠鏡：SPIREX/Abu 0.6 m など
ドーム A（東経 80 度 22 分，南緯 77 度 21 分，標高 4090 m）
　光学赤外線望遠鏡：CSTAR 0.14 m×4；ほかにサイト調査用機器
ドーム C（東経 123 度 20 分，南緯 75 度 6 分，標高 3230 m）
　光学赤外線望遠鏡：A STEP 0.4 m，IRAIT 0.8 m；ほかにサイト調査用機器
ドームふじ（東経 39 度 42 分，南緯 77 度 19 分，標高 3810 m）

おもな電波望遠鏡

単一アンテナの望遠鏡

名称	所在地	口径(m)	分解能(周波数)[1]	名称	所在地	口径(m)	分解能(周波数)[1]
Effelsberg	ドイツ	100	40″ (22 GHz)	国土地理院（石岡）	日本	13.2	10′ (8 GHz)
GBT	米国	100	34″ (22 GHz)	APEX	チリ	12	18″ (345 GHz)
Lovell	イギリス	76	3′ (5 GHz)	Kitt Peak	米国	12	30″ (230 GHz)
上海天文台（天馬）	中国	65	22″ (43 GHz)	GLT	グリーンランド	12	30″ (230 GHz)
SRT	イタリア	64	50″ (22 GHz)	岐阜大学	日本	11	5′ (22 GHz)
Parkes	豪州	64	4.4′ (5 GHz)	国立天文台(ASTE)	チリ	10	22″ (345 GHz)
LMT	メキシコ	50	15″ (100 GHz)	SMT	米国	10	22″ (345 GHz)
国立天文台(野辺山)	日本	45	15″ (115 GHz)	SPT	南極	10	1′ (150 GHz)
Yebes	スペイン	40	40″ (43 GHz)	国立天文台(水沢)	日本	10	5′ (22 GHz)
TNRT	タイ	40	1.3′ (22 GHz)	みさと天文台/和歌山大学	日本	8	1.5° (1.4 GHz)
Haystack	米国	37	49″ (43 GHz)	名古屋大学 NANTEN2	チリ	4	38″ (490 GHz)
山口大学/国立天文台	日本	32	4′ (8 GHz)	名古屋大学	日本	4	2.7′ (115 GHz)
茨城大学/国立天文台	日本	32×2 台	4′ (8 GHz)	CfA	米国	1.2	8′ (115 GHz)
IRAM (Pico Veleta)	スペイン	30	13″ (230 GHz)	FAST	中国	500[2]	2.9′ (1.4 GHz)
Onsala	スウェーデン	20	33″ (115 GHz)	RATAN-600	ロシア	600[3]	17″ (15 GHz)
JCMT	米国	15	14″ (345 GHz)	Ootacamund	インド	529×30[4]	2.3°×3.3′ (330 MHz)
大徳電波天文台	韓国	13.7	46″ (115 GHz)	Nançay	フランス	300×35[4]	3.5×19′ (1.6 GHz)
紫金山天文台	中国	13.7	46″ (115 GHz)				

1) 代表的な周波数のみを示した．他の周波数でも使えることが多い． 2) 固定球面鏡 3) 特殊固定鏡 4) 半固定鏡

開口合成望遠鏡

名称	所在地	全体の大きさ	アンテナ	分解能(周波数)[1]	名称	所在地	全体の大きさ	アンテナ	分解能(周波数)[1]
VLBA	米国	8 000 km	25 m 10 台	0.0003″ (22 GHz)	ASKAP	豪州	6 km	12 m 36 台	10″ (1.4 GHz)
VERA	日本	2 300	20 m 4 台	0.001″ (22 GHz)	ATCA	豪州	6	22 m 6 台	1″ (10 GHz)
JVN	日本	2 300	64〜11 m 計 10 台	0.001″ (22 GHz)	MWA	オーストラリア	6	ダイポールアンテナ 4096 台	0.5″ (300 MHz)
					Cambridge	英国	5	13 m 8 台	4″ (2.7 GHz)
LOFAR	欧州	1 300	ダイポールアンテナ 14 カ所[3]	0.3″ (150 MHz)	Westerbork	オランダ	3.2	25 m 14 台	3.9″ (5 GHz)
KVN	韓国	500	21 m 3 台	0.005″ (22 GHz)	SMA	米国	508 m(リング状)	6 m 8 台	0.3″ (345 GHz)
e-MERLIN	英国	217	76〜15 m 計 7 台	0.35″ (1.6 GHz)	NOEMA	フランス	760 m×368 m (T 字)	15 m 10 台	0.4″ (230 GHz)
GMRT	インド	25 (Y 字)	45 m 30 台	9″ (330 MHz)	早稲田大学	日本	20 m×20 m	2.4 m 64 台	6′ (10.6 GHz)
JVLA	米国	21 (Y 字)	25 m 27 台	0.4″ (5 GHz)	CHIME	カナダ	100 m	100 m×20 m 4 台	20′ (800 MHz)
ALMA	チリ	16	12 m 54 台 7 m 12 台	0.01″ (345 GHz)	SSRT[2]	ロシア	622 m×622 m	2.5 m 256 台	15″ (5.73 GHz)
MeerKAT	南アフリカ	8	13.5 m 64 台	6″ (1.6 GHz)	Owens Valley Solar Array[2]	米国	670 m×366 m	27 m 2 台 2 m 3 台	5.1″ (18 GHz)

1) 分解能は代表的な観測周波数（かっこ内）における最良の値を示した．開口合成望遠鏡の分解能はアンテナ配列，観測周波数，天体の赤緯によって異なる． 2) 太陽観測用．
3) オランダ国内と欧州内にステーションを配置．ステーションごとに異なる台数のダイポールアンテナを設置

世界のおもな光学赤外線望遠鏡

効径 (m)	名称［分類*1］	焦点種別と F 値*2	所属：設置場所	標高 (m)	竣工年*3
2 (1×4)	超大型望遠鏡 VLT［IF］	Cs 13, Ns 15, Cd	ESO：Cerro Paranal, チリ	2 635	1998, 2000
1)×2)	ケック Keck I&II［IF, M］*4	Keck I(Cs/Ns：15 & 25), Keck II(Cs/Ns：15 & 40)	WMKO：Maunakea, 米国	4 123	1993, 1996
8 3×2)	巨大双眼望遠鏡 LBT［IF］	P 1.4, Ns 15	アリゾナ大学など：Mt.Graham, 米国	3 050	2005, 2006
.4	カナリー大型望遠鏡 GTC［M］*4	Cs/Ns 15	IAC：ORM, スペイン	2 400	2009
.2	南アフリカ大型望遠鏡 SALT［M］*5	P 4.2	南ア天文台：Sutherland, 南ア	1 767	2004
.2	ホビー・エバリー HET［M］*5	P 4.7	MacDonald Obs.：Mt. Fowlkes, 米国	2 026	1996
.2	すばる望遠鏡	P 1.87*6, Cs 12.2, Ns 12.6 & 13.6	国立天文台：Maunakea, 米国	4 139	1999
.0	ジェミニ北 Gemini North*7	Cs 16	Gemini Obs.：Maunakea, 米国	4 200	1999
.0	ジェミニ南 Gemini South*7	Cs 16	Gemini Obs.：Cerro Pachon, チリ	2 737	2002
.7	ベラ・ルービン Vera Rubin*8	P 1.234	Vera C. Rubin Obs.：Cerro Pachon, チリ	2 123	建設中
.5	バーデ(マゼラン 1)	Cs 15, Ns 11	OCIW：Cerro Manqui, チリ	2 282	2000
.5	クレイ(マゼラン 2)	Cs 15, Ns 11	OCIW：Cerro Manqui, チリ	2 282	2002
.5	MMT*9	Cs 5.4 & 9 & 15	Steward Obs.：Mt. Hopkins, 米国	2 606	2000
.5	東京大学アタカマ天文台(TAO) 6.5 m 望遠鏡	Ns 12.2	東京大学：Cerro Chajnantor	5 640	建設中
.0	大型経緯台望遠鏡 BTA	P 4, Ns 30	Special Ap. Obs., ロシア	2 070	1976
5.0	LZT(Large Zenith Telescope)	P 1.5	Liquid Mirror Observatory, カナダ	395	2003
5.08	ヘール Hale	P 3.3, Cs 9 & 16 & 30	Palomar Obs.：Mt. Palomar, 米国	1 900	1948
4.2	ディスカバリーチャンネル望遠鏡	P 2.3, Cs 6.1	Lowell：Happy Jack, 米国	2 361	2012
4.2	ハーシェル WHT	P 2.8, Cs 10.9, Ns 11.1	ING：ORM, スペイン	2 370	1987
4.1	南天望遠鏡 SOAR	Cs 16, Ns 16	CTIO：Cerro Pachon, チリ	2 738	2004
4.0	可視赤外線サーベイ望遠鏡 VISTA	Cs 3	ESO：Cerro Paranal, チリ	2 600	2008
4.0	ブランコ Blanco	P 2.87, Cs 8 & 14.5 & 30	CTIO：Cerro Tololo, チリ	2 399	1974
4.0	LAMOST	F 5	中国科学院国家天文台：興隆(天文台), 中国	950	2010
4.0	太陽望遠鏡 DKIST	Ns 13, Cd 20 & 60	NSO：Haleakala, 米国	3 058	2020
4.0	ILMT（国際液体鏡式望遠鏡）	P 2	ARIES：Devasthal Obs., インド	2 540	2022
3.89	イギリス・オーストラリア AAT	P 3.3, Cs 8 & 15, Cd 36	AAO：Siding Spring, 豪州	1 164	1974
3.81	メイヨール Mayall	P 2.7, Cs 8 & 28.5, Cd 160	KPNO：Kitt Peak, 米国	2 064	1973
3.8	英国赤外線 UKIRT［IR］	Cs 9 & 35, Cd 20	NASA：Maunakea, 米国	4 194	1979
3.78	せいめい(京大 3.8 m 望遠鏡)［M］	Ns 6	京都大学：岡山, 日本	370	2018
3.67	AEOS	Cd 200, Ns 32	空軍研究所：Haleakala, 米国	3 058	1997
3.6	Devasthal 光学望遠鏡	Cs 9	ARIES：Devasthal Obs., インド	2 540	2017
3.58	ガリレオ TNG	Ns 11	イタリア：ORM, スペイン	2 370	1998
3.58	新技術望遠鏡 NTT	Ns 11	ESO：La Silla, チリ	2 375	1989
3.58	カナダ・フランス・ハワイ CFHT	P 3.8, Cs 8 & 36, Cd 110	CFH Corp.：Maunakea, 米国	4 200	1979
3.57	ESO 3.6 m	Cs 8 & 35	ESO：La Silla, チリ	2 400	1977
3.5	ウイーン WIYN	Cs 13.7, Ns 6.3	WIYN Inc.：Kitt Peak, 米国	2 096	1994
3.5	アパッチポイント 3.5 m	Ns 10	ARC：Apache Point, 米国	2 788	1993
3.5	マックス・プランク MPI 3.5 m	P 3.48 & 3.93, Cs 10 & 35, Cd 35	MPIfA：Calar Alto, スペイン	2 168	1985
3.5	スターファイア Starfire 3.5 m	Cd 90, Ns 5.6	Kirtland 空軍研究所, 米国	91	1997
3.4	INO340	Cs 11	Iranian National Observatory：イラン	3 600	2022
3.05	シェーン Shane	P 5, Cs 17, Cd 36	Lick Obs.：Mt. Hamilton, 米国	1 283	1959
3.0	NASA 赤外線望遠鏡 IRTF	Cs 37, Cd 120	NASA：Maunakea, 米国	4 160	1979

＊1　分類記号 M は複合鏡・集合鏡, IF は干渉計, あとの単一鏡のうち IR は赤外線観測専用
＊2　反射望遠鏡の焦点種別の略号：P 主焦点, N ニュートン, Cs カセグレン, Ns ナスミス, Cd クーデ
＊3　竣工年は, ファーストライトを目安にした.
＊4　GTC, Keck I, Keck II：1.8 m の 6 角鏡 36 枚を組み合わせた複合鏡
＊5　SALT, HET：1 m の 6 角鏡 91 枚を組み合わせた球面鏡. 高度角固定
＊6　補正光学系含まず.
＊7　Gemini Observatory：以下の 6 カ国が参加. 米国, カナダ, チリ, アルゼンチン, ブラジル, 韓国
＊8　直径 8.4 m の主鏡の中央に曲率の異なる直径 5.1 m の第三鏡を併せ持つため, 有効径は 6.7 m
＊9　MMT：有効径 6.5 m の単一鏡. 1998 年まで 1.8 m の円形鏡 6 枚を組み合わせた複合鏡（4.5 m 相当の集光力）.

・観測所や天文台の略称で一般的なもの, および天 90 に記載のあるもの以外に表に用いたもの
OCIW：Observatories of the Carnegie Institution of Washington
NSO：National Solar Observatory, USA

日本のおもな光学赤外線望遠鏡

有効径(m)	所属	焦点種別とF値*1	設置場所	標高(m)	竣工年*2	備考
8.2	国立天文台ハワイ観測所	P 1.87, Cs 12.2, Ns 12.6 & 13.6	米国・マウナケア	4 139	1999	すばる
3.78	京都大学岡山天文台	Ns 6	岡山県浅口市	370	2018	せいめい，分割鏡
2.0	兵庫県立大学西はりま天文台	Cs & Ns 12, Ns 5	兵庫県佐用町	436	2004	なゆた
1.88	国立天文台岡山天体物理観測所	N 4.9, Cs 18, Cd 29	岡山県浅口市	370	1960	
1.8	大阪大学理学研究科	P 2.29	南アフリカ・サザーランド	1 789	2023	PRIME
1.8	名古屋大学太陽地球環境研究所	P 3	ニュージーランド・マウントジョン	1 031	2004	MOA
1.6	北海道大学大学院理学研究院	Cs & Ns 12	北海道名寄市	161	2011	ピリカ
1.5	情報通信研究機構	Cs 18	東京都小金井市	84	1988	
1.5	広島大学東広島天文台	Cs & Ns 12.2	広島県東広島市	503	2006	かなた
1.5	県立ぐんま天文台	Cs & Ns 12	群馬県高山村	875	1999	
1.4	名古屋大学理学部	Cs 9.9	南アフリカ・サザーランド	1 761	2000	IRSF，赤外線用
1.3	宇宙航空研究開発機構	Cs & Ns 18	神奈川県相模原市	115	1988	赤外線用
1.3	仙台市天文台	Cs & Ns 10	宮城県仙台市	165	2008	ひとみ
1.3	京都産業大学神山天文台	Cs & Ns 10	京都府京都市	162	2009	荒木
1.13	阿南市科学センター	Cs 9.7	徳島県阿南市	15	1999	
1.1	銀河の森天文台	Cs & Ns 8	北海道陸別町	369	1998	りくり
1.05	東京大学木曽観測所	F 3.1	長野県木曽町	1 130	1974	シュミット望遠鏡
1.05	みさと天文台	Cs 8	和歌山県紀美野町	430	1995	
1.05	石垣島天文台	Cs & Ns 12	沖縄県石垣市	197	2006	むりかぶし
1.04	東京大学アタカマ天文台	Cs 12	チリ・アタカマ	5 640	2009	miniTAO
1.03	鳥取市さじアストロパーク	Cs 6.7	鳥取県鳥取市	397	1994	
1.01	美星天文台	Cs 12	岡山県井原市	420	1993	
1.0	鹿児島大学	Cs 12	鹿児島県薩摩川内市	550	2001	
1.0	宇宙航空研究開発機構	Cs 3	岡山県井原市	420	2020	
1.0	情報通信研究機構	Cs & Ns & Cd 12	東京都小金井市	81	2013	
1.0	情報通信研究機構	Cs & Ns & Cd 12	茨城県鹿嶋市	27	2014	
1.0	情報通信研究機構	Cs & Ns & Cd 12	沖縄県恩納村	11	2014	
1.0	星の文化館	Cs 10, Ns 8	福岡県八女市	390	2017	
0.95	綾部市天文館（パオ）	N 5, Cs 13.5	京都府綾部市	80	1995	
0.91	国立天文台岡山天体物理観測所	F 2.5	岡山県浅口市	370	1960	OAO WFC(2004～
0.9	姫路市宿泊型児童館「星の子館」	N 5, Cs 16	兵庫県姫路市	71	1992	あさひララ
0.81	にしわき経緯度地球科学館	N 5, Cs 15	兵庫県西脇市	80	1993	
0.8	名古屋市科学館	Cs 10	愛知県名古屋市	45	2011	
0.75	北軽井沢駿台天文台	P 3, Ns 12	群馬県長野原町	1 111	1984	
0.75	日原天文台	N 3, Ns 12	島根県津和野町	255	1985	
0.75	栃木県子ども総合科学館	N 4, Cs & Ns 10.7	栃木県宇都宮市	110	1988	
0.65	京都大学飛驒天文台	F 16	岐阜県高山市	1 275	1972	屈折
0.65	県立ぐんま天文台	Cs 12	群馬県高山村	875	1999	
0.65	星の文化館	N 4.6	福岡県八女市	390	2017	

研究用に公開・利用されている施設のうち有効径 0.65 m 以上のものを挙げた.

*1　反射望遠鏡の焦点種別の略号：P 主焦点，N ニュートン，Cs カセグレン，Ns ナスミス，Cd クーデ

*2　竣工年は，ファーストライトを目安にした.

世界のおもな天文観測衛星・太陽系探査機

名　称	打上年	国	備　考	名　称	打上年	国	備　考
文観測衛星				**太陽系探査機**			
イラス(IRAS)	1983	米蘭英	赤外線	パイオニア 11 号	1973	米	木星・土星フライバイ
ービー(COBE)	1989	米	赤外〜電波	バイキング 1 号・2 号	1975	米	火星周回・着陸
ッブル宇宙望遠鏡	1990	米	口径 2.4 m 望遠鏡	ボイジャー 2 号	1977	米	木・土・天・海フライバイ
イソ(ISO)	1995	欧	赤外線	ジオット	1985	欧	ハレー彗星フライバイ
ーホー(SOHO)	1995	欧	太陽	マゼラン	1989	米	金星周回
ューズ(FUSE)	1999	米	遠紫外線	ガリレオ	1989	米	木星周回
ャンドラ	1999	米	X 線	カッシーニ	1997	米	土星周回
MM-ニュートン	1999	欧	X 線	スターダスト	1999	米	彗星サンプルリターン
WMAP	2001	米	マイクロ波	ロゼッタ	2004	欧	彗星ランデブー
ピッツアー	2003	米	赤外線	メッセンジャー	2004	米	水星周回
イフト	2004	米	γ 線	ディープ・インパクト	2005	米	彗星フライバイ・衝突
ェルミ(GLAST)	2008	米	γ 線	マーズ・リコネッサンス・オービター	2005	米	火星周回
プラー	2009	米	太陽系外の惑星	ビーナス・エクスプレス	2005	欧	金星周回
ーシェル	2009	欧	赤外線	ニュー・ホライズンズ	2006	米	冥王星フライバイ
ランク	2009	欧	マイクロ波	ドーン	2007	米	ベスタ・ケレス周回
イズ	2009	米	赤外線	ジュノー	2011	米	木星探査
ーラー・ダイナミクス・オブザーバトリー	2010	米	太陽	オサイリス・レックス	2016	米	小惑星サンプルリターン
イア	2013	欧	恒星の位置観測	ベピ・コロンボ	2018	欧日	水星探査
テス (TESS)	2018	米	太陽系外惑星の探索	チャンゲ(嫦娥)5 号	2020	中	月サンプルリターン
ーラー・オービター	2020	欧	太陽	マーズ 2020	2020	米	火星探査
ェイムズ・ウェッブ宇宙望遠鏡	2021	米	赤外線	ルーシー	2021	米	トロヤ群小惑星探査

国名の略号のうち，欧は欧州宇宙機関 (ESA) を示す．(日本のおもな衛星・探査機については**天 95** を参照)

最近打ち上げられた世界のおもな天文観測衛星・太陽系探査機

国際標識番号	名　称	打ち上げ年月日	国	軌　道	備　考
2022-094A	KPLO	2022.08.04	韓	月探査	月面観測および月探査技術の開発
2022-129A	ASO-S	2022.10.08	中	地球周回	太陽フレアおよび CME 等の観測
2023-053A	JUICE	2023.04.14	欧	木星探査	木星およびその氷衛星の探査
2023-092A	Euclid	2023.07.01	欧	L2	宇宙膨張や宇宙の大規模構造の観測
2023-098A	Chandrayaan 3	2023.07.14	印	月探査	月周回，月面着陸，月面探査車による月探査
2023-118A	Luna 25	2023.08.10	露	月探査	月面への軟着陸は失敗
2023-132A	Aditya-L1	2023.09.02	印	L1	太陽コロナや CME の観測
2023-157A	Psyche	2023.10.13	米	小惑星探査	M 型小惑星プシケの探査
2024-007A	Einstein Probe	2024.01.09	中	地球周回	広視野 X 線望遠鏡による全天観測
2024-030A	IM-1	2024.02.15	米	月探査	民間による月面軟着陸
2024-083A	Chang'e 6	2024.05.03	中	月探査	月の裏側からのサンプルリターン

2022 年 8 月から 2024 年 6 月の期間で打ち上げられたものについて示す．これ以前については，2024 年版までの理科年表を参照のこと．年月日は世界時による．L1 と L2 とは，太陽と地球を結ぶ線上にあるラグランジュ点であり，L1 が地球と太陽の間，L2 が地球から見て反太陽側にある．

日本のおもな天文観測衛星・太陽系探査機

名　称	打ち上げ年月日	運用期間	備　考
電離層・磁気圏観測			
「しんせい」(MS-F 2)	1971.09.28	—1973.06	電離層，宇宙線，短波帯太陽雑音などの観測
「でんぱ」(REXS)	1972.08.19	—1972.08.22	プラズマ，電子粒子線，電磁波，地磁気などの観測
「たいよう」(SRATS)	1975.02.24	—1980.06.29	超高層大気物理学の研究
「うめ」(ISS)	1976.02.29	—1976.04.02	短波通信のための電離層の観測
「きょっこう」(EXOS-A)	1978.02.04	—1992.08.02	宇宙プラズマ，オーロラなどの観測
「うめ2号」(ISS-b)	1978.02.16	—1983.02.23	短波通信のための電離層の観測
「じきけん」(EXOS-B)	1978.09.16	—1985	電子密度，粒子線，プラズマ波などの観測
「おおぞら」(EXOS-C)	1984.02.14	—1988.12.26	成層圏・中間圏の大気と電離層プラズマの観測
「あけぼの」(EXOS-D)	1989.02.22	—2015.04.23	オーロラ粒子の加速機構やオーロラ発光現象の観測
GEOTAIL	1992.07.24	—2022.11.28	地球磁気圏尾部の構造とダイナミックスに関する観測
「あらせ」(ERG)	2016.12.20	運用中	地球周辺の放射線帯での高エネルギー粒子加速の観測
太陽観測			
「ひのとり」(ASTRO-A)	1981.02.21	—1991.07.11	太陽硬X線フレアの2次元像．太陽粒子線などの観測
「ようこう」(SOLAR-A)	1991.08.30	—2001.12.15[1)]	X線やγ線における太陽コロナおよびフレアの観測
「ひので」(SOLAR-B)	2006.09.23	運用中	太陽表面磁場・速度場とX線コロナの観測
惑星観測			
「ひさき」(SPRINT-A)	2013.09.14	—2023.12.08	極端紫外線による惑星などの観測
X線・γ線天文			
「はくちょう」(CORSA-b)	1979.02.21	—1985.04.15	X線星，X線バースト，超軟X線星雲などの観測
「てんま」(ASTRO-B)	1983.02.20	—1988.12.17	X線星，X線銀河，γ線バースト，軟X線星雲の観測
「ぎんが」(ASTRO-C)	1987.02.05	—1991.11.01	X線天体の精密観測．γ線バーストの観測
「あすか」(ASTRO-D)	1993.02.20	—2001.03.02	星，銀河，銀河団などのX線観測
「すざく」(ASTRO-EⅡ)	2005.07.10	—2015.06.01[1)]	X線/軟γ線観測
「ひとみ」(ASTRO-H)	2016.02.17	—2016.04.28[2)]	硬X線撮象分光，X線/軟γ線観測
X線分光撮像衛星 XRISM	2023.09.07	運用中	X線分光撮像，宇宙の高温プラズマの観測
電波天文・赤外線天文			
「はるか」(MUSES-B)	1997.02.12	—2005.11.30	スペースVLBI．クエーサーや宇宙ジェットの観測
「あかり」(ASTRO-F)	2006.02.22	—2011.11.24	赤外線観測装置による銀河，星，惑星の観測
宇宙実験プラットフォーム			
SFU	1995.03.18	—1996.01.20[3)]	宇宙プラズマ計測や赤外線観測など，11種類の観測と実験
「きぼう」(JEM)		運用中	X線天体の強度変化の監視などの観測や実験
太陽系探査			
「さきがけ」(MS-T 5)	1985.01.08	—1999.01.07	地球重力脱出ミッション．宇宙プラズマや磁場の観測
「すいせい」(PLANET-A)	1985.08.19	—1991.02.22	惑星間プラズマ，太陽風，ハレー彗星の観測
「のぞみ」(PLANET-B)	1998.07.04	—2003.12.09	火星の上層大気の研究などを目指したが，火星周回軌道投入を断念
「はやぶさ」(MUSES-C)	2003.05.09	—2010.06.13[4)]	小惑星探査．S型小惑星の表面物質を採取し地球に帰還
「かぐや」(SELENE)	2007.09.14	—2009.06.11	月の起源と進化．将来の月探査のための技術開発
「あかつき」(PLANET-C)	2010.05.21	運用中	赤外線，可視光線，紫外線による金星大気や表面の観測
「はやぶさ2」	2014.12.03	運用中[5)]	小惑星探査．C型小惑星の表面物質を採取し地球に帰還
「みお」(MMO/BepiColombo)	2018.10.20	運用中	国際水星探査計画．水星の磁場や磁気圏の解明
「HAKUTO-R Mission 1」	2022.12.11	—2023.04.26	民間による世界初の月面着陸を目指したが着陸失敗
小型月着陸実証機 SLIM	2023.09.07	運用中	小型探査機による月面へのピンポイント着陸
※MMX(火星衛星探査計画)	—	—	火星衛星の観測とサンプルリターン
※DESTINY⁺	—	—	宇宙塵（ダスト）の観測と小惑星フェートンのフライバイ探査

日本のおもな天文観測衛星と太陽系探査機の一覧である(国際協同ミッションも含む)．表中で「運用中」とあるのは，2024年7月1日現在でのものである．※印は，開発中の衛星・探査機である．日付は日本時による．1) 科学観測終了，2) 復旧運用断念，3) 回収，4) 地球帰還，5) 2020.12.06に再突入カプセルは地球に帰還した．探査機は，その後も継続して運用中．

天文学上のおもな発明発見と重要事項

西　暦	事　　　項	発明・発見者/おもな関係者(国)
00－2000 BC 頃	ストーンヘンジの建造	(英)
300 年代 BC 頃	殷墟甲骨文中の天文記事	(中)
00－100 BC 頃	粘土板楔形文字による天文表と天文記事	(バビロニア)
世紀 BC 頃	中国星座二十八宿の成立	(中)
00 BC 頃	サロス周期の発見	(バビロニア)
48 BC	黄道傾斜の発見	アナクシマンドロス(ギリシア)
世紀 BC 頃	19 年 7 閏の法の成立	(バビロニア)
世紀 BC 頃	黄道 12 宮星座の成立	(ペルシャ)
33 BC	メトン周期の公表	メトン(ギリシア)
世紀半 BC 頃	四分暦の成立と章法の発見	(中)
30 BC	カッリポス周期の発見	カッリポス(ギリシア)
70 BC 頃	地球の大きさの測定	エラトステネス(ギリシア)
25 BC	離心円・周転円理論	アポロニウス(ギリシア)
50 BC 頃	歳差の発見	ヒッパルコス(ギリシア)
29 BC	「ヒッパルコス星表」の完成	ヒッパルコス(ギリシア)
50－100 BC 頃	天文計算機「アンティキテラの機械」の製作	(ギリシア)
5 BC	ユリウス暦の制定	ソシゲネス(ギリシア)，ユリウス・カエサル(ローマ帝国)
8	二十四節気の成立	(中)
50 頃	「アルマゲスト」の完成，大気差の記載	プトレマイオス(ギリシア)
35－342 頃	中国(東晋)における歳差の独立発見	虞喜(中(東晋))
00－900 頃	マヤ暦の使用	(メキシコ・グアテマラ)
1 世紀中頃	天体位置表「トレド表」刊行	アッ・ザルカーリー(スペイン)
011－21 頃	「視覚論」の執筆	アルハゼン (イブン・アル・ハイサム)(ペルシャ)
092	最古の印刷星図「新儀象法要」刊行	蘇頌(中(宋))
252－70 頃	天体位置表「アルフォンソ表」刊行	アルフォンソ 10 世(スペイン)
281	授時暦の制定	王恂，郭守敬(中(元))
420	サマルカンド天文台の建設	ウルグ・ベク(ウズベキスタン)
1543	「天球回転論」発刊，地動説の提唱	コペルニクス(ポーランド)
1551	天体位置表「プロイセン表」刊行	ラインホルト(独)
1582	グレゴリオ暦の制定	クラウィウス(独，伊)，グレゴリオ 13 世(伊)
1596	ミラ星の変光の発見	D. ファブリキウス (ファーバー) (独)
1603	最初の近代星図「ウラノメトリア」刊行	バイエル(独)
1608	望遠鏡の発明	リッペルハイ(蘭)ほか
1609－10	天体望遠鏡による諸発見(ガリレオ衛星，月面模様，天の川の正体，太陽の自転など)	ガリレオ(伊)，D. ファブリキウス(ファーバー)(独)，J. ファブリキウス(ファーバー)(独)ほか
1609－19	惑星運動の法則の発表	ケプラー(独)
1610	「星界からの報告」出版	ガリレオ(伊)
1627	天体位置表「ルドルフ表」刊行	ケプラー(独)
1656	土星環の確認	ホイヘンス(蘭)
1668	反射望遠鏡の製作	ニュートン(英)
1672	太陽視差の測定	カッシーニ(伊)
1672	パリ天文台の完成	(仏)
1675	グリニジ天文台創設	(英)
1676	木星衛星の食による光速の有限性確認	レーマー(デンマーク)

西暦	事項	発明・発見者/おもな関係者(国)
1678	光の波動説の提唱	ホイヘンス(蘭)
1687	「プリンキピア」出版, 万有引力の法則の公表	ニュートン(英)
1704	光の粒子説の提唱	ニュートン(英)
1705	周期彗星(ハレー彗星)の発見	ハレー(英)
1718	恒星の固有運動の発見	ハレー(英)
1728	光行差の発見	ブラッドレー(英)
1735	航海用クロノメータ H-1 の製作	ハリソン(英)
1736	扁平地球の証明	モーペルテュイ(仏), クレロー(仏)
1747	章動の発見	ブラッドレー(英)
1755	島宇宙説と太陽系の星雲起源説の提唱	カント(独)
1758	色消しレンズの特許	ドロンド(英)
1772	ティティウス-ボーデの法則の発表	ティティウス, ボーデ(独)
1781	天王星の発見	W. ハーシェル(英)
1781－84	メシエカタログ(星雲状天体のカタログ)の刊行	メシエ(仏)
1783	太陽系の空間運動の測定	W. ハーシェル(英)
1785	宇宙(銀河系)の形と大きさの観測的決定	W. ハーシェル(英)
1796	太陽系の星雲起源説の提唱	ラプラス(仏)
1798	太陽系起源論「混沌分判図説」の提唱	志筑忠雄(日)
1800	赤外線の発見	W. ハーシェル(英)
1801	光の干渉実験(波動説)	ヤング(英)
1801	紫外線の発見	リッター(独)
1801	小惑星ケレスの発見	ピアッツィ(伊)
1802	二重星と連星の区別(連星の概念の導入)	W. ハーシェル(英)
1814－15	太陽スペクトル中の暗線(フラウンホーファー線)の発見	フラウンホーファー(独)
1816－19	光の回折・偏光の実験と理論	フレネル(仏)
1838－39	恒星の年周視差の測定	ベッセル(独), ヘンダーソン(英), フォン・シュトルーフェ(帝ロシア, 独, デンマーク
1842	恒星のドップラー効果の予測	ドップラー(オーストリア)
1843	太陽黒点の周期性の発見	シュヴァーベ(独)
1846	海王星の発見	ルヴェリエ(仏), アダムス(英), ガレ(独)
1850頃	天体写真術の確立	ボンド(米), ド・ラ・リュー(英)
1851	フーコー振子の実験と地球自転の証明	フーコー(仏)
1856	恒星の光度-等級関係の定義	ポグソン(英)
1859	スペクトル分析の基礎の確立	キルヒホフ(独), ブンゼン(独)
1861	光の電磁波説, 電磁場の方程式の提唱	マクスウェル(英)
1863－66	恒星スペクトルの分類	ハギンス(英), ラザファード(米), セッキ(伊)
1866	彗星と流星との関係の解明	スキャパレッリ(伊)
1868	太陽のヘリウム発見	ロッキヤー(英), フランクランド(英)
1887	マイケルソン-モーリーの実験	マイケルソン(米), モーリー(米)
1888	ニュージェネラルカタログ(NGC)の刊行	ドライヤー(デンマーク, アイルランド)
1888－90	天体の視線速度(ドップラー効果)の測定	フォーゲル(独), シャイナー(独), キーラー(米)
1888－91	緯度変化の発見	キュストナー(独), チャンドラー(米)
1889	分光連星の発見	ピッカリング(米), フォーゲル(独), シャイナー(独)
1901	恒星スペクトルのハーバード分類の提唱	キャノン(米), ピッカリング(米)
1902	Z 項の導入による緯度変化の研究	木村　栄(日)
1902	星間ガスの重力不安定性理論の提唱	ジーンズ(英)
1905	巨星と矮星(星の区別)の発見	ヘルツスプルング(デンマーク)
1905	特殊相対性理論の提唱	アインシュタイン(独, スイス)
1905	光量子仮説(光の粒子性)の提唱	アインシュタイン(独, スイス)

西暦	事項	発明·発見者/おもな関係者(国)
1908－12	セファイドの周期-光度関係の発見	リーヴィット(米)
1908	太陽黒点の(磁性)磁場の発見	ヘール(米)
1911－12	宇宙線の発見	ヘス(オーストリア)
1911－14	恒星のスペクトル型と絶対等級の関係(H-R 図)の発表	ヘルツスプルング(デンマーク), ラッセル(米)
1915	シリウスB(白色矮星)のスペクトル撮影	アダムス(米)
1915－16	一般相対性理論の提唱	アインシュタイン(独, スイス)
1916	分光視差の考案	アダムス(米)
1918	小惑星の族(平山族)の発見	平山清次(日)
1919	皆既日食時の恒星位置観測による一般相対性理論の検証	ダイソン(英), エディントン(英)ほか
1919	国際天文学連合(IAU)の設立	—
1920－21	干渉計による恒星直径の実測	アンダーソン(米), マイケルソン(米), ピース(米)
1921	恒星スペクトル型の基礎理論(サハの電離式)の提唱	サハ(インド, 英)
1922	星座名のラテン語表記と略符号を採択	国際天文学連合(IAU)
1924	物質波の概念の提唱	ド・ブロイ(仏)
1924	恒星の質量-光度関係の定式化	エディントン(英)
1924	渦巻星雲の正体の解明(セファイド変光星の発見)	ハッブル(米)
1924－25	シリウスBの高密度を確認(白色矮星)	エディントン(英), アダムス(米)
1925	恒星の主成分が水素であることの発見	ペイン(ペイン-ガポシュキン)(英, 米)
1927	銀河系の回転の観測	オールト(蘭), リンドブラッド(スウェーデン)
1927, 1929	宇宙膨張に関するハッブル-ルメートルの法則の発見	ルメートル(ベルギー), ハッブル(米)
1928	星雲線の同定	ボウエン(米)
1928－30	88 星座とその境界を確定	国際天文学連合(IAU)
1930	冥王星の発見	トンボー(米)
1930	シュミットカメラの考案と製作	シュミット(独)
1930	日食時以外のコロナ観測(コロナグラフの発明)	リオ(仏)
1930	星間減光の確認	トランプラー(米)
1931	チャンドラセカール限界質量の提示	チャンドラセカール(インド, 米)
1931	宇宙電波の発見	ジャンスキー(米)
1933	リオフィルターの発明	リオ(仏)
1934	超新星の性質の解明	バーデ(米), ツヴィッキー(スイス, 米)
1934－35	中性子星の理論的予測	バーデ(米), ツヴィッキー(スイス, 米), エディントン(英)
1937	銀河団のミッシングマス問題の指摘	ツヴィッキー(スイス, 米)
1938－39	原子核反応による太陽熱源の説明	フォン·ヴァイツゼッカー(独), ベーテ(米)
1939	水素電離領域の概念の提唱	ストレムグレン(スウェーデン, デンマーク)
1939	恒星質量ブラックホールの理論的予測	オッペンハイマー(米), ヴォルコフ(加), スナイダー(米)
1939	星の連続光吸収源として水素陰イオンを同定	ヴィルト(独, 米)
1939－40	太陽のコロナ輝線の同定	グロトリアン(独), エドレン(スウェーデン)
1940	星間分子の発見	マッケラー(加)
1942	太陽電波の発見	ヘイ(英), サウスウォース(米)
1942－47	T タウリ型星の発見	ジョイ(米)ほか
1944	星の種族 I と種族 II の発見	バーデ(米)
1945	星間中性水素からの電波放射の予言	ファン・デ・フルスト(蘭)
1946	ビッグバン理論の提唱	ガモフ(帝ロシア, 米)

西暦	事　項	発明・発見者/おもな関係者(国)
1947	恒星の磁場の観測	バブコック(米)
1948	パロマー山天文台200インチ望遠鏡完成	(米)
1948	定常宇宙論の提唱	ボンディ(英)，ゴールド(英)
1950	彗星核の汚氷塊説	ホイップル(米)
1951	星間中性水素からの電波放射の観測	ユーイン(米)，パーセル(米)
1952	種族Iと種族IIのセファイドの周期-光度関係の違いの発見	バーデ(米)
1953	補償光学の原理の提唱	バブコック(米)
1953	トリプルアルファ反応の提唱	ホイル(英)
1955	ダイナモ理論の提唱	パーカー(米)
1955	星の初期質量関数の指定	サルピーター(米)
1957	最初の人工衛星スプートニク1号	(ソ連)
1957	恒星内部が多様な元素合成の場であることの提唱	バービッジ，バービッジ(英，米)，ファウラー(米)，ホイル(英)
1959	最初の人工惑星ルナ1号	(ソ連)
1961	原始星の対流平衡解(林フェーズ)の発見	林忠四郎(日)
1961－63	クエーサー(準恒星状電波源)の発見	シュミット(米)，マシューズ(米)，サンデイジ(米)
1962	太陽の5分振動の発見	レイトン(米)，ノイズ(米)，サイモン(米)
1962	X線星の発見	ジャッコーニ(伊，米)，ガースキー(米)，パオリーニ(米)，ロッシ(米)
1965	太陽近傍のミッシングマス問題の指摘	オールト(蘭)
1965	宇宙マイクロ波背景放射の予言	ディッケ(米)，ピーブルス(米)，ロール(米)，ウィルキンソン(米)
1965	宇宙マイクロ波背景放射の発見	ペンジャス(米)，ウィルソン(米)
1967	パルサー(中性子星)の発見	ベル(英)，ヒューイッシュ(英)ほか
1967	オリオンBN天体(原始星)/KL星雲の発見	ベックリン(米)，ノイゲバウアー(米)，クラインマン(米)，ロウ(米)
1967	電弱統一理論の提唱	ワインバーグ(米)，サラム(パキスタン)，グラショー(米)
1969	人類の月面到達(アポロ11号)	(米)
1971－72	銀河団からのX線放射の発見	ガースキー(米)ほか，ウフル(Uhuru)衛星チーム，ミーキンス(米)ほか
1971－72	確かなブラックホール候補(Cyg X-1)の同定	小田　稔(日)，ウェブスター(英)，プリングル(英)ほか多数
1973	ガンマ線バーストの発見	クレバサデル(米)，ストロング(米)，オルソン(米)
1975	連星系をなすパルサーの発見	ハルス(米)，テイラー(米)
1976－77	銀河団ガスのX線スペクトル中に鉄輝線を検出	ミッチェル(米)ほか，セルレミツォス(米)ほか
1978－86	宇宙大規模構造の発見	グレゴリー(米)，カーシュナー(米)，デイヴィス(米)，ハクラ(米)，ゲラー(米)ほか多数
1979	重力レンズによるクエーサーの二重像の検出	ウォルシュ(英)，カースウェル(英)，ウェイマン(米)
1979	連星パルサーの軌道周期減少による重力波放出の間接的確認	テイラー(米)，ファウラー(米)，マッカロック(米)
1979－84	楕円銀河からの広がったX線放射の観測	フォーマン(米)ほか，ナルセン(英)ほか
1980	双極分子流の発見	スネル(米)ほか
1980－82	渦巻銀河の平坦な回転曲線の観測	ルービン(米)，フォード(米)，ソナード(米)，ボスマ(仏)ほか
1987	超新星1987Aからのニュートリノ検出	小柴昌俊ほかカミオカンデ・グループ(日)
1988	L型褐色矮星の発見	ベックリン，ザッカーマン(米)
1990	ハッブル宇宙望遠鏡打ち上げ	(米，欧州諸国)

西 暦	事 項	発明・発見者/おもな関係者(国)
90	宇宙マイクロ波背景放射スペクトルの精密測定	マザー(米)ほかコービー(COBE)衛星チーム
92	宇宙マイクロ波背景放射のゆらぎの発見	スムート(米)ほかコービー(COBE)衛星チーム
92	冥王星型天体［カイパーベルト天体］(1992 QB 1)の発見	ジュイット(米)，ルー(米)
92	パルサーのまわりを公転する惑星の発見	ヴォルシチャン(ポーランド)，フレイル(米)
93	ハローコンパクト天体(MACHO)の発見	オルコック(米)，オーブール(仏)，ウダルスキ(ポーランド)ほか多数
93	原始惑星系円盤の直接観測	オデル(米)ほか
95－96	恒星のまわりを公転する太陽系外惑星の発見(ドップラー法)	メイヨール(スイス)，ケロッツ(スイス)，マーシー(米)，バトラー(米)
95	T 型褐色矮星の発見	中島　紀(日，米)，オッペンハイマー(米)，カカーニ(米)ほか
95	若い褐色矮星の発見	レボロ(スペイン)ほか
96	原始星の出す X 線放射の観測	小山勝二(日)ほか
997－98	γ線バーストの残光発見と銀河系外起源の解明	コスタ(伊)，ファンパラダイス(蘭)ほかベッポ-サックス(Beppo-SAX)衛星チーム，ほか多数
998	グリニジ天文台の廃止	(英)
998	銀河系中心にブラックホールが存在する証拠の発見	エッカート(独)，ゲンツェル(独)，ゲッツ(米)ほか
998－99	宇宙の加速膨張の発見	パールマター(米)ほか SCP チーム，シュミット(豪)，リース(米)ほか HizSS チーム
000	すばる望遠鏡運用開始	(日)
000	トランジット法による太陽系外惑星の検出	ヘンリー(米)ほか，シャーボノー(米)ほか
001	ガン-ピーターソンの谷(再電離期の中性水素吸収帯)の発見	ベッカー(米)ほか SDSS チーム
001	ハッブル定数の高精度決定	フリードマン(米)ほかハッブル宇宙望遠鏡キープロジェクトチーム
003	宇宙論パラメータの精密決定	スパーゲル(米)ほかダブリューマップ(WMAP)衛星チーム
004	重力マイクロレンズによる太陽系外惑星の検出	ボンド(英)，ウダルスキ(ポーランド)ほか
006	惑星の定義と太陽系諸天体の種族名称を採択	国際天文学連合(IAU)
008	冥王星型天体という種族名称を採択	国際天文学連合(IAU)
008－09	太陽系外惑星の直接撮像	カラス(米)ほか，マロア(加)ほか，ラグランジュ(仏)ほか，田村元秀ほか HiCIAO/AO/SEEDS チーム(日独米ほか)
009	恒星の自転と逆向きに公転する太陽系外惑星の発見	成田憲保(日)ほか，ウィン(米)ほか
009	太陽系外の岩石型惑星の検出	レジェ(仏)，ルーアン(仏)ほか
010	はやぶさ小惑星イトカワ表面微粒子のサンプルリターン	はやぶさチーム（日）
2013	アルマ望遠鏡運用開始	（日ほか東アジア，北米，欧州諸国）
2016	ブラックホール連星合体時の重力波の観測	LIGO チーム(米)
2017	中性子星合体(キロノバ)による重力波の多波長対応天体検出	LIGO/Virgo チームおよび世界各国の観測チーム(日ほか)
2019	楕円銀河 M87 のブラックホールシャドウの撮像	EHT チーム（米，日，独，仏，蘭，加ほか）
2020	大型低温重力波望遠鏡 KAGRA 運用開始	KAGRA チーム(日)
2022	ジェイムズ・ウェッブ宇宙望遠鏡観測開始	（米，加，欧州諸国）
2023	ユークリッド宇宙望遠鏡観測開始	欧州宇宙機構（ESA）

銀河宇宙線の起源の解明に向けて

地球に降り注ぐ宇宙線はどのような天体を起源とするのであろうか？ 1912 にヘスによって宇宙線が発見されて以降，さまざまな議論がなされてきた．宇 線のスペクトル（天第 11 図）を見ると，10^{15} eV（=PeV）のあたりにわずかに れ曲がり構造がある．この構造よりエネルギーの低い宇宙線は，銀河系内に起 を持つと考えられており，銀河宇宙線と呼ばれる．銀河宇宙線の起源として 超新星残骸が有力な候補であると考えられてきた．これはおもに以下の二つの 由による．一つは，エネルギー収支の観点である．超新星爆発の発生頻度や爆 エネルギーを考えると，銀河系内の宇宙線の総エネルギーを賄えそうなのである もう一つの理由は，超新星残骸の衝撃波で働いているであろうフェルミ加速機 によって，荷電粒子が加速されて，ベキ関数型のスペクトルとなると考えられ 実際に観測されている宇宙線スペクトルを自然に説明できるからである．フェ ミ加速とは，荷電粒子が乱流磁場によって散乱されて衝撃波の上流と下流を往 するごとにエネルギーを獲得していく過程である．

銀河宇宙線が超新星残骸を起源とするという仮説は，さまざまな波長の電磁 観測によって検証されてきた．多くの超新星残骸から検出されているシンクロ ロン電波放射は，超新星残骸において電子が 10^9 eV（=GeV）程度のエネルギ にまで加速されている証拠となっている．さらに，1995 年に日本の X 線天文衛 「あすか」によって，超新星残骸 SN 1006 からのシンクロトロン X 線放射が発見 れた．これは電子が 10^{12} eV（=TeV）ものエネルギーにまで加速されていることを意味する．ここで注意すべきは，銀河宇宙線の主成分は電子ではなく陽子であるということである．超新星残骸で陽子も加速されているのであろうか？ 陽子は電子の約 1800 倍の大きな質量を持つため，容易には電磁波を放射しない．陽子起源の放射として，ほぼ唯一あり得るのは，加速された陽子が周囲のガスと相互作用によって生成する中性 π 中間子が崩壊することにより生じる γ 線である．超新星残骸からこの放射を捉えることが γ 線天文学分野の大きな目標の一つであっ

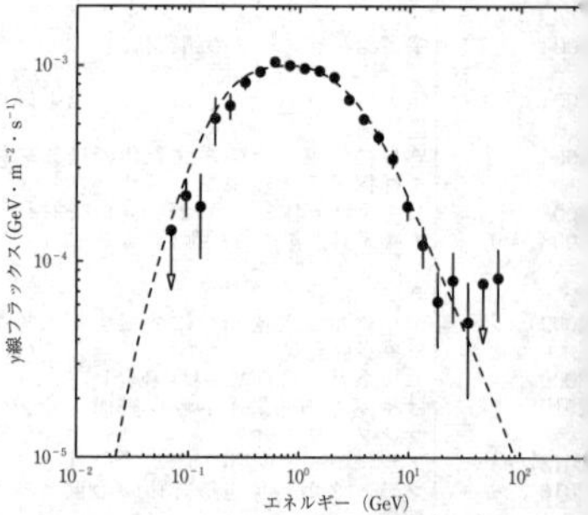

図 1　フェルミ衛星で得られた超新星残骸 W44 の 線スペクトル．中性 π 中間子崩壊放射を仮定した 論曲線（破線）とよく一致し，超新星残骸において 陽子が加速されていることを明確に示した（Acke mann et al. 2013, Science, **339**, 807 に掲載されたデー タに基づいて作成）．

が，2011年にγ線天文衛星AGILEのチームが，2013年にγ線天文衛星フェル
のチームが，超新星残骸から中性π中間子崩壊放射を検出したことを報告し，
新星残骸で陽子が加速されていることも確実となった（図1）．
超新星残骸が銀河宇宙線の起源として確実になったかというと実はそうではな
．冒頭で述べたように銀河宇宙線はPeVまで伸びていると考えられている．超
星残骸が銀河宇宙線の起源であるならば，陽子がPeVまで加速されているはず
ある．ところが，γ線データには，その明確な兆候はほとんど見えていない．現
，超新星残骸以外の天体も含めてPeVまでの陽子加速天体の探査が精力的に進
られている．これをPeVatron（ペバトロン）探査と呼ぶ．素粒子の一つである
ップクォークの発見に使われた米国のフェルミ国立加速器研究所の粒子加速器
，粒子をTeVまで加速できることからTevatron（テバトロン）という名前を
つ．これに因んで，PeVまで加速できる「天然の加速器」をPeVatronと呼んで
るのである．PeVatron探査では，PeV程度のエネルギーのγ線に対して感度を
つHAWC，Tibet ASγ，LHAASOなどの観測装置が欠かせない．中でも
HAASO（図2）はすでに数十ものPeVatron候補天体を発見している．今後の多
長観測によって，これらの候補天体の素性が明らかになるだろう．電磁波だけ
なく，IceCube（アイスキューブ）実験などによる超高エネルギーニュートリノ
測データも，今後重要となるだろう．電磁波と比較して，より直接的に加速さ
た陽子の情報を得ることができるからだ．こうしたさまざまな観測の進展に
って銀河宇宙線の起源がやがて明らかになるだろう．　【田中孝明】

図2　中国四川省の標高4410 mの地点にあるγ線観測装置LHAASOの空撮写真．直径約1.3 km
の広大な面積（図中の円の内部）に検出器を配置し，PeV程度のエネルギーまでのγ線に高い感
度を持つ．左下の図中の「B」は北京の位置を，「L」はLHAASOの位置を示す（Domenico della
Volpe 2023, J. Phys.: Conf. Ser., **2429**, 012014より）．

すばる望遠鏡ビッグデータを使った市民天文学

すばる望遠鏡の330晩を利用して超広視野主焦点カメラHSC（ハイパー・シュプリ
ム・カム）で空の広い領域を観測する，HSCすばる戦略枠プログラム（HSC-SSP）
2014年から約7年かけて進められた．そのデータの一部が2017，2019，2021年と3度
分けて全世界に公開され，HSCが捉えた広大かつ鮮明な画像を，誰でも使うことがで
る．この公開データを用いて，職業科学者ではない市民，すなわち市民天文学者が研究
参加貢献するふたつの「市民天文学」プロジェクトが進行している．銀河の謎に挑
GALAXY CRUISE（ギャラクシークルーズ）と，未発見の太陽系小天体を探すCOIAS（
イアス）である．

市民天文学という言葉は，市民が時には研究者・研究機関とともに行う科学的活
citizen scienceの日本語名称として，国立天文台が独自に考案した．オックスフォード
語辞書サイトによると，citizen scienceは1990年前後から使われ始めた言葉だが，わ
国にはこの語が上陸する前から，社会課題の解決に重きを置く「市民科学」という活動
あった．Citizen scienceは学問体系における科学的規範に則った知識生産も包含する，
民科学より広範な科学的活動を指すため（日本学術会議提言「シチズンサイエンスを推
する社会システムの構築を目指して」を参照），ここでは日本語名称としてシチズンサ
エンスを使い，その中で天文学分野での活動において市民天文学を使用する．（参考ま
に英語では，citizen scienceという言葉でその国の合法的な市民以外を排除してはいけ
いという懸念から，community scienceやparticipatory scienceが使われることがあるが
一番広く定着したと思われるcitizen scienceを使用する．）天文学は元来シチズンサイ
ンスが盛んな分野で，アマチュア天文家により小惑星や彗星，超新星などの新天体が多
発見されてきた．2000年代後半からは，インターネットを通じて大規模な観測データ
アクセスし，データ分類に参加する活動が盛んになった．

そして後者の流れを汲む日本初の市民天文学プロジェクトとして，GALAXY CRUIS
が2019年に「出航」した（https://galaxycruise.mtk.nao.ac.jp/）．銀河の生い立ちをひ
解き，その多様性の謎に迫るため，鍵を握ると思われる衝突・合体銀河に着目している
重力相互作用により形を乱し合っている銀河の特徴は，大きさや位置，明るさが多岐に
たるため自動検出が難しく目視での分類が重要となる．しかし，HSC-SSPのビッグデ
タに写りこんだ多数の銀河を研究者だけで分類するのは困難であるため，市民の協力を
ぐプロジェクトを立ち上げた．市民天文学者の分類精度を上げるため，そして参加登録
が自信をもって継続的に分類を続けられるため，公式サイト上に丁寧なトレーニング
ニューを掲載した．他にも，大宇宙（「おおうなばら」と読む）を航海する世界観やゲ
ム要素の導入など，GALAXY CRUISEにはおもに英語で進められている他のプロジェ
トに見られない，参加者が興味を維持できるための独自の工夫がある．

約2年半続いた第1シーズンで，約1万人が約2万天体をのべ266万件以上分類した
分類結果の解析から，先行研究では楕円銀河と思われていた銀河の周りにはっきりと渦
構造が見えるケースや，今まで見つかっていなかった衝突・合体の淡い痕跡が沢山発見
れた．これは高精度な市民天文学者の分類と，すばる望遠鏡HSCの高質な画像をかけあ
わせた成果といえる．さらに，珍しくて発見が難しい，激しい衝突・合体の現場にある銀
河も多数検出された（図1，田中ほか2023）．また，市民天文学者の分類をAIに学習さ
せた銀河形態の大規模分類により，40万天体の渦巻銀河と3万天体のリング銀河が検出
された（嶋川ほか2024）．

もう一つのCOIAS（Come On! Impacting ASteroids）はHSC-SSPデータの中から未
知の太陽系小天体を見つけるアプリ（図2）で，2023年に公開された（https://web-coias
u-aizu.ac.jp/）．名称は漫画・アニメ「恋する小惑星（アステロイド）」の略称（恋アス

ちなむ（浦川ほか 2024）．2024 年 5 月時点で 900 名以上のユーザーによって 10 万個以の新天体候補が報告された．さらに 6 月には軌道が正確に求まった小惑星（697402）に定番号が付与され，Ao（アオ）と命名された．両プロジェクトともに，今後の科学成に期待したい．　【臼田-佐藤功美子】

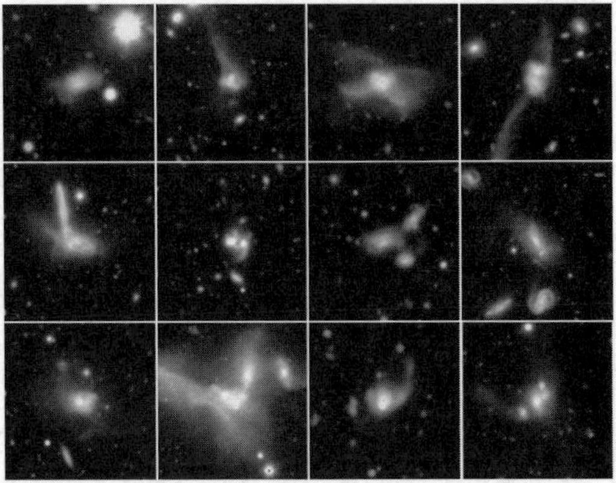

1　市民天文学者の分類から見つかった，激しい合体の瞬間にある銀河例．［画像出典：Tanaka et al. alaxy Cruise: Deep Insights into Interacting Galaxies in the Local Universe" 2023, PASJ, **75**, 986.（図 11 り一部抜粋）］

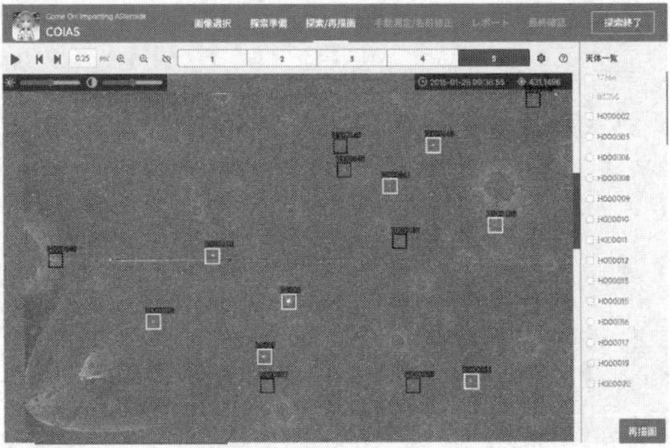

2　COIAS の画面．検出された太陽系小天体候補が黒枠で示され，ユーザーが本物の天体候補と認定すと枠が赤（本画像では白）に変わる．（画像出典：COIAS 開発チーム）

気 象 部

国内の気象観測平年値と最大記録など

気 2-91 には，全国の気象台・測候所など 156 地点（2023 年 12 月 31 日現在）うち 82 地点（一部例外あり）で観測された平年値・最大記録などを掲載した．

平年値　西暦年の 1 位が 1 の年から連続する 30 年間の観測値を平均した値であり，気象庁では 10 年ごとに更新している．本書には 1991 年から 2020 年までの平年値を掲載した．測器の変更・移設や観測地点の移転の影響を考慮して，30 年より短い期間の平均値を平年値としたり，それらの影響を補正して平年値を求めたりしたものもある．また，最近観測地点を移転したり欠測が多かったりした場合は，平年値を求めないこともある．半旬別平年値のうち 2 月第 6 半旬の値は，平年用とうるう年用を併記した．

最大記録など　統計開始から 2023 年までに観測された最大記録などを掲載した．統計開始は，観測開始のときとした場合もあり，測器の移設や観測地点の移転などのときとした場合もある．

海面気圧　現地気圧を海面上の値に更正したものである．

風　風速（最大瞬間風速を除く）や風向は，1971 年以後には観測時前 10 分間の平均値を用いている．1970 年以前の風速・風向の求め方は，年代によって異なる．風向は英符号（E：東，S：南，W：西，N：北）を使った 16 方位で表している．最多風向の平年値は，30 年間にもっとも多く観測された風向であるが，静穏（風速 0.2 m/s 以下）がもっとも多い場合には 2 番目に多い風向とした．

気温・降水量・風速の 1 位～10 位　全国の気象台・測候所など 156 地点のうち富士山・昭和（南極）を除いた 154 地点における，統計開始から 2023 年までの最大記録などの中から，1 位～10 位を掲載した．

雲量　全天に対し雲が占める割合を 10 分比で表したものである．

大気現象日数　不照日数は，1 日の日照時間が 0.1 時間未満の日数である．雪（降雪）日数は，雪・しゅう雪・ふぶき・みぞれ・霧雪・細氷のうち 1 つ以上の現象があった日数である．雷日数は，雷電または雷鳴があった日数であるが，弱い雷鳴のみの日数は除いている．

霜・雪（降雪）の初日・終日　秋から春までの間に，霜・雪（降雪）が初めて観測された日が初日，最後に観測された日が終日である．雪（降雪）には，しゅう雪・ふぶき・みぞれ・霧雪・細氷も含めている．

日射量　直達日射量は，太陽面から直接入射する日射量を入射光線に垂直な面で受けたものである．大気透過率は，直達日射量の大気外日射量（大気上端において太陽光線に垂直な面で受けた日射量）に対する比を，太陽が天頂にある場合に換算したものである．大気混濁係数は，ホイスナー・デュボアの混濁係数である．これらの 12 時の値とは，地方真太陽時における 12 時の値を指す．全天日射量は，天空の全方向から入射する日射量を水平な面で受けたものである．

生物季節　開花日は，花が数輪以上開いた状態となった最初の日である．ただし，タンポポは頭状花を 1 輪と数える．ススキの開花日は，葉鞘から抜き出た穂の数が，予想される数の約 20％に達したと推定される最初の日である．満開日は，咲きそろったときの約 80％以上の花が咲いた状態となった最初の日である．紅（黄）葉日は，植物を全体として眺めたときに，葉の色が大部分紅（黄）色系統の色に変わり，緑色系統の色がほとんど認められなくなった最初の日である．初見日は姿を初めて見た日である．初鳴日は鳴き声を初めて聞いた日である．

気象部に掲げた国内の観測地点(気象官署)一覧表

(2023 年 12 月 31 日現在)

地点名	緯度(N)		経度(E)		標高*	地点名	緯度(N)		経度(E)		標高
	°	′	°	′	m		°	′	°	′	
札幌	43	3.6	141	19.7	17.4	飯田	35	31.4	137	49.3	516.
函館	41	49.0	140	45.2	35.0	軽井沢	36	20.5	138	32.8	999.
旭川	43	45.4	142	22.3	119.8	岐阜	35	24.0	136	45.7	12.
釧路	42	59.1	144	22.6	4.5	高山	36	9.3	137	15.2	560.
帯広	42	55.3	143	12.7	38.4	静岡	34	58.5	138	24.2	14.
網走	44	1.0	144	16.7	37.6	浜松	34	45.2	137	42.7	45.
留萌	43	56.7	141	37.9	23.6	名古屋	35	10.0	136	57.9	51.
稚内	45	24.9	141	40.7	2.8	津	34	44.0	136	31.1	2.
根室	43	19.8	145	35.1	25.2	尾鷲	34	4.1	136	11.6	15.
寿都	42	47.7	140	13.4	33.4	彦根	35	16.5	136	14.6	87.
浦河	42	9.7	142	46.6	36.7	京都	35	0.8	135	43.9	40.
青森	40	49.3	140	46.1	2.8	大阪	34	40.9	135	31.1	23.
盛岡	39	41.9	141	9.9	155.2	神戸	34	41.8	135	12.7	5.
宮古	39	38.8	141	57.9	42.5	奈良	34	40.4	135	50.2	102.
仙台	38	15.7	140	53.8	38.9	和歌山	34	13.7	135	9.8	13.
秋田	39	43.0	140	5.9	6.3	潮岬	33	27.0	135	45.4	67.
山形	38	15.3	140	20.7	152.5	鳥取	35	29.2	134	14.3	7.
酒田	38	54.5	139	50.6	3.1	松江	35	27.4	133	3.9	16.
福島	37	45.5	140	28.2	67.4	浜田	34	53.8	132	4.2	19.
小名浜	36	56.8	140	54.2	3.3	西郷	36	12.2	133	20.0	26.
水戸	36	22.8	140	28.0	29.0	岡山	34	41.1	133	55.5	5.
宇都宮	36	32.9	139	52.1	119.4	広島	34	23.9	132	27.7	3.
前橋	36	24.3	139	3.6	112.1	下関	33	56.9	130	55.5	3.
熊谷	36	9.0	139	22.8	30.0	徳島	34	4.0	134	34.4	1.
銚子	35	44.3	140	51.4	20.1	高松	34	19.1	134	3.2	9.
東京	35	41.5	139	45.0	25.2	松山	33	50.6	132	46.6	32.
大島	34	44.9	139	21.7	74.0	高知	33	34.0	133	32.9	0.
八丈島	33	7.3	139	46.7	151.2	室戸岬	33	15.1	134	10.6	185.
横浜	35	26.3	139	39.1	39.1	清水	32	43.3	133	0.6	31.
新潟	37	53.6	139	1.1	4.1	福岡	33	34.9	130	22.5	2.
高田	37	6.4	138	14.8	12.9	佐賀	33	15.9	130	18.3	5.
相川	38	1.7	138	14.4	5.5	長崎	32	44.0	129	52.0	26.
富山	36	42.5	137	12.1	8.6	厳原	34	11.8	129	17.5	4.
金沢	36	35.3	136	38.0	5.7	福江	32	41.6	128	49.6	25.1
輪島	37	23.4	136	53.7	5.2	熊本	32	48.8	130	42.4	37.7
福井	36	3.3	136	13.3	8.8	大分	33	14.1	131	37.1	4.6
敦賀	35	39.2	136	3.7	1.6	宮崎	31	56.3	131	24.8	9.2
甲府	35	40.0	138	33.2	272.8	鹿児島	31	33.3	130	32.8	3.9
長野	36	39.7	138	11.5	418.2	名瀬	28	22.7	129	29.7	2.8
松本	36	14.8	137	58.2	610.0	那覇	26	12.4	127	41.2	28.1
富士山	35	21.6	138	43.6	3775.1	昭和(南極)	69(S)	0.3	39	34.8	29.1

*気象官署における標石等の平均海面上の高さ.

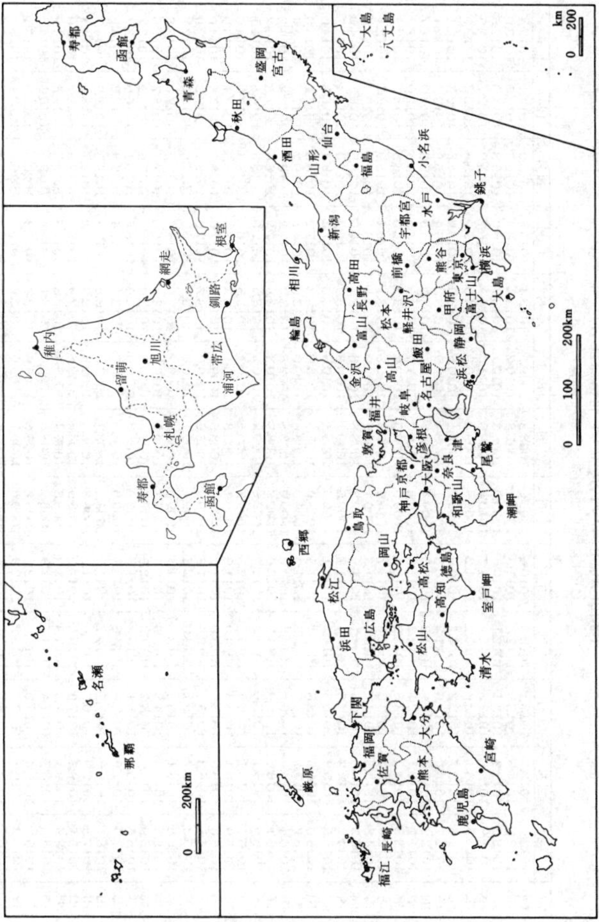

気第1図　気象部に掲げた国内の観測地点（気象官署等）の分布図

図中以外の気象官署やアメダス地点における気温，風速，日照時間，降水量，積雪の深さの平年値，最大記録については気象庁ホームページ（https://www.jma.go.jp/）参照.

海面気圧の月別平年値(hPa)

(1991年から2020年までの平均値)

地　点	1月	2月	3月	4月	5月	6月	7月	8月	9月	10月	11月	12月	年
札　幌	1013.2	1013.7	1013.1	1012.0	1010.6	1009.0	1008.3	1009.9	1013.4	1015.8	1015.9	1014.1	1012.4
函　館	1013.9	1014.5	1013.9	1012.8	1011.3	1009.4	1008.8	1010.2	1013.4	1016.4	1016.7	1015.0	1013.0
旭　川	1013.3	1013.9	1013.1	1012.1	1010.6	1009.0	1008.3	1010.1	1013.7	1016.0	1015.8	1014.0	1012.5
釧　路	1011.9	1012.8	1012.6	1012.4	1011.7	1010.4	1009.8	1011.3	1014.1	1015.7	1015.0	1012.7	1012.5
帯　広	1012.5	1013.1	1012.6	1012.1	1011.2	1009.9	1009.4	1010.9	1014.0	1015.9	1015.3	1013.3	1012.5
網　走	1011.8	1012.7	1012.3	1011.7	1010.9	1009.7	1009.1	1010.6	1013.6	1015.2	1014.5	1012.3	1012.1
留　萌	1012.7	1013.3	1012.6	1011.8	1010.5	1009.1	1008.4	1009.9	1013.2	1015.4	1015.2	1013.3	1012.1
稚　内	1012.2	1012.8	1011.9	1011.2	1010.3	1009.4	1008.7	1010.1	1013.0	1014.3	1013.9	1012.3	1011.7
根　室	1011.1	1012.1	1012.1	1012.2	1011.8	1010.6	1010.0	1011.4	1014.1	1015.5	1014.5	1012.0	1012.3
寿　都	1013.8	1014.3	1013.5	1012.3	1010.7	1009.0	1008.3	1009.9	1013.3	1016.0	1016.3	1014.7	1012.7
浦　河	1012.6	1013.4	1013.3	1012.8	1011.7	1010.0	1009.4	1010.8	1013.7	1016.1	1015.9	1013.7	1012.8
青　森	1014.8	1015.3	1014.7	1013.2	1011.3	1009.1	1008.5	1009.9	1013.4	1016.8	1017.5	1015.9	1013.4
盛　岡	1015.5	1016.0	1015.5	1014.1	1011.9	1009.3	1008.8	1010.3	1013.9	1017.5	1018.5	1016.7	1014.0
宮　古	1014.2	1014.8	1014.6	1013.4	1011.7	1009.6	1009.1	1010.6	1013.9	1016.9	1017.4	1015.4	1013.5
仙　台	1015.5	1015.9	1015.5	1014.2	1012.1	1009.6	1009.1	1010.5	1013.8	1017.2	1018.4	1016.7	1014.0
秋　田	1016.0	1016.5	1015.8	1014.1	1011.8	1009.0	1008.5	1009.8	1013.3	1017.1	1018.5	1017.1	1014.0
山　形	1016.7	1017.1	1016.3	1014.5	1011.9	1009.0	1008.6	1010.0	1013.6	1017.6	1019.2	1017.7	1014.4
酒　田	1016.4	1016.9	1016.3	1014.5	1012.0	1009.0	1008.5	1009.8	1013.2	1017.2	1018.7	1017.4	1014.2
福　島	1016.1	1016.5	1015.9	1014.3	1012.0	1009.3	1008.9	1010.3	1013.8	1017.5	1018.8	1017.3	1014.2
小名浜	1015.6	1016.1	1015.6	1014.3	1012.4	1009.6	1009.2	1010.6	1013.6	1017.0	1018.3	1016.8	1014.1
水　戸	1015.7	1016.1	1015.5	1014.2	1012.3	1009.5	1009.1	1010.4	1013.5	1016.9	1018.4	1017.0	1014.0
宇都宮	1015.9	1016.1	1015.4	1014.0	1011.9	1009.1	1008.8	1010.1	1013.3	1017.0	1018.5	1017.1	1013.9
前　橋	1016.3	1016.6	1015.6	1013.9	1011.7	1008.9	1008.5	1009.9	1013.1	1017.0	1018.7	1017.5	1014.0
熊　谷	1016.1	1016.3	1015.4	1013.9	1011.8	1009.0	1008.6	1010.0	1013.2	1017.0	1018.5	1017.3	1013.9
銚　子	1015.3	1015.7	1015.1	1014.0	1012.2	1009.4	1009.1	1010.4	1013.1	1016.3	1017.9	1016.5	1013.7
東　京	1015.8	1016.1	1015.2	1013.8	1011.8	1009.0	1008.6	1009.9	1013.0	1016.7	1018.2	1017.0	1013.8
大　島	1015.4	1015.6	1014.9	1013.9	1012.0	1009.1	1009.1	1010.2	1012.6	1016.0	1017.7	1016.7	1013.6
八丈島	1015.9	1016.0	1015.2	1014.2	1012.3	1009.4	1009.8	1010.3	1012.0	1014.9	1017.4	1017.1	1013.7
横　浜	1015.6	1015.9	1015.1	1013.8	1011.8	1009.0	1008.7	1010.0	1012.9	1016.5	1018.1	1016.9	1013.7
新　潟	1017.5	1017.9	1017.0	1014.8	1012.1	1009.0	1008.5	1009.7	1013.1	1017.4	1019.3	1018.3	1014.5
高　田	1018.1	1018.5	1017.2	1014.7	1011.9	1008.8	1008.4	1009.6	1013.0	1017.3	1019.5	1018.9	1014.7
相　川	1017.5	1017.9	1016.8	1014.6	1011.9	1008.8	1008.4	1009.5	1012.9	1017.2	1019.1	1018.2	1014.4
富　山	1019.1	1019.3	1017.6	1015.0	1012.0	1008.9	1008.4	1009.6	1012.9	1017.4	1019.9	1019.7	1015.0
金　沢	1018.9	1019.1	1017.5	1014.8	1011.9	1008.8	1008.4	1009.4	1012.8	1017.3	1019.7	1019.5	1014.9
輪　島	1018.5	1018.7	1017.4	1014.7	1011.9	1008.9	1008.3	1009.6	1013.1	1017.4	1019.5	1019.1	1014.8
福　井	1019.3	1019.4	1017.8	1015.1	1012.1	1008.8	1008.6	1009.6	1012.8	1017.3	1020.0	1020.0	1015.1
敦　賀	1019.3	1019.4	1017.7	1015.2	1012.3	1009.0	1008.7	1009.6	1012.7	1017.3	1019.9	1020.1	1015.1
甲　府	1016.4	1016.2	1014.9	1013.2	1011.1	1008.2	1008.1	1009.3	1012.4	1016.5	1018.6	1017.7	1013.6
長　野	1018.4	1018.5	1016.9	1014.4	1011.5	1008.3	1008.0	1009.3	1012.8	1017.5	1019.8	1019.2	1014.6
松　本	1017.9	1017.8	1016.2	1013.8	1010.9	1007.8	1007.5	1008.9	1012.6	1017.2	1019.5	1018.8	1014.1

飯田	1018.0	1017.7	1016.1	[illegible]	[illegible]	[illegible]	[illegible]	[illegible]	[illegible]	[illegible]	[illegible]	[illegible]	[illegible]
軽井沢													
岐阜	1018.6	1018.5	1017.0	1014.8	1012.1	1008.8	1008.7	1009.7	1012.4	1016.7	1019.5	1019.6	1014.7
高山	1019.9	1019.9	1018.0	1015.3	1012.1	1008.6	1008.5	1009.6	1013.0	1017.9	1020.9	1020.7	1015.4
静岡	1015.5	1015.6	1014.8	1013.6	1011.8	1008.9	1008.8	1009.9	1012.4	1015.8	1017.6	1016.7	1013.5
浜松	1017.0	1016.9	1015.6	1014.1	1011.9	1009.0	1009.0	1010.0	1012.3	1015.9	1018.3	1018.1	1014.0
名古屋	1018.4	1018.3	1016.7	1014.6	1012.1	1008.8	1008.7	1009.7	1012.4	1016.5	1019.3	1019.4	1014.6
津	1018.8	1018.7	1017.1	1014.9	1012.2	1009.0	1008.8	1009.8	1012.5	1016.8	1019.6	1019.7	1014.8
尾鷲	1018.1	1017.9	1016.3	1014.4	1012.0	1008.9	1008.8	1009.8	1012.3	1016.2	1018.9	1019.0	1014.4
彦根	1019.4	1019.3	1017.7	1015.3	1012.4	1009.0	1008.8	1009.7	1012.7	1017.1	1020.0	1020.2	1015.1
京都	1019.6	1019.5	1017.6	1015.0	1012.1	1008.8	1008.6	1009.5	1012.5	1017.1	1020.1	1020.4	1015.1
大阪	1019.7	1019.5	1017.6	1014.9	1012.0	1008.6	1008.5	1009.3	1012.2	1016.9	1020.0	1020.5	1015.0
神戸	1019.7	1019.5	1017.6	1014.9	1012.0	1008.7	1008.6	1009.4	1012.2	1016.8	1019.9	1020.5	1015.0
奈良	1019.7	1019.5	1017.6	1014.9	1012.0	1008.7	1008.6	1009.4	1012.3	1017.0	1020.1	1020.5	1015.0
和歌山	1019.9	1019.5	1017.5	1014.9	1012.0	1008.7	1008.7	1009.4	1012.2	1016.7	1019.9	1020.6	1015.0
潮岬	1018.3	1017.9	1016.2	1014.3	1011.8	1008.8	1009.1	1009.7	1011.8	1015.7	1018.7	1019.2	1014.3
鳥取	1020.1	1020.0	1018.0	1015.0	1011.9	1008.6	1008.2	1009.2	1012.8	1017.6	1020.3	1020.8	1015.2
松江	1020.4	1020.1	1018.0	1014.9	1011.7	1008.4	1008.0	1009.0	1012.7	1017.6	1020.3	1020.9	1015.2
浜田	1020.8	1020.3	1018.0	1014.8	1011.6	1008.2	1008.0	1008.8	1012.4	1017.3	1020.3	1021.4	1015.2
西郷	1019.8	1019.8	1017.9	1014.8	1011.7	1008.5	1008.0	1009.2	1013.0	1017.7	1020.0	1020.3	1015.1
岡山	1020.5	1020.1	1018.0	1014.9	1011.9	1008.5	1008.3	1009.1	1012.3	1017.3	1020.5	1021.2	1015.2
広島	1021.1	1020.5	1018.2	1015.1	1011.8	1008.4	1008.2	1009.0	1012.2	1017.3	1020.6	1021.8	1015.4
下関	1021.5	1020.8	1018.4	1015.2	1011.8	1008.3	1008.1	1008.7	1012.1	1017.3	1020.6	1022.1	1015.4
徳島	1020.0	1019.7	1017.6	1014.9	1011.9	1008.6	1008.5	1009.3	1012.3	1017.0	1020.1	1020.8	1015.1
高松	1020.4	1020.0	1017.9	1014.9	1011.8	1008.4	1008.3	1009.1	1012.2	1017.1	1020.3	1021.1	1015.1
松山	1020.9	1020.2	1017.9	1015.0	1011.8	1008.4	1008.3	1008.9	1011.8	1016.8	1020.2	1021.5	1015.1
高知	1019.6	1019.1	1017.1	1014.7	1011.9	1008.7	1008.8	1009.4	1011.8	1016.2	1019.5	1020.4	1014.8
室戸岬	1018.8	1018.4	1016.5	1014.3	1011.7	1008.6	1008.7	1009.3	1011.6	1015.7	1019.0	1019.7	1014.4
清水	1019.8	1019.1	1017.0	1014.6	1011.7	1008.5	1008.8	1009.2	1011.5	1015.9	1019.3	1020.5	1014.7
福岡	1021.9	1020.9	1018.4	1015.1	1011.7	1008.0	1007.9	1008.5	1011.9	1017.2	1020.7	1022.5	1015.4
佐賀	1022.0	1021.0	1018.4	1015.1	1011.6	1008.0	1008.1	1008.5	1011.6	1017.0	1020.8	1022.7	1015.4
長崎	1022.0	1020.9	1018.3	1015.1	1011.7	1008.0	1008.2	1008.4	1011.3	1016.6	1020.5	1022.5	1015.3
厳原	1022.1	1021.1	1018.5	1015.1	1011.7	1008.2	1007.8	1008.6	1012.5	1017.7	1021.0	1022.7	1015.6
福江	1022.2	1021.1	1018.5	1015.2	1011.7	1007.9	1007.9	1008.3	1011.5	1017.0	1020.7	1022.7	1015.4
熊本	1022.0	1020.9	1018.2	1015.0	1011.5	1008.0	1008.3	1008.5	1011.3	1016.6	1020.6	1022.6	1015.3
大分	1021.3	1020.6	1018.2	1015.0	1011.8	1008.4	1008.2	1008.8	1012.0	1017.1	1020.5	1022.0	1015.3
宮崎	1020.5	1019.7	1017.4	1014.7	1011.6	1008.3	1008.4	1008.7	1011.3	1016.1	1019.8	1021.2	1014.8
鹿児島	1021.2	1020.2	1017.8	1014.9	1011.7	1008.3	1008.6	1008.5	1010.9	1015.9	1019.9	1021.7	1015.0
名瀬	1020.5	1019.7	1017.6	1014.9	1011.5	1008.6	1008.8	1007.9	1009.8	1014.5	1018.7	1020.8	1014.4
那覇	1020.4	1019.6	1017.5	1014.7	1011.1	1008.7	1008.5	1007.2	1009.0	1013.6	1017.9	1020.3	1014.1
昭和(南極)	988.1	986.2	984.1	984.3	986.3	989.2	985.6	985.0	984.6	983.7	986.5	987.5	985.9

富士山・軽井沢は標高が高いので海面気圧を求めない.

気

気温の月別平年値（℃）(1)

（1991 年から 2020 年までの平均値）

地点	1月	2月	3月	4月	5月	6月	7月	8月	9月	10月	11月	12月	年
札幌	−3.2	−2.7	1.1	7.3	13.0	17.0	21.1	22.3	18.6	12.1	5.2	−0.9	9
函館	−2.4	−1.8	1.9	7.3	12.3	16.2	20.3	22.1	18.8	12.5	6.0	−0.1	9
旭川	−7.0	−6.0	−1.4	5.6	12.3	17.0	20.7	21.2	16.4	9.4	2.3	−4.2	7
釧路	−4.8	−4.3	−0.4	4.0	8.6	12.2	16.1	18.2	16.5	11.0	4.7	−1.9	6
帯広	−6.9	−5.7	−0.4	6.0	11.6	15.2	18.9	20.3	16.9	10.3	3.5	−3.8	7
網走	−5.1	−5.4	−1.3	4.5	9.8	13.5	17.6	19.6	16.8	10.9	4.0	−2.4	6
留萌	−4.1	−3.7	0.0	5.5	11.1	15.4	19.6	20.9	17.2	11.1	4.4	−1.5	8
稚内	−4.3	−4.3	−0.6	4.5	9.1	13.0	17.2	19.5	17.2	11.3	3.8	−2.1	7.
根室	−3.4	−3.8	−0.8	3.5	7.7	10.9	14.9	17.4	16.2	11.6	5.6	−0.5	6.
寿都	−2.3	−1.9	1.2	6.5	11.5	15.4	19.5	21.2	18.1	12.1	5.6	−0.3	8
浦河	−2.4	−2.1	0.9	5.2	9.7	13.5	17.7	19.9	17.7	12.3	6.1	0.1	8
青森	−0.9	−0.4	2.8	8.5	13.7	17.6	21.8	23.5	19.9	13.5	7.2	1.4	10.
盛岡	−1.6	−0.9	2.6	8.7	14.5	18.8	22.4	23.5	19.3	12.6	6.2	0.8	10.
宮古	0.5	0.8	3.9	8.9	13.5	16.5	20.3	22.1	19.1	13.6	8.1	2.9	10.
仙台	2.0	2.4	5.5	10.7	15.6	19.2	22.9	24.4	21.2	15.7	9.8	4.5	12.
秋田	0.4	0.8	4.0	9.6	15.2	19.6	23.4	25.0	21.0	14.5	8.3	2.8	12.
山形	−0.1	0.4	4.0	10.2	16.2	20.3	23.9	25.0	20.6	14.1	7.7	2.4	12.
酒田	1.9	2.2	5.1	10.2	15.7	20.0	23.8	25.5	21.6	15.6	9.7	4.5	13.
福島	1.9	2.5	5.9	11.7	17.2	20.7	24.3	25.5	21.6	15.6	9.5	4.3	13.
小名浜	4.1	4.3	7.1	11.6	15.8	19.1	22.5	24.5	22.0	16.9	11.5	6.6	13.
水戸	3.3	4.1	7.4	12.3	17.0	20.3	24.2	25.6	22.1	16.6	10.8	5.6	14.
宇都宮	2.8	3.8	7.4	12.8	17.8	21.2	24.8	26.0	22.4	16.7	10.6	5.1	14.
前橋	3.7	4.5	7.9	13.4	18.6	22.1	25.8	26.8	22.9	17.1	11.2	6.1	15.
熊谷	4.3	5.1	8.6	13.9	18.8	22.3	26.0	27.1	23.3	17.6	11.7	6.5	15.
銚子	6.6	6.9	9.7	13.8	17.4	20.2	23.5	25.5	23.4	19.2	14.4	9.3	15.
東京	5.4	6.1	9.4	14.3	18.8	21.9	25.7	26.9	23.3	18.0	12.5	7.7	15.
大島	7.5	7.8	10.4	14.4	18.2	21.0	24.6	26.0	23.4	18.9	14.5	10.0	16.
八丈島	10.1	10.4	12.5	15.8	18.8	21.3	25.2	26.5	24.5	21.0	16.9	12.7	18.
横浜	6.1	6.7	9.7	14.5	18.8	21.8	25.6	27.0	23.7	18.5	13.4	8.7	16.
新潟	2.5	3.1	6.2	11.3	16.7	20.9	24.9	26.5	22.5	16.7	10.5	5.3	13.
高田	2.5	2.7	5.8	11.7	17.0	20.9	25.0	26.4	22.3	16.4	10.5	5.3	13.
相川	4.0	4.0	6.5	11.1	15.9	19.8	24.0	26.0	22.5	17.2	11.8	6.8	14.
富山	3.0	3.4	6.9	12.3	17.5	21.4	25.5	26.9	22.8	17.0	11.2	5.7	14.
金沢	4.0	4.2	7.3	12.6	17.7	21.6	25.8	27.3	23.2	17.6	11.9	6.8	15.
輪島	3.3	3.4	6.1	11.1	16.1	20.0	24.4	25.9	22.0	16.3	10.8	5.9	13.8
福井	3.2	3.7	7.2	12.8	18.1	22.0	26.1	27.4	23.1	17.1	11.3	5.9	14.8
敦賀	4.7	5.1	8.3	13.4	18.2	22.1	26.3	27.7	23.7	18.1	12.7	7.4	15.6
甲府	3.1	4.7	8.6	14.0	18.8	22.3	26.0	27.1	23.2	17.1	10.8	5.4	15.1
長野	−0.4	0.4	4.3	10.6	16.4	20.4	24.3	25.4	21.0	14.4	7.9	2.3	12.3
松本	−0.3	0.6	4.6	10.8	16.5	20.2	24.2	25.1	20.4	13.9	7.8	2.5	12.2
富士山	−18.2	−17.4	−14.1	−8.8	−3.2	1.4	5.3	6.4	3.5	−2.0	−8.7	−15.1	−5.9

気温の月別平年値（℃）(2)

（1991 年から 2020 年までの平均値）

地　点	1月	2月	3月	4月	5月	6月	7月	8月	9月	10月	11月	12月	年
飯　田	1.0	2.3	6.1	11.8	16.9	20.6	24.4	25.4	21.5	15.0	8.6	3.4	13.1
軽井沢	−3.3	−2.6	1.1	7.0	12.3	16.0	20.1	20.8	16.7	10.5	4.8	−0.5	8.6
岐　阜	4.6	5.4	9.0	14.5	19.4	23.2	27.0	28.3	24.5	18.7	12.5	7.0	16.2
高　山	−1.2	−0.6	3.4	9.7	15.6	19.7	23.5	24.4	20.0	13.5	7.1	1.6	11.4
静　岡	6.9	7.7	10.7	15.2	19.2	22.4	26.1	27.4	24.5	19.4	14.3	9.3	16.9
浜　松	6.3	6.8	10.3	15.0	19.3	22.6	26.3	27.8	24.9	19.6	14.2	8.8	16.8
名古屋	4.8	5.5	9.2	14.6	19.4	23.0	26.9	28.2	24.5	18.6	12.6	7.2	16.2
津	5.7	5.9	9.0	14.2	19.0	22.7	26.8	27.9	24.4	18.8	13.2	8.1	16.3
尾　鷲	6.5	7.2	10.3	14.7	18.7	21.9	25.8	26.8	23.8	18.8	13.7	8.8	16.4
彦　根	3.9	4.2	7.3	12.4	17.6	21.8	26.1	27.5	23.6	17.7	11.7	6.5	15.0
京　都	4.8	5.4	8.8	14.4	19.5	23.3	27.3	28.5	24.4	18.4	12.5	7.2	16.2
大　阪	6.2	6.6	9.9	15.2	20.1	23.6	27.7	29.0	25.2	19.5	13.8	8.7	17.1
神　戸	6.2	6.5	9.8	15.0	19.8	23.4	27.1	28.6	25.4	19.8	14.2	8.8	17.0
奈　良	4.5	5.1	8.5	14.0	19.0	22.9	26.8	27.8	23.8	17.7	11.8	6.8	15.7
和歌山	6.2	6.7	9.9	15.1	19.7	23.2	27.2	28.4	24.9	19.3	13.8	8.6	16.9
潮　岬	8.3	8.8	11.6	15.6	19.3	22.1	25.7	26.9	24.6	20.3	15.5	10.6	17.5
鳥　取	4.2	4.7	7.9	13.2	18.1	22.0	26.2	27.3	22.9	17.2	11.9	6.8	15.2
松　江	4.6	5.0	8.0	13.1	18.0	21.7	25.8	27.1	22.9	17.4	12.0	7.0	15.2
浜　田	6.2	6.5	9.0	13.5	17.9	21.4	25.6	26.8	22.8	17.7	13.1	8.5	15.7
西　郷	4.5	4.6	7.3	12.0	16.7	20.4	24.6	26.1	22.2	16.9	11.9	7.1	14.5
岡　山	4.6	5.2	8.7	14.1	19.1	22.7	27.0	28.1	23.9	18.0	11.6	6.6	15.8
広　島	5.4	6.2	9.5	14.8	19.6	23.2	27.2	28.5	24.7	18.8	12.9	7.5	16.5
下　関	7.2	7.5	10.3	14.7	19.1	22.5	26.5	27.9	24.6	19.7	14.5	9.5	17.0
徳　島	6.3	6.8	9.9	15.0	19.6	23.0	26.8	28.1	24.8	19.3	13.8	8.7	16.8
高　松	5.9	6.3	9.4	14.7	19.8	23.3	27.5	28.6	24.7	19.0	13.2	8.1	16.7
松　山	6.2	6.8	9.9	14.8	19.4	22.9	27.1	28.1	24.6	19.1	13.6	8.5	16.8
高　知	6.7	7.8	11.2	15.8	20.0	23.1	27.0	27.9	25.0	19.9	14.2	8.8	17.3
室戸岬	7.7	8.2	11.0	15.2	18.8	21.5	25.0	26.3	24.0	19.8	15.1	10.2	16.9
清　水	8.9	9.8	12.8	16.9	20.4	23.0	26.5	27.7	25.5	21.4	16.5	11.3	18.4
福　岡	6.9	7.8	10.8	15.4	19.9	23.3	27.4	28.4	24.7	19.6	14.2	9.1	17.3
佐　賀	5.8	7.0	10.4	15.3	20.0	23.5	27.2	28.2	24.5	19.1	13.3	7.8	16.9
長　崎	7.2	8.1	11.2	15.6	19.7	23.0	26.9	28.1	24.9	20.0	14.5	9.4	17.4
厳　原	6.0	6.9	10.0	14.2	18.2	21.3	25.4	26.8	23.4	18.7	13.3	8.0	16.0
福　江	7.6	8.3	10.9	14.9	18.8	22.1	26.2	27.3	24.1	19.5	14.6	9.8	17.0
熊　本	6.0	7.4	10.9	15.8	20.5	23.7	27.5	28.4	25.2	19.6	13.5	8.0	17.2
大　分	6.5	7.2	10.2	14.8	19.3	22.6	26.8	27.7	24.2	19.1	13.8	8.7	16.8
宮　崎	7.8	8.9	12.1	16.4	20.3	23.2	27.3	27.6	24.7	20.0	14.7	9.7	17.7
鹿児島	8.7	9.9	12.8	17.1	21.0	24.0	28.1	28.8	26.3	21.6	16.2	10.9	18.8
名　瀬	15.0	15.3	17.1	19.8	22.8	26.2	28.8	28.5	27.0	23.9	20.4	16.7	21.8
那　覇	17.3	17.5	19.1	21.5	24.2	27.2	29.1	29.0	27.9	25.5	22.5	19.0	23.3
昭和(南極)	−0.8	−2.9	−6.8	−10.4	−13.5	−15.2	−17.6	−18.8	−18.3	−13.3	−6.3	−1.5	−10.5

気温の半旬別平年値（℃）（1）

（1991年から2020年までの平均値）

月 日〜日 ＼ 地点		札幌	仙台	東京	新潟	名古屋	大阪	広島	高松	福岡	鹿児島	那覇
1	1〜5	−2.5	2.6	5.8	3.4	5.2	6.7	5.9	6.5	7.4	9.1	17.[illegible]
	6〜10	−3.0	2.2	5.6	2.9	5.0	6.5	5.7	6.3	7.2	9.0	17.[illegible]
	11〜15	−3.4	1.9	5.4	2.6	4.9	6.3	5.6	6.0	7.0	8.8	17.[illegible]
	16〜20	−3.5	1.8	5.2	2.4	4.7	6.1	5.4	5.7	6.8	8.7	17.[illegible]
	21〜25	−3.5	1.7	5.2	2.3	4.6	5.9	5.1	5.5	6.6	8.5	17.[illegible]
	26〜31	−3.5	1.7	5.3	2.2	4.5	5.8	5.0	5.4	6.6	8.4	16.[illegible]
2	1〜5	−3.6	1.8	5.5	2.3	4.5	5.8	5.2	5.5	6.8	8.7	16.[illegible]
	6〜10	−3.3	2.0	5.6	2.5	4.8	6.0	5.6	5.8	7.2	9.1	17.[illegible]
	11〜15	−2.9	2.3	5.9	2.8	5.3	6.4	6.0	6.1	7.6	9.7	17.[illegible]
	16〜20	−2.5	2.6	6.3	3.2	5.8	6.8	6.4	6.5	8.0	10.2	17.[illegible]
	21〜25	−1.9	3.0	6.7	3.7	6.5	7.4	7.0	6.9	8.6	10.9	18.[illegible]
	26〜28	−1.5	3.4	7.2	4.2	7.1	7.9	7.5	7.4	9.0	11.3	18.[illegible]
	26〜29	−1.5	3.4	7.2	4.2	7.1	7.9	7.5	7.4	9.0	11.3	18.[illegible]
3	1〜5	−1.0	3.8	7.7	4.6	7.6	8.3	7.9	7.9	9.4	11.5	18.[illegible]
	6〜10	−0.4	4.3	8.2	5.1	8.0	8.8	8.4	8.4	9.8	11.8	18.4
	11〜15	0.5	4.9	9.0	5.7	8.6	9.4	9.0	8.9	10.4	12.5	18.8
	16〜20	1.5	5.8	9.7	6.4	9.4	10.1	9.8	9.6	11.2	13.2	19.4
	21〜25	2.3	6.5	10.3	7.0	10.1	10.8	10.4	10.3	11.7	13.7	19.7
	26〜31	3.4	7.3	11.1	7.8	11.0	11.7	11.3	11.2	12.5	14.4	20.0
4	1〜5	4.6	8.3	12.1	8.9	12.2	12.8	12.4	12.3	13.4	15.4	20.3
	6〜10	5.7	9.3	13.1	9.9	13.2	13.8	13.5	13.4	14.2	16.1	20.8
	11〜15	6.7	10.2	13.9	10.9	14.2	14.8	14.4	14.4	15.0	16.7	21.2
	16〜20	7.8	11.1	14.8	11.9	15.1	15.8	15.3	15.3	15.8	17.4	21.8
	21〜25	8.9	12.0	15.6	12.8	15.9	16.6	16.1	16.1	16.6	18.1	22.3
	26〜30	10.0	13.1	16.5	13.8	16.8	17.5	17.0	17.0	17.5	18.8	22.7
5	1〜5	10.9	13.9	17.3	14.8	17.7	18.5	18.0	18.1	18.4	19.6	23.2
	6〜10	11.6	14.5	17.8	15.4	18.4	19.1	18.7	18.8	19.0	20.3	23.7
	11〜15	12.3	15.0	18.3	16.0	18.9	19.5	19.1	19.2	19.5	20.8	24.1
	16〜20	13.3	15.7	18.9	16.9	19.5	20.2	19.8	19.9	20.1	21.2	24.4
	21〜25	14.1	16.5	19.6	17.9	20.3	21.0	20.5	20.6	20.8	21.6	24.6
	26〜31	15.0	17.3	20.2	18.7	21.0	21.7	21.1	21.3	21.3	22.2	25.2
6	1〜5	15.7	17.8	20.7	19.5	21.6	22.3	21.8	21.8	21.8	22.7	25.7
	6〜10	16.2	18.3	21.0	20.2	22.1	22.8	22.5	22.4	22.4	23.2	26.2
	11〜15	16.7	18.8	21.5	20.7	22.7	23.3	23.0	23.0	23.0	23.7	26.8
	16〜20	17.2	19.4	22.1	21.1	23.2	23.8	23.4	23.5	23.5	24.2	27.5
	21〜25	18.0	20.1	22.7	21.7	23.8	24.4	23.9	24.2	24.1	24.9	28.2
	26〜30	18.8	20.8	23.5	22.4	24.7	25.3	24.6	25.0	25.0	25.8	28.7

気温の半旬別平年値（℃）（2）

（1991 年から 2020 年までの平均値）

月	日～日 ＼ 地点	札幌	仙台	東京	新潟	名古屋	大阪	広島	高松	福岡	鹿児島	那覇
7	1～5	19.5	21.4	24.3	23.1	25.4	26.0	25.3	25.8	25.7	26.7	28.9
	6～10	20.1	22.0	24.9	23.7	26.0	26.7	26.1	26.5	26.4	27.5	28.9
	11～15	20.6	22.4	25.5	24.2	26.6	27.4	26.9	27.2	27.1	28.0	29.0
	16～20	21.1	22.9	25.9	25.0	27.2	28.0	27.5	27.7	27.8	28.4	29.1
	21～25	21.9	23.5	26.4	25.9	27.7	28.5	28.1	28.3	28.3	28.7	29.2
	26～31	22.6	24.4	26.9	26.8	28.2	29.1	28.6	28.8	28.7	28.9	29.2
8	1～5	22.9	24.9	27.3	27.2	28.6	29.4	29.0	29.1	29.0	29.1	29.1
	6～10	22.9	24.9	27.3	27.1	28.6	29.4	29.0	29.1	29.0	29.1	29.0
	11～15	22.6	24.7	27.1	26.8	28.5	29.3	28.7	28.9	28.7	29.0	29.0
	16～20	22.2	24.4	26.8	26.5	28.2	29.1	28.4	28.6	28.3	28.8	29.0
	21～25	21.9	24.1	26.5	26.1	27.8	28.7	28.0	28.2	27.9	28.6	28.9
	26～31	21.6	23.7	26.0	25.5	27.3	28.0	27.5	27.5	27.3	28.2	28.8
9	1～5	21.0	23.2	25.5	24.8	26.6	27.3	26.8	26.9	26.6	27.7	28.5
	6～10	20.2	22.6	24.9	24.1	26.0	26.6	26.1	26.2	25.9	27.3	28.3
	11～15	19.2	21.7	24.0	23.1	25.1	25.8	25.3	25.3	25.2	26.8	28.1
	16～20	18.0	20.7	22.9	22.1	24.1	24.8	24.3	24.3	24.4	26.0	27.8
	21～25	16.9	19.7	21.7	21.0	23.0	23.8	23.2	23.3	23.5	25.2	27.4
	26～30	15.9	18.9	20.9	20.0	22.0	22.8	22.3	22.4	22.7	24.6	27.1
10	1～5	14.9	18.1	20.2	19.2	21.1	21.9	21.4	21.5	21.9	23.9	26.8
	6～10	13.8	17.2	19.4	18.3	20.3	21.0	20.5	20.6	21.1	23.1	26.3
	11～15	12.7	16.2	18.5	17.3	19.4	20.1	19.5	19.6	20.2	22.2	25.8
	16～20	11.6	15.2	17.5	16.2	18.3	19.1	18.4	18.6	19.2	21.3	25.3
	21～25	10.7	14.3	16.6	15.2	17.2	18.1	17.3	17.6	18.3	20.3	24.8
	26～31	9.6	13.2	15.7	14.0	16.0	17.0	16.2	16.5	17.2	19.2	24.3
11	1～5	8.5	12.3	14.8	12.9	15.0	16.2	15.2	15.5	16.4	18.4	23.8
	6～10	7.2	11.4	13.9	12.0	14.1	15.4	14.5	14.8	15.8	17.7	23.4
	11～15	5.6	10.3	13.0	10.9	13.1	14.3	13.5	13.8	14.8	16.8	22.8
	16～20	4.3	9.1	12.0	9.8	11.9	13.2	12.2	12.6	13.5	15.5	22.2
	21～25	3.3	8.2	11.1	8.9	11.1	12.3	11.3	11.7	12.6	14.7	21.7
	26～30	2.2	7.4	10.4	8.2	10.3	11.6	10.5	11.0	11.9	14.0	21.2
12	1～5	1.0	6.4	9.6	7.3	9.4	10.7	9.5	10.0	10.9	12.9	20.5
	6～10	−0.1	5.4	8.8	6.3	8.3	9.6	8.5	9.0	9.9	11.8	19.8
	11～15	−0.9	4.6	8.0	5.4	7.4	8.8	7.7	8.2	9.2	10.9	19.3
	16～20	−1.4	4.1	7.4	4.9	6.7	8.3	7.2	7.7	8.7	10.4	18.8
	21～25	−1.7	3.7	6.8	4.5	6.2	7.8	6.8	7.4	8.4	10.1	18.3
	26～31	−2.1	3.2	6.3	4.0	5.7	7.3	6.3	6.9	7.9	9.6	17.9

日最高気温の月別平年値（℃）(1)

（1991 年から 2020 年までの平均値）

地点	1月	2月	3月	4月	5月	6月	7月	8月	9月	10月	11月	12月	年
札幌	−0.4	0.4	4.5	11.7	17.9	21.8	25.4	26.4	22.8	16.4	8.7	2.0	13
函館	0.9	1.8	5.8	12.0	17.0	20.4	24.1	25.9	23.2	17.1	10.0	3.2	13
旭川	−3.3	−1.7	3.0	11.2	18.8	22.8	26.2	26.6	21.9	14.9	6.2	−0.8	12
釧路	−0.2	−0.1	3.3	8.0	12.6	15.8	19.6	21.5	20.1	15.1	8.9	2.5	10
帯広	−1.5	−0.2	4.8	12.2	18.2	21.3	24.3	25.4	22.0	15.9	8.4	1.0	12
網走	−2.2	−2.0	2.3	9.1	14.6	17.7	21.4	23.3	20.7	15.0	7.6	0.7	10
留萌	−1.0	−0.4	3.2	9.4	15.4	19.2	23.1	24.6	21.4	15.2	7.8	1.3	11
稚内	−2.4	−2.0	1.6	7.4	12.4	16.1	20.1	22.3	20.1	14.1	6.3	0.0	9
根室	−0.9	−1.2	2.2	7.4	11.9	14.9	18.7	20.9	19.4	14.7	8.6	2.1	9
寿都	−0.2	0.3	3.9	10.2	15.7	19.2	23.0	24.6	21.6	15.6	8.4	2.0	12
浦河	0.9	1.2	4.4	8.9	13.5	16.9	20.7	23.0	21.4	16.2	9.8	3.6	11
青森	1.8	2.7	6.8	13.7	18.8	22.1	26.0	27.8	24.5	18.3	11.2	4.5	14
盛岡	2.0	3.2	7.5	14.4	20.3	24.1	27.1	28.4	24.3	17.9	10.9	4.5	15
宮古	5.2	5.6	9.1	14.6	18.9	21.0	24.4	26.3	23.5	18.8	13.5	7.7	15
仙台	5.6	6.5	10.0	15.5	20.2	23.1	26.6	28.2	25.0	19.8	14.1	8.3	16
秋田	3.1	4.0	7.9	14.0	19.6	23.7	27.1	29.2	25.4	19.0	12.2	5.9	15
山形	3.3	4.4	9.1	16.4	22.6	25.9	29.1	30.5	25.8	19.5	12.6	6.1	17
酒田	4.5	5.2	8.9	14.8	20.3	24.1	27.6	29.7	25.8	19.8	13.6	7.6	16
福島	5.8	7.1	11.2	17.7	23.1	25.9	29.1	30.5	26.2	20.5	14.5	8.6	18
小名浜	8.6	8.9	11.5	15.8	19.6	22.6	25.8	27.9	25.4	20.9	16.1	11.1	17
水戸	9.2	9.8	13.0	17.8	22.0	24.5	28.5	30.0	26.4	21.2	16.3	11.4	19.
宇都宮	8.6	9.7	13.4	18.8	23.3	25.9	29.5	30.9	27.0	21.4	15.9	10.8	19.
前橋	9.1	10.0	13.5	19.3	24.2	26.8	30.5	31.7	27.3	21.7	16.4	11.5	20.
熊谷	9.8	10.8	14.3	19.9	24.6	27.1	30.9	32.3	27.9	22.1	16.8	12.0	20.
銚子	10.1	10.3	12.8	17.0	20.5	23.0	26.6	28.6	25.9	21.5	17.3	12.7	18.
東京	9.8	10.9	14.2	19.4	23.6	26.1	29.9	31.3	27.5	22.0	16.7	12.0	20.
大島	11.0	11.6	14.2	18.2	21.9	24.3	27.8	29.5	26.7	22.0	17.8	13.4	19.
八丈島	12.9	13.5	15.8	18.9	21.8	24.1	27.7	29.6	27.6	23.8	20.0	15.6	20.
横浜	10.2	10.8	14.0	18.9	23.1	25.5	29.4	31.0	27.3	22.0	17.1	12.5	20.
新潟	5.3	6.4	10.3	16.1	21.3	24.8	28.7	30.8	26.4	20.7	14.3	8.7	17.
高田	6.0	6.7	10.9	17.6	22.7	25.8	29.6	31.3	27.1	21.5	15.5	9.3	18.
相川	6.5	6.7	9.6	14.9	19.9	23.3	27.1	29.3	25.9	20.5	15.0	9.7	17.
富山	6.3	7.4	11.8	17.6	22.7	25.7	29.8	31.4	27.0	21.6	15.7	9.5	18.
金沢	7.1	7.8	11.6	17.3	22.3	25.6	29.5	31.3	27.2	21.8	15.9	10.2	19.
輪島	6.4	7.0	10.5	16.0	20.9	24.0	28.2	30.1	26.3	21.0	15.1	9.4	17.
福井	6.7	7.8	12.2	18.3	23.3	26.5	30.4	32.2	27.7	22.1	16.0	9.8	19.
敦賀	7.8	8.5	12.3	17.8	22.5	25.8	30.0	31.9	27.7	22.2	16.5	10.7	19.
甲府	9.1	10.9	15.0	20.7	25.3	27.8	31.6	33.0	28.6	22.5	16.7	11.4	21.
長野	3.8	5.3	10.3	17.4	23.2	26.1	29.7	31.1	26.2	19.7	13.4	6.9	17.
松本	5.1	6.6	11.2	17.9	23.6	26.4	30.0	31.4	26.2	19.8	13.9	8.0	18.
富士山	−15.3	−14.3	−10.9	−5.9	−0.6	4.0	8.0	9.5	6.5	0.7	−5.9	−12.2	−3.

日最高気温の月別平年値（℃）（2）

（1991 年から 2020 年までの平均値）

地　点	1月	2月	3月	4月	5月	6月	7月	8月	9月	10月	11月	12月	年
飯　田	6.7	8.1	12.2	18.6	23.6	26.5	30.0	31.6	27.2	20.9	14.8	8.9	19.1
軽井沢	2.3	3.5	7.8	14.3	19.2	21.5	25.3	26.3	21.7	16.2	11.2	5.3	14.6
岐　阜	9.1	10.3	14.2	20.0	24.7	27.8	31.6	33.4	29.2	23.6	17.5	11.6	21.1
高　山	3.2	4.7	9.8	17.0	22.9	26.1	29.5	31.0	26.1	19.9	13.1	6.2	17.5
静　岡	11.7	12.6	15.5	19.8	23.5	26.1	29.9	31.3	28.4	23.6	18.8	14.1	21.3
浜　松	10.6	11.5	15.0	19.6	23.7	26.6	30.3	31.8	28.8	23.6	18.6	13.2	21.1
名古屋	9.3	10.5	14.5	20.1	24.6	27.6	31.4	33.2	29.1	23.3	17.3	11.7	21.1
津	9.5	10.0	13.4	18.6	23.1	26.2	30.4	31.6	28.0	22.6	17.1	12.0	20.2
尾　鷲	11.5	12.4	15.4	19.7	23.2	25.7	29.6	30.9	27.9	23.4	18.8	14.0	21.1
彦　根	7.1	7.7	11.6	17.4	22.6	26.0	30.2	32.1	27.6	21.8	15.6	9.9	19.1
京　都	9.1	10.0	14.1	20.1	25.1	28.1	32.0	33.7	29.2	23.4	17.3	11.6	21.1
大　阪	9.7	10.5	14.2	19.9	24.9	28.0	31.8	33.7	29.5	23.7	17.8	12.3	21.3
神　戸	9.4	10.1	13.5	18.9	23.6	26.7	30.4	32.2	28.8	23.2	17.5	12.0	20.5
奈　良	8.7	9.9	13.9	19.8	24.9	28.1	31.7	33.4	28.8	22.6	17.1	11.6	20.9
和歌山	9.8	10.7	14.3	19.7	24.3	27.1	31.1	32.6	29.0	23.4	17.9	12.5	21.0
潮　岬	11.4	12.4	15.2	18.8	22.5	24.7	28.2	29.8	27.6	23.2	18.7	13.8	20.5
鳥　取	8.1	9.1	13.1	18.9	23.8	26.9	30.9	32.6	27.8	22.4	16.8	10.9	20.1
松　江	8.3	9.4	13.1	18.5	23.2	26.2	29.8	31.6	27.1	22.0	16.5	10.9	19.7
浜　田	9.4	10.3	13.3	18.0	22.3	25.2	28.9	30.6	26.8	22.1	17.2	12.0	19.7
西　郷	8.1	8.6	11.7	16.7	21.1	24.3	27.9	29.9	26.1	21.3	16.1	10.8	18.6
岡　山	9.6	10.5	14.6	19.8	24.8	27.6	31.8	33.3	29.1	23.4	17.1	11.7	21.1
広　島	9.9	10.9	14.5	19.8	24.4	27.2	30.9	32.8	29.1	23.7	17.7	12.1	21.1
下　関	9.7	10.5	13.7	18.4	22.7	25.8	29.7	31.3	27.8	23.0	17.5	12.3	20.2
徳　島	10.0	10.8	14.3	19.6	24.0	26.8	30.6	32.3	28.5	23.1	17.7	12.5	20.9
高　松	9.7	10.5	14.1	19.8	24.8	27.5	31.7	33.0	28.8	23.2	17.5	12.1	21.1
松　山	10.2	11.0	14.4	19.6	24.2	27.0	31.2	32.6	29.1	23.8	18.1	12.6	21.1
高　知	12.2	13.2	16.3	20.9	24.8	27.1	30.8	32.1	29.5	25.0	19.6	14.4	22.2
室戸岬	10.6	11.4	14.3	18.2	21.7	23.9	27.6	29.0	26.5	22.2	17.7	13.0	19.7
清　水	12.4	13.4	16.2	20.1	23.4	25.4	28.9	30.4	28.3	24.3	19.7	14.7	21.4
福　岡	10.2	11.6	15.0	19.9	24.4	27.2	31.2	32.5	28.6	23.7	18.2	12.6	21.3
佐　賀	10.1	11.8	15.2	20.7	25.6	28.0	31.6	32.9	29.4	24.3	18.2	12.4	21.7
長　崎	10.7	12.0	15.3	19.9	23.9	26.5	30.3	31.9	28.9	24.1	18.5	13.1	21.2
厳　原	9.2	10.5	13.6	18.1	22.2	24.7	28.3	30.0	26.5	22.3	17.1	11.6	19.5
福　江	10.8	11.9	14.9	19.1	23.0	25.6	29.4	30.9	27.8	23.4	18.5	13.3	20.7
熊　本	10.7	12.4	16.1	21.4	26.0	28.1	31.8	33.3	30.1	25.0	18.8	12.9	22.2
大　分	10.7	11.5	14.6	19.7	24.1	26.5	30.9	32.2	28.2	23.3	18.1	13.0	21.1
宮　崎	13.0	14.1	17.0	21.1	24.6	26.7	31.3	31.6	28.5	24.7	19.8	15.0	22.3
鹿児島	13.1	14.6	17.5	21.8	25.5	27.5	31.9	32.7	30.2	25.8	20.6	15.3	23.1
名　瀬	17.7	18.3	20.4	23.1	26.2	29.4	32.3	32.0	30.4	27.0	23.5	19.6	25.0
那　覇	19.8	20.2	21.9	24.3	27.0	29.8	31.9	31.8	30.6	28.1	25.0	21.5	26.0
昭和(南極)	1.8	−0.6	−4.5	−7.8	−10.6	−11.9	−14.3	−15.2	−15.0	−10.5	−3.5	1.1	−7.6

日最低気温の月別平年値（℃）（1）

（1991年から2020年までの平均値）

地　点	1月	2月	3月	4月	5月	6月	7月	8月	9月	10月	11月	12月	年
札　幌	−6.4	−6.2	−2.4	3.4	9.0	13.4	17.9	19.1	14.8	8.0	1.6	−4.0	5
函　館	−6.0	−5.7	−2.2	2.8	8.0	12.6	17.3	18.9	14.6	7.8	1.8	−3.6	5
旭　川	−11.7	−11.8	−6.1	0.2	6.1	12.0	16.4	16.9	11.7	4.4	−1.5	−8.0	2
釧　路	−9.8	−9.4	−4.2	0.7	5.4	9.5	13.6	15.7	12.9	6.1	−0.3	−7.0	2
帯　広	−13.0	−12.0	−5.4	0.8	6.2	10.8	15.1	16.5	12.7	5.3	−1.1	−8.9	2
網　走	−8.9	−9.6	−4.9	0.6	5.8	10.2	14.6	16.6	13.4	7.0	0.4	−6.0	3
留　萌	−7.4	−7.4	−3.5	1.6	7.2	12.3	16.7	17.7	13.1	6.9	1.1	−4.4	4
稚　内	−6.4	−6.7	−3.1	1.8	6.3	10.4	14.9	17.2	14.4	8.4	1.3	−4.2	4
根　室	−6.5	−7.1	−3.7	0.5	4.5	8.1	12.1	14.8	13.6	8.5	2.3	−3.6	3
寿　都	−4.7	−4.6	−1.7	2.8	7.8	12.3	16.8	18.4	14.6	8.4	2.3	−2.8	5
浦　河	−5.7	−5.6	−2.5	1.8	6.4	10.7	15.3	17.4	14.4	8.3	2.5	−3.1	5
青　森	−3.5	−3.3	−0.8	4.1	9.4	14.1	18.6	20.0	15.8	9.1	3.4	−1.4	7
盛　岡	−5.2	−4.8	−1.8	3.2	9.1	14.2	18.8	19.8	15.2	7.9	1.8	−2.5	6
宮　古	−3.5	−3.5	−0.8	3.9	9.0	13.1	17.4	19.2	15.6	9.2	3.0	−1.4	6
仙　台	−1.3	−1.1	1.4	6.3	11.7	16.1	20.2	21.6	18.0	11.9	5.6	0.9	9
秋　田	−2.1	−2.1	0.4	5.2	11.1	16.0	20.4	21.6	17.1	10.4	4.5	0.0	8
山　形	−3.1	−3.1	−0.3	4.7	10.7	15.7	20.0	20.9	16.6	9.8	3.6	−0.7	7.
酒　田	−0.6	−0.8	1.4	5.8	11.6	16.5	20.7	22.0	17.8	11.6	5.9	1.6	9
福　島	−1.5	−1.2	1.3	6.4	12.1	16.6	20.8	21.9	18.0	11.7	5.2	0.7	9.
小名浜	−0.1	0.1	2.8	7.4	12.3	16.4	20.1	22.0	19.0	13.2	7.1	2.1	10.
水　戸	−1.8	−1.2	2.1	7.0	12.5	17.0	21.0	22.2	18.6	12.5	5.9	0.5	9.
宇都宮	−2.2	−1.3	2.1	7.4	13.0	17.4	21.4	22.5	18.8	12.6	5.7	0.2	9.
前　橋	−0.5	0.0	3.1	8.2	13.6	18.0	22.0	23.0	19.3	13.2	6.9	1.9	10
熊　谷	−0.4	0.3	3.6	8.6	13.9	18.3	22.3	23.3	19.7	13.7	7.2	1.8	11.
銚　子	2.9	3.3	6.4	10.7	14.8	17.9	21.2	23.3	21.3	16.8	11.1	5.7	13.
東　京	1.2	2.1	5.0	9.8	14.6	18.5	22.4	23.5	20.3	14.8	8.8	3.8	12.
大　島	3.9	4.0	6.6	10.7	14.8	18.4	22.2	23.5	20.8	16.1	11.3	6.5	13.
八丈島	7.6	7.5	9.3	12.9	16.2	19.4	23.3	24.3	22.3	18.7	14.2	9.9	15.
横　浜	2.7	3.1	6.0	10.7	15.5	19.1	22.9	24.3	21.0	15.7	10.1	5.2	13.
新　潟	0.1	−0.1	2.4	7.0	12.7	17.7	21.8	23.3	19.0	12.8	6.9	2.4	10.
高　田	−0.4	−0.8	1.4	6.1	11.6	16.7	21.5	22.6	18.4	12.1	6.1	1.8	9.
相　川	1.3	1.0	2.9	7.2	12.0	16.6	21.3	22.9	19.2	13.6	8.2	3.8	10.
富　山	0.2	0.1	2.6	7.4	12.9	17.7	22.1	23.2	19.1	13.1	7.3	2.5	10.
金　沢	1.2	1.0	3.4	8.2	13.6	18.4	22.9	24.1	19.9	13.9	8.1	3.5	11.
輪　島	0.4	0.0	1.7	6.0	11.4	16.3	21.2	22.2	18.1	11.9	6.7	2.5	9.
福　井	0.5	0.3	2.8	7.8	13.4	18.2	22.7	23.7	19.4	13.1	7.3	2.7	11.
敦　賀	1.9	1.8	4.3	9.1	14.1	18.8	23.2	24.5	20.4	14.4	8.9	4.2	12.
甲　府	−2.1	−0.7	3.1	8.4	13.7	18.3	22.3	23.3	19.4	13.0	5.9	0.3	10.
長　野	−3.9	−3.7	−0.5	4.9	10.9	16.1	20.5	21.5	17.2	10.3	3.4	−1.5	7.
松　本	−4.9	−4.5	−1.0	4.4	10.4	15.4	19.8	20.5	16.2	9.2	2.6	−2.2	7.
富士山	−21.4	−21.1	−17.7	−12.2	−6.3	−1.4	2.8	3.8	0.6	−5.1	−11.8	−18.3	−9.

日最低気温の月別平年値（℃）（2）

（1991 年から 2020 年までの平均値）

地　点	1月	2月	3月	4月	5月	6月	7月	8月	9月	10月	11月	12月	年
飯　田	−3.6	−2.7	0.6	5.9	11.1	16.0	20.3	20.9	17.3	10.7	3.9	−1.1	8.3
軽井沢	−8.2	−8.0	−4.5	0.6	6.3	11.8	16.4	17.1	13.0	6.3	−0.2	−5.3	3.8
岐　阜	0.7	1.2	4.2	9.4	14.6	19.3	23.5	24.6	20.8	14.5	8.1	3.0	12.0
高　山	−4.8	−4.9	−1.6	3.4	9.4	14.9	19.4	20.1	15.9	9.2	2.9	−1.7	6.9
静　岡	2.1	2.9	6.0	10.6	15.1	19.2	23.1	24.2	21.1	15.6	9.9	4.6	12.9
浜　松	2.4	2.7	5.7	10.7	15.3	19.4	23.4	24.7	21.5	16.2	10.4	4.8	13.1
名古屋	1.1	1.4	4.6	9.7	14.9	19.4	23.5	24.7	21.0	14.8	8.6	3.4	12.3
津	2.4	2.4	5.2	10.2	15.4	19.7	24.0	25.0	21.4	15.5	9.5	4.6	12.9
尾　鷲	2.0	2.3	5.3	9.9	14.4	18.6	22.7	23.5	20.4	14.9	9.1	4.2	12.3
彦　根	1.0	1.0	3.5	8.1	13.5	18.4	22.9	24.1	20.2	14.0	8.0	3.2	11.5
京　都	1.5	1.6	4.3	9.2	14.5	19.2	23.6	24.7	20.7	14.4	8.4	3.5	12.1
大　阪	3.0	3.2	6.0	10.9	16.0	20.3	24.6	25.8	21.9	16.0	10.2	5.3	13.6
神　戸	3.1	3.4	6.3	11.4	16.5	20.6	24.7	26.1	22.6	16.7	10.9	5.7	14.0
奈　良	0.8	1.0	3.6	8.7	13.9	18.4	23.0	24.1	20.1	13.5	7.3	3.0	11.5
和歌山	2.9	3.1	5.8	10.7	15.6	20.1	24.3	25.1	21.5	15.6	9.9	5.1	13.3
潮　岬	5.2	5.3	8.2	12.3	16.6	19.9	23.8	24.8	22.1	17.7	12.4	7.5	14.6
鳥　取	1.1	1.0	3.1	7.6	12.9	17.9	22.5	23.3	19.0	12.9	7.7	3.2	11.0
松　江	1.5	1.3	3.6	8.2	13.5	18.2	22.8	23.8	19.6	13.4	8.0	3.6	11.4
浜　田	3.0	2.8	4.7	8.9	13.5	18.0	22.6	23.5	19.3	13.7	9.2	5.2	12.1
西　郷	1.2	0.8	2.7	7.1	12.1	16.9	21.8	23.0	18.7	12.7	7.8	3.4	10.7
岡　山	0.1	0.5	3.5	8.5	14.8	18.7	23.4	24.6	20.0	13.4	6.8	2.1	11.4
広　島	2.0	2.4	5.1	10.1	15.1	19.8	24.1	25.1	21.1	14.9	8.9	4.0	12.7
下　関	4.8	4.9	7.4	11.6	16.2	20.1	24.2	25.6	22.2	16.9	11.8	7.0	14.4
徳　島	2.9	3.1	5.8	10.6	15.6	19.8	23.9	24.9	21.6	15.9	10.1	5.2	13.3
高　松	2.1	2.2	5.0	9.9	15.1	19.8	24.1	25.1	21.2	15.1	9.1	4.3	12.8
松　山	2.6	2.8	5.6	10.3	15.0	19.4	23.8	24.6	21.0	15.1	9.6	4.8	12.9
高　知	2.1	3.1	6.4	10.9	15.5	19.7	23.9	24.5	21.4	15.6	9.7	4.2	13.1
室戸岬	5.1	5.4	8.1	12.5	16.5	19.6	23.2	24.4	22.0	17.6	12.7	7.7	14.6
清　水	5.5	6.2	9.1	13.5	17.6	20.9	24.6	25.6	23.2	18.6	13.4	7.9	15.5
福　岡	3.9	4.4	7.2	11.5	16.1	20.3	24.6	25.4	21.6	16.0	10.6	5.8	14.0
佐　賀	1.8	2.6	5.7	10.2	15.2	19.9	24.0	24.6	20.7	14.7	8.9	3.6	12.7
長　崎	4.0	4.5	7.5	11.7	16.1	20.2	24.5	25.3	21.9	16.5	11.0	6.0	14.1
厳　原	2.5	3.2	6.3	10.3	14.4	18.5	23.1	24.2	20.6	15.3	9.6	4.3	12.7
福　江	4.2	4.3	6.6	10.4	14.6	19.0	23.6	24.2	20.8	15.7	10.4	6.0	13.3
熊　本	1.6	2.6	5.9	10.6	15.6	20.2	24.2	24.8	21.2	14.9	8.8	3.4	12.8
大　分	2.6	3.0	5.9	10.3	15.0	19.3	23.5	24.3	20.9	15.2	9.5	4.6	12.8
宮　崎	3.0	4.0	7.4	11.7	16.3	20.1	24.1	24.5	21.4	15.8	10.1	5.0	13.6
鹿児島	4.9	5.8	8.7	12.9	17.3	21.3	25.3	26.0	23.2	18.0	12.2	6.9	15.2
名　瀬	12.2	12.4	14.1	16.7	19.8	23.6	26.0	26.0	24.3	21.2	17.6	13.9	19.0
那　覇	14.9	15.1	16.7	19.1	22.1	25.2	27.0	26.8	25.8	23.5	20.4	16.8	21.1
昭和(南極)	−3.7	−5.6	−9.7	−13.4	−16.9	−18.7	−21.4	−22.8	−22.3	−17.1	−9.9	−4.6	−13.8

日最高気温・日最低気温の階級別年間日数の平年値 (1)

(1991年から2020年までの平均値)

地点	日最高気温 35.0℃以上	日最高気温 30.0℃以上	日最高気温 25.0℃以上	日最低気温 0.0℃未満	日最高気温 0.0℃未満
札幌	0.1	8.6	54.6	121.8	43.6
函館	0.0	4.1	43.4	121.0	28.0
旭川	0.1	10.9	63.0	157.6	73.7
釧路	0.0	0.3	7.2	145.8	40.8
帯広	0.8	12.5	49.6	152.5	51.6
網走	0.4	4.4	27.0	146.2	71.4
留萌	0.0	2.0	27.3	134.5	53.5
稚内	0.0	0.0	8.1	130.8	72.6
根室	0.0	0.8	9.2	134.5	54.9
寿都	0.0	1.8	27.8	116.0	42.0
浦河	0.0	0.1	11.6	123.4	26.3
青森	0.4	14.7	65.8	102.5	18.7
盛岡	0.9	22.4	78.6	121.6	12.4
宮古	0.7	13.9	52.7	105.9	1.6
仙台	0.9	23.0	74.7	65.1	0.8
秋田	1.6	22.2	82.1	81.0	7.2
山形	5.8	41.3	102.6	95.6	6.9
酒田	2.0	27.4	87.7	52.9	2.1
福島	9.2	47.1	104.6	67.3	1.0
小名浜	0.1	10.7	73.2	44.3	0.0
水戸	3.1	38.0	96.4	69.0	0.0
宇都宮	5.9	49.6	111.3	72.9	0.0
前橋	13.5	58.2	120.5	46.2	0.0
熊谷	18.1	62.6	126.1	44.6	0.0
銚子	0.0	20.1	77.1	6.1	0.0
東京	4.8	52.1	118.5	15.2	0.0
大島	0.0	27.8	97.1	4.9	0.0
八丈島	0.0	21.3	105.8	0.0	0.0
横浜	2.0	48.8	113.3	3.8	0.0
新潟	3.6	36.3	100.1	38.9	0.4
高田	5.3	45.5	114.1	51.1	0.4
相川	1.0	21.9	82.5	23.5	0.1
富山	8.1	47.1	112.4	37.7	0.5
金沢	3.5	46.0	111.7	22.8	0.1
輪島	1.9	31.7	93.4	42.9	0.3
福井	8.6	55.1	123.0	34.2	0.2
敦賀	5.8	50.4	115.1	12.9	0.0
甲府	16.9	71.9	137.7	64.1	0.0
長野	5.1	47.6	110.5	102.6	5.2
松本	5.8	51.2	115.4	111.5	2.1
富士山	0.0	0.0	0.0	273.1	209.1

日最高気温が35.0℃以上の日は猛暑日，日最高気温が30.0℃以上の日は真夏日，日最高気温が25.0℃以上の日は夏日，日最低気温が0.0℃未満の日は冬日，日最高気温が0.0℃未満の日は真冬日という．

日最高気温・日最低気温の階級別年間日数の平年値（2）

（1991 年から 2020 年までの平均値）

地点	日最高気温 35.0 ℃以上	日最高気温 30.0 ℃以上	日最高気温 25.0 ℃以上	日最低気温 0.0 ℃未満	日最高気温 0.0 ℃未満
飯田	5.2	52.7	119.7	92.3	1.0
軽井沢	0.0	7.7	54.7	151.3	16.2
岐阜	16.7	72.0	139.4	29.1	0.0
高山	4.0	45.8	110.5	112.5	7.7
静岡	3.9	53.7	126.5	15.2	0.0
浜松	4.8	59.3	130.6	9.7	0.0
名古屋	15.0	69.7	138.2	23.8	0.0
津	6.3	52.9	121.8	8.6	0.0
尾鷲	3.9	44.8	120.5	15.6	0.0
彦根	4.6	52.4	116.5	24.3	0.0
京都	19.4	75.8	142.6	18.0	0.0
大阪	14.5	74.9	143.1	3.9	0.0
神戸	4.7	57.9	130.1	4.4	0.0
奈良	15.6	72.7	138.7	31.4	0.0
和歌山	6.2	65.8	137.0	5.4	0.0
潮岬	0.0	25.2	110.0	1.0	0.0
鳥取	12.4	59.1	126.3	25.4	0.1
松江	6.2	48.6	116.4	22.1	0.1
浜田	1.5	37.8	107.4	7.1	0.0
西郷	0.3	28.6	91.7	34.5	0.2
岡山	15.2	70.6	140.4	42.1	0.0
広島	8.1	64.3	139.5	12.8	0.0
下関	0.7	47.6	120.0	1.8	0.0
徳島	4.6	60.0	132.3	5.3	0.0
高松	12.7	68.6	137.9	13.2	0.0
松山	5.1	65.1	138.4	8.9	0.0
高知	3.0	66.0	149.8	16.4	0.0
室戸岬	0.0	14.5	94.4	2.1	0.0
清水	0.1	36.4	127.0	1.8	0.0
福岡	8.1	60.4	137.7	2.5	0.0
佐賀	13.5	72.2	149.4	19.6	0.0
長崎	2.8	56.5	136.0	3.6	0.0
厳原	0.6	31.1	100.8	15.3	0.2
福江	0.1	41.3	121.1	4.7	0.0
熊本	15.1	80.7	156.1	25.2	0.0
大分	5.8	58.4	131.1	12.2	0.0
宮崎	5.2	62.3	141.8	11.9	0.0
鹿児島	6.1	78.0	160.9	1.7	0.0
名瀬	0.9	92.9	187.4	0.0	0.0
那覇	0.2	102.5	213.3	0.0	0.0
昭和(南極)	0.0	0.0	0.0	363.4	300.5

主要都市における日最高気温 30.0 ℃以上，日最低気温 25.0 ℃以上，日最低気温 0.0 ℃未満の年間日数の（経年）変化については，**環 4-6** 参照.

気温の最高および最低記録 (1)

(統計開始から 2023 年まで)

地点	最高気温 ℃	年	月	日	統計開始年	最低気温 ℃	年	月	日	統計開始年
札幌	36.3	2023	8	23	1876	−28.5	1929	2	1	1876
函館	35.4	2023	8	10	1872	−21.7	1891	1	29	1872
旭川	37.9	2021	8	7	1888	−41.0	1902	1	25	1888
釧路	33.5	2022	7	31	1910	−28.3	1922	1	28	1910
帯広	38.8	2019	5	26	1892	−38.2	1902	1	26	1892
網走	37.6	1994	8	7	1889	−29.2	1902	1	25	1889
留萌	35.6	2021	8	1	1943	−23.4	1985	1	25	1943
稚内	32.7	2021	7	29	1938	−19.4	1944	1	30	1938
根室	34.0	2019	5	26	1879	−22.9	1931	2	18	1879
寿都	34.0	1904	8	20	1884	−15.7	1912	1	3	1884
浦河	31.5	2023	8	28	1927	−15.5	1979	1	29	1927
青森	36.7	1994	8	12	1882	−24.7	1931	2	23	1882
盛岡	37.2	1924	7	12	1923	−20.6	1945	1	26	1923
宮古	37.3	1933	7	23	1883	−17.3	1908	1	23	1883
仙台	37.3	2018	8	1	1926	−11.7	1945	1	26	1926
秋田	38.5	2023	8	23	1882	−24.6	1888	2	5	1882
山形	40.8	1933	7	25	1889	−20.0	1891	1	29	1889
酒田	40.1	1978	8	3	1937	−16.9	1940	1	22	1937
福島	39.1	2023	8	5	1889	−18.5	1891	2	4	1889
小名浜	37.7	1994	8	3	1910	−10.7	1952	2	5	1910
水戸	38.4	1997	7	5	1897	−12.7	1952	2	5	1897
宇都宮	38.7	1997	7	5	1890	−14.8	1902	1	24	1890
前橋	40.0	2001	7	24	1896	−11.8	1923	1	3	1896
熊谷	41.1	2018	7	23	1896	−11.6	1919	2	9	1896
銚子	35.3	1962	8	4	1887	−7.3	1893	2	13	1887
東京	39.5	2004	7	20	1875	−9.2	1876	1	13	1875
大島	35.9	2020	8	16	1938	−4.0	1996	2	3	1938
八丈島	34.8	1942	8	2	1906	−2.0	1981	2	27	1906
横浜	37.4	2016	8	9	1896	−8.2	1927	1	24	1896
新潟	39.9	2018	8	23	1881	−13.0	1942	2	12	1881
高田	40.3	2019	8	14	1922	−13.2	1942	2	12	1922
相川	38.5	2023	8	9	1911	−7.5	1915	1	13	1911
富山	39.5	2018	8	22	1939	−11.9	1947	1	29	1939
金沢	38.5	2022	9	6	1882	−9.7	1904	1	27	1882
輪島	38.6	2020	9	3	1929	−10.4	1943	1	30	1929
福井	38.6	1942	7	19	1897	−15.1	1904	1	27	1897
敦賀	37.6	1918	8	13	1897	−10.9	1904	1	27	1897
甲府	40.7	2013	8	10	1894	−19.5	1921	1	16	1894
長野	38.7	1994	8	16	1889	−17.0	1934	1	24	1889
松本	38.5	1942	8	2	1898	−24.8	1900	1	27	1898
富士山	17.8	1942	8	13	1932	−38.0	1981	2	27	1932

気温の最高および最低記録 (2)

(統計開始から2023年まで)

地点	最高気温 ℃	年	月	日	統計開始年	最低気温 ℃	年	月	日	統計開始年
飯田	37.7	2018	8	6	1897	−16.5	1954	1	27	1897
軽井沢	34.2	1946	7	16	1925	−21.0	1936	3	1	1925
岐阜	39.8	2007	8	16	1883	−14.3	1927	1	24	1883
高山	37.7	2019	8	13	1899	−25.5	1939	2	11	1899
静岡	38.7	1995	8	28	1940	−6.8	1960	1	25	1940
浜松	41.1	2020	8	17	1882	−6.0	1923	1	2	1882
名古屋	40.3	2018	8	3	1890	−10.3	1927	1	24	1890
津	39.5	1994	8	5	1889	−7.8	1904	1	27	1889
尾鷲	38.6	2016	7	3	1938	−6.9	1963	1	24	1938
彦根	37.7	2014	7	26	1893	−11.3	1904	1	27	1893
京都	39.8	2018	7	19	1880	−11.9	1891	1	16	1880
大阪	39.1	1994	8	8	1883	−7.5	1945	1	28	1883
神戸	38.8	1994	8	8	1896	−7.2	1981	2	27	1896
奈良	39.3	1994	8	8	1953	−7.8	1977	2	16	1953
和歌山	38.5	2013	8	11	1879	−6.0	1945	1	28	1879
潮岬	36.1	2020	8	16	1913	−5.0	1981	2	26	1913
鳥取	39.2	2021	8	6	1943	−7.4	1981	2	26	1943
松江	38.5	1994	8	1	1940	−8.7	1977	2	19	1940
浜田	38.5	2017	8	6	1893	−7.6	1981	2	26	1893
西郷	35.8	1994	8	14	1939	−8.9	1981	2	26	1939
岡山	39.3	1994	8	7	1891	−9.1	1981	2	27	1891
広島	38.7	1994	7	17	1879	−8.6	1917	12	28	1879
下関	37.0	1960	8	10	1883	−6.5	1901	2	3	1883
徳島	38.4	1994	7	15	1891	−6.0	1945	2	9	1891
高松	38.6	2013	8	11	1941	−7.7	1945	1	28	1941
松山	37.4	2018	8	7	1890	−8.3	1913	2	12	1890
高知	38.4	1965	8	22	1886	−7.9	1977	2	17	1886
室戸岬	35.0	1942	7	30	1920	−6.6	1981	2	26	1920
清水	35.5	1942	7	30	1940	−5.0	1981	2	26	1940
福岡	38.3	2018	7	20	1890	−8.2	1919	2	5	1890
佐賀	39.6	1994	7	16	1890	−6.9	1943	1	13	1890
長崎	37.7	2013	8	18	1878	−5.6	1915	1	14	1878
厳原	36.9	2018	7	26	1886	−8.6	1895	2	22	1886
福江	35.9	2013	8	19	1962	−5.4	1977	2	19	1962
熊本	38.8	1994	7	17	1890	−9.2	1929	2	11	1890
大分	37.8	2013	7	24	1887	−7.8	1918	2	19	1887
宮崎	38.0	2013	8	1	1886	−7.5	1904	1	26	1886
鹿児島	37.4	2016	8	22	1883	−6.7	1923	2	28	1883
名瀬	37.3	1960	7	9	1896	3.1	1901	2	12	1896
那覇	35.6	2001	8	9	1890	4.9	1918	2	20	1890
昭和(南極)	10.0	1977	1	21	1957	−45.3	1982	9	4	1957

降水量の月別平年値（mm）（1）

（1991 年から 2020 年までの平均値）

地　点	1月	2月	3月	4月	5月	6月	7月	8月	9月	10月	11月	12月	年
札　幌	108.4	91.9	77.6	54.6	55.5	60.4	90.7	126.8	142.2	109.9	113.8	114.5	1146
函　館	77.4	64.5	64.1	71.9	88.9	79.8	123.6	156.5	150.5	105.6	110.8	94.6	1188
旭　川	66.9	54.7	55.0	48.5	66.6	71.4	129.5	152.9	136.3	105.8	114.5	102.4	1104
釧　路	40.4	24.8	55.9	79.4	115.7	114.2	120.3	142.3	153.0	112.7	64.7	56.6	1080
帯　広	40.5	28.8	43.8	60.1	84.7	81.1	107.1	141.3	140.2	85.7	54.2	52.3	919
網　走	53.8	41.9	39.3	51.2	64.1	68.1	85.8	115.3	115.0	88.2	58.1	63.6	844
留　萌	95.8	68.5	53.5	43.2	59.7	56.3	113.9	126.6	145.4	131.4	140.0	119.9	1154
稚　内	84.6	60.6	55.1	50.3	68.1	65.8	100.9	123.1	136.7	129.7	121.4	112.9	1109
根　室	30.6	23.5	47.0	64.4	96.2	103.0	115.1	132.3	160.0	126.1	83.2	59.0	1040
寿　都	120.2	87.4	68.1	59.3	65.9	60.7	94.5	130.1	149.8	128.0	148.2	138.5	1250
浦　河	34.0	28.9	48.8	77.9	125.3	95.9	141.5	161.6	144.4	117.7	83.4	59.0	1118
青　森	139.9	99.0	75.2	68.7	76.7	75.0	129.5	142.0	133.0	119.2	137.4	155.2	1350
盛　岡	49.4	48.0	82.1	85.4	106.5	109.4	197.5	185.4	151.7	108.7	85.6	70.2	1279.
宮　古	63.4	54.7	87.5	91.9	98.1	123.4	157.5	177.9	216.4	166.1	62.8	67.6	1370
仙　台	42.3	33.9	74.4	90.2	110.2	143.7	178.4	157.8	192.6	150.6	58.7	44.1	1276
秋　田	118.9	98.5	99.5	109.9	125.0	122.9	197.0	184.6	161.0	175.5	189.1	159.8	1741
山　形	87.8	63.0	72.1	63.9	74.5	104.8	187.2	153.0	123.8	105.1	74.4	97.2	1206
酒　田	177.7	118.4	111.1	103.6	122.6	125.3	218.7	205.6	176.2	188.6	222.0	217.0	1986
福　島	56.2	41.1	75.7	81.8	88.5	121.2	177.7	151.3	167.6	138.7	58.4	48.9	1207
小名浜	57.3	54.0	108.4	125.2	146.1	149.5	160.7	122.6	192.3	193.1	80.3	51.3	1440.
水　戸	54.5	53.8	102.8	116.7	144.5	135.7	141.8	116.9	186.3	185.4	79.7	49.6	1367.
宇都宮	37.5	38.5	87.7	121.5	149.2	175.2	215.4	198.5	217.2	174.4	71.1	38.5	1524.
前　橋	29.7	26.5	58.3	74.8	99.4	147.8	202.1	195.6	204.3	142.2	43.0	23.8	1247.
熊　谷	36.5	32.3	69.0	90.7	115.1	149.5	169.8	183.3	198.2	177.1	53.5	30.9	1305.
銚　子	105.5	90.5	149.1	127.3	135.8	166.2	128.3	94.9	216.3	272.5	133.2	92.9	1712.
東　京	59.7	56.5	116.0	133.7	139.7	167.8	156.2	154.7	224.9	234.8	96.3	57.9	1598.
大　島	137.3	146.0	238.4	247.4	256.5	328.8	255.9	191.7	341.3	405.2	192.8	117.6	2858.
八丈島	201.7	205.5	296.5	215.2	256.7	390.3	254.1	169.5	360.5	479.1	277.4	200.2	3306.
横　浜	64.7	64.7	139.5	143.1	152.6	188.8	182.5	139.0	241.5	240.4	107.6	66.4	1730.
新　潟	180.9	115.8	112.0	97.2	94.4	121.1	222.3	163.4	151.9	157.7	203.5	225.9	1845.
高　田	429.6	263.3	194.7	105.3	87.0	136.5	206.8	184.5	205.8	213.9	334.2	475.5	2837.
相　川	131.1	91.6	96.6	94.5	97.3	122.5	207.3	137.5	139.9	133.1	154.8	175.7	1572.
富　山	259.0	171.7	164.6	134.5	122.8	172.6	245.6	207.0	218.1	171.9	224.8	281.6	2374.
金　沢	256.0	162.6	157.2	143.9	138.0	170.3	233.4	179.3	231.9	177.1	250.8	301.1	2401.
輪　島	219.2	139.6	138.6	121.6	115.6	155.8	199.6	176.8	214.5	171.1	231.5	278.4	2162.
福　井	284.9	167.7	160.7	137.2	139.1	152.8	239.8	150.7	212.9	153.8	196.1	304.0	2299.
敦　賀	269.5	164.7	144.6	120.4	141.4	144.1	204.0	146.9	204.9	152.6	176.0	316.7	2199.
甲　府	42.7	44.1	86.2	79.5	85.4	113.4	148.8	133.1	178.7	158.5	52.7	37.6	1160.
長　野	54.6	49.1	60.1	56.9	69.3	106.1	137.7	111.8	125.5	100.3	44.4	49.4	965.
松　本	39.8	38.5	78.0	81.1	94.5	114.9	131.3	101.6	148.0	128.3	56.3	32.7	1045.
富士山													

富士山では降水量を観測していない.

降水量の月別平年値（mm）（2）

（1991 年から 2020 年までの平均値）

地点	1月	2月	3月	4月	5月	6月	7月	8月	9月	10月	11月	12月	年
飯田	63.4	78.7	139.1	141.0	153.8	192.0	240.1	149.4	208.6	163.3	93.4	65.4	1688.1
軽井沢	36.8	36.8	68.3	81.0	108.8	154.6	191.8	141.6	193.5	151.1	52.5	29.6	1246.2
岐阜	65.9	77.5	132.4	162.4	192.6	223.7	270.9	169.5	242.7	161.6	87.1	74.5	1860.7
高山	101.9	93.5	122.5	123.9	125.2	170.4	260.9	197.9	225.9	155.5	94.4	104.4	1776.5
静岡	79.6	105.3	207.1	222.2	215.3	268.9	296.6	186.5	280.6	250.3	134.2	80.7	2327.3
浜松	59.2	76.8	147.1	179.2	191.9	224.5	209.3	126.8	246.1	207.1	112.6	62.7	1843.2
名古屋	50.8	64.7	116.2	127.5	150.3	186.5	211.4	139.5	231.6	164.7	79.1	56.6	1578.9
津	48.5	57.1	104.5	129.0	167.3	201.8	173.9	144.5	276.6	186.1	76.4	47.2	1612.9
尾鷲	106.0	118.8	233.8	295.4	360.5	436.6	405.2	427.3	745.7	507.6	211.5	121.3	3969.6
彦根	112.0	99.6	114.9	117.3	146.9	175.6	219.0	124.6	167.7	140.7	85.8	105.9	1610.0
京都	53.3	65.1	106.2	117.0	151.4	199.7	223.6	153.8	178.5	143.2	73.9	57.3	1522.9
大阪	47.0	60.5	103.1	101.9	136.5	185.1	174.4	113.0	152.8	136.0	72.5	55.5	1338.3
神戸	38.4	55.6	94.2	100.6	134.7	176.7	187.9	103.4	157.2	118.0	62.4	48.7	1277.8
奈良	52.4	63.1	105.1	98.9	138.5	184.1	173.5	127.9	159.0	134.7	71.2	56.8	1365.1
和歌山	48.7	62.0	96.9	98.4	146.6	183.5	175.8	101.8	181.3	160.8	95.9	62.7	1414.4
潮岬	97.7	118.1	185.5	212.3	236.7	364.7	298.4	260.3	339.2	286.6	152.0	102.9	2654.3
鳥取	201.2	154.0	144.3	102.2	123.0	146.0	188.6	128.6	225.4	153.6	145.9	218.4	1931.3
松江	153.3	118.4	134.0	113.0	130.3	173.0	234.1	129.6	204.1	126.1	121.6	154.5	1791.9
浜田	97.8	82.5	122.1	116.2	136.7	185.3	239.7	150.9	192.2	111.3	105.5	114.5	1654.6
西郷	158.3	111.9	125.0	123.5	134.1	165.7	203.9	154.8	234.9	121.6	123.0	159.8	1816.4
岡山	36.2	45.4	82.5	90.0	112.6	169.3	177.4	97.2	142.2	95.4	53.3	41.5	1143.1
広島	46.2	64.0	118.3	141.0	169.8	226.5	279.8	131.4	162.7	109.2	69.3	54.0	1572.2
下関	80.0	75.9	121.2	130.8	154.2	253.6	309.4	190.0	162.6	83.7	81.9	69.1	1712.3
徳島	41.9	53.0	87.8	104.3	146.6	192.6	177.0	193.0	271.2	199.5	89.2	63.9	1619.9
高松	39.4	45.8	81.4	74.6	100.9	153.1	159.8	106.0	167.4	120.1	55.0	46.7	1150.1
松山	50.9	65.7	105.1	107.3	129.5	228.7	223.5	99.0	148.9	113.0	71.3	61.8	1404.6
高知	59.1	107.8	174.8	225.3	280.4	359.5	357.3	284.1	398.1	207.5	129.6	83.1	2666.4
室戸岬	89.5	113.8	177.4	203.2	240.6	330.8	267.9	210.2	322.3	251.8	164.3	93.3	2465.0
清水	98.6	116.4	183.9	221.8	232.6	400.2	222.8	231.5	362.4	254.2	146.9	97.0	2563.9
福岡	74.4	69.8	103.7	118.2	133.7	249.6	299.1	210.0	175.1	94.5	91.4	67.5	1686.9
佐賀	54.1	77.5	120.6	161.7	182.9	327.0	366.8	252.4	169.3	90.1	89.4	59.5	1951.3
長崎	63.1	84.0	123.2	153.0	160.7	335.9	292.7	217.9	186.6	102.1	100.7	74.8	1894.7
厳原	80.1	94.7	172.3	218.4	241.2	294.4	370.5	326.4	235.5	120.8	100.6	68.0	2302.6
福江	93.4	109.5	172.1	216.1	210.2	324.2	308.8	239.6	289.2	132.7	134.1	108.9	2338.8
熊本	57.2	83.2	124.8	144.9	160.9	448.5	386.8	195.4	172.6	87.1	84.4	61.2	2007.0
大分	49.8	64.1	99.2	119.7	133.6	313.6	261.3	165.7	255.2	144.8	72.9	47.1	1727.0
宮崎	72.7	95.8	155.7	194.5	227.6	516.3	339.3	275.5	370.9	196.7	105.7	74.9	2625.5
鹿児島	78.3	112.7	161.0	194.9	205.2	570.0	365.1	224.3	222.9	104.6	102.5	93.2	2434.7
名瀬	184.1	161.6	210.1	213.9	278.1	427.4	214.9	294.4	346.0	261.3	173.6	170.4	2935.7
那覇	101.6	114.5	142.8	161.0	245.3	284.4	188.1	240.0	275.2	179.2	119.1	110.0	2161.0
昭和(南極)													

昭和（南極）では降水量を観測していない．

降水量の半旬別平年値（mm）（1）

（1991 年から 2020 年までの平均値）

月 日〜日 ＼ 地点	札幌	仙台	東京	新潟	名古屋	大阪	広島	高松	福岡	鹿児島	那覇
1　1〜 5	18.5	6.0	6.1	30.9	6.5	6.2	6.1	5.2	10.1	9.7	15
6〜10	18.0	6.0	7.6	30.0	7.0	6.5	7.1	5.9	11.2	11.1	17
11〜15	17.5	6.6	10.3	28.4	8.4	7.4	8.3	6.9	12.7	13.2	18
16〜20	18.2	7.2	11.4	28.0	9.4	8.5	8.7	7.2	13.5	14.4	17
21〜25	18.0	7.5	11.5	28.1	9.5	9.0	8.5	7.0	13.0	14.5	16
26〜31	19.8	8.6	13.1	32.6	10.8	10.5	9.5	8.1	13.7	16.9	19.
2　1〜 5	16.0	5.7	9.0	24.1	8.1	8.0	7.7	6.0	9.7	13.6	17.
6〜10	16.0	5.2	8.1	22.8	8.4	8.4	8.8	6.5	10.1	15.3	17.
11〜15	16.7	6.8	10.0	21.9	10.5	10.1	10.8	7.6	11.6	19.5	20.
16〜20	17.7	8.0	11.7	20.2	12.5	11.4	12.0	8.8	12.7	22.9	22.
21〜25	16.6	7.7	13.6	18.2	14.5	13.0	13.3	9.6	14.0	24.6	22.
26〜28	9.1	5.1	9.8	10.1	9.8	8.9	9.0	6.3	9.6	15.5	12.
26〜29	12.1	6.8	13.1	13.5	13.1	11.9	12.0	8.4	12.8	20.7	16.
3　1〜 5	14.6	10.8	18.8	16.5	17.7	15.9	16.4	11.3	17.2	26.2	22.
6〜10	14.3	13.1	18.4	17.5	18.0	16.0	17.1	12.0	16.9	24.8	23.
11〜15	12.5	12.3	16.3	19.3	18.0	16.4	18.5	12.9	16.5	24.5	23.
16〜20	10.7	10.5	15.9	19.7	19.1	17.6	20.9	14.4	17.1	26.4	21.
21〜25	10.2	10.5	17.5	18.1	19.5	17.4	21.4	14.6	17.5	26.9	21.
26〜31	12.3	14.6	25.3	20.8	22.9	19.5	24.9	16.0	21.2	30.5	27.
4　1〜 5	9.3	13.4	24.3	17.8	20.1	17.3	21.6	13.0	18.7	25.6	25.
6〜10	8.2	14.0	24.8	16.8	21.6	18.4	23.1	13.5	18.6	28.4	27.
11〜15	8.4	14.1	23.4	15.3	22.3	18.1	24.1	13.1	18.5	32.6	29.
16〜20	9.6	15.1	21.7	15.2	22.0	17.2	24.6	12.2	19.2	37.9	29.
21〜25	10.4	16.3	19.8	15.8	21.6	16.1	24.2	11.7	19.9	38.8	28.0
26〜30	10.5	16.4	18.4	15.5	20.7	15.2	23.5	11.5	20.3	35.6	27.5
5　1〜 5	10.9	15.6	18.0	16.1	22.8	17.3	25.6	12.6	21.6	34.0	27.4
6〜10	10.6	15.7	19.1	17.2	26.9	22.8	30.5	16.0	24.9	33.3	31.7
11〜15	9.3	17.4	21.0	16.8	27.3	25.8	32.1	17.9	26.7	33.0	39.7
16〜20	8.0	18.9	23.5	15.6	24.2	23.4	27.6	16.1	22.8	32.4	42.5
21〜25	7.5	18.9	25.3	14.0	21.7	20.9	23.2	15.2	17.8	31.8	42.6
26〜31	9.5	21.2	28.2	13.5	24.1	23.7	26.0	18.7	19.3	43.6	55.0
6　1〜 5	8.2	17.6	22.8	9.6	20.2	18.7	22.1	14.6	17.3	48.2	49.8
6〜10	9.2	20.3	27.6	11.4	23.9	21.2	25.6	15.8	22.2	67.5	59.6
11〜15	10.7	23.0	32.3	15.2	29.9	28.9	32.8	22.1	32.9	94.9	65.6
16〜20	11.5	24.7	32.4	20.3	36.3	38.5	42.9	31.7	49.4	118.8	53.0
21〜25	10.9	27.8	29.6	28.5	39.6	41.6	52.3	37.7	62.7	122.6	34.8
26〜30	10.9	31.0	27.9	36.5	40.0	40.8	62.4	38.5	68.9	109.3	27.2

降水量の半旬別平年値（mm）（2）

（1991 年から 2020 年までの平均値）

月	地点 日～日	札幌	仙台	東京	新潟	名古屋	大阪	広島	高松	福岡	鹿児島	那覇
7	1～5	12.5	32.6	30.0	39.0	39.3	41.2	68.6	37.5	71.5	93.3	29.5
	6～10	15.0	34.4	31.0	40.5	37.8	36.5	59.9	32.0	64.9	75.0	33.4
	11～15	16.3	34.4	27.9	41.2	35.9	30.3	44.4	26.3	51.0	55.7	31.9
	16～20	15.0	29.1	23.7	35.9	33.1	26.7	35.0	23.6	39.4	44.0	27.1
	21～25	13.4	24.1	20.5	30.6	30.3	20.2	30.6	19.5	33.0	41.1	25.9
	26～31	16.3	24.1	21.3	32.6	30.3	16.2	31.2	18.9	33.0	49.1	40.0
8	1～5	15.9	18.1	16.9	23.8	19.6	13.2	20.8	16.5	23.8	38.0	44.2
	6～10	20.1	21.2	19.9	24.1	20.0	17.1	19.7	18.3	28.1	38.2	49.1
	11～15	22.5	24.4	23.7	26.9	22.2	19.4	22.0	17.4	35.3	40.7	42.8
	16～20	23.4	25.6	26.8	27.2	23.0	18.8	22.7	16.2	37.8	38.6	32.3
	21～25	23.0	26.7	29.5	26.5	24.6	19.2	20.9	16.7	37.2	35.6	29.6
	26～31	25.6	34.1	37.4	32.4	34.1	26.4	28.6	23.2	44.1	46.1	44.0
9	1～5	22.5	29.4	34.1	27.0	32.7	24.1	29.3	23.4	34.1	40.6	47.6
	6～10	24.2	34.1	38.4	27.8	38.0	25.4	29.0	25.2	30.8	35.5	51.0
	11～15	23.6	38.2	40.4	28.2	42.9	25.6	26.2	26.5	29.4	32.9	44.7
	16～20	23.0	37.4	41.9	26.4	42.2	23.9	24.5	27.5	27.6	35.4	39.7
	21～25	23.0	33.9	39.7	25.0	37.6	24.1	23.6	27.3	26.2	34.4	40.9
	26～30	22.6	28.3	36.8	25.0	34.4	25.9	23.2	27.7	26.5	31.3	39.7
10	1～5	20.4	26.6	41.7	25.6	31.8	25.3	20.9	26.1	22.8	26.3	36.7
	6～10	17.3	29.3	46.5	25.5	29.0	24.1	17.6	21.6	17.1	18.3	35.0
	11～15	15.4	27.6	42.1	24.7	27.6	24.4	16.6	19.3	15.1	15.2	31.7
	16～20	16.1	23.8	36.7	24.7	28.3	24.7	19.3	21.0	16.3	17.3	28.2
	21～25	18.3	22.4	32.6	26.0	26.6	21.9	20.3	20.4	16.1	18.1	25.9
	26～31	22.5	20.7	29.1	32.8	23.3	19.4	18.8	18.0	16.7	19.1	26.1
11	1～5	18.7	10.8	16.4	27.5	13.6	12.1	11.6	10.5	13.1	15.6	19.6
	6～10	19.8	9.6	14.8	29.1	12.7	11.2	11.6	9.1	14.1	17.9	21.2
	11～15	19.6	10.0	16.2	33.2	13.4	12.2	12.8	9.3	15.3	19.0	22.0
	16～20	18.2	9.7	17.6	35.9	13.5	12.5	12.4	9.0	15.2	18.1	21.5
	21～25	17.5	9.3	17.6	36.5	13.5	12.2	11.0	8.5	14.7	16.7	19.5
	26～30	18.0	9.5	15.5	38.1	13.3	11.4	10.7	8.5	15.2	17.6	17.2
12	1～5	18.3	9.1	13.0	40.9	11.8	10.4	11.0	8.4	14.6	19.7	15.8
	6～10	18.0	7.4	10.6	41.2	9.8	9.8	10.1	7.9	12.5	18.9	16.3
	11～15	18.0	6.1	8.6	39.5	8.7	9.2	8.6	7.5	10.4	15.5	18.5
	16～20	18.1	6.1	7.5	36.4	8.7	8.5	7.6	7.0	9.7	12.8	20.4
	21～25	19.0	6.8	8.0	32.4	9.0	8.1	7.1	7.0	9.5	11.1	18.9
	26～31	23.2	7.8	8.7	36.6	9.4	8.8	7.5	7.2	11.4	11.8	19.1

日降水量 1 mm 以上の日数の月別平年値 (1)

(1991 年から 2020 年までの平均値)

地点	1月	2月	3月	4月	5月	6月	7月	8月	9月	10月	11月	12月	年
札幌	18.3	16.0	13.9	9.6	8.5	7.5	7.7	9.5	10.2	11.6	14.6	16.0	143[illegible]
函館	15.0	12.7	12.4	9.5	9.5	7.3	8.8	9.1	10.2	11.3	13.6	15.8	135[illegible]
旭川	17.1	14.2	13.3	10.0	9.8	8.6	10.4	10.5	12.0	14.2	18.2	21.1	159[illegible]
釧路	4.8	4.2	6.3	7.8	9.2	8.4	9.4	10.2	9.6	7.5	6.9	6.2	90[illegible]
帯広	4.8	4.3	5.9	7.6	8.2	8.2	9.4	10.3	10.0	7.5	6.4	6.1	88[illegible]
網走	13.3	9.1	8.7	8.4	9.6	8.9	9.3	10.0	10.5	9.6	10.1	11.6	119[illegible]
留萌	20.4	16.5	13.0	9.5	8.9	8.1	8.9	9.7	12.7	15.2	18.7	22.0	163[illegible]
稚内	19.8	15.9	12.2	8.8	8.9	7.9	7.9	9.1	10.8	14.0	17.1	20.9	153[illegible]
根室	7.0	4.7	6.9	7.9	9.2	8.3	8.8	9.8	9.9	8.9	8.9	7.9	98[illegible]
寿都	22.2	18.1	13.1	9.5	8.6	8.0	8.0	9.6	11.6	13.6	18.0	22.1	162.[illegible]
浦河	7.7	6.7	7.4	9.4	10.4	8.6	10.7	10.1	10.0	10.8	12.1	11.0	114[illegible]
青森	21.9	18.1	14.1	10.6	9.6	8.3	9.1	9.6	10.3	12.8	16.7	21.2	162[illegible]
盛岡	9.5	8.6	10.8	10.6	10.5	9.2	12.6	11.2	10.9	10.5	11.6	10.4	126[illegible]
宮古	4.4	4.9	6.9	7.8	8.8	8.9	11.7	10.9	10.8	7.5	5.4	4.5	92[illegible]
仙台	5.6	5.0	7.1	7.7	8.8	10.3	13.3	10.9	11.2	8.2	5.7	5.6	99.[illegible]
秋田	20.9	17.6	14.9	11.6	11.0	10.1	11.6	10.4	12.1	14.3	17.9	21.3	173.[illegible]
山形	15.7	12.2	11.5	9.2	8.7	9.9	12.7	10.5	10.1	9.6	11.4	15.2	136.[illegible]
酒田	24.1	19.1	17.1	12.4	11.2	10.2	12.6	11.3	12.8	14.7	19.3	23.5	188.[illegible]
福島	8.0	6.8	7.8	7.1	8.2	10.1	13.2	11.0	10.5	8.2	6.1	8.1	105.[illegible]
小名浜	4.5	5.1	8.9	9.4	10.4	11.0	11.4	8.5	10.7	10.1	6.8	5.0	101.[illegible]
水戸	4.6	5.2	9.2	10.2	11.1	11.5	11.1	7.8	10.5	10.2	6.8	5.4	103.[illegible]
宇都宮	3.7	4.7	8.2	9.8	11.3	13.1	13.7	11.9	12.3	9.7	6.2	4.1	108.[illegible]
前橋	2.9	3.6	7.1	7.9	9.5	12.6	14.7	12.5	12.0	8.8	5.3	3.3	100.[illegible]
熊谷	3.1	3.8	7.6	8.4	9.6	11.7	12.1	9.9	11.4	9.3	5.4	3.5	95.[illegible]
銚子	7.1	7.6	11.7	10.9	10.0	10.9	8.9	6.3	10.5	12.0	9.5	7.3	112.[illegible]
東京	4.5	5.2	9.2	9.5	10.1	11.6	10.5	7.9	11.0	10.5	7.4	5.2	102.[illegible]
大島	7.1	7.7	11.5	10.6	10.6	12.6	10.3	8.4	12.0	12.0	9.6	7.6	120.[illegible]
八丈島	14.1	13.7	16.3	12.9	12.7	15.3	10.5	10.8	15.0	16.5	14.0	14.3	166.[illegible]
横浜	5.1	5.4	10.0	9.5	9.8	11.9	10.3	7.5	11.5	10.7	7.7	5.5	105.[illegible]
新潟	21.1	16.8	15.5	11.5	10.1	9.5	12.5	10.0	11.8	13.6	17.7	21.5	171.[illegible]
高田	24.8	20.4	19.0	12.3	10.0	11.3	13.2	11.4	13.9	14.6	18.6	23.2	192.[illegible]
相川	19.7	15.3	14.0	10.3	9.7	9.0	10.9	8.7	10.4	12.3	16.6	20.9	157.[illegible]
富山	22.2	18.2	16.4	12.7	10.7	10.6	13.9	10.3	12.2	12.6	16.8	21.8	178.[illegible]
金沢	23.4	18.6	15.7	12.0	10.4	10.6	12.9	9.3	12.0	12.7	17.0	22.6	177.[illegible]
輪島	23.1	17.8	15.5	10.9	9.9	9.7	11.5	9.4	12.2	12.8	17.3	22.3	172.[illegible]
福井	22.8	18.1	15.5	11.6	10.7	10.6	11.9	9.1	11.4	12.0	15.7	22.1	171.4
敦賀	21.8	17.3	14.4	11.6	10.7	10.7	12.2	9.3	11.3	11.7	14.1	20.7	166.0
甲府	3.9	4.5	7.9	7.2	7.8	10.4	10.9	9.1	9.6	8.2	5.2	4.1	88.9
長野	9.8	8.9	9.5	8.3	8.3	10.0	12.2	9.8	9.2	7.9	6.8	8.9	109.6
松本	4.6	5.0	7.7	7.9	8.1	9.7	11.6	8.6	9.5	7.9	5.5	5.0	90.9
富士山													

富士山では降水量を観測していない.

日降水量 1 mm 以上の日数の月別平年値 (2)

(1991 年から 2020 年までの平均値)

地　点	1月	2月	3月	4月	5月	6月	7月	8月	9月	10月	11月	12月	年
飯　田	6.7	6.9	10.2	9.7	10.3	12.5	13.2	10.2	10.8	9.8	7.7	7.7	115.6
軽井沢	5.2	5.3	8.4	8.9	9.9	12.6	14.8	11.5	11.4	9.3	5.9	5.0	108.3
岐　阜	7.5	7.6	9.3	9.7	10.1	11.2	12.7	9.5	11.2	8.8	6.8	8.2	112.6
高　山	14.6	11.7	13.0	11.0	10.6	11.7	14.1	11.6	12.0	10.3	10.4	13.4	144.1
静　岡	5.3	5.8	9.1	9.5	10.0	12.3	11.6	9.0	11.7	9.5	6.8	5.4	106.1
浜　松	5.2	5.8	9.0	9.6	9.6	11.8	10.6	7.4	11.0	10.2	6.5	5.7	102.2
名古屋	5.2	6.2	8.8	9.4	9.7	11.6	12.0	8.5	10.5	9.0	6.1	6.2	103.2
津	5.1	6.0	9.0	8.9	9.9	11.6	11.1	8.9	10.9	9.1	5.9	5.5	102.0
尾　鷲	5.6	6.6	9.5	9.8	11.0	14.6	13.0	11.7	13.9	12.0	7.3	5.9	121.0
彦　根	14.1	12.1	12.2	10.6	9.8	11.6	12.0	8.0	10.3	9.0	8.6	13.2	131.5
京　都	6.4	7.3	9.5	9.4	9.7	11.5	11.6	8.3	9.8	8.2	6.3	6.6	104.6
大　阪	5.6	6.3	9.1	9.2	9.5	11.3	10.0	7.2	9.5	8.3	6.2	6.1	98.2
神　戸	4.7	6.0	8.9	9.0	9.1	10.7	10.0	6.5	9.3	7.8	5.6	5.7	93.3
奈　良	6.2	6.9	9.9	9.6	10.0	11.7	11.2	8.0	10.0	9.2	7.0	6.6	106.3
和歌山	5.9	6.7	9.1	9.1	9.1	11.0	9.4	6.4	9.4	8.5	6.5	6.1	97.2
潮　岬	6.3	7.7	10.5	10.5	10.6	14.3	11.3	11.2	12.1	11.1	8.3	6.3	120.0
鳥　取	20.0	16.0	14.2	11.0	10.1	10.7	11.9	9.2	12.2	11.0	13.3	18.3	158.0
松　江	17.9	14.7	13.1	10.0	9.4	10.7	11.5	9.6	11.3	10.7	12.8	17.3	148.9
浜　田	13.1	11.5	11.9	9.7	9.3	10.7	11.0	9.0	10.4	9.0	9.9	12.9	128.5
西　郷	19.3	14.4	12.4	9.2	7.8	8.8	10.0	8.0	10.0	10.0	12.7	18.4	141.0
岡　山	4.6	5.8	8.3	8.6	8.4	10.5	9.7	6.7	8.5	6.6	5.5	5.0	88.3
広　島	5.5	6.9	9.0	8.8	8.6	10.7	10.6	7.6	8.5	6.2	6.1	5.7	94.2
下　関	9.3	9.1	10.1	9.6	8.7	11.3	10.7	9.1	8.5	6.1	8.0	9.0	109.4
徳　島	5.2	6.0	9.0	9.0	8.4	12.0	9.9	7.9	10.1	8.3	6.5	5.4	97.8
高　松	5.9	6.7	9.2	9.0	8.1	10.5	9.4	7.0	9.2	8.1	6.5	6.3	95.9
松　山	7.1	7.3	9.7	9.3	8.7	11.7	9.5	7.0	8.6	7.1	6.8	7.5	100.3
高　知	5.3	6.8	9.6	9.7	9.9	13.9	12.7	11.6	11.9	8.3	6.6	5.5	111.8
室戸岬	6.5	7.6	10.6	10.1	10.6	13.9	11.1	10.9	11.9	10.0	8.0	6.1	117.3
清　水	5.8	7.3	10.8	10.0	10.4	14.1	10.5	10.7	12.4	9.7	8.3	6.1	116.1
福　岡	9.3	8.8	10.1	9.7	8.6	11.6	11.0	9.8	9.7	6.8	8.5	8.5	112.6
佐　賀	7.3	7.7	9.7	9.3	8.5	12.6	12.0	10.1	9.0	5.7	7.4	6.5	105.7
長　崎	9.0	8.7	10.1	9.2	9.1	13.0	10.7	9.9	9.0	5.8	8.2	8.2	110.9
厳　原	6.4	6.8	9.0	9.0	8.2	10.8	11.6	10.5	9.0	5.6	6.6	6.3	99.8
福　江	10.2	9.8	10.3	9.4	9.2	12.8	11.0	10.8	10.0	6.4	9.0	9.7	118.6
熊　本	6.5	7.8	10.4	9.4	9.2	14.1	12.3	10.2	9.3	6.5	7.3	6.9	110.1
大　分	4.8	6.8	9.0	8.7	8.6	13.0	11.0	9.2	10.2	6.5	5.8	4.7	98.4
宮　崎	5.7	7.3	10.3	10.0	10.5	16.3	11.7	12.3	12.6	8.3	7.3	5.1	117.5
鹿児島	8.5	9.1	11.9	9.9	9.4	15.7	11.6	10.9	10.2	7.1	8.1	8.1	120.6
名　瀬	15.1	13.6	14.4	12.7	13.7	16.2	10.4	13.7	14.8	12.8	10.6	13.8	161.9
那　覇	10.2	9.9	10.9	10.3	11.4	11.3	9.4	12.3	11.8	8.8	8.2	9.3	123.9
昭和(南極)													

昭和（南極）では降水量を観測していない.

日降水量 10 mm 以上の日数の月別平年値 (1)

(1991 年から 2020 年までの平均値)

地　点	1月	2月	3月	4月	5月	6月	7月	8月	9月	10月	11月	12月	年
札　幌	3.3	2.5	2.1	1.6	1.8	2.0	2.9	4.1	4.1	3.3	3.7	3.7	35[illegible]
函　館	1.7	1.5	1.8	2.2	3.0	2.5	4.1	4.4	5.1	3.4	3.7	2.7	35[illegible]
旭　川	1.0	0.7	1.1	1.2	2.1	2.4	4.0	4.6	4.2	3.6	3.7	2.5	31.[illegible]
釧　路	1.2	0.9	1.7	2.1	3.7	3.3	3.6	4.1	4.2	3.2	2.0	1.8	31.[illegible]
帯　広	1.3	0.9	1.1	1.6	2.7	2.6	3.7	4.4	4.4	2.8	1.8	2.0	29.[illegible]
網　走	1.0	0.9	1.0	1.7	2.0	2.2	3.2	3.3	3.1	2.6	1.9	1.4	24.[illegible]
留　萌	2.3	1.0	0.9	1.0	1.9	1.8	3.4	3.9	4.6	4.9	5.1	3.2	34.[illegible]
稚　内	1.6	1.0	1.2	1.5	2.1	2.2	3.4	3.5	4.0	4.4	3.9	3.1	31.[illegible]
根　室	0.8	0.5	1.2	2.0	3.6	3.1	3.6	3.6	4.6	3.2	3.0	1.8	31.[illegible]
寿　都	3.2	1.9	1.6	1.7	2.2	2.1	2.8	4.2	4.9	4.8	5.2	4.2	38.[illegible]
浦　河	0.7	0.7	1.5	2.7	3.8	3.0	4.5	5.0	4.6	3.6	2.3	1.5	33.[illegible]
青　森	4.4	2.7	1.9	2.2	2.4	2.6	4.1	4.3	4.0	3.7	4.9	5.0	42.[illegible]
盛　岡	1.2	1.4	2.8	3.0	3.3	3.7	5.9	5.2	4.6	3.3	2.7	2.3	39.[illegible]
宮　古	1.7	1.6	2.7	3.0	2.9	3.8	4.0	4.5	4.6	3.3	1.9	1.5	35.[illegible]
仙　台	1.1	0.9	2.6	3.2	3.3	4.3	5.3	4.7	4.6	3.5	1.7	1.1	36.[illegible]
秋　田	3.4	2.8	3.3	4.2	4.3	3.9	5.7	5.2	5.4	6.1	7.0	5.4	56.[illegible]
山　形	2.3	1.4	2.2	1.8	2.8	3.5	5.6	4.5	3.8	2.7	2.4	3.1	36.[illegible]
酒　田	6.1	3.7	3.7	3.8	4.1	3.9	6.4	5.4	5.6	6.5	8.5	8.1	65.[illegible]
福　島	1.7	1.2	2.6	2.9	2.7	3.9	5.2	4.4	4.4	3.5	1.9	1.4	35.[illegible]
小名浜	1.7	1.8	3.7	3.9	4.5	4.3	4.2	3.3	5.3	4.6	2.7	1.6	41.[illegible]
水　戸	1.8	1.9	3.8	4.1	4.6	4.3	4.1	3.2	4.9	4.5	3.0	1.5	41.[illegible]
宇都宮	1.4	1.3	3.4	4.1	4.8	5.4	6.2	5.1	6.4	4.7	2.5	1.2	46.5
前　橋	1.0	0.8	2.2	2.5	3.3	4.8	6.3	5.6	5.5	3.6	1.6	0.7	37.7
熊　谷	1.2	0.9	2.5	3.0	3.7	4.6	4.7	4.1	5.9	4.0	1.8	0.9	37.[illegible]
銚　子	3.0	2.8	5.0	4.2	4.6	4.8	3.5	2.5	5.3	6.1	3.8	3.2	49.0
東　京	1.9	2.0	4.0	4.0	4.4	5.4	4.2	3.8	5.6	5.3	2.6	1.8	45.3
大　島	3.8	3.8	6.6	6.2	6.1	7.5	5.2	3.7	7.1	6.9	4.9	3.5	65.[illegible]
八丈島	5.9	5.9	8.1	6.5	6.5	8.2	5.8	4.2	7.8	9.4	7.4	5.9	81.6
横　浜	2.2	2.1	4.8	4.4	4.9	5.8	4.5	3.2	6.1	5.4	2.9	2.1	48.5
新　潟	6.8	3.9	4.0	3.6	3.1	3.9	6.1	4.4	4.8	5.6	8.0	8.5	62.7
高　田	15.1	10.4	7.8	3.7	3.1	4.1	6.2	5.4	5.9	7.0	10.9	14.9	94.6
相　川	4.4	2.7	3.3	3.3	3.5	3.8	5.7	4.0	4.4	4.5	5.9	6.6	52.1
富　山	10.4	6.3	6.5	4.8	4.2	5.3	6.9	5.6	6.0	5.7	8.2	10.8	80.7
金　沢	10.0	5.3	5.8	5.4	4.6	5.1	6.1	4.8	6.4	5.9	8.4	11.2	79.0
輪　島	8.1	5.0	5.0	4.4	3.8	4.3	5.3	4.4	5.5	5.3	8.4	10.7	70.2
福　井	11.5	6.2	6.2	4.7	4.8	4.7	5.9	4.4	5.6	5.1	7.3	12.0	78.4
敦　賀	9.8	6.3	5.5	4.5	4.4	4.4	5.6	3.9	5.7	4.6	6.2	10.7	72.0
甲　府	1.6	1.7	3.2	2.9	2.7	3.4	4.4	3.9	4.8	4.1	1.9	1.4	36.0
長　野	1.6	1.3	2.0	2.3	2.3	4.0	4.4	3.8	4.2	3.2	1.5	1.5	32.2
松　本	1.3	1.2	3.0	2.8	3.3	4.1	4.2	3.2	4.4	3.7	2.0	1.0	34.4
富士山													

富士山では降水量を観測していない.

日降水量 10 mm 以上の日数の月別平年値 (2)

(1991 年から 2020 年までの平均値)

地　点	1月	2月	3月	4月	5月	6月	7月	8月	9月	10月	11月	12月	年
飯　田	2.2	3.0	4.8	4.7	4.9	5.8	6.5	4.7	5.8	5.0	3.3	2.2	52.7
軽井沢	1.1	1.2	2.6	3.1	4.1	5.7	6.1	4.4	5.3	4.0	1.9	0.9	40.5
岐　阜	2.2	2.8	4.4	4.9	5.9	6.3	7.1	4.8	5.9	4.5	3.1	2.5	54.5
高　山	3.1	3.1	4.5	4.5	4.3	5.2	7.4	5.1	5.9	4.6	3.3	3.3	54.2
静　岡	2.6	3.1	5.4	5.4	5.5	6.4	6.5	4.6	6.3	5.5	3.3	2.5	57.2
浜　松	2.1	2.9	4.6	5.0	5.4	6.1	5.3	3.0	6.0	5.4	3.2	1.9	50.8
名古屋	2.0	2.3	4.3	4.5	5.1	5.9	6.0	3.7	5.6	4.4	2.7	1.9	48.5
津	1.4	2.1	3.4	4.2	5.2	6.0	5.4	3.6	6.0	4.9	2.5	1.5	46.2
尾　鷲	2.8	3.4	5.5	6.3	6.5	8.5	7.3	7.3	9.2	7.4	3.9	2.7	70.9
彦　根	3.9	3.8	4.2	4.0	5.0	5.8	6.0	3.4	4.7	4.4	3.0	3.6	51.9
京　都	1.9	2.5	4.0	3.8	4.7	6.0	5.9	4.0	4.9	4.1	2.5	1.8	46.1
大　阪	1.5	2.2	3.9	3.6	4.2	5.6	5.2	3.2	4.6	3.9	2.5	1.9	42.3
神　戸	1.3	1.9	3.6	3.6	3.9	5.4	4.9	2.7	4.2	3.6	2.2	1.6	39.0
奈　良	1.7	2.3	3.8	3.4	4.2	5.9	5.3	3.7	4.7	4.2	2.5	2.2	43.9
和歌山	1.4	2.3	3.6	3.8	4.0	5.5	4.8	2.7	4.6	4.0	2.8	2.2	41.9
潮　岬	2.7	3.3	5.3	5.7	5.9	8.4	6.3	5.5	7.2	6.3	4.1	2.6	63.4
鳥　取	7.3	5.8	5.8	3.3	4.1	4.5	5.5	4.2	6.0	4.3	4.9	7.8	63.3
松　江	5.5	4.3	4.7	4.0	4.0	4.5	5.8	3.9	5.7	3.8	4.4	5.5	56.1
浜　田	3.5	2.9	3.9	4.2	4.1	5.1	5.9	4.1	5.1	3.3	3.5	3.9	49.4
西　郷	5.5	3.8	4.4	3.9	4.0	3.9	4.9	3.9	5.5	3.6	4.3	5.6	53.1
岡　山	1.4	1.9	3.1	3.2	3.8	5.5	4.9	2.9	3.8	2.9	2.0	1.6	36.9
広　島	1.9	2.5	4.0	4.6	4.9	6.0	6.3	3.5	4.6	2.9	2.5	2.1	45.9
下　関	2.6	2.6	4.4	4.2	4.4	6.4	6.4	5.0	4.2	2.3	3.0	2.4	48.0
徳　島	1.3	1.7	2.9	3.3	4.1	5.9	4.8	3.5	4.9	4.3	2.7	1.8	41.2
高　松	1.2	1.7	3.3	2.4	3.3	4.8	4.4	2.7	4.1	3.5	2.0	1.7	35.1
松　山	1.8	2.5	3.9	3.9	4.3	6.5	5.4	2.7	3.8	3.5	2.6	2.3	43.1
高　知	2.2	3.1	4.9	5.6	6.0	8.3	6.9	5.5	7.4	4.4	3.3	2.3	60.0
室戸岬	2.6	3.5	5.5	5.5	5.6	8.3	6.4	5.4	6.8	5.8	4.1	2.7	62.2
清　水	2.7	3.9	5.5	5.6	6.3	9.1	5.6	5.2	7.1	5.3	4.1	2.8	63.0
福　岡	2.4	2.4	4.1	3.9	3.9	6.2	6.0	5.0	4.6	2.8	2.9	2.3	46.4
佐　賀	2.0	2.7	4.4	5.0	4.7	7.7	7.3	5.4	4.6	2.4	2.6	1.8	50.6
長　崎	1.9	3.0	4.2	4.9	4.6	7.4	5.8	4.9	4.7	3.0	3.0	2.4	49.8
厳　原	2.5	2.8	4.8	5.1	5.2	6.0	6.5	6.4	4.9	3.1	2.8	2.0	51.9
福　江	3.0	3.2	5.1	5.2	5.4	7.2	6.1	6.1	5.9	3.0	3.4	2.9	56.4
熊　本	2.2	3.2	4.4	4.6	4.4	9.0	7.5	4.8	4.7	2.7	2.8	2.3	52.5
大　分	1.5	2.3	3.7	3.8	4.0	7.4	5.8	4.1	5.7	3.1	2.4	1.5	45.4
宮　崎	2.4	3.5	5.6	5.4	6.0	10.7	6.9	6.3	7.1	4.3	2.8	2.3	63.2
鹿児島	2.7	3.8	5.7	5.4	5.2	10.7	6.9	5.5	5.2	3.1	3.4	3.0	60.7
名　瀬	5.7	5.2	6.7	6.2	6.8	9.4	4.2	5.8	7.6	5.9	4.4	5.7	73.6
那　覇	3.8	3.5	4.5	4.5	6.0	6.3	3.8	4.5	5.2	3.5	3.0	3.4	52.0
昭和(南極)													

昭和（南極）では降水量を観測していない.

日降水量 30 mm 以上の日数の月別平年値 (1)

(1991 年から 2020 年までの平均値)

地　点	1月	2月	3月	4月	5月	6月	7月	8月	9月	10月	11月	12月	年
札　幌	0.1	0.2	0.2	0.1	0.3	0.4	0.7	1.4	1.3	0.6	0.6	0.5	6
函　館	0.3	0.1	0.1	0.4	0.5	0.7	1.3	1.8	1.5	0.7	0.5	0.2	8
旭　川	0.0	0.0	0.0	0.0	0.2	0.2	1.1	1.2	0.9	0.4	0.1	0.0	4
釧　路	0.2	0.1	0.3	0.6	1.2	1.1	1.1	1.4	1.4	1.3	0.4	0.3	9
帯　広	0.3	0.1	0.3	0.4	0.5	0.5	0.7	1.2	1.1	0.8	0.2	0.2	6
網　走	0.1	0.1	0.0	0.1	0.1	0.3	0.5	1.0	0.8	0.5	0.1	0.2	3.
留　萌	0.0	0.0	0.0	0.0	0.2	0.2	0.9	1.0	1.0	0.4	0.2	0.0	3.
稚　内	0.0	0.0	0.0	0.0	0.3	0.2	0.8	1.1	1.1	0.8	0.3	0.0	4.
根　室	0.0	0.0	0.2	0.3	0.5	0.8	0.9	1.3	1.5	1.3	0.4	0.4	7.
寿　都	0.1	0.1	0.1	0.2	0.1	0.3	0.7	1.4	1.2	0.4	0.6	0.1	5.
浦　河	0.1	0.0	0.2	0.4	1.0	1.0	1.3	1.7	1.5	1.1	0.4	0.2	8.
青　森	0.2	0.0	0.1	0.1	0.4	0.3	1.2	1.5	1.2	0.6	0.3	0.4	6.
盛　岡	0.1	0.1	0.3	0.4	0.6	0.8	2.4	1.9	1.5	0.9	0.3	0.2	9.
宮　古	0.6	0.5	0.8	0.7	0.6	1.2	1.3	1.9	2.3	1.7	0.5	0.5	12.
仙　台	0.3	0.2	0.5	0.6	0.9	1.3	1.4	1.4	1.8	1.5	0.5	0.3	10.
秋　田	0.1	0.1	0.2	0.4	1.0	1.1	2.2	2.1	1.4	1.2	0.9	0.3	11.
山　形	0.2	0.1	0.1	0.2	0.2	0.7	1.8	1.4	0.8	0.9	0.2	0.2	6.
酒　田	0.3	0.1	0.1	0.5	0.8	1.0	2.3	1.9	1.6	1.6	1.3	0.8	12.
福　島	0.3	0.1	0.5	0.6	0.7	0.9	1.5	1.4	1.7	1.4	0.5	0.2	9.
小名浜	0.5	0.4	1.0	1.0	1.1	1.4	1.6	1.2	2.1	1.7	0.6	0.4	13.
水　戸	0.4	0.3	0.7	0.8	1.1	1.1	1.5	1.0	1.7	1.8	0.7	0.2	11.
宇都宮	0.3	0.2	0.6	1.0	1.2	1.5	2.0	1.9	2.0	1.5	0.6	0.2	13.
前　橋	0.2	0.1	0.2	0.5	0.8	1.1	1.9	2.2	1.9	1.3	0.2	0.0	10.
熊　谷	0.3	0.2	0.3	0.7	0.9	1.4	1.6	1.6	2.1	1.6	0.3	0.1	11.
銚　子	0.9	0.8	1.4	1.0	1.2	1.7	1.4	0.9	2.2	2.7	1.2	0.8	16.
東　京	0.6	0.4	1.0	1.2	1.1	1.6	1.6	1.4	2.1	2.3	0.8	0.4	14.
大　島	1.4	1.6	3.1	2.8	2.9	3.7	2.7	1.6	3.5	3.9	2.0	1.1	30.
八丈島	1.9	2.0	2.9	2.3	2.9	4.6	2.8	1.5	3.4	5.0	3.1	2.0	34.
横　浜	0.6	0.6	1.3	1.4	1.5	1.8	2.0	1.3	2.4	2.3	1.1	0.4	16.
新　潟	0.6	0.2	0.2	0.4	0.5	0.9	2.4	1.5	1.1	1.1	1.2	1.2	11.
高　田	4.3	1.7	0.6	0.2	0.3	1.1	2.0	2.0	1.8	1.9	3.9	5.5	25.
相　川	0.2	0.1	0.2	0.4	0.5	1.1	2.2	1.3	1.1	0.9	0.4	0.5	8.
富　山	1.4	0.6	0.9	1.0	1.0	1.8	2.2	2.4	2.4	1.4	1.9	2.1	19.
金　沢	1.3	0.5	0.8	1.1	1.2	1.7	2.4	2.0	2.6	1.7	2.4	2.2	19.
輪　島	1.0	0.4	0.6	0.8	1.0	1.3	2.1	1.9	2.2	1.4	1.9	2.0	16.6
福　井	1.8	0.4	0.6	1.1	1.2	1.5	2.5	1.6	2.5	1.3	1.5	2.2	18.1
敦　賀	1.9	0.8	0.5	0.6	1.1	1.3	2.3	1.7	2.2	1.3	1.4	2.9	18.3
甲　府	0.3	0.2	0.5	0.5	0.5	1.0	1.3	1.2	1.7	1.6	0.3	0.1	9.3
長　野	0.1	0.0	0.0	0.1	0.2	0.6	0.9	0.9	1.2	0.9	0.1	0.0	5.
松　本	0.2	0.1	0.4	0.5	0.8	1.0	1.1	0.8	1.5	1.4	0.4	0.1	8.2
富士山													

富士山では降水量を観測していない.

日降水量 30 mm 以上の日数の月別平年値（2）

（1991 年から 2020 年までの平均値）

地点	1月	2月	3月	4月	5月	6月	7月	8月	9月	10月	11月	12月	年
飯田	0.3	0.5	1.2	1.5	1.5	1.9	2.6	1.6	2.3	1.7	0.7	0.4	16.3
軽井沢	0.1	0.1	0.1	0.3	0.6	1.1	1.5	1.1	1.5	1.5	0.2	0.1	8.2
岐阜	0.3	0.3	1.3	1.6	2.1	2.7	3.1	1.8	2.8	1.8	0.6	0.4	18.8
高山	0.4	0.4	0.7	0.7	0.8	1.5	2.6	2.1	2.7	1.6	0.6	0.4	14.7
静岡	0.8	1.0	2.5	2.5	2.4	3.0	3.4	1.8	3.0	2.4	1.3	0.7	24.6
浜松	0.4	0.6	1.6	1.8	2.2	2.3	2.3	1.3	2.3	2.1	1.0	0.4	18.5
名古屋	0.3	0.3	1.1	1.1	1.4	2.1	2.3	1.8	2.4	1.8	0.6	0.3	15.4
津	0.3	0.3	0.9	1.1	1.7	2.2	1.7	1.1	2.5	1.9	0.5	0.3	14.4
尾鷲	1.0	1.1	2.3	3.2	3.8	4.7	3.9	3.7	5.8	4.3	1.8	1.0	36.5
彦根	0.5	0.2	0.6	0.8	1.3	1.8	2.6	1.3	1.7	1.4	0.5	0.4	13.1
京都	0.2	0.3	0.8	0.9	1.7	2.1	2.5	1.6	1.9	1.5	0.6	0.3	14.3
大阪	0.2	0.2	0.5	0.8	1.4	1.9	1.9	1.0	1.5	1.3	0.5	0.3	11.5
神戸	0.1	0.2	0.5	0.7	1.3	1.9	2.1	1.0	1.5	1.2	0.4	0.3	11.2
奈良	0.2	0.2	0.7	0.7	1.4	1.8	1.7	1.5	1.6	1.3	0.4	0.2	11.6
和歌山	0.3	0.3	0.5	0.5	1.5	1.8	1.7	1.0	1.7	1.8	0.8	0.4	12.3
潮岬	1.0	0.9	1.7	2.5	2.7	4.3	2.9	2.6	3.4	2.9	1.6	1.0	27.4
鳥取	1.0	0.7	0.8	0.4	0.8	1.2	1.9	1.2	2.3	1.4	1.0	1.6	14.3
松江	0.7	0.3	0.7	0.7	1.2	1.6	2.4	1.3	1.9	1.0	0.6	0.7	13.2
浜田	0.2	0.3	0.9	0.8	1.6	1.7	2.8	1.5	2.2	1.0	0.7	0.6	14.3
西郷	0.5	0.2	0.7	1.1	1.2	1.7	2.1	1.6	2.6	1.1	0.7	0.5	14.1
岡山	0.1	0.0	0.4	0.5	1.0	1.5	1.9	1.0	1.4	0.9	0.2	0.1	9.1
広島	0.1	0.1	1.1	1.7	2.1	2.6	3.3	1.5	2.0	1.1	0.6	0.2	16.3
下関	0.4	0.4	1.0	1.3	1.7	3.0	3.5	2.2	1.9	0.9	0.5	0.2	17.0
徳島	0.2	0.3	0.6	0.7	1.3	1.4	1.8	1.6	2.6	1.9	0.8	0.5	13.7
高松	0.1	0.0	0.2	0.3	0.7	1.3	1.8	1.1	1.5	1.0	0.2	0.1	8.3
松山	0.1	0.1	0.7	0.7	1.2	2.4	2.5	1.0	1.5	1.0	0.4	0.2	11.8
高知	0.4	0.8	1.8	2.6	3.0	3.9	3.5	2.6	4.0	2.0	1.1	0.6	26.2
室戸岬	0.9	0.9	1.8	2.3	2.5	4.2	2.7	1.9	3.6	2.7	1.8	1.0	26.2
清水	0.8	1.0	1.7	2.6	2.8	4.6	2.2	2.4	3.5	2.3	1.6	0.9	26.6
福岡	0.3	0.3	0.5	1.0	1.2	2.8	3.2	2.4	1.6	0.8	0.7	0.2	15.0
佐賀	0.2	0.4	0.9	1.4	2.0	3.9	3.8	2.8	1.7	1.0	0.8	0.5	19.3
長崎	0.2	0.6	0.9	1.7	1.5	4.2	3.2	2.2	2.0	1.0	1.0	0.5	18.8
厳原	0.7	0.9	2.1	2.5	2.6	3.1	3.9	3.7	2.5	1.3	1.1	0.6	24.7
福江	0.5	1.0	1.8	2.7	2.3	3.7	3.4	3.0	2.9	1.4	1.1	0.8	24.8
熊本	0.2	0.4	0.7	1.4	1.7	4.8	3.9	2.1	1.9	0.8	0.4	0.3	18.6
大分	0.4	0.3	0.7	1.2	1.2	3.8	2.6	1.7	2.6	1.4	0.6	0.2	16.7
宮崎	0.6	0.7	1.6	2.1	2.7	6.1	3.8	2.7	3.7	1.9	0.8	0.6	27.3
鹿児島	0.4	0.8	1.3	2.1	2.4	6.5	3.7	2.5	2.2	0.8	0.8	0.7	24.1
名瀬	1.2	1.0	2.2	2.2	3.1	4.7	2.0	2.0	3.1	2.4	1.8	1.1	26.7
那覇	0.7	1.0	1.2	1.7	2.6	3.1	1.9	2.1	2.5	1.6	1.1	0.9	20.4
昭和(南極)													

昭和（南極）では降水量を観測していない．

日降水量 50 mm 以上の日数の月別平年値 (1)

(1991 年から 2020 年までの平均値)

地点	1月	2月	3月	4月	5月	6月	7月	8月	9月	10月	11月	12月	年
札幌	0.0	0.0	0.0	0.1	0.0	0.0	0.2	0.4	0.6	0.2	0.0	0.0	1
函館	0.0	0.0	0.0	0.0	0.1	0.1	0.2	0.6	0.5	0.2	0.2	0.1	2
旭川	0.0	0.0	0.0	0.0	0.0	0.1	0.3	0.5	0.3	0.1	0.0	0.0	1
釧路	0.0	0.0	0.2	0.2	0.2	0.5	0.5	0.5	0.6	0.5	0.1	0.1	3
帯広	0.1	0.0	0.2	0.1	0.1	0.0	0.1	0.6	0.4	0.2	0.1	0.1	2
網走	0.0	0.0	0.0	0.0	0.0	0.0	0.0	0.4	0.4	0.2	0.0	0.1	1
留萌	0.0	0.0	0.0	0.0	0.0	0.0	0.4	0.5	0.3	0.0	0.0	0.0	1
稚内	0.0	0.0	0.0	0.0	0.0	0.0	0.2	0.4	0.4	0.2	0.0	0.0	1
根室	0.0	0.0	0.0	0.0	0.2	0.3	0.5	0.5	0.7	0.6	0.1	0.0	2
寿都	0.0	0.0	0.0	0.0	0.1	0.0	0.2	0.4	0.4	0.1	0.0	0.0	1.
浦河	0.0	0.0	0.0	0.1	0.3	0.3	0.5	0.6	0.3	0.2	0.1	0.0	2
青森	0.0	0.0	0.0	0.0	0.1	0.0	0.2	0.5	0.4	0.3	0.1	0.0	1
盛岡	0.0	0.0	0.0	0.0	0.2	0.2	0.7	0.8	0.5	0.2	0.0	0.1	2.
宮古	0.3	0.1	0.3	0.3	0.3	0.4	0.5	0.9	1.2	0.9	0.2	0.4	6
仙台	0.1	0.0	0.1	0.3	0.3	0.5	0.7	0.6	1.0	0.9	0.1	0.1	4.
秋田	0.0	0.0	0.0	0.0	0.1	0.3	0.8	0.9	0.4	0.2	0.2	0.1	3.
山形	0.0	0.0	0.0	0.1	0.0	0.2	0.6	0.6	0.4	0.5	0.0	0.1	2.
酒田	0.0	0.0	0.0	0.0	0.3	0.3	0.8	1.0	0.5	0.3	0.2	0.1	3.
福島	0.1	0.1	0.1	0.1	0.1	0.2	0.7	0.4	0.5	0.7	0.1	0.1	3.
小名浜	0.2	0.1	0.3	0.3	0.5	0.4	0.6	0.5	0.8	1.0	0.1	0.1	5.
水戸	0.1	0.1	0.1	0.3	0.5	0.3	0.4	0.5	0.8	0.9	0.1	0.1	4.
宇都宮	0.0	0.1	0.0	0.3	0.4	0.4	0.6	0.9	1.0	0.8	0.1	0.1	4.
前橋	0.0	0.0	0.0	0.1	0.2	0.3	0.6	0.8	0.9	0.7	0.0	0.0	3.
熊谷	0.1	0.0	0.0	0.2	0.3	0.4	0.5	0.9	0.7	0.8	0.1	0.0	4.
銚子	0.4	0.3	0.4	0.3	0.3	0.7	0.6	0.5	1.1	1.5	0.4	0.1	6.
東京	0.2	0.1	0.1	0.5	0.5	0.6	0.7	0.8	1.1	1.2	0.3	0.1	6.
大島	0.7	0.7	1.1	1.2	1.4	2.1	1.5	1.0	2.1	2.7	1.0	0.5	16.
八丈島	0.8	0.7	1.2	1.0	1.4	2.8	1.5	0.6	2.0	2.9	1.3	0.7	16.
横浜	0.2	0.1	0.2	0.6	0.6	0.8	0.9	0.6	1.3	1.2	0.3	0.2	6.
新潟	0.0	0.0	0.0	0.0	0.1	0.4	1.0	0.8	0.4	0.3	0.2	0.1	3.
高田	1.0	0.2	0.0	0.0	0.1	0.3	0.8	0.8	0.7	0.5	1.1	1.9	7.
相川	0.0	0.0	0.0	0.0	0.1	0.3	0.8	0.5	0.6	0.3	0.0	0.0	2.
富山	0.1	0.1	0.1	0.1	0.2	0.6	1.2	0.9	1.1	0.3	0.4	0.3	5.
金沢	0.0	0.1	0.1	0.1	0.4	0.6	1.3	0.9	1.0	0.4	0.5	0.6	6.
輪島	0.1	0.0	0.1	0.1	0.3	0.5	1.0	0.8	1.0	0.6	0.2	0.3	5.
福井	0.1	0.0	0.1	0.2	0.2	0.5	1.2	0.7	1.0	0.3	0.2	0.3	4.
敦賀	0.4	0.0	0.1	0.0	0.3	0.5	0.7	0.5	0.9	0.5	0.3	0.8	5.
甲府	0.0	0.0	0.0	0.0	0.1	0.2	0.5	0.6	0.9	0.9	0.1	0.0	3.
長野	0.0	0.0	0.0	0.0	0.0	0.1	0.4	0.3	0.3	0.3	0.0	0.0	1.
松本	0.0	0.0	0.0	0.0	0.1	0.1	0.3	0.3	0.6	0.5	0.1	0.0	2.
富士山													

富士山では降水量を観測していない.

日降水量 50 mm 以上の日数の月別平年値 (2)

(1991 年から 2020 年までの平均値)

地　点	1月	2月	3月	4月	5月	6月	7月	8月	9月	10月	11月	12月	年
飯　田	0.0	0.1	0.3	0.3	0.5	0.7	1.1	0.5	0.8	0.6	0.2	0.1	5.4
軽井沢	0.0	0.0	0.0	0.0	0.1	0.3	0.5	0.4	0.8	0.6	0.0	0.0	2.6
岐　阜	0.0	0.1	0.3	0.6	1.0	1.1	1.6	1.0	1.3	0.7	0.3	0.1	8.1
高　山	0.0	0.0	0.1	0.2	0.2	0.7	1.1	1.0	1.0	0.5	0.1	0.0	5.0
静　岡	0.3	0.5	1.1	1.3	0.9	1.5	1.6	1.1	1.6	1.3	0.7	0.3	12.1
浜　松	0.1	0.2	0.6	1.0	0.8	1.0	1.2	0.8	1.3	1.0	0.5	0.1	8.5
名古屋	0.1	0.1	0.1	0.2	0.4	0.7	1.1	0.6	0.9	0.6	0.2	0.0	5.0
津	0.1	0.1	0.1	0.4	0.6	0.8	0.6	0.6	1.6	1.0	0.2	0.0	6.0
尾　鷲	0.5	0.4	1.4	1.8	2.0	2.6	2.5	2.2	4.2	2.9	1.1	0.6	22.3
彦　根	0.0	0.0	0.0	0.1	0.3	0.5	0.9	0.7	0.7	0.4	0.1	0.0	3.8
京　都	0.0	0.0	0.1	0.3	0.5	0.8	1.0	0.8	0.9	0.6	0.2	0.0	5.0
大　阪	0.0	0.0	0.0	0.1	0.4	0.8	0.6	0.5	0.6	0.5	0.1	0.0	3.7
神　戸	0.0	0.1	0.0	0.2	0.6	0.7	1.0	0.5	0.7	0.5	0.2	0.1	4.5
奈　良	0.1	0.0	0.0	0.1	0.5	0.7	0.6	0.5	0.7	0.3	0.1	0.0	3.6
和歌山	0.0	0.1	0.1	0.2	0.5	0.8	0.6	0.5	0.9	0.7	0.3	0.1	4.7
潮　岬	0.5	0.5	0.7	1.1	1.4	2.3	1.9	1.5	1.9	1.5	0.8	0.5	14.5
鳥　取	0.3	0.1	0.1	0.1	0.2	0.6	0.6	0.3	1.0	0.5	0.2	0.2	4.3
松　江	0.0	0.0	0.2	0.1	0.4	0.6	1.3	0.5	0.9	0.4	0.1	0.1	4.8
浜　田	0.0	0.0	0.1	0.1	0.4	0.9	1.4	0.7	1.0	0.5	0.1	0.1	5.2
西　郷	0.1	0.0	0.1	0.3	0.6	0.8	1.2	0.9	1.3	0.4	0.1	0.2	6.1
岡　山	0.0	0.0	0.0	0.1	0.3	0.6	0.7	0.4	0.6	0.3	0.0	0.0	3.1
広　島	0.0	0.1	0.3	0.4	0.7	1.2	1.7	0.6	0.8	0.6	0.1	0.0	6.4
下　関	0.1	0.0	0.3	0.3	0.5	1.4	2.1	1.0	1.0	0.4	0.1	0.0	7.1
徳　島	0.0	0.1	0.1	0.2	0.4	0.7	0.7	1.0	1.5	1.1	0.3	0.2	6.5
高　松	0.0	0.0	0.0	0.0	0.1	0.6	0.7	0.5	0.8	0.4	0.1	0.0	3.1
松　山	0.0	0.0	0.1	0.1	0.3	1.3	1.4	0.5	0.7	0.5	0.1	0.0	5.1
高　知	0.0	0.4	0.9	1.3	1.5	2.0	2.1	1.7	2.5	1.2	0.6	0.3	14.3
室戸岬	0.2	0.5	0.6	0.9	1.5	2.0	1.3	1.0	2.0	1.6	0.7	0.3	12.6
清　水	0.4	0.4	0.7	1.0	1.3	2.3	1.2	1.1	2.4	1.6	0.6	0.4	13.2
福　岡	0.0	0.0	0.1	0.2	0.4	1.4	1.9	1.1	0.9	0.5	0.2	0.0	6.7
佐　賀	0.0	0.1	0.3	0.6	1.0	2.1	2.1	1.7	0.7	0.4	0.3	0.1	9.4
長　崎	0.0	0.0	0.3	0.4	0.7	2.1	2.0	1.3	1.0	0.4	0.2	0.2	8.8
厳　原	0.2	0.4	0.8	1.1	1.7	2.0	2.3	2.2	1.6	0.7	0.5	0.2	13.4
福　江	0.1	0.3	0.8	1.3	1.4	1.9	2.1	1.3	1.6	0.9	0.5	0.4	12.7
熊　本	0.0	0.1	0.3	0.5	0.9	2.9	2.4	1.2	0.8	0.2	0.2	0.1	9.5
大　分	0.1	0.0	0.1	0.2	0.5	1.8	1.6	0.9	1.2	0.8	0.2	0.1	7.4
宮　崎	0.2	0.1	0.2	0.8	1.2	3.6	2.1	1.4	2.3	1.1	0.3	0.2	13.5
鹿児島	0.1	0.2	0.3	1.0	1.2	4.3	2.4	1.0	1.2	0.4	0.3	0.2	12.6
名　瀬	0.4	0.4	0.6	0.9	1.6	2.7	1.3	1.2	1.9	1.3	0.8	0.4	13.6
那　覇	0.1	0.4	0.3	0.7	1.3	1.5	1.1	1.2	1.7	1.1	0.5	0.4	10.3
昭和(南極)													

昭和（南極）では降水量を観測していない.

日降水量 100 mm 以上の日数の月別平年値 (1)

(1991 年から 2020 年までの平均値)

地点	1月	2月	3月	4月	5月	6月	7月	8月	9月	10月	11月	12月	年
札幌	0.0	0.0	0.0	0.0	0.0	0.0	0.0	0.0	0.1	0.0	0.0	0.0	0
函館	0.0	0.0	0.0	0.0	0.0	0.0	0.0	0.0	0.0	0.0	0.0	0.0	0
旭川	0.0	0.0	0.0	0.0	0.0	0.0	0.1	0.1	0.0	0.0	0.0	0.0	0
釧路	0.0	0.0	0.0	0.0	0.0	0.0	0.1	0.0	0.1	0.0	0.0	0.0	0
帯広	0.0	0.0	0.0	0.0	0.0	0.0	0.0	0.1	0.1	0.0	0.0	0.0	0
網走	0.0	0.0	0.0	0.0	0.0	0.0	0.0	0.0	0.1	0.0	0.0	0.0	0
留萌	0.0	0.0	0.0	0.0	0.0	0.0	0.0	0.0	0.1	0.0	0.0	0.0	0
稚内	0.0	0.0	0.0	0.0	0.0	0.0	0.0	0.1	0.0	0.0	0.0	0.0	0
根室	0.0	0.0	0.0	0.0	0.0	0.0	0.1	0.0	0.2	0.1	0.0	0.0	0
寿都	0.0	0.0	0.0	0.0	0.0	0.0	0.0	0.0	0.1	0.0	0.0	0.0	0
浦河	0.0	0.0	0.0	0.0	0.1	0.0	0.0	0.0	0.0	0.0	0.0	0.0	0
青森	0.0	0.0	0.0	0.0	0.0	0.0	0.1	0.0	0.1	0.1	0.0	0.0	0
盛岡	0.0	0.0	0.0	0.0	0.0	0.0	0.1	0.1	0.1	0.0	0.0	0.0	0
宮古	0.0	0.0	0.0	0.0	0.1	0.1	0.1	0.1	0.4	0.4	0.0	0.1	1.
仙台	0.0	0.0	0.0	0.0	0.1	0.0	0.1	0.0	0.2	0.2	0.0	0.0	0.
秋田	0.0	0.0	0.0	0.0	0.0	0.0	0.0	0.1	0.1	0.0	0.0	0.0	0
山形	0.0	0.0	0.0	0.0	0.0	0.0	0.0	0.1	0.1	0.0	0.0	0.0	0
酒田	0.0	0.0	0.0	0.0	0.0	0.0	0.1	0.3	0.1	0.0	0.0	0.0	0
福島	0.0	0.0	0.0	0.0	0.0	0.1	0.1	0.1	0.2	0.1	0.0	0.0	0.
小名浜	0.0	0.0	0.0	0.1	0.1	0.1	0.1	0.1	0.1	0.4	0.0	0.0	1.
水戸	0.0	0.0	0.0	0.0	0.0	0.0	0.1	0.1	0.2	0.3	0.0	0.0	0.
宇都宮	0.0	0.0	0.0	0.0	0.1	0.1	0.1	0.3	0.2	0.2	0.0	0.0	1.
前橋	0.0	0.0	0.0	0.0	0.0	0.0	0.1	0.1	0.2	0.1	0.0	0.0	0.
熊谷	0.0	0.0	0.0	0.0	0.0	0.0	0.1	0.3	0.2	0.4	0.0	0.0	1.
銚子	0.0	0.0	0.0	0.0	0.0	0.0	0.0	0.1	0.3	0.4	0.0	0.0	1.
東京	0.0	0.0	0.0	0.0	0.0	0.0	0.1	0.2	0.2	0.4	0.1	0.0	1.
大島	0.2	0.2	0.1	0.3	0.4	0.5	0.5	0.4	0.6	1.0	0.2	0.1	4.
八丈島	0.1	0.1	0.2	0.1	0.2	0.5	0.5	0.2	0.6	0.9	0.3	0.1	3.
横浜	0.0	0.0	0.0	0.0	0.1	0.0	0.2	0.2	0.3	0.5	0.1	0.0	1.
新潟	0.0	0.0	0.0	0.0	0.0	0.0	0.1	0.1	0.0	0.0	0.0	0.0	0.
高田	0.0	0.0	0.0	0.0	0.0	0.1	0.1	0.0	0.1	0.1	0.0	0.1	0.
相川	0.0	0.0	0.0	0.0	0.0	0.1	0.2	0.1	0.0	0.0	0.0	0.0	0.
富山	0.0	0.0	0.0	0.0	0.0	0.2	0.2	0.2	0.0	0.0	0.0	0.0	0.
金沢	0.0	0.0	0.0	0.0	0.0	0.1	0.2	0.1	0.2	0.0	0.0	0.0	0.
輪島	0.0	0.0	0.0	0.0	0.0	0.2	0.1	0.2	0.3	0.1	0.0	0.0	0.
福井	0.0	0.0	0.0	0.0	0.0	0.1	0.3	0.0	0.2	0.1	0.0	0.0	0.
敦賀	0.0	0.0	0.0	0.0	0.1	0.0	0.1	0.1	0.2	0.1	0.0	0.1	0.
甲府	0.0	0.0	0.0	0.0	0.0	0.0	0.1	0.0	0.2	0.2	0.0	0.0	0.
長野	0.0	0.0	0.0	0.0	0.0	0.0	0.0	0.0	0.0	0.1	0.0	0.0	0.
松本	0.0	0.0	0.0	0.0	0.0	0.0	0.0	0.0	0.1	0.1	0.0	0.0	0.
富士山													

富士山では降水量を観測していない.

日降水量 100 mm 以上の日数の月別平年値 (2)

(1991 年から 2020 年までの平均値)

地　点	1月	2月	3月	4月	5月	6月	7月	8月	9月	10月	11月	12月	年
飯　田	0.0	0.0	0.0	0.0	0.0	0.0	0.1	0.0	0.2	0.1	0.0	0.0	0.5
軽井沢	0.0	0.0	0.0	0.0	0.0	0.0	0.0	0.0	0.2	0.1	0.0	0.0	0.3
岐　阜	0.0	0.0	0.0	0.0	0.0	0.0	0.2	0.2	0.3	0.1	0.0	0.0	0.8
高　山	0.0	0.0	0.0	0.0	0.0	0.0	0.3	0.1	0.2	0.0	0.0	0.0	0.7
静　岡	0.0	0.0	0.2	0.3	0.3	0.4	0.5	0.3	0.4	0.4	0.1	0.0	2.9
浜　松	0.0	0.0	0.0	0.1	0.2	0.2	0.2	0.1	0.4	0.3	0.1	0.0	1.6
名古屋	0.0	0.0	0.0	0.0	0.0	0.0	0.1	0.1	0.3	0.1	0.1	0.0	0.6
津	0.0	0.0	0.0	0.0	0.1	0.0	0.1	0.2	0.5	0.2	0.1	0.0	1.2
尾　鷲	0.1	0.1	0.4	0.5	0.7	0.9	0.9	1.0	2.2	1.2	0.5	0.3	8.8
彦　根	0.0	0.0	0.0	0.0	0.0	0.0	0.1	0.0	0.1	0.1	0.0	0.0	0.4
京　都	0.0	0.0	0.0	0.0	0.1	0.2	0.2	0.2	0.2	0.1	0.0	0.0	0.9
大　阪	0.0	0.0	0.0	0.0	0.0	0.0	0.1	0.1	0.1	0.1	0.0	0.0	0.4
神　戸	0.0	0.0	0.0	0.0	0.0	0.1	0.1	0.1	0.2	0.0	0.0	0.0	0.5
奈　良	0.0	0.0	0.0	0.0	0.0	0.0	0.0	0.1	0.0	0.1	0.0	0.0	0.2
和歌山	0.0	0.0	0.0	0.0	0.1	0.1	0.2	0.1	0.2	0.2	0.1	0.0	1.0
潮　岬	0.0	0.1	0.1	0.2	0.2	0.5	0.5	0.4	0.7	0.4	0.1	0.1	3.6
鳥　取	0.0	0.0	0.0	0.0	0.0	0.0	0.2	0.0	0.3	0.1	0.0	0.0	0.7
松　江	0.0	0.0	0.0	0.0	0.0	0.3	0.3	0.0	0.1	0.1	0.0	0.0	0.8
浜　田	0.0	0.0	0.0	0.0	0.1	0.1	0.2	0.1	0.1	0.0	0.0	0.0	0.6
西　郷	0.0	0.0	0.0	0.0	0.1	0.2	0.2	0.1	0.3	0.0	0.0	0.0	1.1
岡　山	0.0	0.0	0.0	0.0	0.0	0.0	0.1	0.0	0.1	0.1	0.0	0.0	0.4
広　島	0.0	0.0	0.0	0.0	0.1	0.2	0.4	0.1	0.1	0.1	0.0	0.0	1.0
下　関	0.0	0.0	0.0	0.0	0.1	0.2	0.6	0.2	0.1	0.0	0.0	0.0	1.3
徳　島	0.0	0.0	0.0	0.1	0.2	0.1	0.2	0.6	0.7	0.4	0.1	0.1	2.4
高　松	0.0	0.0	0.0	0.0	0.0	0.0	0.1	0.1	0.2	0.1	0.0	0.0	0.6
松　山	0.0	0.0	0.0	0.0	0.0	0.1	0.3	0.0	0.2	0.1	0.0	0.0	0.7
高　知	0.0	0.2	0.2	0.3	0.6	0.6	0.7	0.5	0.8	0.4	0.2	0.1	4.6
室戸岬	0.1	0.0	0.1	0.1	0.3	0.3	0.5	0.2	0.6	0.4	0.2	0.0	2.9
清　水	0.1	0.0	0.1	0.2	0.2	0.7	0.4	0.4	0.8	0.6	0.1	0.0	3.7
福　岡	0.0	0.0	0.0	0.0	0.1	0.3	0.7	0.3	0.2	0.0	0.0	0.0	1.6
佐　賀	0.0	0.0	0.0	0.0	0.3	0.3	0.8	0.4	0.2	0.0	0.0	0.0	2.1
長　崎	0.0	0.0	0.0	0.1	0.0	0.4	0.6	0.4	0.2	0.1	0.0	0.0	1.8
厳　原	0.0	0.0	0.0	0.3	0.5	0.5	0.9	0.8	0.3	0.1	0.1	0.0	3.4
福　江	0.0	0.0	0.0	0.2	0.2	0.6	0.6	0.2	0.6	0.2	0.2	0.1	2.9
熊　本	0.0	0.0	0.0	0.1	0.1	1.1	1.0	0.1	0.1	0.0	0.0	0.0	2.5
大　分	0.0	0.0	0.0	0.0	0.0	0.4	0.4	0.2	0.4	0.2	0.0	0.0	1.6
宮　崎	0.0	0.0	0.0	0.2	0.2	0.9	0.7	0.4	0.8	0.3	0.1	0.1	3.7
鹿児島	0.0	0.0	0.0	0.2	0.2	1.4	1.0	0.3	0.4	0.1	0.0	0.1	3.7
名　瀬	0.1	0.1	0.1	0.1	0.4	0.8	0.4	0.6	0.8	0.4	0.2	0.1	4.1
那　覇	0.0	0.0	0.0	0.1	0.4	0.4	0.3	0.6	0.6	0.3	0.1	0.1	3.0
昭和(南極)													

昭和（南極）では降水量を観測していない.

日降水量・1時間降水量・10分間降水量の最大記録 (1)

(統計開始から2023年まで)

地点	日降水量					1時間降水量					10分間降水量				
	mm	年	月	日	統計開始年	mm	年	月	日	統計開始年	mm	年	月	日	統計開始年
札幌	207.0	1981	8	23	1876	50.2	1913	8	28	1889	19.4	1953	8	14	193
函館	176.0	1939	8	25	1872	64.0	2022	8	8	1889	21.3	1959	9	11	193
旭川	184.2	1955	8	17	1888	57.3	1912	8	14	1908	29.0	2000	7	25	193
釧路	182.5	2021	9	18	1910	55.9	1947	8	26	1937	21.8	1952	6	20	193
帯広	174.0	1988	11	24	1892	56.5	1975	7	17	1919	26.1	1943	8	9	193
網走	163.0	1992	9	11	1889	38.5	2009	9	16	1919	28.0	2009	9	16	193
留萌	147.5	1973	8	18	1943	57.5	1988	8	25	1943	15.6	1953	7	31	194
稚内	192.0	2016	9	6	1938	64.0	1938	9	1	1938	21.0	1995	8	31	193
根室	211.5	1992	9	11	1879	53.5	2015	8	10	1889	19.0	2015	8	10	193
寿都	206.3	1962	8	3	1884	57.5	1990	7	25	1938	18.0	2010	8	24	193
浦河	190.0	1981	8	5	1927	60.0	2012	9	9	1939	21.0	2017	9	24	193
青森	208.0	2007	11	12	1882	67.5	2000	7	25	1937	20.5	2000	7	25	193
盛岡	198.0	2007	9	17	1923	62.7	1938	8	15	1923	24.0	2022	7	5	194
宮古	319.0	2000	7	8	1883	84.5	2019	10	13	1937	24.5	2016	8	30	194
仙台	312.7	1948	9	16	1926	94.3	1948	9	16	1937	30.0	1950	7	19	193
秋田	188.5	2023	7	15	1882	72.4	1964	8	13	1938	27.0	1964	8	13	194
山形	217.6	1913	8	27	1889	74.5	1981	8	3	1931	29.0	1958	8	2	193
酒田	171.0	2011	6	23	1937	77.8	1949	8	24	1937	23.7	1965	9	5	193
福島	233.5	2019	10	12	1889	71.0	2017	7	28	1937	26.8	1966	8	12	193
小名浜	227.2	1966	6	28	1910	69.5	2007	8	22	1937	31.5	2007	8	22	193
水戸	276.6	1938	6	29	1897	81.7	1947	9	15	1906	36.3	1959	7	7	193
宇都宮	325.5	2019	10	12	1890	100.5	1957	8	7	1930	35.5	1982	6	21	193
前橋	357.4	1947	9	15	1896	114.5	1997	9	11	1912	32.0	2001	7	25	193
熊谷	301.5	1982	9	12	1896	88.5	1943	9	3	1915	50.0	2020	6	6	193
銚子	311.6	1947	8	28	1887	140.0	1947	8	28	1912	31.2	1957	10	6	193
東京	371.9	1958	9	26	1875	88.7	1939	7	31	1886	35.0	1966	6	7	194
大島	525.5	2013	10	16	1938	122.5	2013	10	16	1938	29.0	2003	7	24	1938
八丈島	438.9	1941	9	19	1906	129.5	1999	9	4	1937	32.5	1999	9	4	1937
横浜	287.2	1958	9	26	1896	92.0	1998	7	30	1937	39.0	1995	6	20	1937
新潟	265.0	1998	8	4	1881	97.0	1998	8	4	1914	24.0	1967	8	28	1937
高田	176.0	1985	7	8	1922	91.0	2006	10	29	1922	33.0	2006	10	29	1937
相川	240.0	2002	7	15	1911	79.8	1961	8	4	1925	26.5	2010	9	12	1937
富山	207.7	1948	7	25	1939	75.0	1970	8	23	1939	33.0	1970	8	23	1939
金沢	234.4	1964	7	18	1882	77.3	1950	9	18	1937	29.0	1953	8	24	1937
輪島	218.8	1966	7	12	1929	73.7	1936	9	15	1929	24.9	1967	8	24	1930
福井	201.4	1933	7	26	1897	75.0	2004	7	18	1940	23.0	2020	9	4	1940
敦賀	211.2	1965	9	17	1897	58.5	2014	6	12	1937	23.5	2023	9	18	1937
甲府	244.5	1945	10	5	1894	78.0	2004	8	7	1937	28.0	2016	8	1	1937
長野	132.0	2019	10	12	1889	63.0	1933	8	13	1903	26.5	1947	8	17	1937
松本	155.9	1911	8	4	1898	59.0	1981	7	18	1936	24.3	1947	8	28	1937
富士山															

富士山では降水量を観測していない.

日降水量・1時間降水量・10分間降水量の最大記録（2）

（統計開始から2023年まで）

地点	日降水量					1時間降水量					10分間降水量				
	mm	年	月	日	統計開始年	mm	年	月	日	統計開始年	mm	年	月	日	統計開始年
飯田	325.3	1961	6	27	1897	79.7	1960	8	5	1929	26.0	2023	8	26	1937
軽井沢	318.8	1949	8	31	1925	69.4	1960	8	2	1931	38.5	1960	8	2	1937
岐阜	260.2	1961	6	26	1883	99.6	1914	7	24	1903	30.5	2012	4	3	1937
高山	266.1	1910	9	7	1899	62.0	2018	7	4	1914	24.5	1975	6	15	1937
静岡	401.0	2019	10	12	1940	113.0	2003	7	4	1940	29.0	2003	7	4	1940
浜松	344.1	1910	8	9	1882	87.5	1982	11	30	1933	31.5	1982	11	30	1934
名古屋	428.0	2000	9	11	1890	97.0	2000	9	11	1890	30.0	2013	7	25	1937
津	427.0	2004	9	29	1889	118.0	1999	9	4	1916	30.0	1946	10	12	1913
尾鷲	806.0	1968	9	26	1938	139.0	1972	9	14	1938	36.1	1960	10	7	1940
彦根	596.9	1896	9	7	1893	63.5	2001	7	17	1894	27.5	2001	7	17	1937
京都	288.6	1959	8	13	1880	88.0	2022	7	19	1906	26.5	2019	8	19	1937
大阪	250.7	1957	6	26	1883	77.5	2011	8	27	1889	27.5	2013	8	25	1937
神戸	319.4	1967	7	9	1896	87.7	1939	8	1	1897	36.5	2012	4	3	1937
奈良	196.5	2017	10	22	1953	79.0	2000	5	13	1953	27.0	2013	8	5	1953
和歌山	353.5	2000	9	11	1879	122.5	2009	11	11	1933	34.5	1950	4	5	1937
潮岬	420.7	1939	10	17	1913	145.0	1972	11	14	1937	38.0	1972	11	14	1938
鳥取	225.5	2023	8	15	1943	68.0	1981	7	3	1943	28.5	2023	8	15	1943
松江	263.8	1964	7	18	1940	77.9	1944	8	25	1940	25.6	1958	8	1	1940
浜田	394.5	1988	7	15	1893	91.0	1983	7	23	1912	27.4	1963	8	30	1937
西郷	281.0	2020	8	7	1939	93.0	1988	9	27	1939	29.0	2007	10	17	1939
岡山	187.0	2011	9	3	1891	73.5	1994	7	7	1933	30.5	2014	7	20	1939
広島	339.6	1926	9	11	1879	79.2	1926	9	11	1888	26.0	1987	8	13	1937
下関	336.7	1904	6	25	1883	77.4	1953	6	28	1908	32.5	2004	9	16	1937
徳島	471.5	1891	8	2	1891	90.5	2009	8	10	1901	32.0	1983	9	7	1937
高松	210.5	2004	10	20	1941	68.5	1998	9	22	1941	23.5	2017	8	21	1941
松山	215.1	1943	7	23	1890	60.5	1992	8	2	1890	24.0	2012	8	19	1937
高知	628.5	1998	9	24	1886	129.5	1998	9	24	1937	28.5	1998	9	24	1938
室戸岬	446.3	1949	7	5	1920	149.0	2006	11	26	1925	38.0	1942	9	17	1940
清水	421.0	1980	8	4	1940	150.0	1944	10	17	1940	49.0	1946	9	13	1940
福岡	307.8	1953	6	25	1890	96.5	1997	7	28	1896	23.5	2007	7	12	1937
佐賀	366.5	1953	6	25	1890	110.0	2019	8	28	1926	26.9	1950	8	6	1926
長崎	448.0	1982	7	23	1878	127.5	1982	7	23	1897	36.0	1959	7	8	1937
厳原	392.5	1916	9	24	1886	116.0	2003	7	23	1904	29.4	1927	9	2	1904
福江	432.5	2005	9	10	1962	113.5	1967	7	9	1962	28.5	1989	9	21	1962
熊本	480.5	1957	7	25	1890	94.0	2016	6	20	1890	28.5	2020	7	7	1937
大分	443.7	1908	8	10	1887	81.5	1993	9	3	1937	29.0	1948	8	16	1941
宮崎	587.2	1939	10	16	1886	139.5	1995	9	30	1925	38.5	1995	9	30	1937
鹿児島	375.0	2019	7	3	1883	104.5	1995	8	11	1902	33.0	1998	10	7	1938
名瀬	622.0	2010	10	20	1896	116.4	1949	10	21	1896	28.0	1968	9	23	1937
那覇	468.9	1959	10	16	1890	110.5	1998	7	17	1900	29.5	1979	6	11	1941
昭和(南極)															

昭和（南極）では降水量を観測していない．

年降水量の多い値，少ない値（1位～3位）(1)

（統計開始から2023年まで）

地点	多い値 1位 mm	年	2位 mm	年	3位 mm	年	統計開始年	少ない値 1位 mm	年	2位 mm	年	3位 mm	年	統計開始年
札幌	1671.5	1981	1559.0	1972	1444.5	2000	1876	724.6	1897	725.0	1984	814.0	2019	187
函館	1745.5	1873	1589.2	1932	1578.0	2018	1872	673.0	1984	704.1	1886	797.8	1883	187
旭川	1741.2	1955	1556.1	1932	1538.0	2000	1888	728.0	1984	779.0	2008	793.2	1921	188
釧路	1703.9	1920	1577.0	2009	1498.0	2016	1910	704.5	1984	790.3	1940	797.4	1924	19
帯広	1489.0	1975	1410.7	1920	1366.4	1955	1892	476.5	2008	540.9	1900	542.0	1984	189
網走	1231.4	1912	1206.0	2016	1152.4	1966	1889	544.8	1905	578.0	1984	583.5	1988	188
留萌	1899.1	1955	1815.5	1947	1660.5	1946	1943	819.0	1984	858.0	2007	899.5	2008	194
稚内	1753.7	1962	1619.7	1966	1571.8	1965	1938	749.0	2019	776.5	1986	795.5	2008	193
根室	1617.5	2009	1459.6	1920	1439.4	1966	1879	639.3	1905	654.6	1900	658.8	1898	187
寿都	1745.4	1936	1702.6	1932	1674.5	2010	1884	654.0	1984	828.6	1906	874.5	2019	188
浦河	1579.8	1955	1552.8	1935	1521.0	1936	1927	642.5	1984	767.5	1944	782.5	1982	192
青森	1972.8	1947	1929.8	1922	1916.5	1966	1882	943.5	1887	1003.1	1928	1003.5	2015	188
盛岡	1702.0	1990	1650.8	1947	1643.0	2013	1923	736.0	1924	792.4	1929	827.5	1994	192
宮古	2049.4	1890	2036.9	1920	1919.8	1911	1883	818.0	1978	823.0	1973	860.0	1985	188
仙台	1892.3	1950	1796.5	1991	1647.6	1948	1926	813.5	1973	819.5	1984	824.9	1943	192
秋田	2439.4	1922	2373.0	2013	2357.4	1947	1882	1230.5	1994	1256.0	2008	1327.0	1970	188
山形	1551.4	1937	1541.1	1958	1531.3	1938	1889	760.0	1975	810.0	1970	837.5	1984	188
酒田	2727.0	2013	2549.0	1937	2400.5	2018	1937	1340.0	1994	1459.0	1974	1468.5	1988	193
福島	1621.3	1890	1612.5	1991	1589.2	1910	1889	652.5	1973	700.5	1970	708.0	1984	188
小名浜	1989.5	2006	1965.9	1920	1869.5	1911	1910	813.0	1984	946.1	1926	954.0	1978	191
水戸	2096.8	1920	2030.9	1938	1954.5	1991	1897	760.5	1984	893.9	1926	901.5	1978	189
宇都宮	2214.0	1920	1990.4	1948	1984.0	1989	1890	864.0	1984	989.0	1978	1012.0	1926	189
前橋	1776.6	1955	1733.0	1910	1657.5	1989	1896	799.0	1963	815.5	1996	816.5	1984	189
熊谷	1870.0	1998	1832.5	1991	1803.3	1950	1896	713.0	1984	738.3	1933	805.5	1973	189
銚子	2352.0	1989	2293.5	1991	2288.0	1954	1887	1052.5	1926	1066.0	1984	1090.9	1900	188
東京	2229.6	1938	2193.7	1920	2155.2	1941	1875	879.5	1984	1011.3	1933	1023.3	1967	187
大島	4384.4	1941	4007.8	1954	3890.5	2019	1938	1769.5	1997	1977.6	1947	2048.0	2023	1938
八丈島	4889.3	1910	4809.6	1908	4603.0	1998	1906	2080.6	1926	2146.0	2023	2191.0	2013	1906
横浜	2535.2	1941	2334.3	1938	2317.4	1921	1896	996.0	1984	1064.4	1967	1118.2	1947	1896
新潟	2397.0	1998	2351.2	1958	2327.0	2013	1881	1273.1	1928	1331.2	1882	1352.0	2019	188
高田	3748.4	1944	3722.5	1945	3656.4	1927	1922	1793.5	1987	2075.2	1954	2185.0	1977	1922
相川	2109.3	1961	2102.5	2013	2083.1	1945	1911	988.0	1994	1125.0	1984	1158.0	2000	1911
富山	3123.0	1985	3017.0	1961	2925.0	1998	1939	1562.5	1994	1643.5	1982	1697.0	1987	1939
金沢	3476.2	1917	3318.0	2013	3307.0	1985	1882	1600.5	1994	1820.5	2007	1859.0	2008	1882
輪島	3106.8	1956	2907.0	2013	2885.7	1958	1929	1575.5	1994	1619.5	2001	1666.0	2008	1929
福井	3388.3	1917	3097.6	1956	3042.0	1980	1897	1528.0	1994	1644.5	1987	1817.0	1978	1897
敦賀	3381.3	1917	3300.2	1956	3275.0	1945	1897	1535.0	1994	1611.9	1898	1658.5	2000	1897
甲府	1876.3	1938	1653.8	1910	1652.5	1991	1894	705.6	1940	725.0	1987	765.0	1984	1894
長野	1296.9	1903	1274.2	1897	1268.5	1953	1889	555.5	1994	556.0	1987	643.0	1986	1889
松本	1537.3	1923	1530.1	1911	1488.3	1903	1898	578.2	1926	636.5	1987	642.5	1994	1898
富士山														

富士山では降水量を観測していない．

年降水量の多い値，少ない値（1位～3位）(2)

（統計開始から2023年まで）

地点	多い値 1位 mm	年	2位 mm	年	3位 mm	年	統計開始年	少ない値 1位 mm	年	2位 mm	年	3位 mm	年	統計開始年
飯田	2254.5	2010	2244.0	1991	2214.1	1903	1897	951.5	1984	1089.5	1994	1142.0	2005	1897
軽井沢	1838.2	1950	1815.7	1959	1734.2	1928	1925	820.0	1994	856.5	1978	864.9	1926	1925
岐阜	3448.9	1896	2811.3	1903	2792.0	1976	1883	1208.0	1994	1225.6	1947	1302.7	1940	1883
高山	2385.0	1945	2377.5	2018	2374.9	1953	1899	1181.0	1994	1264.7	1939	1296.0	1987	1899
静岡	3731.2	1941	3399.0	1998	3391.5	2004	1940	1348.0	1984	1471.0	1940	1548.5	1994	1940
浜松	2765.5	1938	2666.5	1941	2635.2	1910	1882	1118.5	1984	1200.3	1940	1212.5	2005	1882
名古屋	2323.6	1896	2128.1	1903	2115.7	1905	1890	900.5	2005	1061.0	1994	1082.5	2002	1890
津	2332.3	1959	2264.6	1902	2220.0	1915	1889	928.0	2005	1008.0	1987	1047.0	1994	1889
尾鷲	6174.5	1954	5762.2	1950	5699.0	1998	1938	2317.0	2005	2413.0	1986	2437.5	1987	1938
彦根	3065.5	1896	2165.2	1921	2152.0	1923	1893	1098.5	1939	1137.5	1994	1173.3	1924	1893
京都	2150.6	1921	2134.6	1923	2061.0	2010	1880	880.5	1994	954.5	2005	983.5	1924	1880
大阪	2014.5	2021	1879.0	1903	1765.9	1896	1883	744.0	1994	818.5	1947	884.0	1978	1883
神戸	2037.5	2018	1759.9	1935	1743.5	1903	1896	599.5	1994	687.0	2005	787.6	1947	1896
奈良	1790.2	1959	1693.0	1998	1646.8	1965	1953	715.5	1994	911.0	2005	911.5	1978	1953
和歌山	2030.9	1905	2012.9	1890	2009.4	1952	1879	617.0	1994	895.1	1964	908.3	1947	1879
潮岬	3620.8	1966	3533.4	1954	3514.0	1998	1913	1406.0	1940	1586.0	1934	1733.5	1994	1913
鳥取	2689.7	1945	2689.4	1953	2506.3	1965	1943	1343.5	1973	1405.5	1978	1509.0	1994	1943
松江	2683.0	1953	2500.0	1964	2485.0	1972	1940	1105.5	1973	1300.0	2022	1338.5	1984	1940
浜田	2677.5	1972	2372.0	1997	2349.8	1923	1893	947.4	1939	1125.0	1994	1205.5	1984	1893
西郷	2450.7	1953	2430.5	1993	2299.7	1958	1939	979.0	1973	1297.0	1994	1311.5	2022	1939
岡山	1660.1	1923	1646.5	1993	1620.4	1965	1891	593.2	1939	691.8	1924	732.5	2005	1891
広島	2540.9	1923	2390.5	1993	2267.0	2021	1879	739.5	1978	785.3	1939	917.9	1883	1879
下関	2836.5	1980	2585.4	1923	2444.5	1972	1883	957.2	1939	970.0	1978	1091.5	1994	1883
徳島	2694.5	1899	2628.5	2004	2562.5	2011	1891	860.5	2007	941.5	1981	966.5	1984	1891
高松	1618.5	1993	1604.5	2004	1604.0	2011	1941	667.5	2022	737.5	1978	765.5	2002	1941
松山	2040.4	1943	2029.2	1923	1933.0	1993	1890	696.0	1994	759.5	1978	792.9	1939	1890
高知	4383.0	1998	4156.9	1890	3668.1	1954	1886	1543.6	1930	1605.4	1894	1732.5	1996	1886
室戸岬	3537.0	2016	3507.6	1949	3321.4	1954	1920	1584.5	2005	1593.5	1995	1675.5	1987	1920
清水	3674.0	1990	3583.0	2001	3386.8	1954	1940	1498.0	1995	1668.5	1994	1703.0	1986	1940
福岡	2976.5	1980	2440.5	1953	2420.5	2016	1890	891.0	1994	999.8	1939	1020.0	2005	1890
佐賀	2876.0	2020	2643.7	1953	2627.5	1980	1890	1013.5	1994	1065.5	1978	1129.1	1894	1890
長崎	2842.0	1993	2826.0	1980	2701.3	1927	1878	922.0	1994	1028.6	1894	1243.0	1978	1878
厳原	3483.5	1985	3345.5	1972	3254.0	1891	1886	1176.5	1978	1411.2	1944	1429.5	1984	1886
福江	3491.5	1972	3184.0	2020	3133.0	1963	1962	1585.0	1996	1601.0	2007	1623.5	1994	1962
熊本	3369.0	1993	2848.2	1963	2800.5	2006	1890	861.7	1894	920.5	1994	1129.0	1967	1890
大分	2859.0	1993	2527.0	1980	2434.8	1954	1887	986.5	1978	1040.4	1926	1072.5	1994	1887
宮崎	4174.5	1993	3832.7	1954	3544.5	1943	1886	1498.9	1904	1622.0	1926	1695.0	1944	1886
鹿児島	4022.0	1993	3663.5	2015	3550.6	1905	1883	1397.8	1894	1478.8	1904	1519.5	1974	1883
名瀬	4429.5	1959	4403.5	1998	4280.1	1954	1896	1708.8	1963	1839.0	1986	1914.7	1940	1896
那覇	3322.0	1998	3190.9	1941	3176.2	1966	1890	969.8	1963	1072.9	1904	1330.5	1993	1890
昭和(南極)														

昭和（南極）では降水量を観測していない．

日最大風速 10 m/s 以上の日数の月別平年値（1）

（1991 年から 2020 年までの平均値）

地点	1月	2月	3月	4月	5月	6月	7月	8月	9月	10月	11月	12月	年
札幌	3.2	3.6	4.6	6.6	6.2	3.4	2.5	2.5	2.8	4.4	3.9	3.1	46
函館	5.7	6.1	9.4	7.6	5.3	1.9	1.3	2.3	3.4	6.6	7.8	7.2	64
旭川	2.0	2.8	3.9	4.4	3.8	0.7	0.6	1.0	1.6	3.7	3.6	3.0	31
釧路	10.3	10.7	13.1	10.8	8.5	4.0	2.2	4.2	6.8	12.0	13.6	13.6	109
帯広	1.0	1.8	1.8	2.8	1.1	0.1	0.1	0.1	0.4	1.0	1.6	1.1	12
網走	4.6	3.4	3.7	4.1	2.5	0.5	0.3	0.6	1.4	2.5	3.0	4.6	31
留萌	15.9	13.0	13.0	9.5	7.5	2.8	2.1	2.6	5.6	12.0	16.6	19.6	120
稚内	9.6	7.5	8.4	8.8	8.9	5.5	3.5	3.1	5.5	8.5	9.7	9.9	88
根室	16.0	11.7	13.5	12.8	10.5	5.1	3.2	4.3	7.0	12.9	16.2	17.3	130
寿都	4.7	4.2	3.6	3.8	3.9	3.0	1.8	1.3	1.2	2.6	3.1	4.5	37.
浦河	14.8	14.2	14.7	10.0	6.8	3.0	2.2	2.7	5.9	11.4	14.9	15.2	115
青森	5.7	5.8	9.0	9.3	6.8	2.7	2.7	2.1	3.2	4.8	5.7	6.7	64
盛岡	0.8	1.2	3.0	3.5	2.0	0.5	0.4	0.4	1.0	0.7	1.3	1.5	16.
宮古	0.5	0.5	0.6	0.8	0.3	0.1	0.1	0.2	0.9	0.8	0.3	0.5	5.
仙台	6.1	7.3	8.8	7.3	4.7	1.4	0.8	1.1	2.0	2.8	3.7	5.9	51.
秋田	13.8	11.9	11.3	8.8	5.3	2.6	2.0	2.2	3.1	6.2	9.0	13.3	89.
山形	0.0	0.0	0.0	0.1	0.0	0.0	0.0	0.0	0.2	0.0	0.0	0.1	0.
酒田	14.8	12.3	10.1	7.6	4.7	2.7	1.9	2.0	3.6	5.5	9.2	14.6	88.
福島	0.6	1.4	1.5	1.8	0.7	0.2	0.1	0.1	0.3	0.7	0.7	0.9	9.
小名浜	2.9	3.5	3.6	2.7	0.9	0.6	0.3	0.6	1.0	1.7	1.8	3.2	22.
水戸	0.6	0.6	0.8	1.3	0.3	0.3	0.4	0.3	0.6	0.8	0.1	0.2	6.
宇都宮	4.1	4.7	5.6	4.3	2.7	1.3	1.8	2.1	2.3	1.7	1.6	3.2	35.
前橋	1.2	1.9	2.2	1.4	0.5	0.1	0.2	0.2	0.4	0.4	0.4	1.0	9.
熊谷	1.3	3.1	2.4	1.3	0.3	0.2	0.1	0.2	0.4	0.4	0.3	1.1	11.
銚子	17.1	15.6	19.7	17.5	13.1	8.7	10.1	8.7	11.3	15.1	15.0	16.0	167.
東京	1.2	2.6	2.7	2.4	1.4	0.7	0.5	0.7	1.2	1.1	0.7	1.1	16.
大島	11.6	9.4	10.9	9.3	6.8	4.6	5.0	2.7	4.8	6.6	7.8	12.0	91.
八丈島	12.8	12.5	13.3	10.7	7.4	7.3	4.1	4.0	8.2	11.5	9.4	11.4	112.
横浜	3.4	3.9	5.2	4.4	2.4	1.5	1.7	1.2	2.0	1.9	2.3	2.5	32.
新潟	6.5	5.7	3.7	3.9	2.1	1.2	1.3	1.1	1.9	2.2	4.4	6.9	40.
高田	1.3	1.5	1.8	2.8	1.5	0.6	0.3	0.2	0.6	1.2	1.4	2.1	15.4
相川	24.3	19.4	15.7	9.5	4.7	2.7	2.4	2.8	5.1	10.4	17.5	23.7	138.
富山	2.1	2.0	3.4	4.7	3.1	1.4	1.1	1.0	1.5	2.0	1.8	2.4	26.
金沢	13.1	10.1	10.8	8.0	5.1	2.4	3.0	3.0	3.5	4.8	8.6	13.7	86.1
輪島	7.5	6.3	6.7	6.6	5.0	2.1	3.2	2.1	3.2	3.3	5.6	7.5	59.2
福井	1.2	1.2	1.8	1.9	2.2	0.6	0.7	1.1	1.2	1.2	0.8	1.1	15.
敦賀	12.4	12.7	11.5	8.7	6.2	2.4	2.7	2.7	3.9	5.1	8.6	12.7	89.6
甲府	4.6	5.1	5.5	4.5	1.8	0.4	0.5	0.7	0.7	1.1	2.0	4.5	31.4
長野	0.3	0.7	1.9	2.5	1.9	0.8	0.3	0.5	0.6	0.8	0.8	0.6	11.8
松本	0.2	0.2	0.6	0.8	0.6	0.1	0.1	0.2	0.5	0.3	0.1	0.1	3.8
富士山	29.9]	27.3]	29.5]	28.5]	27.6]	25.9]	22.9]	18.8]	24.1]	26.7]	28.3]	30.4]	

] 付は参考値．参考値は平年差や平年比に利用できない．
富士山では風の観測を終了している．

日最大風速 10 m/s 以上の日数の月別平年値 (2)

(1991 年から 2020 年までの平均値)

地　点	1月	2月	3月	4月	5月	6月	7月	8月	9月	10月	11月	12月	年
飯　田	2.5	2.4	3.3	3.0	1.7	0.4	0.5	0.4	0.3	0.7	1.2	2.3	18.7
軽井沢	0.0	0.0	0.0	0.0	0.0	0.0	0.0	0.0	0.0	0.1	0.0	0.0	0.1
岐　阜	1.0	1.1	2.4	2.2	1.5	0.5	0.5	0.9	1.1	0.8	0.5	1.1	13.5
高　山	0.0	0.0	0.1	0.2	0.0	0.0	0.0	0.1	0.4	0.1	0.0	0.0	1.0
静　岡	0.1	0.3	0.1	0.2	0.0	0.1	0.1	0.1	0.4	0.3	0.2	0.2	2.2
浜　松	3.1	3.7	4.2	2.7	1.4	0.6	0.4	0.5	0.7	0.8	1.2	2.5	21.8
名古屋	1.9	2.2	4.1	3.1	1.6	0.5	0.6	0.8	1.4	0.9	1.0	1.4	19.6
津	10.2	9.1	11.6	9.1	8.1	4.8	3.6	4.8	5.7	5.0	5.9	8.2	86.0
尾　鷲	2.7	2.1	1.9	1.4	0.4	0.2	0.8	1.2	1.3	0.7	0.7	2.6	16.1
彦　根	5.0	5.1	4.5	2.5	1.5	0.5	0.6	0.9	2.2	2.1	2.7	5.1	32.8
京　都	0.0	0.0	0.0	0.1	0.0	0.0	0.1	0.1	0.2	0.2	0.0	0.0	0.8
大　阪	1.8	2.2	2.0	1.6	1.2	0.9	1.2	1.4	1.1	0.8	1.0	1.2	16.4
神　戸	4.5	3.3	4.3	4.2	3.1	2.7	1.4	2.3	2.5	3.1	2.7	4.4	38.6
奈　良	0.0	0.0	0.0	0.1	0.0	0.1	0.0	0.1	0.3	0.1	0.0	0.0	0.9
和歌山	5.7	4.4	6.1	5.5	4.2	3.2	4.7	3.2	2.7	2.5	3.1	6.0	51.1
潮　岬	6.7	6.1	8.4	6.4	5.0	5.0	3.4	3.0	3.3	4.0	3.6	5.6	60.5
鳥　取	3.9	3.6	4.0	3.4	2.3	0.8	0.8	0.9	1.5	1.4	2.1	3.4	28.2
松　江	8.5	7.2	7.5	8.0	5.6	3.9	6.1	3.2	2.0	2.4	4.3	8.5	67.4
浜　田	9.0	7.3	8.4	6.3	3.8	2.7	4.6	2.4	2.5	3.4	5.4	8.9	64.9
西　郷	4.9	3.5	4.6	4.9	3.0	2.0	3.8	2.2	2.2	2.1	3.4	5.5	42.2
岡　山	5.9	4.9	5.5	3.9	2.5	1.1	1.7	1.8	1.8	1.6	3.0	5.6	39.3
広　島	3.1	3.5	5.7	4.6	2.5	0.9	1.9	1.9	3.1	3.0	2.6	3.2	36.0
下　関	4.7	3.6	3.8	3.2	1.7	0.8	0.9	1.4	1.3	1.2	2.5	5.7	31.0
徳　島	1.9	1.8	2.6	2.9	2.8	1.0	1.4	1.4	1.7	0.8	0.8	1.5	20.8
高　松	1.8	1.4	1.3	1.2	0.6	0.2	0.3	0.7	0.6	0.3	0.6	1.7	10.8
松　山	0.1	0.1	0.1	0.2	0.0	0.0	0.1	0.3	0.4	0.1	0.0	0.0	1.5
高　知	0.0	0.0	0.0	0.0	0.0	0.0	0.2	0.4	0.4	0.2	0.0	0.0	1.2
室戸岬	23.1	20.4	22.8	20.1	18.9	17.8	16.4	14.9	17.9	21.2	19.1	21.6	234.3
清　水	2.6	3.0	4.1	3.2	2.4	3.6	2.7	1.8	2.1	1.8	1.8	2.3	31.5
福　岡	0.9	1.0	1.8	1.3	0.6	0.2	0.7	1.1	1.9	1.5	0.9	1.3	13.3
佐　賀	3.2	3.2	4.9	3.8	2.1	2.8	3.9	3.6	3.1	2.8	2.0	2.6	37.9
長　崎	1.1	1.5	1.6	1.4	0.3	0.8	0.8	0.5	0.6	0.3	0.7	1.4	11.0
厳　原	3.5	3.4	4.3	5.0	4.0	3.4	4.6	2.9	1.5	1.7	2.3	3.8	40.3
福　江	1.9	2.3	2.9	2.6	1.0	1.3	1.4	1.7	1.7	1.1	0.9	1.9	20.9
熊　本	0.4	0.3	0.5	0.3	0.5	0.5	0.8	1.3	0.8	0.5	0.1	0.4	6.5
大　分	0.2	0.2	0.3	0.4	0.1	0.2	0.6	0.7	0.8	0.2	0.1	0.3	4.1
宮　崎	3.6	3.0	3.7	2.5	1.3	1.1	1.6	1.9	1.4	0.9	0.8	2.7	24.5
鹿児島	1.9	2.5	2.8	2.3	1.0	1.9	2.1	2.3	2.0	1.8	0.7	1.9	23.1
名　瀬	0.5	0.2	0.4	0.2	0.2	0.2	0.4	0.7	1.0	0.9	0.1	0.7	5.4
那　覇	8.8	7.6	8.8	7.2	6.1	9.6	7.1	7.3	7.3	7.9	7.3	8.7	93.7
昭和(南極)	12.0	16.6	20.0	20.7	18.9	18.1	17.9	16.5	15.8	17.2	17.8	14.1	205.6

日最大風速 15 m/s 以上の日数の月別平年値（1）

（1991 年から 2020 年までの平均値）

地　点	1月	2月	3月	4月	5月	6月	7月	8月	9月	10月	11月	12月	年
札　幌	0.2	0.2	0.4	0.5	0.5	0.1	0.0	0.1	0.1	0.1	0.1	0.2	2[illegible]
函　館	0.2	0.1	0.5	0.6	0.2	0.2	0.0	0.2	0.4	0.2	0.3	0.3	3[illegible]
旭　川	0.2	0.2	0.3	0.2	0.1	0.0	0.0	0.0	0.0	0.2	0.4	0.2	2[illegible]
釧　路	2.8	2.5	3.5	2.8	1.8	0.5	0.3	0.6	1.1	3.2	4.1	4.1	27.[illegible]
帯　広	0.0	0.0	0.0	0.0	0.0	0.0	0.0	0.0	0.0	0.0	0.0	0.0	0.[illegible]
網　走	0.4	0.4	0.2	0.2	0.0	0.0	0.0	0.0	0.2	0.4	0.1	0.5	2[illegible]
留　萌	2.3	1.9	2.0	1.0	0.5	0.1	0.0	0.1	0.4	2.7	3.1	3.2	17.[illegible]
稚　内	1.5	1.3	1.1	0.5	0.5	0.1	0.0	0.2	0.4	0.9	1.3	1.3	9[illegible]
根　室	3.2	2.8	2.9	2.4	1.0	0.4	0.1	0.3	1.2	2.3	3.1	3.1	22.[illegible]
寿　都	0.2	0.2	0.2	0.3	0.2	0.0	0.0	0.0	0.1	0.2	0.1	0.3	1.[illegible]
浦　河	3.5	2.5	3.6	1.6	0.5	0.3	0.1	0.4	0.9	2.5	4.7	5.4	26.[illegible]
青　森	0.2	0.4	0.5	0.6	0.1	0.0	0.0	0.1	0.2	0.2	0.2	0.3	2.[illegible]
盛　岡	0.0	0.0	0.0	0.1	0.0	0.0	0.0	0.0	0.1	0.1	0.0	0.0	0.[illegible]
宮　古	0.1	0.0	0.0	0.0	0.0	0.0	0.0	0.1	0.2	0.2	0.0	0.1	0.[illegible]
仙　台	0.7	0.6	0.7	0.7	0.2	0.0	0.0	0.1	0.4	0.3	0.3	0.5	4.[illegible]
秋　田	1.8	1.7	1.2	0.6	0.0	0.1	0.1	0.2	0.6	0.7	1.7	2.4	10.[illegible]
山　形	0.0	0.0	0.0	0.0	0.0	0.0	0.0	0.0	0.0	0.0	0.0	0.0	0.[illegible]
酒　田	1.0	1.1	0.6	0.4	0.1	0.1	0.0	0.1	0.5	0.3	0.7	1.6	6.[illegible]
福　島	0.0	0.0	0.0	0.0	0.0	0.0	0.0	0.0	0.0	0.0	0.0	0.0	0.[illegible]
小名浜	0.1	0.1	0.1	0.1	0.0	0.0	0.0	0.0	0.2	0.3	0.0	0.2	1.[illegible]
水　戸	0.0	0.0	0.0	0.1	0.0	0.0	0.0	0.0	0.1	0.1	0.0	0.0	0.[illegible]
宇都宮	0.2	0.4	0.4	0.3	0.1	0.1	0.2	0.0	0.4	0.4	0.1	0.1	2.[illegible]
前　橋	0.0	0.0	0.0	0.0	0.0	0.0	0.0	0.0	0.0	0.0	0.0	0.0	0.[illegible]
熊　谷	0.0	0.0	0.1	0.0	0.0	0.0	0.0	0.0	0.0	0.0	0.0	0.0	0.[illegible]
銚　子	3.8	4.1	4.7	4.0	1.6	0.9	0.9	1.0	2.4	2.8	2.5	2.9	31.[illegible]
東　京	0.0	0.0	0.0	0.0	0.0	0.1	0.0	0.0	0.2	0.1	0.0	0.0	0.[illegible]
大　島	1.3	1.6	1.3	0.8	0.2	0.3	0.3	0.3	0.6	0.8	0.7	1.9	10.[illegible]
八丈島	1.9	1.8	2.7	1.2	0.9	1.1	0.6	0.3	1.3	1.8	0.8	2.0	16.[illegible]
横　浜	0.0	0.0	0.0	0.2	0.0	0.1	0.0	0.1	0.3	0.3	0.0	0.0	1.[illegible]
新　潟	0.3	0.2	0.1	0.4	0.1	0.0	0.0	0.1	0.1	0.0	0.2	0.4	2.[illegible]
高　田	0.1	0.0	0.1	0.2	0.1	0.0	0.0	0.0	0.1	0.0	0.0	0.1	0.5
相　川	12.1	8.4	4.7	1.6	0.5	0.2	0.1	0.3	0.8	2.4	6.5	12.3	49.9
富　山	0.0	0.0	0.1	0.2	0.1	0.0	0.0	0.0	0.2	0.2	0.1	0.0	1.[illegible]
金　沢	2.7	1.6	0.8	0.7	0.2	0.2	0.1	0.2	0.6	0.7	1.1	3.2	12.[illegible]
輪　島	0.3	0.3	0.2	0.3	0.2	0.1	0.1	0.1	0.5	0.7	0.3	0.5	3.6
福　井	0.0	0.0	0.0	0.1	0.1	0.1	0.0	0.1	0.3	0.2	0.0	0.0	0.9
敦　賀	1.0	1.5	0.8	0.7	0.7	0.2	0.0	0.4	0.7	0.7	0.6	1.0	8.2
甲　府	0.0	0.2	0.3	0.3	0.0	0.0	0.0	0.0	0.1	0.1	0.1	0.1	1.3
長　野	0.0	0.0	0.0	0.0	0.0	0.0	0.0	0.0	0.0	0.0	0.0	0.0	0.1
松　本	0.0	0.0	0.0	0.0	0.0	0.0	0.0	0.0	0.1	0.0	0.0	0.0	0.1
富士山	27.6]	24.8]	25.8]	22.1]	19.6]	15.8]	13.0]	8.1]	13.2]	17.0]	21.9]	26.9]	

］付は参考値．参考値は平年差や平年比に利用できない．
富士山では風の観測を終了している．

日最大風速 15 m/s 以上の日数の月別平年値（2）

（1991 年から 2020 年までの平均値）

地　点	1月	2月	3月	4月	5月	6月	7月	8月	9月	10月	11月	12月	年
飯　田	0.0	0.1	0.1	0.1	0.0	0.0	0.0	0.0	0.0	0.0	0.0	0.0	0.2
軽井沢	0.0	0.0	0.0	0.0	0.0	0.0	0.0	0.0	0.0	0.0	0.0	0.0	0.0
岐　阜	0.0	0.0	0.0	0.0	0.0	0.0	0.0	0.1	0.2	0.1	0.0	0.0	0.4
高　山	0.0	0.0	0.0	0.0	0.0	0.0	0.0	0.0	0.1	0.0	0.0	0.0	0.1
静　岡	0.0	0.0	0.0	0.0	0.0	0.0	0.0	0.0	0.0	0.0	0.0	0.0	0.1
浜　松	0.0	0.0	0.1	0.0	0.0	0.1	0.1	0.0	0.2	0.1	0.0	0.0	0.6
名古屋	0.0	0.0	0.0	0.0	0.0	0.0	0.0	0.1	0.3	0.1	0.0	0.0	0.5
津	0.5	0.4	1.0	0.7	0.4	0.5	0.5	0.8	1.4	0.5	0.3	0.3	7.3
尾　鷲	0.1	0.0	0.1	0.1	0.0	0.1	0.1	0.2	0.4	0.1	0.0	0.1	1.3
彦　根	0.1	0.0	0.0	0.1	0.0	0.0	0.0	0.1	0.2	0.2	0.0	0.1	0.7
京　都	0.0	0.0	0.0	0.0	0.0	0.0	0.0	0.0	0.0	0.0	0.0	0.0	0.1
大　阪	0.1	0.1	0.1	0.0	0.1	0.1	0.0	0.2	0.2	0.1	0.0	0.0	1.0
神　戸	0.3	0.2	0.1	0.2	0.1	0.2	0.2	0.4	0.5	0.3	0.0	0.1	2.6
奈　良	0.0	0.0	0.0	0.0	0.0	0.0	0.0	0.0	0.1	0.0	0.0	0.0	0.1
和歌山	0.4	0.5	0.9	0.7	0.5	0.7	0.7	0.6	0.8	0.5	0.3	0.6	7.1
潮　岬	0.7	0.7	0.8	0.4	0.1	0.5	0.4	0.4	0.6	0.7	0.4	0.5	6.1
鳥　取	0.1	0.0	0.2	0.3	0.2	0.1	0.0	0.0	0.3	0.2	0.1	0.1	1.5
松　江	1.0	0.5	0.6	0.7	0.3	0.3	0.2	0.3	0.3	0.4	0.3	1.2	6.0
浜　田	1.3	0.9	1.4	1.4	0.4	0.2	0.3	0.2	0.4	0.4	0.8	1.3	8.9
西　郷	0.1	0.2	0.1	0.3	0.0	0.2	0.2	0.3	0.5	0.1	0.0	0.2	2.3
岡　山	0.4	0.2	0.3	0.2	0.2	0.1	0.1	0.2	0.4	0.1	0.1	0.2	2.6
広　島	0.1	0.0	0.1	0.1	0.0	0.1	0.2	0.3	0.8	0.3	0.0	0.1	2.2
下　関	0.1	0.1	0.1	0.1	0.0	0.1	0.1	0.2	0.4	0.1	0.0	0.0	1.4
徳　島	0.0	0.0	0.0	0.1	0.1	0.1	0.2	0.4	0.6	0.1	0.0	0.0	1.5
高　松	0.0	0.0	0.0	0.0	0.0	0.0	0.0	0.0	0.0	0.0	0.0	0.0	0.3
松　山	0.0	0.0	0.0	0.0	0.0	0.0	0.0	0.0	0.0	0.0	0.0	0.0	0.1
高　知	0.0	0.0	0.0	0.0	0.0	0.0	0.0	0.0	0.0	0.0	0.0	0.0	0.1
室戸岬	9.0	8.7	10.3	8.3	7.1	7.5	6.5	4.4	6.1	7.3	6.7	8.4	90.2
清　水	0.1	0.1	0.2	0.2	0.1	0.1	0.2	0.4	0.4	0.1	0.1	0.2	2.1
福　岡	0.0	0.0	0.0	0.0	0.0	0.1	0.1	0.2	0.4	0.2	0.0	0.0	0.9
佐　賀	0.1	0.0	0.1	0.0	0.0	0.1	0.3	0.4	0.7	0.3	0.0	0.0	2.2
長　崎	0.0	0.0	0.0	0.0	0.0	0.0	0.0	0.0	0.2	0.0	0.0	0.0	0.3
厳　原	0.0	0.1	0.3	0.3	0.1	0.1	0.3	0.2	0.5	0.2	0.0	0.0	2.2
福　江	0.0	0.0	0.0	0.0	0.0	0.1	0.1	0.3	0.5	0.2	0.0	0.0	1.2
熊　本	0.0	0.0	0.0	0.0	0.0	0.0	0.0	0.1	0.3	0.0	0.0	0.0	0.4
大　分	0.0	0.0	0.0	0.0	0.0	0.0	0.0	0.2	0.2	0.0	0.0	0.0	0.4
宮　崎	0.0	0.1	0.2	0.1	0.0	0.0	0.2	0.4	0.4	0.1	0.0	0.1	1.6
鹿児島	0.0	0.0	0.0	0.0	0.0	0.1	0.3	0.6	0.8	0.1	0.0	0.0	1.9
名　瀬	0.0	0.0	0.0	0.0	0.0	0.0	0.0	0.2	0.3	0.1	0.0	0.0	0.7
那　覇	0.1	0.3	0.1	0.0	0.2	0.6	0.9	1.9	1.9	1.1	0.1	0.3	7.5
昭和（南極）	5.3	8.9	11.2	12.5	11.5	11.4	10.8	9.6	8.5	9.0	8.5	5.0	112.1

風速の最大記録 (1)

(統計開始から 2023 年まで)

地点	最大風速 m/s	最大風速 風向	最大風速 年	最大風速 月	最大風速 日	最大風速 統計開始年	最大瞬間風速 m/s	最大瞬間風速 風向	最大瞬間風速 年	最大瞬間風速 月	最大瞬間風速 日	最大瞬間風速 統計開始年
札幌	28.8	NNW	1912	3	19	1876	50.2	SW	2004	9	8	1943
函館	27.9	WNW	1928	2	7	1872	46.5	WSW	1999	9	25	1940
旭川	24.6	WSW	2010	3	21	1888	34.1	WSW	2010	3	21	1942
釧路	31.8	S	2016	8	17	1910	43.2	S	2016	8	17	1942
帯広	20.3	WNW	1936	4	27	1892	32.3	SE	2002	10	2	1943
網走	29.8	WNW	1950	11	28	1890	37.5	SSW	2004	9	8	1952
留萌	36.7	SW	1951	2	22	1943	43.9	SSW	2004	9	8	1957
稚内	27.0	N	1955	2	21	1938	44.9	WSW	1995	11	8	1940
根室	30.7	NW	1910	2	11	1890	42.2	NNE	2006	10	8	1939
寿都	49.8	SSE	1952	4	15	1884	53.2	SW	1954	9	26	1942
浦河	39.6	WNW	1958	1	10	1927	48.5	WNW	1958	1	10	1949
青森	29.0	SW	1991	9	28	1882	53.9	SW	1991	9	28	1937
盛岡	22.2	WNW	1951	4	10	1923	38.6	SW	2004	11	27	1941
宮古	31.4	WSW	1912	9	23	1883	43.5	SSE	2002	10	2	1941
仙台	24.0	WNW	1997	3	11	1926	41.2	WNW	1997	3	11	1937
秋田	30.7	SW	1954	9	26	1882	51.4	SSW	1991	9	28	1937
山形	21.4	SW	1957	12	13	1889	32.6	SE	1959	9	27	1941
酒田	37.7	WSW	1961	9	16	1937	49.0	WSW	1961	9	16	1942
福島	22.9	W	1959	4	10	1889	32.2	W	1979	3	31	1947
小名浜	28.8	SSE	2002	10	1	1910	48.1	SE	2002	10	1	1940
水戸	28.3	N	1961	10	10	1897	44.2	NNE	1939	8	5	1937
宇都宮	24.2	N	1938	10	21	1890	42.7	SE	1966	9	25	1937
前橋	29.9	N	1900	9	28	1896	40.2	ESE	1966	9	25	1940
熊谷	31.7	W	1900	9	28	1896	41.0	SE	1966	9	25	1940
銚子	48.0	SSE	1948	9	16	1887	52.2	S	2002	10	1	1937
東京	31.0	S	1938	9	1	1875	46.7	S	1938	9	1	1937
大島	39.0	SW	1948	9	16	1938	57.0	S	2005	8	25	1940
八丈島	44.2	W	1938	10	21	1906	67.8	S	1975	10	5	1937
横浜	37.4	NE	1938	9	1	1896	48.7	NE	1938	9	1	1938
新潟	40.1	SW	1929	4	21	1886	45.5	WSW	1991	9	28	1937
高田	23.1	S	1959	4	5	1922	42.0	SW	1998	9	22	1937
相川	31.3	NW	1945	9	18	1911	46.2	NW	1961	9	16	1940
富山	26.0	SSE	1947	4	1	1939	42.7	S	2004	9	7	1939
金沢	32.8	SSW	1950	9	3	1882	44.3	SSW	2018	9	4	1937
輪島	31.3	SSW	1991	9	28	1929	57.3	SSW	1991	9	28	1929
福井	30.9	S	1950	9	3	1897	48.8	SSE	1991	9	27	1940
敦賀	30.4	SE	1950	9	3	1897	47.9	ESE	2018	9	4	1909
甲府	33.9	ESE	1959	8	14	1894	43.2	ESE	1959	8	14	1937
長野	25.8	NW	1916	9	26	1889	31.4	NW	1948	8	23	1937
松本	24.7	S	1959	9	27	1898	37.6	S	1998	9	22	1939
富士山	72.5	WSW	1942	4	5	1932	91.0	SSW	1966	9	25	1965

富士山は 2004 年 8 月までの最大.

風速の最大記録 (2)

（統計開始から2023年まで）

地点	最大風速 m/s	風向	年	月	日	統計開始年	最大瞬間風速 m/s	風向	年	月	日	統計開始年
酒田	21.8	NNE	1932	11	14	1897	37.0	S	1959	9	26	1940
軽井沢	24.5	W	1929	4	21	1925	36.3	NE	1959	8	14	1925
岐阜	32.5	SSE	1959	9	26	1886	44.2	ESE	1959	9	26	1918
高山	20.9	S	1921	9	26	1899	36.0	SW	1998	9	22	1942
静岡	24.1	WSW	1959	8	14	1940	40.0	SE	1966	9	25	1940
浜松	37.0	S	1926	9	4	1887	42.0	SSE	1959	9	26	1941
名古屋	37.0	SSE	1959	9	26	1890	45.7	SSE	1959	9	26	1937
津	36.8	ESE	1959	9	26	1889	51.3	ESE	1959	9	26	1937
尾鷲	28.1	SE	1959	9	26	1938	56.1	SE	1990	9	19	1938
彦根	31.2	SSE	1934	9	21	1893	46.2	SE	2018	9	4	1920
京都	28.0	S	1934	9	21	1880	42.1	S	1934	9	21	1915
大阪	33.3	SSE	1961	9	16	1883	60.0]	S	1934	9	21	1934
神戸	33.4	NE	1950	9	3	1897	48.5	SSE	1965	9	10	1937
奈良	25.0]	SSE	1961	9	16	1953	47.2	S	1979	9	30	1953
和歌山	39.7	SSW	2018	9	4	1879	57.4	SSW	2018	9	4	1940
潮岬	33.6	W	1921	9	26	1913	59.5	SSE	1990	9	19	1941
鳥取	29.2	NW	1961	9	16	1943	48.6	S	1991	9	27	1943
松江	28.5	W	1991	9	27	1940	56.5	WNW	1991	9	27	1940
浜田	29.6	SSW	1922	3	23	1893	48.9	WSW	1991	9	27	1937
西郷	26.9	SSW	2004	9	7	1939	55.8	SW	2004	9	7	1939
岡山	25.8	SE	1896	8	18	1891	41.4	NE	2004	10	20	1940
広島	36.0	S	1991	9	27	1879	60.2	S	2004	9	7	1937
下関	34.2	E	1942	8	27	1883	45.3	ESE	1991	9	27	1937
徳島	37.8	SE	1941	8	15	1891	67.0]	SSE	1965	9	10	1940
高松	24.4	SW	1954	9	26	1941	39.5	NE	1965	9	10	1941
松山	25.4	SSE	1945	9	17	1890	42.1	SSE	1945	9	17	1937
高知	29.2	E	1970	8	21	1886	54.3	E	1970	8	21	1940
室戸岬	69.8	WSW	1965	9	10	1920	84.5]	WSW	1961	9	16	1921
清水	35.8	SW	1970	8	21	1941	52.1	E	1975	8	17	1941
福岡	32.5	N	1951	10	14	1890	49.3	S	1987	8	31	1937
佐賀	32.7	S	1930	7	18	1890	54.3	SE	1991	9	14	1941
長崎	43.5	SSE	1900	8	24	1878	54.3	SW	1991	9	27	1951
厳原	31.4	SE	2020	9	7	1886	52.1	SE	1987	8	31	1918
福江	31.3	S	1987	8	31	1962	55.6	S	1987	8	31	1962
熊本	38.7	E	1902	8	10	1890	52.6	S	1991	9	27	1937
大分	25.0	WNW	1945	9	18	1887	44.3	SSE	1999	9	24	1940
宮崎	39.2	SSE	1945	9	17	1886	57.9	SE	1993	9	3	1937
鹿児島	39.3	SSE	1942	8	27	1883	58.5	SSE	1996	8	14	1940
名瀬	33.7	N	1964	9	24	1896	78.9	ESE	1970	8	13	1937
那覇	49.5	ENE	1949	6	20	1927	73.6	S	1956	9	8	1953
昭和(南極)	47.4	ENE	2009	2	20	1957	61.2	NE	1996	5	27	1957

］付は記録した値まで観測できたが，それを超える観測記録が得られなかったことを示す．

最多風向の月別平年値（16 方位・頻度%）

（1991 年から 2020 年までの平均値）

地点	1月	2月	3月	4月	5月	6月	7月	8月	9月	10月	11月	12月	年
札幌	NW 15	NW 15	NW 16	NW 15	SE 18	SE 21	SE 23	SE 23	SE 19	SSE 16	SSE 14	NW 14	SE 16
函館	WNW 26	WNW 23	WNW 19	WNW 12	ESE 13	ESE 17	ESE 20	ESE 19	ESE 14	WNW 13	WNW 21	WNW 27	WNW 15
旭川	SSE 13	SSE 13	SSE 12	WNW 12	W 13	W 16	W 15	W 12	SSE 10	SSE 11	SSE 14	SSE 15	W 11
釧路	NNE 23	NNE 23	NNE 16	NNE 13	S 15	S 17	SSE 16	S 15	NNE 17	NNE 17	NNE 17	NNE 19	NNE 16
帯広	WNW 17	WNW 17	WNW 17	WNW 13	E 15	E 18	E 18	E 14	E 10	WNW 13	WNW 17	WNW 18	WNW 11
網走	WSW 14	NW 11	SW 10	N 10	S 11	N 13	SSE 12	S 13	S 14	SW 15	SW 14	SW 16	SW 10
留萌	ESE 34	ESE 32	ESE 29	ESE 33	ESE 32	ESE 31	ESE 35	ESE 41	ESE 45	ESE 40	ESE 31	W 28	ESE 34
稚内	W 18	W 17	W 16	SSW 16	SSW 17	SSW 15	SSW 14	E 13	WSW 12	WSW 17	W 26	W 28	W 13
根室	NW 16	NNW 15	NNW 13	SW 10	S 12	SE 12	SE 14	S 13	S 11	SSW 11	SW 12	NW 15	NNW 9
寿都	NW 28	NW 27	NW 20	SSE 23	SSE 28	SSE 33	SSE 38	SSE 35	SSE 24	SSE 17	NW 22	NW 29	SSE 22
浦河	WNW 24	WNW 27	WNW 28	WNW 23	WNW 20	ESE 15	ESE 16	ESE 15	NE 14	WNW 16	WNW 21	NW 25	WNW 19
青森	SW 25	SW 23	SW 21	SW 17	SW 13	NNW 11	N 10	SW 9	SSW 14	SSW 18	SW 23	SW 25	SW 17
盛岡	S 11	S 12	S 14	S 17	S 22	S 24	S 25	S 23	S 17	S 13	S 13	S 12	S 17
宮古	WSW 28	WSW 24	WSW 21	WSW 19	WSW 15	NNE 18	NNE 20	WSW 15	WSW 21	WSW 27	WSW 29	WSW 30	WSW 21
仙台	WNW 17	WNW 17	NNW 15	SE 12	SE 17	SE 21	SE 21	SE 19	NNW 16	NNW 20	NNW 18	NNW 17	NNW 14
秋田	NW 16	WNW 15	SE 16	SE 21	SE 23	SE 23	SE 25	SE 28	SE 26	SE 25	SE 23	SE 17	SE 21
山形	SSW 16	SSW 15	SSW 13	N 10	N 11	N 11	N 11	ESE 10	N 10	SSW 9	SSW 13	SSW 15	SSW 10
酒田	WNW 24	WNW 22	WNW 18	ESE 15	ESE 18	ESE 19	ESE 19	ESE 22	ESE 24	SE 21	SE 20	WNW 21	SE 16
福島	WNW 19	WNW 19	WNW 16	NW 12	NE 15	NE 21	NE 20	NE 18	NE 13	WNW 9	WNW 13	WNW 17	NE 11
小名浜	NNW 25	NNW 24	NNW 20	N 15	S 16	S 16	S 20	S 18	N 20	N 24	NNW 28	NNW 27	NNW 17
水戸	NNW 26	NNW 22	NNW 18	N 13	ENE 13	E 18	E 18	ENE 16	NNW 14	NNW 22	NNW 28	NNW 28	NNW 17
宇都宮	NNE 18	NNE 18	NNE 19	NNE 16	NNE 14	NNE 14	NNE 13	NNE 15	NNE 22	NNE 23	NNE 20	NNE 18	NNE 18
前橋	NNW 32	NNW 31	NNW 30	NNW 24	ESE 18	ESE 21	ESE 21	ESE 21	NW 19	NW 26	NW 33	NW 31	NNW 22
熊谷	NW 27	NW 26	NW 22	NW 15	SE 11	E 13	E 15	E 14	E 12	WNW 19	WNW 24	NW 26	NW 16
銚子	WNW 19	WNW 15	NNE 15	SSW 16	SSW 21	SSW 18	SSW 29	SSW 25	NNE 22	NNE 24	NNE 17	WNW 18	NNE 15

東京	NNW 36	NNW 32	NNW 24	NNW 15	[illegible]	[illegible]	[illegible]	[illegible]	[illegible]	[illegible]	[illegible]	[illegible]	[illegible]
大島	NE 21	NE 21	NE 21	NE 16	SSW 18	SSW 19	SSW 27	SSW 23	NE 25	NE 34	NE 29	NE 21	NE 20
八丈島	W 41	W 35	W 28	W 21	SW 17	SW 24	SW 29	SW 18	ENE 23	ENE 29	W 25	W 40	W 21
横浜	N 45	N 41	N 32	N 21	N 15	SW 13	SW 18	SW 17	N 24	N 38	N 43	N 44	N 28
新潟	WNW 16	S 13	S 11	S 11	WSW 10	NNE 10	S 10	S 12	SE 13	S 13	S 15	S 15	S 12
高田	S 19	S 18	S 18	S 16	S 13	NNW 13	S 13	S 17	S 18	S 23	S 23	S 21	S 17
相川	NW 27	NW 23	NW 16	NNW 13	NNW 14	NNW 16	NNW 14	NNW 13	E 14	E 13	NW 13	NW 22	NW 14
富山	SSW 26	SSW 22	SW 18	SW 14	NNE 16	NNE 21	NNE 16	NNE 19	NNE 17	SW 20	SW 23	SSW 25	SSW 17
金沢	SSW 13	ENE 11	ENE 14	ENE 13	ENE 13	ENE 15	SW 15	ENE 15	ENE 21	ENE 19	ENE 13	SSW 14	ENE 14
輪島	SSW 21	SSW 24	SSW 27	SSW 30	SSW 29	SSW 27	SSW 30	SSW 31	SSW 32	SSW 36	SSW 32	SSW 25	SSW 29
福井	S 17	S 15	S 14	S 15	SSW 14	NNW 14	S 16	S 17	S 15	S 17	SSW 19	S 18	S 16
敦賀	SSE 17	N 18	SSE 19	SSE 25	SSE 31	SSE 30	SSE 33	SSE 34	SSE 28	SSE 24	SSE 23	SSE 20	SSE 25
甲府	NNW 12	NNW 12	NW 12	SW 13	SW 16	SW 19	SW 19	SW 19	SW 13	WNW 9	WNW 9	NNW 10	SW 12
長野	E 17	E 17	ENE 14	WSW 12	WSW 15	WSW 15	WSW 14	WSW 16	WSW 16	WSW 13	ENE 12	E 15	WSW 12
松本	N 14	N 16	N 16	N 15	N 15	N 12	S 13	N 11	N 14	N 17	N 15	N 14	N 14
飯田	WSW 13	WSW 12	W 13	W 14	S 12	S 13	WSW 14	S 13	S 9	WSW 9	WSW 10	WSW 13	WSW 12
軽井沢	WSW 25	WSW 23	WSW 19	WSW 14	ENE 17	ENE 19	ENE 17	NE 18	NE 19	NE 15	WSW 16	WSW 23	WSW 14
岐阜	NW 20	NW 22	NW 21	WNW 15	WNW 12	W 11	W 10	SSW 12	WNW 12	NW 18	NW 19	NW 19	NW 14
高山	NNW 14	NNW 15	NNW 16	NNW 14	NNW 10	NNW 9	NNW 9	N 9	NNW 11	NNW 11	NNW 12	NNW 12	NNW 12
静岡	WNW 13	WNW 12	NE 12	NE 12	S 13	S 14	S 16	S 15	NE 13	NE 14	WNW 11	WNW 13	NE 11
浜松	WNW 41	WNW 39	WNW 29	WNW 18	WNW 11	WSW 13	WSW 15	WSW 11	NE 14	NE 17	WNW 26	WNW 39	WNW 20
名古屋	NNW 25	NNW 26	NNW 25	NNW 18	NNW 13	SSE 16	SSE 19	SSE 18	NNW 17	NNW 26	NNW 27	NNW 25	NNW 19
津	WNW 25	NW 28	NW 28	NW 20	NW 15	ESE 15	ESE 14	ESE 16	NW 17	NW 22	NW 22	W 25	NW 19
尾鷲	W 28	W 25	W 23	W 21	W 19	W 17	ENE 19	ENE 19	W 22	W 26	W 27	W 29	W 22
彦根	NW 15	NW 20	NW 22	NW 18	NW 17	NW 16	NW 13	NW 14	NW 17	NW 18	NW 16	SSE 15	NW 17
京都	W 11	WNW 11	NNW 12	NNE 10	NE 11	NNE 10	NNE 10	NNE 10	N 12	N 13	N 11	WNW 10	N 10
大阪	W 15	NNE 13	NNE 17	NNE 16	NNE 15	NNE 15	WSW 18	WSW 15	NNE 22	NNE 23	NNE 18	W 14	NNE 15
神戸	W 20	W 14	N 11	ENE 13	ENE 12	WSW 15	WSW 19	SW 16	ENE 16	ENE 15	ENE 13	W 20	ENE 12
奈良	S 12	NNW 13	NNW 15	NNW 13	NNE 14	NNE 17	NNE 14	NE 15	NNE 16	N 16	N 12	S 12	N 12
和歌山	ENE 20	ENE 18	ENE 16	ENE 16	ENE 15	WSW 14	WSW 15	WSW 14	ENE 19	ENE 26	ENE 28	ENE 25	ENE 18

潮岬	NW 24	NW 19	NE 15	NE 14	NE 18	NE 19	W 28	W 19	NE 25	NE 29	NE 21	NW 22	NE 17
鳥取	ESE 28	ESE 25	ESE 24	ESE 23	ESE 22	ESE 19	ESE 18	ESE 21	ESE 26	ESE 33	ESE 33	ESE 30	ESE 25
松江	W 22	W 17	W 16	W 18	W 19	E 22	W 22	E 18	E 18	E 15	W 16	W 22	W 16
浜田	W 18	ENE 21	ENE 24	ENE 23	ENE 22	ENE 20	SW 21	ENE 23	ENE 32	ENE 35	ENE 28	W 18	ENE 23
西郷	NW 24	NW 24	NW 21	NW 16	WSW 13	ENE 14	WSW 18	ENE 13	NW 17	NW 24	NW 24	NW 24	NW 18
岡山	W 19	W 14	N 10	ENE 11	ENE 13	ENE 14	ENE 13	ENE 13	NE 13	N 15	N 12	W 18	NE 10
広島	NNE 31	NNE 31	NNE 29	NNE 24	NNE 22	NNE 20	SSW 20	NNE 19	NNE 38	NNE 44	NNE 38	NNE 32	NNE 28
下関	E 15	E 17	E 17	E 19	E 22	E 24	E 22	ESE 23	E 19	E 18	E 20	E 16	E 19
徳島	WNW 42	WNW 33	WNW 22	WNW 16	SSE 15	SSE 15	SSE 18	SSE 18	WNW 21	WNW 32	WNW 36	WNW 44	WNW 24
高松	W 20	W 16	WSW 13	WSW 13	WSW 12	ENE 13	WSW 12	WSW 11	WSW 11	SW 14	SW 15	W 18	WSW 13
松山	WNW 14	WNW 12	WNW 9	WNW 9	E 10	WNW 10	E 11	E 14	E 13	ESE 13	ESE 12	WNW 14	E 10
高知	W 27	W 25	W 24	W 22	W 22	W 19	W 15	W 19	W 23	W 27	W 29	W 28	W 23
室戸岬	WNW 26	WNW 21	NE 19	ENE 17	ENE 18	ENE 19	WNW 19	ENE 18	ENE 27	NE 29	NE 24	WNW 25	ENE 18
清水	NW 17	N 14	NNE 13	NNE 13	NNE 13	W 16	W 23	E 13	NNE 17	NNE 20	NNE 18	N 18	NNE 14
福岡	SE 17	SE 16	N 16	N 18	N 18	N 20	N 17	N 17	N 23	N 18	SE 18	SE 19	N 15
佐賀	NNW 13	NNW 13	NNW 13	NNW 12	NNW 10	S 12	S 19	S 12	NE 14	NE 15	NNW 15	NNW 15	NNW 12
長崎	N 14	NNE 14	NNE 15	SW 13	SW 18	SW 22	SW 28	SW 18	NNE 19	NNE 18	NNE 14	NNE 12	NNE 13
厳原	NNW 35	NNW 33	NNW 27	NNW 22	NNW 19	NNW 20	NNW 15	NNW 20	NNW 35	NNW 36	NNW 37	NNW 37	NNW 28
福江	NW 26	NW 20	NW 14	N 11	SSW 10	SSW 14	SSW 23	SSW 14	N 19	N 20	NNW 16	NW 21	N 12
熊本	NNE 14	NNW 14	NNW 14	SW 13	SW 17	SW 19	SW 22	SW 17	NNW 16	NNW 17	NNE 16	NNE 16	NNW 12
大分	S 18	S 17	S 16	S 18	S 19	S 16	S 15	S 19	S 19	S 21	S 24	S 22	S 19
宮崎	WNW 31	WNW 28	WNW 24	WNW 21	WNW 19	WNW 14	WSW 17	WNW 16	WNW 21	WNW 28	WNW 35	WNW 34	WNW 24
鹿児島	NNW 37	NNW 29	NNW 22	NNW 15	NNW 12	SSE 10	SSE 12	SSE 10	NNE 13	NNW 22	NNW 30	NNW 38	NNW 20
名瀬	NNW 25	NNW 22	S 18	S 19	SSE 19	S 26	S 21	SSE 18	SSE 17	SSE 16	NNW 18	NNW 23	S 17
那覇	NNE 22	N 20	N 16	ESE 12	E 11	SSW 24	SE 16	SE 15	ESE 13	NNE 30	NNE 29	NNE 27	NNE 15
富士山	WNW 31]	WNW 29]	WNW 28]	WSW 20]	WSW 22]	WSW 25]	WSW 19]	WSW 17]	WSW 24]	WSW 26]	WSW 25]	WNW 29]	WSW 20]
昭和(南極)	NE 27	NE 30	ENE 26	ENE 25	NE 23	NE 21	NE 21	NE 21	NE 20	NE 25	NE 25	NE 26	NE 24

気温・降水量・風速の1位～10位

（2023年12月31日現在）

順位	地点	最大記録などと年月日	統計開始年	順位	地点	最大記録などと年月日	統計開始年
		最高気温				**最低気温**	
	浜松	41.1℃ 2020年 8月17日	1882	1	旭川	−41.0℃ 1902年 1月25日	1888
	熊谷	41.1 2018 7 23	1896	2	帯広	−38.2 1902 1 26	1892
3	山形	40.8 1933 7 25	1889	3	倶知安	−35.7 1945 1 27	1944
4	甲府	40.7 2013 8 10	1894	4	網走	−29.2 1902 1 25	1889
5	高田	40.3 2019 8 14	1922	5	札幌	−28.5 1929 2 1	1876
5	名古屋	40.3 2018 8 3	1890	6	釧路	−28.3 1922 1 28	1910
7	宇和島	40.2 1927 7 22	1922	7	雄武	−27.5 1978 2 18	1942
8	酒田	40.1 1978 8 3	1937	8	北見枝幸	−26.4 1947 2 12	1942
9	前橋	40.0 2001 7 24	1896	8	羽幌	−26.4 1923 1 27	1921
0	新潟	39.9 2018 8 23	1881	10	高山	−25.5 1939 2 11	1899
0	日田	39.9 2018 8 13	1942				

順位	地点	最大記録などと年月日	統計開始年	順位	地点	最大記録などと年月日	統計開始年
		日降水量				**1時間降水量**	
1	尾鷲	806.0mm 1968年 9月26日	1938	1	清水	150.0mm 1944年 10月17日	1940
2	与那国島	765.0 2008 9 13	1956	2	室戸岬	149.0 2006 11 26	1925
3	高知	628.5 1998 9 24	1886	3	潮岬	145.0 1972 11 14	1937
4	名瀬	622.0 2010 10 20	1896	4	山口	143.0 2013 7 28	1966
5	彦根	596.9 1896 9 7	1893	5	銚子	140.0 1947 8 28	1912
6	宮崎	587.2 1939 10 16	1886	6	宮崎	139.5 1995 9 30	1925
7	久米島	577.5 2001 9 12	1958	7	尾鷲	139.0 1972 9 14	1938
8	屋久島	557.3 1942 8 27	1937	8	宮古島	138.0 1970 4 19	1937
9	阿久根	555.5 1971 7 23	1939	9	雲仙岳	134.5 2015 8 25	1937
0	都城	538.5 2022 9 18	1942	10	八丈島	129.5 1999 9 4	1937
				10	高知	129.5 1998 9 24	1937

順位	地点	最大記録などと年月日	統計開始年	順位	地点	最大記録などと年月日	統計開始年
		最大風速				**最大瞬間風速**	
		風向				風向	
1	室戸岬	69.8m/s WSW 1965年 9月10日	1920	1	宮古島	85.3m/s NE 1966年 9月 5日	1938
2	宮古島	60.8 NE 1966 9 5	1937	2	室戸岬	84.5] WSW 1961 9 16	1921
3	雲仙岳	60.0 ESE 1942 8 27	1924	3	与那国島	81.1 SE 2015 9 28	1957
4	与那国島	54.6 SE 2015 9 28	1956	4	名瀬	78.9 ESE 1970 8 13	1937
5	石垣島	53.0 SE 1977 7 31	1897	5	那覇	73.6 S 1956 9 8	1953
6	屋久島	50.2 ENE 1964 9 24	1937	6	宇和島	72.3 W 1964 9 25	1939
7	寿都	49.8 SSE 1952 4 15	1884	7	石垣島	71.0 SSW 2015 8 23	1941
8	那覇	49.5 ENE 1949 6 20	1927	8	西表島	69.9 NE 2006 9 16	1972
9	石廊崎	48.8 E 1959 8 14	1939	9	屋久島	68.5 ENE 1964 9 24	1937
10	銚子	48.0 SSE 1948 9 16	1887	10	八丈島	67.8 S 1975 10 5	1937

全国の気象台・測候所の観測値の中から，それぞれの地点における1位の値をもとに集計した．
付の値は，記載した値まで観測できたが，それを超える観測記録が得られなかったことを示す．

相対湿度の月別平年値（%）（1）

（1991 年から 2020 年までの平均値）

地　点	1月	2月	3月	4月	5月	6月	7月	8月	9月	10月	11月	12月	年
札　幌	69	68	65	61	65	72	75	75	71	67	67	68	
函　館	73	71	68	67	73	79	82	81	76	73	71	74	
旭　川	82	78	73	66	67	73	77	79	79	79	80	83	
釧　路	67	69	71	77	80	87	88	87	84	76	69	67	
帯　広	69	67	65	65	69	79	82	82	80	74	68	68	
網　走	72	73	70	68	73	80	82	81	76	71	68	69	
留　萌	77	75	72	72	76	82	85	83	79	74	74	76	
稚　内	72	71	70	75	79	85	87	84	75	68	67	70	
根　室	71	72	75	78	83	89	91	89	84	76	70	69	
寿　都	69	68	66	68	74	82	85	84	78	72	69	69	
浦　河	65	68	72	78	83	90	92	90	84	75	69	65	
青　森	78	76	70	65	71	78	80	78	76	73	73	78	
盛　岡	73	71	67	65	68	74	80	79	80	78	76	75	
宮　古	60	62	63	66	74	84	88	87	85	78	69	63	
仙　台	66	64	61	63	70	79	83	81	78	72	68	68	
秋　田	74	72	68	67	71	74	79	76	74	73	73	74	
山　形	81	77	69	62	64	71	76	75	77	77	78	81	
酒　田	72	70	67	67	71	75	79	76	75	72	71	71	
福　島	68	65	61	58	63	72	77	76	76	73	70	70	
小名浜	58	59	62	68	76	83	86	84	80	75	69	62	
水　戸	63	63	66	70	74	81	82	81	81	79	75	68	
宇都宮	61	59	60	64	69	76	79	78	77	74	71	66	
前　橋	54	52	52	55	60	70	73	72	72	68	62	57	
熊　谷	53	52	55	60	64	73	76	74	75	71	65	58	
銚　子	62	64	68	74	82	88	90	87	84	77	72	66	
東　京	51	52	57	62	68	75	76	74	75	71	64	56	
大　島	64	66	70	74	79	85	87	86	83	79	74	68	
八丈島	68	69	71	77	84	91	92	87	86	82	74	69	
横　浜	53	54	60	65	70	78	78	76	76	71	65	57	
新　潟	72	74	68	66	69	74	79	75	73	72	74	74	
高　田	79	76	72	67	71	78	81	78	79	78	78	78	
相　川	69	68	66	67	72	78	81	77	73	69	68	69	
富　山	82	78	72	68	70	78	79	77	78	77	77	81	
金　沢	74	70	66	64	67	74	75	72	73	70	70	72	
輪　島	74	73	70	70	72	79	81	79	79	76	75	75	
福　井	82	78	71	68	68	74	76	73	76	76	78	81	
敦　賀	73	71	67	66	68	74	75	72	74	72	71	73	
甲　府	55	52	55	57	62	69	72	70	71	71	67	60	
長　野	79	74	68	61	63	71	75	73	74	75	76	79	
松　本	67	64	62	58	60	69	71	70	74	75	71	69	
富士山	53	56	61	63	60	70	79	75	67	53	52	52	

相対湿度の月別平年値（%）（2）

（1991年から2020年までの平均値）

地点	1月	2月	3月	4月	5月	6月	7月	8月	9月	10月	11月	12月	年
飯田	66	63	61	62	66	72	75	74	75	76	74	71	70
軽井沢	76	74	72	70	75	85	87	87	89	87	80	78	80
岐阜	66	62	58	59	63	70	73	69	70	67	67	68	66
高山	82	78	73	68	68	74	78	77	79	81	82	84	77
静岡	57	57	62	65	71	77	79	76	75	71	67	60	68
浜松	57	56	59	65	70	78	77	76	74	72	64	61	67
名古屋	64	60	58	59	64	71	73	69	70	68	66	66	66
津	61	61	62	64	68	74	75	73	72	69	65	63	67
尾鷲	60	61	63	68	74	81	82	80	80	76	71	64	72
彦根	75	74	72	70	71	76	77	73	75	74	74	75	74
京都	67	65	61	59	60	66	69	66	67	68	68	68	65
大阪	61	60	59	58	61	68	70	66	67	65	64	62	63
神戸	62	61	61	61	64	72	74	71	67	64	63	62	65
奈良	69	68	63	59	63	71	71	70	71	74	72	70	68
和歌山	61	61	60	61	64	72	73	70	69	67	66	63	66
潮岬	58	58	62	68	75	84	86	84	78	72	64	60	71
鳥取	76	74	70	67	68	74	76	74	77	76	75	76	74
松江	76	74	72	70	71	78	80	77	79	76	76	76	75
浜田	66	66	68	69	73	81	82	79	80	74	69	66	73
西郷	73	73	72	72	74	81	83	81	79	76	74	73	76
岡山	69	66	65	60	64	71	74	69	71	71	72	71	69
広島	66	65	62	61	63	71	73	69	68	66	67	68	67
下関	63	63	65	67	70	78	79	75	73	67	66	63	69
徳島	61	61	61	62	67	75	77	73	72	69	66	63	67
高松	63	63	62	62	64	72	73	70	72	70	69	66	67
松山	63	63	63	62	64	73	72	70	70	68	67	65	67
高知	61	60	62	65	70	78	79	76	74	68	68	64	69
室戸岬	61	63	67	71	78	87	89	86	80	72	68	63	74
清水	58	59	62	66	73	83	84	82	77	69	65	60	70
福岡	63	62	63	64	67	75	75	72	73	68	66	63	68
佐賀	69	67	65	65	66	74	76	73	72	68	70	70	70
長崎	66	65	65	67	72	80	80	76	73	67	68	67	71
厳原	61	62	65	68	72	82	83	81	78	70	68	63	71
福江	66	66	68	72	75	83	84	81	78	71	70	68	73
熊本	70	67	66	65	67	76	76	72	71	69	72	71	70
大分	62	63	65	65	68	77	77	75	74	70	69	64	69
宮崎	66	67	68	70	74	82	78	80	80	76	74	69	74
鹿児島	66	65	66	68	71	78	76	74	72	67	68	67	70
名瀬	68	70	70	73	77	80	77	78	78	75	72	69	74
那覇	66	69	71	75	78	83	78	78	75	72	69	67	73
昭和(南極)	70	70	71	73	69	68	69	68	67	70	68	70	69

日照時間の月別平年値 (h) (1)

(1991 年から 2020 年までの平均値)

地点	1月	2月	3月	4月	5月	6月	7月	8月	9月	10月	11月	12月	年
札　幌	90.4	103.5	144.7	175.8	200.4	180.0	168.0	168.1	159.3	145.9	99.1	82.7	1718[illegible]
函　館	103.1	117.9	158.7	186.1	198.5	172.6	134.4	148.0	160.8	163.9	109.4	91.5	1744[illegible]
旭　川	75.3	96.1	141.3	169.5	197.4	176.5	159.8	154.6	144.7	125.9	67.3	58.1	1566[illegible]
釧　路	186.7	183.1	200.8	182.2	177.5	126.8	118.9	117.6	143.9	177.0	167.6	175.6	1957[illegible]
帯　広	188.2	191.5	217.9	192.9	188.8	148.2	121.9	125.2	137.8	167.6	168.2	172.0	2020.[illegible]
網　走	111.5	137.9	172.4	178.6	187.1	172.2	167.6	163.9	162.9	157.4	121.2	117.4	1850.[illegible]
留　萌	48.0	69.7	129.7	174.5	201.2	174.0	169.2	174.4	167.5	124.3	51.9	29.6	1514.[illegible]
稚　内	40.6	74.7	137.5	173.5	181.6	154.6	142.7	150.7	172.1	134.6	55.9	28.4	1446.[illegible]
根　室	154.4	164.1	190.8	180.9	171.6	135.5	117.3	124.6	144.5	162.8	148.2	151.8	1846.[illegible]
寿　都	27.2	46.7	111.0	170.7	194.6	170.4	155.6	163.1	153.9	121.3	55.3	26.4	1393.[illegible]
浦　河	142.0	160.8	194.2	187.9	187.2	145.0	115.6	136.0	163.4	172.2	121.7	113.2	1839.[illegible]
青　森	48.5	72.3	126.0	179.1	201.4	180.0	161.4	178.0	162.4	144.4	85.4	50.4	1589.[illegible]
盛　岡	115.6	124.8	157.8	171.4	188.0	161.3	130.5	145.3	128.8	141.3	117.7	103.7	1686.[illegible]
宮　古	158.4	153.2	179.7	186.6	185.0	152.6	133.9	153.2	133.8	149.6	146.8	147.6	1876.[illegible]
仙　台	149.0	154.7	178.6	193.7	191.9	143.7	126.3	144.5	128.0	147.0	143.4	136.3	1836.[illegible]
秋　田	39.0	64.3	121.5	168.6	184.9	179.5	150.3	186.9	160.8	143.1	83.2	45.3	1527.[illegible]
山　形	79.6	99.6	140.4	175.9	196.5	165.0	144.5	171.8	136.6	132.1	102.2	73.8	1617.[illegible]
酒　田	36.8	60.1	115.1	169.0	194.7	181.9	159.5	199.5	156.8	136.1	84.3	41.7	1538.[illegible]
福　島	132.2	144.8	175.1	189.7	193.2	141.4	125.2	148.7	122.9	133.7	128.3	118.7	1753.[illegible]
小名浜	193.4	180.3	191.4	192.8	193.0	150.3	151.1	183.1	144.5	147.3	162.4	179.0	2068.[illegible]
水　戸	195.4	174.3	182.7	183.5	186.1	137.8	150.8	179.4	138.7	140.6	153.7	178.0	2000.[illegible]
宇都宮	211.7	193.3	194.2	184.9	175.4	118.5	118.9	140.9	119.8	140.3	165.9	197.4	1961.[illegible]
前　橋	213.1	201.2	211.0	205.2	197.4	138.5	146.3	167.7	134.9	155.6	181.0	202.0	2153.[illegible]
熊　谷	217.0	199.8	203.2	197.1	192.0	133.9	146.0	169.3	131.6	144.1	171.6	200.9	2106.[illegible]
銚　子	179.8	159.0	168.9	183.0	188.9	142.3	174.0	221.3	159.0	137.9	140.1	163.7	2017.[illegible]
東　京	192.6	170.4	175.3	178.8	179.6	124.2	151.4	174.2	126.7	129.4	149.8	174.4	1926.[illegible]
大　島	153.7	145.4	158.1	174.2	179.7	125.1	150.8	190.1	141.0	131.4	140.3	147.6	1837.[illegible]
八丈島	84.9	87.8	124.5	139.4	148.5	87.1	137.3	185.9	139.6	107.1	102.6	100.4	1445.[illegible]
横　浜	192.7	167.2	168.8	181.2	187.4	135.9	170.9	206.4	141.2	137.3	151.1	178.1	2018.3
新　潟	56.4	74.3	136.8	177.7	202.8	179.2	162.1	205.2	156.2	138.2	91.5	62.9	1639.[illegible]
高　田	62.4	83.2	128.7	177.6	201.8	153.6	148.4	189.6	136.7	131.8	104.1	73.0	1591.[illegible]
相　川	46.2	69.2	133.1	177.0	200.7	178.4	161.2	207.8	157.0	147.5	95.8	50.6	1625.[illegible]
富　山	68.1	89.7	135.9	173.6	199.9	154.0	153.3	201.4	144.2	143.1	105.1	70.7	1647.[illegible]
金　沢	62.3	86.5	144.8	184.8	207.2	162.5	167.2	215.9	153.6	152.0	108.6	68.9	1714.[illegible]
輪　島	41.8	68.7	132.2	185.8	208.7	161.5	158.3	203.2	142.8	139.3	89.7	47.9	1580.1
福　井	65.4	88.4	136.3	172.3	191.1	146.8	155.4	205.7	151.2	154.4	114.4	72.2	1653.7
敦　賀	62.6	81.2	131.7	166.3	184.4	139.8	153.1	202.2	147.6	145.1	111.5	72.6	1598.1
甲　府	209.1	195.4	206.3	206.1	203.9	149.9	168.2	197.0	150.9	159.6	178.6	200.9	2225.8
長　野	128.4	140.2	173.3	199.4	214.8	167.4	168.8	201.1	151.2	152.1	142.3	131.1	1969.9
松　本	172.5	171.2	190.9	204.8	215.6	166.3	174.8	202.9	151.0	160.9	163.0	160.9	2134.7
富士山								223.7					

富士山では，2003 年以前は日照時間を観測していない．

日照時間の月別平年値 (h) (2)

(1991 年から 2020 年までの平均値)

地　点	1月	2月	3月	4月	5月	6月	7月	8月	9月	10月	11月	12月	年
飯　田	180.5	172.0	187.9	193.5	204.5	155.7	166.2	195.2	154.6	154.0	149.9	160.7	2074.5
軽井沢	181.6	191.8	194.8	204.6	198.5	144.8	138.6	162.7	126.6	140.3	162.5	171.9	2022.0
岐　阜	161.3	165.7	196.2	200.0	205.4	160.1	166.5	202.4	163.7	172.8	158.8	155.6	2108.6
高　山	92.9	115.6	153.8	173.5	189.2	143.6	147.0	177.3	131.6	128.9	100.8	82.4	1638.3
静　岡	207.9	187.5	189.9	189.7	192.0	135.9	157.9	201.8	157.3	157.7	173.3	200.5	2151.5
浜　松	206.6	187.8	201.9	199.7	205.1	148.1	176.3	211.4	166.7	162.6	171.8	200.1	2237.9
名古屋	174.5	175.5	199.7	200.2	205.5	151.8	166.0	201.3	159.6	168.9	167.1	170.3	2141.0
津	162.9	156.2	186.1	192.7	197.8	146.9	180.2	220.7	165.3	164.5	163.7	171.5	2108.6
尾　鷲	179.8	170.5	192.9	191.0	181.7	124.2	158.6	178.4	130.5	136.3	152.6	174.5	1965.9
彦　根	99.8	115.6	162.6	183.8	197.3	154.4	169.8	213.0	162.9	163.0	134.6	106.4	1863.3
京　都	123.5	122.2	155.4	177.3	182.4	133.1	142.7	182.7	142.7	156.0	140.7	134.4	1794.1
大　阪	146.5	140.6	172.2	192.6	203.7	154.3	184.0	222.4	161.6	166.1	152.6	152.1	2048.6
神　戸	145.8	142.4	175.8	194.8	202.6	164.0	189.4	229.6	163.9	169.8	152.2	153.2	2083.7
奈　良	118.3	120.9	157.8	172.9	187.9	138.9	157.4	202.6	151.5	149.4	145.3	132.9	1835.8
和歌山	135.8	143.1	179.6	196.9	207.6	157.6	206.1	239.9	173.2	169.9	147.7	135.4	2100.1
潮　岬	192.5	187.9	198.6	201.9	193.2	132.4	193.2	234.8	176.8	169.8	177.5	194.0	2255.9
鳥　取	69.0	83.7	131.3	177.4	201.4	153.9	166.5	203.8	143.4	146.1	110.7	82.6	1669.9
松　江	67.4	88.6	140.5	182.4	206.5	157.1	168.6	201.0	146.2	154.4	113.8	78.8	1705.2
浜　田	64.2	89.3	147.0	183.7	206.6	158.6	181.5	213.5	161.8	164.0	117.7	73.2	1761.3
西　郷	69.2	87.7	142.1	190.0	214.0	164.6	160.5	205.6	149.0	152.7	106.0	76.7	1718.1
岡　山	149.0	145.4	177.8	192.6	205.9	153.5	169.8	203.2	157.5	171.5	153.7	153.8	2033.7
広　島	138.6	140.1	176.7	191.9	210.8	154.6	173.4	207.3	167.3	178.6	153.3	140.6	2033.1
下　関	95.8	116.1	162.9	187.6	207.1	146.6	172.4	207.2	161.9	176.3	134.7	102.6	1875.9
徳　島	160.3	152.5	179.8	197.9	205.7	151.9	192.0	230.6	162.0	163.6	150.4	160.1	2106.8
高　松	141.4	143.8	175.0	194.5	210.1	158.2	191.8	221.2	159.6	164.6	145.5	142.7	2046.5
松　山	129.2	142.2	175.1	190.8	205.9	151.1	189.0	218.1	164.3	174.1	144.9	129.8	2014.5
高　知	190.7	177.2	192.2	197.3	195.7	133.8	173.7	204.0	162.0	179.6	168.8	184.6	2159.7
室戸岬	179.0	172.1	194.7	199.7	196.1	132.3	177.8	227.9	171.2	178.5	169.3	180.4	2178.9
清　水	180.5	173.3	190.1	196.0	190.5	131.0	196.6	233.8	175.8	179.7	167.0	174.1	2190.5
福　岡	104.1	123.5	161.2	188.1	204.1	145.2	172.2	200.9	164.7	175.9	137.3	112.2	1889.4
佐　賀	128.2	139.5	169.0	186.7	197.1	131.4	164.8	200.4	174.1	188.0	153.2	137.9	1970.5
長　崎	103.7	122.3	159.5	178.1	189.6	125.0	175.3	207.0	172.2	178.9	137.2	114.3	1863.1
厳　原	147.6	143.5	161.5	183.1	199.2	136.3	136.1	160.4	131.1	161.1	149.0	153.9	1862.8
福　江	81.5	107.4	150.9	175.7	191.0	122.2	156.9	197.6	165.4	177.7	127.8	96.2	1745.8
熊　本	133.0	141.1	169.6	184.0	194.3	130.8	176.7	206.0	176.4	187.1	153.7	143.4	1996.1
大　分	149.4	149.1	175.0	190.1	194.6	135.7	180.8	202.8	151.5	164.2	148.2	151.2	1992.4
宮　崎	192.6	170.8	185.6	186.0	179.7	119.4	198.0	208.6	156.5	173.6	167.0	183.9	2121.7
鹿児島	132.6	139.3	163.2	175.6	178.2	109.3	185.5	206.9	176.4	184.0	157.7	143.2	1942.1
名　瀬	58.7	63.3	89.3	110.6	122.8	116.4	199.2	176.3	135.0	107.9	86.1	66.5	1332.1
那　覇	93.1	93.1	115.3	120.9	138.2	159.5	227.0	206.3	181.3	163.3	121.7	107.4	1727.1
昭和(南極)	346.7	186.9	118.4	59.8	22.4		6.2	65.0	144.4	194.1	320.5	414.2	1894.4

日照時間 0.1 時間未満の日数の月別平年値（1）

（1991 年から 2020 年までの平均値）

地点	1月	2月	3月	4月	5月	6月	7月	8月	9月	10月	11月	12月	年
札幌	3.7	2.9	2.7	2.9	3.5	3.7	3.9	3.9	3.5	2.7	3.3	4.5	41
函館	2.8	2.5	3.0	3.7	5.0	5.2	6.8	6.0	4.9	3.5	3.2	3.8	50
旭川	4.9	3.1	3.4	3.1	3.3	3.6	4.0	4.2	3.5	3.2	5.8	6.1	48
釧路	2.5	2.6	3.1	5.0	6.9	8.6	9.5	8.3	6.4	4.2	3.5	3.1	63
帯広	3.0	2.3	2.7	3.9	5.9	7.7	9.5	8.5	7.4	4.1	3.2	3.5	61
網走	4.6	3.5	3.6	3.9	5.3	6.0	5.9	5.2	4.0	3.6	3.8	3.8	53
留萌	9.4	4.7	3.6	3.6	3.8	4.6	5.2	3.6	3.1	3.1	8.2	11.9	64
稚内	8.8	4.6	4.7	4.3	5.6	6.6	7.1	5.8	3.8	3.1	7.2	10.3	71
根室	3.3	3.0	3.9	4.7	7.1	7.6	8.8	7.7	6.4	4.0	3.9	3.7	64
寿都	10.4	5.6	4.1	3.7	4.4	4.9	4.3	4.1	3.7	3.4	7.6	12.4	69
浦河	2.9	2.6	3.3	4.0	5.2	6.2	8.0	6.6	4.7	3.5	3.8	3.9	54
青森	6.7	3.4	3.3	3.1	3.5	3.6	3.5	2.8	3.4	3.2	4.6	6.7	47
盛岡	3.5	2.7	3.5	4.0	4.2	4.5	6.3	4.6	5.6	4.5	4.1	4.3	51
宮古	2.3	2.5	3.3	3.7	5.3	5.9	6.8	5.8	6.2	4.7	3.2	2.4	52
仙台	2.2	2.1	3.5	3.9	5.3	7.2	8.1	6.2	7.0	5.0	3.6	2.4	56
秋田	6.7	4.4	4.1	4.4	5.0	4.1	6.7	3.4	3.9	4.1	5.6	7.5	59
山形	4.7	3.0	3.7	2.8	3.4	3.4	4.1	2.5	4.6	4.1	3.6	5.3	45
酒田	7.9	4.8	3.9	3.9	4.2	4.3	5.5	2.4	4.2	4.3	5.4	8.7	59
福島	2.6	2.5	4.1	3.1	4.5	5.8	6.7	5.2	6.3	5.1	3.8	2.5	52
小名浜	2.6	2.8	4.6	4.4	4.5	6.1	5.6	3.3	4.5	5.6	3.6	3.0	50
水戸	2.9	3.3	5.1	4.9	4.8	6.2	5.6	3.2	4.9	6.0	4.6	3.4	54
宇都宮	2.4	2.8	4.7	4.8	5.5	6.8	6.4	4.2	5.7	6.3	4.4	2.8	56
前橋	2.1	2.1	4.0	4.3	5.3	7.0	6.1	3.7	6.7	6.1	3.7	1.9	53
熊谷	2.5	2.6	4.8	4.6	5.3	7.0	6.3	3.9	6.7	6.5	4.8	2.7	57
銚子	3.9	4.3	6.0	4.7	4.8	5.9	4.6	2.5	4.9	6.2	5.1	4.1	57.
東京	3.2	3.6	5.8	5.3	5.4	7.6	5.7	3.3	6.1	6.7	5.2	3.4	61.
大島	3.5	3.2	5.3	4.7	5.2	7.6	5.4	2.2	4.6	6.6	4.7	3.2	56.
八丈島	3.8	3.7	5.6	5.0	6.0	9.2	5.7	1.2	3.0	5.6	4.7	3.3	56.
横浜	3.3	3.7	5.9	5.0	5.1	7.0	4.8	3.0	5.4	6.5	4.7	3.3	57.
新潟	7.4	4.6	4.3	3.8	3.7	3.8	4.6	2.2	4.5	4.5	5.9	7.8	57.
高田	8.7	6.1	5.6	3.9	4.2	4.3	4.5	2.5	5.1	5.0	5.7	7.9	63.
相川	6.2	4.2	3.9	3.7	4.2	4.4	5.4	2.6	4.1	4.1	4.9	7.4	54.
富山	6.9	5.2	5.0	4.7	4.3	4.8	4.8	2.5	4.9	5.3	5.5	6.8	60.
金沢	5.9	4.0	4.6	4.7	4.5	4.7	4.6	2.3	4.5	4.5	4.8	5.4	54.
輪島	7.4	4.9	4.3	4.1	4.3	4.0	5.0	2.4	4.6	4.1	5.0	7.2	57.
福井	5.0	3.9	5.1	4.6	4.9	5.4	4.7	1.8	4.1	4.6	4.0	4.7	52.
敦賀	6.8	4.9	5.4	5.0	4.9	5.8	4.6	1.6	4.2	5.1	4.5	6.2	59.
甲府	2.4	2.0	3.9	3.4	3.8	4.8	3.5	1.9	4.2	5.1	3.2	2.0	40.
長野	3.3	2.4	3.0	2.5	2.5	3.1	2.8	1.3	3.8	4.1	2.4	3.0	34.
松本	2.6	2.4	3.5	3.0	2.9	4.0	2.5	1.2	4.0	4.6	2.7	2.2	35.
富士山								2.1					

日照時間が 0.1 時間未満の日数は不照日数という.
富士山では，2003 年以前は日照時間を観測していない.

日照時間 0.1 時間未満の日数の月別平年値 (2)

(1991 年から 2020 年までの平均値)

地点	1月	2月	3月	4月	5月	6月	7月	8月	9月	10月	11月	12月	年
飯田	3.0	3.1	4.4	4.0	4.0	4.4	3.6	1.4	3.9	5.0	3.5	3.2	43.7
軽井沢	2.3	2.4	4.0	3.7	4.1	5.1	4.4	2.4	5.4	5.3	3.2	2.0	44.3
岐阜	2.6	2.5	4.2	4.8	4.9	5.9	5.1	2.0	4.5	5.0	3.7	2.9	48.0
高山	4.1	3.3	4.4	4.0	4.2	4.5	4.2	1.6	4.4	5.2	4.3	4.6	48.9
静岡	2.9	2.7	4.9	4.7	4.8	6.3	4.1	2.0	3.9	5.4	3.6	2.4	47.8
浜松	2.7	2.9	4.3	4.5	4.9	6.0	4.2	1.4	3.4	5.2	3.8	2.3	45.4
名古屋	2.8	2.3	4.3	4.6	4.6	5.7	4.2	1.5	3.8	4.9	3.6	2.8	45.1
津	2.9	2.4	4.5	4.6	5.2	6.6	4.3	2.1	4.8	6.1	3.9	2.8	50.2
尾鷲	3.2	2.8	4.7	5.4	6.4	8.3	5.2	4.0	5.9	7.4	4.7	2.8	61.5
彦根	4.5	3.1	4.6	4.5	4.6	5.3	3.9	1.4	4.0	4.7	3.7	3.8	48.3
京都	3.1	2.8	4.5	4.7	4.7	5.8	3.9	1.5	4.0	5.1	3.6	2.9	46.5
大阪	2.9	2.9	4.3	3.9	3.9	5.1	2.8	0.9	3.3	4.3	3.3	2.9	40.5
神戸	2.9	3.0	4.5	4.1	4.3	5.8	3.4	1.2	3.6	4.4	3.3	2.5	43.0
奈良	3.2	2.7	4.6	3.7	4.0	5.4	3.4	1.1	3.3	4.7	3.6	3.1	42.9
和歌山	3.2	2.9	4.3	3.9	4.1	5.6	2.5	1.1	3.5	4.2	3.7	2.3	41.0
潮岬	3.4	3.0	4.6	4.6	4.5	6.9	3.9	1.7	3.3	4.3	3.8	2.5	46.6
鳥取	5.7	5.1	5.4	4.3	4.3	4.8	4.0	2.2	4.5	4.9	4.5	5.4	55.2
松江	4.8	4.1	5.1	4.3	3.8	4.5	4.5	2.7	4.7	3.9	4.2	4.1	50.8
浜田	5.0	4.1	5.1	4.3	3.9	5.0	4.8	2.6	4.6	3.8	3.8	4.9	51.9
西郷	3.8	3.4	4.3	4.1	4.2	3.9	4.4	2.5	4.4	3.3	3.4	3.2	45.0
岡山	2.8	3.0	4.1	4.1	4.1	5.2	3.4	1.5	3.6	4.3	3.3	2.4	41.8
広島	3.0	3.2	4.3	4.5	4.5	6.0	4.6	2.3	4.1	3.6	3.4	2.7	46.1
下関	4.4	3.8	4.9	4.6	4.1	5.8	4.3	2.5	4.4	3.3	3.9	3.1	49.2
徳島	3.2	2.7	4.7	3.5	4.1	5.8	3.0	1.6	4.3	4.9	3.9	2.5	44.2
高松	2.9	2.9	4.3	3.5	3.8	5.3	3.0	1.6	3.9	4.6	3.7	2.8	42.2
松山	3.6	3.4	4.7	3.7	4.0	6.0	3.3	1.7	3.6	3.7	3.3	3.0	44.0
高知	2.8	2.9	4.5	4.5	5.6	7.6	3.9	2.2	4.0	4.6	3.6	2.8	48.9
室戸岬	3.0	3.0	4.9	4.4	5.2	7.6	3.6	1.9	3.2	4.3	3.9	2.3	47.3
清水	3.4	3.3	5.1	4.6	5.2	7.8	3.2	1.5	3.1	4.7	3.8	2.5	48.1
福岡	4.8	4.0	5.4	4.7	4.3	5.7	4.2	2.0	4.1	3.5	3.7	3.6	50.0
佐賀	3.7	3.7	4.8	4.4	4.7	7.2	4.5	2.2	3.5	3.1	3.4	2.8	47.8
長崎	4.5	3.7	5.4	4.8	5.0	7.8	4.7	1.9	3.5	3.0	3.6	3.7	51.7
厳原	3.7	4.2	5.2	4.8	5.1	7.3	7.3	4.4	5.3	3.4	3.4	2.4	56.6
福江	5.1	4.2	5.7	5.1	5.4	7.3	4.6	1.9	3.8	2.8	4.0	4.0	54.0
熊本	3.8	3.7	5.5	4.2	4.5	7.4	4.2	1.9	3.1	3.3	3.7	3.2	48.5
大分	3.4	3.6	5.1	4.8	4.6	7.3	4.0	2.2	4.5	4.5	4.0	2.5	50.5
宮崎	3.2	3.6	5.5	4.7	5.8	8.6	3.3	2.1	4.0	5.0	4.2	3.0	53.0
鹿児島	4.0	3.9	5.6	4.7	4.9	8.5	3.5	1.6	2.8	3.0	3.7	3.2	50.1
名瀬	7.7	7.2	6.9	5.6	5.8	6.4	2.0	2.1	2.6	5.3	5.6	7.2	64.4
那覇	5.9	5.7	5.3	4.1	4.7	3.5	1.3	1.8	1.5	2.6	3.8	5.5	45.8
昭和(南極)	2.2	5.0	8.8	14.8	23.0	30.0	27.4	15.3	8.3	6.9	2.4	1.7	145.8

日照時間が 0.1 時間未満の日数は不照日数という.

日平均雲量1.5未満の日数の月別平年値 (1)

(1991年から2020年までの平均値)

地　点	1月	2月	3月	4月	5月	6月	7月	8月	9月	10月	11月	12月	年
札　幌	0.1	0.7	0.5	1.6	1.6	1.7	0.9	1.1	1.8	1.8	1.1	0.2	13.3
函　館	0.3]	0.1]	0.8]	2.2]	1.7]	1.4]	0.7]	0.9]	1.8]	2.4]	1.0]	0.6]	13.9]
旭　川	0.1]	0.8]	1.1]	1.5]	1.4]	1.6]	0.5]	0.6]	0.9]	1.3]	0.4]	0.0]	10.2]
釧　路	6.8]	4.7]	2.9]	2.0]	1.2]	0.4]	0.3]	0.5]	1.5]	3.7]	5.9]	8.0]	37.6]
帯　広	6.5]	4.6]	3.1]	2.0]	1.6]	0.8]	0.3]	0.6]	1.1]	3.5]	4.2]	6.8]	35.1]
網　走	0.8]	1.2]	1.3]	1.5]	1.4]	1.8]	0.9]	1.2]	1.8]	2.9]	1.7]	1.2]	17.8]
稚　内	0.0]	0.4]	1.0]	1.3]	1.1]	1.3]	0.5]	1.2]	1.9]	1.6]	0.5]	0.0]	10.8]
青　森	0.0]	0.1]	0.7]	1.9]	1.7]	1.2]	0.8]	1.0]	1.2]	1.8]	0.7]	0.2]	11.3]
盛　岡	0.3]	0.6]	0.7]	1.9]	1.4]	0.6]	0.4]	0.4]	0.6]	1.7]	1.3]	0.7]	10.6]
仙　台	0.7	1.0	1.3	2.7	1.7	0.7	0.4	0.7	0.8	1.8	2.2	1.1	15.1
秋　田	0.0]	0.2]	0.3]	1.4]	1.3]	0.9]	1.2]	1.6]	1.0]	1.4]	0.8]	0.4]	10.7]
山　形	0.0]	0.4]	0.8]	1.8]	1.7]	0.7]	0.5]	1.1]	1.1]	1.5]	1.2]	0.3]	11.0]
福　島	0.5]	0.9]	1.3]	2.4]	2.0]	0.7]	0.2]	0.6]	0.8]	1.9]	2.0]	0.7]	14.0]
水　戸	9.1]	4.9]	3.6]	3.0]	1.5]	0.8]	0.9]	0.9]	1.2]	2.6]	4.2]	8.4]	40.9]
宇都宮	7.2]	5.0]	3.6]	2.7]	1.9]	0.5]	0.4]	0.3]	0.7]	2.5]	4.6]	7.9]	37.1]
前　橋	7.4]	5.0]	3.8]	3.1]	1.9]	0.6]	0.3]	0.4]	0.5]	2.6]	5.2]	7.5]	38.3]
熊　谷	11.6]	7.3]	5.6]	4.1]	2.9]	0.9]	0.8]	1.0]	1.2]	3.5]	7.0]	11.7]	57.3]
銚　子	6.6]	4.3]	2.9]	2.4]	1.8]	0.6]	0.7]	1.9]	1.1]	1.9]	2.9]	5.5]	32.5]
東　京	8.3	5.0	3.4	2.8	1.6	0.6	0.7	0.7	0.7	2.3	4.3	7.3	37.6
横　浜	6.6]	3.9]	2.6]	2.3]	1.4]	0.5]	1.1]	1.4]	1.0]	2.4]	3.6]	6.4]	32.9]
新　潟	0.0	0.2	0.6	1.8	1.6	0.8	0.9	1.7	1.1	1.4	0.8	0.2	11.2
富　山	0.3]	0.5]	1.2]	2.4]	1.9]	0.5]	0.6]	1.6]	1.0]	1.9]	1.9]	0.6]	14.4]
金　沢	0.3]	0.6]	1.1]	2.6]	2.4]	1.0]	1.0]	2.2]	1.5]	2.3]	1.8]	0.5]	17.3]
福　井	0.4]	1.0]	1.7]	3.4]	2.7]	1.0]	0.9]	2.0]	1.9]	3.0]	2.7]	0.8]	21.5]
甲　府	9.3]	6.0]	3.8]	2.9]	1.3]	0.1]	0.2]	0.2]	0.9]	2.3]	5.2]	8.1]	40.4]
長　野	1.1]	1.3]	1.8]	2.8]	1.8]	0.5]	0.4]	0.4]	0.8]	2.0]	2.7]	1.5]	17.1]
岐　阜	2.8]	3.3]	3.9]	4.6]	3.0]	1.2]	1.3]	1.7]	2.3]	4.4]	4.9]	3.1]	36.4]
静　岡	10.0]	7.0]	4.8]	4.0]	2.2]	0.7]	0.8]	0.8]	1.0]	3.3]	6.1]	9.7]	50.5]

] 付は参考値．参考値は平年差や平年比に利用できない．
水戸，宇都宮，前橋，熊谷，銚子，横浜，甲府，長野は2019年2月1日に，函館，旭川，釧路，帯広，網走，稚内，青森，盛岡，秋田，山形，福島，富山，金沢，福井，岐阜，静岡は2020年2月3日に雲量の観測を終了した．

日平均雲量 1.5 未満の日数の月別平年値（2）

（1991 年から 2020 年までの平均値）

地点	1月	2月	3月	4月	5月	6月	7月	8月	9月	10月	11月	12月	年
名古屋	3.0	3.1	3.6	3.7	2.4	0.8	0.6	0.9	1.7	3.2	4.0	3.6	30.5
津	2.4]	2.4]	3.0]	3.7]	2.4]	1.0]	1.0]	1.4]	2.5]	3.4]	4.7]	3.7]	31.6]
彦根	0.7]	1.5]	2.1]	3.6]	2.8]	1.3]	0.9]	1.7]	2.5]	3.7]	3.0]	1.3]	25.1]
京都	0.5]	0.9]	1.8]	2.7]	1.7]	0.6]	0.4]	0.7]	1.1]	2.4]	2.5]	1.2]	16.6]
大阪	1.3	1.3	2.0	2.8	1.9	0.4	0.6	1.1	1.3	2.9	2.9	1.9	20.4
神戸	1.4]	1.6]	1.9]	2.7]	2.0]	0.6]	0.8]	1.2]	1.3]	2.6]	3.4]	2.4]	21.9]
奈良	1.2]	1.8]	2.3]	3.4]	2.4]	0.7]	0.6]	0.8]	1.8]	3.1]	3.1]	2.2]	23.6]
和歌山	1.3]	1.8]	2.7]	3.4]	2.2]	0.8]	1.3]	1.6]	1.4]	3.1]	3.0]	1.8]	24.3]
鳥取	0.2]	0.6]	1.5]	2.6]	2.9]	0.8]	0.8]	2.2]	0.8]	1.8]	1.6]	0.7]	16.3]
松江	0.2]	0.5]	1.7]	3.1]	3.0]	0.8]	1.0]	2.1]	0.9]	2.2]	1.7]	0.6]	17.6]
岡山	2.3]	2.3]	3.5]	3.9]	3.1]	1.1]	1.1]	1.6]	2.2]	4.0]	4.3]	3.6]	33.2]
広島	1.1	1.6	3.1	3.5	3.0	0.8	1.0	1.8	1.9	4.4	3.5	2.1	27.6
下関	0.4]	1.3]	2.4]	3.4]	3.0]	0.9]	1.3]	2.0]	2.3]	4.3]	3.0]	1.4]	25.9]
徳島	1.9]	2.2]	3.0]	3.3]	2.1]	0.6]	1.1]	2.2]	1.4]	2.6]	2.9]	2.8]	26.1]
高松	1.3	1.6	2.6	3.7	2.7	0.8	1.0	1.8	1.5	2.8	3.3	2.1	25.1
松山	1.4]	1.7]	2.6]	3.1]	2.9]	0.8]	1.6]	1.9]	1.8]	4.0]	3.7]	2.0]	27.3]
高知	5.0]	3.4]	3.6]	3.4]	2.2]	0.5]	1.1]	1.6]	2.1]	4.7]	5.2]	6.0]	39.0]
福岡	1.0	1.3	2.3	3.7	3.0	0.7	1.2	1.7	2.3	4.4	3.4	1.6	26.6
佐賀	2.4]	3.1]	3.8]	4.2]	3.7]	0.9]	1.1]	1.4]	3.6]	6.1]	5.6]	3.8]	39.6]
長崎	1.7]	1.9]	2.2]	3.3]	2.7]	0.6]	1.1]	1.5]	3.8]	5.8]	4.3]	2.8]	31.9]
熊本	2.5]	2.8]	2.8]	2.9]	2.3]	0.5]	0.9]	1.0]	2.5]	5.4]	4.3]	3.4]	31.1]
大分	2.9]	2.6]	2.9]	3.3]	2.6]	0.5]	1.3]	1.7]	2.0]	3.5]	3.9]	3.1]	30.1]
宮崎	8.4]	6.1]	4.6]	3.9]	2.4]	0.2]	1.9]	2.1]	2.5]	4.8]	6.3]	8.6]	52.0]
鹿児島	2.9	2.7	2.6	2.7	1.9	0.3	0.8	0.9	1.6	5.1	5.3	4.0	30.7
名瀬	0.5]	0.3]	0.6]	0.6]	0.9]	0.3]	0.6]	0.4]	0.6]	0.6]	0.8]	0.5]	6.6]
那覇	1.0	1.2	0.8	0.4	0.8	0.2	0.1	0.3	0.5	1.0	0.9	0.8	7.9
昭和(南極)	2.9	2.3	2.0	1.9	3.5	3.8	3.6	3.6	4.4	2.8	3.8	4.5	39.2

］付は参考値．参考値は平年差や平年比に利用できない．

津，彦根，京都，神戸，奈良，和歌山，鳥取，松江，岡山，下関，徳島，松山，高知，佐賀，長崎，熊本，大分，宮崎，名瀬は 2020 年 2 月 3 日に雲量の観測を終了した．

日平均雲量8.5以上の日数の月別平年値（1）

（1991年から2020年までの平均値）

地点	1月	2月	3月	4月	5月	6月	7月	8月	9月	10月	11月	12月	年
札幌	16.8	13.9	13.9	11.4	13.6	14.8	17.1	15.2	11.2	9.5	12.9	15.4	165.7
函館	14.0]	12.9]	11.9]	10.6]	13.3]	16.0]	20.4]	18.0]	12.4]	9.4]	12.3]	14.9]	166.1
旭川	19.2]	15.2]	14.5]	12.2]	13.5]	16.3]	18.0]	16.7]	13.2]	13.0]	19.3]	20.5]	191.4
釧路	4.9]	5.6]	8.0]	11.4]	15.4]	19.9]	22.4]	21.0]	15.6]	8.7]	5.9]	4.8]	143.5
帯広	4.8]	5.2]	7.2]	9.6]	14.1]	17.8]	21.4]	20.1]	14.9]	8.9]	5.5]	5.1]	134.6
網走	12.9]	9.6]	10.5]	11.1]	14.5]	16.1]	18.0]	16.5]	12.5]	8.7]	9.2]	9.3]	148.9
稚内	25.7]	19.1]	14.6]	12.7]	15.4]	17.7]	20.0]	17.0]	10.3]	12.7]	20.5]	26.6]	212.2
青森	24.8]	19.8]	15.8]	11.8]	12.9]	15.9]	18.0]	15.4]	12.9]	12.1]	16.1]	22.6]	198.0
盛岡	10.3]	9.7]	11.1]	11.8]	14.1]	16.5]	20.1]	18.1]	16.4]	12.0]	10.2]	11.7]	162.0
仙台	6.3	6.8	8.1	9.7	13.9	18.3	20.9	18.5	16.5	11.5	7.5	6.9	144.9
秋田	25.9]	21.5]	17.8]	12.9]	14.8]	15.9]	19.0]	15.3]	14.1]	13.0]	17.3]	24.0]	211.6
山形	18.7]	15.3]	13.5]	12.0]	14.2]	17.2]	19.2]	15.0]	15.2]	13.1]	13.7]	18.1]	185.2]
福島	8.7]	8.1]	9.6]	10.7]	13.4]	18.6]	20.2]	17.1]	16.2]	12.9]	8.9]	9.6]	154.1]
水戸	4.3]	6.4]	9.8]	11.9]	14.6]	20.3]	18.6]	14.6]	15.4]	13.5]	8.6]	5.1]	143.2]
宇都宮	4.1]	5.5]	9.6]	11.8]	15.6]	20.8]	21.7]	18.5]	17.3]	14.7]	8.2]	4.4]	152.2]
前橋	3.2]	4.7]	7.4]	10.1]	13.6]	20.0]	19.9]	16.0]	16.2]	12.9]	6.6]	3.9]	134.5]
熊谷	4.6]	6.2]	9.8]	13.0]	16.0]	20.8]	18.9]	15.9]	17.4]	14.6]	9.0]	5.4]	151.7]
銚子	6.6]	8.3]	11.6]	12.5]	15.5]	20.7]	18.1]	12.5]	13.8]	14.0]	10.3]	7.0]	150.9]
東京	5.2	7.3	10.6	12.1	15.2	20.5	18.6	14.8	15.6	14.8	9.6	5.9	150.2
横浜	5.6]	7.5]	11.7]	12.6]	15.5]	20.2]	18.0]	13.8]	15.8]	14.8]	9.6]	6.3]	151.6]
新潟	24.0	19.4	15.7	12.0	12.9	16.5	18.2	12.7	14.8	14.1	16.2	22.2	198.7
富山	21.8]	16.7]	14.6]	11.8]	12.7]	18.6]	18.5]	12.4]	14.6]	13.0]	15.5]	19.8]	189.9]
金沢	23.1]	17.7]	14.6]	11.3]	13.0]	17.3]	17.0]	11.9]	14.1]	12.6]	14.4]	20.8]	187.8]
福井	23.0]	17.4]	15.4]	13.0]	15.0]	19.7]	18.8]	12.9]	14.5]	12.6]	15.5]	20.7]	198.5]
甲府	3.7]	5.7]	9.0]	10.7]	14.0]	20.5]	18.4]	13.9]	14.9]	13.1]	7.8]	4.6]	136.4]
長野	11.3]	9.8]	11.2]	10.0]	12.5]	18.0]	17.3]	12.8]	15.0]	12.1]	8.8]	10.4]	149.2]
岐阜	8.3]	7.4]	9.5]	12.1]	14.1]	18.7]	16.9]	13.0]	14.0]	11.4]	9.5]	8.2]	143.1]
静岡	6.3]	7.8]	11.8]	14.0]	16.7]	21.2]	19.8]	15.0]	15.1]	13.8]	9.3]	6.0]	156.8]

］付は参考値．参考値は平年差や平年比に利用できない．

水戸，宇都宮，前橋，熊谷，銚子，横浜，甲府，長野は2019年2月1日に，函館，旭川，釧路，帯広，網走，稚内，青森，盛岡，秋田，山形，福島，富山，金沢，福井，岐阜，静岡は2020年2月3日に雲量の観測を終了した．

日平均雲量 8.5 以上の日数の月別平年値 (2)

(1991 年から 2020 年までの平均値)

地点	1月	2月	3月	4月	5月	6月	7月	8月	9月	10月	11月	12月	年
名古屋	5.7	5.2	8.4	9.7	13.1	18.7	17.1	12.6	13.2	11.2	7.1	5.7	127.6
津	7.1]	7.3]	10.4]	11.7]	15.3]	19.2]	16.6]	12.6]	14.4]	12.3]	9.1]	6.4]	142.2]
彦根	16.1]	13.4]	13.1]	12.9]	15.8]	19.7]	18.0]	13.4]	14.5]	12.2]	11.4]	13.8]	174.3]
京都	8.9]	9.0]	10.8]	11.2]	14.7]	19.4]	17.5]	12.5]	14.2]	11.1]	8.2]	7.8]	145.2]
大阪	7.1	8.3	10.5	10.5	13.9	18.9	16.3	10.8	12.9	10.6	7.8	6.2	133.8
神戸	6.2]	6.8]	9.7]	10.0]	13.8]	18.6]	16.6]	11.7]	13.3]	10.7]	7.6]	5.7]	130.6]
奈良	10.7]	10.4]	12.1]	12.7]	15.8]	20.0]	18.1]	12.9]	14.9]	12.3]	10.3]	9.0]	159.2]
和歌山	8.0]	7.4]	9.9]	10.8]	13.6]	18.6]	15.6]	10.2]	13.4]	11.1]	8.3]	7.3]	134.0]
鳥取	20.6]	17.6]	15.3]	11.2]	12.5]	18.4]	17.4]	12.3]	15.1]	12.2]	13.9]	17.5]	184.0]
松江	21.5]	16.9]	13.4]	10.9]	12.6]	17.6]	16.8]	12.8]	14.7]	11.1]	13.0]	17.9]	179.1]
岡山	7.8]	8.3]	10.7]	11.6]	14.2]	19.1]	16.5]	12.8]	14.6]	11.0]	8.7]	7.1]	142.2]
広島	8.0	8.1	9.6	10.1	12.0	17.0	16.1	11.2	12.1	9.0	7.5	8.3	129.0
下関	14.7]	11.3]	10.4]	10.3]	12.2]	17.6]	14.6]	10.4]	12.3]	8.7]	8.9]	12.7]	144.0]
徳島	6.5]	7.1]	9.7]	10.4]	13.0]	18.4]	14.9]	10.3]	13.1]	11.3]	8.4]	5.9]	128.9]
高松	7.2	7.7	9.7	10.3	12.1	17.7	14.9	9.7	13.1	10.3	7.9	6.8	127.3
松山	8.7]	7.9]	9.6]	10.4]	12.9]	17.2]	14.6]	10.6]	12.5]	9.3]	8.7]	8.7]	131.0]
高知	5.0]	5.6]	8.8]	9.8]	13.6]	19.1]	16.0]	12.1]	13.8]	9.5]	7.1]	4.6]	124.9]
福岡	13.5	10.6	10.9	10.6	12.2	17.8	15.3	10.5	12.2	9.3	8.9	11.0	142.9
佐賀	11.8]	9.8]	11.7]	12.2]	14.2]	19.4]	16.3]	12.3]	12.9]	9.4]	9.9]	10.3]	150.0]
長崎	12.1]	9.4]	10.8]	10.6]	12.8]	18.8]	15.4]	11.1]	10.9]	8.7]	8.5]	11.2]	140.1]
熊本	9.0]	8.1]	9.9]	10.9]	13.6]	19.8]	15.6]	10.6]	11.5]	9.1]	8.5]	7.5]	133.9]
大分	6.5]	7.3]	9.9]	10.6]	13.3]	18.6]	15.0]	10.3]	13.1]	9.4]	7.9]	6.6]	128.3]
宮崎	5.4]	6.3]	9.7]	10.9]	13.6]	18.9]	13.3]	10.4]	12.0]	9.6]	7.8]	5.4]	123.5]
鹿児島	9.6	9.3	11.8	11.6	14.7	20.4	14.1	9.9	11.1	9.0	8.3	8.4	138.1
名瀬	19.4]	16.8]	17.6]	15.6]	16.9]	19.3]	11.0]	9.9]	10.8]	12.3]	13.7]	16.7]	180.1]
那覇	16.4	15.2	14.9	16.1	17.2	17.0	8.7	8.7	8.6	9.0	11.6	14.0	157.3
昭和(南極)	15.2	16.3	18.4	17.4	16.5	14.4	14.7	14.0	13.1	17.0	14.3	13.5	184.7

] 付は参考値．参考値は平年差や平年比に利用できない．

津，彦根，京都，神戸，奈良，和歌山，鳥取，松江，岡山，下関，徳島，松山，高知，佐賀，長崎，熊本，大分，宮崎，名瀬は 2020 年 2 月 3 日に雲量の観測を終了した．

霧日数の月別平年値（1）

（1991 年から 2020 年までの平均値）

地　点	1月	2月	3月	4月	5月	6月	7月	8月	9月	10月	11月	12月	年
札　幌	0.0	0.1	0.1	0.2	0.4	0.4	0.2	0.1	0.0	0.1	0.1	0.0	1.8
函　館	0.0]	0.1]	0.0]	0.6]	1.4]	2.4]	1.8]	0.4]	0.1]	0.0]	0.1]	0.0]	6.9]
旭　川	1.7]	0.9]	1.0]	1.0]	0.6]	0.4]	0.6]	1.0]	4.9]	6.1]	2.7]	1.7]	22.4]
釧　路	1.3]	2.1]	4.0]	8.7]	12.3]	15.9]	16.2]	15.2]	10.1]	6.8]	2.6]	1.7]	96.9]
帯　広	1.1]	1.2]	1.8]	4.0]	4.6]	7.0]	6.6]	7.2]	6.3]	6.1]	2.9]	1.8]	50.6]
網　走	0.1]	0.2]	1.1]	2.1]	4.1]	4.4]	5.3]	2.1]	0.9]	0.2]	0.3]	0.0]	21.0]
稚　内	0.0]	0.0]	0.1]	0.9]	2.0]	3.0]	3.5]	1.8]	0.3]	0.1]	0.0]	0.0]	11.8]
青　森	0.1]	0.3]	0.3]	0.7]	1.5]	1.9]	2.2]	0.9]	0.4]	0.2]	0.1]	0.0]	8.7]
盛　岡	0.8]	0.6]	0.7]	0.4]	0.3]	0.3]	0.4]	0.5]	1.0]	1.4]	1.5]	1.6]	9.4]
仙　台	0.2	0.1	0.4	1.5	2.7	4.0	5.4	2.6	1.5	0.7	0.5	0.3	20.0
秋　田	0.5]	0.4]	0.9]	1.2]	1.2]	1.6]	1.6]	0.7]	0.8]	1.0]	1.1]	0.9]	11.7]
山　形	2.7]	1.6]	1.5]	0.6]	0.4]	0.3]	0.8]	0.2]	0.9]	3.3]	3.9]	3.9]	20.0]
福　島	0.7]	0.3]	0.4]	0.4]	0.2]	0.3]	0.4]	0.2]	0.3]	1.0]	1.2]	0.6]	5.9]
水　戸	1.1]	1.6]	2.1]	2.4]	3.0]	4.3]	3.5]	2.4]	2.5]	2.8]	3.3]	1.8]	30.8]
宇都宮	1.0]	1.4]	1.2]	1.3]	1.4]	1.1]	1.4]	0.5]	1.1]	1.3]	2.0]	1.5]	15.3]
前　橋	0.1]	0.1]	0.3]	0.3]	0.1]	0.5]	0.2]	0.3]	0.4]	0.2]	0.4]	0.2]	3.1]
熊　谷	0.3]	0.4]	0.6]	0.6]	0.3]	0.5]	0.6]	0.2]	0.5]	0.4]	0.7]	0.2]	5.3]
銚　子	0.3]	0.5]	1.1]	2.2]	5.0]	8.5]	11.5]	6.3]	2.4]	0.9]	1.0]	0.5]	40.2]
東　京	0.0	0.0	0.0	0.4	0.2	0.1	0.1	0.0	0.1	0.1	0.4	0.0	1.3
横　浜	0.1]	0.4]	0.6]	0.6]	0.3]	0.3]	0.2]	0.2]	0.2]	0.3]	0.7]	0.1]	4.0]
新　潟	0.2	0.4	0.3	0.7	0.8	0.7	0.3	0.1	0.2	0.3	0.2	0.2	4.5
富　山	0.3]	0.4]	0.2]	0.9]	1.1]	0.8]	0.6]	0.2]	0.2]	0.1]	0.1]	0.1]	4.8]
金　沢	0.0]	0.0]	0.1]	0.1]	0.2]	0.3]	0.3]	0.0]	0.0]	0.0]	0.0]	0.0]	1.2]
福　井	3.4]	3.2]	2.4]	1.2]	0.9]	0.7]	0.1]	0.1]	1.4]	3.2]	4.0]	3.8]	24.6]
甲　府	1.7]	1.0]	0.5]	0.1]	0.1]	0.1]	0.0]	0.0]	0.0]	0.4]	1.1]	1.6]	6.7]
長　野	1.1]	0.9]	0.4]	0.4]	0.0]	0.2]	0.3]	0.0]	0.3]	1.0]	2.1]	1.9]	8.6]
岐　阜	0.2]	0.1]	0.4]	0.5]	0.5]	0.4]	0.2]	0.1]	0.1]	0.2]	0.6]	0.7]	4.1]
静　岡	0.2]	0.1]	0.4]	0.3]	0.2]	0.4]	0.4]	0.0]	0.0]	0.0]	0.1]	0.1]	2.2]

］付は参考値．参考値は平年差や平年比に利用できない．

水戸，宇都宮，前橋，熊谷，銚子，横浜，甲府，長野は 2019 年 2 月 1 日に，函館，旭川，釧路，帯広，網走，稚内，青森，盛岡，秋田，山形，福島，富山，金沢，福井，岐阜，静岡は 2020 年 2 月 3 日に目視の観測を終了した．

霧日数の月別平年値 (2)

(1991 年から 2020 年までの平均値)

地点	1月	2月	3月	4月	5月	6月	7月	8月	9月	10月	11月	12月	年
名古屋	0.4	0.3	0.7	0.4	0.4	0.2	0.1	0.0	0.2	0.3	0.5	0.4	4.0
津	0.1]	0.2]	0.6]	1.0]	0.7]	0.6]	0.7]	0.2]	0.1]	0.2]	0.3]	0.2]	4.8]
彦根	0.2]	0.3]	0.7]	1.0]	0.4]	0.1]	0.0]	0.0]	0.0]	0.1]	0.7]	0.5]	4.1]
京都	0.1]	0.0]	0.0]	0.0]	0.0]	0.0]	0.0]	0.0]	0.0]	0.1]	0.1]	0.1]	0.3]
大阪	0.1	0.2	0.4	0.2	0.1	0.2	0.1	0.0	0.1	0.2	0.1	0.2	2.0
神戸	0.1]	0.1]	0.2]	0.2]	0.1]	0.0]	0.1]	0.0]	0.0]	0.1]	0.0]	0.0]	1.0]
奈良	0.8]	0.7]	0.6]	0.3]	0.4]	0.1]	0.0]	0.0]	0.2]	0.9]	1.2]	1.0]	6.4]
和歌山	0.2]	0.2]	0.3]	0.3]	0.1]	0.1]	0.1]	0.0]	0.0]	0.1]	0.1]	0.2]	1.8]
鳥取	0.1]	0.1]	0.3]	0.4]	0.1]	0.1]	0.0]	0.0]	0.1]	0.3]	0.1]	0.2]	1.9]
松江	1.1]	1.1]	1.6]	0.9]	0.5]	0.3]	0.1]	0.2]	1.0]	1.7]	1.6]	1.7]	12.0]
岡山	0.6]	0.3]	0.5]	0.4]	0.2]	0.1]	0.0]	0.0]	0.1]	0.3]	0.6]	1.0]	4.3]
広島	0.4	0.5	0.4	0.4	0.3	0.3	0.1	0.0	0.0	0.0	0.4	0.6	3.3
下関	0.1]	0.2]	0.2]	0.5]	0.5]	0.4]	0.3]	0.0]	0.0]	0.0]	0.1]	0.1]	2.5]
徳島	0.2]	0.1]	0.3]	0.6]	0.5]	0.5]	0.7]	0.1]	0.0]	0.0]	0.1]	0.1]	3.3]
高松	0.2	0.4	0.6	0.7	0.5	0.4	0.3	0.1	0.0	0.0	0.2	0.3	3.6
松山	0.1]	0.2]	0.7]	0.9]	0.7]	0.8]	0.2]	0.0]	0.0]	0.0]	0.0]	0.1]	3.7]
高知	0.1]	0.0]	0.1]	0.2]	0.1]	0.2]	0.0]	0.0]	0.0]	0.0]	0.0]	0.1]	0.9]
福岡	0.1	0.1	0.0	0.2	0.3	0.1	0.0	0.0	0.0	0.0	0.0	0.0	0.9
佐賀	1.0]	0.7]	0.6]	0.4]	0.2]	0.2]	0.1]	0.0]	0.0]	0.4]	0.7]	1.1]	5.5]
長崎	0.1]	0.1]	0.1]	0.6]	1.0]	1.0]	0.2]	0.0]	0.0]	0.0]	0.2]	0.1]	3.4]
熊本	1.0]	0.7]	0.7]	0.6]	0.8]	0.4]	0.0]	0.0]	0.2]	0.3]	1.1]	1.8]	7.7]
大分	0.2]	0.2]	0.5]	1.1]	0.8]	0.8]	0.6]	0.0]	0.1]	0.1]	0.1]	0.2]	4.6]
宮崎	0.8]	0.7]	0.7]	0.5]	0.9]	0.8]	0.6]	0.4]	0.7]	0.8]	1.2]	0.9]	8.9]
鹿児島	0.0	0.1	0.1	0.0	0.1	0.2	0.0	0.0	0.0	0.0	0.0	0.1	0.8
名瀬	0.0]	0.0]	0.0]	0.0]	0.0]	0.0]	0.0]	0.0]	0.0]	0.0]	0.0]	0.0]	0.0]
那覇	0.0	0.0	0.1	0.3	0.5	0.1	0.0	0.0	0.0	0.0	0.0	0.0	0.9
昭和(南極)	2.5	0.6	0.2	0.3	0.3	0.4	0.5	0.8	0.8	0.7	0.7	1.3	8.9

] 付は参考値．参考値は平年差や平年比に利用できない．

津，彦根，京都，神戸，奈良，和歌山，鳥取，松江，岡山，下関，徳島，松山，高知，佐賀，長崎，熊本，大分，宮崎，名瀬は 2020 年 2 月 3 日に目視の観測を終了した．

雷日数の月別平年値 (1)

（1991 年から 2020 年までの平均値）

地　点	1月	2月	3月	4月	5月	6月	7月	8月	9月	10月	11月	12月	年
札　幌	0.3	0.3	0.4	0.2	0.6	1.0	1.0	1.4	1.3	1.6	0.7	0.5	9.2
函　館	0.2]	0.2]	0.3]	0.9]	0.8]	1.0]	0.9]	1.7]	1.9]	2.4]	1.8]	0.7]	12.8]
旭　川	0.1]	0.0]	0.0]	0.0]	0.8]	1.8]	1.4]	2.1]	1.9]	1.5]	0.6]	0.1]	10.3]
釧　路	0.0]	0.0]	0.0]	0.2]	0.4]	0.8]	0.7]	0.8]	0.9]	0.6]	0.5]	0.2]	5.0]
帯　広	0.0]	0.0]	0.0]	0.1]	0.4]	0.8]	0.8]	0.9]	0.6]	0.5]	0.4]	0.2]	4.7]
網　走	0.1]	0.0]	0.0]	0.2]	0.6]	1.2]	1.2]	1.5]	1.2]	0.6]	0.1]	0.0]	6.7]
稚　内	0.1]	0.2]	0.1]	0.0]	0.3]	0.7]	0.4]	1.2]	3.1]	2.9]	1.4]	0.5]	11.1]
青　森	0.5]	0.5]	0.6]	0.9]	1.4]	1.4]	1.3]	2.2]	1.6]	1.8]	2.0]	0.9]	15.2]
盛　岡	0.0]	0.2]	0.2]	0.9]	1.9]	1.9]	2.0]	3.3]	1.2]	0.8]	0.7]	0.3]	13.6]
仙　台	0.0	0.0	0.2	0.4	1.2	1.2	2.4	2.7	1.0	0.4	0.1	0.1	9.8
秋　田	3.4]	2.7]	2.2]	1.7]	1.7]	1.8]	1.6]	2.5]	2.0]	4.2]	5.6]	4.8]	34.3]
山　形	0.2]	0.2]	0.3]	0.7]	1.8]	2.3]	3.1]	4.3]	1.2]	0.5]	0.7]	0.6]	15.9]
福　島	0.1]	0.0]	0.1]	0.4]	1.5]	1.7]	3.1]	4.0]	1.3]	0.3]	0.1]	0.2]	12.6]
水　戸	0.1]	0.2]	0.4]	1.7]	2.8]	2.0]	3.4]	4.1]	2.0]	0.8]	0.1]	0.3]	17.9]
宇都宮	0.0]	0.1]	0.6]	2.0]	3.5]	3.2]	5.7]	7.1]	2.7]	0.9]	0.3]	0.2]	26.5]
前　橋	0.0]	0.0]	0.1]	0.8]	2.4]	2.8]	6.0]	6.9]	2.4]	0.3]	0.1]	0.1]	21.8]
熊　谷	0.0]	0.1]	0.3]	1.1]	2.5]	2.5]	5.1]	6.0]	1.8]	0.5]	0.2]	0.1]	20.2]
銚　子	1.0]	0.6]	1.0]	1.3]	1.4]	1.2]	1.2]	1.9]	1.8]	1.1]	1.1]	1.0]	14.6]
東　京	0.2	0.2	0.5	1.1	1.6	1.2	2.5	3.2	2.5	0.8	0.4	0.2	14.5
横　浜	0.2]	0.3]	0.9]	1.1]	1.5]	0.8]	2.0]	2.8]	2.3]	0.8]	0.6]	0.5]	13.8]
新　潟	4.5	3.0	1.5	1.2	1.6	2.0	2.4	3.3	1.9	2.3	4.9	6.1	34.7
富　山	3.1]	1.4]	1.5]	1.7]	2.0]	2.1]	4.8]	5.1]	1.9]	1.6]	3.3]	4.8]	33.6]
金　沢	7.9]	4.8]	2.6]	2.0]	1.7]	1.8]	2.9]	3.6]	2.0]	2.1]	5.3]	8.4]	45.1]
福　井	6.0]	3.4]	1.9]	1.5]	1.2]	1.4]	3.3]	3.6]	2.1]	1.8]	3.8]	7.4]	37.4]
甲　府	0.1]	0.1]	0.4]	0.8]	1.6]	1.4]	3.0]	4.7]	1.6]	0.5]	0.4]	0.2]	14.8]
長　野	0.2]	0.1]	0.3]	0.5]	2.0]	2.8]	4.3]	5.3]	1.5]	0.4]	0.3]	0.4]	17.9]
岐　阜	0.2]	0.2]	0.4]	1.0]	1.9]	2.0]	5.1]	5.9]	3.2]	0.7]	0.6]	0.4]	21.7]
静　岡	0.3]	0.6]	0.7]	1.4]	1.7]	1.3]	2.9]	3.8]	2.8]	1.1]	1.0]	0.6]	18.1]

] 付は参考値．参考値は平年差や平年比に利用できない．
水戸，宇都宮，前橋，熊谷，銚子，横浜，甲府，長野は 2019 年 2 月 1 日に，函館，旭川，釧路，帯広，網走，稚内，青森，盛岡，秋田，山形，福島，富山，金沢，福井，岐阜，静岡は 2020 年 2 月 3 日に目視の観測を終了した．

雷日数の月別平年値 (2)

(1991年から2020年までの平均値)

地点	1月	2月	3月	4月	5月	6月	7月	8月	9月	10月	11月	12月	年
名古屋	0.1	0.1	0.3	0.8	1.2	1.9	4.0	5.2	2.9	0.8	0.5	0.2	18.0
津	0.2]	0.2]	0.4]	0.4]	1.2]	1.2]	3.1]	3.8]	2.5]	0.8]	0.5]	0.1]	14.3]
彦根	0.5]	0.4]	0.4]	1.1]	1.7]	2.0]	4.2]	4.6]	2.1]	0.8]	0.4]	0.7]	18.9]
京都	0.1]	0.1]	0.4]	1.1]	1.6]	1.7]	4.9]	5.1]	2.6]	1.0]	0.4]	0.5]	19.6]
大阪	0.4	0.3	0.6	0.8	1.4	1.1	3.1	4.3	2.9	1.0	0.6	0.7	17.3
神戸	0.2]	0.2]	0.6]	0.7]	1.3]	1.3]	2.5]	2.8]	2.3]	0.9]	0.6]	0.6]	14.0]
奈良	0.4]	0.3]	0.9]	1.2]	1.8]	1.8]	4.6]	5.9]	3.1]	1.4]	0.9]	0.8]	23.1]
和歌山	0.1]	0.2]	0.5]	0.7]	1.6]	1.1]	2.0]	2.3]	2.2]	1.0]	0.6]	0.4]	12.7]
鳥取	2.9]	2.6]	1.7]	1.3]	1.4]	1.3]	3.3]	3.6]	2.2]	1.1]	1.9]	4.5]	28.0]
松江	3.0]	1.6]	1.6]	1.2]	1.6]	1.6]	3.5]	3.7]	1.8]	1.1]	2.6]	3.3]	26.6]
岡山	0.1]	0.1]	0.6]	0.6]	1.3]	1.5]	2.8]	2.8]	1.8]	0.7]	0.3]	0.2]	12.6]
広島	0.0	0.1	0.5	0.7	1.1	1.5	4.4	3.8	1.9	0.6	0.3	0.1	15.1
下関	0.3]	0.8]	1.4]	1.1]	1.0]	1.6]	4.1]	4.1]	2.1]	0.3]	0.8]	0.8]	18.4]
徳島	0.2]	0.2]	0.4]	0.7]	1.4]	1.2]	3.4]	3.8]	3.1]	0.8]	0.5]	0.2]	15.9]
高松	0.1	0.2	0.7	0.6	0.9	1.3	2.9	2.9	2.2	0.6	0.4	0.4	13.4
松山	0.3]	0.3]	0.7]	0.7]	0.8]	1.3]	2.6]	2.5]	1.7]	0.8]	1.0]	0.8]	13.4]
高知	0.2]	0.2]	0.3]	0.8]	1.2]	1.7]	3.3]	3.8]	3.0]	1.0]	0.5]	0.2]	16.2]
福岡	0.9	0.9	1.6	1.5	1.3	2.0	5.3	5.9	2.8	0.8	1.5	1.0	25.5
佐賀	0.2]	0.6]	1.0]	1.4]	1.1]	1.8]	5.3]	6.9]	2.9]	0.6]	1.1]	0.3]	23.1]
長崎	0.6]	0.7]	1.3]	1.6]	1.1]	1.7]	3.6]	4.8]	2.6]	1.1]	1.6]	1.0]	21.6]
熊本	0.3]	0.7]	1.2]	1.6]	1.1]	2.8]	6.7]	6.9]	3.1]	0.8]	1.0]	0.4]	26.6]
大分	0.0]	0.1]	0.3]	1.1]	1.0]	2.3]	5.8]	5.3]	3.3]	0.4]	0.4]	0.1]	20.3]
宮崎	0.2]	0.4]	0.8]	1.1]	1.4]	3.8]	5.1]	4.8]	3.9]	1.0]	0.6]	0.4]	23.5]
鹿児島	0.7	0.9	1.7	1.8	1.5	3.9	5.4	5.0	3.4	1.0	1.4	0.8	27.4
名瀬	0.4]	0.5]	1.8]	2.3]	1.7]	4.0]	2.6]	3.2]	3.7]	0.8]	0.9]	0.4]	22.3]
那覇	0.3	0.7	1.5	2.0	2.1	3.5	2.7	3.5	2.4	1.0	0.4	0.3	20.4
昭和(南極)	0.0	0.0	0.0	0.0	0.0	0.0	0.0	0.0	0.0	0.0	0.0	0.0	0.0

] 付は参考値．参考値は平年差や平年比に利用できない．
津，彦根，京都，神戸，奈良，和歌山，鳥取，松江，岡山，下関，徳島，松山，高知，佐賀，長崎，熊本，大分，宮崎，名瀬は2020年2月3日に目視の観測を終了した．

霜の初日・終日の平年値と最早・最晩 (1)

(統計期間：平年値は, 1990年8月から2020年7月までの平均値.
最早・最晩は, 統計開始から2023年7月までの値である.)

地点	初日			終日		
	平年値	最早	統計開始年	平年値	最晩	統計開始年
札幌	10 25	1888 9 9	1877	4 26	1908 6 28	1877
函館	10 22	2001 9 22	1874	5 2]	1917 6 7	1873
旭川	10 9	1913 9 14	1889	5 12]	1890 7 7	1889
釧路	10 20	1935 9 16	1911	5 4]	1922 6 27	1911
帯広	10 11	1913 9 14	1893	5 7]	1922 6 27	1892
網走	10 26	1913 9 15	1890	5 3]	1908 7 1	1890
稚内		1969 10 1	1939	5 1]	1963 6 25	1938
青森	11 1	1905 10 1	1887	4 22]	1919 5 27	1887
盛岡	10 26	1984 9 27	1924	4 29]	1985 6 15	1924
仙台	11 14	1944 10 3	1927	4 7	1928 5 20	1927
秋田	11 16	1906 9 27	1883	4 14]	1912 5 24	1883
山形	11 4	1941 9 28	1891	4 24]	1942 6 2	1891
福島	11 12	1938 10 9	1890	4 8]	1921 6 4	1890
水戸	11 11	1926 10 14	1898	4 14]	1908 5 16	1897
宇都宮	11 7	1973 10 10	1891	4 15]	1981 5 31	1891
前橋	11 22	1936 10 23	1898	3 28]	1902 5 13	1898
熊谷	11 19	1901 10 21	1898	3 29]	1917 5 16	1897
銚子	12 16	1904 11 1	1888	3 7]	1934 5 4	1888
東京	12 23	1937 10 21	1877	2 14	1926 5 16	1877
横浜	12 15	1945 10 29	1897	2 28]	1926 4 27	1897
新潟	11 27	1890 10 25	1886	3 31	1911 5 16	1886
富山	11 25	1945 10 28	1940	4 6]	1957 5 4	1939
金沢	12 4	1945 10 28	1883	3 28]	1927 5 12	1883
福井	11 28	1897 10 22	1898	4 6]	1927 5 12	1898
甲府	11 8	1922 10 12	1895	4 15]	1898 5 16	1895
長野	11 1	1963 10 4	1890	4 26]	1981 5 31	1890
岐阜	11 24	1901 10 2	1884	4 1]	1893 5 19	1883
静岡	12 1	1976 10 30	1941	3 23]	1956 4 30	1941

] 付は参考値. 参考値は平年差や平年比に利用できない.
水戸, 宇都宮, 前橋, 熊谷, 銚子, 横浜, 甲府, 長野では2019年2月に終日の観測を終了した.
函館, 旭川, 釧路, 帯広, 網走, 稚内, 青森, 盛岡, 秋田, 山形, 福島, 富山, 金沢, 福井, 岐阜, 静岡では2020年2月に終日の観測を終了した.
統計開始年は寒候年（前年8月から当年7月）である.

霜の初日・終日の平年値と最早・最晩 (2)

(統計期間：平年値は，1990年8月から2020年7月までの平均値．
最早・最晩は，統計開始から2023年7月までの値である．)

地点	初日						終日					
	平年値		最早			統計開始年	平年値		最晩			統計開始年
名古屋	11	30	1899	10	13	1891	3	21	1902	5	13	1891
津	12	10	1936	10	24	1890	3	10]	1956	4	30	1890
彦根	11	27	1986	10	20	1894	4	3]	1908	5	16	1894
京都	11	24	1892	10	2	1881	4	4]	1928	5	19	1881
大阪	12	10	1888	10	23	1883	3	18	1940	5	6	1883
神戸	12	31	1899	10	24	1897	3	6]	1915	4	25	1897
奈良	11	18	1986	10	20	1954	4	10]	1969	5	7	1954
和歌山	12	20	1889	11	13	1880	3	9]	1887	4	24	1880
鳥取	12	9	1986	10	31	1944	4	1]	1974	5	6	1943
松江	11	28	1942	10	26	1941	4	9]	1974	5	6	1941
岡山	12	14	1957	10	19	1892	3	2]	1952	5	9	1892
広島	12	19	1942	10	25	1880	3	8	1893	5	5	1879
下関	1	11	1913	11	1	1884	2	24]	1885	5	12	1883
徳島	12	18	1913	11	4	1892	3	14]	1911	5	3	1892
高松	12	1	1986	10	31	1942	3	26	1980	5	2	1942
松山	12	7	1918	10	26	1891	3	19]	1919	5	16	1890
高知	11	29	1949	10	31	1886	3	12]	1947	4	23	1886
福岡	12	13	1903	10	21	1891	3	12	1913	5	11	1890
佐賀	11	30	1899	10	12	1891	3	25]	1904	5	7	1891
長崎	12	9	1941	10	28	1889	3	13]	1947	4	23	1888
熊本	11	25	1927	10	15	1891	3	30]	1940	5	6	1891
大分	12	8	1888	10	17	1888	3	20]	1926	4	30	1887
宮崎	12	2	1888	10	22	1886	3	19]	1894	5	2	1886
鹿児島	12	15	1926	10	20	1887	2	26	1929	4	22	1886
名瀬			—	—	—	1898			—	—	—	1897
那覇			1918	2	20	1891			1918	2	20	1891
昭和(南極)												

一は現象なし．
］付は参考値．参考値は平年差や平年比に利用できない．
昭和（南極）では霜の観測を行っていない．
津，彦根，京都，神戸，奈良，和歌山，鳥取，松江，岡山，下関，徳島，松山，高知，佐賀，長崎，熊本，大分，宮崎，名瀬では2020年2月に終日の観測を終了した．
統計開始年は寒候年（前年8月から当年7月）である．

雪（降雪）日数の月別平年値（1）

（1991年から2020年までの平均値）

地　点	1月	2月	3月	4月	5月	6月	7月	8月	9月	10月	11月	12月	年
札　幌	29.1	25.3	24.5	10.1	0.1	0.0	0.0	0.0	0.0	1.9	15.6	27.9	134
函　館	27.9	24.6	21.3	6.4	0.0	0.0	0.0	0.0	0.0	1.2	11.8	25.8	118
旭　川	30.2	26.5	26.0	13.8	1.6	0.0	0.0	0.0	0.0	3.3	20.3	30.1	151
釧　路	14.3	13.9	15.1	9.8	1.4	0.0	0.0	0.0	0.0	1.0	5.7	12.6	74
帯　広	13.8	14.8	16.4	9.1	0.4	0.0	0.0	0.0	0.0	1.2	9.8	13.6	79
網　走	27.0	23.5	22.2	15.2	4.1	0.0	0.0	0.0	0.0	1.9	14.5	24.1	132.
稚　内	30.4	26.0	24.3	12.6	2.1	0.0	0.0	0.0	0.0	3.8	20.5	28.5	147.
青　森	29.6	26.1	22.1	5.7	0.0	0.0	0.0	0.0	0.0	0.2	10.2	26.0	119.
盛　岡	27.3	23.3	20.1	6.9	0.1	0.0	0.0	0.0	0.0	0.2	8.7	24.4	111.
仙　台	23.8	20.1	13.4	2.7	0.1	0.0	0.0	0.0	0.0	0.0	3.7	17.6	81.
秋　田	28.7	25.3	19.0	3.8	0.0	0.0	0.0	0.0	0.0	0.0	7.7	24.8	108.
山　形	28.1	23.7	19.6	4.6	0.0	0.0	0.0	0.0	0.0	0.0	6.1	23.7	105.
福　島	25.4	21.3	15.9	2.8	0.0	0.0	0.0	0.0	0.0	0.0	3.3	18.3	87.
水　戸	6.2	6.9	5.5	0.2	0.0	0.0	0.0	0.0	0.0	0.0	0.1	3.1	21.
宇都宮	6.7	7.1	5.9	0.6	0.0	0.0	0.0	0.0	0.0	0.0	0.0	3.1	23.
前　橋	7.6	7.9	5.6	0.5	0.0	0.0	0.0	0.0	0.0	0.0	0.2	4.2	26.
熊　谷	6.0	5.5	3.4	0.2	0.0	0.0	0.0	0.0	0.0	0.0	0.1	2.6	17.
銚　子	4.5	6.0	1.7	0.0	0.0	0.0	0.0	0.0	0.0	0.0	0.0	0.9	13.
東　京	2.8	3.5	1.4	0.1	0.0	0.0	0.0	0.0	0.0	0.0	0.0	0.6	8.
横　浜	4.9	7.0	3.4	0.1	0.0	0.0	0.0	0.0	0.0	0.0	0.0	2.3	17.
新　潟	26.8	23.5	15.8	2.3	0.0	0.0	0.0	0.0	0.0	0.0	2.7	19.5	90.5
富　山	23.4	19.4	12.1	1.8	0.0	0.0	0.0	0.0	0.0	0.0	0.6	13.1	71.8
金　沢	22.7	19.9	12.7	2.5	0.0	0.0	0.0	0.0	0.0	0.0	1.5	14.5	73.9
福　井	23.2	19.5	11.3	1.5	0.0	0.0	0.0	0.0	0.0	0.0	0.6	13.2	69.2
甲　府	5.9	5.9	3.6	0.3	0.0	0.0	0.0	0.0	0.0	0.0	0.1	3.5	19.4
長　野	24.0	20.1	15.6	3.2	0.0	0.0	0.0	0.0	0.0	0.0	3.6	19.0	85.6
岐　阜	12.3	9.5	4.5	0.2	0.0	0.0	0.0	0.0	0.0	0.0	0.0	7.1	33.4
静　岡	1.8	1.7	0.1	0.0	0.0	0.0	0.0	0.0	0.0	0.0	0.0	0.5	4.1

雪（降雪）日数の月別平年値（2）

(1991 年から 2020 年までの平均値)

地　点	1月	2月	3月	4月	5月	6月	7月	8月	9月	10月	11月	12月	年
名古屋	9.4	6.8	2.8	0.0	0.0	0.0	0.0	0.0	0.0	0.0	0.0	4.8	23.7
津	9.2	9.8	4.3	0.1	0.0	0.0	0.0	0.0	0.0	0.0	0.0	3.3	26.5
彦　根	17.6	15.3	7.5	0.5	0.0	0.0	0.0	0.0	0.0	0.0	0.1	8.3	49.3
京　都	16.3	14.2	6.8	0.4	0.0	0.0	0.0	0.0	0.0	0.0	0.0	6.9	44.5
大　阪	4.7	5.5	1.9	0.0	0.0	0.0	0.0	0.0	0.0	0.0	0.0	1.8	13.9
神　戸	8.9	10.2	3.3	0.1	0.0	0.0	0.0	0.0	0.0	0.0	0.1	4.1	26.9
奈　良	11.5	11.8	4.7	0.2	0.0	0.0	0.0	0.0	0.0	0.0	0.1	5.5	33.9
和歌山	8.8	8.7	2.1	0.0	0.0	0.0	0.0	0.0	0.0	0.0	0.0	5.7	25.4
鳥　取	18.7	16.2	8.4	0.4	0.0	0.0	0.0	0.0	0.0	0.0	0.3	10.7	54.7
松　江	18.2	14.3	6.6	0.4	0.0	0.0	0.0	0.0	0.0	0.0	0.4	9.8	50.5
岡　山	8.9	8.5	2.7	0.1	0.0	0.0	0.0	0.0	0.0	0.0	0.1	4.1	24.4
広　島	12.0	9.5	4.3	0.1	0.0	0.0	0.0	0.0	0.0	0.0	0.2	7.6	33.6
下　関	10.5	6.9	2.6	0.0	0.0	0.0	0.0	0.0	0.0	0.0	0.8	7.0	27.7
徳　島	7.2	6.2	2.0	0.0	0.0	0.0	0.0	0.0	0.0	0.0	0.1	3.1	18.8
高　松	7.6	6.4	1.3	0.0	0.0	0.0	0.0	0.0	0.0	0.0	0.0	3.7	19.0
松　山	6.9	5.5	1.7	0.0	0.0	0.0	0.0	0.0	0.0	0.0	0.0	4.1	18.3
高　知	4.0	3.0	1.3	0.0	0.0	0.0	0.0	0.0	0.0	0.0	0.0	2.0	10.3
福　岡	9.2	5.9	2.2	0.0	0.0	0.0	0.0	0.0	0.0	0.0	0.1	6.1	23.4
佐　賀	8.5	5.7	1.9	0.0	0.0	0.0	0.0	0.0	0.0	0.0	0.1	6.0	22.2
長　崎	7.0	5.0	1.1	0.0	0.0	0.0	0.0	0.0	0.0	0.0	0.0	5.6	18.7
熊　本	6.6	4.4	1.6	0.0	0.0	0.0	0.0	0.0	0.0	0.0	0.0	5.0	17.7
大　分	6.4	4.6	1.5	0.0	0.0	0.0	0.0	0.0	0.0	0.0	0.1	4.6	17.3
宮　崎	1.3	1.1	0.1	0.0	0.0	0.0	0.0	0.0	0.0	0.0	0.0	1.0	3.6
鹿児島	4.3	3.4	0.5	0.0	0.0	0.0	0.0	0.0	0.0	0.0	0.0	1.7	10.0
名　瀬	0.1	0.0	0.0	0.0	0.0	0.0	0.0	0.0	0.0	0.0	0.0	0.0	0.1
那　覇	0.0	0.0	0.0	0.0	0.0	0.0	0.0	0.0	0.0	0.0	0.0	0.0	0.0
昭和(南極)	13.4	15.1	20.3	20.3	18.8	17.7	18.8	19.1	18.2	19.6	12.5	11.5	205.5

雪（降雪）の初日・終日の平年値と最早・最晩（1）

（統計期間：平年値は，1990年8月から2020年7月までの平均値．最早・最晩は，統計開始から2023年7月までの値である．）

地点	初日 平年値		初日 最早			統計開始年	終日 平年値		終日 最晩			統計開始年
札幌	10	28	1880	10	5	1877	4	21	1941	5	25	1877
函館	11	1	2022	11	4	2021	4	16	2020	4	28	2020
旭川	10	19	2021	10	17	2021	5	1	2021	5	3	2020
釧路	11	7	2020	11	9	2021	5	1	2020	4	27	2020
帯広	11	1	2020	11	4	2021	4	26	2021	4	26	2020
網走	10	30	2021	10	17	2021	5	11	2020	5	17	2020
稚内	10	19	2021	10	17	2021	5	10	2021	5	10	2020
青森	11	8	2020	11	8	2021	4	15	2021	4	25	2020
盛岡	11	9	2020	11	9	2021	4	21	2023	5	8	2020
仙台	11	17	1995	11	8	1927	4	9	1991	5	3	1927
秋田	11	15	2020	11	10	2021	4	10	2020	4	24	2020
山形	11	16	2021	11	27	2021	4	11	2022	4	30	2020
福島	11	19	2021	11	28	2021	4	5	2023	4	9	2020
水戸	12	19	2020	12	5	2020	3	21	2021	4	9	2019
宇都宮	12	16	2020	12	5	2020	4	1	2019	4	10	2019
前橋	12	9	2019	12	9	2020	3	30	2019	4	10	2019
熊谷	12	20	2022	12	22	2020	3	15	2019	4	10	2019
銚子	1	5	2020	12	30	2020	3	10	2021	2	27	2019
東京	1	3	1900	11	17	1877	3	9	2010	4	17	1877
横浜	12	15	2019	12	7	2020	3	19	2021	4	10	2019
新潟	11	23	2009	11	3	1886	4	6	2020	4	23	1886
富山	12	3	2021	12	2	2021	4	5	2020	3	29	2020
金沢	11	24	2021	11	27	2021	4	7	2020	3	24	2020
福井	12	3	2021	12	2	2021	3	31	2020	3	16	2020
甲府	12	11	2021	12	4	2020	3	23	2019	4	10	2019
長野	11	18	2020	11	11	2020	4	8	2019	4	27	2019
岐阜	12	13	2022	12	14	2020	3	24	2020	3	16	2020
静岡	1	6	2021	12	31	2020	2	12	2023	2	15	2020

東京以外の平年値は自動観測による．
統計開始年は寒候年（前年8月から当年7月）である．

雪（降雪）の初日・終日の平年値と最早・最晩（2）

（統計期間：平年値は，1990年8月から2020年7月までの平均値．最早・最晩は，統計開始から2023年7月までの値である．）

地点	初日						終日					
	平年値		最早			統計開始年	平年値		最晩			統計開始年
名古屋	12	18	1904	11	7	1891	3	12	1902	4	11	1891
津	12	24	2021	12	17	2021	3	19	2020	3	16	2020
彦根	12	10	2022	12	14	2021	3	28	2020	3	16	2020
京都	12	11	2021	12	1	2021	3	23	2022	3	7	2020
大阪	12	26	1938	11	12	1883	3	8	1996	4	12	1883
神戸	12	13	2020	12	17	2020	3	27	2022	3	6	2020
奈良	12	13	2020	12	15	2020	3	22	2020	3	16	2020
和歌山	12	18	2020	12	15	2020	3	12	2021	3	3	2020
鳥取	12	5	2021	12	1	2021	3	27	2022	4	3	2020
松江	12	7	2021	12	1	2021	3	28	2020	3	16	2020
岡山	12	10	2022	12	15	2021	3	19	2020	3	16	2020
広島	12	8	1921	11	8	1880	3	24	1902	4	12	1879
下関	12	10	2022	12	14	2020	3	14	2020	3	16	2020
徳島	12	18	2022	12	18	2020	3	5	2023	2	25	2020
高松	12	19	1966	11	21	1942	3	6	1972	4	1	1942
松山	12	19	2021	12	17	2021	3	5	2022	2	23	2020
高知	12	21	2021	12	17	2020	2	21	2021	3	3	2020
福岡	12	16	1938	11	12	1891	3	7	1962	4	4	1890
佐賀	12	11	2022	12	2	2020	3	13	2020	3	15	2020
長崎	12	11	2022	12	14	2020	3	1	2020	3	16	2020
熊本	12	16	2020	12	16	2020	3	6	2023	2	21	2020
大分	12	10	2022	12	14	2020	3	4	2020	3	5	2020
宮崎	1	13	2022	12	23	2020	2	5	2022	2	23	2020
鹿児島	1	5	1987	12	2	1887	2	17	1958	3	29	1886
名瀬			—	—	—	2020			—	—	—	2020
那覇			—	—	—	1891			—	—	—	1891
昭和(南極)												

—は現象なし．
昭和（南極）では初日・終日を決めていない．
大阪以外の平年値は自動観測による．
統計開始年は寒候年（前年8月から当年7月）である．

日最深積雪 1 cm 以上の日数の月別平年値（1）

（1991 年から 2020 年までの平均値）

地点	1月	2月	3月	4月	5月	6月	7月	8月	9月	10月	11月	12月	年
札幌	31.0	28.3	29.4	5.1	0.0	0.0	0.0	0.0	0.0	0.3	7.2	26.7	127
函館	29.4	26.9	16.1	0.7	0.0	0.0	0.0	0.0	0.0	0.0	4.4	21.4	98
旭川	31.0	28.3	30.3	8.8	0.1	0.0	0.0	0.0	0.0	0.8	14.4	30.0	143
釧路	24.8	25.3	16.3	2.4	0.1	0.0	0.0	0.0	0.0	0.0	1.4	13.5	83
帯広	30.9	28.2	24.7	2.9	0.2	0.0	0.0	0.0	0.0	0.0	3.9	24.3	115.[illegible]
網走	30.9	28.3	28.8	6.5	0.5	0.0	0.0	0.0	0.0	0.1	5.5	25.9	125.[illegible]
留萌	30.8	28.3	28.2	3.9	0.0	0.0	0.0	0.0	0.0	0.1	8.8	27.5	127.[illegible]
稚内	31.0	28.2	27.5	4.8	0.0	0.0	0.0	0.0	0.0	0.1	10.7	27.8	129.[illegible]
根室	25.8	26.1	20.7	4.2	0.1	0.0	0.0	0.0	0.0	0.0	0.9	12.1	89.[illegible]
寿都	30.6	28.2	25.7	2.3	0.0	0.0	0.0	0.0	0.0	0.0	7.2	25.5	119.[illegible]
浦河	24.6	19.8	7.4	0.6	0.0	0.0	0.0	0.0	0.0	0.0	1.5	13.3	67.[illegible]
青森	30.7	27.8	23.7	2.0	0.0	0.0	0.0	0.0	0.0	0.0	5.2	23.6	112.[illegible]
盛岡	25.8	24.5	11.9	1.1	0.0	0.0	0.0	0.0	0.0	0.0	1.8	14.7	79.[illegible]
宮古	10.1	13.1	7.9	0.8	0.0	0.0	0.0	0.0	0.0	0.0	0.1	3.6	34.[illegible]
仙台	8.8	6.7	3.1	0.3	0.0	0.0	0.0	0.0	0.0	0.0	0.0	4.2	22.[illegible]
秋田	25.4	23.3	9.5	0.4	0.0	0.0	0.0	0.0	0.0	0.0	1.7	14.9	74.[illegible]
山形	27.6	25.6	12.7	0.6	0.0	0.0	0.0	0.0	0.0	0.0	1.3	14.4	82.[illegible]
酒田	22.4	19.7	6.0	0.1	0.0	0.0	0.0	0.0	0.0	0.0	0.7	10.4	58.[illegible]
福島	15.8	11.6	4.5	0.3	0.0	0.0	0.0	0.0	0.0	0.0	0.2	6.7	38.[illegible]
水戸	1.7	1.8	0.4	0.0	0.0	0.0	0.0	0.0	0.0	0.0	0.0	0.3	4.[illegible]
宇都宮	2.7	2.5	0.6	0.1	0.0	0.0	0.0	0.0	0.0	0.0	0.1	0.5	6.5
前橋	2.4	2.2	0.6	0.1	0.0	0.0	0.0	0.0	0.0	0.0	0.1	0.3	5.[illegible]
熊谷	1.8	2.0	0.5	0.0	0.0	0.0	0.0	0.0	0.0	0.0	0.1	0.2	4.6
銚子	0.1	0.1	0.0	0.0	0.0	0.0	0.0	0.0	0.0	0.0	0.0	0.0	0.2
東京	1.4	1.1	0.2	0.0	0.0	0.0	0.0	0.0	0.0	0.0	0.0	0.1	2.8
横浜	1.0	1.0	0.2	0.0	0.0	0.0	0.0	0.0	0.0	0.0	0.0	0.1	2.4
新潟	15.3	13.9	3.0	0.0	0.0	0.0	0.0	0.0	0.0	0.0	0.2	6.0	38.5
高田	25.8	25.8	14.7	0.6	0.0	0.0	0.0	0.0	0.0	0.0	0.1	12.9	79.4
相川	8.1	7.6	1.5	0.0	0.0	0.0	0.0	0.0	0.0	0.0	0.0	2.6	19.7
富山	19.1	17.4	4.2	0.3	0.0	0.0	0.0	0.0	0.0	0.0	0.1	8.8	49.5
金沢	15.1	13.1	3.0	0.2	0.0	0.0	0.0	0.0	0.0	0.0	0.2	5.9	37.3
輪島	14.1	13.5	3.2	0.1	0.0	0.0	0.0	0.0	0.0	0.0	0.0	6.5	37.1
福井	17.9	15.2	3.5	0.1	0.0	0.0	0.0	0.0	0.0	0.0	0.0	7.6	43.8
敦賀	10.6	9.0	1.8	0.0	0.0	0.0	0.0	0.0	0.0	0.0	0.1	4.2	25.5
甲府	3.3	2.5	0.4	0.0	0.0	0.0	0.0	0.0	0.0	0.0	0.0	0.4	6.6

日最深積雪 1 cm 以上の日数の月別平年値 (2)

(1991 年から 2020 年までの平均値)

地　点	1月	2月	3月	4月	5月	6月	7月	8月	9月	10月	11月	12月	年
長　野	21.2	17.7	5.4	0.4	0.0	0.0	0.0	0.0	0.0	0.0	0.3	8.9	53.7
松　本	11.3	8.9	3.3	0.3	0.0	0.0	0.0	0.0	0.0	0.0	0.1	3.2	27.2
飯　田	7.9	6.6	0.9	0.0	0.0	0.0	0.0	0.0	0.0	0.0	0.0	2.8	18.4
軽井沢	19.9	20.6	11.3	1.3	0.0	0.0	0.0	0.0	0.0	0.0	0.5	7.9	61.1
岐　阜	3.4	2.7	0.4	0.0	0.0	0.0	0.0	0.0	0.0	0.0	0.0	2.0	8.5
高　山	24.9	23.8	9.1	0.6	0.0	0.0	0.0	0.0	0.0	0.0	0.5	11.4	70.2
静　岡	0.0	0.1	0.0	0.0	0.0	0.0	0.0	0.0	0.0	0.0	0.0	0.0	0.1
名古屋	1.3	1.3	0.1	0.0	0.0	0.0	0.0	0.0	0.0	0.0	0.0	0.9	3.5
津	0.9	1.2	0.1	0.0	0.0	0.0	0.0	0.0	0.0	0.0	0.0	0.2	2.4
彦　根	8.3	6.6	1.3	0.0	0.0	0.0	0.0	0.0	0.0	0.0	0.0	2.4	18.5
京　都	1.3	2.0	0.2	0.0	0.0	0.0	0.0	0.0	0.0	0.0	0.0	0.7	4.2
大　阪	0.0	0.6	0.0	0.0	0.0	0.0	0.0	0.0	0.0	0.0	0.0	0.1	0.7
神　戸	0.2	0.3	0.0	0.0	0.0	0.0	0.0	0.0	0.0	0.0	0.0	0.1	0.6
奈　良	0.7	1.1	0.2	0.0	0.0	0.0	0.0	0.0	0.0	0.0	0.0	0.2	2.2
和歌山	0.1	0.5	0.0	0.0	0.0	0.0	0.0	0.0	0.0	0.0	0.0	0.0	0.6
鳥　取	12.4	10.4	2.4	0.0	0.0	0.0	0.0	0.0	0.0	0.0	0.0	6.0	30.8
松　江	8.2	6.7	1.2	0.0	0.0	0.0	0.0	0.0	0.0	0.0	0.0	2.9	18.9
西　郷	9.8	8.0	1.4	0.0	0.0	0.0	0.0	0.0	0.0	0.0	0.0	4.8	24.4
岡　山	0.2	0.5	0.0	0.0	0.0	0.0	0.0	0.0	0.0	0.0	0.0	0.0	0.8
広　島	1.1	1.1	0.2	0.0	0.0	0.0	0.0	0.0	0.0	0.0	0.0	0.7	3.1
下　関	0.6	0.7	0.1	0.0	0.0	0.0	0.0	0.0	0.0	0.0	0.0	0.0	1.3
徳　島	0.3	0.6	0.0	0.0	0.0	0.0	0.0	0.0	0.0	0.0	0.0	0.1	1.1
高　松	0.2	0.5	0.0	0.0	0.0	0.0	0.0	0.0	0.0	0.0	0.0	0.1	0.8
松　山	0.1	0.2	0.0	0.0	0.0	0.0	0.0	0.0	0.0	0.0	0.0	0.0	0.3
高　知	0.1	0.1	0.0	0.0	0.0	0.0	0.0	0.0	0.0	0.0	0.0	0.1	0.3
福　岡	0.6	0.5	0.1	0.0	0.0	0.0	0.0	0.0	0.0	0.0	0.0	0.1	1.2
佐　賀	0.9	0.7	0.1	0.0	0.0	0.0	0.0	0.0	0.0	0.0	0.0	0.4	2.0
長　崎	1.0	0.5	0.0	0.0	0.0	0.0	0.0	0.0	0.0	0.0	0.0	0.1	1.5
熊　本	0.4	0.1	0.0	0.0	0.0	0.0	0.0	0.0	0.0	0.0	0.0	0.2	0.6
大　分	0.2	0.1	0.0	0.0	0.0	0.0	0.0	0.0	0.0	0.0	0.0	0.0	0.3
宮　崎	0.0	0.0	0.0	0.0	0.0	0.0	0.0	0.0	0.0	0.0	0.0	0.0	0.0
鹿児島	0.5	0.1	0.0	0.0	0.0	0.0	0.0	0.0	0.0	0.0	0.0	0.1	0.8
名　瀬	0.0	0.0	0.0	0.0	0.0	0.0	0.0	0.0	0.0	0.0	0.0	0.0	0.0
那　覇	0.0	0.0	0.0	0.0	0.0	0.0	0.0	0.0	0.0	0.0	0.0	0.0	0.0
昭和(南極)	21.3	21.7	30.0	29.7	30.5	29.5	30.6	30.6	29.3	30.6	30.0	29.6	

日最深積雪 10 cm 以上の日数の月別平年値（1）

（1991 年から 2020 年までの平均値）

地点	1月	2月	3月	4月	5月	6月	7月	8月	9月	10月	11月	12月	年
札幌	30.5	28.3	28.4	3.6	0.0	0.0	0.0	0.0	0.0	0.0	2.2	19.6	112
函館	23.3	24.0	9.6	0.1	0.0	0.0	0.0	0.0	0.0	0.0	0.9	9.6	67
旭川	31.0	28.3	29.7	6.8	0.0	0.0	0.0	0.0	0.0	0.1	7.7	27.1	130.
釧路	14.0	18.7	9.4	0.3	0.0	0.0	0.0	0.0	0.0	0.0	0.2	4.7	47
帯広	29.3	28.2	22.5	1.0	0.0	0.0	0.0	0.0	0.0	0.0	1.2	17.9	100.
網走	28.5	27.6	26.0	3.0	0.0	0.0	0.0	0.0	0.0	0.0	0.6	14.6	100.
留萌	30.0	27.7	26.5	2.5	0.0	0.0	0.0	0.0	0.0	0.0	2.1	19.6	108.
稚内	29.5	27.6	25.1	2.8	0.0	0.0	0.0	0.0	0.0	0.0	2.8	18.8	106.
根室	11.9	19.3	13.7	1.6	0.0	0.0	0.0	0.0	0.0	0.0	0.0	3.9	50.
寿都	28.5	27.9	22.3	1.2	0.0	0.0	0.0	0.0	0.0	0.0	1.1	15.4	95.
浦河	8.1	6.5	1.4	0.0	0.0	0.0	0.0	0.0	0.0	0.0	0.1	2.1	18.
青森	29.0	27.4	20.4	1.1	0.0	0.0	0.0	0.0	0.0	0.0	1.9	17.3	96.
盛岡	17.6	18.1	5.1	0.1	0.0	0.0	0.0	0.0	0.0	0.0	0.3	5.1	46.
宮古	4.0	5.8	3.7	0.2	0.0	0.0	0.0	0.0	0.0	0.0	0.0	0.8	13.
仙台	2.0	1.2	0.6	0.0	0.0	0.0	0.0	0.0	0.0	0.0	0.0	0.4	4.
秋田	15.8	17.7	2.4	0.0	0.0	0.0	0.0	0.0	0.0	0.0	0.4	5.6	41.
山形	21.6	21.5	6.3	0.1	0.0	0.0	0.0	0.0	0.0	0.0	0.1	7.1	56.
酒田	12.1	11.0	1.0	0.0	0.0	0.0	0.0	0.0	0.0	0.0	0.2	3.0	27.
福島	6.7	2.9	0.6	0.0	0.0	0.0	0.0	0.0	0.0	0.0	0.0	1.7	11.
水戸	0.2	0.3	0.0	0.0	0.0	0.0	0.0	0.0	0.0	0.0	0.0	0.0	0.
宇都宮	0.6	0.4	0.0	0.0	0.0	0.0	0.0	0.0	0.0	0.0	0.0	0.1	1.
前橋	0.8	0.6	0.0	0.0	0.0	0.0	0.0	0.0	0.0	0.0	0.0	0.1	1.
熊谷	0.5	0.6	0.1	0.0	0.0	0.0	0.0	0.0	0.0	0.0	0.0	0.0	1.
銚子	0.0	0.0	0.0	0.0	0.0	0.0	0.0	0.0	0.0	0.0	0.0	0.0	0.0
東京	0.2	0.4	0.0	0.0	0.0	0.0	0.0	0.0	0.0	0.0	0.0	0.0	0.5
横浜	0.4	0.5	0.0	0.0	0.0	0.0	0.0	0.0	0.0	0.0	0.0	0.0	0.8
新潟	6.4	6.3	0.6	0.0	0.0	0.0	0.0	0.0	0.0	0.0	0.0	1.6	15.0
高田	22.4	24.8	11.9	0.2	0.0	0.0	0.0	0.0	0.0	0.0	0.0	8.3	66.9
相川	1.4	1.6	0.1	0.0	0.0	0.0	0.0	0.0	0.0	0.0	0.0	0.5	3.7
富山	13.2	11.0	1.2	0.0	0.0	0.0	0.0	0.0	0.0	0.0	0.0	4.9	29.9
金沢	5.9	5.8	0.6	0.0	0.0	0.0	0.0	0.0	0.0	0.0	0.0	1.9	14.1
輪島	5.4	5.2	0.3	0.0	0.0	0.0	0.0	0.0	0.0	0.0	0.0	1.1	11.8
福井	12.0	9.1	0.9	0.0	0.0	0.0	0.0	0.0	0.0	0.0	0.0	3.3	25.2
敦賀	5.5	4.7	0.4	0.0	0.0	0.0	0.0	0.0	0.0	0.0	0.0	1.8	12.3
甲府	1.3	1.0	0.1	0.0	0.0	0.0	0.0	0.0	0.0	0.0	0.0	0.0	2.4

日最深積雪 10 cm 以上の日数の月別平年値 (2)

(1991 年から 2020 年までの平均値)

地点	1月	2月	3月	4月	5月	6月	7月	8月	9月	10月	11月	12月	年
長野	11.6	8.6	0.6	0.0	0.0	0.0	0.0	0.0	0.0	0.0	0.0	3.2	24.1
松本	3.9	3.7	0.7	0.1	0.0	0.0	0.0	0.0	0.0	0.0	0.0	0.3	8.7
飯田	2.2	2.1	0.1	0.0	0.0	0.0	0.0	0.0	0.0	0.0	0.0	0.4	4.9
軽井沢	11.2	13.4	6.1	0.5	0.0	0.0	0.0	0.0	0.0	0.0	0.1	2.4	34.0
岐阜	1.0	0.4	0.1	0.0	0.0	0.0	0.0	0.0	0.0	0.0	0.0	0.5	1.9
高山	18.5	20.0	3.8	0.1	0.0	0.0	0.0	0.0	0.0	0.0	0.1	5.1	47.3
静岡	0.0	0.0	0.0	0.0	0.0	0.0	0.0	0.0	0.0	0.0	0.0	0.0	0.0
名古屋	0.2	0.2	0.0	0.0	0.0	0.0	0.0	0.0	0.0	0.0	0.0	0.2	0.6
津	0.0	0.1	0.0	0.0	0.0	0.0	0.0	0.0	0.0	0.0	0.0	0.0	0.1
彦根	2.7	2.2	0.4	0.0	0.0	0.0	0.0	0.0	0.0	0.0	0.0	0.8	6.1
京都	0.2	0.1	0.0	0.0	0.0	0.0	0.0	0.0	0.0	0.0	0.0	0.1	0.5
大阪	0.0	0.0	0.0	0.0	0.0	0.0	0.0	0.0	0.0	0.0	0.0	0.0	0.0
神戸	0.0	0.0	0.0	0.0	0.0	0.0	0.0	0.0	0.0	0.0	0.0	0.0	0.0
奈良	0.0	0.2	0.0	0.0	0.0	0.0	0.0	0.0	0.0	0.0	0.0	0.0	0.2
和歌山	0.0	0.0	0.0	0.0	0.0	0.0	0.0	0.0	0.0	0.0	0.0	0.0	0.0
鳥取	6.0	5.6	0.5	0.0	0.0	0.0	0.0	0.0	0.0	0.0	0.0	2.6	14.4
松江	2.9	1.5	0.3	0.0	0.0	0.0	0.0	0.0	0.0	0.0	0.0	0.6	5.2
西郷	2.7	2.4	0.2	0.0	0.0	0.0	0.0	0.0	0.0	0.0	0.0	1.4	6.9
岡山	0.0	0.0	0.0	0.0	0.0	0.0	0.0	0.0	0.0	0.0	0.0	0.0	0.0
広島	0.0	0.1	0.0	0.0	0.0	0.0	0.0	0.0	0.0	0.0	0.0	0.1	0.2
下関	0.0	0.0	0.0	0.0	0.0	0.0	0.0	0.0	0.0	0.0	0.0	0.0	0.0
徳島	0.0	0.0	0.0	0.0	0.0	0.0	0.0	0.0	0.0	0.0	0.0	0.0	0.0
高松	0.0	0.0	0.0	0.0	0.0	0.0	0.0	0.0	0.0	0.0	0.0	0.0	0.0
松山	0.0	0.0	0.0	0.0	0.0	0.0	0.0	0.0	0.0	0.0	0.0	0.0	0.0
高知	0.0	0.0	0.0	0.0	0.0	0.0	0.0	0.0	0.0	0.0	0.0	0.0	0.0
福岡	0.0	0.0	0.0	0.0	0.0	0.0	0.0	0.0	0.0	0.0	0.0	0.0	0.0
佐賀	0.0	0.0	0.0	0.0	0.0	0.0	0.0	0.0	0.0	0.0	0.0	0.0	0.0
長崎	0.2	0.0	0.0	0.0	0.0	0.0	0.0	0.0	0.0	0.0	0.0	0.0	0.2
熊本	0.0	0.0	0.0	0.0	0.0	0.0	0.0	0.0	0.0	0.0	0.0	0.0	0.0
大分	0.0	0.0	0.0	0.0	0.0	0.0	0.0	0.0	0.0	0.0	0.0	0.0	0.0
宮崎	0.0	0.0	0.0	0.0	0.0	0.0	0.0	0.0	0.0	0.0	0.0	0.0	0.0
鹿児島	0.1	0.0	0.0	0.0	0.0	0.0	0.0	0.0	0.0	0.0	0.0	0.1	0.2
名瀬	0.0	0.0	0.0	0.0	0.0	0.0	0.0	0.0	0.0	0.0	0.0	0.0	0.0
那覇	0.0	0.0	0.0	0.0	0.0	0.0	0.0	0.0	0.0	0.0	0.0	0.0	0.0
昭和(南極)	20.2	18.4	22.7	26.0	30.0	29.5	30.6	30.6	29.3	30.6	30.0	29.0	

日最深積雪 20 cm 以上の日数の月別平年値 (1)

(1991 年から 2020 年までの平均値)

地　点	1月	2月	3月	4月	5月	6月	7月	8月	9月	10月	11月	12月	年
札　幌	29.5	28.3	26.8	2.7	0.0	0.0	0.0	0.0	0.0	0.0	0.8	12.6	100.[illegible]
函　館	14.0	19.3	5.9	0.0	0.0	0.0	0.0	0.0	0.0	0.0	0.2	3.2	42.[illegible]
旭　川	30.8	28.3	28.5	5.2	0.0	0.0	0.0	0.0	0.0	0.0	3.5	22.7	118.[illegible]
釧　路	7.0	9.3	4.9	0.1	0.0	0.0	0.0	0.0	0.0	0.0	0.0	1.8	23.[illegible]
帯　広	24.3	27.7	19.9	0.4	0.0	0.0	0.0	0.0	0.0	0.0	0.5	11.2	84.[illegible]
網　走	20.5	23.4	21.3	1.8	0.0	0.0	0.0	0.0	0.0	0.0	0.1	7.4	74.[illegible]
留　萌	28.5	27.6	24.1	1.8	0.0	0.0	0.0	0.0	0.0	0.0	0.7	12.6	94.[illegible]
稚　内	25.0	26.2	22.1	2.0	0.0	0.0	0.0	0.0	0.0	0.0	1.1	12.4	88.[illegible]
根　室	5.5	12.5	9.0	1.0	0.0	0.0	0.0	0.0	0.0	0.0	0.0	1.3	29.[illegible]
寿　都	23.9	26.7	18.9	0.7	0.0	0.0	0.0	0.0	0.0	0.0	0.0	7.6	77.[illegible]
浦　河	1.0	1.6	0.3	0.0	0.0	0.0	0.0	0.0	0.0	0.0	0.0	0.4	3.[illegible]
青　森	25.9	26.6	18.3	0.8	0.0	0.0	0.0	0.0	0.0	0.0	0.6	11.5	83.[illegible]
盛　岡	7.9	11.4	2.6	0.0	0.0	0.0	0.0	0.0	0.0	0.0	0.0	1.1	23.1
宮　古	0.7	2.3	1.0	0.0	0.0	0.0	0.0	0.0	0.0	0.0	0.0	0.0	4.1
仙　台	0.4	0.4	0.1	0.0	0.0	0.0	0.0	0.0	0.0	0.0	0.0	0.0	0.9
秋　田	9.3	10.2	0.9	0.0	0.0	0.0	0.0	0.0	0.0	0.0	0.1	1.8	22.3
山　形	14.6	16.4	3.1	0.0	0.0	0.0	0.0	0.0	0.0	0.0	0.0	3.7	37.[illegible]
酒　田	5.6	4.1	0.1	0.0	0.0	0.0	0.0	0.0	0.0	0.0	0.2	1.5	11.5
福　島	1.6	0.7	0.1	0.0	0.0	0.0	0.0	0.0	0.0	0.0	0.0	0.4	2.7
水　戸	0.0	0.0	0.0	0.0	0.0	0.0	0.0	0.0	0.0	0.0	0.0	0.0	0.0
宇都宮	0.2	0.1	0.0	0.0	0.0	0.0	0.0	0.0	0.0	0.0	0.0	0.0	0.3
前　橋	0.4	0.3	0.0	0.0	0.0	0.0	0.0	0.0	0.0	0.0	0.0	0.0	0.7
熊　谷	0.1	0.3	0.0	0.0	0.0	0.0	0.0	0.0	0.0	0.0	0.0	0.0	0.4
銚　子	0.0	0.0	0.0	0.0	0.0	0.0	0.0	0.0	0.0	0.0	0.0	0.0	0.0
東　京	0.1	0.2	0.0	0.0	0.0	0.0	0.0	0.0	0.0	0.0	0.0	0.0	0.2
横　浜	0.0	0.2	0.0	0.0	0.0	0.0	0.0	0.0	0.0	0.0	0.0	0.0	0.2
新　潟	3.4	3.6	0.1	0.0	0.0	0.0	0.0	0.0	0.0	0.0	0.0	0.6	7.6
高　田	18.4	23.1	10.0	0.1	0.0	0.0	0.0	0.0	0.0	0.0	0.0	5.4	56.4
相　川	0.5	0.3	0.0	0.0	0.0	0.0	0.0	0.0	0.0	0.0	0.0	0.1	0.9
富　山	8.5	7.4	0.4	0.0	0.0	0.0	0.0	0.0	0.0	0.0	0.0	2.6	18.7
金　沢	3.0	2.5	0.0	0.0	0.0	0.0	0.0	0.0	0.0	0.0	0.0	0.9	6.4
輪　島	2.7	2.2	0.1	0.0	0.0	0.0	0.0	0.0	0.0	0.0	0.0	0.2	5.1
福　井	7.2	6.3	0.4	0.0	0.0	0.0	0.0	0.0	0.0	0.0	0.0	1.6	15.5
敦　賀	2.5	2.8	0.1	0.0	0.0	0.0	0.0	0.0	0.0	0.0	0.0	0.7	6.1
甲　府	0.4	0.5	0.0	0.0	0.0	0.0	0.0	0.0	0.0	0.0	0.0	0.0	0.9

日最深積雪 20 cm 以上の日数の月別平年値 (2)

(1991 年から 2020 年までの平均値)

地点	1月	2月	3月	4月	5月	6月	7月	8月	9月	10月	11月	12月	年
長野	4.4	2.5	0.0	0.0	0.0	0.0	0.0	0.0	0.0	0.0	0.0	1.2	8.1
松本	2.0	1.5	0.2	0.0	0.0	0.0	0.0	0.0	0.0	0.0	0.0	0.1	3.8
飯田	0.6	1.0	0.0	0.0	0.0	0.0	0.0	0.0	0.0	0.0	0.0	0.1	1.6
軽井沢	5.7	8.1	3.1	0.0	0.0	0.0	0.0	0.0	0.0	0.0	0.0	0.7	18.0
岐阜	0.3	0.1	0.0	0.0	0.0	0.0	0.0	0.0	0.0	0.0	0.0	0.2	0.5
高山	12.7	14.1	1.8	0.0	0.0	0.0	0.0	0.0	0.0	0.0	0.0	2.8	31.3
静岡	0.0	0.0	0.0	0.0	0.0	0.0	0.0	0.0	0.0	0.0	0.0	0.0	0.0
名古屋	0.0	0.0	0.0	0.0	0.0	0.0	0.0	0.0	0.0	0.0	0.0	0.1	0.1
津	0.0	0.0	0.0	0.0	0.0	0.0	0.0	0.0	0.0	0.0	0.0	0.0	0.0
彦根	1.1	0.9	0.0	0.0	0.0	0.0	0.0	0.0	0.0	0.0	0.0	0.3	2.3
京都	0.1	0.0	0.0	0.0	0.0	0.0	0.0	0.0	0.0	0.0	0.0	0.0	0.1
大阪	0.0	0.0	0.0	0.0	0.0	0.0	0.0	0.0	0.0	0.0	0.0	0.0	0.0
神戸	0.0	0.0	0.0	0.0	0.0	0.0	0.0	0.0	0.0	0.0	0.0	0.0	0.0
奈良	0.0	0.0	0.0	0.0	0.0	0.0	0.0	0.0	0.0	0.0	0.0	0.0	0.0
和歌山	0.0	0.0	0.0	0.0	0.0	0.0	0.0	0.0	0.0	0.0	0.0	0.0	0.0
鳥取	3.4	3.2	0.2	0.0	0.0	0.0	0.0	0.0	0.0	0.0	0.0	1.1	7.7
松江	0.6	0.4	0.1	0.0	0.0	0.0	0.0	0.0	0.0	0.0	0.0	0.2	1.3
西郷	0.8	0.9	0.0	0.0	0.0	0.0	0.0	0.0	0.0	0.0	0.0	0.5	2.3
岡山	0.0	0.0	0.0	0.0	0.0	0.0	0.0	0.0	0.0	0.0	0.0	0.0	0.0
広島	0.0	0.0	0.0	0.0	0.0	0.0	0.0	0.0	0.0	0.0	0.0	0.0	0.0
下関	0.0	0.0	0.0	0.0	0.0	0.0	0.0	0.0	0.0	0.0	0.0	0.0	0.0
徳島	0.0	0.0	0.0	0.0	0.0	0.0	0.0	0.0	0.0	0.0	0.0	0.0	0.0
高松	0.0	0.0	0.0	0.0	0.0	0.0	0.0	0.0	0.0	0.0	0.0	0.0	0.0
松山	0.0	0.0	0.0	0.0	0.0	0.0	0.0	0.0	0.0	0.0	0.0	0.0	0.0
高知	0.0	0.0	0.0	0.0	0.0	0.0	0.0	0.0	0.0	0.0	0.0	0.0	0.0
福岡	0.0	0.0	0.0	0.0	0.0	0.0	0.0	0.0	0.0	0.0	0.0	0.0	0.0
佐賀	0.0	0.0	0.0	0.0	0.0	0.0	0.0	0.0	0.0	0.0	0.0	0.0	0.0
長崎	0.0	0.0	0.0	0.0	0.0	0.0	0.0	0.0	0.0	0.0	0.0	0.0	0.0
熊本	0.0	0.0	0.0	0.0	0.0	0.0	0.0	0.0	0.0	0.0	0.0	0.0	0.0
大分	0.0	0.0	0.0	0.0	0.0	0.0	0.0	0.0	0.0	0.0	0.0	0.0	0.0
宮崎	0.0	0.0	0.0	0.0	0.0	0.0	0.0	0.0	0.0	0.0	0.0	0.0	0.0
鹿児島	0.0	0.0	0.0	0.0	0.0	0.0	0.0	0.0	0.0	0.0	0.0	0.0	0.1
名瀬	0.0	0.0	0.0	0.0	0.0	0.0	0.0	0.0	0.0	0.0	0.0	0.0	0.0
那覇	0.0	0.0	0.0	0.0	0.0	0.0	0.0	0.0	0.0	0.0	0.0	0.0	0.0
昭和(南極)	19.0	16.4	19.8	21.6	25.0	25.7	28.3	28.5	28.0	29.5	29.9	27.2	

日最深積雪 50 cm 以上の日数の月別平年値 (1)

(1991 年から 2020 年までの平均値)

地　点	1月	2月	3月	4月	5月	6月	7月	8月	9月	10月	11月	12月	年
札　幌	17.3	26.0	18.7	0.8	0.0	0.0	0.0	0.0	0.0	0.0	0.0	2.9	65
函　館	0.6	2.5	1.2	0.0	0.0	0.0	0.0	0.0	0.0	0.0	0.0	0.0	4
旭　川	19.5	24.2	19.6	1.8	0.0	0.0	0.0	0.0	0.0	0.0	0.0	5.0	69
釧　路	0.3	0.5	0.2	0.0	0.0	0.0	0.0	0.0	0.0	0.0	0.0	0.0	1
帯　広	6.7	10.8	7.5	0.0	0.0	0.0	0.0	0.0	0.0	0.0	0.0	1.2	26
網　走	4.8	9.6	7.3	0.0	0.0	0.0	0.0	0.0	0.0	0.0	0.0	0.5	20
留　萌	13.8	19.3	13.3	0.7	0.0	0.0	0.0	0.0	0.0	0.0	0.0	3.2	50
稚　内	8.9	14.1	10.0	0.5	0.0	0.0	0.0	0.0	0.0	0.0	0.1	1.8	35
根　室	0.1	0.1	0.6	0.2	0.0	0.0	0.0	0.0	0.0	0.0	0.0	0.0	1.
寿　都	7.6	15.7	7.6	0.0	0.0	0.0	0.0	0.0	0.0	0.0	0.0	0.6	32.
浦　河	0.0	0.0	0.0	0.0	0.0	0.0	0.0	0.0	0.0	0.0	0.0	0.0	0.
青　森	15.0	21.3	10.7	0.4	0.0	0.0	0.0	0.0	0.0	0.0	0.1	3.2	50.
盛　岡	0.4	0.5	0.0	0.0	0.0	0.0	0.0	0.0	0.0	0.0	0.0	0.3	1.
宮　古	0.0	0.0	0.1	0.0	0.0	0.0	0.0	0.0	0.0	0.0	0.0	0.0	0.
仙　台	0.0	0.0	0.0	0.0	0.0	0.0	0.0	0.0	0.0	0.0	0.0	0.0	0.
秋　田	1.2	1.1	0.1	0.0	0.0	0.0	0.0	0.0	0.0	0.0	0.0	0.3	2.
山　形	1.8	4.0	0.5	0.0	0.0	0.0	0.0	0.0	0.0	0.0	0.0	0.2	6.
酒　田	0.1	0.1	0.0	0.0	0.0	0.0	0.0	0.0	0.0	0.0	0.0	0.0	0.
福　島	0.0	0.0	0.0	0.0	0.0	0.0	0.0	0.0	0.0	0.0	0.0	0.0	0.
水　戸	0.0	0.0	0.0	0.0	0.0	0.0	0.0	0.0	0.0	0.0	0.0	0.0	0.
宇都宮	0.0	0.0	0.0	0.0	0.0	0.0	0.0	0.0	0.0	0.0	0.0	0.0	0.
前　橋	0.0	0.0	0.0	0.0	0.0	0.0	0.0	0.0	0.0	0.0	0.0	0.0	0.
熊　谷	0.0	0.0	0.0	0.0	0.0	0.0	0.0	0.0	0.0	0.0	0.0	0.0	0.
銚　子	0.0	0.0	0.0	0.0	0.0	0.0	0.0	0.0	0.0	0.0	0.0	0.0	0.
東　京	0.0	0.0	0.0	0.0	0.0	0.0	0.0	0.0	0.0	0.0	0.0	0.0	0.
横　浜	0.0	0.0	0.0	0.0	0.0	0.0	0.0	0.0	0.0	0.0	0.0	0.0	0.
新　潟	0.2	0.5	0.0	0.0	0.0	0.0	0.0	0.0	0.0	0.0	0.0	0.0	0.7
高　田	9.6	16.2	5.2	0.0	0.0	0.0	0.0	0.0	0.0	0.0	0.0	1.3	32.
相　川	0.0	0.0	0.0	0.0	0.0	0.0	0.0	0.0	0.0	0.0	0.0	0.0	0.
富　山	1.5	1.7	0.0	0.0	0.0	0.0	0.0	0.0	0.0	0.0	0.0	0.3	3.5
金　沢	0.5	0.2	0.0	0.0	0.0	0.0	0.0	0.0	0.0	0.0	0.0	0.0	0.7
輪　島	0.1	0.0	0.0	0.0	0.0	0.0	0.0	0.0	0.0	0.0	0.0	0.0	0.1
福　井	1.6	1.6	0.0	0.0	0.0	0.0	0.0	0.0	0.0	0.0	0.0	0.6	3.8
敦　賀	0.3	0.7	0.0	0.0	0.0	0.0	0.0	0.0	0.0	0.0	0.0	0.3	1.3
甲　府	0.0	0.1	0.0	0.0	0.0	0.0	0.0	0.0	0.0	0.0	0.0	0.0	0.1

日最深積雪 50 cm 以上の日数の月別平年値 (2)

(1991 年から 2020 年までの平均値)

地点	1月	2月	3月	4月	5月	6月	7月	8月	9月	10月	11月	12月	年
長野	0.0	0.1	0.0	0.0	0.0	0.0	0.0	0.0	0.0	0.0	0.0	0.0	0.1
松本	0.2	0.1	0.0	0.0	0.0	0.0	0.0	0.0	0.0	0.0	0.0	0.0	0.3
飯田	0.1	0.1	0.0	0.0	0.0	0.0	0.0	0.0	0.0	0.0	0.0	0.0	0.1
軽井沢	0.6	0.5	0.0	0.0	0.0	0.0	0.0	0.0	0.0	0.0	0.0	0.0	1.2
岐阜	0.0	0.0	0.0	0.0	0.0	0.0	0.0	0.0	0.0	0.0	0.0	0.0	0.0
高山	2.4	2.6	0.3	0.0	0.0	0.0	0.0	0.0	0.0	0.0	0.0	0.8	6.1
静岡	0.0	0.0	0.0	0.0	0.0	0.0	0.0	0.0	0.0	0.0	0.0	0.0	0.0
名古屋	0.0	0.0	0.0	0.0	0.0	0.0	0.0	0.0	0.0	0.0	0.0	0.0	0.0
津	0.0	0.0	0.0	0.0	0.0	0.0	0.0	0.0	0.0	0.0	0.0	0.0	0.0
彦根	0.1	0.0	0.0	0.0	0.0	0.0	0.0	0.0	0.0	0.0	0.0	0.0	0.1
京都	0.0	0.0	0.0	0.0	0.0	0.0	0.0	0.0	0.0	0.0	0.0	0.0	0.0
大阪	0.0	0.0	0.0	0.0	0.0	0.0	0.0	0.0	0.0	0.0	0.0	0.0	0.0
神戸	0.0	0.0	0.0	0.0	0.0	0.0	0.0	0.0	0.0	0.0	0.0	0.0	0.0
奈良	0.0	0.0	0.0	0.0	0.0	0.0	0.0	0.0	0.0	0.0	0.0	0.0	0.0
和歌山	0.0	0.0	0.0	0.0	0.0	0.0	0.0	0.0	0.0	0.0	0.0	0.0	0.0
鳥取	0.4	0.6	0.0	0.0	0.0	0.0	0.0	0.0	0.0	0.0	0.0	0.0	1.1
松江	0.0	0.0	0.0	0.0	0.0	0.0	0.0	0.0	0.0	0.0	0.0	0.0	0.1
西郷	0.0	0.0	0.0	0.0	0.0	0.0	0.0	0.0	0.0	0.0	0.0	0.0	0.0
岡山	0.0	0.0	0.0	0.0	0.0	0.0	0.0	0.0	0.0	0.0	0.0	0.0	0.0
広島	0.0	0.0	0.0	0.0	0.0	0.0	0.0	0.0	0.0	0.0	0.0	0.0	0.0
下関	0.0	0.0	0.0	0.0	0.0	0.0	0.0	0.0	0.0	0.0	0.0	0.0	0.0
徳島	0.0	0.0	0.0	0.0	0.0	0.0	0.0	0.0	0.0	0.0	0.0	0.0	0.0
高松	0.0	0.0	0.0	0.0	0.0	0.0	0.0	0.0	0.0	0.0	0.0	0.0	0.0
松山	0.0	0.0	0.0	0.0	0.0	0.0	0.0	0.0	0.0	0.0	0.0	0.0	0.0
高知	0.0	0.0	0.0	0.0	0.0	0.0	0.0	0.0	0.0	0.0	0.0	0.0	0.0
福岡	0.0	0.0	0.0	0.0	0.0	0.0	0.0	0.0	0.0	0.0	0.0	0.0	0.0
佐賀	0.0	0.0	0.0	0.0	0.0	0.0	0.0	0.0	0.0	0.0	0.0	0.0	0.0
長崎	0.0	0.0	0.0	0.0	0.0	0.0	0.0	0.0	0.0	0.0	0.0	0.0	0.0
熊本	0.0	0.0	0.0	0.0	0.0	0.0	0.0	0.0	0.0	0.0	0.0	0.0	0.0
大分	0.0	0.0	0.0	0.0	0.0	0.0	0.0	0.0	0.0	0.0	0.0	0.0	0.0
宮崎	0.0	0.0	0.0	0.0	0.0	0.0	0.0	0.0	0.0	0.0	0.0	0.0	0.0
鹿児島	0.0	0.0	0.0	0.0	0.0	0.0	0.0	0.0	0.0	0.0	0.0	0.0	0.0
名瀬	0.0	0.0	0.0	0.0	0.0	0.0	0.0	0.0	0.0	0.0	0.0	0.0	0.0
那覇	0.0	0.0	0.0	0.0	0.0	0.0	0.0	0.0	0.0	0.0	0.0	0.0	0.0
昭和(南極)	15.2	12.9	14.0	17.5	17.4	20.8			24.7	24.4	20.9	21.0	

日最深積雪 100 cm 以上の日数の月別平年値 (1)

(1991 年から 2020 年までの平均値)

地　点	1月	2月	3月	4月	5月	6月	7月	8月	9月	10月	11月	12月	年
札　幌	0.5	3.5	1.7	0.0	0.0	0.0	0.0	0.0	0.0	0.0	0.0	0.0	5
函　館	0.0	0.0	0.0	0.0	0.0	0.0	0.0	0.0	0.0	0.0	0.0	0.0	0
旭　川	0.5	2.1	2.2	0.0	0.0	0.0	0.0	0.0	0.0	0.0	0.0	0.0	4
釧　路	0.0	0.0	0.0	0.0	0.0	0.0	0.0	0.0	0.0	0.0	0.0	0.0	0
帯　広	0.0	0.1	0.1	0.0	0.0	0.0	0.0	0.0	0.0	0.0	0.0	0.0	0.
網　走	0.0	0.2	0.1	0.0	0.0	0.0	0.0	0.0	0.0	0.0	0.0	0.0	0.
留　萌	1.4	2.9	1.5	0.0	0.0	0.0	0.0	0.0	0.0	0.0	0.0	0.1	5.
稚　内	0.1	0.1	0.5	0.0	0.0	0.0	0.0	0.0	0.0	0.0	0.0	0.0	0.
根　室	0.0	0.0	0.0	0.0	0.0	0.0	0.0	0.0	0.0	0.0	0.0	0.0	0.
寿　都	0.0	0.7	0.0	0.0	0.0	0.0	0.0	0.0	0.0	0.0	0.0	0.0	0.
浦　河	0.0	0.0	0.0	0.0	0.0	0.0	0.0	0.0	0.0	0.0	0.0	0.0	0.
青　森	3.1	4.9	1.9	0.0	0.0	0.0	0.0	0.0	0.0	0.0	0.0	0.0	9.
盛　岡	0.0	0.0	0.0	0.0	0.0	0.0	0.0	0.0	0.0	0.0	0.0	0.0	0.
宮　古	0.0	0.0	0.0	0.0	0.0	0.0	0.0	0.0	0.0	0.0	0.0	0.0	0.
仙　台	0.0	0.0	0.0	0.0	0.0	0.0	0.0	0.0	0.0	0.0	0.0	0.0	0.
秋　田	0.0	0.0	0.0	0.0	0.0	0.0	0.0	0.0	0.0	0.0	0.0	0.0	0.
山　形	0.0	0.0	0.0	0.0	0.0	0.0	0.0	0.0	0.0	0.0	0.0	0.0	0.
酒　田	0.0	0.0	0.0	0.0	0.0	0.0	0.0	0.0	0.0	0.0	0.0	0.0	0.
福　島	0.0	0.0	0.0	0.0	0.0	0.0	0.0	0.0	0.0	0.0	0.0	0.0	0.
水　戸	0.0	0.0	0.0	0.0	0.0	0.0	0.0	0.0	0.0	0.0	0.0	0.0	0.
宇都宮	0.0	0.0	0.0	0.0	0.0	0.0	0.0	0.0	0.0	0.0	0.0	0.0	0.
前　橋	0.0	0.0	0.0	0.0	0.0	0.0	0.0	0.0	0.0	0.0	0.0	0.0	0.
熊　谷	0.0	0.0	0.0	0.0	0.0	0.0	0.0	0.0	0.0	0.0	0.0	0.0	0.
銚　子	0.0	0.0	0.0	0.0	0.0	0.0	0.0	0.0	0.0	0.0	0.0	0.0	0.
東　京	0.0	0.0	0.0	0.0	0.0	0.0	0.0	0.0	0.0	0.0	0.0	0.0	0.
横　浜	0.0	0.0	0.0	0.0	0.0	0.0	0.0	0.0	0.0	0.0	0.0	0.0	0.
新　潟	0.0	0.0	0.0	0.0	0.0	0.0	0.0	0.0	0.0	0.0	0.0	0.0	0.
高　田	2.2	5.2	0.8	0.0	0.0	0.0	0.0	0.0	0.0	0.0	0.0	0.1	8.
相　川	0.0	0.0	0.0	0.0	0.0	0.0	0.0	0.0	0.0	0.0	0.0	0.0	0.
富　山	0.0	0.0	0.0	0.0	0.0	0.0	0.0	0.0	0.0	0.0	0.0	0.0	0.
金　沢	0.0	0.0	0.0	0.0	0.0	0.0	0.0	0.0	0.0	0.0	0.0	0.0	0.0
輪　島	0.0	0.0	0.0	0.0	0.0	0.0	0.0	0.0	0.0	0.0	0.0	0.0	0.0
福　井	0.0	0.3	0.0	0.0	0.0	0.0	0.0	0.0	0.0	0.0	0.0	0.0	0.3
敦　賀	0.0	0.0	0.0	0.0	0.0	0.0	0.0	0.0	0.0	0.0	0.0	0.0	0.0
甲　府	0.0	0.0	0.0	0.0	0.0	0.0	0.0	0.0	0.0	0.0	0.0	0.0	0.0

日最深積雪 100 cm 以上の日数の月別平年値 (2)

(1991 年から 2020 年までの平均値)

地点	1月	2月	3月	4月	5月	6月	7月	8月	9月	10月	11月	12月	年
長野	0.0	0.0	0.0	0.0	0.0	0.0	0.0	0.0	0.0	0.0	0.0	0.0	0.0
松本	0.0	0.0	0.0	0.0	0.0	0.0	0.0	0.0	0.0	0.0	0.0	0.0	0.0
飯田	0.0	0.0	0.0	0.0	0.0	0.0	0.0	0.0	0.0	0.0	0.0	0.0	0.0
軽井沢	0.0	0.0	0.0	0.0	0.0	0.0	0.0	0.0	0.0	0.0	0.0	0.0	0.0
岐阜	0.0	0.0	0.0	0.0	0.0	0.0	0.0	0.0	0.0	0.0	0.0	0.0	0.0
高山	0.0	0.0	0.0	0.0	0.0	0.0	0.0	0.0	0.0	0.0	0.0	0.0	0.0
静岡	0.0	0.0	0.0	0.0	0.0	0.0	0.0	0.0	0.0	0.0	0.0	0.0	0.0
名古屋	0.0	0.0	0.0	0.0	0.0	0.0	0.0	0.0	0.0	0.0	0.0	0.0	0.0
津	0.0	0.0	0.0	0.0	0.0	0.0	0.0	0.0	0.0	0.0	0.0	0.0	0.0
彦根	0.0	0.0	0.0	0.0	0.0	0.0	0.0	0.0	0.0	0.0	0.0	0.0	0.0
京都	0.0	0.0	0.0	0.0	0.0	0.0	0.0	0.0	0.0	0.0	0.0	0.0	0.0
大阪	0.0	0.0	0.0	0.0	0.0	0.0	0.0	0.0	0.0	0.0	0.0	0.0	0.0
神戸	0.0	0.0	0.0	0.0	0.0	0.0	0.0	0.0	0.0	0.0	0.0	0.0	0.0
奈良	0.0	0.0	0.0	0.0	0.0	0.0	0.0	0.0	0.0	0.0	0.0	0.0	0.0
和歌山	0.0	0.0	0.0	0.0	0.0	0.0	0.0	0.0	0.0	0.0	0.0	0.0	0.0
鳥取	0.0	0.0	0.0	0.0	0.0	0.0	0.0	0.0	0.0	0.0	0.0	0.0	0.0
松江	0.0	0.0	0.0	0.0	0.0	0.0	0.0	0.0	0.0	0.0	0.0	0.0	0.0
西郷	0.0	0.0	0.0	0.0	0.0	0.0	0.0	0.0	0.0	0.0	0.0	0.0	0.0
岡山	0.0	0.0	0.0	0.0	0.0	0.0	0.0	0.0	0.0	0.0	0.0	0.0	0.0
広島	0.0	0.0	0.0	0.0	0.0	0.0	0.0	0.0	0.0	0.0	0.0	0.0	0.0
下関	0.0	0.0	0.0	0.0	0.0	0.0	0.0	0.0	0.0	0.0	0.0	0.0	0.0
徳島	0.0	0.0	0.0	0.0	0.0	0.0	0.0	0.0	0.0	0.0	0.0	0.0	0.0
高松	0.0	0.0	0.0	0.0	0.0	0.0	0.0	0.0	0.0	0.0	0.0	0.0	0.0
松山	0.0	0.0	0.0	0.0	0.0	0.0	0.0	0.0	0.0	0.0	0.0	0.0	0.0
高知	0.0	0.0	0.0	0.0	0.0	0.0	0.0	0.0	0.0	0.0	0.0	0.0	0.0
福岡	0.0	0.0	0.0	0.0	0.0	0.0	0.0	0.0	0.0	0.0	0.0	0.0	0.0
佐賀	0.0	0.0	0.0	0.0	0.0	0.0	0.0	0.0	0.0	0.0	0.0	0.0	0.0
長崎	0.0	0.0	0.0	0.0	0.0	0.0	0.0	0.0	0.0	0.0	0.0	0.0	0.0
熊本	0.0	0.0	0.0	0.0	0.0	0.0	0.0	0.0	0.0	0.0	0.0	0.0	0.0
大分	0.0	0.0	0.0	0.0	0.0	0.0	0.0	0.0	0.0	0.0	0.0	0.0	0.0
宮崎	0.0	0.0	0.0	0.0	0.0	0.0	0.0	0.0	0.0	0.0	0.0	0.0	0.0
鹿児島	0.0	0.0	0.0	0.0	0.0	0.0	0.0	0.0	0.0	0.0	0.0	0.0	0.0
名瀬	0.0	0.0	0.0	0.0	0.0	0.0	0.0	0.0	0.0	0.0	0.0	0.0	0.0
那覇	0.0	0.0	0.0	0.0	0.0	0.0	0.0	0.0	0.0	0.0	0.0	0.0	0.0
昭和(南極)	5.4	4.4	5.8	5.1	7.1	13.4				18.5	17.1	15.1	

積雪の最深記録

（統計開始から 2023 年春まで）

地点	最深積雪					地点	最深積雪				
	cm	年	月	日	統計開始年		cm	年	月	日	統計開始年
札幌	169	1939	2	13	1890	飯田	81	2014	2	15	1897
函館	91	2012	2	27	1872	軽井沢	99	2014	2	15	1925
旭川	138	1987	3	4	1893	岐阜	58	1936	2	1	1891
釧路	123	1939	3	9	1910	高山	128	1981	1	8	1899
帯広	177	1970	3	17	1892	静岡	10	1945	2	25	1940
網走	143	2004	2	23	1892	浜松	27	1907	2	11	1906
留萌	204	1946	3	17	1943	名古屋	49	1945	12	19	1890
稚内	199	1970	2	9	1938	津	26	1951	2	14	1889
根室	115	2014	3	21	1879	尾鷲	5	2005	2	1	1938
寿都	189	1945	3	17	1884	彦根	93	1918	1	9	1893
浦河	52	1928	1	7	1927	京都	41	1954	1	26	1886
青森	209	1945	2	21	1894	大阪	18	1907	2	11	1901
盛岡	81	1938	2	19	1923	神戸	17	1945	2	25	1897
宮古	101	1944	3	12	1883	奈良	21	1990	2	1	1953
仙台	41	1936	2	9	1926	和歌山	40	1883	2	8	1880
秋田	117	1974	2	10	1890	潮岬	5	1948	1	16	1916
山形	113	1981	1	8	1893	鳥取	129	1947	2	22	1943
酒田	100	1940	2	3	1938	松江	100	1971	2	4	1940
福島	80	1936	2	9	1901	浜田	53	1982	1	17	1893
小名浜	28	1945	2	26	1916	西郷	107	1962	1	27	1939
水戸	32	1945	2	26	1897	岡山	26	1945	2	26	1891
宇都宮	32	2014	2	15	1890	広島	31	1893	1	5	1883
前橋	73	2014	2	15	1896	下関	39	1900	1	26	1883
熊谷	62	2014	2	15	1896	徳島	42	1907	2	11	1891
銚子	17	1936	3	2	1887	高松	19	1984	1	31	1941
東京	46	1883	2	8	1875	松山	34	1907	2	11	1890
大島	32	1945	2	22	1939	高知	14	2022	12	23	1912
八丈島	3	2006	2	4	1906	室戸岬	4	1986	2	11	1920
横浜	45	1945	2	26	1896	清水	4	1968	1	15	1941
新潟	120	1961	1	18	1890	福岡	30	1917	12	30	1894
高田	377	1945	2	26	1922	佐賀	21	1959	1	17	1893
相川	65	1936	2	6	1912	長崎	17	2016	1	24	1906
富山	208	1940	1	30	1939	厳原	9	1901	2	21	1886
金沢	181	1963	1	27	1882	福江	43	1963	1	26	1962
輪島	110	1945	1	18	1929	熊本	13	1945	2	7	1890
福井	213	1963	1	31	1897	大分	15	1997	1	22	1916
敦賀	196	1981	1	15	1897	宮崎	3	1945	1	23	1886
甲府	114	2014	2	15	1894	鹿児島	29	1959	1	17	1892
長野	80	1946	12	11	1892	名瀬	—	—	—	—	1896
松本	78	1946	3	3	1898	那覇	—	—	—	—	1891
富士山	338	1989	4	27	1951	昭和(南極)	195	2016	11	30	1999

—は現象なし.

富士山では 2004 年 8 月，浜松では 2005 年 9 月，尾鷲，浜田，清水では 2007 年 9 月，小名浜，室戸岬では 2008 年 9 月，大島，八丈島，潮岬，厳原，福江では 2009 年 9 月に積雪の観測を終了した.

昭和(南極)は 2024 年春までの最深.

全天日射量の日積算量の月別平年値（MJ/m²）

（1991 年から 2020 年までの平均値）

地　点	1月	2月	3月	4月	5月	6月	7月	8月	9月	10月	11月	12月	年
札　幌	6.0	8.9	12.7	16.1	18.4	18.8	17.4	15.9	13.3	9.5	6.1	4.9	12.3
函　館	6.4	9.4	12.7	16.0	17.8	17.9	15.3	14.4	13.0	10.1	6.3	5.2	12.0
旭　川	5.9	9.1	13.0	15.7	18.0	18.6	17.2	15.4	12.6	8.5	5.1	4.5	12.0
帯　広	8.0	11.6	15.5	16.8	17.7	17.1	15.2	13.8	12.2	10.2	7.6	6.5	12.7
網　走	6.0	9.7	13.6	16.2	17.9	18.7	17.8	15.8	13.2	9.6	6.2	5.2	12.5
稚　内	3.9	7.1	11.6	15.6	17.5	17.6	16.3	14.9	13.1	8.4	4.0	2.8	11.1
青　森	5.0	7.9	11.7	15.9	18.4	18.9	17.5	16.5	13.5	9.7	5.6	4.1	12.1
盛　岡	7.1	10.0	13.1	15.8	17.8	17.8	15.6	15.2	12.4	9.9	7.0	5.7	12.3
仙　台	8.3	11.1	13.9	16.9	17.8	16.0	14.3	14.4	12.0	10.4	8.3	7.1	12.5
秋　田	4.7	7.4	11.6	16.0	17.7	18.5	16.2	17.1	13.9	10.3	6.0	4.0	11.9
館　野（つくば）	9.8	12.0	14.1	16.7	18.0	16.0	16.7	17.0	13.1	10.4	8.8	8.3	13.4
前　橋	9.9	12.6	15.1	17.5	18.3	16.0	15.8	16.0	12.6	10.9	9.5	8.8	13.6
東　京	9.4	11.5	13.3	16.1	17.3	14.8	15.6	15.8	11.9	9.8	8.6	8.1	12.7
新　潟	5.3	8.0	12.0	16.5	19.0	18.6	17.1	17.9	13.8	10.2	6.4	4.5	12.4
福　井	5.9	8.8	12.3	16.2	18.3	16.9	16.7	18.2	13.9	11.2	7.6	5.3	12.6
名古屋	9.5	12.3	15.0	17.5	18.6	16.7	16.7	17.7	14.1	11.8	9.7	8.5	14.0
彦　根	7.0	9.7	13.3	16.5	18.3	17.0	17.2	18.4	14.2	11.4	8.4	6.4	13.2
大　阪	8.3	10.4	13.5	16.8	18.5	16.8	17.7	18.4	14.0	11.5	9.0	7.7	13.6
広　島	8.6	10.9	14.0	17.0	18.9	16.7	17.3	18.2	14.8	12.6	9.5	7.9	13.9
高　松	8.3	10.9	13.9	17.3	19.3	17.4	18.4	18.8	14.3	11.7	9.0	7.7	13.9
高　知	10.2	12.5	14.7	17.4	18.2	15.7	17.7	18.3	14.6	12.6	10.1	9.3	14.3
福　岡	7.4	10.3	13.5	16.9	18.4	16.1	16.8	17.5	14.5	12.6	9.1	7.0	13.3
熊　本	8.4	11.0	13.9	17.1	18.4	15.4	17.6	18.3	15.5	13.1	9.7	8.1	13.9
宮　崎	10.7	12.6	14.6	17.2	18.0	14.6	18.8	18.8	14.8	12.8	10.5	9.8	14.4
鹿児島	9.0	11.4	13.8	16.8	17.7	14.1	18.2	18.7	15.8	13.6	10.4	8.7	14.0
名　瀬	6.3	8.0	10.5	13.4	14.8	14.5	19.0	17.0	14.1	10.7	8.3	6.3	11.9
那　覇	8.8	10.7	13.0	15.2	16.7	18.3	20.9	19.2	17.1	14.1	10.9	9.0	14.5
石垣島	8.8	10.9	13.4	16.0	18.4	21.0	22.7	20.7	17.9	14.6	11.2	8.8	15.4
父　島	10.8	13.5	16.0	17.3	18.3	21.4	22.7	20.4	18.5	15.1	11.7	9.8	16.3
南鳥島	12.9	16.1	19.3	22.1	23.7	25.5	23.1	21.1	20.7	18.2	14.9	12.6	19.2
昭和(南極)	25.7	16.1	7.8	2.4	0.3	0.0	0.1	1.5	6.5	14.7	24.9	30.0	10.8

直達日射量瞬間値（12 時）の月別平年値（W/m²）

地点	1月	2月	3月	4月	5月	6月	7月	8月	9月	10月	11月	12月
札幌	823	830	846	838	836	861	836	845	866	840	785	788
館野(つくば)	887	888	864	839	819	817	815	797	833	834	849	859
福岡	797	815	806	804	799	785	792	801	809	810	789	782
石垣島	828	841	799	823	834	857	873	874	874	852	836	790
南鳥島	902	924	906	892	902	907	892	902	912	905	898	895

大気透過率（12 時）の月最大値の平年値

地点	1月	2月	3月	4月	5月	6月	7月	8月	9月	10月	11月	12月
札幌	0.81	0.78	0.75	0.73	0.71	0.71	0.70	0.71	0.75	0.77	0.79	0.81
館野(つくば)	0.81	0.80	0.76	0.72	0.70	0.67	0.68	0.67	0.71	0.76	0.80	0.81
福岡	0.77	0.75	0.72	0.68	0.68	0.64	0.66	0.67	0.71	0.74	0.76	0.77
石垣島	0.72	0.70	0.67	0.65	0.67	0.68	0.69	0.69	0.70	0.70	0.71	0.72
南鳥島	0.76	0.75	0.73	0.70	0.71	0.71	0.70	0.70	0.72	0.74	0.75	0.76

大気透過率（12 時）の月別平年値

地点	1月	2月	3月	4月	5月	6月	7月	8月	9月	10月	11月	12月
札幌	0.79	0.74	0.70	0.67	0.65	0.67	0.65	0.67	0.71	0.74	0.76	0.79
館野(つくば)	0.77	0.74	0.69	0.65	0.63	0.62	0.63	0.62	0.67	0.70	0.75	0.77
福岡	0.71	0.69	0.64	0.62	0.61	0.60	0.61	0.62	0.64	0.68	0.70	0.72
石垣島	0.69	0.67	0.61	0.62	0.63	0.65	0.66	0.66	0.67	0.67	0.68	0.69
南鳥島	0.73	0.72	0.68	0.67	0.67	0.69	0.68	0.68	0.69	0.71	0.72	0.73

大気混濁係数（12 時）の月別平年値

地点	1月	2月	3月	4月	5月	6月	7月	8月	9月	10月	11月	12月
札幌	3.0	3.5	3.9	4.4	4.5	4.3	4.5	4.3	3.7	3.5	3.4	3.0
館野(つくば)	3.0	3.4	4.1	4.6	4.9	5.0	4.9	5.0	4.3	3.9	3.4	3.1
福岡	3.9	4.2	4.8	5.1	5.2	5.4	5.2	5.0	4.7	4.3	4.1	3.9
石垣島	4.2	4.4	5.2	5.1	4.9	4.5	4.3	4.3	4.3	4.3	4.2	4.2
南鳥島	3.5	3.6	4.0	4.2	4.0	3.9	4.1	4.0	3.8	3.7	3.6	3.4

直達日射量の日積算量の月別平年値（MJ/m²）

地点	1月	2月	3月	4月	5月	6月	7月	8月	9月	10月	11月	12月
札幌	5.64	7.22	9.26	11.98	13.22	12.57	10.88	11.38	11.54	9.96	6.54	5.01
館野(つくば)	16.45	15.40	13.14	12.55	11.71	8.14	9.29	11.16	9.24	9.52	11.55	14.14
福岡	6.72	9.01	10.45	12.41	12.71	8.61	10.54	12.86	11.27	12.06	9.43	7.22
石垣島	5.67	6.60	7.43	8.35	10.66	15.04	19.06	16.71	13.99	10.80	8.09	5.87
南鳥島	13.10	15.60	16.67	18.25	22.15	26.22	21.70	19.18	21.32	19.76	16.54	14.76

直達日射量の日積算量の月最大値の平年値（MJ/m²）

地点	1月	2月	3月	4月	5月	6月	7月	8月	9月	10月	11月	12月
札幌	18.63	23.25	26.18	31.45	34.20	35.68	32.79	31.34	30.42	25.68	20.51	17.86
館野(つくば)	28.10	29.69	31.74	32.17	32.33	29.71	29.22	28.66	28.09	28.14	27.05	26.33
福岡	21.76	25.88	27.21	30.24	32.12	28.44	28.67	29.27	28.57	27.38	24.73	22.47
石垣島	22.20	22.83	25.35	26.30	28.96	32.16	33.53	31.60	28.17	25.79	23.29	22.13
南鳥島	27.75	30.09	31.23	32.30	33.98	35.76	34.17	32.42	32.04	30.28	27.66	27.32

いずれも 1991 年（ただし南鳥島は 2010 年 4 月）から 2020 年までの平均値.
大気混濁係数の（経年）変化については**環 30** 参照.

各年の月平均気温(℃)　札　幌

西暦	1月	2月	3月	4月	5月	6月	7月	8月	9月	10月	11月	12月	年
1981	−4.9	−3.2	−0.5	6.6	10.3	14.9	21.0	20.9	16.2	11.0	1.8	−0.2	7.8
1982	−4.4	−4.6	0.7	6.1	13.0	15.8	20.4	22.8	17.8	12.5	5.9	0.3	8.9
1983	−2.9	−4.5	0.1	9.5	12.4	13.6	18.2	22.3	17.7	9.7	5.1	−1.8	8.3
1984	−4.7	−5.6	−2.2	5.0	11.4	18.2	22.1	23.6	17.7	10.3	3.7	−2.1	8.1
1985	−6.9	−2.2	−0.1	7.6	12.4	15.5	20.3	24.6	17.1	10.9	4.1	−3.5	8.3
1986	−5.8	−5.5	−0.4	6.9	11.4	16.1	18.2	22.3	18.1	8.9	3.5	−1.5	7.7
1987	−4.9	−3.8	−0.1	6.0	12.0	17.3	20.6	20.6	17.8	11.9	3.6	−2.3	8.2
1988	−3.8	−5.2	−0.1	7.1	11.4	16.6	18.3	22.9	17.6	10.9	2.9	−0.4	8.2
1989	−1.9	−1.4	2.4	7.3	11.4	15.2	21.0	23.0	18.4	11.8	6.6	−0.6	9.4
1990	−4.9	−0.7	2.9	7.9	13.4	17.7	20.8	23.1	18.7	13.0	7.5	1.9	10.1
1991	−1.2	−2.8	0.3	8.0	13.8	18.8	20.2	21.5	18.4	12.7	4.7	−0.9	9.5
1992	−2.4	−2.5	1.0	6.9	11.7	16.4	20.7	21.1	16.2	11.6	4.8	0.1	8.8
1993	−1.7	−2.1	1.3	6.2	11.9	15.4	19.1	20.0	17.5	11.5	5.8	−0.1	8.7
1994	−4.7	−1.3	−0.5	7.0	13.5	16.9	22.2	24.8	19.8	12.4	5.4	−1.4	9.5
1995	−3.3	−2.3	0.9	7.3	13.3	15.6	21.5	21.3	17.4	13.1	5.5	0.0	9.2
1996	−3.7	−3.4	0.5	5.8	10.5	15.7	20.4	20.9	18.2	11.5	4.1	−0.7	8.3
1997	−2.5	−1.8	0.2	7.2	11.9	15.8	22.0	20.5	17.1	10.8	7.1	0.4	9.1
1998	−5.9	−3.6	1.6	9.0	13.5	15.5	20.3	21.1	19.2	13.2	3.2	−1.7	8.8
1999	−3.2	−3.6	−0.5	6.9	11.9	17.8	22.1	24.9	19.7	11.9	5.5	−1.1	9.4
2000	−3.1	−3.8	0.2	6.1	14.0	16.7	22.2	23.9	18.6	11.6	3.9	−2.5	9.0
2001	−5.7	−5.5	0.2	8.3	13.4	16.7	20.7	21.1	17.1	12.1	5.0	−3.4	8.3
2002	−2.5	−0.6	2.5	9.6	13.6	15.9	20.5	20.1	17.7	12.0	2.8	−3.0	9.1
2003	−3.6	−3.5	0.7	8.2	12.9	17.1	17.7	20.7	17.5	11.6	6.2	0.0	8.8
2004	−2.5	−1.3	0.7	6.6	13.8	18.5	21.3	21.9	18.4	12.5	7.2	−0.8	9.7
2005	−3.5	−3.9	0.1	6.2	10.7	18.3	20.1	23.5	18.8	13.2	5.5	−2.6	8.9
2006	−4.1	−2.7	1.3	5.2	12.9	15.7	20.6	24.3	18.5	11.7	6.2	−0.5	9.1
2007	−1.8	−1.5	0.9	6.3	12.5	18.8	19.6	23.5	19.1	11.7	3.9	−0.6	9.4
2008	−4.3	−3.4	3.3	9.4	12.4	17.0	21.4	21.2	19.2	12.9	4.6	0.8	9.5
2009	−1.3	−2.2	1.5	7.7	13.9	17.5	19.7	21.5	17.8	12.5	5.1	−0.7	9.4
2010	−2.0	−3.2	−0.1	5.5	12.2	19.2	22.1	24.8	20.0	12.2	5.9	0.6	9.8
2011	−3.8	−1.1	0.7)	6.9	11.1	17.3	21.8	23.6	19.2	12.1	6.0	−2.0	9.3
2012	−4.5	−4.4	0.1	7.0	13.0	17.1	21.8	23.4	22.4	13.0	5.5	−2.3	9.3
2013	−4.7	−4.0	0.0	6.3	11.3	17.6	22.5	23.1	18.8	12.9	6.3	0.8	9.2
2014	−4.1	−3.5	0.5	7.3	14.0	18.7	22.5	22.4	18.1	11.3	6.1	−1.3	9.3
2015	−1.5	−0.8	3.8	8.7	14.2	16.7	21.3	22.4	18.4	10.8	5.4	0.8	10.0
2016	−3.5	−2.3	2.1	7.8	14.9	16.3	20.7	23.9	19.4	10.6	2.1	−1.0	9.3
2017	−3.9	−2.0	1.4	7.7	14.4	16.0	22.9	21.7	17.7	11.3	4.3	−2.0	9.1
2018	−2.6	−4.2	2.4	8.2	13.4	16.6	21.4	21.2	18.9	13.0	6.4	−1.0	9.5
2019	−3.0	−2.6	2.5	8.0	15.7	17.4	21.7	22.5	19.3	13.3	3.9	−0.8	9.8
2020	−2.3	−2.1	3.3	6.8	13.7	18.3	21.2	23.3	20.1	13.1	6.3	−1.6	10.0
2021	−4.4	−2.2	3.8	7.9	13.1	18.9	23.9	22.9	18.8	12.5	7.3	−0.5	10.2
2022	−3.2	−2.2	2.6	9.1	14.9	16.8	23.1	22.7	19.8	12.6	7.1	−1.4	10.2
2023	−4.4	−2.7	4.9	9.2	13.8	19.3	23.8	26.7	21.5	13.3	6.7	−0.7	11.0

)付は準正常値．

各年の月平均気温(℃)　仙　台

西暦	1月	2月	3月	4月	5月	6月	7月	8月	9月	10月	11月	12月	年
1981	0.0	1.4	4.0	10.0	13.3	15.5	23.0	23.3	18.5	14.2	6.5	4.1	11.[illegible]
1982	1.1	0.9	5.1	9.6	16.3	18.0	20.3	23.7	19.7	15.1	10.1	5.6	12.7
1983	2.2	0.6	4.3	12.4	15.3	16.4	19.9	24.0	20.4	13.7	8.1	2.8	11.7
1984	−0.5	−1.0	1.5	6.9	12.4	17.8	22.3	25.7	19.9	13.5	8.0	3.1	10.8
1985	−1.1	2.4	3.7	9.9	15.0	17.4	23.3	26.2	20.2	14.4	9.2	3.0	12.[illegible]
1986	0.1	−0.3	3.8	9.4	14.5	17.4	20.1	23.6	21.1	13.1	7.8	5.0	11.[illegible]
1987	1.0	1.9	4.5	9.3	14.9	18.8	23.1	23.3	20.3	15.3	9.0	4.8	12.2
1988	2.5	−0.1	4.1	10.2	14.3	18.2	18.6	24.5	19.8	14.2	7.2	4.4	11.5
1989	3.1	3.3	6.2	11.3	14.5	17.0	21.1	24.5	20.9	14.5	10.9	5.0	12.7
1990	0.8	4.3	6.2	10.4	16.1	20.1	22.2	25.9	22.1	16.2	11.5	7.2	13.6
1991	2.4	1.7	5.1	11.1	15.6	20.6	21.9	22.2	20.6	15.5	8.9	4.9	12.5
1992	2.7	2.4	5.0	10.1	13.3	17.3	22.5	23.4	19.9	14.7	9.7	5.0	12.2
1993	2.8	3.4	4.6	9.5	14.4	18.1	18.5	21.6	19.8	14.1	10.5	4.6	11.8
1994	1.8	2.8	4.0	11.0	15.5	18.6	24.2	26.6	22.2	16.6	9.6	4.4	13.1
1995	1.1	2.4	4.7	11.3	15.6	17.0	23.7	25.4	20.3	16.4	8.8	3.9	12.6
1996	1.3	1.8	4.3	8.5	13.9	18.0	22.5	22.9	20.0	15.1	8.9	5.4	11.9
1997	2.4	2.6	5.7	11.1	15.0	18.6	23.1	23.9	19.7	14.4	10.5	5.2	12.7
1998	0.5	2.4	6.1	11.6	16.5	17.6	21.6	23.1	21.9	16.8	9.0	5.2	12.7
1999	2.1	2.4	5.3	11.0	16.5	19.7	23.4	25.4	22.3	15.8	10.7	4.3	13.2
2000	3.6	1.8	4.6	10.0	15.9	19.6	24.3	25.3	22.0	15.5	9.1	3.6	12.9
2001	0.0	1.1	4.9	11.6	15.4	19.3	24.7	21.8	20.1	15.3	9.4	2.7	12.2
2002	3.2	3.6	7.5	11.9	14.6	17.9	23.3	24.4	20.5	15.6	7.0	3.2	12.7
2003	1.5	2.5	4.8	11.1	14.6	19.1	18.4	22.2	20.2	14.5	10.3	5.9	12.1
2004	1.7	3.1	5.4	10.9	15.3	19.9	23.8	23.6	21.2	14.5	11.8	5.4	13.1
2005	1.6	0.8	4.1	11.0	13.4	19.5	21.4	25.0	21.5	16.3	9.5	1.8	12.2
2006	0.7	2.2	5.0	9.0	15.2	18.9	21.5	24.5	20.4	15.5	10.1	4.8	12.3
2007	3.8	3.9	5.3	9.5	15.4	19.8	20.9	25.6	22.3	16.0	9.2	4.9	13.1
2008	1.3	1.6	6.6	11.1	14.8	18.5	22.9	23.1	21.0	16.2	9.4	5.5	12.7
2009	2.9	3.2	5.5	11.5	16.5	19.2	22.7	22.9	19.9	15.6	10.4	4.9	12.9
2010	2.8	2.1	4.4	8.2	14.7	20.4	25.3	27.2	21.7	16.2	10.1	5.7	13.2
2011	0.5	3.2	3.8)	10.0	15.6	20.6	24.8	24.9	22.1	15.9	10.5	3.4	12.9
2012	0.4	0.3	4.5	9.8	15.9	18.2	22.8	26.2	23.9	16.6	9.7	3.3	12.6
2013	0.7	1.1	5.8	10.2	14.4	19.0	22.2	25.6	21.9	16.7	9.6	4.7	12.7
2014	1.9	1.4	5.5	10.9	16.5	20.6	23.7	24.6	20.5	15.3	10.0	2.8	12.8
2015	2.6	3.0	6.8	11.7	18.0	20.0	24.8	24.3	20.5	15.5	10.7	5.9	13.7
2016	2.4	3.5	7.0	11.9	17.0	19.8	23.0	25.7	22.1	15.7	8.6	5.7	13.5
2017	2.5	3.2	5.4	11.5	17.0	18.6	25.1	23.0	21.1	14.9	9.1	3.5	12.9
2018	1.4	1.4	7.5	12.5	17.0	20.3	25.5	24.9	20.8	16.5	10.7	4.3	13.6
2019	2.4	3.7	7.0	10.2	17.4	19.0	22.4	26.2	22.4	16.9	10.0	5.4	13.6
2020	4.0	4.4	7.5	10.1	16.8	21.2	21.3	26.6	22.5	15.6	10.8	3.9	13.7
2021	1.2	3.7	8.6	11.6	17.0	20.6	24.1	24.9	20.8	15.8	11.1	4.7	13.7
2022	1.7	1.9	6.4	11.8	16.5	20.2	24.9	25.1	22.2	15.5	11.9	4.2	13.5
2023	2.1	3.0	9.3	13.3	16.6	21.6	26.6	28.6	25.1	16.7	11.4	5.7	15.0

)付は準正常値.

各年の月平均気温(℃)　東　京

西暦	1月	2月	3月	4月	5月	6月	7月	8月	9月	10月	11月	12月	年
1981	4.4	5.3	9.0	13.9	17.5	20.2	26.3	26.2	21.8	17.6	10.4	7.6	15.0
1982	5.8	5.5	9.9	14.0	20.7	21.4	23.1	27.1	22.3	18.0	14.3	9.5	16.0
1983	6.2	6.1	8.6	15.9	19.7	20.5	23.8	27.5	23.1	17.7	12.3	7.1	15.7
1984	3.7	3.0	5.9	11.6	17.2	21.8	26.2	28.6	23.5	17.7	12.2	7.7	14.9
1985	4.1	6.5	7.8	14.2	19.1	20.2	26.3	27.9	23.1	17.9	13.3	7.4	15.7
1986	4.5	4.3	7.8	13.9	17.9	21.1	23.9	26.8	23.7	17.1	12.3	8.5	15.2
1987	5.8	6.8	9.3	14.4	19.3	22.1	27.0	27.3	23.3	18.9	12.8	8.1	16.3
1988	7.7	4.9	8.4	14.3	18.2	22.3	22.4	27.0	22.8	17.5	11.4	8.4	15.4
1989	8.1	7.5	9.6	15.6	17.7	20.7	24.1	27.1	25.2	17.5	14.2	9.2	16.4
1990	5.0	7.8	10.6	14.7	19.2	23.5	25.7	28.6	24.8	19.2	15.1	10.0	17.0
1991	6.3	6.5	9.5	15.4	18.8	23.6	26.7	25.5	23.9	18.1	13.0	9.2	16.4
1992	6.8	6.9	9.7	15.1	17.3	20.6	25.5	27.0	23.3	17.3	13.0	9.4	16.0
1993	6.2	7.7	8.7	13.4	18.1	21.7	22.5	24.8	22.9	17.5	14.1	8.5	15.5
1994	5.5	6.6	8.1	15.8	19.5	22.4	28.3	28.9	24.8	20.2	13.4	9.0	16.9
1995	6.3	6.5	8.9	15.0	19.1	20.4	26.4	29.4	23.7	19.5	12.7	7.7	16.3
1996	6.6	5.4	9.2	12.7	18.1	22.6	26.2	26.0	22.4	18.0	13.2	9.3	15.8
1997	6.8	7.0	10.5	15.2	19.2	22.7	26.6	27.0	22.9	18.7	14.3	9.2	16.7
1998	5.3	7.0	10.1	16.3	20.5	21.5	25.3	27.2	24.4	20.1	13.9	9.0	16.7
1999	6.6	6.7	10.1	15.0	19.9	22.8	25.9	28.5	26.2	19.5	14.2	9.0	17.0
2000	7.6	6.0	9.4	14.5	19.8	22.5	27.7	28.3	25.6	18.8	13.3	8.8	16.9
2001	4.9	6.6	9.8	15.7	19.5	23.1	28.5	26.4	23.2	18.7	13.1	8.4	16.5
2002	7.4	7.9	12.2	16.1	18.4	21.6	28.0	28.0	23.1	19.0	11.6	7.2	16.7
2003	5.5	6.4	8.7	15.1	18.8	23.2	22.8	26.0	24.2	17.8	14.4	9.2	16.0
2004	6.3	8.5	9.8	16.4	19.6	23.7	28.5	27.2	25.1	17.5	15.6	9.9	17.3
2005	6.1	6.2	9.0	15.1	17.7	23.2	25.6	28.1	24.7	19.2	13.3	6.4	16.2
2006	5.1	6.7	9.8	13.6	19.0	22.5	25.6	27.5	23.5	19.5	14.4	9.5	16.4
2007	7.6	8.6	10.8	13.7	19.8	23.2	24.4	29.0	25.2	19.0	13.3	9.0	17.0
2008	5.9	5.5	10.7	14.7	18.5	21.3	27.0	26.8	24.4	19.4	13.1	9.8	16.4
2009	6.8	7.8	10.0	15.7	20.1	22.5	26.3	26.6	23.0	19.0	13.5	9.0	16.7
2010	7.0	6.5	9.1	12.4	19.0	23.6	28.0	29.6	25.1	18.9	13.5	9.9	16.9
2011	5.1	7.0	8.1	14.5	18.5	22.8	27.3	27.5	25.1	19.5	14.9	7.5	16.5
2012	4.8	5.4	8.8	14.5	19.6	21.4	26.4	29.1	26.2	19.4	12.7	7.3	16.3
2013	5.5	6.2	12.1	15.2	19.8	22.9	27.3	29.2	25.2	19.8	13.5	8.3	17.1
2014	6.3	5.9	10.4	15.0	20.3	23.4	26.8	27.7	23.2	19.1	14.2	6.7	16.6
2015	5.8	5.7	10.3	14.5	21.1	22.1	26.2	26.7	22.6	18.4	13.9	9.3	16.4
2016	6.1	7.2	10.1	15.4	20.2	22.4	25.4	27.1	24.4	18.7	11.4	8.9	16.4
2017	5.8	6.9	8.5	14.7	20.0	22.0	27.3	26.4	22.8	16.8	11.9	6.6	15.8
2018	4.7	5.4	11.5	17.0	19.8	22.4	28.3	28.1	22.9	19.1	14.0	8.3	16.8
2019	5.6	7.2	10.6	13.6	20.0	21.8	24.1	28.4	25.1	19.4	13.1	8.5	16.5
2020	7.1	8.3	10.7	12.8	19.5	23.2	24.3	29.1	24.2	17.5	14.0	7.7	16.5
2021	5.4	8.5	12.8	15.1	19.6	22.7	25.9	27.4	22.3	18.2	13.7	7.9	16.6
2022	4.9	5.2	10.9	15.3	18.8	23.0	27.4	27.5	24.4	17.2	14.5	7.5	16.4
2023	5.7	7.3	12.9	16.3	19.0	23.2	28.7	29.2	26.7	18.9	14.4	9.4	17.6

注）2014 年 11 月以前の値は，移転前の値である．

各年の月平均気温(℃)　新　潟

西暦	1月	2月	3月	4月	5月	6月	7月	8月	9月	10月	11月	12月	年
1981	1.2	1.9	5.2	10.5	14.9	19.0	25.7	25.1	20.2	15.1	7.8	5.1	12.6
1982	2.5	2.0	6.0	11.3	17.5	19.8	23.6	26.0	20.9	16.3	11.4	6.3	13.6
1983	2.9	1.5	5.5	13.4	17.0	19.5	23.0	26.6	22.8	15.0	9.3	3.7	13.4
1984	0.5	−0.2	2.4	9.2	15.2	21.9	25.5	27.6	21.6	15.2	9.3	4.4	12.7
1985	0.1	3.2	5.0	11.9	16.9	20.0	24.2	29.2	21.5	15.5	10.0	3.5	13.4
1986	1.0	0.7	5.3	11.0	15.6	19.4	22.3	26.4	22.5	14.6	9.3	6.1	12.9
1987	2.3	3.1	5.5	10.7	16.6	21.5	25.2	26.0	22.8	16.9	10.5	5.9	13.9
1988	3.7	0.8	4.9	10.7	15.2	20.3	22.6	27.2	22.5	15.1	8.0	5.1	13.0
1989	4.8	4.4	6.9	11.7	16.1	19.8	24.4	26.6	21.9	15.7	11.7	6.1	14.2
1990	1.9	5.6	7.1	12.1	16.5	21.9	25.3	27.4	23.4	17.1	12.6	7.5	14.9
1991	3.0	2.4	5.7	12.0	16.4	22.1	24.0	24.9	22.7	16.8	9.8	6.4	13.9
1992	3.9	2.9	6.5	11.8	14.8	19.7	24.2	26.2	21.9	16.1	10.9	6.2	13.8
1993	4.1	4.5	5.6	10.2	15.2	19.4	22.8	23.3	20.9	15.2	11.6	5.6	13.2
1994	2.5	3.2	4.5	11.9	17.6	20.4	26.3	28.9	23.9	18.0	10.8	5.6	14.5
1995	2.4	3.2	6.1	12.0	16.6	19.6	24.2	26.8	21.0	17.6	9.6	4.7	13.7
1996	2.5	1.9	5.3	9.7	15.1	20.3	24.9	25.9	21.3	16.2	10.4	5.6	13.3
1997	3.5	3.5	6.3	11.2	17.0	20.7	24.8	26.0	21.4	15.3	11.6	6.3	14.0
1998	2.2	3.7	6.7	13.6	18.3	20.4	25.5	25.1	23.8	18.3	10.3	6.3	14.5
1999	3.1	2.6	6.7	12.0	16.8	20.8	25.2	28.3	24.1	17.1	11.3	5.3	14.4
2000	4.4	2.2	5.4	11.4	17.2	20.8	26.0	28.2	23.7	16.5	10.9	5.1	14.3
2001	1.5	2.1	5.9	12.0	18.3	20.8	26.5	26.5	22.1	16.9	10.3	4.7	14.0
2002	3.8	4.3	7.7	13.9	16.3	20.9	25.6	26.9	22.3	16.5	7.4	4.2	14.2
2003	2.3	3.5	5.5	11.8	17.4	21.4	22.0	24.9	22.3	15.8	12.1	6.8	13.8
2004	3.0	4.5	6.4	12.0	17.5	21.5	26.0	26.0	23.6	16.5	13.0	6.8	14.7
2005	3.1	1.9	5.0	11.7	15.4	22.4	24.3	27.1	23.6	17.5	10.3	2.7	13.8
2006	1.9	3.4	5.6	10.2	16.5	20.8	23.3	27.8	22.1	17.2	11.3	6.1	13.9
2007	4.9	5.1	6.0	10.8	16.8	21.3	22.9	27.0	24.7	16.7	10.2	6.3	14.4
2008	3.0	2.1	7.5	12.6	17.0	20.3	25.4	25.8	22.7	17.4	10.3	6.8	14.2
2009	3.7	4.2	6.3	11.8	17.6	21.4	23.7	24.9	21.6	16.7	11.5	5.7	14.1
2010	3.4	2.9	5.6	9.7	15.7	21.6	26.3	29.0	23.7	17.6	10.8	6.7	14.4
2011	1.3	3.7	4.2	10.2	16.3	21.2	26.5	27.0	23.7	16.7	11.8	4.4	13.9
2012	1.6	1.0	5.3	11.2	16.3	20.6	25.4	27.9	25.2	17.3	9.9	3.9	13.8
2013	1.8	1.5	6.0	10.1	16.3	22.1	25.1	26.9	22.9	18.3	9.8	5.2	13.8
2014	2.5	2.5	6.1	11.1	17.1	22.0	24.9	26.1	21.6	16.0	11.1	3.4	13.7
2015	3.1	3.9	7.0	12.1	18.6	21.2	25.2	25.8	21.1	15.8	12.1	7.0	14.4
2016	3.1	3.6	6.9	12.4	18.4	21.4	24.6	27.0	23.4	16.4	9.9	6.4	14.5
2017	3.1	3.3	6.1	11.6	17.7	19.0	25.9	26.2	21.7	16.4	9.1	3.9	13.7
2018	1.7	1.4	7.5	12.7	17.0	21.1	27.4	26.6	21.8	17.2	11.6	5.9	14.3
2019	3.0	4.0	7.2	10.8	18.0	20.8	25.2	27.5	23.4	17.7	11.0	6.6	14.6
2020	5.2	5.0	7.9	10.1	17.2	22.3	23.6	27.7	24.4	16.4	11.4	5.2	14.7
2021	1.9	4.4	8.5	11.4	16.9	21.5	26.1	26.7	22.3	17.2	11.5	5.3	14.5
2022	2.5	2.5	7.3	12.5	17.5	21.7	26.6	26.6	23.8	15.8	12.2	4.7	14.5
2023	2.9	3.5	9.2	12.7	16.9	22.1	26.5	30.6	25.8	16.7	12.1	6.0	15.4

注）2012 年 5 月以前の値は，移転前の値である．

各年の月平均気温(℃)　名古屋

西暦	1月	2月	3月	4月	5月	6月	7月	8月	9月	10月	11月	12月	年
1981	1.8	3.6	8.2	13.4	17.5	21.7	26.8	26.1	21.5	16.0	9.2	5.6	14.3
1982	3.9	4.3	8.9	13.5	20.2	21.9	23.4	26.0	22.1	17.2	13.4	7.1	15.2
1983	4.8	4.3	8.2	15.7	19.3	21.8	25.4	28.0	23.9	17.2	11.2	5.0	15.4
1984	2.1	2.1	4.8	12.9	18.4	22.8	26.6	28.5	23.3	17.2	12.1	6.4	14.8
1985	2.8	5.3	8.9	14.7	19.4	21.6	26.7	27.7	23.9	17.6	11.3	5.5	15.5
1986	2.7	2.6	7.8	13.9	17.9	22.1	24.9	27.3	23.9	16.2	11.4	7.6	14.9
1987	4.5	5.4	8.3	14.3	18.6	23.0	26.8	27.8	23.6	18.7	12.4	7.4	15.9
1988	5.6	3.4	7.8	13.8	18.2	22.3	24.8	27.2	24.2	16.6	9.6	5.9	15.0
1989	6.6	6.9	9.1	14.9	18.0	21.6	25.2	27.6	24.5	17.4	13.0	7.1	16.0
1990	4.2	8.5	9.6	14.4	18.7	23.7	26.9	28.4	24.6	18.4	14.1	7.8	16.6
1991	4.6	4.2	9.7	15.2	18.6	23.8	26.6	26.8	24.8	17.9	12.2	8.2	16.1
1992	6.0	5.3	10.1	14.6	17.4	21.7	26.6	27.4	23.8	17.8	12.0	7.7	15.9
1993	5.9	5.9	8.0	13.3	18.0	21.6	23.6	25.2	22.2	16.8	13.0	6.9	15.0
1994	4.7	4.6	7.4	15.4	19.8	22.9	28.9	29.3	24.9	19.8	13.3	7.7	16.6
1995	4.0	5.3	8.9	13.5	18.3	21.5	26.5	30.1	23.0	18.7	10.1	5.2	15.4
1996	4.5	3.8	7.8	12.0	18.4	22.7	26.9	27.0	22.5	17.3	12.0	6.9	15.2
1997	4.3	4.8	9.6	14.7	18.9	22.7	25.8	27.4	23.6	16.9	12.8	7.7	15.8
1998	4.5	6.8	9.8	17.2	20.3	22.4	26.8	28.5	24.7	19.9	12.1	8.2	16.8
1999	4.7	4.8	9.9	14.4	19.5	22.8	26.0	27.9	25.8	19.2	12.8	6.8	16.2
2000	6.1	3.5	7.6	13.8	19.9	22.6	28.0	28.8	24.9	18.9	13.7	7.0	16.2
2001	3.6	5.5	8.5	14.8	19.9	23.3	28.5	27.4	23.7	18.4	11.6	6.7	16.0
2002	4.9	6.1	10.4	15.8	19.0	22.8	27.8	28.5	24.0	18.0	9.4	6.7	16.1
2003	3.8	5.9	7.9	14.8	19.1	22.6	23.7	26.9	24.9	16.9	14.5	7.1	15.7
2004	4.3	6.2	9.1	15.6	20.0	24.0	28.6	27.5	25.0	18.3	14.1	8.6	16.8
2005	4.6	4.8	7.8	15.0	18.3	24.0	26.7	28.1	25.5	19.0	11.6	3.4	15.7
2006	3.8	5.5	7.8	13.0	18.7	23.3	26.2	28.5	23.9	19.5	13.2	7.6	15.9
2007	6.1	7.7	9.0	14.0	19.0	23.1	25.2	29.1	26.1	19.1	12.5	8.0	16.6
2008	5.1	4.0	10.4	15.3	19.6	22.4	28.2	28.1	24.3	19.0	12.2	8.0	16.4
2009	5.3	7.3	9.5	15.4	19.9	23.3	26.4	27.3	24.1	18.5	12.9	7.6	16.5
2010	4.6	7.0	9.1	13.3	18.7	23.9	27.8	29.4	26.1	19.4	12.1	7.9	16.6
2011	2.8	6.6	7.5)	13.3	19.0	23.8	27.5	28.3	25.1	18.8	13.9	6.7	16.1
2012	4.2	4.1	8.3	14.2	19.2	22.3	26.9	28.4	25.8	19.0	11.3	5.3	15.8
2013	4.0	4.6	10.5	13.8	19.4	23.6	28.1	29.3	24.9	20.2	11.5	6.4	16.4
2014	4.6	5.3	9.3	14.6	19.5	24.0	27.4	27.1	23.4	18.9	13.2	5.4	16.1
2015	4.9	5.7	9.7	15.2	21.3	22.3	26.5	28.1	23.1	18.4	14.3	9.3	16.6
2016	5.8	6.5	10.5	15.9	20.6	22.9	27.0	28.6	25.2	19.7	12.6	8.1	17.0
2017	4.8	5.2	8.4	14.7	20.5	22.4	28.1	28.1	23.6	17.9	11.5	5.7	15.9
2018	3.8	4.7	11.2	16.5	19.8	23.4	29.3	29.7	23.6	18.9	13.8	8.1	16.9
2019	5.1	7.2	10.1	14.1	20.4	23.1	25.9	28.9	26.7	20.3	13.4	8.8	17.0
2020	7.6	7.1	10.7	13.4	20.6	24.6	25.4	30.3	25.4	18.0	14.0	7.4	17.0
2021	5.0	7.5	12.0	15.2	19.5	23.4	27.4	27.8	24.1	19.9	13.0	7.3	16.8
2022	4.1	4.5	11.0	16.8	19.5	24.3	27.5	28.5	26.1	18.7	14.6	6.6	16.9
2023	5.2	6.5	12.7	15.9	20.2	23.8	28.9	29.4	27.3	18.3	13.6	8.4	17.5

)付は準正常値.

各年の月平均気温(℃) 大阪

西暦	1月	2月	3月	4月	5月	6月	7月	8月	9月	10月	11月	12月	年
1981	3.7	5.1	9.3	14.4	18.5	23.2	28.3	27.4	23.1	17.6	11.1	7.6	15.8
1982	5.3	5.5	9.7	14.0	20.5	22.3	24.7	27.2	22.9	18.4	14.5	8.6	16.1
1983	6.1	5.6	8.7	16.5	20.1	22.5	26.7	29.4	24.9	17.9	12.6	6.9	16.5
1984	3.6	3.3	6.0	13.7	18.9	24.0	27.5	29.4	24.1	17.8	13.6	7.9	15.8
1985	4.3	6.6	9.3	15.5	20.1	22.5	27.6	29.2	25.3	19.0	12.8	6.6	16.6
1986	4.2	3.8	8.3	14.8	18.6	23.0	26.4	28.2	24.5	17.0	12.4	8.9	15.8
1987	6.2	6.5	8.9	14.2	19.3	23.8	27.6	28.7	24.4	19.6	13.4	8.7	16.8
1988	7.2	5.0	8.4	14.3	19.0	23.3	26.0	27.9	24.8	17.8	11.5	7.6	16.1
1989	7.8	7.6	9.5	15.5	18.8	22.6	26.7	28.0	24.9	18.2	14.1	8.5	16.9
1990	5.7	8.7	10.4	14.9	19.1	24.5	28.0	29.5	25.4	18.9	14.8	9.4	17.4
1991	6.4	5.8	10.2	15.9	19.2	24.4	28.1	28.1	25.6	18.7	13.3	9.8	17.1
1992	7.4	6.5	10.5	15.3	18.3	22.4	27.0	28.2	24.5	19.2	13.4	9.6	16.9
1993	6.9	7.5	8.7	14.4	18.9	22.7	25.4	26.6	23.3	17.9	14.7	8.4	16.3
1994	6.1	6.2	8.3	16.5	20.7	24.2	29.9	30.2	26.0	20.8	14.6	9.3	17.7
1995	6.1	6.2	9.8	14.6	18.9	22.1	27.5	30.3	24.2	19.9	12.1	7.2	16.6
1996	6.3	5.2	8.9	12.7	19.6	23.4	27.5	28.3	23.3	18.5	13.7	8.7	16.3
1997	6.0	5.8	10.1	15.1	19.9	23.7	26.7	28.5	24.3	18.2	14.1	8.9	16.8
1998	5.9	7.8	10.6	17.7	21.6	23.3	27.8	29.4	25.6	20.8	13.7	9.8	17.8
1999	6.4	5.9	10.6	14.7	20.5	23.5	26.8	29.1	27.2	20.1	14.1	8.7	17.3
2000	7.0	4.9	8.9	14.6	20.7	23.3	28.7	29.6	25.8	19.7	14.6	8.8	17.2
2001	5.2	6.6	9.7	15.5	20.6	24.0	29.2	28.8	24.4	19.5	13.2	8.3	17.1
2002	7.2	7.3	11.6	16.6	20.0	23.6	29.0	29.0	25.1	18.9	11.1	8.2	17.3
2003	5.1	6.8	8.4	15.9	20.2	23.7	25.3	28.3	25.9	18.1	15.5	9.1	16.9
2004	5.8	7.9	10.2	16.4	21.1	24.8	29.5	28.4	26.2	19.0	15.2	10.2	17.9
2005	6.2	6.1	9.2	16.2	19.5	24.9	27.5	28.7	26.1	19.8	13.7	5.9	17.0
2006	5.5	6.7	8.6	13.6	19.7	24.3	27.2	29.8	24.6	20.4	14.8	9.1	17.0
2007	7.5	8.7	10.1	14.6	19.8	23.6	25.9	29.9	27.2	20.0	13.7	9.6	17.6
2008	5.8	5.1	10.8	15.4	20.0	23.1	28.7	28.4	24.5	19.6	13.4	9.1	17.0
2009	6.5	7.9	9.7	15.5	19.7	24.0	27.3	28.0	24.5	19.2	13.6	8.7	17.1
2010	6.1	7.8	9.6	13.6	18.8	23.9	27.9	30.5	26.7	19.9	13.2	9.0	17.3
2011	4.4	7.4	8.1	13.8	19.6	24.2	27.8	28.9	25.2	19.5	15.2	8.1	16.9
2012	5.6	5.1	9.1	15.2	19.6	23.0	27.8	29.4	26.0	19.3	12.4	6.6	16.6
2013	5.2	5.6	10.7	14.3	19.8	24.3	28.5	30.0	25.1	20.8	12.9	7.8	17.1
2014	5.9	5.8	9.9	14.8	19.8	23.9	27.8	27.8	24.0	19.5	14.2	6.8	16.7
2015	6.1	6.9	10.2	15.9	21.5	22.9	27.0	28.6	23.2	19.0	15.2	10.1	17.2
2016	6.8	7.4	10.8	16.6	21.2	23.3	28.0	29.5	25.8	20.3	13.4	9.4	17.7
2017	6.2	6.3	9.2	15.7	21.1	22.7	28.8	29.2	24.4	18.4	12.6	7.0	16.8
2018	5.0	5.3	11.5	16.9	20.1	23.4	29.5	29.7	24.1	19.7	14.6	9.4	17.4
2019	6.5	7.8	10.6	14.6	21.0	23.7	26.5	29.1	26.6	20.7	14.2	9.5	17.6
2020	8.6	8.0	11.4	13.7	20.8	24.9	26.0	30.7	25.8	18.7	14.7	8.7	17.7
2021	6.2	8.7	12.2	15.5	20.0	23.9	27.9	28.1	24.8	20.3	14.1	8.8	17.5
2022	5.6	5.5	11.4	16.8	20.0	24.4	28.4	29.5	26.2	19.0	15.2	7.9	17.5
2023	6.5	7.0	13.0	15.9	20.0	23.8	28.9	29.9	27.9	19.3	14.4	9.3	18.0

各年の月平均気温(℃)　広　島

西暦	1月	2月	3月	4月	5月	6月	7月	8月	9月	10月	11月	12月	年
1981	2.1	3.8	8.1	12.6	16.6	21.5	26.6	25.9	21.4	16.3	10.0	6.2	14.3
1982	3.9	4.6	8.9	13.1	19.1	21.6	23.8	26.5	21.6	17.4	13.2	7.3	15.1
1983	5.1	4.5	8.2	15.2	18.7	21.7	25.0	28.1	23.6	16.9	10.9	5.8	15.3
1984	2.8	2.4	5.9	13.1	18.0	22.5	26.7	28.0	22.7	16.8	12.4	6.8	14.8
1985	3.7	5.6	9.0	13.8	18.8	21.0	26.2	28.1	24.2	17.9	11.6	5.2	15.4
1986	3.0	3.1	7.8	13.7	17.6	22.0	24.9	27.1	22.8	15.7	11.5	7.9	14.8
1987	5.4	6.1	8.2	13.0	18.2	22.4	25.4	26.5	22.4	18.7	12.6	7.5	15.5
1988	6.0	5.0	8.1	13.6	18.3	22.8	26.8	27.4	24.2	17.5	10.3	6.5	15.5
1989	7.4	7.1	9.0	15.3	18.5	22.1	26.8	27.4	24.1	17.2	13.0	8.0	16.3
1990	4.8	8.6	10.3	14.4	19.1	24.0	28.1	29.2	24.9	18.2	14.2	7.9	17.0
1991	5.6	5.0	10.2	15.2	18.3	23.6	26.9	27.7	25.2	18.4	12.2	8.9	16.4
1992	6.5	6.2	10.1	15.3	18.2	22.2	26.4	27.7	24.1	18.2	12.3	8.2	16.3
1993	6.5	6.8	8.4	14.2	18.5	22.4	25.2	25.7	22.9	16.9	13.2	7.8	15.7
1994	5.5	6.0	7.9	15.9	20.0	23.2	30.1	29.8	25.4	19.4	14.0	8.7	17.2
1995	5.2	6.0	9.6	13.9	18.5	21.7	27.2	29.7	23.3	18.7	10.7	6.4	15.9
1996	5.4	4.5	8.4	11.8	19.5	23.2	27.6	28.2	23.7	18.0	13.1	7.1	15.9
1997	5.3	5.7	10.4	14.8	19.6	23.7	26.3	28.0	23.6	17.6	13.7	8.6	16.4
1998	5.5	7.9	10.3	17.4	21.1	23.2	27.5	29.0	25.7	20.5	13.0	9.5	17.6
1999	5.8	5.6	10.4	14.7	19.9	23.3	26.0	28.0	26.2	19.6	12.9	7.6	16.7
2000	6.7	4.7	8.8	14.1	19.5	23.0	27.9	28.6	24.4	19.1	13.6	7.9	16.5
2001	4.2	6.1	9.3	15.1	20.0	23.3	28.2	28.4	23.8	18.7	11.6	6.8	16.3
2002	5.9	6.6	11.0	15.7	19.5	23.5	27.9	28.3	24.7	17.9	9.7	7.4	16.5
2003	4.2	6.3	8.3	15.2	19.7	22.8	24.7	27.3	25.0	17.6	14.6	7.4	16.1
2004	4.7	7.3	9.7	15.5	20.0	24.0	28.9	28.0	24.7	18.1	13.9	8.8	17.0
2005	5.1	4.9	8.1	15.6	19.2	24.5	26.9	27.9	25.6	19.3	12.5	4.0	16.1
2006	5.3	6.1	8.1	13.2	19.2	23.4	26.6	29.0	23.4	20.1	13.6	7.9	16.3
2007	6.2	8.2	9.6	14.0	19.4	23.4	25.7	28.8	27.0	20.0	12.8	8.3	17.0
2008	5.4	4.4	9.8	14.9	19.4	22.7	28.5	27.9	24.9	19.1	12.0	7.8	16.4
2009	5.2	7.8	9.7	15.1	19.8	23.3	25.8	27.5	24.2	18.5	12.7	7.2	16.4
2010	5.2	7.6	9.1	13.0	18.5	23.3	27.2	30.3	26.2	19.2	12.0	7.3	16.6
2011	2.9	6.6	7.2	13.4	19.5	23.6	27.6	28.2	24.9	18.5	14.7	6.9	16.2
2012	4.7	4.3	8.7)	15.0	19.6	23.2	27.4	29.5	25.6	18.9	11.7	5.5	16.2
2013	4.4	6.0	10.7	13.5	19.7	24.0	28.3	29.5	24.6	19.9	11.9	6.5	16.6
2014	5.7	6.2	10.0	14.3	19.6	23.2	26.9	26.9	23.9	18.7	13.4	5.5	16.2
2015	5.8	6.1	10.0	15.8	20.5	22.5	26.5	27.5	23.1	18.0	14.6	9.3	16.6
2016	5.6	6.5	10.4	16.2	20.3	23.3	27.7	29.3	25.1	20.2	13.1	8.9	17.2
2017	5.5	6.1	8.8	15.6	20.6	22.5	28.4	29.0	23.4	18.4	11.9	5.8	16.3
2018	4.3	4.7	10.9	16.2	19.8	23.1	29.1	29.8	23.7	18.5	13.3	8.5	16.8
2019	6.4	7.6	10.6	14.8	20.5	23.2	26.4	28.5	26.3	20.3	13.5	8.6	17.2
2020	8.1	7.8	11.0	13.2	20.3	24.2	25.2	29.9	25.0	18.7	14.2	7.2	17.1
2021	5.2	8.2	12.1	15.4	19.5	23.8	27.6	27.4	25.0	19.9	13.1	7.8	17.1
2022	5.3	4.8	11.5	16.4	20.0	24.2	28.1	29.2	26.0	18.9	14.9	6.4	17.1
2023	5.7	6.9	12.6	15.7	19.9	23.3	27.9	30.0	27.2	18.9	14.0	8.2	17.5

)付は準正常値.
注）1987 年以前の値は，移転前の値である.

各年の月平均気温(℃)　高　松

西暦	1月	2月	3月	4月	5月	6月	7月	8月	9月	10月	11月	12月	年
1981	3.1	4.1	8.2	13.2	17.2	21.9	27.1	26.0	21.8	16.5	10.4	6.6	14.7
1982	4.6	4.8	9.0	13.4	19.4	22.2	24.5	26.7	22.0	17.3	13.7	7.8	15.5
1983	5.7	4.9	8.3	15.8	19.2	22.5	26.5	28.7	24.5	17.5	11.6	6.7	16.0
1984	3.4	2.7	5.6	12.5	18.1	23.1	26.9	28.4	23.3	17.1	12.7	7.3	15.1
1985	4.0	5.8	8.7	14.1	19.0	21.5	27.0	27.8	24.9	18.2	12.1	5.7	15.7
1986	3.7	3.6	7.7	13.9	18.0	22.9	25.8	27.5	23.6	16.1	11.6	8.3	15.2
1987	6.1	6.0	8.5	13.4	18.4	22.8	26.8	27.4	23.0	18.6	13.0	7.8	16.0
1988	6.2	4.8	7.6	13.5	18.0	22.6	25.8	26.7	23.7	17.2	11.1	6.5	15.3
1989	7.0	6.6	8.8	14.7	17.9	22.1	25.6	26.6	23.4	16.6	12.8	7.9	15.8
1990	4.9	8.0	9.9	14.2	18.5	24.1	27.8	28.4	24.5	18.4	14.2	8.5	16.8
1991	5.8	5.3	9.3	14.6	18.4	23.5	27.4	27.0	24.5	18.1	12.3	8.8	16.3
1992	6.8	6.1	9.5	14.6	18.1	21.7	26.6	27.0	23.8	18.2	12.3	8.8	16.1
1993	6.4	7.0	8.0	14.1	18.4	22.7	25.0	25.7	22.4	16.9	13.6	8.0	15.7
1994	5.3	5.9	7.8	15.7	20.2	23.4	29.6	29.6	25.1	19.3	13.8	8.9	17.1
1995	5.8	5.9	9.4	13.5	18.4	21.7	27.4	29.8	23.5	18.6	11.3	6.6	16.0
1996	5.4	4.7	8.3	12.2	19.4	23.3	27.2	28.0	23.2	17.6	13.1	7.5	15.8
1997	5.7	5.5	10.0	14.8)	20.0	23.3	26.6	28.0	23.9	17.6	13.6	8.6	16.5
1998	5.9	7.2	10.2	16.9	21.0	23.0	27.8	29.2	25.2	20.6	13.4	9.6	17.5
1999	6.2	5.9	9.7	14.1	20.2	23.0	25.9	27.9	26.3	19.5	13.2	7.7	16.6
2000	6.3	5.0	8.8	14.3	19.8	22.7	28.4	29.2	25.1	19.5	13.7	8.0	16.7
2001	5.1	6.0	9.5	14.7	20.0	23.9	28.3	28.4	23.8	19.0	12.2	7.6	16.5
2002	6.9	6.9	11.4	16.0	19.8	23.5	28.3	28.5	24.9	18.6	10.3	7.8	16.9
2003	5.0	6.4	8.2	15.2	19.4	23.1	25.4	27.7	25.4	17.8	14.9	9.0	16.5
2004	5.5	7.5	9.5	16.0	20.5	23.9	29.1	27.7	25.3	18.6	14.4	9.1	17.3
2005	5.8	5.5	8.8	15.7	19.5	25.2	27.3	28.2	25.6	19.4	13.1	5.3	16.6
2006	5.2	6.2	8.2	13.2	19.2	23.6	27.0	29.5	23.7	20.0	14.1	8.5	16.5
2007	6.7	8.2	9.6	14.3	19.9	23.7	26.1	29.3	27.0	19.9	13.2	9.1	17.3
2008	5.7	5.0	10.1	14.9	19.5	22.6	29.1	28.5	24.8	19.5	13.0	8.3	16.8
2009	6.1	7.8	9.9	15.6	19.8	24.0	26.7	27.8	24.3	19.1	13.4	8.2	16.9
2010	5.9	7.4	9.3	13.2	18.8	23.9	27.8	30.4	26.7	19.8	12.7	8.3	17.0
2011	4.1	6.6	7.9	13.6	19.6	24.0	27.3	28.6	25.1	19.2	15.0	7.9)	16.6
2012	5.2	4.7	8.9	15.0	19.4	22.8	27.7	29.3	25.2	18.9	12.3	6.3	16.3
2013	4.7	5.8	10.4	13.6	19.9	24.2	29.0	29.8	24.5	20.3	12.5	7.4	16.8
2014	5.8	5.7	9.8	14.3	19.8	23.6	27.6	26.9	24.0	19.1	13.6	6.5	16.4
2015	6.3	6.5	9.5	15.4	21.0	22.5	26.7	28.1	23.1	18.4	15.0	9.9	16.9
2016	6.6	6.9	10.3	16.1	20.8	23.1	28.1	29.5	25.2	20.5	13.6	9.3	17.5
2017	6.2	6.4	9.0	15.7	20.8	22.8	28.7	29.4	23.9	18.4	11.9)	6.4	16.6
2018	4.7	4.8	10.5	16.1	19.7	22.9	29.1	29.7	24.1	19.1	13.5	9.2	17.0
2019	6.8	7.5	10.2	14.5	20.6	23.6	26.5	28.4	26.4	20.7	13.5	9.1	17.3
2020	8.4	7.6	11.0	13.5	20.6	24.6	25.8	30.6	25.5	18.6	14.2	8.0	17.4
2021	5.6	8.5	12.1	15.5	19.8	23.6	27.7	27.8	25.1	20.0	13.4	8.5	17.3
2022	5.5	5.1	11.1	16.2	19.8	24.2	28.6	29.8	26.1	18.8	14.9	7.3	17.3
2023	6.2	6.5	12.2	15.5	19.7	23.5	28.5	29.7	27.4	19.2	14.0	8.7	17.6

)付は準正常値.

各年の月平均気温(℃)　福　岡

西暦	1月	2月	3月	4月	5月	6月	7月	8月	9月	10月	11月	12月	年
1981	4.0	6.1	10.2	14.6	18.6	22.8	28.5	27.4	23.1	18.1	11.7	8.2	16.1
1982	5.9	6.7	10.7	14.2	20.3	22.1	24.8	27.1	22.4	18.7	14.9	8.6	16.4
1983	6.7	6.0	10.1	16.3	19.4	22.1	26.9	28.1	24.8	19.1	12.4	7.4	16.6
1984	4.1	4.4	7.6	14.5	18.0	23.8	27.8	28.6	23.7	18.1	14.4	8.3	16.1
1985	4.7	7.0	10.0	14.5	19.5	22.0	28.0	29.3	25.4	19.3	12.7	6.7	16.6
1986	4.5	4.7	9.4	15.2	18.9	22.9	25.6	27.8	23.7	17.0	12.6	9.6	16.0
1987	7.3	7.9	9.7	14.4	19.0	22.5	26.8	27.2	22.8	19.9	14.4	9.0	16.7
1988	7.6	6.4	8.9	14.4	19.2	22.5	26.5	26.8	23.8	18.5	12.2	8.5	16.3
1989	9.1	8.7	10.3	16.2	18.4	21.8	26.3	27.3	24.3	18.3	13.7	9.6	17.0
1990	6.0	10.2	11.4	14.8	19.3	24.2	28.3	29.6	25.4	18.7	15.2	8.7	17.7
1991	7.0	6.1	10.4	14.6	18.3	23.5	27.4	26.2	24.4	18.3	13.1	10.0	16.6
1992	7.8	7.6	10.8	15.4	18.9	21.4	26.5	26.7	24.6	18.5	13.2	10.0	16.8
1993	7.5	8.3	9.8	14.6	18.8	22.9	25.1	25.2	22.6	17.7	14.4	8.9	16.3
1994	7.1	7.2	8.9	15.8	20.5	22.3	29.6	29.8	24.6	19.7	15.2	10.1	17.6
1995	6.9	7.1	10.1	14.4	18.4	21.7	27.4	29.3	23.5	19.2	12.3	7.4	16.5
1996	6.5	6.1	9.9	12.5	19.4	23.9	27.1	28.2	23.8	19.0	14.2	8.6	16.6
1997	6.2	7.7	11.3	15.3	20.4	23.6	26.6	28.0	23.3	18.6	14.9	9.5	17.1
1998	6.6	9.4	10.9	17.6	21.1	22.9	27.6	29.2	25.7	20.8	14.3	10.6	18.1
1999	7.3	7.2	11.3	14.8	19.7	23.2	25.3	27.6	26.2	19.9	13.8	8.6	17.1
2000	7.7	6.1	10.4	15.1	19.4	23.0	28.2	28.6	24.4	19.7	14.5	9.6	17.2
2001	6.2	7.7	10.9	15.3	20.1	23.6	27.8	28.5	24.0	19.8	13.2	8.3	17.1
2002	7.9	8.4	12.5	16.6	19.3	23.6	27.9	27.8	24.4	18.8	11.5	9.1	17.3
2003	5.9	8.3	9.9	16.1	20.0	23.2	25.5	27.2	25.6	18.8	16.1	9.3	17.2
2004	6.1	9.0	10.9	16.2	20.5	24.0	28.7	28.6	24.6	19.0	15.1	10.7	17.8
2005	6.4	6.1	9.6	16.7	19.4	24.8	27.6	28.4	26.0	20.5	14.4	6.0	17.2
2006	6.9	7.7	10.1	14.6	19.2	23.2	27.3	29.0	23.3	20.6	15.0	9.5	17.2
2007	7.6	9.8	11.3	15.1	20.4	23.8	26.3	29.4	27.0	20.9	14.1	9.8	18.0
2008	7.5	6.3	10.7	15.0	19.4	22.2	29.0	27.6	25.0	20.3	13.4	9.1	17.1
2009	6.4	9.8	11.7	15.6	19.9	23.6	26.8	27.6	24.4	19.7	13.7	8.9	17.3
2010	6.6	9.4)	10.9	13.8	19.2	23.5	27.7	30.3	26.3	20.0	13.2	8.8	17.5
2011	3.8	8.2	8.8)	14.7	19.8	23.9	27.9	28.5	25.2	19.7	16.3	8.5	17.1
2012	6.3	5.7	10.7	16.2	20.1	23.1	28.0	29.1	24.5	19.2	12.9	7.6	17.0
2013	6.1	7.8	12.3	14.7	20.3	23.7	30.0	30.0	25.2	20.7	13.4	8.1	17.7
2014	7.5	7.6	11.5	15.6	20.5	22.6	27.1	26.5	24.2	19.7	14.7	7.6	17.1
2015	7.9	7.6	11.1	16.2	20.7	22.6	26.0	27.4	23.2	18.9	16.0	10.3	17.3
2016	7.0	7.9	11.5	16.8	20.8	23.6	28.3	29.3	25.1	21.3	14.5	10.5	18.1
2017	7.4	8.3	10.5	16.5	21.0	23.1	29.4	29.5	24.3	19.8	13.6	7.4	17.6
2018	5.7	6.2	11.9	17.1	20.8	23.7	28.7	30.0	24.8	19.1	14.3	10.2	17.7
2019	8.0	9.4	11.9	15.4	21.1	23.4	26.4	28.0	25.9	20.5	14.9	10.3	17.9
2020	9.5	9.7	12.4	14.1	20.4	24.9	25.5	30.2	24.5	19.4	15.3	8.5	17.9
2021	7.0	10.2	13.5	16.7	20.4	24.2	28.9	27.5	25.9	21.0	13.9	9.1	18.2
2022	6.9	6.3	12.7	16.4	20.6	24.8	28.9	29.8	25.7	19.6	16.2	7.7	18.0
2023	7.2	9.0	13.6	16.7	20.2	24.4	28.9	29.7	26.9	19.8	15.1	9.9	18.5

)付は準正常値.

各年の月平均気温(℃)　鹿児島

西暦	1月	2月	3月	4月	5月	6月	7月	8月	9月	10月	11月	12月	年
1981	5.3	8.5	12.1	16.3	18.9	24.1	28.6	28.2	24.7	19.9	13.3	9.0	17.4
1982	6.9	8.6	13.4	16.1	20.9	23.1	26.4	27.3	24.0	20.7	16.3	9.3	17.8
1983	7.8	8.2	12.5	17.6	20.7	23.0	27.4	28.5	25.8	20.7	13.2	8.3	17.8
1984	5.6	6.6	9.6	16.9	20.0	24.9	28.0	28.4	24.4	19.3	17.0	10.3	17.6
1985	6.2	9.4	13.3	16.9	21.5	24.1	27.7	28.4	26.7	21.0	13.7	8.5	18.1
1986	6.0	6.7	11.5	17.1	20.4	23.9	27.7	28.0	25.3	18.2	14.5	10.9	17.5
1987	8.3	9.3	12.3	16.4	20.7	23.9	27.6	28.3	24.2	21.7	16.2	9.8	18.2
1988	9.4	8.6	11.3	15.7	21.0	23.8	28.1	27.4	25.4	20.5	12.5	9.3	17.8
1989	11.1	11.1	12.0	17.3	19.8	23.0	27.1	27.8	25.9	19.8	15.0	10.4	18.4
1990	8.1	12.6	13.1	15.7	19.7	24.5	28.8	29.0	26.5	20.7	16.5	9.8	18.8
1991	8.3	8.1	13.8	17.4	19.4	24.7	28.6	27.8	26.1	19.9	14.6	11.6	18.4
1992	9.4	8.3	14.0	16.9	19.9	21.9	26.5	27.6	25.9	19.9	15.2	11.2	18.1
1993	9.0	9.5	11.3	15.5	19.9	23.8	26.2	27.1	23.9	19.1	16.7	10.2	17.7
1994	8.2	9.4	10.9	17.6	21.0	23.8	29.2	28.8	25.5	21.4	17.2	11.9	18.7
1995	8.1	9.0	11.8	15.8	20.0	22.5	28.0	29.1	25.5	21.7	13.8	8.7	17.8
1996	8.3	7.8	12.1	14.1	20.4	25.0	27.9	28.5	26.4	21.3	17.0	10.5	18.3
1997	8.1	9.4	13.8	17.3	21.4	23.8	27.9	28.5	25.1	19.6	17.0	12.0	18.7
1998	9.2	12.3	12.5	19.7	22.7	24.4	28.7	29.6	27.1	23.0	16.5	12.1	19.8
1999	9.1	9.1	14.5	17.4	20.3	24.4	27.0	27.9	27.4	22.3	15.8	9.9	18.8
2000	9.9	7.8	12.6	16.1	20.6	24.0	28.3	28.4	26.1	22.5	17.6	11.6	18.8
2001	8.7	10.8	12.2	17.0	21.1	24.9	29.0	29.1	25.7	22.3	14.7	10.8	18.9
2002	9.7	10.1	14.0	17.7	21.6	24.3	28.0	28.5	26.3	20.3	13.1	11.7	18.8
2003	7.4	10.4	12.2	18.1	21.6	23.7	28.1	28.6	27.0	20.2	18.9	10.5	18.9
2004	7.9	10.2	13.2	17.7	21.4	25.0	28.8	29.3	26.6	21.2	16.6	12.9	19.2
2005	8.0	9.2	10.9	17.5	21.0	24.7	28.4	28.8	27.3	22.3	15.9	7.5	18.5
2006	9.1	11.1	11.8	16.5	21.1	24.2	28.9	29.3	26.1	23.2	17.0	11.6	19.2
2007	9.5	11.6	13.3	16.3	20.8	24.5	27.9	29.1	28.0	23.1	15.9	12.0	19.3
2008	9.9	7.8	13.1	17.0	21.1	23.6	29.2	28.7	26.4	22.1	15.3	10.2	18.7
2009	8.7	12.5	13.1	16.9	21.1	24.3	27.8	29.2	26.9	20.9	15.9	10.6	19.0
2010	8.3	11.9	13.3	16.2	21.1	23.8	27.8	29.6	27.2	21.6	15.1	10.5	18.9
2011	5.2	10.8	10.6	16.0	20.8	24.1	28.2	28.7	26.1	21.4	18.2	10.1	18.4
2012	8.0	9.1	12.8	16.9	21.2	23.7	28.0	28.9	25.2	21.1	14.3	9.7	18.2
2013	7.9	10.3	14.1	16.3	21.4	24.6	29.4	30.0	26.8	22.5	14.6	9.3	18.9
2014	9.2	10.5	13.1	16.9	20.4	23.1	27.5	27.7	25.3	22.0	16.6	9.1	18.5
2015	9.1	9.1	12.9	18.8	21.2	22.7	26.7	27.9	25.1	20.8	18.3	12.6	18.8
2016	9.0	9.6	13.3	18.4	21.8	24.7	28.6	29.8	27.3	23.8	16.7	12.6	19.6
2017	9.0	9.2	11.6	17.5	21.1	23.3	29.2	29.7	25.7	22.4	15.3	8.7	18.6
2018	7.6	8.2	14.5	18.5	21.7	24.7	28.6	29.6	26.4	20.1	16.0	12.2	19.0
2019	9.6	11.3	13.6	17.5	21.3	24.0	27.2	28.8	27.8	23.0	17.0	12.1	19.4
2020	11.1	11.4	14.0	15.7	21.7	25.0	26.8	29.8	25.6	21.4	17.2	10.3	19.2
2021	9.2	12.1	15.6	18.0	21.0	24.5	28.1	27.9	27.0	22.7	15.5	10.5	19.3
2022	9.0	8.3	14.4	18.4	20.9	24.6	28.8	29.8	27.4	22.0	18.4	9.4	19.3
2023	9.0	11.5	15.1	18.2	21.6	24.3	28.9	29.3)	28.3	20.7	16.2	11.4	19.5

)付は準正常値.

注）1994 年 1 月以前の値は，移転前の値である.

各年の月平均気温(℃)　那　覇

西暦	1月	2月	3月	4月	5月	6月	7月	8月	9月	10月	11月	12月	年
1981	15.0	16.3	18.9	21.6	22.6	26.1	28.1	28.6	26.8	24.5	21.1	17.3	22.2
1982	15.6	16.9	19.8	20.2	24.7	25.5	28.6	28.0	26.7	24.2	22.5	18.1	22.6
1983	17.1	15.9	18.4	23.0	24.3	26.3	28.7	28.6	28.2	26.2	21.0	17.0	22.9
1984	15.2	15.6	17.5	20.7	23.2	27.0	28.5	28.2	27.3	24.3	22.3	18.3	22.3
1985	16.2	17.3	19.4	20.2	24.6	25.9	28.0	27.5	27.3	25.4	20.5	17.7	22.5
1986	15.0	14.6	17.1	21.3	23.4	26.5	28.8	28.3	27.3	23.8	21.4	18.4	22.2
1987	16.1	16.6	19.3	21.8	24.4	25.9	28.7	28.7	27.2	26.1	23.1	18.7	23.1
1988	18.5	17.6	19.2	20.6	23.6	27.4	29.7	28.3	27.7	25.0	20.1	17.9	23.0
1989	17.8	17.7	17.8	21.3	23.7	26.6	28.6	28.1	27.5	24.4	21.3	17.9	22.7
1990	16.5	18.5	19.0	20.2	23.8	27.2	29.3	29.0	27.4	24.2	22.4	18.9	23.0
1991	17.3	16.4	20.5	22.1	24.6	28.8	29.5	28.9	27.9	24.4	21.0	19.3	23.4
1992	17.2	16.0	20.8	21.6	23.7	26.0	28.2	28.6	27.4	24.6	21.3	19.1	22.9
1993	17.4	17.0	18.3	20.7	24.6	27.0	29.1	28.9	27.5	24.9	22.8	18.8	23.1
1994	17.3	17.1	17.1	22.4	23.4	26.9	29.4	28.7	26.8	24.4	22.5	20.2	23.0
1995	16.4	15.7	17.6	22.1	23.3	26.3	28.5	29.0	27.8	26.1	21.0	17.8	22.6
1996	17.1	16.3	19.0	19.5	22.4	27.5	29.4	28.1	27.9	24.6	23.2	18.1	22.8
1997	16.5	17.1	19.9	22.0	24.6	26.1	28.4	27.8	26.8	24.3	22.6	19.7	23.0
1998	18.7	18.5	20.2	23.5	26.1	27.4	29.5	30.1	28.4	26.7	23.0	20.2	24.4
1999	18.0	17.4	20.9	21.7	23.7	27.5	28.3	28.4	28.2	26.3	22.6	18.4	23.5
2000	17.9	16.2	18.6	20.7	23.1	27.2	28.0	27.9	26.3	26.2	23.4	19.9	23.0
2001	17.7	18.7	18.3	21.2	23.5	27.8	29.9	29.6	27.5	25.6	21.8	19.2	23.4
2002	17.1	17.4	19.6	22.4	25.1	27.0	28.2	28.7	27.5	24.7	21.1	19.4	23.2
2003	15.7	18.1	18.4	22.6	24.4	26.6	29.9	29.6	28.5	24.7	23.8	18.7	23.4
2004	16.8	17.1	19.2	21.9	25.5	26.7	28.8	29.0	27.6	24.9	22.6	20.2	23.4
2005	16.6	17.9	17.2	21.5	24.2	26.6	29.2	29.0	28.2	26.2	22.8	17.2	23.1
2006	18.1	17.9	18.4	21.2	24.8	26.8	29.1	29.2	27.8	26.1	22.9	19.7	23.5
2007	17.8	18.2	19.6	20.7	23.8	26.7	29.6	28.8	28.2	26.6	22.2	19.9	23.5
2008	18.5	16.1	18.7	21.4	24.1	27.6	29.4	29.0	28.2	26.4	22.5	18.7	23.4
2009	16.7	19.9	19.6	20.5	23.7	26.4	29.2	29.5	29.0	25.3	22.7	18.3	23.4
2010	16.8	18.3	19.9	21.2	23.8	26.7	28.7	28.9	28.0	25.7	21.4	18.1	23.1
2011	14.9	17.6	17.1)	20.4	23.9	27.9	28.9	28.3	27.9	25.2	23.7	18.6	22.9
2012	17.0	17.5	19.6	21.7	24.4	26.9	29.1	28.5	27.2	24.6	21.0	18.5	23.0
2013	17.0	18.6	20.4	20.6	23.7	27.9	29.4	29.6	28.3	25.3	21.3	17.3	23.3
2014	16.8	17.9	18.4	20.9	23.6	26.9	29.3	28.7	28.8	25.4	22.6	17.6	23.1
2015	16.6	16.8	19.0	22.2	24.9	28.7	29.0	28.7	27.8	25.5	23.8	20.1	23.6
2016	17.4	16.9	18.7	23.0	25.7	28.4	29.8	29.5	28.4	27.7	23.2	20.5	24.1
2017	18.4	17.1	18.3	21.6	24.2	26.6	29.9	30.4	28.9	27.0	22.8	18.0	23.6
2018	17.2	16.9	19.9	21.6	25.6	27.8	28.3	28.5	28.4	23.9	23.1	20.4	23.5
2019	18.1	20.0	19.9	22.3	24.2	26.5	28.9	29.2	28.0	26.0	23.1	20.0	23.9
2020	18.7	18.7	20.1	19.8	24.8	28.1	29.3	29.4	27.7	25.8	23.4	19.2	23.8
2021	16.8	18.5	20.8	21.7	25.8	27.1	28.8	28.7	28.8	26.0	21.8	18.9	23.6
2022	17.7	17.2	20.4	22.7	23.5	27.0	29.4	29.9	28.3	26.0	23.6	18.6	23.7
2023	17.5	19.0	20.0	22.5	24.3	27.2	29.6	28.6	28.7)	26.0	22.6	19.7	23.8

)付は準正常値.

生物季節観測平年値

（1991 年から 2020 年までの平均値）

種目名／地点	ウメの開花日	タンポポの開花日	ソメイヨシノの開花日	ソメイヨシノの満開日	ヤマツツジの開花日	ノダフジの開花日	サルスベリの開花日	ススキの開花日	イチョウの黄葉日	イロハカエデの紅葉日	ウグイスの初鳴日	ツバメの初見日	モンシロチョウの初見日	ホタルの初見日	アブラゼミの初鳴日	モズの初鳴日
札幌	429	428[a]	501	506	518				1104	1028[a]			504		730	
函館	426	420[a]	428	502	516	524		815	1102	1102[b]	420	419	429		725	
旭川		505[a]	504[a]	507[a]	523					1023[a]			503			
釧路		507[a]	516[a]	519[a]	506[a]					1016[c]			511			
帯広		501[a]	502[a]	505[a]	525				1028	1020[b]			426			
網走		505[a]	510[a]	513[a]	529						506		511			
稚内		510[a]	513[a]	516[a]	604						427					
青森	419[a]	505	422	426	508	518	830	828	1102	1113	421	425	426		730	
盛岡	406	417	418	424	506	514	804	830	1030	1113	402	426	425	704	727	1005
仙台	301	331	408	413	424	507	812	806	1123	1121	311	413	411	619	718	1003
秋田	408	423	417	422	430	513	812	825	1105	1112	414	418	419	629	719	1010
山形	403	421	413	418	506	507	728	815	1110	1125	405	411	409	708	721	923
福島	307	331	407	411	423	503	725	827	1031	1117	314	414	409	627	721	1001
水戸	203	315	330	406	425	428	801	904	1121	1120	311	407	403	607	725	920
宇都宮	210	325	330	406	423	426	801	826	1129	1120	311	405	325		720	915
前橋	206	317	329	405	424		725	901	1127	1208	311	404	331		802	1011
熊谷	212	310	327	403	416	421	715	919	1128	1201	306	403	329		717	928
銚子	120	312	330	406	425	421	813	1008	1130	1212	228	401	322	701	729	925
東京	122	330	324	331	421	419	717	913	1123	1128		411			720	
横浜	201	120	325	401	419	425	729	917	1130	1214	318	412	406		722	1011
新潟	311	414	408	413	503	504	803	827	1113	1115	325	412	408	623	719	925
富山	302	409	403	408	430	424	805	823	1119	1124	318	331	402	611	716	920
金沢	223	408	403	408	429	428	802	804	1110	1124	325	331	406	618	714	1007
福井	219	408	401	407	503	430	805	911	1121	1128	317	401	404	611	715	1003
甲府	224	316	325	402	418	418	721	824	1117	1129	313	401	323	603	719	920
長野	318	402	411	416	428	428	803	818	1110	1112	323	409	409	625	716	
岐阜	217	306	325	402	422	416	[illegible]	[illegible]	[illegible]	[illegible]	[illegible]	[illegible]	[illegible]	[illegible]	[illegible]	[illegible]

静岡	117	130	324	402	414	411	803	925	1125	1203	313	403	322		721	1003
名古屋	128	223	324	402	413	417	801	923	1118	1128	315	329	327		712	923
津	204	320	329	403	417	423	730	828	1120	1125	313	328	326	605	716	1004
彦根	220	308	401	408	424	425	801	904	1120	1128	307	328	325	602	717	929
京都	222	224	326	404	419	418	726	831	1124	1205	309	327	324	530	715	1002
大阪	213	309	327	404	418	416	715	908	1122	1201		403	328		714	
神戸	206	324	327	405	507	423	721	926	1113	1201	316	329	405		715	1009
奈良	131	317	328	404	423	419	713	917	1118	1121	304	327	329	605	710	924
和歌山	212	302	324	403	421	415	725	925	1123	1206	316	328	323	529	716	924
鳥取	210	305	329	405	424	422	716	912	1127	1130	311	327	327	602	713	921
松江	119	310	329	405	505	427	801	913	1121	1124	305	327	329	531	717	930
岡山	208	323	328	404	416	419	724	913	1122	1129	304	323	324	521	710	917
広島	206	307	325	403	406[b]	416	721	922	1115	1122	308	328	329		710	1010
下関	129	318	326	404	507	423	728	1002	1124	1206	307	326	323	523	707	926
徳島	206	225	328	404	418	419	730	916	1208	1128		326	323		715	1002
高松	113	221	327	404	503	420	727	925	1126	1123		321	317		721	923
松山	105	204	324	403	405[c]	418	718	909	1122	1205	305	323	315	522	712	916
高知	127	208	322	330	415	410	721	830	1115	1202	228	320	311	518	710	919
福岡	131	226	322	331	517	411	731	923	1120	1201	304	325	318	527	706	921
佐賀	128	305	324	402	504	413	721	924	1121	1130	302	318	314	524	711	1007
長崎	124	212	323	402	418	414	727	929	1205	1207	309	319	313	517	711	1005
熊本	203		322	401	510	409	710	921	1127	1202	224	314	307	505	710	915
大分	126		324	404	517	420	804	922	1205	1128	213	314	308	517	712	913
宮崎	122		323	402	508	408	725	928	1129	1204	225		301	510	707	915
鹿児島	202	202	326	405	419	409	729	1006	1125	1215	304	308	303	513	716	916
名瀬			120[b]	202[b]		329	720	1026			310		322			
那覇	113		116[b]	204[b]	224[d]		616	1016			221	315		427[a]	606[a]	
	aブンゴウメ	aセイヨウタンポポ	aエゾヤマザクラ bヒカンザクラ	aエゾヤマザクラ bヒカンザクラ	aエゾムラサキツツジ bミツバツツジ cコバノミツバツツジ dケラマツツジ					aヤマモミジ bオオモミジ cイタヤカエデ				aクロイワボタル	aリュウキュウアブラゼミ	

現象が現れない年が多かったりしたために平年値を求めなかった場合は空欄とした.

世界の気象観測平年値

気 93-129 には，世界の 240 地点で観測された気象観測平年値を掲載した．

気象部に掲げた世界の観測地点一覧表

「WMO（世界気象機関）Publication No.9-Volume A “Observing Stations”」に記された地点，国または領域，緯度，経度，高度（標高または飛行場の公式高度それらが不明の場合は気圧を報じるための基準面高度）をもととし，その後国等が変更になった場合には，最新のものに差しかえている．

気温・降水量

米国の国立気候データセンターが配布している Global Historical Climatology Network のデータおよび世界各国の気象機関から通報された地上月気候値気象通報データをもとにして，気象庁が作成した 1991 年から 2020 年までの 30 年平均値である．気象庁では 10 年ごとに平年値を更新している．30 年分のデータが揃っていない場合でも，各月で 8 年分以上のデータがあれば平年値を作成した．

相対湿度

相対湿度については，最近のデータを取りまとめた資料が存在しないことから，2025 年版より掲載を取りやめた．

なお，2024 年版には世界気象機関が世界各国から気象観測データを集めて取りまとめ，“CLIMATOLOGICAL NORMALS (CLINO) FOR THE PERIOD 1961-1990, WMO/OMM-No.847, Secretariat of the World Meteorological Organization, Geneva-Switzerland, 1996” に掲載した 1961 年から 1990 年までの 30 年間の統計に基づく相対湿度の平年値を掲載している．

気象部に掲げた世界の観測地点一覧表

号	地　点	国または領域	緯度(度 分)	経度(度 分)	高度(m)
1	OSLO/GARDERMOEN	ノルウェー	60 12 N	11 04 E	202
2	STOCKHOLM	スウェーデン	59 21 N	18 04 E	44
3	VANTAA HELSINKI-VANTAA AIRPORT	フィンランド	60 19 N	24 58 E	51
4	HEATHROW	イギリス	51 28 N	00 27 W	24
5	DUBLIN AIRPORT	アイルランド	53 26 N	06 15 W	68
6	REYKJAVIK	アイスランド	64 08 N	21 54 W	54
7	NUUK (GODTHAAB)	グリーンランド	64 10 N	51 45 W	80
8	KOEBENHAVN/LANDBOHOEJSKOLEN	デンマーク	55 41 N	12 32 E	7
9	DE BILT AWS	オランダ	52 05 N	05 10 E	1
10	UCCLE	ベルギー	50 48 N	04 21 E	99
11	LUXEMBOURG/LUXEMBOURG	ルクセンブルク	49 37 N	06 13 E	376
12	ZUERICH/FLUNTERN	スイス	47 22 N	08 33 E	555
13	ORLY	フランス	48 43 N	02 23 E	89
14	LYON-BRON	フランス	45 43 N	04 56 E	200
15	MARIGNANE	フランス	43 26 N	05 12 E	21
16	BARCELONA/AEROPUERTO	スペイン	41 17 N	02 04 E	4
17	MADRID, RETIRO	スペイン	40 24 N	03 40 W	667
18	GIBRALTAR	ジブラルタル	36 09 N	05 20 W	5
19	LISBOA/GEOF	ポルトガル	38 43 N	09 09 W	77
20	SAL	カーボベルデ	16 44 N	22 56 W	54
21	BERLIN-TEMPELHOF	ドイツ	52 28 N	13 24 E	48
22	FRANKFURT/MAIN	ドイツ	50 02 N	08 35 E	112
23	MUENCHEN-FLUGHAFEN	ドイツ	48 20 N	11 48 E	445
24	WIEN/HOHE WARTE	オーストリア	48 14 N	16 21 E	198
25	PRAHA/RUZYNE	チェコ	50 06 N	14 15 E	380
26	SLIAC	スロバキア	48 39 N	19 09 E	314
27	WARSZAWA-OKECIE	ポーランド	52 09 N	20 57 E	106
28	BUDAPEST/PESTSZENTLORINC	ハンガリー	47 26 N	19 11 E	138
29	BEOGRAD	セルビア	44 48 N	20 28 E	132
30	PODGORICA-GRAD	モンテネグロ	42 26 N	19 17 E	49
31	SKOPJE-ZAJCEV RID	マケドニア	42 01 N	21 24 E	302
32	LJUBLJANA/BEZIGRAD	スロベニア	46 03 N	14 30 E	299
33	ZAGREB/GRIC	クロアチア	45 48 N	15 58 E	157
34	SARAJEVO-BJELAVE	ボスニア・ヘルツェゴビナ	43 52 N	18 26 E	630
35	BUCURESTI BANEASA	ルーマニア	44 30 N	26 04 E	90
36	SOFIA (OBSERV.)	ブルガリア	42 39 N	23 23 E	595
37	VERONA/VILLAFRANCA	イタリア	45 23 N	10 52 E	73
38	ROMA/CIAMPINO	イタリア	41 48 N	12 35 E	129
39	MESSINA	イタリア	38 11 N	15 32 E	50
40	LUQA	マルタ	35 51 N	14 29 E	91

番号	地　　点	国または領域	緯度(度 分)	経度(度 分)	高度(
41	ATHINAI HELLINIKON	ギリシャ	37 44 N	23 44 E	2
42	ISTANBUL/GOZTEPE	トルコ	40 54 N	29 09 E	1
43	ANKARA/CENTRAL	トルコ	39 57 N	32 53 E	89
44	LARNACA AIRPORT	キプロス	34 52 N	33 37 E	
45	OSTROV DIKSON	ロシア	73 30 N	80 24 E	4
46	OJMJAKON	ロシア	63 15 N	143 09 E	74
47	TALLINN-HARKU	エストニア	59 23 N	24 36 E	3
48	ST.PETERSBURG (VOEJKOVO)	ロシア	59 58 N	30 18 E	
49	JELGAVA	ラトビア	56 40 N	23 44 E	
50	KAUNAS	リトアニア	54 53 N	23 50 E	7
51	MINSK	ベラルーシ	53 55 N	27 38 E	22
52	MOSKVA VDNH	ロシア	55 50 N	37 37 E	14
53	OMSK	ロシア	55 01 N	73 23 E	12
54	IRKUTSK	ロシア	52 16 N	104 19 E	46
55	VLADIVOSTOK	ロシア	43 07 N	131 55 E	18
56	KYIV	ウクライナ	50 23 N	30 32 E	16
57	CHISINAU	モルドバ	46 58 N	28 50 E	17
58	KARAGANDA	カザフスタン	49 48 N	73 09 E	55
59	TBILISI	ジョージア	41 45 N	44 46 E	42
60	YEREVAN ARABKIR	アルメニア	40 12 N	44 31 E	101
61	MASHTAGA	アゼルバイジャン	40 32 N	50 00 E	2
62	BISHKEK	キルギス	42 51 N	74 32 E	75
63	TASHKENT	ウズベキスタン	41 20 N	69 18 E	48
64	DUSHANBE	タジキスタン	38 35 N	68 44 E	80
65	ASHGABAT	トルクメニスタン	37 59 N	58 21 E	31
66	DAMASCUS INT. AIRPORT	シリア	33 25 N	36 31 E	60
67	BET DAGAN	イスラエル	32 00 N	34 49 E	3
68	MAFRAQ	ヨルダン	32 22 N	36 15 E	68
69	RIYADH OBS. (O.A.P.)	サウジアラビア	24 42 N	46 44 E	63
70	KUWAIT INTERNATIONAL AIRPORT	クウェート	29 13 N	47 58 E	4
71	TEHRAN-MEHRABAD	イラン	35 41 N	51 19 E	120
72	KABUL AIRPORT	アフガニスタン	34 33 N	69 13 E	1791
73	BAHRAIN (INT. AIRPORT)	バーレーン	26 16 N	50 39 E	2
74	DOHA INTERNATIONAL AIRPORT	カタール	25 15 N	51 34 E	1
75	ABU DHABI INTERNATIONAL AIRPORT	アラブ首長国連邦	24 26 N	54 39 E	1
76	MUSCAT INT'L AIRPORT	オマーン	23 35 N	58 17 E	8
77	PESHAWAR	パキスタン	34 01 N	71 35 E	35
78	KARACHI AIRPORT	パキスタン	24 54 N	67 08 E	21
79	DHAKA	バングラデシュ	23 46 N	90 23 E	8
80	NEW DELHI/SAFDARJUNG	インド	28 35 N	77 12 E	211

号	地　点	国または領域	緯度(度 分)	経度(度 分)	高度(m)
81	CHERRAPUNJI	インド	25 15 N	91 44 E	1313
82	KOLKATA/ALIPORE	インド	22 32 N	88 20 E	6
83	BOMBAY/COLABA	インド	18 54 N	72 49 E	9
84	CHENNAI/MINAMBAKKAM	インド	13 00 N	80 11 E	13
85	COLOMBO	スリランカ	06 54 N	79 52 E	7
86	ULAANBAATAR	モンゴル	47 55 N	106 52 E	1729
87	KATHMANDU AIRPORT	ネパール	27 42 N	85 22 E	1337
88	九竜（カオルン）	香港・中国	22 18 N	114 10 E	64
89	PYONGYANG	北朝鮮	39 02 N	125 47 E	36
90	SEOUL	韓　国	37 34 N	126 57 E	86
91	BUSAN	韓　国	35 06 N	129 01 E	70
92	YANGON	ミャンマー	16 46 N	96 10 E	14
93	BANGKOK METROPOLIS	タ　イ	13 43 N	100 33 E	3
94	KUALA LUMPUR/SUBANG	マレーシア	03 07 N	101 33 E	27
95	SINGAPORE/CHANGI AIRPORT	シンガポール	01 22 N	103 59 E	5
96	HA DONG	ベトナム	20 58 N	105 46 E	5
97	VIENTIANE	ラオス	17 57 N	102 34 E	171
98	PHNOM-PENH (KHMOUGH)	カンボジア	11 36 N	104 52 E	10
99	烏魯木斉（ウルムチ）	中　国	43 47 N	87 39 E	936
100	莎車（ヤルカンド）	中　国	38 26 N	77 16 E	1232
101	長春（チャンチュン）	中　国	43 54 N	125 13 E	238
102	瀋陽（シェンヤン）	中　国	41 44 N	123 31 E	49
103	北京（ペキン）	中　国	39 56 N	116 17 E	32
104	大連（ターリエン）	中　国	38 54 N	121 38 E	97
105	拉薩（ラサ）	中　国	29 40 N	91 08 E	3650
106	昆明（クンミン）	中　国	25 01 N	102 41 E	1892
107	西安（シーアン）	中　国	34 18 N	108 56 E	398
108	武漢（ウーハン）	中　国	30 36 N	114 03 E	24
109	上海（シャンハイ）	中　国	31 25 N	121 27 E	9
110	福州（フーチョウ）	中　国	26 05 N	119 17 E	85
111	海口（ハイコウ）	中　国	20 00 N	110 15 E	64
112	LAS PALMAS DE GRAN CANARIA/GANDO	カナリア諸島	27 55 N	15 23 W	24
113	DAKHLA	西サハラ	23 42 N	15 55 W	8
114	RABAT-SALE	モロッコ	34 02 N	06 45 W	74
115	DAR-EL-BEIDA	アルジェリア	36 41 N	03 13 E	25
116	TUNIS-CARTHAGE	チュニジア	36 50 N	10 14 E	4
117	NIAMEY-AERO	ニジェール	13 29 N	02 10 E	223
118	BAMAKO/SENOU	マ　リ	12 32 N	07 57 W	380
119	NOUAKCHOTT	モーリタニア	18 06 N	15 57 W	2
120	DAKAR/YOFF	セネガル	14 43 N	17 30 W	24

番号	地　　　点	国または領域	緯度(度 分)	経度(度 分)	高度(
121	BOLAMA	ギニアビサウ	11 35 N	15 29 W	[illegible]
122	LUNGI	シエラレオネ	08 37 N	13 12 W	[illegible]
123	PLAISANCE (MAURITIUS)	モーリシャス	20 26 S	57 41 E	[illegible]
124	EL KHOMS	リビア	32 38 N	14 18 E	[illegible]
125	HELWAN	エジプト	29 51 N	31 20 E	1[illegible]
126	ASSWAN	エジプト	23 57 N	32 49 E	2[illegible]
127	PORT SUDAN	スーダン	19 35 N	37 13 E	
128	KHARTOUM	スーダン	15 36 N	32 33 E	38[illegible]
129	ADDIS ABABA-BOLE	エチオピア	09 02 N	38 45 E	235[illegible]
130	JOMO KENYATTA INTERNATIONAL AIRPORT	ケニア	01 19 S	36 54 E	162[illegible]
131	MOMBASA INTERNATIONAL AIRPORT	ケニア	04 00 S	39 36 E	
132	DODOMA	タンザニア	06 10 S	35 46 E	11[illegible]
133	DAR ES SALAAM INT	タンザニア	06 52 S	39 12 E	5[illegible]
134	SEYCHELLES INTERNATIONAL AIRPORT	セーシェル	04 40 S	55 31 E	
135	KINSHASA/N'DJILI	コンゴ民主共和国	04 23 S	15 26 E	30[illegible]
136	KIGALI	ルワンダ	01 57 S	30 07 E	149[illegible]
137	POINTE-NOIRE	コンゴ共和国	04 49 S	11 54 E	1[illegible]
138	LIBREVILLE	ガボン	00 27 N	09 25 E	1[illegible]
139	BANGUI	中央アフリカ	04 24 N	18 31 E	36[illegible]
140	NDJAMENA	チャド	12 08 N	15 02 E	29[illegible]
141	DOUALA OBS.	カメルーン	04 00 N	09 44 E	1[illegible]
142	LAGOS/IKEJA	ナイジェリア	06 35 N	03 20 E	3[illegible]
143	COTONOU	ベナン	06 21 N	02 23 E	
144	LOME	トーゴ	06 10 N	01 15 E	2[illegible]
145	KUMASI	ガーナ	06 43 N	01 36 W	28[illegible]
146	OUAGADOUGOU	ブルキナファソ	12 21 N	01 31 W	30[illegible]
147	ABIDJAN	コートジボワール	05 15 N	03 56 W	[illegible]
148	ROBERTS FIELD	リベリア	06 15 N	10 21 W	[illegible]
149	ANTANANARIVO/IVATO	マダガスカル	18 48 S	47 29 E	127[illegible]
150	MAPUTO/MAVALANE	モザンビーク	25 55 S	32 34 E	3[illegible]
151	KABWE	ザンビア	14 27 S	28 28 E	120[illegible]
152	CHILEKA	マラウイ	15 41 S	34 58 E	76[illegible]
153	HARARE (KUTSAGA)	ジンバブエ	17 55 S	31 08 E	147[illegible]
154	WINDHOEK	ナミビア	22 34 S	17 06 E	172[illegible]
155	MAUN	ボツワナ	19 59 S	23 25 E	94[illegible]
156	PRETORIA EENDRACHT	南アフリカ	25 44 S	28 11 E	130[illegible]
157	MANZINI/MATSAPA AIRPORT	エスワティニ	26 32 S	31 18 E	641[illegible]
158	CAPE TOWN INTNL. AIRPORT	南アフリカ	33 58 S	18 36 E	46[illegible]
159	BARROW/W. POST W. ROGERS	アラスカ・アメリカ合衆国	71 17 N	156 47 W	11[illegible]
160	ANCHORAGE/INT., AK	アラスカ・アメリカ合衆国	61 09 N	149 59 W	52[illegible]

号	地　　点	国または領域	緯度(度 分)	経度(度 分)	高度(m)
1	MONTREAL/PIERRE ELLIOTT TRUDEAU INT'L A, QUE	カナダ	45 28 N	73 45 W	35
2	WINNIPEG RICHARDSON INT'L A, MAN	カナダ	49 55 N	97 14 W	238
3	EDMONTON CITY CENTRE AWOS, ALTA	カナダ	53 34 N	113 31 W	671
4	VANCOUVER INT'L A, BC	カナダ	49 11 N	123 10 W	4
5	EUREKA, NU	カナダ	79 59 N	85 56 W	10
6	MIAMI, FL	アメリカ合衆国	25 45 N	80 23 W	4
7	ATLANTA/MUN., GA.	アメリカ合衆国	33 39 N	84 25 W	312
8	NEW ORLEANS/MOISANT INT., LA.	アメリカ合衆国	29 59 N	90 15 W	1
9	DALLAS-FORT WORTH/FORT WORTH REG.AIRPORT, TX.	アメリカ合衆国	32 54 N	97 02 W	182
0	LOS ANGELES /INT., CA.	アメリカ合衆国	33 56 N	118 24 W	38
71	LAS VEGAS/MCCARRAN, NV.	アメリカ合衆国	36 05 N	115 10 W	662
72	WASHINGTON/NAT., VA.	アメリカ合衆国	38 51 N	77 02 W	5
73	DENVER/STAPLETON INT., CO.	アメリカ合衆国	39 46 N	104 52 W	1611
74	SAN FRANCISCO/INT., CA.	アメリカ合衆国	37 37 N	122 23 W	6
75	NEW YORK/LA GUARDIA, NY.	アメリカ合衆国	40 46 N	73 54 W	7
76	BOSTON/LOGAN INT., MA.	アメリカ合衆国	42 22 N	71 02 W	6
77	CHICAGO/O'HARE, IL.	アメリカ合衆国	41 59 N	87 54 W	203
78	DETROIT/METROPOLITAN, MI.	アメリカ合衆国	42 14 N	83 20 W	195
79	MINNEAPOLIS/ST.PAUL INT., MN.	アメリカ合衆国	44 53 N	93 13 W	256
80	SEATTLE/S.-TACOMA, WA.	アメリカ合衆国	47 27 N	122 18 W	130
81	MEXICO (CENTRAL), D.F.	メキシコ	19 24 N	99 11 W	2309
82	NASSAU AIRPORT NEW PROVIDENCE	バハマ	25 03 N	77 28 W	7
83	CASA BLANCA, LA HABANA	キューバ	23 10 N	82 21 W	50
84	KINGSTON/NORMAN MANLEY	ジャマイカ	17 56 N	76 47 W	3
85	SANTO DOMINGO	ドミニカ共和国	18 26 N	69 53 W	14
86	SAN JUAN/INT., PUERTO RICO	プエルトリコ	18 25 N	65 59 W	4
87	BELIZE/PHILLIP GOLDSTON INTL. AIRPORT	ベリーズ	17 32 N	88 18 W	5
88	ACAJUTLA	エルサルバドル	13 34 N	89 50 W	15
89	TEGUCIGALPA	ホンジュラス	14 03 N	87 13 W	1007
90	MANAGUA A.C.SANDINO	ニカラグア	12 09 N	86 10 W	56
91	JUAN SANTAMARIA INT. AIRPORT	コスタリカ	09 59 N	84 11 W	908
92	LAMENTIN-AERO	西インド諸島・フランス	14 35 N	60 59 W	3
93	GRANTLEY ADAMS	バルバドス	13 04 N	59 29 W	50
94	PIARCO INT. AIRPORT, TRINIDAD	トリニダード・トバゴ	10 37 N	61 21 W	12
95	BOGOTA/ELDORADO	コロンビア	04 42 N	74 09 W	2547
96	CARACAS/MAIQUETIA AEROP. INTL. SIMON BOLIVAR	ベネズエラ	10 36 N	66 59 W	43
97	GEORGETOWN	ガイアナ	06 48 N	58 09 W	1
98	ZANDERIJ	スリナム	05 27 N	55 12 W	15
99	MANAUS	ブラジル	03 08 S	60 01 W	72
200	SALVADOR	ブラジル	13 01 S	38 31 W	52

番号	地　点	国または領域	緯度(度 分)	経度(度 分)	高度(
201	BRASILIA	ブラジル	15 47 S	47 56 W	11…
202	GALEAO	ブラジル	22 49 S	43 15 W	
203	SAO PAULO	ブラジル	23 30 S	46 37 W	7…
204	ESMERALDAS (TACHINA) AEROPUERTO	エクアドル	00 58 N	79 37 W	[illegible]
205	LIMA/CALLAO	ペルー	12 01 S	77 07 W	[illegible]
206	LA PAZ/ALTO	ボリビア	16 31 S	68 11 W	405…
207	PUDAHUEL	チ　リ	33 23 S	70 47 W	48…
208	AEROPUERTO SILVIO PETTIROSSI, LUQUE	パラグアイ	25 16 S	57 38 W	8…
209	ROCHA	ウルグアイ	34 29 S	54 18 W	[illegible]
210	BUENOS AIRES OBSERVATORIO	アルゼンチン	34 35 S	58 29 W	2…
211	USHUAIA AERO	アルゼンチン	54 48 S	68 19 W	2…
212	VOSTOK	南　極	78 27 S	106 51 E	348…
213	HONOLULU, OAHU, HAWAII	ハワイ・アメリカ合衆国	21 21 N	157 56 W	
214	WEATHER FORECAST OFFICE, GUAM, MARIANA IS.	グアム・マリアナ諸島	13 28 N	144 47 E	7…
215	MAJURO/MARSHALL IS. INTNL.	マーシャル諸島	07 05 N	171 23 E	
216	WEATHER SERVICE OFFICE, KOROR, PALAU WCI.	パラオ	07 20 N	134 29 E	3…
217	HONIARA/HENDERSON	ソロモン諸島	09 25 S	160 03 E	
218	PEKOA AIRPORT (SANTO)	バヌアツ	15 31 S	167 13 E	4…
219	NOUMEA (NLLE-CALEDONIE)	ニューカレドニア	22 16 S	166 27 E	7…
220	TARAWA	キリバス	01 21 N	172 55 E	
221	FUNAFUTI	ツバル	08 31 S	179 13 E	
222	NADI AIRPORT	フィジー	17 45 S	177 27 E	1…
223	PAGO PAGO/INT. AIRP. AMERICAN SAMOA	サモア・アメリカ合衆国	14 20 S	170 43 W	
224	RAROTONGA	クック諸島	21 12 S	159 49 W	
225	TAHITI-FAAA	ポリネシア・フランス	17 33 S	149 36 W	[illegible]
226	MADANG W.O.	パプアニューギニア	05 13 S	145 48 E	[illegible]
227	AUCKLAND AERO AWS	ニュージーランド	37 00 S	174 48 E	[illegible]
228	CHRISTCHURCH	ニュージーランド	43 29 S	172 33 E	3…
229	DARWIN AIRPORT	オーストラリア	12 25 S	130 53 E	3…
230	CAIRNS AERO	オーストラリア	16 52 S	145 44 E	[illegible]
231	ALICE SPRINGS AIRPORT	オーストラリア	23 47 S	133 53 E	54…
232	BRISBANE AERO	オーストラリア	27 23 S	153 07 E	4…
233	PERTH AIRPORT	オーストラリア	31 55 S	115 58 E	2…
234	SYDNEY AIRPORT AMO	オーストラリア	33 56 S	151 10 E	6…
235	MELBOURNE AIRPORT	オーストラリア	37 39 S	144 49 E	13…
236	CANBERRA AIRPORT	オーストラリア	35 18 S	149 12 E	57…
237	BRUNEI AIRPORT	ブルネイ・ダルサラーム	04 56 N	114 56 E	22…
238	BALIKPAPAN/SEPINGGAN	インドネシア	01 16 S	116 54 E	3…
239	JAKARTA/OBSERVATORY	インドネシア	06 11 S	106 50 E	8…
240	NINOY AQUINO INTERNATIONAL AIRPORT	フィリピン	14 30 N	121 00 E	14…

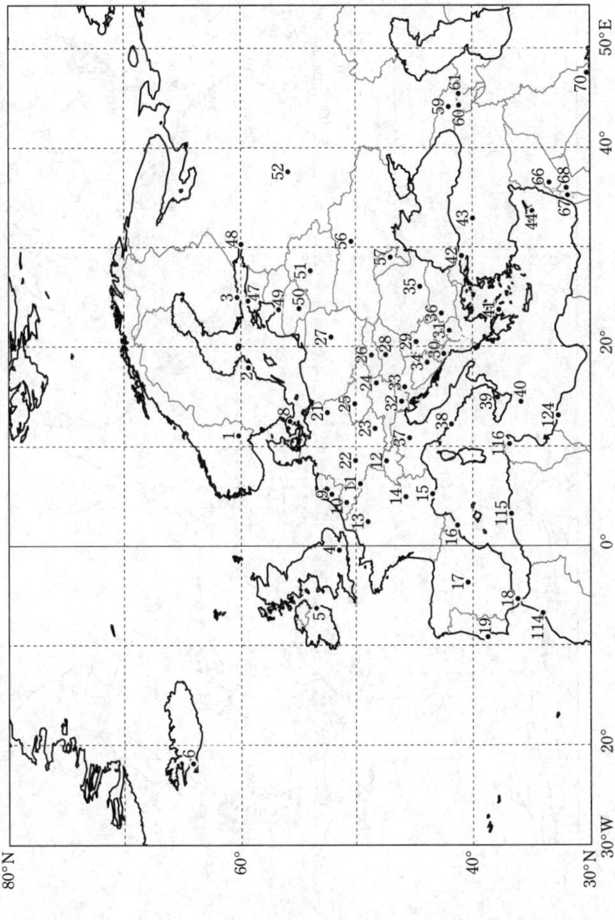

気第2図　世界気候表に掲げた観測地点一覧図

Ⅱ アジア (1)

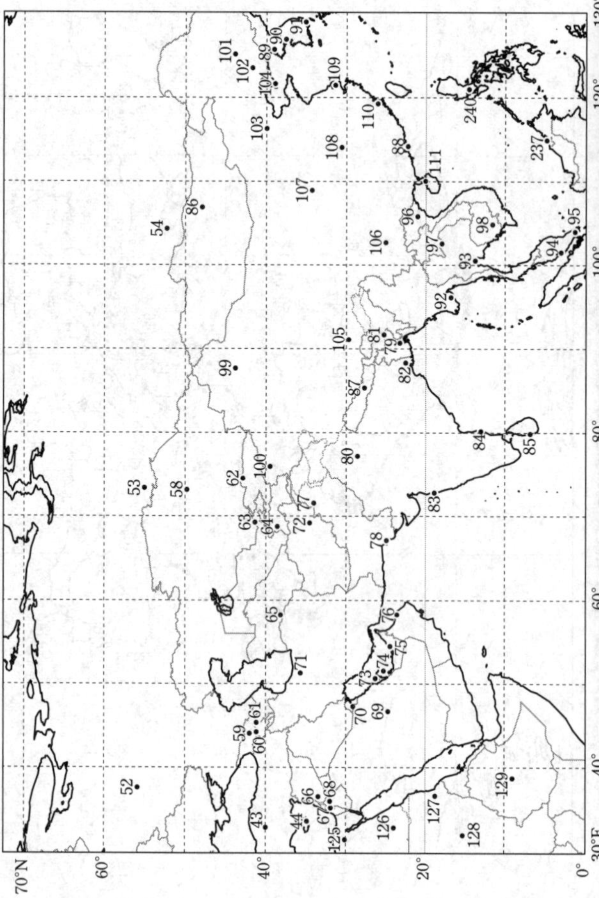
70°N
60°
40°
20°
0°
30°E
40°
60°
80°
100°
120°
43
44
52
53
54
58
59
60
61
62
63
64
65
66
67
68
69
70
71
72
73
74
75
76
77
78
79
80
81
82
83
84
85
86
87
88
89
90
91
92
93
94
95
96
97
98
99
100
101
102
103
104
105
106
107
108
109
110
111
125
126
127
128
129
237
240

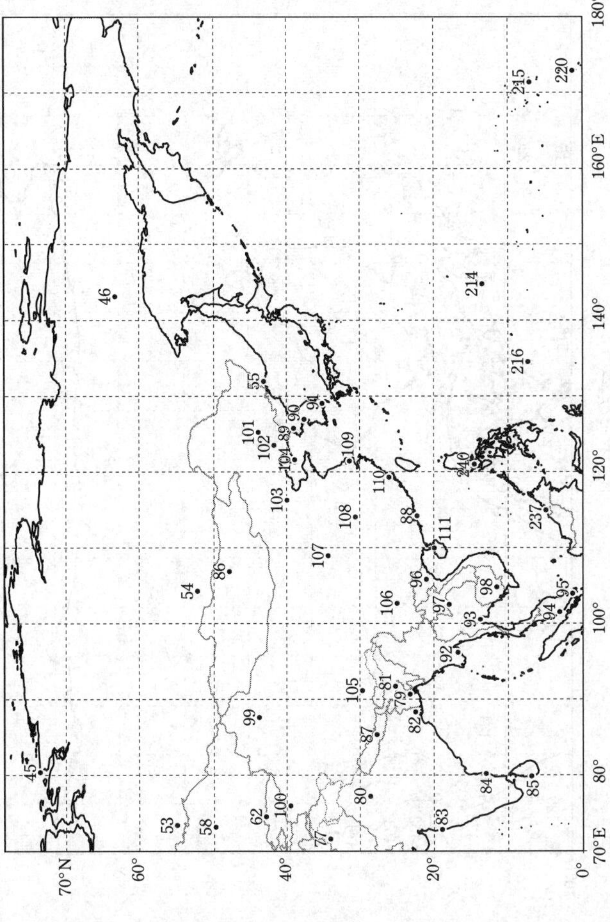
70°N
60°
40°
20°
0°
70°E
80°
100°
120°
140°
160°E
180°
45
46
53
54
55
58
62
77
79
80
81
82
83
84
85
86
87
88
89
90
91
92
93
94
95
96
97
98
99
100
101
102
103
104
105
106
107
108
109
110
111
214
215
216
220
237
240

Ⅲ オセアニア

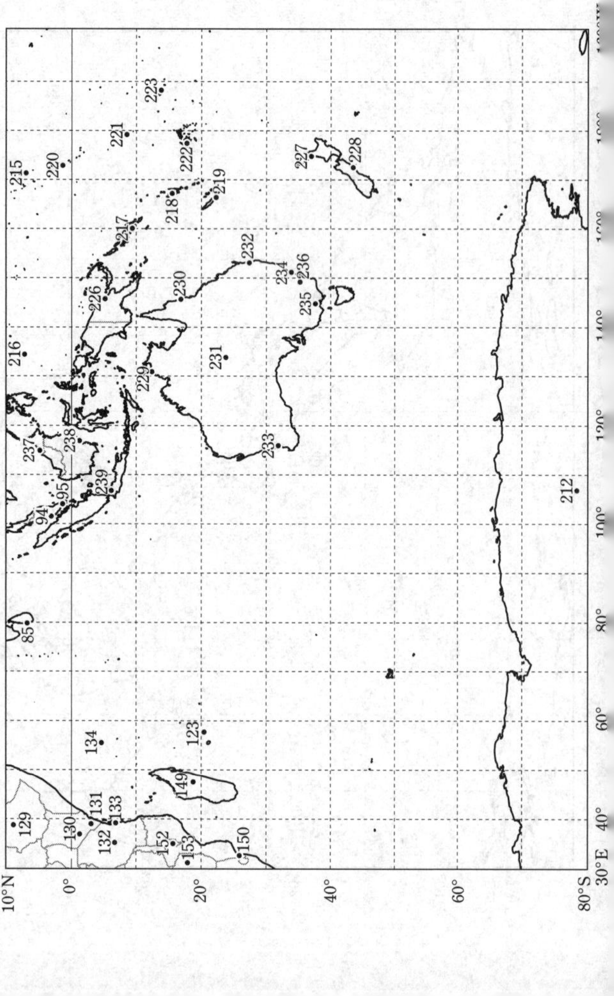
10°N
0°
20°
40°
60°
80°S
30°E
40°
60°
80°
100°
120°
140°
129
130
131
132
133
134
123
149
152
153
150
85
94
95
239
237
238
216
229
231
233
212
226
230
217
232
234
236
235
218
219
215
220
221
222
223
227
228

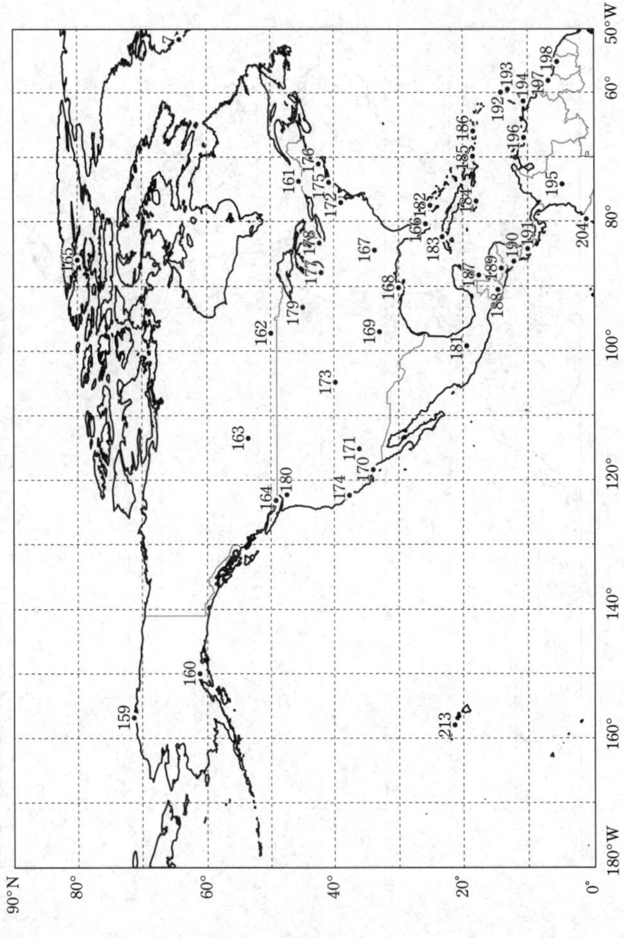
90°N
80°
60°
40°
20°
0°
180°W
160°
140°
120°
100°
80°
60°
50°W
159
160
161
162
163
164
165
166
167
168
169
170
171
172
173
174
175
176
177
178
179
180
181
182
183
184
185
186
187
188
189
190
191
192
193
194
195
196
197
198
204
213

V 南アメリカ

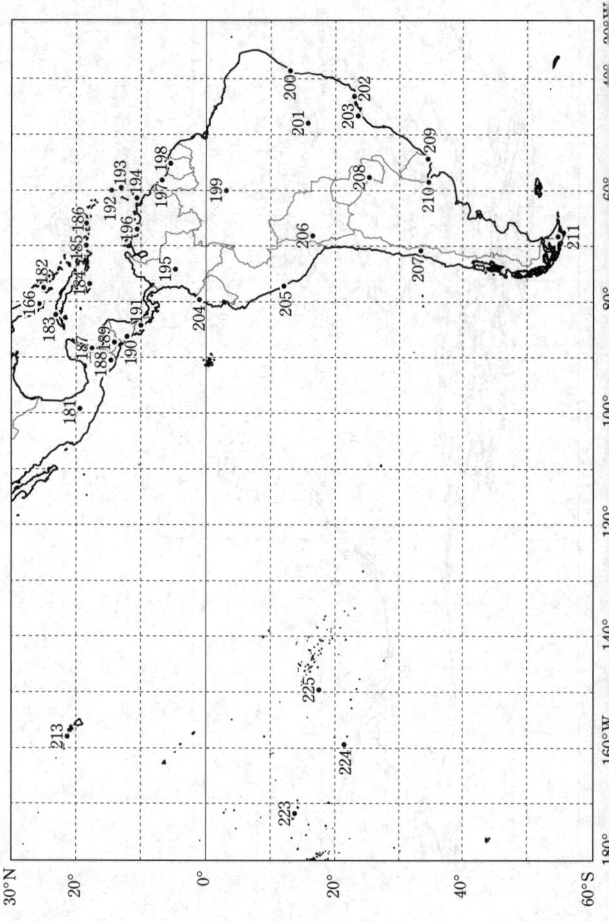
30°N
20°
0°
20°
40°
60°S
180°
160°W
140°
120°
100°
80°
60°
166
181
182
183
184
185
186
187
188
189
190
191
192
193
194
195
196
197
198
199
200
201
202
203
204
205
206
207
208
209
210
211
213
223
224
225

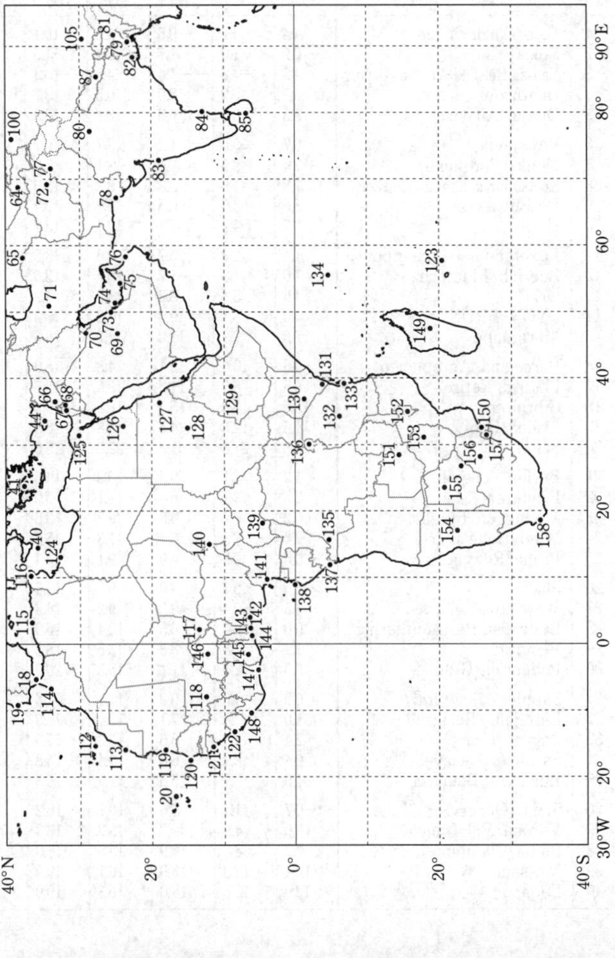
40°N
20°
0°
20°
40°S
30°W
20°
0°
20°
40°
60°
80°
90°E
19
18
114
112
113
119
120
20
121
122
148
147
145
146
118
144
143
142
117
115
116
124
40
41
125
44
67
66
68
126
127
128
129
130
131
132
133
136
135
137
138
139
140
141
69
70
73
74
75
76
71
65
64
72
77
78
83
100
80
87
105
81
79
82
84
85
134
123
149
150
151
152
153
154
155
156
157
158

世界の気温の

番号	地　点	1月	2月	3月	4月	5月	6月
1	Oslo/Gardermoen	−4.4	−4.2	−0.5	4.6	10.1	14.[illegible]
2	Stockholm	−0.9	−1.0	1.7	6.4	11.5	15.[illegible]
3	Vantaa Helsinki-Vantaa Airport	−4.3	−4.8	−1.4	4.5	10.4	15.[illegible]
4	Heathrow	5.7	6.0	8.0	10.5	13.7	16.[illegible]
5	Dublin Airport	5.3	5.5	6.5	8.1	10.8	13.[illegible]
6	Reykjavik	0.7	0.6	1.2	3.7	6.7	9.[illegible]
7	Nuuk (Godthaab)	−7.4	−8.5	−7.6	−3.1	1.0	4.[illegible]
8	Koebenhavn/Landbohoejskolen	1.8	1.9	3.8	8.2	12.5	15.9
9	De Bilt Aws	3.6	3.9	6.5	9.9	13.4	16.[illegible]
10	Uccle	3.7	4.2	7.1	10.4	13.9	16.[illegible]
11	Luxembourg/Luxembourg	1.4	2.2	5.7	9.6	13.5	16.[illegible]
12	Zuerich/Fluntern	1.0	1.8	5.7	9.7	13.6	17.[illegible]
13	Orly	4.6	5.0	8.2	11.2	14.9	18.2
14	LYON-BRON	4.0	5.1	9.0	12.2	16.3	19.9
15	Marignane	7.3	7.9	11.2	14.2	18.3	22.4
16	Barcelona/Aeropuerto	9.6	10.0	12.1	14.3	18.0	21.7
17	Madrid, Retiro	6.5	8.0	11.3	13.6	17.5	22.7
18	Gibraltar	13.7	13.9	15.5	16.8	19.2	21.9
19	Lisboa/Geof	11.6	12.3	14.5	15.8	18.3	20.9
20	Sal	21.8	21.6	21.8	22.3	23.0	24.1
21	Berlin-Tempelhof	1.2	2.1	5.2	10.2	14.6	18.0
22	Frankfurt/Main	2.3	3.1	6.8	11.1	15.0	18.5
23	Muenchen-Flughafen	−0.2	0.7	4.8	9.2	13.6	17.1
24	Wien/Hohe Warte	0.8	2.3	6.1	11.3	15.8	19.6
25	Praha/Ruzyne	−0.8	0.3	4.0	9.1	13.4	16.8
26	Sliac	−2.5	−0.7	3.9	9.9	14.6	18.2
27	Warszawa-Okecie	−1.5	−0.4	3.2	9.2	14.3	17.7
28	Budapest/Pestszentlorinc	0.0	2.0	6.5	12.4	16.9	20.7
29	Beograd	1.9	3.8	8.3	13.5	18.2	21.8
30	Podgorica-Grad	6.3	7.5	11.1	15.3	20.0	24.8
31	Skopje-Zajcev Rid	0.9	4.0	9.2	14.1	17.8	22.3
32	Ljubljana/Bezigrad	1.0	2.8	7.1	12.1	16.3	20.5
33	Zagreb/Gric	2.4	4.3	8.6	13.3	17.5	21.3
34	Sarajevo-Bjelave	0.4	2.2	6.0	10.4	14.8	18.6
35	Bucuresti Baneasa	−1.5	0.7	5.6	11.4	16.8	21.1
36	Sofia (Observ.)	−0.7	1.4	5.6	10.7	15.2	19.2
37	Verona/Villafranca	3.0	4.9	9.3	13.3	18.3	22.2
38	Roma/Ciampino	7.7	8.3	10.9	13.8	18.0	22.4
39	Messina	12.4	12.3	13.9	16.1	19.9	24.2
40	Luqa	12.9	12.6	14.0	16.3	19.9	24.1

月別平年値（℃）(1)

7月	8月	9月	10月	11月	12月	年	統計期間	番号
16.5	15.1	10.6	5.0	0.4	−3.5	5.3	1991—2020	1
18.8	17.8	13.2	7.7	3.6	0.7	8.0	1991—2020	2
18.2	16.5	11.6	5.7	1.3	−1.9	5.9	1991—2020	3
19.0	18.7	15.9	12.3	8.5	6.1	11.8	1991—2020	4
15.1	15.0	13.0	10.3	7.3	5.6	9.7	1991—2020	5
11.7	11.1	8.5	4.9	2.2	0.8	5.2	1991—2020	6
7.2	6.9	3.9	0.2	−3.3	−5.4	−0.9	1991—2020	7
18.4	18.1	14.4	10.0	6.1	3.1	9.5	1991—2020	8
18.3	17.9	14.7	10.9	7.0	4.2	10.5	1991—2020	9
18.7	18.4	15.2	11.3	7.2	4.3	10.9	1991—2020	10
18.7	18.4	14.4	9.9	5.2	2.3	9.8	1991—2020	11
19.0	18.6	14.4	10.0	4.9	1.7	9.8	1991—2020	12
20.4	20.1	16.3	12.3	7.8	5.1	12.0	1991—2020	13
22.4	22.1	17.8	13.5	8.0	4.7	12.9	1991—2020	14
25.0	24.7	20.6	16.6	11.4	8.1	15.6	1991—2020	15
24.6	25.1	22.0	18.2	13.3	10.3	16.6	1991—2020	16
26.1	25.7	21.0	15.4	9.9	7.0	15.4	1991—2020	17
24.3	24.7	22.7	20.0	16.4	14.6	18.6	1991—2020	18
22.6	23.2	21.5	18.6	14.7	12.4	17.2	1991—2020	19
25.3	26.7	27.2	26.6	25.0	23.1	24.0	1991—2020	20
20.1	19.7	15.3	10.2	5.4	2.3	10.4	1991—2020	21
20.5	20.0	15.6	10.7	6.1	3.1	11.1	1991—2020	22
18.8	18.5	13.8	9.2	4.0	0.7	9.2	1991—2020	23
21.4	20.9	15.7	10.5	5.8	1.5	11.0	1991—2020	24
18.7	18.5	13.9	8.7	3.8	0.3	8.9	1991—2020	25
19.9	19.4	14.3	8.9	4.0	−1.4	9.0	1991—2020	26
19.7	19.1	14.0	8.6	3.9	−0.1	9.0	1991—2020	27
22.5	22.2	16.9	11.4	5.9	0.9	11.5	1991—2020	28
23.7	23.8	18.6	13.3	8.1	2.9	13.2	1991—2020	29
27.8	27.9	22.1	16.9	11.4	7.2	16.5	1991—2020	30
25.0	25.1	20.1	14.1	9.0	2.8	13.7	2002—2020	31
22.1	21.5	16.2	11.8	6.8	1.9	11.7	1999—2020	32
23.1	22.8	17.6	12.6	7.8	3.0	12.9	1991—2020	33
20.5	20.6	15.8	11.3	6.3	1.1	10.7	1991—2020	34
23.0	22.4	16.9	10.8	5.3	0.0	11.0	1991—2020	35
21.5	21.3	16.6	11.4	5.7	0.7	10.7	1991—2020	36
24.7	24.4	19.7	13.9	8.4	3.6	13.8	1991—2020	37
25.2	25.6	21.3	17.2	12.6	8.7	16.0	1991—2020	38
27.1	27.7	24.3	20.9	17.1	13.8	19.1	1991—2020	39
26.7	27.4	24.8	21.7	17.8	14.4	19.4	1991—2020	40

世界の気温の

番号	地　点	1月	2月	3月	4月	5月	6月
41	Athinai Hellinikon	10.1	10.6	12.8	16.2	21.1	26.
42	Istanbul/Goztepe	6.4	6.4	8.5	12.5	17.5	22.
43	Ankara/Central	0.9	3.0	6.9	11.5	16.7	20.
44	Larnaca Airport	12.1	12.4	14.5	17.7	21.9	25.
45	Ostrov Dikson	−24.0	−24.1	−20.6	−15.3	−7.0	1.
46	Ojmjakon	−45.6	−42.2	−30.4	−12.6	3.6	12.
47	Tallinn-Harku	−3.0	−3.3	−0.7	4.8	10.2	14.
48	St.Petersburg (Voejkovo)	−4.9	−5.0	−1.0	5.2	11.5	16.
49	Jelgava	−3.6	−2.3	0.9	6.6	12.2	16.
50	Kaunas	−3.1	−2.3	1.2	7.7	13.1	16.
51	Minsk	−4.2	−3.6	0.7	7.6	13.4	17.
52	Moskva Vdnh	−6.2	−5.9	−0.7	6.9	13.6	17.
53	Omsk	−16.9	−14.6	−6.6	4.7	13.0	18.
54	Irkutsk	−17.6	−14.0	−5.5	3.6	10.4	16.4
55	Vladivostok	−11.9	−8.1	−1.5	5.3	10.0	13.8
56	Kyiv	−3.2	−2.3	2.4	10.0	15.8	19.5
57	Chisinau	−2.1	−0.3	4.9	11.4	17.1	20.9
58	Karaganda	−13.4	−12.5	−5.4	6.3	13.5	18.8
59	Tbilisi	2.9	4.4	9.0	13.0	17.9	22.9
60	Yerevan Arabkir	−1.0	1.5	7.6	13.0	18.0	23.2
61	Mashtaga	5.0	5.3	8.1	12.5	18.8	24.4
62	Bishkek	−2.6	−0.5	6.2	12.8	17.9	22.9
63	Tashkent	2.4	4.5	10.5	16.1	21.5	26.3
64	Dushanbe						
65	Ashgabat	3.4	4.5	11.6	16.5	23.7	28.8
66	Damascus Int. Airport	6.5	8.3	12.1	16.6	21.7	25.6
67	Bet Dagan	12.9	13.7	15.9	18.9	22.0	24.8
68	Mafraq	8.0	9.4	12.7	16.6	21.2	23.8
69	Riyadh Obs. (O.A.P.)	14.6	17.6	21.6	27.3	33.1	35.9
70	Kuwait International Airport	13.3	15.6	20.3	26.3	32.9	37.6
71	Tehran-Mehrabad	4.9	7.2	11.9	17.6	23.2	28.8
72	Kabul Airport	0.2	2.4	9.1	14.7	19.6	24.6
73	Bahrain (Int. Airport)	17.5	18.4	21.4	26.0	31.1	34.0
74	Doha International Airport	18.2	19.3	22.5	27.4	33.0	35.7
75	Abu Dhabi International Airport	19.2	20.6	23.4	27.7	31.8	33.8
76	Muscat Int'l Airport	21.1	22.2	24.9	29.4	34.1	34.8
77	Peshawar	11.5	13.8	18.6	24.4	29.3	32.6
78	Karachi Airport	19.4	22.1	26.1	29.3	31.2	31.8
79	Dhaka	18.2	21.7	26.2	28.4	28.5	29.2
80	New Delhi/Safdarjung	13.9	17.6	22.9	29.1	32.7	33.3

月別平年値(℃)(2)

7月	8月	9月	10月	11月	12月	年	統計期間	番号
28.9	29.0	24.7	20.1	15.5	11.7	18.9	1991—2020	41
24.8	24.9	20.8	16.5	11.8	8.3	15.1	1991—2013	42
24.4	24.2	19.6	13.9	7.2	2.8	12.7	1991—2020	43
27.9	28.4	26.1	22.7	17.9	13.9	20.1	1991—2020	44
5.8	6.0	2.5	−6.4	−16.4	−21.7	−10.0	1991—2020	45
15.3	10.9	2.5	−13.6	−34.4	−45.0	−14.9	1991—2020	46
17.6	16.5	12.1	6.6	2.0	−1.1	6.4	1991—2020	47
19.1	17.4	12.4	6.2	0.9	−2.5	6.3	1991—2020	48
18.0	16.9	12.3	6.6	3.3	−1.1	7.2	1993—2020	49
18.6	17.7	12.9	7.3	2.6	−1.2	7.6	1991—2020	50
19.1	18.2	12.7	6.7	1.4	−2.4	7.2	1991—2020	51
19.7	17.6	11.9	5.8	−0.5	−4.4	6.3	1991—2020	52
19.4	17.0	10.7	3.8	−6.9	−13.9	2.3	1991—2020	53
19.0	16.5	9.5	2.0	−7.9	−15.3	1.4	1991—2020	54
18.1	20.0	16.3	9.3	−0.7	−9.2	5.1	1991—2020	55
21.3	20.5	14.9	8.6	2.6	−1.7	9.0	1991—2020	56
23.1	23.2	17.7	11.0	5.4	0.5	11.1	1999—2020	57
20.0	18.7	12.1	4.8	−5.1	−11.3	3.9	1991—2020	58
25.3	25.8	20.6	15.0	8.8	4.1	14.1	2005—2020	59
26.5	26.2	22.5	14.7	7.1	0.8	13.3	2010—2020	60
26.6	26.7	22.5	16.8	11.4	7.3	15.5	2003—2020	61
25.5	24.2	18.6	11.6	4.3	−1.0	11.7	1991—2020	62
28.3	26.9	21.4	14.6	7.9	3.4	15.3	1996—2020	63
								64
30.8	28.6	23.1	15.9	8.4	4.1	16.6	2007—2020	65
27.8	27.6	24.7	19.7	12.4	7.8	17.6	1991—2020	66
27.0	27.6	26.2	23.4	18.9	14.7	20.5	1991—2020	67
25.7	25.7	23.9	20.2	14.2	9.5	17.6	1991—2020	68
36.9	37.0	33.7	28.4	21.4	16.5	27.0	1991—2020	69
39.1	38.5	34.9	28.6	20.6	14.9	26.9	1991—2020	70
31.3	30.3	26.4	19.8	11.8	6.7	18.3	1991—2020	71
26.8	26.0	22.0	15.7	8.5	3.5	14.4	1991—2020	72
35.1	35.2	33.3	29.9	24.6	19.7	27.2	1991—2020	73
36.4	35.9	33.9	30.6	25.4	20.5	28.2	1991—2020	74
35.5	36.0	33.3	29.8	25.2	21.1	28.1	1991—2020	75
33.3	31.7	30.9	29.4	25.6	22.5	28.3	1991—2020	76
32.1	31.2	28.8	23.8	17.7	13.0	23.1	1991—2010	77
30.6	29.4	29.5	29.2	25.2	21.0	27.1	1991—2020	78
28.9	29.0	28.9	27.6	23.7	19.6	25.8	1991—2020	79
31.5	30.4	29.6	26.2	20.5	15.6	25.3	1991—2020	80

世界の気温の

番号	地　点	1月	2月	3月	4月	5月	6月
81	Cherrapunji	12.3	14.1	17.0	18.7	19.9	20.[illegible]
82	Kolkata/Alipore	19.9	23.8	28.2	30.6	31.2	30.[illegible]
83	Bombay/Colaba	24.9	25.5	27.3	29.2	30.7	29.[illegible]
84	Chennai/Minambakkam	25.4	26.7	28.7	31.0	33.0	32.[illegible]
85	Colombo	27.2	27.6	28.4	28.6	28.9	28.[illegible]
86	Ulaanbaatar	−21.4	−16.2	−6.1	3.1	10.3	16.[illegible]
87	Kathmandu Airport	10.8	13.6	17.2	20.5	22.6	24.[illegible]
88	九竜（カオルン）	16.1	16.8	19.1	22.7	26.0	28.[illegible]
89	Pyongyang	−5.1	−2.3	4.0	11.4	17.4	21.[illegible]
90	Seoul	−1.9	0.7	6.1	12.6	18.3	22.[illegible]
91	Busan	3.6	5.4	9.1	13.7	17.9	21.[illegible]
92	Yangon	24.7	26.5	28.7	31.0	30.0	27.[illegible]
93	Bangkok Metropolis	27.6	28.7	29.8	30.8	30.5	29.[illegible]
94	Kuala Lumpur/Subang	27.3	27.7	28.1	28.1	28.5	28.[illegible]
95	Singapore/Changi Airport	26.8	27.3	27.9	28.2	28.6	28.[illegible]
96	Ha Dong	17.7	18.9	21.9	24.7	28.7	30.[illegible]
97	Vientiane	23.3	25.2	27.9	29.7	29.1	28.[illegible]
98	Phnom-Penh (Khmough)	27.0	28.0	29.7	30.3	30.5	29.[illegible]
99	烏魯木斉（ウルムチ）	−12.1	−8.9	0.4	11.5	17.3	22.[illegible]
100	莎車（ヤルカンド）	−5.0	0.8	9.5	16.7	20.8	24.[illegible]
101	長春（チャンチュン）	−14.3	−9.3	−1.0	8.8	16.2	21.[illegible]
102	瀋陽（シェンヤン）	−11.4	−6.2	1.8	10.8	17.8	22.[illegible]
103	北京（ペキン）	−2.8	0.6	7.5	15.1	21.3	25.[illegible]
104	大連（ターリエン）	−3.3	−0.9	4.3	10.9	17.0	20.[illegible]
105	拉薩（ラサ）	−0.1	2.7	6.2	9.3	13.3	16.[illegible]
106	昆明（クンミン）	9.3	11.6	14.9	17.8	19.7	20.7
107	西安（シーアン）	0.5	4.0	9.4	15.9	20.9	25.8
108	武漢（ウーハン）	4.2	7.0	11.6	17.9	22.7	26.3
109	上海（シャンハイ）	5.0	6.5	10.3	15.7	20.9	24.4
110	福州（フーチョウ）	11.4	12.0	14.4	19.1	23.1	26.6
111	海口（ハイコウ）	18.2	19.3	22.4	25.6	27.9	28.9
112	Las Palmas De Gran Canaria/Gando	18.2	18.3	18.9	19.7	20.9	22.5
113	Dakhla	18.2	18.5	19.2	19.3	19.9	21.0
114	Rabat-Sale	11.9	12.8	14.6	15.9	18.5	20.8
115	Dar-El-Beida	10.8	11.3	13.5	15.5	18.8	22.7
116	Tunis-Carthage	12.3	12.5	14.6	17.2	20.9	25.0
117	Niamey-Aero	24.6	27.8	31.8	34.7	34.5	32.2
118	Bamako/Senou	25.0	28.1	30.9	32.4	31.4	28.8
119	Nouakchott	21.6	23.3	24.4	24.6	25.7	26.9
120	Dakar/Yoff	21.5	20.9	21.2	21.6	23.1	25.8

月別平年値 (℃) (3)

7月	8月	9月	10月	11月	12月	年	統計期間	番号
20.6	21.1	21.0	20.0	16.9	13.8	18.0	1993—2020	81
29.5	29.4	29.4	28.3	25.1	21.1	27.3	1991—2020	82
27.7	27.5	27.9	29.1	28.7	26.7	27.9	1991—2020	83
31.0	30.3	29.8	28.5	26.7	25.6	29.1	1991—2020	84
28.1	28.1	27.9	27.5	27.3	27.2	27.9	1991—2020	85
19.1	16.8	10.2	1.1	−10.4	−19.0	0.3	1991—2020	86
24.3	24.4	23.4	20.3	15.9	11.9	19.1	1991—2020	87
28.6	28.4	27.6	25.3	21.9	17.8	23.2	1992—2020	88
24.5	25.1	20.1	13.1	5.0	−2.8	11.0	1991—2020	89
25.3	26.1	21.7	15.1	7.5	0.2	12.9	1991—2020	90
24.4	26.1	22.6	17.9	12.0	5.8	15.0	1991—2020	91
26.9	26.8	27.5	27.7	27.6	25.3	27.5	1991—2020	92
29.3	29.1	28.7	28.5	28.4	27.4	29.1	1991—2020	93
28.0	28.0	27.7	27.5	27.1	27.0	27.8	1991—2020	94
28.2	28.1	28.0	27.9	27.2	26.8	27.8	1991—2020	95
29.7	29.0	28.2	26.0	23.1	18.3	24.7	2012—2020	96
28.3	27.9	28.0	27.6	26.0	23.4	27.1	1991—2020	97
29.0	29.0	28.4	28.3	28.1	26.9	28.7	2010—2020	98
24.2	23.0	17.2	8.8	−0.9	−9.2	7.8	1991—2020	99
25.8	24.3	19.9	12.8	4.8	−2.6	12.7	1991—2020	100
23.7	22.3	16.5	7.9	−2.8	−11.8	6.5	1991—2020	101
24.9	23.8	17.9	9.8	0.3	−8.4	8.6	1991—2020	102
27.2	26.0	21.2	13.8	5.2	−1.0	13.3	1991—2020	103
24.0	24.8	21.1	14.3	6.4	−0.5	11.6	1991—2020	104
16.6	16.0	14.4	10.0	4.3	0.4	9.2	1991—2020	105
20.5	20.3	18.8	16.2	12.5	9.5	16.0	1991—2020	106
27.7	25.4	20.7	14.2	7.4	1.7	14.5	1991—2005	107
29.3	28.7	24.2	18.4	12.1	6.2	17.4	1991—2020	108
28.8	28.5	24.8	19.7	13.9	7.5	17.2	1991—2020	109
29.4	28.9	26.7	22.6	18.6	13.7	20.5	1991—2020	110
28.9	28.5	27.6	25.9	23.2	19.6	24.7	1991—2020	111
24.1	24.8	24.4	23.3	21.3	19.4	21.3	1991—2020	112
21.5	22.6	23.0	22.5	21.6	19.2	20.5	1991—2018	113
22.5	23.0	21.5	19.2	15.4	13.3	17.5	1991—2020	114
25.7	26.5	23.5	19.9	15.2	12.0	18.0	1991—2020	115
28.1	28.7	25.7	22.0	17.1	13.5	19.8	1991—2020	116
29.5	28.1	29.6	31.3	29.0	25.6	29.9	1991—2020	117
26.4	25.6	26.1	27.2	26.8	25.2	27.8	1991—2020	118
27.4	28.7	29.6	29.2	25.9	22.9	25.9	1991—2020	119
27.4	27.8	27.9	28.1	26.4	23.8	24.6	1991—2020	120

世界の気温の

番号	地　点	1月	2月	3月	4月	5月	6月
121	Bolama						
122	Lungi	27.1	27.7	28.0	28.2	28.1	27.
123	Plaisance (Mauritius)	26.9	26.9	26.5	25.7	24.0	22.
124	El Khoms	14.0	14.4	16.3	18.6	21.6	24.
125	Helwan	13.9	15.2	17.9	21.8	25.3	27.
126	Asswan	16.3	18.6	22.9	27.8	32.3	34.
127	Port Sudan	23.4	23.7	24.9	27.5	30.8	33.
128	Khartoum	23.4	26.3	29.2	33.1	35.4	35.
129	Addis Ababa-Bole	16.4	17.4	18.4	18.6	18.8	17.
130	Jomo Kenyatta International Airport	20.4	21.3	21.9	20.8	20.0	18.
131	Mombasa International Airport	27.7	28.1	28.7	27.6	26.2	25.
132	Dodoma	24.1	24.2	23.7	23.3	22.7	20.
133	Dar Es Salaam Int	28.2	28.2	27.7	26.7	26.0	24.
134	Seychelles International Airport	27.2	27.8	28.2	28.5	28.3	27.
135	Kinshasa/N'djili	26.1	26.6	26.9	26.6	26.2	24.
136	Kigali	21.6	21.6	21.0	20.9	20.9	21.
137	Pointe-Noire	27.0	27.4	27.7	27.5	26.6	24.
138	Libreville	27.4	27.7	27.6	27.5	27.3	26.
139	Bangui	25.4	27.2	27.6	27.0	26.6	25.
140	Ndjamena	23.6	26.9	31.0	34.0	33.6	31.
141	Douala Obs.	27.8	28.1	28.0	27.5	27.3	26.
142	Lagos/Ikeja	27.6	28.8	29.2	28.8	28.1	26.
143	Cotonou	27.9	29.0	29.4	29.1	28.4	27.
144	Lome	27.6	28.8	29.0	28.7	28.1	26.
145	Kumasi	26.9	28.0	28.1	27.6	26.9	25.
146	Ouagadougou	25.0	28.1	31.9	33.5	32.3	30.1
147	Abidjan	27.3	28.1	28.4	28.4	27.9	26.5
148	Roberts Field	26.6	27.5	27.6	27.5	27.2	26.1
149	Antananarivo/Ivato	21.3	21.4	21.1	20.1	17.9	15.5
150	Maputo/Mavalane	26.7	26.9	26.1	24.3	22.3	20.3
151	Kabwe	22.1	22.1	21.9	20.6	19.1	17.3
152	Chileka	24.5	24.8	24.5	23.6	21.6	20.5
153	Harare (Kutsaga)	21.1	21.1	20.5	18.7	16.4	14.3
154	Windhoek	24.7	23.5	22.6	20.4	18.2	15.3
155	Maun	26.7	26.4	25.9	24.0	21.0	18.2
156	Pretoria Eendracht	23.2	23.2	21.7	18.8	15.4	12.5
157	Manzini/Matsapa Airport	24.8	25.1	24.3	22.0	20.5	18.6
158	Cape Town Intnl. Airport	21.6	21.7	20.2	17.7	15.3	13.1
159	Barrow/W. Post W. Rogers	−24.2	−24.4	−23.5	−15.4	−5.1	2.3
160	Anchorage/Int., AK	−8.3	−5.9	−3.3	3.2	9.1	13.4

月別平年値(℃) (4)

7月	8月	9月	10月	11月	12月	年	統計期間	番号
								121
26.1	25.8	26.6	27.2	27.6	27.8	27.3	1991—2020	122
21.8	21.7	22.2	23.3	24.6	26.1	24.4	1991—2020	123
27.0	27.8	26.9	24.3	19.5	15.5	20.9	1991—2020	124
29.2	29.0	27.5	24.6	20.0	15.7	22.3	1991—2020	125
35.1	35.1	32.8	29.3	22.7	17.7	27.1	1991—2020	126
35.9	36.6	33.2	30.3	27.7	25.4	29.4	1991—2020	127
32.8	31.2	32.8	33.0	28.8	25.1	30.5	1991—2020	128
16.1	16.1	16.5	16.5	16.0	15.4	17.0	1991—2020	129
17.7	18.4	20.1	20.8	19.9	20.5	20.0	1991—2020	130
24.3	24.3	25.2	26.1	26.9	27.6	26.5	1991—2020	131
20.3	21.0	22.3	24.1	24.9	24.5	23.0	1991—2020	132
23.8	24.1	24.9	26.1	26.9	27.9	26.3	1991—2020	133
26.3	26.3	26.9	27.3	27.3	27.3	27.4	1991—2020	134
23.5	24.3	25.7	26.1	25.9	25.9	25.7	1991—2020	135
21.7	22.5	21.9	21.5	20.3	21.0	21.4	2000—2020	136
22.8	22.8	24.3	25.8	26.5	26.5	25.8	1991—2020	137
25.0	25.1	25.9	26.2	26.5	27.1	26.6	1991—2020	138
24.9	25.0	25.1	25.2	25.6	25.3	25.9	1992—2020	139
28.2	26.7	27.9	29.4	27.5	24.1	28.7	1991—2020	140
25.5	25.1	25.6	26.0	26.8	27.6	26.8	1991—2020	141
25.9	25.6	25.9	26.5	27.9	27.8	27.4	1998—2020	142
26.3	25.8	26.4	27.3	28.5	28.4	27.8	1991—2020	143
25.8	25.3	26.1	27.1	28.2	28.2	27.5	1991—2020	144
24.9	24.6	25.3	26.0	26.8	26.7	26.5	1992—2020	145
27.7	26.7	27.5	29.4	28.3	25.7	28.9	1991—2020	146
25.4	24.6	25.3	26.6	27.7	27.7	27.0	1991—2020	147
25.1	24.9	25.5	26.3	26.8	26.9	26.5	1992—2020	148
14.6	15.6	17.3	19.4	20.8	21.4	18.9	1991—2020	149
19.7	20.9	22.4	23.3	24.7	26.2	23.7	1991—2020	150
16.6	19.3	22.9	25.0	24.5	22.7	21.2	1991—2016	151
19.6	21.6	24.7	26.4	26.8	25.4	23.7	1991—2020	152
14.0	16.6	19.9	21.8	22.0	21.2	19.0	1991—2020	153
14.9	17.6	21.3	23.6	23.9	24.7	20.9	1991—2020	154
17.9	21.2	25.5	28.7	28.2	27.1	24.2	1991—2020	155
12.3	15.6	19.8	21.3	22.3	22.7	19.1	1991—2016	156
18.2	20.1	21.7	22.3	23.2	24.4	22.1	1997—2017	157
12.5	12.9	14.4	16.8	18.5	20.6	17.1	1991—2020	158
5.5	4.4	1.0	−5.9	−14.6	−21.3	−10.1	1991—2020	159
15.4	14.2	9.7	2.5	−4.6	−7.0	3.2	1991—2020	160

世界の気温の

番号	地　　点	1月	2月	3月	4月	5月	6月
161	Montreal/Pierre Elliott Trudeau Int'l A, QUE	−10.0	−8.2	−2.4	5.8	13.9	19.[illegible]
162	Winnipeg Richardson Int'l A, MAN	−17.3	−12.2	−5.5	3.9	11.6	16.[illegible]
163	Edmonton City Centre Awos, ALTA	−11.9	−7.4	−2.0	6.2	11.4	14.[illegible]
164	Vancouver Int'l A, BC	3.9	5.2	7.1	9.7	12.9	15.[illegible]
165	Eureka, NU	−35.8	−36.7	−35.7	−25.8	−10.0	3.[illegible]
166	Miami, FL.	20.4	21.6	22.9	24.9	26.8	28.[illegible]
167	Atlanta/Mun., GA.	6.9	9.0	12.9	17.1	21.7	25.4
168	New Orleans/Moisant Int., LA.	12.2	14.3	17.5	20.9	24.9	27.[illegible]
169	Dallas-Fort Worth/Fort Worth Reg.Airport, TX.	8.2	10.5	14.8	18.9	23.6	28.0
170	Los Angeles/Int., CA.	14.4	14.4	15.1	16.2	17.5	19.1
171	Las Vegas/Mccarran, NV.	9.5	11.8	15.9	19.7	25.0	30.7
172	Washington/Nat., VA.	2.8	4.2	8.4	14.2	19.3	24.[illegible]
173	Denver/Stapleton Int., CO.	−0.2	0.6	5.3	8.8	14.0	20.0
174	San Francisco/Int., CA.	10.7	11.8	13.0	13.9	15.4	16.9
175	New York/La Guardia, NY.	1.2	2.2	5.9	11.8	17.4	22.7
176	Boston/Logan Int., MA.	−1.0	0.0	3.6	9.3	14.7	20.1
177	Chicago/O'hare, IL.	−4.3	−2.3	3.4	9.4	15.4	20.9
178	Detroit/Metropolitan, MI.	−3.4	−2.2	2.9	9.4	15.7	21.1
179	Minneapolis/St.Paul Int., MN.	−8.9	−6.4	0.6	8.2	15.2	20.8
180	Seattle/S.-Tacoma, WA.	5.7	6.3	8.0	10.4	13.8	16.3
181	Mexico (Central), D.F.	14.4	16.5	18.1	19.7	19.8	18.5
182	Nassau Airport New Providence	22.1	22.4	23.1	24.7	26.3	27.9
183	Casa Blanca, La Habana	22.3	23.0	23.6	25.3	26.2	27.4
184	Kingston/Norman Manley	26.6	26.4	26.9	27.6	28.3	29.1
185	Santo Domingo	25.3	25.5	26.0	26.6	27.3	27.8
186	San Juan/Int., Puerto Rico	25.2	25.4	25.9	26.7	27.6	28.3
187	Belize/Phillip Goldston Intl. Airport	24.3	25.2	26.1	27.8	28.5	28.7
188	Acajutla	27.7	28.1	29.0	29.7	29.3	28.7
189	Tegucigalpa	20.0	20.9	22.4	23.9	23.7	23.1
190	Managua A.C.Sandino	26.6	27.3	28.3	29.5	29.0	27.6
191	Juan Santamaria Int. Airport	22.9	23.2	23.9	24.1	23.2	23.0
192	Lamentin-Aero	25.4	25.4	25.7	26.5	27.3	27.7
193	Grantley Adams	26.0	25.9	26.3	26.9	27.7	27.7
194	Piarco Int. Airport, Trinidad	26.0	26.3	26.8	27.5	27.9	27.5
195	Bogota/Eldorado	13.2	13.7	13.9	14.2	14.1	13.8
196	Caracas/Maiquetia Aerop. Intl. Simon Bolivar	25.5	25.6	26.0	26.6	27.4	27.5
197	Georgetown	26.7	26.9	27.3	27.7	27.3	27.0
198	Zanderij	25.6	25.7	26.0	26.3	26.2	26.2
199	Manaus	26.8	26.6	26.8	26.8	27.1	27.3
200	Salvador	26.9	27.2	27.1	26.4	25.3	24.4

月別平年値(℃)(5)

7月	8月	9月	10月	11月	12月	年	統計期間	番号
20.8	20.1	15.0	8.3	2.2	−5.7	6.6	1991—2001	161
18.9	18.6	12.7	5.1	−5.0	−14.4	2.8	1991—2001	162
17.4	17.4	11.8	5.0	−4.1	−9.9	4.1	1991—2001	163
17.7	18.1	15.0	10.3	6.1	3.9	10.5	1991—2001	164
7.0	3.5	−5.8	−19.4	−27.9	−32.6	−18.0	1991—2020	165
29.0	29.0	28.3	26.8	23.8	21.8	25.3	1991—2020	166
27.0	26.6	23.6	17.9	12.1	8.3	17.4	1991—2020	167
28.6	28.6	26.9	22.3	16.7	13.5	21.2	1991—2020	168
30.1	30.1	26.1	20.1	13.8	9.2	19.5	1991—2020	169
20.9	21.4	21.1	19.5	16.8	14.2	17.6	1991—2020	170
33.9	33.0	28.5	21.2	13.8	8.9	21.0	1991—2020	171
27.0	26.0	22.2	15.7	9.7	5.1	14.9	1991—2020	172
23.6	22.3	17.5	10.5	4.3	−0.4	10.5	1991—2020	173
17.7	18.2	18.2	16.9	13.4	10.7	14.7	1991—2020	174
26.0	25.2	21.4	15.1	9.3	4.3	13.5	1991—2020	175
23.5	22.8	18.8	12.8	7.2	2.2	11.2	1991—2020	176
23.7	22.7	18.6	11.8	4.7	−1.3	10.2	1991—2020	177
23.4	22.5	18.4	11.7	5.1	−0.3	10.4	1991—2020	178
23.4	22.0	17.4	9.6	1.5	−5.6	8.2	1991—2020	179
19.2	19.3	16.6	11.7	7.7	5.2	11.7	1991—2020	180
17.5	17.6	17.2	16.6	15.4	14.9	17.2	1991—2020	181
28.9	28.9	28.4	27.0	24.8	23.2	25.6	1991—2020	182
27.9	28.0	27.5	26.5	24.7	23.3	25.5	1991—2020	183
29.4	29.3	28.9	28.4	27.8	27.2	28.0	1991—2020	184
27.8	28.0	28.0	27.8	27.0	26.0	26.9	1991—2020	185
28.4	28.6	28.4	28.1	26.9	26.0	27.1	1991—2020	186
28.5	28.6	28.4	27.3	25.7	24.8	27.0	1991—2020	187
28.8	28.7	28.2	28.1	28.3	27.9	28.5	1991—2020	188
22.8	22.9	22.7	22.0	20.8	20.3	22.1	1991—2020	189
27.3	27.6	27.2	26.9	26.6	26.6	27.5	1992—2020	190
23.1	22.8	22.4	22.1	22.4	22.6	23.0	1991—2020	191
27.8	27.8	27.6	27.2	26.7	26.0	26.8	1991—2020	192
27.7	27.9	27.9	27.7	27.2	26.6	27.1	1991—2020	193
27.5	27.5	27.7	27.5	27.0	26.5	27.1	1991—2020	194
13.4	13.4	13.5	13.4	13.6	13.4	13.6	1991—2020	195
27.4	27.9	28.2	27.9	27.2	26.3	27.0	1991—2020	196
27.1	27.7	28.1	28.4	27.8	27.0	27.4	1991—2020	197
26.4	26.9	27.5	27.5	27.0	26.1	26.5	1991—2020	198
27.5	28.3	28.6	28.4	28.2	27.2	27.5	1991—2020	199
23.7	23.6	24.3	25.3	26.1	26.6	25.6	1991—2020	200

世界の気温の

番号	地点	1月	2月	3月	4月	5月	6月
201	Brasilia	22.1	22.2	22.0	21.8	20.5	19
202	Galeao	27.4	27.8	26.7	25.4	22.9	21
203	Sao Paulo	23.2	23.7	22.8	21.4	18.5	17
204	Esmeraldas (Tachina) Aeropuerto						
205	Lima/Callao	22.8	23.6	23.1	21.1	19.2	17
206	La Paz/Alto	9.0	9.0	8.8	8.1	6.5	5
207	Pudahuel	21.1	20.2	18.2	14.3	11.0	8
208	Aeropuerto Silvio Pettirossi, Luque	27.8	27.0	25.9	23.2	19.4	18
209	Rocha	22.3	21.9	20.3	17.4	14.1	11
210	Buenos Aires Observatorio	24.9	23.8	22.1	18.2	15.0	12.
211	Ushuaia Aero	9.6	9.4	8.4	6.2	4.4	2.
212	Vostok	−31.6	−44.3	−58.1	−64.3	−65.1	−65.
213	Honolulu, Oahu, Hawaii	23.0	23.3	23.7	24.7	25.7	26.
214	Weather Forecast Office, Guam, Mariana Is.	27.1	27.0	27.5	28.1	28.5	28.
215	Majuro/Marshall Is. Intnl.	27.9	27.9	28.0	28.0	28.1	28.
216	Weather Service Office, Koror, Palau Wci.	27.7	27.6	27.8	28.2	28.3	27.
217	Honiara/Henderson	27.2	27.0	26.9	26.8	26.7	26.
218	Pekoa Airport (Santo)	27.2	27.2	27.0	26.7	26.0	25.
219	Noumea (Nlle-Caledonie)	26.0	26.5	25.8	24.4	22.6	21.
220	Tarawa	28.3	28.2	28.2	28.4	28.5	28.
221	Funafuti	28.6	28.4	28.6	28.9	28.9	28.
222	Nadi Airport	26.9	27.0	26.8	26.2	24.9	24.
223	Pago Pago/Int.Airp. American Samoa	28.4	28.5	28.5	28.3	27.9	27.
224	Rarotonga	26.4	26.7	26.7	25.7	24.3	23.
225	Tahiti-Faaa	27.5	27.6	27.8	27.6	26.7	25.
226	Madang W.O.						
227	Auckland Aero Aws	19.8	20.3	18.8	16.6	14.2	12.
228	Christchurch	16.8	16.7	14.6	11.8	9.0	6.
229	Darwin Airport	28.3	28.2	28.3	28.3	27.0	25.
230	Cairns Aero	27.6	27.5	26.8	25.5	23.8	22.
231	Alice Springs Airport	29.8	28.5	25.8	21.2	15.8	12.
232	Brisbane Aero	25.2	24.9	23.7	21.1	18.2	15.
233	Perth Airport	24.7	24.8	22.9	19.7	16.2	13.9
234	Sydney Airport Amo	23.5	23.3	21.9	19.2	16.2	13.9
235	Melbourne Airport	20.2	20.2	18.3	15.1	12.3	10.1
236	Canberra Airport	21.4	20.3	17.7	13.5	9.5	7.0
237	Brunei Airport	27.1	27.2	27.7	28.1	28.2	27.9
238	Balikpapan/Sepinggan	27.1	27.2	27.4	27.5	27.9	27.5
239	Jakarta/Observatory						
240	Ninoy Aquino International Airport	26.4	26.9	28.2	29.7	29.8	29.1

月別平年値(℃)(6)

7月	8月	9月	10月	11月	12月	年	統計期間	番号
19.5	21.1	23.0	23.3	22.0	22.0	21.6	1991—2020	201
21.4	22.0	22.8	24.1	24.9	26.7	24.5	1991—2020	202
17.3	18.3	19.3	20.7	21.4	22.9	20.6	1991—2020	203
								204
17.3	16.5	16.7	17.6	19.0	20.8	19.6	1991—2020	205
4.9	5.8	7.3	8.6	9.5	9.4	7.7	1991—2020	206
7.9	9.4	11.6	14.5	17.5	19.7	14.5	1991—2020	207
17.5	19.5	21.6	24.3	25.2	26.9	23.0	1991—2020	208
10.6	12.0	13.1	15.6	18.2	20.8	16.5	1991—2020	209
11.2	13.3	14.8	17.8	20.8	23.4	18.1	1991—2020	210
2.1	3.0	4.1	6.2	7.6	8.7	6.0	1991—2020	211
−66.4	−66.7	−65.3	−56.3	−41.3	−31.2	−54.7	1997—2020	212
27.5	27.9	27.5	26.8	25.5	24.1	25.5	1991—2020	213
28.0	27.7	27.6	27.8	28.1	27.8	27.8	1995—2020	214
28.1	28.1	28.2	28.2	28.1	27.9	28.0	1991—2020	215
27.7	27.8	27.8	28.1	28.1	28.0	27.9	1991—2020	216
26.2	26.0	26.4	26.6	26.8	27.1	26.7	1991—2020	217
24.8	24.7	25.1	25.7	26.4	27.1	26.1	1991—2020	218
20.2	20.1	21.2	22.6	23.9	25.4	23.3	1991—2020	219
28.5	28.6	28.7	28.6	28.6	28.4	28.5	1991—2020	220
28.6	28.5	28.7	28.7	28.9	28.8	28.7	1991—2020	221
23.4	23.5	24.3	25.3	26.1	26.7	25.4	1991—2020	222
27.2	27.1	27.6	27.8	28.1	28.3	27.9	1991—2020	223
22.5	22.4	22.9	23.6	24.8	25.6	24.6	1991—2020	224
25.3	25.2	25.7	26.2	27.0	27.3	26.6	1991—2020	225
								226
11.1	11.7	13.1	14.5	16.1	18.3	15.5	1991—2020	227
5.6	7.1	9.3	11.2	13.2	15.5	11.4	1991—2011	228
24.8	25.5	27.7	29.0	29.3	28.9	27.5	1991—2020	229
21.4	21.9	23.5	25.1	26.5	27.4	24.9	1991—2020	230
12.2	14.8	20.2	23.5	26.4	28.2	21.6	1991—2020	231
15.0	15.8	18.4	20.5	22.5	24.0	20.4	1991—2020	232
13.0	13.4	14.6	17.1	20.1	22.8	18.6	1991—2020	233
13.1	14.1	16.7	18.8	20.4	22.1	18.6	1991—2020	234
9.5	10.2	12.0	14.0	16.3	18.2	14.7	1991—2020	235
6.1	7.3	10.4	13.5	16.6	19.3	13.6	1991—2020	236
27.7	27.8	27.7	27.3	27.3	27.2	27.6	1991—2020	237
27.3	27.5	27.8	27.8	27.6	27.3	27.5	1992—2020	238
								239
28.0	27.7	27.8	27.9	27.7	26.8	28.0	1991—2020	240

世界の降水量の

番号	地点	1月	2月	3月	4月	5月	6月
1	Oslo/Gardermoen	63.5	47.2	45.1	50.0	65.9	77.8
2	Stockholm	38.5	30.7	26.6	26.9	35.5	63.7
3	Vantaa Helsinki-Vantaa Airport	54.9	36.3	32.7	34.7	38.9	62.7
4	Heathrow	59.7	46.6	41.7	42.6	46.9	49.7
5	Dublin Airport	61.7	52.6	53.2	54.8	56.8	64.1
6	Reykjavik	87.0	90.7	80.7	59.1	52.1	43.4
7	Nuuk (Godthaab)	63.7	41.2	49.1	49.7	45.6	43.3
8	Koebenhavn/Landbohoejskolen	43.7	32.0	34.0	30.5	44.7	60.5
9	De Bilt Aws	70.8	63.0	57.8	41.3	59.4	70.6
10	Uccle	76.3	65.7	58.5	46.6	59.0	72.1
11	Luxembourg/Luxembourg	72.7	60.7	57.5	49.3	72.7	71.1
12	Zuerich/Fluntern	62.9	59.2	71.3	80.4	127.0	127.7
13	Orly	44.8	43.4	44.0	41.4	62.2	58.4
14	LYON-BRON						
15	Marignane	46.8	29.7	29.4	51.3	37.7	27.9
16	Barcelona/Aeropuerto	35.5	31.0	38.1	38.0	45.8	25.7
17	Madrid, Retiro	31.5	33.5	33.0	47.2	49.0	21.5
18	Gibraltar	103.3	100.4	79.6	68.3	26.2	3.2
19	Lisboa/Geof	95.8	76.3	73.7	71.7	51.7	16.3
20	Sal						
21	Berlin-Tempelhof	49.3	36.8	41.3	30.2	50.0	57.4
22	Frankfurt/Main	42.5	40.2	38.4	34.6	62.7	56.0
23	Muenchen-Flughafen	49.3	33.9	41.9	47.6	85.6	103.2
24	Wien/Hohe Warte	42.1	37.7	52.1	41.8	79.9	70.4
25	Praha/Ruzyne	20.0	17.3	28.6	27.0	60.4	70.7
26	Sliac	47.6	42.7	43.3	45.5	63.6	80.0
27	Warszawa-Okecie	32.6	29.6	29.2	34.4	56.2	61.8
28	Budapest/Pestszentlorinc	31.0	31.0	31.9	34.5	66.2	65.5
29	Beograd	47.2	43.5	49.7	51.2	72.2	97.6
30	Podgorica-Grad	125.8	142.0	145.5	127.0	95.5	53.6
31	Skopje-Zajcev Rid						
32	Ljubljana/Bezigrad	74.0	96.6	90.2	94.6	117.1	123.0
33	Zagreb/Gric	47.9	49.8	51.6	63.6	76.7	90.0
34	Sarajevo-Bjelave	72.3	68.8	70.2	76.2	94.9	91.1
35	Bucuresti Baneasa	41.1	33.8	41.7	53.8	71.3	82.5
36	Sofia (Observ.)	35.3	36.3	46.6	52.9	71.0	78.2
37	Verona/Villafranca	33.1	30.9	38.4	70.5	60.6	72.1
38	Roma/Ciampino						
39	Messina	116.3	88.9	105.1	61.8	33.1	41.9
40	Luqa	80.0	65.2	39.5	15.2	9.8	8.4

月別平年値(mm) (1)

7月	8月	9月	10月	11月	12月	年	統計期間	番号
82.2	101.2	80.1	95.6	88.7	67.0	864.3	1991—2020	1
56.9	60.8	49.9	47.5	45.1	46.9	529.0	1991—2020	2
59.3	76.0	60.3	83.7	72.8	61.1	673.4	1991—2013	3
47.2	57.7	46.1	66.3	69.3	59.6	633.4	1997—2020	4
63.3	71.8	61.0	80.1	86.0	72.9	778.3	1991—2020	5
50.6	64.7	87.0	79.8	86.6	96.8	878.5	1991—2020	6
55.3	86.4	87.2	79.3	67.5	67.5	735.8	1991—2020	7
59.8	76.7	58.9	62.3	52.9	50.1	606.1	1991—2020	8
85.2	83.5	78.0	81.2	80.1	81.6	852.5	1991—2020	9
76.2	88.8	65.6	67.8	76.6	87.6	840.8	1991—2020	10
75.1	69.0	66.7	77.0	76.9	89.4	838.1	1991—2020	11
126.1	119.1	87.4	85.2	75.1	83.5	1104.9	1991—2020	12
53.1	62.3	42.2	54.2	54.6	62.2	622.8	1996—2020	13
								14
10.7	23.9	82.0	72.2	75.8	41.9	529.3	1991—2020	15
24.3	55.0	81.5	79.0	44.3	40.7	538.9	1991—2015	16
10.5	10.1	23.0	61.4	54.3	47.8	422.8	1991—2020	17
0.4	1.3	30.4	89.3	113.9	160.4	776.7	1991—2020	18
2.3	7.6	35.5	100.1	132.0	99.6	762.6	1991—2020	19
								20
71.4	58.1	46.1	44.7	42.6	42.3	570.2	1991—2020	21
66.6	62.8	47.1	50.6	47.9	52.3	601.7	1995—2020	22
93.8	84.4	56.3	52.0	41.4	47.3	736.7	1993—2020	23
78.2	66.0	64.5	47.0	45.9	46.4	672.0	1991—2020	24
76.2	65.9	38.8	33.8	28.5	25.3	492.5	1991—2020	25
99.3	60.2	58.0	63.0	58.8	52.0	714.0	1991—2020	26
82.3	60.6	51.6	41.1	36.2	36.6	552.2	1991—2020	27
73.6	58.8	51.4	44.1	46.8	38.5	573.3	1991—2020	28
62.1	53.0	53.8	54.8	47.8	55.5	688.4	1991—2020	29
45.8	60.1	152.8	152.0	261.4	214.0	1575.5	1991—2020	30
								31
122.9	122.7	170.6	127.9	127.1	110.8	1377.5	1999—2020	32
80.9	81.0	104.8	90.8	87.0	63.7	887.8	1991—2020	33
79.8	64.0	88.2	90.8	79.4	81.4	957.1	2001—2020	34
68.4	47.5	63.6	58.9	44.0	46.5	653.1	1991—2020	35
64.8	60.5	52.7	53.9	37.5	40.2	629.9	1991—2020	36
61.4	79.7	86.1	88.5	72.1	52.1	745.5	1991—2005	37
								38
18.9	23.7	94.5	102.8	126.9	123.9	937.8	1991—2020	39
0.0	5.9	43.8	66.6	93.7	86.8	514.9	1993—2020	40

世界の降水量の

番号	地　　点	1月	2月	3月	4月	5月	6月
41	Athinai Hellinikon	52.2	36.7	37.7	26.0	16.3	9.4
42	Istanbul/Goztepe	76.4	76.8	67.1	41.8	29.6	29.3
43	Ankara/Central	39.2	34.9	49.3	42.1	51.7	41.6
44	Larnaca Airport	81.2	47.6	29.6	15.8	11.8	1.9
45	Ostrov Dikson	36.2	32.5	27.5	21.9	24.3	28.1
46	Ojmjakon	6.4	6.3	5.4	5.8	14.7	38.2
47	Tallinn-Harku	55.3	38.9	36.6	35.3	32.8	63.9
48	St.Petersburg (Voejkovo)	46.4	35.8	34.6	37.0	47.0	68.6
49	Jelgava						
50	Kaunas	45.1	36.5	36.2	35.8	49.7	67.3
51	Minsk	46.6	39.5	41.7	43.0	66.2	78.6
52	Moskva Vdnh	53.2	44.0	39.0	36.6	61.2	77.4
53	Omsk	21.3	17.9	19.1	26.0	30.9	55.2
54	Irkutsk	14.6	9.7	11.8	21.6	35.2	68.6
55	Vladivostok	11.4	16.0	24.4	43.0	97.2	101.5
56	Kyiv	37.4	38.1	39.2	41.7	63.4	73.7
57	Chisinau	44.8	32.5	35.9	37.5	50.5	70.9
58	Karaganda	23.9	21.8	27.9	28.3	36.9	40.1
59	Tbilisi	25.1	18.1	26.0	61.5	81.8	87.7
60	Yerevan Arabkir	24.7	28.8	36.0	43.4	56.2	19.8
61	Mashtaga						
62	Bishkek	28.2	38.0	52.5	77.4	64.5	37.9
63	Tashkent	56.4	70.4	70.5	60.5	35.5	15.9
64	Dushanbe	91.8	120.2	96.0	144.4	80.1	19.3
65	Ashgabat	17.7	51.8	41.2	40.5	22.2	9.5
66	Damascus Int. Airport	35.4	34.1	21.4	9.0	12.0	0.1
67	Bet Dagan	153.1	87.7	57.7	14.6	3.7	0.6
68	Mafraq	35.5	30.8	16.2	6.5	1.7	0.3
69	Riyadh Obs. (O.A.P.)	15.1	8.1	24.2	36.1	6.5	0.0
70	Kuwait International Airport						
71	Tehran-Mehrabad	29.7	29.2	31.4	49.4	15.9	2.4
72	Kabul Airport						
73	Bahrain (Int. Airport)	17.0	12.8	18.5	5.8	0.5	0.0
74	Doha International Airport						
75	Abu Dhabi International Airport	9.1	6.1	12.6	4.8	0.3	0.0
76	Muscat Int'l Airport	14.0	11.3	7.9	7.4	1.4	0.0
77	Peshawar	39.9	68.3	84.5	60.7	25.5	22.8
78	Karachi Airport	9.5	5.8	2.8	1.3	0.2	15.0
79	Dhaka	7.5	23.7	48.2	148.5	299.5	311.8
80	New Delhi/Safdarjung	20.0	25.6	21.4	13.0	26.1	87.8

月別平年値(mm) (2)

7月	8月	9月	10月	11月	12月	年	統計期間	番号
9.4	2.6	16.6	37.0	66.1	65.5	375.9	1991—2020	41
20.0	31.0	41.6	85.2	78.4	99.5	677.1	1991—2013	42
15.9	15.0	16.3	32.9	32.6	40.9	412.4	1991—2020	43
0.5	0.3	5.4	15.9	42.0	95.9	347.9	1991—2020	44
32.2	41.0	42.3	37.9	29.4	36.3	389.6	1991—2020	45
45.5	39.2	24.0	13.1	13.1	6.3	218.5	1991—2020	46
82.2	82.6	58.2	76.7	67.9	57.4	687.8	1991—2020	47
84.1	86.4	57.0	63.5	56.7	51.0	668.1	1991—2020	48
								49
93.4	76.0	50.0	60.4	48.9	44.3	643.6	1991—2020	50
97.1	69.9	52.0	55.6	49.8	46.1	685.5	1991—2020	51
83.8	78.3	66.1	70.1	51.9	51.4	713.0	1991—2020	52
64.8	56.0	29.6	32.9	34.8	31.5	420.0	1991—2020	53
101.4	96.5	52.6	21.1	20.2	18.5	471.8	1991—2020	54
157.8	176.0	103.3	67.4	35.9	22.0	855.9	1991—2020	55
69.1	53.0	57.2	45.1	46.2	47.6	611.7	1991—2020	56
67.1	37.3	43.6	48.1	44.3	40.7	553.2	1999—2020	57
52.3	27.0	18.7	29.3	30.1	31.1	367.4	1991—2019	58
37.7	38.8	39.7	43.8	31.2	19.3	510.7	2005—2020	59
13.1	7.1	8.2	26.2	24.8	24.6	312.9	2010—2020	60
								61
19.2	14.2	19.4	38.4	46.0	37.9	473.6	1991—2020	62
3.5	2.2	4.0	26.4	55.3	54.1	454.7	1996—2020	63
1.3	0.5	7.5	33.3	65.4	46.7	706.5	2007—2020	64
2.6	1.5	3.8	13.4	21.0	14.8	240.0	2007—2020	65
0.0	0.0	0.6	11.2	32.6	33.1	189.5	1991—2013	66
0.0	0.0	1.3	26.5	72.8	132.9	550.9	1991—2020	67
0.0	0.0	0.0	4.4	14.2	27.6	137.2	1998—2020	68
0.1	0.4	0.0	0.9	15.1	20.8	127.3	1991—2017	69
								70
2.5	0.6	1.2	13.8	32.9	34.8	243.8	1991—2020	71
								72
0.2	0.0	0.3	0.3	20.9	14.5	90.8	1991—2020	73
								74
0.1	0.0	0.0	0.3	3.0	6.9	43.2	1997—2020	75
0.1	0.1	0.1	0.5	7.9	12.1	62.8	1991—2020	76
57.8	60.5	29.6	17.4	9.7	14.8	491.5	1991—2010	77
59.5	70.0	22.8	2.6	0.7	5.9	196.1	1991—2020	78
362.5	296.0	235.4	165.4	14.2	16.0	1928.7	1991—2020	79
197.2	226.1	131.1	17.1	5.4	11.4	782.2	1991—2020	80

世界の降水量の

番号	地　点	1月	2月	3月	4月	5月	6月
81	Cherrapunji	10.9	74.4	232.4	675.6	1107.1	2171.9
82	Kolkata/Alipore	11.9	23.8	37.6	55.5	129.4	279.1
83	Bombay/Colaba	0.6	1.0	1.3	0.8	6.0	516.5
84	Chennai/Minambakkam	19.7	5.4	3.6	22.4	49.7	75.7
85	Colombo	86.7	81.4	111.6	229.4	303.4	198.4
86	Ulaanbaatar	1.8	2.8	4.0	9.1	21.4	44.9
87	Kathmandu Airport						
88	九竜（カオルン）	32.7	37.0	68.9	138.5	284.8	453.7
89	Pyongyang	10.3	15.7	21.0	56.4	89.0	106.9
90	Seoul	16.4	28.1	36.9	71.7	103.7	129.6
91	Busan	34.3	49.7	89.6	140.9	154.3	188.4
92	Yangon	2.1	0.5	6.7	10.9	296.0	578.8
93	Bangkok Metropolis	24.2	19.4	53.6	92.7	215.4	209.9
94	Kuala Lumpur/Subang	231.3	195.6	271.5	303.6	220.1	141.5
95	Singapore/Changi Airport	221.0	104.9	151.1	164.0	164.3	136.5
96	Ha Dong						
97	Vientiane	20.6	31.4	51.7	98.6	195.1	229.9
98	Phnom-Penh（Khmough）	15.0	4.6	31.8	92.8	128.4	166.3
99	烏魯木斉（ウルムチ）	10.4	13.5	19.0	40.1	41.6	27.8
100	莎車（ヤルカンド）						
101	長春（チャンチュン）	4.6	6.2	13.1	22.1	62.8	102.2
102	瀋陽（シェンヤン）	5.8	10.0	17.0	35.3	63.9	92.8
103	北京（ペキン）	2.1	5.6	8.5	21.9	36.5	72.7
104	大連（ターリエン）	5.9	8.0	7.9	34.5	59.0	72.1
105	拉薩（ラサ）	0.9	1.0	3.7	8.5	30.3	84.8
106	昆明（クンミン）	21.0	11.3	20.1	27.3	72.9	177.4
107	西安（シーアン）	6.5	6.0	26.9	36.7	50.2	65.0
108	武漢（ウーハン）	52.6	67.8	90.9	136.9	166.0	216.7
109	上海（シャンハイ）	67.5	62.9	81.0	77.2	90.6	181.5
110	福州（フーチョウ）	57.1	78.6	128.8	136.6	189.3	228.8
111	海口（ハイコウ）	23.9	29.6	42.4	80.0	194.6	236.6
112	Las Palmas De Gran Canaria/Gando	25.1	18.0	11.1	5.0	0.8	0.3
113	Dakhla	3.7	2.1	0.7	0.7	1.9	0.0
114	Rabat-Sale	84.7	62.5	64.4	42.7	16.8	3.4
115	Dar-El-Beida	90.5	72.0	60.5	57.9	39.6	9.0
116	Tunis-Carthage	59.0	56.3	47.5	37.5	23.0	11.8
117	Niamey-Aero	0.0	0.0	0.5	11.6	24.9	81.2
118	Bamako/Senou	0.4	0.0	5.4	14.8	72.3	116.5
119	Nouakchott	1.0	0.1	0.7	0.0	0.0	3.6
120	Dakar/Yoff	0.0	0.7	0.1	0.0	0.3	8.7

月別平年値(mm) (3)

7月	8月	9月	10月	11月	12月	年	統計期間	番号
2954.1	1483.0	1009.8	422.2	16.3	8.4	10166.1	1993—2020	81
387.8	369.9	319.2	177.1	34.8	6.0	1832.1	1991—2020	82
790.5	483.3	352.8	86.3	8.8	2.8	2250.7	1991—2020	83
104.3	141.5	142.5	291.5	381.1	189.8	1427.2	1991—2020	84
120.4	119.5	263.7	347.4	322.2	187.1	2371.2	1991—2020	85
79.8	66.2	28.3	9.6	6.6	3.2	277.7	1991—2020	86
								87
382.0	456.1	320.6	116.6	39.2	29.2	2359.3	1992—2020	88
316.0	236.3	109.0	42.6	42.5	17.2	1062.9	1991—2020	89
414.5	348.3	141.6	52.1	51.2	23.7	1417.8	1991—2020	90
326.9	266.5	160.5	79.7	50.6	32.9	1574.3	1991—2020	91
645.5	566.6	369.5	228.4	72.5	7.6	2785.1	1991—2020	92
182.9	212.0	343.6	304.0	46.5	13.5	1717.7	1991—2020	93
166.2	172.6	218.3	280.5	356.5	283.9	2841.6	1991—2020	94
144.9	148.8	133.4	166.5	254.2	333.1	2122.7	1991—2020	95
								96
296.6	329.5	257.7	101.2	23.3	5.0	1640.6	1991—2020	97
171.3	181.4	266.2	260.2	103.5	33.5	1455.0	1991—2020	98
35.8	29.4	20.2	22.4	24.0	20.0	304.2	1991—2020	99
								100
147.6	131.2	53.9	24.5	16.8	8.2	593.2	1991—2020	101
167.0	163.7	51.0	43.9	22.3	12.3	685.0	1991—2020	102
170.6	114.1	53.3	29.3	13.7	2.5	530.8	1991—2020	103
120.6	172.1	52.0	37.6	26.1	10.7	606.5	1991—2020	104
140.6	127.5	58.2	6.9	0.9	0.5	463.8	1991—2020	105
216.6	196.1	121.4	80.8	30.6	13.1	988.6	1991—2020	106
91.3	79.6	81.1	63.4	24.1	8.2	539.0	1991—2005	107
269.0	113.4	70.3	64.2	59.7	30.4	1337.9	1991—2020	108
144.1	215.5	122.2	61.5	60.5	47.4	1211.9	1991—2020	109
150.2	193.2	133.0	47.8	52.7	43.2	1439.3	1991—2020	110
247.6	296.1	268.9	273.9	60.2	38.1	1791.9	1991—2020	111
0.0	0.5	4.9	21.5	17.5	29.7	134.4	1991—2020	112
0.2	1.4	5.7	2.6	0.4	1.6	21.0	1991—2018	113
0.6	0.8	12.8	53.6	91.0	90.4	523.7	1991—2020	114
2.2	9.0	26.6	51.3	100.1	85.1	603.8	1991—2020	115
4.1	13.8	46.0	56.6	53.6	63.0	472.2	1991—2020	116
141.7	192.3	85.8	18.2	0.0	0.0	556.2	1991—2020	117
239.3	270.3	176.1	54.3	1.9	0.0	951.3	1991—2020	118
10.2	46.4	51.3	7.9	1.7	8.8	131.7	1991—2020	119
55.3	166.9	140.4	27.1	0.8	1.0	401.3	1991—2020	120

世界の降水量の

番号	地　点	1月	2月	3月	4月	5月	6月
121	Bolama	0.3	0.3	0.2	0.7	19.1	218.[illegible]
122	Lungi						
123	Plaisance (Mauritius)	242.2	248.8	249.8	174.0	115.6	85.[illegible]
124	El Khoms						
125	Helwan	6.0	3.2	8.9	0.9	0.0	0.0
126	Asswan	0.2	0.0	1.6	0.3	0.3	0.0
127	Port Sudan	0.9	0.2	0.4	1.9	1.4	0.[illegible]
128	Khartoum	0.0	0.0	0.0	0.0	3.4	2.[illegible]
129	Addis Ababa-Bole	15.2	24.7	55.4	71.3	110.6	136.[illegible]
130	Jomo Kenyatta International Airport	91.4	49.2	88.6	122.6	96.8	28.[illegible]
131	Mombasa International Airport						
132	Dodoma	157.1	123.1	89.8	49.7	3.6	0.[illegible]
133	Dar Es Salaam Int	53.4	66.0	167.6	259.5	162.8	22.0
134	Seychelles International Airport	420.0	237.8	201.3	185.2	144.7	92.1
135	Kinshasa/N'djili	190.8	167.2	188.1	248.9	169.6	14.6
136	Kigali	92.5	104.1	132.1	122.1	100.3	21.6
137	Pointe-Noire	187.3	221.6	196.6	128.1	38.4	1.[illegible]
138	Libreville						
139	Bangui						
140	Ndjamena	0.0	0.0	0.3	2.5	30.1	55.6
141	Douala Obs.						
142	Lagos/Ikeja						
143	Cotonou	21.3	37.5	87.5	140.3	203.3	353.9
144	Lome	7.9	17.7	68.8	114.7	154.6	170.4
145	Kumasi	31.3	56.4	86.6	161.6	174.8	171.6
146	Ouagadougou	0.1	0.6	3.0	23.2	53.6	85.3
147	Abidjan	28.8	36.8	82.6	159.4	266.0	411.5
148	Roberts Field						
149	Antananarivo/Ivato	379.4	286.3	227.5	43.9	11.6	3.8
150	Maputo/Mavalane						
151	Kabwe						
152	Chileka						
153	Harare (Kutsaga)						
154	Windhoek	107.0	105.4	90.8	37.9	8.0	0.1
155	Maun						
156	Pretoria Eendracht	118.6	110.5	81.5	25.4	19.1	4.5
157	Manzini/Matsapa Airport						
158	Cape Town Intnl. Airport	9.6	10.6	13.1	41.4	63.1	89.0
159	Barrow/W. Post W. Rogers	4.6	6.4	8.9	4.8	7.1	11.4
160	Anchorage/Int., AK	19.8	22.1	17.3	11.6	17.3	25.9

月別平年値(mm)(4)

7月	8月	9月	10月	11月	12月	年	統計期間	番号
572.5	591.1	434.2	250.7	24.9	0.1	2112.5	1991—2010	121
								122
85.8	74.2	62.2	49.4	77.2	124.8	1589.4	1991—2020	123
								124
0.0	0.0	0.2	1.2	1.2	8.1	29.7	1991—2020	125
0.0	0.0	0.3	0.7	0.1	0.1	3.6	1995—2020	126
3.6	2.6	0.0	15.3	23.9	11.0	61.5	1991—2020	127
23.8	62.7	48.6	9.9	0.0	0.0	151.2	1991—2020	128
240.4	267.3	151.9	49.4	17.7	7.0	1146.9	1991—2020	129
21.7	16.6	18.3	51.2	126.8	100.6	812.6	1991—2020	130
								131
0.0	0.0	0.2	1.9	28.4	165.9	620.0	1991—2020	132
16.5	15.3	21.8	79.0	121.7	135.2	1120.8	1991—2020	133
79.5	132.5	174.5	202.1	236.8	296.2	2402.7	1991—2020	134
4.5	8.7	49.3	136.4	273.6	274.3	1726.0	1991—2020	135
13.9	39.2	62.4	120.2	161.5	90.6	1060.5	1991—2020	136
1.2	4.7	16.3	115.5	210.4	171.2	1292.5	1991—2020	137
								138
								139
178.2	196.0	89.0	21.9	0.0	0.0	573.6	1991—2020	140
								141
								142
107.3	41.9	144.1	169.2	46.6	12.1	1365.0	1991—2020	143
57.6	22.5	73.2	121.5	24.8	4.2	837.9	1991—2020	144
131.9	78.5	168.8	171.4	63.8	34.8	1331.5	1991—2019	145
201.5	219.1	141.7	35.0	0.5	0.0	763.6	1991—2020	146
159.9	45.0	73.6	216.6	188.7	81.2	1750.1	1991—2020	147
								148
5.9	4.9	9.8	44.7	143.4	283.2	1444.4	1991—2020	149
								150
								151
								152
								153
0.0	0.2	2.6	9.5	15.9	38.7	416.1	1991—2016	154
								155
0.6	3.8	14.3	65.5	99.5	121.9	665.2	1991—2014	156
								157
81.2	73.0	44.1	29.0	26.4	12.1	492.6	1991—2020	158
24.4	27.2	20.1	13.6	9.2	6.9	144.6	1991—2020	159
47.3	77.4	79.6	47.1	30.3	29.5	425.2	1991—2020	160

世界の降水量の

番号	地点	1月	2月	3月	4月	5月	6月
161	Montreal/Pierre Elliott Trudeau Int'l A, QUE	100.1	68.4	71.3	85.7	80.5	83.[illegible]
162	Winnipeg Richardson Int'l A, MAN	15.9	14.6	23.6	36.4	66.8	79.[illegible]
163	Edmonton City Centre Awos, ALTA						
164	Vancouver Int'l A, BC	171.9	99.9	105.7	94.8	68.3	62.9
165	Eureka, NU	2.7	2.6	2.6	3.3	3.6	9.4
166	Miami, FL.	46.6	54.5	63.1	84.9	157.0	266.9
167	Atlanta/Mun., GA.	115.8	115.8	118.9	97.9	89.6	116.[illegible]
168	New Orleans/Moisant Int., LA.	131.6	103.9	111.1	131.6	142.5	193.5
169	Dallas-Fort Worth/Fort Worth Reg.Airport, TX.	62.2	68.2	81.2	81.1	119.8	93.[illegible]
170	Los Angeles/Int., CA.	73.0	77.3	44.1	16.1	7.3	2.3
171	Las Vegas/Mccarran, NV.	14.1	20.2	7.4	5.4	1.9	1.3
172	Washington/Nat., VA.	73.4	64.6	88.9	81.8	100.5	106.7
173	Denver/Stapleton Int., CO.	11.5	10.9	25.9	48.3	53.1	42.7
174	San Francisco/Int., CA.	98.8	100.2	69.4	35.2	13.3	3.8
175	New York/La Guardia, NY.	82.7	74.1	102.1	97.4	91.3	102.8
176	Boston/Logan Int., MA.	83.7	80.4	105.0	91.2	82.5	100.6
177	Chicago/O'hare, IL.	50.4	48.4	62.5	92.9	114.3	104.2
178	Detroit/Metropolitan, MI.	53.4	48.5	60.9	81.5	95.7	81.5
179	Minneapolis/St.Paul Int., MN.	22.4	22.0	42.8	74.3	99.2	116.3
180	Seattle/S.-Tacoma, WA.	146.8	96.0	106.2	81.1	49.0	36.8
181	Mexico (Central), D.F.	6.8	2.7	13.0	43.1	80.0	185.0
182	Nassau Airport New Providence	44.6	49.4	55.0	75.0	144.4	220.4
183	Casa Blanca, La Habana	74.0	50.5	26.3	59.6	96.1	151.6
184	Kingston/Norman Manley	18.0	11.1	24.2	29.4	98.1	58.5
185	Santo Domingo						
186	San Juan/Int., Puerto Rico	103.2	63.8	51.9	114.8	137.2	113.2
187	Belize/Phillip Goldston Intl. Airport	146.6	67.3	44.4	39.5	116.3	258.6
188	Acajutla						
189	Tegucigalpa						
190	Managua A.C.Sandino	33.0	4.2	2.1	41.9	145.0	144.9
191	Juan Santamaria Int. Airport	10.2	13.1	24.5	80.2	273.0	230.4
192	Lamentin-Aero	112.6	82.5	79.8	125.8	145.3	168.8
193	Grantley Adams	66.1	42.2	41.5	61.4	129.5	106.9
194	Piarco Int. Airport, Trinidad	100.8	39.1	40.2	55.1	93.5	225.4
195	Bogota/Eldorado	26.3	51.4	97.2	117.1	110.7	64.9
196	Caracas/Maiquetia Aerop. Intl. Simon Bolivar	30.1	26.5	20.8	22.3	37.8	40.5
197	Georgetown						
198	Zanderij	132.5	170.6	131.1	219.9	330.9	260.5
199	Manaus	306.6	300.1	333.5	326.4	228.9	114.3
200	Salvador	79.9	96.9	147.5	284.8	306.6	251.9

月別平年値(mm) (5)

7月	8月	9月	10月	11月	12月	年	統計期間	番号
85.2	76.8	83.6	65.1	79.1	66.8	945.9	1991—2001	161
96.9	78.5	44.0	47.6	27.0	16.8	547.1	1991—2001	162
								163
47.7	44.4	44.8	114.8	177.1	168.4	1200.7	1991—2001	164
14.6	18.8	8.5	6.5	3.8	3.6	80.0	1991—2017	165
188.0	241.8	259.3	192.6	89.9	62.0	1706.6	1991—2020	166
120.8	109.2	97.0	80.1	101.7	115.5	1279.0	1991—2020	167
168.9	179.8	132.4	93.8	98.4	104.0	1591.5	1991—2020	168
52.3	55.5	69.4	106.0	64.1	72.1	925.3	1991—2020	169
1.3	0.2	2.9	12.3	20.8	56.9	314.5	1991—2020	170
9.2	8.0	8.6	8.3	8.0	10.9	103.3	1991—2020	171
109.8	82.6	99.8	93.0	73.8	86.0	1060.9	1991—2020	172
61.9	52.0	29.4	25.1	24.5	12.6	397.9	1991—2001	173
0.0	1.0	1.9	20.0	50.3	105.9	499.8	1991—2020	174
107.3	111.9	97.8	97.0	79.8	104.6	1148.8	1991—2020	175
81.9	80.1	90.3	101.2	92.9	109.3	1099.1	1991—2020	176
92.7	107.6	79.7	87.2	60.7	53.2	953.8	1991—2020	177
84.1	83.3	81.2	63.1	64.6	55.5	853.3	1991—2020	178
103.1	108.4	76.7	65.2	40.8	29.9	801.1	1991—2020	179
15.1	24.6	40.6	99.2	159.5	148.4	1003.3	1991—2020	180
234.9	191.9	151.7	72.7	12.2	9.2	1003.2	1991—2020	181
145.0	205.1	192.3	160.4	79.2	45.4	1416.2	1991—2020	182
133.8	156.1	143.6	141.1	128.3	70.2	1231.2	2010—2020	183
41.4	99.7	154.1	157.4	99.4	40.6	831.9	1991—2020	184
								185
152.0	155.2	145.9	129.8	177.7	123.6	1468.3	1991—2020	186
180.7	203.4	240.0	299.0	249.7	148.8	1994.3	1991—2020	187
								188
								189
139.6	141.8	184.9	278.1	110.1	6.5	1232.1	1993—2019	190
168.4	221.9	333.4	334.0	166.5	39.9	1895.5	1991—2016	191
208.4	241.1	200.7	275.0	244.8	161.0	2045.8	1991—2020	192
118.2	159.1	164.6	226.3	170.6	110.1	1396.5	1992—2020	193
218.3	261.3	164.5	198.3	209.1	159.1	1764.7	1991—2020	194
51.6	46.4	60.5	103.2	109.7	56.0	895.0	1991—2020	195
54.5	53.3	48.1	51.5	75.8	42.3	503.5	1991—2017	196
								197
214.9	168.1	109.8	85.8	126.2	203.9	2154.2	1991—2020	198
72.8	56.2	76.9	114.9	192.2	258.4	2381.2	1991—2020	199
192.9	125.5	99.4	91.0	100.5	66.8	1843.7	1991—2020	200

世界の降水量の

番号	地　点	1月	2月	3月	4月	5月	6月
201	Brasilia	206.8	181.1	223.4	142.8	31.0	3.
202	Galeao						
203	Sao Paulo	286.6	242.4	196.3	90.3	65.5	63.
204	Esmeraldas (Tachina) Aeropuerto	130.4	168.8	157.4	105.8	92.1	45.
205	Lima/Callao	0.1	0.5	0.3	0.1	0.1	0.
206	La Paz/Alto	124.9	119.6	82.0	30.3	14.0	9.
207	Pudahuel	0.6	0.8	2.5	9.8	36.4	65.
208	Aeropuerto Silvio Pettirossi, Luque	145.1	162.7	136.3	150.7	133.7	69.
209	Rocha	119.9	105.1	120.3	119.7	102.8	115.
210	Buenos Aires Observatorio	153.1	115.3	125.1	139.3	101.5	67.
211	Ushuaia Aero	47.1	41.3	39.1	47.1	34.3	51.
212	Vostok	2.5	2.0	2.5	2.5	3.4	2.
213	Honolulu, Oahu, Hawaii	45.7	49.4	46.5	19.8	21.9	7.
214	Weather Forecast Office, Guam, Mariana Is.	119.3	91.8	72.0	80.6	115.4	139.
215	Majuro/Marshall Is. Intnl.	196.1	202.7	197.3	267.9	263.1	269.
216	Weather Service Office, Koror, Palau Wci.	265.7	237.3	186.0	226.0	338.5	400.4
217	Honiara/Henderson						
218	Pekoa Airport (Santo)						
219	Noumea (Nlle-Caledonie)	106.6	131.6	160.4	123.8	93.4	79.2
220	Tarawa						
221	Funafuti	432.6	269.4	404.4	298.7	214.1	238.6
222	Nadi Airport	368.0	348.0	358.7	193.2	100.8	58.9
223	Pago Pago/Int. Airp. American Samoa	382.7	356.0	251.6	280.6	280.8	174.2
224	Rarotonga						
225	Tahiti-Faaa	265.9	245.5	172.3	100.8	98.1	75.9
226	Madang W.O.	318.1	286.1	375.4	393.6	351.0	204.4
227	Auckland Aero Aws						
228	Christchurch	42.0	38.1	41.9	47.5	68.9	52.0
229	Darwin Airport	468.0	412.1	317.9	106.4	21.5	0.4
230	Cairns Aero	393.6	496.4	372.4	178.9	74.6	41.2
231	Alice Springs Airport	49.3	41.4	19.1	11.5	17.5	10.3
232	Brisbane Aero	126.9	151.5	118.0	67.5	93.5	66.3
233	Perth Airport	15.2	16.6	17.6	30.0	79.8	124.7
234	Sydney Airport Amo	79.3	115.5	94.2	94.4	88.6	120.4
235	Melbourne Airport	31.9	41.4	38.4	43.4	33.1	38.3
236	Canberra Airport	57.7	56.3	48.1	31.5	27.6	51.2
237	Brunei Airport	337.3	194.5	161.0	247.0	271.8	234.8
238	Balikpapan/Sepinggan	206.0	239.1	246.0	243.0	262.6	329.8
239	Jakarta/Observatory	344.2	480.1	236.9	199.5	111.4	83.0
240	Ninoy Aquino International Airport						

月別平年値 (mm) (6)

7月	8月	9月	10月	11月	12月	年	統計期間	番号
1.6	15.6	38.1	151.5	239.8	243.7	1479.1	1991—2020	201
								202
53.0	36.3	79.5	118.4	143.6	233.1	1608.3	1991—2020	203
27.3	15.6	23.9	18.1	3.4	37.7	826.0	1991—2000	204
0.1	0.1	0.5	0.0	0.1	0.2	2.1	1998—2020	205
7.5	11.0	29.6	48.2	44.5	108.3	629.8	2001—2020	206
39.0	29.8	14.2	7.0	3.7	2.0	211.5	1993—2020	207
57.1	38.0	70.0	172.4	173.2	187.7	1496.4	1991—2020	208
111.7	102.2	107.2	102.3	91.9	90.7	1288.9	1991—2020	209
67.9	72.8	65.9	115.7	117.8	114.5	1256.1	1991—2006	210
36.3	34.2	31.6	30.1	36.4	40.3	469.6	1991—2020	211
2.4	2.3	2.6	2.9	2.1	2.1	30.1	1997—2020	212
11.2	14.3	21.7	38.4	42.3	47.4	366.2	1991—2020	213
293.9	412.7	377.3	319.6	199.1	127.4	2348.3	1991—2020	214
297.8	289.8	324.4	344.6	327.1	285.6	3265.4	1991—2020	215
402.7	321.1	355.8	308.2	275.7	302.6	3620.0	1991—2020	216
								217
								218
73.8	69.4	40.8	37.2	44.2	63.0	1023.4	1991—2020	219
								220
249.3	206.9	262.3	264.5	289.0	432.2	3562.0	1991—2016	221
49.4	64.3	67.8	87.9	133.1	222.3	2052.4	1991—2020	222
183.9	168.3	181.6	263.7	304.8	374.2	3202.4	1991—2020	223
								224
43.9	41.9	48.4	102.2	109.2	283.8	1587.9	1991—2020	225
148.7	81.6	136.6	206.5	289.5	390.3	3181.8	1991—2020	226
								227
67.6	66.4	43.1	45.9	45.1	43.3	601.8	1991—2011	228
0.0	0.7	14.3	70.4	145.1	270.4	1827.2	1991—2020	229
35.3	26.9	30.5	66.2	90.3	195.4	2001.7	1991—2020	230
13.0	4.0	7.7	19.7	32.6	41.0	267.1	1991—2020	231
33.4	33.4	32.5	77.0	88.7	122.9	1011.6	1991—2020	232
137.1	120.6	77.7	33.3	28.9	9.3	690.8	1991—2020	233
67.7	63.9	56.8	54.7	70.2	67.3	973.0	1991—2020	234
32.5	38.7	39.2	46.5	61.1	54.8	499.3	1999—2020	235
39.5	42.8	55.4	50.1	67.1	57.5	584.8	1991—2020	236
254.7	243.6	232.2	330.9	331.3	398.1	3237.2	1991—2020	237
277.7	173.6	196.9	177.3	231.9	291.1	2875.0	1996—2020	238
68.3	50.8	70.3	89.0	140.5	226.3	2100.3	1995—2020	239
								240

高層気象観測平年値

気象庁では，全国で16ヵ所の気象台・測候所などで高層気象観測を行っ
いる．ここに掲載している平年値は，1991年から2020年までの30年平均
であるが，観測開始後30年に満たない場合は30年より短い期間の平均値
平年値としたものもある．また，十分な観測データが無い場合などには，
年値を求めないこともある．気象庁では10年ごとに平年値を更新している

ジオポテンシャル高度　ラジオゾンデによる高層気象観測では，高度を
圧・気温・湿度・重力加速度から間接的に計算している．この値をジオポテ
シャル高度といい，単位はメートル（m）である．ジオポテンシャル高度は
ジオポテンシャル（単位質量の物体を平均海面からある高さまで動かすのに
必要なエネルギー）を標準重力加速度で割ったものであり，高度約30 000
以下では幾何学的高度との差は約0.6%以内である．

合成風　風の東西成分と南北成分の30年平均値を合成したものである．
向は，東を90度，南を180度，西を270度，北を360度とした角度で表している

高層気象観測地点一覧表

（2020年12月31日現在）

地　点	北緯(度)	(分)	東経(度)	(分)	高度*(m)
稚　内	45	25	141	41	11.7
札　幌	43	4	141	20	26.2
釧　路	42	57	144	26	15.5
秋　田	39	43	140	6	21.8
輪　島	37	24	136	54	6.7
館　野	36	3	140	8	27.4
八丈島	33	7	139	47	152.6
松　江	35	27	133	4	22.4
潮　岬	33	27	135	45	69.2
福　岡	33	35	130	23	15.0
鹿児島	31	33	130	33	31.7
名瀬／本茶峠	28	24	129	33	294.5
石垣島	24	20	124	10	14.8
南大東島	25	50	131	14	20.6
父　島	27	6	142	11	8.3
南鳥島	24	17	153	59	8.7

*　気圧計の平均海面上の高さ．

高層気象観測月別平年値　21 時の相対湿度（%）

（1991 年から 2020 年までの平均値）

月	気圧 (hPa)	稚内	札幌	釧路	秋田	輪島	館野	八丈島	松江	潮岬	福岡	鹿児島	名瀬/本茶峠	石垣島	南大東島	父島	南鳥島
1月	300												16	17	17	17	15
	500		39	34	38	34	30	33	29	32	35	34	32	23	24	27	24
	700	56	50	43	57	53	43	37	37	32	34	38	50	59	48	37	36
	850	82	78	64	84	84	59	73	81	58	66	58	81	86	78	76	78
2月	300												18	18	17	18	15
	500		39	35	39	35	33	36	33	35	35	37	36	24	26	28	23
	700	56	50	43	52	47	45	40	37	35	36	39	52	61	50	40	36
	850	75	76	64	80	76	61	71	75	58	60	56	77	84	75	73	75
3月	300												32	25	24	26	22
	500	45	42	40	39	37	36	40	31	38	36	40	42	31	32	33	25
	700	54	50	46	50	45	50	40	37	38	38	42	53	59	50	43	37
	850	66	71	67	71	66	65	68	64	59	55	56	70	79	70	69	72
4月	300												48	40	40	40	32
	500	46	43	39	39	39	37	39	33	37	36	39	48	44	45	44	33
	700	57	49	49	51	44	55	40	38	39	39	42	54	63	56	48	44
	850	58	61	64	60	56	66	60	55	61	55	57	61	76	66	64	72
5月	300							53		50	46	49	49	44	46	44	34
	500	46	45	40	42	38	39	42	30	40	35	42	55	56	54	50	38
	700	59	54	54	54	49	56	43	36	44	39	42	56	66	60	54	47
	850	60	63	65	62	57	67	57	55	63	57	61	63	74	69	68	72
6月	300					49	55	57	48	55	52	54	53	44	43	39	31
	500	46	44	42	39	37	45	50	35	48	43	54	61	57	55	49	38
	700	64	61	64	59	57	68	58	54	59	54	60	67	62	63	56	49
	850	67	73	74	72	68	76	70	74	75	74	78	76	75	76	72	70
7月	300	46	46	40	48	47	50	46	44	46	45	45	40	37	37	36	42
	500	45	44	40	45	47	54	51	48	51	49	51	50	50	47	47	51
	700	61	60	59	63	65	71	61	59	63	63	61	58	59	56	54	59
	850	71	78	77	79	75	77	69	80	77	77	79	72	73	73	71	75
8月	300	47	47	45	47	42	43	36	38	38	41	39	37	38	36	36	44
	500	43	44	45	47	47	48	44	47	46	49	48	48	53	48	47	54
	700	57	56	58	59	61	68	57	60	62	61	60	60	63	59	58	62
	850	68	76	77	75	72	77	70	78	77	77	79	75	76	76	75	77
9月	300				47	47	45	40	43	42	43	42	39	36	34	33	36
	500	38	39	39	40	44	47	47	45	47	46	49	49	51	45	42	43
	700	48	47	46	50	51	61	57	48	55	51	56	58	63	57	55	57
	850	62	70	71	70	71	79	73	77	76	71	79	76	76	76	76	77
10月	300							39		37	34	33	32	29	30	31	30
	500	40	35	33	35	35	40	43	34	41	37	41	43	41	41	39	32
	700	50	43	40	43	40	46	48	33	41	34	39	52	56	53	51	46
	850	65	67	63	67	67	77	72	68	69	58	64	74	78	77	75	74
11月	300												30	26	27	31	26
	500	41	40	36	38	33	34	38	28	34	32	35	41	39	41	39	28
	700	53	47	40	50	45	41	42	35	36	35	37	48	60	51	46	39
	850	75	75	65	75	75	69	70	73	61	62	57	75	82	75	73	74
12月	300												21	20	21	23	20
	500	43	39	36	38	34	29	30	28	28	30	30	31	29	33	34	25
	700	54	49	41	57	52	38	35	39	29	33	35	47	60	49	44	40
	850	84	79	63	83	83	61	71	80	58	65	58	80	83	77	75	75

高層気象観測月別平年値　21時のジオポテンシャル高度（m）(1

（1991 年から 2020 年までの平均値）

地点	気圧(hPa)	1月	2月	3月	4月	5月	6月	7月	8月	9月	10月	11月	12月
稚内	30	23595	23552	23618	23733	23929	24137	24289	24263	24089	23853	23676	23581
	100	15730	15730	15822	15991	16230	16424	16623	16638	16448	16181	15933	15764
	300	8584	8600	8709	8916	9153	9330	9509	9529	9354	9104	8858	8646
	500	5194	5206	5278	5416	5558	5659	5749	5765	5679	5537	5377	5235
	700	2795	2804	2841	2913	2983	3029	3070	3086	3057	2988	2897	2817
	850	1349	1356	1371	1400	1426	1441	1457	1473	1476	1450	1405	1360
札幌	30	23614	23581	23645	23754	23929	24119	24263	24247	24090	23878	23715	23629
	100	15810	15811	15894	16049	16270	16451	16645	16670	16505	16259	16021	15856
	300	8657	8680	8787	8984	9204	9368	9552	9589	9434	9197	8958	8739
	500	5241	5258	5328	5459	5589	5680	5773	5798	5722	5593	5445	5297
	700	2824	2834	2871	2939	3001	3040	3084	3104	3079	3021	2939	2855
	850	1368	1374	1389	1416	1438	1448	1465	1483	1488	1471	1432	1384
釧路	30	23639	23604	23671	23777	23944	24142	24280			23885	23754	
	100	15810	15845	15927	16061	16287	16460	16660	16690	16531	16304	16052	15881
	300	8649	8698	8812	8987	9225	9378	9571	9609	9473	9238	8992	8752
	500	5230	5269	5342	5459	5602	5686	5788	5808	5745	5612	5467	5296
	700	2813	2839	2874	2938	3007	3044	3095	3109	3091	3028	2948	2846
	850	1354	1375	1385	1415	1440	1451	1475	1486	1495	1474	1432	1368
秋田	30	23636	23601	23676	23768	23930	24100	24227	24223	24090	23898	23746	23658
	100	15925	15928	16000	16135	16336	16501	16677	16712	16578	16364	16137	15978
	300	8795	8822	8925	9103	9296	9443	9620	9664	9544	9334	9108	8892
	500	5328	5347	5414	5531	5642	5717	5809	5842	5781	5671	5541	5395
	700	2883	2892	2924	2983	3033	3061	3105	3129	3110	3065	3001	2921
	850	1408	1414	1425	1446	1458	1459	1478	1496	1503	1498	1472	1430
輪島	30	23652	23624	23689	23781	23933	24086	24204	24203	24086	23906	23762	23668
	100	16026	16036	16091	16211	16389	16541	16703	16734	16613	16427	16222	16081
	300	8913	8943	9035	9194	9363	9503	9665	9702	9595	9409	9203	9009
	500	5408	5428	5487	5587	5681	5748	5836	5864	5809	5717	5603	5474
	700	2932	2941	2967	3015	3055	3076	3121	3142	3124	3090	3039	2970
	850	1442	1446	1452	1464	1470	1465	1485	1502	1509	1511	1497	1463
館野	30	23670	23642	23707	23792	23928	24072	24184	24188	24079	23908	23778	23699
	100	16093	16095	16146	16251	16421	16561	16701	16736	16643	16481	16291	16154
	300	8999	9020	9107	9256	9419	9548	9685	9720	9646	9487	9293	9106
	500	5454	5469	5527	5621	5710	5770	5852	5879	5840	5758	5652	5525
	700	2945	2952	2981	3029	3069	3088	3133	3153	3140	3106	3059	2987
	850	1436	1440	1450	1468	1477	1473	1494	1510	1517	1515	1499	1460
八丈島	30	23677	23654	23722	23802	23918	24048	24146	24155	24066	23909	23782	23711
	100	16219	16221	16259	16341	16484	16603	16706	16734	16671	16549	16394	16282
	300	9176	9184	9253	9376	9516	9628	9718	9738	9695	9587	9429	9281
	500	5555	5565	5614	5690	5762	5814	5876	5893	5872	5816	5728	5622
	700	2997	3002	3025	3064	3094	3110	3151	3162	3155	3133	3098	3037
	850	1463	1464	1471	1484	1489	1483	1506	1515	1520	1522	1516	1486
松江	30				23802								
	100	16129	16132	16178	16268	16453	16594	16742	16772	16653	16500	16287	16156
	300	9049	9079	9147	9274	9439	9558	9712	9737	9639	9492	9289	9115
	500	5489	5515	5559	5634	5723	5776	5865	5883	5835	5765	5658	5533
	700	2975	2985	3006	3038	3075	3087	3137	3149	3134	3112	3066	2998
	850	1471	1474	1473	1475	1478	1468	1493	1502	1512	1521	1511	1481

高層気象観測月別平年値　21時のジオポテンシャル高度（m）(2)

（1991年から2020年までの平均値）

地点	気圧 (hPa)	1月	2月	3月	4月	5月	6月	7月	8月	9月	10月	11月	12月
潮岬	30	23681	23653	23713	23797	23929	24054	24156	24163	24070		23785	23710
	100	16206	16210	16245	16331	16482	16606	16722	16749	16670	16533	16370	16258
	300	9154	9169	9235	9359	9497	9613	9719	9739	9682	9556	9393	9245
	500	5548	5562	5605	5681	5751	5804	5873	5890	5861	5797	5710	5608
	700	2998	3003	3023	3060	3087	3102	3146	3157	3147	3126	3091	3034
	850	1469	1471	1474	1484	1485	1478	1501	1511	1516	1521	1517	1491
福岡	30	23667	23643	23707	23788	23925	24057	24157	24164	24068	23911	23783	23697
	100	16190	16199	16234	16326	16480	16609	16734	16754	16660	16510	16341	16231
	300	9146	9167	9230	9350	9484	9598	9715	9732	9659	9521	9360	9216
	500	5552	5567	5608	5677	5744	5792	5865	5879	5843	5780	5695	5600
	700	3007	3011	3028	3057	3082	3093	3134	3145	3135	3120	3088	3038
	850	1487	1483	1482	1482	1480	1468	1489	1498	1508	1522	1521	1504
鹿児島	30	23677	23661	23718	23793	23920	24039	24132	24138	24055	23911	23791	23715
	100	16280	16287	16311	16386	16526	16635	16733	16750	16678	16558	16415	16321
	300	9264	9276	9324	9425	9546	9646	9731	9740	9691	9589	9453	9334
	500	5616	5627	5662	5720	5776	5819	5877	5884	5862	5816	5745	5662
	700	3037	3040	3053	3077	3097	3107	3144	3148	3143	3134	3111	3066
	850	1496	1493	1490	1490	1486	1476	1497	1500	1509	1524	1528	1513
名瀬／本茶峠	30	23680	23671	23721	23794								23709
	100	16396	16397	16416	16470	16581	16663	16724	16732	16684	16605	16499	16433
	300	9428	9431	9457	9527	9622	9698	9740	9736	9714	9659	9570	9488
	500	5702	5710	5736	5779	5819	5855	5888	5882	5876	5854	5807	5746
	700	3083	3085	3094	3110	3119	3132	3154	3145	3148	3150	3139	3107
	850	1520	1515	1509	1505	1495	1491	1503	1495	1506	1526	1540	1534
石垣島	30	23694	23686	23728									23726
	100	16504	16509	16518	16556	16638	16692	16710	16711	16683	16635	16566	16531
	300	9581	9582	9590	9628	9689	9730	9736	9729	9724	9704	9662	9619
	500	5794	5796	5811	5837	5859	5877	5883	5873	5878	5878	5859	5824
	700	3127	3127	3133	3141	3140	3145	3146	3135	3145	3159	3162	3144
	850	1538	1532	1524	1516	1501	1494	1492	1483	1500	1527	1544	1546
南大東島	30	23697	23689	23740	23797			24056	24060	24005			23728
	100	16483	16485	16496	16530	16616	16678	16706	16715	16686	16632	16562	16513
	300	9549	9548	9560	9603	9672	9726	9740	9733	9726	9700	9650	9597
	500	5772	5774	5794	5825	5853	5883	5893	5884	5886	5879	5855	5811
	700	3114	3115	3124	3137	3140	3156	3161	3148	3154	3160	3160	3135
	850	1530	1527	1522	1518	1506	1510	1511	1497	1508	1524	1542	1540
父島	30	23692	23682	23730	23802	23904	24001	24069	24073	24015		23791	23723
	100	16460	16454	16471	16504	16587	16654	16683	16699	16680	16637	16558	16507
	300	9519	9511	9530	9584	9661	9724	9735	9734	9729	9707	9649	9587
	500	5749	5749	5777	5819	5855	5893	5900	5894	5898	5890	5859	5806
	700	3095	3098	3114	3137	3149	3173	3175	3164	3171	3173	3162	3129
	850	1513	1514	1518	1523	1519	1530	1529	1516	1526	1535	1541	1530
南鳥島	30	23696	23696	23731	23802	23890	23975	24030	24036		23884	23790	23731
	100	16549	16543	16546	16559	16600	16637	16640	16658	16657	16641	16606	16586
	300	9627	9616	9619	9651	9693	9729	9720	9724	9723	9721	9700	9675
	500	5824	5818	5837	5867	5888	5910	5900	5896	5903	5906	5896	5870
	700	3130	3131	3147	3169	3178	3190	3182	3175	3181	3184	3181	3163
	850	1522	1526	1534	1546	1545	1549	1541	1532	1538	1544	1548	1539

高層気象観測月別平年値　21時の気温（℃）（1）

（1991年から2020年までの平均値）

地点	気圧(hPa)	1月	2月	3月	4月	5月	6月	7月	8月	9月	10月	11月	12月
稚内	30	−49.5	−50.7	−50.5	−51.2	−51.9	−50.4	−50.3	−51.0	−52.5	−53.1	−51.6	−49
	100	−50.1	−51.1	−52.0	−54.2	−55.6	−56.3	−59.3	−61.0	−59.0	−56.3	−54.3	−52.
	300	−53.3	−53.3	−52.1	−49.7	−45.2	−41.2	−35.0	−34.2	−39.4	−45.6	−50.0	−52.
	500	−36.8	−36.4	−33.2	−27.0	−19.9	−14.4	−9.1	−9.1	−15.0	−22.4	−29.0	−35.
	700	−22.7	−22.5	−18.7	−11.5	−4.3	1.1	5.6	5.6	0.3	−7.0	−14.5	−20.
	850	−14.8	−14.2	−10.0	−2.6	4.8	9.7	13.6	13.5	8.5	1.3	−6.7	−12
札幌	30	−50.7	−51.8	−51.4	−51.6	−52.3	−51.0	−51.0	−51.5	−52.9	−53.9	−52.3	−50.
	100	−51.5	−52.5	−53.4	−55.6	−57.2	−58.1	−61.5	−63.7	−62.1	−58.9	−56.1	−53.
	300	−51.6	−51.9	−50.6	−48.2	−43.8	−39.7	−33.6	−32.4	−36.8	−43.4	−48.3	−50.
	500	−35.0	−34.2	−31.1	−25.4	−18.7	−13.4	−8.0	−7.6	−12.9	−20.0	−26.5	−32.
	700	−20.8	−20.2	−16.6	−9.7	−2.8	2.0	6.5	7.0	2.3	−4.7	−11.7	−18.
	850	−12.8	−12.4	−8.6	−1.3	5.6	10.2	14.2	14.4	9.7	2.9	−4.6	−10.
釧路	30	−50.3	−51.8	−52.0	−51.8	−52.5	−50.9	−51.2			−54.4	−52.2	
	100	−51.6	−52.0	−53.0	−55.2	−57.4	−57.8	−61.6	−63.9	−62.7	−59.8	−55.7	−53.
	300	−51.2	−51.5	−50.1	−47.9	−43.5	−39.7	−33.3	−32.0	−36.1	−41.9	−48.0	−50.
	500	−35.1	−33.7	−30.3	−25.3	−18.0	−13.1	−7.7	−7.0	−11.8	−18.8	−25.6	−32.
	700	−20.5	−19.4	−15.3	−9.7	−2.4	2.0	6.9	7.5	3.3	−3.7	−10.2	−17.
	850	−12.5	−11.7	−7.3	−1.3	6.1	10.1	14.4	14.7	10.4	3.5	−2.9	−9.
秋田	30	−52.4	−53.3	−52.5	−52.3	−52.7	−51.9	−51.9	−52.3	−53.4	−54.9	−53.5	−52.
	100	−55.1	−55.7	−56.2	−58.1	−60.0	−61.4	−64.9	−67.2	−66.1	−63.0	−59.7	−57.
	300	−48.7	−49.1	−48.1	−45.6	−41.1	−36.8	−31.4	−30.5	−33.8	−40.0	−45.2	−47.
	500	−31.8	−30.9	−27.6	−22.3	−16.4	−11.5	−6.3	−5.6	−9.7	−16.3	−23.0	−29.
	700	−18.1	−17.1	−13.5	−7.3	−1.0	3.5	7.8	8.8	4.8	−1.6	−8.2	−15.1
	850	−9.5	−9.0	−5.6	1.1	7.7	11.9	15.7	16.8	12.5	5.9	−0.8	−6.
輪島	30	−53.7	−54.6	−53.4	−52.9	−53.0	−52.3	−52.4	−52.9	−53.6	−55.3	−54.5	−53.
	100	−58.0	−58.5	−58.9	−60.6	−62.6	−64.2	−67.5	−69.3	−68.3	−65.7	−62.3	−59.
	300	−47.3	−47.4	−46.4	−43.8	−39.3	−34.5	−30.1	−29.5	−32.5	−38.2	−43.5	−45.
	500	−28.7	−27.6	−24.7	−19.9	−14.7	−9.9	−5.3	−4.7	−8.3	−14.3	−20.7	−26.
	700	−15.3	−14.1	−10.6	−4.8	0.8	4.9	9.0	9.7	6.1	0.4	−5.8	−12.1
	850	−7.0	−6.3	−2.9	3.8	9.6	13.5	17.4	18.2	13.8	7.8	1.7	−4.0
館野	30	−54.4	−54.9	−53.9	−53.6	−53.3	−52.7	−52.8	−53.0	−54.0	−55.8	−55.2	−53.9
	100	−59.5	−59.8	−60.3	−62.0	−64.3	−66.3	−68.9	−70.3	−70.4	−68.5	−64.7	−61.9
	300	−45.1	−45.7	−45.0	−42.4	−37.6	−33.0	−29.8	−29.4	−31.6	−36.0	−41.0	−43.3
	500	−25.4	−24.6	−22.1	−17.9	−13.0	−8.7	−5.1	−4.4	−6.8	−11.8	−17.8	−22.9
	700	−12.0	−11.2	−8.1	−3.1	1.9	5.6	9.3	9.9	7.4	2.7	−2.9	−8.7
	850	−3.4	−3.0	0.2	5.5	10.5	14.0	18.1	18.5	14.9	9.5	4.6	−0.5
八丈島	30	−55.7	−56.0	−55.0	−54.2	−53.7	−53.1	−53.2	−53.6	−54.3	−55.9	−56.1	−55.5
	100	−65.0	−65.3	−65.0	−65.8	−67.9	−70.1	−71.2	−71.8	−72.8	−72.5	−69.5	−67.2
	300	−39.9	−40.9	−41.7	−39.5	−35.1	−30.9	−29.3	−29.3	−30.8	−33.7	−37.3	−38.3
	500	−20.5	−20.1	−17.8	−14.3	−10.1	−6.4	−4.6	−4.1	−5.4	−8.8	−13.8	−17.9
	700	−6.8	−6.4	−3.6	0.5	4.6	7.9	10.4	10.9	9.4	6.0	1.0	−3.9
	850	0.2	0.6	3.5	7.9	12.3	15.7	19.0	19.3	17.0	12.9	7.9	2.8
松江	30				−53.4								
	100	−61.4	−61.2	−61.1	−62.2	−64.5	−65.9	−69.4	−70.7	−69.7	−68.3	−64.1	−62.1
	300	−43.8	−45.5	−44.7	−42.3	−37.4	−33.0	−28.8	−28.4	−31.5	−36.0	−42.2	−43.4
	500	−24.6	−23.4	−21.4	−17.6	−12.4	−8.1	−4.3	−3.7	−7.0	−11.8	−18.1	−22.9
	700	−11.9	−10.3	−7.2	−2.5	3.1	6.5	10.5	11.0	7.8	2.9	−3.1	−9.5
	850	−5.2	−4.3	−0.2	5.5	11.4	14.5	18.3	19.1	14.5	9.0	3.3	−2.8

高層気象観測月別平年値　21 時の気温（℃）(2)

（1991 年から 2020 年までの平均値）

地点	気圧(hPa)	1月	2月	3月	4月	5月	6月	7月	8月	9月	10月	11月	12月
潮岬	30	−55.6	−56.0	−54.6	−54.0	−53.5	−53.1	−53.3	−53.6	−54.2		−55.6	−55.3
	100	−64.3	−64.6	−64.3	−65.0	−67.2	−69.4	−71.3	−71.9	−72.2	−71.3	−68.3	−65.9
	300	−41.0	−41.9	−42.4	−40.1	−35.4	−31.1	−28.9	−28.9	−30.7	−34.3	−38.2	−39.6
	500	−21.4	−20.6	−18.5	−14.8	−10.7	−6.7	−4.3	−3.8	−5.6	−9.8	−15.0	−19.1
	700	−7.7	−6.9	−4.3	0.0	4.3	7.6	10.5	10.8	8.9	5.0	−0.2	−5.2
	850	−1.3	−0.5	2.7	7.4	11.9	15.3	18.8	19.1	16.3	11.6	6.7	1.3
福岡	30	−55.5	−56.1	−54.7	−53.8	−53.5	−53.2	−53.5	−53.7	−54.2	−55.6	−55.2	−54.8
	100	−64.4	−64.9	−64.5	−65.0	−67.0	−68.8	−71.2	−71.9	−71.6	−70.1	−67.5	−65.7
	300	−42.1	−42.7	−42.9	−40.4	−35.8	−31.4	−28.5	−28.4	−31.0	−35.1	−39.3	−41.1
	500	−21.8	−20.9	−18.7	−15.0	−10.8	−6.9	−3.9	−3.7	−6.1	−10.9	−16.1	−20.2
	700	−8.6	−7.5	−4.7	−0.3	4.2	7.5	10.7	10.9	8.3	3.9	−1.3	−6.5
	850	−3.2	−1.8	1.9	7.2	12.1	15.4	18.7	19.0	15.5	10.4	4.9	−0.8
鹿児島	30	−56.4	−56.7	−55.3	−54.3	−53.8	−53.5	−53.7	−54.0	−54.5	−55.7	−55.9	−55.7
	100	−68.0	−68.4	−67.6	−67.6	−69.5	−71.3	−72.8	−73.1	−73.3	−73.0	−70.7	−69.1
	300	−38.3	−39.2	−40.3	−38.4	−34.1	−30.1	−28.4	−28.4	−30.3	−33.3	−36.6	−37.6
	500	−18.6	−17.9	−16.0	−12.7	−9.0	−5.7	−3.9	−3.5	−5.1	−8.7	−13.4	−16.7
	700	−5.0	−4.1	−1.8	2.0	5.8	8.6	11.1	11.4	9.5	6.0	1.3	−3.2
	850	0.2	1.4	4.4	8.7	12.9	16.0	18.8	18.9	16.5	12.4	7.8	2.5
名瀬／本茶峠	30	−57.5	−57.7	−56.3	−55.1								−57.4
	100	−73.2	−73.4	−72.5	−72.0	−73.1	−74.5	−74.7	−74.4	−75.2	−76.4	−75.2	−74.3
	300	−34.1	−34.3	−35.9	−35.5	−32.0	−29.1	−28.5	−28.5	−29.7	−31.7	−33.4	−33.7
	500	−13.9	−13.7	−12.5	−10.2	−7.0	−4.8	−4.0	−3.6	−4.3	−6.5	−9.9	−12.2
	700	−1.4	−0.5	1.7	4.7	7.6	10.0	11.5	11.6	10.5	8.0	4.3	0.4
	850	4.0	5.0	7.6	11.5	15.1	18.0	19.6	19.4	17.7	14.3	10.3	5.8
石垣島	30	−58.6	−58.6	−56.9									−57.9
	100	−77.4	−77.6	−76.7	−76.2	−76.7	−77.3	−76.7	−76.4	−77.4	−78.9	−78.7	−78.3
	300	−31.9	−31.8	−32.7	−32.6	−30.1	−28.3	−28.3	−28.3	−29.2	−30.5	−31.5	−31.6
	500	−8.8	−8.8	−8.7	−7.5	−5.2	−4.1	−3.8	−3.7	−4.0	−5.1	−7.0	−8.0
	700	2.7	3.4	5.5	7.8	9.7	11.4	11.9	11.7	10.9	9.4	7.0	4.3
	850	8.4	9.3	11.5	14.7	17.4	19.4	19.9	19.7	18.4	15.8	13.2	9.8
南大東島	30	−58.2	−58.2	−56.7	−55.4			−54.5	−54.8	−55.1			−57.9
	100	−76.5	−76.6	−75.6	−74.8	−75.2	−76.2	−75.6	−75.1	−76.4	−78.0	−78.0	−77.4
	300	−32.1	−32.1	−33.3	−33.5	−31.0	−29.0	−28.9	−28.8	−29.6	−30.8	−32.0	−32.1
	500	−9.8	−10.0	−9.7	−8.2	−5.8	−4.7	−4.2	−3.9	−4.2	−5.3	−7.4	−8.7
	700	2.2	2.7	4.6	6.8	9.1	10.6	11.4	11.6	11.2	9.8	7.1	4.2
	850	7.3	8.1	10.3	13.6	16.5	18.7	19.4	19.4	18.5	16.4	13.2	9.2
父島	30	−58.0	−57.8	−56.6	−55.4	−54.2	−53.9	−54.2	−54.7	−55.0		−57.1	−58.1
	100	−75.7	−75.7	−74.6	−73.5	−74.0	−75.5	−74.0	−73.8	−75.5	−77.4	−77.2	−76.9
	300	−32.4	−32.4	−34.1	−34.5	−32.0	−29.9	−29.8	−29.6	−30.3	−31.2	−32.6	−32.5
	500	−10.4	−10.9	−10.5	−8.9	−6.5	−5.2	−4.8	−4.3	−4.7	−5.5	−7.4	−8.7
	700	2.1	2.2	4.0	6.3	8.6	10.2	10.8	11.1	10.8	9.9	7.7	4.8
	850	7.0	7.2	9.3	12.8	15.8	18.1	18.8	18.8	18.4	17.1	14.0	9.9
南鳥島	30	−58.9	−58.8	−57.7	−55.7	−54.5	−54.2	−54.5	−54.9		−56.1	−57.1	−58.4
	100	−78.9	−78.4	−77.1	−76.0	−75.3	−75.5	−72.8	−73.2	−75.1	−77.7	−78.7	−79.5
	300	−31.3	−31.4	−32.9	−33.7	−32.4	−31.1	−31.1	−30.5	−31.1	−31.5	−32.3	−31.7
	500	−7.1	−7.7	−7.9	−7.3	−6.1	−5.4	−5.6	−5.2	−5.2	−5.1	−5.8	−6.3
	700	6.5	5.9	6.8	8.0	9.2	10.3	10.0	10.2	10.4	10.4	9.7	8.4
	850	11.1	10.8	12.3	14.5	16.3	17.9	18.1	18.3	18.2	17.6	16.0	14.1

高層気象観測月別平年値　21時の合成風の大きさ(m/s)と風向(度) (1

(1991年から2020年までの平均値)

地点	気圧(hPa)	1月		2月		3月		4月		5月		6月	
		大きさ	風向	大きさ	風向	大きさ	風向	大きさ	風向	大きさ	風向	大きさ	風向
稚内	30	11.2	236	10.8	242	10.9	242	6.6	244	0.3	270	5.5	81
	100	25.3	263	25.7	265	24.0	262	19.0	263	13.5	267	9.0	279
	300	21.3	272	24.2	274	24.3	269	21.8	270	16.8	270	11.3	280
	500	13.5	279	15.3	279	14.8	275	12.9	276	9.3	273	5.9	283
	700	8.8	281	9.3	284	9.0	282	8.2	280	6.0	274	3.3	284
	850	5.3	298	6.3	295	6.1	287	5.8	271	4.9	250	2.7	242
札幌	30	9.5	241	9.9	244	10.1	245	6.5	249	0.6	261	5.6	81
	100	30.2	265	30.6	266	27.6	263	22.4	265	16.2	268	11.7	276
	300	29.9	271	31.5	272	31.2	269	27.5	268	21.4	267	15.8	273
	500	18.7	276	19.8	276	18.9	273	15.9	272	12.0	266	8.0	274
	700	11.6	285	12.0	286	11.5	282	9.8	280	7.2	272	4.3	273
	850	7.7	295	8.0	292	7.3	283	6.1	270	4.2	248	2.6	230
釧路	30	8.7	230	8.6	236	10.9	241	5.9	247	0.4	117	5.8	84
	100	30.7	267	29.2	265	27.1	260	21.5	262	15.9	268	11.9	275
	300	30.4	270	33.5	268	32.0	265	27.7	263	21.4	268	16.1	272
	500	18.6	276	20.9	272	20.1	269	16.4	263	12.2	270	8.7	275
	700	11.8	286	12.5	282	11.7	277	9.6	268	7.3	273	4.1	276
	850	6.7	292	6.9	288	6.6	282	5.4	264	4.2	263	2.2	252
秋田	30	8.5	249	9.7	251	9.4	251	6.0	255	0.7	286	5.9	81
	100	37.9	268	37.4	268	33.1	267	26.9	267	20.3	268	15.0	274
	300	42.2	271	41.5	272	39.1	268	33.1	267	27.2	263	23.7	266
	500	27.1	274	26.4	275	24.9	272	20.1	270	14.7	266	10.9	268
	700	16.6	273	16.3	274	15.4	271	12.7	268	10.0	263	6.9	265
	850	10.0	279	9.8	276	8.9	267	7.6	257	6.4	245	4.6	234
輪島	30	7.6	253	9.7	256	9.2	254	5.3	258	0.5	0	6.5	80
	100	40.4	267	40.1	268	35.5	267	28.9	267	22.6	270	16.5	274
	300	51.0	270	48.7	271	44.6	269	37.1	268	30.6	264	27.4	264
	500	29.0	275	28.2	276	25.5	273	20.6	271	15.6	269	12.1	266
	700	15.1	273	14.5	275	13.8	272	11.4	267	8.6	261	6.6	256
	850	8.4	278	8.2	274	7.4	266	7.5	253	6.8	246	5.4	243
館野	30	6.6	253	9.4	254	8.0	252	4.2	262	0.8	30	7.0	82
	100	43.2	267	42.3	267	37.3	266	30.3	266	22.8	269	16.2	274
	300	56.5	267	52.7	269	47.0	267	38.9	265	32.4	261	28.9	263
	500	31.6	271	30.1	271	27.1	268	21.6	267	16.3	263	14.1	263
	700	14.6	277	14.0	276	12.8	270	10.0	268	7.0	263	6.1	265
	850	7.0	276	6.4	274	4.9	258	3.7	244	2.6	230	1.6	227
八丈島	30	6.2	253	8.3	255	7.1	254	2.9	268	2.1	61	8.9	82
	100	46.4	266	45.4	267	39.6	266	31.5	266	22.2	271	14.5	277
	300	65.6	267	60.7	268	50.6	267	40.0	265	31.0	261	25.3	261
	500	35.9	270	34.1	271	30.2	268	23.6	266	17.7	262	16.2	259
	700	18.3	273	17.4	273	15.3	269	11.8	266	8.1	259	10.6	256
	850	10.1	277	9.8	276	8.3	268	6.9	262	4.6	251	6.8	255
松江	30							5.5	264				
	100	46.5	269	44.0	268	37.8	268	31.1	270	24.7	274	18.0	278
	300	59.1	270	52.1	269	44.6	270	38.2	268	31.6	268	27.8	264
	500	32.3	279	30.7	273	25.1	276	20.7	272	15.9	273	11.6	267
	700	15.4	288	14.8	282	12.9	283	10.6	275	7.5	278	5.3	261
	850	8.2	287	6.8	281	6.6	272	6.0	256	5.0	248	3.8	231

高層気象観測月別平年値　21時の合成風の大きさ(m/s)と風向(度) (2)

(1991年から2020年までの平均値)

地点	気圧(hPa)	1月		2月		3月		4月		5月		6月	
		大きさ	風向	大きさ	風向	大きさ	風向	大きさ	風向	大きさ	風向	大きさ	風向
潮岬	30	6.9	261	10.1	260	8.2	258	4.2	267	1.7	54	8.4	81
	100	45.8	266	45.1	268	39.6	267	31.3	268	23.0	271	15.2	276
	300	63.2	267	58.8	269	49.3	268	39.3	267	31.8	263	26.4	262
	500	34.5	271	32.7	272	29.1	270	22.5	268	16.8	266	14.7	261
	700	17.5	276	16.6	277	14.2	274	10.6	270	7.5	263	8.4	256
	850	9.0	287	8.1	286	6.3	282	4.4	271	2.2	254	3.5	248
福岡	30	8.2	259	9.9	259	8.5	260	4.9	266	1.3	48	8.1	79
	100	46.5	266	45.4	267	40.0	267	32.0	269	24.2	273	16.2	280
	300	59.6	267	55.5	268	47.3	269	37.7	268	31.0	266	26.0	262
	500	32.2	274	31.0	274	27.2	274	21.3	272	15.9	271	13.6	264
	700	16.2	286	15.2	284	13.0	282	10.1	276	6.9	272	6.8	256
	850	6.8	297	5.9	291	4.7	283	4.3	255	3.3	239	4.3	222
鹿児島	30	7.2	259	9.2	257	7.5	260	4.1	267	2.3	61	9.1	80
	100	46.3	266	45.2	267	39.9	267	31.7	269	22.4	275	13.9	283
	300	62.5	266	59.1	267	48.8	267	37.3	267	29.4	266	22.9	261
	500	33.1	271	31.2	271	27.8	270	22.0	269	16.1	268	14.5	261
	700	17.3	280	16.5	279	14.5	276	11.1	273	7.5	268	9.2	255
	850	8.8	299	7.1	293	5.3	286	3.5	268	1.9	252	4.4	234
名瀬／本茶峠	30	5.9	256	7.8	254	5.6	259	2.8	280				
	100	40.8	264	40.0	265	36.2	266	28.4	270	17.8	279	8.5	302
	300	57.8	264	56.7	265	48.5	266	35.5	267	23.8	267	14.4	262
	500	32.9	268	30.6	268	27.0	267	21.3	267	15.3	265	12.2	256
	700	15.8	275	15.7	274	14.5	272	11.9	268	8.0	264	10.3	248
	850	6.6	307	6.4	297	5.7	285	4.9	271	3.2	257	7.8	240
石垣島	30	1.6	232	4.1	245	2.0	250						
	100	29.7	262	28.7	263	26.6	265	20.8	270	9.6	294	6.9	26
	300	42.3	263	42.1	263	38.9	265	29.0	268	14.8	271	4.5	267
	500	27.4	265	26.4	265	23.0	265	17.8	264	10.3	262	6.3	241
	700	10.3	263	10.2	263	9.8	263	8.3	262	6.0	261	6.0	230
	850	1.5	11	0.8	293	1.7	249	2.7	236	2.1	223	6.2	210
南大東島	30	3.0	249	4.8	248	2.9	254	0.8	300				
	100	34.3	262	33.1	264	30.4	265	24.1	270	12.8	286	4.9	356
	300	48.3	263	48.0	265	43.6	266	31.7	267	17.6	267	7.2	260
	500	31.4	266	29.4	267	25.7	266	19.8	265	12.6	260	8.5	246
	700	13.9	274	13.7	274	13.1	270	10.9	265	8.1	256	8.0	237
	850	4.4	309	4.3	295	4.8	280	4.4	265	4.1	248	6.7	230
父島	30	2.6	245	4.8	249	2.6	249	0.3	0	6.7	77	13.4	82
	100	38.5	263	38.1	265	34.2	265	26.3	269	13.5	280	4.3	338
	300	53.2	265	53.4	267	45.6	268	31.2	267	17.1	265	7.3	264
	500	34.5	267	32.5	268	26.8	266	19.4	262	12.8	256	8.4	251
	700	16.6	272	16.2	271	14.3	266	11.4	259	8.5	249	7.0	248
	850	7.4	283	7.4	279	6.3	269	5.3	258	5.1	241	5.8	242
南鳥島	30	0.2	63	1.0	233	0.9	126	3.2	74	9.2	79	16.0	83
	100	26.2	264	26.1	265	23.2	269	17.7	271	7.1	297	5.9	42
	300	36.3	269	37.4	271	31.6	274	20.3	273	7.8	278	2.2	21
	500	26.0	267	24.7	269	18.4	268	11.0	263	4.6	257	0.4	45
	700	13.6	266	12.4	267	8.3	264	4.5	252	2.1	235	0.9	103
	850	4.7	277	4.3	274	2.3	257	1.3	193	1.6	165	1.4	115

高層気象観測月別平年値　21 時の合成風の大きさ（m/s）と風向（度）（

（1991 年から 2020 年までの平均値）

地点	気圧（hPa）	7 月		8 月		9 月		10 月		11 月		12 月	
		大きさ	風向	大きさ	風向	大きさ	風向	大きさ	風向	大きさ	風向	大きさ	風向
稚内	30	8.7	83	4.7	83	2.4	265	9.0	253	15.4	246	16.0	24
	100	8.3	294	12.8	275	21.1	258	27.5	257	29.5	257	29.0	26
	300	14.1	281	21.1	266	28.4	254	31.0	257	32.3	261	27.8	26
	500	7.2	280	11.0	266	13.9	259	17.6	262	21.5	265	18.3	27
	700	3.8	275	5.7	266	7.3	264	10.7	264	13.3	264	11.3	27
	850	3.4	243	3.6	251	4.5	260	7.7	263	9.0	265	7.2	27
札幌	30	9.5	83	6.1	83	0.9	276	6.7	260	12.9	249	14.0	24
	100	8.7	295	11.8	278	21.4	258	29.7	257	32.7	258	33.6	26
	300	16.1	277	21.3	266	31.2	254	35.8	256	37.7	260	35.7	26
	500	8.8	274	11.9	264	15.9	256	19.9	261	24.5	263	23.3	26
	700	4.9	270	6.4	263	8.1	261	10.8	267	14.7	270	14.1	27
	850	3.1	230	3.5	235	3.9	249	6.5	266	8.7	273	8.8	28
釧路	30	10.3	83					5.1	260	10.0	244		
	100	7.7	301	11.4	284	20.3	259	30.6	257	31.3	259	31.8	26
	300	16.8	278	21.5	271	30.9	254	39.7	255	37.8	259	36.6	25
	500	9.6	276	12.7	266	16.1	254	21.7	260	24.3	262	23.3	26
	700	4.9	272	6.9	262	8.2	259	11.6	264	15.0	266	14.1	26
	850	2.4	251	3.1	249	3.6	251	6.0	262	8.1	261	7.9	27
秋田	30	10.7	84	8.3	84	1.3	81	4.9	264	9.7	253	11.5	25
	100	8.2	299	8.4	284	19.4	257	30.9	257	36.8	260	40.5	26
	300	17.7	273	17.7	267	29.8	253	38.3	253	42.2	259	45.3	26
	500	10.6	271	11.1	262	16.2	253	21.3	259	26.0	263	28.8	26
	700	7.7	263	7.6	258	8.8	253	11.8	261	16.2	263	17.8	26
	850	5.6	235	4.8	234	4.9	235	6.3	256	9.6	265	10.6	27
輪島	30	11.8	84	10.4	85	3.1	83	3.9	269	8.3	255	10.7	25
	100	7.0	304	6.0	291	17.1	258	29.6	257	37.2	259	41.7	26
	300	16.2	271	13.4	264	26.9	253	38.5	254	45.2	260	51.5	26
	500	10.4	267	9.2	258	15.0	253	20.3	259	25.1	264	29.1	27
	700	7.9	255	6.5	245	7.2	246	9.1	260	13.0	262	15.2	26
	850	7.2	240	5.0	236	3.6	236	4.7	252	7.4	260	8.9	27
館野	30	12.6	84	11.3	85	4.7	84	2.0	270	6.1	255	8.3	25
	100	6.0	318	3.8	319	13.4	258	27.9	256	37.8	259	44.5	262
	300	13.8	275	9.2	273	21.6	253	38.2	253	47.5	258	57.5	26
	500	9.6	267	6.6	262	13.6	249	21.0	254	26.1	260	31.0	26
	700	6.1	268	3.8	256	6.2	243	8.6	252	11.9	262	14.7	272
	850	2.1	233	1.3	198	1.3	207	1.7	242	4.8	252	7.1	266
八丈島	30	14.7	85	14.1	85	8.2	85	0.8	45	3.8	258	6.4	255
	100	4.8	1	4.3	39	6.9	256	22.7	256	36.3	260	45.4	262
	300	8.2	278	2.7	292	12.5	252	31.5	254	47.8	259	63.0	261
	500	7.5	267	2.5	263	9.2	246	18.9	252	26.6	260	34.6	265
	700	6.4	259	2.0	237	4.8	232	8.6	247	12.5	262	16.8	268
	850	5.6	254	1.7	216	2.2	204	1.9	238	5.2	265	9.1	273
松江	30												
	100	5.4	330	2.6	310	14.6	259	27.8	259	37.4	263	45.2	264
	300	12.3	268	9.3	260	23.1	254	36.2	257	45.7	263	56.7	263
	500	8.8	261	6.9	251	13.2	251	19.2	260	24.8	267	31.7	270
	700	6.9	256	4.8	240	5.7	249	7.2	271	12.3	274	15.6	278
	850	6.6	236	4.2	223	1.6	207	1.5	266	5.7	271	8.9	278

高層気象観測月別平年値　21時の合成風の大きさ(m/s)と風向(度) (4)

(1991年から2020年までの平均値)

地点	気圧(hPa)	7月 大きさ	7月 風向	8月 大きさ	8月 風向	9月 大きさ	9月 風向	10月 大きさ	10月 風向	11月 大きさ	11月 風向	12月 大きさ	12月 風向
潮岬	30	14.2	84	13.8	85	7.3	84			5.3	260	8.8	259
	100	4.5	352	3.0	27	9.5	258	24.6	256	37.3	260	45.3	262
	300	9.0	274	4.1	267	15.6	253	33.8	255	48.7	260	61.3	261
	500	7.8	265	3.8	245	10.5	249	19.3	255	26.0	262	33.0	267
	700	6.6	257	2.5	223	4.9	237	7.7	258	12.3	268	16.3	274
	850	4.2	251	1.3	176	1.2	145	0.1	90	4.5	276	8.2	284
福岡	30	14.3	83	13.6	84	7.1	84	0.8	270	6.9	259	9.5	257
	100	4.3	341	1.8	0	11.5	262	26.0	259	38.6	262	46.5	263
	300	10.5	265	6.8	258	19.1	257	35.0	259	47.8	260	57.6	263
	500	8.1	259	5.1	245	11.3	255	18.7	262	25.0	265	30.9	270
	700	7.1	250	3.9	232	4.5	253	7.0	274	11.9	275	15.1	281
	850	5.7	225	3.3	198	0.8	173	1.4	321	4.3	286	6.5	293
鹿児島	30	15.7	83	15.5	84	9.2	84	1.1	80	4.6	260	7.8	257
	100	4.8	24	4.2	57	7.1	260	21.8	257	35.9	261	45.5	263
	300	6.2	269	2.0	255	12.7	257	30.3	259	47.1	260	59.3	261
	500	6.1	258	2.4	232	8.5	251	17.3	260	24.9	263	32.1	267
	700	6.0	244	2.4	197	3.6	236	6.5	268	11.3	272	15.4	277
	850	4.0	226	2.4	147	2.1	137	0.6	0	4.0	292	7.6	297
名瀬／本茶峠	30											6.2	258
	100	8.3	56	8.8	72	0.2	153	14.4	254	29.2	260	38.7	262
	300	0.7	286	2.5	83	5.5	263	20.5	262	39.6	261	52.6	260
	500	2.3	236	1.6	135	3.8	242	12.2	259	22.7	260	30.8	263
	700	3.1	211	2.3	137	1.6	207	4.5	266	9.2	268	13.8	274
	850	3.7	200	3.0	139	1.8	119	2.5	29	2.6	335	5.2	317
石垣島	30											2.2	240
	100	13.5	70	13.3	78	6.8	82	5.0	244	18.8	257	26.6	259
	300	3.4	78	3.4	67	1.3	9	9.8	271	25.3	261	36.2	260
	500	2.5	127	2.5	106	0.9	69	5.0	265	15.1	257	23.4	260
	700	2.9	155	2.1	127	1.3	61	1.1	338	4.6	255	8.3	260
	850	4.3	165	2.8	141	2.9	65	4.9	47	3.7	59	3.4	43
南大東島	30	20.0	84	20.1	85	14.9	86						
	100	11.6	67	11.3	77	4.9	85	7.4	243	21.2	257	30.9	259
	300	2.7	82	3.7	84	0.8	240	11.3	260	28.0	261	41.2	260
	500	1.6	130	2.6	101	1.4	180	6.2	251	17.5	257	27.0	260
	700	2.7	149	2.7	114	1.7	149	2.0	229	7.0	263	11.5	268
	850	3.1	159	3.2	118	2.6	118	2.6	72	1.9	28	2.9	338
父島	30	18.7	84	19.2	86	14.3	86			0.6	99	2.1	256
	100	9.9	60	10.2	68	5.3	77	6.2	248	21.6	261	32.6	260
	300	2.2	43	2.9	76	0.9	139	9.7	251	26.9	262	42.8	262
	500	0.4	124	2.7	96	2.2	148	6.5	236	17.4	256	28.8	261
	700	1.0	163	2.8	116	2.8	145	3.5	215	8.1	253	14.3	262
	850	1.7	177	3.4	126	3.5	134	2.4	156	0.9	238	4.6	280
南鳥島	30	20.7	86	20.7	86					2.3	83	1.3	67
	100	9.6	61	9.9	63	8.8	74	3.7	71	9.0	273	18.7	263
	300	3.8	50	2.6	39	4.2	79	1.3	86	11.9	276	24.6	271
	500	3.0	86	2.6	88	4.5	94	3.2	114	6.1	261	16.3	264
	700	3.1	109	3.0	118	4.6	103	4.2	109	1.0	225	7.8	260
	850	3.6	120	3.8	125	5.2	108	5.3	107	3.1	103	1.0	246

高層気象観測平年値 21 時の観測値の年平均値 (1)

(1991 年から 2020 年までの平均値)

地点	気 圧 (hPa)	ジオポテンシャル高度(m)	気 温 (℃)	相対湿度 (%)	合成風の風向(度)	合成風の大きさ(m/s)
稚内	30	23858	−50.9		239	5.4
	100	16126	−55.1		263	20.1
	300	9024	−45.9		266	22.6
	500	5471	−23.9		271	13.3
	700	2940	−9.1	56	274	8.0
	850	1414	−0.8	69	270	5.3
札幌	30	23870	−51.7		241	4.3
	100	16187	−57.0		264	22.8
	300	9096	−44.3		265	27.8
	500	5515	−22.1	41	268	16.4
	700	2966	−7.2	52	275	9.5
	850	1430	0.6	72	271	5.5
釧路	30					
	100					
	300					
	500					
	700					
	850					
秋田	30	23878	−52.8		246	3.0
	100	16273	−60.4		266	26.1
	300	9212	−41.5		264	33.0
	500	5585	−19.2	40	268	19.7
	700	3009	−4.7	54	266	12.2
	850	1457	3.3	73	259	7.1
輪島	30					
	100	16338	−63.0		266	26.7
	300	9294	−39.9		265	35.7
	500	5637	−17.1	39	268	19.8
	700	3039	−2.7	51	264	10.6
	850	1476	5.5	71	257	6.5
館野	30	23887	−53.9		225	0.8
	100	16381	−64.7		266	26.8
	300	9357	−38.3		263	36.9
	500	5671	−15.0	39	264	20.6
	700	3054	−0.8	54	267	9.5
	850	1478	7.4	70	255	3.5
八丈島	30					
	100	16455	−68.7		266	25.6
	300	9465	−35.6		264	36.4
	500	5734	−12.0	41	264	21.3
	700	3086	2.5	47	264	11.0
	850	1493	9.9	69	263	5.8
松江	30					
	100	16407	−65.1		268	27.6
	300	9378	−38.1		266	36.4
	500	5686	−14.6	35	270	20.0
	700	3064	−0.2	43	275	9.6
	850	1488	7.0	72	262	4.9

釧路は統計年数が足りないため，平年値を求めていない．

高層気象観測平年値　21時の観測値の年平均値 (2)

(1991年から2020年までの平均値)

地点	気圧(hPa)	ジオポテンシャル高度(m)	気温(℃)	相対湿度(%)	合成風の風向(度)	合成風の大きさ(m/s)
潮岬	30					
	100	16448	−68.0		267	26.2
	300	9447	−36.0		264	36.6
	500	5724	−12.5	40	266	20.8
	700	3081	1.9	44	268	10.2
	850	1493	9.1	66	274	4.0
福岡	30	23878	−54.5		248	0.5
	100	16439	−67.7		267	27.2
	300	9432	−36.5		264	36.1
	500	5717	−12.9	39	269	19.9
	700	3078	1.4	43	275	9.5
	850	1494	8.3	65	267	3.5
鹿児島	30					
	100	16490	−70.4		268	25.2
	300	9502	−34.6		264	34.7
	500	5756	−10.9	42	266	19.5
	700	3097	3.5	46	270	9.8
	850	1500	10.1	65	277	3.2
名瀬／本茶峠	30					
	100					
	300	9589	−32.2		264	29.4
	500	5805	−8.5	45	264	17.5
	700	3122	5.7	55	266	8.6
	850	1512	12.4	73	280	2.7
石垣島	30					
	100					
	300	9664	−30.6	31	265	19.7
	500	5847	−6.2	41	261	12.4
	700	3142	8.0	61	256	4.9
	850	1516	14.8	79	129	0.6
南大東島	30					
	100	16590	−76.3			
	300	9650	−31.1	31	264	22.5
	500	5842	−6.8	41	261	14.5
	700	3142	7.6	54	261	6.9
	850	1520	14.2	74	266	1.4
父島	30					
	100	16571	−75.3		269	15.7
	300	9639	−31.8	31	265	23.5
	500	5841	−7.3	40	261	15.2
	700	3145	7.4	49	258	7.9
	850	1525	13.9	72	251	3.1
南鳥島	30					
	100	16603	−76.5		278	8.0
	300	9683	−31.7	29	275	13.3
	500	5876	−6.2	34	265	7.8
	700	3168	8.8	46	250	3.0
	850	1539	15.4	74	138	1.2

超高層大気

地上から数百 km におよぶ大気についての気温，気圧，密度などの観測は
気球，ウィンドプロファイラ，人工衛星，ライダーなどにより行われ，こ
らの観測値をもとにした高度による気温分布から，大気をいくつかの層に
け，それぞれを気第3図のような名称で呼ぶ†．ここでは，これらの観測
をもとにしてアメリカで決定した“U. S. Standard Atmosphere 1976”に
いて表と図を掲げた．

表は上記標準大気による幾何学的高度（km）に対する気温（K），気
(hPa)，密度（kg/m^3）の数値を 0～1 000 km について与えてある．表中
印の特異点は，この密度を境にして気温の高度による変化率が異なる点で
る．気第4図には，気温，密度の高度分布を図示してある．

なお，超高層大気も緯度，季節による変化がかなり認められている．

† WMO（世界気象機関），CAe-Ⅲ（高層気象専門委員会第3会期
勧告 17，1961 年，ローマ．

気第3図 大気の名称

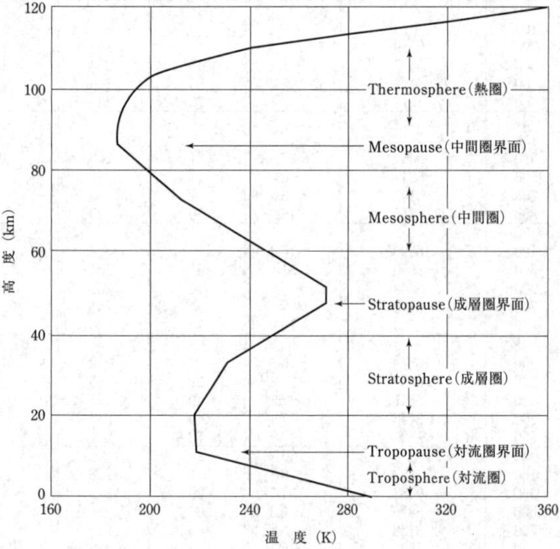

気温，気圧，密度の高度分布（1976，U. S. 標準大気）

高度 (km)	気温 $T(K)$	気圧 P(hPa) **	密度 ρ(kg/m^3) **	高度 Z(km)	気温 $T(K)$	気圧 P(hPa) **	密度 ρ(kg/m^3) **
0	288.150	1.01325 +3	1.2250 +0	*47.4	270.650	1.1022 +0	1.4187 −3
1	281.651	8.9876 +2	1.1117	50	270.650	7.9779 −1	1.0269
2	275.154	7.9501	1.0066	*51.0	270.650	7.0458	9.0690 −4
3	268.659	7.0121	9.0925 −1	55	260.771	4.2525	5.6810
4	262.166	6.1660	8.1935	60	247.021	2.1958	3.0968
5	255.676	5.4048	7.3643	65	233.292	1.0929	1.6321
6	249.187	4.7217	6.6011	70	219.585	5.2209 −2	8.2829 −5
7	242.700	4.1105	5.9002	*72.0	214.263	3.8362	6.2374
8	236.215	3.5651	5.2579	75	208.399	2.3881	3.9921
9	229.733	3.0800	4.6706	80	198.639	1.0524	1.8458
10	223.252	2.6499	4.1351	*86.0	186.87	3.7338 −3	6.958 −6
11	216.774	2.2699	3.6480	90	186.87	1.8359	3.416
*11.1	216.650	2.2346	3.5932	*91.0	186.87	1.5381	2.860
12	216.650	1.9399	3.1194	100	195.08	3.2011 −4	5.604 −7
13	216.650	1.6579	2.6660	110	240.00	7.1042 −5	9.708 −8
14	216.650	1.4170	2.2786	120	360.00	2.5382	2.222
15	216.650	1.2111	1.9476	130	469.27	1.2505	8.152 −9
16	216.650	1.0352	1.6647	140	559.63	7.2028 −6	3.831
17	216.650	8.8497 +1	1.4230	160	696.29	3.0395	1.233
18	216.650	7.5652	1.2165	180	790.07	1.5271	5.194 −10
19	216.650	6.4674	1.0400	200	854.56	8.4736 −7	2.541
*20.0	216.650	5.5293	8.8910 −2	250	941.33	2.4767	6.073 −11
21	217.581	4.7289	7.5715	300	976.01	8.7704 −8	1.916
22	218.574	4.0475	6.4510	350	990.06	3.4498	7.014 −12
23	219.567	3.4668	5.5006	400	995.83	1.4518	2.803
24	220.560	2.9717	4.6938	450	998.22	6.4468 −9	1.184
25	221.552	2.5492	4.0084	500	999.24	3.0236	5.215 −13
26	222.544	2.1883	3.4257	550	999.67	1.5137	2.384
27	223.536	1.8799	2.9298	600	999.85	8.2130 −10	1.137
28	224.527	1.6161	2.5076	650	999.93	4.8865	5.712 −14
29	225.518	1.3904	2.1478	700	999.97	3.1908	3.070
30	226.509	1.1970	1.8410	750	999.99	2.2599	1.788
*32.2	228.756	8.6314 +0	1.3145	800	999.99	1.7036	1.136
35	236.513	5.7459	8.4634 −3	850	1000.00	1.3415	7.824 −15
40	250.350	2.8714	3.9957	900	1000.00	1.0873	5.759
45	264.164	1.4910	1.9663	1000	1000.00	7.5138 −11	3.561

＊　特異点.
＊＊　符号を付した +3，+2，……，−15，……は 10 の指数.

気第4図　気温，密度の高度分布

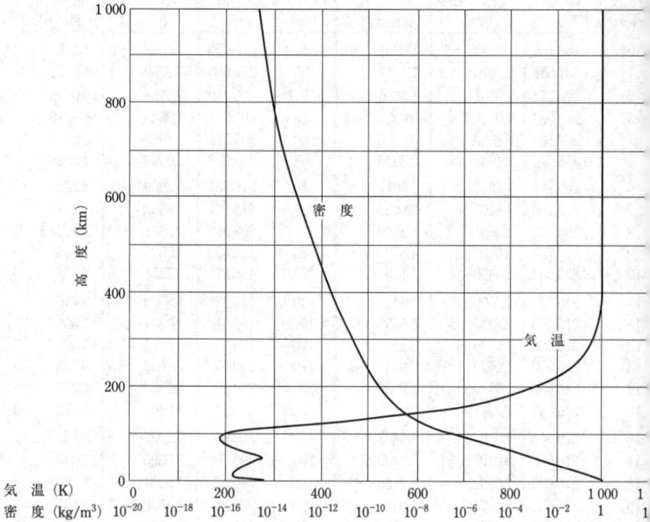

標準大気の高さと気圧，気温の関係

標準大気とはひとつの大気モデルで，代表的な国際標準大気としては196 年に国際民間航空機関(ICAO)が採用した「ICAO 標準大気」があげられる これは“U. S. Standard Atmosphere 1976”の高度 32 km までの下層部分と同一である．なお同大気は3つのジオポテンシャル高度対気温直線によって示される．すなわち

地上の気圧，気温　　　　　　：1013.25 hPa，15.0 ℃

高度 11 km までの気温変化率：−6.5 ℃/km

圏界面の高度，気圧，気温　：11 km，226.32 hPa，−56.5 ℃
高度 20 km までの気温変化率：0.0 ℃/km
高度 32 km までの気温変化率：+1.0 ℃/km

高さは，WMO 第 11 回世界気象会議(1991.5)で決議されたジオポテンシャ高度を使用する．この値は標準重力(9.80665 m/s²)のところでは，幾何学高度の値と一致し，その他のところでも幾何学的高度の値にほぼ等しい．欄(ジオポテンシャル高度)の「−」の符号は海面下を意味する．

(m)	気温(℃)	気圧(hPa)	(m)	気温(℃)	気圧(hPa)	(m)	気温(℃)	気圧(hPa)
−400	17.6	1062.2	4800	−16.2	554.8	10000	−50.0	264.4
−200	16.3	1037.5	5000	−17.5	540.2	10200	−51.3	256.4
0	15.0	1013.3	5200	−18.8	525.9	10400	−52.6	248.6
200	13.7	989.5	5400	−20.1	511.9	10600	−53.9	241.0
400	12.4	966.1	5600	−21.4	498.3	10800	−55.2	233.5
600	11.1	943.2	5800	−22.7	484.9	11000	−56.5	226.3
800	9.8	920.8	6000	−24.0	471.8	11500	−56.5	209.2
1000	8.5	898.7	6200	−25.3	459.0	12000	−56.5	193.3
1200	7.2	877.2	6400	−26.6	446.5	12500	−56.5	178.6
1400	5.9	856.0	6600	−27.9	434.3	13000	−56.5	165.1
1600	4.6	835.2	6800	−29.2	422.3	13500	−56.5	152.6
1800	3.3	814.9	7000	−30.5	410.6	14000	−56.5	141.0
2000	2.0	795.0	7200	−31.8	399.2	14500	−56.5	130.3
2200	0.7	775.4	7400	−33.1	388.0	15000	−56.5	120.4
2400	−0.6	756.3	7600	−34.4	377.1	15500	−56.5	111.3
2600	−1.9	737.5	7800	−35.7	366.4	16000	−56.5	102.9
2800	−3.2	719.1	8000	−37.0	356.0	17000	−56.5	87.9
3000	−4.5	701.1	8200	−38.3	345.8	18000	−56.5	75.0
3200	−5.8	683.4	8400	−39.6	335.9	19000	−56.5	64.1
3400	−7.1	666.2	8600	−40.9	326.2	20000	−56.5	54.7
3600	−8.4	649.2	8800	−42.2	316.7	22000	−54.5	40.0
3800	−9.7	632.6	9000	−43.5	307.4	24000	−52.5	29.3
4000	−11.0	616.4	9200	−44.8	298.4	26000	−50.5	21.5
4200	−12.3	600.5	9400	−46.1	289.6	28000	−48.5	15.9
4400	−13.6	584.9	9600	−47.4	281.0	30000	−46.5	11.7
4600	−14.9	569.7	9800	−48.7	272.6	32000	−44.5	8.7

気圧の海面更正

気圧の観測値は観測地点の高度に依存するので，ある地点の観測値を他の地の値と比較するには，同じ高度の値に揃える必要がある．このため，日本では京湾の平均海面の値に換算することになっている．これを海面更正という．

気温の減率を 0.5(℃/100 m)とし，湿度の影響を無視したときの海面更正につて説明する．気圧の観測値を P(hPa)，東京湾平均海面を基準とした気圧計の高を h(m)，その地点の気温を t_h(℃)とすると，海面～観測点の平均気温は，$t=t_h$ $0.0025\,h$(℃)となる．このとき海面更正値は，$\Delta P=P(\exp(gh/\mathrm{R}(t+273.15))-1)$ して算出される(重力加速度 $g=9.80665\ \mathrm{m/s^2}$，乾燥空気の気体定数 $\mathrm{R}=287.$ $(\mathrm{J\,kg^{-1}K^{-1}})$)．

$P=1000$(hPa)のときの海面更正値 ΔP を表に示す．

h(m) ＼ t(℃)	−10	−5	0	5	10	15	20	25	30
	hPa	hPa	hPa	hPa	hPa	hPa	hPa	hPa	hPa
10	1.3	1.3	1.3	1.2	1.2	1.2	1.2	1.1	1.1
20	2.6	2.6	2.5	2.5	2.4	2.4	2.3	2.3	2.3
30	3.9	3.8	3.8	3.7	3.6	3.6	3.5	3.4	3.4
40	5.2	5.1	5.0	4.9	4.8	4.8	4.7	4.6	4.5
50	6.5	6.4	6.3	6.2	6.0	5.9	5.8	5.7	5.6
60	7.8	7.7	7.5	7.4	7.3	7.1	7.0	6.9	6.8
70	9.1	9.0	8.8	8.6	8.5	8.3	8.2	8.0	7.9
80	10.4	10.2	10.0	9.9	9.7	9.5	9.4	9.2	9.1
90	11.7	11.5	11.3	11.1	10.9	10.7	10.5	10.4	10.2
100	13.1	12.8	12.6	12.3	12.1	11.9	11.7	11.5	11.3

mmHg から hPa への換算表

気圧 mmHg から hPa に換算するにはつぎの式を用いる．

$$1\ \mathrm{mmHg}=13.5951\times980.665\times10^{-4}\ \mathrm{hPa}$$

mmHg	0	1	2	3	4	5	6	7	8	9
	hPa	hPa	hPa	hPa	hPa	hPa	hPa	hPa	hPa	hPa
690	919.9	921.3	922.6	923.9	925.3	926.6	927.9	929.3	930.6	931.9
700	933.3	934.6	935.9	937.3	938.6	939.9	941.3	942.6	943.9	945.3
710	946.6	947.9	949.3	950.6	951.9	953.3	954.6	955.9	957.3	958.6
720	959.9	961.3	962.6	963.9	965.3	966.6	967.9	969.3	970.6	971.9
730	973.3	974.6	975.9	977.3	978.6	979.9	981.3	982.6	983.9	985.3
740	986.6	987.9	989.3	990.6	991.9	993.3	994.6	995.9	997.3	998.6
750	999.9	1001.3	1002.6	1003.9	1005.3	1006.6	1007.9	1009.3	1010.6	1011.9
760	1013.3	1014.6	1015.9	1017.2	1018.6	1019.9	1021.2	1022.6	1023.9	1025.2
770	1026.6	1027.9	1029.2	1030.6	1031.9	1033.2	1034.6	1035.9	1037.2	1038.6
780	1039.9	1041.2	1042.6	1043.9	1045.2	1046.6	1047.9	1049.2	1050.6	1051.9
790	1053.2	1054.6	1055.9	1057.2	1058.6	1059.9	1061.2	1062.6	1063.9	1065.2
800	1066.6	1067.9	1069.2	1070.6	1071.9	1073.2	1074.6	1075.9	1077.2	1078.6

mmHg 10 分数	1	2	3	4	5	6	7	8	9
hPa	0.1	0.3	0.4	0.5	0.7	0.8	0.9	1.1	1.2

通風乾湿計用湿度表

湿球が氷結していないとき

乾球 (t)	乾球と湿球との差 ($t-t'$)																				
	0.0	0.5	1.0	1.5	2.0	2.5	3.0	3.5	4.0	4.5	5.0	5.5	6.0	6.5	7.0	7.5	8.0	8.5	9.0	9.5	10.0
40	100	97	94	91	88	85	82	80	77	74	72	69	67	64	62	59	57	55	53	51	48
35	100	97	93	90	87	84	81	78	75	72	69	67	64	61	59	56	54	51	49	47	44
30	100	96	93	89	86	83	79	76	73	70	67	64	61	58	55	52	50	47	44	42	39
25	100	96	92	88	84	81	77	74	70	67	63	60	57	53	50	47	44	41	38	35	33
20	100	96	91	87	83	78	74	70	66	62	59	55	51	48	44	40	37	34	30	27	24
15	100	95	90	85	80	75	70	66	61	57	52	48	44	39	35	31	27	23	19	16	12
10	100	94	88	82	76	71	65	60	54	49	44	39	33	28	23	19	14	9	4		
5	100	93	86	78	71	65	58	51	45	38	32	25	19	13	7	1					
0	100	91	82	73	64	56	47	39	30	22	14	6									
−5	100	88	77	65	54	43	32	21	10												
−10	100	84	69	54	38	23	8														

湿球が氷結しているとき

乾球 (t)	乾球と湿球との差 ($t-t'$)												
	0.0	0.5	1.0	1.5	2.0	2.5	3.0	3.5	4.0	4.5	5.0	5.5	6.0
0	100	91	82	74	65	57	49	41	33	25	17	10	2
−5	95	84	73	63	52	42	31	21	11	1			
−10	91	76	62	48	35	21	7						
−15	86	67	48	29	10								
−20	82	55	28	1									

注）この表は，相対湿度の算出公式に，大気の圧力を 1013.25 hPa として計算した値である．

乾湿計用湿度表

湿球が氷結していないとき

乾球 (t)	乾球と湿球との差 ($t-t'$)																				
	0.0	0.5	1.0	1.5	2.0	2.5	3.0	3.5	4.0	4.5	5.0	5.5	6.0	6.5	7.0	7.5	8.0	8.5	9.0	9.5	10.0
40	100	97	94	91	88	85	82	79	76	73	71	68	66	63	60	58	56	53	51	49	47
35	100	97	93	90	87	83	80	77	74	71	68	65	63	60	57	54	52	49	47	44	42
30	100	96	92	89	85	82	78	75	72	68	65	62	59	56	53	50	47	44	41	39	36
25	100	96	92	88	84	80	76	72	68	65	61	57	54	51	47	44	41	37	34	31	28
20	100	95	91	86	81	77	72	68	64	60	56	52	48	44	40	36	32	29	25	21	18
15	100	94	89	84	78	73	68	63	58	53	48	43	39	34	30	25	21	16	12	8	4
10	100	93	87	80	74	68	62	56	50	44	38	32	27	21	15	10	5				
5	100	92	84	76	68	61	53	46	38	31	24	16	9	2							
0	100	90	80	70	60	50	40	31	21	12	3										
−5	100	87	73	60	47	34	22	9													
−10	100	82	64	46	29	11															

湿球が氷結しているとき

乾球 (t)	乾球と湿球との差 ($t-t'$)										
	0.0	0.5	1.0	1.5	2.0	2.5	3.0	3.5	4.0	4.5	5.0
0	100	90	80	71	61	52	43	34	25	16	8
−5	95	83	71	58	47	35	23	11			
−10	91	74	58	42	26	11					
−15	86	64	42	20							
−20	82	50	18								

注）この表は，相対湿度の算出公式に，大気の圧力を 1013.25 hPa として計算した値である．

梅雨入り・梅雨明けの平年値

各地方の平均的な天候の経過を考慮して気象庁が決めた梅雨入り・梅雨明けの期の平年値を掲載した．梅雨入り・梅雨明けの時期には平均的に５日間程度の移りわりの期間があるため，「○○日頃」という表現が使われている．平年値は 1991 年から 2020 年までの 30 年平均値であるが，時期を特定できなかった年は除いて統計さている．

地方区分	東北北部	東北南部	関東甲信	北　陸	東　海	近　畿
梅雨入り	6 月 15 日	6 月 12 日	6 月 7 日	6 月 11 日	6 月 6 日	6 月 6 日
梅雨明け	7 月 28 日	7 月 24 日	7 月 19 日	7 月 23 日	7 月 19 日	7 月 19 日
地方区分	中　国	四　国	九州北部	九州南部	奄　美	沖　縄
梅雨入り	6 月 6 日	6 月 5 日	6 月 4 日	5 月 30 日	5 月 12 日	5 月 10 日
梅雨明け	7 月 19 日	7 月 17 日	7 月 19 日	7 月 15 日	6 月 29 日	6 月 21 日

台　　風

台風とは，北西太平洋（東経 180 度より西側の北太平洋で南シナ海等の付属海を含む）に存在する熱帯低気圧のうち，最大風速が 17.2 m/s 以上のものをいう．

1　月別台風発生数・接近数および上陸数の平年値（1991 年から 2020 年までの平均値）

	1月	2月	3月	4月	5月	6月	7月	8月	9月	10月	11月	12月	年間
発生数	0.3	0.3	0.3	0.6	1.0	1.7	3.7	5.7	5.0	3.4	2.2	1.0	25.1
接近数	—	—	—	0.2	0.7	0.8	2.1	3.3	3.3	1.7	0.5	0.1	11.7
上陸数	—	—	—	—	0.0	0.2	0.6	0.9	1.0	0.3	—	—	3.0

注）上陸数：台風の中心が北海道・本州・四国・九州の海岸線に達した台風の数．
　　接近数：台風の中心が国内のいずれかの気象官署等*から 300 km 以内に入った台風の数．
　　　　　　なお，同じ台風が２つの月にまたがる場合は，それぞれ１個と数える．
*　北海道は 23 ヵ所，沖縄県は 8 ヵ所，その他の都府県は 1〜7 ヵ所，全国で合計 157 ヵ所．
　詳しくは気象庁ホームページ（https://www.jma.go.jp/）参照．

2　地域別台風接近数の平年値（1991 年から 2020 年までの平均値）

地　域	接近数(個/年)	地　域	接近数(個/年)	地　域	接近数(個/年)
北海道	1.9	近　畿	3.4	奄　美	4.3
東　北	2.7	中　国	3.0	沖　縄	7.7
北　陸	2.8	四　国	3.3	伊豆・小笠原	5.4
関東甲信	3.3	九州北部	3.8		
東　海	3.5	九州南部	3.9		

注）九州北部には山口県を含み，中国には山口県を含まない．九州南部には奄美群島を含まない．関東甲信には伊豆・小笠原諸島を含まない．

3　台風の強さおよび大きさの階級分け（気象庁）

(1)　強さの階級分け

階　級	最大風速(m/s)
（表現なし）	33 未満
強い	33 以上〜44 未満
非常に強い	44 以上〜54 未満
猛烈な	54 以上

(2)　大きさの階級分け

階　級	風速15 m/s以上の半径(km)
（表現なし）	500 未満
大型（大きい）	500 以上〜800 未満
超大型（非常に大きい）	800 以上

気第5図　顕著台風と近年のおもな台風の経路

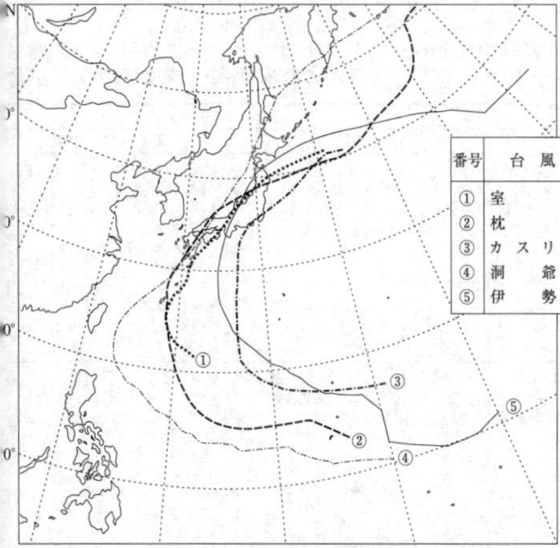

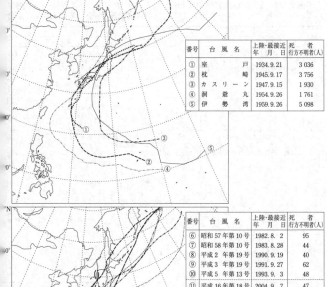

番号	台　風　名	上陸・最接近 年　月　日	死　　者 行方不明者(人)
①	室　　　戸	1934. 9. 21	3 036
②	枕　　　崎	1945. 9. 17	3 756
③	カスリーン	1947. 9. 15	1 930
④	洞　爺　丸	1954. 9. 26	1 761
⑤	伊　勢　湾	1959. 9. 26	5 098

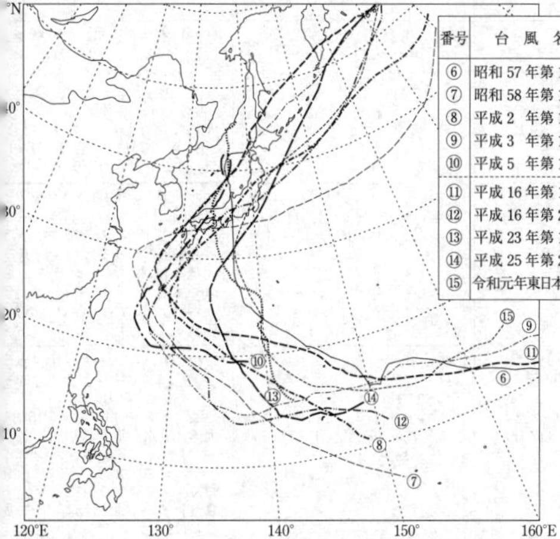

番号	台　風　名	上陸・最接近 年　月　日	死　　者 行方不明者(人)
⑥	昭和 57 年第 10 号	1982. 8. 2	95
⑦	昭和 58 年第 10 号	1983. 8. 28	44
⑧	平成 2 年第 19 号	1990. 9. 19	40
⑨	平成 3 年第 19 号	1991. 9. 27	62
⑩	平成 5 年第 13 号	1993. 9. 3	48
⑪	平成 16 年第 18 号	2004. 9. 7	47
⑫	平成 16 年第 23 号	2004.10.20	99
⑬	平成 23 年第 12 号	2011. 9. 3	98
⑭	平成 25 年第 26 号	2013.10.16	43
⑮	令和元年東日本台風	2019.10.12	107*

＊　10 月 25 日からの大雨による被害を含む.

上図は死者・行方不明者を1 500 人以上出した1981 年以前の台風の経路(熱帯低気圧・温帯低気圧の期間を含む).
下図は死者・行方不明者を40 人以上出した1982 年以降の台風の経路(熱帯低気圧・温帯低気圧の期間を含む).

世界のお

米国国際開発庁海外災害援助局とルーベンカトリック大学災害疫学研究所（
ルギー）の災害データベース(EM-DAT)，各国の政府機関，国連機関などが公

年	アジア		
	東アジア・シベリア	東南アジア	南アジア～中東
1998	[大雨，洪水] 中国，韓国（5～8月） [森林火災] サハリン島(7～10月)	[干ばつ] フィリピン（4～12月） [洪水] インドネシア（8月） [熱帯擾乱] フィリピン（10月），ベトナム（11月）	[寒波] バングラデシュ（1月 インド（12月） [大雨，洪水] インド（3,8～9月 パキスタン(3月)，トルコ（5月 ネパール（7～8月）， バングラデシュ（7～9月）， スリランカ(7,12月～1999年1月 [熱波] インド（5月） [熱帯擾乱] インド（6,10月）， バングラデシュ（11月）
1999	[干ばつ] 中国北部（3～12月） [大雨,洪水] 中国南部（6～9月） [台風，熱帯低気圧] 中国南東部（9月）	[干ばつ] タイ，ベトナム（通年） [大雨，洪水] 東南アジア各地（7～8，10～12月）	[熱波] インド（4月） [干ばつ] イラン（4～12月）， パキスタン（11～12月） [大雨，洪水] スリランカ(4月 ネパール(6月)，バングラデシ (7～8月)，インド(7～9月) [サイクロン] パキスタン（5月 インド（5，10月）
2000	[大雪，暴風] モンゴル（1～4，12月） [干ばつ] 中国北部，東部（3～12月） [大雨，洪水] 中国中部～南部（6～8，10月），日本（9月）	[大雨，洪水，地すべり] フィリピン（1～2月），インドシナ半島（7～11月），インドネシア(11～12月)	[寒波] インド～バングラデシ (1月) [干ばつ] パキスタン～イラ (通年)，インド北部，タジ スタン(4～12月) [大雨，洪水] バングラデシ (6，9～10月)，インド（7～1 月)，スリランカ（9，11月）
2001	[大雪，暴風] 中国（1～2月） [干ばつ] 中国南部（3～12月） [大雨] 中国南東部（6月） [台風] 中国南東部（7月） [洪水] シベリア（7月）	[大雨] インドネシア（2，7月） [台風] フィリピン（7，11月） [洪水] インドシナ半島(8～11月)	[寒波] インド（1月），アフガ スタン（1～2，11月） [干ばつ] インド北部～イラ (通年)，スリランカ(9～12月) [大雨，洪水] バングラデシ (6，8月)，インド（6～9月）， パキスタン(7月)，イラン(8月
2002	[干ばつ] 中国（4～10月） [大雨，洪水] 中国南部（5～6，8月） [大雪，暴風] モンゴル（12月～2003年1月），中国（12月）	[大雨，洪水] インドネシア（1～2月），インドシナ半島（8～11月） [干ばつ] タイ（2～12月），ベトナム（5～12月）	[干ばつ] パキスタン～アフガ スタン，スリランカ（通年）， インド（7～8月） [熱波] インド，パキスタン(5月) [大雨，洪水，地すべり] ネパール，インド，バングラ デシュ（6～8月），イラン（ 月)，スリランカ（12月） [寒波] インド北部およびその周 辺（12月）

な気象災害

た死者数や影響を受けた人数をもとに，1998年以降についてとりまとめたもの
である．

ロシア西部・ヨーロッパ	アフリカ	北米・中米	南　米	オセアニア
寒波] ヨーロッパ，ロシア西部(11月)	[大雨，洪水] ザンビア（2月），セネガル（7月），ベナン（8月），スーダン(8～9月)，ナイジェリア(10月)	[熱波]米国(5～7月) [ハリケーン，大雨] 中米諸国，カリブ海諸国（9～11月） [寒波] メキシコ（12月）	[干ばつ，森林火災] 南米北部（～4月） [洪水] アルゼンチン（4～6月）	[干ばつ] フィジー（通年）
[大雨，雪崩]ヨーロッパ各地（2月） [融雪洪水]ヨーロッパ中部（5～6月） [寒波] ポーランド（10月），ロシア西部（12月） [大雨，暴風，寒波] ヨーロッパ各地（11～12月）	[大雨，洪水] 東アフリカ北部～西アフリカ（8～10月） [干ばつ] 東アフリカ北部（9月～）	[熱波，干ばつ] 米国東部～中部（7～8月） [大雨，洪水] 中米諸国（9～10月）	[大雨，洪水] ペルー（3，5月），コロンビア（10月），ベネズエラ（12月）	[洪水] パプアニューギニア（4月）
[寒波]ロシア(10月)	[大雨] 東アフリカ南部およびその周辺（1～4月） [干ばつ] 東アフリカ北部（通年）		[大雨，洪水] チリ（6月）	
[寒波] ロシア（1～2，10月），ヨーロッパ東部（10，12月） [融雪洪水]ヨーロッパ東部（3月） [熱波] ロシア西部（7月）	[干ばつ]東アフリカ北部（通年），ジンバブエ（3～12月），西アフリカ北部（4～12月） [大雨，洪水] 東アフリカ南部(1～4，7月)，西アフリカ（6，8～10月），アルジェリア（11月）		[大雨，洪水] ボリビア(1～3月)，アルゼンチン(10～11月) [干ばつ] ブラジル（6～12月）	
[大雨，洪水]ロシア西部（6，8月），ヨーロッパ東部（8月） [寒波] ポーランド～ロシア西部(10月)	[干ばつ] エリトリア，ケニア，マラウイ，ジンバブエ，西アフリカ北部（通年） [洪水] セネガル（1月），マラウイ（1～3，12月），ケニア（4～5月）	[洪水] 米国南部（7月）	[洪水]チリ（5～6月）	[干ばつ] オーストラリア（4～11月） [台風] ミクロネシア連邦（7月）

年	ア　ジ　ア		
	東アジア・シベリア	東南アジア	南アジア～中東
2003	[干ばつ] 中国北部 (1月), 中国南東部 (7~8月) [大雨, 洪水] 中国東部, 南東部 (5~10月)	[大雨, 洪水] インドネシア (3, 11~12月), インドシナ半島(10~12月) [大雨, 洪水, 地すべり] フィリピン (12月)	[干ばつ] パキスタン (通年) [寒波] バングラデシュ (1月), インド北部およびその周辺 (12月) [熱波] インド, パキスタン (5~6月) [大雨, 洪水] スリランカ(5月), インド, ネパール, パキスタン (6~10月)
2004	[大雨, 洪水] 中国東部, 南部 (6~7, 9月), 北朝鮮 (7月)	[サイクロン] ミャンマー (5月) [洪水] タイ (8月) [台風] フィリピン (11月)	[寒波] インド北部およびその周辺 (1月) [大雨, 洪水] インド, バングラデシュ, ネパール (6~10月), タジキスタン (7月), スリランカ (12月)
2005	[大雨, 洪水]中国 (6~10月), 北朝鮮 (6~7月) [干ばつ]中国北部,南部 (7~10月) [台風] 中国東部, 南東部 (9月) [大雪]日本 (12月~2006年1月)	[干ばつ] ベトナム～カンボジア (4~5月) [大雨, 洪水] タイ (8,11~12月), フィリピン (12月)	[大雨,洪水,雪崩]アフガニスタン, パキスタン,インド (1~3月) [熱波]インド,パキスタン (6月) [大雨, 洪水]インド (6~12月), パキスタン(6~8月),バングラデシュ(7月),スリランカ(11月) [寒波, 濃霧] インド, バングラデシュ (12月)
2006	[大雨, 洪水] 中国 (5~7月) [干ばつ] 中国 (5~9月) [大雨] 朝鮮半島 (7月) [台風] 中国南東部 (7~8月)	[大雨, 洪水] インドネシア (1, 6, 12月), フィリピン (1~2,12月),タイ(5~6,8~12月), マレーシア (12月) [台風] ベトナム (5月), フィリピン (9~10, 11~12月)	[寒波]インド, パキスタン(1月) [熱波]インド, パキスタン(5月) [大雨, 洪水] インド (6~11月), パキスタン (8月), バングラデシュ (8~9月), スリランカ (10~11月), アフガニスタン (11月) [干ばつ] アフガニスタン (7~12月) [熱帯低気圧] インド, バングラデシュ (9~10月)
2007	[大雨, 洪水] 中国東部～南部 (5~8月), 北朝鮮 (8月)	[大雨, 洪水] インドシナ半島 (1, 7~8, 10~11月), インドネシア (2, 12月)	[寒波, 濃霧] バングラデシュ(1月) [雪崩, 地すべり]パキスタン(3月) [大雨,洪水]スリランカ(5,12月), パキスタン (6月), インド, アフガニスタン (6~10月), バングラデシュ (7~8月), ネパール (7~10月) [サイクロン] パキスタン (6~7月), バングラデシュ (11月)
2008	[寒波, 嵐] 中国～中央アジア (1~2月) [大雨] 中国中部～南部 (5~8, 11月), 中国中部 (9月) [干ばつ]中国(11月～2009年2月)	[干ばつ] タイ (4~12月) [サイクロン] ミャンマー (5月) [大雨, 洪水] フィリピン (2~3, 8~9, 11月), インドシナ半島(5, 8~12月), インドネシア (9月) [台風] フィリピン (6月)	[寒波,嵐]アフガニスタン(1~2月) [大雨, 洪水] スリランカ (5~6, 11~12月), インド北部およびその周辺 (6~9月), インド南東部 (11~12月)

ロシア西部・ヨーロッパ	アフリカ	北米・中米	南米	オセアニア
熱波, 干ばつ, 森林火災] ヨーロッパ (6~8月)	[洪水] 東アフリカ (1~2, 4~5, 7~8月), ナイジェリア (9~10月) [干ばつ] 東アフリカ各地, モーリタニア (通年)	[洪水]ハイチ(12月)	[洪水] アルゼンチン (5月), ブラジル (12月~2004年2月) [寒波] ペルー (7~8月)	
洪水] ボスニア・ヘルツェゴビナ (4月), マケドニア (6月)	[干ばつ] 東アフリカ北部, 南アフリカ (通年) [洪水] アンゴラ (1~2月), ザンビア (2~5月) [サイクロン] マダガスカル(3月)	[大雨]ハイチ, ドミニカ共和国 (5月) [森林火災] 米国南西部 (5月) [ハリケーン] ハイチ (9月)	[洪水] コロンビア (1~6, 10月)	
寒波, 嵐] ポーランド (10~12月)	[干ばつ] マリ(通年), 東アフリカ, ニジェール(年後半) [大雨] エチオピア (4月) [洪水] スーダン(8~9月)	[ハリケーン] 米国南部(8~9月), 中米諸国 (10月)	[大雨, 洪水] ガイアナ (1~2月), コロンビア (9~11月)	
寒波, 嵐] ロシア西部~ヨーロッパ東部 (1月) 熱波] ヨーロッパ (6~7月)	[干ばつ] 東アフリカ, マリ (通年), ニジェール (~7月) [大雨] 東アフリカ北部およびその周辺 (8~12月)	[熱波] 米国南西部 (7~8月)	[大雨, 洪水] コロンビア, ボリビア(1~4月), ブラジル (3~4月)	[干ばつ] オーストラリア (10~12月)
熱波, 森林火災] ヨーロッパ南東部 (6~8月) 洪水] 英国 (7月)	[大雨, 洪水] 東アフリカ南部 (1~5, 12月), アフリカ熱帯域 (7~10月) [干ばつ] ルワンダ, ジンバブエ(通年), 東アフリカ南部 (年後半)	[大雨] 中米諸国 (9~11月) [森林火災] 米国南西部(10月)	[洪水] ボリビア(1~5, 12月~2008年2月), ブラジル(1月), コロンビア(3~10月), ウルグアイ(5月) [森林火災] パラグアイ(9月) [干ばつ] ブラジル北東部(10~12月)	[サイクロン] パプアニューギニア (11月)
[大雨, 洪水] ウクライナおよびその周辺 (7月)	[干ばつ] シリア, ジンバブエ, 東アフリカ北部 (通年) [大雨, 洪水] アンゴラ~ナミビア(1~3月), 西アフリカ東部(7~8月)	[大雨, 洪水] 米国中西部およびその周辺 (6月), 中米諸国 (10~11月) [ハリケーン] ハイチ (8~9月)	[大雨, 洪水] 南米北西部 (1~3, 9~12月), ブラジル (3~4, 11月), チリ (8~9月)	[大雨, 洪水] パプアニューギニア (12月)

年	アジア		
	東アジア・シベリア	東南アジア	南アジア～中東
2009	[干ばつ] キルギス (通年), 中国南西部(10月～2010年5月) [大雨, 洪水] 中国東部～南部 (4～9月) [台風] 台湾 (8月)	[洪水] フィリピン (1, 7～8月), ベトナム (7月), タイ (11月) [台風] フィリピン, ベトナム (9～10月)	[熱波] インド (4～6月) [サイクロン] バングラデシュ, インド, ブータン (5月) [大雨, 洪水] インド (7～10月 バングラデシュ (7月), ネパ ル (10月), スリランカ (12月 [寒波] バングラデシュ (12 ～2010年1月)
2010	[大雨]中国 (5～8月), 中国南部 (10月) [熱波] 日本(7～9月) [干ばつ]中国中部(12月～2011年5月)	[干ばつ] タイ(3月～2011年3月) [大雨, 洪水] フィリピン(6, 12月～2011年1月), インドシナ半島 (10～12月), インドネシア (10月)	[寒波] インド (1月) [雪崩] アフガニスタン (2月) [熱波] インド (3～5月) [大雨, 洪水] スリランカ (5月) パキスタン (7～8月), イン (7～9月), バングラデシュ (1 月), インド南部～スリラン (11～12月)
2011	[大雨] 中国中部 (6月) [洪水] 中国各地 (7～9月)	[洪水] フィリピン(1～3, 6, 12月), タイ (3～4月), インドシナ半島 (8～12月) [台風] フィリピン (12月)	[寒波] インド, ネパール, バングラデシュ (1, 12月) [洪水] スリランカ (1, 2月), バングラデシュ (7月) [大雨] パキスタン, インド (8～10月) [干ばつ] アフガニスタン(1～8月
2012	[大雪] 日本 (1月) [大雨, 洪水] 中国各地(4～8月) [干ばつ] 北朝鮮 (4～12月)	[洪水] タイ(8～9月), フィリピン (8月) [台風] フィリピン (12月)	[干ばつ] スリランカ (1～11月 [雪崩] パキスタン (4月) [洪水] バングラデシュ, イン (6～7, 9月), スリランカ (1 月) [大雨] パキスタン (8～10月) [寒波]インド, バングラデシュ (12月～2013年2月)
2013	[干ばつ] 中国中部, 西部 (1～7月) [熱波] 日本 (5～9月) [大雨, 洪水] 中国 (5～9月), 北朝鮮 (7月)	[大雨, 洪水] インドネシア(1, 4月), フィリピン(1, 8～10月), インドシナ半島 (6～11月) [台風] フィリピン (11月)	[熱波] インド (4～6月) [大雨, 洪水] インド (6～7, 1 月), パキスタン (8月)
2014	[洪水]中国中部～南部 (5～9月) [干ばつ] 中国北部～北東部 (6～10月)	[洪水] インドネシア (1月), カンボジア (7月), マレーシア (12月) [干ばつ] マレーシア (3月)	[干ばつ] スリランカ (1～8月) [大雨, 洪水, 地すべり] アフガニスタン(4～6月), イラン (6月), スリランカ(6, 10, 12 月), インド(7～10月), バングラデシュ(8～9月), ネパール (8～9月), パキスタン(9月)

ロシア西部・ヨーロッパ	アフリカ	北米・中米	南　米	オセアニア
[寒波] ヨーロッパ東部～中部（11月～2010年1月）	[干ばつ] ソマリア（～4月），シリア，スーダン～ケニア，ジンバブエ（通年），ニジェール（9月～2010年3月） [大雨，洪水] 東アフリカ南部～南部アフリカ（3～4月），西アフリカ（8～9月），スーダン（8月），サウジアラビア（11月）	[干ばつ] グアテマラ（3～12月） [ハリケーン] 中米（11月） [洪水] メキシコ（11月）	[洪水] ブラジル（4～5，11月），ペルー（12月～2010年3月） [寒波] ペルー（5～8月）	[熱波，森林火災] オーストラリア南東部（1～2月）
[熱波，森林火災] ロシア西部（6～8月） [寒波] ヨーロッパ東部～ロシア西部（11月～2011年2月）	[干ばつ] シリア，ソマリア，スーダン（通年），エチオピア，チャド（年前半），ジンバブエ（5月～） [大雨，地すべり] ウガンダ（2月） [大雨，洪水] ケニア（3～5月），アンゴラ～ナミビア（3月），西アフリカ東部およびその周辺（7～11月），スーダン（8月）	[洪水] メキシコ（9月）	[大雨，洪水] ボリビア（1月），ブラジル（4，6月） [洪水，地すべり] コロンビア（4月～2011年3月） [寒波] ペルーおよびその周辺（7月）	[洪水] オーストラリア東部（12月～2011年2月）
	[干ばつ] 東アフリカ，西アフリカ北部（通年） [洪水] 南アフリカ（1～2月），ナミビア（3～4月）	[干ばつ] 米国南部～メキシコ北部（1～11月） [竜巻] 米国南東部，中部（4～5月） [洪水] メキシコ（7月），中米諸国（9～10月）	[大雨，洪水] ブラジル南東部（1，9月），コロンビア（4～7，9～12月），ペルー（12月～2012年5月）	[干ばつ] ツバル（3～10月）
[寒波] ロシア，ヨーロッパ東部～南部（1～2，12月） [干ばつ] ウクライナ（4～7月），ロシア（6～9月） [洪水] ジョージア（旧グルジア）（5月） [大雨] ロシア南西部（7月）	[干ばつ] スーダン～東アフリカ，西アフリカ北部（通年），チャド，マラウイ，アンゴラ（年後半） [洪水] ケニア（4～5月），スーダン～ニジェール（7～9月），南アフリカ（10月） [大雨] ナイジェリア（7～10月）	[熱波，干ばつ] 米国東部～中部（6～9月）	[干ばつ] パラグアイ（1月） [洪水] ペルー（2～4月），ブラジル（5月） [寒波] ペルー（6月）	[洪水] パプアニューギニア（9月）
[洪水] チェコ（6月） [熱波] 英国（7月）	[大雨] モザンビーク～ジンバブエ（1月），ケニア（3～4月），ニジェール（7～8月），スーダン，南スーダン（8～10月），セネガル（9月） [干ばつ] チャド，マラウイ，ジンバブエ（通年）	[洪水] カナダ（6月）	[洪水] ブラジル（1月），ペルー（1～2月），ボリビア（1～2，10月～2014年2月），アルゼンチン（4月）	[洪水] パプアニューギニア（1月）
[洪水] ヨーロッパ南東部（5月）	[干ばつ] ケニア（1～8月），ブルキナファソ（5～12月） [洪水] ニジェール（6～8月），スーダン（7～9月），モロッコ（11月）	[干ばつ] 米国南西部（通年），グアテマラ（8～12月）	[寒波] ペルー（4～9月） [洪水] パラグアイ，ブラジル南部（6月），ボリビア（10月～2015年2月）	[熱波] オーストラリア（1月） [大雨，洪水] ソロモン諸島（4月），パプアニューギニア（6～7月）

年	ア　ジ　ア		
	東アジア・シベリア	東南アジア	南アジア～中東
2015	[洪水] 中国南部 (5, 7, 8月) [大雪] 中国 (2月) [干ばつ] 北朝鮮 (5, 6月)	[大雨, 洪水] インドネシア (1月), ミャンマー (6~8月) [干ばつ] インドネシア (8,9月), ベトナム (通年), タイ (通年) [サイクロン] ミャンマー (8月) [台風] フィリピン (12月) [森林火災] インドネシア (10, 11月)	[大雨, 洪水] スリランカ(1月 バングラデシュ (6~8月) [大雨, 洪水, 地すべり] インド (6～9, 11, 12月), キスタン (7～9月) [雪崩, 洪水, 地すべり] アフガニスタン (2～4月) [熱波]インド (5月), パキスタ (6月) [サイクロン] インド (8月)
2016	[寒波] 中国, 韓国, 日本(1月) [洪水] 中国南部(3月) [大雨, 洪水]中国各地(4~7月), 北朝鮮(8~9月) [竜巻] 中国東部(6月) [干ばつ]中国北部～北東部(6~8月)	[干ばつ] 東南アジア各地(1~5月) [洪水] ミャンマー(6~8月), タイ(10, 12月), フィリピン (8月), ベトナム(10~12月), インドネシア(11~12月)	[熱波] インド(3~5月) [大雨] アフガニスタン～パキ タン(3~4月), ネパール(7~ 月) [大雨, 洪水] インド (4, 7~ 月), スリランカ(5月) [洪水] バングラデシュ(7~8月
2017	[干ばつ] 中国北東部(4~6月) [大雨, 台風] 中国南部(6~8月)	[洪水] フィリピン (1~2月), タイ (1, 7~8, 10~12月), インドネシア(6月) [台風, 大雨] ベトナム(9~11月) [台風] フィリピン(12月)	[熱波] インド (4~6月) [大雨] スリランカ (5月), 南アジア～アフガニスタン (6~9月) [サイクロン] インド南部～ス ランカ (11~12月)
2018	[洪水] 中国中部～南東部 (5~7月), 北朝鮮 (8~9月) [大雨, 洪水] 日本 (6~7月) [熱波] 日本 (7月)	[洪水]フィリピン (1月), インドネシア (2月), ミャンマー (7~8月), ベトナム (12月)	[干ばつ] アフガニスタン (4 ～2019年7月), インド南西 (9月～2019年6月) [熱波] パキスタン (5月) [砂じん嵐, 雷雨] インド北部 (5月) [洪水] スリランカ (5月) [大雨, 洪水] インド (6~9月)
2019	[干ばつ] 北朝鮮 (1~2月) [大雨, 洪水] 中国東部～南部 (6~7月) [熱波] 日本 (7~8月) [台風] 日本 (9~10月)	[大雨, 洪水]インドネシア (3, 12月), ラオス, タイ, カンボジア (9月)	[干ばつ] パキスタン (1~2月), [大雨, 洪水] 中東北部～インド (3~4月), パキスタン(7~9月), インド (7~10月), スリランカ (9~12月)

ロシア西部・ヨーロッパ	アフリカ	北米・中米	南　米	オセアニア
洪水] ヨーロッパ南部(2月)，フランス(10月) 熱波] フランス，ベルギー(7月)	[大雨，洪水] マラウイ(1,2月)，モザンビーク(1月)，エチオピア(4月)，ナイジェリア(9,10月)，ソマリア(10，11月) [干ばつ] エチオピア(2，3月,6〜9月)，ソマリア(6〜8月)，アフリカ南部(通年) [熱波] エジプト(8月)	[干ばつ] 米国カリフォルニア州（通年） [地すべり] グアテマラ（10月）	[大雨，洪水] ブラジル，アルゼンチン，パラグアイ（3，12月），チリ（3，8月） [干ばつ] ブラジル，ボリビア，ペルー（通年）	[大雨，洪水] パプアニューギニア(3月)，オーストラリア(4月) [干ばつ] パプアニューギニア（4〜12月） [サイクロン] バヌアツ（3月）
	[干ばつ] マダガスカル，モザンビーク(通年)，南スーダン(2〜11月)，レソト，スワジランド(2〜12月)，ケニア(6〜12月) [大雨，洪水] エチオピア(5月)，スーダン(6〜8月) [洪水] ニジェール(6〜10月)，モザンビーク(10〜12月)	[干ばつ] ハイチ，米国カリフォルニア州(通年) [大雪] 米国東部(1月) [ハリケーン] ハイチ，米国南東部(10月) [洪水] ホンジュラス(10月)，ドミニカ共和国(11月)		
	[サイクロン] ジンバブエ（2月） [干ばつ]チャド（3〜5月)，モーリタニア（4〜8月)，アンゴラ，ニジェール(5〜6月) [洪水] ガーナ（4〜7月)，ニジェール（8〜9月) [地すべり] シエラレオネ，コンゴ民主共和国（8月）	[ハリケーン] 米国南東部〜カリブ海諸国(8〜9月)	[大雨] ペルー(1〜3月)，コロンビア(2〜4月) [洪水] ブラジル(5〜6月)	
寒波] ハンガリー(12月〜2019年2月)	[大雨，洪水] 東アフリカ北部〜中部(3〜5月)，ニジェール（7〜8月)，ナイジェリア（7〜9月) [干ばつ] マダガスカル(4〜12月) [洪水] ガーナ(9月)	[干ばつ] 中米南部(6月〜2019年3月) [洪水] コスタリカ，トリニダード・トバゴ（10月） [森林火災] 米国西部（11月）	[干ばつ] アルゼンチン北部およびその周辺（1〜3月）	[干ばつ] オーストラリア南東部(1〜9月)
熱波] ヨーロッパ北部〜中部（6〜7月) 洪水] スペイン(9月)	[干ばつ] ケニア(1〜9月)，ソマリア(2〜10月)，ジンバブエ(2月〜2020年3月)，ザンビア(2019年中〜2020年12月) [サイクロン] 東アフリカ南部(3〜4月) [大雨，洪水] 南スーダン（6月)，スーダン(7〜9月)，ニジェール(9月)，東アフリカ北部〜西部(10〜12月)，コンゴ民主共和国（11月）	[ハリケーン] 米国東部〜バハマ(9月)	[大雨，洪水] ボリビア(2〜4月)，パラグアイ(4〜5月)	[森林火災] オーストラリア(9月〜2020年2月)

年	アジア		
	東アジア・シベリア	東南アジア	南アジア～中東
2020	[大雨] 中国中部～南部（5～7月），東日本～西日本（7月） [熱波] 日本（7～8月）	[洪水] インドネシア（2，4～5，12月） [台風] フィリピン～インドシナ半島（10～11月） [洪水] タイ（11～12月）	[洪水] 中東東部およびその周（1～4月），イエメン（4月南アジアおよびその周辺（6 10月）
2021	[大雨，洪水] 中国北部～中部（6～8月） [洪水] 中国南東部（6～7月），中国中部（10月）	[洪水] フィリピン（1月），インドネシア（1～2月），タイ（1，8～12月），ミャンマー（7月），ベトナム（11月），マレーシア（12月～2022年1月） [サイクロン] インドネシア，東ティモール（4月） [台風] フィリピン（12月）	[洪水] シリア（1月），インド 月），南アジアおよびその周（6～11月） [サイクロン] インド（5月） [干ばつ] アフガニスタン（1～4月 イラク（1～8月），シリア（1～10月 イラン（2021年中～2022年3月 [森林火災] トルコ（7～8月）
2022	[干ばつ] 中国南部（通年）	[台風] フィリピン（4月） [洪水] タイ（4，9～10，12月），カンボジア（9～10月），フィリピン，インドネシア（12月）	[大雪] シリア（1月） [大雨，洪水] インド（5～10月 パキスタン（6～9月），アフ ニスタン（8月） [洪水] バングラデシュ（5～9月 イラン（7月），イエメン（7 8月）
2023	[洪水] 中国（5，7～8月），モンゴル（7月） [干ばつ] 中国（通年）	[洪水] インドネシア（1月），フィリピン（1～2月），タイ～マレーシア（12月） [干ばつ] インドネシア（6～12月） [サイクロン] ミャンマー（5月）	[大雨，洪水] インド～パキスタン（6～9月） [洪水] イエメン（3～9月），ジョージア（6月），バングラデシュ（8月），スリランカ（9～10月 [熱波] インド（4～6月） [寒波] アフガニスタン（1月）

ロシア西部・ヨーロッパ	アフリカ	北米・中米	南　米	オセアニア
熱波] ヨーロッパ西部 (6~8月)	[洪水] マダガスカル(1月), ザンビア (3月), 東アフリカ中部およびその周辺 (4~7月), ナイジェリア (6~10月), スーダン, 南スーダン (6~12月), ニジェール (7~9月), モザンビーク (10月) [干ばつ] マダガスカル (1月~2021年3月), モザンビーク (10~12月), ブルキナファソ (2020年中~6月), ニジェール, マリ (2020年中~12月)	[干ばつ] 米国中部~西部 (通年) [森林火災] 米国西部 (8~9月) [ハリケーン] 中米 (11月)	[干ばつ] ブラジル (通年)	
洪水] ドイツ, ベルギー (7月), ボスニア・ヘルツェゴビナ (11月)	[洪水] ケニア (4~5月), ソマリア (5月), 南スーダン (5~10月), ニジェール, チャド (6~8月), スーダン (7~9月) [干ばつ] アフリカ北東部 (3月より継続)	[干ばつ] 米国全域 (通年) [寒波] 米国中部~南部 (2月) [大雨] コスタリカ (7月) [熱波] 北米中部~西部 (6~7月)	[洪水] ボリビア (2月), ブラジル (2, 4, 11月~2022年1月), ガイアナ (5~6月), ベネズエラ (8月)	
熱波] ドイツ, フランス, 英国, ポルトガル, スペイン (6~8月)	[大雨, 洪水] 南アフリカ (4月), ナイジェリア (7~10月) [洪水] スーダン (5~9月), ニジェール (6~9月), チャド, カメルーン (6~10月), 中央アフリカ (7~10月), エチオピア, 南スーダン (8~10月), コンゴ共和国 (9~11月), コンゴ民主共和国 (11月) [大雨] コンゴ民主共和国 (12月) [干ばつ] チャド (6~8月), ニジェール (2022年中~5月), スーダン, 中央アフリカ, コンゴ民主共和国, カメルーン, ナイジェリア, マリ, ブルキナファソ, マラウイ (2022年中~11月), エチオピア (2022年中~2023年2月)	[干ばつ] 米国 (通年) [洪水] グアテマラ (5~9月), トリニダード・トバゴ (11~12月)	[干ばつ] ブラジル (通年) [森林火災] アルゼンチン (1~3月) [大雨] ブラジル南東部 (2月) [洪水] ボリビア (2月), コロンビア (8~10月)	[洪水] オーストラリア南東部 (10月)
洪水] スロベニア (8月) 干ばつ] スペイン (1月~2024年2月)	[大雨, 洪水] リビア (9月) [洪水] ザンビア (2~3月), エチオピア (3~5月), ケニア (3月), ソマリア (3~5, 9~11月), ニジェール (7~10月), タンザニア (10~11月) [大雨] コンゴ民主共和国 (5月), ナイジェリア (10月) [サイクロン] 東アフリカ南部 (2~3月)	[洪水] グアテマラ (5~10月) [干ばつ] 米国 (4~9月) [森林火災] 米国ハワイ州 (8月)	[洪水] ボリビア (1~3月), ペルー (1~4月), ブラジル (11月) [干ばつ] ブラジル (3~12月), ボリビア (9~12月)	

日本のおもな気象災害

1970 年までは「気象要覧　気象庁」からの引用で，1971 年以後は防災関係機関の資料
どをもとに集計したものである．収録基準はおおむねつぎのとおり．

① 台風・大雨・大雪・強風などによる災害は，死者・行方不明の多いもの（1950 年
で 100 人，1965 年まで 50 人，1975 年まで 25 人，1985 年まで 15 人，その後は 5 人以
をめどにし，その他の被害も考慮．

② 干害・冷害・凍霜害などは，規模の大きいもの．

③ 火災は，焼失家屋 1 000 むね以上のもの．

年 月 日	種　目	被害地域	お も な 被 害
1927. 9.11〜9.14 （昭和 2 年）	台　風	九州〜東北	死者 373，不明 66，負傷 181，住家 2,211，浸水 3,4
1932.11.14〜11.15 （昭和 7 年）	台　風	中部〜東北 の太平洋側	死者 146, 不明 111, 負傷 345, 住家 13,672, 浸水 65,08 船舶 2,230
1934. 3.21 （昭和 9 年）	大　火	北海道 函館市	死者 2,015，焼失 11,102
1934. 7〜8 月	冷　害	東北〜 北海道	東北：水稲の作況指数 61
1934. 7.10〜7.11	大　雨	北　陸	死者 119，不明 26，負傷 370，住家 465，浸水 17,12 耕地 11,257
1934. 9.20〜9.21	室戸台風	九州〜東北 （特に大阪）	死者 2,702，不明 334，負傷 14,994，住家 92,740，浸 401,157，船舶 27,594
1935. 6.26〜6.30 （昭和 10 年）	大　雨	西 日 本	死者 147，不明 9，負傷 283，住家 2,041，浸水 232,2
1935. 8.21〜8.25	大雨（低気 圧）	奥　羽	死者 20，不明 181，負傷 4，住家 284，浸水 17,799， 地 25,854
1935. 8.27〜8.30	台　風	全　国	死者 48，不明 25，負傷 98，住家 1,451，浸水 60,55 耕地 399
1935. 9.23〜9.26	台　風	全　国 （特に群馬）	死者 317, 不明 60, 負傷 276, 住家 3,423, 浸水 110,15 耕地 15,613，船舶 389
1936. 1〜2 月 （昭和 11 年）	大　雪	北陸以北	福井・新潟・福島・山形の被害大
1938. 1. 4〜1.14 （昭和 13 年）	雪　崩	新　潟	死者 70
1938. 6.28〜7. 5	大雨（前線）	近畿〜東北 （特に兵庫）	死者 708, 不明 217, 負傷 3,393, 住家 9,123, 浸水 501,2
1938. 9. 1	台　風	中部〜東北	死者 201, 不明 44, 負傷 137, 住家 13,223, 浸水 158,53 船舶 378
1938. 9. 5	台　風	四国・近畿 （特に徳島）	死者 81，不明 23，負傷 45，住家 1,130，浸水 31,38 船舶 145
1938.10.14	台　風	南 九 州	死者 289, 不明 178, 負傷 594, 住家 2,161, 浸水 6,897 耕地 605，船舶 24
1939. 6〜8 月 （昭和 14 年）	干　害	近畿以西	農林水 28
1939.10.15 〜10.17	台　風	九州〜四国 （特に宮崎）	死者 74，不明 25，負傷 31，住家 2,580，浸水 13,798 耕地 1,849，船舶 321
1940. 1.15 （昭和 15 年）	大　火	静岡県 静岡市	焼失 5,121

年月日	種　目	被害地域	おもな被害
41. 6月中旬～旬(昭和16年)	大雨(前線)	西日本	死者100, 不明12, 負傷50, 住家534, 浸水48,556, 耕地44,623
41. 7.22～7.23	台風	東海～東北	死者66, 不明32, 負傷15, 住家1,044, 浸水213,767, 耕地202,180
41. 9.30 ～10. 1	台風	近畿以西	死者108, 不明102, 負傷169, 住家5,492, 浸水46,525, 耕地828,224, 船舶320
42. 8.27～8.28 (昭和17年)	台風	九州～近畿 (特に山口)	死者891, 不明267, 負傷1,438, 住家102,374, 浸水132,204, 耕地26,846, 船舶3,936
43. 7.22～7.25 (昭和18年)	台風	北九州～近畿	死者211, 不明29, 負傷231, 住家4,531, 浸水33,440, 耕地58,092
43. 9.18～9.20	台風	九州～中国 (特に島根)	死者768, 不明202, 負傷491, 住家21,587, 浸水76,323, 耕地114,566, 船舶830
44. 7.19～7.22 (昭和19年)	大雨(前線)	東北～北陸	死者59, 不明29, 負傷18, 住家575, 浸水35,734, 耕地92,048
44.10. 7 ～10. 8	台風	四国～北海道	死者58, 不明45, 負傷47, 住家1,995, 浸水29,418, 耕地12,562, 船舶2,969
45. 7～8月 (昭和20年)	冷害	北陸～北海道	北海道：水稲の作況指数42
945. 9.17～9.18	枕崎台風	西日本 (特に広島)	死者2,473, 不明1,283, 負傷2,452, 住家89,839, 浸水273,888, 耕地128,403
945.10. 9 ～10.13	阿久根台風	西日本 (特に兵庫)	死者377, 不明74, 負傷202, 住家6,181, 浸水174,146, 耕地158,893
947. 4.20 (昭和22年)	大火	長野県飯田市	焼失3,984
947. 7～8月	干害	中部以西	収穫皆無：宮崎12,014 ha, 三重：6,520 haなど
947. 9.14～9.15	カスリーン台風	東海以北	死者1,077, 不明853, 負傷1,547, 住家9,298, 浸水384,743, 耕地12,927
948. 9.11～9.12 (昭和23年)	大雨(低気圧)	九州北部	死者121, 不明126, 負傷317, 住家1,263, 浸水2,290, 耕地739, 船舶45
948. 9.15～9.17	アイオン台風	四国～東北 (特に岩手)	死者512, 不明326, 負傷1,956, 住家18,017, 浸水120,035, 耕地113,427, 船舶435
949. 2.20 (昭和24年)	大火	秋田県能代市	死者3, 負傷265, 住家1,414
949. 6.20～6.23	デラ台風	九州～東北 (特に愛媛)	死者252, 不明216, 負傷367, 住家5,398, 浸水57,553, 耕地80,300, 船舶4,242
949. 8.15～8.19	ジュディス台風	九州・四国	死者154, 不明25, 負傷213, 住家2,561, 浸水101,994, 耕地104,973, 船舶123
949. 8.31～9. 1	キティ台風	中部～北海道	死者135, 不明25, 負傷479, 住家17,203, 浸水144,060, 耕地48,598, 船舶2,907
950. 1. 9～1.15 (昭和25年)	強風	九州～関東	死・不120, 住家810, 船舶17
950. 8. 3～8. 6	熱低	中部～東北	死者40, 不明59, 負傷764, 住家376, 浸水32,293, 耕地47,722

年月日	種目	被害地域	おもな被害
1950. 9. 2～9. 4	ジェーン台風	四国以北（特に大阪）	死者 336，不明 172，負傷 10,930，住家 56,131，浸 166,605，耕地 85,018，船舶 2,752
1950. 9.12～9.14	キジア台風	九州～中国	死者 35，不明 8，負傷 75，住家 4,836，浸水 121,92 耕地 90,215，船舶 845
1951. 7. 7～7.17（昭和 26 年）	大雨（前線）	中部以西（特に京都）	死者 162，不明 144，負傷 358，住家 1,585，浸 103,298，耕地 139,821，船舶 98
1951. 7～8 月	干害	全国	水稲被害：139,885 ha，陸稲被害：91,824 ha
1951.10.13～10.15	ルース台風	全国（特に山口）	死者 572，不明 371，負傷 2,644，住家 221,118，浸 138,273，耕地 128,517，船舶 9,596
1952. 4.17（昭和 27 年）	大火	鳥取県鳥取市	死者 2，負傷 362，住家 5,228，山林焼失 50 ha
1952. 6.22～6.25	ダイナ台風	関東以西	死者 65，不明 70，負傷 28，住家 425，浸水 39,712，地 40,924，船舶 178
1952. 7. 7～7.18	大雨（前線）	中国～東海	死者 67，不明 73，負傷 101，住家 664，浸水 161,027 耕地 50,184，船舶 23
1953. 6. 4～6. 8（昭和 28 年）	台風第 2 号・前線	九州～中部	死者 37，不明 17，負傷 56，住家 1,802，浸水 33,640 耕地 74,353，船舶 139
1953. 6.25～6.29	大雨（前線）	九州～中国（特に熊本）	死者 748，不明 265，負傷 2,720，住家 34,655，浸 454,643，耕地 269,813，船舶 618
1953. 7.16～7.24	南紀豪雨	全国	死者 713，不明 411，負傷 5,819，住家 10,889，浸水 86,479 耕地 98,046，船舶 112
1953. 8.14～8.15	大雨（前線）	東近畿	死者 290，不明 139，負傷 994，住家 1,777，浸水 21,517 耕地 11,876
1953. 8～9 月	冷害	東日本	北海道：減収率 30% 以上
1953. 9.24～9.26	台風第 13 号	全国（特に近畿）	死者 393，不明 85，負傷 2,559，住家 86,398，浸水 495,875 耕地 318,657，船舶 5,582
1954. 5. 9～5.10（昭和 29 年）	強風（低気圧）	東北～北海道	死者 31，不明 330，住家 12,359，浸水 23，耕地 73，船 舶 348
1954. 7. 4～7. 6	大雨（前線）	中国～近畿	死者 33，不明 12，負傷 65，住家 317，浸水 32,645，耕 地 36,790，船舶 8
1954. 8.17～8.20	台風第 5 号	九州・四国	死者 28，不明 33，負傷 69，住家 5,442，浸水 32,265 耕地 30,476，船舶 191
1954. 6～8 月	冷害	全国	北海道：水稲の作況指数 61
1954. 9.10～9.14	台風第 12 号	関東以西	死者 107，不明 39，負傷 311，住家 39,855，浸水 181,380 耕地 61,722，船舶 688
1954. 9.17～9.19	台風第 14 号	四国～東北	死者 34，不明 20，負傷 41，住家 422，浸水 43,762，耕 地 66,645，船舶 126
1954. 9.25～9.27	洞爺丸台風	全国	死者 1,361，不明 400，負傷 1,601，住家 207,542，浸水 103,533，耕地 82,963，船舶 5,581，大火
1955. 2.19～2.21（昭和 30 年）	強風（低気圧）	全国	死者 16，不明 107，負傷 18，住家 573，浸水 296，耕 地 13，船舶 84
1955. 4.14～4.18	大雨（前線）	九州～中国	死者 91，不明 4，負傷 34，住家 110，浸水 18,533，耕 地 15,861，船舶 13
1955. 5.11	濃霧	瀬戸内	死者 166，船舶 2，紫雲丸沈没

年月日	種目	被害地域	おもな被害
55. 7. 3~7. 8	大雨(前線)	九州・北海道	死者 17, 不明 32, 負傷 40, 住家 216, 浸水 30,218, 耕地 47,068, 船舶 9
55. 9.29 ~10. 1	台風第 22 号・大火	全国 (関東を除く)	死者 54, 不明 14, 負傷 537, 住家 85,554, 浸水 51,294, 耕地 30,271, 船舶 1,483, 新潟市大火
56. 4.16~4.18 (昭和 31 年)	大雨 (低気圧)	東北~北海道	死・不 58, 住家 35, 浸水 2,407, 耕地 13,104, 船舶 12
56. 7.14~7.17	大雨(前線)	東北・北陸	死者 50, 不明 10, 負傷 37, 住家 708, 浸水 31,066, 耕地 42,608, 船舶 22
56. 8.16~8.19	台風第 9 号・火災	全国	死者 33, 不明 3, 負傷 213, 住家 37,341, 浸水 10,431, 耕地 11,285, 船舶 2,700　大館市大火
56. 9. 7~9.10	台風第 12 号・大火	沖縄~中部	死者 41, 不明 2, 負傷 313, 住家 32,044, 浸水 11,489, 耕地 6,729, 船舶 994　魚津市大火
956. 9.25~9.27	台風第 15 号	沖縄~関東	死者 20, 不明 11, 負傷 41, 住家 4,170, 浸水 47,520, 耕地 20,378, 船舶 109
956.10.28 ~10.31	強風・大雨 (低気圧)	九州~北海道	死者 24, 不明 48, 負傷 22, 住家 146, 浸水 5,373, 耕地 583, 船舶 7
957. 6.27~6.28 (昭和 32 年)	台風第 5 号・前線	九州~関東	死者 30, 不明 23, 負傷 33, 住家 396, 浸水 129,673, 耕地 21,939, 船舶 14
957. 7.25~7.28	諫早豪雨	九州 (特に長崎)	死者 856, 不明 136, 負傷 3,860, 住家 6,811, 浸水 72,565, 耕地 43,566, 船舶 222
957.12.12 ~12.13	暴風雨 (低気圧)	全国	死者 14, 不明 29, 負傷 156, 住家 15,913, 浸水 2,076, 船舶 122
958. 1.26~1.27 (昭和 33 年)	強風 (低気圧)	本州南岸	死者 7, 不明 194, 負傷 8, 住家 3, 浸水 6, 船舶 8　南海丸沈没
958. 3.29~3.31	凍霜害	全国	農業被害 230
958. 7.22~7.23	台風第 11 号	近畿以北	死者 26, 不明 14, 負傷 64, 住家 1,089, 浸水 46,243, 耕地 27,673, 船舶 21
958. 7.23~7.29	大雨(前線)	四国~東北	死者 22, 不明 8, 負傷 51, 住家 423, 浸水 40,874, 耕地 45,916, 船舶 48
958. 8.24~8.26	台風第 17 号	近畿~中部	死者 15, 不明 30, 負傷 39, 住家 1,996, 浸水 17,641, 耕地 11,679, 船舶 33
958. 9.15~9.18	台風第 21 号	全国	死者 25, 不明 47, 負傷 111, 住家 5,648, 浸水 48,700, 耕地 25,630, 船舶 226
958. 9.26~9.28	狩野川台風	近畿以北 (特に静岡)	死者 888, 不明 381, 負傷 1,138, 住家 16,743, 浸水 521,715, 耕地 89,236, 船舶 260
959. 4. 6~4. 7 (昭和 34 年)	強風 (低気圧)	北海道	不明 85, 負傷 3, 住家 189, 船舶 20
959. 7.13~7.15	台風第 5 号・前線	中部以西	死者 44, 不明 16, 負傷 77, 住家 603, 浸水 77,288, 耕地 32,452, 船舶 3
959. 8.13~8.14	台風第 7 号・前線	近畿~東北 (特に甲信)	死者 188, 不明 47, 負傷 1,528, 住家 76,199, 浸水 148,607, 耕地 74,169, 船舶 111
959. 9.15~9.18	宮古島台風	全国 (関東を除く)	死者 47, 不明 52, 負傷 509, 住家 16,632, 浸水 14,360, 耕地 3,566, 船舶 778

年月日	種目	被害地域	おもな被害
1959. 9.26〜9.27	伊勢湾台風	全国(九州を除く)	死者 4,697, 不明 401, 負傷 38,921, 船舶 7,576, 住 833,965, 浸水 363,611, 耕地 210,859
1960. 1.16〜1.18 (昭和 35 年)	暴風雪(低気圧)	東北〜北海道	死者 14, 不明 70, 負傷 14, 住家 167, 浸水 7, 船舶
1960. 8. 2〜8. 3	大雨(前線)	東北北部〜北海道	死者 21, 不明 9, 負傷 50, 住家 866, 浸水 9,577, 耕 5,274, 船舶 3
1960. 8.12〜8.13	台風第 12 号	近畿・中部	死者 28, 不明 19, 負傷 154, 住家 449, 浸水 21,14 耕地 7,764
1960. 8.28〜8.30	台風第 16 号	中部以西	死者 50, 不明 11, 負傷 145, 住家 2,265, 浸水 45,00 耕地 17,195, 船舶 120
1961. 5.28〜5.29 (昭和 36 年)	台風第 4 号・大火	東北〜北海道	死者 14, 負傷 225, 住家 6,764, 浸水 260, 耕地 93 船舶 31, 山林焼失 25,077 ha, 三陸大火
1961. 6.24〜7.10	昭和 36 年梅雨前線豪雨	全国(北海道を除く)	死者 302, 不明 55, 負傷 1,320, 住家 8,464, 浸水 414,36 耕地 340,449, 船舶 21
1961. 9.15〜9.17	第 2 室戸台風	全国(特に近畿)	死者 194, 不明 8, 負傷 4,972, 住家 499,444, 浸水 384,12 耕地 82,850, 船舶 2,540
1961.10.25〜10.29	大雨(低気圧)	九州〜中部	死者 78, 不明 36, 負傷 86, 住家 819, 浸水 60,748, 耕地 32,190, 船舶 186
1962. 7. 1〜7. 9 (昭和 37 年)	大雨(前線)	九州・東海	死者 92, 不明 10, 負傷 82, 住家 395, 浸水 91,604, 耕地 66,113, 船舶 5
1963. 1 月 (昭和 38 年)	昭和 38 年 1 月豪雪	全国	死者 228, 不明 3, 負傷 356, 住家 6,005, 浸水 7,028
1963. 6.29〜7. 5	大雨(低気圧)	九州北部	死者 36, 不明 1, 負傷 42, 住家 567, 浸水 44,929, 耕地 20,458
1963. 8. 7〜8.11	台風第 9 号	九州〜近畿	死者 23, 不明 6, 負傷 46, 住家 2,064, 浸水 25,166 耕地 23,009, 船舶 94
1964. 7.17〜7.19 (昭和 39 年)	昭和 39 年 7 月山陰北陸豪雨	山陰〜北陸(特に島根)	死者 123, 不明 5, 負傷 291, 住家 2,048, 浸水 67,517 耕地 46,042, 船舶 15
1964. 9.24〜9.25	台風第 20 号	九州〜東北	死者 47, 不明 9, 負傷 530, 住家 71,269, 浸水 44,751 耕地 16,326, 船舶 594
1964. 4〜10 月	冷害	青森・北海道	農業被害 522, 北海道：平年作の 1/3
1965. 1. 8〜1.10 (昭和 40 年)	高波(低気圧)	東北〜北海道	死者 1, 負傷 44, 住家 320, 浸水 1,594, 耕地 109, 船舶 1,759
1965. 6.30〜7. 3	大雨(前線)	九州中部	死者 20, 不明 16, 負傷 1, 住家 880, 浸水 21,659, 耕地 14,829, 船舶 7
1965. 7.21〜7.23	大雨(前線)	中国・中部	死者 32, 不明 1, 負傷 35, 住家 451, 浸水 21,761, 耕地 16,265, 船舶 5
1965. 8. 4〜8. 6	台風第 15 号	九州〜中国	死者 28, 負傷 368, 住家 58,951, 浸水 5,716, 耕地 5,418 船舶 260
1965. 9. 9〜9.11	台風第 23 号	全国	死者 67, 不明 6, 負傷 883, 住家 63,436, 浸水 49,626, 耕地 12,353, 船舶 619

年月日	種　目	被害地域	おもな被害
965. 9.13～9.18	台風第24号・前線	全　国	死者98，不明9，負傷330，住家8,105，浸水251,820，耕地81,649，船舶110
965.10. 6～10. 7	台風第29号	マリアナ海域	死者1，不明208，漁船遭難
966. 3. 5（昭和41年）	乱気流	富士山上空	死者124，BOAC機墜落
966. 6.27～6.29	台風第4号	中部～北海道	死者64，不明19，負傷91，住家433，浸水128,041，耕地129,195，船舶12
966. 8.14～8.16	台風第13号・前線	九州～近畿の太平洋側	死者36，不明3，負傷22，住家74，浸水19,142，耕地9,261
966. 9. 5	第2宮古島台風	宮古・石垣島	負傷41，住家7,765，浸水30，船舶56
966. 9.24～9.25	台風第24・26号	全　国（特に山梨）	死者275，不明43，負傷976，住家73,166，浸水53,601，耕地34,159，船舶107
966.10.12～10.17	大雨（低気圧）	東海以北	死者27，不明3，負傷8，住家245，浸水25,420，耕地6,611，船舶79
966. 6～10月	冷　害	北日本	北海道：水稲の作況指数73
967. 7. 7～7.10（昭和42年）	昭和42年7月豪雨	九州北部～関東	死者365，不明6，負傷618，住家3,756，浸水301,445，耕地44,444，船舶5
967. 8.26～8.29	羽越豪雨	羽　越	死者113，不明33，負傷190，住家2,594，浸水69,424，耕地62,678
967.10.27～10.29	台風第34号	九州～東北	死者37，不明10，負傷41，住家2,959，浸水26,842，耕地2,481，船舶181
967. 7～10月	干　害	西日本	農業被害682
968. 8.15～8.18（昭和43年）	台風第7号・前線	西日本	死者112，不明21，負傷63，住家443，浸水14,662，耕地1,946，船舶88，飛騨川バス転落
968. 8.25～8.31	台風第10号・前線	全　国	死者25，不明2，負傷68，住家263，浸水24,386，耕地6,550，船舶13
968. 9.22～9.27	第3宮古島台風	近畿以西	死者11，負傷80，住家5,715，浸水15,322，耕地2,747，船舶85
1969. 2. 4～2. 7（昭和44年）	暴風雪	北陸～北海道	死者31，負傷82，住家117，浸水99，船舶1,085
1969. 6.24～7. 1	大雨（前線）	関東以西	死者81，不明8，負傷184，住家976，浸水64,390，耕地55,064，船舶9
1969. 8. 7～8.12	大雨（前線）	東北・北陸	死者27，不明14，負傷83，住家608，浸水34,360，耕地20,564，船舶36
1970. 1.30～2. 2（昭和45年）	昭和45年1月低気圧	中部以北	死者14，不明11，負傷45，住家916，浸水4,422，耕地271，船舶293
1970. 7. 1	大雨（前線）	関東南部	死者22，不明2，負傷42，住家1,758，浸水14,424，耕地26,771，船舶7
1970. 8.20～8.22	台風第10号	四国・中国	死者23，不明4，負傷556，住家48,652，浸水59,961，耕地14,329，船舶1,403
1971. 8. 1～8. 6（昭和46年）	台風第19号	九州～中国	死者62，不明7，負傷209，住家1,691，浸水18,113，耕地10,588，船舶47

年月日	種目	被害地域	おもな被害
1971. 7～8月	冷害	北日本	北海道：水稲の作況指数66
1971. 8.28～9. 1	台風第23号	関東以西	死者37，不明7，負傷103，住家1,427，浸水122,29(耕地46,720，船舶57
1971. 9. 6～9. 7	台風第25号	近畿～関東	死者56，不明28，負傷1，住家202，浸水11,504，耕地1,652
1971. 9. 9～9.10	大雨(前線)	三重県南部	死者41，不明1，負傷39，住家79，浸水1,200，耕地158
1971. 9.26～9.27	台風第29号	近畿～関東	死者9，不明11，負傷11，住家30，浸水59,665，耕地1,373，船舶1
1972. 7. 3～7.13 (昭和47年)	昭和47年7月豪雨	全国	死者410，不明32，負傷534，住家4,339，浸水194,691 耕地84,794，船舶2
1972. 9. 6～9.10	大雨(熱低)	九州～中部	死・不16，負傷30，住家137，浸水36,925，耕地1,56
1972. 9.13～9.20	台風第20号・前線	全国	死・不85，負傷157，住家4,213，浸水146,547，耕地43,342，船舶322
1973. 5. 7～5. 9 (昭和48年)	大雨(前線)	九州～北陸	死者14，不明10，負傷10，住家28，浸水1,809，耕地217，船舶5
1973. 7.30～7.31	台風第6号・低気圧	九州	死者14，不明15，負傷10，住家110，浸水37,783，耕地209
1973. 6～8月	干害	全国（北海道を除く）	農業被害807
1973.11.17～11.24	強風・大雨	中部～東北	死者9，不明17，負傷15，住家12，船舶6
1974. 4.20～4.22 (昭和49年)	大雨（低気圧）	九州～北海道	死者17，不明6，負傷55，浸水218，船舶29
1974. 4.26	山崩れ(融雪)	山形	死者17，負傷13，住家20
1974. 7. 3～7.11	台風第8号・前線	沖縄～中部	死者111，負傷171，住家1,448，浸水148,934，耕地16,230，船舶19
1975. 8. 5～8. 8 (昭和50年)	大雨(前線)	九州北部～東北	死・不35，負傷63，住家536，浸水12,622，耕地3,62
1975. 8.17～8.20	台風第5号	四国～北海道	死・不77，負傷209，住家2,419，浸水50,222，耕地12,712，船舶12
1975. 8.21～8.24	台風第6号	四国～北海道	死・不33，負傷51，住家711，浸水48,832，耕地80,033，船舶28，農林水340
1976. 6.21～6.26 (昭和51年)	大雨(前線)	九州～中部	死・不43，負傷30，住家164，浸水3,474，耕地4,564，農林水151
1976. 9. 8～9.17	台風第17号・前線	全国	死・不169，負傷435，住家11,193，浸水442,317，耕地80,304，船舶237，農林水2,080
1976. 6～9月	冷害	甲信以北	農林水4,093
1976.10.28～10.30	強風・大火	北陸～東北の日本海側	死・不2，負傷981，住家3,767，浸水663，船舶302，酒田市大火
1976.12.26～1977. 3月	雪害	全国	死・不84，負傷320，住家826，浸水770，農林水458
1977. 9. 8～9.10 (昭和52年)	沖永良部台風	太平洋側の都県	死者1，住家5,119，浸水3,207，耕地105，船舶22，農林水61

年月日	種　目	被害地域	おもな被害
78. 5~9月 (昭和53年)	干　害	全　国	農・林業被害 1,448
79. 3.29~4. 4 (昭和54年)	暴風雨・雪 (低気圧)	全国（沖縄を除く）	死・不 20, 負傷 153, 住家 4,725, 浸水 184, 耕地 616, 農林水 193
79. 6.25~7. 4	大雨(前線)	全国（関東を除く）	死・不 29, 負傷 52, 住家 273, 浸水 48,208, 耕地 35,991, 船舶 3
79. 9.24 ~10. 2	台風第16号	全　国	死・不 12, 負傷 83, 住家 1,503, 浸水 68,216, 耕地 7,042, 船舶 133, 農林水 1,074
79.10.14 ~10.20	台風第20号	全　国	死・不 111, 負傷 478, 住家 7,523, 浸水 37,450, 耕地 25,451, 農林水 1,057
80. 8.26~8.31 (昭和55年)	大雨（低気圧）	全　国	死・不 26, 負傷 50, 住家 405, 浸水 39,141, 耕地 10,069, 船舶 9, 農林水 404
80. 7~9月	冷　害	全国（沖縄を除く）	農林水 6,919
80.10.25 ~10.28	強風・波浪	全　国	死・不 14, 負傷 17, 住家 133, 浸水 976, 耕地 130, 船舶 541
80.12月下旬 ~1981. 2月	大　雪	全　国	死・不 103, 負傷 1,305, 住家 5,819, 浸水 5,553, 耕地 25, 船舶 1,269, 農林水 1,203
81. 8.20~8.27 (昭和56年)	台風第15号	近畿以北	死・不 43, 負傷 173, 住家 4,401, 浸水 31,082, 耕地 65,821, 船舶 264, 農林水 2,272
81. 8月 ~9月中旬	冷　害	東北~北海道	農林水 2,622
82. 7.10~7.26 (昭和57年)	昭和57年7月豪雨	関東以西	死者 337, 不明 8, 負傷 661, 住家 851, 浸水 52,165, 耕地 15,354, 船舶 30, 農林水 474
982. 8. 1~8. 3	台風第10号・前線	中国~東北	死・不 95, 負傷 174, 住家 5,312, 浸水 113,902, 耕地 28,311, 船舶 12, 農林水 5,916
982. 9. 8~9.14	台風第18号・前線	中国以北	死・不 38, 負傷 174, 住家 651, 浸水 136,308, 耕地 20,012, 船舶 3, 農林水 1,258
982. 6月下旬 ~9月中旬	冷　害	関東甲信~北日本	農業被害 1,165
982.11.28 ~11.30	暴風雨（低気圧）	関東以西	死・不 15, 負傷 19, 住家 76, 浸水 8,700, 船舶 12
983. 4.24~4.28 (昭和58年)	山林火災	東　北	死者 1, 負傷 21, 住家 118, 船舶 66, 山林焼失 8,685 ha
983. 7.20~7.27	昭和58年7月豪雨	九州~東北	死・不 117, 負傷 166, 住家 3,669, 浸水 17,141, 耕地 7,796, 農林水 1,302
983. 6~7月	冷　害	甲信以北	農業被害 2,095
983. 9.24~9.30	台風第10号・前線	中部以西	死・不 44, 負傷 118, 住家 640, 浸水 56,267, 耕地 5,651, 船舶 26, 農林水 805
983.12月下旬 ~1984. 4月	大　雪	全　国	死・不 96, 住家 939, 浸水 515
984. 6.22~6.29 (昭和59年)	大雨(前線)	中部以西（沖縄を除く）	死・不 16, 負傷 6, 住家 21, 浸水 2,967, 耕地 492

年月日	種目	被害地域	おもな被害
1984. 6月中旬 ~9月	干害	全国	農林水 289
1984.12月中旬 ~1985. 1月	大雪	全国	死・不 46, 住家 139
1985. 2.15 (昭和 60 年)	地すべり	新潟	死・不 10, 負傷 5, 住家 7, 浸水 72
1985. 4.11~4.15	大雨 (低気圧)	九州~近畿	死者 7, 不明 4, 負傷 8, 船舶 1, 漁船沈没で死・不 1
1985. 6.18~7. 6	台風第 6 号・前線	九州~東北	死・不 16, 負傷 49, 住家 811, 浸水 12,691, 耕地 31,61 船舶 1, 農林水 1,303
1985. 7. 3~7.15	大雨(前線)	中国~中部の日本海側	死・不 13, 負傷 42, 住家 59, 浸水 3,609, 耕地 3,1
1985. 7.26	地すべり	長野県長野市	死・不 26, 負傷 4, 住家 69, 耕地 3, 湯谷団地の地べり
1985. 8.29~9. 2	台風第 12, 13, 14 号	九州~北海道	死・不 31, 負傷 232, 住家 7,805, 浸水 2,858, 耕 2,112, 船舶 1,144, 農林水 714
1985. 7月中旬 ~9月中旬	干害	中国~東北	農業被害 132
1986. 3.20~3.26 (昭和 61 年)	大雪	四国以北	死・不 17, 負傷 148, 住家 38, 浸水 7, 船舶 2, 農 水 159
1986. 7. 4~7.17	大雨(前線)	中部以西	死・不 23, 負傷 24, 住家 175, 浸水 3,638, 耕地 80 船舶 1, 農林水 121
1986. 8. 3~8. 9	台風第 10 号	東海~東北	死・不 21, 負傷 106, 住家 2,683, 浸水 105,072, 耕 85,119, 船舶 9, 農林水 1,055
1987. 2. 2~2. 4 (昭和 62 年)	大雪・強風 (低気圧)	九州~東北	死・不 22, 負傷 46, 住家 2, 船舶 6, 漁船沈没で死 不 15
1987. 7.13~7.21	台風第 5 号・前線	沖縄~関東	死・不 9, 負傷 24, 住家 51, 浸水 3,426, 耕地 3,77 船舶 7, 農林水 155
1987. 8. 4~8. 7	雷雨	中国・四国~東北	死者 6, 負傷 6, 住家 12, 浸水 1,725, 耕地 113, 生 海岸で落雷 死 6
1987. 8.28~9. 1	台風第 12 号	沖縄~北海道	死・不 8, 負傷 189, 住家 37,078, 浸水 611, 耕地 7 船舶 791, 農林水 874
1987.10.13 ~10.18	台風第 19 号	中国~近畿	死・不 9, 負傷 17, 住家 216, 浸水 24,044, 耕地 6,80 船舶 99, 農林水 529
1988. 3.22 (昭和 63 年)	強風 (低気圧)	塩釜港沖	死・不 21, 船舶 1
1988. 7. 9~7.29	大雨(前線)	九州~東北	死・不 27, 負傷 61, 住家 613, 浸水 10,083, 耕地 3,02 船舶 22
1988. 7~10月	冷害	中部~東北	農林水 3,245
1989. 7.15~7.17 (平成元年)	大雨	北陸~東北	死者 15, 住家 436
1989. 7.28~8. 4	熱低・台風第 11, 12 号	九州~関東	死・不 11, 住家 76, 浸水 10,664, 耕地 30

年 月 日	種　目	被害地域	お　も　な　被　害
89. 8. 5～8. 7	台風第 13 号	中部～東北	死・不 15, 負傷 26, 住家 159, 浸水 5,063, 耕地 1,384
89. 9. 1～9.15	大　雨	九州～北海道	死・不 17, 負傷 44, 住家 50, 浸水 21,581, 耕地 2,883
89. 9.17～9.20	台風第 22 号	九州～東北	死・不 8, 負傷 8, 住家 247, 浸水 5,824, 耕地 584, 船舶 39
90. 1.21～1.28 (平成 2 年)	大雪・強風 (低気圧)	九州～関東	死者 9, 負傷 15, 船舶 2
90. 2.11	大雨・強風	近畿・関東	死者 5, 負傷 3, 住家 1
90. 3.23～3.25	大　雨	九　州	死者 7, 船舶 1
90. 4.20～4.24	大雨（低気圧）	関東～北海道	死・不 9, 住家 2, 浸水 183, 耕地 2,496, 船舶 1, 農林水 14
90. 6.25～7. 4	大雨（低気圧・前線）	九州・近畿	死者 27, 負傷 81, 住家 592, 浸水 42,141, 耕地 20,765, 船舶 11, 農林水 2,178
90. 7.14～7.20	大　雨	九州～東北	死者 5, 負傷 3, 住家 5, 浸水 239, 耕地 1,126, 農林水 17
90. 8.21～8.24	台風第 14 号	九州～北海道（関東・東北を除く）	死者 6, 負傷 24, 住家 67, 浸水 420, 耕地 1,845, 船舶 16, 農林水 151
990. 9.16～9.20	台風第 19 号	沖縄～東北	死者 40, 負傷 131, 住家 16,541, 浸水 18,183, 耕地 41,954, 船舶 413, 農林水 1,322
990. 9.25 ～10. 1	台風第 20 号	九州～関東	死・不 6, 負傷 20, 住家 210, 浸水 13,318, 耕地 4,273, 船舶 31, 農林水 229
990.11. 3 ～11. 5	大　雨	四国～北海道	死・不 12, 負傷 12, 住家 102, 浸水 5,283, 耕地 1,620, 船舶 37, 農林水 161
990.11.27 ～12. 3	台風第 28 号	沖縄～北海道	死・不 4, 負傷 12, 住家 162, 浸水 1,544, 耕地 33, 農林水 48
990.12.11 ～12.12	大雨・竜巻	四国～関東（特に千葉）	死・不 6, 負傷 81, 住家 2,099, 浸水 5, 農林水 17
991. 2.13～2.19 (平成 3 年)	大雨・強風（二つ玉低気圧）	近畿～北海道	死・不 26, 負傷 14, 住家 178, 浸水 54, 船舶 316, 農林水 161
991. 7. 7～7. 8	強風(前線)	島根・兵庫・京都	死・不 5, 負傷 2
991. 5. 1～7.18	長雨・寡照	九　州	被害 177
991. 7.25～7.31	台風第 9 号	沖縄～中部	死・不 6, 負傷 39, 住家 64, 浸水 1,472, 耕地 263, 船舶 120, 農林水 101
991. 8.19～8.24	台風第 12 号	九州～東北南部	死・不 16, 負傷 11, 住家 53, 浸水 4,162, 耕地 4,142, 船舶 4, 農林水 119
991. 9. 7～9. 9	台風第 15 号	宮崎・徳島と関東	死者 6, 負傷 4, 住家 77, 浸水 1,505, 農林水 16
991. 9.12～9.15	台風第 17 号	沖縄～中部	死者 11, 負傷 94, 住家 382, 浸水 2,586, 耕地 875, 船舶 69, 農林水 511

年月日	種目	被害地域	おもな被害
1991. 9.16～9.21	台風第18号	近畿～東北	死・不12，負傷23，住家225，浸水52,662，耕地4,97 船舶2，農林水242
1991. 9.24 ～10. 1	台風第19号	全国	死者62，負傷1,499，住家170,447，浸水22,965，耕 362，船舶930，農林水5,735
1992. 1.31～2. 1 (平成4年)	大雪・強風(南岸低気圧)	九州～東北	死・不8，負傷311，住家6，船舶6，農林水30
1992. 5.20～5.30	ひょう・雷・竜巻	九州～東北南部	死者7，負傷3，住家108，農林水66
1992. 8. 6～8.10	台風第10号	西日本・北海道	死・不7，負傷67，住家1,561，浸水1,508，耕地4,80 船舶47，農林水740
1992. 8.17～8.20	台風第11号	西日本	死・不8，負傷者2，住家13，浸水379，船舶2，農 水17
1992. 9. 9～9.12	台風第17号	北海道	死者1，住家9，浸水3,128，耕地24,549，農林水13
1993. 2.20～2.25 (平成5年)	強風（低気圧）	長崎・兵庫・大阪	死者2，不明22，負傷1，住家18，浸水53，船舶2
1993. 3.23～3.25	強風（低気圧）	徳島	死者17，不明12，船舶1
1993. 6.28～7. 8	大雨(前線)	九州～関東	死者20，不明1，負傷18，住家84，浸水1,392，耕 3,632，農林水174
1993. 7.24～8. 1	台風第4,5,6号	全国（沖縄を除く）	死・不18，負傷者20，住家143，浸水4,316，耕 4,527，船舶2，農林水178
1993. 7.31～8. 7	平成5年8月豪雨	西日本（特に九州南部）	死者74，不明5，負傷154，住家824，浸水21,987， 林水746
1993. 8.31～9. 5	台風第13号	全国（沖縄を除く）	死・不48，負傷266，住家1,892，浸水10,447，耕 7,905，農林水1,755
1993. 6～10月	冷害	全国（沖縄を除く）	農林水9,791
1994. 2.11～2.15 (平成6年)	強風・大雪(低気圧)	中国～東北	死者12，負傷1,462，住家2
1994. 2.20～2.27	強風・大雨(低気圧)	中部以北	死者5，負傷54，住家372，浸水92，船舶79
1994. 4. 4 ～10月	干害・酷暑害	全国	死者14，負傷者662，農林水1,273
1994. 9. 8	突風(雷雨)	埼玉県美里町	負傷73，住家79
1995. 1. 4 (平成7年)	雪崩・強風(低気圧)	長野・千葉	死者6，住家64
1995. 1.10～1.20	大雪・強風(低気圧)	中国～東北(四国を除く)	死者6，負傷51，船舶2，農林水12
1995. 4. 1～4. 2	強風（低気圧）	千葉・栃木・秋田	死者5

年 月 日	種　目	被害地域	お も な 被 害
95. 5.11～5.16	大雨・強風（低気圧）	九州～東北南部	死者3，不明2，負傷7，住家7，浸水506，耕地1,238，農林水5
95. 6.30～7.15	大雨（低気圧）	全国（沖縄を除く）	死･不9，負傷12，住家235，浸水15,520，耕地1,573，農林水344
95. 7. 1～9.30	干害・酷暑害	沖縄～関東	死者8，負傷704，農林水28
95. 7.15～7.24	台風第3号･前線	沖縄～北陸	死者3，不明4，負傷10，船舶1，住家6，浸水1,303，農林水28
95. 7.30～8.11	赤 潮 害	香　川	農林水4
96. 1.24～2. 7（平成8年）	大雪（低気圧）	九州～北陸	死者7，負傷104
96. 7. 1～7. 3	ひょう・落雷害	関東～北海道	死者2，負傷16，住家6，浸水254，農林水110
96. 7.17～7.21	台風第6号	関東～九州	死者1，負傷27，住家2,361，浸水933，船舶3，耕地7，農林水788.2
96. 8.10～8.16	台風第12号	全　国	死者4，負傷77，住家2,989，浸水1,675，船舶20，耕地44，農林水205.7
96. 9.20～9.24	台風第17号	近 畿 以 北	死者11，負傷73，住家898，浸水12,226，船舶61，耕地309，農林水167.1
96.12. 6	土 石 流 害	長　野	死者14，負傷9，住家2
97. 1. 1～1. 7（平成9年）	強風・波浪	九州の日本海側～北海道・四国	死者5，船舶3
97. 7. 3～7.19	大雨(前線)	全国（沖縄を除く）	死者26，負傷16，住家89，浸水7,681，耕地1,089，農林水84.7
97. 7.25～7.31	台風第9号	九州～東北	死者3，負傷47，住家78，浸水2,057，耕地112，農林水111，船舶14
97. 8. 3～8. 8	大雨(前線)	全国（沖縄を除く）	死者5，負傷2，住家19，浸水14,563，耕地629，農林水43.3
97. 9.12～9.20	台風第19号	全国（沖縄を除く）	死者12，負傷25，住家216，浸水16,016，耕地557，農林水402.6，船舶34
98. 1.15～1.19（平成10年）	大雪・強風（低気圧）	九州～東北	死・不7，負傷396，住家542，船舶11
98. 2. 7～2.10	強風（低気圧）	四国～東北	死・不6，負傷1，船舶1
98. 3. 5～3. 7	強風（低気圧）	近畿～北海道	死・不5，負傷7
98. 5.15～5.19	大雨（低気圧）	沖縄～近畿	死者6，負傷1，住家4，浸水1,924
98. 7. 3～7. 5	酷暑（高気圧）	関　東	死者6，負傷52
98. 7.27～7.31	大雨(雷雨)	東海～東北	負傷3，住家10，浸水1,260
98. 8. 2～8. 9	平成10年8月上旬豪雨(前線)	中国～東北	死者2，負傷5，住家45，浸水18,207

年月日	種目	被害地域	おもな被害
1998. 8.11～8.19	大雨(前線)	全国	死者3，住家9，浸水2,836
1998. 8.25～9. 1	平成10年8月末豪雨(台風・前線)	全国（沖縄を除く）	死・不25，負傷55，住家486，浸水13,927
1998. 9.14～9.17	台風第5号・前線	四国～北海道	死者6，負傷50，住家601，浸水5,840
1998. 9.21～9.24	台風第7・8号・前線	四国～北海道	死・不18，負傷569，住家21,165，浸水8,692
1998. 9.23～10. 1	台風第9号・前線	沖縄～東海	死者9，負傷14，住家143，浸水17,806
1998.10.13～10.20	台風第10号・前線	全国	死・不14，負傷67，住家770，浸水12,548
1999. 1. 7～1.15（平成11年）	大雪・強風（低気圧）	四国～北海道	死・不7，負傷46，住家4，船舶1，農林水1
1999. 6.22～7. 4	大雨・強風（低気圧）	九州～東北	死・不40，負傷64，住家615，浸水12,453，耕地57 船舶4，農林水374
1999. 7.10～7.15	大雨（熱帯低気圧）	中部～東北	死・不2，負傷1，住家36，浸水2,033，耕地2,033，農林水63
1999. 7.21～7.22	大雨（前線・雷雨）	甲信～東北	死者3，負傷4，住家9，浸水5,289，耕地81
1999. 8. 9～8.17	大雨（熱帯低気圧）	四国～東北	死・不17，負傷10，住家63，浸水7,524，耕地2,62 農林水138
1999. 9.13～9.16	台風第16号・前線	九州～東北	死者2，負傷6，住家112，浸水1,663，耕地278，農水21
1999. 9.16～9.25	台風第18号・前線	全国	死・不36，負傷1,077，住家47,150，浸水23,218，船舶552，農林水1,631
1999.10.27～10.28	大雨・強風（低気圧）	近畿～北海道	死・不5，負傷6，住家217，浸水4,705，耕地50，船舶45，農林水262
2000. 2. 8～2.10（平成12年）	大雪・強風（低気圧）	九州～関東	死・不6，負傷55，住家6，船舶3
2000. 7. 1～7. 5	大雨(雷雨)	九州～北海道	死・不3，負傷3，住家42，浸水1,673，農林水61
2000. 7. 6～7. 9	台風第3号	四国～北海道	死・不1，負傷7，住家36，浸水2,713，耕地521，船舶2，農林水38
2000. 7.13～7.20	大雨（前線・雷雨）	九州～東北	死・不2，負傷2，住家1，浸水1,711，耕地467，農水5
2000. 9. 8～9.17	台風第14号・前線	沖縄～東北	死・不11，負傷103，住家609，浸水70,017，耕地5,562，船舶1，農林水248
2000.12.24～12.29	大雪・強風（低気圧）	四国～北海道	死・不5，負傷5，住家4
2001. 1. 1～1. 6（平成13年）	大雪・強風（低気圧）	近畿～北海道	死・不8，負傷4，住家1，浸水15
2001. 1. 7～1.11	大雪・強風（低気圧）	四国～北海道	死・不9，負傷54，住家6，船舶1，農林水7

年月日	種目	被害地域	おもな被害
01. 1.12～1.22	大雪・強風（低気圧）	九州～東北	死・不 14, 負傷 413, 住家 21, 浸水 19, 船舶 2, 農林水 8
01. 1.25～1.28	大雪・強風（低気圧）	近畿～関東	死・不 9, 負傷 949, 住家 7, 浸水 8, 農林水 5
01. 6.18～6.23	大雨（低気圧・前線）	九州～中部	死・不 1, 負傷 16, 住家 262, 浸水 1,037, 耕地 111, 農林水 86
01. 8.18～8.24	台風第 11 号・前線	九州～北海道	死・不 8, 負傷 141, 住家 154, 浸水 1,052, 耕地 917, 船舶 1, 農林水 63
01. 9. 8～9.13	台風第 15 号・前線	四国～北海道	死・不 8, 負傷 48, 住家 140, 浸水 1,158, 耕地 7,348, 船舶 9, 農林水 111
02. 7. 8～7.12（平成 14 年）	台風第 6 号・前線	全国	死・不 6, 負傷 29, 住家 212, 浸水 10,302, 耕地 25,861, 農林水 354
02. 9.30～10. 3	台風第 21 号・前線	東海～北海道	死・不 5, 負傷 96, 住家 1,076, 浸水 1,950, 耕地 58, 船舶 25, 農林水 183
03. 1. 3～1. 8（平成 15 年）	大雪・強風（低気圧）	全国	死者 6, 負傷 400
003. 1.25～1.31	大雪・大雨・強風（低気圧）	全国	死・不 6, 負傷 95, 住家 11, 農林水 2
003. 3.16～3.20	強風・波浪（低気圧）	沖縄・鹿児島・北海道	死者 5, 負傷 1, 船舶 1
003. 7. 3～7. 9	大雨（梅雨前線）	九州～東北	住家 4, 浸水 1,998, 耕地 8, 農林水 9
003. 7.18～7.20	大雨（梅雨前線）	九州～中部	死者 23, 負傷 67, 住家 265, 浸水 7,845, 耕地 1,183, 船舶 4, 農林水 104
003. 8. 6～8.10	台風第 10 号・前線	全国	死・不 20, 負傷 93, 住家 713, 浸水 2,263, 耕地 295, 船舶 25, 農林水 353
003. 9.10～9.14	台風第 14 号	全国（特に宮古島）	死者 3, 負傷 107, 住家 1,498, 浸水 467, 耕地 9, 船舶 262, 農林水 113
003. 9.18～9.25	台風第 15 号	沖縄～関東	不明 11, 負傷 9, 住家 194, 浸水 1, 船舶 8, 農林水 3
003. 5～10 月	低温（長期）・寡照	中部～北海道	農林水 2,338
003.12.25～12.27	強風・波浪（季節風）	九州～北海道	死・不 6, 住家 1, 浸水 21
004. 4.18～4.21（平成 16 年）	大雨・強風（低気圧）	全国	死・不 5, 負傷 12, 住家 129, 船舶 4, 農林水 0.4
004. 5.12～5.13	大雨・強風（低気圧）	九州～近畿	住家 2, 浸水 1,636
004. 6.18～6.25	台風第 6 号・前線	全国	死・不 7, 負傷 116, 住家 180, 浸水 202, 船舶 1, 農林水 92
004. 7.12～7.20	平成 16 年 7 月新潟・福島豪雨	新潟・福島	死・不 16, 負傷 4, 住家 5,518, 浸水 8,402, 耕地 13,662, 農林水 400
004. 7.17～7.21	平成 16 年 7 月福井豪雨	岐阜・北陸・東北	死・不 5, 負傷 20, 住家 409, 浸水 13,950, 耕地 3,496, 農林水 219

年月日	種目	被害地域	おもな被害
2004. 7.28〜8. 2	台風第10号・前線	九州・四国・中国・近畿・関東	死・不3，負傷17，住家113，浸水2,215，耕地2，船舶4，農林水103
2004. 8.16〜8.20	台風第15号	全国	死・不12，負傷24，住家513，浸水2,724，耕地7 船舶90，農林水397
2004. 7. 1〜8.22	酷暑(長期)	九州・中国・近畿〜北海道	死者11，負傷1,570
2004. 8.22〜8.27	台風第17号	沖縄・鹿児島・大分・山口・愛媛・岐阜	死者4，負傷28，住家3,719，浸水1,256，耕地10 船舶847，農林水67
2004. 8.26〜9. 2	台風第16号	全国	死・不18，負傷285，住家8,627，浸水46,581，耕 102，船舶995，農林水1,054
2004. 9. 4〜9. 8	台風第18号	全国	死・不47，負傷1,364，住家57,466，浸水10,026，耕 104，船舶1,592，農林水1,262
2004. 9.24〜9.30	台風第21号	沖縄〜東北	死・不27，負傷95，住家3,068，浸水19,153，耕 1,213，船舶74，農林水210
2004.10. 7〜10.10	台風第22号	沖縄・鹿児島・島根・近畿〜東北	死・不8，負傷169，住家5,553，浸水7,843，耕 5,099，船舶95，農林水58
2004.10.17〜10.21	台風第23号	沖縄〜東北	死・不99，負傷704，住家19,235，浸水54,850，耕 12,329，船舶494，農林水934
2004.11.11〜11.12	大雨・強風(低気圧)	鹿児島・四国〜関東	死者1，住家7，浸水1,084，耕地10，農林水1
2004.12. 4〜12. 6	大雨・大雪・強風(低気圧)	九州〜北海道	死・不6，負傷46，住家966，浸水293，耕地77，船舶31，農林水13
2005. 1. 8〜1.13(平成17年)	大雪・強風(低気圧)	中国〜東北	死・不6，負傷24
2005. 1.29〜2. 9	大雪・強風(低気圧)	全国(沖縄を除く)	死・不13，負傷377，住家2，浸水16，農林水0.5
2005. 7. 1〜7. 6	大雨	四国・中国〜関東	死・不5，負傷3，住家17，浸水2,956，耕地330，農林水47以上
2005. 7. 9〜7.16	大雨	九州〜関東・北海道	死・不6，負傷3，住家8，浸水584，農林水5
2005. 7.22	視程不良	千葉	死・不9，船舶2
2005. 8. 3〜8. 5	酷暑	北陸・関東・東北	死・不5，負傷93
2005. 8.10〜8.13	大雨	北陸	死・不1，負傷4，住家27，浸水1,094
2005. 9. 3〜9. 8	台風第14号・前線	全国	死・不29，負傷179，住家7,452，浸水21,160，耕地4，船舶81，農林水949
2005.12月〜2006. 3月(平成18年)	平成18年豪雪	四国〜北海道	死・不152，負傷2,136，住家4,713，浸水113

年 月 日	種 目	被害地域	お も な 被 害
06. 4. 8～4. 9	強風・雪崩	岐阜・長野	死・不 10, 負傷 5
06. 7.13～7.15	酷暑	九州・東海・北陸・関東	死・不 5, 負傷 143
06. 7.15～7.24	平成 18 年 7 月豪雨（前線）	九州～東北	死・不 30, 負傷 46, 住家 1,708, 浸水 6,996, 耕地 562, 船舶 50, 農林水 151
06. 8.22～8.24	大雨	九州～東北	死・不 2, 負傷 1, 住家 2, 浸水 1,160
06. 9.15～9.20	台風第 13 号	沖縄・九州・四国・中国・北海道	死・不 11, 負傷 556, 住家 9,251, 浸水 934, 船舶 276, 農林水 174
06.10. 4 ～10. 9	大雨・強風・波浪（低気圧・前線）	四国～北海道	死・不 50, 負傷 57, 住家 1,154, 浸水 1,206, 耕地 2,600, 船舶 1,038, 農林水 293
06.11. 7 ～11. 8	竜巻・強風・波浪（低気圧・前線）	四国～北海道	死・不 9, 負傷 42, 住家 64, 浸水 2, 耕地 14, 船舶 1, 農林水 1
07. 2.13～2.16（平成 19 年）	強風・波浪・雪崩	全国	死・不 11, 負傷 20, 住家 116, 浸水 1, 船舶 4, 農林水 1
07. 7. 1～7.17	前線・台風第 4 号	沖縄～東北	死・不 7, 負傷 83, 住家 295, 浸水 3,993, 耕地 55, 船舶 4, 農林水 253
07. 6～9 月	酷暑	全国	死・不 66, 負傷 5,371
07. 9. 5～9.12	台風第 9 号・前線	近畿～北海道	死・不 3, 負傷 87, 住家 672, 浸水 1,345, 耕地 1,603, 船舶 19, 農林水 166
07. 9.15～9.18	大雨	東北	死・不 4, 負傷 5, 住家 238, 浸水 1,396, 耕地 13,685, 船舶 3, 農林水 90
07.11.19 ～11.23	雪崩・強風・波浪・大雪	九州～北海道	死・不 5, 負傷 2, 住家 1
07.12.29～2008. 1. 3（平成 20 年）	雪崩・大雪・強風	九州～東北	死・不 5, 負傷 2, 住家 41
08. 6.19～6.25	大雨	九州～東北	死・不 1, 負傷 2, 住家 14, 浸水 1,172, 耕地 33, 船舶 2, 農林水 3
08. 7.27～7.29	大雨・落雷・突風	四国・中国～東北	死・不 8, 負傷 32, 住家 72, 浸水 2,797, 耕地 244, 船舶 1, 農林水 3
08. 8. 4～8. 9	大雨・落雷	九州～関東	死・不 8, 負傷 3, 住家 21, 浸水 3,819, 農林水 4
08. 8.26～8.31	平成 20 年 8 月末豪雨	九州～北海道	死・不 2, 負傷 7, 住家 52, 浸水 21,844, 耕地 994, 農林水 16
09. 7. 1～8.31（平成 21 年）	長雨・低温・寡照	北海道	農林水 595
09. 7.19～7.26	平成 21 年 7 月中国・九州北部豪雨	九州～関東	死・不 39, 負傷 34, 住家 378, 浸水 11,541, 耕地 590, 農林水 102
09. 8. 8～8.11	台風第 9 号	九州～東北	死・不 28, 負傷 29, 住家 1,173, 浸水 5,217, 耕地 446, 農林水 71
2009.10. 6 ～10. 9	台風第 18 号	全国	死・不 6, 負傷 133, 住家 2,387, 浸水 3,310, 耕地 886, 船舶 91, 農林水 218

年月日	種目	被害地域	おもな被害
2010. 6～9月 (平成22年)	酷暑・大雨	全国	死・不271，負傷20,998，農林水495
2010. 7. 1～7. 6	大雨・強風・落雷	全国	死・不5，負傷7，住家14，浸水1,186，耕地167，船2，農林水18
2010. 7.10～7.16	大雨	九州～東北	死・不14，負傷15，住家251，浸水5,380，耕地1 農林水167
2011. 7.27～7.30 (平成23年)	平成23年7月新潟・福島豪雨	新潟・福島を中心	死・不6，負傷13，住家1,107，浸水9,025
2011. 8.30～9. 5	台風第12号	四国～北海道	死・不98，負傷113，住家4,008，浸水22,094
2011. 9.15～9.22	台風第15号	全国	死・不19，負傷337，住家3,739，浸水7,840
2012. 7.11～7.14 (平成24年)	平成24年九州北部豪雨	九州北部を中心	死・不32，負傷27，住家2,176，浸水12,606
2013. 7.22～8. 1 (平成25年)	大雨	九州～北海道	死・不5，負傷17，住家84，浸水3,586
2013. 8. 9～8.10	大雨	東北	死・不8，負傷12，住家131，浸水1,941
2013. 9.15～9.16	台風第18号	全国	死・不7，負傷143，住家1,650，浸水10,089
2013.10.14～10.16	台風第26号	関東	死・不43，負傷130，住家1,094，浸水6,142
2014. 7.30～8.26 (平成26年)	平成26年8月豪雨	全国	死・不91，負傷167，住家4,817，浸水16,517
2014.10. 4～10. 6	台風第18号	東海～関東	死・不7，負傷72，住家257，浸水2,540
2015. 9. 7～9.11 (平成27年)	平成27年9月関東・東北豪雨・台風第18号	四国～東北	死・不20，負傷82，住家7,555，浸水15,782
2016. 6. 6～7.15 (平成28年)	大雨	全国	死者7，負傷12，住家391，浸水2,535
2016. 8.16～8.31	台風第7, 9, 10, 11号	全国	死・不31，負傷90，住家4,575，浸水5,283
2016. 9.17～9.20	台風第16号	全国	死者1，負傷47，住家2,279，浸水2,455
2017. 6. 7～7.27 (平成29年)	梅雨前線・台風第3号・平成29年7月九州北部豪雨	全国	死・不44，負傷39，住家1,578，浸水4,525，農林水 1,124
2017. 9.13～9.19	台風第18号・前線	全国	死者5，負傷73，住家1,424，浸水7,475，農林水343
2017.10.20 ～10.23	台風第21号・前線	全国	死・不8，負傷245，住家3,132，浸水8,183，農林水 660
2018. 1.22～1.27 (平成30年)	大雪・暴風雪	関東～東北	死者5，負傷976，住家4
2018. 2. 3～2. 8	大雪	北陸・東北日本海側	死者22，負傷320，住家39，浸水11

年月日	種目	被害地域	おもな被害
18. 6.28～7. 8	平成30年7月豪雨(前線・台風第7号)	全国(特に西日本)	死・不 271, 負傷 484, 住家 22,491, 浸水 28,619, 耕地 21,168, 船舶 86
18. 9. 3～9. 5	台風第21号	関西～東北	死者 14, 負傷 980, 住家 97,910, 浸水 707, 耕地 30,996, 船舶 131
18. 9.28～10. 1	台風第24号	全国	死者 4, 負傷 231, 住家 10,407, 浸水 2,163, 耕地 64,590, 船舶 433
19. 8.26～8.29 (令和元年)	大雨(前線)	九州北部	死者 4, 負傷 4, 住家 1,040, 浸水 5,678, 耕地 9,373, 船舶 7
19. 9. 8～9. 9	令和元年房総半島台風(台風第15号)	関東	死者 9, 負傷 160, 住家 93,096, 浸水 276, 耕地 14,912, 船舶 452
19. 10.11～10.13	令和元年東日本台風(台風第19号)	東日本	死・不 107, 負傷 384, 住家 70,652, 浸水 31,021, 耕地 22,955, 船舶 303
20. 7. 3～7.31 (令和2年)	令和2年7月豪雨(前線)	西日本～東日本, 東北	死・不 86, 負傷 80, 住家 9,723, 浸水 6,825, 耕地 13,146, 船舶 206
20. 9. 4～9. 7	暴風・大雨(台風第10号)	南西諸島, 九州	死・不 6, 負傷 110, 住家 1,730, 浸水 283, 耕地 27,436, 船舶 130
21. 1. 7～1.11 (令和3年)	大雪	北陸・東北日本海側	死者 35, 負傷 375, 住家 300, 浸水 20
21. 7月	大雨	西日本～東日本・東北	死・不 29, 負傷 12, 住家 533, 浸水 2,970, 耕地 807, 船舶 8
021. 8.11～8.19	大雨(前線)	西日本～東日本	死者 13, 負傷 17, 住家 1,703, 浸水 5,235, 耕地 16,511, 船舶 10
022. 8. 1～8. 6 (令和4年)	大雨(低気圧・前線)	西日本～北陸	死・不 3, 負傷 9, 住家 1,151, 浸水 6,264, 耕地 18,375, 船舶 2
022. 9.17～9.20	大雨・暴風(台風第14号)	西日本～東日本	死者 5, 負傷 161, 住家 2,179, 浸水 1,310, 耕地 26,325, 船舶 223
022. 9.22～9.24	大雨(台風第15号)	東日本太平洋岸	死者 3, 負傷 20, 住家 2,462, 浸水 4,791, 耕地 287
023. 6. 1～6. 3 (令和5年)	梅雨前線・台風第2号(大雨)	沖縄・西日本～東日本の太平洋側	死・不 8, 負傷 49, 住家 754, 浸水 9,359, 耕地 1,472, 船舶 8
023. 6.28～7.16	梅雨前線(大雨)	西日本～北日本	死・不 15, 負傷 24, 住家 4,578, 浸水 10,352, 耕地 11,431, 船舶 16
023. 9. 7～9. 9	台風第13号(大雨)	関東・福島	死者 3, 負傷 21, 住家 2,276, 浸水 4,125

凡例　死・不：死者・行方不明, 不明：行方不明, 負傷：負傷者,
住家：住家の全・半壊(焼)・一部破損, 浸水：住家の床上・床下浸水(むね),
耕地：耕地流失・埋没・冠水(ha), 船舶：船舶沈没・流失・破損(隻),
農林水：農・林・水産業被害の合計(億円)

物理／化学部

単　　位

物理量の値は数値と単位の積として表される[1]．単位とはその物理量の基準なる「ある特別な例」のことであり，数値は物理量の値と「例(単位)」との
となる．したがって，ある物理量の値をいくつかの異なる数値と単位との組合わせで表すことは可能である．しかし，社会的な活動を円滑に行ううえで，１つの物理量には１つの単位を国際的に取り決めておくことが重要であ．そのため単位は，誰もがたやすく用いることができ，時間や場所によらず定であり，高い精度で容易に実現できるように選定されなければならない．

また，さまざまな物理量の間にある関係(物理法則)は，そのまま単位の間の係式を決めることになる．一組の比較的少数の**基本単位**と，それらに関連す物理学の法則，あるいは定義に基づく乗除のみで導かれ，（1 以外の）数値換係数を含まない**組立単位**とからできている単位系を，一貫性のある(コーレントな)単位系という．

国際単位系（SI）

1960 年の国際度量衡総会は，あらゆる分野においてひろく世界的に使用される単位系として，**メートル法**単位系を拡張した**国際単位系**(**Système nternational d'Unités**，略称 **SI**) を採択した．その後，科学技術の進歩にあわせて，随時，改定が行われている[2]．日本の計量法も SI を基礎としている．

2019 年以前の SI は，7 種の基本物理量（**時間**，**長さ**，**質量**，**電流**，**熱力学温度**，**物質量**，**光度**）を，特定の人工物（国際キログラム原器），理想的な実験状況（太さゼロの導線），特定の物理状態（水の三重点）などで定義してきた．2019 年に施行された改定（決議は 2018 年）では，まず 7 個の**定義定数**（物理量の値）の数値と単位を定めた．この定義定数とは，摂動を受けていないセシウム 133 原子の基底状態の超微細遷移周波数 $\Delta\nu_{\mathrm{Cs}}$，真空中の光速度 c，プランク定数 h，素電荷 e，ボルツマン定数 k，アボガドロ定数 N_{A}，単色放射の発光効率 K_{cd} である．そして定義定数から，7 種の基本物理量に対応する 7 個の**基本単位**，すなわち，**秒**（s），**メートル**（m），**キログラム**（kg），**アンペア**（A），**ケルビン**（K），**モル**（mol），**カンデラ**（cd）を，定義定数の乗除によって定めることとした[3]．

---

1)　これからもわかるように「数値」と「単位」とは同格なので，物理量の値を表現するさい単位をかっこでくくるのは意味がない．たとえば地表における重力加速度 g の値は，$g = 9.8\ \mathrm{m\ s^{-2}}$ のように書く．詳しくは**物５**を参照のこと．

2)　SI 成立までの歴史的な経緯および成立後の進展は，**物７**を参照のこと．

3)　現在の SI の原典は，2019 年に国際度量衡局（BIPM）から発行された SI 国際文書第 9 版（Le Système International d'Unités, 9e édition, 2019）である．第 9 版では，第 8 版までの基本単位と組立単位との区別は原理的には意味がないとしているが，歴史的に十分よく確立された概念であるため，基本単位，組立単位の枠組は維持するとしている．

SI 単位系は前記 7 個の基本単位と，基本単位の乗除で表せる**組立単位**よって構成される．この組立単位の一部には，固有の名称が与えられてる．

SI 基本単位

7 個の SI 基本単位は，7 個の定義定数から以下のように構築される．

時間：秒　秒は s と表記する SI の時間の単位である．秒は，摂動を受けいないセシウム 133 原子の基底状態の超微細遷移周波数 $\Delta\nu_{\mathrm{Cs}}$ を Hz の単(s^{-1} と同じ単位）で表記した際の数値を 9 192 631 770 と固定値とするこで定義される．

長さ：メートル　メートルは m と表記する SI の長さの単位である．メールは，真空中の光速度 c を m s^{-1} の単位で表記した際の数値を 299 792 4と固定値とすることで定義される．ここで秒はセシウムの周波数 $\Delta\nu_{\mathrm{Cs}}$ で義されている．

質量：キログラム　キログラムは kg と表記する SI の質量の単位である．ログラムは，プランク定数 h を J s の単位（kg m^2 s^{-1} と同じ単位）で表した際の数値を 6.626 070 15×10^{-34} と固定値とすることで定義される．こでメートルと秒は c と $\Delta\nu_{\mathrm{Cs}}$ で定義されている．

電流：アンペア　アンペアは A と表記する SI の電流の単位である．電流は素電荷 e を C の単位（A s と同じ単位）で表記した際の数値を 1.602 176 6×10^{-19} と固定値とすることで定義される．ここで秒は $\Delta\nu_{\mathrm{Cs}}$ で定義されいる．

熱力学温度：ケルビン　ケルビンは K と表記する SI の熱力学温度の単位ある．ケルビンは，ボルツマン定数 k を J K^{-1} の単位（kg m^2 s^{-2} K^{-1} とじ単位）で表記した際の数値を 1.380 649×10^{-23} と固定値とすることで定される．ここでキログラム，メートル，秒は h, c, $\Delta\nu_{\mathrm{Cs}}$ で定義されている

物質量：モル　モルは mol と表記する SI の物質量の単位である．1 モルは正に 6.022 140 76×10^{23} 個の要素粒子を含む．この数値はアボガドロ定数 Nを mol^{-1} の単位で表記した際の固定値であり，アボガドロ数とも呼ばれる系の物質量（n で表記）は特定の要素粒子の数を測る指標であり，要粒子は原子，分子，イオン，電子，その他粒子，あるいは特定の粒子群もよい．

光度：カンデラ　カンデラは cd と表記する SI の光度の単位である．カンラは，周波数 540×10^{12} Hz の単色放射の発光効率 K_{cd} を lm W^{-1} の単(cd sr W^{-1} または cd sr kg^{-1} m^{-2} s^3 と同じ単位）で表記した際の数値を683 と固定値とすることで定義される．ここでキログラム，メートル，は h, c, $\Delta\nu_{\mathrm{Cs}}$ で定義されている．

固有の名称を持つSI組立単位

基本単位の乗除で表される組立単位のうち，固有の名称を持つSI組立単位.

量	単　位	単位記号	他のSI単位による表し方	SI基本単位による表し方
平面角	ラジアン(radian)[1]	rad		m/m
立体角	ステラジアン(steradian)[2]	sr		m^2/m^2
周波数	ヘルツ(hertz)[3]	Hz		s^{-1}
力	ニュートン(newton)	N		kg m s^{-2}
圧力，応力	パスカル(pascal)	Pa	N/m^2	kg m^{-1} s^{-2}
エネルギー 仕事，熱量	ジュール(joule)	J	N m	kg m^2 s^{-2}
仕事率，工率，放射束	ワット(watt)	W	J/s	kg m^2 s^{-3}
電荷，電気量	クーロン(coulomb)	C		A s
電位差(電圧)，起電力	ボルト(volt)	V	W/A	kg m^2 s^{-3} A^{-1}
静電容量	ファラド(farad)	F	C/V	kg^{-1} m^{-2} s^4 A^2
電気抵抗	オーム(ohm)	Ω	V/A	kg m^2 s^{-3} A^{-2}
コンダクタンス	ジーメンス(siemens)	S	A/V	kg^{-1} m^{-2} s^3 A^2
磁　束	ウェーバー(weber)	Wb	V s	kg m^2 s^{-2} A^{-1}
磁束密度	テスラ(tesla)	T	Wb/m^2	kg s^{-2} A^{-1}
インダクタンス	ヘンリー(henry)	H	Wb/A	kg m^2 s^{-2} A^{-2}
セルシウス温度	セルシウス度(degree Celsius)[4]	℃		K
光　束	ルーメン(lumen)	lm	cd sr	cd
照　度	ルクス(lux)	lx	lm/m^2	cd m^{-2}
放射性核種の放射能	ベクレル(becquerel)[3]	Bq		s^{-1}
吸収線量比エネルギー分与，カーマ	グレイ(gray)	Gy	J/kg	m^2 s^{-2}
線量当量，周辺線量当量，方向性線量当量，個人線量当量	シーベルト(sievert)	Sv	J/kg	m^2 s^{-2}
酵素活性	カタール(katal)	kat		mol s^{-1}

1)　ラジアンは平面角のコヒーレント単位である．1 radは，円の周上で，その半径の長さに等しい長さの弧を切り取る2本の半径の間の角である．

2)　ステラジアンは立体角のコヒーレント単位である．1 srは，球の中心を頂点とし，その球の半径を1辺とする正方形に等しい面積を球の表面上で切り取る立体角である．

3)　ヘルツは周期現象についてのみ，ベクレルは放射性核種の統計的過程についてのみ使用される．

4)　セルシウス温度tは熱力学温度Tによりつぎの式で定義される．

$$t/℃ = T/K - 273.15$$

SI 組立単位の例

量	単位	単位記号	SI 基本単位による表し方
面積	平方メートル	m^2	
体積	立方メートル	m^3	
密度	キログラム/立方メートル	kg/m^3	
速度，速さ	メートル/秒	m/s	
加速度	メートル/(秒)^2	m/s^2	
角速度	ラジアン/秒	rad/s	$m\ m^{-1}\ s^{-1} = s^{-1}$
力のモーメント	ニュートン・メートル	N m	$kg\ m^2\ s^{-2}$
表面張力	ニュートン/メートル	N/m	$kg\ s^{-2}$
粘度	パスカル・秒	Pa s	$kg\ m^{-1}\ s^{-1}$
動粘度	平方メートル/秒	m^2/s	
熱流密度 放射照度	ワット/平方メートル	W/m^2	$kg\ s^{-3}$
熱容量 エントロピー	ジュール/ケルビン	J/K	$kg\ m^2\ s^{-2}\ K^{-1}$
比熱容量 比エントロピー	ジュール/(キログラム・ケルビン)	$J\ kg^{-1}\ K^{-1}$	$m^2\ s^{-2}\ K^{-1}$
熱伝導率	ワット/(メートル・ケルビン)	$W\ m^{-1}\ K^{-1}$	$kg\ m\ s^{-3}\ K^{-1}$
電場の強さ	ボルト/メートル	V/m	$kg\ m\ s^{-3}\ A^{-1}$
電束密度 電気変位	クーロン/平方メートル	C/m^2	$A\ s\ m^{-2}$
誘電率	ファラド/メートル	F/m	$kg^{-1}\ m^{-3}\ s^4\ A^2$
電流密度	アンペア/平方メートル	A/m^2	
磁場の強さ	アンペア/メートル	A/m	
透磁率	ヘンリー/メートル ニュートン/(アンペア)^2	H/m N/A^2	$kg\ m\ s^{-2}\ A^{-2}$
起磁力，磁位差	アンペア	A	
モル濃度	モル/立方メートル	mol/m^3	
輝度	カンデラ/平方メートル	cd/m^2	
波数	1/メートル	m^{-1}	
照射線量	クーロン/キログラム	C/kg	$A\ s\ kg^{-1}$

10の整数乗倍を表すSI接頭語

名　称	記号	大きさ	名　称	記号	大きさ
デカ(deca)	da	10	デシ(deci)	d	10^{-1}
ヘクト(hecto)	h	10^2	センチ(centi)	c	10^{-2}
キロ(kilo)	k	10^3	ミリ(milli)	m	10^{-3}
メガ(mega)	M	10^6	マイクロ(micro)	μ	10^{-6}
ギガ(giga)	G	10^9	ナノ(nano)	n	10^{-9}
テラ(tera)	T	10^{12}	ピコ(pico)	p	10^{-12}
ペタ(peta)	P	10^{15}	フェムト(femto)	f	10^{-15}
エクサ(exa)	E	10^{18}	アト(atto)	a	10^{-18}
ゼタ(zetta)	Z	10^{21}	ゼプト(zepto)	z	10^{-21}
ヨタ(yotta)	Y	10^{24}	ヨクト(yocto)	y	10^{-24}
ロナ(ronna)	R	10^{27}	ロント(ronto)	r	10^{-27}
クエタ(quetta)	Q	10^{30}	クエクト(quecto)	q	10^{-30}

注)　接頭語を2つ以上つないで合成した接頭語は用いない.

物理量や単位の記号，および物理量の値の表記法

SIが推奨している物理量や単位の記号，および物理量の値の表記法は以下のとおりである.

物理量の記号

・物理量の記号は，通常アルファベット1文字をイタリック（斜体）で表記する.

・追加情報は，下付きまたは上付きの添字，あるいはかっこでくくって表記する．このとき，追加情報が物理量に由来するものであれば斜体で，それ以外のものであればローマン（立体）で表記する.

例：物体Aの速度 v_{A}（Aは立体），定圧モル熱容量 C_p（p は斜体）

単位記号

・単位記号は立体で表記する．通常は小文字を使うが，人名に由来する特別な名前のものは最初の1文字を大文字とする．例外はリットルの単位記号であり，小文字のlと数字の1との混同を避けるため，大文字のLも使うことが許されている.

・単位記号は数学でいう文字記号であり略語ではない．したがってピリオ
はつけない．また複数形にもならず，1つの物理量を表記する際に単位記
号と単位名を混在させてはいけない．
悪い例：圧力 p=101 325 newton（ニュートン）m^{-2}（正しくは p=101 32
N m^{-2}）
・単位記号には特別の意味を持たせてはいけない．特別の意味を持たせて
いのは物理量の記号のほうである．
悪い例：最大電圧降下 U=1000 V_{max}（正しくは U_{max}=1000 V）
・単位記号の積・商では，通常の数学規則が適用される．乗算は半角スペー
スまたは半角の中黒（·）を使う．除算は通常の分数の形か，スラッシ
(/)，負の冪指数を使う．いくつかの単位記号を組み合わせて使う場合は
誤解を招かないよう注意する必要がある．とくにスラッシュ（/）の使
は1つの表記の中では1回限りにするのがよい．もしくは誤解を招かない
ように適切にかっこを使う．

物理量の値

・物理量の値を表記する際は，数値，半角スペース，単位の順に書く．例
は平面角の単位記号°，′，″であり，これらの前には φ=30° 22′ 8″のよ
にスペースを入れない．似た表記に摂氏温度の単位℃があるが，こちらに
t=30.2 ℃とスペースを入れる．
・物理量の値は数値と単位との積で表現される．したがって，物理量の値
数値，単位の間には通常の数学規則が適用される．
例：圧力 p=101 325 Pa は，p/Pa=101 325 と書くこともできる．
・表中やグラフの軸に数値を書き込む場合は，表の項目名，グラフの軸ラ
ルは，p/Pa のように物理量の記号を単位で除したもの，すなわち数値を
意味するものを使う．
・数値の小数点にはドット（.）あるいはコンマ（,）を使う．
・数値の数字が小数点を起点として5桁以上続く場合は，3桁ずつの区切り
として半角スペースを入れる．4桁の場合は入れても入れなくてもよい．
例：f=384 227.981 9 GHz でも f=384 227.9819 GHz でもよい．
・不確かさを含めて物理量の値を表す際は，m_n=1.674 927 471(21)×10^{-27} kg
のように書く．ここで m_n は物理量の記号（この場合は中性子の質量）で
ある．かっこ内の数値は標準不確かさを表し，前に書かれた数値の最後の
2桁にこの不確かさがあることを意味する．かっこ内の数値が1桁の場合
は，最後の桁にこの不確かさがある．

単位・標準器の変遷

物理量の基準となる単位は古くから数多く存在し，時代とともに移り変わってきた．ここでは単位の定義とその定義を具現（**現示**）するための**標準器**の変遷について，主要なもの，とくにSI全体にかかわるものおよびSI基本単位にかかわるものを記載する．表中の略称は，CGPM（国際度量衡総会，Conférence Générale des Poids et Mesures：最終決定を行う会議），CIPM（国際度量衡委員会，Comité International des Poids et Mesures：CGPMに提言などを行う実務委員会）である．

年　代	事　　項
中世～	《1秒は，平均太陽日の1/86 400（平均太陽秒）》　平均太陽日とは1年間の太陽の平均速度を持って赤道上を等速運動する仮想の太陽（平均太陽）が子午線を通過してからつぎに子午線を通過するまでの時間
1789～	フランス革命の時代における**10進法によるメートル法の創設**
1791	《1メートルは，地球の北極から赤道までの子午線の長さの1 000万分の1》 《1キログラムは，1気圧，最大密度温度における水1000 cm^3 の質量》
1792～1798	ダンケルク（仏）とバルセロナ（西）間の三角測量（1メートルの定義を現示する標準器作成のため）
1799	メートルとキログラムを表す2つの**白金製標準器**（アルシーヴ原器）をパリの国立公文書館へ収蔵保管．フランスの**メートル法**が公布される．《1メートルはメートル原器の長さ》，《1キログラムはキログラム原器の質量》
1832	ガウス（C. F. Gauss）は長さ，質量，時間の量のそれぞれに対する3つの力学系単位，ミリメートル，グラム，秒に基づいた10進法による地磁気の大きさの絶対測定を行った．後にガウスとウェーバー（W. E. Weber）は電気現象についての測定も行った．
1860年代	マクスウェル（J. C. Maxwell）およびトムソン（W. Thomson）は，基本単位および組立単位から形成される**一貫性のある単位系**の必要性を主張した．
1874	英国科学振興協会は，3つの力学系単位，センチメートル，グラム，秒に基づく一貫性のある三元系単位系としての**CGS単位系**を導入した．
1875	5月20日　**メートル条約調印**（日本は1885年に加入）
1880年代	英国科学振興協会および国際電気標準会議の前身である国際電気会議は，相互に一貫性のある一組の実用単位系を承認した．それらの単位には，電気抵抗に対するオーム，起電力に対するボルトおよび電流に対するアンペアがある（電気学および磁気学の分野にとって，選択されていた一貫性のあるCGS単位の大きさは便宜性に欠けることが明白となったため）．
1889	第1回CGPM ・**国際メートル原器と国際キログラムの原器の承認**：《1メートルは国際メートル原器に刻まれた2本の線の間隔》，《1キログラムは国際キログラム原器の質量》　これらの単位は，時間の単位である天文秒（平均太陽秒）とともに，CGS単位系と同様のメートル，キログラムおよび秒を基本単位とする力学系の三元**MKS単位系**を構成した．
1901	第3回CGPM ・質量の単位（国際キログラム原器の質量が1 kg）と重量の定義（重量は力と同じ次元の物理量）に関する声明
1901	ジョルジ（G. Giorgi）は，アンペアやオームのような電気的性質を示す第四の単位を3つの力学系基本単位（メートル，キログラム，秒）に追加し，さらに電磁気学における数式を有理化形式で記述することによって，一貫性のある四元系単位系を構成する可能性を示した．

年代	事項
1927	第7回 CGPM ・**国際原器によるメートルの定義**：国際メートル原器に刻まれた2本の線の間隔が1m であることの再確認と，その現示法の指定
1939	国際度量衡局電気諮問委員会 ・メートル，キログラム，秒およびアンペアに基づいた四元系，**MKSA 単位系**の提案
1946	CIPM ・測光量の単位（ブージ・ヌーベル，後のカンデラ）の定義 ・電気単位（アンペア，ボルト，オームなど）の定義
1948	第9回 CGPM ・ただ1つの定点（水の三重点）による熱力学温度目盛 ・実用単位系の確立(SIの設立)の提案(1946年のCIPMの定義をもとにした実用単位系)《アンペアは，真空中に1mの間隔で平行に置かれた，無限に小さい円形断面積を有する，無限に長い2本の直線状導体のそれぞれに流し続けたときに，これらの導体の長さ1mごとに 2×10^{-7} N の力を及ぼし合う一定の電流である》
1954	第10回 CGPM ・**熱力学温度目盛の定義**：《水の三重点の熱力学温度を 273.16 K とする》 ・実用単位系の基本単位として，長さ（メートル），質量（キログラム），時間（秒），電流（アンペア），熱力学温度（ケルビン度）および光度（カンデラ）の6種の採用を決定
1960	第11回 CGPM ・**メートルの定義を変更**：《メートルは，^{86}Kr 原子の準位 $2\,p_{10}$ と $5\,d_5$ の間の遷移に対応する放射の，真空中における波長の 1 650 763.73 倍に等しい長さである》 ・**秒の定義を変更**：《秒は，暦表時の 1900 年1月0日12時に対する太陽年の 1/31 556 925.974 7 倍である（暦表秒）》（1956 年の CIPM の決定を承認） ・**国際単位系（Système International d'Unités，略称 SI）の確立**：1956 年の CIPM の勧告に基づく基本単位（6個），補助単位（rad, sr の2個），組立単位（多数）を決定
1964	第12回 CGPM ・原子と分子による周波数標準：原子または分子に基づく周波数標準器の指定を行う権限を CIPM に委ねると決議，同年 CIPM は ^{133}Cs の基底状態の2つの超微細準位の間の遷移を採用
1967/68	第13回 CGPM ・**秒の定義を変更**：1960 年の定義を廃止《秒は，^{133}Cs 原子の基底状態の2つの超微細準位の間の遷移に対応する放射の 9 192 631 770 周期の継続時間である》 ・熱力学温度の SI 単位（ケルビン）：「ケルビン度」「度」という名称，「°K」「deg」という記号の使用制限 ・**熱力学温度（ケルビン）の定義の明確化**：《ケルビンは，水の三重点の熱力学温度の 1/273.16 である》 ・**光度の SI 単位（カンデラ）**：《カンデラは，101 325 N/m^2 の圧力の下での，白金の凝固点の温度における黒体の 1/600 000 m^2 の表面の垂直方向の光度である》 単位の名称「ブージ・ヌーベル」の廃止
1970	国際原子時（TAI）の定義
1971	第14回 CGPM ・**物質量の SI 単位（モル）**：基本単位としてモル（mol）を追加，《モルは 0.012 kg の ^{12}C に含まれる原子と等しい数の構成要素を含む系の物質量である》
1975	第15回 CGPM ・光の速さに対して勧告される値：真空中の電磁場の伝播速度に対して $c=299\,792\,458$ m/s という値の採用を勧告 ・協定世界時（UTC）使用の推奨
1979	第16回 CGPM ・**カンデラの定義を変更**：1967 年の定義を廃止.《カンデラは周波数 540×10^{12} Hz の単色放射を放出し，所定の方向の放射強度が 1/683 W sr^{-1} である光源の，その方向における光度である》

年 代	事 項
1980	CIPM **物質量の単位（モル）に対する補則**（^{12}C の状態を厳密に指定）を承認
1983	第 17 回 CGPM ・**メートルの定義を変更**：1960 年の定義を廃止.《メートルは，光が真空中で 1/299 792 458 s の間に進む距離である》 ・メートルの定義の実現について：CIPM に長さの干渉測定のための波長標準となる放射を選択することを要請．同年 CIPM はメートルの定義の現示法および**電磁波のリスト**を勧告
1987	第 18 回 CGPM ・ボルトとオームの現示に対する今後の調整：CIPM に勧告する権限を付与
1988	CIPM ・ジョセフソン効果を用いたボルトの現示(**電圧標準**)：ジョセフソン定数の協定値として，K_{J-90} = 483 597.9 GHz/V という値の採用を勧告 ・量子ホール効果によるオームの現示(**抵抗標準**)：フォン・クリッツィング定数の協定値として，R_{K-90} = 25 812.807 Ω という値の採用を勧告
1989	CIPM ・1990 年国際温度目盛（ITS-90）：1968 年国際実用温度目盛（IPTS-68)，1976 年 0.5 K-30 K 暫定温度目盛（EPT-76）を廃止し，ITS-90 を 1990 年 1 月 1 日より発効することを勧告
1995	第 20 回 CGPM ・SI における補助単位の階級の廃止：2 個の補助単位（rad, sr）は，無次元の組立単位と解釈（1980 年に CIPM により与えられた）することを決定
1997	CIPM **時間の単位（秒）に対する補則**（Cs の状態を厳密に指定）を確認
1999	第 21 回 CGPM ・キログラムの定義：将来のキログラムの再定義のために，質量の単位を基礎定数や原子定数に結びつける実験を改良する努力を続けるよう（国家標準研究機関に）勧告
2002	CIPM ・**メートルの定義を現示する電磁波のリストの改訂** 1)：光領域での周波数測定技術の発展を受け，捕獲された冷却原子・イオンからの電磁放射，安定化レーザーの周波数を含む電磁波のリストに置き換えることを勧告
2007	第 23 回 CGPM ・**熱力学温度の単位（ケルビン）の定義の明確化**：ケルビンの定義は特定の同位体組成の水に関するものであることの明示を決定（2005 年の CIPM の決定を承認）
2011	第 24 回 CGPM ・将来における国際単位系（SI）の改定の可能性：現行の 7 個の基本単位は維持しつつ，**自然界の不変量**（基礎定数や原子定数，具体的にはプランク定数，素電荷，ボルツマン定数，アボガドロ定数など）を「確定値」とすることで，基本単位を再定義する可能性を提言
2014	第 25 回 CGPM ・将来における国際単位系（SI）の改定について：次回の CGPM（2018）で新しい SI を定義，決議するのに必要なあらゆる努力を行うよう，国家標準研究機関，大学附置研究所，BIPM，CIPM に要請
2018	第 26 回 CGPM ・国際単位系（SI）の改定：7 個の定義定数（**物 1**）に基づいて，7 個の SI 基本単位の定義を現行のものに変更（**物 2**） ・前項の改定に伴い，1967/68 年の秒の定義，1983 年のメートルの定義，1889 年のキログラムの定義，1948 年のアンペアの定義，1967/68 年のケルビンの定義，1971 年のモルの定義，1979 年のカンデラの定義を廃止．同様に，1988 年の電圧標準，抵抗標準に関する協定値（K_{J-90}，R_{K-90}）を廃止

1)　以後，数年に 1 回行われている．電磁波のリストの最新版は www.bipm.org/en/publications/mises-en-pratique/standard-frequencies.html にある．

電気および磁気の単位系

国際単位系（SI） 以前の MKSA 単位系に基づいたもので，電気および磁気に関しては，4 つの基本単位 m，kg，s，A を用いる．

CGS 静電単位系（CGS–esu） 3 つの基本単位 cm, g, s を用い，真空の誘電率を値 1 の無次元の量とし，1 esu の電気量＝真空中で 1 cm の距離にある相等しい電気量の間に働く力が 1 dyn であるときの各電気量，と定義する．

CGS 電磁単位系（CGS–emu） 真空の透磁率を値 1 の無次元の量とし 1 emu の磁極の強さ＝真空中で 1 cm の距離にある相等しい強さの磁極に働く力が 1 dyn であるときの各磁極の強さ，と定義する．

CGS ガウス単位系（CGS–Gauss） CGS 対称単位系とも呼ばれ，真空の誘電率，透磁率を値 1 の無次元の量とし，電気的な量には esu を，磁気的な量には emu を用いるもので，電気的量と磁気的量を含む関係式には速度の次元を持つ比例定数として真空中の光速度が現れる．

電磁気の単位系の比較

（SI における 1 単位の量を CGS 単位系で表したときの数値）

量と記号		SI		CGS	
				esu	emu
電気量	Q	クーロン	C	$c \cdot 10^{-1}$	10^{-1}
電束密度	D	クーロン/平方メートル	C/m^2	$4\pi c \cdot 10^{-5}$	$4\pi \cdot 10^{-5}$
分極	P	クーロン/平方メートル	C/m^2	$c \cdot 10^{-5}$	10^{-5}
電流	I	アンペア	A	$c \cdot 10^{-1}$	10^{-1}
電位	V	ボルト	V	$\frac{1}{c} \cdot 10^{8}$	10^{8}
電場	E	ボルト/メートル	V/m	$\frac{1}{c} \cdot 10^{6}$	10^{6}
電気抵抗	R	オーム	Ω	$\frac{1}{c^2} \cdot 10^{9}$	10^{9}
電気容量	C	ファラド	F	$c^2 \cdot 10^{-9}$	10^{-9}
誘電率	ε	ファラド/メートル	F/m	$4\pi c^2 \cdot 10^{-11}$	$4\pi \cdot 10^{-11}$
磁極	Q_m	ウェーバー	Wb	$\frac{1}{4\pi c} \cdot 10^{8}$	$\frac{1}{4\pi} \cdot 10^{8}$
磁束	ϕ	ウェーバー	Wb	$\frac{1}{c} \cdot 10^{8}$	10^{8} [1]
磁束密度	B	テスラ	T	$\frac{1}{c} \cdot 10^{4}$	10^{4} [2]
磁化	M	アンペア/メートル	A/m	$c \cdot 10^{-3}$	10^{-3} [2]
起磁力・磁位	F_m	アンペア	A	$4\pi c \cdot 10^{-1}$	$4\pi \cdot 10^{-1}$ [3]
磁場の強さ	H	アンペア/メートル	A/m	$4\pi c \cdot 10^{-3}$	$4\pi \cdot 10^{-3}$ [4]

量と記号		SI		CGS	
				esu	emu
ンダクタンス	L	ヘンリー	H	$\frac{1}{c^2}\cdot 10^9$	10^9
透　磁　率	μ	ヘンリー/メートル ニュートン/(アンペア)^2	H/m N/A^2	$\frac{1}{4\pi c^2}\cdot 10^7$	$\frac{1}{4\pi}\cdot 10^7$

この表で c は光速を cm/s 単位で表したときの数値 c = 2.997 924 58 × 10^{10}（無次元）であり，真空中の光速そのものではない．

SI では，$D=\varepsilon_0 E+P$，$H=\frac{B}{\mu_0}-M$ とする．ただし，ε_0：真空の誘電率，μ_0：真空の透磁（物 14 参照）

CGS-Gauss では，電気に関する量（この表では誘電率 ε から上の量）には CGS-esu の単位を用い，磁気に関する量（この表では磁極 Q_m から下の量）には CGS-emu の単位を用いる．

1)～4) は CGS-emu で固有の名称を持つもの；
1) マクスウェル Mx，2) ガウス G，3) ギルバート Gi，4) エルステッド Oe.

SI 以外の単位

種々の分野で使われている SI 以外の単位を示す．

- 下線　SI では使うことが推奨されていない単位.
- 太字　SI と併用できる単位.
- †　固有の名称を持つ CGS 単位.

時間

分(minute，min) 1 min = 60 s.

時(hour，h) 1 h = 60 min = 3 600 s.

日(day，d) 1 d = 24 h = 86 400 s.

長さ

フェルミ(fermi) 1 fermi = 1 fm = 10^{-15} m.

オングストローム(ångström，Å) 1 Å = 0.1 nm = 10^{-10} m.

ミクロン(micron，μ) 倍数 μ(= 10^{-6}) と混同するおそれがあるので使用しない．1 μ = 10^{-3} mm = 1 μm であるから μm を用いる．

天文単位 (astronomical unit, au) 1 au = 149 597 870 700 m(定義値)[1]

パーセク(parsec, pc) 1 pc ≒ 3.085 678 × 10^{16} m.
1 天文単位の距離を見込む角が 1 秒となる距離（**天 47** 参照）．

光年(light-year, ly) 1 ly = 9 460 730 472 580 800 m.
1 ユリウス年(365.25 日）の間に光が真空中を進む距離（**天 47** 参照）．

海里 (nautical mile (international)) 1 海里 = 1 852 m(定義値).
航海・航空に使用される．

面積

バーン(barn，b) 1 b = 10^{-28} m^2 = 100 fm^2.
核物理学において有効断面積を表すために使用される．

アール(are，a) 1 a = 100 m^2.

ヘクタール(hectare，ha) 1 ha = 10^4 m^2 = 1 hm^2.

物

体積

リットル(litre, L)[2)]　1 L = 1 dm^3 = 10^{-3} m^3.

平面角

度(degree, °)　1° = (π/180) rad.

1 rad ≒ 57.295 78° ≒ 57°17′44″.

分(minute, ′)　1′ = (1/60)° = (π/10 800) rad.

秒(second, ″)　1″ = (1/60)′ = (π/648 000) rad.

質量

統一原子質量単位 (unified atomic mass unit, u)

1 u = 1.660 539 068 92(52) × 10^{-27} kg(CODATA 2022 推奨値. **物15**参照

ダルトン (dalton, Da)　1 Da = 1 u.

トン(tonne, t)　1 t = 1 000 kg.

速度

ノット (knot (international))

1 knot = 1 海里/時 = 1.852 km/h ≒ 0.514 4 m/s.

加速度

ガル (gal, Gal)　1 Gal = 1 cm/s^2 = 10^{-2} m/s^2.

測地学および地球物理学において重力加速度を表すために使う単位[3)]

力

ダイン†(dyne, dyn)　1 dyn = 1 g cm/s^2 = 10^{-5} N.

重力キログラム(kilogram-force, kgf)　1 kgf = 9.806 65 N (定義値)[4)].

圧力

バール (bar, bar)　1 bar = 10^6 dyn/cm^2 = 10^5 N/m^2 = 10^5 Pa.

水銀柱ミリメートル (mmHg) = トル(torr, Torr)　1 Torr ≒ 133.322 Pa.

標準大気圧(standard atmosphere, atm)　1 atm = 101 325 Pa(定義値)

760 mmHg(定義値).

重力キログラム毎平方センチメートル (kilogram-force per square cen-timeter, kgf/cm^2)　1 kgf/cm^2 = 980 66.5 Pa (定義値).

仕事, エネルギー

エルグ†(erg, erg)　1 erg = 1 dyn cm = 10^{-7} J.

電子ボルト (electron volt, eV)　1 eV = 1.602 176 634 × 10^{-19} J.

真空中において電子が 1 V の電位差の間を移動することによって得る運動エネルギー.

熱量[5)]

カロリー (calorie, cal)　温度を指定しないときは, 1 cal = 4.184 J(定義値)

キロカロリー(キログラムカロリーまたは大カロリー)　1 kcal = 1 000 cal

仕事率

仏馬力(horse-power, PS)[6)]　1 PS = 75 m kgf/s = 735.5 W.

英馬力(horse-power, hp)[6)]　1 hp = 550 ft lbf/s = 745.7 W.

粘度

ポアズ†(poise, P)　1 P = 1 dyn s/cm^2 = 0.1 Pa s.

動粘度

ストークス†(stokes, St)　1 St = 1 cm^2/s = 10^{-4} m^2/s.

磁気

ガウス†(gauss, G) 1 G＝10^{-4} T(磁束密度の CGS-emu).

エルステッド†(oersted, Oe) 1 Oe＝$(1/4\pi)10^3$ A/m (磁場の強さの CGS-emu).

マクスウェル†(maxwell, Mx) 1 Mx＝10^{-8} Wb(磁場の CGS-emu).

ガンマ(gamma, γ) 1 γ＝10^{-9} T.

光

スチルブ†(stilb, sb) 1 sb＝1 cd/cm^2＝10^4 cd/m^2(輝度の CGS).

フォト†(photo, ph) 1 ph＝10^4 lx(照度の CGS).

放射線に関する量

放射能

キュリー†(curie, Ci) 1 Ci＝3.7×10^{10} Bq(定義値)[7].

吸収線量

ラド(rad, rad) 1 rad＝10^{-2} Gy.

線量当量

レム(rem, rem) 1 rem＝10^{-2} Sv.

照射線量

レントゲン†(röntgen, R) 1 R＝2.58×10^{-4} C/kg (空気 0.001 293 g (0 ℃, 760 mmHg における乾燥空気 1 cm^3) 中に 1 esu の電荷をつくる照射線量).

音響単位については**物 85** 参照.

その他慣用の計量単位については**附 23** 参照.

---

1) 1 au ははじめ地球の公転軌道の長半径と定められたが, 1976 年に重力定数と太陽質量の積をもとにしてケプラーの第三法則を用いて算出するよう改められた. SI 国際文書第 8 版 (2006) で示されている実験値は, 1.495 978 706 91 (6)×10^{11} m である [( ) 内の数値, すなわち不確かさの表記法については**物 6** を参照のこと]. その後 2012 年に国際天文学連合 (IAU) は SI の長さの定義 (m) と直接関連づけるため, 1 au＝1.495 978 707 00×10^{11} m を定義値とし, SI も 2014 年の改訂版で変更した.

2) 1964 年までは 1 L＝1 000.028 cm^3 (1 atm で最大密度の温度における水 1 kg の体積) と定義されていた.

3) 重力加速度は通常 g という文字で表し, 標準の g の値は 1901 年国際度量衡総会において 9.806 65 m/s^2＝980.665 Gal と定義された. 種々の緯度での海面における g の値 (1980 年) は**地 277** を参照のこと. また, 日本の各所における g の値は**地 278** (日本重力基準網) を参照のこと.

4) SI とは異なる単位系に, 質量ではなく標準重力加速度 (9.806 65 m/s^2) による力を用いる重力単位系と呼ばれる単位系がある. そこでの力の単位が重力キログラム kgf である (重量キログラムとも呼ばれる).

5) 熱量の単位は仕事あるいはエネルギーと同じ. 1948 年の国際度量衡総会で熱量の単位として従来用いられたカロリーはできるだけ使わぬこと, もし用いる場合には 1 カロリーに相当するジュールの値を付記することが決議された.

6) 仏馬力は当面使用できるが, 英馬力は日本では 1959 年より使用が禁止されている.

7) もともとはラジウム 1 g あたりの放射能として定義された.

基礎物

名称と記号		数値	単位
普遍定数および電磁気定数			
真空中の光速[3]	$c,\ c_0$	299 792 458	m s^{-1}
真空の透磁率	μ_0	$1.256\,637\,061\,27(20)\times10^{-6}$	N A^{-2}
	$\mu_0/(4\pi\times10^{-7}\,\mathrm{N\,A^{-2}})$	0.999 999 999 87(16)	
真空の誘電率	$\varepsilon_0=1/\mu_0c^2$	$8.854\,187\,8188(14)\times10^{-12}$	F m^{-1}
万有引力定数	G	$6.674\,30(15)\times10^{-11}$	N m^2 kg
プランク定数[3]	h	$6.626\,070\,15\times10^{-34}$	J s または J
	$\hbar=h/2\pi$	$1.054\,571\,817\cdots\times10^{-34}$	J s
素電荷[3]	e	$1.602\,176\,634\times10^{-19}$	C
磁束量子[4]	$\Phi_0=h/2e$	$2.067\,833\,848\cdots\times10^{-15}$	Wb
コンダクタンス量子[4]	$G_0=2e^2/h$	$7.748\,091\,729\cdots\times10^{-5}$	S
ジョセフソン定数[5]	$K_\mathrm{J}=2e/h$	$483\,597.848\,416\,984\cdots\times10^{9}$	Hz V^{-1}
フォン・クリッツィング定数[5]	$R_\mathrm{K}=h/e^2$	25 812.807 459 3045…	Ω
ボーア磁子	$\mu_\mathrm{B}=e\hbar/2m_\mathrm{e}$	$9.274\,010\,0657(29)\times10^{-24}$	J T^{-1}
核磁子	$\mu_\mathrm{N}=e\hbar/2m_\mathrm{p}$	$5.050\,783\,7393(16)\times10^{-27}$	J T^{-1}
原子定数および素粒子・核			
微細構造定数	$\alpha=e^2/4\pi\varepsilon_0\hbar c$	$7.297\,352\,5643(11)\times10^{-3}$	
	$1/\alpha$	137.035 999 177(21)	
リュードベリ定数	$R_\infty=\alpha^2m_\mathrm{e}c/2h$	$1.097\,373\,156\,8157(12)\times10^{7}$	m^{-1}
ボーア半径	$a_0=\alpha/4\pi R_\infty$	$5.291\,772\,105\,44(82)\times10^{-11}$	m
ハートリーエネルギー	$E_\mathrm{h}=e^2/4\pi\varepsilon_0a_0$	$4.359\,744\,722\,2060(48)\times10^{-18}$	J
循環量子	$h/2m_\mathrm{e}$	$3.636\,947\,5467(11)\times10^{-4}$	m^2 s^{-1}

1) CODATA (Committee on Data for Science and Technology) 2022 推奨による.
2) 数値欄にあるかっこ内の数値は不確かさを表す. **物6**を参照のこと.
3) 定義定数.
4) 定義定数を使った計算値.
5) SI 国際文書第 9 版 補遺 2 による 15 桁の計算値.

理　定　数[1,2)]

名称と記号		数値	単位
電子の質量	m_e	$9.109\,383\,7139(28)\times10^{-31}$	kg
ミュー粒子の質量	m_μ	$1.883\,531\,627(42)\times10^{-28}$	kg
タウ粒子の質量	m_τ	$3.167\,54(21)\times10^{-27}$	kg
陽子の質量	m_p	$1.672\,621\,925\,95(52)\times10^{-27}$	kg
中性子の質量	m_n	$1.674\,927\,500\,56(85)\times10^{-27}$	kg
電子の磁気モーメント	μ_e	$-9.284\,764\,6917(29)\times10^{-24}$	$J\ T^{-1}$
自由電子の g 因子	$2\mu_e/\mu_B$	$-2.002\,319\,304\,360\,92(36)$	
ミュー粒子の磁気モーメント	μ_μ	$-4.490\,448\,30(10)\times10^{-26}$	$J\ T^{-1}$
陽子の磁気モーメント	μ_p	$1.410\,606\,795\,45(60)\times10^{-26}$	$J\ T^{-1}$
陽子の g 因子	$2\mu_p/\mu_N$	$5.585\,694\,6893(16)$	
中性子の磁気モーメント	μ_n	$-9.662\,3653(23)\times10^{-27}$	$J\ T^{-1}$
(電子の)コンプトン波長	$\lambda_C=h/m_ec$	$2.426\,310\,235\,38(76)\times10^{-12}$	m
陽子のコンプトン波長	$\lambda_{C,p}=h/m_pc$	$1.321\,409\,853\,60(41)\times10^{-15}$	m
電子の比電荷	$-e/m_e$	$-1.758\,820\,008\,38(55)\times10^{11}$	$C\ kg^{-1}$
電子の古典半径	$r_e=e^2/4\pi\varepsilon_0m_ec^2$	$2.817\,940\,3205(13)\times10^{-15}$	m
物理化学定数			
原子質量定数[6)]	m_u	$1.660\,539\,068\,92(52)\times10^{-27}$	kg
アボガドロ定数[3)]	N_A, L	$6.022\,140\,76\times10^{23}$	mol^{-1}
ボルツマン定数[3)]	k	$1.380\,649\times10^{-23}$	$J\ K^{-1}$
ファラデー定数[4)]	$F=N_Ae$	$96\,485.332\,12\cdots$	$C\ mol^{-1}$
1モルの気体定数[4)]	$R=N_Ak$	$8.314\,462\,618\cdots$	$J\ mol^{-1}\ K^{-1}$
理想気体1モルの体積(0℃, 1 atm)[4,7)]	V_m	$22.413\,969\,54\cdots\times10^{-3}$	$m^3\ mol^{-1}$
ステファン-ボルツマン定数[4)]	$\sigma=\pi^2k^4/60\hbar^3c^2$	$5.670\,374\,419\cdots\times10^{-8}$	$W\ m^{-2}\ K^{-4}$

6)　静止して基底状態にある自由な ^{12}C の原子1個の質量の1/12で，統一原子質量単位1 u に等しい．

7)　0℃ = 273.15 K，1 atm = 101.325 kPa (**物12**参照)．

エネルギ

	J	eV	kg	Hz
1 J	(1 J) = 1 J	(1 J) = 6.241 509 074… ×10^18 eV	(1 J)/c^2= 1.112 650 056… ×10^−17 kg	(1 J)/h= 1.509 190 179… ×10^33 Hz
1 eV	(1 eV) = 1.602 176 634 ×10^−19 J	(1 eV) = 1 eV	(1 eV)/c^2= 1.782 661 921… ×10^−36 kg	(1 eV)/h= 2.417 989 242… ×10^14 Hz
1 kg	(1 kg)c^2= 8.987 551 787… ×10^16 J	(1 kg)c^2= 5.609 588 603… ×10^35 eV	(1 kg) = 1 kg	(1 kg)c^2/h= 1.356 392 489… ×10^50 Hz
1 Hz	(1 Hz)h= 6.626 070 15 ×10^−34 J	(1 Hz)h= 4.135 667 696… ×10^−15 eV	(1 Hz)h/c^2= 7.372 497 323… ×10^−51 kg	(1 Hz) = 1 Hz
1 m^{-1}	(1 m^{-1})hc= 1.986 445 857… ×10^−25 J	(1 m^{-1})hc= 1.239 841 984… ×10^−6 eV	(1 m^{-1})h/c= 2.210 219 094… ×10^−42 kg	(1 m^{-1})c= 299 792 458 Hz
1 K	(1 K)k= 1.380 649 ×10^−23 J	(1 K)k= 8.617 333 262… ×10^−5 eV	(1 K)k/c^2= 1.536 179 187… ×10^−40 kg	(1 K)k/h= 2.083 661 912… ×10^10 Hz
1 T	(1 T)μ_B= 9.274 010 0657(29) ×10^−24 J	(1 T)μ_B= 5.788 381 7982(18) ×10^−5 eV	(1 T)μ_B/c^2= 1.031 872 781 94(32) ×10^−40 kg	(1 T)μ_B/h= 1.399 624 491 71(43) ×10^10 Hz

1) CODATA 2022 推奨値による．

ー 換 算 表[1]

m^{-1}	K	T	備考
(1 J)/hc = .034 116 567… $\times 10^{24}$ m^{-1}	(1 J)/k = 7.242 970 516… $\times 10^{22}$ K	(1 J)/μ_B = 1.078 282 202 54(33) $\times 10^{23}$ T	
(1 eV)/hc = .065 543 937… $\times 10^{5}$ m^{-1}	(1 eV)/k = 1.160 451 812… $\times 10^{4}$ K	(1 eV)/μ_B = 1.727 598 549 76(54) $\times 10^{4}$ T	
(1 kg) c/h = 4.524 438 335… $\times 10^{41}$ m^{-1}	(1 kg) c^2/k = 6.509 657 260… $\times 10^{39}$ K	(1 kg) c^2/μ_B = 9.691 117 1367(30) $\times 10^{39}$ T	c = 2.997 924 58 $\times 10^{8}$ m s^{-1} (真空中の光速)
(1 Hz)/c = 3.335 640 951… $\times 10^{-9}$ m^{-1}	(1 Hz) h/k = 4.799 243 073… $\times 10^{-11}$ K	(1 Hz) h/μ_B = 7.144 773 5155(22) $\times 10^{-11}$ T	h = 6.626 070 15 $\times 10^{-34}$ J s (プランク定数)
(1 m^{-1}) = 1 m^{-1}	(1 m^{-1}) hc/k = 1.438 776 877… $\times 10^{-2}$ K	(1 m^{-1}) hc/μ_B = 2.141 949 214 07(66) $\times 10^{-2}$ T	
(1 K) k/hc = 6.950 348 004… $\times 10^{1}$ m^{-1}	(1 K) = 1 K	(1 K) k/μ_B = 1.488 729 244 65(46) T	k = 1.380 649 $\times 10^{-23}$ J K^{-1} (ボルツマン定数)
(1 T) μ_B/hc = 4.668 644 7719(14) m^{-1}	(1 T) μ_B/k = 6.717 138 1471(21) $\times 10^{-1}$ K	(1 T) = 1 T	μ_B = 9.274 010 0657(29) $\times 10^{-24}$ J T^{-1} (ボーア磁子)

元　素

原　子　量 (1)

元素の原子量は統一原子質量単位に対する当該元素の平均質量の比と定
される．本表はIUPAC(国際純正・応用化学連合)の原子量および同位体
在度委員会によって2021年に勧告された原子量を示したもので，現時点で
新のものである．この表の原子量とかっこ内に示されたその不確かさ(有効
字の最後の桁に対応する)は地球上に起源を持つ物質中の元素に適用される
ここに示された不確かさを超える変動を示しうる元素については，(注)にその
動の様式を記号 g, m, r で記す．なお，2009年からIUPACではいくつかの元
について原子量を単一の数値ではなく，変動範囲で示すことに決めた．以下の
では変動範囲を [a, b] で表し，原子量が a 以上，b 以下であることを示す．

*を付した元素は安定同位体のない元素であり，その元素の放射性同位体の
量数の一例を[　]内に示す．ただし放射性元素のビスマス，トリウム，プロト
クチニウム，ウランは地球上で特定の同位体組成を持つので原子量が与えられ
いる．

(注)　g：地質学的試料の中には，当該元素の同位体組成が大きく変動するために，そ
原子量がこの表の不確かさを超えるものがある．　m：不詳な，あるいは不適切な同位
分別をうけたために，当該元素の同位体組成が大きく変動した物質が市販品中に見いだ
れることがあり，その元素の原子量がこの表の不確かさを超えることがある．　r：通常
地球上の物質の当該元素の同位体組成に比較的大きな変動があるため，その原子量の精
に限界があり，ときにこの表の不確かさを超えるものがある．

原子番号	元素	英語	記号	原子量	注
1	水素	hydrogen	H	[1.00784, 1.00811]	m
2	ヘリウム	helium	He	4.002602(2)	g r
3	リチウム	lithium	Li	[6.938, 6.997]	m
4	ベリリウム	beryllium	Be	9.0121831(5)	
5	ホウ素	boron	B	[10.806, 10.821]	m
6	炭素	carbon	C	[12.0096, 12.0116]	
7	窒素	nitrogen	N	[14.00643, 14.00728]	m
8	酸素	oxygen	O	[15.99903, 15.99977]	m
9	フッ素	fluorine	F	18.998403162(5)	
10	ネオン	neon	Ne	20.1797(6)	g m
11	ナトリウム	sodium	Na	22.98976928(2)	
12	マグネシウム	magnesium	Mg	[24.304, 24.307]	
13	アルミニウム	aluminium[1]	Al	26.9815384(3)	
14	ケイ素	silicon	Si	[28.084, 28.086]	
15	リン	phosphorus	P	30.973761998(5)	
16	硫黄	sulfur	S	[32.059, 32.076]	
17	塩素	chlorine	Cl	[35.446, 35.457]	m
18	アルゴン	argon	Ar	[39.792, 39.963]	g r
19	カリウム	potassium	K	39.0983(1)	
20	カルシウム	calcium	Ca	40.078(4)	g
21	スカンジウム	scandium	Sc	44.955907(4)	
22	チタン	titanium	Ti	47.867(1)	
23	バナジウム	vanadium	V	50.9415(1)	
24	クロム	chromium	Cr	51.9961(6)	
25	マンガン	manganese	Mn	54.938043(2)	

1) aluminum (IUPACの原子量表でかっこに入れて併記されている元素名)

原　子　量 (2)

原子番号	元　素	英　語	記号	原　子　量	注
26	鉄	iron	Fe	55.845(2)	
27	コバルト	cobalt	Co	58.933194(3)	
28	ニッケル	nickel	Ni	58.6934(4)	r
29	銅	copper	Cu	63.546(3)	r
30	亜　鉛	zinc	Zn	65.38(2)	r
31	ガリウム	gallium	Ga	69.723(1)	
32	ゲルマニウム	germanium	Ge	72.630(8)	
33	ヒ素	arsenic	As	74.921595(6)	
34	セレン	selenium	Se	78.971(8)	r
35	臭　素	bromine	Br	[79.901, 79.907]	
36	クリプトン	krypton	Kr	83.798(2)	g m
37	ルビジウム	rubidium	Rb	85.4678(3)	g
38	ストロンチウム	strontium	Sr	87.62(1)	g r
39	イットリウム	yttrium	Y	88.905838(2)	
40	ジルコニウム	zirconium	Zr	91.224(2)	g
41	ニオブ	niobium	Nb	92.90637(1)	
42	モリブデン	molybdenum	Mo	95.95(1)	g
43	テクネチウム*	technetium*	Tc	[99]	
44	ルテニウム	ruthenium	Ru	101.07(2)	g
45	ロジウム	rhodium	Rh	102.90549(2)	
46	パラジウム	palladium	Pd	106.42(1)	g
47	銀	silver	Ag	107.8682(2)	g
48	カドミウム	cadmium	Cd	112.414(4)	g
49	インジウム	indium	In	114.818(1)	
50	ス　ズ	tin	Sn	118.710(7)	g
51	アンチモン	antimony	Sb	121.760(1)	g
52	テルル	tellurium	Te	127.60(3)	g
53	ヨウ素	iodine	I	126.90447(3)	
54	キセノン	xenon	Xe	131.293(6)	g m
55	セシウム	caesium[2)]	Cs	132.90545196(6)	
56	バリウム	barium	Ba	137.327(7)	
57	ランタン	lanthanum	La	138.90547(7)	g
58	セリウム	cerium	Ce	140.116(1)	g
59	プラセオジム	praseodymium	Pr	140.90766(1)	
60	ネオジム	neodymium	Nd	144.242(3)	g
61	プロメチウム*	promethium*	Pm	[145]	
62	サマリウム	samarium	Sm	150.36(2)	g
63	ユウロピウム	europium	Eu	151.964(1)	g
64	ガドリニウム	gadolinium	Gd	157.25(3)	g
65	テルビウム	terbium	Tb	158.925354(7)	
66	ジスプロシウム	dysprosium	Dy	162.500(1)	g
67	ホルミウム	holmium	Ho	164.930329(5)	
68	エルビウム	erbium	Er	167.259(3)	g
69	ツリウム	thulium	Tm	168.934219(5)	
70	イッテルビウム	ytterbium	Yb	173.045(10)	g

2) cesium

原　子　量 (3)

原子番号	元　素	英　語	記号	原 子 量	注
71	ルテチウム	lutetium	Lu	174.9668(1)	g
72	ハフニウム	hafnium	Hf	178.486(6)	
73	タンタル	tantalum	Ta	180.94788(2)	
74	タングステン	tungsten	W	183.84(1)	
75	レニウム	rhenium	Re	186.207(1)	
76	オスミウム	osmium	Os	190.23(3)	g
77	イリジウム	iridium	Ir	192.217(2)	
78	白　金	platinum	Pt	195.084(9)	
79	金	gold	Au	196.966570(4)	
80	水　銀	mercury	Hg	200.592(3)	
81	タリウム	thallium	Tl	[204.382, 204.385]	
82	鉛	lead	Pb	[206.14, 207.94]	g　r
83	ビスマス*	bismuth*	Bi	208.98040(1)	
84	ポロニウム*	polonium*	Po	[210]	
85	アスタチン*	astatine*	At	[210]	
86	ラドン*	radon*	Rn	[222]	
87	フランシウム*	francium*	Fr	[223]	
88	ラジウム*	radium*	Ra	[226]	
89	アクチニウム*	actinium*	Ac	[227]	
90	トリウム*	thorium*	Th	232.0377(4)	g
91	プロトアクチニウム*	protactinium*	Pa	231.03588(1)	
92	ウラン*	uranium*	U	238.02891(3)	g m
93	ネプツニウム*	neptunium*	Np	[237]	
94	プルトニウム*	plutonium*	Pu	[239]	
95	アメリシウム*	americium*	Am	[243]	
96	キュリウム*	curium*	Cm	[247]	
97	バークリウム*	berkelium*	Bk	[247]	
98	カリホルニウム*	californium*	Cf	[252]	
99	アインスタイニウム*	einsteinium*	Es	[252]	
100	フェルミウム*	fermium*	Fm	[257]	
101	メンデレビウム*	mendelevium*	Md	[258]	
102	ノーベリウム*	nobelium*	No	[259]	
103	ローレンシウム*	lawrencium*	Lr	[262]	
104	ラザホージウム*	rutherfordium*	Rf	[267]	
105	ドブニウム*	dubnium*	Db	[268]	
106	シーボーギウム*	seaborgium*	Sg	[271]	
107	ボーリウム*	bohrium*	Bh	[272]	
108	ハッシウム*	hassium*	Hs	[277]	
109	マイトネリウム*	meitnerium*	Mt	[276]	
110	ダームスタチウム*	darmstadtium*	Ds	[281]	
111	レントゲニウム*	roentgenium*	Rg	[280]	
112	コペルニシウム*	copernicium*	Cn	[285]	
113	ニホニウム*	nihonium*	Nh	[278]	
114	フレロビウム*	flerovium*	Fl	[289]	
115	モスコビウム*	moscovium*	Mc	[289]	
116	リバモリウム*	livermorium*	Lv	[293]	
117	テネシン*	tennessine*	Ts	[293]	
118	オガネソン*	oganesson*	Og	[294]	

（米田成一による）

元素の周期表

1	2	3	4	5	6	7	8	9	10	11	12	13	14	15	16	17	18
1 H [1.00784, 1.00811]																	2 He 4.002602
3 Li [6.938, 6.997]	4 Be 9.0121831											5 B [10.806, 10.821]	6 C [12.0096, 12.0116]	7 N [14.00643, 14.00728]	8 O [15.99903, 15.99977]	9 F 18.998403162	10 Ne 20.1797
11 Na 22.98976928	12 Mg [24.304, 24.307]											13 Al 26.9815384	14 Si [28.084, 28.086]	15 P 30.973761998	16 S [32.059, 32.076]	17 Cl [35.446, 35.457]	18 Ar [39.792, 39.963]
19 K 39.0983	20 Ca 40.078	21 Sc 44.955907	22 Ti 47.867	23 V 50.9415	24 Cr 51.9961	25 Mn 54.938043	26 Fe 55.845	27 Co 58.933194	28 Ni 58.6934	29 Cu 63.546	30 Zn 65.38	31 Ga 69.723	32 Ge 72.630	33 As 74.921595	34 Se 78.971	35 Br [79.901, 79.907]	36 Kr 83.798
37 Rb 85.4678	38 Sr 87.62	39 Y 88.905838	40 Zr 91.224	41 Nb 92.90637	42 Mo 95.95	43 Tc [99]	44 Ru 101.07	45 Rh 102.90549	46 Pd 106.42	47 Ag 107.8682	48 Cd 112.414	49 In 114.818	50 Sn 118.710	51 Sb 121.760	52 Te 127.60	53 I 126.90447	54 Xe 131.293
55 Cs 132.9054196	56 Ba 137.327	57〜71 ※	72 Hf 178.486	73 Ta 180.94788	74 W 183.84	75 Re 186.207	76 Os 190.23	77 Ir 192.217	78 Pt 195.084	79 Au 196.966570	80 Hg 200.592	81 Tl [204.382, 204.385]	82 Pb [206.14, 207.94]	83 Bi 208.98040	84 Po [210]	85 At [210]	86 Rn [222]
87 Fr [223]	88 Ra [226]	89〜103 ※※	104 Rf [267]	105 Db [268]	106 Sg [271]	107 Bh [272]	108 Hs [277]	109 Mt [276]	110 Ds [281]	111 Rg [280]	112 Cn [285]	113 Nh [278]	114 Fl [289]	115 Mc [289]	116 Lv [293]	117 Ts [293]	118 Og [294]

※	57 La 138.90547	58 Ce 140.116	59 Pr 140.90766	60 Nd 144.242	61 Pm [145]	62 Sm 150.36	63 Eu 151.964	64 Gd 157.25	65 Tb 158.925354	66 Dy 162.500	67 Ho 164.930329	68 Er 167.259	69 Tm 168.934219	70 Yb 173.045	71 Lu 174.9668
※※	89 Ac [227]	90 Th 232.0377	91 Pa 231.03588	92 U 238.02891	93 Np [237]	94 Pu [239]	95 Am [243]	96 Cm [247]	97 Bk [247]	98 Cf [252]	99 Es [252]	100 Fm [257]	101 Md [258]	102 No [259]	103 Lr [262]

※ランタノイド　　※※アクチノイド

元素記号の上の数字は原子番号，下の数字は原子量をそれぞれ示す．範囲で示された原子量については**物18**の記述を参照のこと．安定同位体がなく，天然で特定の同位体組成を示さない元素については，その元素の放射性同位体の質量数の一例を［　］内に示す．族番号（1〜18）はIUPAC無機化学命名法改訂版（1989）による．

原子およびイオンの電子構造 (1)

次表で〔He〕,〔Ne〕,〔Ar〕などはそれぞれ貴ガス型の閉殻を示す．とくに示たもの以外は原子の基底状態の電子配置から太字で表した電子を1個除いたもがイオンの基底状態の電子配置である．

主量子数	1	2	3	4	5	6	7
殻の名称	K	L	M	N	O	P	Q

方位量子数	0	1	2	3	4	5	6	7
電子の名称	s	p	d	f	g	h	i	k
合成軌道角運動量	S	P	D	F	G	H	I	K

原子およびイオンの状態は多くについては LS カップリングで記述され，S をピン量子数，L を合成された軌道角運動量の量子数，J を内部量子数，p をパリテとしたとき，$^{2S+1}L_J^p$ と書く．p は偶を無印，奇を o で表す．少数の場合は $(J_1, J_2)_J^p$ の形の jj カップリングで記述される（記法の詳細は文献1参照）．

第1（第2）イオン化電位とは原子（1価イオン）の基底状態から1個の電子を限遠に引き離すのに要する最小のエネルギーを電子の電荷 e で除しボルトで表し値である．

電子親和力は，原子・分子などに電子が付着する過程で放出されるエネルギーの値であり，電気陰性度としては，原子が電子を引きつける傾向を表すためにポーングによって提唱されたものを用いた．（ ）内は最小桁に対する不確かさを表す

空欄および「?」は確かな値または電子配置が報告されていない．

原子番号	元素	原子の基底状態の電子配置	原子の基底状態	第1イオン化電位 E_{i1}/V	イオンの基底状態	第2イオン化電位 E_{i2}/V	電子親和力 /eV	電気陰性度
1	H	**1s**	$^{2}S_{1/2}$	13.5984346 *1	——	——	0.754203832(4)	2.2
2	He	**$1s^2$**	$^{1}S_{0}$	24.58738901(2)	$^{2}S_{1/2}$	54.41777*2	−19.742099(6)	
3	Li	〔He〕**2s**	$^{2}S_{1/2}$	5.39171500(2)	$^{1}S_{0}$	75.640097	0.61805(2)	0.9
4	Be	——**$2s^2$**	$^{1}S_{0}$	9.32270	$^{2}S_{1/2}$	18.2112	<0	1.5
5	B	——$2s^2$ **2p**	$^{2}P^{o}_{1/2}$	8.298019(3)	$^{1}S_{0}$	25.1548	0.27972(3)	2.04
6	C	——$2s^2$ **$2p^2$**	$^{3}P_{0}$	11.260288	$^{2}P^{o}_{1/2}$	24.38314	1.262122	2.55
7	N	——$2s^2$ **$2p^3$**	$^{4}S^{o}_{3/2}$	14.53413(4)	$^{3}P_{0}$	29.6013	<0	3.04
8	O	——$2s^2$ **$2p^4$**	$^{3}P_{2}$	13.61806	$^{4}S^{o}_{3/2}$	35.1211	1.4611136(9)	3.44
9	F	——$2s^2$ **$2p^5$**	$^{2}P^{o}_{3/2}$	17.4228	$^{3}P_{2}$	34.9708	3.401190(2)	3.98
10	Ne	——$2s^2$ **$2p^6$**	$^{1}S_{0}$	21.56454	$^{2}P^{o}_{3/2}$	40.9630	<0	
11	Na	〔Ne〕**3s**	$^{2}S_{1/2}$	5.1390769(3)	$^{1}S_{0}$	47.2864(3)	0.54793(3)	0.93
12	Mg	——**$3s^2$**	$^{1}S_{0}$	7.646236(4)	$^{2}S_{1/2}$	15.03527	<0	1.31
13	Al	——$3s^2$ **3p**	$^{2}P^{o}_{1/2}$	5.985769(3)	$^{1}S_{0}$	18.8286	0.43283(5)	1.61
14	Si	——$3s^2$ **$3p^2$**	$^{3}P_{0}$	8.15168(3)	$^{2}P^{o}_{1/2}$	16.3459	1.3895212(7)	1.90
15	P	——$3s^2$ **$3p^3$**	$^{4}S^{o}_{3/2}$	10.48669	$^{3}P_{0}$	19.76949(4)	0.746609(9)	2.19

原子およびイオンの電子構造 (2)

子号	元素	原子の基底状態の電子配置	原子の基底状態	第1イオン化電位 E_{i1}/V	イオンの基底状態	第2イオン化電位 E_{i2}/V	電子親和力 /eV	電気陰性度
6	S	——$3s^2\,\mathbf{3p^4}$	$^3P_2$	10.3600	$^4S^o_{3/2}$	23.3379(3)	2.0771042(6)	2.58
7	Cl	——$3s^2\,\mathbf{3p^5}$	$^2P^o_{3/2}$	12.96763(2)	$^3P_2$	23.8136	3.61273(3)	3.16
8	Ar	——$3s^2\,\mathbf{3p^6}$	$^1S_0$	15.759612	$^2P^o_{3/2}$	27.6297	<0	
9	K	〔Ar〕$\mathbf{4s}$	$^2S_{1/2}$	4.3406637	$^1S_0$	31.6250(2)	0.501460	0.82
0	Ca	——$\mathbf{4s^2}$	$^1S_0$	6.1131555(2)	$^2S_{1/2}$	11.871719(4)	0.0246	1.00
1	Sc	——$3d\ \mathbf{4s^2}$	$^2D_{3/2}$	6.5615	$^3D_1$	12.7998(3)	0.17938(2)	1.36
2	Ti	——$3d^2\,\mathbf{4s^2}$	$^3F_2$	6.82812	$^4F_{3/2}$	13.576(3)	0.07554(5)	1.54
3	V	——$3d^3\,\mathbf{4s^2}$	$^4F_{3/2}$	6.74619(2)	$^5D_0$ *3	14.64	0.5277(2)	1.63
4	Cr	——$3d^5\,\mathbf{4s}$	$^7S_3$	6.76651(4)	$^6S_{5/2}$	16.48631(2)	0.67593(3)	1.66
5	Mn	——$3d^5\,\mathbf{4s^2}$	$^6S_{5/2}$	7.434038	$^7S_3$	15.6400	<0	1.55
6	Fe	——$3d^6\,\mathbf{4s^2}$	$^5D_4$	7.902468	$^6D_{9/2}$	16.1992	0.15324(3)	1.83
7	Co	——$3d^7\,\mathbf{4s^2}$	$^4F_{9/2}$	7.8810	$^3F_4$ *4	17.084	0.66226(5)	1.88
8	Ni	——$3d^8\,\mathbf{4s^2}$	$^3F_4$	7.63988(2)	$^2D_{5/2}$ *5	18.16884(3)	1.15737(6)	1.91
9	Cu	——$3d^{10}\mathbf{4s}$	$^2S_{1/2}$	7.726380(4)	$^1S_0$	20.2924	1.23578(4)	1.90
0	Zn	——$3d^{10}\mathbf{4s^2}$	$^1S_0$	9.39420	$^2S_{1/2}$	17.9644(3)	<0	1.65
1	Ga	——$3d^{10}4s^2\mathbf{4p}$	$^2P^o_{1/2}$	5.999302	$^1S_0$	20.5151	0.30117(2)	1.81
2	Ge	——$3d^{10}4s^2\mathbf{4p^2}$	$^3P_0$	7.89944	$^2P^o_{1/2}$	15.93461(3)	1.232676	2.01
3	As	——$3d^{10}4s^2\mathbf{4p^3}$	$^4S^o_{3/2}$	9.7886(3)	$^3P_0$	18.589	0.8048(2)	2.18
4	Se	——$3d^{10}4s^2\mathbf{4p^4}$	$^3P_2$	9.75237	$^4S^o_{3/2}$	21.20	2.020605	2.55
5	Br	——$3d^{10}4s^2\mathbf{4p^5}$	$^2P^o_{3/2}$	11.8138	$^3P_2$	21.591	3.363588(3)	2.96
36	Kr	——$3d^{10}4s^2\mathbf{4p^6}$	$^1S_0$	13.999605(2)	$^2P^o_{3/2}$	24.3598	<0	3.04
37	Rb	〔Kr〕$\mathbf{5s}$	$^2S_{1/2}$	4.177128	$^1S_0$	27.2895	0.48592(2)	0.82
38	Sr	——$\mathbf{5s^2}$	$^1S_0$	5.6948675	$^2S_{1/2}$	11.030276(3)	0.05206(6)	0.95
39	Y	——$4d\ \mathbf{5s^2}$	$^2D_{3/2}$	6.2173	$^1S_0$	12.224	0.3113(2)	1.22
40	Zr	——$4d^2\,\mathbf{5s^2}$	$^3F_2$	6.63413	$^4F_{3/2}$	13.13	0.43328(9)	1.33
41	Nb	——$4d^4\,\mathbf{5s}$	$^6D_{1/2}$	6.75885(4)	$^5D_0$	14.32	0.91740(7)	1.6
42	Mo	——$4d^5\,\mathbf{5s}$	$^7S_3$	7.09243(4)	$^6S_{5/2}$	16.16(12)	0.74723(8)	2.16
43	Tc	——$4d^5\,\mathbf{5s^2}$	$^6S_{5/2}$	7.11938(3)	$^7S_3$	15.26	0.636	2.10
44	Ru	——$4d^7\,\mathbf{5s}$	$^5F_5$	7.3605	$^4F_{9/2}$	16.76(6)	1.04627(2)	2.2
45	Rh	——$4d^8\,\mathbf{5s}$	$^4F_{9/2}$	7.4589	$^3F_4$	18.08	1.1429(2)	2.28
46	Pd	——$\mathbf{4d^{10}}$	$^1S_0$	8.33684	$^2D_{5/2}$	19.43(12)	0.5621	2.20
47	Ag	——$4d^{10}\mathbf{5s}$	$^2S_{1/2}$	7.57623(3)	$^1S_0$	21.484	1.30447(2)	1.93
48	Cd	——$4d^{10}\mathbf{5s^2}$	$^1S_0$	8.99382(2)	$^2S_{1/2}$	16.90831	<0	1.69
49	In	——$4d^{10}5s^2\mathbf{5p}$	$^2P^o_{1/2}$	5.7863558(5)	$^1S_0$	18.87041(3)	0.38392(6)	1.78
50	Sn	——$4d^{10}5s^2\mathbf{5p^2}$	$^3P_0$	7.34392	$^2P^o_{1/2}$	14.6331	1.112070(2)	1.96
51	Sb	——$4d^{10}5s^2\mathbf{5p^3}$	$^4S^o_{3/2}$	8.60839	$^3P_0$	16.63(3)	1.04740(2)	2.05
52	Te	——$4d^{10}5s^2\mathbf{5p^4}$	$^3P_2$	9.00981	$^4S^o_{3/2}$	18.6(4)	1.970875(7)	2.1
53	I	——$4d^{10}5s^2\mathbf{5p^5}$	$^2P^o_{3/2}$	10.45124(3)	$^3P_2$	19.1313	3.059047(4)	2.66

原子およびイオンの電子構造 (3)

原子番号	元素	原子の基底状態の電子配置	原子の基底状態	第1イオン化電位 E_{i1}/V	イオンの基底状態	第2イオン化電位 E_{i2}/V	電子親和力 /eV	電 陰性
54	Xe	—— $4d^{10}5s^2\mathbf{5p^6}$	$^1S_0$	12.129844	$^2P^o_{3/2}$	20.975(4)	<0	2.
55	Cs	[Xe] $\mathbf{6s}$	$^2S_{1/2}$	3.8939 *6	$^1S_0$	23.1575	0.471598(4)	0.
56	Ba	—— $\mathbf{6s^2}$	$^1S_0$	5.211665	$^2S_{1/2}$	10.00383	0.14462(6)	0.
57	La	—— $5d\mathbf{6s^2}$	$^2D_{3/2}$	5.577	$^3F_2$ *7	11.1850	0.55755(2)	1.
58	Ce	—— $4f\,5d\mathbf{6s^2}$	$^1G_4{}^o$	5.5386(4)	$^4H^o_{7/2}$ *8	10.96(2)	0.60016(3)	1.
59	Pr	—— $4f^3\mathbf{6s^2}$	$^4I^o_{9/2}$	5.4702(4)	$(9/2,1/2)^o_4$	10.63(2)	0.1092(5)	1.
60	Nd	—— $4f^4\mathbf{6s^2}$	$^5I_4$	5.525	$^6I_{7/2}$	10.78(2)	0.0975(3)	1.
61	Pm	—— $4f^5\mathbf{6s^2}$	$^6H^o_{5/2}$	5.58187(4)	$^7H^o_2$	10.94(2)	0.154	
62	Sm	—— $4f^6\mathbf{6s^2}$	$^7F_0$	5.64372(2)	$^8F_{1/2}$	11.08(2)	0.130	1.
63	Eu	—— $4f^7\mathbf{6s^2}$	$^8S^o_{7/2}$	5.670385(5)	$^9S^o_4$	11.25	0.12	
64	Gd	—— $4f^7 5d\mathbf{6s^2}$	$^9D^o_2$	6.14980(4)	$^{10}D^o_{5/2}$	12.08(2)	0.21(3)	1.2
65	Tb	—— $4f^9\mathbf{6s^2}$	$^6H^o_{15/2}$	5.864	$(15/2,1/2)^o_8$	11.51(2)	0.1313(8)	
66	Dy	—— $4f^{10}\mathbf{6s^2}$	$^5I_8$	5.93907	$(8,1/2)_{17/2}$	11.65(2)	0.015(3)	1.2
67	Ho	—— $4f^{11}\mathbf{6s^2}$	$^4I^o_{15/2}$	6.022	$(15/2,1/2)^o_8$	11.78(2)	<0.005	1.2
68	Er	—— $4f^{12}\mathbf{6s^2}$	$^3H_6$	6.108	$(6,1/2)_{13/2}$	11.92(2)	<0.005	1.2
69	Tm	—— $4f^{13}\mathbf{6s^2}$	$^2F^o_{7/2}$	6.18440	$(7/2,1/2)^o_4$	12.07(2)	0.032(7)	1.2
70	Yb	—— $4f^{14}\mathbf{6s^2}$	$^1S_0$	6.25416	$^2S_{1/2}$	12.17919(3)	<0.0036	
71	Lu	—— $4f^{14}5d\,\mathbf{6s^2}$	$^2D_{3/2}$	5.42587	$^1S_0$	14.13(5)	0.2388(6)	1.0
72	Hf	—— $4f^{14}5d^2\,\mathbf{6s^2}$	$^3F_2$	6.82507	$^2D_{3/2}$	14.61(4)	0.1780(6)	1.3
73	Ta	—— $4f^{14}5d^3\,\mathbf{6s^2}$	$^4F_{3/2}$	7.54957(3)	$^5F_1$	16.2(5)	0.32886(2)	1.5
74	W	—— $4f^{14}5d^4\,\mathbf{6s^2}$	$^5D_0$	7.8640	$^6D_{1/2}$	16.4(2)	0.81650(8)	1.7
75	Re	—— $4f^{14}5d^5\,\mathbf{6s^2}$	$^6S_{5/2}$	7.8335	$^7S_3$	16.6(5)	0.06040(6)	1.9
76	Os	—— $4f^{14}5d^6\,\mathbf{6s^2}$	$^5D_4$	8.4382(2)	$^6D_{9/2}$	17	1.007766(2)	2.2
77	Ir	—— $4f^{14}5d^7\,\mathbf{6s^2}$	$^4F_{9/2}$	8.9670(2)	$^5F_5$	17.0(3)	1.56406	2.2
78	Pt	—— $4f^{14}5d^9\,\mathbf{6s}$	$^3D_3$	8.9588	$^2D_{5/2}$	18.6	2.12510(5)	2.2
79	Au	—— $4f^{14}5d^{10}\mathbf{6s}$	$^2S_{1/2}$	9.225554(4)	$^1S_0$	20.20(3)	2.30861(3)	2.4
80	Hg	—— $4f^{14}5d^{10}\mathbf{6s^2}$	$^1S_0$	10.43750	$^2S_{1/2}$	18.75668(4)	<0	1.9
81	Tl	—— $4f^{14}5d^{10}6s^2\mathbf{6p}$	$^2P^o_{1/2}$	6.108287	$^1S_0$	20.428	0.32005(2)	1.8
82	Pb	—— $4f^{14}5d^{10}6s^2\mathbf{6p^2}$	$(1/2,1/2)_0$	7.416680	$^2P^o_{1/2}$	15.03250	0.356721(2)	1.8
83	Bi	—— $4f^{14}5d^{10}6s^2\mathbf{6p^3}$	$^4S^o_{3/2}$	7.28552	$^3P_0$	16.703(4)	0.94236	1.9
84	Po	—— $4f^{14}5d^{10}6s^2\mathbf{6p^4}$	$^3P_2$	8.418070(4)	$^4S^o_{3/2}$	19(2)	1.48(3)	2.0
85	At	—— $4f^{14}5d^{10}6s^2\mathbf{6p^5}$	$^2P^o_{3/2}$	9.3175	$^3P_2$	17.88(2)	2.41578(7)	2.2
86	Rn	—— $4f^{14}5d^{10}6s^2\mathbf{6p^6}$	$^1S_0$	10.74850	$^2P^o_{3/2}$	19.0	<0	
87	Fr	[Rn] $\mathbf{7s}$	$^2S_{1/2}$	4.072741	$^1S_0$	22(2)	0.491(5)	0.7
88	Ra	—— $\mathbf{7s^2}$	$^1S_0$	5.278424(3)	$^2S_{1/2}$	10.1472	0.17	0.9
89	Ac	—— $6d\,\mathbf{7s^2}$	$^2D_{3/2}$	5.38024(1)	$^1S_0$	11.75(3)	0.491	1.1
90	Th	—— $6d^2\mathbf{7s^2}$	$^3F_2$	6.3067(3)	$^2D_{3/2}$	12.1(2)	0.60769(6)	1.3
91	Pa	—— $5f^2 6d\mathbf{7s^2}$	$^4K_{11/2}$	5.9	$^3H_4$	11.9(4)	0.384	1.5

原子およびイオンの電子構造 (4)

子号	元素	原子の基底状態の電子配置	原子の基底状態	第1イオン化電位 E_{i1}/V	イオンの基底状態	第2イオン化電位 E_{i2}/V	電子親和力 /eV	電気陰性度
2	U	——$5f^36d\mathbf{7s}^2$	$^5L^o_6$	6.1941	$^4I^o_{9/2}$	11.6(4)	0.31497(9)	1.7
3	Np	——$5f^46d\mathbf{7s}^2$	$^6L_{11/2}$	6.2655(3)	$^7L_5$	11.5(4)		1.3
4	Pu	——$5f^6\mathbf{7s}^2$	$^7F_0$	6.0258(3)	$^8F_{1/2}$	11.5(4)		1.3
5	Am	——$5f^7\mathbf{7s}^2$	$^8S^o_{7/2}$	5.9738(3)	$^9S^o_4$	11.7(4)		
6	Cm	——$5f^76d\mathbf{7s}^2$	$^9D^o_2$	5.99224(2)	$^8S^o_{7/2}$	12.4(4)		
7	Bk	——$5f^9\ \mathbf{7s}^2$	$^6H^o_{15/2}$	6.1978(3)	$^7H^o_8$	11.9(4)		
8	Cf	——$5f^{10}\mathbf{7s}^2$	$^5I_8$	6.28188	$^6I_{17/2}$	12.0(4)		
9	Es	——$5f^{11}\mathbf{7s}^2$	$^4I^o_{15/2}$	6.3684	$^5I^o_8$	12.2(4)		
00	Fm	——$5f^{12}\mathbf{7s}^2$	$^3H_6$	6.5	$^4H_{13/2}$	12.4(4)		
01	Md	——$5f^{13}\mathbf{7s}^2$	$^2F^o_{7/2}$	6.6	$^3F^o_4$	12.4(4)		
02	No	——$5f^{14}\mathbf{7s}^2$	$^1S_0$	6.62621(5)	$^2S_{1/2}$	12.93(4)		
03	Lr	——$5f^{14}7s^2\mathbf{7p}$	$^2P^o_{1/2}$	4.96(5)	$^1S_0$	14.54(4)		
04	Rf	——$5f^{14}6d^2\mathbf{7s}^2$	$^3F_2$	6.02(4)	$^2D_{3/2}$	14.35(4)		
05	Db	——$5f^{14}6d^3\mathbf{7s}^2$	$^4F_{3/2}$	6.8(5)	$^3F_2$	14(2)		
06	Sg	——$5f^{14}6d^4\mathbf{7s}^2$	$?_0?$	7.8(5)	$^4F_{3/2}$	17.1(5)		
07	Bh	——$5f^{14}6d^5\mathbf{7s}^2$	$?_{5/2}?$	7.7(5)	$?_0?$	17.5(5)		
08	Hs	——$5f^{14}6d^6\mathbf{7s}^2$	$?_4?$	7.6(5)	$?_{5/2}?$	18.2(5)		
09	Mt		$?_{5/2}?$	50(2)	$?_0?$			
10	Ds		$?_{5/2}?$	65(2)	$?_0?$			
11	Rg	〔Rn〕$5f^{14}6d^9\mathbf{7s}^2$	$^2D_{5/2}$	10.6?	$^3D_4$		1.91(6)	
12	Cn	——$5f^{14}6d^{10}\mathbf{7s}^2$	$^1S_0$	11.7(3)	$^2D_{5/2}$	22.2(3)	12.02(5)	
13	Nh	——$5f^{14}6d^{10}7s^2\mathbf{7p}$	$^2P^o_{1/2}$	7.57(5)	$^1S_0$	23.6?	0.78(3)	
14	Fl	——$5f^{14}6d^{10}7s^2\mathbf{7p}^2$	$^1S_0$	8.5(1)	$^2P^o_{1/2}$	17.0(2)		
15	Mc			5.5(1)		18.4?	0.31?	
16	Lv			6.9?		13.6?	0.78?	
17	Ts			7.5(2)		15.2?	1.6?	
18	Og			8.88(4)?	16.20(5)?	0.080(6)?	0.056	

＊1 13.59843459970　＊2 51.4177655282　＊3 $-3d^4$　＊4 $-3d^8$　＊5 $-3d^9$　＊6 3.8939057274(2)
＊7 $-5d^2$　＊8 $-4f\,5d^2$

文献 1) Springer Handbook of Atomic, Molecular and Optical Physics, 2nd Ed. Chap. 10 (2006), 2) RC Handbook of Chemistry and Physics 92 ed. (2011), 3) Amer. Inst. Phys. Handbook 3rd ed. (1972), 4) IST Atomic Spectra Database (ver. 5.11) (2023), 5) Phys. Rev. A94, 042503 (2016), 6) Eur. J. Phys. 44, 51 (2007), 7) Nucl. Phys. A944, 518 (2015), 8) J. Phys. Chem. A117, 8555 (2013), 9) Hyperfine Interact 237, 160 (2016), 10) J. Chem. Phys. 141, 164104 (2014), 11) Phys. Rev. A91, 020501 (R) (2015), 12) J. hem. Phys. 124, 064305 (2006), 13) Phys. Rev. Lett. 120, 263003 (2018), 14) J. Am. Chem. Soc. 140, 14609 2018), 15) J. Quant. Spectr. Rad. Trans. 247, 106943 (2020), 16) J. Phys. Chem. Ref. Data 51, 021502 (2022), 7) Phys. Rev. Lett. 77,5350 (1996), 18) Phys. Rev. A105, 062805 (2022), 19) J. Chem. Phys. 157, 044302 2022), 20) J. Chem. Phys. 158, 084303 (2023), 21) J. Phys. B : At. Mol. Opt. Phys. 86, 155003 (2022), 22) hys. Rev. A109, 022812 (2024).

機械的物性

密　度

単体の密度

状態についてとくに表示のないものは固体．温度の表示のないものは室温．固体(s)および液(l)の密度の単位は 10^3 kg m^{-3} = g cm^{-3}．気体(g)の密度は圧力 101.325 kPa のもとでの値で単位 kg m^{-3} = g L^{-1}．

元素	状態	t/℃	密度 ρ	元素	状態	t/℃	密度 ρ
水素	(g)	0	0.08988	ストロンチウム			2.64
	(l)	−252.879	0.07099	イットリウム			4.472
	(s)	−259.16	0.0763	ジルコニウム			6.52
ヘリウム	(g)	0	0.1786	ニオブ			8.57
	(l)	−268.928	0.125	モリブデン			10.28
	(s)	−272.20	0.19*	テクネチウム			11
リチウム			0.534	ルテニウム			12.45
ベリリウム			1.85	ロジウム			12.41
ホウ素			2.34	パラジウム			12.023
炭素	ダイヤモンド		3.513	銀			10.49
	グラファイト		2.267	カドミウム			8.65
窒素	(g)	0	1.251	インジウム			7.31
	(l)	−195.795	0.808	スズ	白色(正方晶)		7.265
酸素	(g)	0	1.429		灰色(立方晶)		5.769
	(l)	−182.962	1.141	アンチモン			6.697
フッ素	(g)	0	1.696	テルル			6.24
	(l)	−188.11	1.505	ヨウ素			4.933
ネオン	(g)	0	0.9002	キセノン	(g)	0	5.894
	(l)	−246.046	1.207		(l)	−108.099	2.942
ナトリウム			0.968	セシウム	(l)	28.44	1.843
マグネシウム			1.738		(s)		1.93
アルミニウム			2.70	バリウム			3.51
ケイ素(シリコン)			2.3290	ランタン			6.162
リン	白(黄)		1.823	セリウム			6.770
	赤		2.2-2.34	プラセオジウム			6.77
	黒		2.69	ネオジム			7.01
硫黄	α(斜方晶)		2.07	プロメチウム			7.26
	β(単斜晶)		1.96	サマリウム			7.52
	γ(単斜晶)		1.92	ユウロピウム			5.244
塩素	(g)	0	3.2	ガドリニウム			7.90
	(l)	−34.04	1.5625	テルビウム			8.23
アルゴン	(g)	0	1.784	ジスプロシウム			8.540
	(l)	−185.848	1.3954	ホルミウム			8.79
カリウム			0.862	エルビウム			9.066
カルシウム			1.55	ツリウム			9.32
スカンジウム			2.985	イッテルビウム			6.90
チタン			4.506	ルテチウム			9.841
バナジウム			6.0	ハフニウム			13.31
クロム			7.19	タンタル			16.69
マンガン			7.21	タングステン			19.25
鉄			7.874	レニウム			21.02
コバルト			8.90	オスミウム			22.59
ニッケル			8.908	イリジウム			22.56
銅			8.96	白金			21.45
亜鉛			7.14	金			19.3
ガリウム			5.91	水銀	(l)		13.534
ゲルマニウム			5.323	タリウム			11.85
ヒ素			5.727	鉛			11.34
セレン	灰色		4.81	ビスマス			9.78
	α		4.39	ポロニウム	α		9.196
	アモルファス		4.28		β		9.398
臭素	(l)		3.1028	ラドン	(g)	0	9.73
クリプトン	(g)	0	3.749	ラジウム			5.5
	(l)	−153.415	2.413	トリウム			11.724
ルビジウム	(l)	39.30	1.46	ウラン			19.1
	(s)		1.532	プルトニウム			19.816

*　2.5 MPa

https://en.wikipedia.org/wiki/元素名(英語)，https://en.wikipedia.org/wiki/Densities_of_the_elements_(data_page から引用．後者は，複数のハンドブック(CRC など)による値および推奨値をまとめている．

種々の物質の密度

多孔性または粉状物質の密度で＊印を施したのはその実質の密度，その他は外面的の体積によって定めた見かけの密度．温度はことわらない限り室温．なお鉱物は**地78**以下参照．

(単位：10^3 kg m^{-3}＝g cm^{-3})

物質	密度ρ
液体　†印は20℃における密度	
アセトン	0.791†
アニリン	1.022†
あまに油	0.91-0.94
アンモニア(−40℃)	0.690
エタノール	0.789†
海水	1.01-1.05
過酸化水素	1.442†
ガソリン	0.66-0.75
牛乳	1.03-1.04
空気[1](−194℃)	0.92
グリセリン	1.264†
クロロホルム	1.489†
鯨油	0.88
酢酸(純)	1.049†
重水(純)	1.105†
重油	0.85-0.90
硝酸(純)	1.502
石油(日本産原油)	0.80-0.98
石油(灯油)	0.80-0.83
テレビン油	0.87
菜種油	0.91-0.92
二硫化炭素	1.263†
パラフィン油	約0.8
ひまし油	0.96-0.97
ベンゼン	0.879†
メタノール	0.793†
硫酸(純)	1.834†

物質	密度ρ
木材　空気中にて乾燥したもの	
あかがし	0.85
きり	0.31
くり	0.60
けやき	0.70
こくたん	1.1-1.3
すぎ	0.40
竹	0.31-0.40
チーク	0.58-0.78
つが	0.53
ひのき	0.49
松	0.52
マホガニー	0.45-1.06
山ざくら	0.67

物質	密度ρ
固体	
アスファルト	1.04-1.40
エボナイト	1.1-1.4
花コウ岩	2.6-2.7
紙(洋紙)	0.7-1.1
ガラス(普通)	2.4-2.6
ガラス(クラウン)	2.2-3.6
ガラス(フリント)	2.8-6.3
ガラス(パイレックス)	2.32
凝灰岩	1.4-2.6
固体二酸化炭素(ドライアイス)(−80℃)	1.565
ゴム(弾性ゴム)	0.91-0.96
氷(0℃)	0.917
コルク	0.22-0.26
コンクリート[2]	2.4
酢酸セルロース	1.15-1.25
砂糖	1.59*
磁器(一般)	2.0-2.6
磁器(碍子)	2.3-2.5
食塩	2.17*
ショウノウ(10℃)	0.99
水晶	2.65
砂(乾)	1.4-1.7
スレート	2.7-2.9
石英ガラス(透明)	2.22
石英ガラス(不透明)	2.07
生石灰	2.3*-3.2*
消石灰	1.15-1.25
石炭	1.2-1.5
石炭(無煙炭)	1.4-1.7
石綿	2.0*-3.0*
セメント	3.0*-3.15*
セルロイド	1.35-1.60
繊維(麻)	1.50*-1.52*
繊維(絹)	1.30*-1.37*
繊維(人絹)	1.51*-1.52*
繊維(羊毛)	1.28*-1.33*
繊維(綿)	1.50*-1.55*
象牙	1.8-1.9
大理石	1.52-2.86
土(普通の状態)	約2
ナイロン	1.12
ナフタレン	1.16
鞣皮(なめしがわ)	0.86-1.02
ニトロセルロース	1.35-1.50
パラフィン	0.87-0.94
ベークライト(純)	1.20-1.29
ベークライト(紙層)	1.32-1.40
方解石	2.71
骨	1.7-2.0
ポリエチレン	0.92-0.97
ポリ塩化ビニル	1.2-1.6
ポリスチレン	1.056
蜜ろう	0.96
めのう	2.5-2.8
木炭	0.3-0.6
木炭	1.4*-1.9*
ポリメタクリル酸メチル	1.16-1.20
新雪	約0.12
レンガ	1.2-2.2

1) 20.9%酸素，2) 配合比（体積にて）セメント1，砂2，砂利4のもの．

水の密度（液相だけの単相）

1 atm = 101 325 Pa のもとにおける水の密度．単位は $kg\,m^{-3} = 10^{-3}\,g\,cm^{-}$
3.98 ℃で最大値 999.97 $kg\,m^{-3}$ となる．沸点は約 99.974 ℃．

t/℃	0	1	2	3	4	5	6	7	8	9
0	999.84	999.90	999.94	999.96	999.97	999.96	999.94	999.90	999.85	999.7
10	999.70	999.60	999.50	999.38	999.24	999.10	998.94	998.77	998.59	998.4
20	998.20	997.99	997.77	997.54	997.30	997.04	996.78	996.51	996.23	995.9
30	995.65	995.34	995.02	994.70	994.37	994.03	993.68	993.33	992.96	992.5
40	992.21	991.83	991.43	991.03	990.62	990.21	989.79	989.36	988.92	988.4
50	988.03	987.57	987.11	986.64	986.17	985.69	985.20	984.71	984.21	983.7
60	983.19	982.67	982.15	981.62	981.09	980.55	980.00	979.45	978.89	978.3
70	977.76	977.19	976.61	976.02	975.43	974.84	974.24	973.63	973.02	972.4
80	971.78	971.16	970.53	969.89	969.25	968.61	967.96	967.30	966.64	965.9
90	965.30	964.63	963.95	963.27	962.58	961.88	961.18	960.48	959.77	959.0

Kaye & Laby（web 版 2008）の関係式から計算．

飽和状態における水および水蒸気の密度（液相/気相境界）

p は飽和圧力，ρ_L は飽和状態における水の密度，ρ_v は飽和水蒸気の密度．

T_{90}/K	p/MPa	ρ_L/ $kg\,m^{-3}$	ρ_v/ $kg\,m^{-3}$	T_{90}/K	p/MPa	ρ_L/ $kg\,m^{-3}$	ρ_v/ $kg\,m^{-3}$
273.16[1]	0.000 612	999.793	0.004 85	500	2.639 2	831.313	13.199
280	0.000 992	999.862	0.007 68	510	3.165 5	817.772	15.833
290	0.001 920	998.758	0.014 36	520	3.769 0	803.535	18.900
300	0.003 537	996.513	0.025 59	530	4.456 9	788.527	22.470
310	0.006 231	993.342	0.043 66	540	5.236 9	772.657	26.627
320	0.010 546	989.387	0.071 66	550	6.117 2	755.808	31.474
330	0.017 213	984.750	0.113 57	560	7.106 2	737.831	37.147
340	0.027 188	979.503	0.174 40	570	8.213 2	718.530	43.822
350	0.041 682	973.702	0.260 29	580	9.448 0	697.638	51.739
360	0.062 194	967.386	0.378 58	590	10.821	674.781	61.242
370	0.090 535	960.587	0.537 92	600	12.345	649.411	72.842
380	0.128 85	953.327	0.748 30	610	14.033	620.65	87.369
390	0.179 64	945.624	1.021 2	620	15.901	586.88	106.31
400	0.245 77	937.486	1.369 4	630	17.969	544.25	132.84
410	0.330 45	928.921	1.807 6	640	20.265	481.53	177.15
420	0.437 30	919.929	2.351 8	641	20.509	473.01	183.90
430	0.570 26	910.507	3.020 2	642	20.756	463.67	191.53
440	0.733 67	900.649	3.832 9	643	21.006	453.14	200.38
450	0.932 20	890.341	4.812 0	644	21.259	440.73	210.99
460	1.170 9	879.569	5.982 6	645	21.515	425.05	224.45
470	1.455 1	868.310	7.372 7	646	21.775	402.96	243.46
480	1.790 5	856.537	9.013 9	647	22.038	357.34	286.51
490	2.183 1	844.219	10.942	647.096[2]	22.064	322	

W. Wagner and A. Pruss, J. Phys. Chem. Ref. Data, **31**, 387 (2002).
1）三重点，2）臨界点

種々の物質の水溶液の密度 (1)

濃度の単位は重量%，密度ρの単位は10^3 kg m^{-3}＝g cm^{-3}，ρ_{20}，ρ_{18}，ρ_{15}はそれぞれ20℃，18℃，15℃における密度．Δは1℃の温度上昇に対する密度の変化の割合．

濃度	塩酸		硝酸		アンモニア	
	ρ_{20}	Δ	ρ_{20}	Δ	ρ_{20}	Δ
		$\times10^{-4}$		$\times10^{-4}$		$\times10^{-4}$
1	1.003 2	−2.1	1.003 6	−2.2	0.993 9	−2.0
6	1.027 9	2.8	1.031 2	3.1	0.973 0	2.7
10	1.047 4	3.2	1.054 3	3.8	0.957 5	3.4
16	1.077 6	4.0	1.090 3	4.8	0.936 2	4.3
20	1.098 0	4.5	1.115 0	5.5	0.922 9	5.0
26	1.129 0	5.3	1.153 4	6.7	0.904 0	6.0
30	1.149 3	5.8	1.180 0	7.5	0.892 0	6.3
35	1.178 9(36%)		1.214 0	8.5		
40	1.198 0		1.246 3	9.4		
45			1.278 3	10.4		
50			1.310 0	11.4		

濃度	水酸化ナトリウム		水酸化カリウム	硫酸	過酸化水素
	ρ_{20}	Δ	ρ_{15}	ρ_{20}	ρ_{18}
		$\times10^{-4}$			
1	1.009 5	−2.5	1.008 3	1.005 1	1.002 2
6	1.064 8	3.8	1.054 4	1.038 4	1.020 4
10	1.108 9	4.4	1.091 8	1.066 1	1.035 1
16	1.175 1	5.1	1.149 3	1.109 4	1.057 4
20	1.219 1	5.5	1.188 4	1.139 4	1.072 5
26	1.284 8	5.9	1.248 9	1.186 3	1.095 9
30	1.327 9	6.1	1.290 5	1.218 5	1.112 2
35	1.379 8	6.5	1.344 0	1.259 9	1.132 7
40	1.430 0	6.8	1.399 1	1.302 8	1.153 6
45	1.477 9	7.1	1.455 8	1.347 6	1.174 9
50	1.525 3	7.3	1.514 3	1.395 1	1.196 6

種々の物質の水溶液の密度(20℃) (2)

物質	4%	10%	20%	30%	40%	50%
KCl	1.023 91	1.063 29	1.132 77			
KNO_3	1.023 41	1.062 66	1.132 58			
K_2SO_4	1.031 0	1.081 7				
NaBr	1.029 81	1.080 30	1.174 46	1.284 10	1.413 81	
NaI	1.029 78	1.080 42	1.176 88	1.290 64	1.427 08	1.594 15
$CaCl_2$	1.031 6	1.083 5	1.177 5	1.281 6	1.395 7	

種々の物質の水溶液の密度 (20 ℃) (3)

物　質	4%	10%	20%	30%	40%	50%
NaCl	1.026 77	1.070 65	1.147 76			
$NaNO_3$	1.025 4	1.067 4	1.142 9	1.225 6	1.317 5	
Na(Ac)	1.018 6	1.049 5	1.102 1			
$CuSO_4$	1.040 1	1.084 0				
$ZnSO_4$	1.040 3	1.107 1				
$MgCl_2$	1.031 1	1.081 6	1.170 6	1.268 8		
$FeCl_3$	1.032 4	1.085 1	1.182 0	1.291 0	1.417 5	1.551 0
$SrCl_2$	1.034 4	1.092 5	1.201 0	1.325 (24%)		
$MgSO_4$	1.039 2	1.103 4	1.219 8	1.270 1		
$BaCl_2$	1.034 1	1.092 1	1.203 1	1.253 1 (24%)		
NH_4Cl	1.010 7	1.028 6	1.056 7			
KBr	1.027 44	1.073 96	1.160 02	1.259 24	1.374 51	
KI	1.028 08	1.076 07	1.165 94	1.271 15	1.395 87	1.545 72
K_2CO_3	1.034 5	1.090 4	1.189 8	1.297 9	1.414 1	1.540 4
LiCl	1.021 45	1.055 91	1.115 01	1.179 14		
$AgNO_3$	1.032 7	1.088 2	1.171 5			
$CdCl_2$	1.033 9	1.091 2	1.199 2	1.327 3	1.483 3	1.676 2
NH_4NO_3	1.014 7	1.039 7	1.082 8	1.127 7	1.175 4	1.225 8

水銀の密度

1 atm = 101 325 Pa のもとにおける水銀の密度．単位は 10^3 kg m^{-3} = g cm^{-3}．

温度 t/℃	0	−5	−10	−15	−20	−25	−30	−35	−38.83	
0	13.59508	.60743	.6198	.6322	.64461	.65704	.66949	.68196	.69153	

t/℃	0	1	2	3	4	5	6	7	8	9
0	13.59508	.59261	.59014	.58768	.58521	.58275	.58028	.57782	.57535	.57289
10	13.57043	.56797	.56551	.56305	.56059	.55813	.55567	.55322	.55076	.54831
20	13.54585	.54340	.54094	.53849	.53604	.53359	.53114	.52869	.52624	.52379
30	13.52134	.51889	.51645	.51400	.51156	.50911	.50667	.50422	.50178	.49934
40	13.49690	.49446	.49202	.48958	.48714	.48470	.48226	.47982	.47739	.47495
50	13.47251	.47008	.46765	.46521	.46278	.46035	.45791	.45548	.45305	.45062
60	13.44819	.44576	.44333	.44090	.43848	.43605	.43362	.43120	.42877	.42635
70	13.42392	.42150	.41908	.41665	.41423	.41181	.40939	.40697	.40455	.40213
80	13.39971	.39729	.39487	.39245	.39003	.38762	.38520	.38278	.38037	.37795
90	13.37554	.37313	.37071	.36830	.36589	.36347	.36106	.35865	.35624	.35383

t/℃	密度 ρ	t/℃	密度 ρ	t/℃	密度 ρ	t/℃	密度 ρ	t/℃	密度 ρ
100	13.35142	150	13.2314	200	13.1120	250	12.9929	300	12.8737
110	.3273	160	.2075	210	.0882	260	.9691	310	.8498
120	.3033	170	.1836	220	.0644	270	.9453	320	.8258
130	.2793	180	.1597	230	.0406	280	.9214	330	.8019
140	.2553	190	.1359	240	.0167	290	.8975	356.73	.7377

Kaye & Laby (web 版 2008) の関係式から計算．

空気の密度

温度 t, 圧力 P の二酸化炭素 0.04% を含む乾燥空気の密度 ρ, および相対湿度による補正量で, 位はいずれも kg m^{-3} = 10^{-3} g cm^{-3} である. なお, 補正量は圧力にほとんど依存しない.

P/kPa ＼ ℃	92	93	94	95	96	97	98	99	100	101	102	103	104
0	1.174	1.187	1.199	1.212	1.225	1.238	1.251	1.263	1.276	1.289	1.302	1.314	1.327
5	1.153	1.165	1.178	1.19	1.203	1.215	1.228	1.240	1.253	1.266	1.278	1.291	1.303
10	1.132	1.145	1.157	1.169	1.182	1.194	1.206	1.219	1.231	1.243	1.255	1.268	1.280
15	1.113	1.125	1.137	1.149	1.161	1.173	1.185	1.197	1.209	1.222	1.234	1.246	1.258
20	1.094	1.105	1.117	1.129	1.141	1.153	1.165	1.177	1.189	1.201	1.212	1.224	1.236
25	1.075	1.087	1.099	1.110	1.122	1.134	1.145	1.157	1.169	1.180	1.192	1.204	1.215
30	1.057	1.069	1.080	1.092	1.103	1.115	1.126	1.138	1.149	1.161	1.172	1.184	1.195

10^2 湿度 ＼ ℃	0	10	20	30	40	50	60	70	80	90	100
0	0.000	0.000	−0.001	−0.001	−0.001	−0.001	−0.002	−0.002	−0.002	−0.003	−0.003
5	0.000	0.000	−0.001	−0.001	−0.002	−0.002	−0.002	−0.003	−0.003	−0.004	−0.004
10	0.000	−0.001	−0.001	−0.002	−0.002	−0.003	−0.003	−0.004	−0.005	−0.005	−0.006
15	0.000	−0.001	−0.002	−0.002	−0.003	−0.004	−0.005	−0.005	−0.006	−0.007	−0.008
20	0.000	−0.001	−0.002	−0.003	−0.004	−0.005	−0.006	−0.007	−0.008	−0.009	−0.011
25	0.000	−0.001	−0.003	−0.004	−0.006	−0.007	−0.008	−0.010	−0.011	−0.013	−0.014
30	0.000	−0.002	−0.004	−0.006	−0.007	−0.009	−0.011	−0.013	−0.015	−0.017	−0.018

Kaye & Laby（web 版 2005）の関係式から計算.

気体の密度

種々の気体の標準状態 (0 ℃, 101 325 Pa) における密度および同じ状態における空気に対する比重を示す.

(密度の単位：kg m^{-3} = 10^{-3} g cm^{-3})

気　　体	密　度	比　重	気　　体	密　度	比　重
アセチレン	1.173	0.907	水蒸気 (100 ℃)	0.598	0.463
アルゴン	1.784	1.380	水　素	0.0899	0.0695
アンモニア	0.771	0.597	窒　素	1.250	0.967
一酸化炭素	1.250	0.967	二酸化硫黄 (亜硫酸ガス)	2.926	2.264
一酸化二窒素 (亜酸化窒素)	1.978	1.530	二酸化炭素	1.977	1.529
エタン	1.356	1.049	ネオン	0.900	0.696
エチレン	1.260	0.974	ヒ化水素 (AsH_3)	3.50	2.71
塩化水素	1.639	1.268	フッ化ウラン (Ⅵ)	4.68	3.62
塩　素	3.214	2.486	フッ素	1.696	1.312
オゾン	2.14	1.66	フレオン-12	5.083	3.931
キセノン	5.887	4.553	プロパン	2.02	1.56
空　気	1.293	1	ヘリウム	0.1785	0.138
クリプトン	3.739	2.891	ホスフィン	1.531	1.184
酸化窒素 (NO)	1.340	1.036	メタン	0.717	0.555
酸　素	1.429	1.105	ヨウ化水素	5.789	4.477
シアン	2.34	1.81	ラドン	9.73	7.53
ジメチルエーテル	2.108	1.630	硫化水素	1.539	1.190
臭化水素	3.644	2.818			

圧力定点

温度定点と同様に，純物質の変態点を圧力測定の定点に利用することができる．次表
高圧力測定の実用的基準として利用されているおもな圧力定点を示す．

物質	変態の型	検出方法*	p/GPa	t/℃
二酸化炭素	液態と蒸気との平衡		3.4856×10^{-3} 3.4847×10^{-3}	0.01(水の三重点) 0
水	氷$_{\rm I}$-氷$_{\rm III}$-液態の水(三重点)		0.2091	−22.2
フッ化アンモニウム	多形転移(NH_4F I-II)	体	0.3605	25
水銀	液態と固態との平衡	体，抵	0.7569	0
フッ化アンモニウム	多形転移(NH_4F II-III)	体	1.1531	25
臭化カリウム	多形転移(KBr I-II)	体	1.74	約25
塩化カリウム	多形転移(KCl I-II)	体	1.92	〃
ビスマス	多形転移(Bi I-II)	体，抵	2.550	〃
タリウム	多形転移(Tl II-III)	体，抵	3.67	〃
バリウム	多形転移(Ba I-II)	体，抵	5.5	〃
ビスマス	多形転移(Bi III-V)	体，抵	7.7	〃
スズ	多形転移(Sn I-II)	体，抵	9.2− 9.6	〃
鉄	多形転移(Fe α-ε)	抵	11.0−11.3	〃
バリウム	多形転移(Ba II-III)	抵	11.8−12.2	〃
鉛	多形転移(Pb I-II)	抵	12.8−13.2	〃
ルビジウム	多形転移(Rb II-III)	抵	14.2−15.3	〃

*　体は体積変化，抵は電気抵抗変化を示す．

粘度（粘性係数）

流体が層状に流れているとき，流体の中に流線に平行に取った面を境として両側の流
が互いに作用する内部摩擦力は，この面の面積と，面に垂直な方向の速度勾配との積に
例し，その比例定数ηをこの流体の**粘度**という．ηの次元は〔$ML^{-1}T^{-1}$〕で単位はパス
ル・秒（Pa s）またはニュートン・秒/平方メートル(N s m^{-2})，CGS単位系ではポア
(poise，P)である．1 Pa s＝1 N s m^{-2}＝10 P＝10^3 cP.

また粘度をその粘度を持つ状態における流体の密度で割った量を**動粘度**という．動粘
υの次元は〔L^2T^{-1}〕で単位は平方メートル/秒（m^2 s^{-1})，CGS単位系ではストーク
(stokes，St）である．1 m^2 s^{-1}＝10^4 St＝10^6 cSt.

蒸留水の粘度と動粘度

(圧力：1 atm＝101 325 Pa

t/℃	η/(10^{-3} Pa s)	υ/(10^{-6} m^2 s^{-1})	t/℃	η/(10^{-3} Pa s)	υ/(10^{-6} m^2 s^{-1})
0	1.7906	1.7909	40	0.6524	0.6576
5	1.5185	1.5186	50	0.5469	0.5535
10	1.3064	1.3068	60	0.4668	0.4748
15	1.1378	1.1388	70	0.4045	0.4137
20	1.0016	1.0034	80	0.3550	0.3653
25	0.8899	0.8925	90	0.3150	0.3263
30	0.7970	0.8005	100	0.2821	0.2943

JIS Z 8803：2011による．

液体の粘度

(圧力: 1 atm = 101 325 Pa,　単位: 10^{-3} Pa s)

物　質	−100 ℃	−50 ℃	0 ℃	25 ℃	50 ℃	75 ℃	100 ℃
アセトン	—	—	0.402	0.310	0.247	0.200	0.165
アニリン	—	—	9.450	3.822	1.982	1.201	0.808
エタノール	98.96	8.318	1.873	1.084	0.684	0.459	0.323
ジエチルエーテル	1.545	0.544	0.288	0.224	0.179	0.146	0.119
四塩化炭素	—	—	1.341	0.912	0.662	0.503	0.395
水　銀	—	—	1.616	1.528	1.401	1.322	1.255
ひまし油	—	—	—	700	125	42.0	16.9
ベンゼン	—	—	—	0.603	0.436	0.332	0.263
メタノール	—	2.258	0.797	0.543	0.392	0.294	0.227
硫　酸	—	—	—	23.8	11.7	6.6	4.1

Kaye & Laby（web 版 2005）による.

気体の粘度[1)]

(単位 : 10^{-6} Pa s)

物　質	0 ℃	20 ℃	50 ℃	100 ℃	200 ℃	300 ℃	400 ℃	500 ℃	600 ℃
亜酸化窒素	13.7	14.7	16.1	18.4	22.9	27.0	30.7	34.0	37.0
アルゴン	21.0	22.3	24.2	27.3	32.8	37.7	42.2	46.4	50.4
アンモニア	9.2	9.9	11.0	13.0	16.8	20.6	24.4	28.2	31.9
一酸化炭素	16.6	17.4	18.8	21.0	25.2	29.0	32.5	35.6	38.6
エチレン	9.7	10.3	11.2	12.8	15.4	17.9	—	—	—
塩　素	12.3	13.2	14.5	16.9	21.0	25.0	—	—	—
キセノン	21.2	22.8	25.1	28.8	35.7	42.0	47.9	53.4	58.6
空　気	17.3	18.2	19.6	22.0	26.1	29.8	33.2	36.4	39.4
クリプトン	23.4	25.0	27.4	31.2	38.0	44.2	49.9	55.2	60.2
クロロホルム	9.4	10.1	11.1	12.8	16.2	19.5	—	—	
酸　素	19.5	20.4	21.8	24.4	29.3	33.7	37.6	41.3	44.7
水蒸気	9.2	9.7	10.6	12.4	16.2	20.3	24.5	28.6	32.6
水　素	8.4	8.8	9.4	10.4	12.1	13.7	15.3	16.9	18.4
窒　素	16.6	17.6	18.9	21.2	25.1	28.6	31.9	34.9	37.8
二酸化硫黄	11.6	12.6	14.0	16.4	20.9	25.1	29.0	32.6	36.1
二酸化炭素	13.7	14.7	16.1	18.5	23.0	27.1	30.8	34.2	37.4
ネオン	29.8	31.3	33.6	37.0	43.2	48.9	54.3	59.4	64.4
ヘリウム	18.7	19.6	21.0	23.2	27.3	31.2	34.8	38.4	41.8
ベンゼン	7.0	7.5	8.1	9.4	12.0	—	—	—	—
メタン	10.3	11.0	11.9	13.5	16.3	18.8	21.1	23.3	25.3

Kaye & Laby（web 版 2005）による.

1)　気体の粘度は数十 Pa より数気圧に至る広い範囲において圧力にはほとんど無関係である.

表　面　張　力

水の表面張力

（表面張力 γ の単位：10^{-3} N m

t/℃	0	1	2	3	4	5	6	7	8	9
0	75.646*	75.508	75.367	75.226	75.084	74.942	74.799	74.655	74.511	74.366
10	74.221	74.075	73.929	73.782	73.634	73.486	73.337	73.188	73.038	72.887
20	72.736	72.584	72.432	72.279	72.126	71.972	71.818	71.663	71.507	71.351
30	71.194	71.037	70.879	70.721	70.562	70.402	70.242	70.081	69.920	69.759
40	69.596	69.434	69.270	69.106	68.942	68.777	68.611	68.445	68.279	68.112
50	67.944	67.776	67.607	67.438	67.268	67.098	66.927	66.755	66.584	66.411
60	66.238	66.065	65.891	65.716	65.541	65.366	65.190	65.013	64.836	64.659
70	64.481	64.302	64.123	63.944	63.764	63.583	63.402	63.220	63.038	62.856
80	62.673	62.489	62.305	62.121	61.936	61.750	61.565	61.378	61.191	61.004
90	60.816	60.628	60.439	60.250	60.060	59.870	59.679	59.488	59.296	59.104
100	58.912	58.719	58.525	58.332	58.137	57.943	57.747	57.552	57.356	57.159
110	56.962	56.765	56.567	56.368	56.170	55.970	55.771	55.571	55.370	55.169
120	54.968									

＊　0.01 ℃での値

NIST web ブック（2017）　http://webbook.nist.gov/chemistry/fluid/により計算.

種々の物質の表面張力（γ）

（γ の単位：10^{-3} N m

物　質	接触する気　体	t/℃	γ	物　質	接触する気　体	t/℃	γ
水素(液体)	その蒸気	−253.1	1.98	石　油	空　気	18	26
ヘリウム(液体)	その蒸気	−268.9	0.098	トルエン	その蒸気	20	28.53
ヘリウム(液体)	その蒸気	−271.6	0.354	ニトロベンゼン	空　気	20	43.35
窒素(液体)	その蒸気	−203.1	10.53	二硫化炭素	空　気	20	35.3
酸素(液体)	その蒸気	−183.6	13.55	パラフィン油[2]	空　気	25	26.4
				ヘキサン	空　気	20	18.42
アンモニア水(20%)	空　気	18	59.3	ベンゼン	空　気	20	28.86
エタノール	窒　素	20	22.27	メタノール	窒　素	20	22.55
オリーブ油[1]	空　気	20	32	硫酸(98.5%)	空　気	20	55.1
グリセリン	空　気	20	63.4				
クロロホルム	空　気	20	27.28	水　銀	窒　素	25	482.1
酢　酸	空　気	20	27.7	鉛	水　素	350	442
ジエチルエーテル	その蒸気	20	16.96	鉄	ヘリウム	1 570	1 720
四塩化炭素	空　気	20	27.63	金	水　素	1 200	1 120
ジオキサン	その蒸気	20	33.55	塩化ナトリウム	空　気	803	117.6

1）密度 0.91，2）密度 0.847

弾性に関する定数

E：ヤング率，G：ずれ弾性率，σ：ポアソン比，k：体積弾性率，一様な等方性の物質についてこれらの量の間につぎの関係がある．

$$E = 2\,G(1+\sigma) = 3\,k(1-2\sigma)$$

物質（20 ℃）	E/GPa	G/GPa	σ	k/GPa
亜　鉛	108.4	43.4	0.249	72.0
アルミニウム	70.3	26.1	0.345	75.5
インバール[1]	144.0	57.2	0.259	99.4
カドミウム	49.9	19.2	0.300	41.6
ガラス(クラウン)	71.3	29.2	0.22	41.2
ガラス(フリント)	80.1	31.5	0.27	57.6
金	78.0	27.0	0.44	217.0
銀	82.7	30.3	0.367	103.6
コンスタンタン	162.4	61.2	0.327	156.4
黄銅(真ちゅう)[2]	100.6	37.3	0.350	111.8
ス　ズ	49.9	18.4	0.357	58.2
ステンレス[3]	215.3	83.9	0.293	166.0
石英(溶融)	73.1	31.2	0.17	36.9
タングステンカーバイド[4]	534.4	219.0	0.22	319.0
チタン	115.7	43.8	0.321	107.7
鉄(軟)	211.4	81.6	0.293	169.8
鉄(鋳)[4]	152.3	60.0	0.27	109.5
銅	129.8	48.3	0.343	137.8
ナイロン-6, 6	1.2–2.9	—	—	—
鉛[4]	16.1	5.59	0.44	45.8
ニッケル(軟)[4]	199.5	76.0	0.312	177.3
ニッケル(硬)[4]	219.2	83.9	0.306	187.6
白　金	168.0	61.0	0.377	228.0
ビスマス	31.9	12.0	0.330	31.3
ポリエチレン	0.4–1.3	0.26	0.458	—
ポリスチレン	2.7–4.2	1.43	0.340	4.0
木材(チーク)	13.0	—	—	—
洋　銀[5]	132.5	49.7	0.333	132.0

1）36Ni，63.8Fe，0.2C　2）70Cu，30Zn　3）組成の概略値：0.02C，0.5Si，0.7Mn，2Ni，18Cr，残り Fe　4）概略値あるいは組成によって異なる代表値　5）55Cu，18Ni，27Zn

Kaye & Laby（web 版 2005）による．

液 体 の 圧 縮 率

液体の温度一定の場合の圧縮率，$\kappa = \frac{1}{k} = -\frac{1}{v}\frac{dv}{dp}$ を表す．

液　体	t/℃	p/atm	κ/(GPa)$^{-1}$	液　体	t/℃	p/atm	κ/(GPa)$^{-1}$
アセトン	20	1	1.26	水　銀	21.9	10 000	0.0300
アセトン	20	5 000	0.21	トルエン	20	1	0.91
エタノール	20	1	1.11	二硫化炭素	20	1	0.93
エタノール	20	5 000	0.22	ベンゼン	20	1	0.95
エーテル	20	1	1.87	水	20	1	0.45
エーテル	20	5 000	0.22	水	20	1 000	0.36
グリセリン	20	1	0.21	水	20	5 000	0.18
グリセリン	20	5 000	0.12	水	60	10 000	0.12
クロロホルム	20	1	1.01	メタノール	20	1	1.23
水　銀	21.9	1 000	0.0388	メタノール	20	5 000	0.21

おもに Amer. Inst. Phys. Handbook. 3rd ed.（1972）による．1 atm = 101 325 Pa

拡散係数

固体中の拡散係数は温度によって著しく変化し，アレニウスの式 $D = D_0 \exp(-U/RT)$ に従う．D_0 は頻度因子，U は活性化エネルギー，R はガス定数，T は絶対温度．イオン結晶の拡散係数はある温度以下で不純物によって著しい影響を受ける．

（D_0 の単位：10^{-4} m^2 s^{-1}，U の単位：kJ mol^{-1}）

拡散原子	固体	D_0	U	拡散原子	固体	D_0	U	拡散原子	固体	D_0	U
Na	Na	0.145	42.2	Ni	Cu	2.7	236	Na^+	NaCl	0.5	155
Cu	Cu	0.62	207.4	Zn	Cu	0.34	191	Cl^-	NaCl	110	215
Ag	Ag	0.44	185.3	Ga	Cu	0.55	192	K^+	KCl	0.04	142
Au	Au	0.091	174.5	Ag	Cu	0.63	195	Cl^-	KCl	10	193

ゲルマニウム，シリコン中の不純物の D_0，U

（D_0 の単位：10^{-4} m^2 s^{-1}，U の単位：kJ mol^{-1}）

不純物	半導体			
	ゲルマニウム		シリコン	
	D_0	U	D_0	U
B	1.8×10^9	439	16.0	356
Al	—	—	4.8	335
Ga	20.0	297	3.6	339
In	20	259	16.5	377
Tl	0.06	(259)	16.5	377
P	12.3	247	10.5	356
As	3.0	234	69.6	405
Sb	1.3	218	12.9	381
Bi	3.3	239	1 033	448
Li	25×10^{-4}	49.3	23×10^{-4}	63.6
Fe	—	—	6.2×10^{-3}	84
Ge	10.8	307	—	—
Au	12.6	218	2.75×10^{-3}	196

引 張 り 強 さ

次表は物質が引張り力を受けて破壊する際に物質に生ずる最大応力 T を示す．単位は $\mathrm{Pa=N\,m^{-2}}$．一般に，引き伸ばして針金にすると強度は増す．

物　質	T/Pa	物　質	T/Pa	物　質	T/Pa
	$\times 10^8$		$\times 10^8$		$\times 10^8$
亜鉛(圧延)	1.1-1.5	銅(圧延)	2.0-4.0	黄銅(真ちゅう)	3.5-5.5
アルミニウム(鋳)	0.9-1.0	ナイロン−6, 6	0.62-0.83	タングステン	15-35
アルミニウム(圧延)	0.9-1.5	鉛(鋳)	0.12-0.17	タンタル	8-11
ガラス	0.3-0.9	はんだ	0.55-0.75	ジュラルミン	4.0-5.5
絹　糸	2.6	砲　金[3]	1.9-2.6	ジルコニウム(軟)	2.6-3.9
モ糸	1.8	ポリエチレン	0.21-0.35	ジルコニウム(硬)	10
革ベルト	0.3-0.5	ポリスチレン	0.34-0.52	鉄(鋼)	11-15.5
黄銅(鋳)[1]	1.5-1.9	メチルメタクリレート	0.50-0.76	鉄(ピアノ線)	18.6-23.3
黄銅(圧延)[1]	2.3-2.7	木材(普通)[4]	0.2-0.7	銅(硬)	4.0-4.6
スズ(鋳)	0.2-0.35	木材(堅木)[4,5]	0.6-1.1	銅(軟)	2.8-3.1
石英糸	約 10	リン青銅(鋳)	1.8-2.8	ニッケル	5.0-9.0
腸線(ガット)	4.2	針　金		白　金	3.3-3.7
鉄(鋳鋼)	4.0-6.0			白金ロジウム[6]	6.3
鉄(鋼)	7.0-10.8	アルミニウム	2.0-4.5	リン青銅(硬)	6.9-10.8
鉄(ニッケル鋼)[2]	8.0-10.0	金	2.0-2.5	洋　銀	4.6
銅(鋳)	1.2-1.7	銀	2.9		

1) 66% Cu, 34% Zn　2) 5% Ni　3) 90% Cu, 10% Sn　4) 材木状の木目に平行方向
5) カシ(トネリコ)，チーク，ブナ，マホガニーなど　6) 10%ロジウム
Kaye & Laby (web 版 2005) による．

金属材料の機械的強度

金属材料(合金を含む)の機械的強度は，一般に下図に示すような「応力-ひずみ曲線」における特性値で定義される．応力-ひずみ曲線は，降伏点を持つ材料の場合は図(a)で，また降伏点を持たない場合は図(b)のようになる．ヤング率 E は，応力 σ のひずみ ε に対する関係が比例限界内にあるとき，$\sigma=E\varepsilon$ の関係から求められる．ずれ弾性率は，ずれ変形の際のヤング率に相当するもので，剛性率とも呼ばれる．降伏強さは，(a)の場合には図に示す降伏応力を，(b)の場合には 0.2%のひずみを生じた点での応力(0.2%耐力と呼ぶ)で定義される．引張り強さは，ひずみを増加させたときの最大応力値である．以下の表は，実用に用いられる代表的金属材料の室温における機械的強度を示したものである．組成で，たとえば，Fe-0.45 C-0.25 Si-0.8 Mn は，鉄(Fe)に 0.45% C，0.25% Si，0.8% Mn を合金したものを示す．

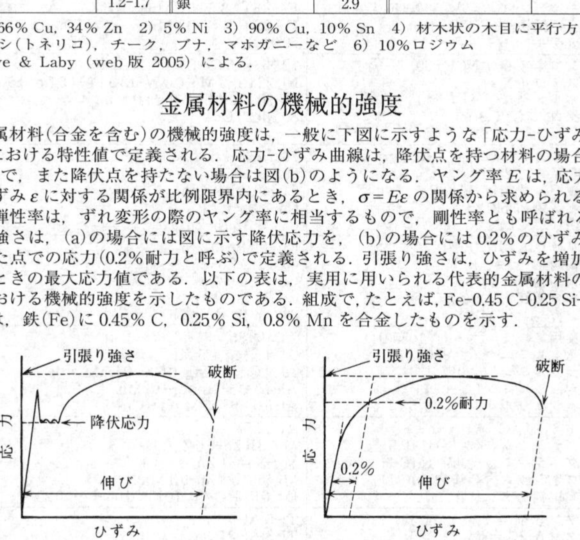

(a)　(b)

金属材料の

材料名	組成 重量%
工業用純鉄	99.96 Fe
一般構造用圧延鋼材(SS 400)	Fe-0.1 C
機械構造用中炭素鋼(S 45 C)	Fe-0.45 C-0.25 Si-0.8 Mn
高張力鋼(HT 80)	Fe-0.12 C-0.8 Mn-1.0 Ni-0.5 Cr-0.4 Mo
クロムモリブデン鋼(SCM 440)	Fe-0.4 C-0.7 Mn-1.0 Cr-0.25 Mo
ニッケルクロムモリブデン鋼(SNCM 439)	Fe-0.40 C-0.30 Si-0.70 Mn-1.85 Ni-0.80 Cr-0.25 M
熱間金型用工具鋼(SKD 6)	Fe-0.37 C-1.0 Si-5.0 Cr-1.25 Mo-0.4 V
ばね鋼(SUP 7)	Fe-0.6 C-2.0 Si-0.85 Mn
低温圧力容器用 9%Ni 鋼(SL 9 N 590)	Fe-0.05 C-0.3 Si-0.9Mn-9.0 Ni
マルエージング鋼(350 級)	Fe-17.5 Ni-12.5 Co-3.75 Mo-1.8 Ti-0.15 Al
析出硬化型ステンレス鋼(SUS 631)	Fe-0.06 C-0.4 Si-0.6 Mn-7.0 Ni-17.0 Cr-1.2 Al
マルテンサイト系ステンレス鋼(SUS 410)	Fe-0.15>C-1.0>Si-1.0>Mn-12.5 Cr
フェライト系ステンレス鋼(SUS 430)	Fe-0.12>C-0.75>Si-1.0>Mn-17 Cr
オーステナイト系ステンレス鋼(SUS304)	Fe-0.08>C-1.0>Si-2.0>Mn-9 Ni-19 Cr
インコロイ 800(NCF 800)	Fe-32.5 Ni-21 Cr-0.4 Al-0.4 Ti
ねずみ鋳鉄	Fe-3.3 C-2 Si-0.5 Mn
球状黒鉛鋳鉄(FCD 370)	Fe-2.5 C-2 Si
オーステンパ球状黒鉛鋳鉄(FCD 900 A)	Fe-3.5 C-3 Si-0.2 Mn
黒心可鍛鋳鉄(FCMB 360)	Fe-2.5 C-1 Si-0.4 Mn
ニッケル	99.99 Ni
インコネル 600(NCF 600)	72 Ni-15.5 Cr-8 Fe
ハステロイ X	Ni-22 Cr-9 Mo-0.6 W-18.5 Fe-1.5 Co-0.6 W
モネルメタル	Ni-30 Cu-4 Si-2 Fe-1.0 Mn
ニクロム(GNC 108)	80 Ni-20 Cr
無酸素銅(C 1020)	Cu>99.96
7/3 黄銅(C 2600)	70 Cu-30 Zn
6/4 黄銅(C 2801)	60 Cu-40 Zn
ネーバル黄銅(C 4640 P)	Cu-40 Zn-0.8 Sn
りん青銅(C 5212 P)	Cu-8 Sn-0.2 P
洋白(C 7521 P)	65 Cu-18 Ni-Zn(残)
ベリリウム銅(C 1720)	Cu-1.9 Be-0.2 Ni
黄銅鋳物(YBsC 2)	68 Cu-2 Pb-Zn(残)
青銅鋳物(BC 2 C)	Cu-8 Sn-4 Zn
りん青銅鋳物(PBC 2 C)	Cu-11 Sn-0.3 P
マンガニン(CMW)	84 Cu-12 Mn-4 Ni
工業用アルミニウム(A 1085 P)	Al>99.85
耐食アルミニウム(A 5083 P)	Al-4.5 Mg-0.5 Mn
ジュラルミン(A 2017 P)	Al-4 Cu-0.6 Mg-0.5 Si-0.6 Mn
超ジュラルミン(A 2024 P)	Al-4.5 Cu-1.5 Mg-0.6 Mn
超々ジュラルミン(A 7075 P)	Al-5.6 Zn-2.5 Mg-1.6 Cu
シルミン(AC 3A)	Al-12 Si
マグネシウム合金(板)(MP 5)	Mg-3.5 Zn-0.6 Zr
マグネシウム合金(棒)(MB 1)	Mg-3 Al-1 Zn
マグネシウム合金鋳物(MC 1)	Mg-6 Al-3 Zn-0.3 Mn
工業用純チタン(C.P.Ti)	H<0.013-O<0.20-N<0.05-Fe<0.20
チタン 6 Al-4 V 合金(60 種)	Ti-6 Al-4 V
チタン 5-2.5 合金	Ti-5 Al-2.5 Sn
亜鉛ダイカスト用合金(ZDC1)	Zn-4.0 Al-1.0 Cu-0.04 Mg

機 械 的 強 度

(材料名の(　)内は JIS 記号，組成は代表値)

熱 処 理	密 度 ρ/kg m^{-3}	ヤング率 E/GPa	ずれ弾性率 G/GPa	降伏強さ Y/MPa	引張強さ T/MPa	伸び率 単位：%
焼なまし	7.9×10^3	205	81	98	196	60
焼なまし	7.9	206	79	240	450	21
焼入れ，焼戻し	7.8	205	82	727	828	22
焼入れ，焼戻し	—	203	73	834	865	26
焼入れ，焼戻し	7.8	—	—	833	980	12
焼入れ，焼戻し	7.8	204	—	1 471	1 765	8
焼入れ，焼戻し	7.8	206	82	—	1 550	—
焼入れ，焼戻し	—	—	—	1 080	1 230	9
焼入れ，焼戻し	—	193	74	588	760	23
焼なまし，時効	8.0	186	71	—	2 403	10
焼戻し，時効	7.8	204	—	1 029	1 225	4
焼入れ，焼戻し	7.8	200	—	345	540	25
焼なまし	7.8	200	—	205	450	22
固溶化処理	8.0	197	74	205	520	40
焼なまし	8.02	196	73	205	520	30
鋳造のまま	7.2	100	40	—	450	2
鋳造のまま	7.1	176	69	230	370	17
オーステンパ	—	—	—	600	900	8
焼ならし	7.4	172	68	215	360	14
焼なまし	8.9	204	81	58	335	28
焼なまし	8.4	214	76	245	550	30
焼なまし	8.2	197	75	384	775	43
焼なまし	8.8	179	66	515	775	10
製造のまま	8.4	214	—	—	690-930	20
完全焼なまし	8.9	117	—	—	195	35
完全焼なまし	8.5	110	41	—	280	50
完全焼なまし	8.4	103	38	—	330	40
製造のまま	8.4	103	—	—	375	25
完全硬化	8.8	110	43	—	600	12
完全硬化	8.7	120	47	—	540	3
完全硬化	8.2	130	—	—	900	—
—	8.5	78	—	—	195	20
—	8.7	96	—	—	275	15
—	8.8	—	—	165	295	10
—	8.2	123	46	—	340-590	10
焼なまし	2.7	69	27	15	55	30
焼なまし	2.7	72	—	195	345	16
常温時効(T 4)	2.8	69	—	195	355	15
常温時効(T 4)	2.8	74	29	323	430	15
焼入れ，焼戻し(T 6)	2.8	72	28	505	573	11
鋳造のまま	2.7	71	—	—	140	2
製造のまま	1.8	40	17	160	250	6
製造のまま	1.8	40	17	140	230	6
常温時効(T 4)	1.8	45	16	70	240	7
焼なまし	4.6	106	45	170	320	27
焼なまし	4.4	106	41	920	980	14
焼なまし	—	118	48.0	800	860	16
—	6.6	89	—	—	325	7

熱 と 温 度

温 度 標 準

2019年以前の国際単位系（SI）では，水の三重点をただ1つの定点（273.16 K）として熱力学温度（ケルビン）を定義していたが，2019年の改定により，ボルツマン定数 k を定義定数とすることで熱力学温度目盛を定めるという，より抽象的な定義となった．そこで，国際度量衡委員会は，実現しやすい温度定点をいくつか指定し，その間を補間する実験式を定めている．1948年以来，各温度定点に対し，その時点での最良の熱力学温度を与えてきたが，1968年に大改訂が行われた（IPTS-68）．1989年の委員会でとくに高温での改良が提案され，新しい温度標準の体系（1990年国際温度目盛，ITS-90）が定められた．

	量記号	単位名	単位記号	備　考
熱力学温度	T	ケルビン (kelvin)	K	国際単位系（SI）の基本単位の1つ（**物 2**）．
セルシウス温度	t	セルシウス度	℃	t/℃ = T/K − 273.15 で定義される．目盛間隔の1℃と1Kとは等しい．
国際ケルビン度	T_{90}	ケルビン	K	1990年国際温度目盛によって測定される．t_{90}/℃ = T_{90}/K − 273.15
国際セルシウス度	t_{90}	セルシウス度	℃	

温度差はケルビンまたはセルシウス度で表す．

旧体系の数値は，T_{68} または t_{68} で表す．T_{90} と T_{68} との差については，1996年以前の理科年表に掲載．

1990年国際温度目盛(ITS-90)[1)]

定　義　温度値が与えられた再現可能な温度(定義定点，次表)と，これら
の温度で目盛定めされる計器とに基づいて定義される．定点以外の温度は所
定の公式で求められる．

番号	定義定点	T_{90}/K	t_{90}/℃
1	ヘリウムの蒸気圧点[2)]	3～5	−270.15 ～−268.15
2	平衡水素の三重点	13.803 3	−259.346 7
3, 4	平衡水素の蒸気圧点 または，気体温度計点[2)]	約17と 約20.3	約−256.15と 約−252.85
5	ネオンの三重点	24.556 1	−248.593 9
6	酸素の三重点	54.358 4	−218.791 6
7	アルゴンの三重点	83.805 8	−189.344 2
8	水銀の三重点	234.315 6	−38.834 4
9	水の三重点	273.16	0.01
10	ガリウムの融解点[3)]	302.914 6	29.764 6
11	インジウムの凝固点[3)]	429.748 5	156.598 5
12	スズの凝固点	505.078	231.928
13	亜鉛の凝固点	692.677	419.527
14	アルミニウムの凝固点	933.473	660.323
15	銀の凝固点	1 234.93	961.78
16	金の凝固点	1 337.33	1 064.18
17	銅の凝固点	1 357.77	1 084.62

1)　The International Temperature Scale of 1990. 1989年国際度量衡委員会（CIPM）決議に基づく（**物9**）.

2)　蒸気圧点は，別に与えられた蒸気圧と温度の関係式から定まる温度．この表には概略値が示されている．気体温度計点は，別に与えられた気体温度計による補間法により定まる温度．詳しくは次項以降を参照．

3)　凝固点と融解点は標準気圧101 325 Pa下での液相固相の共存状態．

注)　水の沸点は定義定点ではなくなった．新しい温度目盛 t_{90} では，その値は標準気圧下で約99.974 ℃となる．

a. **領域　0.65 K～5.0 K**

温度 T_{90} は，ヘリウムの蒸気圧 p と温度の関係式（次式）で定められる．

$$T_{90}/\mathrm{K} = A_0 + \sum_{i=1}^{9} A_i \left\{[\ln(p/\mathrm{Pa}) - B]/\mathrm{C}\right\}^i$$

A_0，A_i，B，C は，^{3}He，^{4}He に対して与えられている（下表）．

ヘリウム蒸気圧式の定数

	^{3}He 0.65 K～3.2 K	^{4}He 1.25 K～2.1768 K	^{4}He 2.1768 K～5.0 K
A_0	1.053 447	1.392 408	3.146 631
A_1	0.980 106	0.527 153	1.357 655
A_2	0.676 380	0.166 756	0.413 923
A_3	0.372 692	0.050 988	0.091 159
A_4	0.151 656	0.026 514	0.016 349
A_5	−0.002 263	0.001 975	0.001 826
A_6	0.006 596	−0.017 976	−0.004 325
A_7	0.088 966	0.005 409	−0.004 973
A_8	−0.004 770	0.013 259	0
A_9	−0.054 943	0	0
B	7.3	5.6	10.3
C	4.3	2.9	1.9

b. **領域　3.0 K～24.5561 K**

温度 T_{90} は，つぎの定義定点 (3 点) で較正された ^{3}He または ^{4}He の定積気体温度計で定められる．ヘリウムの蒸気圧点 (3 K～5 K)，平衡水素の三重点 (13.8033 K)，ネオンの三重点 (24.5561 K)．

4.2 K～24.5561 K の範囲であれば，気体温度計の気体の圧力 p から

$$T_{90} = a + bp + cp^2$$

を使って定める．a，b，c は装置に依存する定数であり，上記の定義定点 (3 点) で較正する．ただし，ヘリウムの蒸気圧点は 4.2 K～5.0 K の範囲とする．

3.0 K ～ 24.5561 K の範囲の場合は，

$$T_{90}=\frac{a+bp+cp^2}{1+B_x(T_{90})N/V}$$

で定める．a，b，c は定義定点（3 点）で較正した定数，N/V は気体密度であり，$B_x(T_{90})$ は ${}^x\mathrm{He}(x=3,\ 4)$ の第二ビリアル係数

$$B_3(T_{90})/(\mathrm{m^3\ mol^{-1}})=\{16.69-336.98(T_{90}/\mathrm{K})^{-1}+91.04(T_{90}/\mathrm{K})^{-2}-13.82(T_{90}/\mathrm{K})^{-3}\}\times10^{-6}$$

$$B_4(T_{90})/(\mathrm{m^3\ mol^{-1}})=\{16.708-374.05(T_{90}/\mathrm{K})^{-1}-383.53(T_{90}/\mathrm{K})^{-2}+1799.2(T_{90}/\mathrm{K})^{-3}-4033.2(T_{90}/\mathrm{K})^{-4}+3252.8(T_{90}/\mathrm{K})^{-5}\}\times10^{-6}$$

である．

領域　13.803 3 K ～ 961.78 ℃

温度 T_{90} は，所定の定義定点の組み合わせで較正された白金抵抗体で定められる．ただし，水の三重点における抵抗 R(273.16 K) との比（抵抗比）を $W(T_{90})=R(T_{90})/R(273.16\ \mathrm{K})$ としたとき，$W(29.7646\ ℃)\geq 1.118\,07$，または $W(-38.8344\ ℃)\leq 0.844\,235$ の少なくともどちらか一方を満たす抵抗体を用いる．961.78 ℃まで使用するときは，さらに $W(961.78\ ℃)\geq 4.2844$ も満たす抵抗体を用いる．

具体的には，抵抗比関数 $W(T_{90})$，および基準関数 $W_{\mathrm{r}}(T_{90})$ を含む下記のいずれかの式から温度 T_{90} を求める．式中の係数 a，b，$c_{(i)}$，d は定められた定義定点での抵抗比の測定から決定される．

(1)　$$W(T_{90})=W_{\mathrm{r}}(T_{90})+a[W(T_{90})-1]+b[W(T_{90})-1]^2+\sum_{i=1}^{5}c_i[\ln(W(T_{90}))]^{i+n}$$

(2)　$$W(T_{90})=W_{\mathrm{r}}(T_{90})+a[W(T_{90})-1]+b[W(T_{90})-1]^2+c[W(T_{90})-1]^3+d[W(T_{90})-W(660.323\ ℃)]^2$$

(3)　$$W(T_{90})=W_{\mathrm{r}}(T_{90})+a[W(T_{90})-1]+b[W(T_{90})-1]\ln(W(T_{90}))$$

温度領域によって使用する式とその条件，温度領域の関係を表に示す.

係数を決定するための定義定点と条件

温度領域	補間の方式	定義定点*1	条件
13.8033 K～273.16 K	(1)	2-9	$n=2$
24.5561 K～273.16 K	(1)	2, 5-9	$n=0$ $c_4=c_5=0$
54.3584 K～273.16 K	(1)	6-9	$n=1$ $c_2=c_3=0$ $c_4=c_5=0$
83.8058 K～273.16 K	(3)	7-9	
234.3156 K～302.9146 K	(2)	8-10	$c=d=0$
0 ℃～ 29.7646 ℃	(2)	9, 10	$b=c=d=0$
0 ℃～156.5985 ℃	(2)	9, 11	$b=c=d=0$
0 ℃～231.928 ℃	(2)	9, 11, 12	$c=d=0$
0 ℃～419.527 ℃	(2)	9, 12, 13	$c=d=0$
0 ℃～660.323 ℃	(2)	9, 12-14	$d=0$
0 ℃～961.78 ℃	(2)	9, 12-15	*2

*1　定義定点の番号は定義定点の表（**物 41**）の左欄の番号である.

*2　a, b, c は 0 ℃～660.323 ℃の値を使い，d は銀の凝固点（961.78 ℃）での抵抗比から決定する.

基準関数 $W_r(T_{90})$ は温度領域によってつぎのいずれかを使う. $W_r(T_{90})$ の代表的な値を**物 46** に示す.

(1)　$\ln[W_r(T_{90})]=$

$$A_0+\sum_{i=1}^{12}A_i\{[\ln(T_{90}/273.16\ \mathrm{K})+1.5]/1.5\}^i$$

$$(13.8033\ \mathrm{K}\leqq T_{90}\leqq 273.16\ \mathrm{K})$$

(2) $W_r(T_{90}) =$

$$C_0 + \sum_{i=1}^{9} C_i\{(T_{90}/\mathrm{K} - 754.15)/481\}^i$$

$(273.15\ \mathrm{K} \leqq T_{90} \leqq 1234.93\ \mathrm{K})$

基準関数の定数

A_0	−2.135 347 29	C_0	2.781 572 54
A_1	3.183 247 20	C_1	1.646 509 16
A_2	−1.801 435 97	C_2	−0.137 143 90
A_3	0.717 272 04	C_3	−0.006 497 67
A_4	0.503 440 27	C_4	−0.002 344 44
A_5	−0.618 993 95	C_5	0.005 118 68
A_6	−0.053 323 22	C_6	0.001 879 82
A_7	0.280 213 62	C_7	−0.002 044 72
A_8	0.107 152 24	C_8	−0.000 461 22
A_9	−0.293 028 65	C_9	0.000 457 24
A_{10}	0.044 598 72		
A_{11}	0.118 686 32		
A_{12}	−0.052 481 34		

. 領域　961.78 ℃以上

温度 T_{90} はプランクの黒体輻射式から導かれる次式で定められる．

$$\frac{L_\lambda(T_{90})}{L_\lambda(T_{90}(x))} = \frac{\exp(c_2[\lambda T_{90}(x)]^{-1}) - 1}{\exp(c_2[\lambda T_{90}]^{-1}) - 1}$$

ここで，$T_{90}(x)$ は，銀の凝固点 (1234.93 K，x＝Ag)，金の凝固点 (1337.33 K，x＝Au)，または銅の凝固点（1357.77 K，x＝Cu）のいずれかを用いる．また，$L_\lambda(T_{90})$，$L_\lambda(T_{90}(x))$ は，温度 T_{90}，$T_{90}(x)$ での波長 λ での黒体の分光放射密度である．$c_2 = 0.014\,388\ \mathrm{m\,K}$

基準関数 $W_r(T_{90})$ の代表的な値

T_{90}/K	$W_r(T_{90})$	T_{90}/K	$W_r(T_{90})$	T_{90}/K	$W_r(T_{90})$
13.803 3	0.001 190 07	100	0.286 074 10	550	2.058 408 07
14	0.001 238 46	120	0.371 891 42	600	2.239 991 28
16	0.001 863 82	140	0.456 497 71	650	2.418 685 80
18	0.002 776 70	160	0.540 064 72	700	2.594 482 57
20	0.004 035 94	180	0.622 788 86	750	2.767 356 49
22	0.005 692 22	200	0.704 809 73	800	2.937 269 58
24	0.007 785 78	220	0.786 216 45	850	3.104 176 96
26	0.010 345 17	240	0.867 067 92	900	3.268 034 65
28	0.013 387 05	260	0.947 405 65	950	3.428 807 65
30	0.016 916 85	280	1.027 253 01	1 000	3.586 477 09
40	0.041 464 85	300	1.106 614 06	1 050	3.741 045 07
50	0.075 134 00	340	1.263 887 11	1 100	3.892 536 57
60	0.114 304 23	380	1.419 241 76	1 150	4.040 998 20
70	0.156 248 44	420	1.572 691 45	1 200	4.186 494 59
80	0.199 347 21	460	1.724 249 46	1 234.93	4.286 420 53
90	0.242 755 51	500	1.873 929 46		

熱電対の規準熱起電力

温度測定に広く用いられる熱電対の規準熱起電力 E は基準関数により定義される（JIS C 1602：2015）．基準関数は次式で与えられる．

$$E/\mu\mathrm{V} = a_0 + \sum_{i=1}^{n} a_i (t_{90}/℃)^i$$

ただし，タイプ K の 0 ℃～1 372 ℃の温度範囲については次式を使う．

$$E/\mu\mathrm{V} = b_0 + \sum_{i=1}^{n} b_i (t_{90}/℃)^i + c_0 \exp[c_1(t_{90}/℃ - 126.9686)^2]$$

熱電対の種類，温度範囲ごとの式の定数，および規準熱起電力を種類ごとに示す．基準接点を 0 ℃に，測温接点を t_{90}/℃に保ったときの起電力を mV 単位で表してある．これらは規準値であって，精密な温度測定では個々の熱電対を ITS-90 の定義定点（**物 41**）などで較正する必要がある．

銅－コンスタンタン熱電対（タイプT）

（単位：mV）

温度範囲/℃	−270～0				0～400
次数 n	14				8
a_0	0.000 000 000 0	a_8	$3.849\,393\,988\,3 \times 10^{-12}$	a_0	0.000 000 000 0
a_1	$3.874\,810\,636\,4 \times 10^{1}$	a_9	$2.821\,352\,192\,5 \times 10^{-14}$	a_1	$3.874\,810\,636\,4 \times 10^{1}$
a_2	$4.419\,443\,434\,7 \times 10^{-2}$	a_{10}	$1.425\,159\,477\,9 \times 10^{-16}$	a_2	$3.329\,222\,788\,0 \times 10^{-2}$
a_3	$1.184\,432\,310\,5 \times 10^{-4}$	a_{11}	$4.876\,866\,228\,6 \times 10^{-19}$	a_3	$2.061\,824\,340\,4 \times 10^{-4}$
a_4	$2.003\,297\,355\,4 \times 10^{-5}$	a_{12}	$1.079\,553\,927\,0 \times 10^{-21}$	a_4	$-2.188\,225\,684\,6 \times 10^{-6}$
a_5	$9.013\,801\,955\,9 \times 10^{-7}$	a_{13}	$1.394\,502\,706\,2 \times 10^{-24}$	a_5	$1.099\,688\,092\,8 \times 10^{-8}$
a_6	$2.265\,115\,659\,3 \times 10^{-8}$	a_{14}	$7.979\,515\,392\,7 \times 10^{-28}$	a_6	$-3.081\,575\,877\,2 \times 10^{-11}$
a_7	$3.607\,115\,420\,5 \times 10^{-10}$			a_7	$4.547\,913\,529\,0 \times 10^{-14}$
				a_8	$-2.751\,290\,167\,3 \times 10^{-17}$

t_{90}/℃	0	−10	−20	−30	−40	−50	−60	−70	−80	−90
−200	-5.603	-5.753	-5.888	-6.007	-6.105	-6.180	-6.232	-6.258		
−100	-3.379	-3.657	-3.923	-4.177	-4.419	-4.648	-4.865	-5.070	-5.261	-5.439
0	0.00	-0.383	-0.757	-1.121	-1.475	-1.819	-2.153	-2.476	-2.788	-3.089

t_{90}/℃	0	10	20	30	40	50	60	70	80	90
0	0.000	0.391	0.790	1.196	1.612	2.036	2.468	2.909	3.358	3.814
100	4.279	4.750	5.228	5.714	6.206	6.704	7.209	7.720	8.237	8.759
200	9.288	9.822	10.362	10.907	11.458	12.013	12.574	13.139	13.709	14.283
300	14.862	15.445	16.032	16.624	17.219	17.819	18.422	19.030	19.641	20.255
400	20.872									

白金－白金・10%ロジウム熱電対(タイプS)

(単位：mV

温度範囲/℃	－50～1064.18	1064.18～1664.5	1664.5～1768.1
次数 n	8	4	4
a_0	0.000 000 000 00	$1.329\ 004\ 440\ 85\times10^{3}$	$1.466\ 282\ 326\ 36\times10^{5}$
a_1	5.403 133 086 31	3.345 093 113 44	$-2.584\ 305\ 167\ 52\times10^{2}$
a_2	$1.259\ 342\ 897\ 40\times10^{-2}$	$6.548\ 051\ 928\ 18\times10^{-3}$	$1.636\ 935\ 746\ 41\times10^{-}$[illegible]
a_3	$-2.324\ 779\ 686\ 89\times10^{-5}$	$-1.648\ 562\ 592\ 09\times10^{-6}$	$-3.304\ 390\ 469\ 87\times10^{-}$[illegible]
a_4	$3.220\ 288\ 230\ 36\times10^{-8}$	$1.299\ 896\ 051\ 74\times10^{-11}$	$-9.432\ 236\ 906\ 12\times10^{-}$[illegible]
a_5	$-3.314\ 651\ 963\ 89\times10^{-11}$		
a_6	$2.557\ 442\ 517\ 86\times10^{-14}$		
a_7	$-1.250\ 688\ 713\ 93\times10^{-17}$		
a_8	$2.714\ 431\ 761\ 45\times10^{-21}$		

t_{90}/℃	0	－10	－20	－30	－40	－50	－60	－70	－80	－90
0	0.000	-0.053	-0.103	-0.150	-0.194	-0.236				
t_{90}/℃	0	10	20	30	40	50	60	70	80	90
0	0.000	0.055	0.113	0.173	0.235	0.299	0.365	0.433	0.502	0.573
100	0.646	0.720	0.795	0.872	0.950	1.029	1.110	1.191	1.273	1.357
200	1.441	1.526	1.612	1.698	1.786	1.874	1.962	2.052	2.141	2.232
300	2.323	2.415	2.507	2.599	2.692	2.786	2.880	2.974	3.069	3.164
400	3.259	3.355	3.451	3.548	3.645	3.742	3.840	3.938	4.036	4.134
500	4.233	4.332	4.432	4.532	4.632	4.732	4.833	4.934	5.035	5.137
600	5.239	5.341	5.443	5.546	5.649	5.753	5.857	5.961	6.065	6.170
700	6.275	6.381	6.486	6.593	6.699	6.806	6.913	7.020	7.128	7.236
800	7.345	7.454	7.563	7.673	7.783	7.893	8.003	8.114	8.226	8.337
900	8.449	8.562	8.674	8.787	8.900	9.014	9.128	9.242	9.357	9.472
1 000	9.587	9.703	9.819	9.935	10.051	10.168	10.285	10.403	10.520	10.638
1 100	10.757	10.875	10.994	11.113	11.232	11.351	11.471	11.590	11.710	11.830
1 200	11.951	12.071	12.191	12.312	12.433	12.554	12.675	12.796	12.917	13.038
1 300	13.159	13.280	13.402	13.523	13.644	13.766	13.887	14.009	14.130	14.251
1 400	14.373	14.494	14.615	14.736	14.857	14.978	15.099	15.220	15.341	15.461
1 500	15.582	15.702	15.822	15.942	16.062	16.182	16.301	16.420	16.539	16.658
1 600	16.777	16.895	17.013	17.131	17.249	17.366	17.483	17.600	17.717	17.832
1 700	17.947	18.061	18.174	18.285	18.395	18.503	18.609			

白金−白金・13%ロジウム熱電対(タイプR)

(単位：mV)

温度範囲/℃	−50〜1064.18	1064.18〜1664.5	1664.5〜1768.1
次数 n	9	5	4
a_0	0.000 000 000 00	$2.951\ 579\ 253\ 16\times10^{3}$	$1.522\ 321\ 182\ 09\times10^{5}$
a_1	5.289 617 297 65	−2.520 612 513 32	$-2.688\ 198\ 885\ 45\times10^{2}$
a_2	$1.391\ 665\ 897\ 82\times10^{-2}$	$1.595\ 645\ 018\ 65\times10^{-2}$	$1.712\ 802\ 804\ 71\times10^{-1}$
a_3	$-2.388\ 556\ 930\ 17\times10^{-5}$	$-7.640\ 859\ 475\ 76\times10^{-6}$	$-3.458\ 957\ 064\ 53\times10^{-5}$
a_4	$3.569\ 160\ 010\ 63\times10^{-8}$	$2.053\ 052\ 910\ 24\times10^{-9}$	$-9.346\ 339\ 710\ 46\times10^{-12}$
a_5	$-4.623\ 476\ 662\ 98\times10^{-11}$	$-2.933\ 596\ 681\ 73\times10^{-13}$	
a_6	$5.007\ 774\ 410\ 34\times10^{-14}$		
a_7	$-3.731\ 058\ 861\ 91\times10^{-17}$		
a_8	$1.577\ 164\ 823\ 67\times10^{-20}$		
a_9	$-2.810\ 386\ 252\ 51\times10^{-24}$		

t_{90}/℃	0	−10	−20	−30	−40	−50	−60	−70	−80	−90
0	0.000	-0.051	-0.100	-0.145	-0.188	-0.226				
t_{90}/℃	**0**	**10**	**20**	**30**	**40**	**50**	**60**	**70**	**80**	**90**
0	0.000	0.054	0.111	0.171	0.232	0.296	0.363	0.431	0.501	0.573
100	0.647	0.723	0.800	0.879	0.959	1.041	1.124	1.208	1.294	1.381
200	1.469	1.558	1.648	1.739	1.831	1.923	2.017	2.112	2.207	2.304
300	2.401	2.498	2.597	2.696	2.796	2.896	2.997	3.099	3.201	3.304
400	3.408	3.512	3.616	3.721	3.827	3.933	4.040	4.147	4.255	4.363
500	4.471	4.580	4.690	4.800	4.910	5.021	5.133	5.245	5.357	5.470
600	5.583	5.697	5.812	5.926	6.041	6.157	6.273	6.390	6.507	6.625
700	6.743	6.861	6.980	7.100	7.220	7.340	7.461	7.583	7.705	7.827
800	7.950	8.073	8.197	8.321	8.446	8.571	8.697	8.823	8.950	9.077
900	9.205	9.333	9.461	9.590	9.720	9.850	9.980	10.111	10.242	10.374
1 000	10.506	10.638	10.771	10.905	11.039	11.173	11.307	11.442	11.578	11.714
1 100	11.850	11.986	12.123	12.260	12.397	12.535	12.673	12.812	12.950	13.089
1 200	13.228	13.367	13.507	13.646	13.786	13.926	14.066	14.207	14.347	14.488
1 300	14.629	14.770	14.911	15.052	15.193	15.334	15.475	15.616	15.758	15.899
1 400	16.040	16.181	16.323	16.464	16.605	16.746	16.887	17.028	17.169	17.310
1 500	17.451	17.591	17.732	17.872	18.012	18.152	18.292	18.431	18.571	18.710
1 600	18.849	18.988	19.126	19.264	19.402	19.540	19.677	19.814	19.951	20.087
1 700	20.222	20.356	20.488	20.620	20.749	20.877	21.003			

クロメル－アルメル熱電対(タイプK)

(単位：mV

温度範囲/℃	−270〜0		0〜1372		
次数 n	10		9		
a_0	$0.000\,000\,000\,0$	b_0	$-1.760\,041\,368\,6\times10^{1}$	c_0	$1.185\,976\times10^{2}$
a_1	$3.945\,012\,802\,5\times10^{1}$	b_1	$3.892\,120\,497\,5\times10^{1}$	c_1	$-1.183\,432\times10^{-}$
a_2	$2.362\,237\,359\,8\times10^{-2}$	b_2	$1.855\,877\,003\,2\times10^{-2}$		
a_3	$-3.285\,890\,678\,4\times10^{-4}$	b_3	$-9.945\,759\,287\,4\times10^{-5}$		
a_4	$-4.990\,482\,877\,7\times10^{-6}$	b_4	$3.184\,094\,571\,9\times10^{-7}$		
a_5	$-6.750\,905\,917\,3\times10^{-8}$	b_5	$-5.607\,284\,488\,9\times10^{-10}$		
a_6	$-5.741\,032\,742\,8\times10^{-10}$	b_6	$5.607\,505\,905\,9\times10^{-13}$		
a_7	$-3.108\,887\,289\,4\times10^{-12}$	b_7	$-3.202\,072\,000\,3\times10^{-16}$		
a_8	$-1.045\,160\,936\,5\times10^{-14}$	b_8	$9.715\,114\,715\,2\times10^{-20}$		
a_9	$-1.988\,926\,687\,8\times10^{-17}$	b_9	$-1.210\,472\,127\,5\times10^{-23}$		
a_{10}	$-1.632\,269\,748\,6\times10^{-20}$				

t_{90}/℃	0	−10	−20	−30	−40	−50	−60	−70	−80	−90
-200	-5.891	-6.035	-6.158	-6.262	-6.344	-6.404	-6.441	-6.458		
-100	-3.554	-3.852	-4.138	-4.411	-4.669	-4.913	-5.141	-5.354	-5.550	-5.730
0	0.000	-0.392	-0.778	-1.156	-1.527	-1.889	-2.243	-2.587	-2.920	-3.243
t_{90}/℃	0	10	20	30	40	50	60	70	80	90
0	0.000	0.397	0.798	1.203	1.612	2.023	2.436	2.851	3.267	3.682
100	4.096	4.509	4.920	5.328	5.735	6.138	6.540	6.941	7.340	7.739
200	8.138	8.539	8.940	9.343	9.747	10.153	10.561	10.971	11.382	11.795
300	12.209	12.624	13.040	13.457	13.874	14.293	14.713	15.133	15.554	15.975
400	16.397	16.820	17.243	17.667	18.091	18.516	18.941	19.366	19.792	20.218
500	20.644	21.071	21.497	21.924	22.350	22.776	23.203	23.629	24.055	24.480
600	24.905	25.330	25.755	26.179	26.602	27.025	27.447	27.869	28.289	28.710
700	29.129	29.548	29.965	30.382	30.798	31.213	31.628	32.041	32.453	32.865
800	33.275	33.685	34.093	34.501	34.908	35.313	35.718	36.121	36.524	36.925
900	37.326	37.725	38.124	38.522	38.918	39.314	39.708	40.101	40.494	40.885
1 000	41.276	41.665	42.053	42.440	42.826	43.211	43.595	43.978	44.359	44.740
1 100	45.119	45.497	45.873	46.249	46.623	46.995	47.367	47.737	48.105	48.473
1 200	48.838	49.202	49.565	49.926	50.286	50.644	51.000	51.355	51.708	52.060
1 300	52.410	52.759	53.106	53.451	53.795	54.138	54.479	54.819		

種々の金属の白金に対する起電力

起電力の符号(+)は電流が0℃の接続点を通って白金のほうに，(−)はその逆に流れることを意味する．単位はmV.

金属	t/℃ −100	t/℃ +100	金属	t/℃ −100	t/℃ +100
亜鉛	−0.33	+0.76	ステンレス(18−8)	—	+0.44
アルミニウム	−0.06	+0.42	ビスマス	+7.54	−7.34
アルメル	—	−1.29	タンタル	−0.10	+0.33
アンチモン	—	+4.89	タングステン	−0.15	+1.12
インジウム	—	+0.69	炭素	—	+0.70
カドミウム	−0.31	+0.90	鉄	−1.94	+1.98
カリウム	+0.78	—	銅	−0.37	+0.76
カルシウム	−0.13	−0.51	ナトリウム	+0.29	—
金	−0.39	+0.78	鉛	−0.13	+0.44
銀	−0.39	+0.74	ニクロム[2]	—	+1.14
クロメル	—	+2.81	ニクロム[3]	—	+0.85
ケイ素	+37.17	−41.56	ニッケル	+1.22	−1.48
ゲルマニウム	−26.62	+33.90	パラジウム	+0.48	−0.57
コバルト	—	−1.33	はんだ[4]	—	+0.46
コンスタンタン	—	−3.51	マンガニン[5]	—	+0.61
黄銅(真ちゅう)[1]	—	+0.60	マグネシウム	−0.09	+0.44
水銀	—	+0.045	ロジウム	−0.34	+0.70
スズ	−0.12	+0.42			

1) 70Cu+30Zn　2) 80Ni+20Cr　3) 60Ni+24Fe+16Cr
4) 50Sn+50Pb　5) 84Cu+4Ni+12Mn
Kaye & Laby（web版2005）による.

炎の温度

炎	t/℃
ロウソク	1 400
アルコール(エチル)	1 700
ブンゼン燈（空気を十分入れて）	1 800
水　素	1 900
アセチレン	2 500
一酸化炭素および酸素	2 600
水素および酸素(酸水素炎)	2 800
アセチレンおよび酸素	3 800

高温度と色

色	t/℃
初期の赤熱	500
暗赤熱	700
桜赤熱	900
鮮明なる桜赤熱	1 000
橙黄熱	1 100
鮮明なる橙黄熱	1 200
白　熱	1 300
まばゆい白熱	>1 500

熱放射体の温度とその輝度温度

通常の光高温計で測定する温度はその物体の輝度温度，すなわちその物体の出している放射と等しい放射を出すと仮想した完全黒体の温度である．次表は種々の温度 T_r と，放射線の中，波長 0.655 μm の単色光について考えたその物質の輝度温度 T_{eu} とを対照したものである．

T_r/K	種々の物質[1)]の輝度温度 T_{eu}/K							
	C[2)]	W	Fe	Mo	Ni	Pt	Cu	Au
1 000	995	966	—	958	956	950	—	908
1 100	1 092	1 058	—	1 049	1 047	1 037	—	990
1 200	1 189	1 149	—	1 139	1 137	1 124	—	1 071
1 300	1 286	1 240	—	1 228	1 226	1 211	—	1 151
1 400	1 382	1 330	—	1 316	1 315	1 296	1 255*	—
1 500	1 478	1 420	1 412	1 403	1 403	1 381	1 333*	—
1 600	1 574	1 509	1 499	1 489	—	1 466	1 413*	—
1 700	1 670	1 597	1 586	1 574	—	1 551	1 490*	—
1 800	1 766	1 684	1 673	1 658	—	1 634	1 566*	—
1 900	1 862	1 771	1 759*	1 741	—	1 717	—	—
2 000	1 958	1 857	1 844*	1 824	—	1 800	—	—
2 200	2 150	2 026	2 016*	1 986				
2 400	2 340	2 192	—	2 143				
2 600	—	2 356	—	2 297				
2 800	—	2 516	—	2 448				

1) 物質の表面が十分清浄な場合．

2) 無処理の炭素繊条．

* 融解したもの．

International Critical Tables（1929）による．

熱 的 性 質

単体の融点および沸点

次表は1気圧のもとにおける単体の融点 t_{fus} および沸点 t_{vap} をセルシウス温度で表したものである.

元素	記号	融点 t_{fus}/℃	沸点 t_{vap}/℃	元素	記号	融点 t_{fus}/℃	沸点 t_{vap}/℃
水素	H	−259.16	−252.879	ルテニウム	Ru	2334	4150
ヘリウム	He	−272.20[1]	−268.928	ロジウム	Rh	1964	3695
リチウム	Li	180.50	1330	パラジウム	Pd	1554.9	2963
ベリリウム	Be	1287	2469	銀	Ag	961.78 *2	2162 *1
ホウ素	B	2076	3927	カドミウム	Cd	321.07	767
炭素	C		3825[2]	インジウム	In	156.60 *2	2072
窒素	N	−210.00	−195.795	スズ	Sn	231.928 *2	2602
酸素	O	−218.79	−182.962	アンチモン	Sb	630.63	1587 *1
フッ素	F	−219.67	−188.11	テルル	Te	449.51	988
ネオン	Ne	−248.59	−246.046	ヨウ素	I	113.7	184.3
ナトリウム	Na	97.794	882.940	キセノン	Xe	−111.75	−108.099
マグネシウム	Mg	650	1090	セシウム	Cs	28.5	671
アルミニウム	Al	660.323 *2	2519 *1	バリウム	Ba	727	1845 *1
ケイ素(シリコン)	Si	1414	3265	ランタン	La	920	3464
リン(白)[3]	P	44.15	277	セリウム	Ce	795	3443
リン(赤)			431[2]	プラセオジウム	Pr	935	3520 *1
硫黄 α(斜方晶)	S	95.3[4]	444.6	ネオジム	Nd	1024	3074
硫黄 β(単斜晶)		115.21	444.6	プロメチウム	Pm	1042	3000
硫黄 γ(単斜晶)		106.8	444.72	サマリウム	Sm	1072	1794 *1
塩素	Cl	−101.5	−34.04	ユウロピウム	Eu	826	1529
アルゴン	Ar	−189.34	−185.848	ガドリニウム	Gd	1312	3273 *1
カリウム	K	63.5	759	テルビウム	Tb	1356	3123
カルシウム	Ca	842	1484	ジスプロシウム	Dy	1407	2567
スカンジウム	Sc	1541	2836	ホルミウム	Ho	1461	2700 *1
チタン	Ti	1668	3287	エルビウム	Er	1529	2868
バナジウム	V	1910	3407	ツリウム	Tm	1545	1950
クロム	Cr	1907	2671	イッテルビウム	Yb	824	1196 *1
マンガン	Mn	1246	2061	ルテチウム	Lu	1652	3402
鉄	Fe	1538	2862	ハフニウム	Hf	2233	4603
コバルト	Co	1495	2927	タンタル	Ta	3017	5458
ニッケル	Ni	1455	2913 *1	タングステン	W	3422	5555 *1
銅	Cu	1084.62 *2	2562	レニウム	Re	3186	5596
亜鉛	Zn	419.527 *2	907	オスミウム	Os	3033	5012
ガリウム	Ga	29.7646 *3	2204 *1	イリジウム	Ir	2446	4428 *1
ゲルマニウム	Ge	938.25	2833	白金	Pt	1768.3	3825
ヒ素	As		614[2]	金	Au	1064.18 *2	2856 *1
セレン(灰色)	Se	221	685	水銀	Hg	−38.8290	356.73
臭素	Br	−7.2	58.8	タリウム	Tl	304	1473
クリプトン	Kr	−157.37	−153.415	鉛	Pb	327.46	1749
ルビジウム	Rb	39.30	688	ビスマス	Bi	271.5	1564
ストロンチウム	Sr	777	1377 *1	ポロニウム	Po	254	962
イットリウム	Y	1526	3345 *1	ラドン	Rn	−71	−61.7
ジルコニウム	Zr	1855	4377	ラジウム	Ra	700	1737
ニオブ	Nb	2477	4744	トリウム	Th	1750 *1	4788
モリブデン	Mo	2623	4639	ウラン	U	1132.2	4131
テクネチウム	Tc	2157	4265	プルトニウム	Pu	639.4	3228

1)2.5 MPa, 2)昇華, 3)黄リンともいう, 4)β に転移

とくに印のないデータは https://en.wikipedia.org/wiki/元素名(英語)から引用.

＊1　CRC Handbook of Chemistry and Physics (2011).

＊2　凝固点, 1990 年国際温度目盛による定義定点.

＊3　1990 年国際温度目盛による定義定点.

化合物の融点および沸点

(　) は概略の値を示す.

物　質	t_{fus}/℃	t_{vap}/℃	物　質	t_{fus}/℃	t_{vap}/℃
アセチレン	−80.8[1)]	−84.0[2)]	鉱物繊維	(700−1500)*	
アセトン	−94.82	56.5	酢　酸	16.6	117.9
アニリン	−6.0	184.55	酸化アルミニウム(α)	2054	2974
アンモニア	−77.7	−33.48	酸化カルシウム	2572	2850
一酸化炭素	−205	−191.6	酸化窒素(NO)	−161	−151.8
一酸化二窒素(N_2O)	−91	−88.57	酸化マグネシウム	2800	3600
エタノール	−114.5	78.32	シアン化水素	−13.3	25.64
エタン	−183.6	−88.6	ジエチルエーテル	−116.3	34.6
エチレン	−169	−103.9	四塩化炭素	−23.8	76.74
塩化水素	−114.2	−85.1	磁　器	(1100−1400)*	
塩化ナトリウム	801	1485	ジメチルエーテル	−141.5	−24.8
塩化カルシウム	772	2008	硝　酸	−42	83.8
オゾン	−193	−112	ショウノウ	178	209
オリーブ油	(20)	(300)	水　晶	1610	2227
海　水	(−1.9)	(103.7)	耐火レンガ	(1550−1900)*	
過酸化水素	−0.9	150.0	炭化タンタル	3880	5500
ガラス(ソーダ)	(550)*	—	トルエン	−94.99	110.6
ガラス(鉛)	(500)*	—	ナフタレン	80.5	217.9
ガラス(パイレックス)	(800)*	—	二酸化硫黄(SO_2)	−75.5	−10.1
ガラス(石英)	(1600)*	—	二酸化炭素	−56.6[1)]	−78.5[2)]
カーボランダム	>2700	—	ニトログリセリン	13.0	160(15mm)
ギ　酸	8.4	100.6	プロパン	−188	−42.1
o-キシレン	−25.2	144.4	ベンゼン	5.5	80.1
m-キシレン	−47.9	139.0	メタノール	−97.78	64.65
p-キシレン	13.3	138.3	メタン	−182.6	−161.5
グリセリン	17.8	167(10mm) 290(分解)	硫化水素	−82.9	−60.19
クロロホルム	−63.5	61.2	硫　酸	10.35	340(分解)

*印をつけたものは軟化温度, 1) 三重点　2) 昇華点

水 の 沸 点[3)]

p/kPa	T_{90}/K	p/kPa	T_{90}/K	p/kPa	T_{90}/K	p/kPa	T_{90}/K	p/kPa	T_{90}/K
88.0	369.22	92.0	370.44	96.0	371.62	100.0	372.76	104.0	373.86
88.5	369.38	92.5	370.59	96.5	371.76	100.5	372.90	104.5	373.99
89.0	369.53	93.0	370.74	97.0	371.91	101.0	373.03	105.0	374.13
89.5	369.68	93.5	370.89	97.5	372.05	101.5	373.17	105.5	374.25
90.0	369.84	94.0	371.04	98.0	372.19	102.0	373.31	106.0	374.39
90.5	369.99	94.5	371.18	98.5	372.33	102.5	373.45	106.5	374.53
91.0	370.14	95.0	371.33	99.0	372.48	103.0	373.58	107.0	374.66
91.5	370.29	95.5	371.47	99.5	372.62	103.5	373.72	107.5	374.79

1 気圧 (1 atm = 101.325 kPa) では約 373.124 K = 99.974 ℃

3)　W. Wagner and A. Pruss, J. Phys. Chem. Ref. Data, **31**, 387 (2002) の圧力と温度の関係式から逆算. **物 55** 注 2) 参照.

蒸気圧

つぎの諸表は物質の液相あるいは固相が，それ自身の蒸気のみと平衡にある場合の蒸気圧 p と温度 t または T の関係を示した．

氷の蒸気圧[1)]

（単位：Pa）

T_{90}/K	0	2	4	6	8	10	12	14	16	18
170	0.0007	0.0011	0.0017	0.0025	0.0037	0.0054	0.0078	0.0113	0.0161	0.0229
190	0.0323	0.0452	0.0629	0.0868	0.119	0.162	0.220	0.297	0.397	0.529
210	0.7012	0.9241	1.212	1.581	2.053	2.653	3.412	4.370	5.572	7.074
230	8.944	11.26	14.13	17.65	21.98	27.26	33.69	41.50	50.94	62.33
250	76.01	92.40	112.0	135.3	163.0	195.8	234.5	280.2	333.8	396.6
270	470.1	555.7								

氷点（273.15 K，0 ℃）では 611.153 Pa.

1)　Kaye & Laby（web 版 2005）の関係式から計算.

水の蒸気圧[2)]

（単位：kPa）

T_{90}/K	0	2	4	6	8	10	12	14	16	18
270			0.650	0.750	0.863	0.992	1.137	1.300	1.483	1.689
290	1.920	2.178	2.465	2.786	3.142	3.537	3.975	4.459	4.993	5.582
310	6.231	6.944	7.726	8.583	9.521	10.546	11.664	12.882	14.208	15.649
330	17.213	18.909	20.744	22.730	24.874	27.188	29.681	32.366	35.253	38.354
350	41.682	45.249	49.070	53.158	57.527	62.194	67.172	72.478	78.129	84.142
370	90.535	97.326	104.53	112.18	120.28	128.85	137.93	147.52	157.66	168.36
390	179.64	191.54	204.08	217.28	231.17	245.77	261.11	277.22	294.13	311.87
410	330.45	349.93	370.32	391.66	413.97	437.30	461.67	487.11	513.67	541.38
430	570.26	600.36	631.72	664.36	698.33	733.67	770.41	808.59	848.26	889.45
450	932.20	976.56	1022.6	1070.3	1119.7	1170.9	1223.9	1278.8	1335.6	1394.3
470	1455.1	1517.9	1582.8	1649.8	1719.0	1790.5	1864.2	1940.3	2018.8	2099.7
490	2183.1	2269.0	2357.5	2448.7	2542.6	2639.2	2738.6	2840.9	2946.1	3054.3
510	3165.5	3279.8	3397.2	3517.9	3641.7	3769.0	3899.5	4033.6	4171.1	4312.2
530	4456.9	4605.2	4757.4	4913.3	5073.1	5236.9	5404.7	5576.5	5752.5	5932.7
550	6117.2	6306.0	6499.3	6697.0	6899.3	7106.2	7317.9	7534.4	7755.7	7981.9
570	8213.2	8449.6	8691.2	8938.1	9190.3	9448.0	9711.2	9980.0	10255	10535
590	10821	11113	11412	11716	12027	12345	12669	12999	13337	13681
610	14033	14391	14757	15131	15512	15901	16297	16703	17116	17538
630	17969	18409	18858	19317	19786	20265	20756	21259	21775	

三重点（273.16 K）では 0.611 657 kPa，臨界点（647.1 K）では 22.06 MPa.

2)　W. Wagner and A. Pruss, J. Phys. Chem. Ref. Data, **31**, 387 (2002).
つぎのように同位体比が規定された標準平均海水（Vienna Standard Mean Ocean Water）と呼ばれる純水に対する値である.

$^{2}H/^{1}H = 155.76 \pm 0.1$ ppm，$^{3}H/^{1}H = (1.85 \pm 0.36) \times 10^{-11}$ ppm,
$^{18}O/^{16}O = 2005.20 \pm 0.43$ ppm，$^{17}O/^{16}O = 379.9 \pm 1.6$ ppm

単体の蒸気圧

示された圧力になる絶対温度(K)を表にまとめる.　(単位：K)

元　素	圧力 p/kPa												
	0.2	1	2	5	10	20	50	101.325	200	500	1000	2000	500
亜　鉛	780	854	891	945	991	1040	1120	1185					
アルゴン	55.0	60.7	63.6	67.8	71.4	75.4	81.4	87.3	94.3	105.8	116.6	129.8	
アルミニウム	1885	2060	2140	2260	2360	2430	2640	2790					
アンチモン	1065	1220	1295	1405	1495	1595	1740	1890					
硫　黄	462	505.7	528.0	561.3	590.1	622.5	672.4	717.8					
塩　素	158	170	176.3	187.4	197.0	207.8	224.3	239.2	256	283	308	338	387
カドミウム	683	748	781	829	870	915	983	1045					
カリウム	633	704	740	794	841	894	975	1050					
ガリウム	1665	1820	1900	2000	2100	2200	2350	2480					
カルシウム	1105	1220	1280	1365	1440	1525	1650	1765					
キセノン	107	117.3	122.5	130.1	136.6	143.8	154.7	165.0	177.8	198.9	218.6	242.5	282.
金	2100	2290	2390	2520	2640	2770	2960	3120					
銀	1640	1790	1865	1970	2060	2160	2310	2440					
クリプトン	77	84.3	88.1	93.8	98.6	103.9	112.0	119.7	129.2	144.7	159.2	176.8	206.
クロム	2020	2180	2260	2370	2470	2580	2730	2870					
酸　素	55.4	61.3	64.3	68.8	72.7	77.1	83.9	90.2	97.2	108.8	119.6	132.7	154.
臭　素	227	244.1	252.1	263.6	275.7	290.0	312.0	332.0	354	389	421	459	523
ケイ素(シリコン)	2380	2590	2690	2840	2970	3100	3310	3490					
水　銀	408	448.8	468.8	498.4	523.4	551.2	592.9	629.8					
水　素	10	11.4	12.2	13.4	14.5	16.0	18.2	20.3	22.8	27.1	31.2		
ス　ズ	1930	2120	2210	2350	2470	2600	2800	2990					
ストロンチウム	1040	1150	1205	1285	1355	1430	1550	1660					
セシウム	559	624	657	708	752	802	883	959					
セレン	636	695	724	767	803	844	904	958					
タリウム	1125	1235	1290	1370	1440	1515	1630	1730					
タングステン	4300	4630	4790	5020	5200	5400	5690	5940					
窒　素	48.1	53.0	55.4	59.0	62.1	65.8	71.8	77.4	83.6	94.0	103.8	115.6	
鉄	2110	2290	2380	2500	2610	2720	2890	3030					
テルル	806	888	929	990	1040	1100	1190	1270					
銅	1940	2110	2200	2320	2420	2540	2710	2860					
ナトリウム	729	807	846	904	954	1010	1095	1175					
鉛	1285	1420	1485	1585	1670	1760	1905	2030					
ニッケル	2230	2410	2500	2630	2740	2860	3030	3180					
ネオン	16.3	18.1	19.0	20.4	21.6	22.9	24.9	27.1	29.6	33.7	37.5	42.2	
バリウム	1165	1290	1360	1455	1540	1635	1780	1910					
ヒ　素	656	701	723	754	780	808	849	883					
フッ素	53	58	61	65.3	68.9	73.0	79.3	85.0					
白　金	2910	3150	3260	3420	3560	3700	3910	4090					
ヘリウム	1.3	1.66	1.85	2.17	2.48	2.87	3.54	4.22					
マグネシウム	891	979	1025	1085	1140	1205	1295	1375					
マンガン	1560	1710	1780	1890	1980	2080	2240	2390					
モリブデン	3420	3720	3860	4060	4220	4410	4680	4900					
ヨウ素	318	341.8	353.1	369.3	382.7	400.8	430.6	457.5					
ラドン	139	152	158	168	176	184	198	211					
リチウム	1040	1145	1200	1275	1345	1415	1530	1630					
リン(黄)	365	398	414	439	460	484	520.5	553.6					
リン(黒)	572	605	620	642	660	678	705	727					
ルビジウム	583	649	684	735	779	829	907	978					

Kaye & Laby(web 版 2005)による.

化合物の蒸気圧

エタノール C_2H_5OH

t/℃	p/Torr	t/℃	p/Torr	t/℃	p/Torr	t/℃	p/Torr	t/℃	p/Torr
0	12.73	8	21.31	16	34.6	24	55.7	50	219.8
1	13.65	9	22.66	17	36.8	25	59.0	60	350.2
2	14.60	10	24.08	18	39.0	26	62.5	70	541
3	15.59	11	25.59	19	41.5	27	66.2	80	812
4	16.62	12	27.19	20	44.0	28	70.1	100	1692
5	17.70	13	28.9	21	46.7	29	74.1	120	3220
6	18.84	14	30.7	22	49.5	30	78.4	140	5670
7	20.04	15	32.6	23	52.5	40	133.4	160	9370

アセチレン C_2H_2		アンモニア NH_3		二酸化硫黄 SO_2		エーテル $(C_2H_5)_2O$		クロロホルム $CHCl_3$	
t/℃	p/atm	t/℃	p/atm	t/℃	p/atm	t/℃	p/Torr	t/℃	p/Torr
-90気体	0.69	-77.7	0.060	-30	0.39	-10	112.3	20	160.5
-85 〃	1.00	-60	0.216	-20	0.63	0	184.9	30	248
-81	1.25	-33.4	1.000	-10	1.00	10	290.8	40	369
-70	2.22	-20	1.877	0	1.53	20	439.8	50	535
-50	5.3	0	4.238	10	2.26	40	921	60	755
-23.8	13.2	20	8.459	20	3.24	60	1734	70	1042
0	26.05	40	15.34	30	4.52	80	2974	80	1408
20.2	42.8	80	40.90	40	6.15	100	4855	90	1865
36.5	61.6	132.4	112.3	50	8.19	193.8	27060	100	2429

酢　酸 CH_3COOH		二 酸 化 炭 素 CO_2		二硫化炭素 CS_2		ベンゼン C_6H_6	
t/℃	p/Torr	t/℃	p/atm	t/℃	p/Torr	t/℃	p/Torr
17	9.8	-100 (固体)	0.137	-20	47.3	-10	14.8
30	20.6	- 78.5 (昇華点)	1.000	-10	79.4	0	26.5
50	56.2	- 56.6 (三重点)	5.112	0	128	10	45.4
70	133	- 40	9.93	10	198	20	74.7
90	288	- 20	19.44	20	298	40	181.1
110	582	0	34.40	40	618	60	389
130	1068	10	44.4	60	1164	80	754
150	1847	20	56.5	80	2033	100	1344
200	5905	31.9 (臨界点)	72.8	100	3325	120	2238

圧力の換算　1 atm = 101 325 Pa,　1 Torr ≒ 133.322 Pa

気体の臨界定数

臨界温度 T_c，臨界圧力 p_c，臨界モル体積 V_m^c を代表的気体に対して示す．

物　質	T_c/K	p_c/MPa	V_m^c/(cm^3 mol^{-1})
アセチレン	308.3	6.14	113
アルゴン	150.9	4.90	74.6
アンモニア	405.5	11.35	72.5
一酸化炭素	132.9	3.50	93.1
エタノール	514.0	6.14	168
塩　素	416.9	7.98	124
クロロホルム	536.4	5.47	239
酢　酸	592.7	5.79	171
酸　素	154.6	5.04	73.4
ジエチルエーテル	466.7	3.64	280
臭　素	588	10.3	127
水　素	33.2	1.297	65.0
窒　素	126.2	3.39	89.5
トルエン	591.8	4.11	316
二酸化炭素	304.1	7.38	94.0
二硫化炭素	552	7.9	173
ネオン	44.4	2.76	41.7
ブタン	425.1	3.80	255
プロパン	369.8	4.25	200
ヘリウム	5.19	0.227	57.2
ベンゼン	562.0	4.90	256
水	647.1	22.06	56.0
メタノール	512.5	8.08	117
メタン	190.6	4.60	98.6
硫化水素	373.2	8.94	98.5

Kaye & Laby（web 版 2005）による．

膨 張 率

固体の線膨張率 (1)

線膨張率は$\alpha=\frac{1}{l}\frac{dl}{dt}$によって与えられる．ただし$l$はその温度における長さ．

物質	$\alpha/(10^{-6}\,K^{-1})$ 100 K	293 K(20 ℃)	500 K	800 K
単体				
亜鉛	24.5	30.2	32.8	—
アルミニウム	12.2	23.1	26.4	34.0
アンチモン	9.1	11.0	11.7	11.7
イリジウム	4.4	6.4	7.2	8.1
インジウム	25.4	32.1	—	—
オスミウム	—	4.7	—	—
カドミウム	26.9	30.8	36.0	—
カリウム	—	85	—	—
カルシウム		22(0〜300 ℃の平均値)		
金	11.8	14.2	15.4	17.0
銀	14.2	18.9	20.6	23.7
クロム	2.3	4.9	8.8	11.8
ケイ素(シリコン)	−0.4	2.6	3.5	4.1
ゲルマニウム	2.4	5.7	6.5	7.2
コバルト	6.8	13.0	15.0	15.2
ジルコニウム		5.4(20〜200 ℃)		
スズ	16.5	22.0	27.2	—
セレン(多結晶)		20.3(−78〜19 ℃)		
セレン(無定形)		48.7(0〜21 ℃)		
炭素(ダイヤモンド)	0.05	1.0	2.3	3.7
炭素(石墨)	—	3.1	3.3	3.6
タングステン	2.6	4.5	4.6	5.0
タンタル	4.8	6.3	6.8	7.2
チタン	4.5	8.6	9.9	11.1
鉄	5.6	11.8	14.4	16.2
テルル	—	16.8	—	—
銅	10.3	16.5	18.3	20.3
トリウム		11.3(20〜100 ℃)		
ナトリウム		70 (0〜50 ℃)		
鉛	25.6	28.9	33.3	—
ニッケル	6.6	13.4	15.3	16.8
白金	6.6	8.8	9.6	10.3
パラジウム	8.0	11.8	13.2	14.5
バナジウム	5.1	8.4	9.9	10.9
バリウム		18.1〜21.0(0〜300 ℃)		
ビスマス	12.3	13.4	12.7	—
ベリリウム	1.3	11.3	15.1	19.1
ホウ素	—	4.7	5.4	6.2
マグネシウム	14.6	24.8	29.1	35.4
マンガン α		22.3(0〜20 ℃)		
マンガン β		18.7〜24.9(0〜20 ℃)		

おもにKaye & Laby, 1986による．

固体の線膨張率 (2)

物質	$\alpha/(10^{-6}\,K^{-1})$			
	100 K	293 K(20 ℃)	500 K	800 K
単体				
マンガンγ		14.8(0〜20 ℃)		
モリブデン		3.7〜5.3(20〜100 ℃)		
リチウム		56(0〜100 ℃)		
ロジウム	5.0	8.2	9.3	10.8
合金				
アルミニウム青銅 (90Cu, 5Al, 4.5Ni)	12〜14	15.9	18.1	20.3
コンスタンタン (65Cu, 35Ni)	11.2	15.0	17.4	19.2
黄銅(真ちゅう) (67Cu, 33Zn)	—	17.5	20.0	22.5
ジュラルミン	13.1	21.6	27.5	30.1
青銅(85Cu, 15Sn)	—	17.3	19.3	21.9
ステライト (65Co, 25Cr, 10W)	6.9	11.2	14.6	17.2
ステンレス鋼 (18Cr, 8Ni)	11.4	14.7	17.5	20.2
スペキュラム合金		16(20〜100 ℃)		
炭素鋼	6.7	10.7	13.7	16.2
ニッケル鋼 (64Fe, 36Ni)[1]	1.4	0.13	5.1	17.1
ニッケル鋼 (50Fe, 50Ni)	—	9.4	9.6	12.5
白金イリジウム (90Pt, 10Ir)	—	8.7	—	—
砲金(80Cu, 20Sn)	—	17〜18	—	—
フェルニコ (54Fe, 31Ni, 15Co)		5.0(25〜300 ℃)		
マグナリウム (90Al, 10Mg)	—	約 23	—	—
マンガニン		18.1(20〜100 ℃)		
モネルメタル (63Ni, 30Cu, Fe, Mn, Pb)		15.9〜16.7(25〜600 ℃)		
リン青銅	—	17.0	20.0	—
Y 合金	—	22	—	—
酸化ウラン(UO_2)		11.5(20〜720 ℃)		
酸化チタン(TiO_2)	—	9	—	—
スズ(灰色)		5.3(−163〜18 ℃)		
セレン化鉛	—	20	—	—
テルル化鉛	—	27	—	—
硫化カドミニウム (軸に ∥)	—	4	—	—
硫化カドミニウム (軸に ⊥)	—	6	—	—
硫化鉛		19(40 ℃)		

1) インバール

固体の線膨張率（3）

物質	$\alpha/(10^{-6}\ K^{-1})$			
	100 K	293 K(20 ℃)	500 K	800 K
その他				
エボナイト	—	50～80	—	—
花コウ岩	—	4～10	—	—
ガラス(平均)		8～10(0～300 ℃)		
ガラス(フリント)	—	8～9	—	—
ガラス(パイレックス)	—	2.8	—	—
岩塩		40.4(40 ℃)		
氷		0.8(−200 ℃)		
		33.9(−100 ℃)		
		45.6(−50 ℃)		
		52.7(0 ℃)		
ゴム(弾性)		77 (16.7～25.3 ℃)		
コンクリート，セメント	—	7～14	—	—
スレート，砂岩	—	5～12	—	—
磁器(絶縁)	—	2～6	—	—
水晶(軸に ∥)	4.0	6.8	11.4	31.4
水晶(軸に ⊥)	9.1	12.2	19.5	37.6
溶融石英	—	0.4～0.55	—	—
セルロイド	—	90～160	—	—
大理石	—	3～15	—	—
		106.6(0～16 ℃)		
パラフィン		130.3(16～38 ℃)		
		477.1(38～49 ℃)		
方解石(軸に ∥)		26.3(0～80 ℃)		
方解石(軸に ⊥)		5.44(0～80 ℃)		
ポリエチレン	—	100～200	—	—
ポリスチレン	—	34～210	—	—
ポリメタクリル酸メチル	—	80	—	—
ホタル石	—	19	—	—
ベークライト	—	21～33	—	—
レンガ	—	3～10	—	—
木材(繊維に ∥)	—	3～6	—	—
木材(繊維に ⊥)	—	35～60	—	—

固体の体膨張率

体膨張率は$\beta=\frac{1}{v}\frac{dv}{dt}$で与えられる．ただし$v$はその温度における体積．等方性固体の体膨張率$\beta$は線膨張率$\alpha$のほぼ3倍に等しい．

単　体	t/℃	β/K^{-1}	単　体	t/℃	β/K^{-1}
		$\times10^{-6}$			$\times10^{-6}$
亜　鉛	50	89	ダイヤモンド	25〜650	9.1
硫黄(斜方)	−273〜18	139	ナトリウム	0〜53	207
カリウム	0〜55	240	ニッケル	100	38.2
ガリウム	0〜30	55		300	46.5
コバルト	100	35.6	リチウム	0〜100	162
ス　ズ	80	68	リ　ン	−79〜19	362
セレン	0〜100	175		0〜44	372
セシウム	0〜23	291	ルビジウム	0〜38	270

液体の体膨張率

この表の値は$\beta=\frac{1}{v}\frac{dv}{dt}$の$t=20$ ℃における値を示す．液体の体膨張率は温度とともにわずかに増加する．

物　質	β_{20}/K^{-1}	物　質	β_{20}/K^{-1}
	$\times10^{-3}$		$\times10^{-3}$
アセトン	1.43	水　銀[1)]	0.181
アニリン	0.85	トルエン	1.07
エタノール	1.08	二硫化炭素	1.19
エチレングリコール	0.64	フェノール	0.79
m-キシレン	0.99	ベンゼン	1.22
グリセリン	0.47	ペンタン	1.55
クロロホルム	1.27	水[2)]	0.21
ジエチルエーテル	1.63	メタノール	1.19
四塩化炭素	1.22	硫酸(100%)	0.56

1),2)の密度は物 30，28 参照.

熱 伝 導 率

熱伝導率 k は，面に垂直に 1 K m^{-1} の温度勾配があるとき，その面の 1 m^2 面積を通して 1 s の間に流れる熱量で表す．

種々の物質の熱伝導率

物　質	t/℃	$\frac{k}{W\ m^{-1}\ K^{-1}}$	物　質	t/℃	$\frac{k}{W\ m^{-1}\ K^{-1}}$
アクリル	常温	0.17-0.25	石綿(綿)	常温	0.06
アスファルト	常温	1.1-1.5	セッコウ	常温	0.13
アルミナ	常温	21	セレン(無定形)	0	0.43
	800	7	耐火レンガ	600	1.1
硫黄(斜方)	20	0.27		1000	1.3
硫黄(単斜)	100	0.16-0.17	炭素(グラファイト)	0	80-230
硫黄(無定形)	0	0.2		300	50-130
雲　母	100-600	0.55-0.79		700	35-70
紙	常温	0.06	炭素(無定形)	0	1.5
ガラス(ソーダ)	常温	0.55-0.75		300	2.2
ガラス(鉛)	15	0.6		700	2.5
ガラス(パイレックス)	30-75	1.1	土壌(乾)	20	0.14
ガラスウール	常温	0.04	ナイロン	常温	0.27
軽石(密度 0.6)	20	0.2	灰	20	0.03
ケイ素	0	168	パラフィン	常温	0.24
ゲルマニウム	0	67	ファイバー	50	0.2-0.3
ケイソウ土	25-650	0.07-0.1	フェルト	常温	0.04
絹　布	40	0.05	ポリエチレン	常温	0.25-0.34
氷	0	2.2	ポリスチレン	常温	0.08-0.12
コルク	常温	0.04-0.05	ボール紙	常温	0.2
ゴム(硬)	0	0.2	方解石(軸に∥)	0	5.39
ゴム(軟)	常温	0.1-0.2	方解石(軸に⊥)	0	4.51
ゴム(スポンジ)	25	0.04	ホタル石	0	10.3
コンクリート	常温	1	木材(乾)	18-25	0.14-0.18
磁　器	常温	1.5	綿　布	40	0.08
漆　喰	20	0.8	毛　布	30	0.04
水晶(軸に∥)	70	9.3	羊　毛	常温	0.04
水晶(軸に⊥)	70	5.4	雪(密度 0.11)	0	0.11
砂	20	0.3	雪(密度 0.45)	0	0.57
石英ガラス	0	1.4	リノリウム	20	0.08
	100	1.9	レンガ(赤)	常温	0.5-0.6
石綿(セメント板)	常温	0.3	レンガ(多孔)	20	0.2
石綿(布)	常温	0.1	綿	常温	0.03

金属および合金の熱伝導率 k

(単位：W m^{-1} K^{-}

物質	t/℃				
	−100	0	100	300	700
亜　鉛	117	117	112	104	66
アルミニウム	241	236	240	233	92
アンチモン	33	25.5	22	19	27
イリジウム	156	147	145	139	—
インジウム	92	84	76	42	—
黄銅（真ちゅう）[1]	89	106	128	146	—
カドミウム	100	97	95	89	45
カリウム	105	104	53	45	32
金	324	319	313	299	272
銀	432	428	422	407	377
クロム	120	96.5	92	82	66
鋼（炭素）[2]	48	50	48.5	41.5	—
鋼（Ni-Cr）[3]	31	33	36	37.5	—
鋼（ケイ素）[4]	—	25	28.5	31	—
鋼（18-8 ステンレス）[5]	12	15	16.5	19	—
コバルト	130	105	89	69	53
コンスタンタン[6]	19	22	24	27	—
水　銀	29.5	7.8	9.4	11.7	—
スズ	76	68	63	32	40
タリウム	51	47	44	—	—
タングステン	188	177	163	139	119
タンタル	58	57	58	58.5	60
チタン	26	22	21	19	21
鉄	99	83.5	72	56	34
銅	420	403	395	381	354
ナトリウム	141	142	88	78	60
鉛	37	36	34	32	21
ニクロム[7]	11	13	14	17	—
ニッケル	113	94	83	67	71
白　金	73	72	72	73	78
白金イリジウム[8]	—	31	—	—	—
白金ロジウム[9]	—	46	51	58	—
パラジウム	72	72	73	79	93
ビスマス	11	8.2	7.2	13	17
ベリリウム	367	218	168	129	93
砲金（青銅）[10]	—	53	60	80	—
マグネシウム	160	157	154	150	—
マンガン	7	8	—	—	—
モネルメタル[11]	19	21	24	30	—
モリブデン	145	139	135	127	113

1) Cu 70% Zn 30, 2) C 0.8 Mn 0.3, 3) Ni 3.6 Cr 0.8 Mn 0.6 C 0.4, 4) Si 2.0 Mn 0.9 Cu 0. C 0.5, 5) Cr 17.9 Ni 8.0 Mn 0.3, 6) Cu 60, 7) Ni 77 Cr 21, 8) Pt 90 Ir 10, 9) Pt 60 Rh 40, 10) Cu 90 Sn 10, 11) Ni 67 Cu 29. おもにKaye & Laby, 1986による.

液体の熱伝導率

(　)内に示された温度 t/℃における液体の熱伝導率 k を示す．示された温度の間では $\mathrm{d}k/\mathrm{d}t$ はほぼ一定とみなしてよい．

物　質	$k(t)/(\mathrm{W\,m^{-1}\,K^{-1}})$	物　質	$k(t)/(\mathrm{W\,m^{-1}\,K^{-1}})$
アセトン	0.198(−80)，0.146(60)	トルエン	0.159(−80)，0.119(80)
アニリン	0.172(20)	変圧器油	0.136(0)，0.127(100)
エタノール	0.189(−40)，0.150(80)	ベンゼン	0.147(20)，0.137(50)
グリセリン	0.286(0)，0.292(60)	水	0.561(0)，0.673(80)
四塩化炭素	0.115(−20)，0.102(60)	メタノール	0.223(−40)，0.186(60)

気体の熱伝導率

気体の熱伝導率 k は，圧力が数百 Pa より数 MPa に至る広い範囲内において，ほとんど圧力に無関係である．　(単位：$10^{-2}\,\mathrm{W\,m^{-1}\,K^{-1}}$)

気　体	t/℃				
	−200	−100	0	100	1000
アルゴン		1.09	1.63	2.12	5.0
塩　素			0.79	1.15	
キセノン		0.34	0.52	0.70	1.9
クリプトン		0.57	0.87	1.15	2.9
酸　素		1.59	2.45	3.23	8.6
水　素	5.09	11.24	16.82	21.18	
窒　素		1.59	2.40	3.09	7.4
ネオン	1.74	3.37	4.65	5.66	12.8
ヘリウム	5.95	10.45	14.22	17.77	41.9

気　体	t/℃			
	−100	0	100	1000
アンモニア		2.18	3.38	
一酸化炭素	1.51	2.32	3.04	
一酸化窒素		1.51		
一酸化二窒素	1.54	2.38		
エタン		1.80		
エチレン		1.64		
空　気	1.58	2.41	3.17	7.6
水蒸気		1.58	2.35	
二酸化硫黄		0.77		
二酸化炭素		1.45	2.23	7.9
フレオン		0.85	1.35	
メタン	1.88	3.02		
硫化水素		1.2		

Kaye & Laby, 1986 による．

物質の引火点

可燃性物質(主として液体)を一定昇温で加熱し，これに火炎を近づけたとき
瞬間的に引火するのに必要な濃度の蒸気を発生する最低温度を引火点 t_{fl} という

物　質	t_{fl}/℃	物　質	t_{fl}/℃
ジエチルエーテル	−45	キシレン	27
ガソリン	−43 以下	灯　油	40～60
石油ベンジン	−40 以下	軽　油	50～70
二硫化炭素	−30	重　油	60～100
アセトン	−20	アニリン	70
ベンゼン	−11	ナフタレン	79
シンナー類	− 9	ニトロベンゼン	88
トルエン	4	機械油	106～270
メタノール	11	ごま油	289～304
エタノール	13	菜種油	313～320

主として日本化学会編，化学防災指針 I，丸善(1979).
*　日本油脂検査協会，平成 4 年格付結果報告書(1993).

物質の発火点

物質を空気中で加熱するとき，火源がなくとも発火する最低温度を発火点
t_{ig} という．つぎに示す値は試料の形状，測定法によって大きく異なる．

物　質	t_{ig}/℃	物　質	t_{ig}/℃
水　素	500	ポリプロピレン	201*
メタン	537	ポリスチレン	282*
プロパン	432	メラミン	380*
エチレン	450	テフロン	492*
アセチレン	305	古タイヤ	150～200*
一酸化炭素	609	木　材	250～260*
硫化水素	260	新聞紙	291
二硫化炭素	90	木　炭	250～300
ディーゼル燃料油	225	泥　炭	225～280
コンプレッサー油(鉱油)	250～280*	ココア	180*
アセトン	469	コーヒー	398*
ベンゼン	498	デンプン(コーン)	381*
アニリン	615		
黄リン	30		
赤リン	260		
硫　黄	232		
ナフタレン	526		

*　駒宮，森崎，若倉，化学物質の危険性予測データ，施策研究センター(1984).

電気的・磁気的性質

金属の電気抵抗（1）

長さ l m，断面積 a m^2 の一様な物質の電気抵抗 R は，$R=\rho l/a$ で与えられ，(単位は Ω m) をこの物質の体積抵抗率という*.
0 ℃における体積抵抗率を ρ_0，100 ℃におけるそれを ρ_{100} とすると，$\alpha_{0,100}$ $(\rho_{100}-\rho_0)/100\,\rho_0$ を体積抵抗率の 0 ℃，100 ℃間の平均温度係数という.

金　属	$\rho/10^{-8}$ Ω m					
	−195 ℃	0 ℃	100 ℃	300 ℃	700 ℃	1200 ℃(その他)
亜　鉛	1.1	5.5	7.8	13.0	—	37(500 ℃)
アルミニウム	0.21	2.50	3.55	5.9	24.7	32.1
アルメル	—	28.1	34.8	43.8	53.2	65.1
アンチモン	8	39	59	—	114	123.5(1000 ℃)
イリジウム	0.9	4.7	6.8	10.8	22	33.5
インジウム	1.8	8.0	12.1	36.7	47	55(1000 ℃)
インバール		75		($\alpha_{0,100}/10^{-3}=2$)		
オスミウム	—	8.1	11.4	17.8	30.4	46
カドミウム	1.6	6.8	9.8	—	—	36.3(600 ℃)
カリウム	1.38	6.1	17.5	28.2	66.4	160
カルシウム	0.7	3.2	4.75	7.8	20	—
金	0.5	2.05	2.88	4.63	8.6	31(1063 ℃)
銀	0.3	1.47	2.08	3.34	6.1	19.4
クロム	0.5	12.7	16.1	25.2	47.2	80
クロメルＰ	—	70.0	72.8	79.3	89.3	100.1
コバルト	0.9	5.6	9.5	19.7	48	88.5
コンスタンタン	—	49	—	—	—	—
ジルコニウム	7.3	40	58	88	125	110(1000 ℃)
黄銅(真ちゅう)	—	6.3	—	—	—	—
水　銀	5.8	94.1	103.5	128	214	630
ス　ズ	2.1	11.5	15.8	50	60	72
ストロンチウム	5	20	30	52.5	94.5	—
青　銅	—	13.6	—	—	—	—

＊　体積抵抗率を単位 Ω cm で表すには，この表の数値を 100 倍すればよい.

金属の電気抵抗 (2)

金属	$\rho/10^{-8}\,\Omega$ m					
	−195 ℃	0 ℃	100 ℃	300 ℃	700 ℃	1200 ℃(その他
セシウム	21(20 ℃)　($\alpha_{0,100}/10^{-3}=4.8$)					
ビスマス	35	107	156	129	155	172(1000 ℃
タリウム	3.7	15	22.8	38	85	88(800 ℃)
タングステン	0.6	4.9	7.3	12.4	24	39
タンタル	2.5	12.3	16.7	25.5	43.0	61.5
ジュラルミン(軟)	3.4 (室温)					
鉄(純)	0.7	8.9	14.7	31.5	85.5	122;139(1550 ℃
鉄(鋼)	10−20 (室温)　($\alpha_{0,100}/10^{-3}=1.5-5$)					
鉄(铸)	57−114(室温)					
銅	0.2	1.55	2.23	3.6	6.7	21.3(1083 ℃)
トリウム	3.9	14.7	20.8	32.5	53.6	68
ナトリウム	0.8	4.2	9.7	16.8	39.2	89
鉛	4.7	19.2	27	50	108	126(1000 ℃)
ニクロム	—	107.3	108.3	110.0	110.3	—
ニッケリン	27−45 (室温)　($\alpha_{0,100}/10^{-3}=0.2-0.34$)					
ニッケル	0.55	6.2	10.3	22.5	40	109(1500 ℃)
白　金	1.96	9.81	13.6	21.0	34.3	48.3
白金ロジウム[1)]	—	18.7	21.8	—	—	—
パラジウム	1.73	10.0	13.8	21	33	42
ヒ　素	5.5	26	—	—	—	—
プラチノイド	34−41 (室温)　($\alpha_{0,100}/10^{-3}=0.25-0.32$)					
ベリリウム	—	2.8	5.3	11.1	26	—
マグネシウム	0.62	3.94	5.6	10.0	27.7	28.7(900 ℃)
マンガニン	—	41.5	—	—	—	—
モリブデン	0.7	5.0	7.6	12.7	23.3	37.2
洋　銀	—	40	—	—	—	—
リチウム	1.04	8.55	12.4	30	40.5	53
リン青銅	2−6 (室温)					
ルビジウム	2.2	11.0	27.5	48	99	260
ロジウム	0.46	4.3	6.2	10.2	20	33

1)　白金90，ロジウム10のもの．

超伝導体

超伝導物質の臨界温度と臨界磁場

物質	臨界温度 (T_c/K)	臨界磁場[1] ($B_0(0)$/G)
単体		
Al	1.196	99
Cd	0.56	30
Ga	1.091	51
Ga(β)	6.2	—
Ga(γ)	7.62	—
Hf	0.165	—
Hg(α)	4.154	411
Hg(β)	3.949	339
In	3.4035	293
Ir	0.14	19
La(α)	4.9	—
La(β)	6.06	1600
Mo	0.92	98
Nb	9.23	1980
Os	0.655	65
Pa	1.4	—
Pb	7.193	803
Re	1.699	198
Ru	0.49	66
Sn	3.722	305.5
Ta	4.39	780
Tc	7.92	1410
Th	1.368	162
Ti	0.39	100
Tl(α)	2.39	171
U(α)	0.68	~300
V	5.3	1020
W	0.012	1.07
Zn	0.852	53
Zr	0.546	47
Li	20(48GPa)	
Ba	5(高圧)	
Bi	3.93, 7.25(高圧)	
Cs	1.5(高圧)	
La	12(高圧)	
Bi	6(薄膜)	
化合物		
MgB_2	39	
Nb_3Al	18.8	3.20×10^5(4.2 K)
Nb_3Au	11.5	
Nb_3Ge	~18	
Nb_3Sn	18.3	2.45×10^5
$Nb_{0.79}(Al_{0.73}Ge_{0.27})_{0.21}$	21.05	4.2×10^5(4.2 K)
V_3Ga	16.5	2.08×10^5
V_3Si	17.1	2.35×10^5
$NbTc_3$	10.5	
Tc_6Zr	9.7	
HfN	6.2	

物質	臨界温度 (T_c/K)	臨界磁場[2] ($B_{c2}(0)$/G)
β-MNX (M＝Ti, Zr, Hf, X＝Cl, Br, I)	25.5 (M-Hf, X＝Cl, インターカレーション)	
NbC	6	
$NbN_{0.91}$	15.72	1.8×10^5
$NbN_{0.72}C_{0.28}$	17.9	
NbB	8.25	
BiNi	4.25	
$CoSi_2$	1.22	
$PbTe_2$	1.53	
YOs_2	4.7	
ZrV_2	8.8	
$Hf_{0.5}Zr_{0.5}V_2$	10.1	2.1×10^5(4.2 K)
FeU_6	3.86	
$InLa_3$	10.4	
MoN	12	
YM_2B_2C (M＝Ni, Pd)	23(M＝Pd)	
合金[3]		
Pb_xI_y	3.39~7.26	
$Nb_{0.75}Zr_{0.25}$	10.8	$\sim9.1\times10^4$
$Nb_{0.40}Ti_{0.60}$	9.3	$\sim1.2\times10^5$(4.2 K)
$Nb_{0.70}Ta_{0.30}$	6.9	9.5×10^3
$Ta_{0.53}Ti_{0.47}$	8.1	8.8×10^4(4.2 K)
$Ti_{0.50}V_{0.50}$	7.4	$\sim1.2\times10^5$
$Nb_{0.36}Ti_{0.60}Ta_{0.04}$	9.9	1.24×10^5(4.2 K)
$Rh_{0\sim0.15}Zr_{1\sim0.85}$	9.8~12.2	
$Mo_{0.3}Tc_{0.7}$	12	
$PuCoGa_5$	18.5(重い電子系)	7.40×10^5
酸化物*1		
$La_{2-x}(Sr, Ba)_xCuO_4$ (x＝0.15)	38	$\sim10^6$ *2
$RBa_2Cu_3O_{7-\delta}$ (R＝Y, La, Nd, Sm, Eu, Gd, Dy, Ho, Er, Tm, Yb)	90~95 *3	$\sim10^6$ *2
$Bi_2Sr_2Ca_{n-1}Cu_nO_y$ *4	40(n＝1) 80(n＝2) 110(n＝3)	$\sim10^6$ *2
$HgBa_2Ca_2Cu_3O_y$	153(高圧下)	$\sim10^6$ *2
$SrTiO_3$	0.38($n=1\times10^{20}$ cm^{-3})[4]	
$Li_{1+x}Ti_{2-x}O_4$	13	3.7×10^5(x＝0.1)
(Ba, K)BiO_3	30	
AOs_2O_6 (A＝Cs, Rb, K)	9.6(A＝K)	
有機化合物		
$(TMTSF)_2ClO_4$	1.4 †1	2.1×10^4(0.5 K) †2
β-$(BEDT\text{-}TTF)_2Cu(NCS)_2$ †3	10.4	$\sim2.0\times10^5$(2 K) †2
C_8K (グラファイト)	0.39	
$C_{60}K_3$ (フラーレン)	19.7	2.6×10^5

1G＝10^{-4}T

物　質	臨界温度 (T_c/K)	臨界磁場[2] ($B_{c2}(0)$/G)
有機化合物（続き）		
$C_{60}Cs$（フラーレン）	38（高圧下）	
そ　の　他		
B ドープ C（ダイヤモンド）	6	
GeTe	$0.30(n=1.5\times10^{21}\ cm^{-3})$	
SnTe	$0.21(n=2\times10^{21}\ cm^{-3})$	
$Gd_{0.09}La_{0.91}Os_2$	～6（強磁性）	
$Ce_{0.92}Gd_{0.08}Ru_2$	3.1（強磁性）	
$R(O_{1-x}F_x)FeAs$ (R＝La, Cr, Pr, Nd, Sm *etc.*)	50（R＝Sm）	
H_3S	203†4（高圧下）	
LaH_{10}	260†4（高圧下）	

1)　臨界磁場は元素に対しては 0 K での熱力学的臨界磁場を示す．これは Nb，V 以外の元素では第一種超伝導体で，観測される臨界磁場に等しいが，Nb，V は第二種超伝導体で，観測される下限臨界磁場 B_{c1}，上限臨界磁場 B_{c2} とは異なる．
2)　第二種超伝導体（硬超伝導体）の合金，化合物に対する 0 K での上限臨界磁場 $B_{c2}(0)$ を示す．
3)　固溶範囲の広い合金についても，ある特定の組成についての測定値を示してある．
4)　超伝導を示す半導体ではキャリア濃度 n によって臨界温度が大きく変化する．
*1　抵抗が 0 になる温度を臨界温度としている．なおここに示した値は，組成，作成法により違い得る概略値である点に注意されたい．
*2　銅酸化物超伝導体の臨界磁場は大きな異方性を持ち，かつ絶対値が大きいため，表に載せられるだけの信頼に足るデータはまだない．
*3　x の値はほぼ 10 であるが不定比性がある．
*4　電子注入型銅酸化物高温超伝導体
†1　T_c は抵抗変化の中点である．
†2　異方性があり，大きい値のほうを示す．
†3　BEDT-TTE の重水素化物での T_c は 11.0～11.2 K である．
†4　電気抵抗の減少とマイスナー効果が観察されはじめる最高温度である．

TMTSF
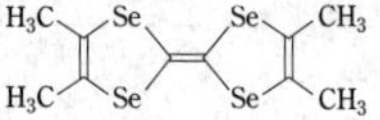

テトラメチルテトラセレナフルバレン
tetramethyltetraselenafulvalene

BEDT-TTF
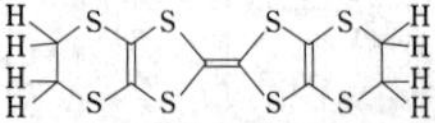

ビスエチレンジチオロテトラチアフルバレン
bis(ethylenedithiolo)tetrathiafulvalene

半導体の特性量

物　質	融　点 t/℃	禁止帯の幅（0 K） E_G/eV	$\beta=-\frac{\partial E_G}{\partial T}$ $10^4\beta$/eV K^{-1}	電子移動度（300 K） $\mu_n/10^{-4}\ m^2\ V^{-1}\ s^{-1}$	正孔移動度（300 K） $\mu_p/10^{-4}\ m^2\ V^{-1}\ s^{-1}$
Ge	959	0.785	+4.0	3 600	1 800
Si	1 410	1.206	+4.2	1 500	500
ZnSb	544	0.56			150
CdSb	456	0.48		660	362
Cu_2O	1 236	2.172			50
AlP		～3.0			
AlAs	＞1 600	2.2			
AlSb	＞1 060	1.55	+3.5	200	200
GaP	1 350	2.32	+5.4	175	75
GaAs	1 280	1.53	+4.9	9 700	420
GaSb	728	0.81	+3.5	4 000	700
InP	1 055	1.29	+4.6	3 400	50
InAs	942	0.35	+3.5	33 000	460
InSb	525	0.17	+2.7	82 000	～750
ZnO	1 975	3.436			
ZnS(hex)	1 850	3.91			
ZnSe	～1 500	2.83		～100	
ZnTe	1 239	2.39		～100	
CdS(hex)	1 750	2.582	+5.5	210	
CdSe	1 350	1.84			
CdTe	1 098	1.607		650	60
InSe	660	1.2		～5	
PbS	1 114	0.29	−5.0	640	800
PbSe	1 065	0.17	−5.0	1 200	850
PbTe	905	0.19	−5.0	2 100	840
Bi_2Te_3	580	0.2	+0.9	800	400

電気伝導率 σ は $\sigma=e(n\mu_n+p\mu_p)$ によって与えられる．
n，p はそれぞれ単位体積中における伝導帯，原子価帯にある電子および正孔の数である．

誘　電　体

比誘電率 $k_\varepsilon(=\varepsilon/\varepsilon_0)$ は温度 t と周波数 f によって変化する．交流の複素表示を使うと k_ε は複素数で表され，$\tan\delta=\mathrm{Im}(k_\varepsilon)/\mathrm{Re}(k_\varepsilon)$ によって誘電損失の損失角 δ が与えられる．

固　体

物　質	t/℃	f/Hz	k_ε	$\tan\delta/10^{-4}$
アルミナ	20－100	$50-10^6$	8.5	20－5
ステアタイト	20	10^6-10^9	6	2－20
雲　母	20－100	$50-10^8$	7.0	10－2
KCl	20	10^6-10^{10}	4.8	
NaCl	25	10^3-10^{10}	5.9	5－1
サファイア（⊥軸）	20	$50-10^9$	9.4	2
水晶（⊥軸）	20	10^3	4.5	2
$SrTiO_3$	25	10^3	332	
ダイヤモンド	20	500－3000	5.68	
蛍　石	20	2×10^6	6.8	
ソーダガラス	20	10^6-10^8	7.5	100－80
鉛ガラス	20	10^3-10^6	6.9	17－13
溶融石英	20－150	$50-10^8$	3.8	10－1
アンバー	20	$10^6-3\times10^9$	2.8－2.6	2－90
花コウ岩	20	10^6	8	
大理石	20	10^6	8	400
土（乾）	20	10^6	3	
砂（乾）	20	10^6	2.5	
クラフト紙	20	10^3	2.9	45
ボール紙	20	50	3.2	80
ゴム（シリコーン）	20	$50-10^8$	8.6－8.5	50－10
ゴム（天然）	20－80	10^6-10^7	2.4	15－100
ゴム（ネオプレン）	20	10^3-10^6	6.5－5.7	300－900
パラフィン	20	10^6-10^9	2.2	2

液　体　k_ε は十分に低い周波数に対する比誘電率，a は k_ε の温度係数 a＝$(dk_\varepsilon/dt)/k_\varepsilon$ である．有極性分子の液体（Polar，P と略記）では，k_ε と δ が周波数によって激しく変化する．

物　質	t/℃	k_ε	$a/10^{-5}$
アセトン（P）	25	20.7	−470
エタノール（P）	25	24.3	
四塩化炭素	20	2.24	− 90
シリコーン油	20	2.2	
トルエン	20	2.39	−100
ニトロベンゼン（P）	25	34.8	−520
二硫化炭素	20	2.64	−100
パラフィン油	20	2.2	
変圧器油	20	2.2	
ベンゼン	20	2.284	− 85
メタノール（P）	25	32.6	−600
液体アルゴン	82 K	1.53	−220
液体酸素	80 K	1.51	−160
液体水素	20.4 K	1.23	−280
液体窒素	70 K	1.45	−200
液体ヘリウム	4.19 K	1.048	
水（P）	t(℃)	$k_\varepsilon=88.15-0.414\,t+0.131\times10^{-2}t^2-0.046\times10^{-4}t^3$	

気　体　比誘電率 k_ε は赤外領域の下まで周波数に無関係である．非極性分子の気体の $(k_\varepsilon-1)$ は密度に比例する．有極性分子の気体では $(k_\varepsilon-1)\propto$（圧力）·（絶対温度）$^{-2}$ の近似式が成り立つ．

物質（1 atm）	t/℃	$(k_\varepsilon-1)/10^{-4}$	物質（1 atm）	t/℃	$(k_\varepsilon-1)/10^{-4}$
アルゴン	20	5.17	窒　素	20	5.47
アンモニア(P)	1	71	二酸化炭素	20	9.22
エタノール(P)	100	78	二酸化硫黄(P)	22	82
空気(乾)	20	5.36	二硫化炭素	29	29.0
酸　素	20	4.94	ヘリウム	0	0.7
水　素	0	2.72	ベンゼン	100	32.7
水蒸気(P)	100	60	メタノール(P)	100	57

1 atm＝101 325 Pa

強誘電体と反強誘電体

強誘電体とは，自発分極を有しその向きを外部電場に従い反転できる物質のことを，反強誘電体とは，大きさが等しく反平行な副格子分極を有し外部電場によりそれを平行にできる物質のことをいう．これらの性質はある温度(強誘電性，反強誘電性相転移点)以下で現れることが多い．強誘電性相では分極と外部電場の履歴曲線が，反強誘電性相では二重履歴曲線が観察され，各相転移点では誘電率が異常を示す．

強 誘 電 体 結 晶

物　質	化 学 式	キュリー点 θ/K	自発分極の最大値 $P/10^{-2}$ C m^{-2}	小さい交流電圧に対する比誘電率(室温)		
				$\varepsilon_a/\varepsilon_0$	$\varepsilon_b/\varepsilon_0$	$\varepsilon_c/\varepsilon_0$
ロシェル塩	$KNaC_4H_4O_6 \cdot 4H_2O$	上 297 下 255	0.24 (276 K)	4000 (上のθ)	10.0	9.6
リン酸二水素カリウム	KH_2PO_4	123	4.95 ($T \ll \theta$)	42	42	21
リン酸二重水素カリウム	KD_2PO_4	213	4.8 ($T \ll \theta$)	88	88	90
チタン酸バリウム	$BaTiO_3$	393	26 (296 K)	～5000	～5000	～160
ニオブ酸カリウム	$KNbO_3$	707	3.78 (683 K)	—	—	～500
チタン酸ビスマス	$Bi_4Ti_3O_{12}$	916-948	3.5		112	
ニオブ酸リチウム	$LiNbO_3$	1468	71	84	84	30
ニオブ酸ナトリウムバリウム(バナナ)	$Ba_2NaNb_5O_{15}$	833-858	40	242	242	51
グリシン硫酸塩	$(CH_2NH_2COOH)_3H_2SO_4$	320	3.2 ($T \ll \theta$)	9.2	45	6.4
硫酸アンモニウム	$(NH_4)_2SO_4$	223.5	0.465 ($T < \theta$)	10.0	9.3	9.2
亜硝酸ナトリウム	$NaNO_2$	433	8.6 ($T < \theta$)	6.0	8.0	8.0
ヘキサシアノ鉄(II)酸カリウム(黄血塩)	$K_4[Fe(CN)_6] \cdot 3H_2O$	248.5	1.3 (218.5 K)	$\varepsilon[101]/\varepsilon_0$ =11*	6*	$\varepsilon[101]/\varepsilon_0$ =25*
					(* 218.5 K)	
ヨウ化硫化アンチモン	SbSI	294	25 (273 K)	25	25	5×10^4 (室温)

反 強 誘 電 体

物　質	化 学 式	転移点 T_c/K	小さい交流電圧に対する比誘電率(室温)		
			$\varepsilon_a/\varepsilon_0$	$\varepsilon_b/\varepsilon_0$	$\varepsilon_c/\varepsilon_0$
リン酸二水素アンモニウム	$NH_4H_2PO_4$	148	56	56	15.5
ジルコン酸鉛（磁器）	$PbZrO_3$	506		80	
ニオブ酸ナトリウム	$NaNbO_3$	911	76	76	670
ギ酸銅	$Cu(HCOO)_2 \cdot 4H_2O$	235.5	～30	～420	

圧電性物質

ある種の物質（結晶）に力（応力）を印加すると誘電分極による電荷（表面に電圧）が現れる．逆に電圧を印加すると変形（ひずみ）が発生する．前者を圧電効果，後者を逆圧電効果という．応力印加方向や電圧発生方向の間には結晶対称性で決まる制約がある．

圧電性結晶

物　　質	化 学 式	圧電率 $d/10^{-12}\mathrm{C\ N^{-1}}$ または $d/10^{-12}\mathrm{m\ V^{-1}}$		
水晶（左水晶）	SiO_2	$d_{11}=2.31$ $d_{14}=-0.727$		
セレン	Se	$d_{11}=63$ $d_{14}=$		
テルル	Te	$d_{11}=37$ $d_{14}=$		
硫化カドミウム	CdS	$d_{15}=-13.98$		$d_{31}=-5.18$ $d_{33}=10.32$
セレン化カドミウム	CdSe	$d_{15}=-10.51$		$d_{31}=-3.92$ $d_{33}=7.84$
酸化亜鉛	ZnO	$d_{15}=-12$		$d_{31}=-4.7$ $d_{33}=12$
チタン酸バリウム	$BaTiO_3$	$d_{15}=392$		$d_{31}=-34.5$ $d_{33}=85.6$
リン酸二水素アンモニウム（ADP）	$NH_4H_2PO_4$	$d_{14}=-1.5$		$d_{36}=48$
リン酸二水素カリウム（KDP）	KH_2PO_4	$d_{14}=1.3$		$d_{36}=21$
ロシェル塩（34 ℃）	$KNaC_4H_4O_6\cdot 4H_2O$	$d_{14}=345$	$d_{25}=54$	$d_{36}=12$
ヨウ化硫化アンチモン	SbSI			$d_{33}=4\times10^3$（19 ℃） $d_{33}=0.33\times10^3$（−100 ℃）
ジルコン酸チタン酸鉛（PZT）	$PbZr_xTi_{1-x}O_3$ $x=0.52$			$d_{31}=-93.5$ $d_{33}=223$
ヒ化ガリウム	GaAs	$d_{14}=2.6$		
ニオブ酸リチウム	$LiNbO_3$	$d_{15}=74$	$d_{22}=20.8$	$d_{31}=-0.86$ $d_{35}=16.2$
ポリフッ化ビニリデン（PVDF）	$(CF_2-CH_2)_n$			$d_{31}=25$

絶縁材料

絶縁体を流れる電流は内部電流と表面電流からなる．内部抵抗は物質の純度によって変わり，表面抵抗は表面の状態に左右される．温度が上がると内部抵抗も表面抵抗も減少する．下の表に電圧をかけ始めてから 1 min の後に測定された内部抵抗率と表面抵抗率（いずれも室温）を示す．このときの電流は伝導電流だけでなく絶縁体の中に蓄えられる電荷の分も含んでいる．平衡状態の電流から求めた抵抗率の値はこの表の値よりはるかに大きい．絶縁破壊の強さは 1－3 mm の板状試料について商用周波数で得た値である．

物　質	内部抵抗率 ρ/Ω m	表面抵抗率(湿度 50～60%) R/Ω	絶縁破壊の強さ $F/10^6$ V m^{-1}
雲母(成形)	10^{13}	5×10^{13}	—
ガラス(石英)	$>10^{16}$	3×10^{12}	20－40
ガラス(ソーダ)	$10^{9}-10^{11}$	$10^{10}-10^{12}$	—
ガラス(パイレックス)	10^{12}	—	—
ゴム(クロロプレン)	$10^{10}-10^{11}$	—	10－15
ゴム(シリコーン)	$10^{12}-10^{13}$	—	5－25
ゴム(天然)	$10^{13}-10^{15}$	—	20－30
絶縁(鉱)油	$10^{11}-10^{15}$	—	—
セラミックス			
アルミナ	$10^{9}-10^{12}$	—	10－16
ステアタイト	$10^{11}-10^{13}$	—	8－14
長石磁器(素地)	$10^{10}-10^{12}$	10^{9}	10－15
長石磁器(うわぐすり付)	$10^{10}-10^{12}$	10^{11}	—
大理石	$10^{7}-10^{9}$	10^{9}	—
パラフィン	$10^{13}-10^{17}$	10^{15}	8－12
プラスチック			
アクリル	$>10^{13}$	$>10^{14}$	
エポキシ	$10^{12}-10^{13}$	$3\times10^{7}->10^{14}$	16－22
ポリ塩化ビニル(軟)	$5\times10^{6}-5\times10^{12}$	$>10^{14}$	10－30
ポリ塩化ビニル(硬)	$5\times10^{12}-10^{13}$	$10^{12}-10^{15}$	17－50
テフロン	$10^{15}-10^{19}$	$4\times10^{12}-10^{17}$	20
ナイロン	$10^{8}-10^{13}$	$10^{11}-10^{15}$	15－20
ポリエチレン	$>10^{14}$	—	18－28
ポリスチレン	$10^{15}-10^{19}$	$>10^{14}$	20－30
硫　黄	$10^{14}-10^{15}$	7×10^{15}	—

磁気的性質

物質の磁化の強さを表す量は単位体積あたりの磁気モーメント $\boldsymbol{M}$（単位 A/m），あるいは $\boldsymbol{P}_{\mathrm{M}}=\mu_0\boldsymbol{M}$(単位は Wb/m^2 あるいは T(テスラ))である．そぞれを磁化の強さ，磁気分極という．$\boldsymbol{P}_{\mathrm{M}}$ を磁化の強さと呼んだり，$\boldsymbol{P}_{\mathrm{M}}$ の代わに $\boldsymbol{M}$, $\boldsymbol{I}$ や $\boldsymbol{J}$ などの記号を用いることもある．磁場を表す2つのベクトル量，(磁束密度，単位 Wb/m^2 あるいは T)および $\boldsymbol{H}$(磁場の強さ，単位 A/m)と，れらの関係は，$\boldsymbol{B}=\mu_0(\boldsymbol{H}+\boldsymbol{M})=\mu_0\boldsymbol{H}+\boldsymbol{P}_{\mathrm{M}}$ である．磁性の分野で用いられてる CGS 電磁単位系(**物 10** 参照)では，$\boldsymbol{B}$, $\boldsymbol{H}$ と磁化の強さ $\boldsymbol{M}_{\mathrm{CGS}}$ の関係は $\boldsymbol{B}=\boldsymbol{H}$ $4\pi\boldsymbol{M}_{\mathrm{CGS}}$ である．これらの量の単位は同一[cm$^{-1/2}$ g$^{1/2}$ s^{-1}]であるが，それぞれ (ガウス)，Oe (エルステッド)，G (ガウス) と呼ぶ．MKSA 単位系への換算は磁束密度の 1 G が 10^{-4} T，磁場の 1 Oe が $10^3/4\pi$(79.577～80) A/m であり磁化を表す量は 1 G が $\boldsymbol{M}$ の 10^3 A/m，あるいは $\boldsymbol{P}_{\mathrm{M}}$ の $4\pi\times10^{-4}$T に相当する

慣用として磁化の強さを，CGS 電磁単位系での単位質量 (1 g) あたりの気モーメント $\sigma_{\mathrm{g}}(=M_{\mathrm{CGS}}/$(CGS 単位系での密度)) あるいは物質 1 モルあたの磁気モーメント σ_{mol} で表すことが多い．これらの量の単位をしばしば G/g emu/g，あるいは G/mol，emu/mol と記す．

反磁性体および常磁性体では，H が極めて強くない限り M は H に比例る．この比例定数 $\chi=M/H=P_{\mathrm{M}}/\mu_0H$ を磁化率，あるいは帯磁率という（で磁化の強さを表す場合には比磁化率ということがある)．CGS 単位系の化率 $\chi_{\mathrm{CGS}}=M_{\mathrm{CGS}}/H$ の数値は SI 系の χ の $(1/4\pi)$ 倍である．また，実用上は 1 g あるいは 1 モルあたりの磁化率 $\chi_{\mathrm{CGS,g}}=\sigma_{\mathrm{g}}/H$，$\chi_{\mathrm{CGS,mol}}=\sigma_{\mathrm{mol}}/H$ を用いことが多い．これらの量の単位はそれぞれ cm^3/g，cm^3/mol であるが，それを emu/g，emu/mol と書くことが多い．多くの常磁性体では，磁化率が温変化し，キュリー・ワイスの法則 $\chi_{\mathrm{CGS,mol}}=C_{\mathrm{mol}}/(T-\Theta_{\mathrm{p}})$ に従う．C_{mol}，Θ_{p} をれぞれキュリー定数，漸近キュリー温度という．一方，金属常磁性体や反磁体の磁化率は通常ほとんど温度によらない．

強磁性体の磁化 M はヒステリシス（履歴）現象を示すので，M や B はの大きさだけではなく，以前の H の印加の仕方にも依存する．その様子は，M と H の関係を表す M-H 磁化曲線，あるいは B と H の関係を表 B-H 磁化曲線によって表現される．$H=0$ で $M=0$ の状態を消磁状態といいこの消磁状態から磁場を増加させるときの磁化曲線を初磁化曲線と呼ぶ．B-H 初磁化曲線の原点付近の傾きの $1/\mu_0$ 倍を μ_{i} と書き，これを初透磁率，また原点から B-H 磁化曲線に引いた接線の傾きの $1/\mu_0$ 倍を μ_{m} と書き，これを最大透磁率という．磁場が大きくなると，磁化の強さは一定の飽和磁化 M_{S} に近づく．一般に強磁性体は磁区と呼ばれる分域に分かれており，1つの磁区の中で原子の磁気モーメントは向きをそろえて整列している．このことによって生じる磁化の強さを自発磁化という．実際上，飽和磁化は自発磁化と等しい．自発磁化の強さは物質固有の量であり，温度の上昇とともに減少して，キュリー温度 T_{C} 以上でゼロになる．この T_{C} は概念上も，実際の値も Θ_{p} とは異なる量である．

強磁性体の磁化を飽和させるのに必要な磁場(飽和磁場)以上の磁場を正の値と負の値の間で往復させると，磁化曲線は閉曲線となる．これを大ヒステリシスループという．強磁性体の応用では，B-H 磁化曲線の大ヒステリシスループが重要である．強磁性体の磁化を飽和させた後，磁場を減少させると，

化は磁場の増加のときと異なる経路をたどって変化し，磁場がゼロになっ
も，有限の磁束密度 B_r(有限の磁化 M_r といってもよい)を持つ．この B_r を
留磁束密度，M_r を残留磁化という．さらに逆方向に磁場を増加させると，
$= -{}_BH_c$ で磁束密度がゼロとなる．この ${}_BH_c$ を保磁力という（M-H 磁化曲
上で磁化がゼロとなる磁場 ${}_MH_c$ で保磁力を定義することもある)．さらに逆
向の磁場の強さを増加すると，ついに逆方向の飽和に達する．ここで再び磁
の変化の方向を逆転すれば，強磁性体の状態を示す（B, H）あるいは（$M,$
）は大ヒステリシスループに沿って一周する．B-H 磁化曲線の大ヒステリ
スループの囲む面積 $W_h = \oint H\,dB$（CGS 電磁単位系では（$1/4\pi$）$\oint H\,dB$）
，強磁性体の単位体積中で，交流磁化 1 サイクルの間に磁気的な損失によっ
失われるエネルギーである．これをヒステリシス損失という．B-H 磁化曲
，およびそれを特徴づける B_r，${}_BH_c$(あるいは ${}_MH_c$)，W_h，μ_i，μ_m 等は，材
によって異なる特性であって，添加物，熱処理，加工等によって大きく変わ
．表Ⅴ，Ⅵでは代表的な値の一例を掲げる．一般に永久磁石材料では B_r と
H_c が大きいことが，またトランスの磁心等に用いる高透磁率材料では，μ_i や
μ_m が大きく，${}_BH_c$ と W_h が小さいことが望ましい．

Ⅰ．常磁性イオン

常磁性イオンを含む常磁性体のキュリー定数は $C_{mol} = Np^2\mu_B{}^2/3\,k_B$ で与え
れる．N は 1 モル中の常磁性イオンの個数である．p は有効ボーア磁子数で
磁性イオンの電子状態によって決まる．

鉄族イオン

イオン	3d 電子数	自由イオン項	p(計算) $=2\sqrt{S(S+1)}$	p(実験)
Ti^{3+}, V^{4+}	1	$^2D_{3/2}$	1.73	1.7-1.9
V^{3+}	2	$^3F_2$	2.83	2.7-2.9
Cr^{3+}, V^{2+}	3	$^4F_{3/2}$	3.87	3.8-3.9
Mn^{3+}	4	$^5D_0$	4.90	4.8-4.9
Mn^{2+}, Fe^{3+}	5	$^6S_{5/2}$	5.92	5.8-5.9
Fe^{2+}	6	$^5D_4$	4.90	5.2-5.5
Co^{2+}	7	$^4F_{9/2}$	3.87	4.8-5.1
Ni^{2+}	8	$^3F_4$	2.83	2.8-3.3
Cu^{2+}	9	$^2D_{5/2}$	1.73	1.8-2.0

希土類イオン

イオン	4f 電子数	自由イオン項	p(計算) $=g\sqrt{J(J+1)}$	p(実験)
Ce^{3+}	1	$^2F_{5/2}$	2.54	2.4
Pr^{3+}	2	$^3H_4$	3.58	3.5
Nd^{3+}	3	$^4I_{9/2}$	3.62	3.5
Pm^{3+}	4	$^5I_4$	2.68	
Sm^{3+}	5	$^6H_{5/2}$	1.55*	1.5
Eu^{3+}	6	$^7F_0$	3.40*	3.4
Gd^{3+}	7	$^8S_{7/2}$	7.94	8.0
Tb^{3+}	8	$^7F_6$	9.72	9.5
Dy^{3+}	9	$^6H_{15/2}$	10.65	10.6
Ho^{3+}	10	$^5I_8$	10.61	10.4
Er^{3+}	11	$^4I_{15/2}$	9.58	9.5
Tm^{3+}	12	$^3H_6$	7.56	7.3
Yb^{3+}	13	$^2F_{7/2}$	4.54	4.5

* van Vleck-Frank の理論による値．

$$g = \frac{3}{2} + \frac{S(S+1) - L(L+1)}{2J(J+1)}$$

その他の記号は**物 22** 参照．

Ⅱ．常磁性体および反磁性体の磁化率

物　質	温度/K	$\chi_{CGS,g}/10^{-6}\ cm^3\ g^{-1}$ *2
Al	293	0.61
C_6H_6	室温	−0.702
C(グラファイト)	289	−3.0
CO_2	298	−0.454
Cu	296	−0.086
$CuSO_4\cdot 5H_2O$ *1	293	5.85
GaAs	300	−0.230
Ge	298	−0.106
H_2	293	−1.987
H_2O	273	−0.720
N_2	293	−0.43
$(NH_4)_2Fe(SO_4)_2\cdot 6H_2O$ *1	290.3	32.57
NaCl	室温	−0.517
O_2	90	240.6
O_2	293	107.8
Pt	298	0.983

*1　これらの物質の磁化率はキュリー・ワイスの法則に従って温度変化をする．
*2　CGS 電磁単位系の磁化率 χ_{CGS} を得るにはこの値に密度（単位 g/cm^3）をかける．S
　単位系の磁化率 χ を得るには，さらに 4π をかける．

Ⅲ．強磁性元素のキュリー温度と磁化

元　素	T_C/K	室　温		0 K（外挿値）	
		σ_g/G $cm^3\ g^{-1}$ *1	$M/10^3$A m^{-1}	σ_g/G $cm^3\ g^{-1}$	μ/μ_B *2
Fe	1 044	217.6 (293 K)	1 713	221.7	2.216
Co *3	1 390	161.9 (293 K)	1 440	163.76	1.728
Ni	631.0	55.07 (298 K)	490.2	58.57	0.616
Gd	291.2			268.4	7.56

*1　1 g あたりの飽和磁気モーメント，1 G $cm^3 = 4\pi \times 10^{-10}$ Wbm.
*2　1 原子あたりの飽和磁気モーメントをボーア磁子（**物 14** 参照）単位で表した値．
*3　700 K で結晶構造が変化する．

Ⅳ．主要な強磁性体のキュリー温度と磁化

物　質	T_C/K	σ_g/G $cm^3\ g^{-1}$（室温）	σ_g/G $cm^3\ g^{-1}$（4.2 K）
CoPt *1	850	22	
Cu_2MnAl	603		96
70Fe-30Co *2	>1 250	242	247
FeCo *3	>1 000	230	235
$FeNi_3$ *3	>775	110	115
Ni_3Mn *1	820	90	98
$Nd_2Fe_{14}B$	588	167	194
$SmCo_5$	1 015	91	99
$BaFe_{12}O_{19}$ *4	725	70	100
Fe_3O_4 *4	860	92	98
$NiFe_2O_4$ *4	860	50	56
$Y_3Fe_5O_{12}$ *4	560	27	38

*1　規則合金
*2　不規則合金
*3　規則合金．T_C 以下で規則－不規則転移が起こる．
*4　フェリ磁性体

V．永久磁石材料（主として「永久磁石」（アグネ技術センター，2007）より引用）

名　称	おもな組成*2	処　理	$_MH_c$/kA m^{-1}	B_r/T	(BH)$_{max}$/kJ m^{-3} *3	分　類
KS 鋼	Fe-0.9C, 35Co, 5Cr, 4W	鍛造，焼入れ，焼戻し	20*1	0.9	7.6	マルテンサイト鋼磁石
アルニコ 5	Fe-8Al, 24Co, 14Ni, 3Cu	鋳造，磁場中冷却，時効処理	50 − 62	1.25 − 1.35	40 − 64	アルニコ磁石
鉄クロムコバルト	Fe-26Cr, 10Co, 1.5Ti	鋳造，磁場中焼鈍，時効処理	47	1.44	54	鉄クロムコバルト磁石
サマリウムコバルト	Sm_2Co_{17} + Fe, Cu, Zr	磁場中成形，焼結	533 − 1 030	1.02 − 1.20	176 − 264	希土類磁石
鉄ネオジムホウ素	$Nd_2Fe_{14}B$	磁場中成形，焼結	875 − 2 626	1.05 − 1.51	206 − 437	
バリウムフェライト	$BaO \cdot 6\,Fe_2O_3$	湿式磁場中成形，焼結	175	0.41	29.8	酸化物磁石 M 型フェライト焼結磁石
ストロンチウムフェライト	$SrO \cdot 6\,Fe_2O_3$ + La, Co	湿式磁場中成形，焼結	151 − 354*1	0.36 − 0.47	23.8 − 42.0	酸化物磁石 M 型フェライト焼結磁石

*1　$_BH_c$/kA m^{-1} の値を示す（一般に $_MH_c > {_BH_c}$）．
*2　1−3 行ではおもな構成元素と，Fe 以外の成分の重量％で表す．その他は基本となる化合物の組成式を示す．
*3　B-H 大ヒステリシスループの第 2 象限における積 $B \cdot H$ の絶対値の最大値で，永久磁石材料の性能指数である．1 kJ m^{-3} は $4\pi \times 10^{-2}$ MG·Oe（≈1/8 MG·Oe）に相当する．

VI．高透磁率材料

名　称	おもな組成*1	熱処理*2	μ_i	μ_m	$_BH_c$/A m^{-1}	W_h/10^{-1} J m^{-3} s^{-1}	種　類
純　鉄		950 ℃	200 − 300	6 000 − 8 000	50 − 90		鉄，鉄合金
ケイ素鋼	Fe-4Si	800 ℃	500	7 000	40	3 500	
方向性ケイ素鋼	Fe-3Si	800 ℃	1 500	40 000	10	700	
アルパーム	Fe-16Al	600 ℃急冷	3 000	55 000	3		
パーメンジュール	Fe-2V, 50Co	800 ℃	650	6 000	160		
センダスト	Fe-5.5Al, 9.5Si		30 000	120 000	2	100	
78 パーマロイ	Fe-78.5Ni	1 050 ℃，600 ℃から急冷	8 000	100 000	4	580	パーマロイ
スーパーマロイ	Fe-79Ni, 5Mo	1 300 ℃ (H_2)	100 000	6 000 000	0.16		
ミューメタル	Fe-77Ni, 2Cr, 5Cu	1 175 ℃ (H_2)	20 000	1 000 000	4		
メタグラス (2605 S 2)	Fe-3B, 5Si		5 000	500 000	3.2		アモルファス合金
マンガン亜鉛フェライト	$Mn_{0.5}Zn_{0.4}Fe_{2.1}O_4$		10 000		7		フェライト
ニッケル亜鉛フェライト	$Ni_{0.35}Zn_{0.65}Fe_2O_4$		1 500		24		

*1　1−10 行ではおもな構成元素と，Fe 以外の成分の重量％で表す．
*2　金属系の高透磁率材料の特性は，熱処理条件に強く依存する．ここでは，右記の特性に対応する熱処理条件を記載する．

音

種々の物質中における音速

気体中の音速

(1)　気体中の音速は圧力にはほとんど無関係で，絶対温度の平方根に比例して増加する．

(2)　音の吸収は一般に単原子分子の気体では，周波数の2乗に比例し，気体の粘性，熱伝導率によって決まるが，単原子分子以外では分子内の振動，回転などの内部自由度が吸収に関係するために，音速の分散と異常吸収が現れる．

(3)　音響インピーダンスは，無限に広い媒質内を伝搬する平面波における音圧と粒子速度との比で，密度と音速との積に等しい．平面で相接する2つの媒質の境界面に垂直に入射する波のエネルギーの反射率 R および透過率 T は，$R=(z_1-z_2)^2/(z_1+z_2)^2$，$T=1-R$ で与えられる．ただし，z_1，z_2 はそれぞれの媒質の音響インピーダンスである．

(4)　気圧 H の空気中に圧力 p の水蒸気があるときの音速 c' は同温度の乾燥空気中の音速 c からつぎの式で導かれる．

$$c'=c/\sqrt{1-\frac{p}{H}\left(\frac{\gamma_w}{\gamma}-0.622\right)}$$

γ_w，γ はそれぞれ水蒸気および乾燥空気の定圧比熱と定積比熱との比．

物質	密度 ρ/kg m^{-3} (0 ℃, 1 atm)	音速 c/m s^{-1} (0 ℃, 1 atm)	c の温度係数 Δ/m s^{-1} ℃$^{-1}$ (0 ℃)	音響インピーダンス ρc/N s m^{-3}
アンモニア	0.771 0	415	0.73	319.9
アルゴン	1.783 7	319	—	569
一酸化炭素	1.250 4	337	0.604	421
一酸化二窒素	1.340 2	325	—	435
エタン	1.356 6	308(10 ℃)	—	418
エチレン	1.260 4	314	0.56	396
塩素	3.214	205.3	—	660
空気(乾燥)	1.292 9	331.45	0.607	428.6
酸化窒素	1.977 8	258	—	518
酸素	1.429 0	317.2	0.57	453
水蒸気(100 ℃)	0.598 0	473	—	242
水素	0.089 88	1 269.5	2.00	114.1
重水素	0.178 4	890	1.58	158.7
窒素	1.250 55	337	0.85	421
二酸化硫黄	2.926 9	211	—	617.6
二酸化炭素	1.976 9	258(低周波)→268.6(高周波)	0.87	508
ネオン	0.900 35	435	0.78	385
ヘリウム	0.178 47	970	1.55	173
メタン	0.716 8	430	0.62	308
硫化水素	1.539	289	—	445

1 atm = 101 325 Pa

液体中の音速

) 液体中の音速はわずかの例外を除いて，1000～1500 m s^{-1} の間にあり，温度1℃あたり2～5 m s^{-1} 減少するものが多い．水中の音速は温度とともに増加し，74℃で極大になる．

) 吸収定数 α は，neper m^{-1} で表される．初めの音の強度 I_0 が，dm 先で I_d に減少するときには，$\alpha=(1/2\,d)\ln(I_0/I_d)$ neper m^{-1} で与えられる．これをデシベル単位で表すと，8.686 α dB m^{-1} となる．なお通常の液体では α は周波数 f の2乗に比例する．

物　質	t/℃	密　度 $\rho/10^3$kg m^{-3}	音　速 c/m s^{-1}	$\alpha f^{-2}/10^{-13}$ neper m^{-1} Hz^{-2}	音響インピーダンス $\rho c/10^6$N s m^{-3}
エタノール	23－27	0.786	1 207	0.9	0.95
クロロホルム	25	1.49	995	3.80	1.48
グリセリン	23－27	1.26	1 986	26	1.90
ジエチルエーテル	23－27	0.71	985	1.40	0.70
四塩化炭素	23－27	1.59	930	4.80	1.48
臭化エチル	28	1.428	892	0.62	1.27
水　銀	23－27	13.6	1 450	0.66	19.8
水(蒸留)	23－27	1.00	1 500	0.33	1.50
水(海水，塩分 30/1000)	20	1.021	1 513	3	1.54
重　水	20	1.1053	1 381	0.32	1.53
二硫化炭素	23－27	1.26	1 149	74	1.45
ペンタン	18	0.632	1 052	1.0	0.66
ベンゼン	23－27	0.87	1 295	8.3	1.13

固体壁の透過損失

透過損失とは音波が固体壁に入射するとき，入射音の強さ I_i に対して透過した音波の強さ I_t が何デシベル小さくなるかを表すもので，次式で与えられる．透過損失＝$10\log_{10}(I_i/I_t)$ dB

材　料	面密度 ρs/kg m^{-2}	透過損失(dB) 周波数 f/Hz 125	250	500	1000	2000	4000
ラワン合板(6 mm 厚)	3.0	11	13	16	21	25	22
せっこうボード(9 mm 厚)	8.7	20	22	25	28	34	23
板ガラス(6 mm 厚)	15.0	20	27	31	31	26	37
鉄板(1 mm 厚)	8.2	17	21	25	28	34	38
鉄板(4.5 mm 厚)	36.9	28	33	37	41	40	38
鉛板(1 mm 厚)	11.3	28	26	29	33	38	43
気泡コンクリート(75 mm 厚，両面プラスター 6 mm 塗)	60	27	31	31	41	48	54
コンクリートブロック(100 mm 厚，両面プラスター 15 mm 塗)	160	33	37	42	49	56	60
6 mm 合板二重壁(木造下地，空気層 100 mm)	—	11	20	29	38	45	42

固体中の

(1) 固体中の音速は，同じ物質であっても，金属では結晶の状態，方向，
ムなどでは混合物の割合，周波数によってかなり変化する．一般に音速
温度が上昇すると小さくなる．

物質	密度 $\rho/10^3$ kg m^{-3}	c_1/m s^{-1}	c_2/m s^{-1}
亜鉛	7.18	4 210	2 440
アルミニウム	2.69	6 420	3 040
ウラン	18.7	3 370	1 940
ADP(Z-切断)	1.80	4 300	—
エボナイト	1.2	2 500	—
黄銅(70 Cu, 30 Zn)	8.6	4 700	2 100
カドミウム	8.56	2 780	—
ガラス(窓ガラス)	2.42	5 440	—
ガラス(クラウン)	2.4～2.6	5 100	2 840
ガラス(フリント)	2.9～5.9	3 980	2 380
金	19.32	3 240	1 220
銀	10.49	3 650	1 660
クロム	7.193	6 200	3 860
ゲルマニウム	5.322	5 944	3 555
ゴム(天然)	0.97	1 500(1 MHz)	120(1 MHz)
ゴム(スチレン-ブタジエンゴム)	1.00	1 760(1 MHz)	530(1 MHz)
氷	0.917	3 230	1 600
コンクリート	—	4 250～5 250	—
シリコン(100 方向)	2.33	8 433	5 843
ジルコニウム	6.44	4 650	2 250
ジュラルミン(17 S)	2.79	6 320	3 130
水晶(X 切断)	2.65	5 720	—
スズ	7.3	3 320	1 670
ステンレス鋼(347)	7.91	5 790	3 100
大理石	2.65	6 100	2 900
タングステン	19.2	5 410	2 640
チタニウム	4.58	5 990	2 960
鉄	7.86	5 950	3 240
銅	8.96	5 010	2 270
ナイロン-6, 6	1.11	2 620	1 070
鉛	11.34	1 960	690
ニッケル	8.90	6 040	3 000
白金	21.62	3 260	1 730
パイレックスガラス(702)	2.32	5 640	3 280
ベリリウム	1.82	12 890	8 880
ポリエチレン(軟質)	0.90	1 950	540
ポリスチレン	1.056	2 350	1 120
マグネシウム	1.54	5 770	3 050
モネルメタル	8.90	5 350	2 720
融解水晶	2.2	5 968	3 764

音　速

(2) 次表で自由固体の縦波の速さ c_1 は$\sqrt{(K+\frac{4}{3}G)/\rho}$, 自由固体の横波の速さ c_2 は$\sqrt{G/\rho}$, 棒の縦振動の速さ c_3 は$\sqrt{E/\rho}$ で与えられる. ρ は密度, K は体積弾性率, G はずれ弾性率, E はヤングの弾性率である. 自由固体とは波長に比して十分大きい固体, 棒とは波長に比して十分細い固体である.

c_3/m s^{-1}	インピーダンス $\rho c_1/10^6$ N s m^{-3}	インピーダンス $\rho c_2/10^6$ N s m^{-3}
3 850	30	17.3
5 000	17.3	8.2
—	63.02	36.3
3 500	7.77	—
1 570	3.0	—
3 480	40.6	18.3
2 400	23.8	—
—	13.2	—
4 540	11.4	6.35
3 720	15.4	9.22
2 030	62.5	23.5
2 680	38.0	17.5
5 900	44.6	27.3
—	31.63	18.91
210 (1 MHz)	1.5	0.12
—	1.76	0.53
—	2.96	1.47
—	—	—
—	19.64	13.61
—	29.95	14.49
5 150	17.1	8.5
5 440	15.16	—
2 730	24.6	11.8
5 000	45.7	24.5
3 810	16.2	7.7
4 320	103	50.5
—	27.4	13.5
5 120	46.4	25.3
3 750	44.6	20.2
1 800	2.86	1.18
1 210	22.4	7.85
4 900	53.5	26.6
2 800	69.7	37.0
5 170	13.1	7.6
12 870	24.1	16.6
920	1.75	0.48
2 240	2.48	1.18
4 940	10.0	5.3
4 400	47.5	24.2
5 760	13.1	8.29

吸音率

吸音率とは物体に入射する音の強さを I_i，反射する音の強さを I_r としたとき，次式で与えられる．吸音率 $\alpha_a = 1-(I_r/I_i)$．

材料	厚さ t/mm	比重	α_a 周波数 f/Hz 125	250	500	1000	2000	4000
グラスウールボード（剛壁密着）	25	0.016～0.024	0.08～0.16	0.22～0.34	0.54～0.71	0.71～0.88	0.69～0.88	0.77～0.94
グラスウールボード（剛壁密着）	50	0.016～0.024	0.13～0.27	0.55～0.75	0.87～0.98	0.78～0.93	0.78～0.93	0.85～0.98
グラスウールボード（背後空気層 100 mm）	25	0.016～0.024	0.18～0.33	0.53～0.75	0.84～0.98	0.78～0.92	0.70～0.86	0.77～0.94
ロックウール（剛壁密着）	25	～0.12	0.04～0.09	0.23～0.34	0.58～0.80	0.78～0.91	0.75～0.84	0.75～0.90
ロックウール（剛壁密着）	25	0.12～	0.05～0.16	0.26～0.50	0.70～0.92	0.80～0.97	0.72～0.93	0.77～0.96
軟質ウレタンフォーム（剛壁密着）	20	0.01～0.02	0.06～0.11	0.16～0.24	0.32～0.42	0.47～0.58	0.54～0.67	0.56～0.70
木毛セメント板（太木毛）	25	0.43	0.01	0.10	0.23	0.64	0.69	0.73
吸音用軟質繊維板（木造下地，背後空気層 300 mm）								
A（孔径 5 mmφ－ピッチ 12.7 mm）	9	—	0.27～0.39	0.24～0.38	0.38～0.52	0.55～0.59	0.67～0.68	0.77～0.78
A（5φ－12.7）	12	—	0.35	0.28	0.45	0.64	0.75	0.83
G（針穴）	9	—	0.33～0.40	0.30～0.33	0.38～0.41	0.30～0.48	0.27～0.47	0.30～0.47
ロックウール天井吸音板（鉄骨下地，石こうボード下貼，背後空気層 300 mm）	12	—	0.28～0.32	0.22～0.32	0.42～0.48	0.52～0.74	0.64～0.79	0.67～0.87
孔あき石こうボード（6φ－22，ボード用原紙裏打，背後空気層 300 mm）	7	—	0.63	0.51	0.29	0.21	0.25	0.31
孔あきボード（5φ－15，グラスウールボード 25 mm 下地，背後空気層 150 mm）	4	—	0.25	0.74	0.86	0.46	0.45	0.28
孔あきボード（9φ－15，グラスウールボード 25 mm 下地，背後空気層 500 mm）	5	—	0.83	0.72	0.80	0.90	0.87	0.70

音響用語と単位

の強さ(W m^{-2}) ある点における，特定方向の音の強さとは，その方向に垂直な単位面積を毎秒通過するエネルギーである．

圧(Pa(パスカル)) 1 Pa=1 N m^{-2}，大気圧を基準とした圧力変化．通常実効値でいう．

音の強さのレベル(dB(デシベル)) 音の強さ I と基準の音の強さ I_0 との比の常用対数の 10 倍，すなわち，$10\log_{10}(I/I_0)$．ここで $I_0=10^{-12}$ W m^{-2}．

音圧レベル(dB) 音圧 P と基準音圧 P_0 との比の常用対数の 20 倍，すなわち，$20\log_{10}(P/P_0)$．ここで $P_0=20\ \mu$Pa．平面進行波の場合には実用上音の強さのレベルと同じと見てよい．

騒音レベル(dB) 音を JIS C 1509-1 または JIS C 1509-2 のサウンドレベルメータ（騒音計）で測定して得られる値．A 特性音圧レベルとも呼ぶ．

音響パワーレベル(dB) ある音響出力と基準の音響出力との比の常用対数の 10 倍．基準の音響出力は 1 pW．量記号は L_W または L_p，単位記号は dB．

音の大きさのレベル(phon) 聴者が，同じ大きさに聞こえると判断した 1 000 Hz 純音の音圧レベル(dB)．たとえば，60 dB の 1 000 Hz 純音と同じ大きさに聞こえる場合，60 phon である．

残響時間(s) 音源を止めてから，室内の音のエネルギー密度が，最初の値の 10^{-6} になる時間．

音響透過損失(dB) 板状の材料の遮音性能を表すために，音響透過率の逆数をレベル表示した量で，次式で表される．

$$\text{音響透過損失：}TL=10\log_{10}\left(\frac{1}{\tau}\right)$$

ただし，τ：材料の音響透過率．

吸音 音波が伝播媒質（一般には空気中）と異なる物質の面に入射したとき，音波のエネルギーの一部がその物質中で熱のエネルギーに変換されてみかけ上吸収される現象．

距離減衰 音源から放射された音波が媒質中を伝搬する際，種々の原因によってその強さが減衰する．そのうちで最も基本となるのが距離減衰(幾何減衰とも呼ばれる)で，これは音源から遠ざかるにつれて音の波面の面積が広がるため，距離に逆比例して音圧が小さくなることをいう．

回折効果 波動の回折によって生じる効果．すなわち，障害物や異質の媒質などの存在によって波動の進行方向が変化する結果生じる効果をいう．
障害物の大きさが波長と同程度の場合に顕著に表れる．

超音波（ultrasound） 人間には聞こえないくらい高い周波数の音波．通常 20 000 Hz 以上の音波をいうことが多い．

超低周波音(Infrasound) 1～20 Hz の音波．国際規格 ISO 7196 に規定されている．

低周波音(Low frequency sound) 低い周波数の音波．わが国では 1～100 Hz 未満程度の周波数の音波をいう．国際的には周波数範囲は定まっておらず，国によって周波数範囲は異なる．

粒子速度（m/s） 粒子変位の瞬時値の時間微分．通常実効値で表す．量記号は u または v．

楽音の基本周波数

国際基準イ = a^1 = 440 Hz に基づく十二平均律音階.*　　(単位：H

	C_2	C_1	C	c	c^1	c^2	c^3	c^4	c^5
C	16.352	32.703	65.406	130.81	261.63	523.25	1046.5	2093.0	4186.
C♯	17.324	34.648	69.296	138.59	277.18	554.37	1108.7	2217.5	4434.
D	18.354	36.708	73.416	146.83	293.66	587.33	1174.7	2349.3	4698.
D♯	19.445	38.891	77.782	155.56	311.13	622.25	1244.5	2489.0	4978.
E	20.602	41.203	82.407	164.81	329.63	659.26	1318.5	2637.0	5274.
F	21.827	43.654	87.307	174.61	349.23	698.46	1396.9	2793.8	5587.
F♯	23.125	46.249	92.499	185.00	369.99	739.99	1480.0	2960.0	5919.
G	24.500	48.999	97.999	196.00	392.00	783.99	1568.0	3136.0	6271.
G♯	25.957	51.913	103.83	207.65	415.30	830.61	1661.2	3322.4	6644.
A	27.500	55.000	110.00	220.00	**440.00**	880.00	1760.0	3520.0	7040.
A♯	29.135	58.270	116.54	233.08	466.16	932.33	1864.7	3729.3	7458.
H	30.868	61.735	123.47	246.94	493.88	987.77	1975.5	3951.1	7902.

* 1939年5月ロンドンにおける国際会議で，イ = a^1 とする十二平均律が定され，独唱，合唱，管弦楽などすべての音楽演奏でこの値を用いるよに申し合わせがなされた．しかし現在，音楽関係では主として a^1 = 442 Hが用いられている．NHK の時報放送は，440 および 880 Hz で行われいる．物理実験では一部，$c^1 = 2^8 = 256$ を基準とする十二平均律（物理学と呼ばれる）が用いられていたこともあった．後者は，c 音の周波数を宜上2のべき数で表したものである．なお，上の表に用いた音の記号と符との関係は，つぎのようになる．

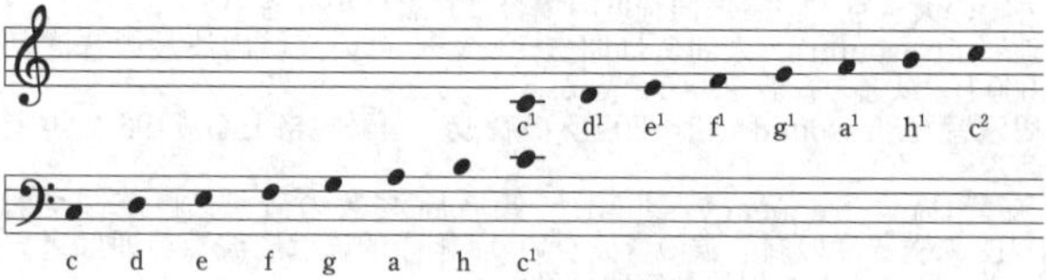

声楽および楽器の周波数の範囲

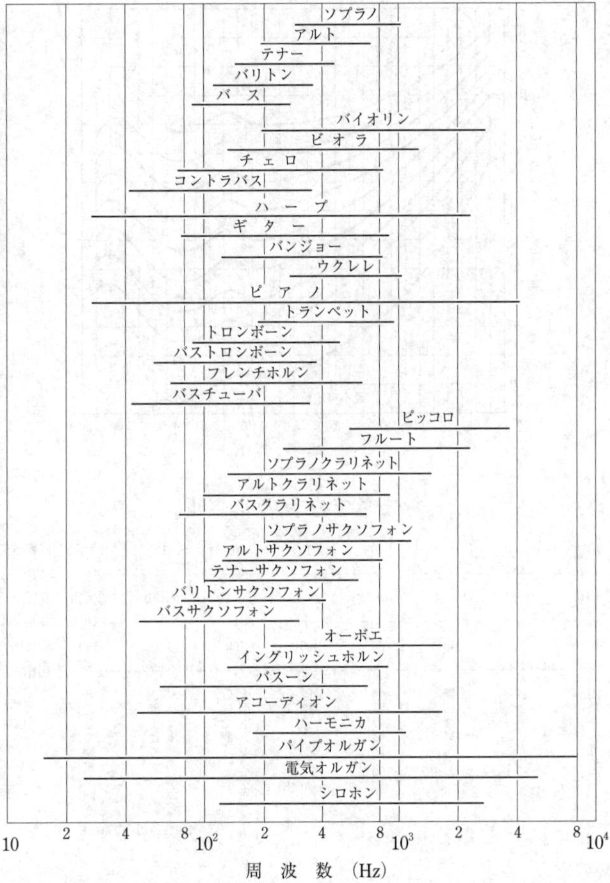

音の大きさの等感曲線（ISO 226(2003)）

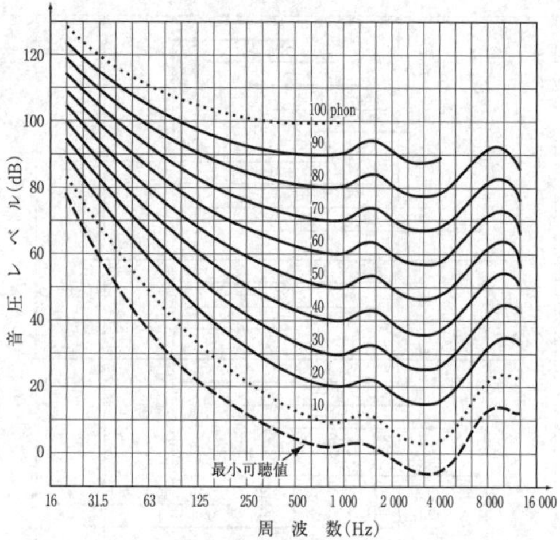

さまざまな音のレベル

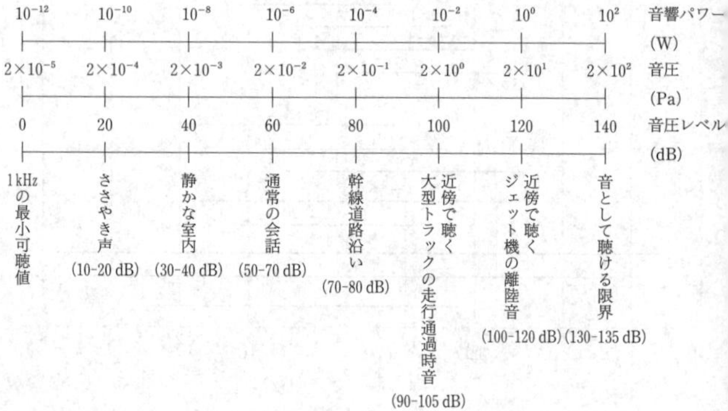

光と電磁波

電磁波の波長と振動数

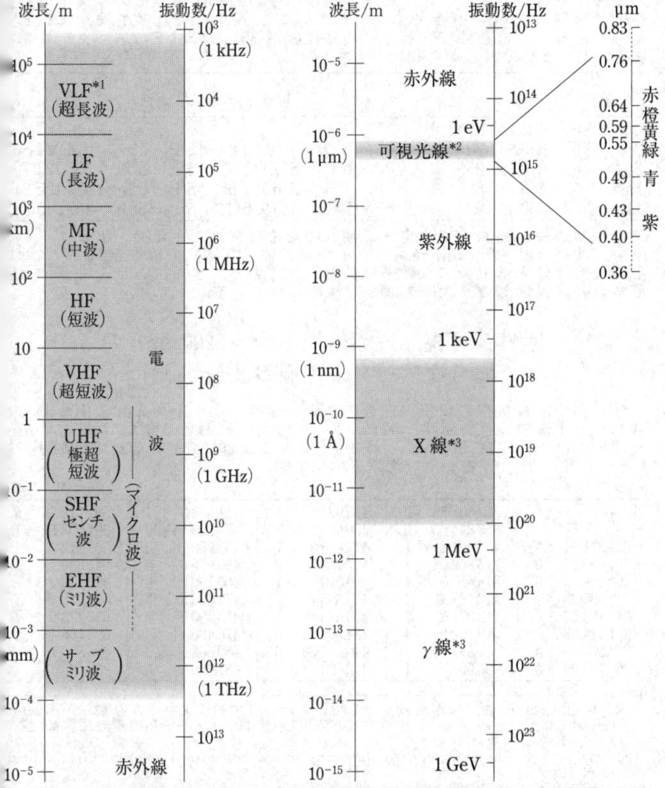

*1　電波の周波数帯の英字による呼び方は国際電気通信条約無線規則による.
*2　JIS Z 8120（用語の定義）による.
*3　連続スペクトルの場合は X 線と γ 線は波長（振動数）で区別されるが，線スペクトルの場合は，電子の状態の遷移によって発生するものを X 線，原子核の状態の遷移によって発生するものを γ 線という.

標準波長[1]

SI 基本単位の長さ（メートル）は真空中における光速度で定義される
(**物 2**)，現実的な長さ測定は，波長が精密に測定されている電磁波を利用
た干渉法で行われる．このメートルを現示するための電磁波のリストは，
際度量衡局により web 上で公開されている[2]．その中で比較的簡単に得る
とのできる，一定条件で発せられる各種放電管からの以下のスペクトル線
標準波長[1]として古くから利用されている．

^{86}Kr		^{198}Hg		^{114}Cd	
遷移	波長 λ/nm	遷移	波長 λ/nm	遷移	波長 λ/nn
$2p_{10}-5d_5$	605.780 2103(8)[3]				
$2p_9-5d'_4$	645.807 20[4]	$6^1P_1-6^1D_2$	579.226 83[4]	$5^1P_1-5^1D_2$	644.024 80
$2p_8-5d_4$	642.280 06[4]	$6^1P_1-6^3D_2$	577.119 83[4]	$5^3P_2-6^3S_1$	508.723 79
$1s_3-3p_{10}$	565.112 86[4]	$6^3P_2-7^3S_1$	546.227 05[4]	$5^3P_1-6^3S_1$	480.125 21
$1s_4-3p_8$	450.361 62[4]	$6^3P_1-7^3S_1$	435.956 24[4]	$5^3P_0-6^3S_1$	467.945 81

未知の波長を補間法で決定する便宜のために，鉄，ネオン，クリプトン
出す，波長 240〜700 nm のスペクトル線（約 340 本）の標準空気中[5]におい
る波長は，分光学上の二次標準波長とされている．さらにこれらを基準と
て多数の分光学上の三次標準波長が決められている．

紫外，可視，近赤外域（200〜2200 nm）の おもなスペクトル線の波長[6] (1)

分光器の波長目盛の較正に都合のよい，常用スペクトル光源の出すおも
スペクトル線の波長を示す．波長は標準空気中[5]における値で，単位は nm.
＊印をつけたものは比較的強い線．Ⅰ，ⅡおよびⅢは，それぞれ中性原子，
1 イオン化原子，第 2 イオン化原子の出す線．

（単位：nm

アルゴン		357.661 53	Ⅱ	425.936 2	Ⅰ	451.073 3	Ⅰ	501.716 26	Ⅱ
		358.844 03	Ⅱ	426.628 6	Ⅰ	454.505 16	Ⅱ	591.208 5	Ⅰ
231.371 91	Ⅱ	404.441 8	Ⅰ	427.216 9	Ⅰ	458.989 76*	Ⅱ	603.212 7	Ⅰ
231.629 73	Ⅱ	415.859 0	Ⅰ	427.752 79	Ⅱ	460.956 69	Ⅱ	641.630 7	Ⅰ
294.289 32	Ⅱ	416.418 0	Ⅰ	430.010 1	Ⅰ	465.790 09	Ⅱ	667.728 2	Ⅰ
348.050 20	Ⅲ	418.188 4	Ⅰ	433.356 1	Ⅰ	472.686 81*	Ⅱ	675.283 4	Ⅰ
349.153 56	Ⅱ	419.071 3	Ⅰ	433.533 8	Ⅰ	473.590 55	Ⅱ	687.128 9	Ⅰ
351.114 85	Ⅲ	419.102 9	Ⅰ	434.806 35	Ⅱ	476.486 44	Ⅱ	693.766 4	Ⅰ
355.950 79	Ⅱ	419.831 7	Ⅰ	440.098 60	Ⅱ	480.602 02	Ⅱ	696.543 1	Ⅰ
356.103 03	Ⅱ	420.067 4	Ⅰ	442.600 08	Ⅱ	487.986 34	Ⅱ	703.025 1	Ⅰ

1) 歴史的経緯から「標準波長」としているが，SI では「メートルを現示（practica realization of the meter)」する波長と表現している．「メートル現示波長」とするの が妥当かもしれない．
2) http://www.bipm.org/en/publications/mises-en-pratique/standard-frequencie html
3) 1983 年まではこの波長がメートルの定義だった．
4) 拡張相対不確かさ $U=ku_c$ ($k=3$) は，^{86}Kr : 2×10^{-8}，^{198}Hg : 5×10^{-8}，^{114}Cd : 7×10^{-8}
5) 空気の屈折率は**物 111** 参照．
6) A. Kramida, Yu. Ralchenko, J. Reader, and NIST ASD Team (2018). NIST Atomic Spectra Database (ver. 5.5.6), [Online]. http://physics.nist.gov/asd

紫外，可視，近赤外域（200〜2200 nm）のおもなスペクトル線の波長(2)

（単位：nm）

706.721 8	I
706.873 6	I
714.704 2	I
720.698 0	I
727.293 6	I
735.329 3	I
737.211 8	I
738.398 0	I
750.386 9*	I
751.465 2	I
763.510 6*	I
772.376 1	I
772.420 7	I
794.817 6*	I
800.615 7*	I
801.478 6*	I
810.369 3*	I
810.369 31	II
811.531 1*	I
826.452 2	I
840.821 0	I
842.464 8*	I
852.144 2	I
866.794 4	I
884.991	I
912.296 7*	I
919.463 8	I
922.449 9	I
929.153 1	I
935.422 0	I
965.778 6*	I
978.450 3	I
1 005.206	I
1 047.005 4	I
1 050.650	I
1 067.356 5	I
1 148.810 9	I
1 166.871 0	I
1 211.232 6	I
1 213.973 8	I
1 234.339 3	I
1 240.282 7	I
1 243.932 1	I
1 245.612	I
1 248.766 3	I
1 270.228 1	I
1 280.273 9	I
1 293.319 5	I
1 295.665 9	I
1 300.826 4	I
1 321.399 0	I
1 322.810 7	I
1 323.090	I
1 327.264	I
1 331.321 0	I
1 336.711 1	I
1 350.419 1	I
1 362.265 9	I
1 367.855 0	I
1 371.857 7	I
1 409.364 0	I
1 504.650	I
1 694.058 0	I
2 061.623 0	I

カドミウム

200.060	III
203.983	III
204.561	III
208.791	III
211.160	III
214.441*	II
219.456*	II
226.502*	II
228.802 25*	I
231.277*	II
232.107	II
249.981	III
254.461 30	I
257.293	II
258.010 62	I
262.897 86	I
263.941 96	I
266.032 53	I
267.753 97	I
271.250 49	I
273.381 99	I
274.854*	II
276.389 35	I
276.423 05	I
276.699	III
277.495 85	I
280.559	III
283.689 99	I
286.817 99	I
288.076 70	I
288.122 45	I
291.467	II
292.927	II
298.062 04*	I
298.136 25	I
298.185 38	I
308.082 24	I
313.316 66	I
325.252 40	I
326.105 48	I
340.365 21	I
346.619 96*	I
346.765 47	I
361.050 77*	I
361.287 29	I
361.445 29	I
413.477	II
441.563*	II
467.814 93	I [1]
479.991 23	I [1]
508.582 17*	I [1]
533.748*	II
537.813*	II
538.189	II
609.914 21	I
611.149 5	I
632.516 61	I
635.472	II
635.998	II
643.846 95*	I [1]
646.494	II
672.578	II
734.567 04*	I
1 571.2	I
1 912.5	I

カリウム

203.540 8	II
203.700 5	II
204.528 3	II
207.679 8	II
207.869 4	II
208.493 3	II
208.985 5	II
212.919 0	II
213.068 7	II
214.469 9	II
344.637 6	I
344.737 6	I
404.413 6	I
404.720 8	I
464.187 6	I
464.237 3	I
496.503 1	I
508.422 6	I
509.717 1	I
509.920 0	I
511.224 9	I
532.327 6	I
533.968 8	I
534.297 0	I
535.957 4	I
578.238 4	I
580.175 2	I
581.214 8	I
583.188 7	I
691.108 4	I
693.628 4	I
693.876 7*	I
696.467 2	I
766.489 913*	I
769.896 456*	I
850.345	I
850.511	I
890.219	I
890.402	I
959.570	I
959.783	I
1 101.987	I
1 102.267	I
1 169.021 9	I
1 176.963 7	I
1 177.283 8	I
1 243.227 4*	I
1 252.214 1*	I

キセノン

271.735 0	III
378.100	III
395.092 4	I
396.754 11	I
418.010	II
419.352 8	I
433.052	II
446.219	II
460.303	II
473.415 18	I
479.261 9	I
480.701 90	I
482.970 8	I
484.329 34	I
484.433*	II
486.245	II
488.353	II
491.650 7	I
492.148	II
492.315 2	I
502.827 94	I
508.062	II
529.222	II
531.387	II
533.933	II
541.915*	II
547.261	II
582.389 0	I
582.480 0	I
597.646	II
603.620	II
605.115	II
609.759	II
617.830 3	I
617.966 5	I
618.242 0	I
631.806 2	I
635.635	II
646.970 5	I
647.284 1	I
648.776 5	I
650.418 0	I
659.501	II
666.892 0	I
672.800 8	I
680.574	II
682.731 5	I
688.215 5	I
699.088*	II
711.959 8	I
716.483	II
739.379 3	I
746.082	III
758.468 0	I
764.202 4	I
788.739 3	I
796.734 2	I
805.725 8	I
806.133 9	I
820.633 6	I
823.163 36*	I
826.652 0	I

1)　この線の真空中の波長が標準波長（メートル現示波長）（物90参照）．

紫外，可視，近赤外域（200〜2200 nm）のおもなスペクトル線の波長 (3)

（単位：nm）

828.011 62*	I
834.682 17*	I
840.918 94*	I
857.601 0	I
864.854 0	I
869.686 0	I
873.937 2	I
881.941 06*	I
886.232 0	I
890.873 0	I
893.083 0	I
895.225 09	I
898.757 0	I
904.544 66	I
916.265 20	I
951.337 7	I
968.532	I
979.969 7*	I
992.319 8*	I
1 052.785 7	I
1 070.678	I
1 083.834	I
1 089.532 4	I
1 108.523 7	I
1 112.718 9	I
1 114.114 5	I
1 174.223 6	I
1 365.648	I
1 473.238	I
1 555.71	I
1 597.95	I
1 655.45	I
1 672.815 8*	I
1 732.579 8	I
1 878.814 6	I
2 026.224 3*	I
2 147.010 1	I

クリプトン

324.569	III
332.575	III
350.742	III
366.532 54	I
367.956 09	I
367.961 11	I
427.396 943*	I
428.296 734	I
429.292 33	II
431.855 24	I
431.957 95*	I
435.135 969	I
435.547 73*	II
436.264 157	I
437.612 159	I
439.996 634	I
442.519 007	I
443.681 22	II
445.391 749	I
446.369 000	I
447.501 41	II
450.235 427	I [1]
457.720 87	II
461.916 58*	II
463.388 50	II
465.887 61*	II
473.900 19*	II
476.574 41*	II
483.207 73	II
484.661 15	II
556.222 534	I
557.028 944*	I
558.038 729	I
564.956 177	I [1]
583.285 661	I
587.091 599*	I
599.385 020	I
605.612 628	I [1]
642.102 700	I [1]
645.628 888	I [1]
669.922 960	I
690.467 87	I
722.410 3	I
728.726 2	I
742.554	I
748.686 2	I
758.741 36*	I
760.154 57*	I
768.524 59	I
769.454 01	I
785.482 33	I
805.950 48	I
810.402	I
810.436 60*	I
811.290 12	I
813.298	I
819.005 66	I
821.840	I
826.324 26	I
828.105 22	I
829.810 99	I
850.887 28	I
877.675 05	I
892.869 33	I
935.223	I
985.624	I
1 022.152*	II
1 029.693	I
1 036.037	I
1 087.490	I
1 118.711	I
1 125.770 4	I
1 145.747 7	I
1 179.241	I
1 181.937 85*	I
1 199.710 2	I
1 207.721	I
1 211.779	I
1 220.453 57	I
1 278.252	I
1 278.252	I
1 287.874	I
1 317.741 10	I
1 362.241 64	I
1 363.422 06	I
1 442.679 27	I
1 473.444 15	I
1 496.189 1	I
1 523.962 23	I
1 533.496 72	I
1 537.204 1	I
1 547.403 3	I
1 582.009 0	I
1 672.653	I
1 678.513 29	I
1 685.349 81	I
1 689.045 38	I
1 689.676 47	I
1 693.581 34	I
1 709.877 93	I
1 736.761 40	I
1 784.274 4	I
1 800.223 00*	I
1 809.944	I
1 816.732 73	I
1 818.507	I
1 858.089	I
1 869.630 6	I
1 878.548	I
1 879.771	I
2 020.989	I
2 042.399	I
2 116.552	I
2 190.253 23*	I

水　銀

234.543	I
237.832 4	I
239.935	I
248.200 1	I
248.271 6	I
248.381 5	I
253.477 2	I
253.652 10*	I
257.628 5	I
265.203 9	I
265.369 0*	I
265.513 4	I
269.882 8	I
269.937 6	I
272.443	III
275.277 7	I
280.346 6	I
284.767 50*	II
289.360 10	I
292.541 4	I
296.728 30	I
302.150 40	I
302.347 1	I
302.749 0	I
312.567 40	I
313.155 50	I
313.184 40	I
334.148 40	I
354.346	I
365.015 80	I
365.484 20	I
366.288 70	I
366.328 40	I
379.000	I
398.393 12*	II
404.656 50*	I
407.783 70	I
410.805 4	I
412.207	III
421.674	III
434.749 45	I
435.833 50*	I
496.010	I
497.357	III
512.063 7	I
535.403 4	I
542.525 3*	II
546.075 00*	I
567.581	I
567.710 5*	II
576.961 00	I
579.067 00	I
580.378 2	I
585.925 4	I
587.127 9*	II
588.893 9*	II
614.643 5*	II
614.947 50*	II
671.634	I
690.746	I
708.190 1	I
709.186 0	I
794.455 5*	II
1 013.975	I
1 128.71	I
1 320.995	I
1 342.657	I
1 346.838	I
1 350.558	I
1 357.021	I
1 367.351	I
1 395.055	I
1 529.582	I
1 688.148	I
1 692.016	I
1 707.279	I
1 732.941	I
1 813.038	I
1 970.017	I

水　素

379.790 9	I [2]
383.539 7	I [2]
388.906 4	I [2]
397.007 5	I [2]

1)　この線の真空中の波長が標準波長（メートル現示波長）（**物 90** 参照）.
2)　バルマー系列

紫外，可視，近赤外域（200～2200 nm）のおもなスペクトル線の波長 (4)

（単位：nm）

410.173 4	I [2)]
434.047 2	I [2)]
486.128 694 9	I [2)]
486.129 776 1	I [2)]
656.270 970	I [2)]
656.272 483	I [2)]
656.277 153	I [2)]
656.285 175	I [2)]
004.98	I [3)]
093.817	I [3)]
281.807 2	I [3)]
875.13	I [3)]

ナトリウム

223.032 8	III
224.670 6	III
245.930 6	III
247.473 2	III
249.702 2	III
268.033 1	I
268.042 1	I
285.281 1	I
285.301 3	I
313.548 3*	II
314.928 3*	II
316.373 6*	II
330.236 9	I
330.297 9	I
341.62	I
342.686 2	I
342.73	I
348.90	I
350.25	I
351.10	I
384.80	I
386.55	I
387.29	I
388.18	I
388.57	I
390.04	I
391.79	I
392.56	I
393.06	I
394.26	I
398.03	I
399.77	I
400.88	I
415.740	I
416.767	I
417.67	I
418.022	I
418.55	I
419.598	I
420.216	I
420.49	I
421.613	I
422.381	I
424.208 2	I
425.252 0	I
425.38	I
427.364 2	I
427.39	I
427.678 7	I
428.67	I
429.100 6	I
432.140 0	I
432.461 5	I
434.148 9	I
434.473 6	I
439.002 9	I
439.334 0	I
441.988 5	I
442.324 6	I
443.23	I
449.417 7	I
449.765 8	I
454.163 3	I
454.518 6	I
466.481 07	I
466.855 95	I
474.794 10	I
475.182 18	I
497.854 14	I
498.281 34	I
507.12	I
514.883 81	I
515.340 24	I
516.25	I
525.64	I
562.10	I
568.263 33	I
568.819 34	I
568.820 46	I
574.42	I
588.995 095*	I [4)]
589.592 424*	I [5)]
615.422 53	I
616.074 70	I
818.325 56	I
819.479 05	I
819.482 37	I
864.992	I
865.089	I
894.296	I
915.388	I
946.594	I
996.128	I
1 056.600	I
1 057.228	I
1 074.644	I
1 074.929	I
1 083.487	I
1 119.019	I
1 119.721	I
1 138.145	I
1 140.378	I
1 267.917	I
1 476.754	I
1 477.975	I
1 637.387	I
1 846.539	I

ネオン

258.999 71	III
259.355 52	III
267.790 47	III
277.762 88	III
286.671 87	III
331.972 2	II
332.373 505	II
334.545 437	II
336.990 69	I
337.821 931	II
339.280 061	II
352.047 14	I
453.775 45	I
470.439 49	I
470.885 94	I
471.006 50	I
471.206 33	I
471.534 40	I
478.892 58	I
482.733 80	I
488.491 70	I
495.703 35	I
533.077 75	I
534.109 38	I
534.328 34	I
540.056 16	I
576.441 88	I
585.248 78	I
588.189 50	I
597.553 43	I
602.999 68	I
607.433 76	I
614.306 27	I
616.359 37	I
621.728 12	I
626.649 52	I
633.442 76	I
638.299 14	I
640.224 80	I
650.652 77	I
659.895 28	I
692.946 72*	I
702.405 00	I
703.241 28*	I
705.910 79	I
717.393 80*	I
724.516 65*	I
743.889 81	I
748.887 12	I
753.577 39	I
754.404 39	I
794.318 05	I
813.640 61	I
826.607 69	I
830.032 48	I
837.635 90	I
837.760 70*	I
841.842 65	I
849.535 91	I
859.125 83	I
863.464 72	I
864.704 12	I
865.438 28	I
865.552 20	I
867.949 36	I
868.192 16	I
877.165 75	I
878.062 23	I
878.375 39	I
885.386 69	I
886.575 62	I
891.950 07	I
914.867 20	I
920.175 88	I
922.005 98	I
930.085 32	I
932.650 72	I
953.416 40	I
966.542 00	I
1 056.240 89	I
1 079.804 30	I
1 084.447 74	I
1 114.302 00	I
1 117.752 46	I
1 139.043 33	I
1 140.913 38	I
1 152.274 50	I
1 152.502 03	I
1 153.634 46	I
1 161.408 05	I
1 176.679 29	I
1 178.904 44	I
1 198.491 39	I
1 206.633 43	I
1 268.920 32	I
1 291.201 41	I
1 742.006 18	II
1 764.366 08	II
1 827.664 15	I
1 828.261 40	I
1 830.396 74	I
1 838.482 56	I
1 838.993 66	I
1 842.240 16	I
1 859.154 1	I
1 859.769 8	I
2 098.614 46	II

ヘリウム

257.76	I
281.82	I
294.510 6	I
301.37	I
318.774 5	I
381.960 74	I
388.864 8*	I
396.472 91	I
402.619 14	I
412.081 54	I
438.792 96	I
447.148 02	I
471.314 57	I
492.193 13	I
501.567 83	I
504.773 8	I
587.562 1*	I
667.815 1	I

2)　バルマー系列，　3)　パッシェン系列，　4)　D_2，　5)　D_1

紫外，可視，近赤外域（200～2200 nm）の おもなスペクトル線の波長（5）

（単位：nm

706.519 0	I	307.571 94	I	368.305 45	I	387.857 30*	I	446.655 15	I
706.571	I	309.996 79	I	368.410 74	I	387.867 07	I	452.861 39	I
728.134 9	I	319.322 57	I	368.745 64	I	388.628 20	I	487.131 79	I
1 091.292	I	322.206 69	I	370.556 58*	I	388.704 80	I	489.075 48	I
1 196.912	I	322.578 70	I	370.782 18	I	388.851 32	I	489.149 21	I
1 252.752	I	323.622 21	I	370.791 96	I	389.565 62	I	491.899 37	I
1 278.479	I	328.675 28	I	370.924 61	I	389.788 96	I	492.050 28	I
1 278.499	I	340.745 94	I	372.256 27*	I	389.970 71*	I	495.729 83	I
1 279.057	I	341.313 21	I	372.437 67	I	390.294 55	I	495.759 65	I
1 296.845	I	342.711 93	I	372.761 88	I	390.647 95	I	500.611 88	I
1 508.364	I	344.060 57*	I	373.239 61	I	392.025 78	I	501.206 81	I
1 700.247	I	344.098 85*	I	373.331 73*	I	392.291 15*	I	504.175 57	I
1 868.534*	I	344.387 63	I	374.336 19	I	392.792 0	I	511.041 28	I
1 869.723	I	344.514 89	I	374.556 10*	I	393.029 64*	I	513.946 25	I
1 908.938	I	346.586 04	I	374.589 93*	I	395.667 7	I	516.748 81	I
1 954.308	I	347.545 00*	I	374.826 19*	I	396.925 70	I	517.159 60	I
2 058.130*	I	347.670 16	I	374.948 51*	I	399.739 19	I	519.234 39	I
2 112.007	I	349.057 38*	I	375.823 27	I	400.524 17	I	519.494 14	I
2 112.143	I	349.784 03	I	376.004 94	I	404.581 22*	I	521.627 37	I
2 113.203	I	351.381 77	I	376.378 88	I	406.359 39	I	522.718 91	I
鉄		352.126 1	I	376.553 87	I	407.173 77	I	523.294 00	I
		352.604 06	I	376.719 15	I	411.854 47	I	526.655 50	I
234.349 480	II	352.616 56	I	378.594 81	I	413.205 79	I	526.953 70*	I
238.203 733	II	354.108 31	I	378.667 66	I	414.341 43	I	527.035 60	I
239.562 504	II	354.207 54	I	378.787 99	I	414.386 78	I	532.417 87	I
240.488 550	II	355.492 43	I	379.009 27	I	418.175 44	I	532.803 83	I
259.939 515	II	355.851 48	I	379.433 95	I	418.703 87	I	532.853 13	I
273.954 721	II	356.537 87	I	379.500 19	I	418.779 52	I	534.102 37	I
275.573 620	II	357.025 39	I	379.751 46	I	419.909 5	I	537.148 93	I
293.690 32	I	358.465 92	I	379.851 11	I	420.202 89	I	539.712 76	I
294.787 58	I	358.531 87*	I	379.954 73	I	421.618 35	I	540.577 49	I
295.393 98	I	358.570 51	I	380.534 2	I	422.742 63	I	542.969 64	I
295.736 43	I	358.611 24	I	381.296 43	I	423.360 25	I	543.452 35	I
296.689 84	I	358.698 45	I	381.584 00	I	423.593 67	I	544.691 64	I
297.009 92	I	360.320 33	I	382.117 76	I	425.011 92	I	545.560 92	I
297.010 58	I	360.545 25	I	382.444 35*	I	425.078 66	I	633.533 04	I
297.313 22	I	360.667 91	I	382.588 09	I	426.047 41	I	633.682 39	I
297.323 52	I	360.885 91	I	382.782 24	I	427.115 35	I	639.360 09	I
298.144 48	I	361.015 88	I	383.422 22	I	427.176 02	I	640.000 08	I
299.951 16	I	361.876 77	I	383.925 56	I	428.240 26	I	640.801 79	I
300.094 76	I	362.146 04	I	384.043 72	I	429.412 45	I	641.164 89	I
300.728 22	I	362.200 31	I	384.104 77	I	429.923 5	I	642.135 04	I
300.813 80	II	362.318 58	I	384.325 65	I	430.790 20	I	643.084 60	I
300.956 91	I	363.146 29*	I	384.996 64	I	431.508 43	I	649.498 00	I
302.049 05	I	364.038 83	I	385.081 76	I	432.576 16	I	654.623 90	I
302.403 24	I	364.784 3	I	385.637 13*	I	437.592 98	I	656.921 51	I
302.584 22	I	364.950 61	I	385.921 23	I	438.354 47	I	659.291 34	I
303.738 85	I	365.146 67	I	386.552 28	I	440.475 01	I	659.387 01	I
305.744 56	I	366.952 09	I	387.250 09	I	441.512 22	I	666.344 17	I
305.908 56	I	367.762 74	I	387.376 03	I	442.730 96	I	667.798 65	I
306.724 37	I	367.991 31	I	387.801 80	I	446.165 25	I	675.015 20	I

真空紫外部のおもなスペクトル線の波長(真空)

元素の記号に付したI，II，III，IVなどはそれぞれ中性原子，第1イオン化原子，第2イオン化原子および第3イオン化原子を表す．

波長 λ/nm	発光する原子またはイオン	波長 λ/nm	発光する原子またはイオン	波長 λ/nm	発光する原子またはイオン	波長 λ/nm	発光する原子またはイオン
193.0900	C I	108.5701	N II	77.5965	N II	53.8312	C III
174.5249	N I	108.4580	N II	76.9152	Ar III	52.4189	Ar V
171.852	N IV	108.3990	N II	76.4357	N III	47.9372	Ar VII
165.8120	C I	102.5722	H, L_β, I	74.5322	Ar II	47.5656	Ar VII
165.7905	C I	99.1579	N III	74.4925	Ar II	47.3938	Ar VII
165.7377	C I	98.9790	N III	74.6270	Ar II	46.2007	Ar VI
165.7007	C I	97.7020	C III	73.0129	Ar II	45.9633	C III
165.6265	C I	93.2053	Ar II	72.3361	Ar II	45.9521	C III
156.1437	C I	92.3211	N IV	70.0278	Ar IV	44.5997	Ar V
156.0682	C I	91.9782	Ar II	68.9007	Ar IV	41.9714	C IV
155.077	C IV	91.6703	N II	68.7345	C II	41.9525	C IV
154.820	C IV	91.6015	N II	68.6335	N III	38.4178	C IV
149.4668	N I	90.1162	Ar IV	68.5816	N III	38.4032	C IV
149.2615	N I	90.0362	Ar IV	68.5513	N III	31.2453	C IV
133.5708	C II	88.7404	Ar III	68.4996	N III	31.2422	C IV
133.4532	C I	88.3179	Ar III	68.3278	Ar III	28.3579	N IV
132.9600	C I	87.9622	Ar III	67.9400	Ar II	28.3420	N IV
132.9577	C I	87.8728	Ar III	67.7951	Ar II	24.7710	N V
121.5670	H, L_α, I	87.6057	Ar I	66.0286	N II	24.7563	N V
120.0710	N I	87.5534	Ar III	64.5178	N II	20.9270	N V
120.0224	N I	87.1099	Ar III	64.1808	Ar III	4.0270	C V
119.9550	N I	85.0602	Ar IV	63.7282	Ar III	3.4973	C V
117.7694	N I	84.3772	Ar IV	59.6694	Ar VI	3.3736	C VI
117.6508	N I	84.0029	Ar IV	58.8921	Ar VI	2.8787	N VI
117.5711	C II	80.1913	Ar IV	55.5754	Ar VII	2.4898	N VI
113.4981	N I	80.1409	Ar IV	57.4381	C III	2.4781	N VII
113.4415	N I	80.1086	Ar IV	55.1378	Ar VI		
113.4166	N I	80.0573	Ar IV	54.9905	Ar VI		
				54.4731	Ar VI		

主として，B. Edlén, Progress in Physics, **23** (1963) による．

赤外部のおもなスペクトル線の波数

中程度の分解能（$\Delta\tilde{\nu}=0.5\sim1.0\ \mathrm{cm}^{-1}$）を有する赤外分光器の波長較正に都合のよいスペクトル線の波数を示す．アルゴンは原子発光スペクトルで，波数は真空中における値である．他は分子吸光スペクトルである．

（単位：cm^{-1}）

アルゴン	3663.92	3191.52	2683.76	**インデン**	1856.9	**インデン：**	1871
4920.64	3654.46	3151.86	2637.00	3927.2	1797.7	**ショウノウ：**	1802
4849.22	3597.96	3142.14	2623.25	3901.6	1661.8	**シクロヘキサン**	1601
4841.97	3545.80	3141.90	2608.84	3798.9	1609.8	**(1:1:1)**	1583
4821.77	3540.33	3102.19	2576.58	3660.6	1587.5	592.1	1542
4821.37	3530.85	3100.17	2566.67	3297.8	1553.2	551.7	1493
4803.83	3516.79	3095.41	2552.32	3139.5	1457.3	521.4	1452
4763.76	3508.07	3092.73	2542.60	3110.2	1393.5	490.2	1373
4686.32	3504.05	3040.57	2531.75	3025.4	1361.1	420.5	1328
4642.51	3494.03	3023.09	2521.16	2887.6	1312.4	393.1	1312
4536.06	3484.58	3016.73	2520.75	2673.3	1288.0	381.6	1181
4528.33	3482.77	3003.60	2515.80	2622.3	1226.2	301.4	1154
4321.61	3474.28	2860.37	2505.69	2598.4	1205.1		1069
4192.60	3467.04	2838.59	2499.49	2525.5	1166.1		1028
4171.35	3449.56	2838.39	2494.99	2305.1	1122.4		1003
3978.97	3435.42	2760.84	2494.25	2271.4	1067.7	**ポリスチレン**	980
3922.40	3432.41	2753.88	2493.90	2258.7	1018.5	3103	964
3919.70	3417.30	2747.97	2489.74	2172.8	947.2	3082	942
3895.90	3415.22	2747.63	2489.44	2135.8	942.4	3060	907
3810.72	3382.23	2740.33	2473.22	2113.2	914.7	3027	841
3766.44	3356.07	2701.71	2469.70	2090.2	861.3	3000	757
3725.36	3282.77	2696.44	2445.51	1943.1	830.5	2924	699
3715.12	3273.02	2692.26		1915.3	765.3	2851	
3672.01	3226.20	2689.17		1885.1	692.6	1944	

なお，波長較正のための標準吸収線の詳細についてはつぎの文献がある．

国際純正・応用化学連合（IUPAC）分子構造・分光学委員会，A. R. H. Cole 編："Tables of Wavenumbers for the Calibration of Infrared Spectrometers", Pergamon Press, 1977.

特性X線の波長

K　系　(1)

(単位：nm)

元素および原子番号	特性X線とその近似的強度比					
	$\alpha_{1,2}$	α_1	α_2	β_1	β_3	β_2
	150	100	50	15		5
Li 3	23.0					
Be 4	11.3					
B 5	6.7					
C 6	4.4					
N 7	3.1603					
O 8	2.3707					
F 9	1.8307					
Ne 10	1.4615			1.4460		
Na 11	1.1909			1.1574	1.1726	
Mg 12	0.9889			0.9559	0.9667	
Al 13	0.8339	0.8338	0.8341	0.7960	0.8059	
Si 14	0.7126	0.7125	0.7127	0.6778		
P 15	0.6155	0.6154	0.6157	0.5804		
S 16	0.5373	0.5372	0.5375	0.5032		
Cl 17	0.4729	0.4728	0.4731	0.4403		
Ar 18	0.4192	0.4191	0.4194	0.3886		
K 19	0.3744	0.3742	0.3745	0.3454		
Ca 20	0.3360	0.3359	0.3362	0.3089		
Sc 21	0.3032	0.3031	0.3034	0.2780		
Ti 22	0.2750	0.2749	0.2753	0.2514		
V 23	0.2505	0.2503	0.2507	0.2285		
Cr 24	0.2291	0.2290	0.2294	0.2085		
Mn 25	0.2103	0.2102	0.2105	0.1910		
Fe 26	0.1937	0.1936	0.1940	0.1757		
Co 27	0.1791	0.1789	0.1793	0.1621		
Ni 28	0.1659	0.1658	0.1661	0.1500		0.1489
Cu 29	0.1542	0.1540	0.1544	0.1392	0.1393	0.1381
Zn 30	0.1437	0.1435	0.1439	0.1296		0.1284
Ga 31	0.1341	0.1340	0.1344	0.1207	0.1208	0.1196
Ge 32	0.1256	0.1255	0.1258	0.1129	0.1129	0.1117
As 33	0.1177	0.1175	0.1179	0.1057	0.1058	0.1045
Se 34	0.1106	0.1105	0.1109	0.0992	0.0993	0.0980
Br 35	0.1041	0.1040	0.1044	0.0933	0.0933	0.0921
Kr 36	0.0981	0.0980	0.0984	0.0879	0.0879	0.0866
Rb 37	0.0927	0.0926	0.0930	0.0829	0.0830	0.0817
Sr 38	0.0877	0.0875	0.0880	0.0783	0.0784	0.0771
Y 39	0.0831	0.0829	0.0833	0.0740	0.0741	0.0728
Zr 40	0.0788	0.0786	0.0791	0.0701	0.0702	0.0690
Nb 41	0.0748	0.0747	0.0751	0.0665	0.0666	0.0654
Mo 42	0.0710	0.0709	0.0713	0.0632	0.0633	0.0621

K　系　(2)

(単位：nm

元素および原子番号	特性X線とその近似的強度比					
	$\alpha_{1,2}$	α_1	α_2	β_1	β_3	β_2
	150	100	50	15		5
Tc 43	0.0676	0.0675	0.0679	0.0601		0.0590
Ru 44	0.0644	0.0643	0.0647	0.0572	0.0573	0.0562
Rh 45	0.0614	0.0613	0.0617	0.0546	0.0546	0.0535
Pd 46	0.0587	0.0585	0.0590	0.0521	0.0521	0.0510
Ag 47	0.0561	0.0559	0.0564	0.0497	0.0498	0.0487
Cd 48	0.0536	0.0535	0.0539	0.0475	0.0476	0.0465
In 49	0.0514	0.0512	0.0517	0.0455	0.0455	0.0445
Sn 50	0.0492	0.0491	0.0495	0.0435	0.0436	0.0426
Sb 51	0.0472	0.0470	0.0475	0.0417	0.0418	0.0408
Te 52	0.0453	0.0451	0.0456	0.0400	0.0401	0.0391
I 53	0.0435	0.0433	0.0438	0.0384	0.0385	0.0376
Xe 54	0.0418	0.0416	0.0421	0.0369		0.0360
Cs 55	0.0402	0.0401	0.0405	0.0355	0.0355	0.0346
Ba 56	0.0387	0.0385	0.0390	0.0341	0.0342	0.0333
La 57	0.0373	0.0371	0.0376	0.0328	0.0329	0.0320
Ce 58	0.0359	0.0357	0.0362	0.0316	0.0317	0.0309
Pr 59	0.0346	0.0344	0.0349	0.0305	0.0305	0.0297
Nd 60	0.0334	0.0332	0.0337	0.0294	0.0294	0.0287
Pm 61	0.0322	0.0321	0.0325	0.0283		
Sm 62	0.0311	0.0309	0.0314	0.0274	0.0274	0.0267
Eu 63	0.0301	0.0299	0.0304	0.0264	0.0265	0.0258
Gd 64	0.0291	0.0289	0.0294	0.0255	0.0256	0.0249
Tb 65	0.0281	0.0279	0.0284	0.0246	0.0246	0.0239
Dy 66	0.0272	0.0270	0.0275	0.0237	0.0238	0.0231
Ho 67	0.0263	0.0261	0.0266			
Er 68	0.0255	0.0253	0.0258	0.0222	0.0223	0.0217
Tm 69	0.0246	0.0244	0.0250	0.0215	0.0216	
Yb 70	0.0238	0.0236	0.0241	0.0208	0.0209	0.0203
Lu 71	0.0231	0.0229	0.0234	0.0202	0.0203	0.0197
Hf 72	0.0224	0.0222	0.0227	0.0195	0.0196	0.0190
Ta 73	0.0217	0.0215	0.0220	0.0190	0.0191	0.0185
W 74	0.0211	0.0209	0.0213	0.0184	0.0185	0.0179
Re 75	0.0204	0.0202	0.0207	0.0179	0.0179	0.0174
Os 76	0.0198	0.0196	0.0201	0.0173	0.0174	0.0169
Ir 77	0.0193	0.0191	0.0196	0.0168	0.0169	0.0164
Pt 78	0.0187	0.0185	0.0190	0.0163	0.0164	0.0159
Au 79	0.0182	0.0180	0.0185	0.0159	0.0160	0.0155
Hg 80	0.0177	0.0175	0.0180	0.0154	0.0155	0.0150
Tl 81	0.0172	0.0170	0.0175	0.0150	0.0151	0.0146
Pb 82	0.0167	0.0165	0.0170	0.0146	0.0147	0.0147
Bi 83	0.0162	0.0161	0.0165	0.0142	0.0143	0.0138
Po 84	0.0158	0.0156	0.0161	0.0138		0.0133

K　系　(3)

(単位：nm)

元素および原子番号		特性X線とその近似的強度比					
		$\alpha_{1,2}$	α_1	α_2	β_1	β_3	β_2
		150	100	50	15		5
At	85						
Rn	86						
Fr	87						
Ra	88						
Ac	89						
Th	90	0.0135	0.0133	0.0138	0.0117	0.0118	0.0114
Pa	91						
U	92	0.0128	0.0126	0.0131	0.0111	0.0112	0.0108

L　系　(1)

(単位：nm)

元素および原子番号		特性X線とその近似的強度比					元素および原子番号		特性X線とその近似的強度比				
		α	α_1	α_2	β_1	β_2			α_1	α_2	β_1	β_2	γ_1
		110	100	10	50	20			100	10	50	20	10
Na	11						Y	39	0.6449	0.6456	0.6211		
Mg	12						Zr	40	0.6070	0.6077	0.5836	0.5586	0.5384
Al	13						Nb	41	0.5725	0.5732	0.5492	0.5238	0.5036
Si	14						Mo	42	0.5406	0.5414	0.5176	0.4923	0.4726
P	15						Tc	43					
S	16						Ru	44	0.4846	0.4854	0.4620	0.4372	0.4182
Cl	17						Rh	45	0.4597	0.4605	0.4374	0.4130	0.3944
Ar	18						Pd	46	0.4368	0.4376	0.4146	0.3909	0.3725
K	19						Ag	47	0.4154	0.4162	0.3935	0.3703	0.3523
Ca	20	3.6393			3.6022		Cd	48	0.3956	0.3965	0.3739	0.3514	0.3336
Sc	21	3.1393			3.1072		In	49	0.3752	0.3781	0.3555	0.3339	0.3162
Ti	22	2.7445			2.7074		Sn	50	0.3600	0.3609	0.3385	0.3175	0.3001
V	23	2.4309			2.3898		Sb	51	0.3439	0.3448	0.3226	0.3023	0.2852
Cr	24	2.1713			2.1323		Te	52	0.3290	0.3299	0.3077	0.2882	0.2712
Mn	25	1.9489			1.9158		I	53	0.3148	0.3157	0.2937	0.2751	0.2582
Fe	26	1.7602			1.7290		Xe	54					
Co	27	1.6000			1.5698		Cs	55	0.2892	0.2902	0.2683	0.2511	0.2348
Ni	28	1.4595			1.4308		Ba	56	0.2776	0.2785	0.2567	0.2404	0.2242
Cu	29	1.3357			1.3079		La	57	0.2665	0.2674	0.2458	0.2303	0.2141
Zn	30		1.2282		1.2009		Ce	58	0.2561	0.2570	0.2356	0.2208	0.2048
Ga	31		1.1313		1.1045		Pr	59	0.2463	0.2473	0.2259	0.2119	0.1961
Ge	32		1.0456		1.0194		Nd	60	0.2370	0.2382	0.2166	0.2035	0.1878
As	33		0.9671		0.9414		Pm	61	0.2283		0.2081		
Se	34		0.8990		0.8735		Sm	62	0.2199	0.2210	0.1998	0.1882	0.1726
Br	35		0.8375		0.8126		Eu	63	0.2120	0.2131	0.1920	0.1812	0.1657
Kr	36						Gd	64	0.2046	0.2057	0.1847	0.1746	0.1592
Rb	37		0.7318	0.7325	0.7075		Tb	65	0.1976	0.1986	0.1777	0.1682	0.1530
Sr	38		0.6863	0.6870	0.6623		Dy	66	0.1909	0.1920	0.1710	0.1623	0.1473

L　系　(2)

(単位：nm

元素および原子番号	特性X線とその近似的強度比				
	α_1	α_2	β_1	β_2	γ_1
	100	10	50	20	10
Ho 67	0.1845	0.1856	0.1647	0.1567	0.1417
Er 68	0.1785	0.1796	0.1587	0.1514	0.1364
Tm 69	0.1726	0.1738	0.1530	0.1463	0.1316
Yb 70	0.1672	0.1682	0.1476	0.1416	0.1268
Lu 71	0.1619	0.1630	0.1424	0.1370	0.1222
Hf 72	0.1569	0.1580	0.1374	0.1327	0.1179
Ta 73	0.1522	0.1533	0.1327	0.1285	0.1138
W 74	0.1476	0.1487	0.1282	0.1245	0.1098
Re 75	0.1433	0.1444	0.1238	0.1206	0.1061
Os 76	0.1391	0.1402	0.1197	0.1169	0.1025
Ir 77	0.1352	0.1363	0.1158	0.1135	0.0991
Pt 78	0.1313	0.1325	0.1120	0.1102	0.0958
Au 79	0.1277	0.1288	0.1083	0.1070	0.0927
Hg 80	0.1242	0.1253	0.1049	0.1040	0.0897
Tl 81	0.1207	0.1218	0.1015	0.1010	0.0868

元素および原子番号	特性X線とその近似的強度比				
	α_1	α_2	β_1	β_2	γ_1
	100	10	50	20	10
Pb 82	0.1175	0.1186	0.0982	0.0983	0.084
Bi 83	0.1144	0.1155	0.0952	0.0955	0.081
Po 84	0.1114	0.1126	0.0921	0.0929	0.078
At 85					
Rn 86					
Fr 87	0.1030		0.0840	0.0858	0.071
Ra 88	0.1005	0.1017	0.0814	0.0836	0.069
Ac 89					
Th 90	0.0956	0.0968	0.0766	0.0794	0.065
Pa 91	0.0933	0.0945	0.0742	0.0774	0.063
U 92	0.0911	0.0923	0.0720	0.0755	0.061
Np 93	0.0890	0.0901	0.0698	0.0735	0.059
Pu 94	0.0868	0.0880	0.0678	0.0719	0.057
Am 95	0.0849	0.0860	0.0658	0.0701	0.056

M　系

(単位：nm

元素および原子番号	特性X線				
	α_1	α_2	β	γ	1
K 19					68.0
Cu 29					17.0
Ru 44				2.685	
Rh 45				2.500	
Pd 46					
Ag 47				2.180	
Cd 48				2.046	
In 49					
Sn 50				1.794	
Sb 51				1.692	
Te 52				1.593	
Ba 56				1.2700	
La 57	1.488		1.451	1.2064	
Ce 58	1.406		1.378	1.1534	1.838
Pr 59				1.0997	
Nd 60	1.2675		band	1.0504	
Pm 61					
Sm 62	band		band	0.9599	
Eu 63	band		1.0744	0.9211	1.422
Gd 64	band		1.0253	0.8844	1.357
Tb 65	band		0.9792	0.8485	1.298

元素および原子番号	特性X線				
	α_1	α_2	β	γ	1
Dy 66	band		0.9364	0.8144	1.243
Ho 67	band		0.8965	0.7865	1.186
Er 68	band		0.8593	0.7545	1.137
Tm 69	0.8460		0.8246		
Yb 70	0.8139	0.8155	0.7909	0.7023	1.048
Lu 71	0.7840		0.7600	0.6761	1.007
Hf 72	0.7539	0.7546	0.7304	0.6543	0.969
Ta 73	0.7251	0.7258	0.7022	0.6312	0.932
W 74	0.6983	0.6990	0.6756	0.6088	0.896
Re 75	0.6528		0.6504	0.5887	0.863
Os 76	0.6490		0.6267	0.5681	
Ir 77	0.6261	0.6275	0.6037	0.5501	0.802
Pt 78	0.6046	0.6057	0.5828	0.5320	0.774
Au 79	0.5840	0.5854	0.5623	0.5145	0.747
Hg 80	0.5666		0.5452		
Tl 81	0.5461	0.5472	0.5250	0.4825	0.697
Pb 82	0.5285	0.5299	0.5075	0.4674	0.674
Bi 83	0.5118	0.5129	0.4909	0.4531	0.652
Th 90	0.4138	0.4151	0.3942	0.3679	0.524
Pa 91	0.4022	0.4035	0.3827	0.3577	0.508
U 92	0.3910	0.3924	0.3715	0.3480	0.495

Encyclopedia of X-Rays and gamma Rays (1963) による．さらに詳しくは，ASTM Data Series, DS37A (X-Ray Emission Line Wavelength and Two-Theta Tables, 1970) を参照せよ．

吸収端のエネルギー (1)

(単位：eV)

元素および原子番号		K	L Ⅲ	L Ⅱ	L Ⅰ	M Ⅴ	M Ⅳ	M Ⅲ	M Ⅱ	M Ⅰ
H	1	13.6								
He	2	24.6								
Li	3	54.8								
Be	4	111.0								
B	5	188.0	4.7	4.7						
C	6	283.8	6.4	6.4						
N	7	401.6	9.2	9.2						
O	8	532.0	7.1	7.1	23.7					
F	9	685.4	8.6	8.6	31.0					
Ne	10	866.9	18.3	18.3	45.0					
Na	11	1072.1	31.1	31.1	63.3					
Mg	12	1305.0	51.4	51.4	89.4					
Al	13	1559.6	73.1	73.1	117.7					
Si	14	1838.9	99.2	99.2	148.7					
P	15	2145.5	132.2	132.2	189.3					
S	16	2472.0	164.8	164.8	229.2					
Cl	17	2822.4	200.0	201.6	270.2			6.8		17.5
Ar	18	3202.9	245.2	247.3	320.0			12.4		25.3
K	19	3607.4	293.6	296.3	377.1			17.8		33.9
Ca	20	4038.1	346.4	350.0	437.8			25.4		43.7
Sc	21	4492.8	402.2	406.7	500.4	6.6		32.3		53.8
Ti	22	4966.4	455.5	461.5	563.7	3.7		34.6		60.3
V	23	5465.1	512.9	520.5	628.2	2.2		37.8		66.5
Cr	24	5989.2	574.5	583.7	694.6	2.3		42.5		74.1
Mn	25	6539.0	640.3	651.4	769.0	3.3		48.6		83.9
Fe	26	7112.0	708.1	721.1	846.1	3.6		54.0		92.9
Co	27	7708.9	778.6	793.8	925.6	2.9		59.5		100.7
Ni	28	8332.8	854.7	871.9	1008.1	3.6		68.1		111.8
Cu	29	8978.9	931.1	951.0	1096.6	1.6		73.6		119.8
Zn	30	9658.6	1019.7	1042.8	1193.6	8.1		86.6		135.9
Ga	31	10367.1	1115.4	1142.3	1297.7	17.4		102.9	106.8	158.1
Ge	32	11103.1	1216.7	1247.8	1414.3	28.7		120.8	127.9	180.0
As	33	11866.7	1323.1	1358.6	1526.5	41.2		140.5	146.4	203.5
Se	34	12657.8	1435.8	1476.2	1653.9	56.7		161.9	168.2	231.5
Br	35	13473.7	1549.9	1596.0	1782.0	69.0	70.1	181.5	189.3	256.5
Kr	36	14325.6	1674.9	1727.2	1921.0	88.9		213.8	222.7	
Rb	37	15199.7	1804.4	1863.9	2065.1	110.3	111.8	238.5	247.4	322.1
Sr	38	16104.6	1939.6	2006.8	2216.3	133.1	135.0	269.1	279.8	357.5
Y	39	17038.4	2080.0	2155.5	2372.5	157.4	159.6	300.3	312.4	393.6
Zr	40	17997.6	2222.3	2306.7	2531.6	180.0	182.4	330.5	344.2	430.3
Nb	41	18985.6	2370.5	2464.7	2697.7	204.6	207.4	363.0	378.4	468.4
Mo	42	19999.5	2520.2	2625.1	2865.5	227.0	230.3	392.3	409.7	504.6
Tc	43	21044.0	2676.9	2793.2	3042.5	252.9	256.4	425.0	444.9	
Ru	44	22117.2	2837.9	2966.9	3224.0	279.4	283.6	460.6	482.8	585.0
RH	45	23219.9	3003.8	3146.1	3411.9	307.0	311.7	496.2	521.0	627.1
Pd	46	24350.3	3173.3	3330.3	3604.3	334.7	340.0	531.5	559.1	669.9

吸収端のエネルギー (2)

(単位：eV

元素および原子番号		K	L Ⅲ	L Ⅱ	L Ⅰ	M Ⅴ	M Ⅳ	M Ⅲ	M Ⅱ	M Ⅰ
Ag	47	25514.0	3351.1	3523.7	3805.8	366.7	372.8	571.4	602.4	717.[illegible]
Cd	48	26711.2	3537.5	3727.0	4018.0	403.7	410.5	616.5	650.7	770.[illegible]
In	49	27939.9	3730.1	3938.0	4237.5	443.1	450.8	664.3	702.2	825.[illegible]
Sn	50	29200.1	3928.8	4156.1	4464.7	484.8	493.3	714.4	756.4	883.8
Sb	51	30491.2	4132.2	4380.4	4698.3	527.5	536.9	765.6	811.9	943.7
Te	52	31813.8	4341.4	4612.0	4939.2	572.1	582.5	818.7	869.7	1006.[illegible]
I	53	33169.4	4557.1	4852.1	5188.1	619.4	631.3	874.6	930.5	1072.1
Xe	54	34561.4	4782.2	5103.7	5452.8	672.3		937.0	990.0	
Cs	55	35984.6	5011.9	5359.4	5714.3	725.5	739.5	997.6	1065.0	1217.1
Ba	56	37440.6	5247.0	5623.6	5988.8	780.7	796.1	1062.2	1136.7	1292.8
La	57	38924.6	5482.7	5890.6	6266.3	831.7	848.5	1123.4	1204.4	1361.3
Ce	58	40443.0	5723.4	6164.2	6548.8	883.3	901.3	1185.4	1272.8	1434.6
Pr	59	41990.6	5964.3	6440.4	6834.8	931.0	951.1	1242.2	1337.4	1511.0
Nd	60	43568.9	6207.9	6721.5	7126.0	977.7	999.9	1297.4	1402.8	1575.3
Pm	61	45184.0	6459.3	7012.8	7427.9	1026.9	1051.5	1356.9	1471.4	
Sm	62	46834.2	6716.2	7311.8	7736.8	1080.2	1106.0	1419.8	1540.7	1722.8
Eu	63	48519.0	6976.9	7617.1	8052.0	1130.9	1160.6	1480.6	1613.9	1800.0
Gd	64	50239.1	7242.8	7930.3	8375.6	1185.2	1217.2	1544.0	1688.3	1880.8
Tb	65	51995.7	7514.0	8251.6	8708.0	1241.2	1275.0	1611.3	1767.7	1967.5
Dy	66	53788.5	7790.1	8580.6	9045.8	1294.9	1332.5	1675.6	1841.8	2046.8
Ho	67	55617.7	8071.1	8917.8	9394.2	1351.4	1391.5	1741.2	1922.8	2128.3
Er	68	57485.5	8357.9	9264.3	9751.3	1409.3	1453.3	1811.8	2005.8	2206.5
Tm	69	59389.6	8648.0	9616.9	10115.7	1467.7	1514.6	1884.5	2089.8	2306.8
Yb	70	61332.3	8943.6	9978.2	10486.4	1527.8	1576.3	1949.8	2173.0	2398.1
Lu	71	63313.8	9244.1	10348.6	10870.4	1588.5	1639.4	2023.6	2263.5	2491.2
Hf	72	65350.8	9560.7	10739.4	11270.7	1661.7	1716.4	2107.6	2365.4	2600.9
Ta	73	67416.4	9881.1	11136.1	11681.5	1735.1	1793.2	2194.0	2468.7	2708.0
W	74	69525.0	10206.8	11544.0	12099.8	1809.2	1871.6	2281.0	2574.9	2819.6
Re	75	71676.4	10535.3	11958.7	12526.7	1882.9	1948.9	2367.3	2681.6	2931.7
Os	76	73870.8	10870.9	12385.0	12968.0	1960.1	2030.8	2457.2	2792.2	3048.5
Ir	77	76111.0	11215.2	12824.1	13418.5	2040.4	2116.1	2550.7	2908.7	3173.7
Pt	78	78394.8	11563.7	13272.6	13879.9	2121.6	2201.9	2645.4	3026.5	3296.0
Au	79	80724.9	11918.7	13733.6	14352.8	2205.7	2291.1	2743.0	3147.8	3424.9
Hg	80	83102.3	12283.9	14208.7	14839.3	2294.9	2384.9	2847.1	3278.5	3561.6
Tl	81	85530.4	12657.5	14697.9	15346.7	2389.3	2485.1	2956.6	3415.7	3704.1
Pb	82	88004.5	13035.2	15200.0	15860.8	2484.0	2585.6	3066.4	3554.2	3850.7
Bi	83	90525.9	13418.6	15711.1	16387.5	2579.6	2687.6	3176.9	3696.3	3999.1
Po	84	93105.0	13813.8	16244.3	16939.3	2683.0	2798.0	3301.9	3854.1	4149.4
At	85	95729.9	14213.5	16784.7	17493.0	2786.7	2908.7	3426.0	4008.0	4317.0
Rn	86	98404.0	14619.4	17337.1	18049.0	2892.4	3021.5	3538.0	4159.0	4482.0
Fr	87	101137.0	15031.2	17906.5	18639.0	2999.9	3136.2	3663.0	4327.0	4652.0
Ra	88	103921.9	15444.4	18484.3	19236.7	3104.9	3248.4	3791.8	4489.5	4822.0
Ac	89	106755.3	15871.0	19083.2	19840.0	3219.0	3370.2	3909.0	4656.0	5002.0
TH	90	109650.9	16300.3	19693.2	20472.1	3332.0	3490.8	4046.1	4830.4	5182.3
Pa	91	112601.4	16733.1	20313.7	21104.6	3441.8	3611.2	4173.8	5000.9	5366.9
U	92	115606.1	17166.3	20947.6	21757.4	3551.7	3727.6	4303.4	5182.2	5548.0

J. A. Eearden et al., Reviews of Modern Physics **39**, 125 (1967) による.

X 線の諸物質に対する質量吸収係数

吸収係数はつぎの関係式による.
$I = I_0 \exp(-\lambda d)$. ただし I_0 は入射 X 線の強さ, I は物質中を d だけ進んだ後の強さ, λ は吸収係数.
次表は吸収係数をその物質の密度で除したものすなわち質量吸収係数を示したものである.　(単位 : cm^2/g)

波長 nm	吸収する元素とその原子番号											
	H 1	C 6	N 7	O 8	Al 13	Fe 26	Cu 29	Ag 47	Sn 50	Pt 78	Au 79	Pb 82
0.030	0.348	0.208	0.230	0.260	0.552	3.35	4.51	16.5	19.0	11.1	11.5	12.8
0.040	0.359	0.258	0.311	0.382	1.08	7.54	10.2	35.0	39.5	24.6	25.5	28.1
0.050	0.367	0.336	0.438	0.577	1.93	14.2	19.1	9.45	11.5	45.2	46.6	50.6
0.060	0.374	0.449	0.625	0.865	3.20	23.9	31.9	15.9	19.2	73.3	75.2	80.1
0.070	0.379	0.605	0.884	1.26	4.95	36.9	48.9	24.7	29.8	109	111	116
0.080	0.384	0.811	1.23	1.79	7.25	53.6	70.4	36.0	43.4	151	153	148
0.090	0.389	1.07	1.66	2.47	10.2	74.2	96.6	50.2	60.3	179	183	141
0.100	0.394	1.40	2.21	3.31	13.8	99.1	128	67.3	80.7	158	165	74.2
0.110	0.400	1.80	2.87	4.33	18.2	128	163	87.6	105	82.1	85.4	96.0
0.120	0.407	2.28	3.67	5.55	23.5	162	204	111	132	104	108	121
0.130	0.414	2.84	4.60	6.99	29.6	199	248	138	164	129	134	150
0.140	0.422	3.50	5.69	8.66	36.8	242	40.0	169	199	156	162	181
0.150	0.431	4.25	6.95	10.6	44.9	288	48.9	203	239	187	194	216
0.160	0.441	5.12	8.38	12.8	54.1	338	58.9	240	282	220	228	254
0.170	0.452	6.09	9.99	15.3	64.5	392	70.3	281	328	257	266	295
0.180	0.465	7.19	11.8	18.0	76.0	53.7	82.9	325	378	295	306	338
0.190	0.478	8.41	13.8	21.1	88.8	62.8	97.0	372	431	337	348	384
0.200	0.493	9.76	16.1	24.6	103	72.9	112	423	487	380	393	432
0.210	0.510	11.3	18.5	28.4	118	83.9	129	476	545	426	439	482
0.220	0.527	12.9	21.3	32.5	135	96.0	148	532	606	473	487	532
0.230	0.547	14.7	24.2	37.0	154	109	168	591	668	521	537	584
0.240	0.568	16.6	27.5	42.0	173	123	190	652	732	571	587	636
0.250	0.592	18.8	31.0	47.3	195	139	213	714	796	621	637	687
0.260	0.617	21.1	34.7	53.1	217	155	239	778	861	671	687	738
0.270	0.643	23.5	38.8	59.3	242	173	266	843	926	720	737	787

International Tables for X-ray Crystallography, vol.Ⅲ (1968) による.

X線波長標準結晶

X線や放射線の波長および結晶の格子定数の精密測定は，シリコン結晶の格子定数を基準として行われる．理想的なシリコン結晶の格子定数は，格子欠陥や不純物を含まない結晶の，真空中，22.5℃における値として定義されている．このとき，シリコンの同位体組成は自然存在率のものとし，結晶中に含まれる炭素および酸素濃度をゼロに外挿した値を用いる．

シリコン結晶の(220)面の面間隔は，$d_{220} = 192.015\,571\,4 \times 10^{-12}$ m であり，その相対不確かさは0.016 ppmである．これを用いると，格子定数は，$a = 543.102\,050(89) \times 10^{-12}$ m となる．1気圧下(101 325 Pa)でのシリコン結晶の格子定数は，その線膨張係数 $\alpha = 2.5$ ppm(±0.05 ppm)/K，弾性定数 $c_{11} = 166$ GPa，$c_{12} = 64$ GPa を用いて，$a = 543.101\,863 \times 10^{-12}$ m となる．

標準結晶の格子定数と線膨張係数

立方晶結晶については1つの格子定数と線膨張係数を，六方晶結晶などでは基本結晶軸 a および c 軸についてそれぞれ2つの値を掲げる．1 pm $= 10^{-12}$ m.

結晶名	格子定数 a,c/pm	測定温度 t/℃	線膨張係数 $\alpha/10^{-6}$ K^{-1}
W	316.524	25	4.5
Ag	408.651	25	18.9
Al	404.94	25	23.1
C(ダイヤモンド)	356.703	18	1.0
C(グラファイト)	$a = 246.1$	20	−1.2
	$c = 670.8$	20	25.9
LiF	402.6		35
α-石英	$a = 490.3$	20	14.3
	$c = 539.4$	20	8.7
NaCl	564.0	20	40.0

粉末X線回折法で用いられる格子定数

室温(20℃)における値．NIST標準物質表参照．

結晶名	格子定数 a,c/pm	結晶名	格子定数 a,c/pm
α-Al_2O_3(コランダム)	a 475.9397	CeO_2	a 541.1102
	c 1 299.237	Si	a 543.0940
ZnO(ウルツサイト)	a 324.9074	SiN_4(α相)	a 775.2630
	c 520.6535		c 561.9372
TiO_2(ルチル)	a 459.3939	SiN_4(β相)	a 760.2293
	c 295.8862		c 290.6827
Cr_2O_3	a 495.9610		
	c 1 358.747		

レーザーの発振波長

固体レーザー

レーザー（通称など）	発振波長(空気中) $\lambda/\mu m$	励起源*	特徴など
r^{3+} : Al_2O_3 (ルビー)	0.6943(R_1, 300 K), 0.6929(R_2, 300 K)	FL	最初の固体レーザー
d^{3+} : $Y_3Al_5O_{12}$ (YAG)	0.946(低温), 1.05205($R_2 \to Y_1$), 1.06152($R_1 \to Y_1$), 1.06414($R_2 \to Y_3$, 最強), 1.0646($R_1 \to Y_2$), 1.0738($R_1 \to Y_3$), 1.0780($R_1 \to Y_4$), 1.1121($R_2 \to Y_6$), 1.1159($R_1 \to Y_5$), 1.12267($R_1 \to Y_6$), 1.3188($R_2 \to X_1$), 1.3382($R_2 \to X_3$), 1.3564($R_1 \to X_4$), 1.839(低温)	FL, AL, L, LD	高効率, 高出力, 多波長発振
d^{3+} : リン酸ガラス (ガラスレーザー)	1.054	FL	大型, 高出力
d^{3+} : ケイ酸ガラス (ガラスレーザー)	1.062	FL	大型, 高出力
d^{3+} : Cr^{3+} : $[Gd_{3-x}Nd_x][Cr_xSc_{2-x}]Ga_3O_{12}$ (GSGG) d^{3+} : Cr^{3+} : $[Gd_{3-x}Nd_x][Cr_xSc_{2-x}]Al_3O_{12}$ (GSAG)	1.06	FL	高出力, Cr 増感による高効率
d^{3+} : $LiYF_4$ (YLF)	1.047(π), 1.053(σ), 1.321(π), 1.313(σ)	FL, LD	複屈折性, ガラスレーザーによる増幅可能, Qスイッチ特性良好
d^{3+} : YVO_4	1.064	LD	高出力, 高安定
d^{3+} : $Nd_xY_{1-x}Al_3(BO_3)_4$ (NYAB)	1.062(基本波), 0.531(2 倍波)	LD	自己逓倍による緑色光, 全固体化
r^{3+} : ガラス (ファイバーレーザー)	1.522～1.575, 1.590～1.603(可変)	LD	光通信用増幅, >900 km, 1.2 Gbit/s
b^{3+} : 石英(ファイバーレーザー)	1.03～1.10	LD	高出力
o^{3+} : $Y_3Al_5O_{12}$ (Ho-YAG)	2.098(2.090～2.100 可変, <200 K)	FL, LD	H_2O によって強く吸収
Cl : Li(F_A II) (色中心レーザー)	2.2～3.2(低温)	L, FL	波長可変
aCl$(F_2^+)_H$(色中心レーザー)	1.4～1.8	L	波長可変
r^{3+} : $BeAl_2O_3$ (アレキサンドライト)	0.701～0.818	FL, L, LD	波長可変, 高出力, 長蛍光寿命
i^{3+} : Al_2O_3 (タイサファイア)	0.653～1.150	FL, L	波長可変, 広帯域, 高出力
o^{2+} : MgF_2	1.63～2.50	L	波長可変, 広帯域, 長波長

* FL はフラッシュランプ, AL はアークランプ, L はレーザー, LD は半導体レーザー (Laser Diode) による励起が可能であることを示す.

気体レーザー

レーザー	発振波長(空気中) $\lambda/\mu m$
H_2, HD, D_2	0.1098～0.1268($C^1\Pi_u - X^1\Sigma_g^+$; Werner 帯), 0.1246～0.1646($B^1\Sigma_u^+ - X^1\Sigma_g^+$; Lyman 帯)

気体レーザー（続き）

レーザー		発振波長(空気中) λ/μm	
Ar_2	エキシマーレーザー(パルス発振)	0.126	
ArCl		0.175	
ArF		0.193	
KrCl		0.222	
KrF		0.248, 0.486	
XeBr		0.282	
XeCl		0.308	
XeF		0.353	
ArO		0.558	
Cd^+ : He		0.325, 0.442	
N_2		0.337($C^3\Pi_u - B^3\Pi_g$; second positive 帯)	
Au	金属蒸気レーザー(パルス発振)	0.3122, 0.6278	
Pb		0.4057, 0.7229	
Bi		0.4722	
Cu		0.5105, 0.5782	
Tl		0.5350	
Ca		0.8662	
Ba		1.13	
Mn		1.30	
Ar^+	貴(希)ガス*1 イオンレーザー(連続発振)	0.3511, 0.3638, 0.4545, 0.4579, 0.4658, 0.4727, 0.4765, 0.4880, 0.4965, 0.5017, 0.5145(最強), (0.514 673 466 368(4)*2), 0.5287, 1.09	
Kr^+		0.3374, 0.3507, 0.3564, 0.4131, 0.4680, 0.4762, 0.4825, 0.5208, 0.5309, 0.5682, 0.6471(最強), 0.6764, 0.7525, 0.7993	
Ne : He		0.63282(0.632 991 212 579(13)*2), 1.1523, 3.39(3.392 231 397 327(10)*	
CO : He, N_2, Xe		5.1～7.1($X_1\sum^+$, 5—4 帯～26—25 帯 ; 約 1200 本)	
CO_2 : He, N_2		9.1～11.5(00^01—$[10^00, 02^00]_{I, II}$ 帯, $^{12}C^{16}O_2$, $^{13}C^{16}O_2$, $^{12}C^{18}O_2$, $^{12}C^{16}O^{18}O$ を用いて約 600 本)	
N_2O : He, N_2		10.3～11.0(001—100 帯 ; 約 80 本)	
I		1.315(CH_3I, CF_3I, C_3F_7I などのハロゲン化アルキル分子やハロアルカン分子の光解離による I 原子の発振, 大出力)	
HF	化学レーザー	2.4～3.4	H_2 と F_2 などの化学反応による励起
DF		3.5～4.7	
HCl		3.6～4.1	
DCl		5.0～5.5	
HBr		4.0～4.6	
DBr		5.8～6.3	
H_2O	放電励起遠赤外レーザー	28.0, 33.0, 35.8, 39.7, 47.5, 78.4, 118.6, 220.3	
D_2O		36.3, 72.7, 84.3, 107, 172, 218	
HCN		310, 337, 373, 538, 774	
DCN		190, 195	
NH_3	CO_2 レーザー励起遠赤外レーザー	12.1, 12.8, 81.5, 153	
CF_4		16.3	
CH_3OH		41.7, 70.5, 119	
D_2O		50.3, 66, 114, 119, 385	
CH_2F_2		166, 185, 214	
HCOOH		394, 433, 513	
$^{13}CH_3F$		1222	
$CH_3{}^{81}Br$		311, 545, 586, 659, 831, 2650	

*1 IUPAC の公認表記は noble gas である.

*2 $^{127}I_2$(ヨウ素分子)の吸収線に同調したレーザーの真空中の波長.

*3 CH_4 の吸収線(ν_3 帯, P(7), $F_2^{(2)}$ 成分) に同調したレーザーの真空中の波長. 1980 年頃までにはこの発振について光ヘテロダイン法によって絶対周波数が数多く測定され, その相対不確かさは 10^{-10} 程度に達していた. 1983 年のメートルの新しい定義 (**物 2**) 以前には, この発振の波長 (1960 年定義のメートルによる)と周波数から光の速度として 299 792 458±1. $m\,s^{-1}$ が求められていた. 新しいメートルの定義 (1983) はこの値に沿うように定められた.

色素レーザー

レーザー	発振波長(空気中) λ/μm
BM-terphenyl; 2,2′-Dimethyl-*p*-terphenyl	0.3085～0.360
p-Terphenyl	0.322～0.365
Butyl-PBD; 2-(4-*t*-Butylphenylyl)-1,3,4-oxadiazole	0.351～0.395
BBQ; 4,4‴-Bis-butyloctyloxy-*p*-quaterphenyl	0.359～0.410
Polyphenyl 1; Sulphonated *p*-quaterphenyl*	0.360～0.415
DPS; 4,4′-Diphenyl stilbene	0.393～0.420
POPOP; *p*-Bis(5-phenyloxazolyl) benzene	0.390～0.451
Stilbene 3; 4,4′-Bis(2-sulfostyryl) biphenyl*	0.403～0.493
Coumarin 120; 7-Amino-4-methyl coumarin*	0.419～0.477
4-MU; Coumarin 4; 4-Methylumbelliferone*	0.385～0.574
DAMC; Coumarin 1; 7-Diethylamino-4-methylcoumarin*	0.438～0.505
Coumarin 6; 3-(2-Benzothiazolyl)-7-diethylaminocoumarin*	0.507～0.585
Brilliant sulfoflavine	0.465～0.620
Fluorescein (Na salt)*	0.522～0.600
Rhodamine 110*	0.525～0.603
Rhodamine 6G*	0.550～0.655
Rhodamine B*	0.570～0.675
DCM; 4-Dicyanomethylene-2-methyl-6-*p*-dimethylaminostyryl-4*H*-pyran*	0.610～0.710
Cresyl violet*	0.612～0.709
Oxazine 1*	0.685～0.825
DOTC; 3,3′-Dimethyloxatricarbocyanine iodide*	0.720～0.820
HITC; 1,3,3,1′,3′,3′-Hexamethylindotricarbocyanine iodide*	0.775～0.940
IR-140; 5,5′-Dichloro-11-diphenylamino-3,3′-diethyl-10,12-ethylene-thiatricarbocyanine perchlorate*	0.858～1.03
1,1′-Diethyl-4,4′-quinocarbocyanine iodide	0.970～1.145
DNXTPC; 3,3′-Diethyl-9,11,15,17-dineopentylene-5,6,5′,6′-tetramethoxy-thiapentacarbocyanine perchlorate	1.107～1.285

これら色素の励起には，フラッシュランプ，N_2 レーザー，エキシマーレーザー，Cu 蒸気レーザー，Nd：YAG レーザーの高調波（以上パルス発振），アルゴンおよびクリプトンレーザー（連続発振；＊で示す）が用いられる．

半導体レーザー（注入型ダイオードレーザー）*

レーザー	発振波長(空気中) λ/μm	レーザー	発振波長(空気中) λ/μm
GaN/AlGaN	0.35～0.36	$In_xGa_{1-x}As$	1.0～3.5
$Al_xIn_yGa_{1-x-y}N$	0.35～0.39	$InAs_{1-x}P_x$	1.0～3.5
$In_xGa_{1-x}N$	0.39～0.53	$Ga_xIn_{1-x}N_yAs_{1-y}$	1.2～1.4
$Cd_xZn_{1-x}Se$	0.47～0.51	$InAs_{1-x}Sb_x$	3.1～5.4
$(Al_xGa_{1-x})_{0.5}In_{0.5}P$	0.58～0.69	$Pb_{1-x}Cd_xS$	2.5～4
$In_{1-x}Ga_xP$	0.65～1.0	$PbS_{1-x}Se_x$	4～8.5
$Al_xGa_{1-x}As$	0.7～1.0	$Pb_{1-x}Sn_xTe$	6.3～32
$GaAs_{1-x}P_x$	0.7～1.0	$Pb_{1-x}Sn_xSe$	8.5～34

＊　正規組成 x (stoichiometry) の制御によって，上記の範囲で発振するレーザーダイオードがつくられる．

シンクロトロン放射

シンクロトロン放射光（以下放射光）は，高エネルギー電子が磁場によって進行方向変えるときに発する光であり，指向性，波長可変性，偏光性などに優れた光源として，料の分析や物質の構造解明などに利用されている．一般的には，蓄積リングと呼ばれる形加速器を周回する電子ビームが生成する放射光を，主として真空紫外領域よりも短波の領域における光源として利用する．磁場発生源としては，偏向磁石および挿入光源とう 2 種類の装置が利用されている．前者は一様磁場を，後者は正弦波（極性が電子の進方向に沿って周期的に変化する）磁場を発生し，それぞれ異なる特性を持つ光源として能する．

偏向磁石　偏向磁石放射光は，臨界波長（λ_c）と呼ばれる波長付近で光子強度が最大なる広帯域光である．電子は円軌道に沿って運動し，放射光は軌道面では等方的であが，これに垂直な方向では γ^{-1} 程度の発散角で規定される高い指向性を持つ．ここで，はローレンツ因子と呼ばれる，静止エネルギー（$m_ec^2=0.511$ MeV）で規格化された電のエネルギーである．軌道面内において水平偏光が得られる一方，軌道面外へ放出され光は楕円偏光を有する．ただし，偏光の回転方向は観測方向（軌道面より上方での観か，下方での観測か）に依存する．

挿入光源　挿入光源放射光は，基本波長（λ_1）と呼ばれる波長およびその奇数（n）高調波における波長（λ_1/n）において鋭いピークを持つ準単色光であり，バンド幅は磁周期数（N）に逆比例する．λ_1 は磁場振幅（B），周期長（λ_u）および γ に依存するためこれらのパラメータを調節することで任意の波長が選択可能である．水平・垂直方向と $\sqrt{\lambda_1/(2nN\lambda_u)}$ を発散角とする鋭い指向性を持ち，全観測方向でほぼ完全な水平偏光がられる．光源として利用する次数 n に応じてアンジュレータ（低次数），もしくはウィラ（高次数）に分類されるが，ウィグラとして利用する場合は各種要因によって，正弦磁場に特有の単色性や指向性は失われており，実効的には複数の偏向磁石からの放射光積算と見なせる．挿入光源の光源特性は偏向定数（K）と呼ばれる無次元の磁場強度で徴づけられる．

放射光の光源性能計算式[1]　偏向磁石およびアンジュレータ放射光のパワー（P），ラックス（F）およびそれらの角密度（$dp/d\Omega$, $dF/d\Omega$）の計算式を表にまとめる．実単位系では，波長は nm，パワーは kW，フラックスは 0.1% バンド幅に毎秒放出される子数，角密度は光軸上でのそれらの密度を立体角 1 mrad^2 あたりで表している．計算のには，磁場 B は T，電子エネルギー E は GeV，電流 I は A，周期長 λ_u は m で与えるこれらの計算式は単一電子からの放射光について適用されるものであり，放射光の単色や指向性は，電子ビームが持つ有限のビームサイズ，発散角およびエネルギー広がり

偏向磁石放射光

	公　式	実用単位
臨界波長	$\lambda_c=\dfrac{4\pi m_ec}{3\gamma^2eB}$	$\lambda_c=\dfrac{1.864}{BE^2}$
放射パワー角密度	$\dfrac{dP}{d\Omega}=\dfrac{7\gamma^4}{64\pi}\dfrac{e^2}{\varepsilon_0}\dfrac{eB}{m_ec}\dfrac{I}{e}$	$\dfrac{dP}{d\Omega}=5.421\times10^{-3}BE^4I$
全放射パワー	$P=\dfrac{\gamma^3}{3}\dfrac{e^2}{\varepsilon_0}\dfrac{eB}{m_ec}\dfrac{I}{e}$	$P=26.52BE^3I$
フラックス角密度	$\dfrac{dF}{d\Omega}=\dfrac{3\alpha\gamma^2}{4\pi^2}f\left(\dfrac{\lambda_c}{\lambda}\right)\dfrac{I}{e}$	$\dfrac{dF}{d\Omega}=1.325\times10^{13}f\left(\dfrac{\lambda_c}{\lambda}\right)E^2I$
フラックス	$F=\sqrt{3}\alpha\gamma g\left(\dfrac{\lambda_c}{\lambda}\right)\dfrac{I}{e}$	$F=1.544\times10^{17}g\left(\dfrac{\lambda_c}{\lambda}\right)EI$

アンジュレータ放射光

	公式	実用単位
偏向定数	$K=\dfrac{eB\lambda_u}{2\pi m_e c}$	$K=93.37B\lambda_u$
基本波長	$\lambda_1=\dfrac{\lambda_u(1+K^2/2)}{2\gamma^2}$	$\lambda_1=130.6\lambda_u(1+K^2/2)/E^2$
放射パワー角密度	$\dfrac{dP}{d\Omega}=\dfrac{7\gamma^4}{16}\dfrac{e^2}{\varepsilon_0 c}\dfrac{c}{\lambda_u}NKp(K)\dfrac{I}{e}$	$\dfrac{dP}{d\Omega}=1.161\times10^{-4}p(K)E^4IKN/\lambda_u$
全放射パワー	$P=\dfrac{\pi\gamma^2N}{3}\dfrac{e^2}{\varepsilon_0}\dfrac{K^2}{\lambda_u}\dfrac{I}{e}$	$P=7.257\times10^{-5}E^2K^2NI/\lambda_u$
フラックス角密度	$\dfrac{dF}{d\Omega}=\alpha\gamma^2N^2q_n(K)\dfrac{I}{e}$	$\dfrac{dF}{d\Omega}=1.744\times10^{14}q_n(K)E^2N^2I$
フラックス	$F=\dfrac{\pi\alpha}{2}Nr_n(K)\dfrac{I}{e}$	$F=7.154\times10^{13}r_n(K)NI$

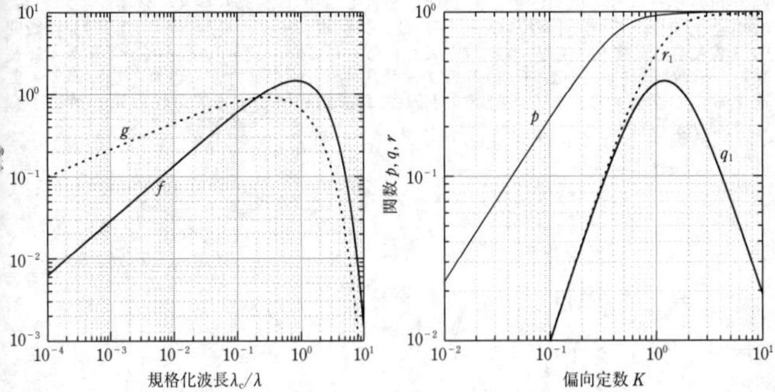

実用的な範囲における関数 f, g, p, q_n, r_n の数値計算結果

こって部分的に損なわれるため，厳密な光源性能評価のためには数値計算が必要となる．表中，f, g, p, q_n, r_n は，ベッセル関数や有理関数を含む複雑な数式で表される関数である．

自由電子レーザー

自由電子レーザー（Free Electron Laser, 以下 FEL）は，放射光のコヒーレンスや光子強度などの光源性能を改善するために考案された，アンジュレータ放射に基づくレーザー光源である．FEL における増幅作用は，アンジュレータ磁場を運動する電子ビームと，アンジュレータの基本波長 λ_1 と同じ波長の光（シード光）とが相互作用を行うことにより，電子ビームに λ_1 の周期で密度変調が形成されるという現象に基づく．密度変調が形成された電子ビームからは時間的・空間的にコヒーレントで，シード光と同じ波長放射光が生成されるため，その強度は飛躍的に増大し，レーザー発振に至る．良質なシド光が利用できない波長帯においても，電子ビームが生成する自発放射光がシード光とて機能するため，原理的に任意の波長においてレーザー発振が可能である．この方式FEL を，自己増幅自発放射（Self-Amplified Spontaneous Emission：SASE）型 FEL呼ぶ．短波長領域において SASE 型 FEL の発振を達成するためには，蓄積リングより密度の高い電子ビームが必要であるため，これを可能にする直線型加速器がおもに利用れている．

FEL における増幅過程や光源性能を評価するためには数値計算が必要であるが，近的には次式で定義される FEL パラメータと呼ばれる無次元の物理量を利用した定性的議論が可能である[2]．

$$\rho=\left[\frac{\gamma q_1(K)}{16\pi^2}\,\frac{\lambda_1{}^2}{\sigma_x\sigma_y}\,\frac{I_{\rm p}}{4\pi\varepsilon_0 m_{\rm e}c^3/e}\right]^{1/3}=0.08992\left[EI_p q_1(K)\frac{\lambda_1{}^2}{\sigma_x\sigma_{\rm y}}\right]^{1/3}$$

ここで，E，I_p，σ_x，σ_y は電子ビームのエネルギー（GeV），ピーク電流（A），水平・直方向のビームサイズ，また，λ_1 はアンジュレータの基本波長（＝発振波長）である増幅過程において，FEL のパワー（P）はアンジュレータの長さ（L）に応じて指数関的に増大する．すなわち $P\propto e^{L/L_g}$ と表される．ここで，$L_g=\lambda_u/(4\pi\sqrt{3}\rho)$ をゲイン長呼ぶ．指数関数的増幅は，FEL のパワーが $P_{\rm s}=\rho\gamma m_{\rm e}c^2 I_p/e$ で定義される飽和パワーに達するまで継続する．また SASE 型 FEL では，飽和に要するアンジュレータ長は L_s λ_u/ρ で与えられる．

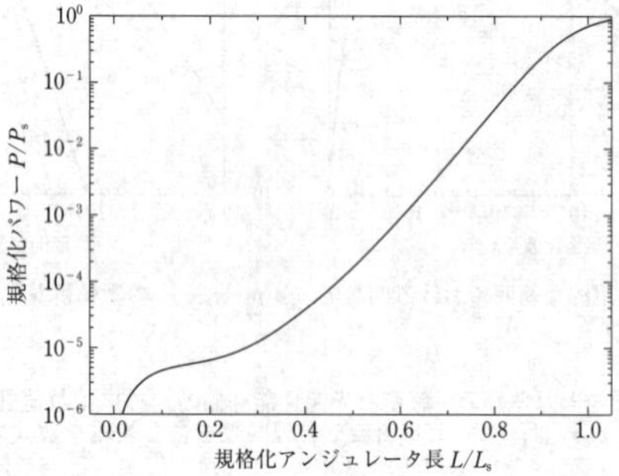

SASE 型 FEL における増幅過程の計算例[3]

1) K. J. Kim, "Characteristics of Synchrotron Radiation", in Physics of Particle Accelerator AIP Conf. Proc. **184** (Am. Inst. Phys., New York, 1989), pp. 565-632.
2) E. Saldin, E. V. Schneidmiller and M.V. Yurkov, "The Physics of Free Electron Lasers (Springer-Verlag Berlin Heidelberg, 2000).
3) T. Tanaka, "SIMPLEX: simulator and postprocessor for free-electron laser experiments Journal of Synchrotron Radiation **22**, 1319-1326 (2015).

光学的性質

空 気 の 屈 折 率

種々の波長λ（真空中の値，単位は μm）に対する標準空気（炭酸ガス 045% を含む 15 ℃，1 atm＝0.101 325 MPa の乾燥空気）の屈折率 n_s（真空にする値）は，λが 0.23～1.69 μm の範囲内でつぎの式によって与えられる*.

$$(n_s-1)\times 10^8=\frac{5\,792\,105}{238.018\,5-(\lambda_{vac}/\mu m)^{-2}}+\frac{167\,917}{57.362-(\lambda_{vac}/\mu m)^{-2}}$$

次表はこの式で算出した n_s の値を示す.

vac/μm	n_s	λ_{vac}/μm	n_s	λ_{vac}/μm	n_s	λ_{vac}/μm	n_s
0.23	1.000 308 0	0.42	1.000 281 8	0.62	1.000 276 7	1.00	1.000 274 2
0.24	1.000 304 5	0.44	1.000 280 9	0.64	1.000 276 4	1.05	1.000 274 0
0.26	1.000 298 9	0.46	1.000 280 2	0.66	1.000 276 2	1.10	1.000 273 9
0.28	1.000 294 8	0.48	1.000 279 5	0.68	1.000 276 0	1.15	1.000 273 8
0.30	1.000 291 6	0.50	1.000 279 0	0.70	1.000 275 8	1.20	1.000 273 7
0.32	1.000 289 0	0.52	1.000 278 5	0.75	1.000 275 4	1.30	1.000 273 5
0.34	1.000 287 0	0.54	1.000 278 0	0.80	1.000 275 0	1.40	1.000 273 4
0.36	1.000 285 3	0.56	1.000 277 6	0.85	1.000 274 8	1.50	1.000 273 3
0.38	1.000 283 9	0.58	1.000 277 3	0.90	1.000 274 5	1.65	1.000 273 2
0.40	1.000 282 8	0.60	1.000 277 0	0.95	1.000 274 3	1.69	1.000 273 2

*　P. E. Ciddor, Appl. Opt. **35**, 1566 (1996).

種々の物質の屈折率

次表は種々の物質の種々の波長の光に対する屈折率（同温度の空気に対する値）を示したもので，下欄のΔはナトリウム D 線（波長 589.3 nm）に対する屈折率の温度係数である.

波長 λ/nm	方解石(18 ℃)		水晶(18 ℃)		石英ガラス(18 ℃)	ほたる石 CaF_2 (18 ℃)	岩塩 (18 ℃)	シルビン KCl (18 ℃)	水 (20 ℃)
	常光線	異常光線	常光線	異常光線					
9429.0	—	—	—	—	—	1.3161	1.4983	1.4587	—
4200.0	—	—	1.4569	—	—	4078	5213	4720	—
2172.0	1.6210	1.4746	5180	1.5261	—	4230	5262	4750	—
1256.0	6388	4782	5316	5402	—	4275	5297	4778	1.3210
656.3	1.6544	1.4846	1.5419	1.5509	1.4564	1.4325	1.5407	1.4872	1.3311
589.3	6584	4864	5443	5534	4585	4339	5443	4904	3330
546.1	6616	4879	5462	5553	4602	4350	5475	4931	3345
404.7	6813	4969	5572	5667	4697	4415	5665	5097	3428
303.4	1.7196	1.5136	1.5770	1.5872	1.4869	1.4534	1.6085	1.5440	1.3581
214.4	8459	5600	6305	6427	5339	4846	7322	6618	4032
185.2	—	—	6759	6901	5743	5099	8933	8270	—
Δ/K	$+5\times10^{-6}$	$+14\times10^{-6}$	-5×10^{-6}	-6×10^{-6}	-3×10^{-6}	-1×10^{-5}	-4×10^{-5}	-4×10^{-5}	-8×10^{-5}

Kaye による.

つぎの諸表はナトリウムD線（波長 589.3 nm）に対する屈折率を示し，
体および液体は空気に対する値，気体は真空に対する値である．

気体および液体

物質	屈折率	物質	屈折率	物質	屈折率
気体(0℃，1気圧換算)		水銀	1.000 933	エタノール	1.361
		水蒸気	0 252	グリセリン	1.473
アルゴン	1.000 284	水素	0 138	ジエチルエーテル	1.353
硫黄	1 111	窒素	0 297	四塩化炭素	1.460
一酸化炭素	0 334	二酸化炭素	0 450	ジヨードメタン	1.737
塩素	0 768	ネオン	0 067	セダ油	1.516
カドミウム	2 675	ヘリウム	0 035	パラフィン油	1.48
空気	0 292	ベンゼン	1 762	α-ブロモナフタレン	1.660
クロロホルム	1 455			ベンゼン	1.501
酸素	0 272	**液体**（20℃）		水	1.333
臭素	1 125	アニリン	1.586	メタノール	1.329

光学的等方性の固体

(20℃

物質	屈折率	物質	屈折率
KRS-5(臭化ヨウ化タリウム)	2.395	閃亜鉛鉱(ZnS)	2.370
カナダバルサム	1.542	ダイヤモンド	2.4195
塩化銀	2.09	フッ化リチウム(21℃)	1.3921
ゲルマニウム	4.092	ポリシクロヘキシルメタクリレート(15℃)	1.507
酸化マグネシウム	1.7373	ポリスチレン(15℃)	1.592
臭化カリウム	1.5599	ポリメタクリル酸メチル	1.491
ケイ素	3.448	ヨウ化カリウム	1.6666

一 軸 性 結 晶

(20℃

物質	屈折率	
	常光線	異常光線
ウルツ鉱(ZnS)	2.356	2.378
金紅石(ルチル，TiO_2)	2.616	2.903
鋼玉(サファイヤ，Al_2O_3)	1.768	1.760
氷(0℃)	1.309	1.313
赤鉄鉱(Fe_2O_3)(670.8 nm)	2.940	3.220
チリ硝石($NaNO_3$)	1.5854	1.3369
電気石	1.669	1.638
硫化カドミウム	2.506	2.529
リン酸二水素カリウム(KDP)	1.5095	1.4684
リン酸二水素アンモニウム(ADP)	1.5242	1.4787

二 軸 性 結 晶

(20℃)

物質	屈折率		
	n_1	n_2	n_3
アラレ石($CaCO_3$)	1.6862	1.6810	1.5309
雲母	1.5993	1.5944	1.5612
輝安鉱(スチブナイト，Sb_2S_3)	4.460	4.303	3.194
セッコウ($CaSO_4 \cdot 2H_2O$)	1.5298	1.5228	1.5208
硝石(KNO_3)	1.5064	1.5056	1.3346

光学ガラスの屈折率

光学ガラスはK(クラウン)，BK(ホウケイ酸クラウン)，SK(重クラウン)，LF 軽フリント)，F(フリント)，SF(重フリント)，その他に大別され，その各々がさらに数種ないし10数種に小別されて総計200種以上もある．次表はもっとよく使われる光学ガラスの種々の波長の光に対する屈折率（同温度の空気に対する値)を示す．レンズなどの光学系は通常数種の光学ガラスを組み合わせてつくるが，同一種の光学ガラスの屈折率も製造のたびごとにいくらか違うので，精密なレンズの設計には材料ガラスの屈折率を実測してその値を用いる．

種類	波長 λ/nm								
	1014.0	768.2	656.3	587.6	546.1	486.1	435.8	404.7	365.0
FK1	1.4623	1.4660	1.4685	1.4707	1.4724	1.4755	1.4793	1.4823	1.4875
BK7	1.5073	1.5115	1.5143	1.5168	1.5187	1.5224	1.5267	1.5302	1.5363
K3	1.5083	1.5125	1.5155	1.5182	1.5203	1.5243	1.5291	1.5331	1.5399
BaK4	1.5576	1.5623	1.5658	1.5688	1.5713	1.5759	1.5815	1.5861	1.5941
SK5	1.5781	1.5828	1.5862	1.5891	1.5914	1.5958	1.6010	1.6053	1.6126
SSK1	1.6048	1.6099	1.6137	1.6172	1.6199	1.6252	1.6315	1.6368	1.6459
LaK3	1.6794	1.6852	1.6896	1.6935	1.6966	1.7025	1.7097	1.7156	1.7259
KzF2	1.5180	1.5228	1.5263	1.5294	1.5319	1.5366	1.5422	1.5469	1.5551
BaF10	1.6550	1.6611	1.6658	1.6700	1.6734	1.6800	1.6880	1.6948	1.7068
LaF2	1.7262	1.7335	1.7390	1.7440	1.7479	1.7556	1.7649	1.7728	1.7867
LF5	1.5667	1.5726	1.5772	1.5814	1.5848	1.5915	1.5996	1.6067	1.6192
F2	1.6028	1.6096	1.6150	1.6200	1.6241	1.6321	1.6421	1.6507	1.6663
SF2	1.6286	1.6361	1.6421	1.6477	1.6522	1.6612	1.6725	1.6823	1.7003
SF13	1.7151	1.7248	1.7331	1.7408	1.7471	1.7598	1.7761	1.7907	——
SFS1	1.8781	1.8927	1.9054	1.9176	1.9277	1.9484	1.9753	1.9997	——

Jenaer Glas für die Optik による．

金属面の分光反射率

次表は金属を真空蒸着してつくった新鮮な表面に，種々の波長（単位は μm）の光が垂直に投射された場合の反射率を%で示したものである．良好な蒸着面は高真空中で急速に蒸着を行うことによって得られ，その反射率は通常同じ金属の研磨面やスパッタリングでつくった面の反射率よりも高い．

波長	アルミニウム	銀	金	銅	ロジウム	波長	アルミニウム	銀	金	銅	ロジウム
0.220	91.5	28.0	27.5	40.4	58.5	0.700	89.9	98.5	97.0	97.5	80.4
0.240	91.9	29.5	31.6	39.0	61.3	0.750	88.0	98.6	97.4	97.9	81.2
0.250	92.1	30.4	33.2	37.0	63.0	0.800	86.3	98.6	97.7	98.1	82.0
0.260	92.2	29.2	35.6	35.5	65.0	0.850	85.8	98.7	97.8	98.3	82.8
0.280	92.3	25.2	37.8	33.0	68.5	0.900	88.9	98.7	98.0	98.4	83.5
0.300	92.3	17.6	37.7	33.6	71.2	0.950	91.8	98.8	98.1	98.4	84.2
0.315	92.4	5.5	37.3	35.5	73.0	1.0	93.9	98.9	98.2	98.5	85.0
0.320	92.4	8.9	37.1	36.3	73.6	1.5	96.8	98.9	98.2	98.5	88.2
0.340	92.5	72.9	36.1	38.5	75.5	2.0	97.2	98.9	98.3	98.6	90.5
0.360	92.5	88.2	36.3	41.5	77.0	3.0	97.5	98.9	98.3	98.6	92.5
0.380	92.5	92.8	37.8	44.5	77.4	4.0	97.6	98.9	98.3	98.7	94.0
0.400	92.4	94.8	38.7	47.5	77.6	5.0	97.7	98.9	98.3	98.7	94.5
0.450	92.2	96.6	38.7	55.2	77.2	6.0	97.7	98.9	98.3	98.7	94.8
0.500	91.8	97.7	47.7	60.0	77.4	7.0	97.8	98.9	98.4	98.7	95.2
0.550	91.6	97.9	81.7	66.9	78.0	8.0	97.9	98.9	98.4	98.7	95.5
0.600	91.1	98.1	91.9	93.3	79.1	9.0	97.9	98.9	98.4	98.8	95.8
0.650	90.3	98.3	95.5	96.6	79.9	10.0	98.0	98.9	98.4	98.8	96.0

光学結晶の透過率

光が結晶を透過するとき，光の強度は 2 つの表面における反射と結晶の内部での吸収により減少する．透過光の入射光に対する強度の比を透過率（external transmittance）という．透過率は波長の短い側では電子による吸収で小さくなり，波長の長い側では原子の振動による吸収で小さくなる．板状試料に垂直に入射した光の透過率を図に示す．（図中の KRS-5 は臭化ヨウ化タリウム）

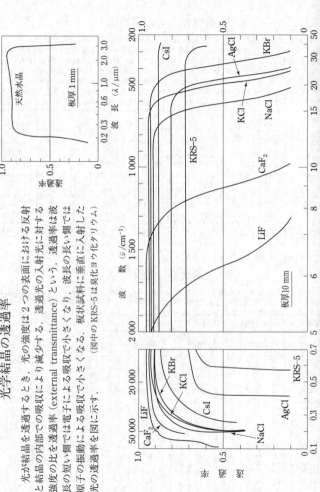

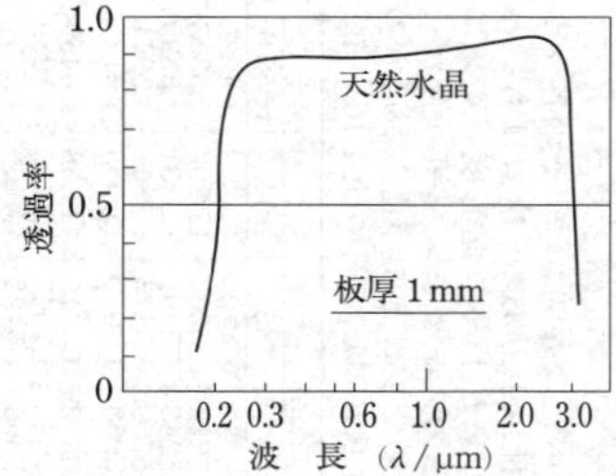

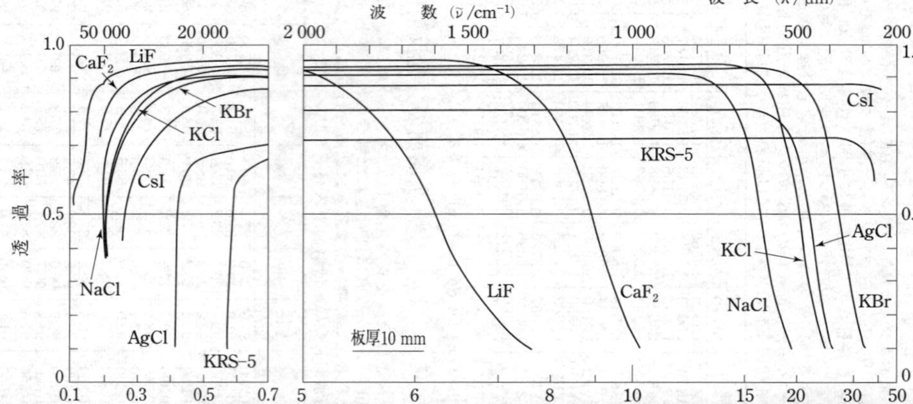

磁場による偏光面の回転

単色の直線偏光が，進行方向に平行な磁場 $H/(\mathrm{A\,m^{-1}})$ の中にある物質の内部を距離 l/m 進むと，偏光面が光の進行方向に対して右回りに角 α/min だけ回転する(ファラデー効果)．$\alpha = VHl$ として V をその物質のベルデの定数という．V は温度によって変化し，おおよそ波長 λ の2乗に逆比例する．下の表の物質では V の符号はすべて＋である．$1\,\mathrm{min} = (1/60)^\circ = (\pi/10\,800)\,\mathrm{rad}$.

気体(0 ℃，1 atm)	$V/(10^{-6}\ \mathrm{min\ A^{-1}})$	液体(20 ℃)	$V/(10^{-2}\ \mathrm{min\ A^{-1}})$
酸　素	7.598	水	1.645
窒　素	8.861	アセトン	1.42
ヘリウム	0.667	メタノール	1.17
水　素	8.867	エタノール	1.41
二酸化炭素	13.22	クロロホルム	2.06
メタン	24.15		
プロパン	50.05		
イソブタン	68.12		

$\lambda = 589.3$ nm，1 atm = 101 325 Pa

固体(20 ℃)	$V/(10^{-2}\ \mathrm{min\ A^{-1}})$	固体(20 ℃)	$V/(10^{-2}\ \mathrm{min\ A^{-1}})$
塩化カリウム(KCl)	4.12*	水晶(∥結晶軸)	2.091
塩化ナトリウム(NaCl)	5.15*	熔融石英(25 ℃)	2.175*
蛍石(CaF_2)	1.127	ガラス	
塩化銅(Ⅰ)(CuCl)	25*	クラウン($n_d = 1.519$)	2.4
ダイヤモンド(C)	2.93	フリント($n_d = 1.623$)	4.85
硫化亜鉛(ZnS)	28.4	重フリント($n_d = 1.920$)	13.3

*は $\lambda = 546.1$ nm，他は $\lambda = 589.3$ nm.
おもに Kaye & Laby, 1986 による.

電場による液体の複屈折

等方性である気体，液体に電場を加えると一軸性結晶のように振る舞う．加えた電場に平行に偏光した光の屈折率 $n_\parallel$ と，垂直に偏光した光の屈折率 $n_\perp$ とが異なるため，波長 λ の光が加えた電場 $E/(\mathrm{V\,m^{-1}})$ に垂直に l/m 進むと平行および垂直な偏光成分の間に位相差　$\Gamma = l(n_\parallel - n_\perp)/\lambda = KlE^2$ を生ずる.

Kをカー定数といい，波長・温度によって変化する．$\lambda=589$ nm，温度20 ℃におけるKの値を下に示す．

物　質	$K/(10^{-12}\ mV^{-2})$	物　質	$K/(10^{-12}\ mV^{-2})$
パラアルデヒド	−0.256	塩化ベンゼンスルホニル	+1.00
二硫化炭素	+0.036	o-ニトロトルエン	+1.93
水	+0.044	m-ニトロトルエン	+1.97
アセトン	+0.181	p-ニトロトルエン	+2.47
ベンズアルデヒド	+0.898	ニトロベンゼン	+3.62

水晶の旋光性

次表は波長λの偏光が水晶の中を光軸に平行に1 mm通過したときの偏光面の回転する角度αを示したもので，温度は20 ℃．

λ/nm	α/°	λ/nm	α/°	λ/nm	α/°	λ/nm	α/°
226.50	201.9	348.53	68.59	508.58	29.73	794.8	11.589
231.29	190.5	396.85	51.12	546.07	25.54	1 014.1	6.976
250.33	153.9	410.17	47.50	589.29	21.72	1 200.0	4.889
274.87	121.10	435.83	41.55	643.85	18.02	1 529.6	2.930
303.41	95.02	467.82	35.60	670.79	16.54	2 058.2	1.527
340.37	72.45	486.13	32.76	728.14	13.92	2 500.0	0.972

International Critical Tables による．

旋　光　物　質

$$[\alpha]^{D}_{20}=\left(\begin{array}{l}\text{NaD 線が長さ 10 cm, 温度 20 ℃の溶液}\\\text{中を通ったときの偏光面の回転角度(°)}\end{array}\right)\Big/\left(\begin{array}{l}\text{溶液 1 cm}^3\text{ 中にある}\\\text{旋光物質のグラム数}\end{array}\right)$$

次表において，cは溶液100 cm³中の旋光物質のグラム数，pは溶液100 g中の旋光物質のグラム数すなわち重量%，溶媒はすべて水である．

物　質	条　件	$[\alpha]^{D}_{20}$/°
果　糖	$c=10$	−104(溶解後6 m)，−90(溶解後33 m)
果　糖	$p=2-31$	$-91.9-0.11\,p$(平衡に達した後)
ショ糖	$c=0-65$	$+66.462+0.008\,70\,c-0.000\,235\,c^2$
転化糖	$p=9-68$	$-19.447-0.060\,68\,p+0.000\,221\,p^2$
ブドウ糖(右旋)	$c=9.1$	+105.2(溶解後5.5 m)，+52.5(溶解後6 h)
ブドウ糖(右旋)	$p=1-18$	$+52.50+0.018\,8\,p+0.000\,517\,p^2$(平衡に達した後)
ブドウ糖(左旋)	$p=4$	−94.4(溶解後7 m)，−51.4(溶解後7 h)
酒石酸	$p=4.7-18$	$+14.83-0.149\,p$
酒石酸	$p=18-36$	$+14.849-0.144\,p$
酒石酸カリウム	$p=9-55$	$+27.62+0.106\,4\,p-0.001\,08\,p^2$
ロシェル塩	——	$+29.73-0.007\,8\,c$

測光と測色

測 光　標準観測者に対して，一定の明るさの感覚を生ずるのに必要な単色光（波長 λ）のエネルギーの逆数をその波長 λ の視感度という．最大の視感度を持つ単色光は波長 0.555 μm の緑色光である．波長 λ の視感度と，この最大視感度（K_{m}）との比を，その波長 λ の比視感度（V_{λ}）といい，その値は次表の $\bar{y}$ の値に等しい．

単位時間にある面を通過する放射束の分光エネルギー分布，すなわち波長 λ における単位波長間隔に対するエネルギーを $E(\lambda)$ とすれば，これを標準観測者が見たときの光束 F は

$$F = K_{\mathrm{m}} \int_{\lambda_1}^{\lambda_2} V_{\lambda} E(\lambda)\,\mathrm{d}\lambda \quad (\text{単位 lm})$$

で計算される．ただし $\lambda_1 = 0.380$ μm，$\lambda_2 = 0.760$ μm，$K_{\mathrm{m}} = 683\ \mathrm{lm\ W^{-1}}$ である．$1/K_{\mathrm{m}} = 0.001\,464\ \mathrm{W\ lm^{-1}}$ を光の仕事当量ともいう．

測 色　分光エネルギー分布 $E(\lambda)$ の放射の，国際照明委員会（CIE）の XYZ 表色系における色度座標 x，y，z は次式で計算される．

$$x = \frac{a}{(a+b+c)},\quad y = \frac{b}{(a+b+c)},\quad z = \frac{c}{(a+b+c)}$$

ただし

$$a = \int_{\lambda_1}^{\lambda_2} \bar{x} E(\lambda)\,\mathrm{d}\lambda,\quad b = \int_{\lambda_1}^{\lambda_2} \bar{y} E(\lambda)\,\mathrm{d}\lambda,\quad c = \int_{\lambda_1}^{\lambda_2} \bar{z} E(\lambda)\,\mathrm{d}\lambda$$

ここで，λ_1 および λ_2 は上記と同じく，$\bar{x}$，$\bar{y}$，$\bar{z}$ の値は次表に示してある．

単色光の色度座標と等エネルギー単色放射の三刺激値 (1)

単色光の色度座標			波長 λ/μm	等エネルギー単色放射の三刺激値		
x	y	z		$\bar{x}$	$\bar{y}$*	$\bar{z}$
0.174 1	0.005 0	0.820 9	0.380	0.001 4	0.000 0	0.006 5
0.173 8	0.004 9	0.821 3	390	0.004 2	0.000 1	0.020 1
0.173 3	0.004 8	0.821 9	400	0.014 3	0.000 4	0.067 9
0.172 6	0.004 8	0.822 6	0.410	0.043 5	0.001 2	0.207 4
0.171 4	0.005 1	0.823 5	420	0.134 4	0.004 0	0.645 6
0.168 9	0.006 9	0.824 2	430	0.283 9	0.011 6	1.385 6
0.164 4	0.010 9	0.824 7	440	0.348 3	0.023 0	1.747 1
0.156 6	0.017 7	0.825 7	450	0.336 2	0.038 0	1.772 1

単色光の色度座標と等エネルギー単色放射の三刺激値 (2)

単色光の色度座標			波　長	等エネルギー単色放射の三刺激値		
x	y	z	$\lambda/\mu m$	$\bar{x}$	$\bar{y}$*	$\bar{z}$
0.144 0	0.029 7	0.826 3	0.460	0.290 8	0.060 0	1.669 2
0.124 1	0.057 8	0.818 1	470	0.195 4	0.091 0	1.287 6
0.091 3	0.132 7	0.776 0	480	0.095 6	0.139 0	0.813 0
0.045 4	0.295 0	0.659 6	490	0.032 0	0.208 0	0.465 2
0.008 2	0.538 4	0.453 4	500	0.004 9	0.323 0	0.272 0
0.013 9	0.750 2	0.235 9	0.510	0.009 3	0.503 0	0.158 2
0.074 3	0.833 8	0.091 9	520	0.063 3	0.710 0	0.078 2
0.154 7	0.805 9	0.039 4	530	0.165 5	0.862 0	0.042 2
0.229 6	0.754 3	0.016 1	540	0.290 4	0.954 0	0.020 3
0.301 6	0.692 3	0.006 1	550	0.433 4	0.995 0	0.008 7
0.373 1	0.624 5	0.002 4	0.560	0.594 5	0.995 0	0.003 9
0.444 1	0.554 7	0.001 2	570	0.762 1	0.952 0	0.002 1
0.512 5	0.486 6	0.000 9	580	0.916 3	0.870 0	0.001 7
0.575 2	0.424 2	0.000 6	590	1.026 3	0.757 0	0.001 1
0.627 0	0.372 5	0.000 5	600	1.062 2	0.631 0	0.000 8
0.665 8	0.334 0	0.000 2	0.610	1.002 6	0.503 0	0.000 3
0.691 5	0.308 3	0.000 2	620	0.854 4	0.381 0	0.000 2
0.707 9	0.292 0	0.000 1	630	0.642 4	0.265 0	0.000 0
0.719 0	0.280 9	0.000 1	640	0.447 9	0.175 0	0.000 0
0.726 0	0.274 0	0.000 0	650	0.283 5	0.107 0	0.000 0
0.730 0	0.270 0	0.000 0	0.660	0.164 9	0.061 0	0.000 0
0.732 0	0.268 0	0.000 0	670	0.087 4	0.032 0	0.000 0
0.733 4	0.266 6	0.000 0	680	0.046 8	0.017 0	0.000 0
0.734 4	0.265 6	0.000 0	690	0.022 7	0.008 2	0.000 0
0.734 7	0.265 3	0.000 0	700	0.011 4	0.004 1	0.000 0
0.734 7	0.265 3	0.000 0	0.710	0.005 8	0.002 1	0.000 0
0.734 7	0.265 3	0.000 0	720	0.002 9	0.001 0	0.000 0
0.734 7	0.265 3	0.000 0	730	0.001 4	0.000 5	0.000 0
0.734 7	0.265 3	0.000 0	740	0.000 7	0.000 3	0.000 0
0.734 7	0.265 3	0.000 0	750	0.000 3	0.000 1	0.000 0
0.734 7	0.265 3	0.000 0	0.760	0.000 2	0.000 1	0.000 0
0.734 7	0.265 3	0.000 0	770	0.000 1	0.000 0	0.000 0
0.734 7	0.265 3	0.000 0	780	0.000 0	0.000 0	0.000 0

*　比視感度 V_λ に等しく取ってある.

測色のための標準の光

国際照明委員会（CIE）では，測色において標準となる光として，かつて，B，Cの3種を規定していたが（1931年），あまり用いられなかったBを外し，新たにD_{65}を導入した（1964年）．

標準の光A　2 856 Kのプランクの放射公式に相当する分光エネルギー分を表現する．これは，標準光源Aすなわち色温度2 856 K（T_{68}）のガス入タングステン電球からの放射として実現される．

標準の光C　青空光を含む太陽光とほぼ同じ分光エネルギー分布を表し，温度は約6 774 Kに相当する．これは標準光源Aからの光をそれぞれ厚さ0 mmのつぎの2種の溶液フィルターC_1，C_2を通過させて得られる．

C_1溶液	
硫酸銅　$CuSO_4 \cdot 5H_2O$	3.412 g
マンニトール　$C_6H_8(OH)_6$	3.412 g
ピリジン　C_5H_5N	30.0 mL
蒸留水を加えて全量を	1 L
C_2溶液	
硫酸アンモニウムコバルト $CoSO_4(NH_4)_2SO_4 \cdot 6H_2O$	30.580 g
硫酸銅　$CuSO_4 \cdot 5H_2O$	22.520 g
硫酸(比重 1.835)	10.0 mL
蒸留水を加えて全量を	1 L

標準の光D_{65}　色温度約6504 K（T_{68}）の昼光の分光エネルギー分布に相当する．ただし，これを十分な精度で実現する光源はまだ規定されていない．

原子，原子核，素粒子

安 定 同 位 体 (1)

同位体は原子番号 Z，質量数 A，元素記号 X を用いて $^{A}_{Z}\mathrm{X}$ のように表される．表の質量は，中性 ^{12}C 原子の質量を 12 とする原子質量単位で表したもので，M Wang et al., Chinese Physics C, **45** (2021) 030003 による．同位体存在度は J. Mei et al., Pure and Applied Chemistry, **88** (2016) 293 による．原子量が変動範囲で示されている 14 元素のうち，アルゴンと鉛を除く 12 元素では同位体組成も変動範囲で示されている．[a, b]は同位体存在度が a 以上，b 以下の範囲にあることを示す．存在度のかっこ内の数字は不確かさで，末尾の数値に対応する．本表は安定同位体についてまとめたものであるが，天然で特定の同位体組成を示す長半減期の放射性同位体(† で示す)についてはその値も示した．なお，この表の値と原子量とは必ずしも整合しない．

同位体	質　量	存在度(原子百分率)
$^{1}_{1}\mathrm{H}$	1.007 825 031 90	[99.972, 99.999]
$^{2}_{1}\mathrm{H}$ ($^{2}_{1}\mathrm{D}$)	2.014 101 777 84	[0.001, 0.028]
$^{3}_{2}\mathrm{He}$	3.016 029 321 97	0.0002(2) *1
$^{4}_{2}\mathrm{He}$	4.002 603 254 13	99.9998(2)
$^{6}_{3}\mathrm{Li}$	6.015 122 887 4	[1.9, 7.8] *2
$^{7}_{3}\mathrm{Li}$	7.016 003 434	[92.2, 98.1]
$^{9}_{4}\mathrm{Be}$	9.012 183 06	100
$^{10}_{5}\mathrm{B}$	10.012 936 862	[18.9, 20.4]
$^{11}_{5}\mathrm{B}$	11.009 305 167	[79.6, 81.1]
$^{12}_{6}\mathrm{C}$	12.000 000 0	[98.84, 99.04]
$^{13}_{6}\mathrm{C}$	13.003 354 835 34	[0.96, 1.16]
$^{14}_{7}\mathrm{N}$	14.003 074 004 25	[99.578, 99.663] *1
$^{15}_{7}\mathrm{N}$	15.000 108 898 3	[0.337, 0.422]
$^{16}_{8}\mathrm{O}$	15.994 914 619 3	[99.738, 99.776]
$^{17}_{8}\mathrm{O}$	16.999 131 756 0	[0.0367, 0.0400]
$^{18}_{8}\mathrm{O}$	17.999 159 612 1	[0.187, 0.222]
$^{19}_{9}\mathrm{F}$	18.998 403 162 1	100
$^{20}_{10}\mathrm{Ne}$	19.992 440 175 3	90.48(3) *1
$^{21}_{10}\mathrm{Ne}$	20.993 846 69	0.27(1)
$^{22}_{10}\mathrm{Ne}$	21.991 385 114	9.25(3)
$^{23}_{11}\mathrm{Na}$	22.989 769 282 0	100
$^{24}_{12}\mathrm{Mg}$	23.985 041 689	[78.88, 79.05]
$^{25}_{12}\mathrm{Mg}$	24.985 836 97	[9.988, 10.034]
$^{26}_{12}\mathrm{Mg}$	25.982 592 97	[10.96, 11.09]
$^{27}_{13}\mathrm{Al}$	26.981 538 41	100
$^{28}_{14}\mathrm{Si}$	27.976 926 534 4	[92.191, 92.318]
$^{29}_{14}\mathrm{Si}$	28.976 494 664 3	[4.645, 4.699]
$^{30}_{14}\mathrm{Si}$	29.973 770 137	[3.037, 3.110]
$^{31}_{15}\mathrm{P}$	30.973 761 997 7	100
$^{32}_{16}\mathrm{S}$	31.972 071 173 5	[94.41, 95.29]
$^{33}_{16}\mathrm{S}$	32.971 458 908 6	[0.729, 0.797]
$^{34}_{16}\mathrm{S}$	33.967 867 01	[3.96, 4.77]
$^{36}_{16}\mathrm{S}$	35.967 080 69	[0.0129, 0.0187]
$^{35}_{17}\mathrm{Cl}$	34.968 852 69	[75.5, 76.1]
$^{37}_{17}\mathrm{Cl}$	36.965 902 57	[23.9, 24.5]

*1　空気中の気体元素の値（当該元素のすべての同位体の存在度に該当）．*2　^{6}Li，^{235}U を抽出したあとのリチウムやウランが試薬として出回っているので注意を要する．*3　放射壊変による付加を受けるので，当該同位体の存在度はこの表の値の変動範囲を越えることがある．

安定同位体 (2)

同位体	質量	存在度（原子百分率）
$^{36}_{18}\mathrm{Ar}$	35.967 545 106	0.3336(210) *1
$^{38}_{18}\mathrm{Ar}$	37.962 732 10	0.0629(70)
$^{40}_{18}\mathrm{Ar}$	39.962 383 1220	99.6035(250)
$^{39}_{19}\mathrm{K}$	38.963 706 485	93.2581(44)
$^{40}_{19}\mathrm{K}^{\dagger}$	39.963 998 17	0.0117(1)
$^{41}_{19}\mathrm{K}$	40.961 825 256	6.7302(44)
$^{40}_{20}\mathrm{Ca}$	39.962 590 851	96.941(156) *3
$^{42}_{20}\mathrm{Ca}$	41.958 617 78	0.647(23)
$^{43}_{20}\mathrm{Ca}$	42.958 766 38	0.135(10)
$^{44}_{20}\mathrm{Ca}$	43.955 481 5	2.086(110)
$^{46}_{20}\mathrm{Ca}$	45.953 687 7	0.004(3)
$^{48}_{20}\mathrm{Ca}$	47.952 522 654	0.187(21)
$^{45}_{21}\mathrm{Sc}$	44.955 907 1	100
$^{46}_{22}\mathrm{Ti}$	45.952 626 36	8.25(3)
$^{47}_{22}\mathrm{Ti}$	46.951 757 49	7.44(2)
$^{48}_{22}\mathrm{Ti}$	47.947 940 68	73.72(3)
$^{49}_{22}\mathrm{Ti}$	48.947 864 39	5.41(2)
$^{50}_{22}\mathrm{Ti}$	49.944 785 62	5.18(2)
$^{50}_{23}\mathrm{V}$	49.947 156 68	0.250(10)
$^{51}_{23}\mathrm{V}$	50.943 957 66	99.750(10)
$^{50}_{24}\mathrm{Cr}$	49.946 042 21	4.345(13)
$^{52}_{24}\mathrm{Cr}$	51.940 504 71	83.789(18)
$^{53}_{24}\mathrm{Cr}$	52.940 646 30	9.501(17)
$^{54}_{24}\mathrm{Cr}$	53.938 877 36	2.365(7)
$^{55}_{25}\mathrm{Mn}$	54.938 043 04	100
$^{54}_{26}\mathrm{Fe}$	53.939 608 2	5.845(105)
$^{56}_{26}\mathrm{Fe}$	55.934 935 54	91.754(106)
$^{57}_{26}\mathrm{Fe}$	56.935 391 95	2.119(29)
$^{58}_{26}\mathrm{Fe}$	57.933 273 6	0.282(12)
$^{59}_{27}\mathrm{Co}$	58.933 193 5	100
$^{58}_{28}\mathrm{Ni}$	57.935 341 7	68.0769(190)
$^{60}_{28}\mathrm{Ni}$	59.930 785 1	26.2231(150)
$^{61}_{28}\mathrm{Ni}$	60.931 054 8	1.1399(13)
$^{62}_{28}\mathrm{Ni}$	61.928 344 8	3.6345(40)
$^{64}_{28}\mathrm{Ni}$	63.927 966 2	0.9256(19)
$^{63}_{29}\mathrm{Cu}$	62.929 597 1	69.15(15)
$^{65}_{29}\mathrm{Cu}$	64.927 789 5	30.85(15)
$^{64}_{30}\mathrm{Zn}$	63.929 141 8	49.17(75)
$^{66}_{30}\mathrm{Zn}$	65.926 033 6	27.73(98)
$^{67}_{30}\mathrm{Zn}$	66.927 127 4	4.04(16)
$^{68}_{30}\mathrm{Zn}$	67.924 844 2	18.45(63)
$^{70}_{30}\mathrm{Zn}$	69.925 319 2	0.61(10)
$^{69}_{31}\mathrm{Ga}$	68.925 573 5	60.108(50)
$^{71}_{31}\mathrm{Ga}$	70.924 702 6	39.892(50)
$^{70}_{32}\mathrm{Ge}$	69.924 248 5	20.52(19)
$^{72}_{32}\mathrm{Ge}$	71.922 075 82	27.45(15)
$^{73}_{32}\mathrm{Ge}$	72.923 458 95	7.76(8)
$^{74}_{32}\mathrm{Ge}$	73.921 177 761	36.52(12)
$^{76}_{32}\mathrm{Ge}$	75.921 402 725	7.75(12)
$^{75}_{33}\mathrm{As}$	74.921 594 6	100
$^{74}_{34}\mathrm{Se}$	73.922 475 934	0.86(3)
$^{76}_{34}\mathrm{Se}$	75.919 213 703	9.23(7)
$^{77}_{34}\mathrm{Se}$	76.919 914 15	7.60(7)
$^{78}_{34}\mathrm{Se}$	77.917 309 24	23.69(22)
$^{80}_{34}\mathrm{Se}$	79.916 521 8	49.80(36)
$^{82}_{34}\mathrm{Se}$	81.916 699 5	8.82(15)
$^{79}_{35}\mathrm{Br}$	78.918 337 6	[50.5, 50.8]
$^{81}_{35}\mathrm{Br}$	80.916 288 2	[49.2, 49.5]
$^{78}_{36}\mathrm{Kr}$	77.920 366 3	0.355(3) *1
$^{80}_{36}\mathrm{Kr}$	79.916 377 9	2.286(10)
$^{82}_{36}\mathrm{Kr}$	81.913 481 154	11.593(31)
$^{83}_{36}\mathrm{Kr}$	82.914 126 517	11.500(19)
$^{84}_{36}\mathrm{Kr}$	83.911 497 727	56.987(15)
$^{86}_{36}\mathrm{Kr}$	85.910 610 625	17.279(41)

安定同位体 (3)

同位体	質量	存在度(原子百分率)
$^{85}_{37}$Rb	84.911 789 736	72.17(2)
$^{87}_{37}$Rb†	86.909 180 529	27.83(2)
$^{84}_{38}$Sr	83.913 419 1	0.56(2)
$^{86}_{38}$Sr	85.909 260 725	9.86(20)
$^{87}_{38}$Sr	86.908 877 495	7.00(20) [*3]
$^{88}_{38}$Sr	87.905 612 254	82.58(35)
$^{89}_{39}$Y	88.905 838 2	100
$^{90}_{40}$Zr	89.904 698 76	51.45(4)
$^{91}_{40}$Zr	90.905 640 21	11.22(5)
$^{92}_{40}$Zr	91.905 035 34	17.15(3)
$^{94}_{40}$Zr	93.906 312 52	17.38(4)
$^{96}_{40}$Zr	95.908 277 62	2.80(2)
$^{93}_{41}$Nb	92.906 373 2	100
$^{92}_{42}$Mo	91.906 807 15	14.649(106)
$^{94}_{42}$Mo	93.905 083 59	9.187(33)
$^{95}_{42}$Mo	94.905 837 44	15.873(30)
$^{96}_{42}$Mo	95.904 674 77	16.673(8)
$^{97}_{42}$Mo	96.906 016 90	9.582(15)
$^{98}_{42}$Mo	97.905 403 61	24.292(80)
$^{100}_{42}$Mo	99.907 468 0	9.744(65)
$^{96}_{44}$Ru	95.907 588 91	5.54(14)
$^{98}_{44}$Ru	97.905 287	1.87(3)
$^{99}_{44}$Ru	98.905 930 3	12.76(14)
$^{100}_{44}$Ru	99.904 210 5	12.60(7)
$^{101}_{44}$Ru	100.905 573 1	17.06(2)
$^{102}_{44}$Ru	101.904 340 3	31.55(14)
$^{104}_{44}$Ru	103.905 425 3	18.62(27)
$^{103}_{45}$Rh	102.905 494 1	100
$^{102}_{46}$Pd	101.905 632 3	1.02(1)
$^{104}_{46}$Pd	103.904 030 4	11.14(8)
$^{105}_{46}$Pd	104.905 079 5	22.33(8)
$^{106}_{46}$Pd	105.903 480 3	27.33(3)
$^{108}_{46}$Pd	107.903 891 8	26.46(9)
$^{110}_{46}$Pd	109.905 172 9	11.72(9)
$^{107}_{47}$Ag	106.905 091 5	51.839(8)
$^{109}_{47}$Ag	108.904 755 8	48.161(8)
$^{106}_{48}$Cd	105.906 459 8	1.245(22)
$^{108}_{48}$Cd	107.904 183 6	0.888(11)
$^{110}_{48}$Cd	109.903 007 5	12.470(61)
$^{111}_{48}$Cd	110.904 183 8	12.795(12)
$^{112}_{48}$Cd	111.902 763 90	24.109(7)
$^{113}_{48}$Cd	112.904 408 11	12.227(7)
$^{114}_{48}$Cd	113.903 365 00	28.754(81)
$^{116}_{48}$Cd	115.904 763 23	7.512(54)
$^{113}_{49}$In	112.904 060 45	4.281(52)
$^{115}_{49}$In†	114.903 878 773	95.719(52)
$^{112}_{50}$Sn	111.904 824 9	0.97(1)
$^{114}_{50}$Sn	113.902 780 13	0.66(1)
$^{115}_{50}$Sn	114.903 344 696	0.34(1)
$^{116}_{50}$Sn	115.901 742 83	14.54(9)
$^{117}_{50}$Sn	116.902 954 0	7.68(7)
$^{118}_{50}$Sn	117.901 606 6	24.22(9)
$^{119}_{50}$Sn	118.903 311 3	8.59(4)
$^{120}_{50}$Sn	119.902 202 6	32.58(9)
$^{122}_{50}$Sn	121.903 445 5	4.63(3)
$^{124}_{50}$Sn	123.905 279 6	5.79(5)
$^{121}_{51}$Sb	120.903 811 4	57.21(5)
$^{123}_{51}$Sb	122.904 215 3	42.79(5)
$^{120}_{52}$Te	119.904 065 8	0.09(1)
$^{122}_{52}$Te	121.903 044 7	2.55(12)
$^{123}_{52}$Te†	122.904 271 0	0.89(3)
$^{124}_{52}$Te	123.902 818 3	4.74(14)
$^{125}_{52}$Te	124.904 431 2	7.07(15)
$^{126}_{52}$Te	125.903 312 1	18.84(25)
$^{128}_{52}$Te	127.904 461 2	31.74(8)
$^{130}_{52}$Te	129.906 222 745	34.08(62)

安定同位体 (4)

同位体	質　量	存在度(原子百分率)
$^{127}_{53}$I	126.904 473	100
$^{124}_{54}$Xe	123.905 885 2	0.095(5) [*1]
$^{126}_{54}$Xe	125.904 297 442	0.089(3)
$^{128}_{54}$Xe	127.903 530 753	1.910(13)
$^{129}_{54}$Xe	128.904 780 857	26.401(138)
$^{130}_{54}$Xe	129.903 509 347	4.071(22)
$^{131}_{54}$Xe	130.905 084 128	21.232(51)
$^{132}_{54}$Xe	131.904 155 083	26.909(55)
$^{134}_{54}$Xe	133.905 393 030	10.436(35)
$^{136}_{54}$Xe	135.907 214 474	8.857(72)
$^{133}_{55}$Cs	132.905 451 959	100
$^{130}_{56}$Ba	129.906 326 0	0.11(1)
$^{132}_{56}$Ba	131.905 061 2	0.10(1)
$^{134}_{56}$Ba	133.904 508 25	2.42(15)
$^{135}_{56}$Ba	134.905 688 45	6.59(10)
$^{136}_{56}$Ba	135.904 575 80	7.85(24)
$^{137}_{56}$Ba	136.905 827 21	11.23(23)
$^{138}_{56}$Ba	137.905 247 06	71.70(29)
$^{138}_{57}$La†	137.907 124 0	0.08881(71)
$^{139}_{57}$La	138.906 362 9	99.91119(71)
$^{136}_{58}$Ce	135.907 129 3	0.186(2)
$^{138}_{58}$Ce	137.905 994 2	0.251(2) [*3]
$^{140}_{58}$Ce	139.905 448 4	88.449(51)
$^{142}_{58}$Ce	141.909 250 2	11.114(51)
$^{141}_{59}$Pr	140.907 659 6	100
$^{142}_{60}$Nd	141.907 728 8	27.153(40)
$^{143}_{60}$Nd	142.909 819 8	12.173(26) [*3]
$^{144}_{60}$Nd†	143.910 092 8	23.798(19)
$^{145}_{60}$Nd	144.912 579 2	8.293(12)
$^{146}_{60}$Nd	145.913 122 5	17.189(32)
$^{148}_{60}$Nd	147.916 899 0	5.756(21)
$^{150}_{60}$Nd	149.920 901 3	5.638(28)

同位体	質　量	存在度(原子百分率)
$^{144}_{62}$Sm	143.912 006 3	3.08(4)
$^{147}_{62}$Sm†	146.914 904 4	15.00(14)
$^{148}_{62}$Sm†	147.914 829 2	11.25(9)
$^{149}_{62}$Sm	148.917 191 2	13.82(10)
$^{150}_{62}$Sm	149.917 282 0	7.37(9)
$^{152}_{62}$Sm	151.919 738 6	26.74(9)
$^{154}_{62}$Sm	153.922 215 8	22.74(14)
$^{151}_{63}$Eu	150.919 856 6	47.81(6)
$^{153}_{63}$Eu	152.921 236 8	52.19(6)
$^{152}_{64}$Gd†	151.919 798 4	0.20(3)
$^{154}_{64}$Gd	153.920 873 0	2.18(2)
$^{155}_{64}$Gd	154.922 629 4	14.80(9)
$^{156}_{64}$Gd	155.922 130 1	20.47(3)
$^{157}_{64}$Gd	156.923 967 4	15.65(4)
$^{158}_{64}$Gd	157.924 111 2	24.84(8)
$^{160}_{64}$Gd	159.927 061 2	21.86(3)
$^{159}_{65}$Tb	158.925 353 7	100
$^{156}_{66}$Dy	155.924 283 6	0.056(3)
$^{158}_{66}$Dy	157.924 414 8	0.095(3)
$^{160}_{66}$Dy	159.925 203 6	2.329(18)
$^{161}_{66}$Dy	160.926 939 4	18.889(42)
$^{162}_{66}$Dy	161.926 804 5	25.475(36)
$^{163}_{66}$Dy	162.928 737 2	24.896(42)
$^{164}_{66}$Dy	163.929 180 8	28.260(54)
$^{165}_{67}$Ho	164.930 329 1	100
$^{162}_{68}$Er	161.928 787 3	0.139(5)
$^{164}_{68}$Er	163.929 207 7	1.601(3)
$^{166}_{68}$Er	165.930 301 1	33.503(36)
$^{167}_{68}$Er	166.932 056 2	22.869(9)
$^{168}_{68}$Er	167.932 378 28	26.978(18)
$^{170}_{68}$Er	169.935 471 9	14.910(36)
$^{169}_{69}$Tm	168.934 219 0	100

安定同位体 (5)

同位体	質　量	存在度（原子百分率）
$^{168}_{70}\mathrm{Yb}$	167.933 891 30	0.123(3)
$^{170}_{70}\mathrm{Yb}$	169.934 767 243	2.982(39)
$^{171}_{70}\mathrm{Yb}$	170.936 331 515	14.086(140)
$^{172}_{70}\mathrm{Yb}$	171.936 386 654	21.686(130)
$^{173}_{70}\mathrm{Yb}$	172.938 216 212	16.103(63)
$^{174}_{70}\mathrm{Yb}$	173.938 867 546	32.025(80)
$^{176}_{70}\mathrm{Yb}$	175.942 574 706	12.995(83)
$^{175}_{71}\mathrm{Lu}$	174.940 777 2	97.401(13)
$^{176}_{71}\mathrm{Lu}^{\dagger}$	175.942 691 7	2.599(13)
$^{174}_{72}\mathrm{Hf}$	173.940 048 4	0.16(12)
$^{176}_{72}\mathrm{Hf}$	175.941 409 8	5.26(70) *3
$^{177}_{72}\mathrm{Hf}$	176.943 230 2	18.60(16)
$^{178}_{72}\mathrm{Hf}$	177.943 708 3	27.28(28)
$^{179}_{72}\mathrm{Hf}$	178.945 825 7	13.62(11)
$^{180}_{72}\mathrm{Hf}$	179.946 559 5	35.08(33)
$^{180}_{73}\mathrm{Ta}$	179.947 467 6	0.01201(32)
$^{181}_{73}\mathrm{Ta}$	180.947 998 5	99.98799(32)
$^{180}_{74}\mathrm{W}$	179.946 713 3	0.12(1)
$^{182}_{74}\mathrm{W}$	181.948 205 6	26.50(16)
$^{183}_{74}\mathrm{W}$	182.950 224 4	14.31(4)
$^{184}_{74}\mathrm{W}$	183.950 933 2	30.64(2)
$^{186}_{74}\mathrm{W}$	185.954 365 1	28.43(19)
$^{185}_{75}\mathrm{Re}$	184.952 958 3	37.40(5)
$^{187}_{75}\mathrm{Re}^{\dagger}$	186.955 752 2	62.60(5)
$^{184}_{76}\mathrm{Os}$	183.952 492 9	0.02(2)
$^{186}_{76}\mathrm{Os}^{\dagger}$	185.953 837 6	1.59(64)
$^{187}_{76}\mathrm{Os}$	186.955 749 6	1.96(17) *3
$^{188}_{76}\mathrm{Os}$	187.955 837 3	13.24(27)
$^{189}_{76}\mathrm{Os}$	188.958 145 9	16.15(23)
$^{190}_{76}\mathrm{Os}$	189.958 445 4	26.26(20)
$^{192}_{76}\mathrm{Os}$	191.961 478 8	40.78(32)
$^{191}_{77}\mathrm{Ir}$	190.960 591 5	37.3(2)
$^{193}_{77}\mathrm{Ir}$	192.962 923 8	62.7(2)
$^{190}_{78}\mathrm{Pt}$	189.959 949 8	0.012(2)
$^{192}_{78}\mathrm{Pt}$	191.961 042 7	0.782(24)
$^{194}_{78}\mathrm{Pt}$	193.962 683 5	32.864(410)
$^{195}_{78}\mathrm{Pt}$	194.964 794 3	33.775(240)
$^{196}_{78}\mathrm{Pt}$	195.964 954 6	25.211(340)
$^{198}_{78}\mathrm{Pt}$	197.967 896 7	7.356(130)
$^{197}_{79}\mathrm{Au}$	196.966 570 1	100
$^{196}_{80}\mathrm{Hg}$	195.965 833	0.15(1)
$^{198}_{80}\mathrm{Hg}$	197.966 769 2	10.04(3)
$^{199}_{80}\mathrm{Hg}$	198.968 281 0	16.94(12)
$^{200}_{80}\mathrm{Hg}$	199.968 326 9	23.14(9)
$^{201}_{80}\mathrm{Hg}$	200.970 303 1	13.17(9)
$^{202}_{80}\mathrm{Hg}$	201.970 643 6	29.74(13)
$^{204}_{80}\mathrm{Hg}$	203.973 494 0	6.82(4)
$^{203}_{81}\mathrm{Tl}$	202.972 344 1	[29.44, 29.59]
$^{205}_{81}\mathrm{Tl}$	204.974 427 3	[70.41, 70.56]
$^{204}_{82}\mathrm{Pb}$	203.973 043 5	1.4(6)
$^{206}_{82}\mathrm{Pb}$	205.974 465 2	24.1(30) *3
$^{207}_{82}\mathrm{Pb}$	206.975 896 8	22.1(50) *3
$^{208}_{82}\mathrm{Pb}$	207.976 652 0	52.4(70) *3
$^{209}_{83}\mathrm{Bi}^{\dagger}$	208.980 398 6	100
$^{230}_{90}\mathrm{Th}^{\dagger}$	230.033 132 3	0.02(2)
$^{232}_{90}\mathrm{Th}^{\dagger}$	232.038 053 6	99.98(2)
$^{231}_{91}\mathrm{Pa}^{\dagger}$	231.035 882 5	100
$^{234}_{92}\mathrm{U}^{\dagger}$	234.040 950 3	0.0054(5)
$^{235}_{92}\mathrm{U}^{\dagger}$	235.043 928 1	0.7204(6) *2
$^{238}_{92}\mathrm{U}^{\dagger}$	238.050 786 9	99.2742(10)

（米田成一による）

おもな放射性核種(放射性同位体) (1)

この表には，現在知られている放射性核種（放射性同位体；ラジオアイソトープ）のうち，おもなもの約420種類を選び，半減期と壊変形式を示す．

核種欄の元素記号の左肩の数字は質量数，m は準安定状態を示す．また半減期および壊変形式の欄の記号はつぎのとおりである．

y：年(＝365.242日)，d：日，h：時，m：分，s：秒，α：α 壊変，β^-：β^-壊変，β^+：β^+壊変，EC：軌道電子捕獲，IT：核異性体転移，SF：自発核分裂．

核種	半減期	壊変形式	核種	半減期	壊変形式
^{3}H	12.32 y	β^-	^{42}K	12.355 h	β^-
^{7}Be	53.22 d	EC	^{43}K	22.3 h	β^-
^{10}Be	1.51×10^6 y	β^-	^{45}Ca	162.61 d	β^-
^{11}C	20.364 m	β^+, EC	^{47}Ca	4.536 d	β^-
^{14}C	5.70×10^3 y	β^-	^{44m}Sc	58.61 h	IT, EC
^{13}N	9.965 m	β^+, EC	^{44}Sc	4.0420 h	β^+, EC
^{15}O	122.24 s	β^+, EC	^{46}Sc	83.79 d	β^-
^{18}F	109.77 m	β^+, EC	^{47}Sc	3.3492 d	β^-
^{22}Na	2.6018 y	β^+, EC	^{48}Sc	43.71 h	β^-
^{24}Na	14.956 h	β^-	^{49}Sc	57.18 m	β^-
^{27}Mg	9.458 m	β^-	^{44}Ti	59.1 y	EC
^{28}Mg	20.915 h	β^-	^{45}Ti	184.8 m	β^+, EC
^{26}Al	7.17×10^5 y	β^+, EC	^{51}Ti	5.76 m	β^-
^{28}Al	2.245 m	β^-	^{48}V	15.974 d	EC, β^+
^{31}Si	157.24 m	β^-	^{49}V	330 d	EC
^{30}P	2.498 m	β^+, EC	^{52}V	3.743 m	β^-
^{32}P	14.268 d	β^-	^{51}Cr	27.7010 d	EC
^{33}P	25.35 d	β^-	^{52m}Mn	21.1 m	β^+, EC, IT
^{35}S	87.37 d	β^-	^{52}Mn	5.591 d	EC, β^+
^{36}Cl	3.013×10^5 y	β^-, EC, β^+	^{53}Mn	3.74×10^6 y	EC
^{38}Cl	37.230 m	β^-	^{54}Mn	312.20 d	EC
^{37}Ar	35.011 d	EC	^{56}Mn	2.5789 h	β^-
^{41}Ar	109.61 m	β^-	^{52}Fe	8.275 h	β^+, EC
^{42}Ar	32.9 y	β^-	^{55}Fe	2.744 y	EC
^{40}K	1.248×10^9 y	β^-, EC	^{59}Fe	44.490 d	β^-

半減期と壊変形式は，National Nuclear Data Center, Brookhaven National Laboratory, Evaluated Nuclear Structure Data File (ENSDF), http://www.nndc.bnl.gov/ensdf/index.jsp (2024-06) による．

おもな放射性核種(放射性同位体) (2)

核種	半減期	壊変形式	核種	半減期	壊変形式
^{55}Co	17.53 h	EC, β^+	^{73}As	80.30 d	EC
^{56}Co	77.236 d	EC, β^+	^{74}As	17.77 d	EC, β^+, β^-
^{57}Co	271.74 d	EC	^{76}As	26.254 h	β^-
^{58m}Co	9.10 h	IT	^{77}As	38.79 h	β^-
^{58}Co	70.86 d	EC, β^+	^{72}Se	8.40 d	EC
^{60m}Co	10.467 m	IT, β^-	^{75}Se	119.78 d	EC
^{60}Co	5.2712 y	β^-	^{77m}Se	17.36 s	IT
^{56}Ni	6.075 d	EC	^{79}Se	3.27×10^5 y	β^-
^{57}Ni	35.60 h	EC, β^+	^{81m}Se	57.28 m	IT, β^-
^{59}Ni	7.6×10^4 y	EC	^{81}Se	18.45 m	β^-
^{63}Ni	100.8 y	β^-	^{76}Br	16.14 h	EC, β^+
^{65}Ni	2.5175 h	β^-	^{77}Br	57.04 h	EC, β^+
^{66}Ni	54.6 h	β^-	^{80m}Br	4.4205 h	IT
^{61}Cu	3.339 h	β^+, EC	^{80}Br	17.68 m	β^-, EC, β^+
^{62}Cu	9.67 m	β^+, EC	^{82}Br	35.282 h	β^-
^{64}Cu	12.7006 h	EC, β^+, β^-	^{83}Br	2.374 h	β^-
^{66}Cu	5.120 m	β^-	^{79}Kr	35.04 h	EC, β^+
^{67}Cu	61.83 h	β^-	^{81m}Kr	13.10 s	IT, EC
^{62}Zn	9.193 h	EC, β^+	^{81}Kr	2.29×10^5 y	EC
^{63}Zn	38.49 m	β^+, EC	^{83m}Kr	1.83 h	IT
^{65}Zn	243.93 d	EC, β^+	^{85m}Kr	4.480 h	β^-, IT
^{69m}Zn	13.756 h	IT, β^-	^{85}Kr	10.739 y	β^-
^{69}Zn	56.4 m	β^-	^{81m}Rb	30.5 m	IT, EC
^{72}Zn	46.5 h	β^-	^{81}Rb	4.572 h	EC, β^+
^{66}Ga	9.49 h	β^+, EC	^{82}Rb	1.2575 m	β^+, EC
^{67}Ga	3.2617 d	EC	^{83}Rb	86.2 d	EC
^{68}Ga	67.71 m	β^+, EC	^{84}Rb	32.82 d	EC, β^+, β^-
^{70}Ga	21.14 m	β^-, EC	^{86}Rb	18.642 d	β^-, EC
^{72}Ga	14.10 h	β^-	^{87}Rb	4.81×10^{10} y	β^-
^{68}Ge	270.93 d	EC	^{88}Rb	17.773 m	β^-
^{69}Ge	39.05 h	EC	^{82}Sr	25.35 d	EC
^{71}Ge	11.43 d	EC	^{83}Sr	32.41 h	β^+, EC
^{75}Ge	82.78 m	β^-	^{85}Sr	64.849 d	EC
^{77m}Ge	53.7 s	β^-, IT	^{87m}Sr	2.815 h	IT, EC
^{77}Ge	11.211 h	β^-	^{89}Sr	50.563 d	β^-
^{71}As	65.30 h	β^+, EC	^{90}Sr	28.91 y	β^-
^{72}As	26.0 h	β^+, EC	^{91}Sr	9.65 h	β^-

おもな放射性核種(放射性同位体) (3)

核 種	半 減 期	壊変形式	核 種	半 減 期	壊変形式
^{86m}Y	47.4 m	IT, β^+, EC	^{109}Pd	13.59 h	β^-
^{86}Y	14.74 h	EC, β^+	^{111}Pd	23.4 m	β^-
^{87}Y	79.8 h	EC, β^+	^{112}Pd	21.04 h	β^-
^{88}Y	106.626 d	EC, β^+	^{105}Ag	41.29 d	EC
^{90}Y	64.05 h	β^-	^{107m}Ag	44.3 s	IT
^{91m}Y	49.71 m	IT	^{108}Ag	2.382 m	β^-, EC, β^+
^{91}Y	58.51 d	β^-	^{109m}Ag	39.79 s	IT
^{88}Zr	83.4 d	EC	^{110m}Ag	249.83 d	β^-, IT
^{89m}Zr	4.161 m	IT, EC, β^+	^{110}Ag	24.56 s	β^-, EC
^{89}Zr	78.41 h	β^+, EC	^{111m}Ag	64.8 s	IT, β^-
^{93}Zr	1.61×10^6 y	β^-	^{111}Ag	7.45 d	β^-
^{95}Zr	64.032 d	β^-	^{112}Ag	3.130 h	β^-
^{97}Zr	16.749 h	β^-	^{107}Cd	6.50 h	EC, β^+
^{90}Nb	14.60 h	β^+, EC	^{109}Cd	461.9 d	EC
^{92m}Nb	10.15 d	EC, β^+	^{111m}Cd	48.50 m	IT
^{93m}Nb	16.12 y	IT	^{115m}Cd	44.56 d	β^-
^{94}Nb	2.03×10^4 y	β^-	^{115}Cd	53.46 h	β^-
^{95m}Nb	3.61 d	IT, β^-	^{117m}Cd	3.36 h	β^-
^{95}Nb	34.991 d	β^-	^{117}Cd	2.49 h	β^-
^{97m}Nb	58.7 s	IT	^{109}In	4.159 h	EC, β^+
^{97}Nb	72.1 m	β^-	^{110}In	4.92 h	EC, β^+
^{93}Mo	4.0×10^3 y	EC	^{111}In	2.8047 d	EC
^{99}Mo	65.976 h	β^-	^{112}In	14.88 m	EC, β^-, β^+
^{92}Tc	4.25 m	β^+, EC	^{113m}In	1.6579 h	IT
^{95m}Tc	61 d	EC, IT, β^+	^{114m}In	49.51 d	IT, EC, β^+
^{95}Tc	20.0 h	EC	^{114}In	71.9 s	β^-, EC, β^+
^{99m}Tc	6.0072 h	IT, β^-	^{115m}In	4.486 h	IT, β^-
^{99}Tc	2.111×10^5 y	β^-	^{115}In	4.41×10^{14} y	β^-
^{103}Ru	39.247 d	β^-	^{116m}In	54.29 m	β^-, EC
^{105}Ru	4.439 h	β^-	^{117m}In	116.2 m	β^-, IT
^{106}Ru	371.8 d	β^-	^{117}In	43.2 m	β^-
^{99}Rh	16.1 d	EC, β^+	^{119m}In	18.0 m	β^-, IT
^{103m}Rh	56.114 m	IT	^{119}In	2.4 m	β^-
^{105m}Rh	42.9 s	IT	^{113}Sn	115.09 d	EC, β^+
^{105}Rh	35.341 h	β^-	^{117m}Sn	14.00 d	IT
^{106}Rh	30.07 s	β^-	^{119m}Sn	293.1 d	IT
^{103}Pd	16.991 d	EC	^{121m}Sn	43.9 y	IT, β^-

おもな放射性核種(放射性同位体) (4)

核種	半減期	壊変形式	核種	半減期	壊変形式
$^{121}\mathrm{Sn}$	27.03 h	β^-	$^{130}\mathrm{Cs}$	29.21 m	EC, β^+, β^-
$^{123m}\mathrm{Sn}$	40.06 m	β^-	$^{131}\mathrm{Cs}$	9.689 d	EC
$^{123}\mathrm{Sn}$	129.2 d	β^-	$^{132}\mathrm{Cs}$	6.480 d	EC, β^+, β^-
$^{125}\mathrm{Sn}$	9.64 d	β^-	$^{134m}\mathrm{Cs}$	2.912 h	IT
$^{122}\mathrm{Sb}$	2.7238 d	β^-, EC, β^+	$^{134}\mathrm{Cs}$	2.0652 y	β^-, EC
$^{124}\mathrm{Sb}$	60.20 d	β^-	$^{135}\mathrm{Cs}$	2.3×10^{6} y	β^-
$^{125}\mathrm{Sb}$	2.75856 y	β^-	$^{137}\mathrm{Cs}$	30.08 y	β^-
$^{127}\mathrm{Sb}$	3.85 d	β^-	$^{131}\mathrm{Ba}$	11.50 d	EC
$^{121m}\mathrm{Te}$	164.2 d	IT, EC	$^{133m}\mathrm{Ba}$	38.93 h	IT, EC
$^{121}\mathrm{Te}$	19.17 d	EC	$^{133}\mathrm{Ba}$	10.551 y	EC
$^{123m}\mathrm{Te}$	119.2 d	IT	$^{137m}\mathrm{Ba}$	2.552 m	IT
$^{123}\mathrm{Te}$	$>9.2\times10^{16}$ y	EC	$^{139}\mathrm{Ba}$	82.93 m	β^-
$^{125m}\mathrm{Te}$	57.40 d	IT	$^{140}\mathrm{Ba}$	12.751 d	β^-
$^{127m}\mathrm{Te}$	106.1 d	IT, β^-	$^{138}\mathrm{La}$	1.03×10^{11} y	EC, β^-
$^{127}\mathrm{Te}$	9.35 h	β^-	$^{140}\mathrm{La}$	1.67858 d	β^-
$^{129m}\mathrm{Te}$	33.6 d	IT, β^-	$^{139}\mathrm{Ce}$	137.63 d	EC
$^{129}\mathrm{Te}$	69.6 m	β^-	$^{141}\mathrm{Ce}$	32.504 d	β^-
$^{132}\mathrm{Te}$	3.204 d	β^-	$^{143}\mathrm{Ce}$	33.039 h	β^-
$^{121}\mathrm{I}$	2.12 h	EC, β^+	$^{144}\mathrm{Ce}$	284.91 d	β^-
$^{123}\mathrm{I}$	13.2230 h	EC	$^{142}\mathrm{Pr}$	19.12 h	β^-, EC
$^{124}\mathrm{I}$	4.1760 d	EC, β^+	$^{143}\mathrm{Pr}$	13.57 d	β^-
$^{125}\mathrm{I}$	59.407 d	EC	$^{144m}\mathrm{Pr}$	7.2 m	IT, β^-
$^{126}\mathrm{I}$	12.93 d	EC, β^+, β^-	$^{144}\mathrm{Pr}$	17.28 m	β^-
$^{128}\mathrm{I}$	24.99 m	β^-, EC, β^+	$^{144}\mathrm{Nd}$	2.29×10^{15} y	α
$^{129}\mathrm{I}$	1.57×10^{7} y	β^-	$^{147}\mathrm{Nd}$	11.03 d	β^-
$^{130}\mathrm{I}$	12.36 h	β^-	$^{149}\mathrm{Nd}$	1.726 h	β^-
$^{131}\mathrm{I}$	8.0252 d	β^-	$^{151}\mathrm{Nd}$	12.44 m	β^-
$^{132}\mathrm{I}$	2.295 h	β^-	$^{147}\mathrm{Pm}$	2.6234 y	β^-
$^{133}\mathrm{I}$	20.83 h	β^-	$^{149}\mathrm{Pm}$	53.08 h	β^-
$^{134}\mathrm{I}$	52.5 m	β^-	$^{151}\mathrm{Pm}$	28.40 h	β^-
$^{135}\mathrm{I}$	6.58 h	β^-	$^{147}\mathrm{Sm}$	1.073×10^{11} y	α
$^{131m}\mathrm{Xe}$	11.84 d	IT	$^{148}\mathrm{Sm}$	7×10^{15} y	α
$^{133m}\mathrm{Xe}$	2.198 d	IT	$^{151}\mathrm{Sm}$	90 y	β^-
$^{133}\mathrm{Xe}$	5.2475 d	β^-	$^{153}\mathrm{Sm}$	46.284 h	β^-
$^{135m}\mathrm{Xe}$	15.29 m	IT, β^-	$^{155}\mathrm{Sm}$	22.18 m	β^-
$^{135}\mathrm{Xe}$	9.14 h	β^-	$^{152m}\mathrm{Eu}$	9.3116 h	β^-, EC, β^+
$^{129}\mathrm{Cs}$	32.06 h	EC, β^+	$^{152}\mathrm{Eu}$	13.517 y	EC, β^+, β^-

おもな放射性核種(放射性同位体) (5)

核種	半減期	壊変形式	核種	半減期	壊変形式
^{154}Eu	8.601 y	β^-, EC, β^+	^{185}Os	93.6 d	EC
^{155}Eu	4.753 y	β^-	^{186}Os	2.0×10^{15} y	α
^{156}Eu	15.19 d	β^-	^{191m}Os	13.10 h	IT
^{152}Gd	1.08×10^{14} y	α	^{191}Os	14.99 d	β^-
^{153}Gd	240.4 d	EC	^{193}Os	29.830 h	β^-
^{159}Gd	18.479 h	β^-	^{191m}Ir	4.899 s	IT
^{157}Tb	71 y	EC	^{192}Ir	73.829 d	β^-, EC
^{160}Tb	72.3 d	β^-	^{193m}Ir	10.53 d	IT
^{161}Tb	6.89 d	β^-	^{194}Ir	19.18 h	β^-
^{157}Dy	8.14 h	EC, β^+	^{193m}Pt	4.33 d	IT
^{165}Dy	2.331 h	β^-	^{193}Pt	50 y	EC
^{166}Dy	81.6 h	β^-	^{197}Pt	19.8915 h	β^-
^{166m}Ho	1.20×10^{3} y	β^-	^{199}Pt	30.80 m	β^-
^{166}Ho	26.824 h	β^-	^{195}Au	186.01 d	EC
^{169}Er	9.392 d	β^-	^{197m}Au	7.73 s	IT
^{171}Er	7.516 h	β^-	^{198}Au	2.6941 d	β^-
^{170}Tm	128.6 d	β^-, EC	^{199}Au	3.139 d	β^-
^{171}Tm	1.92 y	β^-	^{197m}Hg	23.8 h	IT, EC
^{169}Yb	32.018 d	EC	^{197}Hg	64.14 h	EC
^{175}Yb	4.185 d	β^-	^{203}Hg	46.610 d	β^-
^{177}Yb	1.911 h	β^-	^{206}Hg	8.32 m	β^-
^{176m}Lu	3.664 h	β^-, EC	^{200}Tl	26.1 h	EC, β^+
^{176}Lu	3.76×10^{10} y	β^-	^{201}Tl	3.0420 d	EC
^{177}Lu	6.6443 d	β^-	^{202}Tl	12.31 d	EC
^{175}Hf	70 d	EC	^{204}Tl	3.783 y	β^-, EC, β^+
^{180m}Hf	5.53 h	IT, β^-	^{206}Tl	4.202 m	β^-
^{181}Hf	42.39 d	β^-	^{207}Tl	4.77 m	β^-
^{180}Ta	8.154 h	EC, β^-	^{208}Tl	3.053 m	β^-
^{182}Ta	114.74 d	β^-	^{209}Tl	2.162 m	β^-
^{181}W	121.2 d	EC	^{210}Tl	1.30 m	β^-
^{185}W	75.1 d	β^-	^{200}Pb	21.5 h	EC
^{187}W	24.000 h	β^-	^{201}Pb	9.33 h	EC, β^+
^{188}W	69.78 d	β^-	^{202m}Pb	3.54 h	IT, EC
^{183}Re	70.0 d	EC	^{202}Pb	5.25×10^{4} y	EC, α
^{186}Re	3.7185 d	β^-, EC	^{203}Pb	51.92 h	EC
^{187}Re	4.33×10^{10} y	β^-	^{207m}Pb	0.806 s	IT
^{188}Re	17.005 h	β^-	^{209}Pb	3.234 h	β^-

おもな放射性核種(放射性同位体) (6)

核種	半減期	壊変形式	核種	半減期	壊変形式
^{210}Pb	22.20 y	β^-, α	^{229}Th	7.88×10^3 y	α
^{211}Pb	36.1 m	β^-	^{230}Th	7.54×10^4 y	α
^{212}Pb	10.622 h	β^-	^{231}Th	25.57 h	β^-
^{214}Pb	27.06 m	β^-	^{232}Th	1.40×10^{10} y	α
^{206}Bi	6.243 d	EC, β^+	^{233}Th	21.83 m	β^-
^{207}Bi	31.55 y	EC, β^+	^{234}Th	24.10 d	β^-
^{208}Bi	3.68×10^5 y	EC	^{231}Pa	32 570 y	α
^{209}Bi	2.01×10^{19} y	α	^{233}Pa	26.975 d	β^-
^{210}Bi	5.012 d	β^-, α	^{234m}Pa	1.159 m	β^-, IT
^{211}Bi	2.14 m	α, β^-	^{234}Pa	6.70 h	β^-
^{212}Bi	60.55 m	β^-, α	^{232}U	68.9 y	α
^{213}Bi	45.59 m	β^-, α	^{233}U	1.5919×10^5 y	α, SF
^{214}Bi	19.71 m	β^-, α	^{234}U	2.455×10^5 y	α, SF
^{215}Bi	7.6 m	β^-	^{235m}U	26 m	IT
^{208}Po	2.898 y	α, EC, β^+	^{235}U	7.04×10^8 y	α, SF
^{210}Po	138.376 d	α	^{236}U	2.342×10^7 y	α, SF
^{211}Po	0.516 s	α	^{237}U	6.752 d	β^-
^{213}Po	3.706×10^{-6} s	α	^{238}U	4.468×10^9 y	α, SF
^{214}Po	1.6346×10^{-4} s	α	^{239}U	23.45 m	β^-
^{215}Po	1.781×10^{-3} s	α	^{237}Np	2.144×10^6 y	α, SF
^{216}Po	0.145 s	α	^{238}Np	2.099 d	β^-
^{218}Po	3.097 m	α, β^-	^{239}Np	2.356 d	β^-
^{211}At	7.214 h	EC, α	^{238}Pu	87.7 y	α, SF
^{220}Rn	55.6 s	α	^{239}Pu	2.4110×10^4 y	α, SF
^{222}Rn	3.8222 d	α	^{240}Pu	6561 y	α, SF
^{221}Fr	4.9 m	α	^{241}Pu	14.329 y	β^-, α
^{223}Fr	22.00 m	β^-, α	^{242}Pu	3.73×10^5 y	α, SF
^{223}Ra	11.43 d	α	^{241}Am	432.6 y	α, SF
^{224}Ra	3.6316 d	α	^{242}Am	16.01 h	β^-, EC
^{225}Ra	14.9 d	β^-	^{243}Am	7.364×10^3 y	α
^{226}Ra	1.600×10^3 y	α	^{242}Cm	162.88 d	α, SF
^{228}Ra	5.75 y	β^-	^{244}Cm	18.11 y	α, SF
^{225}Ac	9.920 d	α	^{246}Cm	4.706×10^3 y	α, SF
^{227}Ac	21.772 y	β^-, α	^{248}Cm	3.48×10^5 y	α, SF
^{228}Ac	6.15 h	β^-	^{247}Bk	1.38×10^3 y	α
^{227}Th	18.697 d	α	^{252}Cf	2.647 y	α, SF
^{228}Th	1.9116 y	α			

(桧垣正吾による)

天然放射性核種

天然に存在する放射性核種（放射性同位体）は，つぎの３つのグループに分類される．

1）ウラン（^{235}U，^{238}U），トリウムのような長寿命の放射性元素（核種）を親とする放射壊変系列に属するもの．これらは後出の壊変系列図（**物 132**）に示してある．

2）^{40}K のように放射壊変系列に属さない長寿命の核種．おもなものを次表に示す．

3）^{3}H や ^{14}C のように宇宙線により核反応で生成するもの．高層大気中では，宇宙線が窒素，酸素，アルゴンなどの原子核に衝突して核反応（破砕反応）を起こしたり，その際放出された中性子などがさらに二次的な核反応を起こして，^{3}H，^{7}Be，^{10}Be，^{14}C，^{22}Na，^{32}P，^{35}S，^{36}Cl などの放射性核種を生ずる．

放射壊変系列に属さないおもな天然一次放射性核種

核種	半減期	壊変形式	核種	半減期	壊変形式
^{40}K	1.248×10^{9} y	β^-, EC	^{144}Nd	2.29×10^{15} y	α
			^{147}Sm	1.073×10^{11} y	α
^{87}Rb	4.81×10^{10} y	β^-	^{148}Sm	7×10^{15} y	α
^{113}Cd	8.04×10^{15} y	β^-	^{152}Gd	1.08×10^{14} y	α
^{115}In	4.41×10^{14} y	β^-	^{176}Lu	3.76×10^{10} y	β^-
^{123}Te	$>9.2\times10^{16}$ y	EC	^{174}Hf	2.0×10^{15} y	α
			^{187}Re	4.33×10^{10} y	β^-
^{138}La	1.03×10^{11} y	EC, β^-	^{186}Os	2.0×10^{15} y	α
			^{190}Pt	6.5×10^{11} y	α

半減期，壊変形式の出典，および各欄の記号は，「おもな放射性核種」の表（**物 125**）と同じ．

（桧垣正吾による）

壊 変

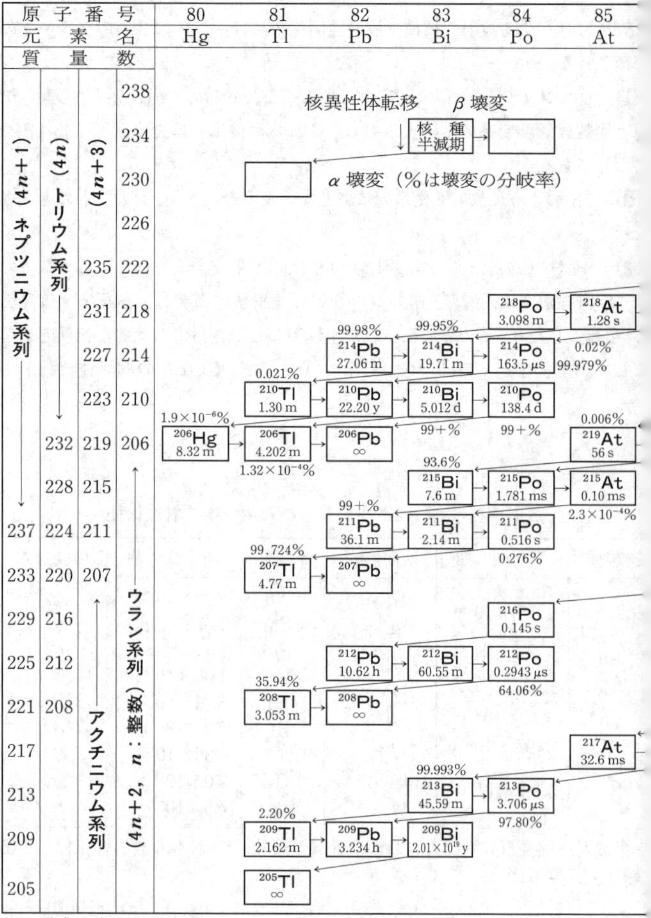

＊　出典は 物 125 に同じ.

系　列　図

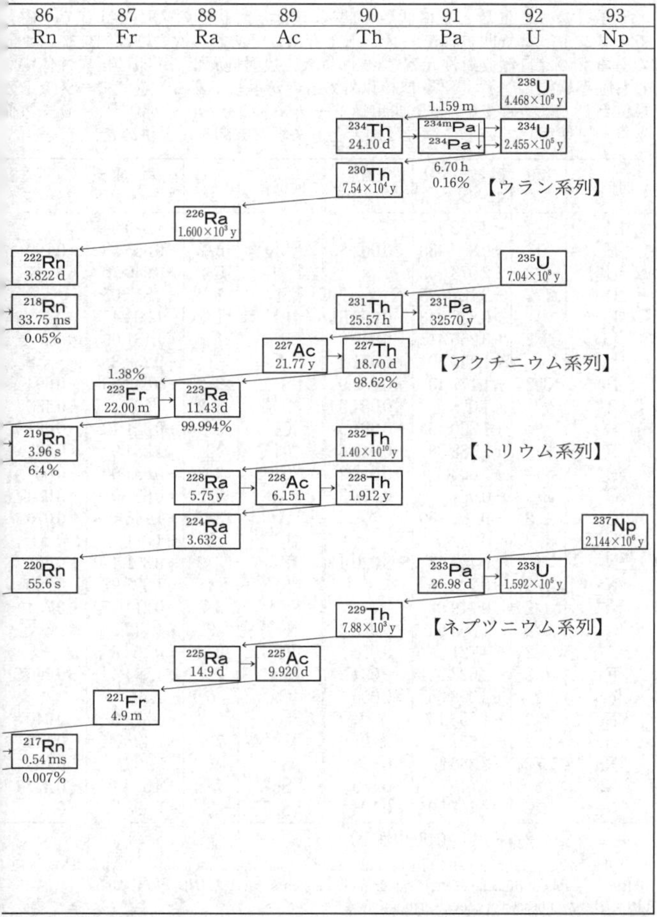

86 Rn
87 Fr
88 Ra
89 Ac
90 Th
91 Pa
92 U
93 Np
238U 4.468×10^9 y
1.159 m
234Th 24.10 d
234mPa
234Pa
234U 2.455×10^5 y
6.70 h
0.16%
230Th 7.54×10^4 y
【ウラン系列】
226Ra 1.600×10^3 y
222Rn 3.822 d
235U 7.04×10^8 y
218Rn 33.75 ms
0.05%
231Th 25.57 h
231Pa 32570 y
227Ac 21.77 y
227Th 18.70 d
【アクチニウム系列】
1.38%
98.62%
223Fr 22.00 m
223Ra 11.43 d
99.994%
219Rn 3.96 s
6.4%
232Th 1.40×10^10 y
【トリウム系列】
228Ra 5.75 y
228Ac 6.15 h
228Th 1.912 y
224Ra 3.632 d
237Np 2.144×10^6 y
220Rn 55.6 s
233Pa 26.98 d
233U 1.592×10^5 y
229Th 7.88×10^3 y
【ネプツニウム系列】
225Ra 14.9 d
225Ac 9.920 d
221Fr 4.9 m
217Rn 0.54 ms
0.007%

略号：y(年)，d(日)，h(時)，m(分)，s(秒)，ms(10^{-3} s)，μs(10^{-6} s)　　(桧垣正吾による)

原子核の磁気モーメントおよび電気四重極モーメント (1)

原子番号，質量数ともに偶数の偶-偶核は基底状態のスピンは0で，磁気モーメント，電気四重極モーメントともに0である．次表には同位体（＊印のあるものは自然放射性元素，＊＊印は人工放射性元素，*m* 印は核異性体すなわち励起状態）のうち，偶-偶核以外のものが示してある．磁気モーメントの単位としては核磁子を，電気四重極モーメントのそれは $e\times10^{-28}$ m^2（e：電荷素量）を使用している．符号は両者ともスピン方向を＋と決めた．

同位体	スピン	磁気二重極モーメント	電気四重極モーメント	同位体	スピン	磁気二重極モーメント	電気四重極モーメント
$^{1}_{1}$H	1/2	+2.792 847		^{24}Na**	4	+1.690 3	
^{2}H	1	+0.857 438	+0.002 86	$^{25}_{12}$Mg	5/2	−0.855 33	+0.199
^{3}H**	1/2	+2.978 962		$^{27}_{13}$Al	5/2	+3.640 70	+0.147
$^{3}_{2}$He	1/2	−2.127 625		$^{29}_{14}$Si	1/2	−0.555 05	
$^{6}_{3}$Li	1	+0.822 043	−0.000 81	$^{29}_{15}$P**	1/2	1.234 4	
^{7}Li	3/2	+3.256 41	−0.040 0	^{31}P	1/2	+1.131 09	
^{8}Li**	2	+1.653 50	+0.031 4	^{32}P**	1	−0.252 8	
$^{9}_{4}$Be	3/2	−1.177 43	+0.052 9	$^{33}_{16}$S	3/2	+0.643 25	−0.694
$^{8}_{5}$B**	2	1.035 5	+0.064 3	^{35}S**	3/2	+1.00	−0.483
^{10}B	3	+1.800 46	+0.084 6	$^{35}_{17}$Cl	3/2	+0.821 70	−0.081 7
^{11}B	3/2	+2.688 38	+0.040 6	^{36}Cl**	2	+1.284 9	−0.178
^{12}B**	1	+1.003	0.013 2	^{37}Cl	3/2	+0.684 00	−0.064 4
$^{11}_{6}$C**	3/2	−0.964	0.033 3	$^{35}_{18}$Ar**	3/2	+0.632 0	−0.084
^{13}C	1/2	+0.702 369		^{37}Ar**	3/2	+1.146	+0.076
$^{13}_{7}$N**	1/2	0.321 9		$^{38}_{19}$K**	3	+1.371	
^{14}N	1	+0.403 57	+0.020 44	^{39}K	3/2	+0.391 470	+0.603
^{15}N	1/2	−0.283 06		^{40}K*	4	−1.297 97	−0.750
$^{15}_{8}$O**	1/2	0.719 08		^{41}K	3/2	+0.214 872	+0.734
^{17}O	5/2	−1.893 54	−0.025 6	^{42}K**	2	−1.142 5	
$^{17}_{9}$F**	5/2	+4.721 3	0.076	^{43}K**	3/2	+0.163 3	
^{19}F	1/2	+2.628 321	−0.094 2	$^{41}_{20}$Ca**	7/2	−1.594 43	−0.066 5
^{20}F**	2	+2.093 35	0.056	^{42m}Ca	6	−2.49	
$^{19}_{10}$Ne**	1/2	−1.885 15		^{43}Ca	7/2	−1.317 33	−0.040 8
^{21}Ne	3/2	−0.661 7	+0.101 6	$^{41}_{21}$Sc**	7/2	+5.428 3	−0.145
$^{21}_{11}$Na**	3/2	+2.386 10	0.138	^{43m}Sc	19/2	+3.122	0.199
^{22}Na*	3	+1.746	+0.180	^{43}Sc**	7/2	+4.526	−0.27
^{23}Na	3/2	+2.217 50	+0.104	^{44}Sc**	2	+2.498	+0.10

$^{1}_{0}$n　1/2　−1.913 043(中性子)

“Table of nuclear magnetic dipole and electric quadrupole moments”, IAEA, INDC-0794 (2019), “Table of nuclear electric quadrupole moments”, IAEA, INDC-833 (2021).
https://www-nds.iaea.org/nuclearmoments/

原子核の磁気モーメントおよび電気四重極モーメント (2)

同位体	スピン	磁気二重極モーメント	電気四重極モーメント	同位体	スピン	磁気二重極モーメント	電気四重極モーメント
^{44m}Sc**	6	+3.831	−0.19	$^{75}_{33}$As	3/2	+1.438 3	+0.311
^{45}Sc	7/2	+4.754 00	−0.220	^{76}As**	2	−0.902	
^{46}Sc**	4	+3.040	+0.119	$^{75}_{34}$Se**	5/2	0.683	1.1
^{47}Sc**	7/2	+5.34	−0.22	^{77}Se	1/2	+0.533 65	
$^{45}_{22}$Ti**	7/2	0.095	0.015	^{79}Se**	7/2	−1.018	+0.8
^{47}Ti	5/2	−0.788 14	+0.302	$^{76}_{35}$Br**	1	0.547 7	+0.251
^{49}Ti	7/2	−1.103 7	+0.247	^{79}Br	3/2	+2.104 6	+0.3087
$^{50}_{23}$V*	6	+3.344 2	+0.21	^{80}Br**	1	0.513 5	+0.182
^{51}V	7/2	+5.146 4	−0.052	^{80m}Br**	5	+1.316 5	+0.700
$^{49}_{24}$Cr**	5/2	0.476		^{81}Br	3/2	+2.268 6	+0.257 9
^{53}Cr	3/2	−0.474 31	−0.15	^{82}Br**	5	+1.625 6	+0.697
$^{51}_{25}$Mn	5/2	+3.575	0.41	$^{83}_{36}$Kr	9/2	−0.970 730	+0.259
^{52}Mn**	6	+3.062 2	+0.50	^{85}Kr**	9/2	−1.005 5	+0.443
^{53}Mn**	7/2	+5.033	+0.17	$^{81}_{37}$Rb**	3/2	+2.059 1	+0.48
^{54}Mn**	3	3.297	+0.37	^{82m}Rb**	5	+1.510 96	+1.22
^{55}Mn	5/2	+3.466 9	+0.330	^{83}Rb**	5/2	+1.424 6	+0.24
^{56}Mn**	3	+3.240	+0.24	^{84}Rb**	2	−1.325	−0.02
$^{57}_{26}$Fe	1/2	+0.090 64		^{85}Rb	5/2	+1.353 06	+0.276
^{57m}Fe	3/2	−0.155 31	+0.160	^{86}Rb**	2	−1.697 4	+0.23
$^{56}_{27}$Co**	4	3.85	+0.25	^{87}Rb*	3/2	+2.751 29	+0.133 5
^{57}Co**	7/2	+4.720	+0.54	$^{87}_{38}$Sr	9/2	−1.093 2	+0.305
^{58}Co**	2	+4.044	+0.23	$^{89}_{39}$Y	1/2	−0.137 298	−0.43
^{59}Co	7/2	+4.615	+0.42	^{90}Y**	2	−1.628	−0.125
^{60}Co**	5	+3.799	+0.46	^{91}Y**	1/2	0.1639	
$^{61}_{28}$Ni	3/2	−0.749 65	+0.162	$^{91}_{40}$Zr	5/2	−1.302 2	−0.176
^{61m}Ni	5/2	+0.480	−0.20	$^{93}_{41}$Nb	9/2	+6.163	−0.32
$^{61}_{29}$Cu**	3/2	+2.110 7	−0.221	$^{95}_{42}$Mo	5/2	−0.913 2	−0.022
^{63}Cu	3/2	+2.225 9	−0.220	^{97}Mo	5/2	−0.932 4	+0.255
^{64}Cu**	1	−0.216 6	+0.075	$^{99}_{43}$Tc**	9/2	+5.678	−0.129
^{65}Cu	3/2	+2.384 4	−0.204	$^{99}_{44}$Ru	5/2	−0.641	+0.079
^{66}Cu**	1	−0.282 6	+0.059	^{99m}Ru	3/2	−0.284	+0.231
$^{65}_{30}$Zn**	5/2	+0.768 4	−0.019	^{101}Ru	5/2	−0.718	+0.46
^{67}Zn	5/2	+0.874 85	+0.122	$^{103}_{45}$Rh	1/2	−0.882 9	
$^{67}_{31}$Ga**	3/2	+1.849 4	+0.197	$^{105}_{46}$Pd	5/2	−0.642	+0.660
^{68}Ga*	1	0.011 75	−0.027 7	$^{104}_{47}$Ag**	5	3.914	+1.06
^{69}Ga	3/2	+2.015 02	+0.171	^{104m}Ag**	2	3.686	
^{71}Ga	3/2	+2.560 33	+0.107	^{105}Ag**	1/2	0.101 3	
^{72}Ga**	3	−0.132 14	+0.530	^{107}Ag	1/2	−0.113 52	
$^{71}_{32}$Ge**	1/2	+0.546		^{108}Ag**	1	2.683 8	
^{73}Ge	9/2	−0.878 24	−0.196	^{109}Ag	1/2	0.130 51	

原子核の磁気モーメントおよび電気四重極モーメント (3)

同位体	スピン	磁気二重極モーメント	電気四重極モーメント	同位体	スピン	磁気二重極モーメント	電気四重極モーメント
^{111}Ag**	1/2	−0.146		^{131}Xe	3/2	+0.691 85	−0.114
^{112}Ag**	2	0.054 7		$^{127}_{55}$Cs**	1/2	+1.457	
^{113}Ag**	1/2	0.159		^{129}Cs**	1/2	+1.489	
$^{107}_{48}$Cd**	5/2	−0.614 1	+0.60	^{130}Cs**	1	+1.458	−0.056
^{109}Cd**	5/2	−0.826 6	+0.60	^{131}Cs**	5/2	+3.536	+0.59
^{111}Cd	1/2	−0.594 0		^{132}Cs**	2	+2.219	+0.48
^{113}Cd*	1/2	−0.621 3		^{133}Cs	7/2	+2.577 8	−0.003 4
^{113m}Cd**	11/2	−1.088 3	−0.61	^{134}Cs**	4	+2.989 3	+0.37
^{115}Cd**	1/2	−0.648 3		^{134m}Cs**	8	+1.095 9	+0.92
^{115m}Cd**	11/2	−1.039 4	−0.48	^{135}Cs**	7/2	+2.728 3	+0.048
$^{109}_{49}$In**	9/2	+5.530	+0.80	^{137}Cs**	7/2	+2.837 4	+0.048
^{111}In**	9/2	+5.495	+0.76	$^{135}_{56}$Ba	3/2	+0.838 1	+0.153
^{113}In	9/2	+5.520 8	0.761	^{137}Ba	3/2	+0.937 5	+0.236
^{113m}In**	1/2	−0.210 4		$^{138}_{57}$La*	5	+3.708 4	+0.39
^{114m}In**	5	+4.646	+0.705	^{139}La	7/2	+2.779 1	+0.206
^{115}In*	9/2	+5.532 6	+0.772	$^{141}_{58}$Ce**	7/2	1.09	
^{115m}In**	1/2	−0.243 62		$^{141}_{59}$Pr	5/2	+4.266	−0.077
^{116m}In**	5	+4.428	+0.764	^{142}Pr**	2	+0.234	0.039
^{117m}In**	1/2	−0.251 36		$^{143}_{60}$Nd	7/2	−1.065	−0.61
$^{115}_{50}$Sn	1/2	−0.917 4		^{145}Nd	7/2	−0.656	−0.314
^{117}Sn	1/2	−0.999 5		^{147}Nd**	5/2	0.554	+0.9
^{119}Sn	1/2	−1.045 9		$^{147}_{61}$Pm**	7/2	+2.58	+0.74
^{119m}Sn	3/2	+0.633	−0.132	^{151}Pm**	5/2	1.8	2.2
$^{121}_{51}$Sb	5/2	+3.358 0	−0.543	$^{147}_{62}$Sm*	7/2	−0.809	−0.26
^{122}Sb**	2	−1.90	+1.28	^{149}Sm	7/2	−0.668	+0.075
^{123}Sb	7/2	+2.545 7	−0.692	^{149m}Sm	5/2	−0.620 0	+1.01
$^{123}_{52}$Te*	1/2	−0.735 8		^{153}Sm**	3/2	−0.021	+1.30
^{125}Te	1/2	−0.887 0		$^{151}_{63}$Eu	5/2	+3.463 5	+0.903
^{125m}Te	3/2	+0.605	−0.31	^{151m}Eu	7/2	+2.585	+1.28
$^{125}_{53}$I**	5/2	2.821	−0.752	^{152}Eu**	3	−1.935	+2.72
^{127}I	5/2	+2.808 7	−0.688	^{153}Eu	5/2	+1.529 4	+2.41
^{129}I**	7/2	+2.617	−0.483	^{154}Eu**	3	−2.000	+2.85
^{129m}I	5/2	+2.805	−0.598	$^{155}_{64}$Gd	3/2	−0.259 1	+1.27
^{131}I**	7/2	+2.738	−0.34	^{157}Gd	3/2	−0.339 8	+1.35
^{132}I**	4	3.088	0.08	$^{159}_{65}$Tb	3/2	+2.009	+1.432
^{133}I**	7/2	+2.856	−0.23	$^{161}_{66}$Dy	5/2	−0.479	+2.51
$^{129}_{54}$Xe	1/2	−0.777 96		^{161m}Dy	5/2	+0.594	+2.51
^{129m}Xe	3/2	+0.58	−0.393	^{163}Dy	5/2	+0.671	+2.65

理科年表プレミアム

個人版

定価4,620円（本体4,200円＋税10%） ISBN978-4-621-30844-8
※PC1台用（12ヵ月）アクセスライセンス付き

創刊から最新版までのデータを
ダウンロードできるWebサイト

1925年（大正14年）の創刊から最新版までの『理科年表』に掲載された約15,000項目に及ぶ膨大なデータを収載したWebサイト。表データはすべてCSV形式となっておりダウンロード（保存）も可能。表計算ソフトを使えば自由自在に加工や編集が行える。

より見やすく・わかりやすく　おもしろい科学情報が満載！

理科年表
オフィシャルサイト

理科年表　検索

https://official.rikanenpyo.jp

丸善出版株式会社
〒101-0051 東京都千代田区神田神保町2-17 神田神保町ビル 営業部 TEL(03)3512-3256
FAX (048) 852-5591(受注センター) https://www.maruzen-publishing.co.jp

地震学の歴史からみる 地震防災

神沼 克伊 著　A5判・186頁
定価3,850円（本体3,500円＋税10%） ISBN978-4-621-30996-4

大地震を生き延びる術を身につける

究極の地震対策は大地震に遭遇したとき、生き延び、犠牲者にならないで済むための対策をすることである――。本書では地球科学の専門家が地震の記録、地震予知の歴史、地震発生のメカニズム等を解説。それらを踏まえ、究極の地震対策「抗震力（こうしんりょく）」を提唱する。次の大地震・巨大地震に遭遇したときに生き延びる術を身につける一冊。

環境年表 2023-2024

国立天文台 編　A5判・528頁
定価3,300円（本体3,000円＋税10%） ISBN978-4-621-30844-8

環境に関する情報を凝縮したデータブック

地球温暖化、異常気象、酸性雨、水循環、陸水環境、海洋環境、火山、バイオーム、生物多様性、感染症、エネルギー、廃棄物など環境に関する情報をまとめたデータブック。トピックではノーベル物理学賞を受賞した眞鍋淑郎氏による気候研究、海底火山である福徳岡ノ場とフンガ・トンガ=フンガ・ハアパイの現状、宇宙デブリ問題、など最近の話題も解説。持続的な発展を見据えて今後の地球環境を考えていくための一冊。

魅惑の昆虫生態図鑑

的場 知之 訳　長谷川 政美 監修

A4 判・98 頁　定価 5,280 円（本体 4,800 円＋税 10%）

ISBN978-4-621-30900-1

昆虫たちの驚異の世界

種数という意味で、地球上の生物のなかでもっとも繁栄しているのは昆虫といわれている。昆虫はヒトよりもはるかに前から地球に存在し、その長い進化の過程で驚くべき適応能力を身につけてきた。本書ではその生態、巧みな生存戦略を、精緻なイラストとともに見開き完結でわかりやすく紹介。

廻り道の進化
生命の問題解決にみる創造性のルール

アンドレアス・ワグナー 著　和田 洋 訳

四六判・296 頁　定価 3,850 円（本体 3,500 円＋税 10%）

ISBN978-4-621-31040-3

進化が教える「よく遊び、よく学べ」

生物進化の戦略は自然選択だけではない。最適解探索過程では時に適応的でないプロセスを経るためだ。本書では適応度地形を柱に、遺伝的浮動と組換えを用いてこの謎に挑む。さらにその過程は数学の最短経路問題やピカソの絵画にも見られる。問題解決＝創造には分子、アルゴリズム、心や社会にも通ずる共通性がある。進化が教える創造性のルールとは？

日本の気象観測と予測技術史

古川 武彦 著

A5 判・160 頁　定価 3,300 円（本体 3,000 円＋税 10%）

ISBN978-4-621-30922-3

日本の気象観測と予測技術の変遷をたどる

気象庁は明治 8 年に創立以来、気象予報をはじめ波浪・地震・津波・火山についての情報を 24 時間体制で提供している必要不可欠な機関である。長年、気象庁で観測・航空気象・予報業務に携わってきた気象学者が、気象観測の全体像と仕組みについて解説。それらに携わってきた人々の活躍ぶりとともに日本の気象観測と予測技術の変遷をたどる。

ジー先生の場の量子論

応用編

2025 年 1 月刊行予定

原田 恒司・筒井 泉 訳

A5 判・304 頁　予価 4,950 円（本体 4,500 円＋税 10%）

ISBN978-4-621-31033-5

場の量子論の入門書であり応用編

場の量子論は、素粒子理論や物性理論の研究に欠くことのできない分野である。本書は、計算のみにこだわらず、場の量子論のエッセンスをつかむのに最適な入門書でありながら、素粒子や物性への応用にも触れ、統一理論など野心的な話題も扱っているため、入門者から専門家まで幅広い関心を引く一冊である。「応用編」では物性・素粒子への応用を学ぶ。

原子核の磁気モーメントおよび電気四重極モーメント (4)

同位体	スピン	磁気二重極モーメント	電気四重極モーメント	同位体	スピン	磁気二重極モーメント	電気四重極モーメント
$^{165}_{67}$Ho	7/2	+4.16	+3.58	^{199}Au**	3/2	+0.270 5	+0.510
$^{66m}_{68}$Er	2	+0.629	−1.9	$^{195}_{80}$Hg**	1/2	+0.539 3	
^{167}Er	7/2	−0.562 3	+3.57	^{195m}Hg**	13/2	−1.040 5	+1.08
^{169}Er**	1/2	+0.482 8		^{197}Hg**	1/2	+0.525 3	
^{171}Er**	5/2	0.657	2.86	^{197m}Hg**	13/2	−1.023 6	+1.25
$^{166}_{69}$Tm**	2	+0.092 6	+2.14	^{199}Hg	1/2	+0.503 9	
^{169}Tm	1/2	−0.231 0		^{201}Hg	3/2	−0.558 0	+0.387
^{69m}Tm	3/2	+0.513	−1.2	^{203}Hg**	5/2	+0.845 6	+0.344
^{170}Tm**	1	+0.247	+0.74	$^{199}_{81}$Tl**	1/2	+1.59	
$^{171}_{70}$Yb	1/2	+0.492 3		^{201}Tl**	1/2	+1.599	
^{173}Yb	5/2	−0.678 0	+2.80	^{203}Tl	1/2	+1.616	
^{175}Lu	7/2	+2.225 7	+3.49	^{204}Tl**	2	0.09	
^{176}Lu*	7	+3.16	+4.92	^{205}Tl	1/2	+1.632	
^{176m}Lu**	1	+0.318	−1.45	$^{207}_{82}$Pb	1/2	+0.590 6	
^{177}Lu**	7/2	+2.232	+3.39	$^{203}_{83}$Bi**	9/2	+3.999	−0.93
$^{177}_{72}$Hf	7/2	+0.791 0	+3.37	^{204}Bi**	6	+4.30	−0.68
^{179}Hf	9/2	−0.638 9	+3.79	^{205}Bi**	9/2	+4.047	−0.81
$^{181}_{73}$Ta	7/2	+2.365	+3.17	^{206}Bi**	6	+4.341	−0.54
$^{183}_{74}$W	1/2	+0.117 4		^{209}Bi	9/2	+4.092	−0.516
$^{185}_{75}$Re	5/2	+3.176	+2.07	^{210}Bi**	1	−0.044 3	+0.190
^{186}Re**	1	+1.734	+0.583	$^{205}_{84}$Po**	5/2	+0.76	
^{187}Re*	5/2	+3.209	+1.94	^{207}Po**	5/2	+0.79	+0.28
^{188}Re**	1	+1.783	+0.539	$^{227}_{89}$Ac*	3/2	+1.1	+1.7
$^{187}_{76}$Os	1/2	+0.064 42		$^{229}_{90}$Th**	5/2	+0.46	+3.11
^{189}Os	3/2	+0.657 6	+0.86	$^{231}_{91}$Pa*	3/2	1.99	−1.72
$^{191}_{77}$Ir	3/2	+0.150 2	+0.816	^{233}Pa**	3/2	4.0	−3.0
^{193}Ir	3/2	+0.163 0	+0.751	$^{233}_{92}$U**	5/2	−0.59	+3.663
$^{195}_{78}$Pt	1/2	+0.607 3		^{235}U*	7/2	−0.38	+4.936
$^{190}_{79}$Au**	1	−0.065		$^{237}_{93}$Np**	5/2	+3.16	+3.886
^{191}Au**	3/2	+0.136 4	+0.72	$^{239}_{94}$Pu	1/2	+0.202	
^{192}Au**	1	−0.010 7	−0.228	^{241}Pu**	5/2	−0.678	+6
^{193}Au**	3/2	+0.139 1	+0.66	$^{241}_{95}$Am**	5/2	+1.60	+4.34
^{194}Au**	1	+0.076	−0.240	^{242}Am**	1	+0.385 4	−2.44
^{195}Au**	3/2	+0.148 1	+0.607	^{243}Am**	5/2	+1.52	+4.32
^{196}Au**	2	+0.588 3	+0.81				
^{197}Au	3/2	+0.145 2	+0.55				
^{197m}Au	1/2	+0.416					
^{198}Au**	2	+0.591 1	+0.640				

荷電粒子の飛程(鉛)

電子より重い荷電粒子の束が物質の中を通ると，ある距離で通過粒子数が急激に減少する．その値が入射粒子数の1/2となる距離を飛程と呼ぶ．下に鉛におけるμ，π，K，p，d，α各粒子の飛程/(10 kg m^{-2})とエネルギー損失(10^{-1} MeV kg^{-1} m^{2})を運動量(GeV c^{-1})の関数として示す(鉛の電離ポテンシャルを823 eVとした計算値)．同じ物質の中では，質量M_b，電荷z_b，運動量p_bの粒子の飛程R_bは，質量M_a，電荷z_a，運動量$p_a = p_b M_a / M_b$(すなわち同一速度)の粒子の飛程R_aにより

$$R_b(M_b,\ z_b,\ p_b) = \frac{M_b/M_a}{z_b^2/z_a^2} R_a(M_a,\ z_a,\ p_a)$$

のように表される．ただし電子は除く．

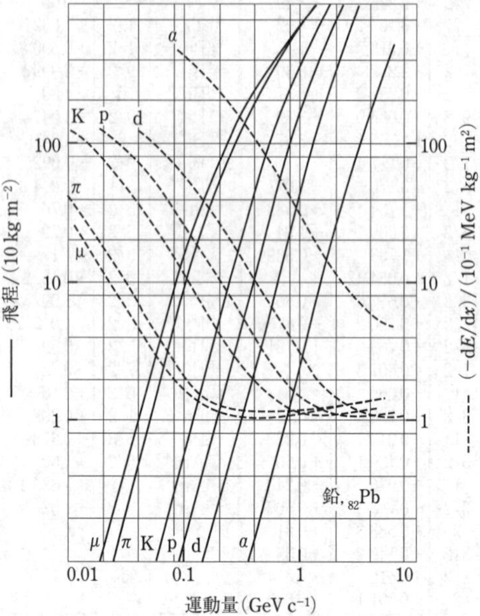

電子の実用飛程(アルミニウム)

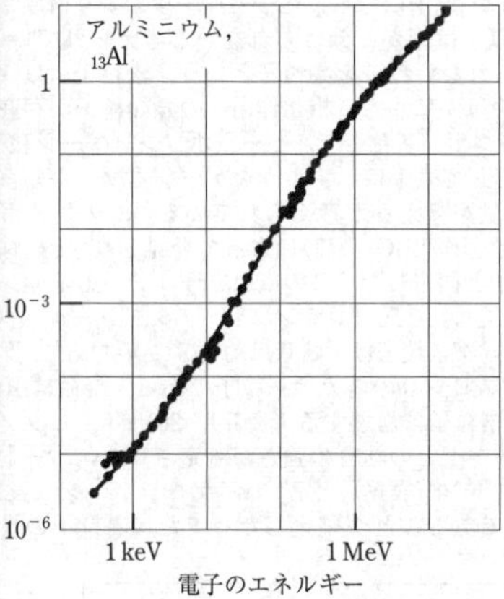

電子が物質の中を通るときは，吸収曲線がなだらかで，重い荷電粒子の場合のように飛程を定めることが難しい．吸収曲線の傾斜の急な部分を直線で延長して強度が0になる距離を実用飛程 R_p とする．アルミニウムにおける電子の R_p を図に示す．

光子に対する断面積(鉛)

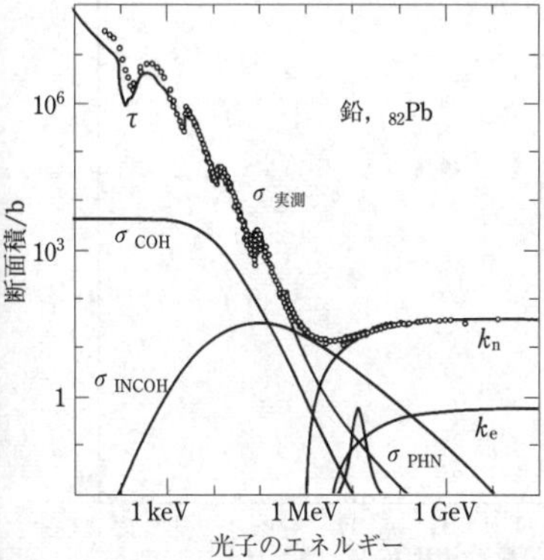

光子に対する物質の断面積はいろいろな過程による断面積の和であるが，その大きさと寄与の割合は光子のエネルギーによって変わる．図は鉛の原子の断面積〔単位 b (バーン) $=10^{-28}$ m^2〕である．

τ：光電効果，σ_{COH}：コヒーレント散乱（レイリー散乱），σ_{INCOH}：コンプトン効果，k_n：電子対生成（核の場），k_e：電子対生成（電子の場），σ_{PHN}：光核反応．

素 粒 子

物質を構成する単位は原子であるが，原子はさらに電子と原子核により構成さ
ている．電子は現在のところこれ以上は細かく分けられないと考えられてい
このように，それ以上細かく分けられない粒子を**素粒子**という．素粒子には，
子のように物質を構成する素粒子のほかに，力（相互作用）の媒介粒子が存在
る．力の媒介粒子は整数スピンを持つボーズ粒子で，**ゲージボソン**（**ゲージ粒子**
と呼ばれる．基本的相互作用に対応して表Iに示すようなゲージボソンが知ら
ている．2012年7月に，素粒子に質量を与えると考えられている「ヒッグスボ
ン（ヒッグス粒子）」とみられる新粒子がLHC（表Ⅶ）によって発見され，その性
を調べて2013年3月にヒッグス粒子と同定した．この成果をうけて，2013年ノ
ベル物理学賞が，ヒッグス粒子を予言した2氏（フランソワ・アングレール，ペ
ター・ヒッグス）に与えられた．ヒッグス粒子は，質量は約125 GeVであり，ゲ
ジボソンやフェルミ粒子と異なり，スピン0のスカラー粒子である．寿命は10
秒程度と考えられ，ただちに既知の素粒子に崩壊する（表Ⅱ）．2018年，ヒッグ
粒子とボトムクォークやトップクォークとの結合の強さが測定され，ニュート
ノを除く第3世代のクォークとレプトン（表Ⅳ）とZ^0，$W^{\pm}$ゲージボソン（表I
の質量の起源がこのヒッグス粒子であることが確定した．また，素粒子の世

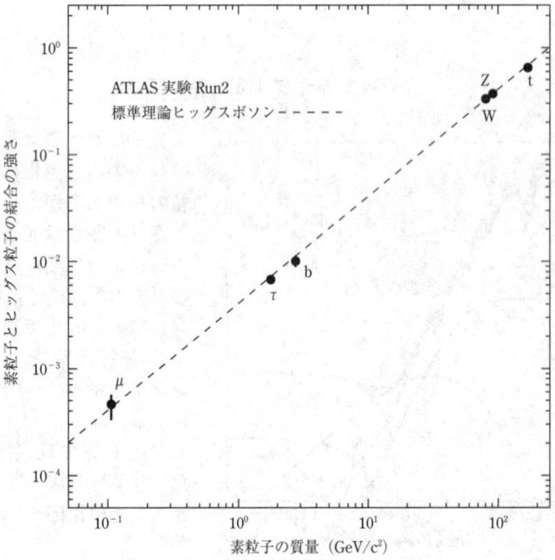

表Ⅲ）を生んだのもヒッグス粒子であることがわかった．さらに，第2世代のレ
トン（μ）との結合も観測された．素粒子の世代をつくっているのがヒッグス場
あることがわかった．

電子の仲間を総称して**レプトン**と呼ぶ．レプトンには電荷が−1の荷電レプトン
電気的に中性の**ニュートリノ**（中性微子，νと記す）がある．ただし，ここで電荷
素電荷eを単位にしている．ニュートリノの質量は0と考えられていたが，KEK
スーパーカミオカンデの協力で行われたK2Kと呼ばれる実験から，わずかなが
質量を持つことが示された．

原子核は核子が何個か集まってできている．核子には陽子と中性子とがあるが，
れらはさらに構造を持っており，それぞれ**クォーク**と呼ばれる粒子3個ずつか
なっている．クォークは分数値の電荷+2/3，または−1/3を持つ．

レプトンとクォークはともにスピンが1/2のフェルミ粒子である．これらは物
の究極の構成粒子であり，真の意味での素粒子である．レプトンとクォークは表
に示すように“世代”と呼ばれる4種類ずつの組に分類される．これまでに第1
代から第3世代までその存在が確認されている．ある仮定をおくと，レプトン
クォークの世代数は3までで第4世代以上は存在しないという証拠が実験的に
出されている．

各世代の荷電レプトンは，電子(e)，ミュー粒子(μ)，タウ粒子(τ)と呼ばれてお
，それぞれに対応する，電子ニュートリノ(ν_e)，ミューニュートリノ(ν_μ)，タウ
ニュートリノ（ν_τ）が存在する．

電荷+2/3を持つクォークはアップ(u)，チャーム(c)，トップ(t)と呼ばれ，電
荷−1/3を持つクォークはダウン(d)，ストレンジ(s)，ボトム(b)と呼ばれている．
表Ⅳにレプトンとクォークの性質を示す．クォークは単独では観測されておらず，
クォークと反クォークからなる複合粒子の**メソン（中間子）**，あるいは3個の複合
粒子の**バリオン（重粒子）**としてのみ存在できると考えられている．このような複
合粒子も歴史的理由により素粒子と呼ばれることがある．メソンとバリオンは合
わせて**ハドロン**と総称される．表ⅤとⅥにおもなメソンとバリオンの性質を示す．

すべての素粒子に対して質量，寿命，スピンが同じで電荷の符号が逆の**反粒子**
が存在する．中性の素粒子に対しては，粒子と反粒子が等しい場合と異なる場合
の両方の場合がある．ハドロンの反粒子は，構成するすべてのクォークをそれぞ
れの反粒子（反クォーク）に置き換えたものとなる．

以下の表において電荷は素電荷eを，スピンは$\hbar$を単位にして示し，質量Mは
$E=Mc^2$の関係によりエネルギーの単位eVで表す．平均寿命は粒子数がもとの1/
e（e：自然対数の底）に減少するまでの時間である．短寿命のものは寿命を共鳴幅
$\Gamma=(\hbar/$平均寿命$)$で表す場合もある．

最近の素粒子の実験的研究は，主としてコライダー（衝突型粒子加速器）を用
いて行われてきた．これらのもののうち，現在稼動中または建設予定のおもなe^+e^-
コライダーおよびpp，$\bar{p}$p，epコライダーをそれぞれ表Ⅶに示す．

以下の表は主としてParticle Data GroupのまとめたReview of Particle Physics，Phys. Rev. D110, 030001（2024）による．

I．ゲージ粒子（ゲージボソン）の性質

粒子	電荷	反粒子	スピン	質量/GeV	平均寿命	媒介する相互作
γ（光子）	0	γ	1	0	安定	電磁相互作用
g(グルーオン)	0	g	1	0*		強い相互作用
W^+	+1	W^-	1	80.3692 ± 0.0133	$\Gamma = 2.085 \pm 0.042$ GeV	弱い相互作用
Z^0	0	Z^0	1	91.1880 ± 0.0020	$\Gamma = 2.4955 \pm 0.0023$ GeV	弱い相互作用

$\Gamma = (\hbar/$ 平均寿命）である．　*　核子内部での予想値．

II．ヒッグス粒子（ヒッグスボソン）の性質

記号	電荷	スピン	質量/GeV	寿　命	主要崩壊先
H	0	0^+（スピン 0，パリティ正）	125.20 ± 0.11	$\Gamma = 3.7^{+1.9}_{-1.4}$ MeV	$\gamma\gamma$, ZZ, $Z\gamma$, W^+W^-, $b\bar{b}$, $\tau^+\tau^-$, $\mu^+\mu^-$が確認*

*　結合強度については前々ページの第１段落を参照．

III．レプトンとクォークの世代

	電　荷	第１世代	第２世代	第３世代
レプトン	0	ν_e	ν_μ	ν_τ
	−1	e	μ	τ
クォーク	$+\frac{2}{3}$	u	c	t
	$-\frac{1}{3}$	d	s	b

IV．レプトンとクォークの性質

	粒子	電荷	反粒子	スピン	質　量	平　均　寿　命
レプトン	ν_e	0	$(\bar{\nu}_e)^\dagger$	$\frac{1}{2}$	<0.8 eV‡	安定
	ν_μ	0	$(\bar{\nu}_\mu)^\dagger$	$\frac{1}{2}$	<0.19 MeV‡	安定
	ν_τ	0	$(\bar{\nu}_\tau)^\dagger$	$\frac{1}{2}$	<18.2 MeV‡	安定
	e^-	−1	e^+	$\frac{1}{2}$	0.510 998 950 00 ± 0.000 000 000 15 MeV	安定
	μ^-	−1	μ^+	$\frac{1}{2}$	105.658 375 5 ± 0.000 002 3 MeV	(2.196 981 1 ± 0.000 002 2) × 10^{-6} s
	τ^-	−1	τ^+	$\frac{1}{2}$	1 776.93 ± 0.09 MeV	(290.3 ± 0.5) × 10^{-15} s
クォーク	u	$+\frac{2}{3}$	$\bar{u}$	$\frac{1}{2}$	2.16 ± 0.07 MeV	安定
	d	$-\frac{1}{3}$	$\bar{d}$	$\frac{1}{2}$	4.70 ± 0.07 MeV	安定
	s	$-\frac{1}{3}$	$\bar{s}$	$\frac{1}{2}$	93.5 ± 0.8 MeV	不安定～10^{-8} s
	c	$+\frac{2}{3}$	$\bar{c}$	$\frac{1}{2}$	1.2730 ± 0.0046 GeV	不安定～10^{-13} s
	b	$-\frac{1}{3}$	$\bar{b}$	$\frac{1}{2}$	4.183 ± 0.007 GeV	不安定～10^{-12} s
	t	$+\frac{2}{3}$	$\bar{t}$	$\frac{1}{2}$	172.57 ± 0.29 GeV	$\Gamma = 1.42^{+0.19}_{-0.15}$ GeV

†　反粒子が自分自身と同じ可能性もある．

‡　絶対値とは別に ν 振動測定で Δm^2（質量差の２乗）が得られている．
〔$\Delta m^2_{21} = (7.53 \pm 0.18) \times 10^{-5} (\mathrm{eV})^2$,　$\Delta m^2_{32} = (2.45 \pm 0.03) \times 10^{-3} (\mathrm{eV})^2$〕

V. おもなメソンの性質

粒子	電荷	構成	反粒子	スピン	質量/MeV	平均寿命
π^+	+1	$u\bar{d}$	π^-	0	139.57039 ± 0.00018	$(2.6033 \pm 0.0005) \times 10^{-8}$ s
π^0	0	$\frac{1}{\sqrt{2}}(u\bar{u}-d\bar{d})$	π^0	0	134.9768 ± 0.0005	$(8.43 \pm 0.13) \times 10^{-17}$ s
η	0	$c_1(u\bar{u}+d\bar{d})+c_2s\bar{s}$	η	0	547.862 ± 0.017	$\Gamma = 1.31 \pm 0.05$ keV
$\rho(770)^+$	+1	$u\bar{d}$	ρ^-	1	775.11 ± 0.34	$\Gamma = 149.1 \pm 0.8$ MeV
$\rho(770)^0$	0	$\frac{1}{\sqrt{2}}(u\bar{u}-d\bar{d})$	ρ^0	1	775.26 ± 0.23	$\Gamma = 147.4 \pm 0.8$ MeV
$\omega(782)$	0	$c_1(u\bar{u}+d\bar{d})+c_2s\bar{s}$	ω	1	782.66 ± 0.13	$\Gamma = 8.68 \pm 0.13$ MeV
$\eta'(958)$	0	$c_1(u\bar{u}+d\bar{d})+c_2s\bar{s}$	η'	0	957.78 ± 0.06	$\Gamma = 0.188 \pm 0.006$ MeV
$\phi(1020)$	0	$c_1(u\bar{u}+d\bar{d})+c_2s\bar{s}$	ϕ	1	1019.461 ± 0.016	$\Gamma = 4.249 \pm 0.013$ MeV
K^+	+1	$u\bar{s}$	K^-	0	493.677 ± 0.015	$(1.2380 \pm 0.0020) \times 10^{-8}$ s
K^0	0	$d\bar{s}$	$\bar{K}^0$	0	497.611 ± 0.013	K_S^0：$(0.8954 \pm 0.0004) \times 10^{-10}$ s K_L^0：$(5.116 \pm 0.021) \times 10^{-8}$ s
D^+	+1	$c\bar{d}$	D^-	0	1869.66 ± 0.05	$(1.033 \pm 0.005) \times 10^{-12}$ s
D^0	0	$c\bar{u}$	$\bar{D}^0$	0	1864.84 ± 0.05	$(0.4103 \pm 0.0010) \times 10^{-12}$ s
D_s^+	+1	$c\bar{s}$	D_s^-	0	1968.35 ± 0.07	$(0.5012 \pm 0.0022) \times 10^{-12}$ s
B^+	+1	$u\bar{b}$	B^-	0	5279.41 ± 0.07	$(1.638 \pm 0.004) \times 10^{-12}$ s
B^0	0	$d\bar{b}$	$\bar{B}^0$	0	5279.72 ± 0.08	$(1.517 \pm 0.004) \times 10^{-12}$ s
B_s^0	0	$s\bar{b}$	$\bar{B}_s^0$	0	5366.93 ± 0.10	$(1.520 \pm 0.005) \times 10^{-12}$ s
$\eta_c(1s)$	0	$c\bar{c}$	$\eta_c(1s)$	0	2984.1 ± 0.4	$\Gamma = 30.5 \pm 0.5$ MeV
$J/\psi(1s)$	0	$c\bar{c}$	$J/\psi(1s)$	1	3096.900 ± 0.006	$\Gamma = 92.6 \pm 1.7$ keV
$\chi_{c0}(1P)$	0	$c\bar{c}$	$\chi(1P)$	0	3414.71 ± 0.30	$\Gamma = 10.7 \pm 0.6$ MeV
$\chi_{c1}(1P)$	0	$c\bar{c}$	$\chi(1P)$	1	3510.67 ± 0.05	$\Gamma = 0.84 \pm 0.04$ MeV
$\chi_{c2}(1P)$	0	$c\bar{c}$	$\chi(1P)$	2	3556.17 ± 0.07	$\Gamma = 1.98 \pm 0.09$ MeV
$\psi(2s)$	0	$c\bar{c}$	$\psi(2s)$	1	3686.097 ± 0.011	$\Gamma = 293 \pm 9$ keV
$\Upsilon(1s)$	0	$b\bar{b}$	$\Upsilon(1s)$	1	9460.40 ± 0.10	$\Gamma = 54.02 \pm 1.25$ keV
$\Upsilon(2s)$	0	$b\bar{b}$	$\Upsilon(2s)$	1	10023.4 ± 0.5	$\Gamma = 31.98 \pm 2.63$ keV

クォークの構成の係数 c_1 および c_2 の値は粒子によって異なる．ω は $(u\bar{u}+d\bar{d})/\sqrt{2}$，$\phi$ は $s\bar{s}$ に近い構成を持つ．
$\Gamma = (\hbar/\text{平均寿命})$ である．

VI. おもなバリオンの性質

粒子	電荷	構成	反粒子	スピン	質量/MeV	平均寿命
p（陽子）	+1	uud	$\bar{p}$	$\frac{1}{2}$	938.272 088 16 ± 0.000 000 29	安定
n（中性子）	0	udd	$\bar{n}$	$\frac{1}{2}$	939.565 420 52 ± 0.000 000 54	878.4 ± 0.5 s
Δ^{++} (1232)	+2	uuu		$\frac{3}{2}$	1209-1211	Γ = 114-120 MeV
Δ^{+} (1232)	+1	uud		$\frac{3}{2}$	1209-1211	Γ = 114-120 MeV
Δ^{0} (1232)	0	udd		$\frac{3}{2}$	1209-1211	Γ = 114-120 MeV
Δ^{-} (1232)	−1	ddd		$\frac{3}{2}$	1209-1211	Γ = 114-120 MeV
Λ	0	uds		$\frac{1}{2}$	1115.683 ± 0.006	$(2.617 \pm 0.010) \times 10^{-10}$ s
Σ^{+}	+1	uus		$\frac{1}{2}$	1189.37 ± 0.07	$(0.8018 \pm 0.0026) \times 10^{-10}$ s
Σ^{0}	0	uds		$\frac{1}{2}$	1192.642 ± 0.024	$(7.4 \pm 0.7) \times 10^{-20}$ s
Σ^{-}	−1	dds		$\frac{1}{2}$	1197.449 ± 0.029	$(1.479 \pm 0.011) \times 10^{-10}$ s
Ξ^{0}	0	uss		$\frac{1}{2}$	1314.86 ± 0.20	$(2.90 \pm 0.09) \times 10^{-10}$ s
Ξ^{-}	−1	dss		$\frac{1}{2}$	1321.71 ± 0.07	$(1.639 \pm 0.015) \times 10^{-10}$ s
Ω^{-}	−1	sss		$\frac{3}{2}$	1672.45 ± 0.29	$(0.821 \pm 0.011) \times 10^{-10}$ s
Λ_c^{+}	+1	udc		$\frac{1}{2}$	2286.46 ± 0.14	$(0.2026 \pm 0.0010) \times 10^{-12}$ s

バリオンの反粒子のうち，$\bar{p}$と$\bar{n}$以外のものは混同しやすいので記載していない．
$\Gamma = (\hbar/\text{平均寿命})$である．
V.，VI. にあげたのは質量の小さな（基底状態の）ものだけであって，その他にも多数の質量の大きい（励起状態の）ハドロンが発見されている．詳しくはReview of Particle Physicsを参照されたい．

Ⅶ．現在稼動中の高エネルギーコライダー（衝突型粒子加速器）

研究所（場所）	コライダーの略称	実験開始年	衝突粒子	最高ビームエネルギー	周長(km)
高能物理学研究所（北京，中国）	BEPC-II	2008	e^+e^-	2.3 GeV	0.2375
ブドカ原子核研究所（ノボシビルスク，ロシア）	VEPP-4M	1994	e^+e^-	6 GeV	0.366
ブドカ原子核研究所（ノボシビルスク，ロシア）	VEPP-2000	2008	e^+e^-	1.0 GeV	0.024
フラスカティ国立研究所（フラスカティ，イタリア）	DAΦNE	1999	e^+e^-	0.51 GeV	0.032
高エネルギー物理学研究所（KEK）（つくば，日本）	SuperKEKB	2017	e^+e^-	7 GeV（e^-）/4 GeV（e^+）	3.016
欧州原子核研究機構（CERN）（ジュネーブ，スイス）	LHC	2008	pp*	6.8 TeV	26.659
ブルックヘブン国立研究所（ニューヨーク州，米国）	RHIC	2000	重イオン	p 加速時：250 GeV Au 加速時：核子あたり 100 GeV	3.833

＊　他に Pb などの重イオンを核子あたり 2.5 TeV 程度に加速する運転モードもある．

構造化学・分子分光学的性質

おもな赤外特性吸収帯の波数

振動型	波数 $\tilde{\nu}$/cm^{-1}	化合物の形
−OH 伸縮	3600〜3200	H_2O，ROH
−NH 〃	3400〜3100	アミン，アミド類
≡C−H 伸縮	3300〜3270	R−C≡CH
=C−H 〃	3100〜3000	芳香族，オレフィン化合物
−C−H 〃	2960〜2850	飽和炭化水素類
−C≡N 〃	2250〜2200	RCN，ArCN
>C=O 〃	1820〜1650	カルボニル化合物
>C=C< 〃	1680〜1640	不飽和炭化水素
$-NH_2$ はさみ	1640〜1560	$R-NH_2$
環の振動	1610〜1590	ベンゼン誘導体
	1500〜1480	〃
$-CH_2$ はさみ	〜1450	飽和炭化水素
$-CH_3$ 縮重変角	〜1450	〃
$-CH_3$ 対称変角	1380	〃
C−O 伸縮	1080〜1050	アルコール，エステル
>C=C−H 面外変角	990〜 965	$RCH=CH_2$，RCH=CHR
CH 面外変角	880〜 720	ベンゼン置換体
C−Cl 伸縮	780〜 615	RC−Cl 類

R：アルキル基，Ar：アリール基

気体の赤外吸収の波数 $\tilde{\nu}$/cm^{-1}

H_2O (D_2O) 蒸気	振動型
3756 (2788)	OH_2 (OD_2) 逆対称伸縮
3657 (2671)	OH_2 (OD_2) 対称伸縮
1595 (1178)	HOH (DOD) 変角

SO_2	振動型
1362	SO_2 逆対称伸縮
1151	SO_2 対称伸縮
518	OSO 変角

H_2S	
2626	SH_2 逆対称伸縮
2615	SH_2 対称伸縮
1183	HSH 変角

NO_2	
1618	NO_2 逆対称伸縮
1318	NO_2 対称伸縮
750	ONO 変角

NO	
1876	NO 伸縮

CO_2	
2349	OCO 逆対称伸縮
667	OCO 変角

CO	
2143	CO 伸縮

NH_3	
3444	NH_3 縮重伸縮
3336	NH_3 対称伸縮
1626	NH_3 縮重変角
950	NH_3 対称変角

CH_4	振動型
3019	CH_4 縮重伸縮
1306	CH_4 縮重変角

C_2H_6	
2986	CH_3 縮重伸縮
2896	CH_3 対称伸縮
1469	CH_3 縮重変角
1379	CH_3 対称変角
822	CH_3 横ゆれ

C_2H_4	
3106	CH_2 逆対称伸縮
2989	CH_2 対称伸縮
1444	CH_2 はさみ
949	CH_2 縦ゆれ
826	CH_2 横ゆれ

C_6H_6	
3063	CH 伸縮
1486	環の振動
1038	CH 変角(面内)
673	CH 変角(面外)

水蒸気の回転スペクトル線の波数(真空)

空気中の水蒸気による回転スペクトルは遠赤外（550 cm^{-1}～10 cm^{-1}）領域に吸収を示し，遠赤外分光器の波長較正に用いられる．

(単位：cm^{-1})

550.00	461.45	394.28	327.60	208.48	80.98
547.81	457.96	385.54	325.78	197.45	79.77
546.30	457.73	384.88	323.92	195.83	78.97
545.29	456.87	383.82	323.67	188.21	78.21
541.07	452.89	380.98	315.08	183.46	75.55
536.25	451.72	378.55	314.74	181.40	74.09
525.97	446.93	376.27	311.72	177.55	73.24
519.60	446.36	375.38	304.87	176.05	72.21
517.79	443.70	374.54	304.55	161.79	69.20
516.81	442.09	373.88	303.02	160.17	68.13
515.89	441.75	370.02	301.87	158.89	64.01
515.05	436.46	369.61	298.42	153.46	62.29
514.28	434.82	369.36	290.73	149.06	59.95
510.54	431.16	362.75	289.46	144.96	58.87
506.94	428.85	358.49	285.57	140.70	57.29
504.41	426.33	357.27	284.78	135.89	53.44
502.26	425.34	354.60	282.72	135.06	51.42
501.57	423.03	354.19	282.00	128.66	50.87
492.05	419.88	351.98	280.34	127.02	47.05
491.63	419.13	351.80	278.47	121.88	44.13
489.56	418.52	351.21	277.94	117.92	42.56
486.12	417.90	350.50	276.15	116.64	32.93
483.97	417.70	349.77	271.86	111.11	30.48
481.05	400.49	345.84	266.21	107.79	25.11
476.38	400.25	343.21	247.94	107.15	18.58
472.75	399.51	341.27	227.83	104.55	16.24
472.39	398.97	340.55	226.27	101.55	15.60
472.20	397.69	335.68	223.72	100.53	12.67
470.52	397.34	335.16	221.67	99.07	
468.75	396.44	334.63	213.95	92.54	
467.93	394.63	328.16	212.59	82.11	

(佃達哉による)

核磁気共鳴（Nuclear Magnetic Resonance）

代表的な核種と共鳴周波数および相対感度

核種	スピン	共鳴周波数* /MHz	^{1}H に対する相対感度	核種	スピン	共鳴周波数* /MHz	^{1}H に対する相対感度
生体物質等関連核種				**素材・環境等関連核種**			
^{1}H	1/2	100.000	1.00	^{3}He	1/2	76.178	4.42×10^{-1}
^{2}H	1	15.351	9.65×10^{-3}	^{7}Li	3/2	38.863	2.94×10^{-1}
^{13}C	1/2	25.144	1.59×10^{-2}	^{11}B	3/2	32.084	1.59×10^{-2}
^{14}N	1	7.222	1.01×10^{-3}	^{27}Al	5/2	26.057	2.07×10^{-1}
^{15}N	1/2	10.133	1.04×10^{-3}	^{29}Si	1/2	19.865	7.86×10^{-3}
^{17}O	5/2	13.557	2.91×10^{-2}	^{53}Cr	3/2	5.651	9.08×10^{-4}
^{19}F	1/2	94.077	8.32×10^{-1}	^{59}Co	7/2	23.614	2.78×10^{-1}
^{23}Na	3/2	26.451	9.27×10^{-2}	^{63}Cu	3/2	26.505	9.39×10^{-2}
^{31}P	1/2	40.481	6.65×10^{-2}	^{89}Y	1/2	4.917	1.19×10^{-4}
^{33}S	3/2	7.67	2.27×10^{-3}	^{113}Cd	1/2	22.193	1.11×10^{-2}
^{35}Cl	3/2	9.798	4.72×10^{-3}	^{119}Sn	1/2	37.291	5.27×10^{-2}
^{39}K	3/2	4.667	5.10×10^{-4}	^{171}Yb	1/2	17.61	5.52×10^{-3}
^{67}Zn	5/2	6.254	2.87×10^{-3}	^{195}Pt	1/2	24.14	1.04×10^{-2}
^{81}Br	3/2	27.006	9.95×10^{-2}	^{195}Hg	1/2	17.827	5.94×10^{-3}
^{127}I	5/2	20.007	9.54×10^{-2}	^{205}Tl	1/2	57.634	2.02×10^{-1}
^{129}Xe	1/2	27.66	2.16×10^{-2}	^{207}Pb	1/2	20.921	9.06×10^{-3}

＊ 2.3488 T における．

有機化合物の ^{1}H 核の化学シフト（基準：TMS）

^{1}H の種類	シフト/ppm	^{1}H の種類	シフト/ppm
CH_3-X　X＝-N<	2.3〜3.4	アルコール-O-CH_3	3.3〜4.0
-O-	3.3〜4.0	>C＝CH_2	4.5〜6.5
-S-	2.2〜2.8	-CH＝C<	4.5〜8.0
-ϕ	2.3〜2.6	-C≡CH	2.4〜3.1
-CO-	1.8〜2.7	芳香環 ϕ-H	6.5〜8.6
-C＝	1.6〜2.0	複素芳香環-H	6.5〜8.8
-CY<	0.8〜2.0	アルデヒド-C(O)H	9.4〜10.6
-M(Si, Li, Ge 等)	<0	カルボキシ基-OH	9〜12
-CH_2-X　X＝-O-	3.6〜4.6	アミン-NH_2	3.6〜4.7
-CO-	2.2〜2.6	チオアルコール-SH	3.5〜4.0
-C-	1.2〜1.7	アルコール-OH	1.0〜5.2
アルコール-O-CH<	3.8〜4.3	フェノール-OH	4.0〜10.0
-O-CH_2-	3.6〜4.6		

有機化合物の ^{13}C 核の化学シフト（基準：TMS）

^{13}C の種類		シフト/ppm
>CO	ケトン	202～227
	アルデヒド	183～207
	カルボン酸	171～183
	エステル，アミド	160～175
-C≡N	ニトリル	117～124
>C=C<	アルケン	104～143
>C=C<	芳香環	112～136
-C≡C-	アルキン	74～93
⩾C-X	X=-C⩽	28～51
	-O-	73～84

^{13}C の種類		シフト/ppm
⩾C-X	X=-N<	61～76
	-S-	52～71
	-ハロゲン	34～77
⩾C(tertiary)-CH<		32～78
$-CH_2-$		2～71
H_3C-X	X=-C⩽	4～29
	-O-	47～59
	-N<	12～43
	-S-	10～19
	-ハロゲン	2～27

他核の NMR の化学シフト（四極子核の二次の補正はしていない）

核種	基準物質	化学シフト範囲	
^{11}B	$BF_3O(C_2H_5)_2$	12～19	B(3 配位)：BO_3
		−3.3～2.0	B(4 配位)：BO_4
^{14}N	NO_3^-	315～385	アミン類
		220～285	アミド類
		−14～48	ニトロ化合物
		−296～420	無機錯体
^{15}N	NH_3（25℃）	0～100	アミン類
		100～160	アミド類
		150～200	−N<
		330～380	NO_2, =N−, −N*=N
		150～450	>N=N=N
		220～520	ピリジン，ピリジン様
		500～560	アゾ
^{17}O	$H_2{}^{17}O$	37～259	-O-
		13～595	=O
^{19}F	$CFCl_3$	−150～270	無機化合物
		−15～280	有機化合物
		−429	気体：F_2
^{27}Al	Al^{3+}酸性水溶液 (0.2～1 M)	−170～46	Al^{3+}(l, 溶媒和)
		−100～30	ハロゲノ Al 酸錯体
		51～61	Al(4 配位, s)：Q^4 ケイ酸塩
		66～75	Q^3層状ケイ酸塩
		70～77	酸化物
		1～22	Al(6 配位, s, l), $[Alacac]^{3+}$

核種	基準物質	化学シフト範囲	
^{29}Si	$(CH_3O)_4Si$	−120～25	有機 Si 化合物
		−110～−75	ケイ酸塩(SiO_4-nAl)：
		−114～−102	Q^4(nAl)：$n=0$
		−107～−96	$n=1$
		−102～−93	$n=2$
		−97～−88	$n=3$
		−89～−80	$n=4$
		−99～−93	Q^3(nAl)：$n=0$
		−99～−85	$n=1$
		−86～−84	$n=2$
		～−76	$n=3$
^{31}P	85% H_3PO_4 水溶液	−50～260	：P<（2 配位）
		−220～460	：P⩽(3配位)：PX_3
		40～100	：PH_2R
		120～165	：PHR_2
		−90～135	：PR_3
		−210～−100	：$P(Y_2Z)$, $P(YZ_2)$, Y, Z=R, NR, OR, SR, X
		−130～50	−P⩽（4 配位）
		−100～100	>P⩽（5 配位）
		140～280	⩾P⩽（6 配位）
	PCr (クレアチンリン酸)	pH 依存	PO_4^{3-}：$\delta_{acid}=3.02$, $\delta_{base}=5.75$, $pH=pK_a+\log[(\delta_{obs}-\delta_{acid})/(\delta_{base}-\delta_{obs})]$ $pK_a=6.78$, $\delta_{PCr}=0.00$

よく使われる化学シフトの基準と二次標準物質(s は固体 NMR)

核種	基　準	二次標準物質とその基準からのシフト(ppm)
H	テトラメチルシラン(TMS)	C_6H_6(6.771), $CHCl_3$(7.392), H_2O(4.877, s), アダマンタン(1.91, s)
H	D_2O	
Li	1.0 M LiCl aq	LiCl(−1.19, s), LiBr(−2.04, s)
^{1}B	$(C_2H_5)_2O \cdot BF_3$	H_3BO_3sat.(19.49), BPO_4(−3.60), $NaBH_3$(−42.06)
^{3}C	TMS	C_6H_6(128.475), $CHCl_3$(77.966), アダマンタン(38.520, 29.472, s)
^{5}N	ニトロメタン	$HCONH_3$(−266.712), $^{15}NH_4Cl$(−341.168)
	NO_3^-, NH_4^+ (4.5 mol 硫酸アンモニウム/3 M 塩酸)	
^{7}O	$H_2{}^{17}O$	
^{23}Na	1.0 M NaCl aq	NaCl(7.21, s), NaBr(5.04, s), $NaBH_4$(−8.16, s)
^{27}Al	1.0 M $Al(NO_3)_3$ aq	1.0 M $AlCl_3$ aq(−0.10), $AlNH_4(SO_4)_2 \cdot 12\,H_2O$(−0.54)
^{29}Si	TMS	ヘキサメチルジシロキサン(6.679, s), $Si(Si(CH_3)_3)_4$ (−9.843, −135.402, s)
^{31}P	85% H_3PO_4 aq	$(NH_4)_2HPO_4$(1.33, s), $NH_4H_3PO_4$(1.0, s)
^{35}Cl	1.0 M NaCl aq	KCl(3.90, s), NaCl(−45.83, s),
^{39}K	1.0 M KCl aq	KCl(47.8, s), KBr(55.1, s), KI(59.3, s)
^{79}Br	1.0 M KBr aq	KBr(42.7, s), NaBr(−10.19, s)

水素結合と化学シフトおよびスピン結合定数

化合物	シフト /ppm	O…H 間距離 /Å
O-H…O	4〜20	2-1.2
KOH	−4.4(s)	2.776
$NaClO_4 \cdot H_2O$	4.8(s)	2.152
α-$(COOH)_2 \cdot 2\,H_2O$	6.0(s)	1.9818
$K_2C_2O_4 \cdot H_2O$	7.3(s)	1.801
$CaHPO_4 \cdot 2\,H_2O$	6.4(H_2O, s)	1.811
	10.4(H, s)	1.694
$BeSO_4 \cdot 4\,H_2O$	10.4(s)	1.656
KHsuccinate	19.3(H(3), s)	1.222
KHmalonate	20.5(H(2), s)	1.234
H_2O(1)	5.11(1 ℃), 4.86(23.3 ℃), 4.68(48.5 ℃)	
H_3CCOCH_3	2.075	
$H_2O \cdots H_3CCOCH_3$	3(xw = 0.05), 4.9(xw = 0.96), 23 ℃	
$H_2O \cdots H_3CCOCH_3$	2.06(xw = 0.05), 2.32(xw = 0.96), 23 ℃	
H_2O	1.2(g)	水素結合なし

水素結合	シフト /ppm	備考
−NH	12〜14	オリゴヌクレオチド, tRNA
$-NH_2$	8〜10	(プリン-ピリミジン)
	高周波数側へのシフト変化量 /ppm	
$>C^{17}O \cdots H$	50〜60	
$>^{17}O \cdots H$	2〜5	
^{17}O-H…X	5〜20	(例：アルコール, フェノール)
$^{15}NH \cdots O$	13	
$^{13}O = O \cdots H$	2〜40	
	スピン結合定数 /Hz	
J(^{14}N-H) =	−0.7129J(^{15}N-H)	水素結合なし
	6〜7	$^{h}J(^{15}N\text{-}H \cdots ^{15}N)$
	2〜3.6	$^{h}J(^{15}N\text{-}^{1}H \cdots ^{15}N)$

(渡部徳子による)

金属結合半径

金属の結晶では金属結合によって原子が結びつけられている．金属結合半径は金属元素単体における最近接原子間距離の半分で定義される．
（単位：pm

元 素	半 径	元 素	半 径	元 素	半 径	元 素	半 径
Li	152	La	187	Co	125	Au	144
Na	186	Cr	125	Ni	125	Zn	133
K	230	Mo	136	Pd	138	Hg	150
Mg	160	W	137	Pt	139	Al	143
Ca	198	Mn	112	Cu	128	Sn	151
Sr	215	Fe	124	Ag	144	Pb	175
Ba	217						

Mn は Oberteuffer, J. A. ; Ibers, J. A. *Acta Crystallogr., Sect. B* **26**, 1499-1504 (1970) (ICSD 42743) のデータを用いて計算．それ以外は CRC Handbook of Chemistry and Physics 85 th ed (2004-2005) に示され格子定数を用いて計算．

イオン半径(6 配位の場合)

R. D. Shannon, *Acta Crystallogr., Sect. A* **32**, 751-767 (1976) 記載の結晶半径 (CR) を示す同論文には有効イオン半径 (IR) も記載されており，イオンの大きさとしてそちらを使用する也も多い．陽イオンでは CR = IR + 14 pm，陰イオンでは CR = IR − 14 pm の関係がある．陽イオンと陰イオン間の距離を議論する場合には，どちらの値を用いても結果に変わりはないが，いずれか一方を統一して使用することが重要である．
（単位：pm

イオン	半 径	イオン	半 径	イオン	半 径	イオン	半 径
Li^+	90	Cr^{3+}	76	Ni^{2+}	83	Pb^{2+}	133
Na^+	116	Mn^{2+}(HS)	97	Cu^{2+}	87	P^{5+}(IV)	31
K^+	152	Mn^{3+}(HS)	79	Zn^{2+}	88	O^{2-}	126
Mg^{2+}	86	Fe^{2+}(LS)	75	Hg^{2+}	116	S^{2-}	170
Ca^{2+}	114	Fe^{2+}(HS)	92	B^{3+}(IV)	25	F^-	119
Ba^{2+}	149	Fe^{3+}(LS)	69	Al^{3+}	68	Cl^-	167
La^{3+}	117	Fe^{3+}(HS)	79	Si^{4+}(IV)	40	Br^-	182
Ti^{4+}	75	Co^{2+}(HS)	89	Sn^{4+}	83	I^-	206

(IV) を付したものは 4 配位，それ以外のものは 6 配位．HS は高スピン電子配置，LS は低スピン電子配置を示す．

原子のファンデルワールス半径

（単位：pm

H	120 [1.2×10^2]							He	140
		N	155 [1.5×10^2]	O	152 [140]	F	147 [135]	Ne	154
		P	180 [1.9×10^2]	S	180 [185]	Cl	175 [180]	Ar	188
		As	185 [2.0×10^2]	Se	190 [200]	Br	185 [195]	Kr	202
		Sb	[2.2×10^2]	Te	206 [220]	I	198 [215]	Xe	216
メチル基　$-CH_3$ の半径			[2.0×10^2]						
芳香族分子の厚さの半分			[1.7×10^2]						

A. Bondi, *J. Phys. Chem.*, **68**, 441-451 (1964) 記載の値を示す．かっこ内は Pauling の値．

共有結合の原子間距離

（単位：pm）

結合	分子	原子間距離	結合	分子	原子間距離
H−H	H_2	74.14	Br−Br	Br_2	228.1
O−O	O_2	120.7	I−I	I_2	266.6
O−H	H_2O	95.75	C−C	C_2H_6	153.5
N−N	N_2	109.8	C=C	C_2H_4	133.9
N−H	NH_3	101.2	C=C	C_6H_6	139.9
N−O	NO_2	119.3	C≡C	C_2H_2	120.3
N=O	NO	115.1	C−H	C_2H_6	109.4
S−H	H_2S	133.6	C−Cl	C_2H_5Cl	180.2
S−O	SO_2	143.1	Si−H	SiH_4	148.0
S−S	S_8	207	Si−Si	ケイ素結晶	235.2
Cl−Cl	Cl_2	198.8	Si−O	SiO_2（石英）	161

Si-O はICSDで検索した高精度データ6件（Levien et al., 1980; Ogata et al., 1987; Hazen et al., 1989; Kihara et al., 1990; Glinnemann et al., 1992; Dusek et al., 2001）で報告された距離の平均値．Si-Si はCRC Handbook of Chemistry and Physics 85th ed.（2004-2005）の α Si の格子定数0.543 06 nm を $\sqrt{3}/4$ 倍して計算，それ以外の距離は同文献から転載．

分子内における結合角

分子内において2つの原子結合のなす角である．

分子	原子結合	結合角	分子	原子結合	結合角
H_2O	H−O−H	104.5°	C_2H_2	C−C−H	180°
CO_2	O−C−O	180	C_6H_6	C−C−C	120
H_2S	H−S−H	92.1	CH_4	H−C−H	109.47
NH_3	H−N−H	106.7	C_3H_8	C−C−C	112
O_3	O−O−O	117.5			

CRC Handbook of Chemistry and Physics 85th ed.（2004-2005）より．

分子の双極子モーメント

物質	化学式	双極子モーメント $\mu_e/3.3356\times10^{-30}$ C m	物質	化学式	双極子モーメント $\mu_e/3.3356\times10^{-30}$ C m
ヨウ化カリウム	KI	11.05	ニトロベンゼン	$C_6H_5NO_2$	4.21
一酸化炭素	CO	0.110	クロロベンゼン	C_6H_5Cl	1.78
塩化水素	HCl	1.12	酢酸	CH_3CO_2H	1.70
臭化水素	HBr	0.827	エタノール	C_2H_5OH	1.69
シアン化水素	HCN	2.985	メタノール	CH_3OH	1.66
水	H_2O	1.94	アセトン	CH_3COCH_3	2.90
アンモニア	NH_3	1.468	エチルエーテル	$C_2H_5OC_2H_5$	1.16

（佃達哉による）

熱　化　学

モル熱容量

単体の定圧モル熱容量 C_p/J K^{-1} mol^{-1}

（記号Sは固体，Lは液体，Gは気体）

単体物質（元素記号）	温度/K				
	100	200	298.15	400	600
亜鉛(Zn)	(S) 19.3	(S) 24.0	(S) 25.5	(S) 26.4	(S) 28.4
アルミニウム(Al)	(S) 13.0	(S) 21.6	(S) 24.3	(S) 25.6	(S) 28.1
アンチモン(Sb)	(S) 20.6	(S) 24.4	(S) 25.4	(S) 25.9	(S) 27.4
硫黄(斜方)(S)	(S) 12.8	(S) 19.4	(S) 22.6	(L) 32.3	(L) 34.3
ウラン(U)	(S) 22.4	(S) 26.0	(S) 27.5	(S) 29.6	(S) 34.5
塩素(Cl_2)[1]	(S) 42.3	(L) 66.2	(G) 33.8	(G) 35.3	(G) 36.6
カドミウム(Cd)	(S) 22.1	(S) 24.9	(S) 26.0	(S) 27.2	(L) 29.7
カリウム(K)	(S) 24.6	(S) 27.0	(S) 29.5	(L) 31.5	(L) 30.1
カルシウム(Ca)	(S) 19.5	(S) 24.7	(S) 26.3	(S) 27.4	(S) 30.6
金(Au)	(S) 21.4	(S) 24.4	(S) 25.4	(S) 25.8	(S) 26.8
銀(Ag)	(S) 20.2	(S) 24.3	(S) 25.5	(S) 25.9	(S) 27.1
クロム(Cr)	(S) 9.7	(S) 20.1	(S) 23.4	(S) 26.1	(S) 29.4
ケイ素(Si)	(S) 7.3	(S) 15.6	(S) 20.0	(S) 22.1	(S) 24.2
コバルト(Co)	(S) 14.0	(S) 22.3	(S) 25.0	(S) 26.5	(S) 29.7
臭素(Br_2)[1]	(S) 43.6	(S) 53.8	(L) 75.7	(G) 36.7	(G) 37.3
水銀(Hg)	(S) 24.3	(S) 27.3	(L) 28.0	(L) 27.4	(L) 27.2
スズ(白色)(Sn)	(S) 22.4	(S) 25.4	(S) 26.4	(S) 29.0	(L) 30.5
ダイヤモンド(C)[2]	(S) 0.2	(S) 2.3	(S) 6.1	(S) 10.2	(S) 16.1
黒鉛(グラファイト：C)[2]	(S) 1.7	(S) 4.9	(S) 8.5	(S) 11.9	(S) 16.9
フラーレン(C_{60})[2]	(S) 1.6	(S) 5.0	(S) 8.8	(S) 12.0	—
鉄(Fe, α)	(S) 12.1	(S) 21.5	(S) 25.0	(S) 27.4	(S) 32.1
銅(Cu)	(S) 16.0	(S) 22.7	(S) 24.5	(S) 25.3	(S) 26.8
ナトリウム(Na)	(S) 22.4	(S) 26.0	(S) 28.2	(L) 31.5	(L) 29.7
鉛(Pb)	(S) 24.4	(S) 25.9	(S) 26.8	(S) 27.5	(S) 29.4
ニッケル(Ni, α)	(S) 13.6	(S) 22.5	(S) 26.1	(S) 28.8	(S) 34.6
白金(Pt)	(S) 19.7	(S) 24.8	(S) 26.8	(S) 26.3	(S) 27.4
パラジウム(Pd)	(S) 17.8	(S) 24.2	(S) 26.2	(S) 26.6	(S) 27.7
ホウ素(B)	(S) 1.1	(S) 6.1	(S) 11.1	(S) 13.8	(S) 17.5
マグネシウム(Mg)	(S) 15.7	(S) 22.7	(S) 24.8	(S) 26.3	(S) 28.6
ヨウ素(I_2)[1]	(S) 45.7	(S) 51.6	(S) 54.4	(L) 37.2	(G) 37.6
リチウム(Li)	(S) 12.8	(S) 20.6	(S) 23.6	(S) 27.6	(L) 29.6
リン(黄)(P)	(S) 13.7	(S) 21.1	(S) 23.8	(L) 26.3	(L) 26.3
ロジウム(Rh)	(S) 15.1	(S) 22.6	(S) 24.5	(S) 26.4	(S) 28.2

1)　分子1モルあたりの値

2)　炭素原子1モルあたりの値

無機化合物の定圧モル熱容量 C_p/J K^{-1} mol^{-1}
(記号Sは固体，Lは液体，Gは気体)

無機化合物(化学式)	温度/K				
	100	200	298.15	400	600
アルミナ(Al_2O_3)	(S) 12.9	(S) 51.1	(S) 79.0	(S) 96.1	(S)112.6
硫酸アルミニウム($Al_2(SO_4)_3$)	(S) 91.5	(S)191.0	(S)259.4	(S)322	(S)373
ジボラン(B_2H_6)	(S) 54.0	—	(G) 56.4	(G) 71.7	(G) 98.9
四塩化炭素(CCl_4)	(S) 66.9	(L)103.3	(L)131.7	(G) 91.7	(G) 99.7
二硫化炭素(CS_2)	(S) 46.1	(L) 75.1	(L) 75.7	(G) 49.6	(G) 54.4
塩化カルシウム($CaCl_2$)	(S) 48.8	(S) 67.3	(S) 72.6	(S) 75.4	(S) 78.8
酸化カルシウム(CaO)	(S) 16.2	(S) 34.8	(S) 42.8	(S) 46.6	(S) 50.4
方解石($CaCO_3$)	(S) 39.2	(S) 66.5	(S) 83.5	(S) 97	(S)111
酸化銅(CuO)	(S) 16.5	(S) 34.8	(S) 42.3	(S) 47.0	(S) 52.3
赤鉄鉱(Fe_2O_3)	(S) 31.5	(S) 76.6	(S)103.7	(S)120	(S)141
磁鉄鉱(Fe_3O_4, α)	(S) 54.7	(S)120.8	(S)150.8	(S)172	(S)213
塩化鉄(Ⅱ)($FeCl_2$)	(S) 50.9	(S) 70.7	(S) 76.3	(S) 79.7	(S) 83.1
塩化水素(HCl)	(S) 40.0	—	(G) 29.1	(G) 29.2	(G) 29.7
ヨウ化水素(HI)	(S) 43.7	(L) 47.9	(G) 29.1	(G) 29.3	(G) 30.1
硝酸(HNO_3)	(S) 42.1	(S) 61.5	(L)109.8	(G) 63.6	—
硫化水素(H_2S)	(S) 39.2	(L) 68.0	(G) 34.2	(G) 35.6	(G) 38.7
塩化カリウム(KCl)	(S) 39.1	(S) 48.5	(S) 51.5	(S) 52.1	(S) 55.3
硫酸カリウム(K_2SO_4, α)	(S) 79.1	(S)110.0	(S)129.9	(S)149	(S)175
アンモニア (NH_3)	(S) 26.1	(L) 73.5	(G) 35.5	(G) 38.5	(G) 44.7
塩化アンモニウム(NH_4Cl)	(S) 37.9	(S) 69.5	(S) 85.4	(S)107.1	—
一酸化窒素(NO)	(S) 35.7	—	(G) 29.8	(G) 30.0	(G) 31.3
塩化ナトリウム(NaCl)	(S) 35.1	(S) 46.9	(S) 49.7	(S) 52.5	(S) 55.7
水酸化ナトリウム(NaOH)	(S) 27.7	(S) 49.6	(S) 59.5	(S) 65.1	(S) 86.1
ホスフィン(PH_3)	(S) 46.9	—	(G) 37.1	(G) 41.8	(G) 50.9
シラン(SiH_4)	(L) 60.7	—	(G) 42.8	(G) 51.4	(G) 65.8
二酸化硫黄(SO_2)	(S) 48.1	(S) 87.7	(G) 39.9	(G) 43.5	(G) 49.0
炭酸亜鉛($ZnCO_3$)	(S) 34.4	(S) 63.8	(S) 80.5	(S) 94.1	(S)122

沸騰温度未満の水の定圧比熱容量[1] C_p/J K^{-1} g^{-1}，飽和水蒸気圧下

t/℃	0	1	2	3	4	5	6	7	8	9
0	4.22	4.22	4.21	4.21	4.21	4.21	4.20	4.20	4.20	4.20
10	4.20	4.19	4.19	4.19	4.19	4.19	4.19	4.19	4.19	4.19
20	4.18	4.18	4.18	4.18	4.18	4.18	4.18	4.18	4.18	4.18
30	4.18	4.18	4.18	4.18	4.18	4.18	4.18	4.18	4.18	4.18
40	4.18	4.18	4.18	4.18	4.18	4.18	4.18	4.18	4.18	4.18
50	4.18	4.18	4.18	4.18	4.18	4.18	4.18	4.18	4.18	4.18
60	4.19	4.19	4.19	4.19	4.19	4.19	4.19	4.19	4.19	4.19
70	4.19	4.19	4.19	4.19	4.19	4.19	4.19	4.19	4.20	4.20
80	4.20	4.20	4.20	4.20	4.20	4.20	4.20	4.20	4.20	4.20
90	4.21	4.21	4.21	4.21	4.21	4.21	4.21	4.21	4.21	4.21

1)　1グラムあたりの熱容量を“比”熱容量と呼ぶ．1モルあたりの値(J K^{-1} mol^{-1} を単位とする)は比熱容量に水のモル質量(18.02 g mol^{-1})をかけると得られる．

沸騰温度以上の高温水の定圧比熱容量 C_p/J K^{-1} g^{-1}，飽和水蒸気圧下

t/℃	C_p	t/℃	C_p	t/℃	C_p	t/℃	C_p	t/℃	C_p
100	4.22	160	4.34	220	4.61	280	5.29	340	8.21
110	4.23	170	4.37	230	4.69	290	5.49	350	10.1
120	4.24	180	4.41	240	4.77	300	5.75	360	15.0
130	4.26	190	4.45	250	4.87	310	6.08	370	45.2
140	4.28	200	4.50	260	4.99	320	6.54	373	244
150	4.31	210	4.55	270	5.12	330	7.19	373.9	10000

E. W. Lemmon et al., “Thermophysical Properties of Fluid Systems” in NIST Chemistry WebBook, http://webbook.nist.gov (2024 年 6 月 4 日参照).

有機化合物の定圧モル熱容量 C_p（記号 S は固体，L は液体，G は気体）

有機化合物	C_p/J K^{-1} mol^{-1}				
	100 K	200 K	298.15 K	400 K	600 K
アセトン($(CH_3)_2CO$)	(S) 65.6	(L) 117	(L) 125	(G) 92.1	(G) 122.8
アニリン($C_6H_5NH_2$)	(S) 52.3	(S) 95.1	(L) 192.0	—	—
安息香酸(C_6H_5COOH)	(S) 63.9	(S) 102.9	(S) 146.8	(L) 253.3	—
エタノール(C_2H_5OH)	(S) 47.0	(L) 91.9	(L) 111.4	(G) 87.9	(G) 112.2
オクタン(C_8H_{18})	(S) 100.8	(S) 164.0	(L) 254.1	(G) 244.0	(G) 327.5
酢酸(CH_3COOH)	(S) 50.3	(S) 67.2	(L) 123.4	(G) 81.7	(G) 105.2
シクロヘキサン(c-C_6H_{12})	(S) 58.6	(S) 109.5	(L) 156.5	(G) 149.9	(G) 225.2
ジメチルアミン($(CH_3)_2NH$)	(S) 53.3	(L) 126.2	(G) 69.0	(G) 87.4	(G) 118.9
トルエン($C_6H_5CH_3$)	(S) 61.9	(L) 134	(L) 162	(G) 139.1	(G) 194.9
尿素($(NH_2)_2CO$)	(S) 41.3	(S) 67.0	(S) 93.1	—	—
ベンゼン(C_6H_6)	(S) 50.4	(S) 83.8	(L) 136.1	(G) 111.9	(G) 157.9
メタン(CH_4)	(L) 54.8	—	(G) 35.8	(G) 40.7	(G) 52.5
メタノール(CH_3OH)	(S) 43.6	(L) 70.7	(L) 81.6	(G) 51.4	(G) 67.0

多成分系の定圧比熱容量 C_p

物　質	t/℃	C_p / J K^{-1} g^{-1}	物　質	t/℃	C_p / J K^{-1} g^{-1}
合　金			チョーク	0	0.75
黄銅(真ちゅう)	0	0.39	ガラス	10〜50	約 0.7
コンスタンタン		約 0.4	玄武岩	20〜100	0.84〜1.0
ステンレス鋼(18Cr/ 8Ni)	100	0.52	天然ゴム	0	1.80
(18Cr/12Ni)	0	0.47	ナイロン 6	0	1.31
(24Cr/20Ni)	0	0.46	ポリエチレンテレフタラート(PET)	0	1.03
はんだ	0	0.18	ポリエチレン	0	約 1.8
有機・無機物			ポリスチレン	20	1.34
エボナイト	20〜100	1.38	木　材	20	約 1.3

Kaye & Laby Online. Version 1.0 (2005), ウェブアーカイブを https://web.archive.org/web/20190506031327/http://www.kayelaby.npl.co.uk/にて閲覧可 (2024 年 6 月 4 日参照).

金属ハロゲン化物および金属酸化物の格子エネルギー U/kJ mol^{-1} (298.15 K)

金属塩の格子エネルギーとは，固体の結晶格子内にて近接したイオンを，互いに無限遠の距離となるまで引き伸ばすため必要なエネルギーである．ともに 1 価の陽イオンと陰イオンからなる塩であれば，この過程は $MX(S) \rightarrow M^+(G) + X^-(G)$ と表される．小さなイオンほど電荷密度は大きく，格子エネルギーが大きくなる；たとえばリチウム塩の格子エネルギーはカリウム塩より大きい．

LiF	1019±3	NaCl	771±2	RbCl	679±2	MgO	3760±20
LiCl	839±2	NaBr	733±2	RbBr	650±2	CaF_2	2596±5
LiBr	793±2	KCl	701±2	CsCl	646±5	CaO	3371±21
LiI	750±2	KBr	670±2	CsBr	610±6	BaO	3019±21

物質の融解エンタルピー (融解熱)[1] $\Delta_{fus}H$，飽和蒸気圧下

物　質	t_{fus}/℃	$\Delta_{fus}H$ / kJ mol^{-1}	物　質	t_{fus}/℃	$\Delta_{fus}H$ / kJ mol^{-1}
亜鉛(Zn)	419.6	6.57	重水(D_2O)	3.8	6.28
アルミニウム(Al)	660.1	10.7	酢酸(CH_3COOH)	16.6	11.7
アンチモン(Sb)	630.7	20	酸素(O_2)	−218.8	0.44
アンモニア(NH_3)	−77	5.66	臭素(Br_2)	−7.2	10.5
一酸化炭素(CO)	−205.1	0.84	水銀(Hg)	−38.8	2.33
エタノール(C_2H_5OH)	−114.5	5.02	スズ(Sn)	231.9	7.07
塩化水素(HCl)	−114.2	1.97	窒素(N_2)	−209.9	0.72
フッ化リチウム(LiF)	848.2	27.1	水素 (オルト，パラ体平衡)(H_2)	−259.3	0.12
塩化リチウム(LiCl)	609.9	19.8			
臭化リチウム(LiBr)	549.9	17.7	鉄(Fe)	1535	15.1
ヨウ化リチウム(LiI)	468.9	14.6	銅(Cu)	1084.6	13.3
塩化ナトリウム(NaCl)	800.7	28.2	ナトリウム(Na)	97.8	2.63
臭化ナトリウム(NaBr)	746.9	26.2	ナフタレン($C_{10}H_8$)	80.5	18.80
塩化カリウム(KCl)	770.9	26.3	鉛(Pb)	327.5	4.77
臭化カリウム(KBr)	733.9	25.5	二酸化炭素(CO_2)[2]	−56.2	8.33
塩化セシウム(CsCl)	645.9	20.4	ニッケル(Ni)	1455	17.6
臭化セシウム(CsBr)	636.9	23.6	白金(Pt)	1772	21.7
塩素(Cl_2)	−101	6.41	ベンゼン(C_6H_6)	5.5	9.84
カリウム(K)	63.5	2.4	マグネシウム(Mg)	651	9.2
金(Au)	1064.2	12.7	メタン(CH_4)	−182.6	0.94
銀(Ag)	961.8	11.3	メタノール(CH_3OH)	−97.8	3.17
氷(H_2O)	0.0	6.01	リン(黄)(P)	44	0.63

1)　融解は発熱過程であるため，融解エンタルピーの符号は正である．融解の逆過程である凝固において，凝固エンタルピー (凝固熱) の符号は負である．
2)　この値は 5.180×10^5 Pa 下での値．記載のないものは 10^5 Pa (1 bar) 下での値．

物質の蒸発エンタルピー（蒸発熱）$\Delta_{vap}H$, 飽和蒸気圧下

物質	t_{vap}/℃	$\Delta_{vap}H$/kJ mol^{-1}	物質	t_{vap}/℃	$\Delta_{vap}H$/kJ mol^{-1}
単体			1-ブテン(C_4H_8)	−6.3	21.8
ヘリウム(He)	−268.9	0.084	*cis*-2-ブテン(C_4H_8)	3.7	23.3
アルゴン(Ar)	−185.9	6.5	*trans*-2-ブテン(C_4H_8)	0.9	22.8
キセノン(Xe)	−108.1	12.6	1-ブチン(C_4H_6)	8.1	24.5
フッ素(F_2)	−187.9	6.3	2-ブチン(C_4H_6)	17.9	26.1
塩素(Cl_2)	−34.1	20.4	ペンタン($CH_3(CH_2)_3CH_3$)	36.1	25.8
臭素(Br_2)($p=2.85\times10^4$ Pa)	25.0	30.7	オクタン($CH_3(CH_2)_6CH_3$)	125.7	35.0
ヨウ素(I_2)(昇華)	25	62.3	ヘキサン(C_6H_{14})	68.8	28.9
水素(オルト,パラ体平衡)(H_2)	−252.8	0.904	シクロヘキサン(C_6H_{12})	25	33.3
窒素(N_2)	−195.8	5.58	アセトン($(CH_3)_2CO$)	56.5	29.0
酸素(O_2)	−183.0	6.8	クロロホルム($CHCl_3$)	61.2	29.4
硫黄(S)	444.6	9.6	臭化エチル(C_2H_5Br)	38.4	30.5
ナトリウム(Na)	890	89.1	メタノール(CH_3OH)	64.7	35.3
水銀(Hg)	356.7	58.1	エタノール(C_2H_5OH)	78.3	38.6
銀(Ag)	2193	254	*n*-プロパノール(C_3H_7OH)	97.2	41.0
無機物質			ホルムアルデヒド(HCHO)	−19.3	23.3
アンモニア(NH_3)	−33.5	23.4	アセトアルデヒド(CH_3CHO)	20	27.2
一酸化炭素(CO)	−191.6	6.0	ギ酸(HCOOH)	100.7	22.7
二酸化炭素(CO_2)(昇華)	−78.5	25.2	酢酸(CH_3COOH)	118	24.4
一酸化二窒素(N_2O)	−88.5	16.6	プロピオン酸(CH_3CH_2COOH)	141.1	28.5
二酸化硫黄(SO_2)	−10	24.9	ジメチルエーテル($(CH_3)_2O$)	−24.8	21.5
塩化水素(HCl)	−85.1	16.2	ジエチルエーテル($(C_2H_5)_2O$)	34.6	26.5
二硫化炭素(CS_2)(昇華)	46.3	26.8	グリセリン($C_3H_8O_3$)	289.9	59.8
水(H_2O)($p=1.25\times10^4$ Pa)	25	44.0	ベンゼン(C_6H_6)($p=1.25\times10^4$ Pa)	25	31.7
水(100 ℃の値)	100	40.7	トルエン($C_6H_5CH_3$)	110.6	33.5
有機化合物			*o*-キシレン(*o*-$C_6H_4(CH_3)_2$)	144.4	36.8
メタン(CH_4)	−161.5	8.2	*m*-キシレン(*m*-$C_6H_4(CH_3)_2$)	139.1	36.4
エタン(C_2H_6)	−88.6	14.7	*p*-キシレン(*p*-$C_6H_4(CH_3)_2$)	138.3	36.1
エテン(C_2H_4)	−103.8	13.5	ナフタレン($C_{10}H_8$)	217.9	49.4
プロパン(C_3H_8)	−42.1	18.8	フェノール(C_6H_5OH)	182	48.5
プロペン(C_3H_6)	−47.8	18.4	ベンジルアルコール($C_6H_5CH_2OH$)	208.8	53.6
プロピン(C_3H_4)	−23.2	23.3	安息香酸(C_6H_5COOH)	249	61.5
ブタン(C_4H_{10})	−1.1	22.4			

燃焼エンタルピー（燃焼熱）$\Delta_c H$，常圧

（25 ℃での値）

物　質		$\Delta_c H$	物　質		$\Delta_c H$
エタノール(C_2H_5OH)	(L)	−1368 kJ mol^{-1}	石　炭	(S)	−30〜−20 kJ g^{-1}
エタン(C_2H_6)	(G)	−1560 kJ mol^{-1}	木　炭	(S)	−32〜−28 kJ g^{-1}
エチレン(C_2H_4)	(G)	−1411 kJ mol^{-1}	コークス	(S)	−32〜−24 kJ g^{-1}
オクタン(C_8H_{18})	(L)	−5470 kJ mol^{-1}	灯　油	(L)	−47〜−44 kJ g^{-1}
ジエチルエーテル($(C_2H_5)_2O$)	(G)	−2751 kJ mol^{-1}	重　油	(L)	−47〜−38 kJ g^{-1}
シクロヘキサン(c-C_6H_{12})	(L)	−3920 kJ mol^{-1}	ジェット燃料	(L)	−44 kJ g^{-1} 以下
ジメチルエーテル($(CH_3)_2O$)	(G)	−1461 kJ mol^{-1}	発生炉ガス	(G)	−6.3〜−4.6 kJ dm^{-3}
トルエン($C_6H_5CH_3$)	(L)	−3910 kJ mol^{-1}	水性ガス	(G)	−12〜−11 kJ dm^{-3}
ナフタレン($C_{10}H_8$)	(S)	−5156 kJ mol^{-1}	天然ガス	(G)	−42〜−29 kJ dm^{-3}
プロパン(C_3H_8)	(G)	−2220 kJ mol^{-1}	石炭ガス	(G)	−24〜−16 kJ dm^{-3}
ベンゼン(C_6H_6)	(L)	−3268 kJ mol^{-1}	都市ガス	(G)	約−45 kJ dm^{-3}
メタノール(CH_3OH)	(L)	−726 kJ mol^{-1}	LP ガス	(G)	約−100 kJ dm^{-3}

G は気体，L は液体，S は固体．

標準生成エンタルピー $\Delta_f H^\circ$，標準生成ギブズエネルギー $\Delta_f G^\circ$ および標準エントロピー S°[1)]

物　質		$\Delta_f H^\circ$ / kJ mol^{-1}	$\Delta_f G^\circ$ / kJ mol^{-1}	S° / J K^{-1} mol^{-1}
無機物質				
アルミナ（Al_2O_3）	(S)	−1675.7	−1582.3	50.9
ジボラン（B_2H_6）	(G)	36.4	87.6	232.1
ダイヤモンド（C）	(S)	1.895	2.9	2.377
フラーレン C_{60}（C）	(S)	2327.0	2302.0	426.0
硫化カドミウム（CdS）	(S)	−161.9	−156.5	64.9
一酸化炭素（CO）	(G)	−110.5	−137.2	197.6
二酸化炭素（CO_2）	(G)	−393.5	−394.4	213.6
二硫化炭素（CS_2）	(L)	89.7	65.3	151.3
塩化カルシウム（$CaCl_2$）	(S)	−795.8	−748.1	104.6
酸化カルシウム（CaO）	(S)	−635.1	−604.1	39.8
アラレ石（$CaCO_3$）	(S)	−1207.1	−1127.8	88.7
方解石（$CaCO_3$）	(S)	−1206.9	−1128.8	92.9
硫酸銅(II)五水和物($CuSO_4 \cdot 5H_2O$)	(S)	−2279.7	−1880.1	300.4
硫酸銅(II)無水物（$CuSO_4$）	(S)	−771.4	−662.2	109.2
赤鉄鉱（ヘマタイト）（Fe_2O_3）	(S)	−824.2	−742.2	87.4
磁鉄鉱(マグネタイト)(Fe_3O_4, α)	(S)	−1118.4	−1015.4	146.4
黄鉄鉱（ピライト）（FeS_2）	(S)	−178.2	−166.9	52.9
硫酸鉄(II)($FeSO_4$)	(S)	−928.4	−820.8	107.5
ヒ化ガリウム（GaAs）	(S)	−71.0	−67.8	64.2
塩化水素（HCl）	(G)	−92.3	−95.3	186.8
ヨウ化水素（HI）	(G)	26.5	1.7	206.6
硝酸（HNO_3）	(L)	−174.1	−80.7	155.6
水（H_2O）	(L)	−285.8	−237.2	69.9

物　質		$\Delta_f H^\circ$ / kJ mol^{-1}	$\Delta_f G^\circ$ / kJ mol^{-1}	S° / J K^{-1} mol^{-1}
硫化水素 (H_2S)	(G)	−20.6	−33.4	205.8
硫酸 (H_2SO_4)	(L)	−814.0	−690.0	156.9
塩化カリウム (KCl)	(S)	−436.5	−408.5	82.6
ヨウ化カリウム (KI)	(S)	−327.9	−324.9	106.3
水酸化カリウム (KOH)	(S)	−424.6	−379.4	81.2
水酸化マグネシウム ($Mg(OH)_2$)	(S)	−924.5	−833.5	63.2
硫酸マグネシウム ($MgSO_4$)	(S)	−1284.9	−1170.6	91.6
アンモニア (NH_3)	(G)	−45.9	−16.4	192.8
塩化アンモニウム (NH_4Cl)	(S)	−314.4	−202.9	94.6
硫酸アンモニウム ($(NH_4)_2SO_4$)	(S)	−1180.9	−901.7	220.1
一酸化窒素 (NO)	(G)	91.3	87.6	210.8
二酸化窒素 (NO_2)	(G)	33.2	51.3	240.1
一酸化二窒素 (N_2O)	(G)	82.1	104.2	219.7
塩化ナトリウム (NaCl)	(S)	−411.2	−384.1	72.1
水酸化ナトリウム (NaOH)	(S)	−425.8	−379.7	64.4
オゾン (O_3)	(G)	142.7	163.2	238.8
三塩化リン (PCl_3)	(L)	−319.7	−272.3	217.1
硫化鉛 (PbS)	(S)	−100.4	−98.7	91.2
シラン (SiH_4)	(G)	34.3	56.9	204.6
二酸化硫黄 (SO_2)	(G)	−296.8	−300.2	248.1
有機化合物				
エチン(アセチレン) (C_2H_2)	(G)	226.7	209.9	200.9
アセトン (CH_3COCH_3)	(L)	−248.1	−155.4	199.8
エタノール (C_2H_5OH)	(L)	−277.0	−174.8	160.7
エタン (C_2H_6)	(G)	−84.0	−32.0	229.2
エテン(エチレン) (C_2H_4)	(G)	52.4	68.4	219.3
オクタン ($CH_3(CH_2)_6CH_3$)	(L)	−250.1	6.5	361.2
ギ酸 (HCOOH)	(L)	−425.0	−361.4	129.0
オルト-キシレン (o-$C_6H_4(CH_3)_2$)	(L)	−24.4	110.5	246.0
メタ-キシレン (m-$C_6H_4(CH_3)_2$)	(L)	−25.4	107.7	253.8
パラ-キシレン (p-$C_6H_4(CH_3)_2$)	(L)	−24.4	110	243.5
クロロホルム ($CHCl_3$)	(L)	−134.1	−73.7	201.7
酢酸 (CH_3COOH)	(L)	−484.3	−389.9	159.8
酢酸エチル ($CH_3CO_2C_2H_5$)	(L)	−479.3	−332.7	257.7
シクロヘキサン (C_6H_{12})	(L)	−156.4	26.7	204.4
1,2-ジクロロエタン ($ClCH_2CH_2Cl$)	(L)	−166.8	−79.5	208.5
トルエン (C_7H_8)	(L)	12.0	113.8	221.0
プロペン(プロピレン) (C_3H_6)	(G)	12.4	62.7	266.6
ヘキサン (C_6H_{14})	(L)	20.0	−4.4	296.1
ベンゼン (C_6H_6)	(L)	49.1	124.5	173.3
メタノール (CH_3OH)	(L)	−239.2	−166.6	126.8
メタン (CH_4)	(G)	−74.6	−50.5	186.3

1)　標準圧力下の安定な単体より上記の物質を生成する際のエンタルピー変化 $\Delta_f H^\circ$，ギブズエネルギー変化 $\Delta_f G^\circ$，ならびに当該化合物の標準状態でのエントロピー S° を示す（25 ℃での値）．G は気体，L は液体，S は固体．標準圧力は 10^5 Pa（＝1 bar）とする．

水溶液中のイオンの標準生成エンタルピー $\Delta_f H^\circ$, 標準生成ギブズエネルギー $\Delta_f G^\circ$ および標準エントロピー S° [1)]

物質（イオン）	$\Delta_f H^\circ$/kJ mol^{-1}	$\Delta_f G^\circ$/kJ mol^{-1}	S°/J K^{-1} mol^{-1}
カルシウム(Ca^{2+})	−543.0	−533.0	−53.1
銅(Cu^{2+})	64.8	65.5	−99.6
銅(Cu^{+})	71.7	50.0	40.6
鉄(Fe^{3+})	−48.5	−4.5	−293.3
鉄(Fe^{2+})	−89.1	−78.9	−113
水素(H^{+})	0	0	0
カリウム(K^{+})	−254.1	−283.3	102.5
ナトリウム(Na^{+})	−240.1	−260.9	59.0
炭酸(CO_3^{2-})	−677.1	−527.9	−56.9
炭酸水素(HCO_3^{-})	−692.0	−586.8	91.2
塩化物(Cl^{-})	−167.2	−131.3	56.5
ヨウ化物(I^{-})	−55.2	−51.6	111.3
硝酸(NO_3^{-})	−207.4	−111.3	146.4
水酸化物(OH^{-})	−230.0	−157.3	−10.7
硫酸(SO_4^{2-})	−909.3	−744.6	20.1

1)　ここでの標準は活量1, すなわち有効濃度 1 mol dm^{-3} の水溶液に対するもので, H^+(aq)に対する $\Delta_f H^\circ$, $\Delta_f G^\circ$, S° を基準（ゼロとする）に取る約束になっている.

気相における遊離基(フリーラジカル)の標準生成エンタルピー $\Delta_f H^\circ$

遊離基	$\Delta_f H^\circ$ / kJ mol^{-1}	遊離基	$\Delta_f H^\circ$ / kJ mol^{-1}	遊離基	$\Delta_f H^\circ$ / kJ mol^{-1}	遊離基	$\Delta_f H^\circ$ / kJ mol^{-1}
AlCl	−52±4	CF	255±8	SH	145±20	C_6H_5	325±10
AlH	259±20	CN	423±4	SO	6.8±1.3	CHO	33±6
BH	443±8	NH	339±4	CH	594±4	CH_3COO	−208±8
C_2	838±4	NH_2	168±13	CH_2	385±4	CH_3NH	190±4
CCl_3	80±4	OH	39±1	CH_3	142±5	CH_3NH_2	155±8

空気と混合したガスの爆発範囲

物　　質	下限	上限	物　　質	下限	上限
水素(H_2)	4.0	75	二硫化炭素(CS_2)	1.3	44
一酸化炭素(CO)	12.5	74	メタノール(CH_3OH)	7.3	36
メタン(CH_4)	5.3	14.0	トルエン($C_6H_5CH_3$)	1.4	6.7
エチン(アセチレン)(C_2H_2)	2.5	81	アンモニア(NH_3)	16	25
ベンゼン(C_6H_6)	1.4	7.1	ジメチルエーテル	3.4	27
エタノール(C_2H_5OH)	4.3	19	ガソリン	1.2	7.1
ジエチルエーテル($(C_2H_5)_2O$)	1.9	48			

爆発範囲は容量百分率で示す.

電気化学・溶液化学

標準電極電位 E°（25 ℃, pH = 0 の水溶液中, 標準水素電極基準）

E° の大半は，物質の標準モル生成ギブズエネルギー $\Delta_f G^\circ$ をもとにした計算値.

電子授受平衡		E° (V *vs.* SHE)
$Li^+ + e^-$	$= Li$	−3.045
$K^+ + e^-$	$= K$	−2.925
$Rb^+ + e^-$	$= Rb$	−2.924
$Ba^{2+} + 2e^-$	$= Ba$	−2.92
$Sr^{2+} + 2e^-$	$= Sr$	−2.89
$Ca^{2+} + 2e^-$	$= Ca$	−2.84
$Na^+ + e^-$	$= Na$	−2.714
$Mg^{2+} + 2e^-$	$= Mg$	−2.356
$Be^{2+} + 2e^-$	$= Be$	−1.97
$Al^{3+} + 3e^-$	$= Al$	−1.676
$U^{3+} + 3e^-$	$= U$	−1.66
$Ti^{2+} + 2e^-$	$= Ti$	−1.63
$Zr^{4+} + 4e^-$	$= Zr$	−1.55
$Mn^{2+} + 2e^-$	$= Mn$	−1.18
$Zn^{2+} + 2e^-$	$= Zn$	−0.763
$Cr^{3+} + 3e^-$	$= Cr$	−0.74
$Ag_2S + 2e^-$	$= 2Ag + S^{2-}$	−0.691
$S + 2e^-$	$= S^{2-}$	−0.447
$Fe^{2+} + 2e^-$	$= Fe$	−0.44
$Cr^{3+} + e^-$	$= Cr^{2+}$	−0.424
$Cd^{2+} + 2e^-$	$= Cd$	−0.403
$PbSO_4 + 2e^-$	$= Pb + SO_4^{2-}$	−0.351
$O_2 + e^-$	$= O_2^-$	−0.284
$Co^{2+} + 2e^-$	$= Co$	−0.277
$PbCl_2 + 2e^-$	$= Pb + 2Cl^-$	−0.268
$Ni^{2+} + 2e^-$	$= Ni$	−0.257
$V^{3+} + e^-$	$= V^{2+}$	−0.255
$Mo^{3+} + 3e^-$	$= Mo$	−0.2
$CO_2 + 2H^+ + 2e^-$	$= HCOOH$	−0.199
$CuI + e^-$	$= Cu + I^-$	−0.182
$AgI + e^-$	$= Ag + I^-$	−0.152
$Sn^{2+} + 2e^-$	$= Sn$	−0.138
$Pb^{2+} + 2e^-$	$= Pb$	−0.126
$2H^+ + 2e^-$	$= H_2$ **(基準)**	**0.000**
$AgBr + e^-$	$= Ag + Br^-$	+0.071
$CuCl + e^-$	$= Cu + Cl^-$	+0.121
$Sn^{4+} + 2e^-$	$= Sn^{2+}$	+0.15
$Cu^{2+} + e^-$	$= Cu^+$	+0.159
$S + 2H^+ + 2e^-$	$= H_2S$	+0.174

電子授受平衡		E° (V *vs.* SHE)
$CO_3^{2-} + 6H^+ + 4e^-$	$= HCHO + 2H_2O$	+0.197
$AgCl + e^-$	$= Ag + Cl^-$	+0.222
$Hg_2Cl_2 + 2e^-$	$= 2Hg + 2Cl^-$	+0.268
$Cu^{2+} + 2e^-$	$= Cu$	+0.337
$Fe(CN)_6^{3-} + e^-$	$= Fe(CN)_6^{4-}$	+0.361
$Cu^+ + e^-$	$= Cu$	+0.520
$O_2 + 2H^+ + 2e^-$	$= H_2O_2$	+0.695
$Fe^{3+} + e^-$	$= Fe^{2+}$	+0.771
$Hg_2^{2+} + 2e^-$	$= 2Hg$	+0.796
$Ag^+ + e^-$	$= Ag$	+0.799
$NO_3^- + 2H^+ + 2e^-$	$= NO_2^- + H_2O$	+0.835
$Hg^{2+} + 2e^-$	$= Hg$	+0.85
$Pd^{2+} + 2e^-$	$= Pd$	+0.915
$NO_3^- + 4H^+ + 3e^-$	$= NO + 2H_2O$	+0.957
$Br_2 + 2e^-$	$= 2Br^-$	+1.065
$Pt^{2+} + 2e^-$	$= Pt$	+1.188
$O_2 + 4H^+ + 4e^-$	$= 2H_2O$	+1.229
$MnO_2 + 4H^+ + 2e^-$	$= Mn^{2+} + 2H_2O$	+1.23
$Cl_2 + 2e^-$	$= 2Cl^-$	+1.358
$Cr_2O_7^{2-} + 14H^+ + 6e^-$	$= 2Cr^{3+} + 7H_2O$	+1.36
$MnO_4^- + 8H^+ + 5e^-$	$= Mn^{2+} + 4H_2O$	+1.51
$Mn^{3+} + e^-$	$= Mn^{2+}$	+1.51
$Au^{3+} + 3e^-$	$= Au$	+1.52
$HClO + 2H^+ + 2e^-$	$= Cl_2 + 2H_2O$	+1.630
$PbO_2 + SO_4^{2-} + 4H^+ + 2e^-$	$= PbSO_4 + 2H_2O$	+1.698
$Ce^{4+} + e^-$	$= Ce^{3+}$	+1.71
$H_2O_2 + 2H^+ + 2e^-$	$= 2H_2O$	+1.763
$Au^+ + e^-$	$= Au$	+1.83
$S_2O_8^{2-} + 2e^-$	$= 2SO_4^{2-}$	+1.96
$O_3 + 2H^+ + 2e^-$	$= O_2 + H_2O$	+2.075
$F_2 + 2e^-$	$= 2F^-$	+2.87

基準電極とその電位 (25 ℃)

参照電極，照合電極ともいい，通常 SHE を原点に使う．たとえば銀-塩化銀電極に対する測定値 −0.500 V *vs.* Ag-AgCl は，SHE 尺度では −0.301 V *vs.* SHE と表される．

基準電極	電極系	電子授受平衡	電位
標準水素電極(SHE)	$Pt/H^+(a=1), H_2(a=1)$	$2H^+ + 2e^- = H_2$	0.000
銀-塩化銀(Ag-AgCl)電極	Ag/AgCl/KCl(飽和)	$AgCl + e^- = Ag + Cl^-$	+0.199
飽和カロメル電極(SCE)	Hg/Hg_2Cl_2/KCl(飽和)	$Hg_2Cl_2 + 2e^- = 2Hg + 2Cl^-$	+0.241

一次電池の例

放電反応は一般に複雑で未解明の部分も多い．主反応と考えられるもののみ示した．

電池の名称	放電反応式	電解質	公称電圧
ダニエル電池	$Zn + CuSO_4 \rightarrow ZnSO_4 + Cu$	$ZnSO_4 \parallel CuSO_4$	1.10 V
マンガン乾電池 [NH_4Cl 型]	$Zn + 2MnO_2 + 2NH_4Cl \rightarrow Zn(NH_3)_2Cl_2 + 2MnOOH$	NH_4Cl	1.50 V
[$ZnCl_2$ 型]	$4Zn + 8MnO_2 + ZnCl_2 + 8H_2O \rightarrow ZnCl_2 \cdot 4Zn(OH)_2 + 8MnOOH$	$ZnCl_2$	1.50 V
アルカリマンガン電池	$Zn + 2MnO_2 + 2H_2O + 2OH^- \rightarrow Zn(OH)_4{}^{2-} + 2MnOOH$	KOH	1.50 V
水銀電池	$Zn + HgO + H_2O + 2OH^- \rightarrow Zn(OH)_4{}^{2-} + Hg$	KOH	1.35 V
酸化銀電池	$Zn + Ag_2O + H_2O + 2OH^- \rightarrow Zn(OH)_4{}^{2-} + 2Ag$	KOH	1.55 V
リチウム電池	$4Li + 2SOCl_2 \rightarrow 4LiCl + S + SO_2$	$LiAlCl_4(SOCl_2)$	3.66 V
空気電池	$2Zn + O_2 + 2H_2O \rightarrow 2Zn(OH)_2$	KOH	1.65 V
水素-酸素燃料電池	$2H_2 + O_2 \rightarrow 2H_2O$	H_3PO_4 他	0.7～1.0 V

二次電池(蓄電池)の例

電池の名称	充放電反応式 (右向きが放電)	電解質	公称電圧
鉛蓄電池	$Pb + PbO_2 + 2H_2SO_4 \rightleftarrows 2PbSO_4 + 2H_2O$	H_2SO_4	2.04 V
ニッケル-カドミウム電池	$Cd + 2NiOOH + 2H_2O \rightleftarrows Cd(OH)_2 + 2Ni(OH)_2$	KOH	1.33 V
ニッケル-水素電池	$MH + NiOOH \rightleftarrows M^{(*)} + Ni(OH)_2$	KOH	1.33 V
リチウムイオン電池	$Li_xC + Li_{1-x}CoO_2 \rightleftarrows C + LiCoO_2$	$LiClO_4$ 他	4.10 V

* M は水素吸蔵合金 (La, Nd, Co, Ni, Al などの合金).

電解質水溶液の電気伝導率 κ（25 ℃）

κ は $S\ m^{-1}(\Omega^{-1}\ m^{-1})$ の次元を持つ．面積 $A(m^2)$ の極板 2 枚で挟んだ厚み l(m) の溶液は，ほぼ $R=l/(\kappa\cdot A)$ の抵抗 $R(\Omega)$ を示す．下表は濃度 0.1 mol dm^{-3} での κ 値

電解質	HCl	HNO_3	H_2SO_4	NaOH	NH_3	KCl	NaCl	$CuSO_4$
$\kappa/S\ m^{-1}$	3.898	3.842	2.343	2.215	0.036	1.290	1.067	0.436

KCl 標準水溶液の電気伝導率 κ（25 ℃）

濃度（g-KCl/kg-H_2O）		76.582 9	7.474 58	0.745 819
$\kappa/S\ m^{-1}$	0 ℃	6.514 4	0.713 4	0.077 33
	18 ℃	9.782	1.116 4	0.122 02
	25 ℃	11.132	1.285 3	0.140 85

イオンの極限モル伝導率 λ^∞（25 ℃の水中）

イオンのモル伝導率 $\lambda=\kappa_i/c$（c：mol m^{-3} 単位の濃度）を $c\to 0$ に補外した値．

イオン	$\lambda^\infty(S\ m^2\ mol^{-1})$	イオン	$\lambda^\infty(S\ m^2\ mol^{-1})$	イオン	$\lambda^\infty(S\ m^2\ mol^{-1})$	イオン	$\lambda^\infty(S\ m^2\ mol^{-1})$
H^+	0.034 98	NH_4^+	0.007 35	OH^-	0.019 86	NO_3^-	0.007 14
Li^+	0.003 869	1/2 Mg^{2+}	0.005 306	Cl^-	0.007 635	CH_3COO^-	0.004 09
Na^+	0.005 011	1/2 Ca^{2+}	0.005 95	Br^-	0.007 81	1/2 CO_3^{2-}	0.007 2
K^+	0.007 35	1/3 Al^{3+}	0.006 1	I^-	0.007 68	1/2 SO_4^{2-}	0.008 00

水溶液中の陽イオンの輸率 t_+（25 ℃）

電解質のモル濃度 0.1 mol dm^{-3} での値．一般に，輸率の値は濃度であまり変わらない．陰イオンの輸率 t_- は $1-t_+$ となる．

電解質	$AgNO_3$	$CaCl_2$	HCl	HNO_3	KCl	KNO_3	NaCl	Na_2SO_4
t_+	0.468	0.395	0.831	0.840	0.490	0.510	0.385	0.383

強電解質の平均活量係数 $\gamma_\pm$（25 ℃の水中）

電解質溶液の質量モル濃度 m（mol kg^{-1}）に $\gamma_\pm$ をかけると平均活量になる．

電解質 / m/mol kg^{-1}	HCl	H_2SO_4	NaOH	KOH	NaCl	KCl	KNO_3	$NaClO_4$
0.10	0.803	0.265	0.766	0.798	0.778	0.769	0.739	0.775
0.50	0.757	0.154	0.693	0.728	0.679	0.651	0.548	0.670
1.0	0.809	0.130	0.679	0.756	0.656	0.604	0.443	0.629
2.0	1.009	0.124	0.698	0.888	0.670	0.576	0.333	0.609

弱酸・弱塩基の解離定数 K_a（25 ℃の水中）

電離平衡 HA ⇄ $H^+ + A^-$ の解離定数を $K_a = [H^+][A^-]/[HA]$ とし，$pK_a = -\log_{10} K_a$ の値を表に示す．多段電離は(1), (2), (3)で区別し，塩基については共役酸を HA とした．酸は pK_a が小さいほど強酸になり，塩基は pK_a が大きいほど強塩基になる．また，$pH = pK_a$ のとき [HA] = [A^-] が成り立つ．

物質名	HA	pK_a	物質名	HA	pK_a
[無機化合物]			**[有機化合物]**		
亜硫酸(1)	H_2SO_3	1.86	アニリン	$C_6H_5NH_3^+$	4.65
亜硫酸(2)	HSO_3^-	7.19	安息香酸	C_6H_5COOH	4.00
アンモニア	NH_4^+	9.24	ギ酸	HCOOH	3.55
次亜塩素酸	HClO	7.53	グリシン(1)	$H_3N^+CH_2COOH$	2.36
シアン化水素酸	HCN	9.21	グリシン(2)	$H_3N^+CH_2COO^-$	9.57
炭酸(1)	$H_2CO_3(CO_2+H_2O)$	6.35	酢酸	CH_3COOH	4.76
炭酸(2)	HCO_3^-	10.33	サリチル酸(1)	$C_6H_4(OH)COOH$	2.81
フッ化水素酸	HF	3.17	サリチル酸(2)	$C_6H_4(OH)COO^-$	13.4
硫化水素酸(1)	H_2S	7.02	シュウ酸(1)	HOOC-COOH	1.04
硫化水素酸(2)	HS^-	13.9	シュウ酸(2)	$HOOC\text{-}COO^-$	3.82
硫酸(2)	HSO_4^-	1.99	乳酸	$CH_3CH(OH)COOH$	3.66
リン酸(1)	H_3PO_4	2.15	ピリジン	$C_5H_5NH^+$	5.42
リン酸(2)	$H_2PO_4^-$	7.20	フェノール	C_6H_5OH	9.82
リン酸(3)	HPO_4^{2-}	12.35	酪酸	$CH_3(CH_2)_2COOH$	4.63

イオン選択性電極の例

電極のタイプ	測定イオン	膜の組成	測定範囲/$mol\ dm^{-3}$	妨害成分（選択係数）
ガラス膜	H^+	$Li_2O\text{-}Cs_2O\text{-}La_2O_3\text{-}SiO_2$	pH 0〜14	Na^+ (〜10^{-15})
固体膜	F^-	LaF_3	1〜10^{-6}	OH^- (〜0.1)
	I^-	AgI	1〜10^{-5}	S^{2-} (共存不可)
	Cu^{2+}	CuS-AgS	1〜10^{-6}	Ag^+, Hg_2^{2+} (共存不可)
液体膜	Li^+	TTD-14-クラウン-4/TPB(*1)誘導体/膜材料(*2)	10^{-1}〜10^{-5}	Na^+ (〜10^{-3}), K^+ (〜2×10^{-4})
	Na^+	Bis(12-クラウン-4)/TBP誘導体/膜材料(*2)	10^{-1}〜10^{-5}	K^+ (〜10^{-2}), Mg^{2+} (〜10^{-3}), Ca^{2+} (〜10^{-3})
	K^+	バリノマイシン/膜材料(*2)	10^{-1}〜10^{-6}	Na^+ (〜10^{-4}), Rb^+ (〜3), Cs^+ (〜0.4)
	Ca^{2+}	イオノフォア-K23E1/TBP誘導体/膜材料(*2)	10^{-1}〜10^{-5}	Na^+ (〜10^{-4}), Mg^{2+} (〜10^{-4})

*1　テトラフェニルホウ酸　*2　ポリ塩化ビニル＋膜溶媒　（渡辺正による）

溶 解 度

無機物の水に対する溶解度 (1)

下記の数値は各温度において 100 g の飽和溶液中に溶存する各物質（無水物）の量をグラム(g)で表したものである[1]．すべて化学式に示された無水物の重量として表してある．＊印の系は 100 g の水に溶解する量を表す．

物　質	化 学 式	t/℃ 0	20	40	60	80	100
亜ヒ酸(六酸化四ヒ素)	As_4O_6	1.20	1.81	2.85	4.45(62°)	5.62(75°)	8.18(98.5°)
アンモニウムミョウバン	$Al(NH_4)(SO_4)_2$	2.97	5.91	14.41(45°)	22.0(55°)	47.3(85°)	—
亜硫酸ナトリウム*	Na_2SO_3	13.3	30.7(25°)	35.7	31.7	28.0	26.3
塩化アンモニウム*	NH_4Cl	29.4	37.2	45.8	55.2	65.6	77.3
──カリウム	KCl	21.92	25.5	28.6	31.4	33.9	36.0
──カルシウム	$CaCl_2$	37.3	42.7	53.4	57.8	59.5	61.4
──銀	$AgCl$	0.000070	0.000155	0.00036	—	—	0.0021
──コバルト(Ⅱ)	$CoCl_2$	30.3	34.6	46.0	48.4	49.4	51.5
──ストロンチウム	$SrCl_2$	30.3	35.8(25°)	39.5	45.0	47.5	50.2
──セシウム	$CsCl$	61.7	65.1	67.5	69.7	71.4	73.0
──水銀(Ⅱ)	$HgCl_2$	3.5	6.1	9.3	14.4	23.4	36.5
──水銀(Ⅰ)	Hg_2Cl_2	0.000140	0.000038	—	—	—	—
──鉄(Ⅲ)	$FeCl_3$	42.66	47.88	60.01(37°)	78.86	84.03	84.26
──鉄(Ⅱ)	$FeCl_2$	33.2	38.5	40.7	43.9	47.4	48.7
──タリウム	$TlCl$	0.16	0.33	—	—	1.5	—
──ナトリウム	$NaCl$	26.28	26.38	26.65	27.05	27.54	28.2
──ニッケル	$NiCl_2$	34.8	38.29	42.3	46.1	45.96	46.7
──バリウム	$BaCl_2$	23.8	26.30	28.9	31.6	34.3	37.5
──マグネシウム	$MgCl_2$	34.6	35.3	36.5	37.9	39.8	42.3
──ルビジウム	$RbCl$	43.5	47.7	50.9	53.6	56.0	58.9
塩素酸カリウム	$KClO_3$	3.2	6.8	12.2	19.2	27.3	36.0
過塩素酸ナトリウム	$NaClO_4$	62.87	67.82(25°)	70.38(38°)	—	—	76.75
ヘキサシアノ鉄(Ⅱ)酸カリウム(黄血塩)	$K_4[Fe(CN)_6]$	12.5	22.0	27.8(35°)	36.8(65°)	40.1	42.63
過マンガン酸カリウム	$KMnO_4$	2.75	5.96	11.13	18.15	20.2	—
クロム酸カリウム*	K_2CrO_4	58.8	63.9	68.0	72.2	76.3	80.1
クロムミョウバン*	$CrK(SO_4)_2$	—	12.51(25°)	—	—	—	—
臭化カリウム	KBr	34.9	39.4	43.2	46.1	48.7	51.0
──鉛*	$PbBr_2$	0.4554	0.9744(25°)	1.7457(45°)	2.574(65°)	3.343	4.751
──ナトリウム	$NaBr$	44.47	—	—	54.10	—	—
硝酸アンモニウム	NH_4NO_3	54.2	65.5	71.0	80.7	86.9	90.3
──亜鉛	$Zn(NO_3)_2$	48.3(0.4°)	58.1(30°)	70.2(45°)	87.2(59°)	—	—
──カリウム	KNO_3	11.7	24.0	39.0	52.2	62.8	71.0

1) 共通温度以外の溶解度は（ ）内の温度（単位 ℃）を示した．

無機物の水に対する溶解度 (2)

物　　質	化 学 式	t/℃					
		0	20	40	60	80	100
硝酸銀	$AgNO_3$	54.8	68.4	75.7	81.5	85.4	88.0
―ストロンチウム	$Sr(NO_3)_2$	28.2(0.1°)	40.7	47.2(35°)	48.3	49.2	51.2(105°)
―タリウム	$TlNO_3$	3.76	8.72	17.33	31.55	52.6	80.54
―銅(Ⅱ)	$Cu(NO_3)_2$	45.5	55.5	62.0	64.5	67.5	71.2
―ナトリウム	$NaNO_3$	41.9	46.0	―	―	―	62.39(94°)
―鉛*	$Pb(NO_3)_2$	38.8	56.5	75	95	115	138.8
―バリウム	$Ba(NO_3)_2$	4.72	8.27	12.35	16.9	21.4	25.6
水酸化カリウム	KOH	49.2	52.8	58.03	―	61.73	65.15
―カルシウム	$Ca(OH)_2$	0.143	0.129(25°)	0.107	0.0917	0.0800(70°)	0.0523(99°)
―ナトリウム	NaOH	29.6	52.2	56.3	63.5	75.8	78.5(110°)
―バリウム	$Ba(OH)_2$	1.65	3.74	7.60	17.32	50.35	―
炭酸カリウム	K_2CO_3	51.25	52.5	53.9	55.9	58.3	60.9
―水素カリウム	$KHCO_3$	18.6	25.0	31.3	37.5	―	―
―水素ナトリウム	$NaHCO_3$	6.48	8.72	11.29	14.10	―	19.1
―ナトリウム	Na_2CO_3	6.54	18.1	33.1	31.6	31.1	30.9
チオ硫酸ナトリウム	$Na_2S_2O_3$	33.40	41.20	55.33(45°)	―	―	―
二クロム酸カリウム* (重クロム酸カリウム)	$K_2Cr_2O_7$	4.6	12.2	26.0	46.5	70	97
ヘキサシアノ鉄(Ⅲ) 酸カリウム(赤血塩)	$K_3[Fe(CN)_6]$	23.22(0.1°)	32.80(25°)	37.22	41.10(58°)	45.27	47.60(99°)
ホウ酸	H_3BO_3	2.70	4.65	8.17	12.96	19.06	27.53
ホウ砂	$Na_2B_4O_7$	1.18	2.58	6.00	14.82	19.88	28.22
ミョウバン*	$AlK(SO_4)_2$	3.0	5.9	11.70	24.75	71.0	119.0(92.5°)
ヨウ化カリウム	KI	56.0	59.0	61.6	63.8	65.7	67.4
―ナトリウム	NaI	61.54	64.1	67.2	72.0	74.7	75.14
硫酸アルミニウム	$Al_2(SO_4)_3$	27.50	27.82(25°)	28.8	31.0	37.4(80.6°)	43.90(99.2°)
―アンモニウム	$(NH_4)_2SO_4$	41.35	42.85	44.7	46.64	48.47	50.42
―亜鉛(斜方)	$ZnSO_4$	28.58	36.65(25°)	41.2	42.98	39.2(85°)	37.7
―カリウム	K_2SO_4	7.20	10.0	12.9	15.4	17.6	19.4
―カドミウム*	$CdSO_4$	75.5	76.4	78.4	83.7	67.5(79°)	58.4(99°)
―カルシウム*	$CaSO_4$	0.1759	0.2080(25°)	0.2097	0.2009(55°)	0.1847(75°)	0.1619
―鉄(Ⅱ)	$FeSO_4$	13.6	20.8	28.6	35.5	35.6	30.5
―銅(Ⅱ)	$CuSO_4$	12.3	16.8	22.3	28.5	35.9	43.4
―ナトリウム*	Na_2SO_4	4.5	19.0	48.1	45.2	43.2	42.2
―ニッケル(Ⅱ)*	$NiSO_4$	27.6	38.0	47.9	56.4	66	78
―マグネシウム	$MgSO_4$	18.0	25.2	30.8	35.3	35.8	33.5
リン酸二水素ナトリウム	NaH_2PO_4	36.5	45.5	57.0	65	68	71
リン酸水素二ナトリウム*	Na_2HPO_4	1.6	7.7	52.7	82.8	93.5	103.3
リン酸三ナトリウム*	Na_3PO_4	5.38	14.53(25°)	23.3	46.2	68.0	94.6

有機物の水に対する溶解度(極性有機物)

100 g の水に溶解する物質の量をグラム (g) で示してある.(*dl*, 左右旋性物質の混合系

物質	化学式	t/℃ 0	20	40	60	80	100
安息香酸	$C_6H_5CO_2H$	0.17	0.29	0.56	1.16	2.71	5.88
コハク酸	$(CH_2CO_2H)_2$	2.8	6.9	16.2	35.8	70.8	120.9
シュウ酸	$(COOH)_2$	3.50	9.52	21.5	44.3	84.5	—
酒石酸(右旋性)	$(CHOH\cdot CO_2H)_2$	115	139	176	218	273	343
ブドウ酸(*dl*)	$(CHOH\cdot CO_2H)_2$	9.23	20.6	43.3	78.3	125	185
ピクリン酸	$C_6H_2(NO_2)_3OH$	0.68	1.11	1.78	2.81	4.41	7.24
フェノール	C_6H_5OH	—	8.5	9.7	17.5	—	—
ショ糖	$C_{12}H_{22}O_{11}$	179.2	203.9	238.1	287.3	362.1	485.2
酢酸ナトリウム	$Na(CH_3CO_2)$	36.3	46.5	65.5	—	—	—
酢酸カルシウム	$Ca(CH_3CO_2)_2$	37.4	34.73	33.22	32.70	33.50	29.65

有機物の水に対する溶解度(芳香族炭化水素)

(室温付近:25 ℃, 濃度単位:mM = 10^{-3} mol dm^{-3}

物質	化学式	溶解度/mM
ベンゼン	C_6H_6	23
トルエン	$C_6H_5CH_3$	6.5
1,4-ジメチルベンゼン	$C_6H_4(CH_3)_2$	1.9
エチルベンゼン	$C_6H_5C_2H_5$	1.6
プロピルベンゼン	$C_6H_5C_3H_7$	0.71
ブチルベンゼン	$C_6H_5C_4H_9$	0.37
ビフェニル	$(C_6H_5)_2$	0.047
アセナフテン	$C_{10}H_{10}$	0.025
ナフタレン	$C_{10}H_8$	0.098
フェナントレン	$C_{14}H_{10}$	0.009 0
アントラセン	$C_{14}H_{10}$	0.000 42
ピレン	$C_{16}H_{10}$	0.000 87

(中原勝, 吉田健による)

有機物の水に対する溶解度(有機塩素化合物)

(温度:25 ℃, 濃度単位:mM = 10^{-3} mol dm^{-3})

物質	化学式	溶解度/mM
四塩化炭素	CCl_4	5.2
クロロホルム	$CHCl_3$	66
ジクロロメタン	CH_2Cl_2	231
1,1-ジクロロエタン	$C_2H_4Cl_2$	52
1,2-ジクロロエタン	$C_2H_4Cl_2$	87
1,1,1-トリクロロエタン	$C_2H_3Cl_3$	9.5
1,1,2-トリクロロエタン	$C_2H_3Cl_3$	33
クロロベンゼン	C_6H_5Cl	3.9
オルトジクロロベンゼン	$C_6H_4Cl_2$	0.98
メタジクロロベンゼン	$C_6H_4Cl_2$	0.86
パラジクロロベンゼン	$C_6H_4Cl_2$	0.51

S. H. Yalkowsky, Y. He, P. Jain, Handbook of Aqueous Solubility Data, 2nd ed. による.

気体の水に対する溶解度

下表は各温度において 1 atm = 101 325 Pa の気体が水の 1 cm^3 中に溶解するときの容積を, 0 ℃, 1 atm のときの容積に改算した値である. ただし単位は cm^3 とする.

物　質	化学式	t/℃					
		0	20	40	60	80	100
エチン (アセチレン)	C_2H_2	1.73	1.03	0.71	0.56	0.48	0.46
アンモニア*	NH_3	1176	702	—	—	—	—
二酸化硫黄 (亜硫酸ガス)	SO_2	80	39	19	—	—	—
アルゴン	Ar	0.053	0.035	0.027	0.021	0.019	0.019
エテン (エチレン)	C_2H_4	0.226	0.122	0.081	0.063	0.053	0.049
塩化水素	HCl	507	442	386	339	—	—
塩　素	Cl_2	4.61	2.30	1.44	1.02	0.68	0.00
空　気	—	0.029	0.019	0.014	0.012	0.011	0.011
酸　素	O_2	0.049	0.031	0.023	0.019	0.018	0.017
一酸化窒素	NO	0.074	0.047	0.035	0.030	0.027	0.026
一酸化炭素	CO	0.035	0.023	0.018	0.015	0.014	0.014
水　素	H_2	0.022	0.018	0.016	0.016	0.016	0.016
二酸化炭素	CO_2	1.71	0.88	0.53	0.36	—	—
窒　素	N_2	0.024	0.016	0.012	0.010	0.0096	0.0095
ネオン	Ne	0.013	0.0104	0.0095	0.0094	0.0103	0.0115
ヘリウム	He	0.0093	0.0088	0.0084	0.0092	0.0101	0.0114
メタン	CH_4	0.056	0.033	0.024	0.020	0.018	0.017
硫化水素	H_2S	4.67	2.58	1.66	1.19	0.92	0.81

*　参考値

難溶塩の溶解度積

物　質	イオン濃度積	t/℃	K_S
塩化銀	$[Ag^+][Cl^-]$	25	1.7×10^{-10}
——水銀(I)	$[Hg_2^{2+}][Cl^-]^2$	25	1.3×10^{-18}
シュウ酸カルシウム	$[Ca^{2+}][C_2O_4^{2-}]$	25	3.0×10^{-9}
臭化銀	$[Ag^+][Br^-]$	25	4.9×10^{-13}
水酸化銀	$[Ag^+][OH^-]$	25	1.9×10^{-8}
——マグネシウム	$[Mg^{2+}][OH^-]^2$	25	1.8×10^{-11}
——鉄(II)	$[Fe^{2+}][OH^-]^2$	25	$8\ \times10^{-16}$
——鉄(III)	$[Fe^{3+}][OH^-]^3$	25	2.5×10^{-39}
炭酸カルシウム	$[Ca^{2+}][CO_3^{2-}]$	25	3.6×10^{-9}
——鉛	$[Pb^{2+}][CO_3^{2-}]$	25	$8\ \times10^{-14}$
——マグネシウム	$[Mg^{2+}][CO_3^{2-}]$	12	$1\ \times10^{-5}$
ヨウ化銀	$[Ag^+][I^-]$	25	8.3×10^{-17}
——鉛(II)	$[Pb^{2+}][I^-]^2$	25	6.4×10^{-9}
硫酸鉛(II)	$[Pb^{2+}][SO_4^{2-}]$	25	1.6×10^{-8}
——バリウム	$[Ba^{2+}][SO_4^{2-}]$	25	1.0×10^{-10}

固体塩類が水と平衡にあるとき, それが水に溶けて出す各イオンの濃度の積が溶解度積 K_S である. たとえば A_mB_n なる塩が水中にて $A_mB_n \rightleftarrows mA + nB$ のように解離するとすれば $[A]^m[B]^n$ の値がこの塩の溶解度積である. ただし [　] はイオンの濃度を mol dm^{-3} 単位にて表したものである.

緩衝溶液

溶液に少量の酸または塩基を加えた場合，あるいは溶液を希釈した場合に，水素イオン濃度(活量)の変化がほとんど起きないとき，溶液は緩衝作用があるという．溶液の水素イオン濃度（活量）を一定に保つ緩衝溶液は種々ある．以下は，よく用いられる緩衝溶液の例である．

1)　塩酸-塩化カリウム緩衝溶液（25 ℃）
0.2 mol dm^{-3} 塩化カリウム溶液 25 cm^3 に 0.2 mol dm^{-3} 塩酸 x cm^3 を加え，水で 100 cm^3 に希釈

x	67.0	42.5	26.6	16.2	10.2	6.5	3.9
pH	1.00	1.20	1.40	1.60	1.80	2.00	2.20

2)　フタル酸水素カリウム-塩酸緩衝溶液（25 ℃）
0.1 mol dm^{-3} フタル酸水素カリウム溶液 50 cm^3 に 0.1 mol dm^{-3} 塩酸 x cm^3 を加え，水で 100 cm^3 に希釈

x	49.5	42.2	35.4	28.9	22.3	15.7	10.4	6.3	2.9	0.1
pH	2.20	2.40	2.60	2.80	3.00	3.20	3.40	3.60	3.80	4.00

3)　フタル酸水素カリウム-水酸化ナトリウム緩衝溶液(25 ℃)
0.1 mol dm^{-3} フタル酸水素カリウム溶液 50 cm^3 に 0.1 mol dm^{-3} 水酸化ナトリウム溶液 x cm^3 を加え，水で 100 cm^3 に希釈

x	3.0	6.6	11.1	16.5	22.6	28.8	34.1	38.8	42.3
pH	4.20	4.40	4.60	4.80	5.00	5.20	5.40	5.60	5.80

4)　リン酸二水素カリウム-水酸化ナトリウム緩衝溶液(25 ℃)
0.1 mol dm^{-3} リン酸二水素カリウム溶液 50 cm^3 に 0.1 mol dm^{-3} 水酸化ナトリウム溶液 x cm^3 を加え，水で 100 cm^3 に希釈

x	3.6	5.6	8.1	11.6	16.4	22.4	29.1	34.7	39.1	42.4	44.5	46.1
pH	5.80	6.00	6.20	6.40	6.60	6.80	7.00	7.20	7.40	7.60	7.80	8.00

5)　ホウ酸-水酸化ナトリウム緩衝溶液（25 ℃）
0.1 mol dm^{-3} ホウ酸と 0.1 mol dm^{-3} 塩化カリウムを含む溶液* 50 cm^3 に 0.1 mol dm^{-3} 水酸化ナトリウム溶液 x cm^3 を加え，水で 100 cm^3 に希釈

x	3.9	6.0	8.6	11.8	15.8	20.8	26.4	32.1	36.9	40.6	43.7	46.2
pH	8.00	8.20	8.40	8.60	8.80	9.00	9.20	9.40	9.60	9.80	10.0	10.20

*　6.184 g H_3BO_3 と 7.455 g KCl を溶かして 1 dm^3 とする．

6)　炭酸水素ナトリウム-水酸化ナトリウム緩衝溶液（25 ℃）
0.05 mol dm^{-3} 炭酸水素ナトリウム溶液 50 cm^3 に 0.1 mol dm^{-3} 水酸化ナトリウム溶液 x cm^3 加え，水で 100 cm^3 に希釈

x	5.0	7.6	10.7	13.8	16.5	19.1	21.2	22.7
pH	9.60	9.80	10.00	10.20	10.40	10.60	10.80	11.00

7)　リン酸水素二ナトリウム-水酸化ナトリウム緩衝溶液（25 ℃）
0.05 mol dm^{-3} リン酸水素二ナトリウム溶液 50 cm^3 に 0.1 mol dm^{-3} 水酸化ナトリウム溶液 x cm^3 を加え，水で 100 cm^3 に希釈

x	4.1	6.3	9.1	13.5	19.4	23.0	26.9
pH	11.00	11.20	11.40	11.60	11.80	11.90	12.00

8)　水酸化ナトリウム-塩化カリウム緩衝溶液（25 ℃）
0.2 mol dm^{-3} 塩化カリウム溶液 25 cm^3 に 0.2 mol dm^{-3} 水酸化ナトリウム溶液 x cm^3 を加え，水で 100 cm^3 に希釈

x	6.0	10.2	16.2	25.6	41.2	66.0
pH	12.00	12.20	12.40	12.60	12.80	13.00

) Tris 緩衝溶液（25 ℃）

0.1 mol dm^{-3} Tris 溶液 50 cm^3 に 0.1 mol dm^{-3} 塩酸 x cm^3 を加え，水で 100 cm^3 に希釈

x	46.6	44.7	42.0	38.5	34.5	29.2	22.9	17.2	12.4	8.5	5.7
pH	7.00	7.20	7.40	7.60	7.80	8.00	8.20	8.40	8.60	8.80	9.00

Tris：トリス(ヒドロキシメチル)アミノメタン

) 酢酸-酢酸ナトリウム緩衝溶液（23 ℃）

0.2 mol dm^{-3} 酢酸溶液 x cm^3 に 0.2 mol dm^{-3} 酢酸ナトリウム溶液 50−x cm^3 を加え，水で 100 cm^3 に希釈

x	46.3	44.0	41.0	36.8	30.5	25.5	20.0	14.8	10.5	8.8
pH	3.6	3.8	4.0	4.2	4.4	4.6	4.8	5.0	5.2	5.4

Gomori（1955），*Methods in Enzymology*, **1**, 141.

) コリジン(2, 4, 6-トリメチルピリジン)-塩酸緩衝溶液（23 ℃）

0.2 mol dm^{-3} コリジン溶液 25 cm^3 に 0.2 mol dm^{-3} 塩酸 x cm^3 を加え，水で 100 cm^3 に希釈

x	22.5	20.0	17.5	15	12.5	10	7.5	5.0	2.5
pH	6.45	6.80	7.03	7.22	7.40	7.57	7.77	8.00	8.35

Gomori（1946），*Proc. Soc. Exp. Biol. Med.*, 62, 33.

2) アンモニア-塩化アンモニウム緩衝溶液（20 ℃）

2 mol dm^{-3} アンモニア溶液 x cm^3 に 2 mol dm^{-3} 塩化アンモニウム溶液 10−x cm^3 を加え，水で 100 cm^3 に希釈

x	0.50	1.0	2.0	3.0	5.0	7.0	8.0	9.0	9.5
pH	8.25	8.61	8.96	9.21	9.58	9.94	10.18	10.51	10.82

Gottschalk（1959），*Zeit. Anal. Chem.*, **167**, 342.

（河野淳也による）

酸塩基指示薬

溶液の水素イオン濃度（活量）の変化に伴い変色する色素で，その変色によって溶液の pH を知ることができ，さらに酸塩基による中和反応の当量点（終点）を知ることができる．通常，0.1−0.2 重量％程度の水，エチルアルコールまたは両者の混合溶液として調製する．

指　示　薬	略 号	変色域 pH	色の変化 酸性 → 塩基性
チモールブルー(酸側)	TB	1.2− 2.8	赤 → 黄
ブロモフェノールブルー	BPB	3.0− 4.6	黄 → 青紫
メチルオレンジ	MO	3.1− 4.4	赤 → 燈黄
ブロモクレゾールグリーン	BCG	3.8− 5.4	黄 → 青
メチルレッド	MR	4.2− 6.3	赤 → 黄
ブロモクレゾールパープル	BCP	5.2− 6.8	黄 → 紫
ブロモチモールブルー	BTB	6.0− 7.6	黄 → 青
フェノールレッド	PR	6.8− 8.4	黄 → 赤
クレゾールレッド	CR	7.2− 8.8	黄 → 赤
チモールブルー(塩基側)	TB	8.0− 9.6	黄 → 青
フェノールフタレイン	PP	8.3−10.0	無 → 赤紫
チモールフタレイン	TP	9.3−10.5	無 → 青

分析試薬　　イオン･分子認識試薬のおもな種類

水溶液中または有機溶媒中で，相手のイオン，分子の構造を認識・識別して錯を生成する．錯体生成の選択性は一般に高い．おもな化合物の種類について代表なものを挙げる.(　)内は選択的に錯体を生成する相手のイオンまたは分子を示す

1. キレート試薬

おもに水溶液中で，1 個または複数の分子が金属イオンを挟み込むようにして錯体を生成する．分離・分析試薬として古くから用いられている．

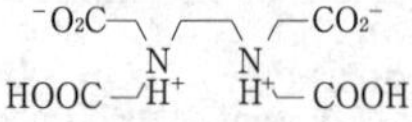

エチレンジアミン四酢酸(EDTA)
(種々の2価金属イオン)

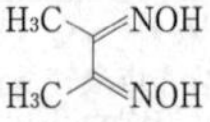

ジメチルグリオキシム
(Ni^{2+})

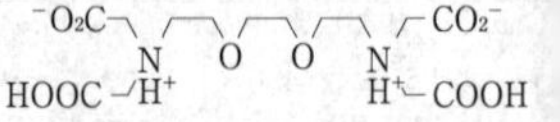

エチレングリコール-ビス(β-アミノエチル)エーテル四酢酸(EGTA)
(Ca^{2+})

2. クラウンエーテルおよび関連化合物

おもに有機溶媒中で，空孔の大きさに適合するアルカリ金属イオンやアルカリ土類金属イオンを取り込む．多くの類縁化合物が分離・分析試薬として用いられている．

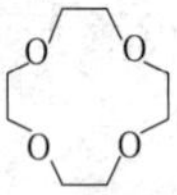

12-クラウン-4
(Li^{+})

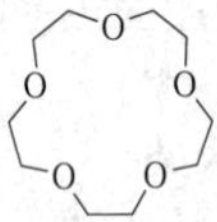

15-クラウン-5
(Na^{+})

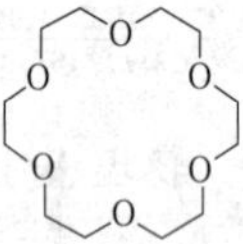

18-クラウン-6
(K^{+})

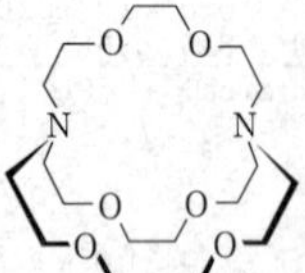

クリプタンド[2.2.2]
(K^{+})

3. 大環状ポリアミン

おもに水溶液中で遷移金属イオンや重金属イオンを取り込むが，プロトン化された多価陽イオンの形では多価カルボン酸陰イオン，ヌクレオチドなどの多価有機陰イオンと錯体を生成する．分離・分析試薬などに応用されている．

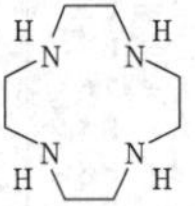

サイクレン

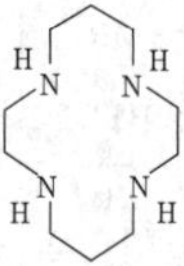

サイクラム

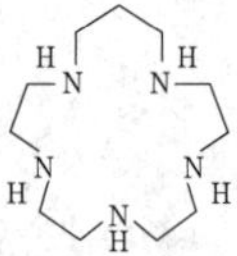

カリックスアレーンおよび関連化合物

フェノール類とアルデヒドが縮合して生成する大環状化合物．定まった構造の分
内空孔を持ち，おもに有機溶媒中で形・大きさが適合する有機・無機物質を取り
む．分離・分析試薬などへの応用が行われている．

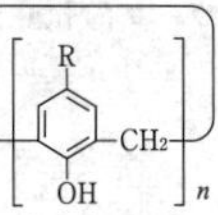

リックス[4]アレーン（$n=4$）
リックス[6]アレーン（$n=6$）
リックス[8]アレーン（$n=8$）

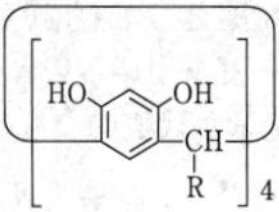

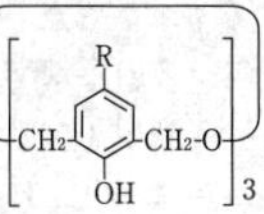

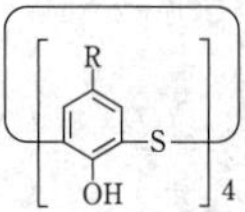

シクロデキストリン

D-グルコースが$\alpha(1\rightarrow4)$ 結合により結合した環状化合物で，デンプンの分解産
として得られる．グルコース単位の数に応じた大きさの定まった構造の分子内空
を持ち，おもに水溶液中で形・大きさが適合する種々の有機・無機物質を取り込
．分離・分析試薬，香料の不揮発化，医薬品の安定化など多くの用途を持つ．

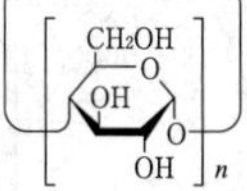

α-シクロデキストリン（$n=6$）
β-シクロデキストリン（$n=7$）
γ-シクロデキストリン（$n=8$）

シクロファン

水溶液中または有機溶媒中で有機・無機物質を取り込むためのさまざまな形・大
さの分子内空孔を設計・合成することができる．分離・分析試薬などへの応用が
待されている．

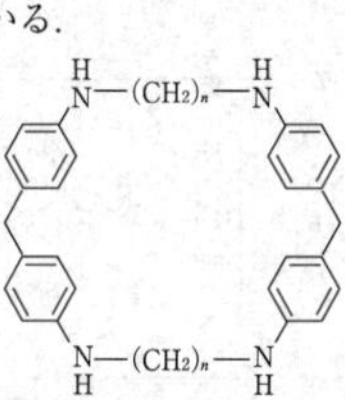

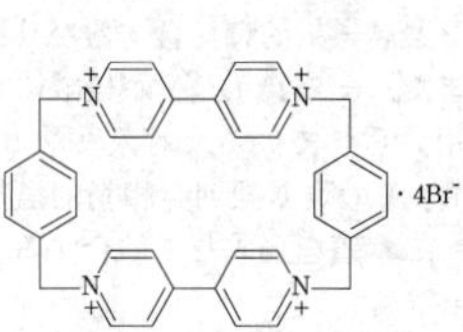

7. 生体系物質

1)　酵　素

タンパク質を主成分とする生体高分子で，生化学反応を基質特異的に触媒しうることから，各種の基質に対する分析試薬として用いられている．また，酵素反応関与するイオンや分子の定量試薬としても用いられる．グルコース酸化酵素を用るグルコースの定量やウレアーゼを用いる尿素の定量，ルシフェリン・ルシフェーゼ反応を利用する ATP の定量が代表的なもの．

グルコース＋O_2＋H_2O ⟶ グルコン酸＋H_2O_2

尿素＋H_2O ⟶ CO_2＋2 NH_3

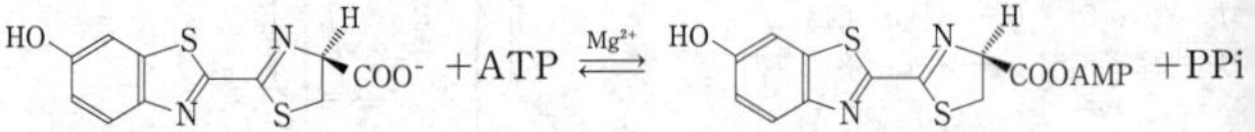

ホタル・ルシフェリン　　ルシフェリン-AMP

ルシフェリン-AMP＋O_2 ⟶ 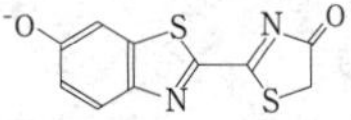 ＋CO_2＋AMP＋H^+＋$h\nu$

2)　抗　体

特定の生体高分子（抗原）を認識して結合するタンパク質で，抗原に対する分析試薬として用いられている．4 本のポリペプチド鎖から構成される Y 字型構造をとり，抗原は 2 本のポリペプチド鎖の末端に挟まれるように結合する．生体に抗体を産生させることで，種々の分析対象高分子に対応した分析試薬をつくり出すことができる．

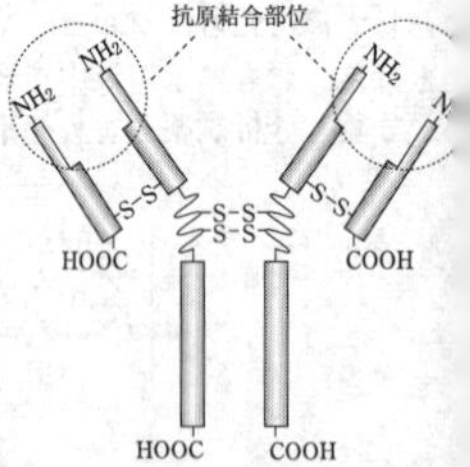

抗体の基本構造

3)　その他

抗生物質が分析試薬として用いられている．カリウムイオンと高選択的に結合するバリノマイシンが代表的．また，一本鎖 DNA が核酸に対する分析試薬として用いられている．対象となる一本鎖 DNA あるいは RNA の塩基配列を相補的塩基対形成により認識し，二本鎖を形成して結合する（ハイブリダイゼーション）．

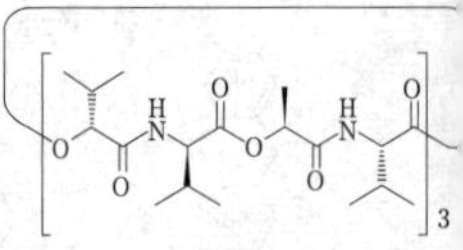

バリノマイシン

（西澤精一による）

物質の化学式および反応

種々の物質の化学式

無 機 物 質 (1)

以下の表は，一般的な無機物質について，名称の順に化学式とその状態（注）を示している．名称が純物質の慣用名の場合には，原則として，IUPAC 名から簡略な表現を選んであわせて記した．なお，黄鉄鉱，石英，ダイヤモンドといった鉱物名で，**地 74-85**，おもな鉱物の表に記載されている物質は除いた．

物質名	化学式
PZT	$PbZr_xTi_{1-x}O_3$ ($x=0-1$)
YAG, イットリウムアルミニウムガーネット	$Y_3Al_5O_{12}$
YIG, イットリウム鉄ガーネット	$Y_3Fe_5O_{12}$
亜鉛華，酸化亜鉛*	ZnO
亜ジチオン酸ナトリウム*	$Na_2S_2O_4$
亜硫酸ガス，二酸化硫黄*	SO_2
亜硝酸ナトリウム*	$NaNO_2$
アランダム(商品名)	Al_2O_3
亜硫酸水素ナトリウム*	$NaHSO_3$
亜硫酸ナトリウム*	Na_2SO_3 〈無水物/七水和物〉
亜リン酸(通常，ホスホン酸*の状態で存在)	H_3PO_3 ($=P(OH)_3$)
アルシン，アルサン*	AsH_3 ［気］
アルミナ，酸化アルミニウム*	Al_2O_3
アンモニア*	NH_3 ［気］
硫黄華	S （硫黄蒸気より凝結）
一酸化窒素*	NO ［気］
塩化アルミニウム*	$AlCl_3$ 〈無水物/六水和物〉（無水物気体の分子式は Al_2Cl_6）
塩安，塩化アンモニウム*	NH_4Cl
塩化水素*	HCl ［気］
塩化スルフリル，二塩化スルフリル*	SO_2Cl_2 ［液］
塩化第一鉄，塩化鉄(Ⅱ)*	$FeCl_2$
塩化第一銅，塩化銅(Ⅰ)*	CuCl
塩化第二鉄，塩化鉄(Ⅲ)*	$FeCl_3$
塩化第二銅，塩化銅(Ⅱ)*	$CuCl_2$
塩化チオニル，二塩化チオニル*	$SOCl_2$ ［液］
塩化白金酸カリウム，ヘキサクロリド白金(IV)酸カリウム*	$K_2[PtCl_6]$
塩化ホスホリル，三塩化ホスホリル*	$POCl_3$ ［液］
塩酸	塩化水素 HCl の水溶液
塩素酸カリウム*	$KClO_3$
鉛丹(顔料)，四酸化三鉛*，酸化鉛(Ⅳ)二鉛(Ⅱ)*	Pb_3O_4 ($=Pb^{II}{}_2Pb^{IV}O_4$)
鉛糖，酢酸鉛(Ⅱ)三水和物*	$Pb(CH_3CO_2)_2\cdot 3\,H_2O$
鉛白(顔料)，二炭酸二水酸化三鉛*	$Pb_3(CO_3)_2(OH)_2$
黄血塩，黄血カリ，ヘキサシアニド鉄(Ⅱ)酸カリウム*	$K_4[Fe(CN)_6]\cdot 3\,H_2O$
黄色硫化アンモニウム	$(NH_4)_2S_n$ ［水］
オゾン*	O_3 ［気］
オルト過ヨウ素酸*	H_5IO_6
過塩素酸*	$HClO_4$ ［水(液)］
カオリン	カオリナイト ($Al_2Si_2O_5(OH)_4$) を主成分とする粘土
過酸化水素*	H_2O_2 ［水(液)］
過酸化ナトリウム*	Na_2O_2
過酸化バリウム*	BaO_2
カセイ（苛性）カリ，水酸化カリウム*	KOH
カセイ（苛性）ソーダ，水酸化ナトリウム*	NaOH
過炭酸ソーダ，過炭酸ナトリウム，炭酸ナトリウム―過酸化水素(2/3)*	$Na_2CO_3\cdot(H_2O_2)_{1.5}$

無機物質 (2)

物質名	化学式
カーバイド，アセチレン化カルシウム，二炭化カルシウム*	CaC_2
カーボランダム（商品名），炭化ケイ素*	SiC
カーボンブラック	C（無定形炭素）
過マンガン酸カリウム*	$KMnO_4$
過ヨウ素酸*	HIO_4（鎖状ポリマー）
過ヨウ素酸ナトリウム*	$NaIO_4$
カリミョウバン	$AlK(SO_4)_2\cdot 12H_2O$
過硫酸，ペルオキソ一硫酸* あるいはペルオキソ二硫酸*	H_2SO_5 あるいは $H_2S_2O_8$（異なる化合物）
過リン酸石灰	$Ca(H_2PO_4)_2\cdot H_2O + CaSO_4\cdot 2H_2O$
カルシウムシアナミド	$CaCN_2$
カロー酸，ペルオキソ一硫酸*	H_2SO_5
カロメル，甘コウ，塩化水銀(I)*	Hg_2Cl_2
苦土，酸化マグネシウム*	MgO
クロムイエロー(顔料)，クロム酸鉛(II)*	$PbCrO_4$
クロムグリーン(顔料)，酸化クロム(III)*	Cr_2O_3
クロムミョウバン	$CrK(SO_4)_2\cdot 12H_2O$
ケイ砂	SiO_2
ケイ酸ナトリウム	Na_2SiO_3
ケイソウ土	SiO_2
ケイフッ化水素酸，(ヘキサフルオリドケイ酸)二水素*	H_2SiF_6 ［水］
光明丹（顔料），酸化鉛(IV)二鉛(II)*	Pb_3O_4 $(=Pb^{II}_2Pb^{IV}O_4)$
黒鉛	C
五酸化リン，五酸化二リン*	P_2O_5（分子は十酸化四リン P_4O_{10} だが，非分子性の結晶相も存在）
サイアロン	Si_3N_4-SiO_2-AlN-Al_2O_3 系固溶体
酢酸アンモニウム*	$(NH_4)CH_3(CO_2)$
酢酸ナトリウム*	$NaCH_3CO_2$ 〈無水物/三水和物〉
砂鉄	Fe_3O_4（主成分）

物質名	化学式
さらし粉	$Ca(ClO)_2\cdot CaCl_2\cdot 2H_2O + Ca(OH)_2$
次亜塩素酸ナトリウム	HClO
シアン，ジシアン*	$(CN)_2$ ［気］
四三酸化鉄，四酸化三鉄*，酸化鉄(II)二鉄(III)*	$Fe_3O_4(=Fe^{II}Fe^{III}_2O_4)$
四塩化炭素*	CCl_4 ［液］
四酸化二窒素*	N_2O_4
ジチオン酸ナトリウム*	$Na_2S_2O_6$
朱(顔料)，硫化水銀(II)*	HgS
重クロム酸カリウム，二クロム酸カリウム*	$K_2Cr_2O_7$
重水	$D_2O(={}^2H_2O)$ ［液］
重曹，炭酸水素ナトリウム*	$NaHCO_3$
臭素酸カリウム*	$KBrO_3$
硝安，硝酸アンモニウム*	$(NH_4)NO_3$
笑気，一酸化二窒素*	N_2O ［気］
昇コウ，塩化水銀(II)*	$HgCl_2$
硝酸*	HNO_3 ［水(液)］
硝酸銀*	$AgNO_3$
硝石，硝酸カリウム*	KNO_3
消石灰，水酸化カルシウム*	$Ca(OH)_2$
食塩，塩化ナトリウム*	NaCl
シリカ，二酸化ケイ素*	SiO_2
シリカゲル	$SiO_2\cdot nH_2O$
ジルコニア，酸化ジルコニウム(IV)*	ZrO_2
水晶	SiO_2（石英の結晶）
水素化ホウ素ナトリウム，テトラヒドリドホウ酸ナトリウム*	$NaBH_4$
水素化リチウムアルミニウム，テトラヒドリドアルミン酸リチウム*	$LiAlH_4$
青酸，シアン化水素*	HCN ［気］
青酸カリ，シアン化カリウム*	KCN
青酸ソーダ，シアン化ナトリウム*	NaCN
生石灰，酸化カルシウム*	CaO
石英ガラス	SiO_2（ガラス状態のもの）
セスキ炭酸ソーダ，セスキ炭酸ナトリウム，二炭酸一水素ナトリウム二水和物*	$Na_3H(CO_3)_2\cdot 2H_2O$

無 機 物 質 (3)

物 質 名	化 学 式
石灰水	$Ca(OH)_2$ 飽和水溶液［水］
石灰石	$CaCO_3$
石灰窒素	$CaCN_2+C$
赤血塩，ヘキサシアニド鉄(Ⅲ)酸カリウム*	$K_3[Fe(CN)_6]$
セッコウ(石膏)，硫酸カルシウム二水和物*	$CaSO_4\cdot 2\,H_2O$
洗濯ソーダ，炭酸ナトリウム十水和物*	$Na_2CO_3\cdot 10\,H_2O$
ソーダ硝石，硝酸ナトリウム*	$NaNO_3$
ソーダ石灰，ソーダライム，ナトロンカルク	$NaOH+CaO$
ソーダ灰，炭酸ナトリウム*	Na_2CO_3
大理石	$CaCO_3$
炭酸ガス，二酸化炭素*	CO_2 ［気］
炭酸ナトリウム*	Na_2CO_3 〈無水物/十水和物〉
ターンブルブルー(顔料)	$Fe^{III}{}_4Fe^{II}{}_3(CN)_{18}\cdot 15\,H_2O$ に近い組成
チオシアン酸アンモニウム*	$(NH_4)NCS$
チオシアン酸カリウム*	$KNCS$
チオ硫酸ナトリウム*	$Na_2S_2O_3$ 〈無水物/五水和物〉
チタニア，酸化チタン(Ⅳ)*	TiO_2
チタン酸バリウム，酸化バリウムチタン(Ⅳ)*	$BaTiO_3$
チリ硝石，硝酸ナトリウム*	$NaNO_3$
鉄ミョウバン	$(NH_4)Fe(SO_4)_2\cdot 12\,H_2O$
吐酒石，ビス(タルトラト)二アンチモン酸二カリウム三水和物	$K_2[Sb^{III}{}_2(C_4H_2O_6)_2]\cdot 3\,H_2O$
ニッケルカルボニル，テトラカルボニルニッケル*	$[Ni(CO)_4]$ ［液］
ノルウェー硝石，硝酸カルシウム*	$Ca(NO_3)_2$
ハイポ，チオ硫酸ナトリウム五水和物*	$Na_2S_2O_3\cdot 5\,H_2O$
白リン，黄リン	P_4

物 質 名	化 学 式
白金シアン化バリウム，テトラシアニド白金(Ⅱ)酸バリウム*	$Ba[Pt(CN)_4]$ 〈四水和物〉
パラタングステン酸ナトリウム，(ドテトラコンタオキシド十二タングステン酸) 二水素十ナトリウム*	$Na_{10}[H_2W_{12}O_{42}]$ 〈27 水和物〉
パラモリブデン酸アンモニウム，テトラドコサオキシド七モリブデン酸六アンモニウム*	$(NH_4)_6Mo_7O_{24}$ 〈四水和物〉
バリタ水	$Ba(OH)_2$ 水溶液
半水セッコウ，硫酸カルシウム一水 (2/1)*	$CaSO_4\cdot 0.5\,H_2O$
ヒドラジン*	NH_2NH_2 ［液］
ヒドロキシアパタイト	$Ca_5(PO_4)_3(OH)$
ヒドロキシルアミン*	NH_2OH
ピロリン酸，二リン酸*	$H_4P_2O_7$
フェリシアン化カリウム，ヘキサシアニド鉄(Ⅲ)酸カリウム*	$K_3[Fe(CN)_6]$
フェロシアン化カリウム，ヘキサシアニド鉄(Ⅱ)酸カリウム*	$K_4[Fe(CN)_6]$ 〈三水和物〉
フェロセン*，ビスシクロペンタジエニル鉄*	$Fe(C_5H_5)_2$
フッ化ケイ素酸，(ヘキサフルオリドケイ酸)二水素*	H_2SiF_6 ［水］
フルオロアパタイト	$Ca_5F(PO_4)_3$
プルシアンブルー	$Fe^{III}{}_4Fe^{II}{}_3(CN)_{18}\cdot 15\,H_2O$ に近い組成
フロン 11	CCl_3F ［気/液］
フロン 12	CCl_2F_2 ［気］
フロン 113	CCl_2FCClF_2 ［液］
ベンガラ，ベニガラ，酸化鉄(Ⅲ)*	Fe_2O_3
ホウ酸*	H_3BO_3
ホウ砂，ボラックス，(ノナオキシド四ホウ酸)四水素二ナトリウム八水和物*	$Na_2B_4O_7\cdot 10\,H_2O$ (＝$Na_2(B_4O_5(OH)_4)\cdot 8\,H_2O$)
ボウ硝，硫酸ナトリウム十水和物*	$Na_2SO_4\cdot 10\,H_2O$

無 機 物 質 (4)

物質名	化学式
ボーキサイト	$Al_2O_3 \cdot nH_2O$
ホスフィン, ホスファン*	PH_3 [気]
ホスホン酸*	H_2PHO_3 (＝$PH(OH)_2O$)
ポリチオン酸	$H_2S_nO_6$ ($n \geqq 2$)
ポリ硫化アンモニウム	$(NH_4)_2S_n$ ($n \geqq 2$)
マグネシア, 酸化マグネシウム*	MgO
水ガラス	$Na_2O \cdot nSiO_2$ ($n = 2-4$) の濃厚水溶液
ミョウバン(総称)	$M^IM^{III}(SO_4)_2 \cdot 12\,H_2O$
ミョウバン, カリミョウバン	$AlK(SO_4)_2 \cdot 12\,H_2O$
無水亜硝酸, 三酸化二窒素*	N_2O_3 [気]
無水亜ヒ酸, 三酸化二ヒ素*	As_2O_3
無水亜硫酸, 二酸化硫黄*	SO_2 [気]
無水亜リン酸, 三酸化二リン*	P_2O_3
無水クロム酸, 酸化クロム(Ⅵ)*	CrO_3
無水ケイ酸, 二酸化ケイ素*	SiO_2
無水硝酸, 五酸化二窒素*	N_2O_5
無水炭酸, 二酸化炭素*	CO_2 [気]
無水ヒ酸, 五酸化二ヒ素*	As_2O_5
無水ホウ酸, 三酸化二ホウ素*	B_2O_3
無水硫酸, 三酸化硫黄*	SO_3 [液/固]
無水リン酸, 五酸化二リン*	P_2O_5
ムライト	$Al_6Si_2O_{13}$(組成幅あり)
メタケイ酸ナトリウム*	Na_2SiO_3〈無水物/九水和物〉
メタホウ酸ナトリウム*	$NaBO_2$
メタモリブデン酸アンモニウム, ヘキサコサオキシド八モリブデン酸四アンモニウム*	$(NH_4)_4[Mo_8O_{26}]$〈五水和物〉
メタリン酸ナトリウム	$NaPO_3$ (リン酸イオンの縮合形態により多種類ある)
木　炭	C
モール塩, 硫酸鉄(Ⅱ)二アンモニウム六水和物*	$(NH_4)_2Fe(SO_4)_2 \cdot 6\,H_2O$
焼セッコウ, ギプス, ギプス, 硫酸カルシウム―水(2/1)*	$CaSO_4 \cdot 0.5\,H_2O$
焼ミョウバン, 硫酸アルミニウムカリウム*	$AlK(SO_4)_2$
ヨウ素酸カリウム*	KIO_3
雷酸銀	$AgCNO$
雷酸水銀(Ⅱ)	$Hg(CNO)_2$〈0.5 水和物〉
硫安, 硫酸アンモニウム*	$(NH_4)_2SO_4$
硫酸アルミニウム*	$Al_2(SO_4)_3$〈無水物/14－18水和物〉
硫酸銅*	$CuSO_4$〈無水物/五水和物〉
硫酸鉛*	$PbSO_4$
緑バン, 硫酸鉄(Ⅱ)七水和物*	$FeSO_4 \cdot 7\,H_2O$
リン酸*	H_3PO_4 [水(固)]
リン酸カリウム	KH_2PO_4, K_2HPO_4 あるいは K_3PO_4
リン酸カルシウム	通常, $Ca(HPO_4)$, $Ca_3(PO_4)_2$, $Ca_5(PO_4)_3(OH)$ など多くの化合物の総称
ロクショウ (緑青)	CO_3^{2-}, SO_4^{2-}などの陰イオンと OH^- を含む銅(Ⅱ)の塩およびその混合物. 代表的な成分は, $Cu_2(CO_3)(OH)_2$, $Cu_3(SO_4)(OH)_4$
ロシェル塩, 酒石酸カリウムナトリウム四水和物*	$KNaC_4H_4O_6 \cdot 4\,H_2O$
ロダンアンモン, チオシアン酸アンモニウム*	$(NH_4)NCS$
ロダンカリ, チオシアン酸カリウム*	$KNCS$

注)　*をつけたものはIUPACの命名法(2005年勧告)で許容される化合物名である. 20℃, 1気圧で液体または気体のものは, それぞれ [液], [気] という略号をつけた. また, 通常の用法ではその名前が水溶液を指す場合には(たとえば, 硝酸), [水] という略号をつけ, さらに20℃, 1気圧でその純粋な物質が知られている場合はかっこ内にその状態を示した. 化学式の後ろに〈無水物/七水和物〉などとあるのは無水物または七水和物が通常市販されていることを意味する.　(井本英夫による)

有機物質（I）

化合物名	化学式	形状	化合物名	化学式	形状
炭化水素類			**アルコール，フェノール類**（続き）		
メタン	CH_4	気	2-プロパノール（イソプロピルアルコール）	$(CH_3)_2CHOH$	液
エタン	CH_3CH_3	気	2-メチル-2-プロパノール（*t*-ブチルアルコール）	$(CH_3)_3COH$	液（融 26 ℃）
プロパン	$CH_3CH_2CH_3$	気	1-ペンタノール（ペンチルアルコール）	$CH_3(CH_2)_4OH$	液
ブタン	$CH_3CH_2CH_2CH_3$	気	グリセリン（グリセロール）	$H_2C{-}OH$ $HC{-}OH$ $H_2C{-}OH$	液（融 18 ℃）
ヘキサン	$CH_3(CH_2)_4CH_3$	液	プロパルギルアルコール	$HC{\equiv}C{-}CH_2OH$	液
パラフィン	C_nH_{2n+2}	液または固	フェネチルアルコール	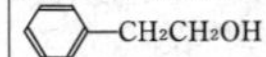	液
エチレン	$CH_2{=}CH_2$	気	フェノール（石炭酸）	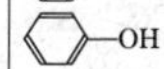	固（融 41 ℃）
アセチレン	$HC{\equiv}CH$	気	ヒドロキノン	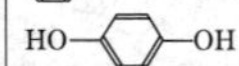	固
シクロヘキサン	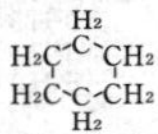	液	カテコール（ピロカテコール）	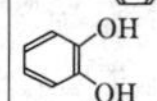	固
デカヒドロナフタレン（デカリン：商品名）	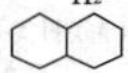 シスおよびトランス異性体あり	液	1,2,3-トリヒドロキシベンゼン（ピロガロール）	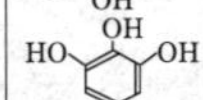	固
ベンゼン		液	1,3,5-トリヒドロキシベンゼン（フロログルシノール）	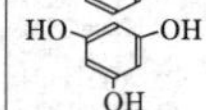	固
ナフタレン	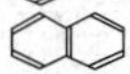	固	2-ナフトール（*β*-ナフトール）	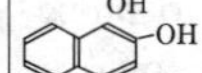	固
アントラセン	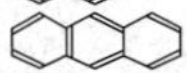	固	*o*-クレゾール（2-メチルフェノール）	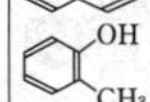	固（融 31 ℃）
トルエン	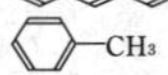	液	1,2-ジヒドロキシアントラキノン（アリザリン）	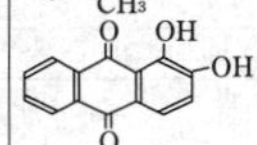	固
p-キシレン	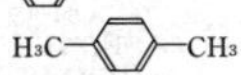	液（融 13 ℃）			
クメン	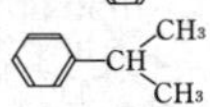	液			
ビフェニル	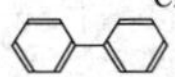	固			
アルコール，フェノール類					
メチルアルコール（メタノール）	CH_3OH	液			
エチルアルコール（エタノール）	CH_3CH_2OH	液			

有　機　物　質　(2)

化合物名	化学式	形状
アルコール，フェノール類（続き）		
(+)-ボルネオール（リュウノウ）	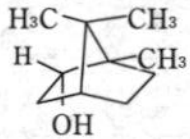	固
エーテル類		
ジメチルエーテル	CH_3OCH_3	気
ジエチルエーテル(エーテル)	$(CH_3CH_2)_2O$	液
アニソール	$C_6H_5OCH_3$	液
エチレンオキシド		気（沸 10.7 ℃）
テトラヒドロフラン（THF）		液
フラン		液
1,4-ジオキサン		液
1,2-ジメトキシエタン（エチレングリコールジメチルエーテル）	$(CH_3OCH_2)_2$	液
有機ハロゲン化物類		
臭化メチル	CH_3Br	気
ヨウ化メチル	CH_3I	液
ジクロロメタン(塩化メチレン)	CH_2Cl_2	液
クロロホルム	$CHCl_3$	液
ヨードホルム	CHI_3	固
ヘキサクロロシクロヘキサン（ベンゼンヘキサクロリド；BHC）	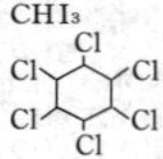	固
アルデヒド類		
ホルムアルデヒド	$HCH=O$	気
アセトアルデヒド	$CH_3CH=O$	液
アクリルアルデヒド(アクロレイン)	$H_2C=CH-CH=O$	液
ベンズアルデヒド	$C_6H_5CH=O$	液
ケイ皮アルデヒド	$C_6H_5CH=CH-CH=O$	液
グリオキサール	$O=CH-CH=O$	液（融 15 ℃）

化合物名	化学式	形状
アルデヒド類（続き）		
o-フタルアルデヒド	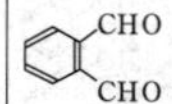	固
ケトン類		
アセトン	$(CH_3)_2C=O$	液
ベンゾフェノン	$(C_6H_5)_2C=O$	固
メチルビニルケトン（3-ブテン-2-オン）	$H_2C=CHC(=O)CH_3$	液
シクロヘキサノン	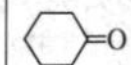	液
p-ベンゾキノン（キノン）	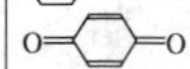	固
アントラキノン	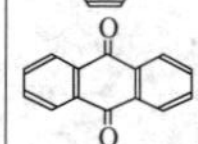	固
カンファー（ショウノウ）	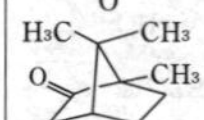	固
カルボン酸類		
ギ　酸	HCO_2H	液
酢　酸	CH_3CO_2H	液
シュウ酸	$(CO_2H)_2$	固
酪酸(ブタン酸)	$CH_3(CH_2)_2CO_2H$	液
エイコサペンタエン酸（EPA）	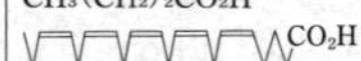	液
ドコサヘキサエン酸（DHA）	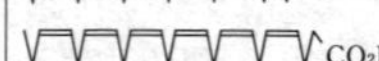	液
安息香酸	$C_6H_5CO_2H$	固
サリチル酸	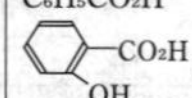	固
乳　酸	$CH_3CH(OH)CO_2H$	固（融 L 体 53 ℃）

有機物質 (3)

化合物名	化学式	形状
カルボン酸類（続き）		
クエン酸	H_2C-CO_2H / $HO-C-CO_2H$ / H_2C-CO_2H	固
没食子酸 (3,4,5-トリヒドロキシ安息香酸)	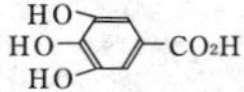	固
ステアリン酸	$CH_3(CH_2)_{16}CO_2H$	固
リンゴ酸	$HO-CH-CO_2H$ / H_2C-CO_2H	固
酒石酸	$HO-CH-CO_2H$ / $HO-CH$ / CO_2H	固
エステル類		
クロロギ酸エチル	$ClCO_2CH_2CH_3$	液
酢酸エチル	$CH_3CO_2CH_2CH_3$	液
酢酸フェニル	$CH_3CO_2C_6H_5$	固
フタル酸ジオクチル［フタル酸ビス(2-エチルヘキシル)］	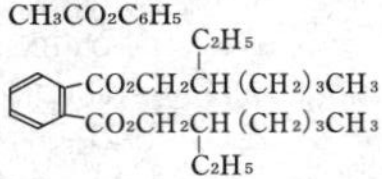	固
アミン類		
ジメチルアミン	$(CH_3)_2NH$	気
トリエチルアミン	$(CH_3CH_2)_3N$	液
アニリン	$C_6H_5NH_2$	液
ピロリジン	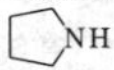	液
ピペリジン	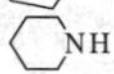	液
ピリジン		液
モルホリン	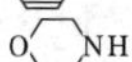	液

化合物名	化学式	形状
アミン類（続き）		
キノリン	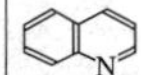	液
キノキサリン（ベンゾピラジン）	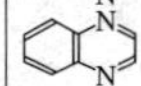	液（融 29 ℃）
o-トルイジン	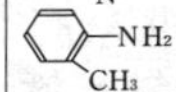	液
p-アニシジン	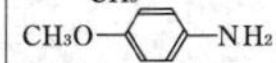	固
イミダゾール	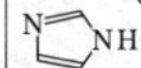	固
インドール	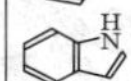	固
ピラジン		固（融 52 ℃）
ピリミジン	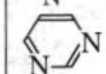	液（融 20 ℃）
ピリダジン	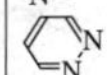	液
キヌクリジン	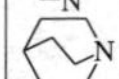	固
1,4-ジアザビシクロ[2.2.2]オクタン（DABCO）	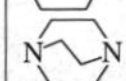	固
1,8-ジアザビシクロ[5.4.0]ウンデセン（DBU）	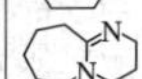	液
その他の含窒素化合物		
アゾベンゼン	$C_6H_5N{=}NC_6H_5$	固
ヒドラゾベンゼン（*N,N'*-ジフェニルヒドラジン）	$C_6H_5NHNHC_6H_5$	固
ニトロベンゼン	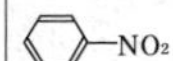	液

有　機　物　質　(4)

化合物名	化学式	形状	化合物名	化学式	形状
その他の含窒素化合物（続き）			**アミノ酸・他**		
2,4,6-トリニトロトルエン（TNT）	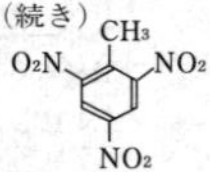	固	アラニン（α-アラニン）	$CH_3CH(NH_2)CO_2H$	固
			グリシン	$(H_2N)CH_2CO_2H$	固
			セリン	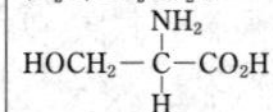	固
ニトログリセリン	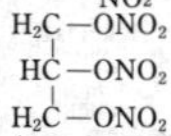	固	システイン	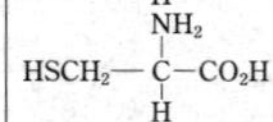	固
アウラミンO	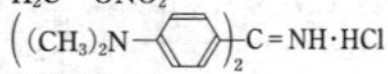	固			
尿　素	$(NH_2)_2C=O$	固	ニコチン	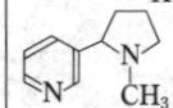	液
チオ尿素	$(NH_2)_2C=S$	固			
色素・指示薬類					
インジゴ（青藍）	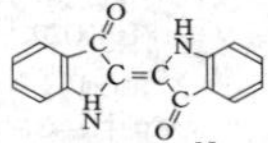	固	キニーネ（キニン）	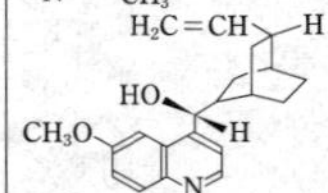	固
メチレンブルー（メチレン青）	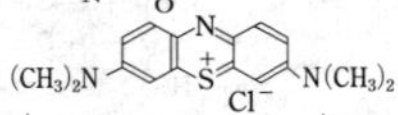	固			
コンゴーレッド（コンゴー赤）	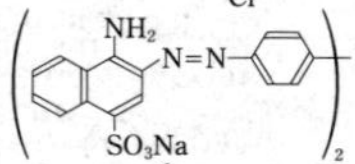	固	ストリキニーネ	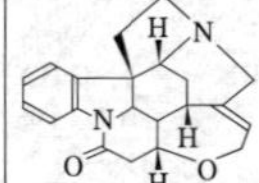	固
			アセチルサリチル酸（アスピリン）	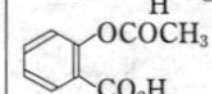	固
エオシンB	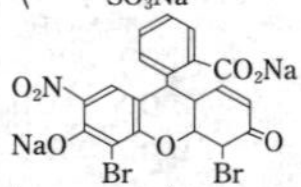	固	コカイン	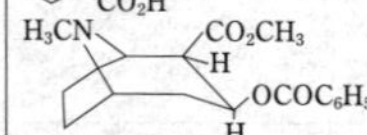	固
フェノールフタレイン	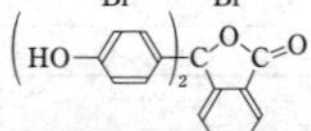	固	2,3,7,8-テトラクロロジベンゾ-p-ジオキシン（TCDD）	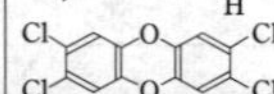	固

無機物質のおもな構造と反応 (1)

. 構　造

. 非金属元素の単体

1) 単原子分子

He, Ne, Ar, Kr, Xe

2) 二原子分子

H_2, N_2, O_2, F_2, Cl_2, Br_2, I_2

3) その他の代表例

C：黒鉛(sp^2 炭素六員環からなる網状巨大平面の層状構造)
ダイヤモンド(sp^3 炭素が結合した三次元巨大分子)
無定形炭素(数ナノメートルの六員環網状平面が不規則に積み重なったもの)
フラーレン(炭素の球状クラスター, C_{60} はサッカーボール型)
カーボンナノチューブ(六員環網状面からなる直径数ナノメートルの円筒)
グラフェン(六員環炭素環からなる網状巨大平面の単層)

Si：ダイヤモンド型構造

Ge：ダイヤモンド型構造

Sn：α スズ (ダイヤモンド型構造), β スズ (正方晶)

P：黄リン(白リン)(P_4, 正四面体), 紫リン(層状構造, 単斜晶系),
黒リン(層状構造, 斜方晶系), 赤リン(非晶質固体)

O：オゾン(O_3, V字型)

S：S_8(王冠型八員環), ゴム状硫黄(非晶質固体)

Se：赤色セレン(Se_8, 環状), 金属様セレン(鎖状高分子)

2. 金　属

(a) 体心立方格子　Li, Na, K, Ca, V, Cr, Mo, W, Fe

(b) 六方格子　Be, Mg, Sc, Y, La, Ti, Zr, Zn, Cd

(c) 面心立方格子　Co, Ni, Pt, Cu, Ag, Au, Al, Pb

3. 小分子化合物およびイオン

1) 直　線　$BeCl_2$, $HgCl_2$, CO_2, XeF_2, N_3^-, NO_2^+, I_3^-

2) V字型　$SnCl_2$, SO_2, NO_2^-, ONCl, H_2O, NH_2^-, ClO_2^-

3) 三角形　BF_3, BO_3^{3-}, NO_3^-, CO_3^{2-}, SO_3

4) T字型　ClF_3, BrF_3

5) 三角錐　NH_3, NF_3, PH_3, PCl_3, AsO_3^{3-}, SO_3^{2-}, $SOCl_2$, ClO_3^-

6) 四面体　NH_4^+, BH_4^-, BF_4^-, PO_4^{3-}, SO_4^{2-}, $P_2O_7^{4-}$, SO_2Cl_2, ClO_4^-, MnO_4^-

7) 四角形　XeF_4, IF_4^-

8) シーソー型　$TeCl_4$, SF_4

9) 三方両錐　PF_5, PCl_5

10) 正八面体　SF_6, SiF_6^{2-}

4. 共有結合性巨大分子およびイオン (大きな分子やイオンを形成できる系)

1) 縮合酸　縮合ケイ酸イオン(オルトケイ酸イオン(SiO_4^{4-})の縮合酸イオン)
SiO_3^{2-}(単鎖), $Si_4O_{11}^{6-}$(複鎖), $Si_2O_5^{2-}$(網状), SiO_2 (三次元)
縮合リン酸, 縮合ホウ酸
モリブデン酸, タングステン酸のイソポリ酸, ヘテロポリ酸

無機物質のおもな構造と反応 (2)

2) 窒化物　BN（黒鉛型，閃亜鉛鉱型），AlN（ウルツ鉱型），
　GaN（ウルツ鉱型），Si_4N_4（六方晶系）

3) 炭化物　SiC，B_4C

4) リン化物，ヒ化物，硫化物
　GaP（閃亜鉛鉱型），GaAs（閃亜鉛鉱型），$(NS)_x$（単鎖）

5) ホウ素水素化物（ボラン）　$B_nH_n^{2-}$（クロソ型），B_nH_{n+4}（ニド型），
　B_nH_{n+6}（アラクノ型）

6) 含ケイ素ポリマー　ポリシリレン $(SiR_2)_x$ (R＝Me，Et,…)，
　ポリシロキサン $(SiR_2O)_x$

5．イオン結晶

1) 岩塩 (NaCl) 型	NaH，LiF，AgBr，MgO，CaS，ScN，FeO，CaC_2（正方晶）
2) 塩化セシウム (CsCl) 型	CsBr，CsI，TlCl
3) セン亜鉛鉱 (ZnS) 型	CuCl，γ-AgI
4) ウルツ鉱 (ZnS) 型	ZnO，CdS，β-AgI
5) ヒ化ニッケル (NiAs) 型	FeS，CoS，NiS
6) ホタル石 (CaF_2) 型	SrF_2，CdF_2，Li_2O，K_2O，CeO_2，ThO_2，Na_2S
7) 塩化カドミウム ($CdCl_2$) 型	$CdBr_2$
8) ルチル (TiO_2) 型	MnF_2，FeF_2，NiF_2，SnO_2，PbO_2，MnO_2
9) α-アルミナ (Al_2O_3) 型	Cr_2O_3，Fe_2O_3
10) スピネル ($MgAl_2O_4$) 型	$CoAl_2O_4$，$MnAl_2O_4$，Fe_3O_4
11) イルメナイト ($FeTiO_3$) 型	$MnTiO_3$，$CoTiO_3$，$NiTiO_3$
12) ペロブスカイト ($CaTiO_3$) 型	$SrTiO_3$，$LaAlO_3$，$LiTaO_3$，$LiNbO_3$

6．錯　体

(A) 単核錯体

1) 二配位　直　線　$[CuCl_2]^-$，$[Ag(NH_3)_2]^+$，$[Au(CN)_2]^-$，$[Hg(CH_3)_2]$

2) 三配位　三角形　$[Pd(PPh_3)_3]$，$[HgI_3]^-$

3) 四配位　(a) 四角形　$[NiCl_4]^{2-}$，$[Cu(NH_3)_4]^{2+}$，$[AuCl_4]^-$
　(b) 四面体　$[MnO_4]^-$，$[FeCl_4]^-$，$[CoBr_4]^{2-}$，$[Ni(CO)_4]$，$PtCl_4$，[M(por)]（M：Mg，Fe，Co，Ni，Cu，H_2por：ポルフィリン）

4) 五配位　(a) 四方錐　$[VO(acac)_2]$（acac：2,4-ペンタンジオナト），$[InCl_5]^{2-}$
　(b) 三方両錐　$[CuCl_5]^{3-}$，$[CdCl_5]^{3-}$，$[HgCl_5]^{3-}$

5) 六配位　(a) 八面体　$[TiF_6]^{2-}$，$[V(H_2O)_6]^{2+}$，$[Cr(NH_3)_6]^{3+}$，$[Mn(CN)_6]^{3-}$，$[Fe(CN)_6]^{4-}$，$[Co(NH_3)_6]^{3+}$，$[NiF_6]^{3-}$，$[PtCl_5(NO)]$，$[Cu(en)_3]^{2+}$（en：エチレンジアミン），$[CdCl_6]^{4-}$，$[UF_6]$
　(b) 三方プリズム　$[Mo(S_2C_2H_2)_3]$，$[V(S_2C_2Ph_2)_3]$

6) 七配位　(a) 五方両錐　$[UF_5O_2]^{3-}$，$[V(CN)_7]^{4-}$
　(b) 面冠八面体　$[NbCl_4(PMe_3)_3]$，$[TaCl_4(PMe_3)_3]$

無機物質のおもな構造と反応 (3)

(c) 面冠三角プリズム　$[Mo(CNMe)_7]^{2+}$

7) 八配位 (a) 立方体　$[UF_8]^{3-}$

(b) 正方アンチプリズム　$[TaF_8]^{3-}$

(c) 十二面体　$[Ti(NO_3)_4]$

B) 複核，多核錯体

1) 複核錯体

(a) 金属－金属結合なし　$[Cu(CH_3COO)_2 \cdot H_2O]_2$

(b) 金属－金属単結合　$[Mn_2(CO)_{10}]$

(c) 金属－金属二重結合　$[Nb_2Cl_6(SMe_2)_3]$

(d) 金属－金属三重結合　$[Mo_2(NMe_2)_6]$，$[W_2Cl_2(NMe_2)_4]$

(e) 金属－金属四重結合　$[Re_2Cl_8]^{2-}$，$[Mo_2(O_2CMe)_4]$

2) 三核錯体

(a) 直線型（金属の位置関係を示す）　$[Mo_3S_9]$（金属－金属結合なし）

(b) 三角形　$[Ru_3(CO)_{12}]$，$[M_3S_4(H_2O)_9]^{4+}$（金属－金属結合あり）

3) 四核以上の錯体

(a) 四面体　$[Ir_4(CO)_{12}]$

(b) キュバン型（金属と配位原子が立方体の頂点を交互に占める）
$[\{Mn(CO)_3\}_4(SEt)_4]$，$[\{Fe(SEt)_4\}S_4]$，$[Mo_3FeS_4(H_2O)_{10}]^{4+}$

(c) 八面体　$[Mo_6Cl_8]^{4+}$，$[Mo_6S_8(PEt_3)_6]$

(d) 鎖状ポリマー　$[Pt(en)_2][PtCl_2(en)_2]Cl_2$ (-Pt-Cl-Pt-Cl-の一次元鎖)

(e) 二次元ポリマー　$[Ni_3(bht)_2]$（bht：ベンゼンヘキサチオラト）

(f) 三次元ポリマー　$[Ni(CN)_2NH_3 \cdot C_6H_6]$（包接化合物），$[Cu_2(pzdc)_2(pyrazine)]$（pzdc：ピラジン-2,3-ジカルボキシラト）(MOF)，$[Zn_4O(bdc)_3]$（H_2bdc：テレフタル酸），$[Zr_6(O)_4(OH)_4(bdc)_6]$，$[Cu_3(btc)_2]$（H_3btc：トリメシン酸），[M(OH)(bdc)]（M：Al, Cr, Fe），$[M_3(O)(X)(bdc)_3(H_2O)_n]$（M：Al, Cr, Fe, X：OH, F, Cl），$[M_3(O)(X)(btc)_2]$，$[M_2(dhtp)(H_2O)_n]$（H_4dhtp：2,5-ジヒドロキシテレフタル酸）（M：Mg, Fe, Co, Ni, Zn）

7．侵入型化合物（単体金属の隙間に H，N などの小原子が入り込んだ構造）

1) 水素化物　Pd_2H，TiH_2

2) 窒化物　TiN，Fe_4N，Mn_4N，Mo_2N

3) 炭化物　WC，TiC，TaC

4) ホウ化物　Mn_4B（単原子侵入型），V_3B_2（B_2 侵入型），FeB（鎖状 B-B 結合），Ta_3B_4（複鎖），MgB_2（層状），CaB_6（三次元）

8．非晶質固体

1) 無機質ゲル（コロイドが分散した液体（ゾル）中の分散質が凝集した固体）
水酸化鉄(III)ゲル，シリカゲル，シリカ－アルミナゲル

2) ガラス（固化した過冷却液体）
ケイ酸塩ガラス（石英ガラス，ソーダ石灰ガラス，ホウケイ酸ガラス），カルコゲン化物ガラス

無機物質のおもな構造と反応 (4)

Ⅱ. 反　応

1. 酸化還元反応

原子の酸化数が増減する反応

1) 酸素による酸化（燃焼）

a) $C+O_2 \rightarrow CO_2$

b) $2\,NO+O_2 \rightarrow 2\,NO_2$

c) $2\,Cu+O_2 \rightarrow 2\,CuO$

2) ハロゲン等の酸化剤による酸化

a) $H_2O+Cl_2 \rightarrow HCl+HClO$

b) $Ca(OH)_2+Cl_2 \rightarrow CaCl(ClO)\cdot H_2O$（さらし粉）

c) $NaSO_3+HClO \rightarrow Na_2SO_4+HCl$

d) $2\,HI+H_2O_2 \rightarrow I_2+2\,H_2O$

3) 水素による還元

a) $CuO+H_2 \rightarrow Cu+H_2O$

b) $H_2+Cl_2 \rightarrow 2\,HCl$

4) 金属の溶解，析出反応

a) $Fe+2\,HCl \rightarrow FeCl_2+H_2$

b) $Zn+CuSO_4 \rightarrow Cu+ZnSO_4$

c) $2\,Na+2\,H_2O \rightarrow 2\,NaOH+H_2$

d) $2\,Al+2\,NaOH+6\,H_2O \rightarrow 2\,Na[Al(OH)_4]+3\,H_2$

5) 錯体における電子移動反応

5-1) 化学反応を伴わない場合（外圏反応）

a) $[Fe(CN)_6]^{4-}+[IrCl_6]^{2-} \rightarrow [Fe(CN)_6]^{3-}+[IrCl_6]^{3-}$

b) $[CoCl(NH_3)_5]^{2+}+[Ru(NH_3)_6]^{2+} \rightarrow$
$[CoCl(NH_3)_5]^{+}+[Ru(NH_3)_6]^{3+}$

5-2) 配位子交換などの化学反応を伴う場合（内圏反応）

$[CoCl(NH_3)_5]^{2+}+[Cr(H_2O)_6]^{2+} \rightarrow$
$[Co(NH_3)_5(H_2O)]^{3+}+[CrCl(H_2O)_5]^{2+}$

6) 電気化学反応

a) $Cu^{2+}+2\,e^- \rightarrow Cu$（金属の電析）

b) $[Fe(\eta^5\text{-}C_5H_5)_2] \rightleftarrows [Fe(\eta^5\text{-}C_5H_5)_2]^+ + e^-$
（フェロセン）　　（フェロセニウムイオン）

2. 中和反応

酸と塩基の反応

a) $HCl+NaOH \rightarrow NaCl+H_2O$

b) $H_2SO_4+NaOH \rightarrow NaHSO_4+H_2O$

c) $CO_2+Ca(OH)_2 \rightarrow CaCO_3+H_2O$

無機物質のおもな構造と反応 (5)

. 置換反応

中心原子の酸化数，配位数を変えずに配位子を交換する反応

a) $Ag^{+} + Cl^{-} \rightarrow AgCl$（沈殿生成）

b) $Ba^{2+} + SO_4^{2-} \rightarrow BaSO_4$（沈殿生成）

c) $FeS + H_2SO_4 \rightarrow FeSO_4 + H_2S$

d) $[PtCl_4]^{2-} + NH_3 \rightarrow [PtCl_3(NH_3)]^{-} + Cl^{-}$

e) $FeCl_2 + 2\,C_5H_5Na \rightarrow [Fe(\eta^5\text{-}C_5H_5)_2] + 2\,NaCl$

. 付加－解離反応

中心原子の酸化数を変えずに，原子団（錯体の場合は配位子）が付加，解離する反応

a) $Ni + 4\,CO \rightarrow [Ni(CO)_4]$

b) $BF_3 + F^{-} \rightarrow [BF_4]^{-}$

c) $TiCl_4 + 2\,Cl^{-} \rightarrow [TiCl_6]^{2-}$

. 酸化的付加・還元的脱離反応

中心原子の配位数の増減とともに酸化数も増減する反応

1) 酸化的付加反応

a) $2[Co(CN)_5]^{3-} + H_2 \rightarrow 2[Co(CN)_5H]^{3-}$

b) $[IrCl(CO)(PPh_3)_2]$（バスカ錯体）$+ H_2 \rightarrow [IrClH_2(CO)(PPh_3)_2]$

c) $PCl_3 + Cl_2 \rightarrow PCl_5$

2) 還元的脱離反応

a) $[IrCl(CO)(PPh_3)_2O_2] \rightarrow [IrCl(CO)(PPh_3)_2] + O_2$

b) $[PdCl_6]^{2-} \rightarrow [PdCl_4]^{2-} + Cl_2$

6. 遊離基（ラジカル）反応

光化学反応などによって生じたラジカル種を含む反応

a) $2[Cr(H_2O)_6]^{2+} + CHCl_3 \rightarrow [CrCl(H_2O)_5]^{2+} + [Cr(CHCl_2)(H_2O)_5]^{2+} + 2\,H_2O$（$CHCl_3 \rightarrow CHCl_2^{\bullet} + Cl^{\bullet}$ が起こる）

b) $[Mn_2(CO)_{10}] \xrightarrow{h\nu} [Mn(CO)_5]^{\bullet}$，$[Mn(CO)_5]^{\bullet} + PPh_3 \rightarrow [Mn(CO)_4(PPh_3)] + CO$

7. 挿入と引抜き（逆挿入）反応

中心原子にすでに結合している配位子と中心原子との間に別の原子団が入り込む反応およびその逆反応

a) $[CH_3Mn(CO)_5] + PPh_3 \rightarrow [(CH_3CO)Mn(CO)_4(PPh_3)]$

b) $[PtH(OCMe_2)(PEt_3)_2]^{+} + C_2H_4 \rightarrow [Pt(C_2H_5)(OCMe_2)(PEt_3)_2]^{+}$

8. 異性化反応

化学組成を変えずに構造が変化する反応

$$trans\text{-}[CoCl_2(en)_2] \underset{HCl}{\overset{NH_3}{\rightleftarrows}} cis\text{-}[CoCl_2(en)_2]$$

（山田鉄兵による）

おもな有機化学反応 (1)

1．加水分解

水による分解反応

a)　$C_6H_5COOCH_2CH_3 + H_2O \xrightarrow{\text{酸または塩基}} C_6H_5COOH + CH_3CH_2OH$

b)　$CH_3CONHC_6H_5 + H_2O \xrightarrow{\text{酸または塩基}} CH_3COOH + C_6H_5NH_2$

2．縮合反応

2個以上の有機分子から，水，ハロゲン化水素，アルコールなどの簡単な分子の脱離を伴って共有結合を形成する反応

1)　エステル化

$$CH_3COOH + CH_3CH_2OH \xrightarrow[-H_2O]{\text{酸}} CH_3COOCH_2CH_3$$

2)　アミド化

$$C_6H_5NH_2 + CH_3COCl \xrightarrow[-HCl]{} C_6H_5NHCOCH_3$$

3)　アルドール縮合

$$2CH_3CHO \xrightarrow{NaOH} CH_3-\underset{\displaystyle OH}{\underset{|}{C}}HCH_2CHO \xrightarrow[-H_2O]{} CH_3CH=CHCHO$$

4)　オキシム，ヒドラゾンの生成

a)　$(CH_3)_2C=O + NH_2OH \xrightarrow[-H_2O]{\text{酸}} (CH_3)_2C=NOH$

b)　$C_6H_5CHO + C_6H_5NHNH_2 \xrightarrow[-H_2O]{\text{酸}} C_6H_5CH=NNHC_6H_5$

5)　ウィッティヒ反応

$$(C_6H_5)_2C=O + (C_6H_5)_3P=CH_2 \longrightarrow (C_6H_5)_2C=CH_2 + (C_6H_5)_3P=O$$

3．置換反応

分子に含まれる原子または原子団が，他の原子または原子団で置き換えられる反応

1)　脂肪族置換反応

a)　$CH_3CH_2CH_2ONa + CH_3CH_2I \longrightarrow CH_3CH_2CH_2OCH_2CH_3 + NaI$

(ウィリアムソンのエーテル合成法)

b)　$CH_3CH_2CH_2OH + HBr \longrightarrow CH_3CH_2CH_2Br + H_2O$

(アルコールからのハロゲン化アルキルの生成)

2)　芳香族置換反応

a)　ハロゲン化：$C_6H_6 + Br_2 \xrightarrow{Fe} C_6H_5Br + HBr$

b)　ニトロ化：　$C_6H_6 + HNO_3 \xrightarrow{H_2SO_4} C_6H_5NO_2 + H_2O$

c)　スルホン化：$C_6H_6 + H_2SO_4 \longrightarrow C_6H_5SO_3H + H_2O$

おもな有機化学反応 (2)

d)　フリーデル・クラフツ反応：

アシル化　$C_6H_6 + CH_3COCl \xrightarrow{AlCl_3} C_6H_5COCH_3 + HCl$

アルキル化　$C_6H_6 + 3\,C_2H_5Cl \xrightarrow{AlCl_3}$

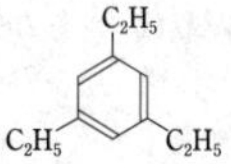

e)　ジアゾニウム塩の反応（ザンドマイヤー反応）

$C_6H_5NH_2 \xrightarrow{NaNO_2-HCl} C_6H_5N_2^+Cl^- \xrightarrow{CuCl} C_6H_5Cl$

3)　メタセシス反応（2 種類の化合物が構成成分の一部を互いに交換する反応）

$$CH_3COO(CH_2)_4CH=CH_2 + CH_2=CHCOOMe \xrightarrow{\text{ルテニウム触媒}} CH_3COO(CH_2)_4CH=CHCOOMe + CH_2=CH_2$$

4. 酸化反応

酸素を得るかまたは水素を失う反応

1)　脱水素

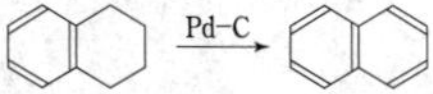

2)　エポキシ化

a)　$C_6H_5CH=CH_2 + m\text{-}ClC_6H_4C(=O)OOH \longrightarrow C_6H_5CH-CH_2$（O で架橋）$+ m\text{-}ClC_6H_4COOH$

b)　

$CH_2=CHCH_2OH + (CH_3)_3CCOOH \xrightarrow{\text{チタン触媒}}$

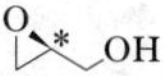

（シャープレス不斉エポキシ化）

3)　ワッカー酸化

$H_2C=CH_2 + O_2 \xrightarrow{PdCl_2,\ CuCl_2} CH_3CHO$

4)　バイヤー・ビリガー反応

$(C_6H_5)(C_6H_5)C=O + C_6H_5C(=O)OOH \longrightarrow (C_6H_5)(C_6H_5O)C=O + C_6H_5COOH$

5)　オゾン酸化

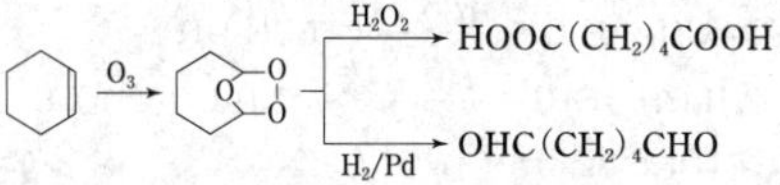

おもな有機化学反応 (3)

6)　金属酸化物による酸化

a)　炭化水素の酸化：$C_6H_5CH_3 \xrightarrow{KMnO_4} C_6H_5COOK \xrightarrow{H_2SO_4} C_6H_5COOH$

b)　アルコールの酸化：

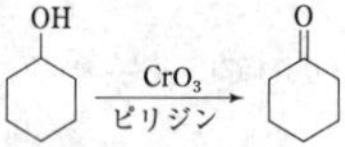

5．還元反応

酸素を失うかまたは水素を得る反応

1)　接触水素化

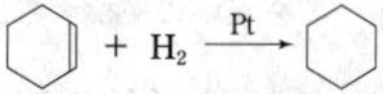

2)　金属水素化物による還元

$C_6H_5COCH_3 \xrightarrow{LiAlH_4} C_6H_5CH(OH)CH_3$

3)　バーチ還元

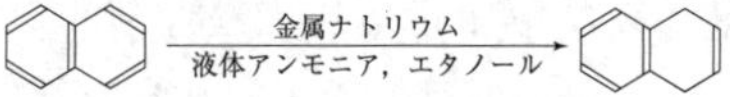

4)　金属と酸による還元

$C_6H_5NO_2 \xrightarrow{Sn/HCl} C_6H_5NH_2$

5)　野依不斉水素化

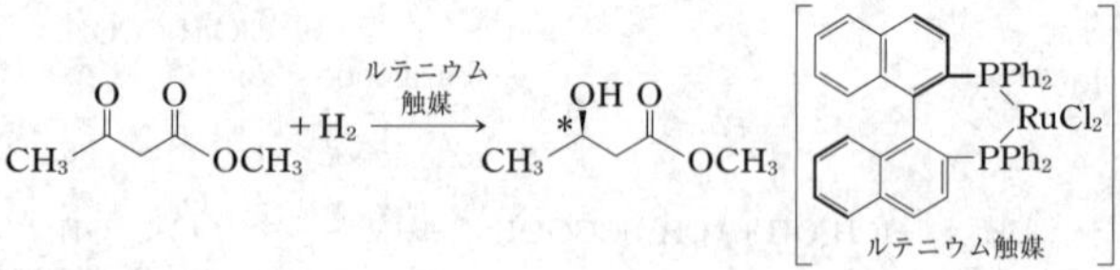

6．付加反応

不飽和結合(C＝C，C≡C，C＝O，C＝N，C≡Nなど）にハロゲン化水素，ハロゲン，水，アルコール，金属水素化物，有機金属化合物などが付加する反応

1)　炭素-炭素二重結合への付加反応

a)　$(CH_3)_2C{=}CH_2 + HCl \longrightarrow (CH_3)_3CCl$

b)　$C_6H_5CH{=}CH_2 + Br_2 \longrightarrow C_6H_5CHBrCH_2Br$

c)　$H_2C{=}CH_2 + H_2O \xrightarrow{H_2SO_4} CH_3CH_2OH$

d)　$n\text{-}C_4H_9CH{=}CH_2 \xrightarrow{B_2H_6} (n\text{-}C_4H_9CH_2CH_2)_3B \xrightarrow[NaOH]{H_2O_2} n\text{-}C_4H_9CH_2CH_2OH$

（ヒドロホウ素化）

おもな有機化学反応 (4)

e) $CH_3CH{=}CH_2 + CO + H_2 \xrightarrow[\text{ロジウム触媒}]{\text{コバルトまたは}} CH_3CH_2CH_2CHO$

（オキソ法）

f)

（カルベン：CCl_2 の付加）

2) カルボニル基への付加反応

a)

（シアノヒドリンの生成）

b)

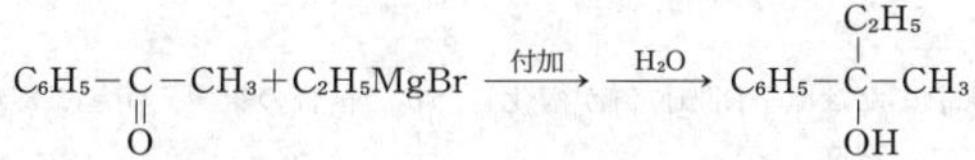

（グリニャール反応）

3) 共役付加反応

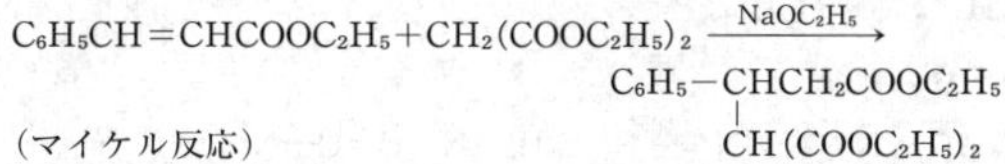

（マイケル反応）

4) 付加環化反応

a)

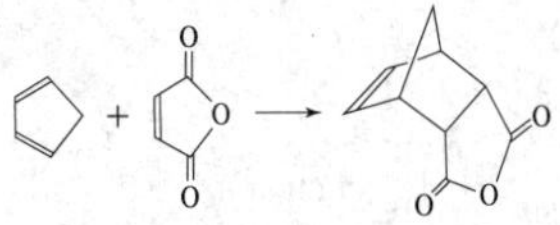

（ディールス・アルダー反応）

b)

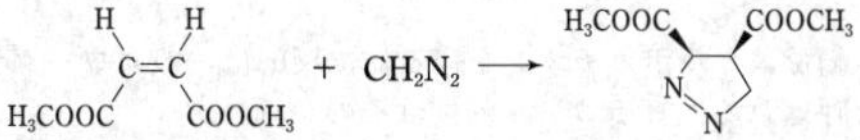

(1,3-双極子付加反応)

c)

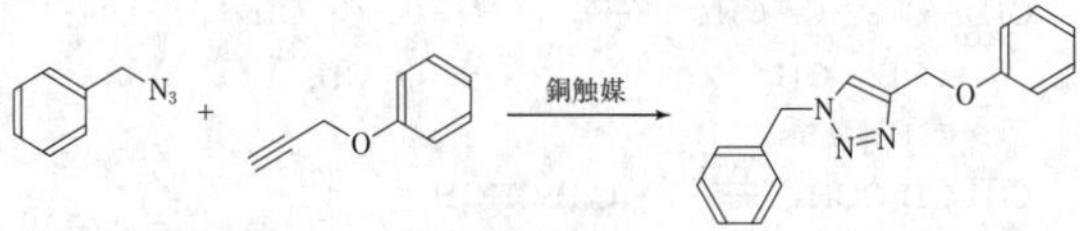

（銅触媒アジド-アルキン付加環化反応）

おもな有機化学反応 (5)

7．脱離反応

水，ハロゲン化水素，ハロゲン，アミンなどの分子が脱離して不飽和結合を生成する反応

1) $C_6H_5CH_2CH_2Br \xrightarrow{NaOC_2H_5} C_6H_5CH{=}CH_2$

2) 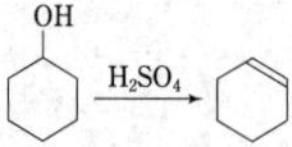

3) $CH_3CH_2CH_2\overset{+}{N}(CH_3)_3OH^- \xrightarrow{加熱} CH_3CH{=}CH_2 + (CH_3)_3N + H_2O$
(ホフマン脱離反応)

8．転位反応

分子内の原子または原子団の位置が変化したり，結合の組換えが起こる反応

1) ベックマン転位

$$(C_6H_5)_2C{=}N{-}OH \xrightarrow{酸} C_6H_5{-}\underset{\underset{O}{\|}}{C}{-}NHC_6H_5$$

2) クルチウス転位

$$C_6H_5{-}\underset{\underset{O}{\|}}{C}{-}\overset{-}{N}{-}\overset{+}{N}{\equiv}N \xrightarrow{加熱} C_6H_5{-}N{=}C{=}O + N_2$$

3) コープ転位 

4) クライゼン転位 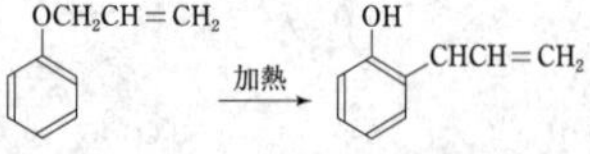

5) ピナコール転位（カルボカチオンを経る転位反応は一般にワーグナー・メアパイン転位と呼ばれる．ピナコール転位はその一種）

$$CH_3{-}\underset{OH}{\overset{CH_3}{C}}{-}\underset{OH}{\overset{CH_3}{C}}{-}CH_3 \xrightarrow{H_2SO_4} CH_3{-}\underset{\underset{O}{\|}}{C}{-}\underset{CH_3}{\overset{CH_3}{C}}{-}CH_3$$

6) ウィッティヒ転位

$$C_6H_5CH_2OCH_3 \xrightarrow{C_6H_5Li} C_6H_5\underset{CH_3}{\underset{|}{C}}HOH$$

おもな有機化学反応 (6)

. カップリング反応

1)　アルケンまたはアルキンと有機ハロゲン化物との交差カップリング反応

a)　$(CH_3)_2C{=}CHBr + H_2C{=}CHCOOCH_3 \xrightarrow[\text{塩基}]{\text{パラジウム触媒}}$

$$(CH_3)_2C{=}\underset{\substack{|\\H}}{C}{-}\overset{\substack{H\\|}}{C}{=}\underset{\substack{|\\H}}{C}COOCH_3$$

(溝呂木-ヘック反応)

b)　$C_6H_5I + HC{\equiv}CC_6H_5 \xrightarrow[\text{塩基}]{\text{パラジウム/銅 共触媒}} C_6H_5C{\equiv}CC_6H_5$

(薗頭反応)

2)　有機金属反応剤と有機ハロゲン化物との交差カップリング反応

a)　$C_6H_5MgBr + ClCH{=}CH_2 \xrightarrow{\text{ニッケル触媒}} C_6H_5CH{=}CH_2$

(熊田-玉尾-コリュー反応)

b)　o-$CH_3C_6H_4ZnCl + p$-$BrC_6H_4NO_2 \xrightarrow{\text{パラジウム触媒}}$ 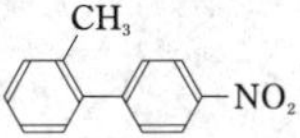

(根岸反応)

c)　$C_6H_5B(OH)_2 + p$-$BrC_6H_4CHO \xrightarrow[\text{塩基}]{\text{パラジウム触媒}}$ 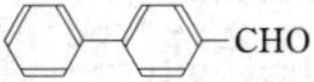

(鈴木-宮浦反応)

3)　アミンと有機ハロゲン化物との交差カップリング反応

p-$CF_3C_6H_4Br + HN(C_2H_5)_2 \xrightarrow{\text{パラジウム触媒}} p$-$CF_3C_6H_4N(C_2H_5)_2$

(バックワルド-ハートウィッグ反応)

0. 遊離基(ラジカル)反応

1)　光塩素化

$CH_4 + Cl_2 \xrightarrow{\text{光}} CH_3Cl + CH_2Cl_2 + CHCl_3 + CCl_4$

2)　N-ブロモコハク酸イミドによるアリル位臭素化反応 (ウォール・チーグラー反応)

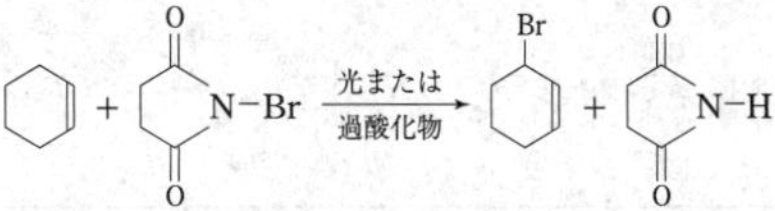

おもな有機化学反応 (7)

3)　臭化水素の異常付加（酸素または過酸化物の存在下での臭化水素のアルケ への付加反応．酸素効果とも呼ばれる．イオン反応とは異なり，逆マルコフ、コフ則に従って付加する）

$$CH_2{=}CHCH_2Br + HBr \xrightarrow[\text{過酸化物}]{\text{酸素または}} BrCH_2CH_2CH_2Br$$

4)　自動酸化（分子状酸素による燃焼を伴わない緩慢な酸化）

$$C_6H_5CH(CH_3)_2 + O_2 \longrightarrow C_6H_5\overset{\displaystyle OOH \atop |}{C}(CH_3)_2$$

5)　カルボン酸塩の電気分解（コルベ反応）

$$2CH_3(CH_2)_4COONa \xrightarrow{\text{電気分解}} CH_3(CH_2)_8CH_3$$

6)　アルコールの亜硝酸エステルからオキシムアルコールへの変換(バートン反応

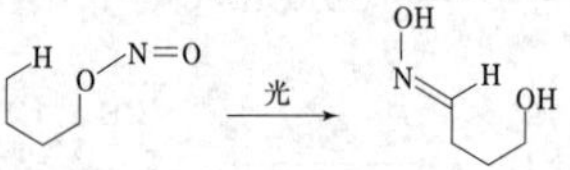

11. 重合反応

小さい分子が互いに多数結合して巨大な分子(高分子)となる反応

1)　付加重合（付加反応による連鎖重合．重合開始剤の種類により，ラジカル重合，カチオン重合，アニオン重合の 3 種がある）

$$n CH_2{=}CH_2 \longrightarrow [-CH_2-CH_2-]_n$$ （ポリエチレン）

2)　縮合重合（縮合反応による逐次重合）

$$n H_2N(CH_2)_6NH_2 + n HOOC(CH_2)_4COOH \xrightarrow[-2nH_2O]{}$$

$$\left[-NH(CH_2)_6-NH-\underset{\displaystyle O}{\underset{\|}{C}}(CH_2)_4-\underset{\displaystyle O}{\underset{\|}{C}}-\right]_n$$ （ナイロン 66）

3)　重付加（付加反応による逐次重合）

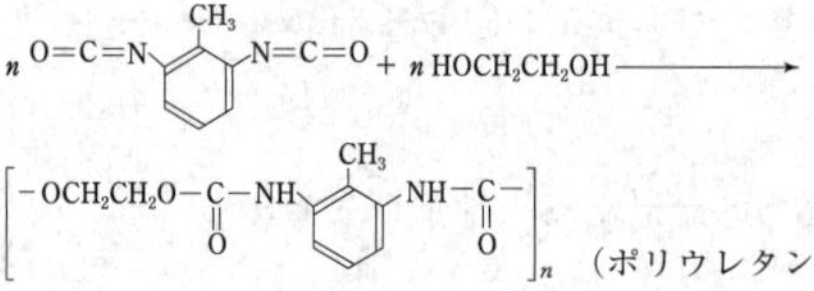

（ポリウレタン）

（後藤敬による）

高分子化合物

高分子化合物の性質

汎用高分子

名称 / 化学式	用途	名称 / 化学式	用途
ポリエチレン $\left(CH_2CH_2\right)_n$	産業用繊維, 成型品, 電線被覆, フィルム	ナイロン66 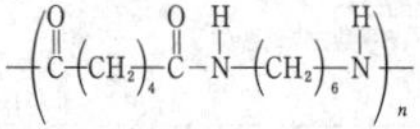	成型品, 繊維
ポリスチレン 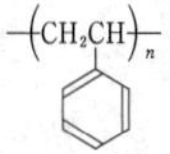	さまざまな一般製品, 発泡材	ポリエステル(PET) 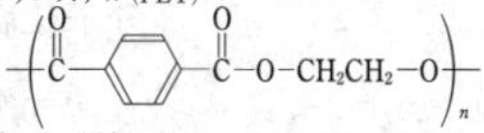	成型品, フィルム, 繊維
ポリメタクリル酸メチル 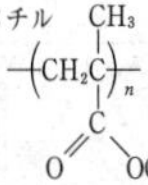	医用材料, 光学部品, フィルム	ポリカーボネート 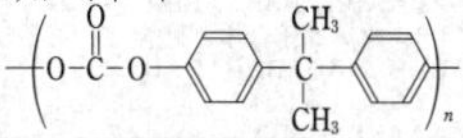	電機・自動車部品

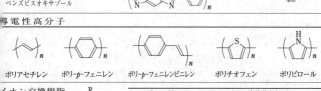

高強度高分子

名称	化学式	弾性率(GPa)
ポリエチレン	$\left(CH_2CH_2\right)_n$	220〜230
ポリ-*p*-フェニレンテレフタルアミド	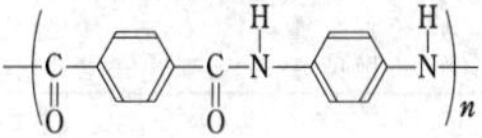	125〜186
ポリ-*p*-フェニレンベンズビスチアゾール	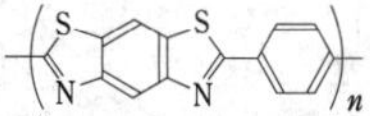	330
ポリ-*p*-フェニレンベンズビスオキサゾール	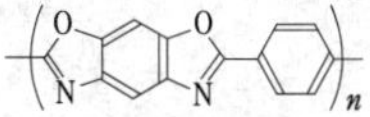	480

導電性高分子

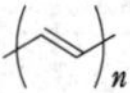
ポリアセチレン

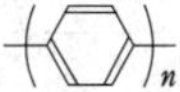
ポリ-*p*-フェニレン

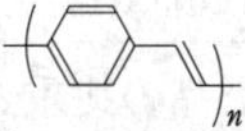
ポリ-*p*-フェニレンビニレン

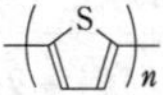
ポリチオフェン

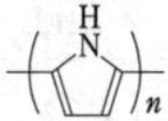
ポリピロール

イオン交換樹脂

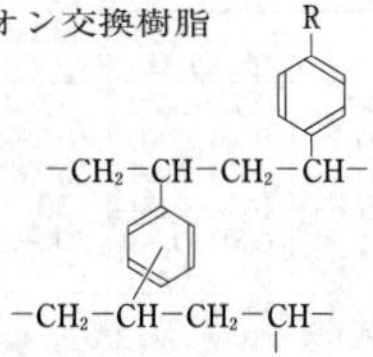

分類		イオン交換基(R)の例
陽イオン交換樹脂	強酸性	$\sim SO_3H$
	弱酸性	$\sim COOH$
陰イオン交換樹脂	強塩基性	$\sim N^+R_1R_2R_3OH^-$
	弱塩基性	$\sim NH_2$　$\sim NHR_1$　$\sim NR_1R_2$
キレート樹脂		$\sim N(CH_2COOH)_2$　$\sim NH(CH_2CH_2NH)_nH$

（田中健太郎による）

生分解性高分子

微生物産出系

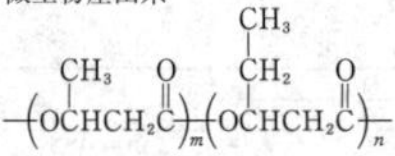

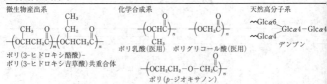

ポリ(3-ヒドロキシ酪酸)-
ポリ(3-ヒドロキシ吉草酸)共重合体

化学合成系

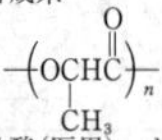

ポリ乳酸(医用)

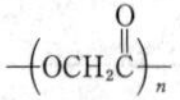

ポリグリコール酸(医用)

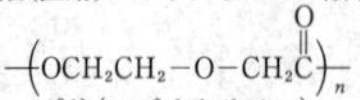

ポリ(p-ジオキサノン)

天然高分子系

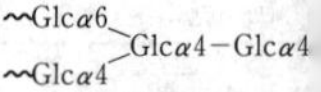

デンプン

高分子化合物の構造

共重合体

2種類以上のモノマーからなる高分子を共重合という.

~ABAABAABAABBBAABBA~
ランダム共重合体

~ABABABABABABABABAB~
交互共重合体

~AAAAAABBBBBBAAAAAA~
ブロック共重合体

~AAAAAAAAAAAAAAAAAA~
B　B
B　B
B　B
B　B
B　B
B　B
グラフト共重合体

高分子の立体規則性

ポリメタクリル酸メチルのような光学活性中心を持つ高分子で，光学活性中心の配列の仕方を立体規則性(タクチシチー)という．2個のモノマー単位からなる連鎖をダイアッド，3個のモノマー単位からなる連鎖をトライアッドという.

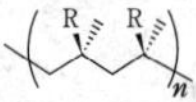

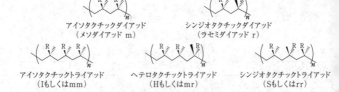

アイソタクチックダイアッド
(メソダイアッド m)

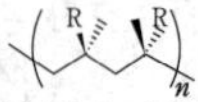

シンジオタクチックダイアッド
(ラセミダイアッド r)

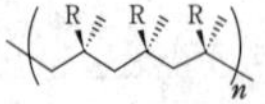

アイソタクチックトライアッド
(Iもしくはmm)

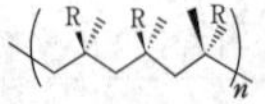

ヘテロタクチックトライアッド
(Hもしくはmr)

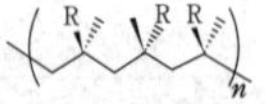

シンジオタクチックトライアッド
(Sもしくはrr)

石油製品の比重と沸点

次表は石油製品のうち揮発性のものの沸点範囲を示す*1. 原油を蒸留して得られるものであるが分留物そのものではなく分別, 加工, 精製されたものである.

	比　重*2 (15/4 ℃)	沸点範囲 t_v/℃		比　重 (15/4 ℃)	沸点範囲 t_v/℃
原　油	0.8 -1.00	—	航空ガソリン	0.70-0.72	45-140
液化石油ガス	0.51-0.56	— -1	ジェット燃料	0.75-0.80	55-250
石油エーテル	0.63-0.68	30- 80	灯　油	0.78-0.84	150-320
ベンジン	0.66-0.68	30-150	ディーゼル軽油	0.82-0.84	160-400
リグロイン	0.68-0.75	80-120	軽　油	0.80-0.88	200-350
自動車ガソリン	0.71-0.75	30-210	重　油	0.82-0.96	170-

*1　平均分子量(概略)：灯油 100～200, 軽油 140～250, 重油 250 以上.
*2　15 ℃における試料の質量(真空中の質量)と 4 ℃における等体積の純水の質量(真空中の質量)との比.

(田中健太郎による)

おもな有機溶媒の諸性質 (1)

分子凝固点降下および分子沸点上昇はそれぞれ溶媒1kg中に溶質1モルが溶解した場合の凝固点降下および沸点上昇である．双極子モーメントはデバイ＝3.3356×10^{-30} C m を単位とする(表中密度は20℃における値．屈折率はナトリウムD線に対する値である)．ただし，屈折率および比誘電率におけるかっこ内の値は温度(℃)である．

物質名	分子式	分子量	密度	融点(℃)	沸点(℃)	分子凝固点降下(℃)	分子沸点上昇(℃)	屈折率	比誘電率	双極子モーメント
ペンタン	C_5H_{12}	72.15	0.62638	−129.7	36.1	—	—	1.358 (20)	—	0
ヘキサン	C_6H_{14}	86.18	0.65937	−95.35	68.8	—	—	1.37506 (20)	—	0
ヘプタン	C_7H_{16}	100.21	0.6837	−90.61	98.4	—	—	1.38777 (20)	1.924 (20)	0
オクタン	C_8H_{18}	114.23	0.7025	−57	125.7	—	—	1.3976 (20)	—	0
シクロヘキサン	C_6H_{12}	84.16	0.7786	6.5	80.8	20	—	1.42636 (20)	2.023 (20)	0
ベンゼン	C_6H_6	78.12	0.87865	5.49	80.1	5.12	2.57	1.50439 (15)	2.284 (20)	0
トルエン	C_7H_8	92.14	0.8716	−95	110.8	—	—	1.49985 (15)	2.379 (25)	0.37(気)
p-キシレン	C_8H_{10}	106.17	0.861	13.35	138.4	4.3	—	1.496 (15)	2.270 (20)	—
クロロベンゼン	C_6H_5Cl	112.56	1.107	−45.2	132	—	—	1.524 (20)	—	—
メタノール	CH_3OH	32.04	0.7928	−96	64.7	—	0.88	1.32863 (20)	32.6 (25)	1.69
エタノール	C_2H_5OH	46.07	0.7893	−114.5	78.3	—	1.2	1.36232 (20)	24.30 (25)	1.69(気)
n-プロピルアルコール	C_3H_7OH	60.11	0.8035	−126.5	97.2	—	—	1.38543 (20)	20.1 (25)	—
イソプロピルアルコール	C_3H_7OH	60.11	0.785	−88.5	82.5	−89.5	—	1.37723 (20)	—	—
イソペンチルアルコール (イソアミルアルコール)	$C_5H_{11}OH$	88.15	0.8139	−117.2	131.7	—	—	1.40851 (15)	—	—
ベンジルアルコール	C_7H_7OH	108.14	1.0415 (25℃)	−15.3	205.7	—	—	1.53987 (21.5)	13.1 (20)	—
フェノール(石炭酸)	C_6H_5OH	94.11	1.0708	40.8	181.4	7.27	3.6	1.54247 (40.6)	9.78 (60)	1.14(気)
m-クレゾール	C_7H_7OH	108.14	1.0336	10.9	200.2	—	—	1.5398 (20)	11.8 (25)	—
グリセリン	$C_3H_8O_3$	92.1	1.2644	18	290	—	—	1.47289 (20)	42.5 (25)	—
ジエチルエーテル	$(C_2H_5)_2O$	74.12	0.71925	−116.3	34.5	—	2.16	1.35555 (15)	4.335 (20)	1.16(気)
テトラヒドロフラン	C_4H_8O	72.1	0.8892	−108.5	66	—	—	1.407 (20)	—	1.7
1, 4-ジオキサン	$C_4H_8O_2$	88.1	1.0329	−39	101.4	—	—	1.4175 (20)	—	0
1, 2-ジメトキシエタン (エチレングリコールジメチルエーテル)	$C_4H_{10}O_2$	90.12	0.86285	−58	85	—	—	1.379 (20)	—	—
ジグリム (ジエチレングリコールジメチルエーテル)	$C_6H_{14}O_3$	134.17	0.9451	−68	162	—	—	1.4097 (20)	—	—

おもな有機溶媒の諸性質 (2)

物質名	分子式	分子量	密度	融点 (℃)	沸点 (℃)	分子凝固点降下 (℃)	分子沸点上昇 (℃)	屈折率	比誘電率	双極子モーメント
アセトン	CH_3COCH_3	58.08	0.7908	−94.82	56.5	—	1.725	1.36157 (15)	20.7 (25)	2.9
アセトニトリル	CH_3CN	41.05	0.7845	−45	81.6	—	—	1.34604 (15)	38.8	—
プロピオニトリル	C_3H_5N	55.08	0.7818	−91.8	97.2	—	—	1.36585 (20)	—	—
ギ酸	HCO_2H	46.03	1.2203	8.6	100.6	2.77	2.4	1.37137 (20)	58.5 (16)	1.145
酢酸	CH_3CO_2H	60.05	1.0492	16.64	118.1	3.9	3.07	1.37182 (20)	6.15	1.73 (気)
酢酸メチル	$CH_3CO_2CH_3$	74.08	0.9337	−98.05	56.3	—	2.06	1.36143 (20)	—	1.67 (気)
酢酸エチル	$CH_3CO_2C_2H_5$	88.11	0.9005	−83.6	76.8	—	2.79	1.37257 (20)	—	—
ジクロロメタン (塩化メチレン)	CH_2Cl_2	84.94	1.33479	−96.7	−95	—	—	1.4244 (20)	—	—
クロロホルム	$CHCl_3$	119.38	1.48945	−63.5	61.2	—	3.88-3.91	1.44858 (15)	4.806 (20)	1.2
四塩化炭素	CCl_4	153.82	1.5942	−22.6	76.7	—	4.88	1.4604 (20)	—	0
1,2-ジクロロエタン	$ClCH_2CH_2Cl$	98.96	1.2569	−35.3	83.5	—	—	1.4443 (20)	—	—
ニトロメタン	CH_3NO_2	61.04	1.1322 (25 ℃)	−29	101.2	—	—	1.38056 (22)	—	—
ニトロエタン	$C_2H_5NO_2$	75.07	1.052	−50	114	—	—	1.39007 (24.3)	—	—
ニトロベンゼン	$C_6H_5NO_2$	123.11	1.2037	5.7	210.9	6.9	5.27	1.55261 (20)	34.82 (25)	4.21 (気)
アニリン	$C_6H_5NH_2$	93.13	1.0217	−5.98	184.6	5.87	3.69	1.58685 (20)	6.89 (20)	1.48 (気)
ピリジン	C_5H_5N	79.1	0.9779 (25 ℃)	−42	115.5	—	3.01	1.5085 (22)	12.3 (25)	2.15
モルホリン	C_4H_9NO	87.12	1.007	−4.9	128.9	—	—	1.454 (20)	—	1.58
キノリン	C_9H_7N	129.16	1.0938	−15	240	—	5.72	1.62683 (20)	9.00 (25)	2.18
二硫化炭素	CS_2	76.14	1.2927 (0 ℃)	−112	46.5	—	2.29	1.63189 (15)	—	0
ジメチルスルホキシド (DMSO)	$(CH_3)_2SO$	78.13	1.101	18.45	189	—	—	1.4795 (20)	45	—
N,N-ジメチルホルムアミド (DMF)	$(CH_3)_2NCHO$	73.09	0.9445 (25 ℃)	−61	153	—	—	1.42803 (25)	—	—
N,N-ジメチルアセトアミド (DMA)	$(CH_3)_2NCOCH_3$	87.12	0.9429 (20 ℃)	−20	165.5	—	—	1.4358 (25)	—	—
N-メチル-2-ピロリドン	C_5H_9NO	99.13	1.028	−24	202 (81-82/10 mmHg)	—	—	1.47 (20)	—	—
o-ジクロロベンゼン	$C_6H_4Cl_2$	147.00	1.3048	−17.5	180.5	—	—	1.5518 (22)	—	—

生体物質

アミノ酸

一般式 $H_3\overset{+}{N}—\underset{}{\overset{R}{\overset{|}{C}}}H—COO^-$ (プロリンを除く)

アミノ酸	略号 3文字	略号 1文字	化学構造式(R)	分子量	等電点
疎水性アミノ酸					
グリシン	Gly	G	H−	75	5.97
アラニン	Ala	A	CH_3−	89	6.00
バリン	Val	V	$(CH_3)_2CH$−	117	5.96
ロイシン	Leu	L	$(CH_3)_2CHCH_2$−	131	5.98
*イソロイシン	Ile	I	$CH_3CH_2CH(CH_3)$−	131	6.02
*メチオニン	Met	M	$CH_3-S-CH_2CH_2$−	149	5.74
プロリン	Pro	P	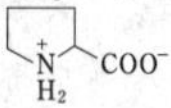	115	6.30
*フェニルアラニン	Phe	F	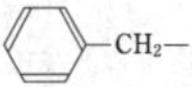	165	5.48
*トリプトファン	Trp	W	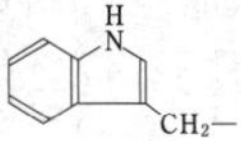	204	5.89
親水性アミノ酸					
中性アミノ酸					
セリン	Ser	S	$HO-CH_2$−	105	5.68
*トレオニン	Thr	T	$CH_3CH(OH)$−	119	6.16
システイン	Cys	C	$HS-CH_2$−	121	5.07
チロシン	Tyr	Y		181	5.66
アスパラギン	Asn	N	H_2NCOCH_2−	132	5.41
グルタミン	Gln	Q	$H_2NCOCH_2CH_2$−	146	5.65
酸性アミノ酸					
アスパラギン酸	Asp	D	$^-OOCCH_2$−	133	2.77
グルタミン酸	Glu	E	$^-OOCCH_2CH_2$−	147	3.22
塩基性アミノ酸					
*リジン(リシン)	Lys	K	$H_3\overset{+}{N}CH_2CH_2CH_2CH_2$−	146	9.74
アルギニン	Arg	R	$H_2NC(=\overset{+}{N}H_2)NHCH_2CH_2CH_2$−	174	10.76
ヒスチジン	His	H	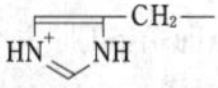	155	7.59

* ヒト必須アミノ酸(幼児ではさらにArg, Hisが加わる)

タンパク質構成微量アミノ酸成分

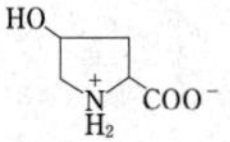

4-ヒドロキシプロリン(略号：Hyp)

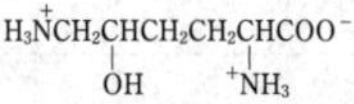

ヒドロキシリジン(略号：Hyl)

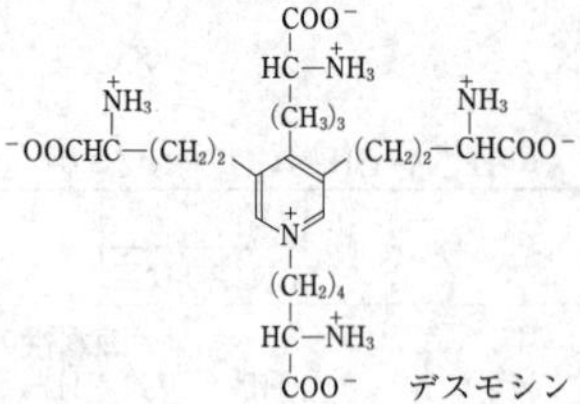

デスモシン

タンパク質構成アミノ酸以外のアミノ酸*

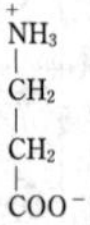

β-アラニン

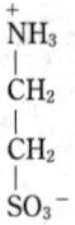

タウリン

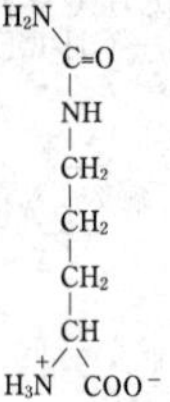

シトルリン

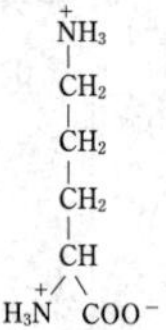

オルニチン

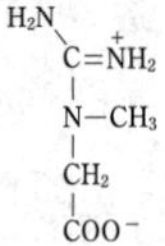

クレアチン

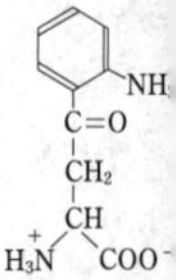

キヌレニン

*　チロキシンは物 213 参照．γ-アミノ酪酸は物 212 参照．

ペ　プ　チ　ド*

ペプチド結合

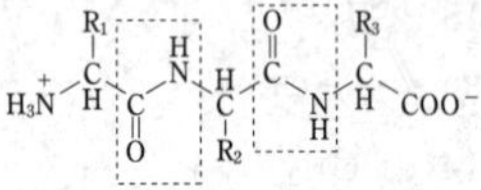

例 R_1：H–, R_2：CH_3–, R_3：HO–CH_2– グリシルアラニルセリン(H-Gly[1]-Ala[2]-Ser[3]-NH_2)

S–S (1–6)

H-Cys[1]-Tyr-Ile-Gln-Asn-Cys-Pro-Leu-Gly[9]-NH_2

オキシトシン(ヒト，ウシ，ウマ，ヒツジ)

H-Ser[1]-Tyr-Ser-Met-Glu-His-Phe-Arg-Trp-Gly[10]-Lys-Pro-Val-Gly-Lys-Lys-Arg-Arg-Pro-Val[20]-
Lys[21]-Val-Tyr-Pro-Asn-Ala-Gly-Glu-Asp-Glu[30]-Ser-Ala-Glu-Ala-Phe-Pro-Leu-Glu-Phe[39]-OH

副腎皮質刺激ホルモン(コルチコトロピン)(ヒト)

*　ほかに，生 98 参照．

タンパク質の生理機能別分類

分　類	例
酵　素	トリプシン，ペプシン，カタラーゼ，Na^+,K^+-ATPアーゼ
貯蔵タンパク質	フェリチン，ホスビチン，カゼイン
輸送タンパク質	アルブミン，ヘモグロビン，α-,β-グロブリン
収縮タンパク質	ミオシン，アクチン，ダイニン
防御タンパク質	免疫グロブリン，補体成分，動物レクチン
トキシン	コレラトキシン，リシン，コブラトキシン
ホルモン	インスリン，甲状腺刺激ホルモン
構造タンパク質	コラーゲン，ヒストン，ケラチン，エラスチン
調節タンパク質	ホルモン受容体，カルモジュリン，オペロンのリプレッサー

酵素の機能別分類

酸化還元酵素(oxidoreductase)

1.1　＞CHOHに作用，1.2　＞C＝Oに作用，1.3　-CH＝CH-に作用，1.4　＞CH－NH_2に作用，1.5　＞CH－NH-に作用，1.6　NADH，NADPHに作用

転移酵素(transferase)

2.1　メチル基，ホルミル基などの炭素原子を1個含む原子団の転移，2.2　アルデヒドおよびケトンの転移，2.3　アシル基の転移，2.4　グリコシル基の転移，2.5　アルキル基の転移，2.6　アミノ基，アミドの転移，2.7　リン酸基の転移，2.8　硫黄を含む基の転移

3　**加水分解酵素(hydrolase)**

3.1　エステルの加水分解，3.2　グリコシド結合の加水分解，3.3　エーテル結合の加水分解，3.4　ペプチド結合の加水分解，3.5　ペプチド結合以外のC-N結合の加水分解，3.6　酸無水物の加水分解

4　**脱離酵素(lyase)**

4.1　＞C＝C＜　に作用，4.2　＞C＝Oに作用，4.3　＞C＝Nに作用

5　**異性化酵素(isomerase)**

5.1　ラセミ化(エピ化)，5.2　シス-トランス異性化，5.3　分子内酸化還元反応，5.4　分子内転移反応(mutase)，5.5　分子内開裂反応

6　**合成酵素(synthetase または ligase)**

6.1　C-O結合の生成，6.2　C-S結合の生成，6.3　C-N結合の生成，6.4　C-C結合の生成

糖質：単糖類

化合物名	略号	分子量	化学構造式
中性糖　(D-リボース，2-デオキシ-D-リボースは物204参照)			
D-グリセルアルデヒド		90	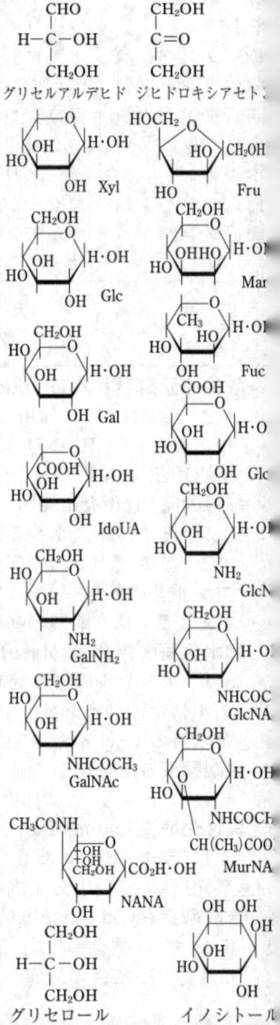
ジヒドロキシアセトン		90	
D-キシロース（木糖）	Xyl	150	
D-グルコース（ブドウ糖）	Glc	180	
D-ガラクトース	Gal	180	
D-フルクトース（果糖）	Fru	180	
D-マンノース	Man	180	
L-フコース	Fuc	164	
酸性糖			
D-グルクロン酸	GlcUA	194	
L-イズロン酸	IdoUA	194	
アミノ糖			
D-グルコサミン	$GlcNH_2$	179	
D-ガラクトサミン	$GalNH_2$	179	
N-アセチルグルコサミン	GlcNAc	221	
N-アセチルガラクトサミン	GalNAc	221	
N-アセチルムラミン酸	MurNAc	293	
シアル酸			
N-アセチルノイラミン酸	NANA (NeuNAc)	309	
糖アルコール			
グリセロール		92	
イノシトール		180	

単糖類の分類

種　類	ア　ル　ド　ー　ス	ケ　ト　ー　ス
三炭糖	D-グリセルアルデヒド	ジヒドロキシアセトン
四炭糖	D-トレオース，D-エリトロース	D-エリトルロース
五炭糖	D-リボース，2-デオキシ-D-リボース*，D-アラビノース，D-キシロース，L-リキソース	D-リブロース，D-キシルロース
六炭糖	D-グルコース，D-マンノース，D-アロース，D-アルトロース，D-ガラクトース，D-タロース，D-イドース，D-グロース，L-フコース*	D-フルクトース，L-ソルボース，D-タガトース，D-プシコース

*　デオキシ糖

二　糖　類

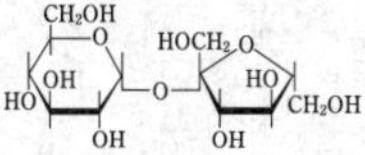

スクロース(ショ糖，サッカロース)
(略号：Fru*f*β2 → 1αGlc)

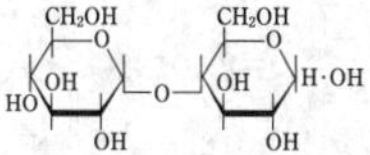

マルトース(麦芽糖，マルトビオース)
(略号：Glcα1 → 4Glc)

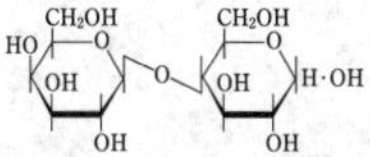

ラクトース(乳糖)
(略号：Galβ1 → 4Glc)

多　糖　類

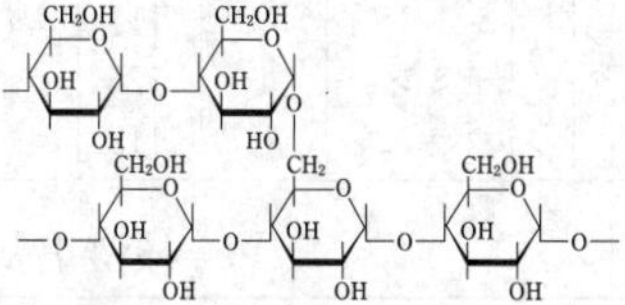

アミロペクチン(デンプンの70～80%を占める)

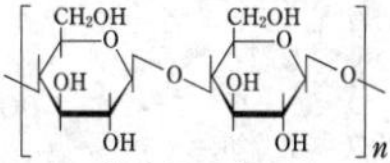

セルロース

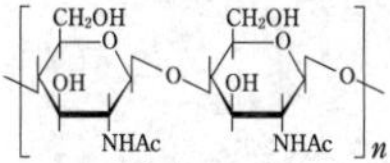

キチン

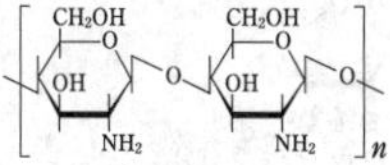

キトサン

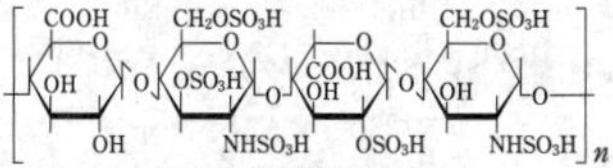

ヘパリン(部分構造の1つ)

核酸構成成分

名称			略号	分子量	化学構造式
糖	D-リボース		Rib	150	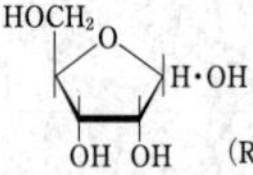 (Rib) 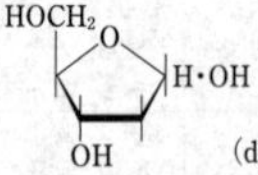 (dRib)
	2-デオキシ-D-リボース		dRib	134	
塩基	プリン	アデニン	A	135	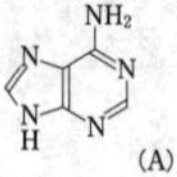 (A) 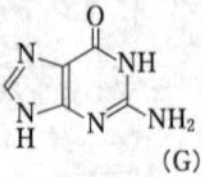 (G)
		グアニン	G	151	
	ピリミジン	シトシン	C	111	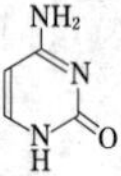 (C) 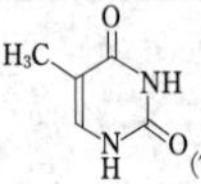 (T) 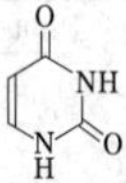 (U)
		チミン	T	126	
		ウラシル	U	112	

核酸塩基微量成分

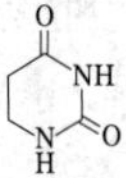

ジヒドロウラシル

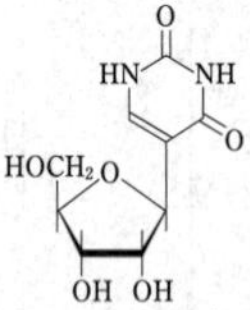

プソイドウリジン(Ψ)

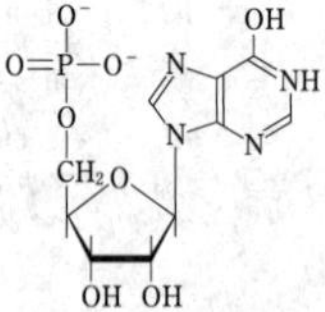

イノシン酸
(イノシン 5′-リン酸, IMP)

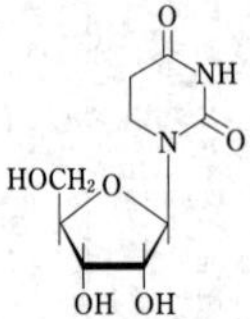

ジヒドロウリジン(D)

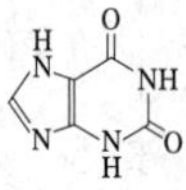

キサンチン

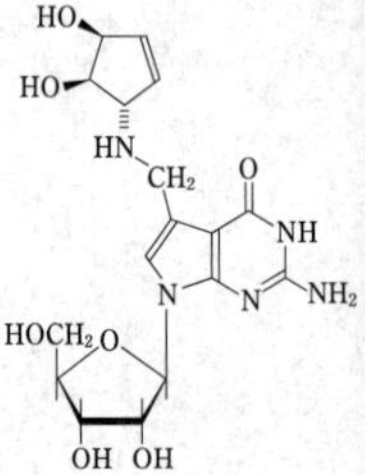

キューオシン(Q)

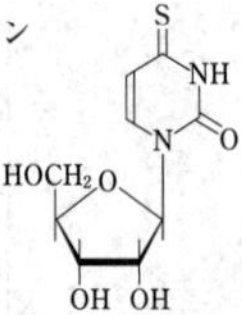

4-チオウリジン(s4U)

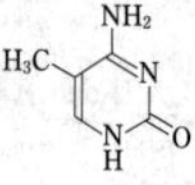

5-メチルシトシン

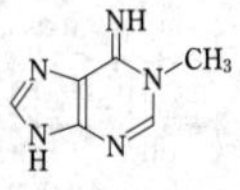

1-メチルアデニン

ヌクレオシドおよびヌクレオチド

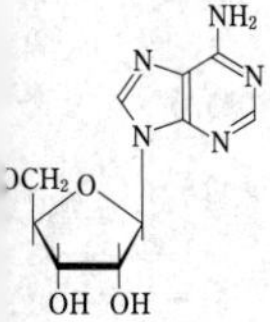

アデノシン(A)

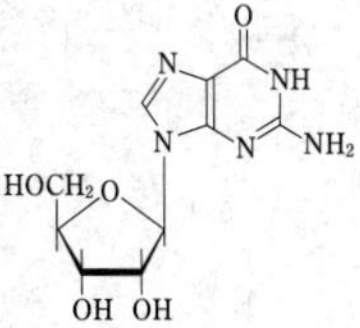

グアノシン(G)

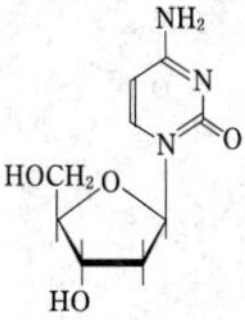

2′-デオキシシチジン(dC)

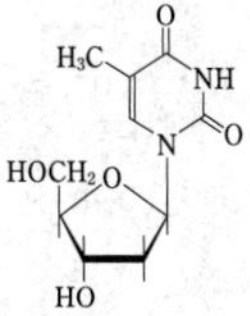

チミジン(dT)

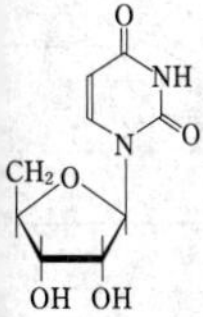

ウリジン(U)

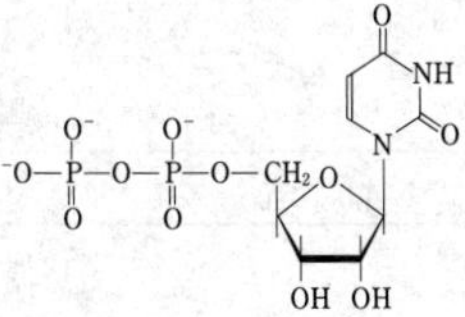

ウリジン 5′-二リン酸(UDP)

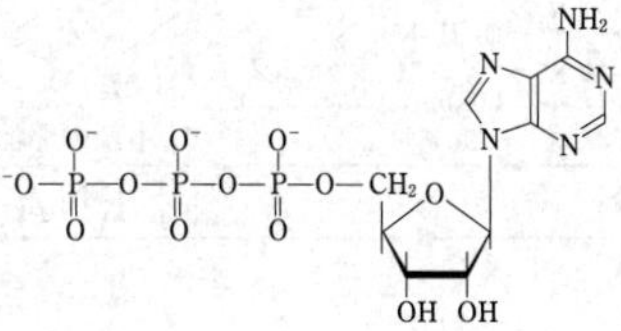

アデノシン 5′-三リン酸(ATP)

塩基	ヌクレオシド	ヌクレオチド（略号）		
		一リン酸	二リン酸	三リン酸
A	（デオキシ）アデノシン	(d)AMP	(d)ADP	(d)ATP
G	（デオキシ）グアノシン	(d)GMP	(d)GDP	(d)GTP
C	（デオキシ）シチジン	(d)CMP	(d)CDP	(d)CTP
T	デオキシチミジン	dTMP	dTDP	dTTP
U	ウリジン	UMP	UDP	UTP

DNAの化学構造式

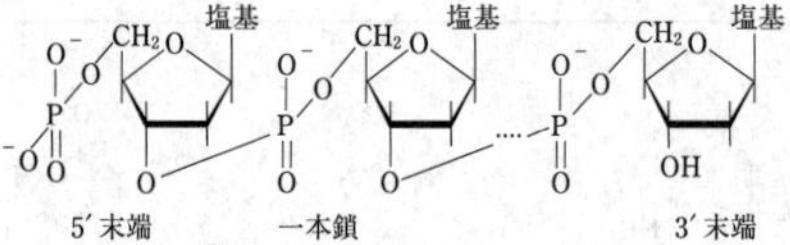

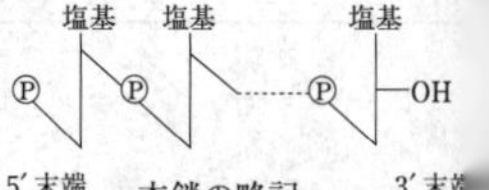

一本鎖の略記

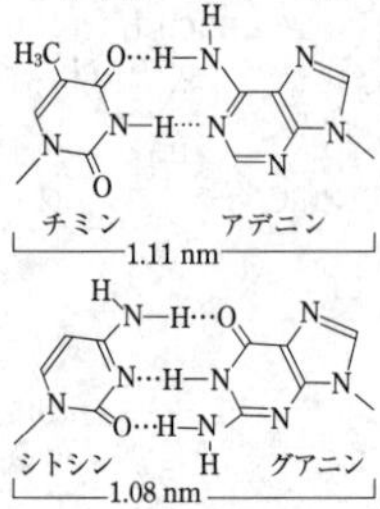

塩基対

二本鎖の略記

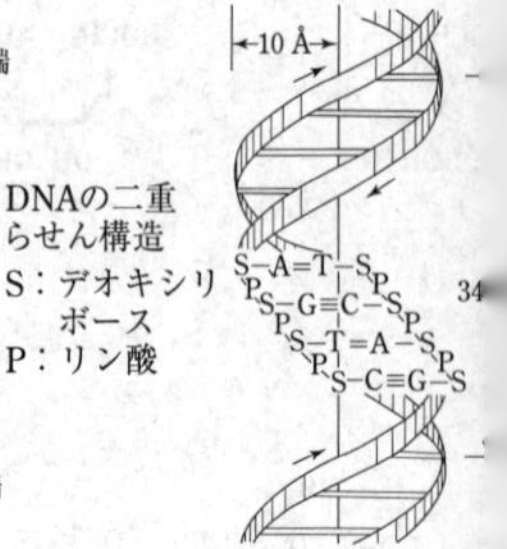

RNA の 構 造

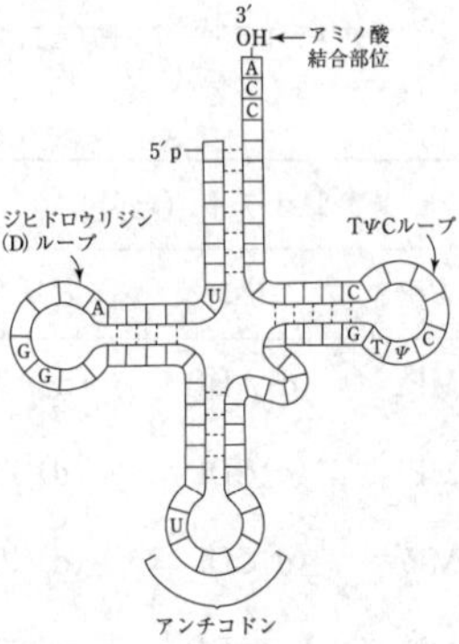

tRNA 分子の一般的構造

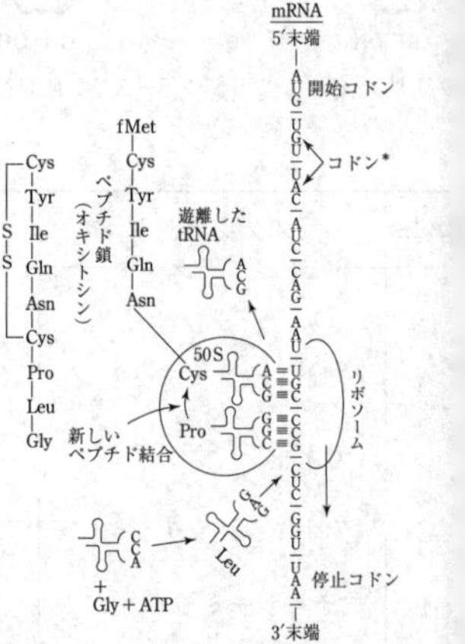

ペプチド合成における mRNA と tRNA の作用

＊ アミノ酸コドン表は**生 98** 参照.

脂　質

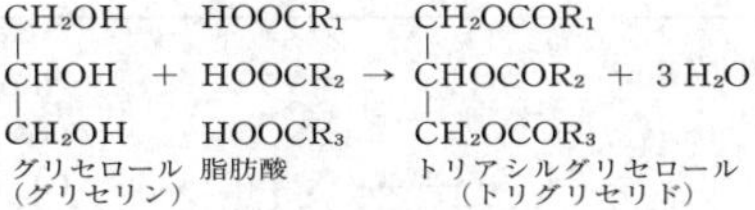

脂　肪　酸

名　　称	記　　号	融点(℃)	化　学　構　造　式
飽和脂肪酸			
ラウリン酸	12:0	44.8	$CH_3(CH_2)_{10}COOH$
ミリスチン酸	14:0	54.1	$CH_3(CH_2)_{12}COOH$
パルミチン酸	16:0	62.7	$CH_3(CH_2)_{14}COOH$
ステアリン酸	18:0	70.5	$CH_3(CH_2)_{16}COOH$
不飽和脂肪酸			
オレイン酸	18:1(9)	13.3	$CH_3(CH_2)_7CH{=}CH(CH_2)_7COOH$
リノール酸	18:2(9, 12)	− 5	$CH_3(CH_2)_4(CH{=}CHCH_2)_2(CH_2)_6COOH$
α-リノレン酸	18:3(9,12,15)	−11	$CH_3CH_2(CH{=}CHCH_2)_3(CH_2)_6COOH$
アラキドン酸(イコサテトラエン酸)	20:4(5, 8, 11, 14)	−49	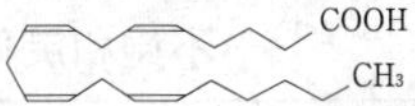
エイコサペンタエン酸(EPA)	20:5(5, 8, 11, 14, 17)	−54	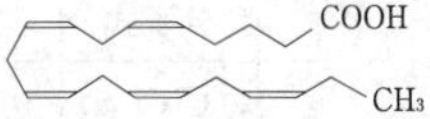
ドコサヘキサエン酸(DHA)	22:6(4, 7, 10, 13, 16, 19)	−47〜−42	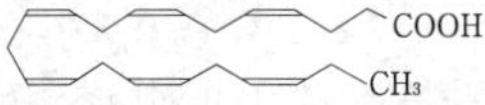

リ　ン　脂　質

名　　　称	R_3
ホスファチジルコリン(レシチン)	$-CH_2CH_2\overset{+}{N}(CH_3)_3$
ホスファチジルエタノールアミン	$-CH_2CH_2\overset{+}{N}H_3$
ホスファチジルセリン	$-CH_2CH(\overset{+}{N}H_3)COO^-$
ホスファチジルグリセロール	$-CH_2CH(OH)CH_2OH$
カルジオリピン	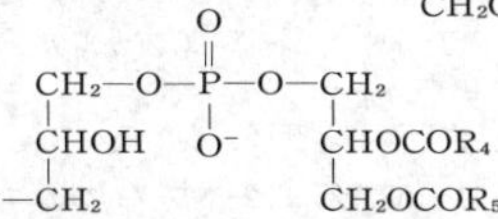
スフィンゴミエリン	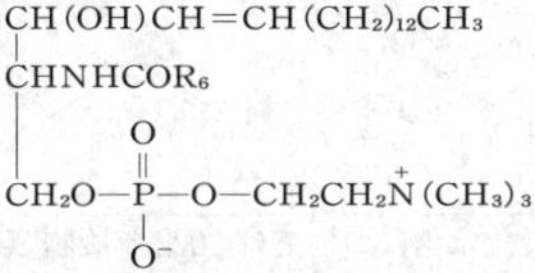

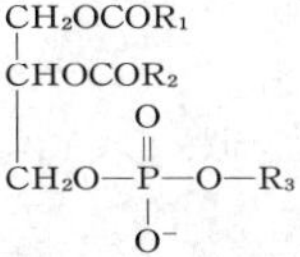

一般式

糖 脂 質

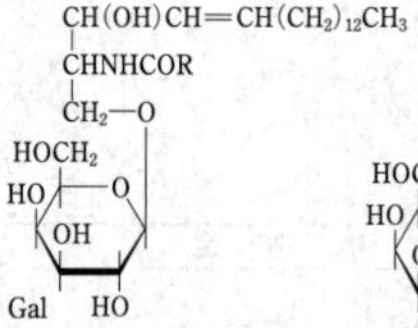

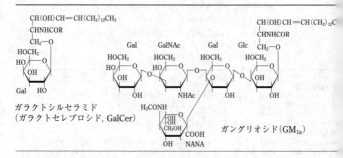

ガラクトシルセラミド
(ガラクトセレブロシド, GalCer)

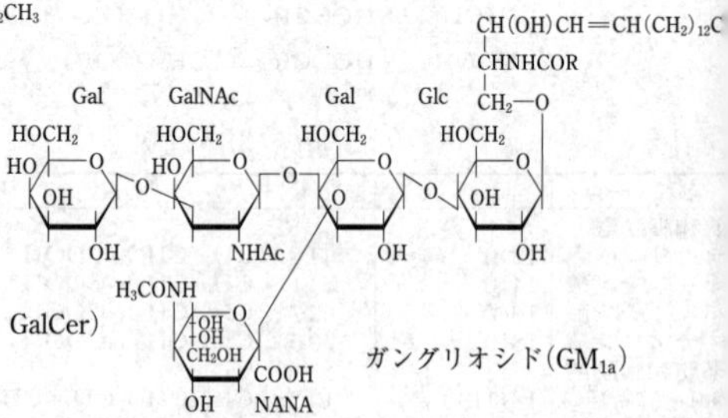

ガングリオシド(GM_{1a})

不飽和炭化水素

通　称　名	分子式	所　在
α-ファルネセン	$C_{15}H_{24}$	リンゴ表皮ワックス
ムスカルア	$C_{23}H_{46}$	イエバエ性フェロモン
ヘプタコサジエン	$C_{27}H_{52}$	ゴキブリ表皮，フェロモン(誘引物質)
スクアレン	$C_{30}H_{50}$	サメ肝油，ヒト皮脂

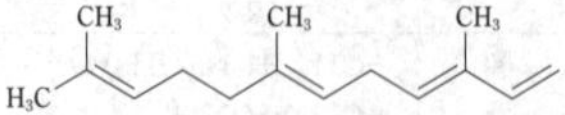

α-ファルネセン

ムスカルア

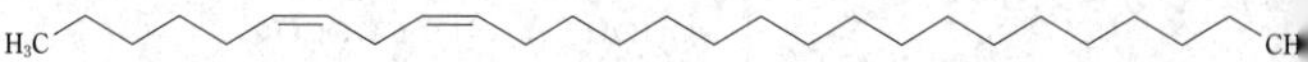

(6Z, 9Z)-6, 9-ヘプタコサジエン（ゴキブリ表皮）

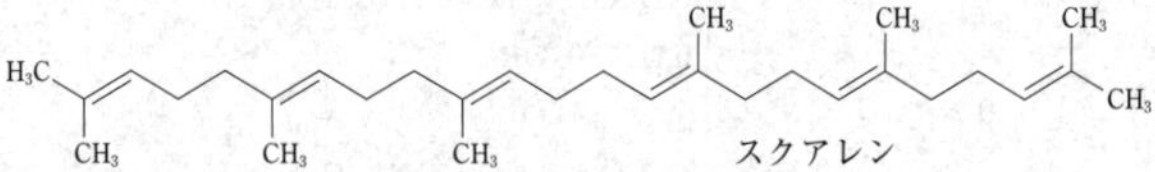

スクアレン

＊　飽和炭化水素については 2022 年版物 208 参照.

ステロイド

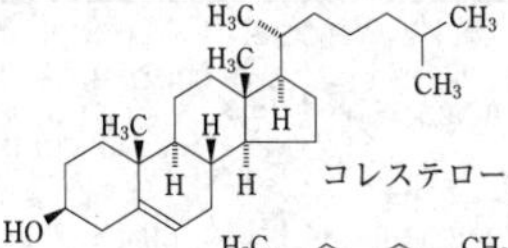

コレステロール

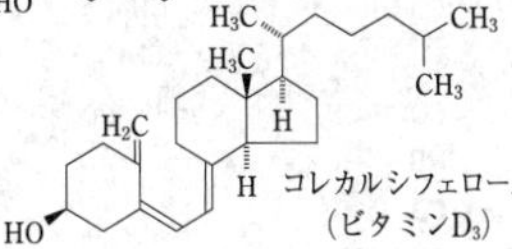

コレカルシフェロール
(ビタミンD_3)

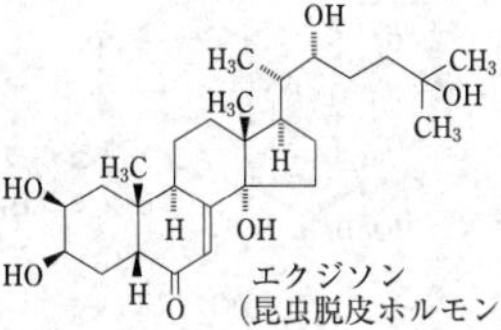

エクジソン
(昆虫脱皮ホルモン)

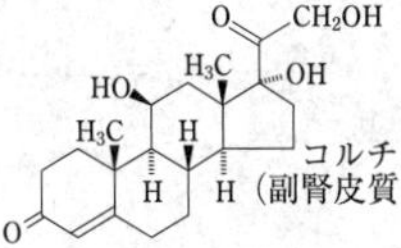

コルチゾール
(副腎皮質ホルモン)

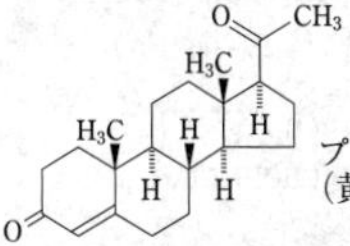

プロゲステロン
(黄体ホルモン)

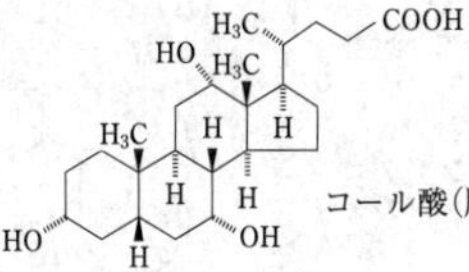

コール酸(胆汁酸)

エストロゲン

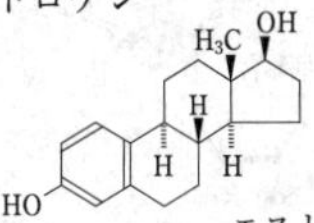

エストラジオール

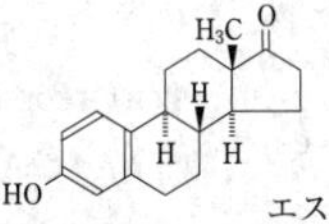

エストロン

アンドロゲン

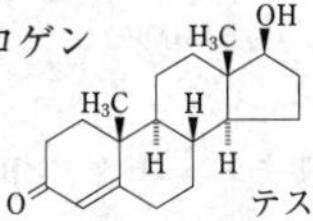

テストステロン

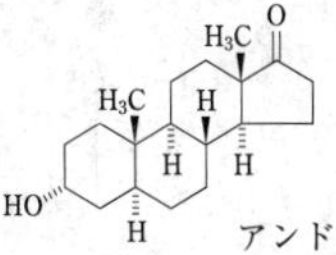

アンドロステロン

その他の脂質

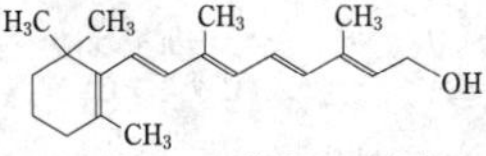

レチノール(ビタミンA_1)

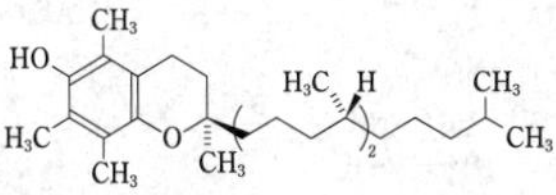

α-トコフェロール(ビタミンE)

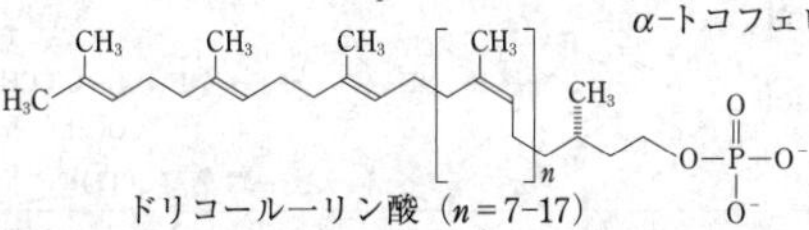

ドリコール一リン酸 (n=7–17)

水溶性ビタミンと補酵素

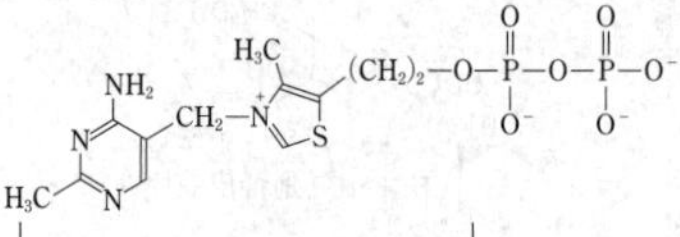

チアミン(ビタミンB_1)

チアミン二リン酸

リボフラビン
(ビタミンB_2)

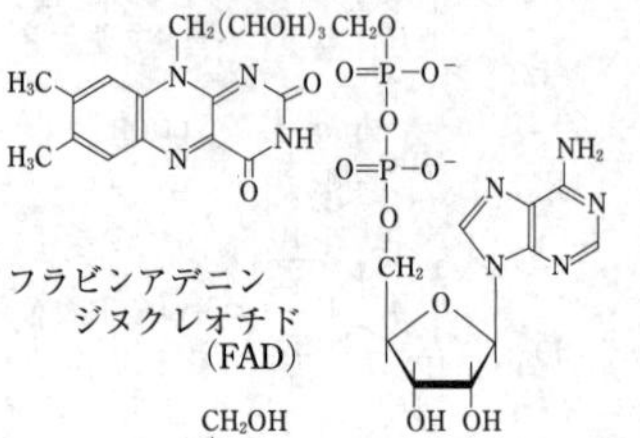

フラビンアデニンジヌクレオチド
(FAD)

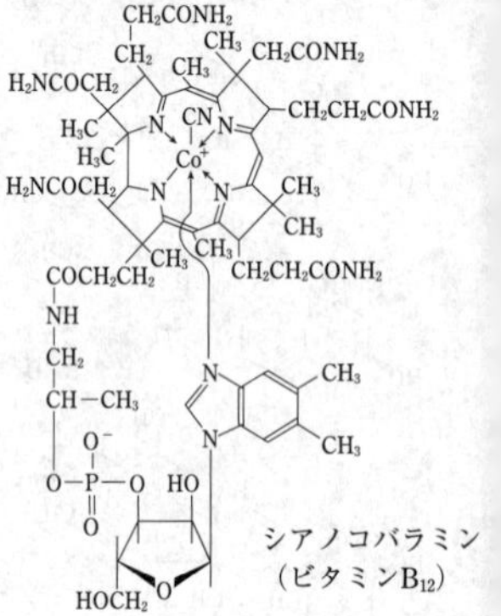

シアノコバラミン
(ビタミンB_{12})

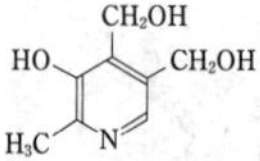

ピリドキシン（ビタミンB_6）

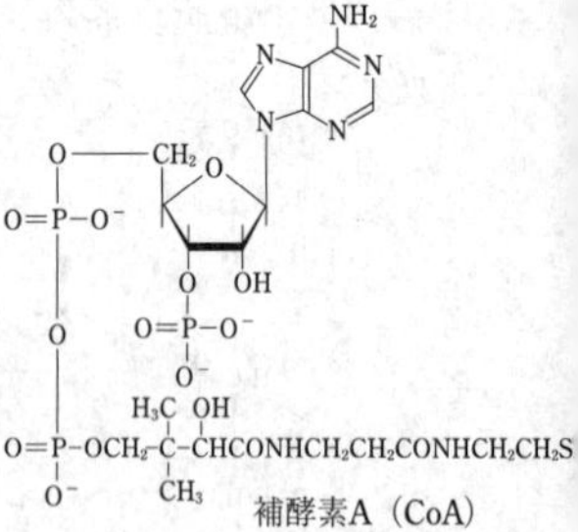

補酵素A（CoA）

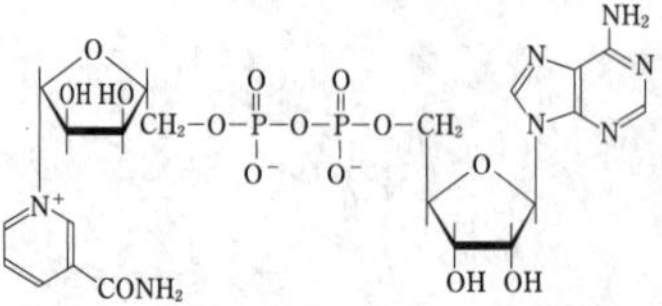

ニコチン酸アミドアデニンジヌクレオチド
(NAD^+)

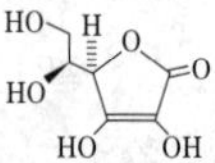

アスコルビン酸
(ビタミンC)

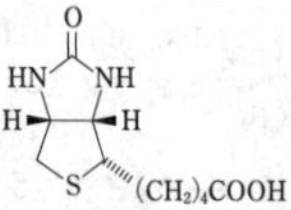

ビオチン

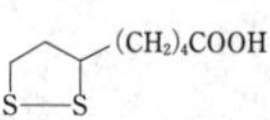

リポ酸
(チオクト酸)

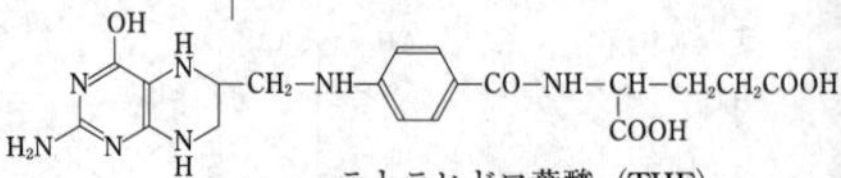

テトラヒドロ葉酸（THF）

(佐々木誠による)

セカンドメッセンジャー

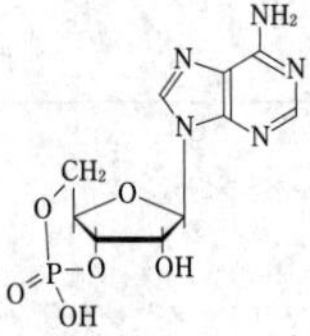

サイクリックアデノシン3′,5′-一リン酸（cAMP）

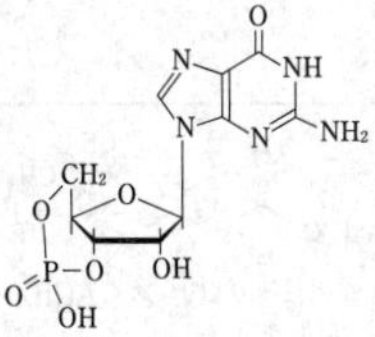

サイクリックグアノシン3′,5′-一リン酸（cGMP）

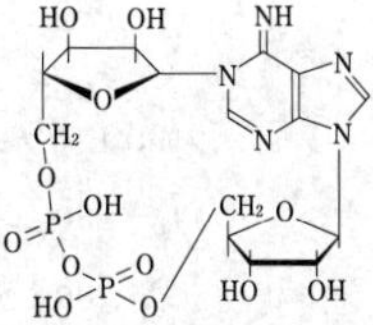

サイクリック ADP リボース（cADPR）

カルシウムイオン（Ca^{2+}）

一酸化窒素（NO）

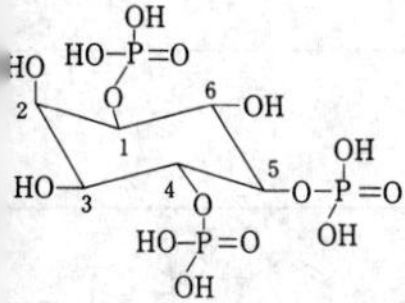

イノシトール1,4,5-三リン酸（IP_3）

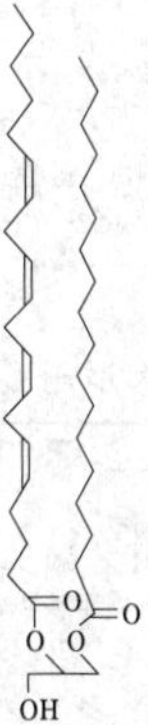

ジアシルグリセロール（DAG）

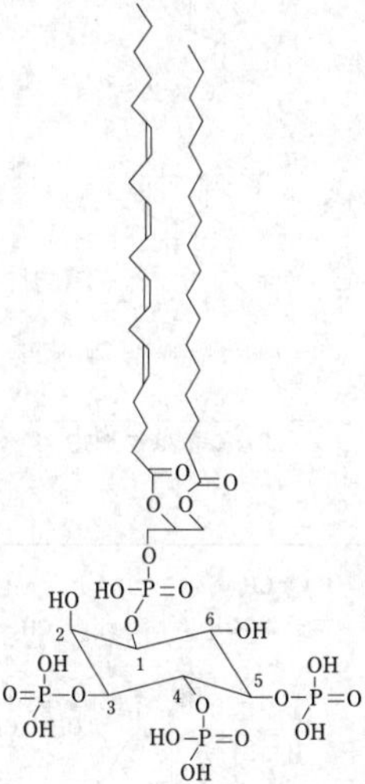

ホスファチジルイノシトール3,4,5-三リン酸（PIP_3）

（佐藤守俊による）

生理活性物質

神経伝達物質*

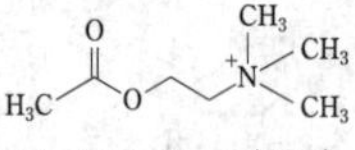

アセチルコリン（ACh）

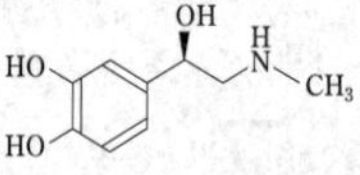

エピネフリン(アドレナリン)

γ–アミノ酪酸（GABA）

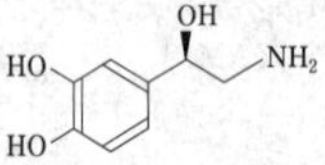

ノルエピネフリン(ノルアドレナリン)

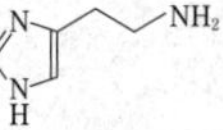

ヒスタミン

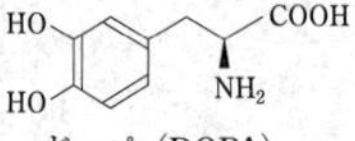

ドーパ（DOPA）

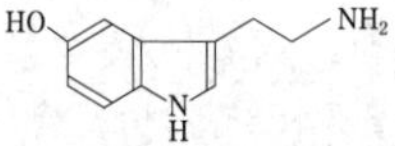

5–ヒドロキシトリプタミン(5 HT，セロトニン)

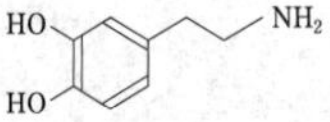

ドーパミン

H-Tyr[1]-Gly-Gly-Phe-Met[5]-Thr-Ser-Glu-Lys-Ser[10]-Gln-Thr-Pro-Leu-Val[15]-Thr-Leu-Phe[18]…… Lys[28]-Lys-Gly-Gln[31]-OH

β–エンドルフィン（ヒト）

*　グルタミン酸は物 199 参照.

植物ホルモン

$H_2C{=}CH_2$

エチレン

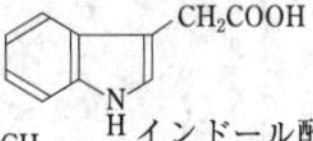

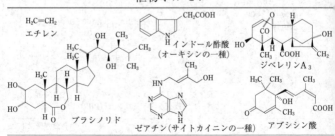

インドール酢酸
(オーキシンの一種)

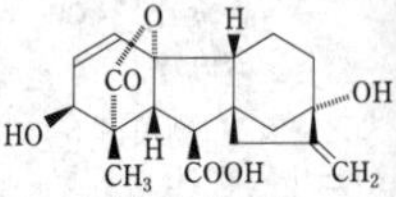

ジベレリンA 3

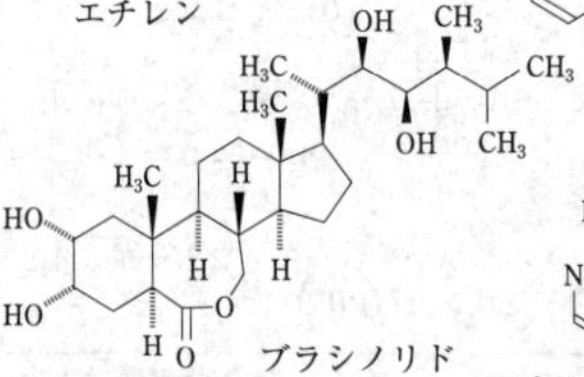

ブラシノリド

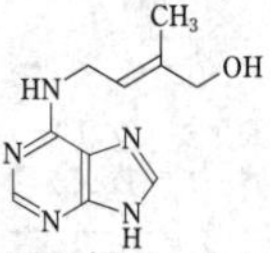

ゼアチン(サイトカイニンの一種)

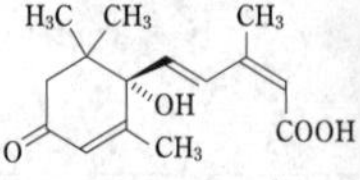

アブシシン酸

動物ホルモン*

Cys-Tyr-Phe-Gln-Asn-Cys-Pro-Arg-Gly-NH_2 (1 と 6 が結合)
1 2 3 4 5 6 7 8 9

バソプレッシン(AVP)
(ヒト，ウシなど大部分の哺乳類)

Cys-Tyr-Ile-Gln-Asn-Cys-Pro-Lys-Gly-NH_2 (1 と 6 が結合)
1 2 3 4 5 6 7 8 9

バソトシン(鳥類，爬虫類，両生類，魚類)

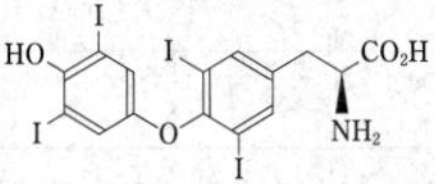

チロキシン（甲状腺ホルモン）

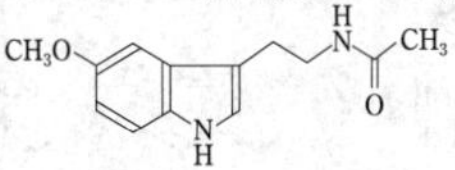

メラトニン

ANG I（ANG-（1～10））

H-Asp-Arg-Val-Tyr-Ile-His-Pro-Phe-His-Leu-OH (1～10)

ANG II（ANG-（1～8））

H-Asp-Arg-Val-Tyr-Ile-His-Pro-Phe-OH (1～8)

ANG III（ANG-（2～8））

H-Arg-Val-Tyr-Ile-His-Pro-Phe-OH (2～8)

アンジオテンシン（ANG）I，II，III
（ヒト，ウマ，ブタ）

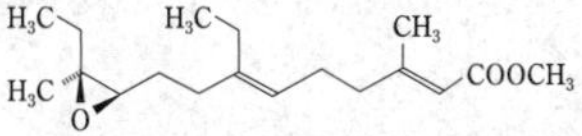

幼若ホルモン（JH-1）(昆虫)

B鎖：H-Phe[1]-Val-Asn-Gln-His[5]-Leu-Cys-Gly-Ser-His[10]-Leu-Val-Glu-Ala-Leu[15]-Tyr-Leu-Val-Cys-Gly[20]-Glu-Arg-Gly-Phe-Phe[25]-Tyr-Thr-Pro-Lys-Thr[30]-OH

A鎖：H-Gly[1]-Ile-Val-Glu-Gln[5]-Cys-Cys-Thr-Ser-Ile[10]-Cys-Ser-Leu-Tyr-Gln[15]-Leu-Glu-Asn-Tyr-Cys[20]-Asn[21]-OH

S-S 結合：B鎖 Cys7–A鎖 Cys7，B鎖 Cys19–A鎖 Cys20，A鎖 Cys6–A鎖 Cys11

N末　A鎖

インスリン（ヒト）

インスリンのアミノ酸配列の種差

A鎖
- ウシ　-Ala[8]-····-Val[10]-
- ウマ　-Gly[9]-
- ヤギ，ヒツジ　-Ala[8]-Gly[9]-Val[10]-
- ラット，マウス（I，II）　-Asp[4]-
- モルモット　-Asp[4]-····-Gly[9]-Thr[10]-····-Thr[12]-Arg[13]-His[14]-····-Ser[18]-

B鎖
- ブタ，イヌ，ウマ，ウシ，ヤギ，ヒツジ　-Ala[30]-
- ウサギ　-Ser[30]-
- ラット，マウス（I）　-Lys[3]-····-Pro[9]-····-Ser[30]-
- ラット，マウス（II）　-Lys[3]-····-Met[29]-Ser[30]-
- モルモット　-Ser[3]-Arg[4]-····-Asn[10]-····-Thr[14]-····-Ser[17]-····-Gln[20]-Asp[21]-Asp[22]-····-Ile[27]-····-Asp[30]

* オキシトシン，副腎皮質刺激ホルモンは**物 200** 参照．ステロイドホルモンは**物 209** 参照．

フェロモン

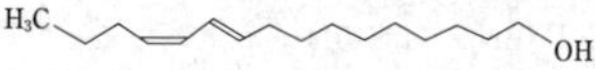

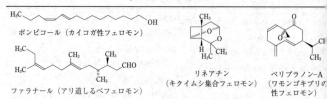

ボンビコール（カイコガ性フェロモン）

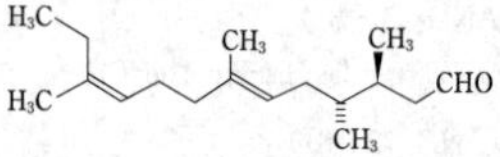

ファラナール（アリ道しるべフェロモン）

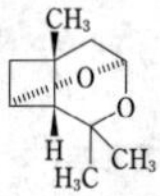

リネアチン
（キクイムシ集合フェロモン）

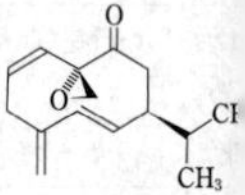

ペリプラノン–A
（ワモンゴキブリの
性フェロモン）

オータコイド*

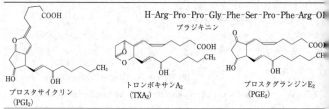

H-Arg-Pro-Pro-Gly-Phe-Ser-Pro-Phe-Arg-OH

ブラジキニン

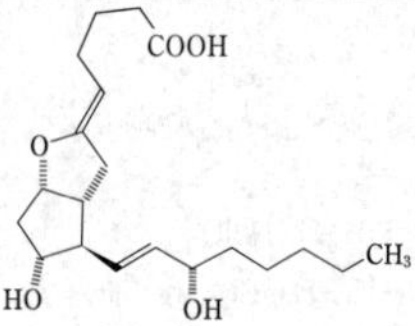

プロスタサイクリン
(PGI_2)

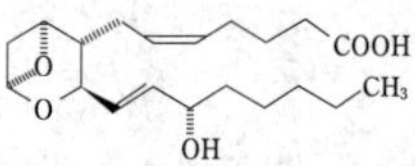

トロンボキサンA_2
(TXA_2)

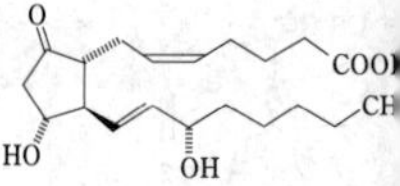

プロスタグランジンE_2
(PGE_2)

＊　ヒスタミンは物212参照．アンジオテンシンは物213参照．

色　素

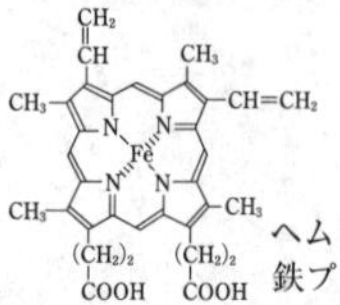

ヘムb（プロトヘム，
鉄プロトポルフィリンⅨ）

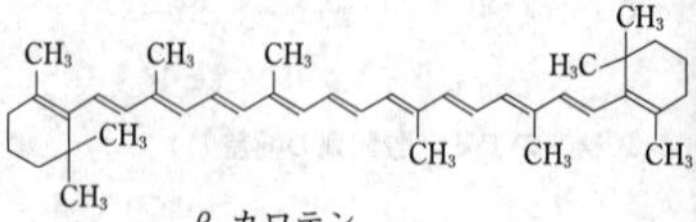

β–カロテン

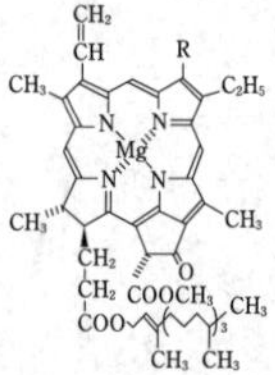

クロロフィル（*a*, R$=CH_3$；*b*, R$=$CHO）

シアニジン3-*O*-
グルコシド

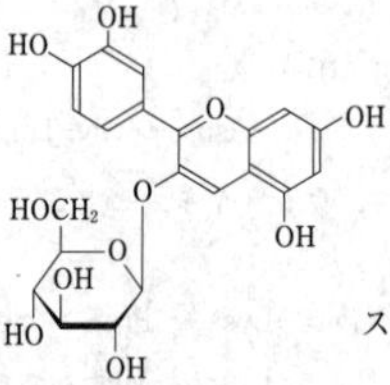

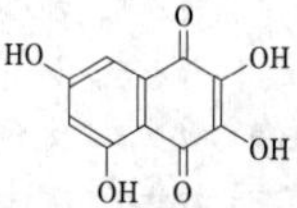

スピノクロムB（ウニ色素）

抗生物質*

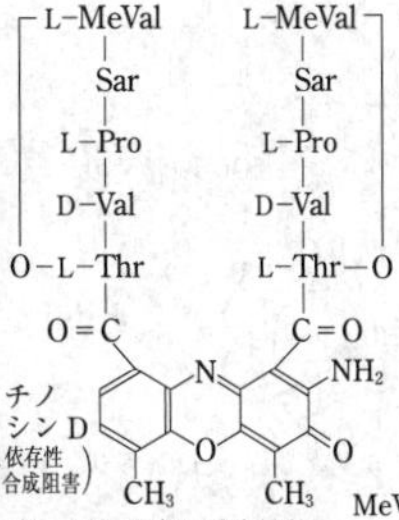

クチノ
イシン D
(NA 依存性
NA 合成阻害)

Sar：*N*–メチルグリシン

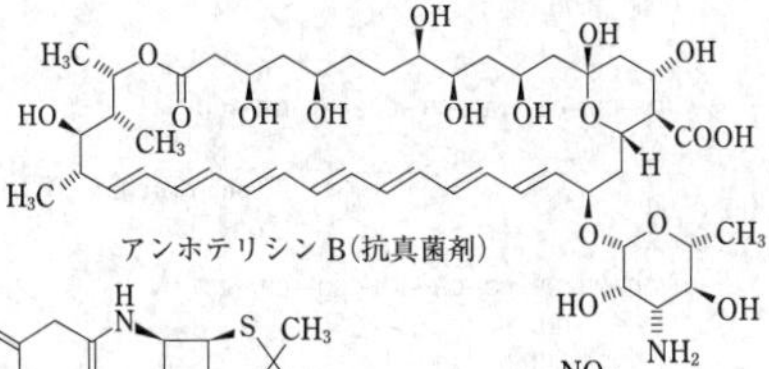

アンホテリシン B(抗真菌剤)

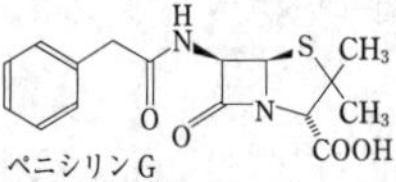

ペニシリン G
(グラム陽性・陰性菌の細胞壁ペプチドグリカン合成阻害)

MeVal：*N*–メチルバリン

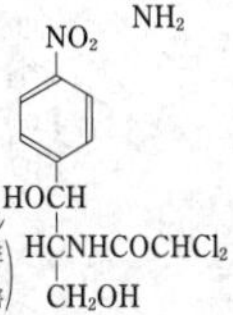

クロラムフェニコール
(グラム陽性・陰性菌，リケッチアのタンパク合成阻害)

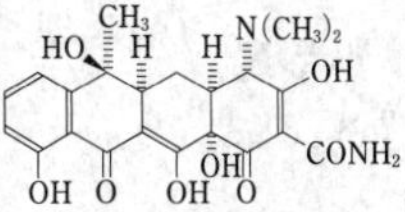

テトラサイクリン
(グラム陽性・陰性菌，リケッチア，大形ウイルス，スピロヘータ，原虫類のタンパク合成阻害)

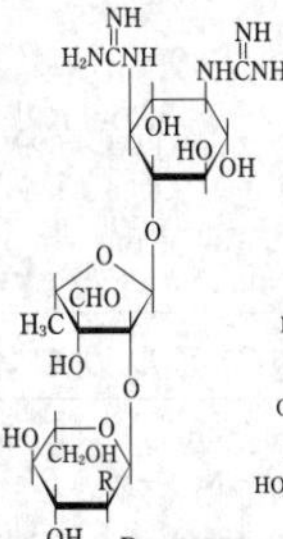

$R=CH_3NH-$

ストレプトマイシン
(グラム陽性・陰性菌，結核菌のタンパク合成阻害)

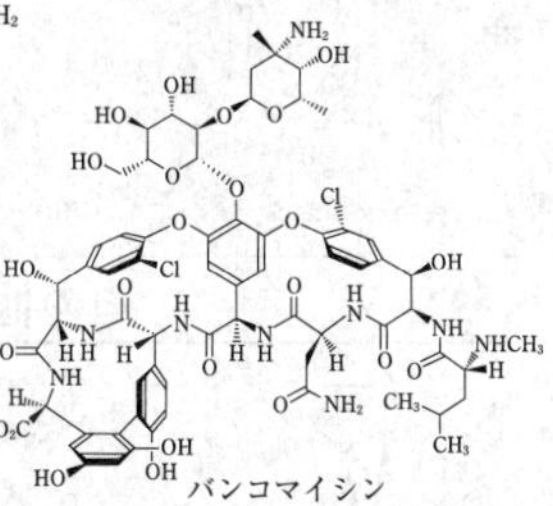

バンコマイシン
(グラム陽性菌の細胞壁ペプチドグリカン合成阻害)

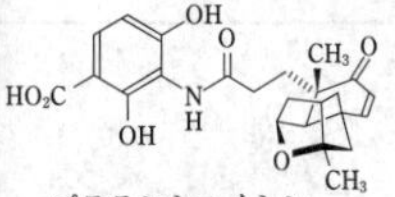

プラテンシマイシン
(グラム陽性菌の脂肪酸合成阻害)

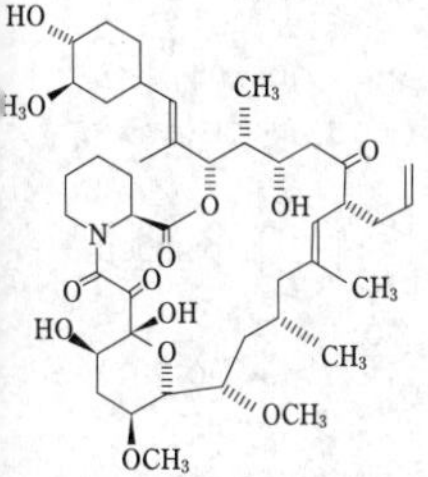

タクロリムス(免疫抑制剤)

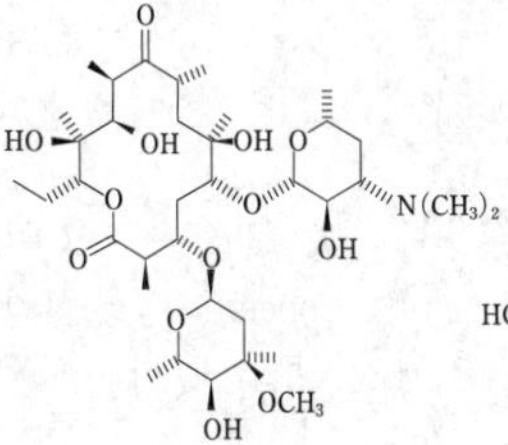

エリスロマイシン
(グラム陽性菌のタンパク合成阻害)

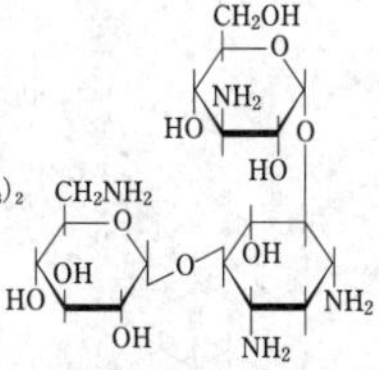

カナマイシン A
(結核菌などのタンパク合成阻害)

* シクロヘキシミド，アフィディコリン，ピューロマイシンについては 1998 年版物 195 参照.

天然毒

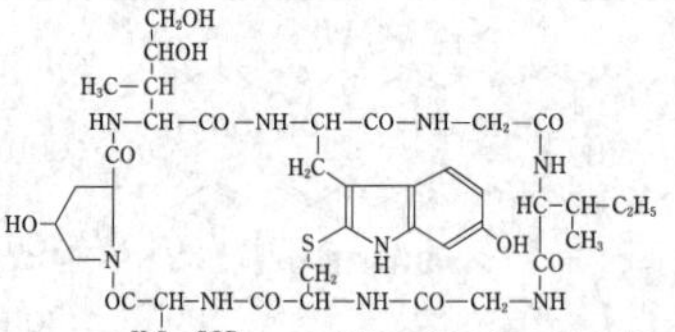

α–アマニチン(ドクツルタケ毒)

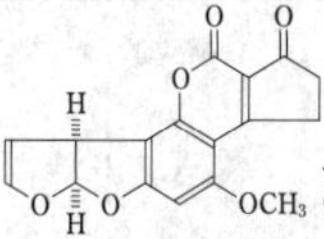

アフラトキシンB_1
(カビ毒)

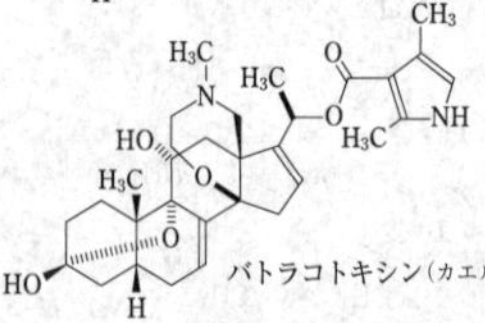

バトラコトキシン(カエル毒)

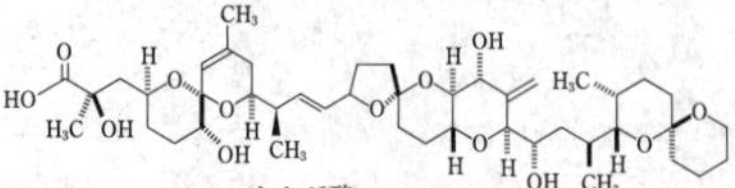

オカダ酸(下痢性貝毒)

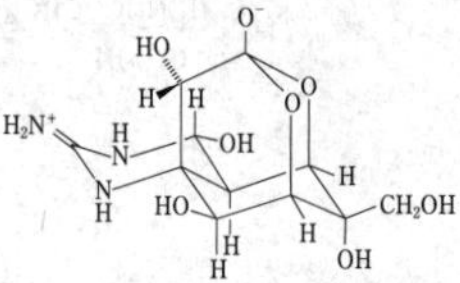

テトロドトキシン(フグ毒)

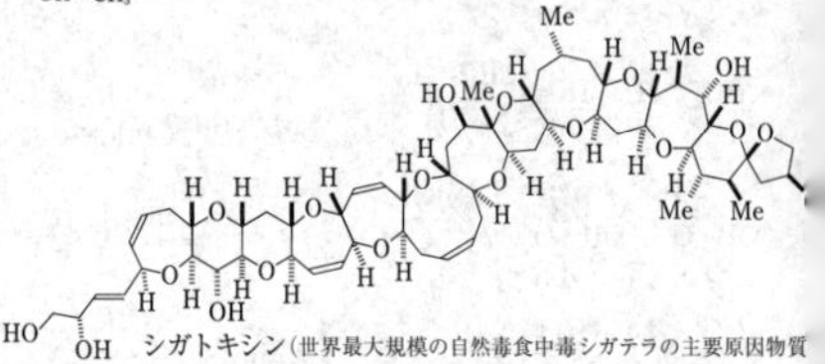

シガトキシン(世界最大規模の自然毒食中毒シガテラの主要原因物質

その他のアルカロイド

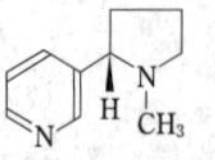

ニコチン

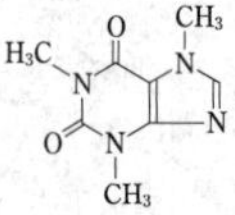

カフェイン

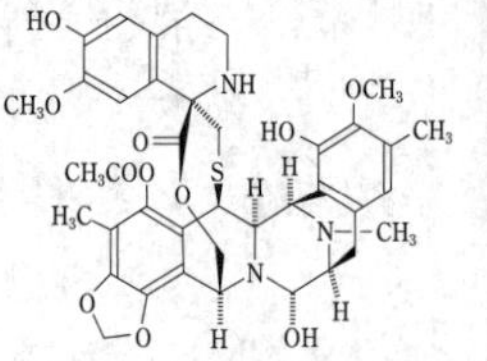

エクチナサイジン743(抗腫瘍薬)

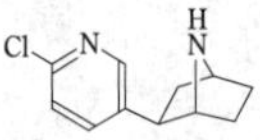

エピバチジン
(ヤドクガエルの毒)

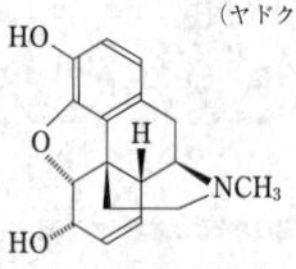

モルヒネ

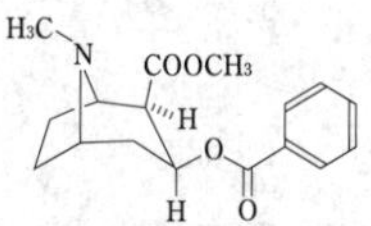

コカイン

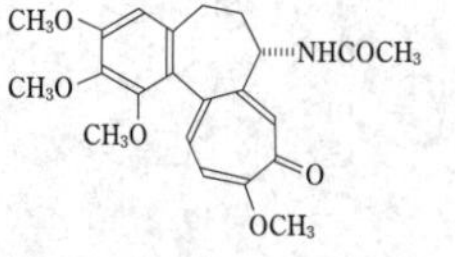

コルヒチン

(佐々木誠による

物理学上のおもな発明および発見

年　代	事　項	発明または発見者(生国)
00 B.C.頃	原子論	デモクリトス(ギリシア)
00 B.C.頃	光の直進，反射の法則	ユークリッド(ギリシア)
50 B.C.頃	アルキメデスの原理	アルキメデス(ギリシア)
269A.D.	磁石の極の記述	ペレグリヌス(仏)
1543	地動説の提唱	コペルニクス(ポーランド)
1586	斜面上のつり合い	ステヴィン(蘭)
1590	顕微鏡の発明	ヤンセン(蘭)
1600	磁石の諸性質	ギルバート(英)
1604	落体の法則	ガリレオ(伊)
1608	望遠鏡の発明	リッペルスハイ(蘭)
1620頃	光の屈折の法則	スネル(蘭)
1620頃	慣性の法則，運動量の保存	デカルト(仏)
1643	トリチェリの真空	トリチェリ(伊)
1648	大気圧の証明	パスカル(仏)
1650頃	空気ポンプ	ゲーリケ(独)
1657	振子時計	ホイヘンス(蘭)
1660頃	光の回折現象	グリマルジ(伊)
1660	フックの法則	フック(英)
1661	フェルマーの原理	フェルマー(仏)
1662	ボイルの法則	ボイル(英)
1666	光の分散	ニュートン(英)
1668	反射望遠鏡	ニュートン(英)
1669	方解石の複屈折	バールトリン(デンマーク)
1673	振子および遠心力の理論	ホイヘンス(蘭)
1675	ニュートン環	ニュートン(英)
1676	光の速度	カッシーニ(伊)，レーマー(デンマーク)
1678	光の波動説	ホイヘンス(蘭)
1686	活力の保存	ライプニッツ(独)
1687	運動の法則	ニュートン(英)
1687	万有引力	ニュートン(英)
1705	大気圧機関	ニューコメン(英)
1720	温度計の目盛(華氏)	ファーレンハイト(独)
1729	光量測定の基礎	ブーゲー(仏)
1729	電気の伝導	グレイ(英)
1733	2種の電気	デュフェー(仏)
1738	ベルヌーイの定理	ダニエル・ベルヌーイ(スイス)

年代	事項	発明または発見者(生国)
1742	温度計の目盛(摂氏)……………………	セルシウス(スウェーデン)
1743	ダランベールの原理……………………	ダランベール(仏)
1744	最小作用の原理…………………………	モーペルチュイ(仏), オイラー(スイス
1745	ライデン壜………………………………	クライスト(独)
1746	〃　………………………………	ミュッシェンブルク(蘭)
1747	電気流体説………………………………	フランクリン(米)
1752	雷の本性…………………………………	フランクリン(米)
1753	静電感応…………………………………	カントン(英)
1755	流体力学の方程式………………………	オイラー(スイス)
1757	色消しレンズ……………………………	ドロンド(英)
1760	剛体の運動方程式………………………	オイラー(スイス)
1761	潜熱，熱容量の発見……………………	ブラック(英)
1780	動物電気…………………………………	ガルバーニ(伊)
1785	捩り秤，摩擦の法則……………………	クーロン(仏)
1785-89	磁気・電気のクーロンの法則…………	クーロン(仏)
1787	クラドニの振動板の図…………………	クラドニ(独)
1788	解析力学(著書)…………………………	ラグランジュ(仏)
1798	摩擦による熱の発生……………………	ラムフォード(米)
1798	万有引力定数の測定……………………	キャベンディッシュ(英)
1799	ボルタ電池………………………………	ボルタ(伊)
1800	赤外線……………………………………	W. ハーシェル(英)
1800	水の電気分解……………………………	カーライル(英)，ニコルソン(英)
1801	紫外線……………………………………	リッター(独)
1801	光の干渉，三原色の説…………………	ヤング(英)
1802	気体の熱膨張の法則……………………	ゲイ・リュサック(仏)
1803	ドルトンの法則(気体の圧力)…………	ドルトン(英)
1808	反射による偏光…………………………	マリュス(仏)
1815	太陽スペクトルの黒線…………………	フラウンホーファー(独)
1815	偏光角の法則……………………………	ブルースター(英)
1816-19	光の回折，偏光の波動論………………	フレネル(仏)
1816	気体の2種の比熱を区別………………	ラプラス(仏)
1819	デュロン-プティの法則 ………………	デュロン(仏)，プティ(仏)
1820	電流の磁気作用…………………………	エルステッド(デンマーク)
1820	電流計……………………………………	シュワイガー(独)
1820	電磁石……………………………………	アラゴー(仏)
1820	アンペールの法則………………………	アンペール(仏)
1820	ビオー-サバールの法則 ………………	ビオー(仏)，サバール(仏)

年代	事項	発明または発見者(生国)
1821	弾性体理論の基礎方程式…………	ナビエ(仏)
1821	回折格子による光の波長測定………	フラウンホーファー(独)
1822	熱解析論………………………	フーリエ(仏)
1823	塩素の液化……………………	ファラデー(英)
1824	カルノーの原理…………………	カルノー(仏)
1826	オームの法則…………………	オーム(独)
1827	ブラウン運動…………………	ブラウン(英)
1831	電磁誘導………………………	ファラデー(英)
1832	自己誘導………………………	ヘンリー(米)
1833	ファラデーの法則(電気分解)……	ファラデー(英)
1833-41	地磁気の絶対測定………………	ガウス(独)，ウェーバー(独)
1834	ハミルトンの原理………………	ハミルトン(アイルランド)
1834	ペルチエ効果…………………	ペルチエ(仏)
1834	レンツの法則…………………	レンツ(露)
1835	コリオリの力…………………	コリオリ(仏)
1836	定常電池の製作………………	ダニエル(英)
1837	電気の近接作用論………………	ファラデー(英)
1840	電流の熱作用の法則……………	ジュール(英)
1842	ボイルの法則からのずれ………	ルニョー(仏)
1842	ドップラーの原理………………	ドップラー(オーストリア)
1842	エネルギーの保存，熱の仕事当量……	マイヤー(独)
1843	ホイートストーン・ブリッジ………	ホイートストーン(英)
1843	熱の仕事当量…………………	ジュール(英)
1845	ファラデー効果，反磁性………	ファラデー(英)
1845	蛍光…………………………	J. ハーシェル(英)
1847	エネルギー保存の法則…………	ヘルムホルツ(独)
1848	熱力学的温度目盛………………	ケルビン(W. トムソン)(英)
1849	地上での光速度測定……………	フィゾー(仏)
1850	熱力学の第二法則………………	クラウジウス(独)
1850	光速度測定による波動説の証明………	フーコー(仏)
1851	熱力学の第二法則………………	ケルビン(英)
1851	地球回転の証明…………………	フーコー(仏)
1854	ジュール-トムソン効果 …………	ジュール(英)，ケルビン(英)
1855	渦電流………………………	フーコー(仏)
1856	レンズの5収差………………	ザイデル(独)
1858	陰極線の螢光作用，磁気偏曲………	プリュッカー(独)
1859	スペクトル分析の基礎…………	キルヒホフ(独)，ブンゼン(独)
1859	蓄電池………………………	プランテ(仏)

年代	事項	発明または発見者(生国)
1859	気体分子運動論の基礎	マクスウェル(英)
1860	キルヒホフの法則(輻射)	キルヒホフ(独)
1861	電磁場の方程式	マクスウェル(英)
1861	光の電磁波説	マクスウェル(英)
1862	聴覚の理論(著書)	ヘルムホルツ(独)
1863-69	炭酸ガスの液化，臨界温度	アンドルーズ(英)
1865	エントロピー増大の原理	クラウジウス(独)
1865	ロシュミット数の決定	ロシュミット(オーストリア)
1866	クント管の実験	クント(独)
1869	陰極線の直進性	ヒットルフ(独)
1873	液体と気体の状態方程式	ファン・デル・ワールス(蘭)
1875	カー効果	カー(英)
1877	酸素の液化	カイユテ(仏)，ピクテ(スイス)
1877	熱力学第二法則の統計的基礎	ボルツマン(オーストリア)
1879	流体運動の相似法則	レイノルズ(英)
1879	シュテファンの法則(輻射)	シュテファン(オーストリア)
1880	ピエゾ電気の法則	P. キュリー(仏)
1881	磁気のヒステレシス	ワールブルク(独)
1882	自由エネルギーの概念	ヘルムホルツ(独)
1884	エジソン効果(熱電子)	エジソン(米)
1884	シュテファンの法則の理論	ボルツマン(オーストリア)
1885	水素スペクトル系列の公式	バルマー(スイス)
1886	陽極線	ゴルトシュタイン(独)
1887	電解質溶液の理論	アレニウス(スウェーデン)
1887	光電効果	ヘルツ(独)
1887	マイケルソン-モーリーの実験	マイケルソン(米)，モーリー(米)
1887	顕微鏡の理論	アッベ(独)
1887	衝撃波の写真撮影	マッハ(オーストリア)
1888	電磁波の実験的証明	ヘルツ(独)
1890	スペクトル公式	リュードベリ(スウェーデン)
1890	輻射圧の実証	レベジェフ(露)
1890	重力質量と慣性質量の同等	エトベシュ(ハンガリー)
1892	短縮仮説	ローレンツ(蘭)
1893	ウィーンの変位法則	ウィーン(独)
1895	運動物体の電磁光学理論	ローレンツ(蘭)
1895	X線	レントゲン(独)
1895	陰極線が負電荷を運ぶことの証明	ペラン(仏)
1895	キュリーの法則(磁性)	P. キュリー(仏)

年　代	事　　項	発明または発見者(生国)
1896	ウランの放射能	ベクレル(仏)
1896	ゼーマン効果	ゼーマン(蘭)，ローレンツ(蘭)
1897	電子の存在確認	J.J.トムソン(英)
1897	無線電信	マルコーニ(伊)
1898	ラジウム	P.キュリー(仏)，M.S.キュリー(ポーランド)
1900	輻射論，作用量子	プランク(独)
1900	金属電子論	ドルーデ(独)
1901	熱電子	リチャードソン(英)
1902	統計力学の確立	ギブス(米)
1902	翼の揚力の理論	クッタ(独)
1903	放射性元素の崩壊説	ラザフォード(ニュージーランド)，ソディー(英)
1903	電子の質量の速度による変化	カウフマン(独)
1903	土星型原子模型の理論	長岡半太郎(日)
1905	特殊相対性理論	アインシュタイン(独)
1905	光量子仮説	アインシュタイン(独)
1905	常磁性の理論	ランジュバン(仏)
1906	熱力学第三法則	ネルンスト(独)
1906	固体比熱の理論	アインシュタイン(独)
1907	翼の揚力の理論	ジューコフスキー(露)
1907	陽極線分析	J.J.トムソン(英)
1907	分子磁場，磁区の概念	ワイス(仏)
1907	四次元時空世界の概念	ミンコフスキー(独)
1908	ヘリウムの液化	カマリング・オネス(蘭)
1908	計数管の製作	ラザフォード(ニュージーランド)，ガイガー(独)
1908	分子の実在性の証明	ペラン(仏)
1908	α粒子＝ヘリウム原子核を実証	ラザフォード(ニュージーランド)，ロイズ(英)
1909	油滴法による電子電荷の測定	ミリカン(米)
1910	同位体の概念	ソディー(英)
1911	霧箱の発明	C.T.R.ウィルソン(英)
1911	超伝導	カマリング・オネス(蘭)
1911	原子核の存在	ラザフォード(ニュージーランド)
1911-12	宇宙線の発見	ヘス(オーストリア)
1912	結晶によるX線の回折	ラウエ(独)
1912	ブラッグの法則	W.L.ブラッグ(英)
1913	原子構造の量子論	N.ボーア(デンマーク)
1913	シュタルク効果	シュタルク(独)
1913	原子番号と元素の固有X線の関係	モーズリ(英)

年代	事項	発明または発見者(生国)
1913	放射性崩壊の変位則	ソディー(英)，ファヤンス(ポーランド)
1914	原子のエネルギー準位	フランク(独)，ヘルツ(独)
1915	一般相対性理論	アインシュタイン(独)
1915	水素スペクトルの微細構造理論	ゾンマーフェルト(独)
1916	粉末結晶によるX線の分析法	デバイ(蘭)，シェラー(スイス)
1916	X線スペクトル，原子価の理論	コッセル(蘭)
1918	対応原理	N.ボーア(デンマーク)
1919	質量分析器による同位体研究	アストン(英)
1919	α粒子による原子核破壊	ラザフォード(ニュージーランド)
1919	バルクハウゼン効果	バルクハウゼン(独)
1921	原子の磁気能率	シュテルン(独)，ゲルラッハ(独)
1922	コンプトン効果	コンプトン(米)
1923	物質波概念	ド・ブロイ(仏)
1924	ボース-アインシュタイン統計	ボース(印)，アインシュタイン(独)
1925	電子スピン	ハウトシュミット(蘭)，ユーレンベック(蘭)
1925	排他原理	パウリ(オーストリア)
1925	行列力学	ハイゼンベルク(独)
1925	要素過程の保存則	コンプトン(米)，サイモン(米)，ガイガー(独)，ボーテ(米)
1926	波動力学	シュレーディンガー(オーストリア)
1926	フェルミ統計	フェルミ(伊)
1927	不確定性原理	ハイゼンベルク(独)
1927	電子線の回折	デーヴィソン(米)，ガーマー(米)，G.P.トムソン(英)
1927	水素共有結合の量子論	ハイトラー(独)，ロンドン(米)
1927	ヘリウムII	ケーソム(蘭)
1927	相補性原理	N.ボーア(デンマーク)
1927, 29	宇宙膨張に関するハッブル-ルメートルの法則	ルメートル(ベルギー)，ハッブル(米)
1928	強磁性体の理論	ハイゼンベルク(独)
1928	金属電子の量子論	ブロッホ(スイス)
1928	相対論的電子方程式	ディラック(英)
1928	α崩壊の理論，トンネル効果	ガモフ(露)
1928	ラマン効果	ラマン(印)
1929	相対論的場の量子論	ハイゼンベルク(独)，パウリ(オーストリア)
1929	宇宙線シャワー	スコベルチン(露)

年　代	事　　　項	発明または発見者(生国)
1929	統一場の理論……………………	アインシュタイン(独)
1930	サイクロトロン……………………	ローレンス(米), リビングストン(米)
1931	半導体の理論……………………	A. H. ウィルソン(英)
1931	ニュートリノ仮説…………………	パウリ(オーストリア)
1931	電子顕微鏡…………………………	クノル(独), ルスカ(独)
1931	不可逆過程における相反定理…………	オンサーガー(米)
1931	宇宙電波……………………………	ジャンスキー(米)
1932	中性子………………………………	チャドウィック(英)
1932	陽電子………………………………	C. アンダーソン(米)
1932	重水素の分離……………………	ユーリー(米)
1932	高電圧加速装置で原子核人工転換……	コッククロフト(英), ウォルトン(アイルランド)
1933	β崩壊の理論……………………	フェルミ(伊)
1933	超伝導体の完全反磁性………………	マイスナー(独), オクセンフェルト(独)
1934	人工放射能…………………………	J. F. ジョリオ・キュリー(仏), I. ジョリオ・キュリー(仏)
1934	位相差顕微鏡……………………	ゼルニケ(蘭)
1934	チェレンコフ効果…………………	チェレンコフ(露)
1934	中間子論……………………………	湯川秀樹(日)
1937	宇宙線μ粒子　……………………	C. アンダーソン(米), ネッダーマイヤー(米)
1938	反強磁性……………………………	ビゼット(仏)ら
1938	ウランの核分裂……………………	ハーン(独), シュトラスマン(独)
1939	核反応による星の熱源の説明…………	ベーテ(独)
1939	磁気共鳴法…………………………	ラビ(米)
1940	超ウラン元素(Np)の創製　…………	マクミラン(米), アベルソン(米)
1941	ベータトロン製作…………………	カースト(米)
1941	量子流体力学………………………	ランダウ(露)
1942	強誘電性……………………………	ヒッペル(米)
1942	核分裂連鎖反応の持続……………	フェルミ(伊)ら
1944	ヘリウムII内の第2音波………………	ペシュコフ(露)
1945	電子スピン共鳴法…………………	ザボイスキー(露)
1945	シンクロトロン……………………	マクミラン(米), ベクスラー(露)
1946	核磁気共鳴…………………………	ブロッホ(スイス), パーセル(米)
1946	ビッグバン理論……………………	ガモフ(米)
1946	^{14}C 年代測定法 …………………	リビー(米)
1947	π中間子の存在……………………	パウエル(英)

年代	事項	発明または発見者(生国)
1947	V粒子発見	ロチェスター(英)，バトラー(英)
1947	ラム・シフト	ラム(米)
1948	ホログラフィーの理論	ガボール(ハンガリー)
1948	くりこみ理論	朝永振一郎(日)，シュウィンガー(米)
1948	中間子の人工的創製	ガードナー(米)，ラッテス(ブラジル
1948	核の殻構造論(マジック数)	M. G. メイヤー(独)
1948	トランジスター	ブラッテン(米)，バーディーン(米)，ショックリー(米)
1948	フェリ磁性	ネール(仏)
1948	固体における中性子散乱	シャル(米)
1949	磁区の直視	ボゾース(米)
1949	分離振動場法	ラムジー(米)
1930-50	磁性の理論	ヴァン・ヴレック(米)
1949-59	新粒子(Λ, Σ, Ξ, K)発見	パウエル(英)，C. アンダーソン(米)ら
1951-53	原子核の集団運動	A. ボーア(デンマーク)，レインウォーター(米)，モッテルソン(米
1953	泡箱	グレイサー(米)
1954	メーザーの発明	タウンズ(米)ら
1954	中性子非弾性散乱	ブロックハウス(加)
1955	反陽子の創製	セグレ(伊)
1956	反中性子の確認	ピッチオーニ(伊)ら
1957	パリティの非保存	リー(中)，ヤン(中)，ウ(中)
1957	超伝導の理論	バーディーン(米)ら
1957	メスバウアー効果	メスバウアー(独)
1957	不規則系における拡散の不在	P. アンダーソン(英)
1957	不可逆過程の理論	久保亮五(日)
1958	半導体におけるトンネル効果	江崎玲於奈(日)
1959	電子反ニュートリノの実証	ライネス(米)
1960	レーザーの製作	マイマン(米)
1960	素粒子の励起状態	カリフォルニア大グループ(米)
1960	超伝導体におけるトンネル効果	ギェーヴァー(ノルウェー)
1960	ニュートリノ・ビーム	レーダーマン(米)，シュワーツ(米)，スタインバーガー (米)
1960	自発的対称性の破れ	南部陽一郎(日)
1961	超伝導マグネットの製作	クンツラー(米)
1962	2種のニュートリノ	ブルックヘブン研究所グループ(米)
1962	超伝導体のトンネル接合	ジョセフソン(英)
1962	X線星	ロッシ(米)ら

年　代	事　　　項	発明または発見者(生国)
1963	光学コヒーレンスの量子理論…………	グラウバー(米)
1964	クォーク理論………………………………	ゲルマン(米)ら
1964	希薄合金の電気抵抗の理論……………	近藤淳(日)
1964	質量の起源の解明, ヒッグス粒子の存在の予言 ……………	アングレール(ベルギー), ヒッグス(英)
1965	3 K 宇宙背景放射 ……………………	ペンジァス(米), R. W. ウィルソン(米)
1966	光ファイバーによる通信…………………	カオ(中), ホッカム(英)
1967	パルサー……………………………………	ベル(英), ヒューイッシュ(英)
1967	統一理論……………………………………	ワインバーグ(米), サラム(パキスタン)
1968	マルチワイヤー比例計数箱……………	シャルパック(仏)
1968	電子の深非弾性散乱(クォークの検証)	フリードマン(米), ケンドール(米), テイラー(加)
1969-73	非晶質の電子論……………………………	モット(英)
1970	CCD センサーの発明 …………………	ボイル(加), スミス(米)
1971	弱電相互作用の量子構造の解明………	ト・ホーフト(蘭), フェルトマン(蘭)
1972	^{3}He の超流動…………………………	リー(米), リチャードソン(米), オシェロフ(米)
1973	第 3 世代クォーク, レプトンの予言…	小林誠(日), 益川敏英(日), カビボ(伊)
1974	新粒子(J/ψ)の発見 …………………	リヒター(米), ティン(米)
1974	新種のパルサーの発見…………………	ハルス(米), テーラー(米)
1975	τ 粒子の発見 …………………………	パール(米)
1980	量子ホール効果の発見…………………	クリッツィング(独)ら
1981	走査トンネル顕微鏡……………………	ビニッヒ(独), ローラー(スイス)
1982	分数電荷の励起状態を持つ量子流体の発見	シュテルマー(独), ツイ(中)
1983	W, Z 粒子の発見 ……………………	ルビア(スイス)ら
1985	レーザー光による原子の冷却と捕捉…	チュー(米), フィリップス(米)
1985	チャープパルス増幅……………………	ムル(仏), ストリックランド(加)
1986	酸化物超伝導体の発見…………………	ベドノルツ(独), ミュラー(スイス)
1987	光ピンセットの開発……………………	アシュキン(米)
1989	電流による励起で青色に光る半導体 (青色発光ダイオード) の発見 ………	赤﨑勇(日), 天野浩(日)
1993	高輝度青色発光ダイオードの開発……	中村修二(日)
1995	ボース-アインシュタイン凝縮の達成…	コーネル(米), ワイマン(米)
1998	宇宙の加速膨張の発見…………………	パールムッター(米), シュミット (米), リース(米)
1998-2001	ニュートリノ振動の発見………………	梶田隆章(日), マクドナルド(加)
1999-2000	光コム技術…………………………………	ホール(米), ヘンシュ(独)
2012	ヒッグス粒子の発見……………………	欧州原子核研究機構(CERN)
2015	重力波の検出……………………………	ワイス(米), バリッシュ(米), ソーン(米)

化学上のおもな発明および発見

年代	事項	発明または発見者(生国)
1250	ヒ素	マグヌス(独)
1661	元素概念(三原質説, 四元素説)の批判	ボイル(英)
1662	ボイルの法則	ボイル(英)
1664	定性分析	ボイル(英)
1669	リン	ブランド(独)
1670	フロギストン説	ベッヒャー(独), シュタール(独)
1735	コバルト	ブラント(スウェーデン)
1746	亜鉛	マルクグラフ(独)
1748	白金	ウロア(スペイン)
1751	ニッケル	クロンステット(スウェーデン)
1754	二酸化炭素の発見	ブラック(英)
1764	火浣布(石綿布)の製造	平賀源内(日)
1766	水素	キャベンディッシュ(英)
1769	酒石酸	シェーレ(スウェーデン)
1772	窒素	ラザフォード(英)
1772	酸素	シェーレ(スウェーデン)
1774	質量保存の法則	ラボアジェ(仏)
1774	塩素	シェーレ(スウェーデン)
1774	マンガン	ガーン(スウェーデン)
1774	酸素, 亜硫酸ガス, アンモニアガス	プリーストリ(英)
1776	一酸化炭素	ラソーヌ(仏)
1777	燃焼の説明	ラボアジェ(仏)
1777	硫化水素	シェーレ(スウェーデン)
1781	モリブデン	イェルム(スウェーデン)
1783	テルル	ミュラー・フォン・ライヘンシュタイン(ハンガリー)
1783	タングステン	エルヤル兄弟(スペイン)
1789	元素表	ラボアジェ(仏)
1789	ジルコニウム, ウラン	クラプロート(独)
1791	チタン	グレガー(英)
1791	ソーダ製造法	ルブラン(仏)
1794	イットリウム(最初の希土類元素)	ガドリン(フィンランド)
1797	クロム	ヴォークラン(仏)
1798	ベリリウム	ヴォークラン(仏)
1799	ボルタの電堆	ボルタ(伊)

年　代	事　　　　項	発明または発見者(生国)
1799	漂白粉……………………………	テナント(英)
1799	定比例の法則，ブドウ糖………………	プルースト(仏)
1801	ニオブ……………………………	ハチェット(英)
1802	タンタル…………………………	エーケベリ(スウェーデン)
1802	ゲイ・リュサックの法則………………	ゲイ・リュサック(仏)
1803	分圧の法則，倍数比例の法則，原子説 …	ドルトン(英)
1803	ヘンリーの法則……………………	ヘンリー(英)
1803	セリウム…………………………	ベルセリウス(スウェーデン)，ヒーシンガー(スウェーデン)，クラプロート(独)
1803	オスミウム，イリジウム………………	テナント(英)
1803	パラジウム，ロジウム…………………	ウラストン(英)
1805	モルヒネ(最初のアルカロイド)………	ゼルテュルナー(独)
1807	ナトリウム，カリウム…………………	デイビー(英)
1808	気体反応の法則……………………	ゲイ・リュサック(仏)
1808	マグネシウム，カルシウム，ストロンチウム，バリウム…………………	デイビー(英)
1808	ホウ素……………………………	デイビー(英)，ゲイ・リュサック(仏)，テナール(仏)
1811	分子説……………………………	アボガドロ(伊)
1812	ヨウ素……………………………	クルトア(仏)
1815	安全燈……………………………	デイビー(英)
1817	リチウム…………………………	アルフェドソン(スウェーデン)
1817	セレン……………………………	ベルセリウス(スウェーデン)
1817	カドミウム…………………………	シュトロマイヤー(独)
1818	過酸化水素…………………………	テナール(仏)
1819	同形律……………………………	ミッチェルリッヒ(独)
1819	原子熱の法則………………………	デュロン(仏)，プティ(仏)
1820	キニーネ…………………………	ペルチエ(仏)，カベントー(仏)
1824	ケイ素……………………………	ベルセリウス(スウェーデン)
1824	ポートランドセメント………………	アスプディン(英)
1825	ベンゼン…………………………	ファラデー(英)
1826	臭素………………………………	バラール(仏)
1826	アニリン(インジゴより)………………	ウンフェルドルベン(独)
1827	アルミニウム………………………	ヴェーラー(独)
1827	有機金属化合物(白金-エチレン錯体)の合成………………………	ツァイゼ(独)

年 代	事　　項	発明または発見者(生国)
1828	尿素の合成……………………………	ヴェーラー(独)
1828	トリウム………………………………	ベルセリウス(スウェーデン)
1830	バナジウム……………………………	セブストレーム(スウェーデン)
1831	分子熱の法則…………………………	ノイマン(独)
1831	クロロホルム…………………………	リービッヒ(独)
1832	気体拡散の法則………………………	グレアム(英)
1833	電気分解の法則………………………	ファラデー(英)
1834	アニリンおよび石炭酸(石炭タールより)…	ルンゲ(独)
1836	ダニエル電池…………………………	ダニエル(英)
1836	電気めっき法…………………………	ヤコービ(独)
1836	アセチレン……………………………	デイビー(英)
1839	ランタン………………………………	ムーサンデル(スウェーデン)
1839	潜像の発見，写真術の発明…………	ダゲール(仏)，タルボット(英)
1839	ゴムの加硫法…………………………	グッドイヤー(米)
1840	ヘスの法則……………………………	ヘス(露)
1840	オゾン…………………………………	シェーンバイン(独)
1842	有機化合物の分類……………………	ゲルアルト(仏)
1843	テルビウム，エルビウム……………	ムーサンデル(スウェーデン)
1844	ルテニウム……………………………	クラウス(露)
1845	赤リン…………………………………	シュレッテル(オーストリア)
1845	綿火薬…………………………………	シェーンバイン(独)
1850	エーテル生成の理論…………………	ウィリアムソン(英)
1855	ベッセマー製鋼法……………………	ベッセマー(英)
1856	モーブ(最初のアニリン染料)………	パーキン(英)
1858	炭素四原子価説………………………	ケクレ(独)
1859	原子スペクトル分析法………………	ブンゼン(独)，キルヒホッフ(独)
1859	鉛蓄電池………………………………	プランテ(仏)
1859	アセチレンの合成……………………	ベルトロ(仏)
1860	セシウム………………………………	ブンゼン(独)，キルヒホッフ(独)
1861	ルビジウム……………………………	ブンゼン(独)，キルヒホッフ(独)
1861	タリウム………………………………	クルックス(英)，ラミー(仏)
1861	コロイド………………………………	グレアム(英)
1862	アンモニア・ソーダ法………………	ソルベイ(ベルギー)
1863	インジウム……………………………	ライヒ(独)，リヒター(独)
1864	質量作用の法則………………………	グルドベルグ(ノルウェー)， ワーゲ(ノルウェー)

年　代	事　　項	発明または発見者(生国)
1865	ベンゼンの構造式	ケクレ(独)
1866	ダイナマイト	ノーベル(スウェーデン)
1866	ルクランシェ電池	ルクランシェ(仏)
1867	ホルマリン	ホフマン(独)
1868	ヘリウム	ロッキヤー(英)，フランクランド(英)
1869	元素の周期律	メンデレーエフ(露)
1869	セルロイド	ハイアット(米)
1874	不斉炭素原子説	ファントホッフ(蘭)，ル･ベル(仏)
1875	ガリウム	ボアボードラン(仏)
1876	相律	ギブズ(米)
1877	酸素，窒素，メタン，一酸化炭素の液化	カイユテ(仏)，ピクテ(スイス)
1878	ホルミウム，ツリウム	クレーヴェ(スウェーデン)
1878	イッテルビウム	マリニャク(スイス)
1879	スカンジウム	ニルソン(スウェーデン)
1879	サマリウム	ボアボードラン(仏)
1880	ガドリニウム	マリニャク(スイス)
1880	インジゴの合成	バイヤー(独)
1883	キェルダール窒素分析法	キェルダール(デンマーク)
1884	ガスマントル	ウェルスバッハ(オーストリア)
1884	糖類の合成	フィッシャー(独)
1884	ルシャトリエの原理	ルシャトリエ(仏)，ブラウン(独)
1884	人造絹糸	シャルドネ(仏)
1885	プラセオジム，ネオジム	ウェルスバッハ(オーストリア)
1885	エフェドリン	長井長義(日)
1886	フッ素	モアッサン(仏)
1886	ゲルマニウム	ヴィンクラー(独)
1886	ジスプロシウム	ボアボードラン(仏)
1886	蒸気圧降下の法則	ラウール(仏)
1886-87頃	乾電池	屋井先蔵(日)，ガスナー(独)，ヘレセン(デンマーク)
1887	希薄溶液の理論	ファントホッフ(蘭)
1887	電解質溶液の電離説	アレニウス(スウェーデン)
1888	オストヴァルト希釈律	オストヴァルト(独)
1889	電離溶圧(単極電位のネルンストの式)	ネルンスト(独)
1891	カーボランダム	アチソン(米)
1892	指示薬理論	オストヴァルト(独)
1893	配位説	ウェルナー(スイス)

年代	事項	発明または発見者(生国)
1894	アルゴン	レイリー(英)，ラムゼー(英)
1894	空気の液化装置	リンデ(独)
1895	ヘリウム	ラムゼー(英)
1896	ワルデン反転	ワルデン(独)
1898	ラジウム，ポロニウム	キュリー夫妻(仏，ポーランド)
1898	クリプトン，ネオン，キセノン	ラムゼー(英)，トレバース(英)
1898	水素の液化	デューア(英)
1899	アクチニウム	ドビエルヌ(仏)
1900	ラドン	ドルン(独)
1900	トリフェニルメチルラジカルの発見	ゴンバーグ(米)
1901	ユウロピウム	ドマルセイ(仏)
1901	溶解度積	ネルンスト(独)
1901	グリニャール試薬	グリニャール(仏)
1901	結晶状アドレナリン	高峰譲吉(日)
1901	ショウノウの合成	コンパ(フィンランド)
1905	テルミット法	ゴールドシュミット(ノルウェー)
1905	空中窒素固定法	ビルケランド(ノルウェー)，アイデ(独)
1905	ニッケル触媒による水素添加法	サバチエ(仏)
1906	pH ガラス電極	クレーマー(英)，ハーバー(独)
1906	熱力学第三法則	ネルンスト(独)
1906	アンモニアの工業的合成法	ハーバー(独)，ボッシュ(独)
1907	ルテチウム	ユルバン(仏)
1907	漆の研究	真島利行(日)
1908	ヘリウムの液化	オンネス(蘭)
1908	旨味物質グルタミン酸ナトリウム	池田菊苗(日)
1909	ベークライト	ベークランド(米)
1909	サルバルサン	エールリッヒ(独)，秦佐八郎(日)
1910	オリザニン(ビタミンB)	鈴木梅太郎(日)
1912	光化学当量の法則	アインシュタイン(独)
1912	分子の双極子モーメント	デバイ(蘭)
1912	ビタミンC	ホルスト(ノルウェー)，フローリッヒ(ノルウェー)
1912	ボラン(水素化ホウ素)	シュトック(独)
1913	トレーサー法	ヘヴェシー(ハンガリー)
1913	放射性元素の変位則	ソディー(英)，ファヤンス(ポーランド)
1913	ビタミンA	マッコラム(米)，デイビス(米)

年 代	事　　　項	発明または発見者(生国)
1913	石炭の油化	ベルギウス(独)
1915	チロキシン(甲状腺ホルモン)の単離	ケンダル(米)
1916	有機微量分析法	プレーグル(オーストリア)
1916	化学結合に関するオクテット説	ルイス(米)
1916	粉末 X 線回析法	デバイ(蘭)，シェラー(スイス)
1916	吸着等温式	ラングミュア(米)
1918	プロトアクチニウム	ハーン(独)，マイトナー(オーストリア)
1919	質量分析法	アストン(英)
1920	高分子の存在の提唱(概念)	シュタウディンガー(独)
1922	石油クラッキング	エグロフ(米)
1922	インスリンの発見	バンティング(加)，マクラウド(英)
1923	強電解質理論	デバイ(蘭)，ヒュッケル(独)
1923	ハフニウム	コスター(蘭)， ヘヴェシー(ハンガリー)
1925	レニウム	ノダック(独)，タッケ(独)，ベルク(独)
1924	超遠心分離器	スウェドベリ(スウェーデン)， リンデ(スウェーデン)
1925	ポーラログラフ法	ヘイロフスキー(チェコ)，志方益三(日)
1927	ビタミン E	エバンス(英)
1927	共有結合の量子論	ハイトラー(独)，ロンドン(米)
1928	ラマン効果	ラマン(インド)
1928	ジエン合成	ディールス(独)，アルダー(独)
1928	共鳴理論	ポーリング(米)
1928	ペニシリン	フレミング(英)
1929	ヘミンの合成	フィッシャー(独)
1929	酸素の同位体	ジョーク(仏)，ジョンストン(英)
1929	濾胞ホルモン(女性ホルモン)の構造式	ブテナント(独)，ドアシー(米)
1931	ビタミン D	ウインダウス(独)ら
1931	合成ゴム	カロザース(米)，ウィリアムス(米)
1932	分子軌道法	フント(独)，マリケン(米)
1932	重水素および重水	ユーリー(米)
1933	ビタミン A の構造式	カラー(スイス)
1934	アンドロステロン(最初の男性ホルモン) の合成	ブテナント(独)
1934	黄体ホルモン(女性ホルモン)の構造式	ブテナント(独)，スロッタ(独)
1934	人工放射能	J. F. ジョリオ・キュリー(仏)， I. ジョリオ・キュリー(仏)

年代	事項	発明または発見者(生国)
1934	共有結合半径	ポーリング(米)
1934	回転異性体	水島三一郎(日)
1935	ビタミンD_2の構造式	ウインダウス(独)
1935	ビタミンB_2の構造式	カラー(スイス)，クーン(独)
1935	合成繊維ナイロン	カロザース(米)
1936	中性子放射化分析	ヘヴェシー(ハンガリー)
1936	ビタミンB_1の構造決定，合成	ウィリアムス(米)，ウインダウス(独)ら
1937	テクネチウム	セグレ(伊)，ペリエ(伊)
1937	電気泳動法による血清タンパク成分の分離	ティセリウス(スウェーデン)
1937	ビタミンAの合成	クーン(独)
1938	殺虫剤DDT	ミュラー(スイス)
1938	ウラン核分裂	ハーン(独)，シュトラスマン(独)
1939	ビタミンKの構造決定，合成	カラー(スイス)ら
1939	フランシウム	ペレイ(仏)
1940	アスタチン	セグレ(伊)，コルソン(米)
1940	ネプツニウム	マクミラン(米)ら
1940	プルトニウム	シーボルグ(米)ら
1944	分配クロマトグラフィー	マーティン・シング(英)
1944	アメリシウム	シーボルグ(米)ら
1944	キュリウム	シーボルグ(米)ら
1944	ストレプトマイシン	ワックスマン(米)
1945	プロメチウム	マリンスキー(米)，グレンデニン(米)，コリエル(米)
1946	^{14}Cによる年代決定	リビー(米)
1947	閃光光分解法	ノーリッシュ(英)，ポーター(英)
1947	トロポロン七員環化合物	野副鉄男(日)
1947	クロロマイセチン	バークホルダー(米)
1949	アデノシン三リン酸(ATP)の合成	トッド(英)
1949	レッペ反応	レッペ(独)
1949	バークリウム	シーボルグ(米)ら
1950	カリホルニウム	シーボルグ(米)ら
1951	コレステロールの全合成	ウッドワード(米)，ロビンソン(英)
1951	フェロセンの合成	ポーソン(英)，ミラー(米)
1952	フロンティア電子理論	福井謙一(日)
1952	アインスタイニウム	ギオルソ(米)ら
1952	帯域融解(ゾーンメルティング)	プファン(米)

年代	事項	発明または発見者(生国)
1953	DNAの構造決定	ワトソン(米)，クリック(英)
1953	フェルミウム	ギオルソ(米)ら
1953	低圧オレフィン重合法	チーグラー(独)，ナッタ(伊)
1954	有機半導体の発見	赤松秀雄(日)，井口洋夫(日)，松永義夫(日)
1954	ウィッティヒ反応	ウィッティヒ(独)
1955	化学緩和法	アイゲン(独)
1955	ビタミンB_{12}の構造決定	ホジキン(英)
1955	インスリンのアミノ酸配列決定	サンガー(英)
1955	人造ダイヤモンド	ホール(米)ら
1955	メンデレビウム	ギオルソ(米)ら
1956	ハイドロボレーション反応	ブラウン(米)
1956	X線光電子分光法	シーグバーン(スウェーデン)
1958	ノーベリウム	シーボーグ(米)ら
1958	レーザーの発明	シャーロー(米)，タウンズ(米)
1958	DNAの酵素的合成	コーンバーグ(米)ら
1958	メスバウアー分光法	メスバウアー(独)
1959	性フェロモンの発見	ブテナント(独)
1959	ラジオイムノアッセイ	ヤロー(米)，バーソン(米)
1961	ローレンシウム	ギオルソ(米)ら
1962	キセノン化合物の合成	バートレット(英)
1962	緑色蛍光タンパク質(GFP)の発見	下村脩(日)
1964	化学レーザー	ピメンテル(米)
1965	ウッドワード-ホフマン則	ウッドワード(米)，ホフマン(米)
1967	クラウンエーテルの合成	ペダーセン(米)
1969	ラザホージウム	フレロフ(露)ら，ギオルソ(米)ら
1969	五価炭素の同定	オラー(米)
1970	ドブニウム	フレロフ(露)ら，ギオルソ(米)ら
1972	ヘック反応(Pdによるオレフィンのフェニル化)	ヘック(米)
1973	ビタミンB_{12}の全合成	ウッドワード(米)，エッシェンモーザー(スイス)
1974	シーボーギウム	ギオルソ(米)ら
1977	核酸の塩基配列決定法	マクサム(米)，ギルバート(米)
1977	導電性高分子の発見	白川英樹(日)，ヒーガー(米)，マクダイアミッド(米)
1977	根岸クロスカップリング	根岸英一(日)
1979	鈴木-宮浦クロスカップリング	鈴木章(日)，宮浦憲夫(日)

年代	事項	発明または発見者(生国)
1981	ボーリウム……………………………	アルムブルスター(独), ミュンツェンベルク(独)ら
1982	マイトネリウム………………………	アルムブルスター(独), ミュンツェンベルク(独)ら
1982	準結晶…………………………………	シェヒトマン(イスラエル)
1983	走査型トンネル顕微鏡の発明…………	ビニッヒ(スイス), ローラー(スイス)
1984	ハッシウム……………………………	アルムブルスター(独), ミュンツェンベルク(独)ら
1984	エレクトロスプレーイオン化質量分析…	山下雅道(日), フェン(米)
1985	DNA の PCR(ポリメラーゼ連鎖反応)法	マリス(米)
1985	フラーレン C_{60} の発見 …………………	カール(米), クロトー(英), スモーリー(米)
1985	リチウムイオン電池に関する基本概念の確立………………………………	吉野彰(日)
1986	高温超伝導物質………………………	ベドノルツ(スイス), ミュラー(スイス)
1986	光合成細菌反応中心の三次元構造……	ダイゼンホーファー(独), ミヒェル(独), フーバー(独)
1987	フェムト秒化学反応観測法…………	ズベイル(エジプト)
1988	マトリックス支援レーザー脱離イオン化質量分析………………………	田中耕一(日) ら
1989	パリトキシンの合成…………………	岸義人(日)
1991	カーボンナノチューブの発見………	飯島澄男(日)
1994	ダームスタチウム……………………	ホフマン(独), アルムブルスター(独)ら
1994	レントゲニウム………………………	ホフマン(独), アルムブルスター(独)ら
1995	不斉水素化反応………………………	野依良治(日)
1996	112 番元素コペルニシウム …………	ホフマン(独)ら
1998	114 番元素フレロビウム …………	オガネシアン(露)ら
2000	116 番元素リバモリウム…………	オガネシアン(露)ら
2004	グラフェン……………………………	ガイム(露), ノボセロフ(露)
2004	113 番元素ニホニウム ………………	森田浩介(日) ら
2004	115 番元素モスコビウム …………	オガネシアン(露)ら
2006	118 番元素オガネソン ………………	オガネシアン(露)ら
2010	117 番元素テネシン ………………	オガネシアン(露)ら

この年表に掲載されていない元素（炭素, 硫黄, 鉄, 銅, 銀, スズ, アンチモン, 金, 水銀, 鉛)はいずれも紀元前より知られている. ビスマスは 1500 年頃までに知られていることはわかっているが発見者は特定できない.

地学部

地　理

地球の形と大きさに関する最新の値

1999 年 8 月英国バーミンガムで開催された国際測地学協会（IAG）の第 3 特別委員会は，地球の形と大きさに関する最新の値を以下のとおり公表した*1.

真空中の光速度　$c = 299\,792\,458\ \mathrm{m \cdot s^{-1}}$

万有引力定数　$G = (6672.59 \pm 0.30) \times 10^{-14}\ \mathrm{m^3 \cdot s^{-2} \cdot kg^{-1}}$

地球自転の角速度　$\omega = 7\,292\,115 \times 10^{-11}\ \mathrm{rad \cdot s^{-1}}$

大気を含めた地心引力定数　$GM = (398\,600\,441.8 \pm 0.8) \times 10^6\ \mathrm{m^3 \cdot s^{-2}}$

力学的形状係数　$J_2 = (1\,082\,626.7 \pm 0.1) \times 10^{-9}$（tide-free system）*2

$J_2 = (1\,082\,635.9 \pm 0.1) \times 10^{-9}$（zero-frequency tide system）

地球の赤道半径　$a = (6\,378\,136.59 \pm 0.10)\ \mathrm{m}$（tide-free system）

$a = (6\,378\,136.62 \pm 0.10)\ \mathrm{m}$（zero-frequency tide system）

赤道における正規重力（zero-frequency tide system）

$\gamma_e = (978\,032.78 \pm 0.2) \times 10^{-5}\ \mathrm{m \cdot s^{-2}}$

扁平率（f）　$1/f = 298.257\,65 \pm 0.000\,01$（tide-free system）

$1/f = 298.256\,42 \pm 0.000\,01$（zero-frequency tide system）

ジオイド上のポテンシャル　$W_o = (62\,636\,855.611 \pm 0.5)\ \mathrm{m^2 \cdot s^{-2}}$

三軸パラメーター

赤道面楕円の扁平率（f_1）　$1/f_1 = 91\,026 \pm 10$

赤道面楕円の長軸の向き　$\lambda_1 = 14.9291 \pm 0.0010°$（西経）

地球の主慣性能率の値（a_0 は地球赤道半径に相当する値：6378137 m）

（zero-frequency tide system）

$(C-A)/(Ma_0^2) = (1086.267 \pm 0.001) \times 10^{-6}$

$(C-B)/(Ma_0^2) = (1079.005 \pm 0.001) \times 10^{-6}$

$(B-A)/(Ma_0^2) = (\quad 7.262 \pm 0.004) \times 10^{-6}$

$C-A = (2.6398 \pm 0.0001) \times 10^{35}\ \mathrm{kg \cdot m^2}$

$C-B = (2.6221 \pm 0.0001) \times 10^{35}\ \mathrm{kg \cdot m^2}$

$B-A = (1.765 \pm 0.001) \times 10^{33}\ \mathrm{kg \cdot m^2}$

$C/(Ma_0^2) = (330\,701 \pm 2) \times 10^{-6}$

$A/(Ma_0^2) = (329\,615 \pm 2) \times 10^{-6}$

$B/(Ma_0^2) = (329\,622 \pm 2) \times 10^{-6}$

*1：これらの値は地球の形と大きさに関する最新の値として公表されたものであるが，基準値として地球の赤道半径，扁平率（tide-free system）を用いる場合は，つぎの値を使用する（測地基準系 1980）.

地球の赤道半径　$a = 6\,378\,137\ \mathrm{m}$

扁平率（f）　$1/f = 298.257\,222\,101$

*2：地球の形と大きさを精密に定義する場合には潮汐による地球の変形を考える必要がある．地球は太陽や月の潮汐力を受けて常に変形しつづけているからである．潮汐の影響の扱い方としては，潮汐による変形を完全に除去する方法（tide-free system），潮汐による永久変形のうち直接効果は除去するが，間接効果は除去しない方法（zero-frequency tide system），潮汐による永久変形の直接効果も間接効果も除去しない方法（mean tide system）がある.

各種の地球楕円体

楕　円　体		赤道半径 (a；m)	扁平率の逆数 ($1/f$)
ベッセル	1841	6 377 397.155	299.152 813
改訂クラーク	1880	8 249.145	293.466 3
クラソフスキー	1940	8 245	298.3
エベレスト	1956	7 301.243	300.801 7
オーストラリア国際（IAU–65）	1965	8 160	298.25
サウスアメリカ 1969	1969	8 160	.25
IAG–67	1967	8 160	.247 167
WGS 72	1972	8 135	.26
IAU–76	1976	8 140	.257
測地基準系 1980(GRS80)	1979	8 137	.257 222 101
WGS 84	1997	8 137	.257 223 563

地球楕円体に関する幾何学的諸量

緯度 (φ)	経度 1″に対する平行圏弧長 (l_1)	緯度 1″に対する子午線弧長 (l_2)	赤道から各緯線までの子午線弧長 (l_3)	メルカトル図法による赤道から各緯線までの距離 (l_4)	正距円錐図法による標準緯線の画く円の半径 (l_5)	赤道から各緯線までの緯度帯の面積 (S)	楕円体面上における地心緯度との差 ($\varphi - \varphi'$)	
°	m	m	km	km	km	km^2	′	″
0	30.922	30.715	0.000	0.000	∞	0.00	0	0.0
5	30.805	30.717	552.885	553.584	72 904.293	22 128 968.97	1	59.9
10	30.455	30.724	1 105.855	1 111.475	36 175.864	44 093 962.58	3	56.2
15	29.875	30.736	1 658.990	1 678.148	23 808.870	65 731 954.78	5	45.4
20	29.069	30.751	2 212.366	2 258.424	17 530.653	86 881 830.45	7	24.1
25	28.042	30.770	2 766.054	2 857.693	13 686.143	107 385 370.66	8	49.5
30	26.802	30.792	3 320.113	3 482.189	11 056.513	127 088 269.98	9	58.9
35	25.358	30.817	3 874.593	4 139.373	9 118.971	145 841 190.83	10	50.2
40	23.721	30.843	4 429.529	4 838.471	7 611.702	163 500 855.30	11	21.8
45	21.902	30.870	4 984.944	5 591.296	6 388.838	179 931 169.81	11	32.7
50	19.915	30.897	5 540.847	6 413.525	5 362.436	195 004 372.17	11	22.6
55	17.776	30.923	6 097.230	7 326.838	4 476.084	208 602 185.81	10	51.7
60	15.500	30.948	6 654.073	8 362.699	3 691.698	220 616 960.34	10	0.9
65	13.104	30.970	7 211.339	9 569.603	2 982.385	230 952 773.99	8	51.8
70	10.607	30.989	7 768.981	11 028.514	2 328.344	239 526 470.19	7	26.4
75	8.028	31.005	8 326.938	12 890.914	1 714.379	246 268 599.54	5	47.4
80	5.387	31.017	8 885.140	15 496.571	1 128.306	251 124 238.10	3	57.7
85	2.704	31.024	9 443.510	19 929.239	559.878	254 053 655.66	2	0.7
90	0.000	31.026	10 001.966	∞	0.000	255 032 810.86	0	0.0

上の表は**地 1** ＊1 の測地基準系 1980 の値によって計算している．
この表値の一般的な計算式は次頁に示すとおりである．

地球楕円体に関する計算式

赤道半径 a，扁平率 f，離心率 $e=\sqrt{f(2-f)}$，緯度 φ，
子午線曲率半径 $M_\varphi=\dfrac{a(1-e^2)}{(1-e^2\sin^2\varphi)^{3/2}}$，卯酉線曲率半径 $N_\varphi=\dfrac{a}{\sqrt{1-e^2\sin^2\varphi}}$，
$n=f/(2-f)$，$\varepsilon_i=3n/2i-n$ として，

$$l_1=\frac{\pi N_\varphi\cos\varphi}{648000},\quad l_2\cong\frac{\pi M_\varphi}{648000},$$

$$l_3=\int_0^\varphi M_\theta\,\mathrm{d}\theta=a^2\left(1+\frac{\mathrm{d}^2}{\mathrm{d}\varphi^2}\right)\int_0^\varphi\frac{\mathrm{d}\theta}{N_\theta}$$

$$=\frac{a}{1+n}\left(1+\frac{\mathrm{d}^2}{\mathrm{d}\varphi^2}\right)\int_0^\varphi\sqrt{1+2n\cos2\theta+n^2}\,\mathrm{d}\theta$$

$$=\frac{a}{1+n}\sum_{j=0}^{\infty}\left(\prod_{k=1}^{j}\varepsilon_k\right)^2\left\{\varphi+\sum_{l=1}^{2j}\left(\frac{1}{l}-4l\right)\sin2l\varphi\prod_{m=1}^{l}\varepsilon_{j+(-1)^m\lfloor m/2\rfloor}^{(-1)^m}\right\}^*$$

$$\approx\frac{a}{1+n}\left\{\left(1+\frac{n^2}{4}+\frac{n^4}{64}\right)\varphi-\frac{3}{2}\left(n-\frac{n^3}{8}\right)\sin2\varphi\right.$$

$$\left.+\frac{15}{16}\left(n^2-\frac{n^4}{4}\right)\sin4\varphi-\frac{35}{48}n^3\sin6\varphi+\frac{315}{512}n^4\sin8\varphi\right\}^{**},$$

$$l_4=a\int_0^\varphi\frac{M_\theta}{N_\theta\cos\theta}\,\mathrm{d}\theta=a\{\tanh^{-1}\sin\varphi-e\tanh^{-1}(e\sin\varphi)\},\quad l_5=N_\varphi\cot\varphi,$$

$$S=2\pi\int_0^\varphi M_\theta N_\theta\cos\theta\mathrm{d}\theta=\pi a^2\left(\frac{1}{e}-e\right)\left\{\frac{e\sin\varphi}{1-(e\sin\varphi)^2}+\tanh^{-1}(e\sin\varphi)\right\}$$

*　河瀬和重（2009）による．
**　Helmert, F. R.（1880）による．*で $j=2$ までとったものに相当する．

l_3 の式中，$\lfloor x\rfloor$ は x 以下の最大の整数を指すものとし，φ の一次式で表される各項の φ は，ラジアンで表した値を使用する．また，総和記号(Σ）および総乗記号(Π）による演算において，和・積を形成する範囲が空となる場合，当該和は0と，当該積は1と規約する．前頁表値の計算には**の式で十分であるが，わが国が採用する，Gauss-Krüger 投影による座標換算式の精密な導出には，n についてより高次の項が必要となる．

緯度 φ，経度 λ，楕円体高 h の地点における地心直交座標値：
$$\begin{pmatrix}X\\Y\\Z\end{pmatrix}=\begin{pmatrix}(N_\varphi+h)\cos\varphi\cos\lambda\\(N_\varphi+h)\cos\varphi\sin\lambda\\\left[N_\varphi(1-e^2)+h\right]\sin\varphi\end{pmatrix}$$

地心緯度 φ'：$\tan\varphi'=\left(1-\dfrac{e^2}{1+h/N_\varphi}\right)\tan\varphi$

とくに $h=0$ のとき，$\varphi-\varphi'=\tan^{-1}\left(\dfrac{e^2\sin\varphi\cos\varphi}{1-e^2\sin^2\varphi}\right)$

地球ポテンシャル係数

地心距離 r，地心緯度 φ'，経度 λ(東経が正)の点の重力ポテンシャル W は，

$$W=\frac{GM}{r}\left[1+\sum_{n=2}^{\infty}\sum_{m=0}^{n}\left(\frac{a}{r}\right)^{n}\overline{P}_n^m(\sin\varphi')\cdot(C_{nm}\cos m\lambda+S_{nm}\sin m\lambda)\right]+\frac{1}{2}\omega^2r^2\cos^2\varphi'$$

の形で表すことができる．a は地球の赤道半径，GM は地心引力定数，また $\overline{P}_n^m(\mu)$ は完
に正規化されたルジャンドル陪関数で，通常のルジャンドル陪関数 $P_n^m(\mu)$ から

$$\overline{P}_n^m(\mu)=\sqrt{(2-\delta_{0m})(2n+1)\frac{(n-m)!}{(n+m)!}}\,P_n^m(\mu),\quad \text{ただし}\quad \delta_{0m}=\begin{cases}1\cdots\cdots m=0\\0\cdots\cdots m\neq 0\end{cases}$$

で定義される．

ここで $W=W_0$ とおけば，$(r,\ \varphi',\ \lambda)$ はジオイド上の点となり，上式はジオイドの
を与える．

係数 C_{nm}，S_{nm} の値($n\leqq 6$，$m\leqq 6$，小数点以下 9 桁目を四捨五入)　(単位：10

n	m	C_{nm}	S_{nm}	n	m	C_{nm}	S_{nm}
2	0	−484.16514379	0.00000000	5	0	0.06867029	0.00000000
2	1	−0.00020662	0.00138441	5	1	−0.06292119	−0.09436981
2	2	2.43938357	−1.40027370	5	2	0.65207804	−0.32335319
3	0	0.95716121	0.00000000	5	3	−0.45184715	−0.21495541
3	1	2.03046201	0.24820042	5	4	−0.29532876	0.04980706
3	2	0.90478789	−0.61900548	5	5	0.17481180	−0.66937994
3	3	0.72132176	1.41434926	6	0	−0.14995393	0.00000000
4	0	0.53996587	0.00000000	6	1	−0.07592101	0.02651226
4	1	−0.53615739	−0.47356735	6	2	0.04864889	−0.37378932
4	2	0.35050162	0.66248003	6	3	0.05724516	0.00895201
4	3	0.99085677	−0.20095672	6	4	−0.08602379	−0.47142557
4	4	−0.18851963	0.30880388	6	5	−0.26716642	−0.53649315
				6	6	0.00947069	−0.23738235

EGM2008 (Pavlis et al., 2012) による．なお，永年潮汐については tide-free syste
に準拠しており，**地 282** の世界のジオイド高分布図もこのモデルに基づいている．

日本測地系 2011

測量法の改正により，2002 年 4 月 1 日から日本の測地座標系は世界測地系である日本
地系 2000 に移行された．その後，平成 23 年 (2011 年) 東北地方太平洋沖地震に伴う地
変動により，日本測地系 2011 に移行され，日本経緯度原点および日本水準原点の原点数
も改定された．その諸元は以下のとおりである．

	地　域	地球基準座標系	地球楕円体
日本測地系 2011	青森県，岩手県，宮城県，秋田県，山形県，福島県，茨城県，栃木県，群馬県，埼玉県，千葉県，東京都(島しょを除く)，神奈川県，新潟県，富山県，石川県，福井県，山梨県，長野県，岐阜県	国際地球基準座標系 2008 (ITRF2008)	測地基準系 1980 (GRS80)
	上記以外の地域	ITRF94	

日本経緯度原点 (東京都港区麻布台 2 丁目 18 番 1)

　経緯度　　λ：139°44′28.″8869 E　φ：35°39′29.″1572 N

　地心直交座標値　$X=-3\,959\,340.203$ m　$Y=3\,352\,854.274$ m　$Z=3\,697\,471.413$ m

　原点方位角　A：32°20′46.″209 (つくば超長基線電波干渉計観測点金属標の十
の交点方向，真北を基準として右回りの方位)

日本水準原点 (東京都千代田区永田町 1 丁目 1 番 2)

　H：24.3900 m (東京湾平均海面上)

世界各緯度帯の海陸の面積とその比

緯度	面積 (10^6 km^2)		百分率 (%)	
	陸地	海洋	陸地	海洋
90° −80° N	0.407	3.502	10	90
80 −70 〃	3.494	8.103	30	70
70 −60 〃	13.352	5.558	71	29
60 −50 〃	14.636	10.977	57	43
50 −40 〃	16.457	15.046	52	48
40 −30 〃	15.622	20.790	43	57
30 −20 〃	15.113	25.093	38	62
20 −10 〃	11.249	31.538	26	74
10° N− 0°	10.039	34.055	23	77
90° N− 0°	100.370	154.663	39.4	60.6
0° −10° S	10.399	33.695	24	76
10 −20 〃	9.433	33.355	22	78
20 −30 〃	9.314	30.893	23	77
30 −40 〃	4.146	32.266	11	89
40 −50 〃	0.991	30.512	3	97
50 −60 〃	0.216	25.396	1	99
60 −70 〃	1.601	17.309	8	92
70 −80 〃	7.295	4.302	63	37
80 −90 〃	3.477	0.431	89	11
0° −90° S	46.874	208.159	18.4	81.6
90° N−90° S	147.244	362.822	28.9	71.1

陸地：海洋＝1：2.46

上の表は地球地図全球版第 2 版（土地被覆）を用いて，GRS80 楕円体（**地 2**「各種の地球楕円体」の表参照）に準拠して算出している．

＊　国土地理院による．

世界のおもな島(1)（面積1万 km^{2}を超えるもの,〔　〕内は別名）

名称	所属(国名・地域名)	＊面積(10^2 km^2) A	B
グリーンランド(Greenland)	デンマーク	21 756	2 175
ニューギニア(New Guinea)〔イリアン〕	インドネシア・パプアニューギニア	7 719	8 085
ボルネオ (Borneo)〔カリマンタン〕	インドネシア・マレーシア・ブルネイ	7 366	7 456
マダガスカル(Madagascar)	マダガスカル	5 903	5 87
バフィン (Baffin)〔バッフィン〕	カナダ[1]	5 122	5 075
スマトラ (Sumatra)	インドネシア	4 338	4 736
本　州	日　本	2 302	2 274
グレートブリテン(Great Britain)	イギリス	2 178	2 185
ビクトリア (Victoria)	カナダ	2 173	2 173
エレスメア (Ellesmere)〔エルズメーア〕	カナダ	1 962	1 962
スラウェシ (Sulawesi)〔セレベス〕	インドネシア	1 794	1 892
サウスアイランド(South I.)	ニュージーランド	1 505	1 512
ジャワ (Java)	インドネシア	1 261	1 322
キューバ (Cuba)	キューバ	1 145	1 109
ノースアイランド(North I.)	ニュージーランド	1 143	1 158
ニューファンドランド(Newfoundland)	カナダ	1 107	1 089
ルソン (Luzon)	フィリピン	1 057	1 047
アイスランド(Iceland)	アイスランド	1 028	1 028
ミンダナオ (Mindanao)	フィリピン	956	946
アイルランド(Ireland)	アイルランド・イギリス	821	830
北海道	日　本	784	781
イスパニオラ(Hispaniola)〔ハイチ〕	ハイチ・ドミニカ	772	762
樺太〔サハリン〕(Sakhalin)	ロシア	770	764
タスマニア (Tasmania)	オーストラリア	679	678
セイロン (Ceylon)〔スリランカ〕	スリランカ	656	656
ノバヤゼムリヤ(北島)(Novaja Zemlja)	ロシア	482	471
ティエラデルフエゴ(Tierra del Fuego)	アルゼンチン・チリ	480	470
アレクサンドラ一世(Alexandra I)	南　極	432	——
九　州	日　本	420	366
スピッツベルゲン(Spitzbergen)	ノルウェー[2]	395	378
ニューブリテン(New Britain)	パプアニューギニア	337	——
ノバヤゼムリヤ(南島)(Novaja Zemlja)	ロシア	332	332
タイワン (台湾)	台　湾	360	359
ハイナン (海南)	中　国	356	——
バンクーバー(Vancouver)	カナダ	331	——
チモール (Timor)	インドネシア	330	——
シチリア (Sicilia)	イタリア	255	254
サルジニア (Sardinia)	イタリア	238	241
四　国	日　本	188	183
ハルマヘラ (Halmahera)〔ジロロ〕	インドネシア	180	——
ニューカレドニア(New Caledonia)	フランス	161	——
オクチャブルスコイ　レボリュチ (Okt'abr'skoj Revol'ucii)	ロシア[3]	145	——

世界のおもな島(2)

名称		所属(国名・地域名)	＊面積(10^2 km^2) A	＊面積(10^2 km^2) B
フロレス	(Flores)	インドネシア	143	——
スンバワ	(Sumbawa)	インドネシア	133	——
サマル	(Samar)	フィリピン	133	——
ニューアイルランド	(New Ireland)	パプアニューギニア	130	——
ネグロス	(Negros)	フィリピン	127	——
コテルヌイ	(Kotel'ny)	ロシア[5]	120	——
ボルシェビク	(Bol'ševik)	ロシア[4]	118	——
パラワン	(Palawan)	フィリピン	117	——
パナイ	(Panay)	フィリピン	115	——
ジャマイカ	(Jamaica)	ジャマイカ	115	——
バンカ	(Banka)	インドネシア	113	——
スンバ	(Sumba)	インドネシア	111	——
ハワイ	(Hawaii)	米　国	104	——
ケープブレトン	(Cape Breton)	カナダ[6]	104	——
ビチレブ	(Viti Levu)	フィジー	103	——

＊　A は Geogr. Taschenbuch 1951-52 版，B は The Times Comprehensive Atlas of the World, 14th edition, 2014 年版所載の値．ただし，発表年度の新しい B が A より正確であるとは必ずしも断定できない．

1)　カナダ北部にあるバンクス，デボンなど 12 個の大島は省略．

2)　スバールバル諸島の主島．

3), 4)　セベルナヤゼムリャ諸島の島．

5)　ノボシビルスク諸島の主島．

6)　ニューファンドランド南方の島

日本のおもな島

名称	所属	面積(km^2)	名称	所属	面積(km^2)
本　州		227 938	西表島（いりおもてじま）	沖　縄	290
北海道	北海道	77 982	徳之島（とくのしま）	鹿児島	248
九　州		36 782	色丹島（しこたんとう）	北海道	248
四　国		18 296	島　後（どうご）	島　根	242
択捉島（えとろふとう）	北海道	3 167	上　島（かみしま）	熊　本	226
国後島（くなしりとう）	北海道	1 489	石垣島（いしがきじま）	沖　縄	222
沖縄島（おきなわじま）	沖　縄	1 208	利尻島（りしりとう）	北海道	182
佐渡島（さどしま）	新　潟	855	中通島（なかどおりしま）	長　崎	168
大　島（おおしま）	鹿児島	712	平戸島（ひらどしま）	長　崎	163
対　馬（つしま）	長　崎	696	宮古島（みやこじま）	沖　縄	159
淡路島（あわじしま）	兵　庫	592	小豆島（しょうどしま）	香　川	153
下　島（しもしま）	熊　本	575	奥尻島（おくしりとう）	北海道	143
屋久島（やくしま）	鹿児島	504	壱岐島（いきしま）	長　崎	135
種子島（たねがしま）	鹿児島	444	屋代島（やしろじま）	山　口	128
福江島（ふくえじま）	長　崎	326			

(1)　面積 100 km^2 以上のもの．

(2)　面積は本島のみの値．

国土地理院「令和 6 年全国都道府県市区町村別面積調（1 月 1 日時点)」による．

世界のおもな高山 (1) (*印は火山, 〔 〕内は別名)

地図番号	山名	所在 山地名・島名	所在 国名・地域名	標高 (m)
	アジア			
1	エベレスト(Everest)〔チョモランマ, サガルマータ〕	ヒマラヤ	中国・ネパール	8 848
2	ゴドウィンオースチン(Godwin Austen)〔K2, チョゴリ〕	カラコルム	(カシミール・シンチャン)	8 611
3	カンチェンジュンガ(Kangchenjunga)	ヒマラヤ	インド・ネパール	8 586
4	ローツェ(Lhotse)	ヒマラヤ	中国・ネパール	8 516
5	マカルウ(Makalu)	ヒマラヤ	中国・ネパール	8 463
6	チョーオユ(Cho Oyu)	ヒマラヤ	中国・ネパール	8 201
7	ダウラギリ I (Dhaulagiri I)	ヒマラヤ	ネパール	8 167
8	マナスル(Manaslu)	ヒマラヤ	ネパール	8 163
9	ナンガパルバット(Nanga Parbat)	ヒマラヤ	(カシミール)	8 126
10	アンナプルナ I (Annapurna I)	ヒマラヤ	ネパール	8 091
11	ガシャーブルム I (Gasherbrum I)	カラコルム	(カシミール)	8 068
12	シシャパンマ フェン(Xixabangma Feng)	ヒマラヤ	中 国	8 027
13	チリチュミール(Tirich Mir)	ヒンドゥークシ	パキスタン	7 690
14	コングル(Kongur)	パミール	中 国	7 649
15	ミニャコンカ(Minya Konka)〔ゴンガシャン〕	チベット東南部	中 国	7 556
16	ムスターグアタ(Muztagata)	パミール	中 国	7 509
17	イスモイリソモニ(Qullai Ismoili Somoni)	パミール	タジキスタン	7 495
18	ジェニチョクス(Jengish Chokusu)	テンシャン	キルギス・中国	7 439
19	ハンテンリ(Khantengri)	テンシャン	キルギス	6 995
20	ムスターグ(Muztag)	クンルン中部	中 国	6 973
21	ダマバンド(Damavand)*	エルブールズ	イラン	5 670
22	エルブルース(El'brus)*	カフカス	ロシア	5 642
23	ゴラディクタウ(Gora Dykh-Tau)	カフカス	ロシア	5 204
24	シハラ(Shkhara)	カフカス	ロシア・ジョージア	5 201
25	ビュクアル ダー(Büyük Ağri Daği)〔アララト〕*		トルコ	5 165
26	カズベク(Kazbek)	カフカス	ロシア・ジョージア	5 047
27	クリュチェフスカヤ(Klyuchevskaya)*	カムチャツカ	ロシア	4 754
28	ザルド クー(Zard Kuh)	ザグロス	イラン	4 548
29	キナバル(Kinabalu)	ボルネオ(カリマンタン)	マレーシア	4 095
30	ユイ シャン(玉山)	台湾島	台 湾	3 950
31	クリンチ(Kerinci)*	スマトラ島	インドネシア	3 800
32	タイバイ シャン(Taibai Shan)	チンリン	中 国	3 767
33	ハヅルシュエイブ(Hadūr Shu'ayb)〔ナビーシュアイブ〕	アラビア半島	イエメン	3 760
34	リンジャニ(Rinjani)*	ロンボク島	インドネシア	3 726
35	ムンクサルジク(Munku Sardyk)	サヤン	ロシア・モンゴル	3 491
36	ビクトリア(Victoria)	アラカン	ミャンマー	3 053
37	アポ(Apo)*	ミンダナオ島	フィリピン	2 938

世界のおもな高山 (2)

地図番号	山名	所在 山地名・島名	所在 国名・地域名	標高 (m)
38	ピヅルタラーガラ(Pidurutalagala)	セイロン島	スリランカ	2 524
39	マヨン(Mayon)*	ルソン島	フィリピン	2 462
	ヨーロッパ			
40	モン　ブラン(Mont Blanc)	アルプス	フランス・イタリア	4 810
41	モンテ　ローザ(Monte Rosa)	アルプス	イタリア・スイス	4 634
42	ドム(Dom)	アルプス	スイス	4 545
43	バイスホルン(Weisshorn)	アルプス	スイス	4 506
44	マッターホルン(Matterhorn)	アルプス	イタリア・スイス	4 478
45	ユングフラウ(Jungfrau)	アルプス	スイス	4 158
46	ピッツベルニナ(Piz Bernina)	アルプス東部	イタリア・スイス	4 049
47	グロスグロックナ(Grossglockner)	アルプス東部	オーストリア	3 798
48	ムルアセン(Mulhacén)	シエラネバダ	スペイン	3 482
49	アネト(Aneto)	ピレネー	スペイン	3 404
50	エトナ(Etna)*	シチリア島	イタリア	3 357
51	コルノ(Corno)	アペニン	イタリア	2 912
52	オリンボス(Olimbos)	ピンドス	ギリシア	2 911
53	モンテ　チント(Monte Cinto)	コルシカ島	フランス	2 706
54	モルドビアヌ(Moldoveanu)	カルパート	ルーマニア	2 544
55	ジュルミトル(Durmitor)	ジナルアルプス	モンテネグロ	2 522
56	グリッテルティンデン(Glittertinden)	スカンジナビア	ノルウェー	2 465
57	クヴァンナダールスフニュークル(Hvannadalshnukur)*	アイスランド島	アイスランド	2 119
58	ナロドナヤ(Narodnaya)	ウラル	ロシア	1 895
59	ベンネビス(Ben Nevis)	スコットランド	イギリス	1 345
	アフリカ			
60	キリマンジャロ(Kilimanjaro)*		タンザニア	5 895
61	ケニア(Kenya)〔キリニヤガ〕		ケニア	5 199
62	スタンリー(Stanley)	ルウェンゾリ	ウガンダ・コンゴ	5 109
63	ラスデジェン(Ras Dejen)	エチオピア高原	エチオピア	4 620
64	メルー(Meru)*		タンザニア	4 550
65	カリシンビ(Karisimbi)*		ルワンダ	4 490
66	ツブカル(Toubkal)	アトラス	モロッコ	4 167
67	カメルーン(Cameroun)*		カメルーン	4 095
68	テイデ(Pico del Teide)*	カナリア諸島	スペイン	3 715
69	ターバナヌトレニャナ(Thabana Ntlenyana)	ドラケンスバーグ	レソト	3 482
70	エミコーシ(Emi Koussi)*		チャド	3 415
71	マラー(Jebel Marra)		スーダン	3 088
72	タハト(Tahat)	アハガル〔ホガル〕	アルジェリア	2 918

世界のおもな高山 (3)

地図番号	山　　名	所在：山地名・島名	所在：国名・地域名	標高 (m)
73	マロモコトロ (Maromokotro)	ツァラタナナ	マダガスカル	2 876
	北アメリカ			
74	デナリ(Denali)〔マッキンリー〕	アラスカ	米国(アラスカ)	6 190
75	ローガン(Logan)	セントエリアス	カナダ	5 959
76	オリサバ(Orizaba)〔Citlaltepetl〕*	トランスベルサル	メキシコ	5 610
77	セントエリアス(St.Elias)	セントエリアス	カナダ・米国(アラスカ)	5 489
78	ポポカテペトル(Popocatepetl)*	トランスベルサル	メキシコ	5 393
79	フォラカー(Foraker)	アラスカ	米国(アラスカ)	5 303
80	イヒタキウアトル(Ixtaccihuatl)*	トランスベルサル	メキシコ	5 230
81	ルカニア(Lucania)	セントエリアス	カナダ	5 226
82	ブラックバーン(Blackburn)	ランゲル	米国(アラスカ)	4 996
83	ホイットニー(Whitney)	シエラネバダ	米　国	4 418
84	エルバート(Elbert)	ロッキー	米　国	4 401
85	ハーバード(Harvard)	ロッキー	米　国	4 395
86	レーニア(Rainier)*	カスケード	米　国	4 392
87	ブランカ　ピーク(Blanca Peak)	ロッキー	米　国	4 364
88	シャスタ(Shasta)*	カスケード	米　国	4 317
89	パイクス　ピーク(Pikes Peak)	ロッキー	米　国	4 301
90	ケネディ(Kennedy)	セントエリアス	カナダ	4 237
91	タフムルコ(Tajamulco)*		グアテマラ	4 203
92	ウォジントン(Waddington)	コースト	カナダ	4 042
93	ロブスン(Robson)	ロッキー	カナダ	3 954
94	チリポ(Chirripó)		コスタリカ	3 818
95	バル(Baru)*		パナマ	3 474
96	フード(Hood)*	カスケード	米　国	3 426
97	ベーカー(Baker)*	カスケード	米　国	3 285
98	ラッセン　ピーク(Lassen Peak)*	カスケード	米　国	3 187
99	ドゥアルテ(Pico Duarte)	イスパニオラ島	ドミニカ	3 175
100	キール　ピーク(Keele Peak)	マッケンジー	カナダ	2 972
101	カトマイ(Katmai)*	アリューシャン	米国(アラスカ)	2 047
102	ミッチェル(Mitchell)	アパラチア	米　国	2 037
	南アメリカ			
103	アコンカグア(Aconcagua)	アンデス	アルゼンチン	6 961
104	オーホスデルサラド(Ojos del Salado)*	アンデス	アルゼンチン・チリ	6 879
105	ボネテ(Bonete)	アンデス	アルゼンチン	6 872
106	ピシス(Pissis)	アンデス	アルゼンチン	6 793
107	トゥプンガト(Tupungato)*	アンデス	アルゼンチン・チリ	6 570

世界のおもな高山 (4)

図番号	山　名	所在 山地名・島名	所在 国名・地域名	標高 (m)
108	メルセダリオ(Mercedario)	アンデス	アルゼンチン	6 770
109	ワスカラン(Huascaran)	アンデス西山系	ペルー	6 768
110	ジュジャイジャコ(Llullaillaco)*	アンデス	アルゼンチン・チリ	6 739
111	サハマ(Sajama)*	アンデス西山系	ボリビア	6 542
112	イヤンプ(Illampu)	アンデス東山系	ボリビア	6 485
113	イリマニ (Illimani)	アンデス東山系	ボリビア	6 402
114	アウサンガテ (Auzangate)	アンデス東山系	ペルー	6 394
115	コロプーナ (Coropuna)*	アンデス西山系	ペルー	6 377
116	サルカンタイ (Salccantay)	アンデス東山系	ペルー	6 271
117	チンボラソ (Chimborazo)*	アンデス	エクアドル	6 261
118	コトパクシ(Cotopaxi)*	アンデス	エクアドル	5 911
119	ミスチ(El Misti)*	アンデス東山系	ペルー	5 822
120	クリストバルコロン(Cristobal Colon)	アンデス中央山系	コロンビア	5 775
121	マイポー(Maipo)*	アンデス	アルゼンチン・チリ	5 323
122	ボリバル(Bolivar)	アンデス東山系	ベネズエラ	5 007
123	フィツロイ(Fitz Roy)	アンデス	アルゼンチン・チリ	3 375
124	バンデイラ(Bandeiras)	マンチケイラ	ブラジル	2 890
125	ロライマ(Roraima)	ギアナ	ガイアナ・ベネズエラ	2 810
	オセアニア・南極			
126	ジャヤ(Jaya)〔カルステンツ〕	ニューギニア島	インドネシア	4 884
127	ビンソン　マッシーフ(Vinson Massif)	南　極	――――	4 892
128	トリコラ(Trikora)	ニューギニア島	インドネシア	4 730
129	マンダラ(Mandala)	ニューギニア島	インドネシア	4 700
130	ヤミン(Yamin)	ニューギニア島	インドネシア	4 595
131	ウィルヘルム(Wilhelm)	ニューギニア島	パプアニューギニア	4 509
132	ギルウエ(Giluwe)	ニューギニア島	パプアニューギニア	4 368
133	マウナ　ケア(Mauna Kea)*	ハワイ島	米　国	4 205
134	エレバス(Erebus)*	南極　ロス島	――――	3 794
135	アオラキ(Aoraki)〔クック，アオランギ〕	ニュージーランド南島	ニュージーランド	3 724
136	ハレアカラ(Haleakala)*	マウイ島	米　国	3 055
137	ルアペフ(Ruapehu)*	ニュージーランド北島	ニュージーランド	2 797
138	バルビ(Balbi)*	ブーゲンビル島	パプアニューギニア	2 715
139	オロヘナ(Orohena)	タヒチ島	フランス	2 241
140	コジアスコ(Kosciusko)	スノーウィ	オーストラリア	2 228

標高はThe Times Atlas of the World, 2018による．ただし開発途上国のものは信頼性が低く，異なった値が出されていることが少なくない．地域区分は地体構造による．火山(*)はVolcanoes of the Worldによる．ただし，クヴァンナダールスフニュークル(Hvannadalshnukur)，オリサバ (Orizaba) はThe Times Comprehensive Atlas of the World, 15th edition, 2018による．

世界のおもな高山

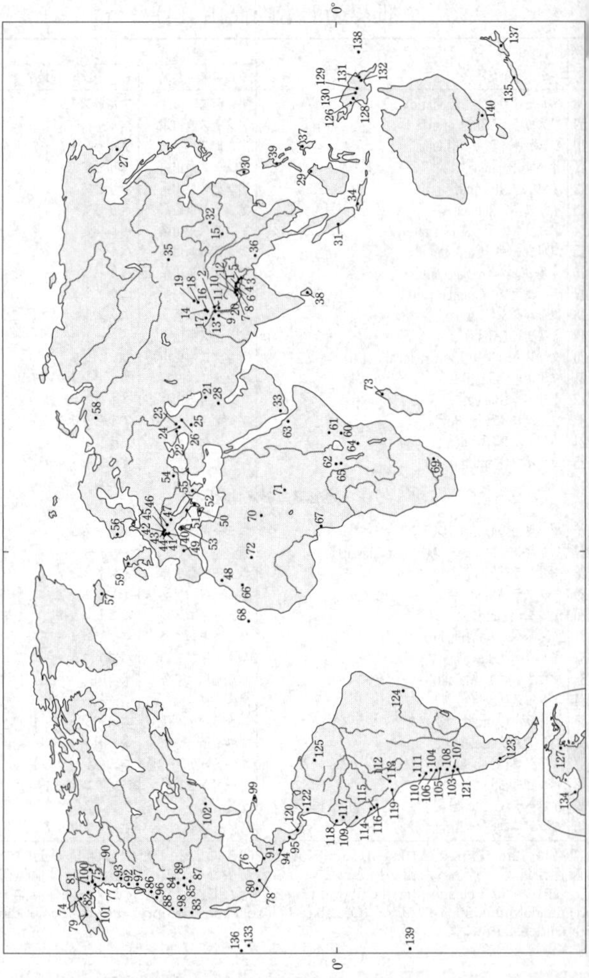

地第1図

日本のおもな山 (1)

(＊は火山)

山　　名(よみ)	所　　在	標高 (m)
北　海　道		
＊知床岳(しれとこだけ)	知床・阿寒	1 254
＊硫黄山(知床)(いおうざん)	知床・阿寒	1 562
＊羅臼岳(らうすだけ)	知床・阿寒	1 661
＊斜里岳(しゃりだけ)	知床・阿寒	1 547
＊雌阿寒岳(めあかんだけ)	知床・阿寒	1 499
礼文岳(れぶんだけ)	礼文・利尻	490
＊利尻山(りしりざん)〔利尻富士〕	礼文・利尻	1 721
天塩岳(てしおだけ)	北見山地	1 558
＊大雪山(たいせつざん)〈旭岳〉	石狩山地	2 291
＊十勝岳(とかちだけ)	石狩山地	2 077
＊ニペソツ山(――やま)	石狩山地	2 013
ピッシリ山(――ざん)	天塩山地	1 032
暑寒別岳(しょかんべつだけ)	増毛山地	1 492
芦別岳(あしべつだけ)	夕張山地	1 726
夕張岳(ゆうばりだけ)	夕張山地	1 668
幌尻岳(ぽろしりだけ)	日高山脈	2 052
カムイエクウチカウシ山(――やま)	日高山脈	1 979
神威岳(かむいだけ)	日高山脈	1 600
＊手稲山(ていねやま)	支笏・洞爺・積丹	1 023
余市岳(よいちだけ)	支笏・洞爺・積丹	1 488
＊恵庭岳(えにわだけ)	支笏・洞爺・積丹	1 320
＊羊蹄山(ようていざん)〔蝦夷富士〕	支笏・洞爺・積丹	1 898
＊昭和新山(しょうわしんざん)	支笏・洞爺・積丹	398
＊有珠山(うすざん)〈大有珠〉	支笏・洞爺・積丹	733
狩場山(かりばやま)	渡島半島	1 520
＊駒ヶ岳(北海道)(こまがたけ)〈剣ヶ峯〉	渡島半島	1 131
函館山(はこだてやま)	渡島半島	334
大千軒岳(だいせんげんだけ)	渡島半島	1 072
神威山(かむいやま)	奥尻島	584
＊江良岳(えらだけ)	渡島大島	732
本　　州		
＊燧　岳(ひうちだけ)	下北半島	781
折爪岳(おりつめだけ)	北上高地	852
姫神山(ひめかみさん)	北上高地	1 124
早池峰山(はやちねさん)	北上高地	1 917
五葉山(ごようざん)	北上高地	1 351
金華山(きんかさん)	北上高地	444
＊八甲田山(はっこうださん)〈大岳〉	奥羽山脈北部	1 585
＊八幡平(はちまんたい)	奥羽山脈北部	1 613

日本のおもな山 (2)

山　　名(よみ)	所　　在	標高 (m)
＊岩手山(いわてさん)	奥羽山脈北部	2 038
＊駒ヶ岳(秋田)(こまがたけ)〈男女岳〉	奥羽山脈北部	1 637
＊岩木山(いわきさん)	白神山地	1 625
白神岳(しらかみだけ)	白神山地	1 235
太平山(たいへいざん)	出羽山地	1 170
＊鳥海山(ちょうかいさん)〈新山〉	出羽山地	2 236
本　山(ほんざん)	男鹿半島	715
和賀岳(わがだけ)	奥羽山脈中部	1 439
＊栗駒山(くりこまやま)〔須川岳〕	奥羽山脈中部	1 626
神室山(かむろさん)	奥羽山脈中部	1 365
＊船形山(ふながたやま)〔御所山〕	奥羽山脈南部	1 500
＊蔵王山(ざおうざん・ざおうさん)〈熊野岳〉	奥羽山脈南部	1 841
＊西吾妻山(にしあづまやま)	奥羽山脈南部	2 035
＊安達太良山(あだたらやま)〈鉄山〉	奥羽山脈南部	1 709
＊磐梯山(ばんだいさん)	奥羽山脈南部	1 816
羽黒山(はぐろさん)	朝日山地	414
＊月　山(がっさん)	朝日山地	1 984
朝日岳(あさひだけ)〈大朝日岳〉	朝日山地	1 871
飯豊山(いいでさん)	飯豊山地	2 105
大日岳(だいにちだけ)	飯豊山地	2 128
霊　山(りょうぜん)	阿武隈高地	825
大滝根山(おおたきねやま)	阿武隈高地	1 192
八溝山(やみぞさん)	八溝山・筑波山	1 022
筑波山(つくばさん)	八溝山・筑波山	877
＊那須岳(なすだけ)〈茶臼岳〉	那須・日光	1 915
大佐飛山(おおさびやま)	那須・日光	1 908
＊女峰山(にょほうさん)	那須・日光	2 483
＊男体山(なんたいさん)	那須・日光	2 486
＊白根山(日光)(しらねさん)	那須・日光	2 578
＊赤城山(あかぎさん)〈黒檜山〉	那須・日光	1 828
帝釈山(たいしゃくざん)	南会津・尾瀬	2 060
駒ヶ岳(会津)(こまがたけ)	南会津・尾瀬	2 133
＊燧ヶ岳(ひうちがたけ)〈柴安嵓〉	南会津・尾瀬	2 356
至仏山(しぶつさん)	南会津・尾瀬	2 228
＊守門岳(すもんだけ)	越後山脈	1 537
駒ヶ岳(魚沼)(こまがたけ)	越後山脈	2 003
八海山(はっかいさん)〈入道岳〉	越後山脈	1 778
中ノ岳(なかのだけ)	越後山脈	2 085
巻機山(まきはたやま)	越後山脈	1 967
谷川岳(たにがわだけ)〈茂倉岳〉	越後山脈	1 978
仙ノ倉山(せんのくらやま)	越後山脈	2 026

日本のおもな山 (3)

山　名(よみ)	所　在	標高 (m)
＊苗場山(なえばさん)	苗場山・白根山・浅間山	2 145
岩菅山(いわすげやま)〈裏岩菅山〉	苗場山・白根山・浅間山	2 341
横手山(よこてやま)	苗場山・白根山・浅間山	2 307
＊本白根山(もとしらねさん)	苗場山・白根山・浅間山	2 171
＊四阿山(あずまやさん)	苗場山・白根山・浅間山	2 354
＊浅間山(あさまやま)	苗場山・白根山・浅間山	2 568
＊榛名山(はるなさん)〈掃部ヶ岳〉	苗場山・白根山・浅間山	1 449
妙義山(みょうぎさん)〈相馬岳〉	関東山地	1 104
荒船山(あらふねやま)	関東山地	1 423
両神山(りょうかみさん)	関東山地	1 723
三宝山(さんぼうやま)	関東山地	2 483
甲武信ヶ岳(こぶしがたけ)	関東山地	2 475
金峰山(きんぷさん)	関東山地	2 599
国師ヶ岳(こくしがたけ)	関東山地	2 592
北奥千丈岳(きたおくせんじょうだけ)	関東山地	2 601
＊茅ヶ岳(かやがたけ)	関東山地	1 704
武甲山(ぶこうさん)	関東山地	1 304
雲取山(くもとりやま)	関東山地	2 017
唐松尾山(からまつおやま)	関東山地	2 109
大菩薩嶺(だいぼさつれい)	関東山地	2 057
三頭山(みとうさん)	関東山地	1 531
陣馬山(じんばさん)〔陣場山〕	関東山地	855
高尾山(たかおさん)	関東山地	599
清澄山(きよすみやま)〈妙見山〉	房総・三浦	377
鹿野山(かのうざん)	房総・三浦	379
愛宕山(房総)(あたごやま)	房総・三浦	408
大楠山(おおぐすやま)	房総・三浦	241
大　山(丹沢)(おおやま)	丹沢山地	1 252
丹沢山(たんざわさん)〈蛭ヶ岳〉	丹沢山地	1 673
御正体山(みしょうたいやま)	丹沢山地	1 681
三ッ峠山(みつとうげやま)	富士山とその周辺	1 785
＊富士山(ふじさん)〈剣ヶ峯〉	富士山とその周辺	3 776
＊愛鷹山(あしたかやま)〈越前岳〉	富士山とその周辺	1 504
＊箱根山(はこねやま)〈神山〉	箱根山・伊豆半島	1 438
＊天城山(あまぎさん)〈万三郎岳〉	箱根山・伊豆半島	1 406
＊三原山(みはらやま)〈三原新山〉	伊豆諸島(大島)	758
＊宮塚山(みやつかやま)	伊豆諸島(利島)	508
＊天上山(てんじょうさん)	伊豆諸島(神津島)	572
＊雄　山(三宅島)(おやま)	伊豆諸島(三宅島)	775
＊御　山(御蔵島)(おやま)	伊豆諸島(御蔵島)	851
＊西　山(にしやま)〔八丈富士〕	伊豆諸島(八丈島)	854

日本のおもな山 (4)

山　名(よみ)	所　在	標高 (m)
＊硫黄山(いおうやま)	伊豆諸島(鳥島)	394
中央山(ちゅうおうざん)	小笠原諸島(父島)	320
乳房山(ちぶさやま)	小笠原諸島(母島)	463
榊ヶ峰(さかきがみね)	小笠原諸島(北硫黄島)	792
＊摺鉢山(すりばちやま)〔パイプ山〕	小笠原諸島(硫黄島)	172
南硫黄島(みなみいおうとう)	小笠原諸島(南硫黄島)	916
金北山(きんぽくさん)	佐　渡	1 172
弥彦山(やひこやま)	東頸城丘陵	634
米　山(よねやま)	東頸城丘陵	993
＊焼　山(新潟)(やけやま)	妙高山とその周辺	2 400
火打山(ひうちやま)	妙高山とその周辺	2 462
＊妙高山(みょうこうさん)	妙高山とその周辺	2 454
高妻山(たかつまやま)	妙高山とその周辺	2 353
戸隠山(とがくしやま)	妙高山とその周辺	1 904
聖　山(ひじりやま)	筑摩山地	1 447
美ヶ原(うつくしがはら)〈王ヶ頭〉	筑摩山地	2 034
＊霧ヶ峰(きりがみね)〈車山〉	霧ヶ峰・八ヶ岳	1 925
＊蓼科山(たてしなやま)	霧ヶ峰・八ヶ岳	2 531
横　岳(よこだけ)(茅野市・佐久穂町)	霧ヶ峰・八ヶ岳	2 480
＊赤　岳(あかだけ)	霧ヶ峰・八ヶ岳	2 899
阿弥陀岳(あみだだけ)	霧ヶ峰・八ヶ岳	2 805
黒姫山(くろひめやま)	飛騨山脈北部	1 221
小蓮華山(これんげさん)	飛騨山脈北部	2 766
白馬岳(しろうまだけ)	飛騨山脈北部	2 932
旭　岳(あさひだけ)	飛騨山脈北部	2 867
杓子岳(しゃくしだけ)	飛騨山脈北部	2 812
鑓ヶ岳(やりがたけ)	飛騨山脈北部	2 903
五龍岳(ごりゅうだけ)	飛騨山脈北部	2 814
鹿島槍ヶ岳(かしまやりがたけ)	飛騨山脈北部	2 889
針ノ木岳(はりのきだけ)	飛騨山脈北部	2 821
蓮華岳(れんげだけ)	飛騨山脈北部	2 799
三ッ岳(みつだけ)	飛騨山脈北部	2 845
野口五郎岳(のぐちごろうだけ)	飛騨山脈北部	2 924
赤牛岳(あかうしだけ)	飛騨山脈北部	2 864
水晶岳(すいしょうだけ)〔黒岳〕	飛騨山脈北部	2 986
祖父岳(じいだけ)	飛騨山脈北部	2 825
＊鷲羽岳(わしばだけ)	飛騨山脈北部	2 924
三俣蓮華岳(みつまたれんげだけ)	飛騨山脈北部	2 841
剱　岳(つるぎだけ)	飛騨山脈北部	2 999
別　山(飛騨)(べっさん)	飛騨山脈北部	2 880
真砂岳(まさごだけ)	飛騨山脈北部	2 861

日本のおもな山 (5)

山　名(よみ)	所　在	標高 (m)
立　山(たてやま)〈大汝山〉	飛驒山脈北部	3 015
龍王岳(りゅうおうだけ)	飛驒山脈北部	2 872
薬師岳(飛驒)(やくしだけ)	飛驒山脈北部	2 926
黒部五郎岳(くろべごろうだけ)〔中ノ俣岳〕	飛驒山脈北部	2 840
双六岳(すごろくだけ)	飛驒山脈北部	2 860
抜戸岳(ぬけどだけ)	飛驒山脈北部	2 813
笠ヶ岳(かさがたけ)	飛驒山脈北部	2 898
大天井岳(だいてんじょうだけ・おてんしょうだけ)	飛驒山脈南部	2 922
東天井岳(ひがしてんじょうだけ)	飛驒山脈南部	2 814
常念岳(じょうねんだけ)	飛驒山脈南部	2 857
槍ヶ岳(やりがたけ)	飛驒山脈南部	3 180
大喰岳(おおばみだけ)	飛驒山脈南部	3 101
中　岳(なかだけ)	飛驒山脈南部	3 084
南　岳(みなみだけ)	飛驒山脈南部	3 033
北穂高岳(きたほたかだけ)	飛驒山脈南部	3 106
涸沢岳(からさわだけ)	飛驒山脈南部	3 110
奥穂高岳(おくほたかだけ)	飛驒山脈南部	3 190
前穂高岳(まえほたかだけ)	飛驒山脈南部	3 090
西穂高岳(にしほたかだけ)	飛驒山脈南部	2 909
*焼　岳(やけだけ)	飛驒山脈南部	2 455
*乗鞍岳(のりくらだけ)〈剣ヶ峰〉	飛驒山脈南部	3 026
*御嶽山(おんたけさん)〈剣ヶ峰〉	御嶽山とその周辺	3 067
駒ヶ岳(木曽)(こまがたけ)	木曽山脈	2 956
三沢岳(さんのさわだけ)	木曽山脈	2 847
空木岳(うつぎだけ)	木曽山脈	2 864
南駒ヶ岳(みなみこまがたけ)	木曽山脈	2 841
恵那山(えなさん)	木曽山脈	2 191
入笠山(にゅうがさやま)	赤石山脈北部	1 955
駒ヶ岳(甲斐)(こまがたけ)	赤石山脈北部	2 967
アサヨ峰(——みね)	赤石山脈北部	2 799
観音ヶ岳(かんのんがだけ)	赤石山脈北部	2 841
薬師ヶ岳(赤石)(やくしがだけ)	赤石山脈北部	2 780
仙丈ヶ岳(せんじょうがたけ)	赤石山脈北部	3 033
北　岳(きただけ)	赤石山脈北部	3 193
間ノ岳(あいのだけ)	赤石山脈北部	3 190
農鳥岳(のうとりだけ)〈西農鳥岳〉	赤石山脈北部	3 051
広河内岳(ひろごうちだけ)	赤石山脈北部	2 895
塩見岳(しおみだけ)	赤石山脈北部	3 052
蝙蝠岳(こうもりだけ)	赤石山脈北部	2 865
小河内岳(こごうちだけ)	赤石山脈南部	2 802
東　岳(ひがしだけ)〔悪沢岳〕	赤石山脈南部	3 141

日本のおもな山 (6)

山　名(よみ)	所　在	標高 (m)
荒川岳(あらかわだけ)〈中岳〉	赤石山脈南部	3 084
赤石岳(あかいしだけ)	赤石山脈南部	3 121
大沢岳(おおさわだけ)	赤石山脈南部	2 820
中盛丸山(なかもりまるやま)	赤石山脈南部	2 807
兎　岳(うさぎだけ)	赤石山脈南部	2 818
聖　岳(ひじりだけ)〈前聖岳〉	赤石山脈南部	3 013
上河内岳(かみこうちだけ)	赤石山脈南部	2 803
光　岳(てかりだけ)	赤石山脈南部	2 592
身延山(みのぶさん)	身延山地	1 153
山　伏(やんぶし)	身延山地	2 013
久能山(くのうざん)	身延山地	216
茶臼山(ちゃうすやま)	美濃・三河高原	1 416
鳳来寺山(ほうらいじさん)	美濃・三河高原	695
猿投山(さなげやま)	美濃・三河高原	629
宝立山(ほうりゅうざん)	能登半島	471
宝達山(ほうだつさん)	宝達丘陵	637
猿ヶ馬場山(さるがばばやま)	飛騨高地	1 875
医王山(いおうぜん)〈奥医王山〉	白山山地	939
*白　山(はくさん)〈御前峰〉	白山山地	2 702
別　山(白山)(べっさん)	白山山地	2 399
能郷白山(のうごうはくさん)〔権現山〕	越美・伊吹山地	1 617
伊吹山(いぶきやま)	越美・伊吹山地	1 377
御池岳(おいけだけ)	鈴鹿・布引山地	1 247
御在所山(ございしょやま)	鈴鹿・布引山地	1 212
雨乞岳(あまごいだけ)	鈴鹿・布引山地	1 238
武奈ヶ岳(ぶながだけ)	琵琶湖周辺	1 214
皆子山(みなこやま)	琵琶湖周辺	971
比叡山(ひえいざん)〈大比叡〉	琵琶湖周辺	848
笠置山(かさぎやま)	笠置山地	324
耳成山(みみなしやま)	奈良盆地	139
天香久山(あまのかぐやま)	奈良盆地	152
畝傍山(うねびやま)	奈良盆地	199
生駒山(いこまやま)	生駒・金剛・和泉山地	642
信貴山(しぎさん)	生駒・金剛・和泉山地	437
二上山(にじょうさん)〈雄岳〉	生駒・金剛・和泉山地	517
葛城山(かつらぎさん)	生駒・金剛・和泉山地	959
金剛山(こんごうざん)	生駒・金剛・和泉山地	1 125
高見山(たかみやま)	高見山地	1 248
国見山(くにみやま)	紀伊山地東部	1 419
大台ヶ原山(おおだいがはらざん)〈日出ヶ岳〉	紀伊山地東部	1 695
八経ヶ岳(はっきょうがだけ)	紀伊山地東部	1 915

日本のおもな山 (7)

山　　名(よみ)	所　　在	標高(m)
護摩壇山(ごまだんざん)	紀伊山地西部	1 372
那智山(なちさん)〈烏帽子山〉	紀伊山地西部	910
百里ヶ岳(ひゃくりがだけ)	丹波高地	931
愛宕山(丹波)(あたごやま)	丹波高地	924
六甲山(ろっこうさん)	六甲山地	931
諭鶴羽山(ゆづるはさん)	淡路島	608
扇ノ山(おうぎのせん)	中国山地東部	1 310
氷ノ山(ひょうのせん)〔須賀ノ山〕	中国山地東部	1 510
後　山(うしろやま)	中国山地東部	1 344
大平山(吉備)(おおひらやま)	吉備高原東部	698
大満寺山(だいまんじさん)	隠　岐	608
焼火山(たくひやま)	隠　岐	452
蒜　山(ひるぜん)〈上蒜山〉	中国山地中部	1 202
*大　山(だいせん)〈剣ヶ峰〉	中国山地中部	1 729
道後山(どうごやま)	中国山地中部	1 271
比婆山(ひばやま)〈立烏帽子山〉	中国山地中部	1 299
*三瓶山(さんべさん)〈男三瓶山〉	中国山地中部	1 126
鷹ノ巣山(たかのすざん)	吉備高原西部	922
冠　山(かんざん)	中国山地西部	863
恐羅漢山(おそらかんざん)	中国山地西部	1 346
冠　山(かんむりやま)	中国山地西部	1 339
寂地山(じゃくちさん)	中国山地西部	1 337
嶮岨山(けんそざん)〈星ヶ城山〉	瀬戸内海(小豆島)	816
鷲ヶ頭山(わしがとうざん)	瀬戸内海(大三島)	436
弥　山(みせん)	瀬戸内海(厳島)	535
四　国		
飯野山(いいのやま)〔讃岐富士〕	讃岐山地とその周辺	422
竜王山(りゅうおうざん)	讃岐山地とその周辺	1 060
東三方ヶ森(ひがしさんぽうがもり)	高縄山地	1 233
剣　山(つるぎさん)	四国山地東部	1 955
三　嶺(みうね・さんれい)	四国山地東部	1 894
石鎚山(いしづちさん)〈天狗岳〉	四国山地西部	1 982
二ノ森(にのもり)	四国山地西部	1 930
笠取山(かさとりやま)	四国山地西部	1 562
九　州		
英彦山(ひこさん)	筑紫山地	1 199
脊振山(せふりさん)	筑紫山地	1 055
*鶴見岳(つるみだけ)	阿蘇・くじゅうとその周辺	1 375
*由布岳(ゆふだけ)〔豊後富士〕	阿蘇・くじゅうとその周辺	1 583

日本のおもな山 (8)

山　名(よみ)	所　在	標高 (m)
＊くじゅう連山(―れんざん)〈中岳〉	阿蘇・くじゅうとその周辺	1 791
＊阿蘇山(あそさん)〈高岳〉	阿蘇・くじゅうとその周辺	1 592
釈迦岳(しゃかだけ)	阿蘇・くじゅうとその周辺	1 231
＊多良岳(たらだけ)〈経ヶ岳〉	佐賀西部・長崎・島原	1 076
＊雲仙岳(うんぜんだけ)〈平成新山〉	佐賀西部・長崎・島原	1 483
矢立山(やたてやま)	対　馬	648
山王山(さんのうざん)〔雄嶽〕	五島列島	439
父ヶ岳(てでがたけ)	五島列島	460
祖母山(そぼさん)	九州山地	1 756
国見岳(くにみだけ)	九州山地	1 739
＊霧島山(きりしまやま)〈韓国岳〉	九州南部	1 700
＊御岳(桜島)(おんたけ)〔北岳〕	九州南部(桜島)	1 117
＊開聞岳(かいもんだけ)	九州南部	924
倉　岳(くらだけ)	天草諸島	682
角　山(かどやま)	天草諸島	526
尾　岳(おたけ)	甑島列島	604
南西諸島		
天女ヶ倉(あまめがくら)	大隅諸島(種子島)	238
＊硫黄岳(薩摩硫黄島)(いおうだけ)	大隅諸島(薩摩硫黄島)	704
櫓　岳(やぐらだけ)	大隅諸島(黒島)	620
＊古　岳(口永良部島)(ふるだけ)	大隅諸島(口永良部島)	657
宮之浦岳(みやのうらだけ)	大隅諸島(屋久島)	1 936
永田岳(ながただけ)	大隅諸島(屋久島)	1 886
＊御　岳(中之島)(おんたけ)	吐噶喇列島(中之島)	979
御　岳(おたけ)	吐噶喇列島(臥蛇島)	497
＊御　岳(諏訪之瀬島)(おたけ)	吐噶喇列島(諏訪之瀬島)	796
＊御　岳(悪石島)(みたけ)	吐噶喇列島(悪石島)	584
湯湾岳(ゆわんだけ)	奄美群島(奄美大島)	694
井之川岳(いのかわだけ)	奄美群島(徳之島)	645
大　山(沖永良部島)(おおやま)	奄美群島(沖永良部島)	240
与那覇岳(よなはだけ)	沖縄島	503
於茂登岳(おもとだけ)	八重山列島(石垣島)	526
古見岳(こみだけ)	八重山列島(西表島)	469
宇良部岳(うらぶだけ)	八重山列島(与那国島)	231

主として国土地理院「日本の山岳標高一覧―1003 山―」による.〔　〕別名,〈　〉最高峰, 同一名称の山名については名称の後に（　）地名を付した.

世界各地の雪線の高さ

地第2図

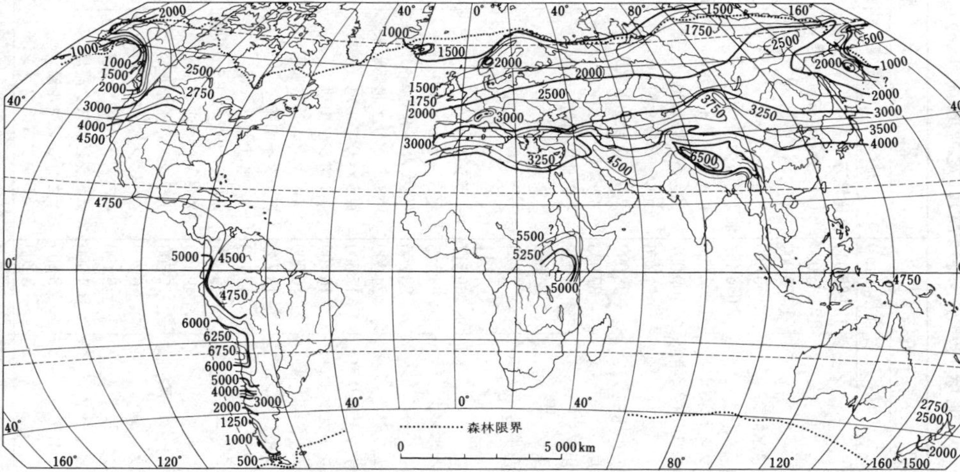

ここにおける雪線の高さとは気候的雪線高度のことで，もしそこに氷河が存在した場合，その氷河の涵(かん)養域と消耗域の境となる高度を示す（単位：m）．K. Hermes：Der Verlauf der Schneegrenze. Geograhpisches Taschenbuch, 58-71（1964）による．

地球上の氷におおわれた地域 (1)

現在		最終氷期	
地域	面積(km^2)	地域	面積(10^6 km
南極地方	**13 985 000**	**南極地方**	**14.51**
南極氷床	12 535 000	(最大氷厚 4 500 m)	
棚氷	1 400 000		
独立した諸氷河	50 000		
北アメリカ	**2 056 467**	**北アメリカ**	**17.19**
グリーンランド氷床	1 802 600	ローレンタイド氷床	11.18
クイーンエリザベス諸島	109 057	(最大氷厚 4 960 m)	
アラスカ	51 476	コルジエラ氷床	2.20
太平洋岸の山脈	38 099	グリーンランド氷床	2.16
バフィン島	37 903	エルズミーア・バフィン氷床	1.56
ロッキー山脈	12 428	その他の山地	0.09
バイロット島	4 869		
ラブラドル半島	24		
メキシコ	11		
ユーラシア	**260 517**	**ユーラシア**	**9.01**
スピッツベルゲン	68 425	北ヨーロッパ氷床	3.66
ヒマラヤ	33 200	(最大氷厚 3 390 m)	
ノバヤゼムリヤ	24 300	中央シベリア北部氷床	1.32
セーベルナヤゼムリヤ	17 500	東シベリア山地	1.24
ナンシャン・クンルン	16 700	中央アジア山地	0.87
カラコルム	16 000	ノバヤゼムリヤ氷床	0.43
フランツヨゼフランド	13 735	アルタイ山脈	0.32
アイスランド	12 173	ウラル山脈	0.24
アライ・パミール	9 375	カムチャツカ・コリヤク山脈	0.19
チベット	9 100	スピッツベルゲン	0.16
サルウィン川上流の南西方山地	7 500	トランスバイカル	0.14
ヒンズークシュ	6 200	アイスランドとヤンマイエン島	0.12
テンシャン	6 190	東アジアと中央アジア各地	0.11
トランスヒマラヤ	4 000	ノボシビルスク諸島 とウランゲル島	0.09
スカンジナビア	3 800		
アルプス	3 200	フランツヨゼフランド	0.05

地球上の氷におおわれた地域 (2)

現在		最終氷期	
地域	面積(km^2)	地域	面積(10^6 km^2)
コーカサス	1 805	アルプス山脈と周辺	0.03
ラダク・デオサイ・ルプシュ山地	1 700	シベリア各地	0.02
クンルン南・東方の山地	1 400	コーカサスと小アジア	0.01
ジュンガル山脈	956	フェローズ諸島	0.01
カムチャツカ山脈	866		
コリヤク山脈	650		
アルタイ山脈	646		
ノボシビルスク諸島	398		
スンタルハヤタ山脈	206		
チェルスキー山脈	162		
ヤンマイエン島	117		
ビランガ山脈	50		
エルブールズ山脈とトルコの山地	50		
サヤン山脈東部	32		
ウラル山脈	28		
ベルホヤンスク山脈	23		
コダール山脈	15		
ピレネー山脈	15		
南アメリカ	**26 500**	**南アメリカ**	**0.83**
オセアニア	**1 015**	**オセアニアとアフリカ**	**0.06**
ニュージーランド南島	1 000		
ニューギニア	15		
アフリカ	**12**		
世界全体	**16 329 511**	**世界全体**	**41.60**
	(陸地の 11.0%)		(現在の陸地の 27.9%)

J. Marcinek：Gletscher der Erde, (1984) Leipzig による．最大氷厚の推定は G. H. Denton & T. J. Hughes (ed.)：The Last Great Ice Sheets, (1981) New York による．

最終氷期の値は，そのなかでの最大拡大期のものであるが，いずれも 1 つの説であって確定したものではない．現在についても，たとえば南極地方で 13 799 000 km^2 という値も出されている．

世界の大河 (流域面積80万km² 以上の河川,〔　〕内は別名)

地図番号	河　川　名	流域面積 (10^3 km²)	長さ (km)	河口の所在 (国名・海洋名等)
1	アマゾン(Amazon)	7 050	6 516	ブラジル・大西洋
	マデイラ(Madeira)		3 200	
2	コンゴ(Congo)〔ザイール〕	3 700	4 667	コンゴ・大西洋
3	ナイル(Nile)	3 349	6 695	エジプト・地中海
4	ミシシッピ-ミズーリ(Mississippi-Missouri)	3 250	5 969	米国・メキシコ湾
	ミシシッピ(Mississippi)		3 765	
	ミズーリ(Missouri)		4 086	
5	ラプラタ-パラナ(La Plata-Paraná)	3 100	4 500	アルゼンチン-ウルグアイ・大西洋
	パラグアイ(Paraguay)		2 600	(パラナ川支流)
6	オビ〔オブ〕-イルチシ(Ob-Irtysh)	2 990	5 568	ロシア・オビ湾
7	エニセイ-アンガラ(Jenisej-Angara)〔Yenisey〕	2 580	5 550	ロシア・カラ海
8	レナ(Lena)	2 490	4 400	ロシア・ラプテフ海
9	長江(チャンジャン)〔揚子江〕	1 959	6 380	中国・東シナ海
10	ニジェル(Niger)	1 890	4 184	ナイジェリア・ギニア湾
11	アムール(Amur)〔ヘイロンジャン・黒龍江〕	1 855	4 416	ロシア・間宮海峡
12	マッケンジー(Mackenzie)	1 805	4 241	カナダ・ボーフォート海
13	ガンジス・ブラマプトラ	1 621		バングラデシュ・ベンガル湾
	ブラマプトラ(Brahmaputra)		2 840	
	ガンジス(Ganges)〔ガンガ〕		2 510	
14	セントローレンス(St.Lawrence)	1 463	3 058	カナダ・セントローレンス湾
15	ボルガ(Volga)	1 380	3 688	ロシア・カスピ海
16	ザンベジ(Zambezi)	1 330	2 736	モザンビーク・モザンビーク海峡
17	インダス(Indus)	1 166	3 180	パキスタン・アラビア海
18	ネルソン-サスカチェワン(Nelson-Saskatchewan)	1 150	2 570	カナダ・ウィニペグ湖
19	マーレー-ダーリング(Murray-Darling)	1 058	3 672	オーストラリア・グレートオーストラリア湾
20	オレンジ(Orange)	1 020	2 100	南アフリカ・大西洋
21	黄河(ホワンホー)	980	5 464	中国・渤海
22	オリノコ(Orinoco)	945	2 500	ベネズエラ・大西洋
23	ユーコン(Yukon)	855	3 185	米国・ベーリング海
24	ドナウ(Donau)〔ダニューブ〕	815	2 850	ルーマニア・黒海
25	メコン(Mekong)	810	4 425	ベトナム・南シナ海

おもにThe Times Comprehensive Atlas of the World, 15th edition, 2018による.

世界のおもな河川 (1) (長さ1位～100位までの河川，大陸別)

河川名		河口(合流河川)	長さ(km)	世界の順位
		アフリカ		
ナイル	Nile	地中海	6 695	1
コンゴ(ザイール)	Congo(Zaire)	南大西洋	4 667	8
ニジェル	Niger	ギニア湾	4 184	17
ザンベジ	Zambezi	モザンビーク海峡	2 736	43
カサイ	Kasai	コンゴ川	2 153	64
オレンジ	Orange	南大西洋	2 100	67
白ナイル(バハル-アル-アビアド)	White Nile(al-Bahr-al-Abyad)	ナイル川	2 084	69
ルアラバ	Lualaba	コンゴ川	1 800	90
リンポポ	Limpopo	モザンビーク海峡	1 800	90
ジューバ	Jubba(Juba)	インド洋	1 658	99
セネガル	Sénégal	南大西洋	1 641	100
		北アメリカ		
ミシシッピ-ミズーリ-レッドロック	Mississippi-Missouri-Red Rock	メキシコ湾	5 969	4
マッケンジー-ピース-フィンレイ	Mackenzie-Peace-Finlay	ボーフォート海	4 241	16
ミズーリ	Missouri	ミシシッピ川	3 767	20
ミズーリ-レッドロック	Missouri-Red Rock	ミシシッピ川	4 086	19
ミシシッピ	Mississippi	メキシコ湾	3 765	21
ユーコン-ニサトリン	Yukon-Nisutlin	ベーリング海	3 185	28
セントローレンス-五大湖	St.Lawrence-Great Lakes	セントローレンス湾	3 058	31
リオグランデ	Rio Grande	メキシコ湾	3 057	32
ユーコン	Yukon	ベーリング海	3 018	33
ネルソン-サスカチェワン	Nelson-Saskatchewan	ハドソン湾	2 570	47
アーカンザス	Arkansas	ミシシッピ川	2 348	56
コロラド	Colorado	カリフォルニア湾	2 333	57
オハイオ-アレゲニー	Ohio-Allegheny	ミシシッピ川	2 102	66
レッド	Red	ミシシッピ川	2 044	70
コロンビア	Columbia	北太平洋	2 000	73
サスカチェワン	Saskatchewan	ウィニペグ湖	1 939	79
ピース	Peace	スレーブ川	1 923	82
スネーク	Snake	コロンビア川	1 670	98
		南アメリカ		
アマゾン	Amazon	南大西洋	6 516	2
ラプラタ-パラナ	La Plata-Paraná	南大西洋	4 500	9
マデイラ-マモレ-グアポレ	Madeira-Mamoré-Guaporé	アマゾン川	3 350	25
ジュルア	Jurua	アマゾン川	3 283	26
プルス	Purus	アマゾン川	3 211	27

世界のおもな河川 (2)　(長さ1位～100位までの河川, 大陸別)

河 川 名		河口(合流河川)	長さ(km)	世界の順位
サンフランシスコ	São Francisco	南大西洋	2 900	35
ジャプラ(カケタ)	Japurá(Caquetá)	アマゾン川	2 816	39
トカンティンス	Tocantins	南大西洋	2 750	41
ウカヤリ-アプリマック	Ucayali-Apurimac	アマゾン川	2 738	42
アラグアイア	Araguaia	トカンティンス川	2 627	45
パラグアイ	Paraguay	パラナ川	2 600	46
オリノコ	Orinoco	南大西洋	2 500	51
ピルコマヨ	Pilcomayo	パラグアイ川	2 500	51
ネグロ(グアイニア)	Negro(Guainia)	アマゾン川	2 253	60
シング	Xingu	アマゾン川	2 100	67
タパジョス-テレスピレス	Tapajos-Teles Pires	アマゾン川	1 992	74
マモレ	Mamoré	マデイラ川	1 931	80
マラニョン-ワヤガ	Marañón-Huallage	アマゾン川	1 905	83
グアポレ(イテネス)	Guaporé(Iténez)	マモレ川	1 749	94
パルナイバ	Parnaiba	南大西洋	1 700	96
マドレ・デ・ディオス	Madre de Dios	ベニ川	1 700	96
	ア　ジ　ア			
長江(チャンジャン)	Chang Jiang	東シナ海	6 380	3
オビ-イルチシ	Ob-Irtysh	オビ湾	5 568	5
エニセイ-バイカル-セレンガ	Yenisey-Baykal-Selenga	カラ海	5 550	6
黄河(ホワンホー)	Huang Ho(Yellow)	渤　海	5 464	7
アムル-アルグン	Amur-Argun	オホーツク海	4 444	10
メコン	Mekong	南シナ海	4 425	11
アムール	Amur	間宮海峡	4 416	12
レ　ナ	Lena	ラプテフ海	4 400	13
オビ-カトウニ	Ob-Katun	オビ湾	4 338	14
イルチシ-コルニイルチシ	Irtysh-Chorny Irtysh	オビ川	4 248	15
エニセイ	Yenisey	カラ海	4 090	18
オ　ビ	Ob	オビ湾	3 701	22
インダス	Indus	アラビア海	3 180	29
シルダリヤ-アラベルス	Syrdarya-Arabelsu	アラル海	3 078	30
ニジニャヤ・ツングースカ	Nizhnyaya Tunguska	エニセイ川	2 989	34
ブラマプトラ	Brahmaputra	ジャムナ川	2 840	38
ユーフラテス	Euphrates	シャットル-アラブ川	2 800	40
ビリュイ	Vilyuy	レナ川	2 650	44
アムダリヤ-ピヤンジ	Amu Darya-Pyandzh	アラル海	2 540	48
コルイマ-クル	Kolyma-Kulu	東シベリア海	2 513	49
ガンジス	Ganges	パドマ川	2 510	50

世界のおもな河川 (3)　(長さ1位～100位までの河川, 大陸別)

河川名		河口(合流河川)	長さ(km)	世界の順位
イシム	Ishim	イルチシ川	2 450	53
サルウィン	Salween	マルタバン湾	2 400	55
オレニョーク	Olenyok	ラプテフ海	2 292	58
アルダン	Aldan	レナ川	2 273	59
シルダリア	Syrdarya	アラル海	2 212	61
ジュージャン(珠江)-シージャン(西江)	Zhu Jiang(Pearl)-Xi Jiang	南シナ海	2 197	63
コルイマ(コリマ)	Kolyma	東シベリア海	2 129	65
タリム	Tarim	ロプノール	2 030	71
チュリム-ベリイ・リウス	Chulym-Belyy Lyus	オビ川	2 023	72
イラワジ	Irrawaddy	アンダマン海	1 992	74
ビチム-ビチムカン	Vitim-Vitimkan	レナ川	1 978	76
インジギルカ-カスタク	Indigirka-Khastakh	東シベリア海	1 977	77
西江(シージャン)	Xi(Hsi) Jiang	南シナ海	1 957	78
ソンファジャン松花江(スンガリ)	Songhua Jiang(Sungari)	アムル川	1 927	81
チグリス	Tigris	シャットル-アラブ	1 900	84
ポドカメンナヤ・トゥングスカ	Podkamennaya Tunguska	エニセイ川	1 865	86
ビチム	Vitim	レナ川	1 837	87
チュリム	Chulym	オビ川	1 799	92
アンガラ	Angara	エニセイ川	1 779	93
インジギルカ	Indigirka	東シベリア海	1 726	95
ヨーロッパ				
ボルガ	Volga	カスピ海	3 688	23
ドナウ(ダニューブ)	Donau(Danube)	黒　海	2 850	36
ウラル	Ural	カスピ海	2 428	54
ドニプロ (ドニエプル)	Dnipro (Dnieper)	黒　海	2 200	62
ド　ン	Don	アゾフ海	1 870	85
ペチョラ	Pechora	バレンツ海	1 809	88
カ　マ	Kama	ボルガ川	1 805	89
オセアニア				
マーレー-ダーリング	Murray-Darling	グレートオーストラリア湾	3 672	24
ダーリング	Darling	マーレー川	2 844	37

おもに The Times Comprehensive Atlas of the World, 14th edition, 2014 および The Water Encyclopedia, 2nd edition, Lewis Publishers, 1990 による. 河川名は上流から下流にかけて, あるいは本流と支流とで異なる場合があるので, 本表では表記された河川名の区間の長さを示した.

日本のおもな河川 (1)

地図番号	河川名（よみ）	流域面積 (km²)	* 幹川流路延長 (km)	観測地点	観測地点の上流域面積 (km²)	** 2021 年の流量 (m³/s)			観測期間
						年平均	最大	最小	
1	利根川（とねがわ）	16 840	322	栗橋	8 588	210	—	—	1918～
2	石狩川（いしかりがわ）	14 330	268	伊納	3 379	130	1 100	41	1953～
3	信濃川（しなのがわ）	11 900	367	小千谷	9 719	510	4 400	160	1942～
4	北上川（きたかみがわ）	10 150	249	登米	7 869	—	—	—	1952～
5	木曽川（きそがわ）	9 100	227	犬山	4 684	—	13 000	75	1951～
6	十勝川（とかちがわ）	9 010	156	帯広	2 678	86	980	22	1951～
7	淀川（よどがわ）	8 240	75	枚方	7 281	—	2 800	—	1952～
8	阿賀野川（あがのがわ）	7 710	210	馬下	6 997	400	1 800	74	1951～
9	最上川（もがみがわ）	7 040	229	高屋	6 271	240	1 200	59	1959～
10	天塩川（てしおがわ）	5 590	256	美深橋	2 899	140	760	14	1957～
11	阿武隈川（あぶくまがわ）	5 400	239	阿久津	1 865	53	700	12	1951～
12	天竜川（てんりゅうがわ）	5 090	213	鹿島	4 972	—	—	—	1939～
13	雄物川（おものがわ）	4 710	133	椿川	4 035	260	1 300	66	1938～
14	米代川（よねしろがわ）	4 100	136	鷹巣	2 109	110	1 100	16	1957～
15	富士川（ふじかわ）	3 990	128	清水端	2 179	65	—	—	1952～
16	江の川（ごうのかわ）	3 900	194	尾関山	1 981	100	3 200	15	1956～
17	吉野川（よしのがわ）	3 750	194	池田	2 074	87	3 900	23	1954～
18	那珂川（なかがわ）	3 270	150	野口	2 181	84	—	—	1949～
19	荒川（あらかわ）	2 940	173	寄居	905	20	280	4	1938～
20	九頭竜川（くずりゅうがわ）	2 930	116	中角	1 240	170	1 600	64	1952～
21	筑後川（ちくごがわ）	2 860	143	瀬ノ下	2 295	130	4 400	31	1950～
22	神通川（じんづうがわ）	2 720	120	神通大橋	2 688	110	2 500	3	1958～
23	高梁川（たかはしがわ）	2 670	111	日羽	1 986	78	3 100	10	1963～
24	岩木川（いわきがわ）	2 540	102	五所川原	1 740	—	—	—	1953～
25	斐伊川（ひいかわ）	2 540	153	上島	895	39	1 100	—	1984～
26	釧路川（くしろがわ）	2 510	154	標茶	895	25	230	12	1956～
27	新宮川（しんぐうがわ）	2 360	183	相賀	2 251	—	—	—	1951～
28	大淀川（おおよどがわ）	2 230	107	柏田	2 126	120	1 500	21	1961～
29	四万十川（しまんとがわ）	2 186	196	具同	1 808	—	—	—	1952～
30	吉井川（よしいがわ）	2 110	133	津瀬	1 675	68	2 400	18	1986～
31	馬淵川（まべちがわ）	2 050	142	剣吉	1 751	—	—	—	1963～
32	常呂川（ところがわ）	1 930	120	北見	1 394	25	600	8	1954～

日本のおもな河川 (2)

地図番号	河川名 (よみ)	流域面積 (km^2)	* 幹川流路延長 (km)	観測地点	観測地点の上流域面積 (km^2)	** 2021 年の流量 (m^3/s) 年平均	最大	最小	観測期間
33	由良川 (ゆらがわ)	1 880	146	福知山	1 344	46	1 000	5	1953〜
34	球磨川 (くまがわ)	1 880	115	横石	1 856	120	3 800	18	1968〜
35	矢作川 (やはぎがわ)	1 830	117	岩津	1 356	60	2 400	6	1939〜
36	五ケ瀬川 (ごかせがわ)	1 820	106	三輪	1 044	65	1 300	12	1949〜
37	旭川 (あさひがわ)	1 810	142	牧山	1 587	52	1 700	13	1965〜
38	紀の川 (きのかわ)	1 750	136	船戸	1 558	19	320	3	1952〜
39	太田川 (おおたがわ)	1 710	103	矢口第一	1 527	100	4 700	14	1970〜
40	尻別川 (しりべつがわ)	1 640	126	名駒	1 402	74	610	21	1965〜
41	川内川 (せんだいがわ)	1 600	137	倉野橋	1 153	100	4 100	18	1986〜
42	仁淀川 (によどがわ)	1 560	124	伊野	1 463	89	2 400	14	1957〜
43	久慈川 (くじがわ)	1 490	124	山方	898	—	—	—	1958〜
44	大野川 (おおのがわ)	1 465	107	白滝橋	1 381	57	1 300	16	1950〜
45	網走川 (あばしりがわ)	1 380	115	美幌	824	13	190	2	1955〜
46	沙流川 (さるがわ)	1 350	104	平取	1 253	48	—	—	1966〜
47	大井川 (おおいがわ)	1 280	168	神座	1 160	—	—	—	1956〜
48	鵡川 (むかわ)	1 270	135	鵡川	1 228	49	750	3	1952〜
49	多摩川 (たまがわ)	1 240	138	石原	1 040	—	—	—	1951〜
50	肱川 (ひじかわ)	1 210	103	大洲	984	35	1 300	3	1956〜
51	庄川 (しょうがわ)	1 180	115	大門	1 120	58	840	5	1955〜
52	那賀川 (なかがわ)	874	125	古庄	765	59	1 000	6	1956〜

(国土交通省水管理・国土保全局資料による)

(1) 流域面積 2 000 km^2 以上，または幹川流路延長 100 km 以上の一級河川でかつ継続して流量データの得られている河川を対象とし，流量は 2020 年の値．

(2) その他　＊ 大流量をもつ流路延長で，わが国ではおおむね本流と一致する．

＊＊ 「—」は欠測を示す．流量値は，水位と流量の関係式に，観測水位を代入して換算した流量であり，上位 2 桁までの数字を表記している．また，速報値であり，今後変更の可能性がある．

世　界　の　お

湖　沼　名		地図記号	所　在	成　因	面積(10^3 km^2)	
					A	B
カスピ海*	(Caspian Sea)	a	ユーラシア	テクトニック	374.000	371.00
スペリオル湖	(L.Superior)	b	北アメリカ	氷河性	82.367	82.10
ビクトリア湖	(L.Victoria)	c	アフリカ中央部	テクトニック	68.800	68.87
アラル海*	(Aral'skoye More)	d	中央アジア	テクトニック	×64.100	17.15
ヒューロン湖	(L.Huron)	e	北アメリカ	氷河性	59.570	59.60
ミシガン湖	(L.Michigan)	f	北アメリカ	氷河性	58.016	57.80
タンガニーカ湖	(L.Tanganyika)	g	アフリカ東部	テクトニック	32.000	32.60
バイカル湖	(Ozero Baykal)	h	シベリア	テクトニック	31.500	30.50
グレートベア湖	(L.Great Bear)	i	カナダ北部	氷河性	31.153	31.32
グレートスレーブ湖	(L.Great Slave)	j	カナダ北部	氷河性	28.568	28.56
エリー湖	(L.Erie)	k	北アメリカ	氷河性	25.821	25.70
ウィニペグ湖	(L.Winnipeg)	l	カナダ	氷河性	23.750	24.387
ニアサ湖	(L.Nyasa)	m	アフリカ東部	テクトニック	22.490**	29.50
チャド湖	(L.Chad)	n	中央アフリカ北部	テクトニック	×20.900	—
オンタリオ湖	(L.Ontario)	o	北アメリカ	氷河性	19.009	18.96
バルハシ湖*	(Oz.Balkhash)	p	中央アジア	テクトニック	×18.200	17.40
ラドガ湖	(Ladozhskoye Oz.)	q	ロシア西部	氷河性	18.135	18.39
マラカイボ湖	(L.de Maracaibo)	r	ベネズエラ	テクトニック	13.010	—
パトス湖	(Logoa de Patos)	s	ブラジル	ラグーン	10.140	—
オネガ湖	(Oz.Onezhskoye)	t	ロシア西部	氷河性	9.890	9.60
エーア湖*	(L.Eyre)		オーストラリア	テクトニック	×9.690	8.90
ルドルフ湖*	(L.Rudolf)		ケニア	テクトニック	8.660	—
チチカカ湖	(LagoTiticaca)		南アメリカ西部	テクトニック	8.372	8.34
ニカラグア湖	(L.Nicaragua)		ニカラグア	テクトニック	8.150	8.15
アサバスカ湖	(L.Athabasca)		カナダ	氷河性	7.935	—
ランデール湖	(L.Reindeer)		カナダ	氷河性	6.390	—
イシククル湖*	(Oz.Issyk-kul)		中央アジア	テクトニック	6.236	6.20
ウルミア湖*	(L.Urmia)		イラン	テクトニック	×5.800	5.585
ベンネルン湖	(L.Vanern)		スウェーデン	氷河性	5.648	—
ネチリング湖	(L.Nettilling)		カナダ	氷河性	5.530	—
ウィニペゴシス湖	(L.Winnipegosis)		カナダ	氷河性	5.375	—
アルベルト湖	(L.Albert)		アフリカ東部	テクトニック	5.300	—
カリバ湖	(L.Kariba)		アフリカ南東部	人　造	5.400	—
洞庭湖	(Dongting-hu)		中国湖南省	テクトニック	×2.740	—
トンレサップ湖	(Tonle Sap)		カンボジア	堰　止	×2.450	—
太　湖	(Tai-hu)		中国江蘇省	堰　止	2.428	—
メラーレン湖	(L.Malaren)		スウェーデン	テクトニック・氷河性	1.140	—
ソンクラ湖	(L.Songkhla)		タ　イ	ラグーン	1.082	—
死　海*	(Dead Sea)		西アジア西部	テクトニック	×1.020	—
バイ湖	(Laguna de Bay)		フィリピン	ラグーン	×0.900	—
タウポ湖	(L.taupo)		ニュージーランド	テクトニック・火山性	0.616	—
チルワ湖*	(L.Chilwa)		アフリカ南東部	テクトニック	×0.600	—
バラトン湖	(L.Balaton)		ハンガリー	テクトニック	0.593	—
レマン湖	(Lac Leman)		アルプス山脈西麓	氷河性	0.584	—
ボーデン湖	(Bodensee)		アルプス山脈北麓	氷河性	0.539	—
タホ湖	(L.Tahoe)		アメリカ合衆国	氷河性	0.499	—
スカダール湖	(Skadarsko Jez)		バルカン半島	テクトニック	0.372	—
マジョーレ湖	(Lago Maggiore)		アルプス山脈南麓	氷河性	0.213	—
ティベリアス湖	(L.Tiberias)		イスラエル	テクトニック	0.170	—
ボラペ湖	(Bung Boraphet)		タ　イ	人　造	0.106	—
ワシントン湖	(L.Washington)		アメリカ合衆国	氷河性	0.088	—
シバヤ湖	(L.Sibaya)		南アフリカ	ラグーン	×0.078	—
チューリッヒ湖	(Zurichsee)		スイス	氷河性	0.065	—
ネス湖	(Loch Ness)		スコットランド	テクトニック	0.056	—
メンドータ湖	(L.Mendota)		アメリカ合衆国	氷河性	0.039	—
東　湖	(Dong-hu)		中国湖北省	堰　止	0.028	—
ジューク湖	(Tjeukemeer)		オランダ	人　造	0.021	—
ウィンダー湖	(Windermere)		イングランド	氷河性	0.015	—

(1)　面積 5 000 km^2 以上の自然湖沼，およびその他のおもな湖を掲載．面積のうち A は主たる出典 1～3 による．B は The Times Comprehensive Atlas of the World, 14th edition, 2014 年版所載の値．

(2)　＊印は塩湖（内陸盆地にある塩分の高い湖沼で，海洋に隣接する汽水湖を除く）．

(3)　内陸の乾燥地や大河の中・下流にある湖では，一般に季節や年による湖面の拡大・縮小や湖水位の上昇，下降が著しい．×印はそのとくに激しいもので，表に示した値はある時点のものである．

＊＊　出典 2（89）によれば，6.400(10^3 km^2)だが，出典 3 のデータを示した．

もな湖沼

標高(m)	周囲長(km)	最大水深(m)	平均水深(m)	容積(km^3)	透明度(m)	出典
−28	6000	1025	(209)	78200	—	3
183	4768	406	148	12221	0-15	1, 2(88)
1134	3440	84	40	2750	0-2	1, 2(88)
53	(2300)	68	(15)	1020	—	3
176	5088	228	53	3535	12-14	1, 2(88)
176	2656	281	84	4871	2-12	1, 2(88)
773	1900	1471	572	17800	5-19	1, 2(88)
456	2000	1741	740	23000	5-23	1, 2(88)
186	2719	446	72	2236	10-30	2(90)
156	(2200)	625	(73)	2088	—	3
174	1369	64	18	458	2-4	1, 2(88)
217	1750	36	12	284	0.4-2	1, 2(88)
500	245	706	292	8400	13-23	2(89)
282	800	10	8	72	0-1	1, 2(88)
75	1161	244	86	1638	2-6	1, 2(88)
343	2385	26	6	106	1-12	2(93)
5	1570	230	51	908	2-5	2(91)
1	(900)	60	(21)	280	—	3
1	—	5	(2)	20	—	3
35	(1600)	120	30	280	3-4	2(91)
−9	1718	6	3	30	—	2(90)
427	(900)	73	—	251	—	3
3812	1125	281	107	893	5-11	1, 2(88)
32	(450)	70	(13)	108	—	3
213	(900)	124	(26)	204	—	3
337	(960)	219	—	96	—	3
1606	688	668	270	1738	13-20	2(93)
1275	(540)	16	(8)	45	—	3
44	1940	106	27	153	5	2(89)
30	—	1	—	1	—	3
254	(1100)	12	(3)	16	—	3
615	(520)	58	25	280	2-6	2(89)
485	2164	78	31	160	3-6	2(88)
34	—	31	7	18	0	1, 2(88)
5	—	12	(4)	10	—	3
3	—	3	2	4.3	0-1	1, 2(88)
0	1410	61	12	14	2-3	1, 2(89)
0	—	2	1	1.6	1	1, 2(88)
−400	—	426	184	188	—	3
2	220	7	3	3.2	0-1	1, 2(88)
357	153	164	91	60	11-20	1, 2(88)
622	200	3	1	1.8	0	2(88)
105	236	12	3	1.9	1	1, 2(88)
372	167	310	153	89	2-15	1, 2(88)
400	255	252	(100)	49	3-15	1, 2(90)
1897	120	505	313	375	28	1, 2(88)
5	207	8	5	1.9	4-18	1, 2(88)
194	170	370	177	37	3-22	1, 2(88)
−209	53	43	26	4	3	1, 2(88)
24	63	6	2	0.3	1-2	1, 2(88)
0	—	65	33	2.9	3-7	1, 2(88)
23	127	43	13	1	—	1, 2(88)
406	—	136	51	3.3	3-8	1, 2(88)
16	86	230	132	7.5	4-5	1, 2(88)
850	35	25	12	0.5	1-9	1, 2(88)
21	92	5	2	0.06	1-3	1, 2(88)
−1	25	5	2	0.04	0.3-1	1, 2(88)
39	17	64	21	0.3	—	1, 2(88)

(4)　周囲長・平均水深のかっこ内の数字は参考値.

(5)　主たる出典：1 滋賀県琵琶湖研究所・総合研究開発機構(1984)：世界湖沼データブック，2 滋賀県琵琶湖研究所・国際湖沼環境委員会(1988,1989,1990,1991,1993)：Data Book of World Lake Environments, 3 C.E.Herdendorf(1990)：Distribution of the World's Large Lakes などによる．出典 2 についてはかっこ内に年度を示した.

日本のおもな湖沼

湖沼名(よみ)		地図記号	都道府県(総合振興局・振興局)	成因	汽水/淡水	面積(km²)	標高(m)	周囲長(km)	最大水深(m)	平均水深(m)	全面結氷	湖沼型	透明度(m)
琵琶湖	(びわこ)	a	滋賀	断層	淡水	669.3	85	241	103.8	41.2	しない	中栄養	6.0
霞ヶ浦	(かすみがうら)	b	茨城	海跡	淡水	168.2	0	120	11.9	3.4	しない	富栄養	0.6
サロマ湖	(さろまこ)	c	北海道(オホーツク)	海跡	汽水	151.6	0	87	19.6	8.7	する	富栄養	9.4
猪苗代湖	(いなわしろこ)	d	福島	断層	淡水	103.2	514	50	93.5	51.5	しない	酸栄養	6.1
中海	(なかうみ)	e	島根・鳥取	海跡	汽水	85.8	0	105	18.4	5.4	しない	富栄養	5.5
屈斜路湖	(くっしゃろこ)	f	北海道(釧路)	カルデラ	淡水	79.5	121	57	117.5	28.4	する	酸栄養	6.0
宍道湖	(しんじこ)	g	島根	海跡	汽水	79.3	0	47	5.8	4.5	しない	富栄養	1.0
支笏湖	(しこつこ)	h	北海道(石狩)	カルデラ	淡水	78.5	248	40	360.1	265.4	しない	貧栄養	17.5
洞爺湖	(とうやこ)	i	北海道(胆振)	カルデラ	淡水	70.7	84	50	179.7	117.0	しない	貧栄養	10.0
浜名湖	(はまなこ)	j	静岡	海跡	汽水	64.9	0	114	13.1	4.8	しない	中栄養	1.3
風蓮湖	(ふうれんこ)		北海道(根室)	海跡	汽水	64.2	0	94	13.0	1.0	する	貧栄養	4.0
小川原湖	(おがわらこ)		青森	海跡	汽水	62.0	0	47	26.5	10.5	する	中栄養	3.2
十和田湖	(とわだこ)		青森・秋田	カルデラ	淡水	61.1	400	46	326.8	71.0	しない	貧栄養	9.0
能取湖	(のとろこ)		北海道(オホーツク)	海跡	汽水	58.2	0	33	23.1	8.6	する	富栄養	5.5
北浦	(きたうら)		茨城	海跡	淡水	35.0	0	64	10.0	4.5	しない	富栄養	0.6
厚岸湖	(あっけしこ)		北海道(釧路)	海跡	汽水	32.7	0	25	11.0	—	しない	中栄養	1.3
網走湖	(あばしりこ)		北海道(オホーツク)	海跡	汽水	32.3	0	39	16.3	6.1	する	富栄養	1.4
八郎潟調整池	(はちろうがたちょうせいち)		秋田	海跡	淡水	27.8	1	35	11.3	—	する	富栄養	1.3
田沢湖	(たざわこ)		秋田	カルデラ	淡水	25.8	249	20	423.4	280.0	—	酸栄養	4.0
摩周湖	(ましゅうこ)		北海道(釧路)	カルデラ	淡水	19.2	351	20	211.4	137.5	する	貧栄養	28.0
十三湖	(じゅうさんこ)		青森	海跡	汽水	17.8	0	28	1.5	—	しない	中栄養	1.0
クッチャロ湖	(くっちゃろこ)		北海道(宗谷)	海跡	淡水	13.4	0	30	3.3	1.0	する	富栄養	2.2
阿寒湖	(あかんこ)		北海道(釧路)	カルデラ	淡水	13.3	420	26	44.8	17.8	する	富栄養	5.0
諏訪湖	(すわこ)		長野	断層	淡水	12.8	759	17	7.6	4.6	する	富栄養	0.5
中禅寺湖	(ちゅうぜんじこ)		栃木	堰止	淡水	11.9	1269	22	163.0	94.6	しない	貧栄養	9.0
池田湖	(いけだこ)		鹿児島	カルデラ	淡水	10.9	66	15	233.0	125.5	しない	中栄養	6.5
桧原湖	(ひばらこ)		福島	堰止	淡水	10.9	822	38	30.5	12.0	する	中栄養	4.5
印旛沼	(いんばぬま)		千葉	堰止	淡水	9.4	2	44	4.8	1.7	しない	富栄養	0.8
涸沼	(ひぬま)		茨城	海跡	汽水	9.3	0	20	3.0	2.1	しない	富栄養	0.6
涛沸湖	(とうふつこ)		北海道(オホーツク)	海跡	汽水	8.2	1	27	2.4	1.1	する	富栄養	0.8
万石浦	(まんごくうら)		宮城	海跡	汽水	7.3	0	22	17.5	—	しない	富栄養	3.0
久美浜湾	(くみはまわん)		京都	海跡	汽水	7.2	0	23	20.6	—	しない	中栄養	3.0
芦ノ湖	(あしのこ)		神奈川	カルデラ	淡水	7.0	725	19	40.6	25.0	しない	中栄養	7.5
湖山池	(こやまいけ)		鳥取	海跡	汽水	7.0	0	18	6.5	2.8	—	富栄養	1.0
山中湖	(やまなかこ)		山梨	堰止	淡水	6.6	981	14	12.9	9.4	する	中栄養	5.5
温根沼	(おんねとう)		北海道(根室)	海跡	汽水	6.4	0	14	7.3	1.2	する	貧栄養	1.7
塘路湖	(とうろこ)		北海道(釧路)	海跡	淡水	6.3	6	18	6.9	3.1	する	富栄養	1.1
松川浦	(まつかわうら)		福島	その他	汽水	6.2	0	23	5.5	—	しない	富栄養	1.2
外浪逆浦	(そとなさかうら)		茨城・千葉	海跡	汽水	5.9	0	12	23.3	—	しない	富栄養	0.6
河口湖	(かわぐちこ)		山梨	堰止	淡水	5.5	831	18	14.0	9.3	する	富栄養	5.2
鷹架沼	(たかほこぬま)		青森	海跡	淡水	5.4	0	22	7.0	[illegible]	[illegible]	[illegible]	[illegible]

大　沼	(おおぬま)	北海道(渡島)	堰　止	淡水	5.3	129	21	11.6	5.9	する	富栄養	2.5
長　沼	(ながぬま)	宮　城	堰　止	淡水	4.9	8	12	3.0	1.5	—	富栄養	0.6
加茂湖	(かもこ)	新　潟	海　跡	汽水	4.9	0	17	9.0	5.2	—	富栄養	5.4
コムケ湖	(こむけこ)	北海道(オホーツク)	海　跡	汽水	4.8	1	23	5.3	1.2	する	富栄養	1.4
阿蘇海	(あそかい)	京　都	海　跡	汽水	4.8	0	16	13.0	8.4	しない	中栄養	1.7
本栖湖	(もとすこ)	山　梨	堰　止	淡水	4.7	900	11	121.2	67.9	しない	貧栄養	11.2
倶多楽湖	(くったらこ)	北海道(胆振)	カルデラ	淡水	4.7	258	8	148.0	105.1	する	貧栄養	22.0
大　沼	(おおぬま)	北海道(宗谷)	海　跡	淡水	4.7	1	10	2.2	1.6	する	腐栄養	—
野尻湖	(のじりこ)	長　野	その他	淡水	4.5	657	14	38.3	20.8	する	貧栄養	5.4
湧洞沼	(ゆうどうぬま)	北海道(十勝)	海　跡	汽水	4.4	5	17	3.5	1.3	する	腐植栄養	1.8
河北潟	(かほくがた)	石　川	海　跡	汽水	4.2	0	25	4.8	2.0	しない	富栄養	0.6
水月湖	(すいげつこ)	福　井	その他	汽水	4.2	0	11	33.7	—	しない	富栄養	2.2
東郷池	(とうごういけ)	鳥　取	海　跡	汽水	4.1	0	13	3.6	2.1	—	富栄養	0.9
手賀沼	(てがぬま)	千　葉	堰　止	淡水	4.0	3	37	3.8	0.9	しない	富栄養	0.4
然別湖	(しかりべつこ)	北海道(十勝)	堰　止	淡水	3.6	810	13.8	98.5	57.1	する	貧栄養	9.8
秋元湖	(あきもとこ)	福　島	堰　止	淡水	3.5	736	20	36.0	12.8	する	中栄養	3.3
沼沢湖	(ぬまざわこ)	福　島	カルデラ	淡水	3.0	474	7.5	96.0	60.4	しない	貧栄養	9.0
パンケトー	(ぱんけとー)	北海道(釧路)	堰　止	淡水	2.9	450	12	54.0	23.9	する	貧栄養	14.0
西　湖	(さいこ)	山　梨	堰　止	淡水	2.1	900	9.6	71.5	38.5	しない	貧栄養	6.5
青木湖	(あおきこ)	長　野	断　層	淡水	1.7	822	6.5	58.0	29.0	しない	貧栄養	9.8
鰻　池	(うなぎいけ)	鹿児島	火　山	淡水	1.2	122	4.2	55.8	34.8	しない	中栄養	7.6
日向湖	(ひるがこ)	福　井	海　跡	汽水	0.9	0	4.0	39.4	14.3	しない	貧栄養	8.0
菅　沼	(すげぬま)	群　馬	堰　止	淡水	0.8	1731	6.5	75.0	38.1	する	貧栄養	13.2
御　池	(みいけ)	宮　崎	火　山	淡水	0.7	305	3.9	93.5	57.7	しない	貧栄養	3.1
丸　沼	(まるぬま)	群　馬	堰　止	淡水	0.5	1428	3.5	47.0	31.1	する	中栄養	9.3
大鳥池	(おおとりいけ)	山　形	堰　止	淡水	0.4	966	3.2	68.0	30.1	する	貧栄養	4.8
ペンケトー	(ぺんけとー)	北海道(釧路)	堰　止	淡水	0.3	520	3.9	39.4	14.0	する	貧栄養	11.3
一ノ目潟	(いちのめがた)	秋　田	火　山	淡水	0.3	87	2.0	42.0	—	—	中栄養	2.5
大平沼	(おおたいらぬま)	福　島	堰　止	淡水	0.2	458	2.5	35.5	13.3	する	中栄養	2.0
大　沼	(おおぬま)	山　形	堰　止	淡水	0.1	410	2.0	31.7	11.4	する	中栄養	3.7
坊ヶ池	(ぼうがいけ)	新　潟	堰　止	淡水	0.1	460	1.4	33.1	15.0	しない	貧栄養	5.8
柳久保池	(やなくぼいけ)	長　野	堰　止	淡水	0.1	630	2.2	38.0	19.2	する	中栄養	2.4
湯　釜	(ゆがま)	群　馬	火　山	淡水	0.1	2033	0.8	30.0	12.5	—	酸栄養	—

(1)　原則として面積 4 km^2 以上，あるいは最大深度 30 m 以上の湖を掲載．本表のほか，4 km^2 以上の湖沼として，北海道根室振興局の国後島に東沸湖 (8.1 km^2)，択捉島に得茂別湖 (5.8 km^2)，年萌湖 (4.4 km^2) がある．

(2)　資料：「第4回自然環境保全基礎調査・湖沼調査報告書」(環境庁自然保護局，1993)，国土地理院「令和6年全国都道府県市区町村別面積調（1月1日時点)」および湖沼図による．

(3)　透明度は，直径 25〜30 cm の白い円盤を水中に下し，水面からそれがみえなくなった深度をもって表すが，季節や環境の変化による変動が大きい．上表の数値は最近のものである．
ちなみに，測定された過去の最大値はつぎのとおりである．

湖 名	透明度(m)	観測年月	観　測　者	湖 名	透明度(m)	観測年月	観　測　者	湖 名	透明度(m)	観測年月	観　測　者
摩周湖	41.6	1931　Ⅷ	北海道水産試験場	猪苗代湖	27.5	1930　Ⅶ	吉村信吉	支笏湖	25.0	1926　Ⅴ	北海道水産試験場
田沢湖	30.0	1926　Ⅲ	秋田県水産試験場	池田湖	26.8	1929　Ⅴ	宮地伝三郎	倶多楽湖	24.3	1916　Ⅵ	田中館秀三・小久保清治

地第 3 図

世界のおもな大河・湖沼

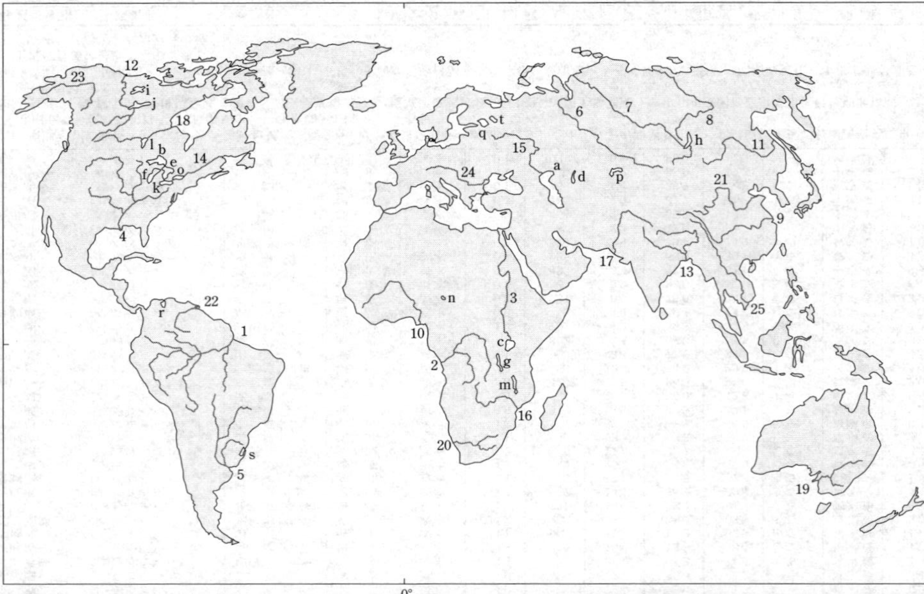

図中の 1～25 の数字は，流域面積の大きい順に 1～25 位の世界の大河を表しており，地 28-29「世界のおもな河川」の数字と

日本のおもな河川・湖沼

地第 4 図

図中の 1～52 の数字は，流域面積の大きい順に 1～52 位の日本の河川を表しており，**地 28-29**「日本のおもな河川」の数字と対応している．a～j の文字は，水域面積の大きい順に 1～10 位の日本の湖沼を表しており，**地 32**「日本のおもな湖沼」の文字と対応している．

流域面積の大きな河川はおもに東日本に分布し，下流には面積の大きな平野がある（**地 40-41**）を参照．水域面積最大の琵琶湖は，地殻変動による構造湖．海岸付近にはおもに海跡湖，内陸にはおもにカルデラ湖が分布する．

日本の河川・湖沼水の化学成分（mg/L）

（主として小林純氏の測定値により換算）

河川・湖沼名	観測点	pH	蒸発残留物	浮遊物	アルカリ度 $CaCO_3$	Na^+	K^+	Ca^{2+}	Mg^{2+}	Cl^-	SO_4^{2-}	SiO_2	Fe	P	NO_3-N	NH_4-N	蛋白-N
利根川	茨城・取手町1)	7.1	97.9	18.5	29.6	5.6	1.5	13.3	3.3	5.3	20.2	23.0	0.14	0.04	0.28	0.03	0.07
石狩川	北海道・美唄市	6.5	96.0	167.4	22.6	7.6	1.5	9.4	2.5	5.0	15.5	20.6	0.70	0.01	0.48	0.12	0.02
信濃川	新潟・長岡市	6.4	111	24	18.9	1.4	0.7	10.2	2.1	4.4	18.7	9.3	0.09	0.002	0.25	0.12	—
米代川	秋田・鷹巣町2)	6.5	103.2	11.6	11.4	8.4	0.9	8.3	2.8	9.1	26.0	23.0	0.18	0.004	0.16	0.03	0.07
那珂川	栃木・黒磯町3)	7.0	128.7	4.0	16.9	6.7	1.3	15.8	4.3	8.2	44.9	35.4	0.04	0.004	0.07	0.08	0.04
筑後川	福岡・三井郡大堰村4)	7.3	90.4	15.5	21.4	7.8	2.5	9.2	2.3	4.4	7.9	43.4	0.14	0.02	0.17	0.04	—
由良川	京都・福知山市	7.1	48.0	25.5	20.3	4.9	0.7	6.4	1.8	5.7	4.8	12.6	0.02	0.004	0.25	0.04	0.05
紀の川	和歌山・和歌山市	7.1	65.0	10.4	37.3	5.2	0.9	12.9	1.3	4.4	6.6	14.4	0.03	0	0.09	0.05	0.06
吉井川	岡山・西大寺市5)	6.9	53.0	10.4	23.4	5.7	1.0	7.4	1.9	6.2	11.9	15.1	0.13	0	0.11	0.03	0.13
須　川*	群馬・長野原町	2.5	591.8	51.5	0	13.4	6.3	33.6	2.5	134.8	280.0	61.5	4.71	0.60	0.33	0.18	0.04
琵琶湖	滋賀・湖心	7.4	47.6	22.0	25.2	5.1	0.8	8.5	2.7	3.8	3.3	1.6	0.01	0.01	0.20	0.02	—
霞ヶ浦	茨城・新治郡上大津村6)	7.1	143.7	16.6	43.4	16.7	3.7	16.6	5.9	20.1	36.7	13.8	0.37	0.05	0.48	0.13	0.11
山中湖	山梨	7.3	51.2	6.9	38.6	3.3	1.2	8.3	3.4	0.8	1.6	9.3	0.05	0.001	0.02	0.02	—

* 酸性河川　1)現:取手市　2)現:北秋田市　3)現:那須塩原市　4)現:……

世界のおもな窪地（アチ）*

窪　地　名	陸地最低部または湖面の標高 (m)	海面より低い部分の面積 (10 km²)	所　在
死海（Dead Sea）周辺	−423[1]	383	イスラエル・ヨルダン
ティベリアス（Tiberias）〔ガリリー〕湖周辺	−212[2]		イスラエル・シリア
アッサル（Assal）湖周辺	−174	8	ジブチ
トルファン（Turfan）〔ルクチン〕盆地	−154	500	中国(シンチャンウィグル)
カッタラ（El Qattara）窪地	−133	4 400	エジプト
カスピ海（Caspian Sea）周辺	−132[3]	73 600	ロシア・カザフスタン・イラン
コバル（Kobaru）窪地・アサル（Asale）湖	−116	196	エチオピア
デスバレー（Death Valley）	−86	25	米国(カリフォルニア)
インペリアルバレー(Imperial Valley)・サルトン(Salton)湖	−71	—	〃・メキシコ
ラヤン（Rayan）〔ルワヤン〕ワジ	−60	39	エジプト
ファユン（Fayyun）窪地・カルン（Qarun）湖	−45	66	〃
エンリキーリョ（Enriquillo）湖周辺	−40	—	ドミニカ
シワ（Siwah）オアシス	−32	11	エジプト
メルリル（Chott Melrhir）湖周辺	−24	713	アルジェリア
ナトルン（Natrun）ワジ	−23	—	エジプト
ガルサ（Chottel Gharsa）〔ラルサ〕湖周辺	−17	162	チュニジア
エーア（Eyre）湖周辺	−12	—	オーストラリア

＊　海面より低い陸地．人工による干拓地その他や，大河の後背低地などは含まない．
おもに乾燥地域に多い．〔　〕内は別名．
湖面には変動があり，異なる値も発表されている．
湖底の最深点は，1) −826 m，2) −252 m，3) −1 023 m.

世界のおもな砂漠

砂　漠　名	大陸(所在地)	面積 (10^4 km²)	砂　漠　名	大陸(所在地)	面積 (10^4 km²)
サハラ(Sahara)	アフリカ(アフリカ北部)	907	北アメリカ	北アメリカ	
オーストラリア (Australian)	オーストラリア (オーストラリア中西部)	337	ソノラ(Sonoran)		(31)
グレートヴィクトリア (Great Victoria)		(65)	ゴビ(Gobi)	アジア(モンゴル・中国北東部)	130
グレートサンデイ (Great Sandy)		(40)	パタゴニア (Patagonian)	南アメリカ(アルゼンチン南部)	67
シンプソン(Simpson)		(15)	タール(大インド) (Thar/Great Indian)	アジア(インド・パキスタン)	60
アラビア(Arabian)	アジア(アラビア半島)	246	カラハリ(kalahari)	アフリカ(南アフリカ)	57
トルキスタン(Turkestan)	アジア(中央アジア)	194	ナミブ(Namib)		(14)
カラクーム(Karakum)		(35)			
キジルクーム(Kyzylkum)		(30)	タクラマカン(Takla Makan)	アジア(中国北西部)	52
			イラン（Iranian）	アジア(イラン)	39
北アメリカ (North American)	北アメリカ (アメリカ南西部)	130	カヴィル（Kavir）		(26)
			ルート（Lut）		(5)
グレートベーズン (Great Basin)		(49)	アタカマ(Atacama)	南アメリカ(チリ・ペルー)	36
チワワ(Chihuahuan)		(45)			

砂漠の名称と面積は The Encyclopedia Americana, International edition, Vol. 9, 1987 による．地域的な砂漠の名称と面積（かっこ内の数字）は The Encyclopedia Britannica, 15th edition, 1990 による．

世界と日本における最大規模の人工構造物・掘削

国・地域	名称・場所	規模[1]	完成年[2]
鉄　道			
［世界］ロシア	シベリア横断鉄道（モスクワ—ウラジオストク）	9289　km	1916 年
［日本］1 都 2 府 10 県	東海道・山陽新幹線（東京—博多）	1174.9 km[3]	1975 年
鉄道トンネル			
［世界］スイス	ゴッタルド基底トンネル	57　km	2016 年
［日本］青森—北海道	青函トンネル（世界 2 位）	53.85 km	1988 年
道路トンネル			
［世界］ノルウェー	ラルダールトンネル	24.51 km	2000 年
［日本］東京区部	山手トンネル（首都高速中央環状線）	18.2　km	2015 年
橋（高架橋）			
［世界］中国	丹陽-昆山特大橋（京滬高速鉄道）	164 km	2011 年
［日本］東京—栃木	東北新幹線高架（北区—矢板間）	114 km	1985 年[4]
橋（橋梁）			
［世界］トルコ	1915 チャナッカレ橋（ダーダネルス海峡）	2023 m	2022 年
［日本］兵庫	明石海峡大橋（世界 2 位）	1991 m[5]	1998 年
墳　墓			
［世界］中国	秦始皇帝陵　陝西省西安	0.03　km^3	BC 208 年
［世界］エジプト	クフ王のピラミッド　ギザ	0.0259 km^3	BC 2500 年頃
［日本］大阪	大仙陵古墳（仁徳天皇陵）堺市	>0.03　km^3	5 世紀中葉
超高層ビル			
［世界］ドバイ	ブルジュ・ハリファ	828 m	2010 年
［日本］東京	麻布台ヒルズ森 JP タワー　港区	330 m	2023 年
ダム堤高			
［世界］中国	錦屏一級ダム	305 m	2014 年
［日本］富山	黒部ダム（黒部川）	186 m	1963 年
掘削孔			
［世界］ロシア	コラ半島超深度掘削坑	12262 m	1988 年[6]
［日本］新潟	基礎試錐「新竹野町」	6510 m	1993 年
掘削鉱山			
［世界］南アフリカ共和国	ムポネン金鉱山（Mponeng Gold Mine）	約 4000 m	2011 年
［日本］岐阜	飛騨市旧神岡鉱山スーパーカミオカンデ	約 1000 m	1996 年[7]

1) 線状構造物では起点と終点の両端点をつなぐ単一の道のりの長さ．橋は中央支間距離
2) 現在の姿の原型が完成したと考えられる年を採用．完成年が古いものは原型完成後も変化している．
3) 『のぞみ』の営業距離
4) 東北新幹線全線開通は 2010 年，高架橋全区間開通は 1985 年
5) 建設中の 1995 年兵庫県南部地震で地盤が変位した結果，1 m 長くなった．
6) このとき最深部到達，1992 年にプロジェクト終了，孔は閉鎖された．
7) 鉱山跡の地下深部空洞を利用して観測施設が完成した年

The 15th edition of the Times Comprehensive Atlas of the World 2018 などによる．

GNSSによる全国水平地殻変動図（2023年4月～2024年4月）

電子基準点（GNSS連続観測局）は，GNSS（全球測位衛星システム）衛星からの電波を観測することで，地殻変動に伴う連続的な位置の変化を正確に捉えることができる．図は国土地理院が全国に配置した電子基準点において，1年間（2023年4月～2024年4月）の観測結果から求めた地殻変動の様子である．矢印の起点が地図上の観測局の位置に対応しており，長崎県五島市にある観測局「福江」を固定局（不動点）とした各観測局の相対的な位置変化を矢印の向きと大きさで表示している．

能登半島を中心に関東地方，中部地方にまで及ぶ広い範囲で令和6年（2024年）1月1日に発生した令和6年能登半島地震に伴う地殻変動が見られるほか，東北地方を中心に，平成23年（2011年）東北地方太平洋沖地震後の余効変動が見られる．また，硫黄島では，火山活動に伴う地殻変動が見られる．その他の地域で見られる変動は，プレート運動に伴う定常的な地殻変動を示している．

この図から，わが国の地殻変動の実態を一目で理解することができる．最新の地殻変動の観測結果は，国土地理院からインターネットを通じて入手することができる（https://nekira.gsi.go.jp/）．

地第5図　　☆固定局（不動点）：観測局「福江」（長崎県五島市）

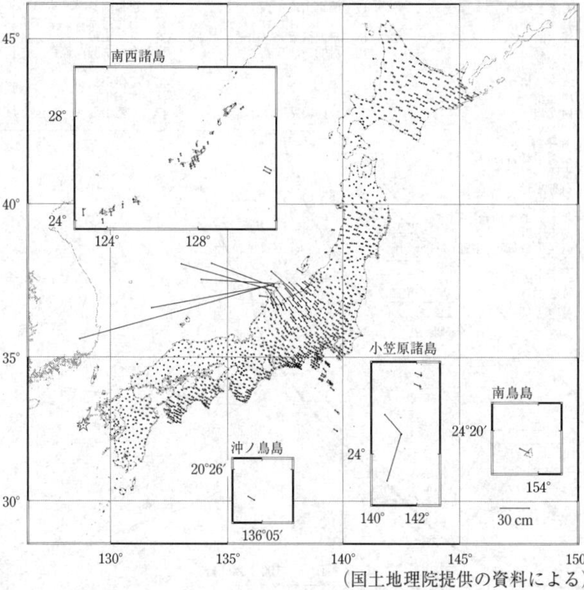

（国土地理院提供の資料による）

日本の地形区分

大地形区

- A_1　北海道主部内帯(千島弧内弧)
- A_2　北海道主部外帯(千島弧外弧)
- B_1　東北日本弧内弧(内帯)
- B_2　東北日本弧外弧(外帯)
- C_1　伊豆小笠原内弧(内帯)
- C_2　伊豆小笠原外弧(外帯)
- D_1　西南日本弧内帯
- D_2　西南日本弧外帯
- DC_1　中央日本西帯(中部山地)
- DC_2　中央日本東帯(関東)
- E_1　琉球弧内弧(内帯)
- E_2　琉球弧外弧(外帯)

おもな火山群・火山地域

- ①　知床・阿寒
- ②　然　別
- ③　大雪・十勝
- ④　支笏・洞爺
- ⑤　八甲田・十和田
- ⑥　八幡平・岩手
- ⑦　吾妻・磐梯
- ⑧　日光・赤城
- ⑨　浅　間
- ⑩　妙　高
- ⑪　八ヶ岳
- ⑫　富士・伊豆
- ⑬　中九州
- ⑭　南九州

おもな山地

A
- 1　北見山地
- 2　天塩山地
- 3　白糠丘陵
- 4　日高山脈
- 5　夕張山地

B_2
- 6　北上山地(高地)
- 7　阿武隈山地(高地)
- 8　八溝山地
- 9　足尾山地

B_1
- 10　渡島山地
- 11　奥羽山脈
- 12　出羽山地(丘陵)
- 13　朝日飯豊山地
- 14　上越山地(越後山地)
- 15　越後丘陵
- 16　西頸城筑摩山地

DC_2
- 17　関東山地(秩父山地)
- 18　丹沢御坂天守山地
- 19　房総三浦丘陵

DC_1
- 20　飛騨山脈
- 21　木曽山脈
- 22　赤石山地(山脈)
- 23　能登丘陵
- 24　飛騨高原(高地)
- 25　美濃三河高原
- 26　加賀美濃山地(両白山地)
- 27　伊吹山地

D_1
- 28　鈴鹿布引山脈
- 29　高見山地
- 30　信楽大和高原(笠置山地)
- 31　生駒金剛和泉山脈
- 32　讃岐山脈
- 33　高縄山地
- 34　丹波高原(高地)
- 35　中国山地(西部は冠山山地)
- 36　吉備高原
- 37　石見高原
- 38　筑紫山地
- 39　水縄筑肥山地

D_2
- 40　紀伊山地
- 41　四国山地
- 42　九州山地

(貝塚爽平による)

おもな平野

- a　根釧平野(台地)
- b　十勝平野
- c　石狩平野
- d　上北平野
- e　北上盆地・仙台平野
- f　関東平野
- g　越後平野(新潟平野)
- h　濃尾平野
- i　大阪平野
- j　筑紫平野
- k　宮崎平野

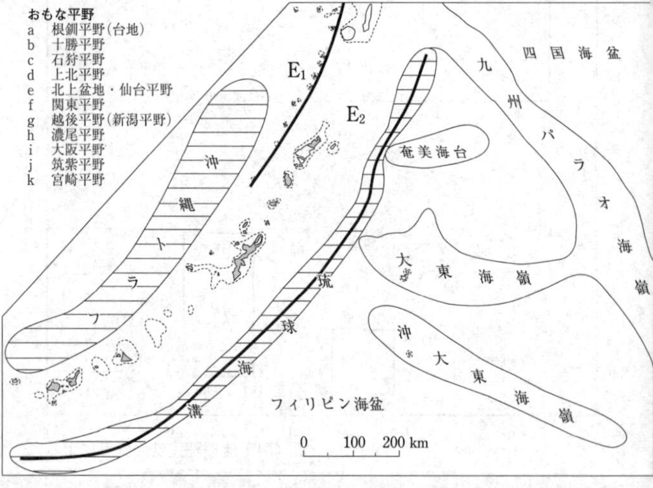

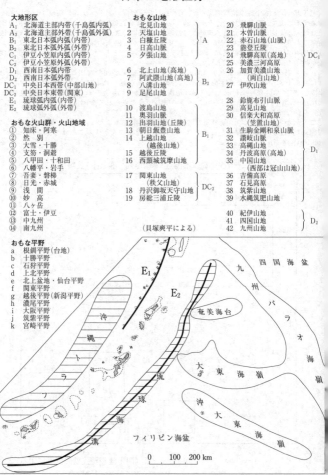

地第6図

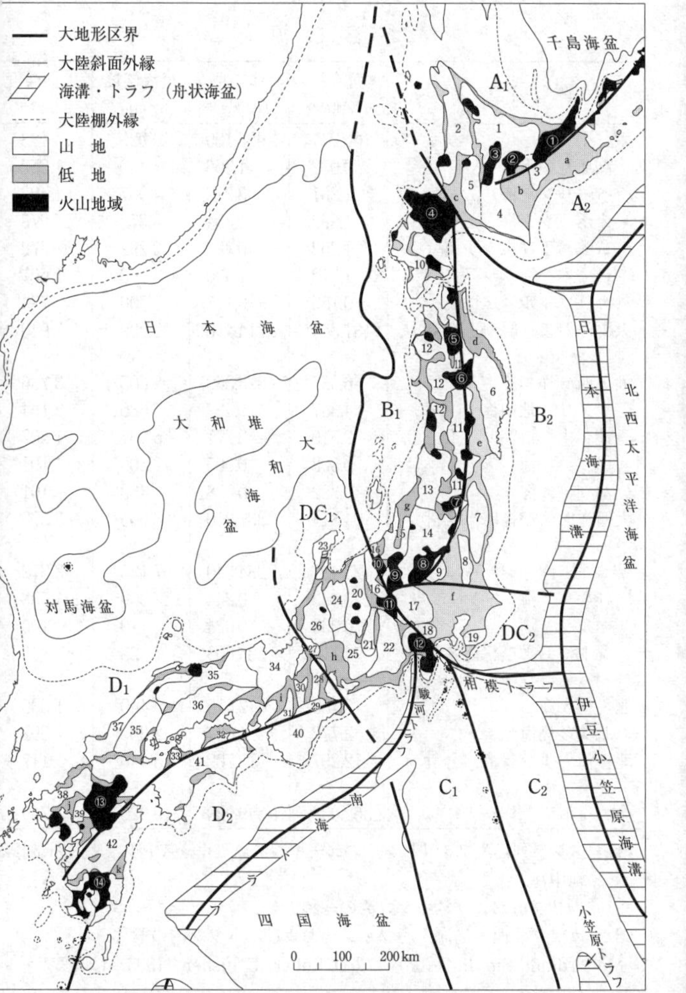
大地形区界
大陸斜面外縁
海溝・トラフ（舟状海盆）
大陸棚外縁
山　地
低　地
火山地域
千島海盆
日本海盆
大和堆
大和海盆
対馬海盆
日本海溝
北西太平洋海盆
相模トラフ
駿河トラフ
南海トラフ
四国海盆
伊豆小笠原海溝
小笠原トラフ
A_1
A_2
B_1
B_2
C_1
C_2
DC_1
DC_2
D_1
D_2
0　100　200 km

おもな海洋

海　洋　名	面　積 ($10^6 km^2$)	体　積 ($10^6 km^3$)	最大深度 (m)	平均深度 (m)
太　平　洋	166.241	696.189	10 920	4 188
濠亜地中海[1]	9.082	11.366	7 440	1 252
ベーリング海	2.261	3.373	4 097	1 492
オホーツク海	1.392	1.354	3 372	973
黄海および東シナ海	1.202	0.327	2 292	272
日　本　海	1.013	1.690	3 796	1 667
カリフォルニア湾	0.153	0.111	3 700	724
太平洋および縁海，合計	181.344	714.410	10 920	3 940
大　西　洋	86.557	323.369	8 605	3 736
アメリカ地中海[2]	4.357	9.427	7 680	2 164
地　中　海	2.510	3.771	5 267	1 502
黒　　海	0.508	0.605	2 200	1 191
バルト海	0.382	0.038	459	101
大西洋および縁海，合計	94.314	337.210	8 605	3 575
インド洋	73.427	284.340	7 125	3 872
紅　　海	0.453	0.244	2 300	538
ペルシャ湾	0.238	0.024	170	100
インド洋および縁海，合計	74.118	284.608	7 125	3 840
北　極　海	9.485	12.615	5 440	1 330
北極多島海[3]	2.772	1.087	2 360	392
北極海および縁海，合計	12.257	13.702	5 440	1 117
全　海　洋	362.033	1 349.929	10 920	3 729

1)　スンダ列島，フィリピン，ニューギニア島，オーストラリアで囲まれる地中海.

2)　カリブ海およびメキシコ湾の総称.

3)　カナダ北西多島海，バフィン湾およびハドソン湾の総称.

Menard and Smith（1966）および Robert L. Fisher（1993）による.

海洋の深さの面積比

深さの範囲	太平洋	大西洋	インド洋	全海洋
m　　m	%	%	%	%
0－ 200	5.6	8.7	4.1	7.5
200－1 000	3.4	5.9	2.9	4.4
1 000－2 000	3.9	5.2	3.6	4.4
2 000－3 000	7.2	9.6	10.0	8.5
3 000－4 000	20.9	18.9	25.0	20.9
4 000－5 000	32.5	30.4	36.3	31.7
5 000－6 000	24.7	20.6	16.8	21.2
6 000－7 000	1.6	0.6	1.2	1.2
7 000 以上	0.2	0.1 未満	0.1 未満	0.1

Menard and Smith（1966）による．

世界のおもな海溝

海溝名	最深部(m)	最深部の位置	海溝の長さ(km)	海溝の平均幅(km)	所在(次頁の図内の番号)
千島・カムチャツカ海溝	9 550	44° 09′ N,　150° 30′ E	2 200	120	①
日本海溝	8 058	36° 05′ N,　142° 46′ E	800	100	②
伊豆・小笠原海溝	9 780	29° 28′ N,　142° 42′ E	850	90	③
マリアナ海溝	10 920	11° 22′ N,　142° 36′ E	2 550	70	④
ヤップ海溝	8 946	10° 30′ N,　138° 50′ E	700	40	⑤
パラオ海溝	8 054	7° 52′ N,　134° 57′ E	400	40	⑥
南西諸島(琉球) 海溝	7 480	24° 52′ N,　128° 02′ E	1 350	60	⑦
フィリピン海溝	10 057	10° 38′.5N,　126° 36′ E	1 400	60	⑧
東メラネシア(ビーチャシ) 海溝	6 150	10° 27′ S,　170° 17′ E	550	60	⑨
ニューブリテン海溝	8 940	6° 19′ S,　153° 45′ E	1 100	50	⑩
サンクリストバル(南ソロモン) 海溝	8 322	11° 16′ S,　163° 02′ E	800	40	⑪
北ニューヘブリデス(サンタクルーズ) 海溝	9 175	12° 28′ S,　165° 51′ E	500	70	⑫
南ニューヘブリデス海溝	7 570	20° 37′ S,　168° 37′ E	1 200	50	⑬
トンガ海溝	10 800	23° 15′ S,　174° 44′ W	1 400	55	⑭
ケルマデック海溝	10 047	31° 53′ S,　177° 22′ W	1 500	60	⑮
アリューシャン海溝	7 679	50° 51′ N,　177° 11′ E	3 700	50	⑯
中米海溝	6 662	14° 02′ N,　93° 39′ W	2 800	40	⑰
ペルー海溝	6 100	9° 20′ S,　80° 42′ W	2 100	100	⑱
ペルー・チリ海溝	8 170	23° 28′ S,　71° 21′ W	3 400	100	⑲
プエルトリコ海溝	8 605	19° 55′ N,　65° 27′ W	1 500	120	⑳
南サンドウィッチ海溝	8 325	55° 43′ S,　25° 56′ W	1 450	90	㉑
ジャワ(スンダ)(インドネシア)海溝	7 125	10° 19′ S,　109° 59′ E	4 500	80	㉒

Robert L. Fisher(1993)，GEBCO Gazetteer of Undersea Feature Names(IHO-IOC Publication B-8) および海上保安庁海洋情報部・日本海洋データセンターの資料による．

世界海溝図

地第7図

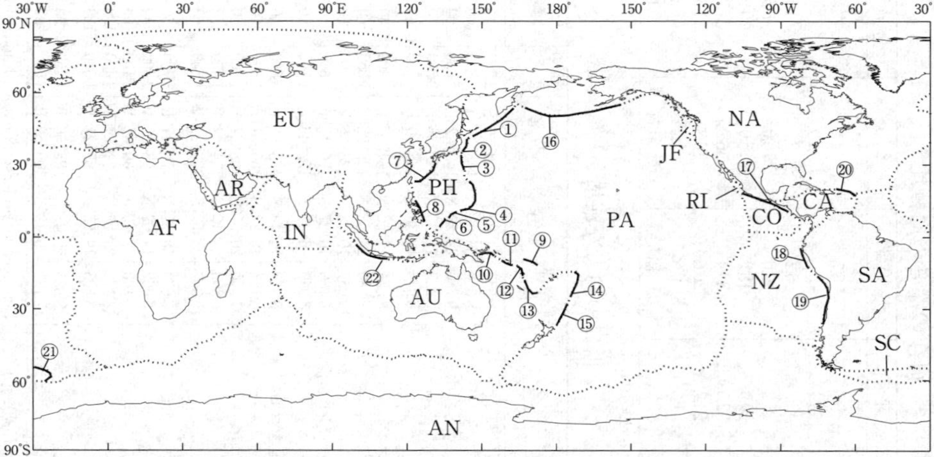

破線はNUVEL-1Aモデル(DeMets et al., 1994)によるプレートの境界を示す．ローマ字はプレート名の略号．
①〜㉒は前頁，世界のおもな海溝の所在の番号．
AF：アフリカプレート，AN：南極プレート，AR：アラビアプレート，AU：オーストラリアプレート，CA：カリブプレート，CO：ココスプレート，EU：ユーラシアプレート，IN：インドプレート，JF：ファンデフカプレート，NA：北アメリカプレート，NZ：ナスカプレート，PA：太平洋プレート，PH：フィリピン海プレート，RI：リベラプレート，SA：南アメリカプレート，SC：スコシアプレート

地第8図　西太平洋の海底地形

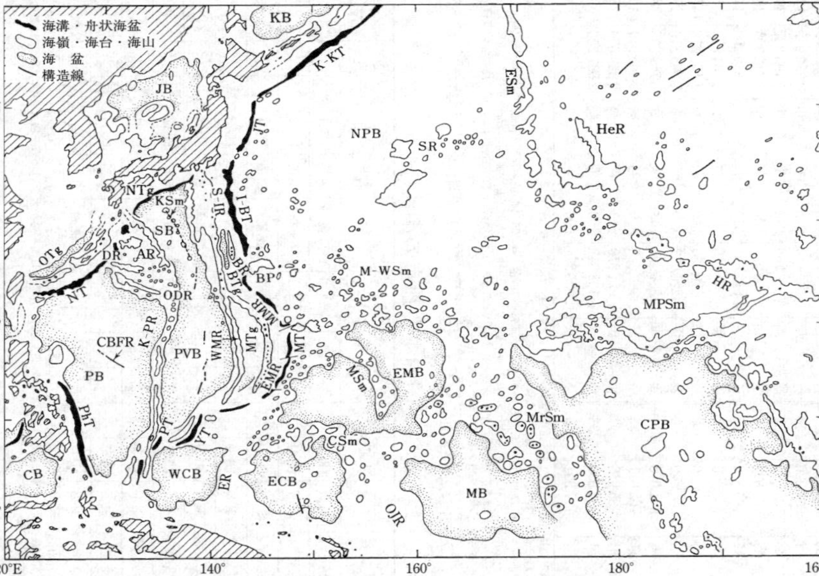

NPB 北西太平洋海盆
CPB 中央太平洋海盆
EMB 東マリアナ海盆
MB メラネシア海盆
ECB 東カロリン海盆
WCB 西カロリン海盆
PVB パレスベラ海盆
（西マリアナ海盆）
PB フィリピン海盆
［西フィリピン海盆］
CB セレベス海盆
SB 四国海盆
JB 日本海盆
KB 千島海盆
OTg 沖縄舟状海盆
BTg 小笠原舟状海盆
MTg マリアナ舟状海盆
K-KT 千島・カムチャツカ海溝
JT 日本海溝
I-BT 伊豆・小笠原海溝
MT マリアナ海溝
YT ヤップ海溝
PT パラオ海溝
NT 南西諸島海溝
PhT フィリピン海溝
HeR ヘス海膨
HR ハワイ海嶺
ESm 天皇海山列
SR シャツキー海膨
M-WSm マーカス・ウェイク海山群
MPSm 中太平洋海山群
MrSm マーシャル海山群
MSm マゼラン海山群
CSm カロリン海山群
OJR オントンジャワ海膨
（ソロモン海膨）
ER オーリピク海膨
S-IR 七島・硫黄島海嶺
WMR 西マリアナ海嶺
MMR 中マリアナ海嶺
EMR 東マリアナ海嶺
K-PR 九州・パラオ海嶺
DR 大東海嶺
ODR 沖大東海嶺
KSm 紀南海山列
BP 小笠原海台
AR 奄美海膨
［奄美海台］
CBFR CBF リフト
NTg 南海舟状海盆
BR 小笠原海嶺

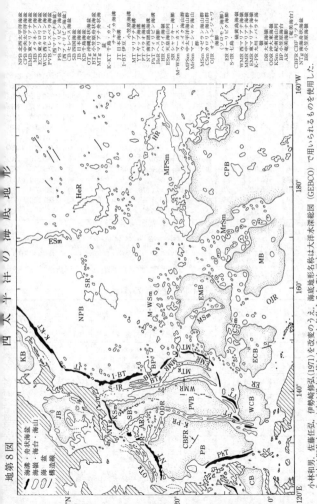

小林和男，佐藤任弘，伊勢崎修弘(1971)を改変のうえ，海底地形名称は大洋水深総図（GEBCO）で用いられるものを使用した．
［　］内は別称を，（　）内は過去に使われていた名称をそれぞれ示す．

海岸線距離と島しょ数

都道府県名	海岸線距離 (m)	島しょ数	都道府県名	海岸線距離 (m)	島しょ数	都道府県名	海岸線距離 (m)	島しょ数
北海道	4 439 977	1473	石川	582 779	251	岡山	541 950	102([illegible]
青森	795 709	264	福井	414 673	180(1)	広島	1 123 513	171([illegible]
岩手	708 886	861	山梨	0	0	山口	1 504 018	396([illegible]
宮城	829 399	666	長野	0	0	徳島	392 662	206([illegible]
秋田	264 220	144	岐阜	0	0	香川	736 919	133([illegible]
山形	134 571	82	静岡	516 769	243	愛媛	1 703 337	391([illegible]
福島	166 028	18	愛知	596 257	61	高知	712 795	400([illegible]
茨城	195 532	13	三重	1 082 538	540	福岡	650 900	115
栃木	0	0	滋賀	0	0	佐賀	364 059	71
群馬	0	0	京都	316 886	111(1)	長崎	4 167 216	1479
埼玉	0	0	大阪	226 992	0	熊本	1 065 819	299
千葉	531 015	244	兵庫	856 421	203(1)	大分	769 395	285
東京	762 611	635	奈良	0	0	宮崎	405 955	403
神奈川	435 958	97	和歌山	651 870	655	鹿児島	2 643 000	1256
新潟	634 850	333	鳥取	133 318	52	沖縄	2 037 250	691
富山	147 394	5	島根	1 028 374	600	本州，四国，九州		3

海岸線総延長距離：35 271 815 m(水管理・国土保全局刊行の海岸統計の資料による)
日本の島しょ数：14 125(国土地理院の資料による)
領海の面積：約 43 万 km²(内水を含む)，排他的経済水域の面積：約 405 万 km²，延長大陸棚(排他的経済水域及び大陸棚に関する法律第 2 条第 2 項が規定する海域）の面積：約 30 万 km²．(海上保安庁海洋情報部の資料による)
(注)　1　(　)内は 2 府県にまたがる島しょ数を示しており，日本の島しょ数の合計はこれらの島しょの重複分 7 か所を差し引いて計上している．
　　　2　ここでいう島しょとは，法令等に基づく島のほか，電子国土基本図に描画された陸地のうち自然に形成されたと判断した周囲長 0.1 km 以上の陸地をいう．

国内主要地点の潮流

番号	地点名	位置 北緯(°′)	位置 東経(°′)	平均大潮期 流向	平均大潮期 流速(ノット)	最大大潮期 流向	最大大潮期 流速(ノット)
1	津軽海峡東口*	41 37	140 56	・・・ ・・・	・・・ ・・・	E W	7 1
2	東京湾湾口	35 17	139 44	NW SE	1.3 1.3	NW SE	1.9 1.9
3	伊良湖水道	34 34	137 00	NW SE	1.9 2.1	NW SE	2.3 2.4
4	鳴門海峡	34 14	134 39	N S	8.4 8.6	N S	10.5 9.9
5	友ヶ島水道	34 17	134 59	N S	2.5 2.5	N S	3.6 3.3
6	明石海峡	34 37	135 01	WNW ESE	5.0 4.6	WNW ESE	6.8 5.2
7	播磨灘	34 43	134 30	W E	0.5 0.5	W E	0.6 0.6
8	備讃瀬戸	34 25	133 57	W E	2.6 2.4	W E	3.1 2.7
9	尾道水道	34 24	133 12	ENE WSW	2.3 2.3	ENE WSW	2.7 2.5
10	長崎瀬戸	34 17	133 11	ESE WNW	2.0 2.0	ESE WNW	2.8 2.2
11	来島海峡中水道	34 07	133 00	S N	7.3 7.3	S N	10.3 9.0
12	大畠瀬戸	33 58	132 11	E W	6.1 6.4	E W	7.3 6.9
13	釣島水道	33 58	132 43	NE SW	2.5 2.6	NE SW	3.3 3.0
14	関門海峡	33 58	130 58	SW NE	7.5 7.5	SW NE	10.0 9.7
15	速吸瀬戸	33 18	131 58	NNW SSE	5.2 3.9	NNW SSE	6.3 4.0
16	平戸瀬戸	33 23	129 34	NE SW	4.7 3.9	NE SW	5.4 5.1
17	早崎瀬戸	32 35	130 10	ESE WNW	5.6 5.6	ESE WNW	6.2 6.8
18	鹿児島湾湾口	31 12	130 41	NNE SSW	0.5 0.5	NNE SSW	0.9 0.9

1 ノット＝1 852 m/h ≒ 0.51 m/s　　海上保安庁海洋情報部の資料による．(上段　上げ潮流，下段　下げ潮流)
*　津軽海峡は西から東に向かう海流の影響が大きく，潮流も日潮不等が大きいため平均大潮期については記載せず，最大大潮期のみとした．

世界各地の潮汐

混合潮または日周潮の潮汐を有する港

(単位：m)

地名	平均高高潮	平均低い高潮	平均高い低潮	平均低低潮	平均水面(Z0)
オホーツク海					
幸	0.9	0.7	0.6	0.2	0.57
別	1.1	0.8	0.7	0.3	0.71
走	1.1	0.7	0.6	0.3	0.68
太平洋					
路	1.2	1.1	0.9	0.3	0.87
小牧	1.3	1.1	0.8	0.3	0.88
蘭	1.4	1.2	0.9	0.4	0.95
館	0.9	0.7	0.5	0.2	0.57
戸	1.2	1.1	0.8	0.3	0.85
古	1.2	1.1	0.8	0.3	0.83
石	1.3	1.1	0.8	0.3	0.86
台	1.4	1.2	0.9	0.3	0.93
名浜	1.2	1.1	0.8	0.3	0.84
島	1.3	1.2	0.9	0.3	0.89
銚子漁港	1.3	1.2	0.9	0.3	0.90
浦	1.3	1.2	0.8	0.3	0.90
葉	1.7	1.7	1.0	0.4	1.20
東京(晴海)	1.7	1.7	1.0	0.4	1.20
横浜(新港)	1.6	1.6	1.0	0.4	1.15
横須賀	1.5	1.5	1.0	0.4	1.10
田	1.4	1.4	0.9	0.3	1.01

地名	平均高高潮	平均低い高潮	平均高い低潮	平均低低潮	平均水面(Z0)
清水	1.4	1.3	0.8	0.3	0.95
串本	1.5	1.5	0.8	0.4	1.05
和歌山	1.6	1.6	0.9	0.4	1.11
八丈島(神湊)	1.2	1.1	0.7	0.3	0.81
高知	1.6	1.6	0.8	0.3	1.08
宇和島	1.9	1.8	1.0	0.5	1.30
大分	2.0	1.8	1.0	0.4	1.30
細島	1.6	1.6	0.8	0.3	1.06
油津	1.7	1.7	0.9	0.4	1.16
日本海					
稚内*	0.3			0.1	0.18
小樽	0.2	0.2	0.2	0.0	0.16
秋田	0.3	0.2	0.2	0.1	0.19
新潟(西区)	0.3	0.2	0.2	0.1	0.17
富山	0.3	0.3	0.2	0.1	0.22
敦賀	0.3	0.2	0.2	0.1	0.18
舞鶴(第2区)	0.3	0.2	0.2	0.1	0.19
境	0.3	0.2	0.2	0.1	0.17
浜田	0.5	0.3	0.2	0.2	0.29

地名	平均高高潮	平均低い高潮	平均高い低潮	平均低低潮	平均水面(Z0)
瀬戸内海					
大阪	1.3	1.3	0.9	0.4	0.95
神戸	1.3	1.2	1.0	0.4	0.95
姫路(飾磨)	1.4	1.1	0.8	0.3	0.90
高松	2.3	1.9	1.0	0.5	1.40
アジア					
コルサコフ	1.2	0.8	0.7	0.3	0.73
ウラジオストク	0.5	0.5	0.4	0.3	0.43
ホンコン(香港)	2.2	1.7	1.1	0.7	1.39
キールン(基隆)	0.9	0.7	0.6	0.2	0.58
カオジュン(高雄)	0.9	0.6	0.5	0.3	0.60
マニラ	1.0	0.5	0.3	0.0	0.49
ジャカルタ*	0.7			0.5	0.60
アデン	2.0	1.8	1.3	0.5	1.39
南アメリカ					
ブエノスアイレス	1.1	1.0	0.6	0.5	0.79
ホーン岬	2.2	1.7	0.9	0.5	1.35
バルパライソ	1.5	1.2	0.5	0.4	0.91
オセアニア					
ホノルル	0.6	0.3	0.1	0.0	0.24
シドニー	1.6	1.3	0.6	0.4	0.97
メルボルン	1.0	0.6	0.5	0.2	0.59

各潮汐の高さは，海図の水深基準面(日本では最低水面)を基準としている．海図の水深基準面は各地でそれぞれ定められている．

・平均高高潮：1日2回ある高潮のうち，高い方の高潮の平均の高さ．
・平均低い高潮：1日2回ある高潮のうち，低い方の高潮の平均の高さ．
・平均高い低潮：1日2回ある低潮のうち，高い方の低潮の平均の高さ．
・平均低低潮：1日2回ある低潮のうち，低い方の低潮の平均の高さ．
・平均水面(Z0)：平均水面の高さ．
*　通常1日1回潮である．

半日周潮の潮汐を有する港

(単位：m)

地名	大潮平均高潮	小潮平均高潮	小潮平均低潮	大潮平均低潮	平均水面(Z0)
太平洋					
三河	2.3	1.7	1.0	0.4	1.35
名古屋	2.4	1.7	1.1	0.4	1.40
四日市	2.2	1.6	1.0	0.4	1.30
鳥羽	2.0	1.5	0.9	0.4	1.20
名瀬	2.0	1.5	0.8	0.3	1.15
那覇	2.0	1.5	0.8	0.4	1.18
石垣	1.7	1.3	0.8	0.4	1.07
瀬戸内海					
坂出	2.9	2.3	1.1	0.5	1.70
水島	3.3	2.6	1.3	0.5	1.90
福山	3.6	2.8	1.4	0.6	2.10
尾道	3.5	2.7	1.3	0.5	2.00
広島	3.4	2.6	1.4	0.6	2.00
松山	3.3	2.5	1.3	0.5	1.90
徳山	3.1	2.3	1.3	0.5	1.80
門司	2.3	1.7	0.9	0.3	1.30
対馬海峡					
八幡	1.4	1.0	0.6	0.2	0.80
博多	1.8	1.4	0.8	0.4	1.10
唐津	2.0	1.5	0.9	0.4	1.18
厳原	1.7	1.2	0.7	0.2	0.93
東シナ海					
佐世保	2.8	2.1	1.2	0.5	1.65

地名	大潮平均高潮	小潮平均高潮	小潮平均低潮	大潮平均低潮	平均水面(Z0)
長崎(松ヶ枝)	2.8	2.1	1.2	0.5	1.64
福江	2.7	2.0	1.2	0.5	1.59
住之江	5.1	3.7	1.9	0.5	2.80
三池	4.8	3.5	1.8	0.5	2.65
三角	3.9	2.9	1.5	0.5	2.21
八代	3.8	2.8	1.5	0.5	2.15
水俣	3.4	2.5	1.4	0.5	1.95
阿久根	2.7	2.0	1.2	0.5	1.60
鹿児島	2.7	2.0	1.1	0.4	1.55
アジア					
プサン(釜山)	1.2	0.9	0.4	0.1	0.65
グンサン(群山)	6.6	4.9	2.2	0.6	3.62
インチョン(仁川)	8.5	6.4	2.9	0.4	4.64
ダーリェン(大連)	2.8	2.2	0.9	0.3	1.63
テンジン(天津)	3.5	3.4	2.0	0.7	2.41
チンタオ(青島)	4.0	3.2	1.5	0.6	2.39
ウーソン(呉淞)	3.4	2.6	1.4	1.0	2.02
シンガポール	2.8	2.2	1.2	0.6	1.80
コルカタ	4.8	3.3	1.2	0.6	2.40
チェンナイ	1.1	0.8	0.4	0.1	0.65
コロンボ	0.7	0.5	0.3	0.1	0.38
ムンバイ	4.4	3.3	1.9	0.8	2.51
南アメリカ					
リオデジャネイロ	1.2	0.9	0.4	0.1	0.69

地名	大潮平均高潮	小潮平均高潮	小潮平均低潮	大潮平均低潮	平均水面(Z0)
ヨーロッパ					
ナポリ	0.4	0.3	0.1	0.1	0.20
マルセイユ	0.4	0.4	0.3	0.2	0.30
リスボン	3.8	3.0	1.5	0.6	2.20
アントワープ	6.2	5.2	1.1	0.5	3.17
ハンブルグ	4.2	3.8	0.4	0.1	2.29
コペンハーゲン	0.1	0.0	0.0	−0.1	0.00
オスロ	0.8	0.8	0.6	0.5	0.66
ロンドン	7.1	5.9	1.3	0.5	3.67
サザンプトン	4.5	3.7	1.8	0.5	2.91
リバプール	9.4	7.5	3.2	1.1	5.25
アフリカ					
ポートサイド	0.6	0.5	0.4	0.3	0.45
スエズ	1.9	1.6	0.7	0.4	1.14
ケープタウン	1.8	1.3	0.8	0.3	0.98
北アメリカ					
ファンディ湾	7.9	6.9	1.8	0.8	4.42
ケベック	5.2	3.9	1.0	0.3	2.62
ボストン	3.1	2.7	0.4	0.0	1.55
ニューヨーク	1.6	1.3	0.2	0.0	0.77
オセアニア					
フィジー(スバ)	1.8	1.6	0.6	0.4	1.15
オークランド	3.3	2.8	0.9	0.4	1.89
ウェリントン	1.8	1.4	0.7	0.4	1.11
ダーウィン	7.0	5.1	3.3	1.4	4.19

・大潮平均高潮：大潮期の高潮の平均の高さ．
・小潮平均高潮：小潮期の高潮の平均の高さ．
・小潮平均低潮：小潮期の低潮の平均の高さ．
・大潮平均低潮：大潮期の低潮の平均の高さ．

(日本については海上保安庁海洋情報部の資料，海外については英国水路部資料による)

日本近海の半日周潮の同時潮図および等振幅図（M_2 潮）

地第 9 図

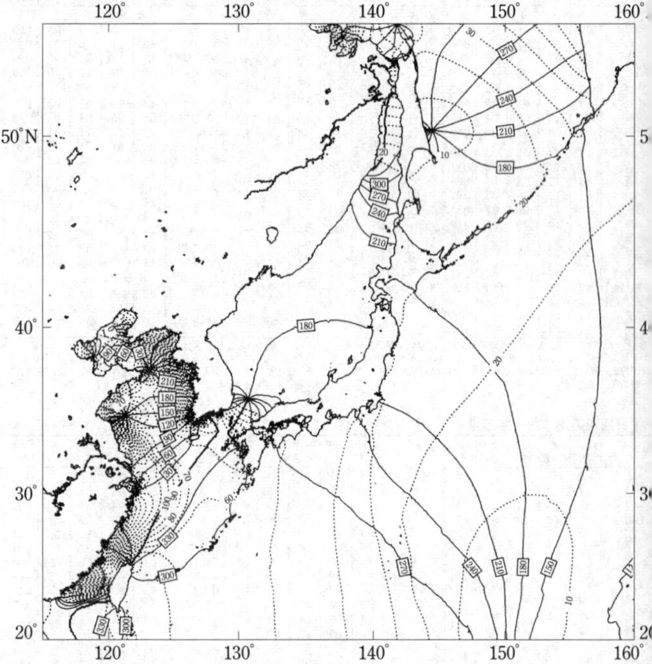

実線は潮時が同じ地点を結んだ同時潮線．月が 0° の子午線を通過してから満潮となるまでの遅れを角度で表している．点線は振幅が同じ地点を結んだ等振幅線（単位：cm）．　（松本晃治，2000）

日本近海の海流模式図

地第 10 図

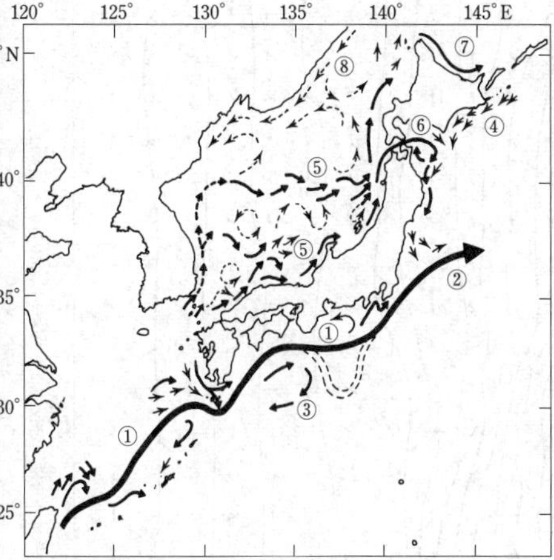

日本海洋データセンターの資料による.

本図は夏季の海流の模式図である．冬季には津軽暖流の東への張り出しが小さくなると同時に親潮が強勢になり，南下傾向が著しくなる．また，冬季には宗谷暖流は消滅する．

①黒潮(2〜3ノット)，②黒潮続流(2〜3ノット)，③黒潮反流(0.5ノット前後)，④親潮(夏季 0.2〜0.5ノット，冬季 0.5〜1ノット)，⑤対馬暖流（夏季1ノット前後，冬季0.5ノット前後)，⑥津軽暖流(夏季 1〜2ノット，冬季0.5ノット前後，津軽海峡部においては2ノット程度の流速を有する)，⑦宗谷暖流（夏季2ノット前後)，⑧リマン海流.

黒潮流路の変化

地第 11 図

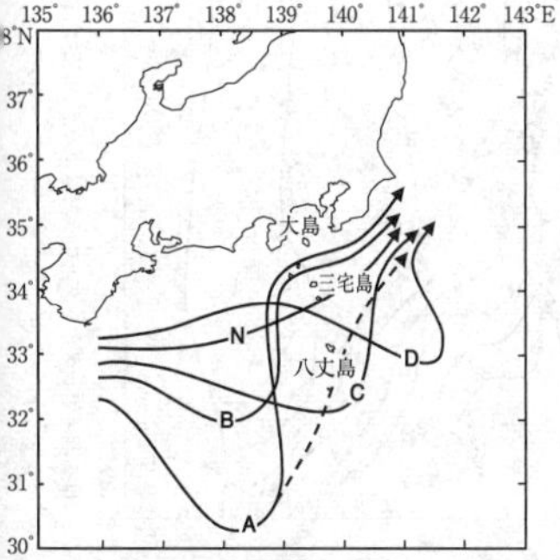

二谷穎男(1969)，三官庁海洋業務連絡会(2006)による.

九州東岸から四国南方を通り北上する黒潮は，紀伊半島から房総沖に至る間では，数週間〜数ヵ月の単位で変化することが多い．左図は代表的なパターンである．

A型：紀伊半島·遠州灘沖で，32°N 以南まで大きく南方へ蛇行した後，八丈島の北を通過するパターン（典型的大蛇行流路）と，八丈島南を通過するパターン（典型的でない大蛇行流路）がある.

B型：中小規模の蛇行が遠州灘沖にあるパターン（非大蛇行接岸流路).

C型：中小規模の蛇行が伊豆諸島海域にあるパターン（流路が八丈島の南にある）(非大蛇行離岸流路).

D型：中小規模の蛇行が房総沖にあるパターン（非大蛇行接岸流路).

N型：本州南岸に沿ってほぼ直進（東流）するパターン（非大蛇行接岸流路).

地第 12 図　日本近海の海流（1～3 月）および表面水温（2 月）

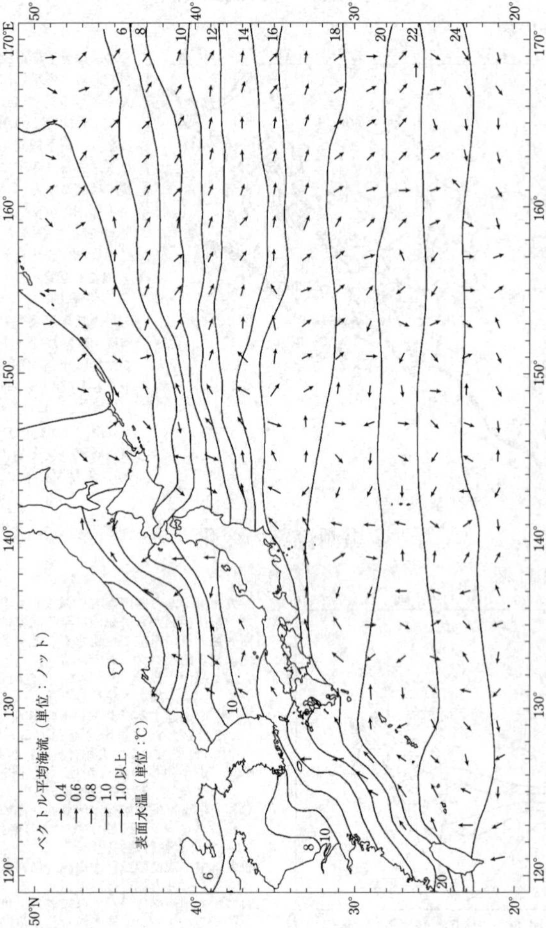

日本海洋データセンターの資料による．（海流は 1854 年から 2010 年までの平均値，表面水温は 1981 年から 2010 年までの平均値）

地第13図　日本近海の海流(7〜9月)および表面水温(8月)

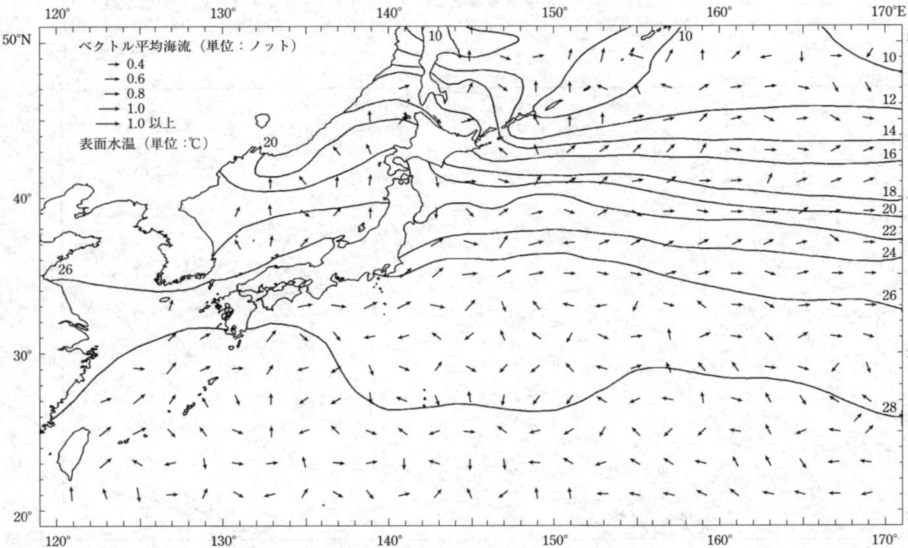

日本海洋データセンターの資料による.（海流は1854年から2010年までの平均値，表面水温は1981年から2010年までの平均値）

世界の海流図 (2月)

地第14図

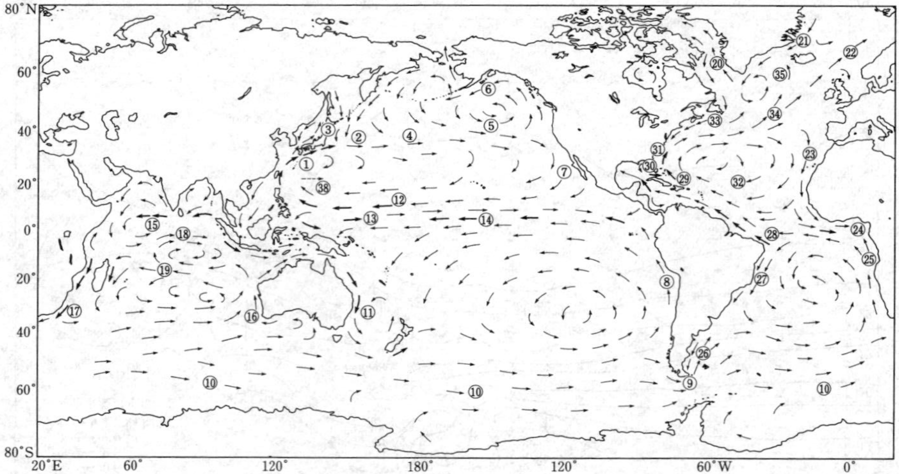

日本海洋データセンターの資料による.

1) ← 0.5~1.0 ノット(約 0.25~0.5 m/sec), ← 1.0 ノット以上(約 0.5 m/sec 以上).

2) ㊳は弱い東向流として存在するといわれている亜熱帯反流.

3) ㊴は4月, 11月頃に3ノット以上の東向流として存在する赤道ジェット.

地第15図　世界の海流図（8月）

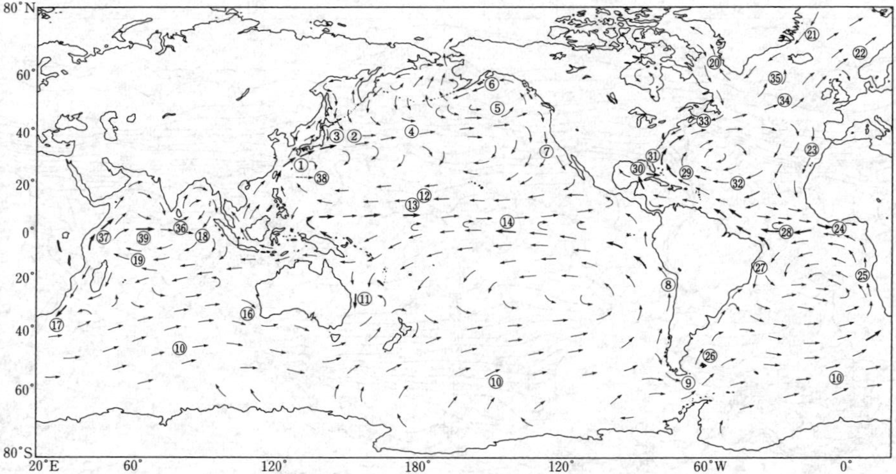

おもな海流

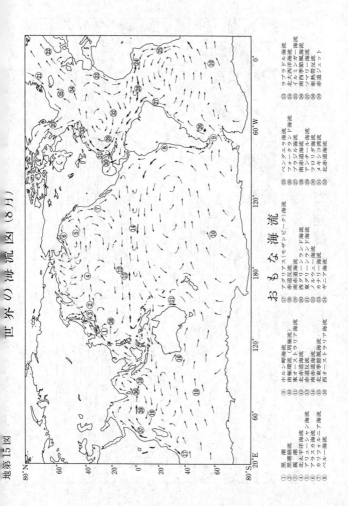

① 黒　潮
② 黒潮続流
③ 親　潮
④ 北太平洋海流
⑤ アリューシャン海流
⑥ アラスカ海流
⑦ カリフォルニア海流
⑧ ペルー海流
⑨ ホルン岬海流
⑩ 南極環流（周極流）
⑪ 東オーストラリア海流
⑫ 北赤道海流
⑬ 赤道反流
⑭ 南赤道海流
⑮ 北東季節風海流
⑯ 西オーストラリア海流
⑰ アグリアス（モザンビーク）海流
⑱ 赤道反流
⑲ 南赤道海流
⑳ 西グリーンランド海流
㉑ 東グリーンランド海流
㉒ ノルウェー海流
㉓ カナリー海流
㉔ ギニア海流
㉕ ベングエラ海流
㉖ フォークランド海流
㉗ ブラジル海流
㉘ 南赤道海流
㉙ アンチール海流
㉚ フロリダ海流
㉛ メキシコ湾流
㉜ 北赤道海流
㉝ ラブラドル海流
㉞ 北大西洋海流
㉟ イルミンガー海流
㊱ 南西季節風海流
㊲ ソマリー海流
㊳ 亜熱帯反流
㊴ 赤道ジェット

世界の表面水温図（2月）

地第16図

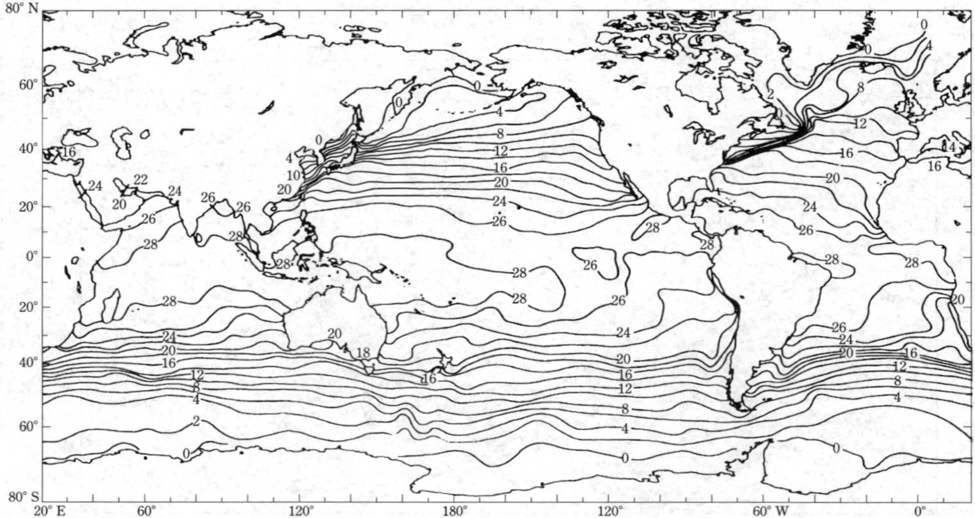

日本海洋データセンターの資料による。単位は℃。日本近海については，地53，54参照。

世界の表面水温図（8月）

地第17図

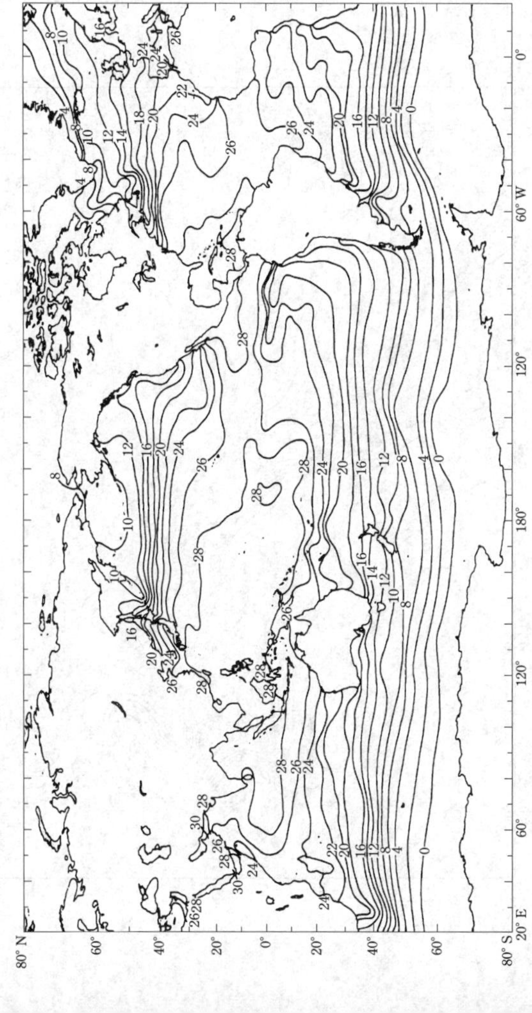

日本海洋データセンターの資料による.

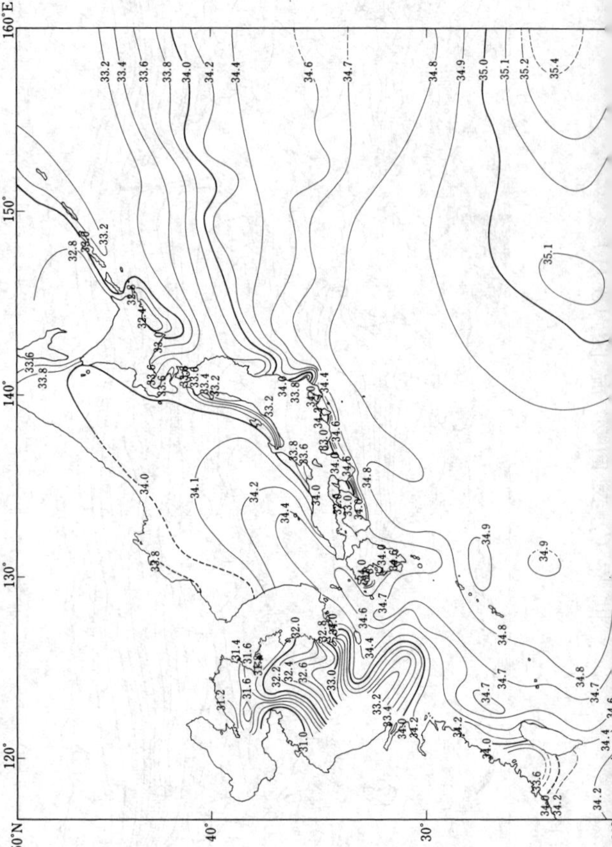

地第18図　日本近海の表面塩分(PSU)(1~3月)

地第 19 図　日本近海の表面塩分（PSU）（7～9 月）

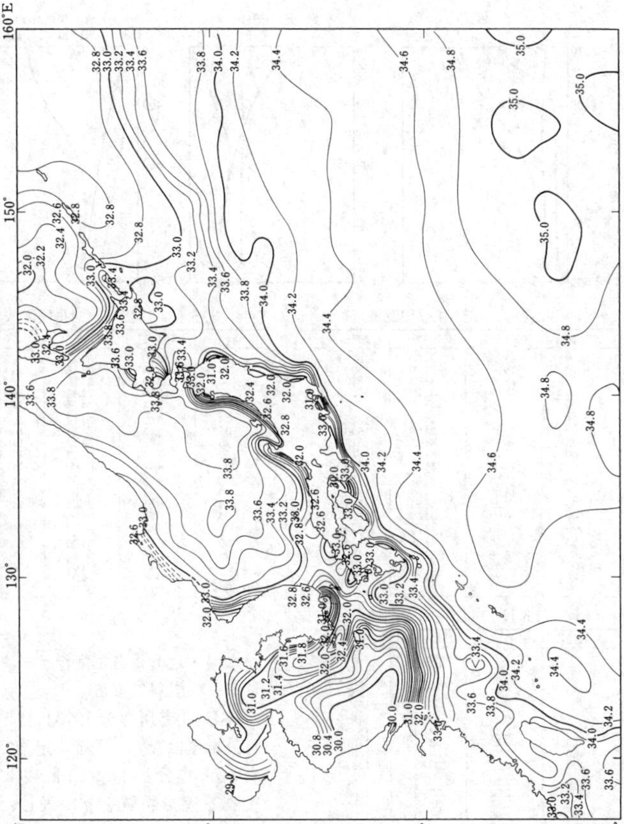

日本海洋データセンターの資料による.

日本近海の水温·塩分·音速の鉛直分布（2 月）

地第 20 図

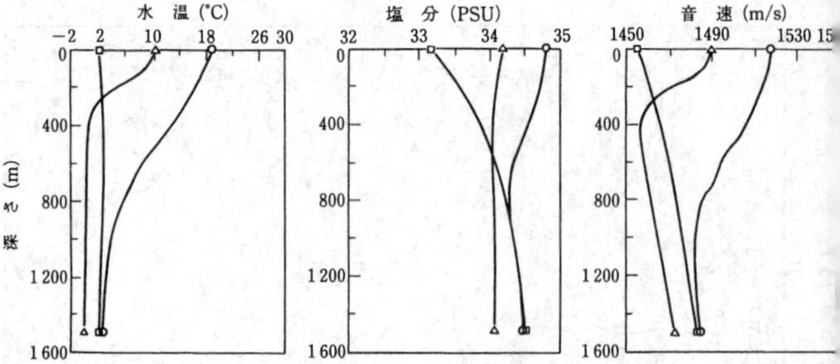

○ 32.5°N，135.5°E（黒潮域）

水深(m)	水温(℃)	塩分(PSU)	音速(m/s)
0	18.85	34.80	1519.7
10	19.01	34.79	1520.3
20	18.99	34.79	1520.4
30	18.97	34.79	1520.5
50	18.89	34.79	1520.6
75	18.71	34.78	1520.5
100	18.47	34.78	1520.2
125	18.15	34.77	1519.7
150	17.70	34.76	1518.8
200	16.66	34.72	1516.5
250	15.53	34.68	1513.8
300	14.30	34.62	1510.7
400	12.23	34.51	1505.3
500	10.02	34.39	1499.1
600	8.10	34.32	1493.6
700	6.65	34.28	1489.7
800	5.36	34.29	1486.2
1 000	3.91	34.37	1483.7
1 200	3.26	34.44	1484.4
1 500	2.72	34.51	1487.3

△ 37.5°N，134.5°E（対馬暖流域）

水深(m)	水温(℃)	塩分(PSU)	音速(m/s)
0	10.00	34.17	1490.5
10	10.04	34.15	1490.7
20	9.99	34.15	1490.7
30	9.89	34.14	1490.5
50	9.74	34.14	1490.3
75	9.65	34.14	1490.4
100	9.15	34.14	1489.0
125	7.62	34.13	1483.7
150	7.41	34.12	1483.3
200	4.77	34.09	1473.6
250	2.73	34.07	1465.8
300	1.44	34.05	1460.9
400	0.61	34.05	1458.9
500	0.37	34.06	1459.4
600	0.28	34.06	1460.7
700	0.23	34.06	1462.1
800	0.18	34.07	1463.6
1 000	0.15	34.07	1466.8
1 200	0.14	34.07	1470.1
1 500	0.14	34.08	1475.2

□ 41.5°N，144.5°E（親潮域）

水深(m)	水温(℃)	塩分(PSU)	音速(m/s)
0	1.97	33.16	1457.2
10	1.95	33.18	1457.3
20	2.03	33.21	1457.8
30	2.11	33.24	1458.4
50	2.22	33.27	1459.2
75	2.28	33.30	1459.9
100	2.23	33.35	1460.2
125	2.43	33.44	1461.6
150	2.33	33.46	1461.6
200	2.37	33.55	1462.7
250	2.49	33.63	1464.2
300	2.62	33.72	1465.7
400	2.87	33.88	1468.6
500	2.96	34.00	1470.8
600	2.98	34.10	1472.7
700	3.00	34.15	1474.5
800	2.91	34.23	1475.9
1 000	2.76	34.34	1478.8
1 200	2.56	34.44	1481.4
1 500	2.29	34.53	1485.5

水温・塩分は日本海洋データセンターの資料による．

PSU：「実用塩分 1978」と呼ばれ，単位はない．正確な定義ではないが，塩分とは海水 1 kg 中に含まれる固形物質を g で表したものに相当する．

音速の計算は UNESCO の式（Chen and Millero の式）による．

日本近海の水温·塩分·音速の鉛直分布（8 月）

地第 21 図

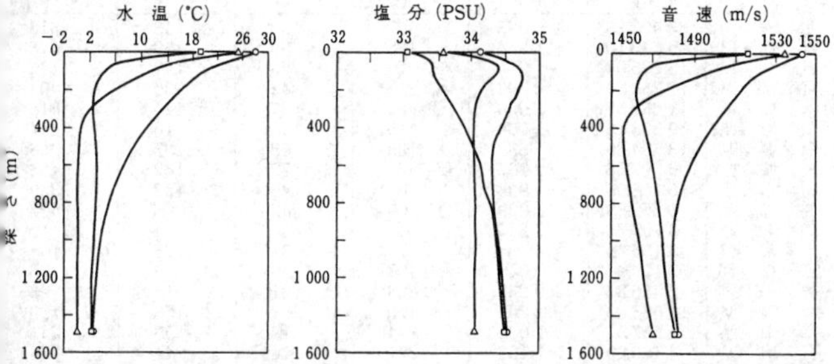

○ 32.5°N, 135.5°E（黒潮域）

水深(m)	水温(℃)	塩分(PSU)	音速(m/s)
0	28.14	34.11	1542.4
10	27.90	34.14	1542.1
20	27.15	34.25	1540.7
30	26.22	34.34	1538.8
50	24.03	34.51	1534.0
75	21.81	34.66	1528.9
100	20.08	34.73	1524.7
125	18.25	34.72	1520.0
150	17.76	34.72	1518.9
200	16.19	34.67	1515.0
250	14.70	34.60	1511.1
300	13.40	34.55	1507.6
400	11.13	34.44	1501.5
500	8.96	34.35	1495.2
600	7.21	34.32	1490.2
700	6.13	34.32	1487.7
800	5.05	34.32	1485.0
1 000	3.84	34.40	1483.5
1 200	3.15	34.47	1484.0
1 500	2.59	34.54	1486.8

△ 37.5°N, 134.5°E（対馬暖流域）

水深(m)	水温(℃)	塩分(PSU)	音速(m/s)
0	25.29	33.60	1535.3
10	24.36	33.64	1533.2
20	21.72	33.89	1526.9
30	19.05	34.06	1519.9
50	15.62	34.28	1510.3
75	13.33	34.40	1503.5
100	11.47	34.40	1497.6
125	9.58	34.36	1491.3
150	8.49	34.25	1487.5
200	5.78	34.15	1477.7
250	3.50	34.09	1469.1
300	1.99	34.07	1463.4
400	0.61	34.05	1458.9
500	0.35	34.05	1459.3
600	0.23	34.05	1460.5
700	0.21	34.06	1462.0
800	0.17	34.06	1463.5
1 000	0.20	34.07	1467.0
1 200	0.12	34.06	1470.0
1 500	0.14	34.07	1475.2

□ 41.5°N, 144.5°E（親潮域）

水深(m)	水温(℃)	塩分(PSU)	音速(m/s)
0	19.20	33.05	1518.7
10	18.07	33.05	1515.6
20	12.99	33.20	1500.0
30	9.63	33.28	1488.5
50	5.85	33.38	1474.6
75	4.55	33.41	1469.7
100	3.76	33.41	1466.8
125	3.68	33.45	1467.0
150	3.16	33.47	1465.2
200	2.66	33.56	1464.0
250	2.62	33.64	1464.8
300	2.70	33.72	1466.0
400	2.94	33.88	1468.9
500	3.08	34.00	1471.4
600	3.13	34.13	1473.4
700	3.07	34.16	1474.9
800	2.95	34.27	1476.2
1 000	2.72	34.37	1478.7
1 200	2.46	34.42	1481.0
1 500	2.25	34.51	1485.3

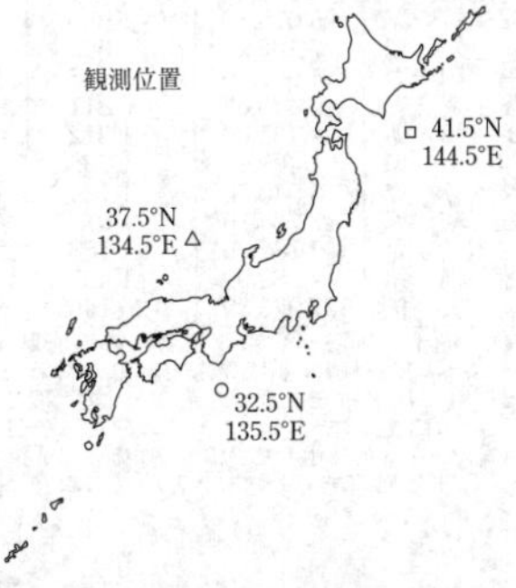

日本の県別面積・人口・土地利用

都道府県名	面積[1) (km²)	人口[2) (千人)	人口密度[3) (人/km²)	総農家数[4) (千戸)	耕地面積[5) (千 ha)	森林面積[6) (千 ha)
北海道	83 422.23	5 225	67	38	1 143	5 313
青森県	9 645.10	1 238	128	36	150	613
岩手県	15 275.04	1 211	79	53	149	1 140
宮城県	7 282.29*	2 302	316	42	126	404
秋田県	11 637.52	960	82	37	146	818
山形県	9 323.15*	1 068	115	40	116	644
福島県	13 784.39	1 833	133	63	137	938
茨城県	6 097.56	2 867	470	72	162	198
栃木県	6 408.09	1 933	302	46	122	339
群馬県	6 362.28	1 939	305	42	66	407
埼玉県	3 797.75*	7 345	1 934	46	74	119
千葉県	5 156.48*	6 284	1 219	51	123	155
東京都	2 199.94*	14 048	6 403	10	6	76
神奈川県	2 416.33	9 237	3 823	21	18	93
新潟県	12 583.88*	2 201	175	63	168	799
富山県	4 247.54*	1 035	244	17	58	241
石川県	4 186.20	1 133	271	16	41	278
福井県	4 190.54	767	183	16	40	310
山梨県	4 465.27*	810	181	28	23	347
長野県	13 561.56*	2 048	151	90	105	1 022
岐阜県	10 621.29*	1 979	186	49	55	839
静岡県	7 777.07*	3 633	467	51	62	488
愛知県	5 173.19*	7 542	1 458	61	73	218
三重県	5 774.48*	1 770	307	34	58	371
滋賀県	4 017.38*	1 414	352	22	51	204
京都府	4 612.21	2 578	559	25	30	342
大阪府	1 905.34	8 838	4 638	21	12	57
兵庫県	8 400.94	5 465	651	67	73	562
奈良県	3 690.94	1 324	359	22	20	284
和歌山県	4 724.69	923	195	25	32	360
鳥取県	3 507.03	553	158	23	34	257
島根県	6 707.81	671	100	27	36	524
岡山県	7 114.60*	1 888	265	51	63	485
広島県	8 478.94	2 800	330	45	53	610
山口県	6 112.60	1 342	220	27	45	437
徳島県	4 146.99	720	174	25	28	313
香川県	1 876.86*	950	506	29	29	87
愛媛県	5 675.89	1 335	235	35	46	400
高知県	7 102.28	692	97	20	26	592
福岡県	4 987.66*	5 135	1 030	41	79	222
佐賀県	2 440.67	811	333	19	51	111
長崎県	4 131.06	1 312	318	28	46	242
熊本県	7 409.18*	1 738	235	48	108	458
大分県	6 340.70*	1 124	177	32	55	449
宮崎県	7 734.16*	1 070	138	31	65	584
鹿児島県	9 186.20*	1 588	173	48	113	585
沖縄県	2 282.09	1 467	643	15	37	106
全国	377 975.39	126 146	338	1 747	4 349	24 436

1)　国土地理院「令和６年全国都道府県市区町村別面積調（1 月 1 日時点）」による．ただし，＊印の面積は，境界未定部分があるため，参考値（便宜上の概算数値）として掲載した．

2)，3)　総務省統計局「令和２年国勢調査」（令和２年 10月１日現在）による．なお，北海道の人口密度については，歯舞群島，色丹島，国後島及び択捉島の面積を除いて算出している．

4)，5)，6)　農林水産省大臣官房統計部「第 97 次農林水産省統計表」による．4)は令和２年２月１日現在，5)は令和３年７月 15日現在，6)は令和２年２月１日現在．

日本のおもな都市の面積・人口 (1)

令和6年1月1日現在で人口10万以上の市．面積は令和6年1月1日現在

都市名	都道府県	面積1) (km²)	人口2) (万人)	都市名	都道府県	面積1) (km²)	人口2) (万人)
札幌市	北海道	1121	195.7	高崎市	群馬	*459	36.8
函館市		678	24.0	桐生市		274	10.3
小樽市		244	10.7	伊勢崎市		139	21.2
旭川市		748	32.0	太田市		176	22.3
釧路市		1363	15.8	さいたま市	埼玉	217	134.5
帯広市		619	16.2	川越市		109	35.3
北見市		1427	11.2	熊谷市		160	19.2
苫小牧市		*562	16.7	川口市		62	60.6
江別市		187	11.9	所沢市		72	34.4
青森市	青森	825	26.8	加須市		133	11.2
弘前市		524	16.2	春日部市		66	23.1
八戸市		306	21.8	狭山市		49	14.9
盛岡市	岩手	886	28.0	鴻巣市		67	11.8
一関市		1256	10.8	深谷市		138	14.1
奥州市		*993	11.0	上尾市		46	23.0
仙台市	宮城	786	106.6	草加市		27	25.1
石巻市		555	13.5	越谷市		60	34.3
大崎市		797	12.4	戸田市		18	14.2
秋田市	秋田	906	29.7	入間市		45	14.5
山形市	山形	*381	23.8	朝霞市		18	14.5
鶴岡市		*1312	11.9	新座市		23	16.6
福島市	福島	768	26.8	久喜市		82	15.1
会津若松市		*383	11.2	富士見市		20	11.3
郡山市		757	31.5	三郷市		*30	14.2
いわき市		1233	30.7	ふじみ野市		15	11.4
水戸市	茨城	*217	26.9	千葉市	千葉	272	97.9
日立市		226	16.7	市川市		*57	49.3
土浦市		123	14.2	船橋市		86	64.8
古河市		124	14.0	木更津市		139	13.7
取手市		70	10.6	松戸市		61	49.8
つくば市		284	25.5	野田市		104	15.4
ひたちなか市		100	15.6	成田市		214	13.2
筑西市		205	10.1	佐倉市		104	17.0
宇都宮市	栃木	417	51.6	習志野市		21	17.5
足利市		178	14.1	柏市		115	43.6
栃木市		332	15.4	市原市		368	26.9
佐野市		356	11.4	流山市		35	21.1
小山市		172	16.7	八千代市		51	20.6
那須塩原市		593	11.6	我孫子市		43	13.1
前橋市	群馬	312	33.0	鎌ケ谷市		21	11.0

1)　国土地理院「令和6年全国都道府県市区町村別面積調（1月1日時点）」による．ただし，＊印の面積は，境界未定部分があるため，参考値（便宜上の概算数値）として掲載した．
2)　総務省自治行政局住民制度課「住民基本台帳に基づく人口」による．

日本のおもな都市の面積・人口 (2)

都市名	都道府県	面積[1] (km²)	人口[2] (万人)	都市名	都道府県	面積[1] (km²)	人口[2] (万人)
浦安市	千葉	*17	17.1	松本市	長野	978	23.5
印西市		124	11.1	上田市		552	15.2
東京区部	東京	*628	964.3	岐阜市	岐阜	204	40.1
八王子市		186	56.1	大垣市		207	15.8
立川市		24	18.6	多治見市		*91	10.6
武蔵野市		11	14.8	各務原市		88	14.5
三鷹市		16	19.0	可児市		88	10.0
青梅市		103	12.9	静岡市	静岡	*1412	67.8
府中市		29	26.0	浜松市		*1558	78.9
昭島市		17	11.5	沼津市		187	18.8
調布市		22	23.9	三島市		62	10.6
町田市		72	43.0	富士宮市		*389	12.8
小金井市		11	12.5	富士市		245	24.8
小平市		21	19.7	磐田市		*163	16.7
日野市		28	18.7	焼津市		70	13.6
東村山市		17	15.2	掛川市		266	11.5
国分寺市		11	12.9	藤枝市		194	14.1
東久留米市		13	11.7	名古屋市	愛知	*326	229.8
多摩市		21	14.8	豊橋市		262	36.9
西東京市		16	20.6	岡崎市		387	38.4
横浜市	神奈川	438	375.3	一宮市		114	37.8
川崎市		143	152.9	瀬戸市		111	12.7
相模原市		329	71.8	半田市		47	11.7
横須賀市		101	38.3	春日井市		93	30.7
平塚市		*68	25.7	豊川市		161	18.6
鎌倉市		40	17.6	刈谷市		50	15.3
藤沢市		70	44.5	豊田市		918	41.6
小田原市		114	18.7	安城市		86	18.8
茅ヶ崎市		*36	24.8	西尾市		161	17.0
秦野市		104	15.9	小牧市		63	15.0
厚木市		94	22.4	稲沢市		79	13.4
大和市		27	24.5	東海市		43	11.3
伊勢原市		56	10.0	津市	三重	711	27.1
海老名市		27	14.0	四日市市		207	30.8
座間市		18	13.1	伊勢市		208	12.0
新潟市	新潟	726	76.8	松阪市		624	15.7
長岡市		*891	25.8	桑名市		137	13.9
上越市		974	18.3	鈴鹿市		194	19.6
富山市	富山	*1242	40.6	大津市	滋賀	465	34.4
高岡市		210	16.4	彦根市		197	11.1
金沢市	石川	469	44.5	長浜市		681	11.4
小松市		371	10.6	草津市		68	14.0
白山市		755	11.3	東近江市		388	11.2
福井市	福井	536	25.6	京都市	京都	828	138.0
甲府市	山梨	212	18.5	宇治市		68	18.1
長野市	長野	835	36.6	大阪市	大阪	*225	275.8

日本のおもな都市の面積・人口 (3)

都市名	都道府県	面積[1] (km²)	人口[2] (万人)	都市名	都道府県	面積[1] (km²)	人口[2] (万人)
堺市	大阪	150	81.7	廿日市市	広島	489	11.6
岸和田市		73	18.8	下関市	山口	716	24.7
豊中市		*36	40.7	宇部市		287	15.8
池田市		22	10.3	山口市		1023	18.7
吹田市		36	38.3	防府市		189	11.4
高槻市		105	34.7	岩国市		874	12.7
守口市		13	14.1	周南市		656	13.6
枚方市		65	39.4	徳島市	徳島	192	24.7
茨木市		76	28.6	高松市	香川	376	42.0
八尾市		42	26.1	丸亀市		112	11.1
富田林市		40	10.7	松山市	愛媛	429	50.0
寝屋川市		25	22.6	今治市		419	15.0
松原市		17	11.7	新居浜市		234	11.4
大東市		18	11.6	西条市		510	10.4
和泉市		85	18.3	高知市	高知	309	31.6
箕面市		48	13.9	北九州市	福岡	493	92.1
羽曳野市		26	10.8	福岡市		343	159.4
門真市		12	11.7	大牟田市		81	10.7
東大阪市		62	47.9	久留米市		230	30.2
神戸市	兵庫	*557	150.0	飯塚市		214	12.5
姫路市		535	52.6	筑紫野市		88	10.7
尼崎市		51	45.8	春日市		14	11.2
明石市		49	30.7	大野城市		27	10.3
西宮市		*100	48.3	糸島市		216	10.4
伊丹市		25	20.1	佐賀市	佐賀	*432	22.8
加古川市		138	25.9	唐津市		488	11.5
宝塚市		*102	22.9	長崎市	長崎	406	39.6
川西市		53	15.4	佐世保市		426	23.7
三田市		210	10.7	諫早市		342	13.4
奈良市	奈良	277	34.9	熊本市	熊本	390	73.2
橿原市		40	11.9	八代市		681	12.2
生駒市		53	11.7	大分市	大分	502	47.5
和歌山市	和歌山	209	35.6	別府市		*125	11.3
鳥取市	鳥取	765	18.1	宮崎市	宮崎	644	39.7
米子市		132	14.5	都城市		*653	16.2
松江市	島根	573	19.6	延岡市		868	11.6
出雲市		624	17.3	鹿児島市	鹿児島	548	59.5
岡山市	岡山	790[3]	69.9	霧島市		603	12.4
倉敷市		356	47.6	那覇市	沖縄	41	31.5
広島市	広島	907	117.9	宜野湾市		20	10.0
呉市		353	20.5	浦添市		19	11.6
尾道市		285	12.8	沖縄市		50	14.2
福山市		518	45.8	うるま市		87	12.7
東広島市		635	19.1				

3)　岡山県岡山市の面積に児島湖は含まれていない.

都道府県庁

	北海道	青森	岩手	宮城	秋田	山形	福島	茨城	栃木	群馬	埼玉	千葉
青森	253.8											
岩手	373.6	129.3										
宮城	534.0	284.0	161.1									
秋田	385.9	134.2	90.1	174.2								
山形	542.1	288.7	176.2	44.6	165.6							
福島	594.8	342.1	224.9	67.7	220.8	55.2						
茨城	750.4	498.3	378.3	217.2	376.1	210.9	156.3					
栃木	732.3	478.6	365.6	208.3	350.5	190.7	141.3	56.3				
群馬	766.3	513.4	410.9	263.0	380.5	235.5	195.9	124.5	76.2			
埼玉	813.4	559.6	447.0	288.9	430.5	272.1	222.4	89.7	81.4	79.5		
千葉	834.8	581.9	463.9	303.1	456.6	293.3	240.0	86.8	108.8	129.6	51.2	
東京	831.0	577.3	463.8	304.9	448.7	289.4	238.9	99.3	98.8	96.4	19.0	40.2
神奈川	858.2	604.5	490.8	331.7	475.8	316.5	265.9	122.9	125.9	117.1	45.4	47.0
新潟	606.0	356.5	272.4	167.2	222.3	123.4	128.3	214.5	166.8	167.7	233.7	273.2
富山	790.4	551.4	480.2	367.8	420.3	327.3	311.8	292.4	239.4	169.0	237.9	288.6
石川	823.9	590.2	525.8	419.2	461.6	377.9	364.5	343.6	291.6	219.4	283.9	333.5
福井	892.7	659.1	592.4	479.9	529.9	440.0	422.0	381.1	333.5	257.8	310.0	356.2
山梨	855.6	603.5	502.9	354.5	469.9	327.6	287.0	185.3	155.0	92.1	100.0	141.0
長野	761.7	513.8	427.2	298.1	379.8	261.5	236.8	205.9	152.6	83.9	158.7	209.9
岐阜	940.4	698.3	618.2	488.8	565.5	453.3	425.3	352.5	313.5	238.5	270.1	309.5
静岡	933.6	681.3	579.1	427.8	547.8	403.1	360.1	240.5	222.5	168.5	150.8	172.9
愛知	955.4	711.0	626.9	492.8	577.5	459.0	427.9	345.1	309.7	236.6	259.8	296.0
三重	1015.5	772.1	688.6	553.9	638.8	520.5	488.7	399.3	367.2	295.8	311.8	343.3
滋賀	1012.1	774.8	700.6	575.6	643.6	539.0	512.9	440.2	402.2	327.3	356.1	392.6
京都	1015.1	778.7	705.8	582.2	647.9	545.3	519.9	449.1	410.6	335.5	365.4	402.4
大阪	1057.9	821.7	748.1	622.8	690.7	586.4	559.7	483.1	446.9	372.6	397.4	431.6
兵庫	1071.6	838.1	767.9	645.9	708.3	608.7	583.8	511.3	473.8	399.0	426.3	461.4
奈良	1045.4	806.7	729.9	601.5	674.9	566.0	537.8	457.0	422.1	348.6	370.7	404.0
和歌山	1118.1	882.1	808.0	681.0	751.1	645.2	617.3	534.4	500.8	427.8	447.1	477.9
鳥取	1038.7	820.2	767.7	666.0	697.5	624.7	610.2	567.9	522.2	446.1	491.3	533.6
島根	1104.7	897.8	855.4	763.0	780.6	720.6	709.8	674.4	627.6	551.8	598.8	641.4
岡山	1132.0	909.1	850.3	739.1	783.7	699.6	679.9	619.3	578.7	502.9	536.5	573.5
広島	1232.6	1020.6	971.2	868.5	899.9	827.6	811.3	757.0	715.2	639.1	674.9	712.1
山口	1306.1	1100.9	1056.6	958.2	983.0	916.8	902.2	850.6	808.4	732.2	768.7	806.0
徳島	1159.9	927.8	857.9	734.6	798.2	697.8	671.7	592.4	557.8	484.1	505.4	536.7
香川	1157.2	930.9	868.0	752.1	803.9	713.6	691.3	622.9	584.7	509.5	538.0	572.6
愛媛	1267.0	1047.8	991.0	879.6	923.6	840.3	819.8	753.0	714.9	639.5	667.8	701.5
高知	1255.8	1028.6	963.4	843.3	900.8	805.9	781.1	702.8	668.4	594.5	615.5	645.8
福岡	1417.1	1215.4	1172.9	1074.9	1098.7	1033.5	1018.5	964.2	923.0	846.9	881.1	917.0
佐賀	1454.9	1251.1	1206.4	1105.5	1133.3	1064.6	1048.2	989.4	949.5	873.6	905.1	939.6
長崎	1523.4	1318.9	1272.9	1169.9	1200.4	1129.4	1111.8	1048.9	1010.3	934.8	963.6	996.6
熊本	1470.5	1259.7	1208.5	1100.6	1138.5	1060.9	1041.2	973.2	936.1	861.0	887.1	918.9
大分	1382.7	1168.4	1115.0	1005.6	1046.0	966.1	946.0	878.3	840.9	765.7	792.5	824.9
宮崎	1514.9	1293.5	1231.7	1112.4	1167.4	1075.0	1049.8	965.9	934.3	861.5	877.3	903.6
鹿児島	1592.3	1374.7	1316.2	1199.6	1250.1	1161.7	1137.6	1055.9	1023.6	950.4	967.5	994.2
沖縄	2243.8	2019.4	1951.0	1821.7	1891.2	1787.4	1756.4	1652.0	1629.6	1562.0	1562.4	1578.3

	鹿児島	宮崎	大分	熊本	長崎	佐賀	福岡	高知	愛媛	香川	徳島	山口
												285.2
											56.5	237.5
										130.2	167.6	125.5
									77.5	98.7	110.5	202.8
								289.0	219.2	344.8	386.7	116.7
							41.1	302.6	238.4	367.2	405.4	150.3
						68.5	108.0	353.4	295.9	426.0	460.2	218.2
					82.0	65.7	95.5	273.8	221.7	351.5	382.2	169.0
				95.4	171.9	122.4	118.4	182.0	126.3	256.2	288.4	105.9
			148.2	116.7	173.6	182.2	210.3	269.1	248.2	363.7	378.1	252.3
		90.8	210.8	137.4	147.1	188.9	227.3	356.5	326.9	448.6	466.4	303.5
沖縄	655.7	729.1	866.5	787.0	755.0	820.0	861.1	990.8	977.3	1088.7	1093.4	956.1

	北緯			東経				北緯			東経				北緯			東経				北緯			東経		
	°	′	″	°	′	″		°	′	″	°	′	″		°	′	″	°	′	″		°	′	″	°	′	″
北海道	43	03	52	141	20	49	福島	37	45	00	140	28	04	東京	35	41	22	139	41	30	山梨	35	39	50	138	34	06
青森	40	49	28	140	44	24	茨城	36	20	30	140	26	49	神奈川	35	26	52	139	38	33	長野	36	39	05	138	10	51
岩手	39	42	13	141	09	10	栃木	36	33	57	139	53	01	新潟	37	54	09	139	01	24	岐阜	35	23	28	136	43	20
宮城	38	16	08	140	52	20	群馬	36	23	28	139	03	39	富山	36	41	43	137	12	41	静岡	34	58	37	138	22	59
秋田	39	43	07	140	06	09	埼玉	35	51	25	139	38	56	石川	36	35	41	136	37	32	愛知	35	10	49	136	54	24
山形	38	14	26	140	21	48	千葉	35	36	16	140	07	23	福井	36	03	55	136	13	18	三重	34	43	49	136	30	31

間 の 距 離

1．都道府県庁の位置は，令和5年4月1日現在．
2．距離計算は回転楕円体（GRS80）における測地線長を算出している．
3．単位は km

	東京	神奈川	新潟	富山	石川	福井	山梨	長野	岐阜	静岡	愛知
神奈川	27.2										
新潟	252.7	277.9									
富山	249.4	259.1	209.2								
石川	293.6	300.2	257.5	53.6							
福井	316.1	316.8	322.1	113.0	69.0						
山梨	101.7	100.3	251.7	167.3	203.1	216.5					
長野	172.8	187.5	157.7	86.8	139.3	187.5	115.0				
岐阜	271.3	265.3	346.4	151.3	133.8	87.4	170.1	192.0			
静岡	142.8	126.0	329.6	218.1	239.7	230.2	78.1	186.7	158.1		
愛知	259.1	250.5	356.6	170.3	159.0	116.1	160.2	199.7	28.8	136.5	
三重	308.7	296.6	418.2	227.1	207.1	150.4	214.3	261.4	75.9	173.6	61.8
滋賀	355.7	347.1	428.2	223.4	189.2	122.0	256.1	277.6	88.8	229.6	96.7
京都	365.3	356.9	433.5	227.6	191.4	123.3	265.4	284.1	97.1	239.9	106.4
大阪	395.9	385.4	475.7	270.4	234.2	165.7	298.1	324.9	134.7	263.9	138.0
兵庫	425.2	415.3	495.8	288.3	248.3	179.3	326.7	347.8	160.5	294.4	166.5
奈良	368.7	357.6	457.7	255.5	223.7	157.1	271.8	304.6	112.8	235.5	112.4
和歌山	443.9	431.1	535.7	330.8	294.2	225.5	349.2	383.7	192.2	306.5	191.3
鳥取	494.6	490.4	503.6	298.6	246.8	189.9	392.8	377.3	225.8	381.7	245.2
島根	602.3	598.3	597.9	398.5	345.4	294.2	500.6	480.3	333.5	488.5	352.1
岡山	536.6	527.9	581.5	372.6	324.6	259.7	436.5	443.3	266.9	408.4	277.6
広島	675.1	666.5	707.0	500.6	449.8	389.3	574.8	576.0	404.9	546.5	416.2
山口	769.0	760.3	795.3	590.7	539.0	480.5	668.7	667.7	498.7	640.1	510.1
徳島	502.5	489.9	585.7	378.3	337.6	268.7	407.1	436.6	246.7	365.3	248.2
香川	536.7	526.3	597.5	388.4	342.7	275.6	438.3	454.6	271.3	404.0	278.2
愛媛	666.1	655.0	722.4	513.5	465.5	400.6	568.3	583.0	401.4	531.5	408.1
高知	612.2	598.9	691.9	483.2	439.3	371.3	517.5	545.2	356.6	473.6	358.7
福岡	880.6	870.8	912.1	707.3	655.7	596.7	781.1	783.7	611.8	748.7	621.5
佐賀	904.0	893.2	943.7	737.7	686.7	626.2	805.4	812.5	637.0	769.8	645.3
長崎	961.7	949.9	1009.1	802.1	751.7	690.1	864.2	875.6	697.1	825.5	704.0
熊本	884.6	872.1	941.9	733.7	684.4	620.9	788.1	804.5	622.6	747.1	628.2
大分	790.2	778.2	847.5	639.0	590.2	526.1	693.3	709.3	527.4	653.6	533.2
宮崎	872.3	856.7	960.6	751.7	706.5	639.2	781.4	814.2	624.7	730.7	624.9
鹿児島	962.7	947.3	1046.1	836.9	790.5	724.1	871.2	901.5	713.0	821.3	714.1
沖縄	1553.6	1533.2	1678.6	1471.8	1429.7	1361.3	1474.6	1526.3	1334.3	1411.6	1328.9

	広島	岡山	島根	鳥取	和歌山	奈良	兵庫	大阪	京都	滋賀	三重
滋賀											66.0
京都										10.5	76.0
大阪									43.0	47.5	90.7
兵庫								30.9	63.9	71.7	121.5
奈良							59.5	28.7	38.0	35.6	62.1
和歌山						79.6	51.6	60.5	103.4	107.6	135.3
鳥取					165.2	171.4	124.7	147.9	148.1	158.3	224.0
島根				107.8	237.9	268.3	212.9	241.5	251.2	261.7	325.8
岡山			120.8	97.4	123.1	173.9	114.4	145.3	171.2	180.9	235.9
広島		138.6	131.0	203.7	250.0	311.3	252.1	282.8	309.8	319.5	373.4
山口	93.9	232.5	203.1	292.2	340.6	404.6	345.7	376.2	403.7	413.4	466.7
徳島	196.9	87.6	208.4	162.2	58.8	135.8	90.0	112.0	152.6	159.0	193.8
香川	145.8	37.0	154.9	130.3	104.3	168.7	111.7	140.9	174.2	182.8	230.4
愛媛	67.7	140.9	182.8	228.5	225.8	297.5	241.7	270.4	304.3	313.0	358.4
高知	135.7	127.8	216.7	225.2	168.4	246.3	197.4	222.0	261.2	268.3	303.7
福岡	207.9	344.8	318.2	408.9	444.5	513.4	455.6	485.5	515.7	525.0	575.1
佐賀	237.0	370.8	353.3	440.2	463.9	535.6	478.8	508.1	540.2	549.3	596.7
長崎	302.1	432.6	421.2	505.8	519.0	593.0	537.6	566.1	600.0	608.8	653.3
熊本	239.1	361.5	365.9	441.1	441.0	516.4	462.4	490.2	525.6	533.9	575.9
大分	150.5	266.5	280.9	348.5	347.2	421.8	367.2	395.2	430.3	438.7	481.7
宮崎	292.1	384.4	422.8	476.2	433.7	513.0	466.5	490.1	530.1	536.9	567.3
鹿児島	361.3	466.5	491.8	555.0	522.8	601.9	553.8	578.3	617.7	624.8	656.9
沖縄	1016.7	1112.1	1147.4	1205.2	1143.1	1221.8	1183.5	1202.9	1245.2	1250.5	1267.7

	北緯	東経		北緯	東経		北緯	東経		北緯	東経
	° ′ ″	° ′ ″		° ′ ″	° ′ ″		° ′ ″	° ′ ″		° ′ ″	° ′ ″
滋賀	35 00 16	135 52 06	鳥取	35 30 12	134 14 18	香川	34 20 24	134 02 36	熊本	32 47 23	130 44 30
京都	35 01 16	135 45 20	島根	35 28 20	133 03 02	愛媛	33 50 30	132 45 58	大分	33 14 17	131 36 45
大阪	34 41 11	135 31 12	岡山	34 39 42	133 56 06	高知	33 33 35	133 31 52	宮崎	31 54 40	131 25 26
兵庫	34 41 29	135 10 59	広島	34 23 48	132 27 35	福岡	33 36 23	130 25 05	鹿児島	31 33 37	130 33 29
奈良	34 41 07	135 49 58	山口	34 11 09	131 28 17	佐賀	33 14 58	130 17 57	沖縄	26 12 45	127 40 51
和歌山	34 13 34	135 10 03	徳島	34 03 57	134 33 34	長崎	32 45 00	129 52 02			

おもな首都間の距離

首都名	ソウル	北京	マニラ	ハノイ	バンコク	シンガポール	ジャカルタ	ニューデリー	モスクワ	テヘラン
東京	1 160	2 104	2 997	3 675	4 610	5 317	5 776	5 857	7 502	7 683
Ankara	7 765	6 848	8 828	7 117	7 142	8 305	9 097	4 225	1 793	1 699
Beijing	958	0	2 845	2 323	3 291	4 465	5 199	3 788	5 809	5 614
Brasilia	17 541	16 932	18 837	17 205	16 633	16 541	16 327	14 245	11 165	11 853
Buenos Aires	19 429	19 265	17 787	17 866	16 885	15 889	15 237	15 800	13 461	13 778
Cairo	8 504	7 557	9 192	7 438	7 279	8 270	8 979	4 436	2 899	1 985
Canberra	8 390	8 987	6 273	7 734	7 469	6 210	5 401	10 345	14 477	12 805
Lagos	12 419	11 471	12 767	11 044	10 615	11 160	11 573	8 094	6 247	5 866
Lima	16 311	16 648	18 061	18 966	19 702	18 810	17 947	16 784	12 641	14 244
London	8 882	8 160	10 752	9 250	9 544	10 860	11 712	6 724	2 506	4 410
Mexico	12 071	12 478	14 237	14 766	15 760	16 623	16 862	14 679	10 740	13 172
Moscow	6 626	5 809	8 269	6 744	7 070	8 426	9 298	4 349	0	2 468
Nairobi	10 115	9 216	9 427	7 898	7 218	7 467	7 788	5 428	6 323	4 363
New Delhi	4 699	3 788	4 763	3 007	2 917	4 142	4 988	0	4 349	2 546
Ottawa	10 537	10 475	13 152	12 645	13 442	14 831	15 648	11 364	7 179	9 578
Paris	8 990	8 236	10 761	9 213	9 457	10 743	11 581	6 601	2 492	4 224
Pretoria	12 448	11 658	10 986	9 854	8 969	8 646	8 583	7 979	9 074	7 225
Rome	8 991	8 144	10 409	8 747	8 842	10 030	10 823	5 929	2 378	3 424
Singapore	4 666	4 465	2 392	2 196	1 427	0	887	4 142	8 426	6 607
Washington	11 190	11 170	13 797	13 364	14 172	15 555	16 360	12 071	7 842	10 204

首都名	ローマ	オタワ	トリポリ	マドリッド	アルジェ	ワシントン	ナイロビ	メキシコ	ハバナ	ラゴス
東京	9 881	10 342	10 600	10 789	10 823	10 925	11 266	11 319	12 134	13 496
Ankara	1 727	8 183	1 925	3 092	2 617	8 747	4 582	11 774	10 335	4 736
Beijing	8 144	10 475	8 735	9 243	9 128	11 170	9 216	12 478	12 758	11 471
Brasilia	8 892	7 334	8 436	7 720	7 901	6 770	9 415	6 827	5 710	6 165
Buenos Aires	11 135	9 031	10 570	10 024	10 149	8 359	10 416	7 366	6 872	7 912
Cairo	2 135	8 877	1 743	3 355	2 716	9 370	3 518	12 392	10 806	3 915
Canberra	16 222	16 105	15 990	17 580	16 985	15 943	11 941	13 173	14 897	15 280
Lagos	4 029	8 650	3 099	3 826	3 359	8 736	3 812	11 084	9 304	0
Lima	10 858	6 365	10 754	9 504	9 943	5 639	12 581	4 240	3 935	9 133
London	1 434	5 379	2 332	1 264	1 654	5 915	6 805	8 947	7 504	5 005
Mexico	10 260	3 603	10 795	9 083	9 773	3 033	14 834	0	1 789	11 084
Moscow	2 378	7 179	3 164	3 446	3 338	7 842	6 323	10 740	9 602	6 247
Nairobi	5 374	11 854	4 526	6 177	5 470	12 150	0	14 834	13 045	3 812
New Delhi	5 929	11 364	6 054	7 288	6 841	12 071	5 428	14 679	13 879	8 094
Ottawa	6 747	0	7 414	5 708	6 418	733	11 854	3 603	2 545	8 650
Paris	1 108	5 664	1 990	1 054	1 344	6 180	6 471	9 213	7 730	4 703
Pretoria	7 662	13 053	6 682	8 032	7 406	13 024	2 862	14 602	13 065	4 458
Rome	0	6 747	1 001	1 365	991	7 235	5 374	10 260	8 711	4 029
Singapore	10 030	14 831	10 000	11 396	10 889	15 555	7 467	16 623	17 222	11 160
Washington	7 235	733	7 825	6 106	6 810	0	12 150	3 033	1 819	8 736

距離は G.L. Fitzpatrick and M.J. Modlin (1986)：Direct-Line Distances International
緯度・経度は分単位でそろえているため首都庁舎の位置ではない.

（付　北極および南極）

（単位：km）

キャンベラ	オスロ	リヤド	アンカラ	レイキャビク	ベルリン	エルサレム	ウエリントン	ロンドン	カイロ	パリ
7 924	8 428	8 715	8 787	8 819	8 942	9 171	9 246	9 585	9 587	9 738
14 497	2 704	2 135	0	4 415	2 040	931	16 823	2 839	1 106	2 605
8 987	7 041	6 613	6 848	7 902	7 375	7 135	10 759	8 160	7 557	8 236
14 069	9 891	11 190	10 361	9 137	9 576	10 296	12 315	8 773	9 875	8 707
11 751	12 227	12 855	12 472	11 407	11 890	12 236	10 001	11 105	11 811	11 029
14 269	3 657	1 642	1 106	5 279	2 891	426	16 525	3 513	0	3 215
0	15 973	12 633	14 497	16 744	16 067	13 992	2 326	16 984	14 269	16 924
15 280	5 964	5 035	4 736	6 715	5 189	4 336	16 052	5 005	3 915	4 703
12 865	11 034	13 968	12 559	9 633	11 092	12 811	10 603	10 162	12 430	10 246
16 984	1 157	4 952	2 839	1 896	934	3 615	18 807	0	3 513	341
13 173	9 213	13 899	11 774	7 462	9 746	12 552	11 092	8 947	12 392	9 213
14 477	1 647	3 535	1 793	3 318	1 612	2 671	16 543	2 506	2 899	2 492
11 941	7 154	3 060	4 582	8 677	6 353	3 662	13 677	6 805	3 518	6 471
10 345	5 996	3 059	4 225	7 608	5 791	4 032	12 642	6 724	4 436	6 601
16 105	5 616	10 315	8 183	3 871	6 147	8 993	14 473	5 379	8 877	5 664
16 924	1 344	4 692	2 605	2 237	880	3 339	18 981	341	3 215	0
10 840	9 627	5 921	7 288	10 872	8 789	6 409	11 826	8 994	6 184	8 655
16 222	2 008	3 684	1 727	3 308	1 182	2 310	18 549	1 434	2 135	1 108
6 210	10 057	6 656	8 305	11 522	9 927	7 924	8 524	10 860	8 270	10 743
15 943	6 250	10 867	8 747	4 524	6 729	9 519	14 073	5 915	9 370	6 180

プレトリア	リマ	サンチアゴ	ブラジリア	ブエノスアイレス	モンテビデオ	北極点	南極点	緯度 ° ′	経度 ° ′
13 511	15 493	17 234	17 672	18 365	18 575	6 049	13 953	35 42 N	139 46 E
7 288	12 559	13 361	10 361	12 472	12 318	5 582	14 426	39 56 N	32 52 E
11 658	16 648	19 057	16 932	19 265	19 154	5 579	14 424	39 56 N	116 24 E
7 899	3 173	3 009	0	2 336	2 271	11 749	8 258	15 47 S	47 55 W
8 146	3 127	1 135	2 336	0	210	13 834	6 173	34 36 S	58 27 W
6 184	12 430	12 800	9 875	11 811	11 638	6 678	13 330	30 03 N	31 15 E
10 840	12 865	11 339	14 069	11 751	11 800	13 912	6 089	35 20 S	149 10 E
4 458	9 133	8 945	6 165	7 912	7 733	9 291	10 717	6 27 N	3 23 E
10 920	0	2 458	3 173	3 127	3 292	11 335	8 670	12 03 S	77 03 W
8 994	10 162	11 651	8 773	11 105	11 021	4 296	15 712	51 30 N	0 07 W
14 602	4 240	6 585	6 827	7 366	7 531	7 856	12 148	19 24 N	99 09 W
9 074	12 641	14 116	11 165	13 461	13 349	3 823	16 185	55 45 N	37 35 E
2 862	12 581	11 550	9 415	10 416	10 207	10 146	9 862	1 17 S	36 49 E
7 979	16 784	16 926	14 245	15 800	15 595	6 838	13 168	28 36 N	77 12 E
13 053	6 365	8 749	7 334	9 031	9 108	4 971	15 034	45 25 N	75 42 W
8 655	10 246	11 628	8 707	11 029	10 935	4 589	15 419	48 52 N	2 20 E
0	10 920	9 232	7 899	8 146	7 939	12 853	7 155	25 45 S	28 10 E
7 662	10 858	11 894	8 892	11 135	11 010	5 363	14 645	41 54 N	12 29 E
8 646	18 810	16 399	16 541	15 889	15 754	9 860	10 144	1 17 N	103 51 E
13 024	5 639	8 036	6 770	8 359	8 446	5 696	14 309	38 54 N	77 02 W

Edition, The Scarecrow Press, Inc, Metuchen, N.J. and London による.

地理学上のおもな探検および発見

年代	発見または探検区域	発見または探検者(生国)
334－324B.C.	ペルシア，インド遠征	アレクサンドロス3世(大王)(ギリシア
230B.C.	エジプトで地球の球形の大きさを測定	エラトステネス(ギリシア)
819A.D.	アラビアで地球の球形の大きさを測定させる	回教主アルマムン
1000頃	グリーンランドからニューファンドランドを経て北米大陸にわたり，ヴィンランドと命名	リエフ(スカンジナビア)
1271－95	中央アジア，シナ，インド旅行	マルコ・ポーロ(伊)
1322	地球が球形であることを説く	マンデヴィル(英)
1487頃	アフリカ西海岸を伝って喜望峰をまわる(1486-87，1487-88の諸説あり)	バーソロミュー・ディアス(ポルトガル
1492	西インド諸島（サンサルバドル，キューバ）を発見	コロンブス(伊) 第一航海
1493	大西洋にスペイン，ポルトガルの境界線をつくる	ローマ法王アレキサンデル6世(伊
1493－1504	ジャマイカ，オリノコ河口，ホンジュラス，トリニダッド等を発見	コロンブス(伊) 第二，第三，第航海
1497－98	アフリカ喜望峰をまわりインドに達する	ヴァスコ・ダ・ガマ(ポルトガル)
1497	ニューファンドランドに至る	ジョバンニ・カボート(伊)
1499	南米海岸ベネズエラを探検	アメリゴ・ヴェスプッチ(伊)
1499－1500	アマゾン河口に至る	ピンゾン(ポルトガル)
1500	インドへの途中ブラジルを発見	アルバレス・カブラル(ポルトガル)
1501	南米海岸を南下してそれが大陸であることを認める	アメリゴ・ヴェスプッチ(伊)
1513	パナマ地峡を経て太平洋岸に出る	バルボア(スペイン)
1516	南米ラプラタ川を発見	ファン・デ・ソリス(スペイン)
1519－21	南米をまわり太平洋横断，マリアナ諸島発見，フィリピンで殺される	マゼラン(ポルトガル)
1522	マゼランの乗船ビクトリア号世界一周を完成	ファン・デル・カノ(スペイン)
1522	パリ－アミアン間で地球の球形の大きさを測定	フエルネル(仏)
1542	パラウ諸島等を発見，フィリピンをスペイン領とする	ビリャロボス(スペイン)
1569	メルカトル投影法を発明	メルカトル(蘭)
1577－79	世界を周航し北米西岸を探検	ドレーク(英)
1579	シベリアに侵入しイルチシュ河畔シビルを占領	イエルマック(露)
1606	初めてトレス海峡を通過	ルイス・トレス(スペイン)
1606	カーペンタリア湾を発見	トイフケン号(蘭)
1622	オーストラリア南西角を発見	レーウィン(蘭)
1630	カナリア諸島フェロ島を通る子午線を本初子午線とする	
1639	シベリアを横断し東海岸に至る	クビロフ(露)
1642	タスマニア，ニュージーランドを発見	タスマン(蘭)
1642	黒龍江流域を探検し河口に達する	ボヤルコフ(露)
1648	ベーリング海峡を経てアナディル河口に達し，ロシア人としてアジアの東北端を最初に認識する	デジネフ(露)
1675（延宝3）	徳川幕府の命により小笠原諸島を探検	嶋谷市左衛門(日)
1682	ミシシッピ川を下る	ラ・サール(仏)
1685（貞享2）	日本南方諸島を探検させる，船未帰還	徳川光圀(日)
1687	Principia, Book Ⅲにおいて地球が短軸回転楕円体であることを主唱	ニュートン(英)
1687－88(貞享4－元禄1)	快風丸に日本東北方諸島，石狩川，ダッタン地方等を探検させる	徳川光圀(日)

年　代	発見または探検区域	発見または探検者(生国)
696	ロシア人カムチャツカに至る	
718	ジェスイット教徒，清の康熙帝のために清図をつくる	
735－41	ラップランドおよびペルーでのフランスの測量により地球が短軸回転楕円体であることを確認	フランス科学アカデミー派遣隊
741	ベーリング海峡を通過	ベーリング(デンマーク)
768－71	ニュージーランドに達しクック海峡通過，オーストラリア東岸を発見	クック(英)第一航海
776－79	北米西岸探検およびハワイを発見	クック(英)第三航海
785－88	北東アジア，日本および樺太沿岸を調査	ラ・ペルーズ(仏)
786	千島，樺太探検	最上徳内(日)
799－1804	中米，南米探検	アレクサンデル・フォン・フンボルト(独)
800	択捉（えとろふ）島探検	近藤守重(日)
800－18	大日本沿海輿地図の測量ならびに製図	伊能忠敬(日)
808	樺太，シベリアを探検し樺太が島であることを発見	間宮林蔵(日)
821	大日本沿海輿地全図および輿地実測録を完成	伊能忠敬(日)
828－31	オーストラリアの大河ダーリング，マーレー川を探検	スタート(英)
840－42	南緯 78°10′ に達しビクトリアランドおよびエレブス，ロテル火山を発見	ジェームス・ロス(英)
849－73	ザンベジ川を探り南アフリカを横断	リヴィングストン(英)
850－54	西北航路を解決しアラスカからカナダ東北方に至る	マクリュール(英)
1860	オーストラリアを南北に横断	バーク(英)
1868－72	シナ探検ならびに調査	リヒトホーフェン(独)
1871－88	中部アジアを探検すること 4 回	プルジェヴァーリスキー(露)
1872－76	チャレンジャー号世界一周海洋調査	ジョン・マレー(英)
1876－89	アフリカ探検	ヘンリー・スタンリー(英)
1878－79	東北航路を解決しスカンジナビアから日本に至る	ノルデンシェルド(スウェーデン)
1878－80	秦嶺，南山，四川，雲南探検	チェヒエニ（オーストリア)，ロッチー(オーストリア)
1893－97	トルキスタン，西蔵，新疆調査	スヴェン・ヘディン(スウェーデン)
1895	北緯 86°4′ に達する	ナンセン(ノルウェー)
1903	南緯 82°17′ に達する	ロバート・スコット(英)
1903－04	中部および北部シナ探検	ウイリス(米)カーネギー探検隊
1904－15	カスピ海調査	クニボヴィッチ(露)
1908	南緯 88°23′ に達する	エルンスト・シャクルトン(英)
1909	北極点に達する	ロバート・ピアリー(米)
1910－12 (明治 43-45)	南極探検におもむきホエールス湾から上陸し南緯 80°5′ に達する	白瀬矗(日)
1911	南極点に達する	アムンセン(ノルウェー)
1921－23	エベレスト山探検	王立地学協会探検隊(英)
1926	飛行機でスピッツベルゲン〔スバールバル〕から北極点に達する	リチャード・バード(米)
1926	飛行船でスピッツベルゲンから北極，アラスカを横断する	アムンセン(ノルウェー)
1928－30	世界周航．ダナ号	シュミット(デンマーク)
1929	ツェペリン伯号飛行船の世界一周	エッケナー(独)
1929－30	飛行機でリトルアメリカから南極へ	バード(米)
1929－31	東南アジア海域調査．スネリウス号	ファン・リール(蘭)

年　代	発見または探検区域	発見または探検者(生国)
1931－35	シリンゴル・ウランチャップ調査	東亜考古学会(日)
1932	北極海航路調査．シビリアコフ号	シュミット(ソ連)
1933	中国・熱河地方調査	徳永重康(日)
1933－	太平洋一斉海洋調査	水産調査船(日)
1933	エベレスト山航空探検	ヒューストン探検隊，ブラッカー(英
1935	自由気球エクスプローラⅡ22066 m に達する	アンダーソン(米)，ステブンス(米
1937	ナンガパルバット調査・写真測量	トロール(独)，フィンステルワル ダー(独)，ウィーン(独)
1937－38	北極海調査	パパーニン(ソ連)
1947	南極大陸探検	バード(米)
1947－48	世界周航深海探検．アルバトロス号	ペッターソン(スウェーデン)
1949－	西太平洋精密観測．ヴィチアス号	ゼンケーヴィチら(ソ連)
1950－52	世界周航深海調査．ガラテア号	ブルーン(デンマーク)
1950	アンナプルナ登頂成功	フランス隊(隊長 エルゾーク)
1953	エベレスト登頂成功	ヒラリー(ニュージーランド)， テンシン(ネパール) (隊長 ハント(英))
1953	ナンガパルバット登頂成功	ドイツ・オーストリア隊
1954	K2 登頂成功	イタリア隊
1954	バチスカーフ号 4050 m の深さに潜水	ウオー(仏)
1955	カンチェンジュンガ登頂成功	バンド(英)，ブラウン(英) (隊長 エヴァンス(英))
1955	マカルー登頂成功	フランス隊(隊長 ジャン・フランコ)
1956	マナスル登頂成功	日本隊(隊長 槇有恒)
1956－58	国際地球観測年事業南極探検	日本隊ほか各国
1957	人工衛星スプートニク 1 号成功	(ソ連)
1959	月の裏面撮影．惑星間ステーション	(ソ連)
1961	有人衛星ヴォストーク 1 号	ガガーリン(ソ連)
1964	月面の大縮尺写真撮影．レンジャー 7 号	(米)
1965	宇宙遊泳	アレクセイ・レオノフ(ソ連)
1966	観測器材の月面着陸に成功．ルナ 9 号	(ソ連)
1969	人類はじめて月面に着陸．岩石標本採取，地震計等 測定器機を設置．アポロ 11 号	アームストロング(米)，オルドリン (米)(およびコリンズ(米))
1970	金星に初の軟着陸．金星 7 号	(ソ連)
1971	火星に初の軟着陸．火星 3 号	(ソ連)
1975	金星初の陸面写真．金星 9 号，10 号	(ソ連)
1976	火星陸面の写真撮影，着地点の気象観測・土質分 析．バイキング 1 号，2 号	(米)
1979	木星に接近，陸面の写真撮影．ボイジャー 1 号	(米)
1979	土星に接近，写真撮影．パイオニア 11 号	(米)
1986	天王星に接近，写真撮影．ボイジャー 2 号	(米)
1989	海王星に接近，写真撮影．ボイジャー 2 号	(米)
1998	月の資源・構造調査	ルナ・プロスペクター(米)
2005	土星の衛星タイタンに初の軟着陸	カッシーニ(米)

地質および鉱物

元素の存在比

原子番号	元素	濃度単位	A	B	C	D	原子番号	元素	濃度単位	A	B	C	D
1	H	ppm	21 015	—	359.4	—	44	Ru	ppb	692	5	—	0.34
2	He	ppb	9.17	—	—	—	45	Rh	ppb	141	0.9	—	—
3	Li	ppm	1.46	1.6	4.3	24	46	Pd	ppb	588	3.9	—	0.52
4	Be	ppb	25.2	68	—	2 100	47	Ag	ppb	201	8	—	53
5	B	ppb	713	300	—	17 000	48	Cd	ppb	675	40	—	90
6	C	ppm	35 180	120	—	—	49	In	ppb	78.8	11	—	56
7	N	ppm	2 940	2	—	83	50	Sn	ppb	1 680	130	1 100	2 100
8	O	%	45.82	44.3	44.5	47.5	51	Sb	ppb	152	5.5	10	400
9	F	ppm	60.6	25	—	557	52	Te	ppb	2 330	12	—	—
10	Ne	ppb	0.18	—	—	—	53	I	ppb	480	10	—	1 400
11	Na	ppm	5 010	2 670	16 172	24 259	54	Xe	ppb	0.174	—	—	—
12	Mg	%	9.587	22.8	5.87	1.50	55	Cs	ppb	185	21	2 500	4 900
13	Al	ppm	8 500	23 552	88 649	81 505	56	Ba	ppb	2 310	6 600	6 300	628 000
14	Si	%	10.65	21.0	23.1	29.7	57	La	ppb	232	648	2 500	31 000
15	P	ppm	920	90	414.6	654.6	58	Ce	ppb	621	1 675	7 500	63 000
16	S	%	5.41	0.025	—	0.0621	59	Pr	ppb	92.8	254	1 320	7 100
17	Cl	ppm	704	17	—	294	60	Nd	ppb	457	1 250	7 300	27 000
18	Ar	ppb	1.33	—	—	—	62	Sm	ppb	145	406	2 630	4 700
19	K	ppm	530	240	540	23 244	63	Eu	ppb	54.6	154	1 020	1 000
20	Ca	ppm	9 070	25 300	89 336	25 657	64	Gd	ppb	198	544	3 680	4 000
21	Sc	ppm	5.83	16.2	41.4	14	65	Tb	ppb	35.6	99	670	700
22	Ti	ppm	440	1 205	5 394	3 836	66	Dy	ppb	238	674	4 550	3 900
23	V	ppm	55.7	82	—	97	67	Ho	ppb	56.2	149	1 010	830
24	Cr	ppm	2 590	2 625	—	92	68	Er	ppb	162	438	2 970	2 300
25	Mn	ppm	1 910	1 045	—	774.5	69	Tm	ppb	23.7	68	456	300
26	Fe	%	18.28	6.26	6.26	3.92	70	Yb	ppb	163	441	3 050	2 000
27	Co	ppm	502	105	47.07	17.3	71	Lu	ppb	23.7	67.5	455	310
28	Ni	%	1.064	0.196	0.01495	0.0047	72	Hf	ppb	115	283	2 050	5 300
29	Cu	ppm	127	30	74.4	28	73	Ta	ppb	14.4	37	132	900
30	Zn	ppm	310	55	—	67	74	W	ppb	89	29	10	1 900
31	Ga	ppm	9.51	4	—	17.5	75	Re	ppb	37	0.28	—	0.198
32	Ge	ppm	33.2	1.1	—	1.4	76	Os	ppb	486	3.4	—	0.031
33	As	ppm	1.73	0.05	—	4.8	77	Ir	ppb	470	3.2	—	0.022
34	Se	ppm	19.7	0.075	—	0.09	78	Pt	ppb	1 004	7.1	—	0.5
35	Br	ppm	3.43	0.05	—	1.6	79	Au	ppb	146	1	—	1.5
36	Kr	ppb	0.0522	—	—	—	80	Hg	ppb	314	10	—	50
37	Rb	ppm	2.13	0.6	0.56	82	81	Tl	ppb	143	3.5	1.4	900
38	Sr	ppm	7.74	19.9	90	320	82	Pb	ppb	2 560	150	300	17 000
39	Y	ppm	1.53	4.3	28	21	83	Bi	ppb	110	2.5	—	160
40	Zr	ppm	3.96	10.5	74	193	90	Th	ppb	30.9	79.5	120	10 500
41	Nb	ppb	265	658	2 330	12 000	92	U	ppb	8.4	20.3	47	2 700
42	Mo	ppb	1 020	50	310	1 100							

A：CIコンドライトの平均組成（Lodders, 2003），B：コアを除く地球（シリケイト部分）の組成（CIコンドライトと上部マントル組成からの推定値：McDonough & Sun, 1995），C：海洋地殻の組成（Nタイプ中央海嶺玄武岩の組成：Sun & McDonough, 1989；Workman & Hart, 2005；Hofmann, 1988；Jambon & Zimmermann, 1990），D：上部大陸地殻の平均組成（Rudnick & Gao, 2003）

地殻とマントルの主成分組成

成分	マントル	最上部マントル	海洋地殻	下部大陸地殻	中部大陸地殻	上部大陸地殻	大陸地殻平均
	A	B	C	D	E	F	G
SiO_2	44.9	44.20	49.51	53.40	63.50	66.6	60.6
TiO_2	0.20	0.13	0.90	0.82	0.69	0.64	0.72
Al_2O_3	4.5	2.05	16.75	16.90	15.00	15.40	15.90
Cr_2O_3	0.38	0.44	0.07	—	—	—	—
FeO	8.05	8.29	8.05	8.57	6.02	5.04	6.71
NiO	0.25	0.28	—	—	—	—	—
MnO	0.14	0.13	0.14	0.10	0.10	0.10	0.10
MgO	37.80	42.21	9.74	7.24	3.59	2.5	4.7
CaO	3.54	1.92	12.50	9.59	5.25	3.59	6.41
Na_2O	0.36	0.27	2.18	2.65	3.39	3.27	3.07
K_2O	0.03	0.06	0.07	0.61	2.30	2.80	1.81
P_2O_5	0.02	0.03	0.10	0.10	0.15	0.15	0.13
合計	100.2	100.0	100.0	100.0	100.0	100.1	100.1

A：始源的マントルの化学組成（McDonough & Sun, 1995），B：最上部マントルカンラン岩の平均値（Maalφe & Aoki, 1977），C：初生的Nタイプ中央海嶺玄武岩の化学組成（Presnall & Hoover, 1987），D：下部大陸地殻の化学組成（Rudnick & Gao, 2005），E：中部大陸地殻の化学組成（Rudnick & Gao, 2005），F：上部大陸地殻の化学組成（Rudnick & Gao, 2005），G：大陸地殻の平均値（Rudnick & Gao, 2005）

おもな火山岩（噴出マグマ）の化学組成

成分	コマチアイト	アルカリ玄武岩	洪水玄武岩	海洋島玄武岩	深海底玄武岩	島弧玄武岩	カルクアルカリ安山岩	カルクアルカリデイサイト	カルクアルカリ流紋岩	ベイサナイト	トラカイト
	A	B	C	D	E	F	G	H	I	J	K
SiO_2	45.8	45.4	50.01	50.51	50.68	51.9	59.2	67.2	75.2	45.0	62.77
TiO_2	0.30	3.00	1.00	2.63	1.49	0.80	0.70	0.50	0.20	3.16	0.53
Al_2O_3	7.30	14.7	17.08	13.45	15.60	16.0	17.1	16.2	13.5	13.0	17.2
Cr_2O_3	0.20	—	—	—	—	—	—	—	—	—	—
Fe_2O_3	—	4.10	—	1.78	—	—	2.90	2.00	1.00	4.04	3.14
FeO	11.2	9.20	10.01	9.59	9.85	9.56	4.20	1.80	1.10	8.32	1.3
MnO	—	—	0.14	0.17	—	0.17	—	—	—	0.11	0.19
MgO	26.1	7.80	7.84	7.41	7.69	6.77	3.70	1.50	0.50	9.03	0.69
CaO	7.60	10.5	11.01	11.18	11.44	11.8	7.10	3.80	1.60	10.16	1.43
Na_2O	0.70	3.00	2.44	2.28	2.66	2.42	3.20	4.30	4.20	4.75	6.74
K_2O	0.10	1.00	0.27	0.49	0.17	0.44	1.30	2.10	2.70	1.18	4.11
P_2O_5	—	—	0.19	0.28	0.12	0.11	0.20	0.20	0.10	0.48	0.21
合計	99.3	98.7	99.99	99.77	99.70	100.0	99.6	99.6	100.1	99.23	98.3

A：Arndt et al., 1977, B：Macdonald, 1968, C, D：Basaltic Volcanism Study Project, 1981, E：Melson et al., 1976, F：Jakes & White, 1972, G, H, I：Ewart, 1982, J：Phillips et al., 1981, J, K：Macdonald, 1949.

おもな深成岩の化学組成

深成岩タイプ	カンラン岩類			斑レイ岩類			花コウ岩類				
成分	レルゾライト	ハルツバージャイト	ダナイト	トロクトライト	カンラン石斑レイ岩	斜長岩	石英センン緑岩	トナル岩	花コウセン緑岩	花コウ岩	セン長岩
	A	B	C	D	E	F	G	H	I	J	K
SiO_2	44.2	43.22	39.53	46.42	48.15	53.55	53.75	70.38	69.45	72.2	55.19
TiO_2	0.18	—	0.013	0.05	2.64	1.65	0.87	0.4	0.36	0.3	0.84
Al_2O_3	3.04	1.15	0.93	23.68	18.02	24.1	18.8	14.77	14.88	14.6	21.9
Cr_2O_3	0.38	0.64	1.01	—	—	—	—	—	—	—	—
Fe_2O_3	3.04	0.83	0.65	0.52	2.52	1.24	—	—	1.59	—	1.29
FeO	4.8	7.24	7.62	3.22	9.5	2.26	9.38	3.56	1.23	2.4	1.19
NiO	0.3	0.29	0.32	—	—	—	—	—	—		—
MnO	0.1	0.11	0.12	0.06	0.12	—	0.21	0.1	0.07	—	0.09
MgO	39.43	43.80	48.83	11.49	5.25	1.34	4.5	1.23	1.24	1	0.49
CaO	3.09	1.9	—	11.47	10.17	9.64	9.14	4.29	2.81	1.7	2.28
Na_2O	0.25	0.19	—	1.81	3.46	4.62	2.97	3.95	3.69	2.9	8.11
K_2O	—	—	—	0.03	0.14	0.94	0.33	1.26	3.29	4.5	6.8
P_2O_5	—	—	—	0.01	0.05		0.07	0.07	0.05	—	0.12
H_2O^+	1.15	0.1	0.89	1.02	0.2	0.41	—	—	—	—	1.63†
H_2O^-	0.15	0.39	0.16	0.13	0.02	0.11	—	—	—	—	
合計	100.11	99.86	100.07	99.91	100.24	99.86	100.02	100.01	98.66	99.6	99.6

†：灼熱減量

—：微少量・0.01 wt% 以下，または XRF 分析のため分析せず．

A：Lherz, Pyrénées (Conquere, 1971)，B：Horoman, Hokkaido, Japan (Nagasaki, 1966)，C：Dun Mountains, New Zealand (Reed, 1959)，D：Mid-Atlantic ridge 24°N (Miyashiro et al., 1970)，E：Middle Zone, Skaergaard Intrusion, Greenland (Wager & Brown, 1967)，F：Adirondack, New York State, USA (Buddington, 1939)，G, H：Tanzawa, Japan (Kawate & Arima, 1998)，I：Coastal Batholith, Peru (Atherton et al., 1979)，J：Strathbogie batholith, Victoria, Australia (Phillips et al., 1981)，K：Werner Bjerge complex, Greenland (Bearth, 1959 referred in Nielsen, 1987)

隕石の分類

分類		グループ
コンドライト	炭素質 (C)	CI CM CR CO CV CK CH CB
	普通 (O)	H L LL
	エンスタタイト(E)	EH EL
	その他	K R
非コンドライト	始原的エイコンドライト	アカプルコアイト(ACA) ロドラナイト(LOD) ウィノナイト(WIN)

分類			グループ
非コンドライト	エイコンドライト	HED	ユークライト ホワルダイト ダイオジェナイト
		火星隕石(SNC)	シャゴッタイト ナクライト シャシナイト
		月隕石	ルナー(Moon)
		その他	アングライト ブラチナイト(BRA) ユレイライト(URE) オーブライト(AUB)
	石鉄隕石		パラサイト メソシデライト
	隕鉄	マグマ系列	IC, IIAB, IIC, IID, IIF, IIIAB, IIIE, IIIF, IVA, IVB
		非マグマ系列	IAB, IIE, IIICD

かっこ内の頭字語は地第 22 図の記号に対応．

隕 石 の 年 代 (1)

隕石分類	タイプ	隕石名	物　質	同位体系 (**はモデル年代)	絶対年代（百万年）あるいは CAI 形成後の時間（百万年）*	同位体系が 閉じたできごと	出
コンドライト	CV3	Allende	CAI (SJ101)	Pb-Pb	4567.18±0.50	CAI 形成	1
		Efremovka	CAI 3 個	Pb-Pb	4567.30±0.16	CAI 形成	2
		Allende, NWA5697	コンドルール 5 個		4567.32±0.42 から 4564.71±0.30	コンドルール形成	
		Allende	コンドルール	Pb-Pb**	4565.32±0.81	コンドルール形成	3
			コンドルールと マトリクス	Hf-W**	2.2±0.8*	コンドルール形成	4
	L, LL3.0-3.2	NWA5206, NWA8276, MET96503, MET00452, MET00526, NWA7936, QUE97008	コンドルール 31 個	Al-Mg**	～1.76 から～2.92*	コンドルール形成	5
	L3	NWA5697	コンドルール 13 個	Pb-Pb	4567.61±0.54 から 4563.64±0.51	コンドルール形成	2, 6
	CR	NWA6043, NWA7655	コンドルール 7 個		4567.26±0.37 から 4563.24±0.62		
		NWA801, Acfer097, NWA1180, GRA06100	金属，ケイ酸塩， コンドルール	Hf-W	～3.6±0.6*	コンドルール形成	7
		QAR99177, MH00426	コンドルール 5 個 (Mg#>99)	Al-Mg**	～2.2 から～2.8*	コンドルール形成	8
			コンドルール 7 個 (94<Mg#<99)		>2.9 から>3.7*		
	CBa	Gjuba	コンドルール 4 個	Pb-Pb**	4562.49±0.21	コンドルール形成	9
	H6 および L6	4 隕石	リン酸塩	Pb-Pb**	～4510 から～4500	熱変成	10
	H, L, LL 岩石タイプ4-6	15 隕石	ケイ酸塩	Hf-W**	～3 から～4* (岩石学タイプ 4) ～6 から～13* (岩石学タイプ 5) ～9 から～12* (岩石学タイプ 6)	熱変成	11
鉄隕石	マグマタイプ (IC, IIAB, IIIAB, IIIE, IVA)	10 個	全岩	Hf-W**	～0.3 から～1.8*	普通および E コンドライト的 天体におけるコア形成	12
	非マグマタイプ (IIC, IID, IIF, IIIF, IVB)	9 個			～2.2 から～2.8*	C コンドライト的 天体における コア形成	
	IIE	10 個	全岩	Hf-W**	～4-5, ～10, ～15, ～27* の 4 年代に集中	母天体における 局所的金属分離	13
	IAB	16 個	全岩	Hf-W**	3.4±0.7* (メイングループ) ～0.3 から～3* (High Au サブグループ) ～5* (Low Au サブグループ)	母天体における コア形成 あるいは衝撃	14

隕石の年代（2）

隕石分類	タイプ	隕石名	物質	同位体系（**はモデル年代）	絶対年代（百万年）あるいはCAI形成後の時間（百万年）*	同位体系が閉じたできごと	出典
ークライト	玄武岩質	5隕石の平均	ジルコン	Pb-Pb	4554±7	結晶化	15
				U-Pb	4552±9		
	玄武岩質	5隕石	全岩	Hf-W**	~4, ~11, ~22* の4年代	マグマ活動	16
	キュムレイト	3隕石	全岩		38±21*	結晶化	
	玄武岩質	6個	ジルコン	Hf-W**	4565.0±0.9から4532（−11/+6）	マグマ活動	17
ニークエインドライト	玄武岩質	NWA2976	全岩+輝石	Pb-Pb	4562.89±0.59	結晶化	18
				Al-Mg**	4563.10±0.38		
		Ibitira	全岩+輝石	Pb-Pb	4556.75±0.57	熱変成作用における最終平衡化	19
	キュムレイト	NWA7325	輝石	U-Pb**	4563.4±2.6	結晶化	20
			斜長石，輝石，カンラン石，全岩	Al-Mg**	4563.09±0.26		
ングライト	Angra dos Reis		輝石	U-Pb	4557.65±0.13	結晶化	21
	D'Orbigny		全岩+輝石		4564.42±0.12		
	LEW 86010		輝石		4558.55±0.15		
	Sahara99555		全岩	Pb-Pb	4564.86±0.38	結晶化	22
カプルコアイト	Acapluco		全岩+鉱物	Pb-Pb	4555.9±0.6	最終平衡化	23
ュレイライト	29個		全岩	Hf-W**	3.3±0.7*	メルト分離	24

火星隕石	depleted シャゴッタイト	NWA1195	酸溶解成分+非溶解成分	Pb-Pb	4319±47	マグマオーシャンとの平衡	25
	enriched および intermediate シャゴッタイト	NWA480, NWA1068, RBT04262			4092±74	マントル平衡化	
	ナクライトおよびシャシナイト	Y-000593, MIL03346, Chassigny			1330±140	マントル部分融解	
	シャゴッタイト	NWA7635	全岩	Sm-Nd	2403±140	結晶化	26
	ALH84001		衝撃ガラス+輝石	Pb-Pb	4089±73	結晶化	27

1：Amelin et al. (2010), 2：Connelly et al. (2012), 3：Connelly & Bizzarro (2009), 4：Budde et al. (2016), 5：ape et al. (2019), 6：Bollard et al. (2017), 7：Budde et al. (2018), 8：Tenner et al. (2019), 9：Bollard et al. (2015),)：Blackburn et al. (2017), 11：Hellmann et al. (2019), 12：Kruijer et al. (2017), 13：Kruijer & Klein (2019), 4：Worsham et al. (2019), 15：Misawa et al. (2005), 16：Touboul et al. (2015), 17：Roszjar et al. (2016), 18：ouvier et al. (2011), 19：Iizuka et al. (2014), 20：Koefoed et al. (2016), 21：Amelin (2008a), 22：Amelin (2008b), 3：Gopel & Manhes (2010), 24：Budde et al. (2015), 25：Bouvier et al. (2009), 26：Lapen et al. (2017), 27：Bellucci et al. (2015).

～：正確な誤差をつけられないが，ある程度の不確定性を含んだ値．Pb-Pb年代のうちモデル年代ではないものは，^{35}U/^{238}U比の測定，アイソクロン，あるいはコンコーディアによる．Hf-W系は，初期太陽系の^{182}Hf/^{180}Hf比の均質性を仮定しAllende CAIの値を採用．Al-Mg系は，初期太陽系の^{26}Al/^{27}Al比の均質性を仮定しAllende CAIの値を採用．
Mg#：100×Mg/($Mg+Fe^{2+}$)

隕石の化学組成（重量%）

コンドライト（chondrite）

成分	EH Indarch[1]	EL Hvittis[2]	H Forest City[1]	L Modoc[1]	LL Nas[1]	CI Orgueil[2]	CM Murray[2]	CO Lance[2]	CV Allende
SiO_2	35.26	41.53	37.07	39.29	40.96	22.56	28.69	33.23	34.19
TiO_2	0.06	—	0.15	0.12	0.18	0.07	0.09	0.13	0.16
Al_2O_3	1.45	1.55	2.09	2.49	2.23	1.65	2.19	2.93	3.28
Cr_2O_3	0.47	0.56	0.54	0.55	0.59	0.36	0.44	0.49	0.53
FeO	—	—	9.89	14.96	18.9	11.39	21.08	24.8	26.84
MnO	0.25	0.34	0.28	0.33	0.35	0.19	0.21	0.2	0.2
MgO	17.48	23.23	23.62	24.78	25.7	15.81	19.77	23.54	24.62
CaO	0.95	0.74	1.75	1.62	1.62	1.22	1.92	2.64	2.64
Na_2O	1.01	1.26	0.99	0.93	0.84	0.74	0.22	0.58	0.43
K_2O	0.11	0.32	0.07	0.1	0.12	0.07	0.04	0.14	0.03
P_2O_5	0.52	—	0.34	0.3	0.2	0.28	0.32	0.32	0.25
Fe	24.13	20.04	16.21	6.68	1.46	0	0	2.19	0.13
Ni	1.83	1.96	1.65	1.3	0.99	0	0	1.5	0.29
Co	0.08	0.07	0.1	0.08	0.06	0	0	0.07	0.01
P	—	0.08	—	—	—	—	—	—	—
FeS	14.2	7.27	5.21	6.46	6.36	15.07	7.67	6.49	4.11
NiS									1.73
CoS									0.08
C	0.43	—		0.18		3.1	2.78	0.46	—
H_2O	1.17	—	0.39		0.13	19.89	12.42	1.4	—
揮発性成分		—				6.96	0.62	—	—
総計	99.4	99.81	100.34	100.17	100.69	100.65	100.04	101.11	99.8

エイコンドライト（achondrite）

成分	ダイオジェナイト Bununu[4]	ホワルダイト Yurtuk[5]	ユークライト Juvinas[2]	ユレイライト Havero[6]	オーブライト Norton County[6]	シャゴッタイト Shergotty[7]	ナクライト Nakhla[7]	シャシナイト Chassigny[7]
SiO_2	48.67	49.45	49.32	40.25	54.4	50.35	48.23	37
TiO_2	0.11	—	0.68	0.07	0.06	0.85	0.29	0.07
Al_2O_3	8.87	9.66	12.64	0.26	0.61	7.03	1.45	0.36
Cr_2O_3	0.56	0.04	0.3	0.08	0.07	0.31	0.42	0.83
FeO	16.04	15.61	18.49	14.18	0	19.34	20.64	27.45
MnO	0.53	0.72	0.53	0.37	0.16	0.54	0.54	0.53
MgO	14.2	17.4	6.83	38.96	40.72	9.27	12.47	32.83
CaO	6.77	6.39	10.32	0.1	0.66	9.58	15.08	1.99
Na_2O	0.34	0.31	0.42	0.04	0.13	—	0.42	0.15
K_2O	0.04	0.08	0.05	0.01	0.04	0.18	0.1	0.13
P_2O_5	—	0.01	0.09	—	0.02	0.47	0.12	0.04
Fe	1.01		0.04	3.61	0.73			
Ni	0.06			0.12	0.04			
Co				0.01				
FeS	0.96		0.53	0.52	1.37			
C				1.81				
H_2O	1.65		0.05		0.36			
総計	99.81	99.67	100.29	100.39	99.74	97.92	99.76	101.28

1) 小沼直樹，水谷仁（編）「太陽系における地球」岩波講座地球科学，第13巻，p.97，岩波書店（1978による．ただしCコンドライト中の硫黄は，硫化物，硫酸塩，Fe-S-Oなどの形をとって存在している．ここでは，硫黄をすべてFeSとして表示してある，2) Wiik（1956），3) Jarosewich（1987），4) Mason（1967），5) Urei & Craif（1953），6) Duke & Silver（1967），7) McCarthy et al.（1974）.

隕石の酸素同位体

第 22 図　隕石の酸素同位体（Clayton(2005)による）

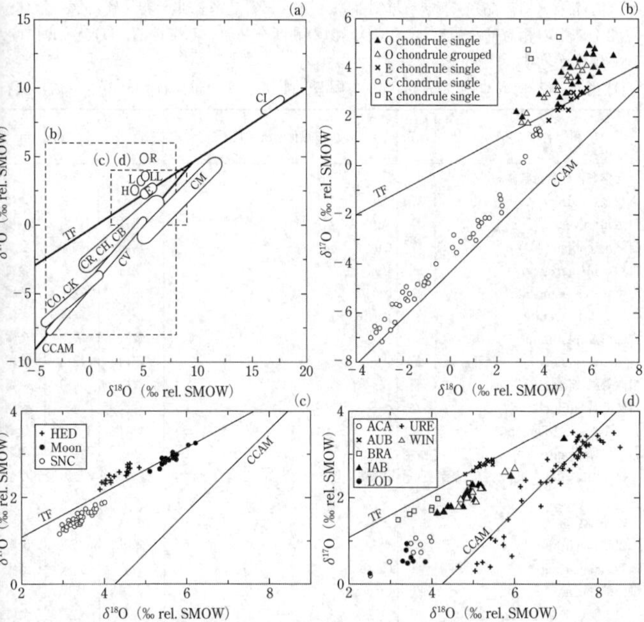

(a) 主要な隕石グループの全岩酸素同位体組成領域の模式図．横軸と縦軸はSMOW（standard mean ocean water：標準平均海水）を基準として ^{18}O（横軸）と ^{17}O（縦軸）が ^{16}O に比べてどのくらいの量あるかを示した値（$\delta^{17,18}O = ((^{17,18}O/^{16}O)_{試料}/(^{17,18}O/^{16}O)_{SMOW} - 1) \times 1000$）．個々の隕石等の組成が(b)-(d)にプロットされている．TF は地球の酸素同位体質量分別線でCCAM（carbonaceous chondrite anhydrous mineral line）は，炭素質コンドライトの無水鉱物の示す線．これらの線は，(b)-(d)の図にも基準線として示してある．

(b) コンドライト隕石のコンドリュールの酸素同位体組成．Single は，1つのコンドリュール，grouped は複数のコンドリュールの分析値の平均．

(c) エイコンドライトのうち分化天体の隕石についての全岩酸素同位体組成．

(d) エイコンドライトのうち未分化組成を持つ隕石の全岩酸素同位体組成．

すべての図について，隕石の分類名の短縮形については「隕石の分類」を参照．

おもな

結晶系の略号：等＝等軸晶系，正＝正方晶系，六＝六方晶系，菱＝菱面体晶系，直＝直方晶系（斜方晶系），単＝単斜晶系，三＝三斜晶系，非＝非晶質，液＝液体．

硬度：鉱物の相対的な硬度はつぎの鉱物の硬度を基準としている．(1)から(10)に向かって硬度が増す．

(1) 滑石，(2) セッコウ（石膏），(3) 方解石，(4) ホタル（蛍）石，(5) リン（燐）灰石

和　名（英名）	晶系	理想化学組成式	色	条　痕	光　沢
元素および合金鉱物					
自然金(gold)	等	Au	黄金	黄金	金属
自然銀(silver)	等	Ag	銀白	銀白	金属
自然銅(copper)	等	Cu	銅赤	銅赤	金属
自然水銀(mercury)	液	Hg	錫白	—	金属
カマサイト(kamacite)	等	α-(Fe, Ni)	鋼灰	鉄灰	金属
テーナイト(taenite)	等	γ-(Fe, Ni)	鋼灰	鉄灰	金属
自然白金(platinum)	等	Pt	鋼灰	灰白	金属
自然ヒ素(arsenic)	菱	As	錫白	錫白	金属
自然蒼鉛(bismuth)	菱	Bi	銀白	銀白	金属
自然硫黄(sulfur)	直	α-S	黄	黄	樹脂
ダイヤモンド(diamond)	等	C	無[3]	無	金剛
石　墨(graphite)	六	C	黒	黒	金属

1) 天然の金は，銀を含むことが多く，比重が大きく変化する．2) ニッケルの含有量が増すと比重が大きく

和　名（英名）	晶系	理想化学組成式	色	条　痕	光　沢
硫 化 鉱 物					
針銀鉱(acanthite)	単	Ag_2S	鉛灰	鉛灰	金属
輝銅鉱(chalcocite)	単	Cu_2S	鉛灰	鉛灰	金属
斑銅鉱(bornite)	直	Cu_5FeS_4	赤褐[4]	灰黒	金属
ペントランド鉱(pentlandite)	等	$(Fe, Ni)_9S_8$	黄銅	褐黒	金属
方鉛鉱(galena)	等	PbS	鉛灰	鉛灰	金属
センマンガン鉱(alabandite)	等	MnS	鉄黒	緑褐	亜金属
セン亜鉛鉱(sphalerite)	等	(Zn, Fe)S	褐〜黒[5]	褐	金剛
ウルツ鉱(wurtzite)	六	ZnS	褐黒	褐	亜金属
硫カドミウム鉱(greenockite)	六	CdS	黄〜赤	黄	樹脂
磁硫鉄鉱(pyrrhotite)	六･単	$Fe_{1-x}S$ ($x=0\sim0.2$)	黄銅	灰黒	金属
コベリン(covellite)	六	CuS	藍青	灰黒	金属
シン砂(cinnabar)	菱	HgS	洋紅	紅	金剛
針ニッケル鉱(millerite)	菱	NiS	黄銅	緑黒	金属
鶏冠石(realgar)	単	AsS	赤	橙赤	樹脂
黄銅鉱(chalcopyrite)	正	$CuFeS_2$	黄銅	緑黒	金属

鉱 物 (1)

) 正長石，(7) 石英，(8) トパズ，(9) コランダム，(10) ダイヤモンド.
空間群は，ハーマン・モーガンの記号を用い，格子定数は，*a*，*b*，*c* (Å)，*α*，*β*，
(度)，単位格子に含まれる化学式の数 (*Z*) の順番で記されている.
附注以外は，Dana's New Mineralogy 8th Ed., John Wiley & Sons, Gaines et
. (1997) による.

劈 開	硬 度	比 重	空間群	格 子 定 数						
				a	*b*	*c*	*α*	*β*	*γ*	*Z*
なし	2.5~3	15.2~19.3[1]	*Fm*3*m*	4.079						4
なし	2.5~3	10.5	*Fm*3*m*	4.085						4
なし	2.5~3	8.9	*Fm*3*m*	3.615						4
		13.6								
{001}	4	7.9	*Im*3*m*	2.859						2
なし	5~5.5	7.8~8.2[2]	*Fm*3*m*	3.596						4
なし	4.5~5	21.5	*Fm*3*m*	3.924						4
{0001}	3.5	5.7	$R\bar{3}m$	3.76		10.56				6
{0001}	2~2.5	9.8	$R\bar{3}m$	4.546		11.860				6
{001} ほか	1.5~2.5	2.1	*Fddd*	10.45	12.84	24.46				128
{111}	10	3.6	*Fd*3*m*	3.567						8
{0001}	1~2	2.2	$P6_3/mmc$	2.463		6.714				4

る. 3) 灰，黄色のものも多いが，青，緑，紫，橙，赤，褐，黒色など変化に富む.

劈 開	硬 度	比 重	空間群	*a*	*b*	*c*	*α*	*β*	*γ*	*Z*
なし	2~2.5	7.3	$P2_1/n$	4.229	6.931	7.862		99.61		4
{110}	2.5~3	5.8	$P2_1/c$	15.235	11.885	13.496		116.26		48
なし	3	5.1	*Pbca*	10.950	21.862	10.950				16
なし	3.5~4	4.9~5.2	*Fm*3*m*	10.042						4
{100}	2.5	7.6	*Fm*3*m*	5.94						4
{100}	3.5~4	4	*Fm*3*m*	5.22						4
{110}	3.5~4	3.9~4.1	$F\bar{4}3m$	5.406						4
{11$\bar{2}$0}	3.5~4	4	$P6_3mc$	3.82		6.26				2
{11$\bar{2}$2}	3~3.5	4.8	$P6_3mc$	4.136		6.713				2
なし	3.5~4.5	4.7	*A*2/*a*	12.811	6.870	11.885		117.3		32
{0001}	1.5~2	4.7	$P6_3/mmc$	3.7938		16.341				6
{10$\bar{1}$0}	2~2.5	8.1	$P3_121$	4.149		9.595				3
{10$\bar{1}$1} など	3~3.5	5.4	*R*3*m*	9.620		3.149				9
{010}	1.5~2	3.5	$P2_1/n$	9.324	13.534	6.585		106.43		16
なし	3.5~4	4.2	$I\bar{4}2d$	5.289		10.423				4

おもな

和　名（英名）	晶系	理想化学組成式	色	条　痕	光 沢
黄錫鉱(stannite)	正	Cu_2FeSnS_4	鋼灰	黒	金属
雄　黄(orpiment)	単	As_2S_3	橙黄	淡黄	樹脂
輝安鉱(stibnite)	直	Sb_2S_3	鉛灰	鉛灰	金属
輝蒼鉛鉱(bismuthinite)	直	Bi_2S_3	鉛灰	鉛灰	金属
黄鉄鉱(pyrite)	等	FeS_2	黄銅	緑黒	金属
白鉄鉱(marcasite)	直	FeS_2	黄銅	灰黒	金属
輝コバルト鉱(cobaltite)	直	CoAsS	銀白	灰黒	金属
硫ヒ鉄鉱(arsenopyrite)	単	FeAsS	銀白	灰黒	金属
輝水鉛鉱(molybdenite)	六	MoS_2	鉛灰	鉛灰	金属
雑銀鉱(polybasite)	単	$(Ag, Cu)_{16}Sb_2S_{11}$	鉄黒	黒	金属
安四面銅鉱(tetrahedrite)	等	$(Cu, Fe)_{12}Sb_4S_{13}$	鋼灰	黒	金属
濃紅銀鉱(pyrargyrite)	菱	Ag_3SbS_3	暗赤	暗赤	金剛
毛　鉱(jamesonite)	単	$Pb_4FeSb_6S_{14}$	灰黒	灰黒	金属

4) 空気中で青紫色に変化. 5) 鉄の乏しいものは, 琥珀色. 6) ヒ(砒)素が多く含まれると, 比重が小さく

酸化鉱物

和　名（英名）	晶系	理想化学組成式	色	条　痕	光 沢
赤銅鉱(cuprite)	等	Cu_2O	暗赤	暗赤	金剛
ペリクレース(periclase)	等	MgO	白	白	ガラス
緑マンガン鉱(manganosite)	等	MnO	緑	褐	ガラス
コランダム(corundum)	菱	Al_2O_3	灰〜青[7]	無ガラス	金属
赤鉄鉱(hematite)	菱	Fe_2O_3	鉄黒	赤褐	金属
灰チタン石(perovskite)	直	$CaTiO_3$	褐	灰黒	金剛
チタン鉄鉱(ilmenite)	菱	$FeTiO_3$	黒	黒	金属
ルチル(rutile)	正	TiO_2	赤褐	褐	金剛
軟マンガン鉱(pyrolusite)	正	MnO_2	黒	黒	金属
錫　石(cassiterite)	正	SnO_2	褐	淡褐	金剛
スティショフ石(stishovite)	正	SiO_2	無	無	ガラス
鋭錐石(anatase)	正	TiO_2	褐, 青	無, 淡黄	金剛
板チタン石(brookite)	直	TiO_2	褐, 黒	無, 灰	金剛
センウラン鉱(uraninite)	等	UO_2	黒	黒	亜金属
スピネル(spinel)	等	$MgAl_2O_4$	無[9]	白	ガラス
磁鉄鉱(magnetite)	等	$Fe^{2+}Fe^{3+}{}_2O_4$	黒	黒	金属
クロム鉄鉱(chromite)	等	$FeCr_2O_4$	黒	黒褐	金属
金緑石(chrysoberyl)	直	$BeAl_2O_4$	黄緑	白	ガラス
クリプトメレーン(cryptomelane)	単	KMn_8O_{16}	黒	黒	亜金属
ダイアスポア(diaspore)	直	α-AlO(OH)	白	白	ガラス

鉱 物 (2)

劈 開	硬 度	比 重	空間群	格 子 定 数						
				a	b	c	α	β	γ	Z
なし	4	4.4	$I\bar{4}2m$	5.453		10.747				2
{010}	1.5~2	3.5	$P2_1/n$	11.49	9.59	4.25		90.45		4
{010}	2	4.6	$Pbnm$	11.229	11.310	3.839				4
{010}	2	6.8	$Pbnm$	11.149	11.304	3.981				4
なし	6~6.5	5	$Pa3$	5.417						4
{101}	6~6.5	4.9	$Pnnm$	4.436	5.414	3.381				2
{001}	5.5	6.3	$Pca2_1$	5.582						4
{001}	5.5~6	6.1	$P2_1/c$	5.744	5.675	5.785		112.3		4
{0001}	1~1.5	4.7	$P6_3mmc$	3.16		12.295				2
なし	2~3	6.1	$C2/m$	26.17	15.11	23.89		90		16
なし	3~4	4.6~5.1[6]	$I\bar{4}3m$	10.327						2
{10$\bar{1}$1}	2.5	5.8	$R3c$	11.047		8.719				6
{001}	2.5	5.7	$P2_1/a$	15.65	19.03	4.03		91.8		2

る.

なし	3.5~4	6.1	$Pn3m$	4.270						2
{001}	5.5	3.58	$Fm3m$	4.211						4
{100}	5.5	5.4	$Fm3m$	4.445						4
なし	9	4	$R\bar{3}c$	4.758		12.991				6
なし	5.5	5.3	$R\bar{3}c$	5.036		13.749				6
なし	5.5	4	$Pnma$	5.441	7.644	5.381				4
なし	5.5	4.7	$R\bar{3}$	5.088		14.093				6
{110}	6~6.5	4.2	$P4_2/mnm$	4.593		2.959				2
{110}	2~6[8]	5	$P4_2/mnm$	4.400		2.874				2
なし	6.5	7	$P4_2/mnm$	4.738		3.188				2
なし	8	4.3	$P4_2/mnm$	4.178		2.666				2
{001}, {011}	5.5~6	3.9	$I4_1/amd$	3.785		9.514				4
なし	5.5~6	4.1	$Pbca$	9.174	5.456	5.138				8
なし	5~6	7.5~9.7	$Fm3m$	5.468						4
なし	7.5~8	3.6	$Fd3m$	8.083						8
なし	5.5~6	5.2	$Fd3m$	8.396						8
なし	5.5	4.7	$Fd3m$	8.379						8
{110}	8.5	3.8	$Pnma$	9.404	5.476	4.427				4
なし	5~6	4.3	$I2/m$	9.956	2.871	9.706		90.95		1
{010}	6.5~7	3.4	$Pnma$	4.396	9.426	2.844				4

おもな

和　名（英名）	晶系	理想化学組成式	色	条　痕	光　沢
針鉄鉱(goethite)	単	α-FeO(OH)	褐	黄褐	金剛
水マンガン鉱(manganite)	単	γ-MnO(OH)	鋼灰	黒褐	亜金属
水滑石(brucite)	菱	$Mg(OH)_2$	白	白	真珠
ギブス石(gibbsite)	単	γ-$Al(OH)_3$	白	白	ガラス

7) 他に黄，赤（ルビー）などもある．8) 土状のものでは硬度が2まで下がる．9) ほとんどの色が知られ

ハロゲン化鉱物

和　名（英名）	晶系	理想化学組成式	色	条　痕	光　沢
岩　塩(halite)	等	NaCl	無[10]	白	ガラス
カリ岩塩(sylvite)	等	KCl	無	白	ガラス
角銀鉱(chlorargyrite)	等	AgCl	無,灰褐	白	樹脂
ホタル石(fluorite)	等	CaF_2	無[11]	白	ガラス
アタカマ石(atacamite)	直	$Cu_2(OH)_3Cl$	緑	緑	金剛
氷晶石(cryolite)	単	Na_3AlF_6	無	白	ガラス

10) 淡褐，赤，青，紫色などもある．　11) 紫，緑，青，黄，ピンク，赤色などもある．

炭酸塩鉱物

和　名（英名）	晶系	理想化学組成式	色	条　痕	光　沢
方解石(calcite)	菱	$CaCO_3$	無,白,淡黄	白	ガラス
リョウ苦土石(magnesite)	菱	$MgCO_3$	無,白	白	ガラス
リョウ鉄鉱(siderite)	菱	$FeCO_3$	黄褐	白	ガラス
リョウマンガン鉱(rhodochrosite)	菱	$MnCO_3$	灰,紅	白	ガラス
アラレ石(aragonite)	直	$CaCO_3$	無,白	白	ガラス
ストロンチアン石(strontianite)	直	$SrCO_3$	無,白,灰	白	ガラス
白鉛鉱(cerussite)	直	$PbCO_3$	白	白	金剛
苦灰石(dolomite)	菱	$CaMg(CO_3)_2$	無,白,灰	白	ガラス
ラン銅鉱(azurite)	単	$Cu_3(CO_3)_2(OH)_2$	青	青	ガラス
クジャク石(malachite)	単	$Cu_2(CO_3)(OH)_2$	緑	淡緑	金剛

硝酸塩鉱物

和　名（英名）	晶系	理想化学組成式	色	条　痕	光　沢
チリ硝石(nitratine)	菱	$NaNO_3$	無,白	白	ガラス
硝　石(niter)	直	KNO_3	無,白	白	ガラス

ホウ酸塩鉱物

和　名（英名）	晶系	理想化学組成式	色	条　痕	光　沢
小藤石(kotoite)	直	$Mg_3(BO_3)_2$	無,白	白	ガラス
ホウ砂(borax)	単	$Na_2B_4O_5(OH)_4 \cdot 8H_2O$	無	白	ガラス

硫酸塩鉱物

和　名（英名）	晶系	理想化学組成式	色	条　痕	光　沢
テナルド石(thenardite)	直	Na_2SO_4	無,白	白	ガラス

鉱　物 (3)

劈　開	硬　度	比　重	空間群	格子定数						
				a	b	c	α	β	γ	Z
{010}	5.5	4.3	$Pnma$	4.62	9.95	3.01				4
{010}	4	4.3	$P2_1/c$	8.98	5.28	5.71		90		8
{0001}	2.5	2.4	$P\bar{3}m1$	3.147		4.769				1
{001}	3	2.4	$P2_1/c$	8.684	5.078	9.736		94.53		8

いる.

{100}	2	2.2	$Fm3m$	5.640						4
{100}	2	2	$Fm3m$	6.93						4
なし	2.5	5.6	$Fm3m$	5.549						4
{111}	4	3.2	$Fm3m$	5.463						4
{010}	3.5	3.8	$Pnam$	6.030	6.865	9.120				4
なし	2.5	3	$P2_1/n$	5.402	5.596	7.756		90.28		2
{10$\bar{1}$1}	3	2.7	$R\bar{3}c$	4.9896		17.061				6
{10$\bar{1}$1}	4	3	$R\bar{3}c$	4.6333		15.013				6
{10$\bar{1}$1}	4	4	$R\bar{3}c$	4.6916		15.3796				6
{10$\bar{1}$1}	4	3.7	$R\bar{3}c$	4.7682		15.6354				6
{010}	4	2.9	$Pmcn$	4.9598	7.9641	5.7379				4
{110}	3.5	3.8	$Pmcn$	5.090	8.358	5.997				4
{110}, {201}	3.5	6.6	$Pmcn$	5.180	8.492	6.134				4
{10$\bar{1}$1}	4	2.9	$R\bar{3}$	4.8069		16.0034				3
{011}	4	3.8	$C2_1/c$	5.00	5.85	10.35		92.33		2
{201}	3.5～4	4.1	$C2_1/a$	9.48	12.03	3.21		98		4
{0112}	2	2.3	$R\bar{3}c$	5.070		16.829				6
{001}, {010}	2	2.1	$Pmcn$	5.414	9.164	6.431				4
{110}	6.5	3.1	$Pnmn$	5.401	8.422	4.507				2
{100}	2.5	1.7	$A2/a$	12.219	10.665	11.884		106.64		4
{010}	2.5	2.7	$Fddd$	9.829	12.302	5.868				8

おもな

和 名(英名)	晶系	理想化学組成式	色	条 痕	光 沢
重晶石(barite)	直	$BaSO_4$	無, 白[12]	白	ガラス
天青石(celestine)	直	$SrSO_4$	無, 淡青	白	ガラス
硬セッコウ(anhydrite)	直	$CaSO_4$	無, 白[13]	白	ガラス
セッコウ(gypsum)	単	$CaSO_4 \cdot 2H_2O$	無, 白	白	亜ガラス
タンバン(chalcanthite)	三	$CuSO_4 \cdot 5H_2O$	青	白	ガラス
ブロシャン銅鉱(brochantite)	単	$Cu_4(SO_4)(OH)_6$	緑	淡緑	ガラス
青鉛鉱(linarite)	単	$PbCu(SO_4)(OH)_2$	青	淡青	ガラス
明バン石(alunite)	菱	$KAl_3(SO_4)_2(OH)_6$	白, ピンク	白	ガラス
鉄明バン石(jarosite)	菱	$KFe_3(SO_4)_2(OH)_6$	黄褐	黄褐	亜金剛

12) 他に黄, 褐, 赤, 青色のものがある.　13) 他に青, 紫, 赤色のものがある.

リン酸塩・ヒ酸塩・バナジン酸塩鉱物

和 名(英名)	晶系	理想化学組成式	色	条 痕	光 沢
モナズ石(monazite-(Ce))	単	$CePO_4$	黄褐	白, 淡褐	樹脂
ゼノタイム-(Y)(xenotime-(Y))	直	YPO_4	黄褐, 赤褐	淡褐	ガラス
リン灰ウラン石(autunite)	正	$Ca(UO_2)_2(PO_4)_2 \cdot 10\text{-}12H_2O$	黄, 淡緑	淡黄	ガラス
ラン鉄鉱(vivianite)	単	$Fe_3(PO_4)_2 \cdot 8H_2O$	無[14]	白[14]	ガラス
スコロド石(scorodite)	直	$FeAsO_4 \cdot 2H_2O$	灰緑, 褐	白, 灰	ガラス
フッ素リン灰石(fluorapatite)	六	$Ca_5(PO_4)_3F$	無, 白[15]	白	ガラス
緑鉛鉱(pyromorphite)	六	$Pb_5(PO_4)_3Cl$	緑, 淡褐	白	樹脂
褐鉛鉱(vanadinite)	六	$Pb_5(VO_4)_3Cl$	黄, 橙	黄	樹脂
トルコ石(turquoise)	三	$CuAl_6(PO_4)_4(HO)_8 \cdot 4H_2O$	青, 青緑	白	ガラス

14) 光に曝されると, 青色になる.　15) 緑, 青, 黄, 褐, 赤色のものもある.

タングステン酸塩鉱物

和 名(英名)	晶系	理想化学組成式	色	条 痕	光 沢
鉄重石(ferberite)	単	$FeWO_4$	黒	黒	亜金属
灰重石(scheelite)	正	$CaWO_4$	白, 黄	白	金剛

ケイ酸塩鉱物

和 名(英名)	晶系	理想化学組成式	色	条 痕	光 沢
苦土カンラン石(forsterite)	直	Mg_2SiO_4	白, 黄緑	白	ガラス
鉄カンラン石(fayalite)	直	Fe_2SiO_4	褐, 黒	淡褐	ガラス
苦バンザクロ石(pyrope)	等	$Mg_3Al_2(SiO_4)_3$	赤	白	ガラス
鉄バンザクロ石(almandine)	等	$Fe_3Al_2(SiO_4)_3$	赤, 黒褐	白	ガラス
満バンザクロ石(spessartine)	等	$Mn_3Al_2(SiO_4)_3$	黄, 橙	白	ガラス
灰鉄ザクロ石(andradite)	等	$Ca_3Fe_2(SiO_4)_3$	褐赤, 黄緑	白	ガラス
灰バンザクロ石(grossular)	等	$Ca_3Al_2(SiO_4)_3$	白, 黄, 橙	白	ガラス
灰クロムザクロ石(uvarovite)	等	$Ca_3Cr_2(SiO_4)_3$	暗緑, 錆緑	白	ガラス

鉱 物 (4)

劈開	硬度	比重	空間群	格子定数 *a*	*b*	*c*	*α*	*β*	*γ*	*Z*
{001}	3~3.5	4.5	*Pnma*	8.884	5.456	7.157				4
01}, {210}	3~3.5	4	*Pnma*	8.371	5.355	6.870				4
10}, {100}	3.5	3	*Cmcm*	6.993	6.995	6.245				4
{010}	2	2.3	$C2/c$	5.678	15.20	6.52		118.43		4
なし	2.5	2.3	$P\bar{1}$	6.110	10.673	5.95	97.58	107.17	77.55	2
{100}	4	4	$P2_1/a$	13.08	9.85	6.02		103.37		4
なし	2.5	5.4	$P2_1/m$	9.691	5.650	4.687		102.65		2
{0001}	4	2.8	$R\bar{3}m$	6.970		12.27				3
{0001}	3.5	3.3	$R\bar{3}m$	7.304		17.268				3
{100}	5	4.6	$P2_1/n$	6.761	6.966	6.45		103.47		4
{100}	4~5	4.8	$I4_1/amd$	6.878		6.036				4
{001}	2.5	3.2	$I4/mmm$	7.009		20.736				2
{010}	2	2.7	$C2/m$	10.086	13.441	4.703		104.27		2
なし	4	3.3	*Pcab*	9.996	10.278	8.937				8
なし	5	3.2	$P6_3/m$	9.367		6.884				2
なし	3.5	7	$P6_3/m$	9.976		7.351				2
なし	2.5~3	6.9	$P6_3/m$	10.317		7.338				2
{001}	5.5	2.8	$P\bar{1}$	7.690	9.950	7.490	110.57	115.40	68.40	1
{010}	4.5	7.5	$P2/c$	4.72	5.70	4.96		90		2
{101}	5	6.1	$I4_1/a$	5.242		11.372				4
なし	7	3.2	*Pbnm*	4.7540	10.1971	5.9806				4[28)]
なし	6.5	4.4	*Pbnm*	4.8211	10.4779	6.0889				4[28)]
なし	7.5	3.7	*Ia3d*	11.455						8
なし	7.5	4.3	*Ia3d*	11.526						8
なし	7.5	4.2	*Ia3d*	11.63						8
なし	7	3.9	*Ia3d*	12.059						8
なし	7	3.6	*Ia3d*	11.851						8
なし	6.5~7	3.85	*Ia3d*	11.999						8

おもな

和 名（英名）	晶系	理想化学組成式	色	条 痕	光 沢
ジルコン(zircon)	正	$ZrSiO_4$	褐, 橙, 緑	白	金剛
ケイ線石(sillimanite)	直	$Al_2O(SiO_4)$	白	白	絹糸
紅柱石(andalusite)	直	$Al_2O(SiO_4)$	白, 紅, 緑	白	ガラス
ラン晶石(kyanite)	三	$Al_2O(SiO_4)$	青, 緑, 灰	白	ガラス
十字石(staurolite)	単	$(Fe, Mg)_4Al_{17}O_{13}[(Si, Al)O_4]_8(OH)_3$	褐	灰	ガラス
トパズ(topaz)	直	$Al_2SiO_4(F, OH)_2$	無[17]	白	ガラス
チタン石(クサビ石)(titanite)	単	$CaTiO(SiO_4)$	黄, 橙, 褐	淡褐	金剛
ゲーレン石(gehlenite)	正	$Ca_2Al(SiAlO_7)$	白, 灰, 黄	白	ガラス
鉄斧石(ferroaxinite)	三	$Ca_2FeAl_2(BSi_4O_{15})(OH)$	灰褐, 紫	白	ガラス
ローソン石(lawsonite)	直	$CaAl_2(Si_2O_7)(OH)_2 \cdot H_2O$	白, 淡灰青	白	ガラス
異極鉱 (hemimorphite)	直	$Zn_4(Si_2O_7)(OH)_2 \cdot H_2O$	無色～白	白	ガラス
単斜灰レン石(clinozoisite)	単	$Ca_2Al_3(SiO_4)(Si_2O_7)O(OH)$	灰, 淡褐	白	ガラス
緑レン石(epidote)	単	$Ca_2Fe^{3+}Al_2(SiO_4)(Si_2O_7)O(OH)$	黄緑, 暗緑	淡緑	ガラス
紅レン石(piemontite)	単	$Ca_2Mn^{3+}Al_2(SiO_4)(Si_2O_7)O(OH)$	紅, 赤褐	紅	ガラス
灰レン石(zoisite)	直	$Ca_2Al_3(SiO_4)(Si_2O_7)O(OH)$	灰[18]	白	ガラス
ベスブ石(vesuvianite)	正	$Ca_{19}(Al, Fe, Mg)_{13}(SiO_4)_{10}(Si_2O_7)_4(OH, F, O)_{10}$	黄, 緑, 褐	白	ガラス
緑柱石(beryl)	六	$Be_3Al_2Si_6O_{18}$	淡緑[19]	白	ガラス
キン青石(cordierite)	直	$Mg_2Al_3(AlSi_5O_{18})$	灰青, 青緑	白	ガラス
鉄電気石(schorl)	菱	$NaFe_3Al_6(BO_3)_3Si_6O_{18}(OH, F)_4$	黒, 黒褐	淡褐	ガラス
大隅石(osumilite)	六	$(K, Na)(Fe, Mg)_2(Al, Fe)_3(Al_2Si_{10}O_{30}) \cdot H_2O$	深青	白	ガラス
頑火輝石(enstatite)	直	$Mg_2Si_2O_6$	黄緑, 褐	淡灰褐	ガラス
透輝石(diopside)	単	$CaMgSi_2O_6$	白, 黄緑	白	ガラス
ヘデン輝石(hedenbergite)	単	$CaFe^{2+}Si_2O_6$	黒～緑～褐緑	淡緑	ガラス
普通輝石(augite)	単	$(Ca, Mg, Fe, Al, Ti)_2(Si, Al)_2O_6$	暗緑, 暗褐	灰	ガラス
ヒスイ輝石(jadeite)	単	$NaAlSi_2O_6$	白, 淡緑	白	ガラス
エジリン輝石(aegirine)	単	$NaFeSi_2O_6$	緑, 褐	淡緑, 黄	ガラス
ケイ灰石(wollastonite-1A)	三	$CaSiO_3$	白	白	絹糸
カミングトン閃石(cummingtonite)	単	$(Mg, Fe)_7Si_8O_{22}(OH)_2$	褐, 緑	白	ガラス
直閃石(anthophyllite)	直	$(Mg, Fe)_7Si_8O_{22}(OH)_2$	灰	白	ガラス
緑閃石(actinolite)	単	$Ca_2(Mg, Fe)_5Si_8O_{22}(OH)_2$	緑, 暗緑	白	ガラス
普通角閃石(hornblende)	単	$Ca_2(Mg, Fe)_4Al(AlSi_7O_{22})(OH)_2$	緑黒	白	ガラス
ラン閃石(glaucophane)	単	$Na_2Mg_3Al_2Si_8O_{22}(OH)_2$	灰藍, 紫青	灰	ガラス
カオリナイト(kaolinite)	三	$Al_4Si_4O_{10}(OH)_8$	白	白	土, 真珠
アンチゴライト(葉蛇紋石)(antigorite)	単	$Mg_6Si_4O_{10}(OH)_8$	暗緑	白	樹脂
葉ロウ石(pyrophyllite-1A)	単・三	$Al_2Si_4O_{10}(OH)_2$	白, 淡緑	白	真珠

鉱 物 (5)

劈 開	硬 度	比 重	空間群	格子定数						
				a	b	c	α	β	γ	Z
なし	7.5	4.7	$I4_1/amd$	6.604		5.979				4
{010}	7	3.2	$Pnma$	7.484	7.672	5.77				4
{110}	7	3.2	$Pnnm$	7.798	7.903	5.556				4
{100}, {010}	4～7.5[16]	3.6	$P\bar{1}$	7.126	7.852	5.572	89.99	101.11	106.03	4
{010}	7～7.5	3.7～3.8	$C2/m$	7.870	16.623	5.661		90.12		1
{001}	8	3.5	$Pbnm$	4.6512	8.795	8.3993				4
{110}	5.5	3.5	$A2/a$	7.066	8.705	6.561		113.93		4
{001}	5.5	3	$P\bar{4}2_1m$	7.677		5.059				2
{100}	7	3.3	$P\bar{1}$	9.46	9.2	7.15	102.7	98.1	88.2	2
{100}, {010}	6	3.1	$Ccmm$	8.795	5.847	13.142				4
{110}, {101}	4.5～5	3.5	$Imm2$	8.367	10.730	5.115				2
{001}, {100}	6.5	3.3	$P2_1/m$	8.879	5.583	10.149		115.5		2
{001}, {100}	6.5	3.4	$P2_1/m$	8.914	5.640	10.162		115.4		2
{001}	6	3.4	$P2_1/m$	8.843	5.664	10.150		115.25		2
{100}	6.5	3.3	$Pnma$	16.212	5.559	10.036				4
なし	5～6.5	3.4	$P4/nnc$	15.65		11.8				2
なし	7.5	2.7	$P6/mcc$	9.208		9.175				2
なし	7	2.6	$Cccm$	17.088	9.734	9.359				4
なし	7.5	3.1	$R3m$	15.992		7.172				3
なし	7	2.6	$P6/mcc$	10.13		14.31				2
{210}	5.5	3.2	$Pbca$	18.235	8.818	5.179				8
{110}	6	3.3	$C2/c$	9.739	8.913	5.253		106.02		4
{110}	6	3.65	$C2/c$	9.852	9.031	5.242		104.84		4
{110}	5.5～6	3.2～3.6	$C2/c$	9.707	8.858	5.274		106.52		4
{110}	7	3.3	$C2/c$	9.418	8.562	5.219		107.58		4
{110}	6	3.6	$C2/c$	9.658	8.795	5.295		107.42		4
{100}, {001}	4.5	2.9	$P\bar{1}$	7.926	7.320	7.0675	90.05	95.22	103.43	6
{110}	6	3.5	$P2_1/m$	9.583	18.091	5.315		102.6		2
{110}	6	3.1	$Pnma$	18.554	18.026	5.282				4
{110}	6	3.1	$C2/m$	9.891	18.200	5.305		104.64		2[28)]
{110}	5～6	3.0～3.5	$C2/m$	9.9	18.1	5.31		105		2
{110}	6	3.1	$C2/m$	9.531	17.759	5.303		103.59		2
{001}	1～2	2.6	$P1$	5.15	8.95	7.39	91.8	105	90	1[28)]
{001}	2.5～4	2.4～2.8	Pm	43.4	9.24	7.26		91.4		8
{001}	1.5	2.9	$C\bar{1}$	5.16	8.966	9.347	91.18	100.46	89.64	2

おもな

和　名(英名)	晶系	理想化学組成式	色	条　痕	光　沢
滑　石					
白雲母(muscovite-2M1)	単	$KAl_2(AlSi_3O_{10})(OH,F)_2$	無,白,黄	白	真珠
金雲母(phlogopite-1M)	単	$KMg_3(AlSi_3O_{10})(OH,F)_2$	黄,褐	白,淡褐	真珠
クリノクロア(緑泥石の一種)(clinochlore)	単	$Mg_3(Mg,Al)_3(Si,Al)_4O_{10}(OH)_8$	緑,暗緑	淡緑	土,ガラ
ブドウ石(prehnite)	直	$Ca_2Al(AlSi_3O_{10})(OH)_2$	白,淡緑	白	ガラス
クリストバル石(cristobalite)	正	SiO_2	白	白	ガラス
鱗ケイ石(tridymite)	単	SiO_2	白	白	ガラス
石　英(α-quartz)	菱	SiO_2	無[20]	白	ガラス
コース石(coesite)	単	SiO_2	白	白	ガラス
オパル(opal)	非	$SiO_2 \cdot nH_2O$	白[21]	白	ガラス
正長石(orthoclase)	単	$KAlSi_3O_8$	白[22]	白	ガラス
サニディン(sanidine)	単	$(K,Na)AlSi_3O_8$	白	白	ガラス
微斜長石(microcline)	三	$KAlSi_3O_8$	白[23]	白	ガラス
曹長石(low-albite)	三	$NaAlSi_3O_8$	白[24]	白	ガラス
灰長石(anorthite)	三	$CaAl_2Si_2O_8$	白[25]	白	ガラス
カスミ石(nepheline)	六	$(Na,K)AlSiO_4$	白,黄	白	ガラス
白榴石(低温型[27])(leucite)	正	$KAlSi_2O_6$	白	白	ガラス
方沸石(analcime)	等[26]	$Na(AlSi_2)O_6 \cdot H_2O$	無,白	白	ガラス
濁沸石(laumontite)	単	$Ca(Al_2Si_4)O_{12} \cdot 4H_2O$	白	白	ガラス
輝沸石(heulandite)	単	$(Ca,Na_2,K_2)_{4.5}(Al_9Si_{27})O_{72} \cdot 24H_2O$	無,白,黄	白	ガラス
ソーダ沸石(natrolite)	直	$Na_2(Al_2Si_3)O_{10} \cdot 2H_2O$	無,白	白	ガラス

16) 結晶の方位によって硬度が変わる．{010} 面上で 7～7.5，{100} 面上で 4～5.　17) 黄，褐，ピンク，青色などもある．　18) 黄，ピンク，青，緑色などもある．　19) 青(アクアマリン)，鮮緑(エメラルド)，黄，ピンク，赤色などもある．　20) 紫(アメシスト)，黄，黒色などもある．　21) 琥珀色，虹色の光を放つものもある．　22) ピンク，黄，緑色などもある．　23) 青緑色(アマゾナイ

ケイ酸塩鉱物の

分　類	構造の概略	Si : O		鉱物の例
ネソケイ酸塩	独立した SiO_4 四面体*	1	4	カンラン石，ザクロ石，ケイ線石
ソロケイ酸塩	2つの四面体が1個の酸素を共有	2	7	ゲーレン石，異極鉱，ローソン石
シクロケイ酸塩	四面体の閉じた輪，2個の酸素を共有	1	3	緑柱石，キン青石，電気石
イノケイ酸塩	四面体の連なった単一の鎖，2個の酸素を共有	1	3	輝石，ケイ灰石

*　四面体の各頂点に酸素を持ち，中心部にケイ素が存在する．

鉱 物 (6)

劈 開	硬 度	比 重	空間群	格 子 定 数						
				a	*b*	*c*	*α*	*β*	*γ*	*Z*
{001}	2.5～3.5	2.9	*C*2/*c*	5.199	9.027	20.106		95.78		4
{001}	2～2.5	2.8～3.0	*C*2/*m*	5.308	9.190	10.155		100.08		2
{001}	2～3	2.3～2.9	*C*2/*m*	3.350	9.267	14.27		96.35		2[27)]
{001}	6～6.5	2.9	*P*2*cm*	4.65	5.49	18.52				2
なし	6.5	2.3	$P4_12_12$	4.969		6.926				4
なし	7	2.3	*Cc*	18.494	4.991	23.758		105.79		48
なし	7	2.7	$P6_422$	4.999	5.457					3
なし	7.5	3	*C*2/*c*	7.135	12.372	7.174		120.36		16
なし	6.5	2.1								
001}, {010}	6	2.6	*C*2/*m*	8.56	12.94	7.21		116.3		4
001}, {010}	6	2.6	*C*2/*m*	8.60	13.04	7.18		116.0		4
001}, {010}	6	2.6	$C\bar{1}$	8.53	12.95	7.19	90.4	116.0	87.80	4
001}, {010}	6	2.6	$C\bar{1}$	8.14	12.79	7.16	94.3	116.6	87.7	4
001}, {010}	6	2.8	$P\bar{1}$	8.18	12.87	14.18	93.2	115.9	91.1	8
なし	5.5～6	2.6～2.7	$P6_3$	9.989		8.380				8
{110}	5.5～6	2.46	$I4_1/a$	13.09		13.75				16
なし	5～5.5	2.3	*Ia*3*d*	13.73						16[27)]
010}, {110}	4	2.3	*C*2/*m*	14.9	13.2	7.55		110.5		4
{010}	3.5～4	2.1～2.3	*C*2/*m*	17.6	17.9	7.45		116.3		1
{110}	5.5	2.3	*Fdd*2	18.3	18.55	6.58				8

ト), ピンク色などもある. 24) 黄, 淡青, 淡緑, ピンク, 赤色などもある. 25) 黄, 赤色などもある. 26) 正, 直, 単, 三の晶系もある. 27) 高温型は等軸晶系または正方晶系. 28) 格子定数は, Handbook of Mineralogy, Mineral Data Publishing (1995) による.

構造による分類

分 類	構 造 の 概 略	Si : O	鉱 物 の 例
イノケイ酸塩	四面体の連なった2本の鎖, 2個または3個の酸素を共有	4　11	角閃石
フィロケイ酸塩	四面体が連なった平面, 3個の酸素を共有	2　5	雲母, 緑泥石, カオリナイト
テクトケイ酸塩	四面体が連なった3次元的網目構造, 4個の酸素を共有	1　2	石英, 長石, 沸石

おもな造岩鉱物の光学的性質　(1)

名　　称	薄片下での色	屈 折 率	光学的符号と光軸角	光学的方位
ホタル石	無	1.433～1.435	等方性	
方沸石	無	1.479～1.493	等方性	
スピネル	無，淡い各色	1.719	等方性	
灰バンザクロ石	無	1.734	等方性	
鉄バンザクロ石	無，淡い各色	1.830	等方性	
灰鉄ザクロ石	無，淡黄	1.887	等方性	
火山ガラス	無	1.49～1.60	等方性	
石　英	無	ω1.544，ε1.553	一軸性(+)	
大隅石	無～淡青	ω1.546，ε1.550	一軸性(+)	
水滑石	無	ω1.559，ε1.590	一軸性(+)	
ジルコン	無～淡褐	ω1.92～1.96，ε1.97～2.02	一軸性(+)	
ルチル	赤褐～黄褐	ω2.61，ε2.89	一軸性(+)	
クリストバル石	無	ω1.487，ε1.484	一軸性(−)	
フッ素リン灰石	無	ω1.633～1.650，ε1.629～1.646	一軸性(−)	
方解石	無	ω1.658，ε1.486	一軸性(−)	
鉄電気石	青黒，暗褐～灰，青，黄	ω1.658～1.698，ε1.633～1.675	一軸性(−)	
苦灰石	無	ω1.679，ε1.500	一軸性(−)	
コランダム	無，淡青，淡赤	ω1.767～1.772，ε1.759～1.762	一軸性(−)	
針鉄鉱	褐	ω2.40～2.52，ε2.26～2.28	一軸性(−)	
鱗ケイ石	無	α1.469～1.479，γ1.473～1.483	二軸性(+)：35°～90°	$a=Y$，$b=X$，$c=Z$
セッコウ	無	α1.519～1.521，γ1.529～1.531	二軸性(+)：～58°	$b=Y$，$c\wedge Z=\sim-52°$ $a\wedge X=\sim-15°$
曹長石	無	α1.527～1.533，γ1.538～1.543	二軸性(+)：77°～84°	
キン青石	無～淡青	α1.522～1.560，γ1.527～1.578	二軸性(+)：90°～75°	$a=Y$，$b=Z$，$c=X$
ギブス石	無	α1.573～1.576，γ1.594～1.596	二軸性(+)：0°～40°	$b=X$，$c\wedge Z=+21°$，$a\wedge Y=25.5°$
硬セッコウ	無	α1.570，γ1.614	二軸性(+)：～43°	$a=Y$，$b=X$，$c=Z$
クリノクロア	無～淡黄～淡緑	α1.57～1.59，γ1.58～1.61	二軸性(+)：15°～45°	b=Y，{001}∧Z=～0°～3°

おもな造岩鉱物の光学的性質　(2)

名　称	薄片下での色	屈　折　率	光学的符号と光軸角	光学的方位
コース石	無	α1.593～1.599, γ1.597～1.604	二軸性(+)：54°～64°	
トパズ	無	α1.606～1.630, γ1.616～1.638	二軸性(+)：48°～68°	$a=X$, $b=Y$, $c=Z$
ブドウ石	無	α1.610～1.637, γ1.632～1.673	二軸性(+)：60°～70°	$a=X$, $b=Y$, $c=Z$
直閃石	無～淡褐, 淡緑	α1.588～1.663, γ1.613～1.683	二軸性(+)：79°～90°	$a=X$, $b=Y$, $c=Z$
ケイ線石	無	α1.653～1.661, γ1.669～1.684	二軸性(+)：20°～30°	$a=X$, $b=Y$, $c=Z$
カミングトン閃石	無～淡褐, 淡緑	α1.628～1.658, γ1.652～1.692	二軸性(+)：70°～90°	$b=Y$, $c \wedge Z=$～$-21°$～$-16°$, $a \wedge X=$～$-9°$～$-3°$
苦土カンラン石	無	α1.635～1.653, γ1.670～1.690	二軸性(+)：82°～90°	$a=Z$, $b=X$, $c=Y$
頑火輝石	無	α1.654～1.664, γ1.665～1.675	二軸性(+)：35°～90°	$a=X$, $b=Y$, $c=Z$
普通角閃石	淡緑, 黄褐～青緑, 褐	α1.610～1.700, γ1.630～1.730	二軸性(+)：85°～90°	$b=Y$, $c \wedge Z=-30°$～$-40°$, $a \wedge X=+3°$～$-19°$
ローソン石	無	α1.665, γ1.684～1.686	二軸性(+)：76°～87°	$a=X$, $b=Y$, $c=Z$
透輝石	無, 淡緑	α1.664～1.672, γ1.694～1.702	二軸性(+)：58°	$b=Y$, $c \wedge Z=-38°$～$-39°$
灰レン石	無	α1.685～1.707, γ1.697～1.725	二軸性(+)：0°～60°	$a=Z$, $b=Y$, $c=X$
普通輝石	無, 淡緑, 淡褐紫	α1.671～1.735, γ1.703～1.761	二軸性(+)：25°～60°	$b=Y$, $c \wedge Z=-35°$～$-50°$, $a \wedge X=-20°$～$-35°$
単斜灰レン石	無	α1.703～1.715, γ1.709～1.734	二軸性(+)：14°～90°	$b=Y$, $c \wedge X=-85°$～$0°$, $a \wedge Z=-60°$～$+25°$
十字石	無～黄～黄褐	α1.736～1.747, γ1.745～1.762	二軸性(+)：80°～90°	$a=Y$, $b=X$, $c=Z$
紅レン石	淡黄, ピンク～赤紫	α1.725～1.794, γ1.750～1.832	二軸性(+)：50°～86°	$b=Y$, $c \wedge X=+2°$～$+9°$, $a \wedge Z=+27°$～$+35°$
モナズ石	無～黄褐	α1.774～1.800, γ1.828～1.851	二軸性(+)：6°～19°	$b=X$, $c \wedge Z=-2°$～$-7°$

おもな造岩鉱物の光学的性質　(3)

名　称	薄片下での色	屈折率	光学的符号と光軸角	光学的方位
モナズ石				$a\wedge Y=+12°\sim+7°$
チタン石	淡灰褐～黄褐	α1.840～1.950, γ1.943～2.11	二軸性(＋)：17°～56°	$b=Y$, $c\wedge Z=-36°\sim-51°$, $a\wedge X=-6°\sim-21°$
微斜長石	無	α1.514～1.516, γ1.521～1.522	二軸性(－)：66°～68°	
正長石	無	α1.518～1.520, γ1.522～1.525	二軸性(－)：35°～50°	$b=Z$, $c\wedge Y=-13°\sim-21°$, $a\wedge X=+14°\sim+6°$
サニディン	無	α1.518～1.524, γ1.522～1.530	二軸性(－)：18°～42°	$b=Z$, $c\wedge Y=\sim-21°$, $a\wedge X=\sim+5°$
アンチゴライト	無～淡緑	α1.54～1.58, γ1.55～1.59	二軸性(－)：～20°	$b=Y$, $c\wedge X=\sim1°$
灰長石	無	α1.573～1.577, γ1.585～1.590	二軸性(－)：77°～78°	
滑　石	無	α1.538～1.550, γ1.565～1.600	二軸性(－)：0°～30°	$b=Y, a\sim Z$, $c\wedge X=\sim-10°$
白雲母	無	α1.552～1.574, γ1.587～1.610	二軸性(－)：30°～47°	$b=Z$, $c\wedge X=0°\sim-5°$
金雲母	無～淡黄褐	α1.530～1.590, γ1.558～1.637	二軸性(－)：0°～15°	$b=Y$, $c\wedge X=-10°\sim-5°$, $a\wedge Z=0°\sim+5°$
ラン閃石	黄～紫青	α1.594～1.647, γ1.618～1.663	二軸性(－)：50°～0°	$b=Y$, $c\wedge Z=-6°\sim-9°$, $a\wedge X=+8°\sim+5°$
紅柱石	無～ピンク	α1.629～1.640, γ1.638～1.650	二軸性(－)：71°～86°	$a=Z$, $b=Y$, $c=X$
緑閃石	淡黄～淡緑	α1.616～1.669, γ1.640～1.688	二軸性(－)：84°～75°	$b=Y$, $c\wedge Z=-17°\sim-13°$, $a\wedge X=-2°\sim+2°$
アラレ石	無	α1.530, γ1.685	二軸性(－)：18°	$a=Y$, $b=Z$, $c=X$
緑レン石	無～淡黄緑	α1.715～1.751, γ1.734～1.797	二軸性(－)：90°～64°	$b=Y$, $c\wedge X=0°\sim+15°$, $a\wedge Z=+25°\sim+40°$
エジリン輝石	黄～鮮緑	α1.722～1.776, γ1.758～1.836	二軸性(－)：58°～90°	$b=Y$, $c\wedge X=-10°\sim+12°$, $a\wedge Z=+28°\sim+6°$

おもな火成岩（火山岩）

地第 23 図　　火山岩の全岩主成分化学組成に基づく名称

a) 火山岩の分類

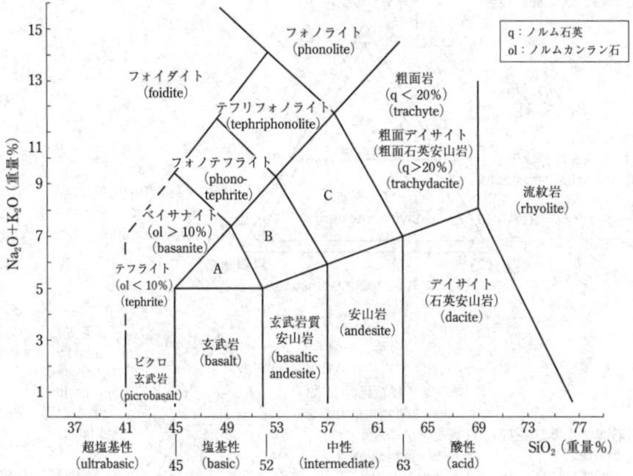

	A	B	C
	粗面玄武岩 (tracybasalt)	玄武岩質粗面安山岩 (basaltic trachyandesite)	粗面安山岩 (trachyandesite)
$Na_2O-2 \geq K_2O$	ハワイアイト (hawaiite)	ミュージアライト (mugearite)	ベンモレアイト (benmoreite)
$Na_2O-2 \leq K_2O$	カリ質粗面玄武岩 (potassic trachybasalt)	ショショナイト (shoshonite)	レータイト (latite)

(b) MgO に富む火山岩の分類

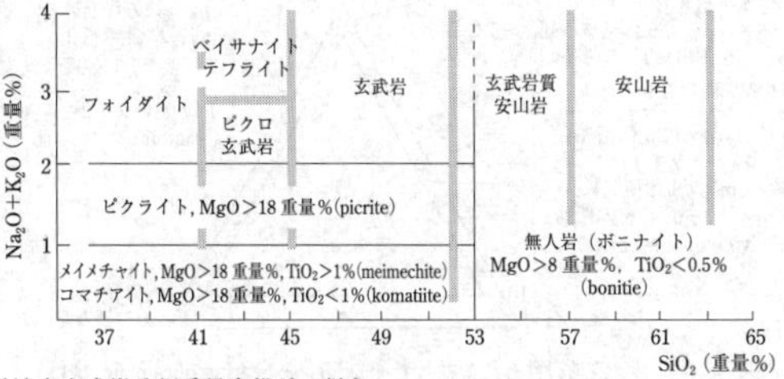

国際地学連合火成岩分類委員会推奨に従う.

おもな火成岩（深成岩）

地第 24 図　超苦鉄質岩，花コウ岩類，および斑レイ岩類の鉱物体積分率（%）に基づく名称

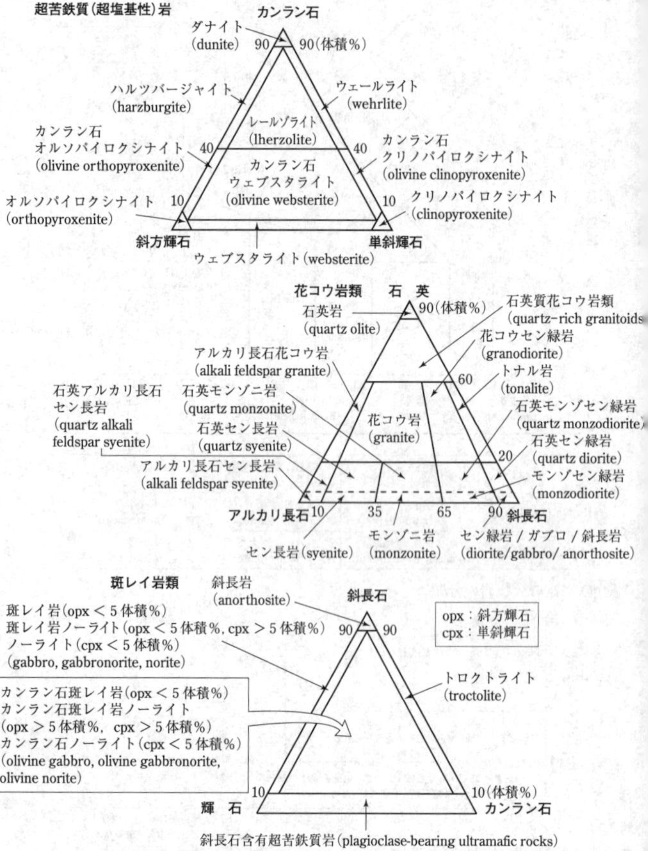

超苦鉄質（超塩基性）岩
カンラン石
ダナイト (dunite)
90
90（体積%）
ハルツバージャイト (harzburgite)
ウェールライト (wehrlite)
レールゾライト (lherzolite)
カンラン石 オルソパイロクシナイト (olivine orthopyroxenite)
40
40
カンラン石 クリノパイロクシナイト (olivine clinopyroxenite)
カンラン石 ウェブスタライト (olivine websterite)
オルソパイロクシナイト (orthopyroxenite)
10
10
クリノパイロクシナイト (clinopyroxenite)
斜方輝石
単斜輝石
ウェブスタライト (websterite)
花コウ岩類
石 英
石英岩 (quartz olite)
90（体積%）
石英質花コウ岩類 (quartz-rich granitoids)
花コウセン緑岩 (granodiorite)
アルカリ長石花コウ岩 (alkali feldspar granite)
60
トナル岩 (tonalite)
石英アルカリ長石セン長岩 (quartz alkali feldspar syenite)
石英モンゾニ岩 (quartz monzonite)
花コウ岩 (granite)
石英モンゾセン緑岩 (quartz monzodiorite)
石英セン長岩 (quartz syenite)
20
石英セン緑岩 (quartz diorite)
アルカリ長石セン長岩 (alkali feldspar syenite)
モンゾセン緑岩 (monzodiorite)
アルカリ長石
10
35
65
90
斜長石
モンゾニ岩 (monzonite)
セン緑岩 / ガブロ / 斜長岩 (diorite/gabbro/ anorthosite)
セン長岩 (syenite)
斑レイ岩類
斜長岩 (anorthosite)
斜長石
90
90
opx：斜方輝石
cpx：単斜輝石
斑レイ岩 (opx < 5 体積%)
斑レイ岩ノーライト (opx < 5 体積%, cpx > 5 体積%)
ノーライト (cpx < 5 体積%)
(gabbro, gabbronorite, norite)
トロクトライト (troctolite)
カンラン石斑レイ岩 (opx < 5 体積%)
カンラン石斑レイ岩ノーライト (opx > 5 体積%, cpx > 5 体積%)
カンラン石ノーライト (cpx < 5 体積%)
(olivine gabbro, olivine gabbronorite, olivine norite)
10
10（体積%）
輝 石
カンラン石
斜長石含有超苦鉄質岩 (plagioclase-bearing ultramafic rocks)

国際地学連合火成岩分類委員会推奨に従う.

おもな堆積岩・堆積物の化学組成

成分	泥質岩	砂質岩	石灰岩	チャート	深海底粘土質堆積物	氷縞粘土
	A	B	C	D	E	F
SiO_2	58.9	78.7	5.2	83.41	55.34	62.22
TiO_2	0.77	0.25	0.06	0.24	0.84	0.83
Al_2O_3	16.7	4.8	0.8	6.71	17.48	16.63
Fe_2O_3	2.8	1.1	} 0.5	4.90	7.04	—
FeO	3.7	0.3		—	1.13	6.99
MnO	0.1	0.01	0.05	0.11	0.48	0.12
MgO	2.6	1.2	7.9	1.17	3.8	3.47
CaO	2.2	5.5	42.6	0.10	1.4	3.23
Na_2O	1.6	0.5	0.05	0.06	1.53	2.15
K_2O	3.6	1.3	0.3	1.65	3.26	4.13
H_2O^+	} 5.0	1.3	0.6	—	} 6.5	—
H_2O^-		0.3	0.2	—		—
P_2O_5	0.16	0.08	0.04	0.05	0.14	0.23
CO_2	1.3	5.0	41.6	—	0.78	—

A：277 個の試料の平均（Wedepohl, 1968），B：253 個の試料の平均（Clarke, 1924），C：345 個の試料の平均（Clarke, 1924），D：Barrett, 1981，E：世界の深海 12 サンプルの平均（Wakeel & Riley, 1961），F：Goldschmidt, 1933

堆積物の構成粒子の径と砕セツ岩の分類*

φスケール†	−8	−7	−6	−5	−4	−3	−2	−1	0	1	2	3	4	5	6	7	8	9	10
粒径(mm)	256		64				4	2	1	1/2	1/4	1/8	1/16				1/256		

	レキ				砂粒					泥の粒子	
粒子	巨レキ	大レキ	中レキ	小レキ	極粗粒砂粒	粗粒砂粒	中粒砂粒	細粒砂粒	微粒砂粒	シルト粒子	粘土粒子
	レキ岩 Conglomerate (Cg)				砂岩 Sandstone (Sc)					泥岩 Mudstone	
上のサイズの粒子を最も多く含む砕セツ岩	巨レキ岩 (Boulder Cg)	大レキ岩 (Cobble Cg)	中レキ岩 (Pebble Cg)	小レキ岩 (Granule Cg)	極粗粒砂岩 (Very coarse Ss)	粗粒砂岩 (Coarse Ss)	中粒砂岩 (Medium Ss)	細粒砂岩 (Fine Ss)	微粒砂岩 (Very Fine Ss)	シルト岩 (Siltstone)	粘土岩 (Claystone)

*　火山砕セツ岩の構成粒子は，径 64 mm より大きいものが火山岩塊，2〜64 mm のものが火山レキ，2 mm 以下が火山灰である．Fisher(1961)，Wentworth(1922) による．

†　粒子サイズが d mm の場合，$\phi = -\log_2 d$ で表現する無次元量を ϕ とする．

おもな堆積岩

岩石グループ名		主要構成物質	岩石名	特徴
砕セツ岩 (Clastic rocks)		石英，長石，岩片，粘度鉱物などの砕セツ粒子		構成粒子の粒径
			レキ岩 (Conglomerate)	>2 mm
			砂岩 (Sandstone)	>1/16 mm
			泥岩 (Mudstone)，ケツ岩 (Shale)	<1/16 mm
				構成粒子・基質の比率
			石英砂岩 (Quartz Sandstone)	石英>25%
			アルコース砂岩 (Arkose)	基質<15%
			石質砂岩 (Lithic Sandstone)	石英<25%，岩片/長石>1
生物岩 (Biogenic rocks)	石灰岩・石灰質岩 (Limestone/Calcareous rocks)	サンゴ，貝，有孔虫などの石灰質化石源粒子		石灰質化石の種類・状態
			礁性石灰岩 (Reef limestone)	サンゴ
			石灰質砕セツ岩 (Calcareous clastic rock)	貝，有孔虫など
				基質・セメントの比率
			バイオスパーライト (Biosparite)	方解石セメントに富む
			バイオミクライト (Biomicrite)	微晶質基質に富む
	ケイ質岩 (Siliceous rocks)	ケイソウ，放散虫，海綿などのケイ質化石源粒子		有機物含有量 (続成程度)・状態
			ケイ質軟泥 (Siliceous ooze)	>3 重量 %，泥状
			ポーセラナイト (Porcellanite)	0.1-3 重量 %
			チャート (Chert)	<0.1 重量 %
	石炭 (Coal)	炭化植物片		炭素含有量 (続成作用)・状態
			泥炭 (Peat)	泥状
			亜炭 (Lignite)	<70%
			褐炭 (Brown coal)	70-78%
			瀝青炭 (Bituminous coal)	78-90%
			無煙炭 (Anthracite)	>80%
化学的沈殿岩 (Chemical-sedimentary rocks)	蒸発岩 (Evaporite)	炭酸塩，ケイ酸，その他の塩類の化学沈殿物		無機化学反応沈殿物種
			岩塩 (Halide)	NaCl, KCl
			セッコウなど (Sulfate)	$CaSO_4$
	その他の化学沈殿岩		ドロマイト岩 (Dolostone)	$CaMg(CO_3)_2$
			石灰岩 (Limestone)	$CaCO_3$
			リン酸塩岩 (Phosphate rocks)	リン灰石 (Apatite) P_2O_5>20 重量 %
	鉄マンガン鉱石	鉄マンガン酸化物 (Iron-manganese-ore)		年代，産状
			縞状鉄鉱 (Banded iron ore)	先カンブリア紀に限る
			魚卵状鉄鉱 (Oolitic Hematite)	大部分が顕生代
			マンガン団塊 (Manganese nodule)	海底の団塊
火山砕セツ岩 (Volcaniclastic rocks)		火山岩塊，火山レキ，火山灰，軽石，スコリア，ラピリ，火山弾，スパターなどの火山砕セツ物		分級度が高い
			火山角レキ岩 (Volcanic breccia)	>64 mm が 75% 以上
			ラピリストーン (Lapilli stone)	>2 mm, <64 mm が 75% 以上
			凝灰岩 (Tuff)	<2 mm が 75% 以上
				分級度が低い
			凝灰角レキ岩 (Tuff breccia)	>64 mm が 25% 以下
			火山レキ凝灰岩 (Lapilli tuff)	>64 mm が 25-75%
				構成鉱物種・状態
			凝灰集塊岩 (Agglomerate)	細粒基質中に火山弾
			アグルチネート (Agglutinate)	溶結した火山餅，スパター

日本のおもな花コウ岩質岩の年代

地域または岩体名	K-Ar, Ar-Ar年代 黒雲母，白雲母 (百万年)	Rb-Sr 鉱物年代 黒雲母 (百万年)	U-Pb 年代 ジルコン (百万年)	CHIME，MPB 年代 モナザイト, 閃ウラン鉱など (百万年)
高	17-19, 35-43		19, 37	
上	100-129	106-125	117	115
上	109-235	109, 113	411-442	240-260, 340-410
武隈	90-110	99-111	100-118	
立			490-505	
豊, 朝日山地	56-65, 78-94			
本国山	46-52		63-67	
尾	48-68, 86-91		104	99
波	60-65	58-60		67
勝山	252			
企, 下仁田	62-66			
入	91-92		94	
沢	5-8		4-9	
府	4-14		10-16	
黒部川(北アルプス)	0.6-5.1		0.8-10	
滝　谷(北アルプス)	1-2	1-2	1.4	
騨	167-187	183-186, 226	190-201, 229-256	190-204, 230-240
山陰-白川帯(中　部)	41-60	63	65	
(近　畿)	56-70	56-68		
(中　国)	31-80	60-66	33	
(北九州)	88-96, 99	83-105	97-106	
山陽-苗木帯(中　部)	65-75	72-77	71	64-67
(近　畿)	66-81, 96-97	72-81, 93-101		
(中　国)	76-103	80-88		85-87
(北九州)	85-95	104-128		
領家帯(中　部)	64-76	59-64, 74-76	71-86	76-95
(近　畿)	69-88	72-89	75-87	80-86
(中国・四国)	80-90	76, 89-100	86-96	89-95
黒瀬川帯	364-425	250-440		
八　代			446-468	
阿　南			472	
和歌山			446	
三　滝	365-395		440-442	
臼杵川			292	
氷　川			503	
舞　鶴			243-292, 405-442	466
真　穴			113-117	
戸　台(点　在)	204-244			
肥　後	100-103	104-106	108-113	
外　帯(近　畿)	14-15			
(四　国)	13		13	
(九　州)	13-14			
奄美大島	17, 110			
南西諸島	17-19, 59			

Imaoka et al. (2011), Kon & Takagi (2012), Nakajima et al. (1990), Sakashima et al. (2003), Suzuki & Adachi (1998), Tani et al. (2010) などに基づく.

日本の変成岩の年代

地域または岩体名	K-Ar, Ar-Ar年代 黒雲母，白雲母，角閃石 (百万年)	Rb-Sr 鉱物年代 黒雲母，白雲母 (百万年)	U-Pb 年代 ジルコン (百万年)	CHIME 年代 モナザイトなど (百万年)
低圧・中圧型				
日高帯	16-18, 24, 31-33		17-24	
阿武隈帯	92-123	87-121		
飛騨帯	174-196	157-257		249-251
領家帯				
中　部	59-72	57-66	87	98-102
近　畿			90	97
中　国		93-100	97	99-101
肥　後	72, 98-110	100-102	110-117	108-123
高圧型				
神居古潭帯	72-135			
三波川帯				
関　東	68-110			
中　部	58-72	58-70		
近　畿	62-97	69-73		
四　国	63-90, 112-129		86, 110-132	
三郡-蓮華帯	259-336, 378-469	278-323, 362-404		
三郡-周防帯	154-195, 206-227, 245-253	174-227		
その他のおもな変成岩体				
八　茎	306	293		
日　立	96-123		507, 510	
筑　波	57-62			
上麻生礫岩	860-1660	1560-1740		
舞　鶴	221-264	244-325		
大佐山	273-327		472	
隠岐島後	171, 179	183		250
西彼杵	60-88	92		
野母半島	153-254, 457-480, 590			
天　草	73-94		114	

中島 (1992), Suzuki & Adachi (1998), Sakashima et al. (2003), Kemp et al. (2007), 西村 (2009) などに基づく.

地　質　年　代　表

地第 25 図　　　　　　　　　　　　　　（単位：百万年）

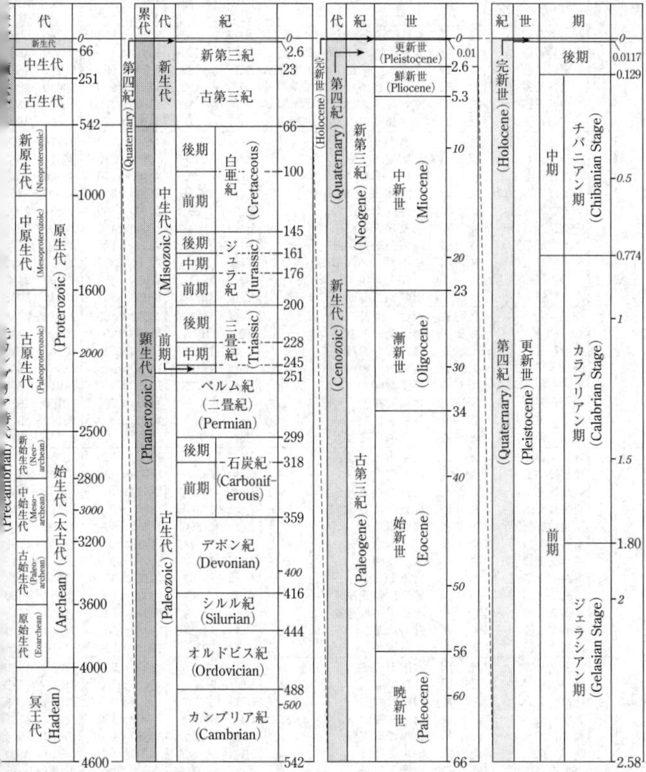

顕生代以降については International Commission on Stratigraphy の 2009 年版地質年代表による．また，Steiger & Jäger（1977）の壊変定数を使用，先カンブリア時代の区分については Ogg et al.（2016）による．長らく古第三紀と新第三紀はまとめて第三紀（Tertiary）と呼ばれてきたが 2009 年に第三紀（Tertiary）は正式に廃止され，新生代は，古第三紀，新第三紀，第四紀に区分されることとなった．第四紀の区分は，Gibbard & Head（2020）による．

日本の遺跡

放射性炭素年代

時代	時期	考古年代指標	遺跡		測定機関コード	^{14}C 測定値（±1σ BP）	較正年代（calBP）
旧石器時代	I期	不定形石器	長野	立が鼻遺跡下部野尻湖層Ⅲ最下部	NUTA－1276	51260±1150	52560－508
		不定形石器	長野	立が鼻遺跡下部野尻湖層ⅢA1	NUTA－1268	43310±1200	48590－458
		不定形石器	長野	立が鼻遺跡下部野尻湖層ⅢB2	NUTA－1283	42250±990	46800－451
		不定形石器	長野	立が鼻遺跡中部野尻湖層Ⅰ	NUTA－1239	39420±950	44410－430
		不定形石器	長野	立が鼻遺跡中部野尻湖層Ⅱ	NUTA－1280	40700±1200	45510－437
		不定形石器	長野	立が鼻遺跡上部野尻湖層Ⅰ	NUTA－1281	34500±670	40660－392
	Ⅱ期	ナイフ形石器	長野	八風山Ⅱ遺跡	Beta－86233	32180±260	37770－370
		石斧・磨石	鹿児島	立切遺跡	Beta－114267	30480±210	35810－353
		台形様石器	熊本	石の本遺跡	Beta－84292	31460±270	36920－362
		台形様石器・石斧	長野	日向林B遺跡	Beta－120865	28400±210	33000－326
		ナイフ形石器	兵庫	板井寺ヶ谷遺跡	KSU－1139	25100±360	30630－290
		ナイフ形石器	静岡	高見丘Ⅲ遺跡	Beta－106413	22090±470	26800－259
		ナイフ形石器	神奈川	用田鳥居前遺跡	NUTA－5104	19390±170	23400－227
		ナイフ形石器	神奈川	福田丙二ノ区遺跡	Tka－11611	19300±270	23420－226
		尖頭器	群馬	小暮東新山	Beta－121133	17950±60	21400－210
		尖頭器	神奈川	田名向原遺跡	Beta－127793	17630±50	20940－206
	Ⅲ期	細石刃	北海道	柏台1遺跡	Beta－112920	20510±160	24880－243
		細石刃	神奈川	吉岡遺跡B区	Tka－11613	16490±250	19890－194
		細石刃	北海道	奥白滝1遺跡	Beta－112873	15570±130	18960－1875
		細石刃	北海道	美利河1遺跡	Beta－151564	14980±90	18500－180
		細石刃	長崎	茶園遺跡	Beta－107730	15450±190	18910－1860
		細石刃	静岡	休場遺跡	Gak－604	14300±700	18160－1620
		細石刃	新潟	荒屋遺跡	Gak－948	13200±350	16110－1514
		細石刃	北海道	上白滝2遺跡	Beta－150429	11620±70	13590－1338
縄文時代	草創期	無文土器	青森	大平山元Ⅰ遺跡	NUTA－6510	13780±170	16650－1617
		隆起線文土器	長崎	福井洞穴	Gak－950	12700±500	15610－1419
		隆起線文土器	新潟	久保寺南遺跡	Beta－136747	12510±40	14830－1442
		隆起線文土器	長野	星光山荘B遺跡	Beta－133847	12340±50	14510－1415
		隆起線文土器	鹿児島	志風頭遺跡	Beta－118963	11860±50	13790－1365
		爪形文土器	新潟	卯ノ木南遺跡	Beta－136740	11040±50	13050－1291
		爪形文土器	福井	鳥浜遺跡	KSU－1027	10770±160	12880－1249
		条痕文土器	福岡	大原D遺跡	Beta－89469	10760±70	12850－1273
		多縄文土器	静岡	葛原沢Ⅳ遺跡	Gak－18193	10930±160	13050－1280
		多縄文土器	群馬	西鹿田中島遺跡	Beta－128025	10070±70	11810－1143
		多縄文土器	青森	櫛引遺跡	Beta－113349	10030±50	11680－1139
		多縄文土器	福井	鳥浜遺跡	KSU－397	10080±60	11810－1145
	早期	撚糸文土器	静岡	池田B遺跡	Beta－127467	9590±50	11080－1080
		夏島式	神奈川	夏島貝塚	M－769	9450±400	11360－1023
		花輪台2式	千葉	鴇崎貝塚	NUTA－5470	9497±91	11030－1065
		大川式	三重	鴻ノ木遺跡	Gak－18061	9990±150	11840－1131
		大川式	滋賀	粟津湖底遺跡	NUTA－1826	9380±110	10810－1044
		晩式	北海道	池田3遺跡	NUTA－2954	8700±140	10010－9580
		小舟渡平式	青森	中野平遺跡	NUTA－1037	8800±180	10120－9640
		住吉町式	北海道	中野B遺跡	Beta－101799	8110±80	9190－8880
		押型文土器	岐阜	西田遺跡	Gak－17790	7620±120	8550－8300
		東釧路Ⅱ式	北海道	富野3遺跡	Beta－126229	7530±40	8390－8310
		赤御堂式	秋田	虫内Ⅰ遺跡	Gak－17684	6540±120	7550－7320
		条痕文土器	滋賀	赤野井湾遺跡	KSU－1373	6510±35	7460－7370
		粕畑式	岐阜	西田遺跡	Gak－18567	6390±150	7430－7110

放射性炭素年代（続き）

年代	時期	考古年代指標	遺　　跡	測定機関コード	^{14}C 測定値（±1σ　BP）	較正年代（calBP）
縄文時代	前期	下吉井式	静　岡　池田 B 遺跡	Beta－127650	6200±50	7190－7020
		佐 波 式	石　川　三引遺跡	NUTA－6675	6289±101	7320－7050
		花積下層式	千　葉　神門遺跡	Gak－13547	6270±200	7360－6910
		黒 浜 式	千　葉　飯塚貝塚	NUTA－5504	5668±74	6560－6370
		諸磯 a 式	長　野　川原田遺跡	Gak－17320	5460±100	6360－6100
		北白川下層 II 式	岐　阜　諸家遺跡	NUTA－851	5460±190	6450－6020
		円筒下層 a 式	青　森　三内丸山遺跡	Beta－116000	5030±50	5870－5700
		円筒下層 b 式	青　森　三内丸山遺跡	Beta－115999	4970±50	5820－5640
		円筒下層 d 式	青　森　三内丸山遺跡	Beta－112353	4680±50	5520－5340
		大木 6 式	秋　田　岱 II 遺跡	Beta－137216	4750±40	5570－5370
		大歳山式	静　岡　池田 B 遺跡	Beta－127649	4750±50	5570－5360
		真 脇 式	石　川　真脇遺跡	NUTA－5881	4785±133	5650－5340
	中期	五領ヶ台 II 式	長　野　屋代遺跡	Beta－119451	4650±50	5460－5330
		円筒上層 a 式	青　森　笹ノ沢(2)(3)遺跡	Beta－137327	4470±40	5250－5020
		船元 I 式	滋　賀　粟津湖底第 3 貝塚	NUTA－4592	4640±90	5490－5160
		勝坂 2 式	東　京　向郷遺跡	Beta－163298	4440±40	5230－4960
		円筒上層 d 式	青　森　三内丸山遺跡	Beta－112339	4400±50	5150－4900
		加曽利 E2 式	神奈川　大地開戸遺跡	Gak－16131	4210±90	4850－4600
		加曽利 E3 式	長　野　屋代遺跡	Beta－119445	4150±40	4790－4600
		大木 9 式	秋　田　井戸尻台 I	Beta－114305	4120±50	4780－4560
		榎 林 式	青　森　三内丸山遺跡	Beta－112345	4100±50	4770－4530
		大木 10 式	秋　田　奥椿岱遺跡	Beta－126708	4070±60	4750－4470
	後期	称名寺式	東　京　下宅部遺跡	MTC－06221	3890±35	4390－4260
		十腰内 I 式	北海道　石倉貝塚	Beta－93105	3730±60	4190－3990
		堀之内 1 式	東　京　下宅部遺跡	MTC－06216	3740±35	4160－4010
		堀之内 2 式	山　梨　社口遺跡	PLD－169	3740±110	4280－3950
		加曽利 B1 式	東　京　下宅部遺跡	MTC－06220	3525±35	3860－3730
		加曽利 B2 式	東　京　下宅部遺跡	MTC－06218	3345±40	3640－3510
		十腰内 IV 式	青　森　十腰内(1)遺跡	Beta－137342	3260±40	3550－3430
		高井東式	東　京　下宅部遺跡	MTC－04600	3230±35	3500－3400
		堂 林 式	北海道　キウス 4 遺跡	Beta－113928	3260±50	3560－3420
		井口 II 式	石　川　御経塚遺跡	NUTA－6742	3167±106	3520－3250
	晩期	安行 3a 式	東　京　下宅部遺跡	PLD－4643	2935±25	3160－3030
		大洞 B 式・BC 式	秋　田　姫ヶ岱 D 遺跡	Beta－111870	2930±60	3190－2990
		大洞 BC 式	東　京　下宅部遺跡	MTC－04604	2895±30	3100－2970
		安行 3c 式	東　京　下宅部遺跡	PLD－4641	2940±25	3170－3040
		安行 3d 式	東　京　下宅部遺跡	MTC－04610	2750±30	2890－2790
		中 屋 式	石　川　御経塚遺跡	NUTA－5645	2688±100	2920－2700
		大洞 C1・C2 式	栃　木　御霊前遺跡	Gak－19602	2850±70	3100－2880
		大洞 A 式・A′ 式	北海道　対雁 2 遺跡	Beta－138153	2520±40	2710－2510
		タンネトウ L 式	北海道　東 9 線 6 遺跡	Beta－150884	2610±40	2770－2700
		大洞 A′ 式	福　島　荒屋敷遺跡	Gak－13618	2420±110	2670－2360

放射性炭素年代(続き)

時代	時期	考古年代指標	遺跡	測定機関コード	^{14}C 測定値 (±1σ BP)	較正年代 (calBP)
弥生時代	早期	山の寺式	佐　賀　菜畑遺跡	Beta－188522	2730±40	2880－2780
		夜臼Ⅰ式	福　岡　板付遺跡	Beta－188074	2410±40	2630－2380
	前期	板付Ⅰ式	佐　賀　菜畑遺跡	Beta－188524	2570±40	2750－2550
		板付Ⅰ式	福　岡　雀居遺跡	Beta－172135	2590±40	2760－2600
		船橋・長原式	大　阪　宮ノ下遺跡	Beta－188075	2620±40	2780－2710
		畿内第Ⅰ様式古	奈　良　唐古・鍵遺跡	Beta－182490	2460±40	2670－2420
		畿内第Ⅰ様式中	奈　良　唐古・鍵遺跡	Beta－182501	2490±50	2680－2460
		畿内第Ⅰ様式新	奈　良　唐古・鍵遺跡	Beta－182491	2260±40	2330－2180
		砂沢式	秋　田　諏訪台Ｃ遺跡	Gak－14553	2570±80	2750－2500
		前期初頭	青　森　畑内遺跡	Gak－19137	2540±100	2730－2450
		前期初頭	秋　田　岱Ⅲ遺跡	Beta－137527	2300±40	2350－2200
続縄文時代		恵山式土器	北海道　茂別遺跡	KSU－2316	2430±40	2650－2390
		続縄文土器	北海道　滝里安井遺跡	Beta－126232	2350±40	2460－2330
		続縄文土器	北海道　穂香竪穴群遺跡	Beta－186213	2100±40	2130－2010
		後北Ｂ式	北海道　栄浜１遺跡	Beta－163070	1910±40	2080－1990
擦文時代		擦文土器	北海道　ウサクマイＮ遺跡	Beta－139797	1340±50	1310－1210
		擦文土器	北海道　ウサクマイＮ遺跡	Beta－139796	1260±50	1260－1130
		擦文土器	北海道　ユカンボシ C15 遺跡	Beta－138113	1190±60	1210－1050
		擦文土器	北海道　穂香竪穴群遺跡	Beta－163012	930±40	900－810

注）^{14}C 年代測定値の暦年較正に使用した較正曲線：INTCAL04　較正年代は 1σ の誤差に対応する年代範囲(確度 68%)，calBP は西暦 1950 年から遡った年数を表す．0－12400 calBP の年代域は樹木年輪年代による暦年較正，26000 calBP 以前の年代域での較正曲線は暫定的．旧石器時代Ⅰ期に掲げた野尻湖立が鼻遺跡は，日本列島に人類が出現していた時期に属すがこの遺跡自体が人類遺跡かどうか慎重な見方もある．

年輪年代

時代	時期	遺跡	測定試料	年輪年代
弥生時代	前期後半	兵　庫　東武庫遺跡	木　棺	BC455
	中期(Ⅲ期)	兵　庫　武庫庄遺跡	掘立柱建物柱根	BC245
	中期後葉	滋　賀　下之郷遺跡	盾	BC223
	中期(Ⅳ期)	滋　賀　二ノ畦・横枕遺跡	井　戸	BC60
	中期(Ⅳ期)	滋　賀　二ノ畦・横枕遺跡	井　戸	BC97
	中期(Ⅳ期)	大　阪　池上曽根遺跡	大型掘立柱建物柱根	BC52
	後期末	石　川　大友西遺跡	井　戸	AD145
	後期末	石　川　大友西遺跡	井　戸	AD169
古墳時代	庄内式	奈　良　纒向石塚古墳	板　材	AD177
	前　期	石　川　二口かみあれた遺跡	掘立柱建物柱根	AD196
	前　期	石　川　二口かみあれた遺跡	井　戸	AD222
	前　期	新　潟　蔵王遺跡	掘立柱建物礎板	AD288
	中　期	奈　良　佐紀遺跡	大型木製品	AD412
	円筒埴輪Ⅳ・Ⅴ期	滋　賀　狐塚３号墳	板状木製品	AD444
	後　期	大　阪　狭山池遺跡	樋	AD616
	前期難波宮	大　阪　難波宮跡	板　材	AD634

注）年輪年代は測定試料木材に残存する最外年輪の年代を示す．

光谷拓実：「年輪年代法の最新情報－弥生時代～飛鳥時代－」埋蔵文化財ニュース 99，奈良国立文化財研究所（2000）．

（小林達雄・谷口康浩・堤隆による）

日本列島における各種岩石の分布面積と面積比率 *1

岩石種類		新生代			中生代			古生代	計
		第四紀	新第三紀	古第三紀	白亜紀	ジュラ紀	三畳紀		
堆積岩		94 919	34 897	8 457	9 765	1 009	1 013	2 684	152 745
		25.4	9.3	2.3	2.6	0.3	0.3	0.7	40.8
付加体*2		0	2 717	9 136	24 459	19 693	38	2 996	59 039
		0.0	0.7	2.4	6.5	5.3	0.0	0.8	15.8
火成岩		44 320	46 188	1 600	13 569	0*4	0*4	823	106 499
		11.8	12.3	0.4	3.6	0*4	0*4	0.2	28.5
深成岩		192	4 453	4 590	27 726	922	261	1 529	39 672
		0.1	1.2	1.2	7.4	0.2	0.1	0.4	10.6
変成岩	高 P/T*3 型	0	0	0	8 236	3 104		422	11 762
		0.0	0.0	0.0	2.2	0.8		0.1	3.1
	低 P/T 型	0	819		2 892	0	0	0	3 711
		0.0	0.2		0.8	0.0	0.0	0.0	1.0
	中 P/T 型	0	0	0	0	0	754	52	806
		0.0	0.0	0.0	0.0	0.0	0.2	0.0	0.2
計		139 431	89 073	23 783	86 647	24 728	2 066	8 507	374 234*5
		37.3	23.8	6.4	23.2	6.6	0.6	2.3	100.0

各項目の上段は分布面積（km^2）で，下段の灰色背景は面積比率（%）

*1　産業技術総合研究所地質調査総合センター 20 万分の 1 日本シームレス地質図 V2（地質図更新日：2023 年 5 月 10 日）に基づいて QGIS の面積計算機能を用いて集計した結果．

*2　付加年代に基づいて集計，*3　変成圧力と温度の比，*4　堆積岩，付加体に含まれる．

*5　この面積に日本の湖沼面積を加えた全面積は，国土地理院による日本の全面積（377 973.89 km^2）から全湖沼面積（2243.7 km^2）を引き算した値より 1496 km^2 少ない．これは，シームレス地質図の海岸線のトレースの精度が低いことと，シームレス地質図では 1 km^2 以下の面積を示す小さな湖沼と大きな河川も考慮していることによるものとみられる．

大陸地域の岩石の分布面積比率（大陸別および大陸全域）

岩石種	大陸別［Hartmann & Moosdorf（2012）］							大陸全域			
	アフリカ	南極	アジア	オーストラリア	ヨーロッパ	北アメリカ	南アメリカ	(1)	(2)	(3)	(4)
炭酸塩堆積岩	9.4	0.0	10.0	5.6	17.6	9.0	1.5	7.8	10.4	13.4	9.3
非炭酸塩堆積岩	16.4	1.7	14.9	13.0	14.7	21.6	25.7	16.3	16.3	51.6*2	36.5*2
複合堆積岩	4.6	1.0	25.2	14.2	22.3	15.3	12.3	14.6	7.8	—	—
無固結堆積物	35.1	0.0	24.0	52.1	15.3	12.9	26.4	24.6	29.7	—	—
酸性貫入岩	1.1	0.7	7.2	3.6	10.0	8.5	9.7	5.7	7.2	—	—
中性貫入岩	0.1	0.0	0.3	0.3	0.5	0.9	0.7	0.4	—	—	—
塩基性貫入岩	0.2	0.5	1.1	1.0	0.8	0.8	0.2	0.7	0.2	—	—
火山砕屑砕	0.0	0.0	0.6	0.2	0.1	1.6	1.4	0.6	—	—	—
酸性火山岩	0.1	0.0	1.4	1.1	1.5	1.6	1.6	1.0	1.0	2.3	—
中性火山岩	0.6	0.5	2.4	3.1	0.4	1.7	2.5	1.7	—	—	—
塩基性火山岩	3.3	0.9	4.2	2.2	2.8	4.0	4.2	3.5	5.8	5.2	6.8
変成岩	27.6	6.4	6.9	3.0	13.6	13.2	12.6	13.0	4.1	27.5*1	20.0*1
蒸発岩	0.6	0.0	0.3	0.5	0.0	0.1	0.3	0.3	0.1	—	—
氷と氷河	0.0	88.3	0.1	0.0	0.0	7.5	0.1	8.7	0.2	—	—
湖・沼・河川	0.9	0.0	1.3	0.1	0.4	1.4	0.8	0.9	0.6	—	—
先カンブリア紀岩石	—	—	—	—	—	—	—	—	11.5	—	—
複合岩相	—	—	—	—	—	—	—	—	5.5	—	27.5

(1) Hartmann & Moosdorf (2012)，(2) Dürr et al. (2005)，(3) Amiotte Suchet et al. (2003)，(4) Gibbs and Kump (1994).

炭酸塩堆積岩：石灰岩等，非炭酸塩堆積岩：砂岩・泥岩・頁岩・礫岩，複合堆積岩：炭酸塩堆積岩と非炭酸塩堆積岩の混合，無固結堆積物：未固結の砂・泥，複合岩相：顕生代の造山帯を構成する変形を伴って 1 m～数 km スケールで共存する堆積岩，火山砕屑岩，火山岩，変成岩，貫入岩．酸性・中性・塩基性の定義は SiO_2 含有量による（地第 23 図を参照）．

*1　変成岩と貫入岩を含む盾状地岩石，*2　(3) 列：砂岩，泥岩，頁岩，未固結堆積物，(4) 列：砂岩と頁岩

Hartmann & Moosdorf (2012) の表 1 の第 1 レベルの岩相分布面積に基づく（データ無しは除く）．値は面積 %．データベース GLiM の URL：http://dx.doi.org/10.1594/PANGAEA.788537．大陸全域のうち (2)–(4) は (1) とは異なる岩石区分に基づく．

岩石の密度(ρ), 弾性波速度(V_P, V_S), ポアソン比

Rudnick & Fountain(1994)による. V_P は縦波で V_S は横波あるいはねじれ波である. V_P, V_S は 6×10^8 Pa の圧力下で測定された値. 密度の単位は $10^3\ kg\cdot m^{-3}=g\cdot cm^{-3}$ で表してある.

σ は標準偏差, N は平均値を求めたサンプル数.

	密　度	V_p(km/s)	V_s(km/s)	ポアソン比	SiO_2(重量%)
中部地殻相当岩石（角閃岩相）					
フェルシック片麻岩	2.733	6.329	3.633	0.254	69.88
σ	0.063	0.146	0.104	0.016	2.81
N	17	17	17	17	13
泥質片麻岩	2.799	6.506	3.638	0.271	63.77
σ	0.075	0.132	0.136	0.023	4.65
N	15	15	15	15	13
苦鉄質片麻岩	3.043	7.039	3.964	0.267	48.55
σ	0.053	0.17	0.154	0.016	1.69
N	12	12	12	12	12
下部地殻相当岩石（グラニュライト相）					
フェルシックグラニュライト	2.718	6.526	3.714	0.26	67.52
σ	0.065	0.125	0.088	0.015	2.98
N	15	15	15	15	12
中性グラニュライト	2.836	6.661	3.626	0.288	57.56
σ	0.086	0.122	0.151	0.026	3.85
N	7	7	7	7	7
泥質グラニュライト	3.038	7.069	3.98	0.264	54.39
σ	0.108	0.337	0.125	0.022	6.34
N	13	13	13	13	13
苦鉄質グラニュライト	3.031	7.209	3.97	0.282	47.74
σ	0.096	0.189	0.127	0.014	1.91
N	27	27	27	27	21
斜長岩	2.752	6.949	3.728	0.298	53.69
σ	0.036	0.047	0.047	0.009	0.84
N	5	5	5	5	3
上部マントル相当岩石					
エクロジャイト	3.445	8.127	4.583	0.266	47.26
σ	0.096	0.205	0.151	0.018	2.00
N	12	12	12	12	12
ペリドタイト	3.297	8.185	4.681	0.256	42.75
σ	0.026	0.196	0.127	0.021	2.77
N	14	14	14	14	7

日本産岩石の強度，弾性率，変形・破壊特性

岩石名／産地 試料番号・記号	封圧 (MPa)	強度 (MPa)	弾性率 (GPa)	備考
北上花コウ岩	0.0	149	23.2	S:66.4
岩手県東和町	49.0	442	54.9	*t*:37.8
PR01, KMG	98.1	632	65.7	*f*:43.8
領家花コウ岩	0.0	125	20.2	S:65.9
愛媛県菊間町	49.0	461	37.4	*d*:2.58
PR08, KER	98.1	586	60.9	*t*:40.1
	147.1	672	72.7	*f*:41.2
秩父セン緑岩	0.0	220	29.8	S:61.0
埼玉県大滝村	49.0	369	29.8	*t*:38.5
PR10, KCG	98.1	747	58.9	*f*:45.5
室戸岬斑レイ岩	0.0	186	28.4	S:45.0
高知県室戸市	49.0	408	44.6	*t*:54.6
PR13, HYD	98.1	554	61.8	*f*:36.8
日高帯カンラン岩	0.0	207	37.1	S:43.4
北海道様似町	49.0	615	78.1	*d*:3.31
幌満	98.1	837	123	*t*:54.5
PR16, PB	147.1	880	150	*f*:45.6
阿武隈蛇紋岩	0.0	189	20.4	S:41.2
福島県郡山	49.0	245	31.1	*t*:62.2
PR18, HYF	98.1	368	44.3	*f*:23.6
濃飛流紋岩	0.0	282	11.9	S:70.9
岐阜県加子母	49.0	514	29.4	*t*:62.5
VR06, NKB	98.1	702	46.8	*f*:43.0
西山層安山岩	0.0	94.2	13.2	*n*:10.7
#)蒲原GS-1	49.0	261	16.6	*d*:2.26
深度 2 313m	98.1	491	21.5	*t*:28.8
SW0523, XP	147.1	561	20.4	*f*:37.3
松浦玄武岩	0.0	215	59.7	S:50.5
長崎県壱岐	49.0	654	58.4	*t*:53.9
VR12, T1L	98.1	842	59.1	*f*:47.2

岩石名／産地 試料番号・記号	封圧 (MPa)	強度 (MPa)	弾性率 (GPa)	変形 様式	破壊 型式	備考
遠別層シルト岩	0.0	6.87	0.677	B	W	*n*:71.1
北海道遠別町	4.9	10.5	0.128	T	F	*t*:2.79
SR0102, EH	9.8	11.1	0.108	T	F	*f*:11.6
西山層泥岩	0.0	150	9.26	VB	W	*n*:11.1
#)蒲原GS-1	49.0	292	12.4	VB	W	*t*:58.3
深度3 514 m, XT	98.1	382	12.9	B	S	*f*:25.9
寺泊層砂岩	0.0	139	9.62	VB	W	
#)三島	98.1	299	12.9	B	S	*n*:5.9
深度 4 880 m	196.1	338	12.5	B-T	S	*t*:47.7
SW0537,OMSD	245.2	470	12.2	T	S	*f*:22.6
	0.0	12.2	1.08	VB	W	
三浦層群	2.0	13.9	1.27	B	S	*n*:40.2
逗子層シルト岩	4.9	18.8*	0.834	T	S-N	*d*:1.69
神奈川県逗子市	9.8	12.4*	0.412	D	F	*t*:6.53
SR0911, BM	19.6	14.6*	0.254	D	F	*f*:2.4
	29.4	16.5*	0.309	VD	F	
葉山層群凝灰岩	0.0	91.7	5.38	VB	W	*n*:36.3
神奈川県葉山	49.0	178	8.8	B	S	*t*:26.6
SR0924, ZW	98.1	289	6.42	T	S	*f*:29.3
西彼杵層群	0.0	113	14.5	VB	W	*n*:6.20
間瀬層砂岩	49.0	292	24.0	B	S	*d*:2.66
長崎県大島町	98.1	396	33.0	B	S	*t*:49.8
SR1411, XC	147.1	423	58.7	T	N	*f*:28.0
瀬戸川層群砂岩	0.0	291	32.4	VB	W	*n*:1.61
静岡県昼居渡	49.0	654	40.3	VB	S	*t*:71.4
SR1006, SZG	98.1	835	41.8	B	S	*f*:44.4
秩父系	0.0	314	27.9	VB	W	*n*:0.53
付加体砂岩	49.0	571	41.4	B	S	*d*:2.65
静岡県佐久間	98.1	693	37.9	B	S	*t*:80.6
SR1016, SZTE	147.1	844	67.5	B	—	*f*:39.8

星野一男，加藤碩一，深部物性データ編集委員会：「本邦産岩石の深部物性データ集」，産業技術総合研究所地質調査総合センター(2001)による．

#)は坑井名，強度：岩石が破壊したときの差応力，＊は破壊点が明瞭でない場合の歪 5%の差応力，変形様式：VB，極脆性；B，脆性；T，遷移性；D，延性；VD，粘延性，破壊型式：破壊時の割れ目の形態，W，楔型；S，単純せん断型；N，網の目型；F，流動型．S：SiO_2 含有量(重量%)，n：孔隙率(%)，d：密度(10^3 kg/m^3)，t：せん断強度(MPa)，f：摩擦角(度)．

火　山

世界のおもな火山

1)　火山の名称，緯度経度，標高などは，原則として，Smithsonian Institution National Museum of Natural History：Global Volcanism Program（Web 版），Volcanoes of the World（第 3 版）および国際火山・地球内部化学協会（IAVCEI）：Catalog of the Active Volcanoes に従った．

2)　噴火形式＝発生しやすい噴火現象．A：山頂噴火，B：山腹噴火，C：普通の爆発的噴火，D：水蒸気噴火，E：溶岩流，F：火砕流，G：ラハール，H：溶岩ドーム，I：溶岩湖，J：海底噴火，K：湖底噴火，L：氷河下噴火，M：噴火津波

3)　備考中の噴火様式などの説明

ストロンボリ式噴火＝比較的粘性の低い溶岩のしぶきや火山弾が周期的に火口から放出される爆発的噴火

ブルカノ式噴火＝粘性の高い溶岩塊や火山弾が火口から放出され，大量の噴煙を噴き出す噴火．ストロンボリ式よりも爆発力大きい．

カーボナタイト＝Ca，Na，K などの炭酸塩を主体とする溶岩または火成岩

VEI＝火山爆発指数（地 158 参照）

地図番号	火山名 英語名	緯度 経度	所在地 (国名)	標高 (m)	おもな噴火形式 ABCDEFGHIJKLM	備　考
1	シュベルチ Sheveluch	56° 39′ N 161° 22′ E	カムチャツカ半島 (ロシア)	3283	××××××××-----	1980 年以来，ドームの成長・破壊を繰り返し，火砕流の発生，1652 年に VEI＝5 の大噴火
2	クリュチェフスコイ Klyuchevskoy	56 3 N 160 39 E	カムチャツカ半島 (ロシア)	4754	×××××××----×-	半島内最高峰，カムチャツカ火山観測所，数年おきに噴火
3	ベズイミアニ Bezymianny	55 58 N 160 36 E	カムチャツカ半島 (ロシア)	2882	××××××××----×	1956 年有史以来初噴火（VEI＝5），大爆発で頂部を爆破，標高 185 m 低下，現在も活発に活動
4	トルバチク Tolbachik	55 50 N 160 20 E	カムチャツカ半島 (ロシア)	3611	×××××---×----	18 世紀以来，頻繁に噴火．1975-76 年の噴火はカムチャツカ地域で史上最大級の噴火
5	カリムスキ Karymsky	54 3 N 159 27 E	カムチャツカ半島 (ロシア)	1513	××××××××-----	有史以後（1771 年～）頻繁に噴火
6	ツダック Ksudach	51 51 N 157 34 E	カムチャツカ半島 (ロシア)	1079	×-×--×××--×--	1907 年に VEI＝5 の大噴火
7	クリルレイク Kurile Lake	51 27 N 157 7 E	カムチャツカ半島 (ロシア)	81	×-×--×××--×--	BC6440 年に VEI＝7 の大噴火
8	アライド(阿頼度)島 Alaid	50 52 N 155 34 E	千島列島・アライド島 (ロシア)	2285	×××××-×------	1933-34 年，付近海底から武富島（117 m）誕生，砂州で本島につながる
9	ハリムコタン (春牟古丹) 島 Kharimkotan	49 7 N 154 30 E	千島列島 (ロシア)	1145	×-×-××-×----×	1933 年に VEI＝5 の大噴火
10	サリチェフピーク Sarychev Peak	48 6 N 153 12 E	千島列島 (ロシア)	1496	×-×-××-×-----	2009 年に VEI＝4 の噴火
11	チャンパイシャン (白頭山) Changbaishan	41 59 N 128 5 E	中国・北朝鮮	2744	×-×-?××---×--	942 年に VEI＝7 の大噴火，東北，北海道地域に降灰

番号	火山名 英語名	緯度 経度	所在地 (国名)	標高 (m)	おもな噴火形式 ABCDEFGHIJKLM	備考
12	パハロス島 (ウラカス島) Farallon de Pajaros (Uracas)	20 33 N 144 54 E	マリアナ諸島	337	×××-×----×---	ストロンボリ式噴火．ウラカス島とも呼ばれる(旧リスト：ウラカス Uracas)
13	パガン島 Pagan	18 8 N 145 48 E	マリアナ諸島	570	×××××××------	マリアナ諸島の火山の中でもっとも大きく活動的な島の1つ．1981年以降数年-10年おきに噴火
14	ピナツボ Pinatubo	15 8 N 120 21 E	ルソン島 (フィリピン)	1486	××××-×××--×--	1991年600年ぶりの大噴火(VEI=6)，火砕流，土石流が発生，山頂部陥没．噴煙は20 km以上の高さに達した
15	タール Taal	14 0 N 120 60 E	ルソン島 (フィリピン)	311	××××××----×-×	1911年死者1 400人，1965年死者190人，1977年にも噴火
16	マヨン Mayon	13 15 N 123 41 E	ルソン島 (フィリピン)	2462	××××××××-----	1814年死者1 200人，円錐火山の典型
17	カンラオン Kanlaon	10 25 N 123 8 E	ネグロス島 (フィリピン)	2435	×-×××-×------	1866年以来たびたび小爆発
18	ヒボックヒボック (カターマン) Hibok-Hibok(Catarman)	9 12 N 124 40 E	カミギン島 (フィリピン)	1552	?××?××××--?--	1951年死者500人
19	パーカー Parker	6 7 N 124 54 E	ミンダナオ島 (フィリピン)	1824	×-×--××------	1641年にVEI=5の大噴火
20	アウ Awu	3 41 N 125 27 E	サンギヘ島 (インドネシア)	1318	×-××-×××--×-×	1711年死者3 200人，1812年死者1 000人，1856年死者2 800人，1892年死者1 500人
21	カランゲタン Karangetang	2 47 N 125 24 E	サンギヘ諸島 (インドネシア)	1797	××××××××-----	頻繁に噴火，2018年にも噴火
22	タンココ Tangkoko-Duasudara	1 31 N 125 11 E	スラウェシ島 (インドネシア)	1334	×××-×--×--×--	1680年にVEI=5の大噴火
23	ソプタン Soputan	1 7 N 124 44 E	スラウェシ島 (インドネシア)	1785	××××××××----×	有史以後(1785年～)に約30回噴火
24	ガムコノラ Gamkonora	1 23 N 127 32 E	ハルマヘラ島 (インドネシア)	1635	×-×××-------×	1673年にVEI=5の大噴火
25	マキアン Makian	0 19 N 127 24 E	ハルマヘラ島 (インドネシア)	1357	××××?×××----?	1760年噴火の泥流で死者2 000人
26	シナブン Sinabung	3 10 N 98 24 E	スマトラ島 (インドネシア)	2460	--×----------	1000年以上の休止期のあと2010年から活動再開，2014年2月1日の火砕流で死者16人
27	マラピ Marapi	0 23 S 100 28 E	スマトラ島 (インドネシア)	2885	×-×××-×?-----	頻繁に噴火，活動期間は短い．2000年以降10回の噴火，2018年にも噴火
28	クラカタウ Krakatau	6 6 S 105 25 E	スンダ海峡 (インドネシア)	813	×××××××--××-×	1883年大爆発でもとのクラカタウ島が消滅し海底カルデラ形成，死者36 000人，現存のアナククラカタウ島は1930年誕生，2018年12月22日噴火に伴い山体の一部が崩壊し津波が発生，死者429人超
29	パパンダヤン Papandayan	7 19 S 107 44 E	ジャワ島 (インドネシア)	2665	×-××--×------	1772年死者2 957人
30	ガルングン Galunggung	7 15 S 108 3 E	ジャワ島 (インドネシア)	2168	×-××××××----×	1822年噴火では死者4 011人，1982-83年の噴火では8万人避難
31	スラメット Slamet	7 15 S 109 12 E	ジャワ島 (インドネシア)	3428	×××?×--------	1772年よりたびたび噴火
32	メラピ Merapi	7 32 S 110 27 E	ジャワ島 (インドネシア)	2910	××××××××-----	1006年死者数千人，1672年死者3 000人，1930年死者1 400人，1966年死者64人，2010年死者322人
33	ケルート Kelut	7 56 S 112 18 E	ジャワ島 (インドネシア)	1731	×-××-×××--×--	1586年死者10 000人，1872年死者200人，1919年死者5 100人，1966年死者282人，2007年10月以降成長していた溶岩ドームは，2014年2月の噴火で消滅
34	スメル Semeru	8 6 S 112 55 E	ジャワ島 (インドネシア)	3657	××××××××-----	島内最高峰，ほぼ連続的に噴火中．2000年火山研究者2人死亡
35	ブロモ(テンガーカルデラ) Bromo(Tengger Caldera)	7 57 S 112 57 E	ジャワ島 (インドネシア)	2329	×-××××----×--	ブロモはテンガーカルデラ内のスコリア丘，頻繁に噴火
36	ラウン Raung	8 7 S 114 3 E	ジャワ島 (インドネシア)	3260	×-×××××---×--	1593年にVEI=5の大噴火
37	イジェン Ijen	8 3 S 114 15 E	ジャワ島 (インドネシア)	2769	×-××-××---×--	火口湖の内側では硫黄の採掘，1976，1989年には火山ガス噴出による鉱夫たちの死亡事故

地図番号	火山名 英語名	緯度 経度	所在地 (国名)	標高 (m)	おもな噴火形式 ABCDEFGHIJKLM	備考
38	アグン Agung	8 21 S 115 30 E	バリ島 (インドネシア)	2997	×-×-×××------	別名「バリの峰」, 1963年死者2 000人
39	リンジャニ Rinjani	8 25 S 116 28 E	小スンダ列島ロンボク島 (インドネシア)	3726	×××-××××--×--	1257年にVEI=7の大噴火
40	タンボラ Tambora	8 15 S 118 0 E	スンバワ島 (インドネシア)	2850	×-×-××-×-----	1815年世界最大噴火, 山体破壊, 噴出物総 150 km³, 死者92 000人(餓死とも)
41	マナム Manam	4 5 S 145 2 E	ニューギニア島 (パプアニューギニア)	1807	×-××××-------	2004年末以来の噴火で約10 000人が島外避難
42	ロング島 Long Island	5 21 S 147 7 E	パプアニューギニア	1280	×××××××---×--	1660年にVEI=6の大噴火
43	ラミントン Lamington	8 57 S 148 9 E	ニューギニア島 (パプアニューギニア)	1680	×-×--×××-----	1951年, 有史以後初噴火, 死者3 000人(戦後 界最多), 頂部爆破, 標高600 m低下
44	ランギラ Langila	5 32 S 148 25 E	ニューブリテン島 (パプアニューギニア)	1330	××××××-×-----	3個の主火口のうち, 19世紀以来北東端の第2 口で噴火
45	ラバウル Rabaul	4 16 S 152 12 E	ニューブリテン島 (パプアニューギニア)	688	××××××××-××-×	1937年死者505人, 1994年9月, ダブルブル火 とシンプソン湾の海底火山ほぼ同時に噴火
46	ビリーミッチェル Billy Mitchell	6 6 S 155 13 E	ソロモン諸島 (パプアニューギニア)	1544	×-×--×-------	1580年にVEI=6の大噴火
47	ヤスール Yasur	19 32 S 169 27 E	タンナ島 (バヌアツ)	361	×-××----×---×	1744年以降活動活発, 噴火継続中
48	サバイイ(マタバヌ) Savai'i(Matavanu)	13 37 S 172 32 W	サモア諸島サバイ島	1858 (708)	×××-×---×---×	割れ目噴火(旧リスト:マタバヌ Matavanu)
49	フォヌアフォオウ Fonuafo'ou	20 19 S 175 25 W	トンガ諸島	−17	×××------×---	有史以後(1787年~)噴火によりたびたび新火 島出現(旧リスト:ファルコン島 Falcon Island)
50	ホワイトアイランド White Island	37 31 S 177 11 E	ニュージーランド北島	321	×-××-××------	1826年最初の噴火記録, 以降頻繁に水蒸気噴火 繰り返す, 2019年12月の水蒸気噴火で観光客2 人死亡
51	タラウェラ(オカタイナ) Tarawera(Okataina)	38 7 S 176 30 E	ニュージーランド北島	1111	-×××××××--×--	1886年割れ目噴火(VEI=5), 死者100人
52	ナルホエ(トンガリロ) Ngrauruhoe(Tongariro)	39 9 S 175 38 E	ニュージーランド北島	1978	××××××××-----	活動的な小型成層火山
53	ルアペフ Ruapehu	39 17 S 175 34 E	ニュージーランド北島	2797	××××××××--×--	島内最高峰, トンガリロ国立公園, 1953年死者 151人
54	エレバス Erebus	77 32 S 167 10 E	ロス島 (南極圏)	3794	×××-×---×----	1841年, 英国ロス隊発見, 山名は探検船名にちな む, 1972年末から溶岩湖常在
55	セロ ハドソン Cerro Hudson	45 54 S 72 58 W	チリ	1905	×××-×××----×-	1991年20年ぶりの大噴火(VEI=5), 噴煙柱高度 は12 km
56	チャイテン Chaiten	42 50 S 72 39 W	チリ	1122	×-×--××××----	2006年にVEI=4の噴火, 1640(VEI=4), BC310 年とBC7750年にVEI=5の大噴火
57	カルブコ Calbuco	41 20 S 72 37 W	チリ	1974	×-××××××---×-	1893年, 有史以後初噴火(大爆発)
58	プジェウエ=コルドン カウジェ Puyehue-Cordon Caulle	40 35 S 72 7 W	チリ	2236	×××-××-×-----	2011年にVEI=5の大噴火
59	ビジャリカ Villarrica	39 25 S 71 56 W	チリ	2847	×××××××-×--×-	1948-49年死者36?人, 1964年死者22人, 1971-72年死者15人
60	セロ アスール Cerro Azul	35 39 S 70 46 W	チリ	3788	-×××××-------	1932年にVEI=5の大噴火
61	サンホセ San Jose	33 47 S 69 54 W	チリ, アルゼンチン	6070	×-×××--------	別名マイポ, ただし同名の別火山あり
62	セロ ブランコ(ロブレド) Cerro Blanco(Robledo)	26 47 S 67 46 W	アルゼンチン	4670	-------------	BC2300年にVEI=7の大噴火
63	ラスカー Lascar	23 22 S 67 44 W	チリ	5592	×-××××-×-----	1848年に最初の噴火記録
64	ワイナプチナ Huaynaputina	16 36 S 70 51 W	ペルー	4850	×××--××------	1600年にVEI=6の大噴火
65	ミスティ Misti, El	16 18 S 71 25 W	ペルー	5822	×-××-××------	典型的な円錐形火山

番号	火山名 英語名	緯度 経度	所在地 (国名)	標高 (m)	おもな噴火形式 ABCDEFGHIJKLM	備考
66	シエラ ネグラ(イザベラ) Sierra Negra(Isabela)	0 50 S 91 10 W	ガラパゴス諸島 (エクアドル)	1124	×××××---×----	1911, 48, 53, 54, 57, 63, 79年に噴火, 2005, 18年にも噴火
67	フェルナンディナ Fernandina	0 22 S 91 33 W	ガラパゴス諸島 (エクアドル)	1476	××××××--×----	1813年以降現在まで20回以上の噴火
68	サンガイ Sangay	2 0 S 78 20 W	エクアドル	5286	×××-××-×-----	1628年, 1728年, 1934年にVEI=3の噴火, 2011年以降, 頻繁に噴火
69	トゥングラワ Tungurahua	1 28 S 78 27 W	エクアドル	5023	×-×××××-?----	1999年以降活動が活発化, 1999年には25 000人が避難, 現在も活動中
70	コトパクシ Cotopaxi	0 41 S 78 26 W	エクアドル	5911	×××-××××-----	1532年以来20世紀中頃まで頻繁に噴火
71	グアグア ピチンチャ Guagua Pichincha	0 10 S 78 36 W	エクアドル	4784	×-××-×××-----	16-17世紀にプリニー式噴火
72	レベンタドール Reventador	0 5 S 77 39 W	エクアドル	3562	×××-××××-----	2002年に爆発的噴火
73	ガレラス Galeras	1 13 N 77 22 W	コロンビア	4276	××××××××-----	1993年火山調査中に噴火, 死者9人・負傷者6人
74	ネバドデル ルイス Nevado del Ruiz	4 54 N 75 19 W	コロンビア	5279	××××?××?---×-	1595年火砕流・泥流, 1985年火砕流・泥流, 東麓のアルメロ全滅, 死者約24 000人
75	スーフリエール=セントビンセント Soufriere St. Vincent	13 20 N 61 11 W	西インド諸島セントビンセント島	1220	××××××××--×-×	1902年死者1 351人（火口湖決壊）
76	ペレー Pelee	14 49 N 61 10 W	西インド諸島マルチニーク島（仏）	1394	××××-×××--×-×	1902年死者28 000+1 000人（20世紀世界最多）首都サンピエール市全域, かつてはモンプレー(Montagne Pelee）と呼ばれた
77	スーフリエール=グァダルーペ Soufriere Guadeloupe	16 3 N 61 40 W	西インド諸島グァダルーペ島（仏）	1467	××××××××-----	有史以後（1400年～）にも10数回噴火
78	スーフリエール ヒルズ Soufriere Hills	16 43 N 62 11 W	西インド諸島モンセラート島（英）	915	×-××-×××----×	1995年より山頂部で溶岩ドームの成長と崩壊を繰り返し, 火砕流頻発, 2013年まで継続
79	イラス Irazu	9 59 N 83 51 W	コスタリカ	3432	××××-×××-----	1963-64年噴火で死者30人
80	ポアス Poas	10 12 N 84 14 W	コスタリカ	2708	××××××-×--×--	1989年の噴火後火口湖内に溶融硫黄の池が出現
81	アレナル Arenal	10 28 N 84 42 W	コスタリカ	1670	××××××××-----	1968年有史以来初噴火, 死者76人
82	コンセプシオン Concepcion	11 32 N 85 37 W	ニカラグア	1700	××××××-×-----	ストロンボリ式噴火
83	マサヤ Masaya	11 59 N 86 10 W	ニカラグア	635	××××××--×-×--	玄武岩質プリニー式噴火
84	セロ ネグロ Cerro Negro	12 30 N 86 42 W	ニカラグア	728	××××××××-----	1850年の噴火で形成
85	サン ミゲル San Miguel	13 26 N 88 16 W	エルサルバドル	2130	×××××?-------	2018年に噴火
86	イサルコ Izalco	13 49 N 89 38 W	エルサルバドル	1950	×××-××-------	1770年, サンタアナ火山（2 181 m）の側火山として誕生, 成長を続け現在比高650 m
87	フエゴ Fuego	14 28 N 90 53 W	グアテマラ	3763	×××-××××-----	グアテマラでもっとも活動的. 2018年6月の噴火で火砕流・土石流発生, 死者113人, 行方不明329人
88	サンタマリア Santa Maria	14 45 N 91 33 W	グアテマラ	3745	-×××××××--×--	1902年大噴火, 噴出物総量5.5 km^3
89	エルチチョン El Chichon	17 22 N 93 14 W	メキシコ	1150	××××××××-----	無名の小火山であったが, 1982年3-5月大噴火, 降下軽石・火砕流・泥流発生, 死者1 700人
90	ポポカテペトル Popocatépetl	19 1 N 98 37 W	メキシコ	5393	×-××××××-----	別名「煙を吹く山」, 国内第2の高峰, メキシコ市南東方60 kmにそびえる
91	パリクティン(ミチョアカン=グアナフアト) Parictin(Michoacan-Guanajuato)	19 51 N 101 45 W	メキシコ	3860	×××××××------	1943-52年, 麦畑内に新山として誕生, 比高400 m余
92	コリマ Colima	19 31 N 103 37 W	メキシコ	3850	××××××××-----	同国で有史以来（1576年～）もっともよく噴火

地図番号	火山名 英語名	緯度 経度	所在地 (国名)	標高 (m)	おもな噴火形式 ABCDEFGHIJKLM	備考
93	インヨ クレーターズ Mono-Inyo Craters	37 48 N 119 2 W	カリフォルニア州 (米国)	2796	-×××××××-----	黒曜石溶岩流
94	ラッセンピーク Lassen Peak(Lassen Volcanic Center)	40 30 N 121 30 W	カリフォルニア州 (米国)	3187	××××××××-----	1914-15 年大噴火, 国立公園 (Lassen Volca Center)
95	シャスタ Shasta	41 25 N 122 12 W	カリフォルニア州 (米国)	4317	×××-××××-----	歴史時代噴火は 1786 年, 北西山麓には明瞭な流 山地形
96	クレータレイク Crater Lake	42 56 N 122 7 W	オレゴン州 (米国)	2487	×××-××-×--×--	6800 年前の噴火でカルデラ形成 (VEI=7), 完 世で最大級
97	イエローストーン Yellowstone	44 26 N 110 40 W	ワイオミング州 (米国)	2805	×--×---------	65 万年周期でカルデラ噴火, カルデラ内に多数 間欠泉
98	セントヘレンズ St. Helens	46 12 N 122 11 W	ワシントン州 (米国)	2549	××××××××---×-	1980 年大爆発, 山崩れで山頂欠除, 2004 年 9 月 規溶岩ドーム成長開始, 2008 年成長停止
99	レニア Rainier	46 51 N 121 46 W	ワシントン州 (米国)	4392	××××××------×	国立公園, 日系人はタコマ富士と称す
100	スパー Spurr	61 18 N 152 15 W	アラスカ (米国)	3374	××××-××---×--	1953 年有史以後初噴火, 噴煙高さ 23 km, 幅最 50 km
101	リダウト Redoubt	60 29 N 152 45 W	アラスカ (米国)	3108	×-××-×××----×	1989 年 12 年ぶりの噴火, 噴煙は 12 km の高さ 火山灰のため飛行中の航空機エンジンが一時停止
102	オーガスチン Augustine	59 22 N 153 26 W	アラスカ (米国)	1252	×-××××××----×	2005 年に 19 年ぶりに噴火再開
103	カトマイ Katmai	58 17 N 154 58 W	アラスカ (米国)	2047	×-××?--------	1912 年大噴火, 噴出物総量 21 km³, 径 4 km の 没カルデラを生ず
104	トライデント Trident	58 14 N 155 6 W	アラスカ (米国)	1864	-××-×-××-----	1953, 62-63 年大噴火
105	ノバルプタ Novarupta	58 16 N 155 9 W	アラスカ (米国)	841	×-××-××------	1912 年に VEI=6 の大噴火
106	パブロフ Pavlof	55 25 N 161 54 W	アラスカ (米国)	2493	×××?×××------	18 世紀以来 30 回以上の噴火
107	シシャルディン Shishaldin	54 45 N 163 58 W	アリューシャン列島 (米国)	2857	×××××-×------	アリューシャン列島で最高峰, 1775 年以降平均 年おきに噴火, 40 回以上
108	ボゴスロフ島 Bogoslof	53 56 N 168 2 W	アリューシャン列島 (米国)	150	--×-×--×-×---	1796 年以降, 8 回噴火, 2016-17 年噴火で島が拡
109	オクモク Okmok	53 26 N 168 8 W	アリューシャン列島 (米国)	1073	×××-×××-----×	2008 年に VEI=4 の噴火
110	グレートシトキン島 Great Sitkin	52 5 N 176 8 W	アリューシャン列島 (米国)	1740	×-×-×--×-----	1933, 45, 49, 50, 74 年に噴火, 2018, 19 年に 噴火
111	マウナロア Mauna Loa	19 29 N 155 36 W	ハワイ島 (米国)	4170	×××-×----×--×	頻繁に噴火, 大規模な割れ目噴火が多く, 溶岩噴 が「火のカーテン」をなす, 溶岩流で惨害を出す
112	キラウエア Kilauea	19 25 N 155 17 W	ハワイ島 (米国)	1222	××××××--×××--	頻繁に噴火, 大規模な割れ目噴火が多く, 溶岩 泉が「火のカーテン」をなす, 1990 年にカラパナ 2018 年にカポホの集落が溶岩によって消滅
113	フルネーズ Piton de la Fournaise	21 15 S 55 42 E	レユニオン島 (フランス海外県)	2632	××××××-××----	マダガスカル島東方, ほぼ毎年溶岩流出
114	キリマンジャロ Kilimanjaro	3 4 S 37 21 E	タンザニア	5895	×××-×---×----	山体中央にあるキボ峰が最高峰, キボ峰山頂に 直径 2.5 km のカルデラとその二重の火口がある
115	オルドイニョレンガイ Ol Doinyo Lengai	2 46 S 35 55 E	タンザニア	2962	×-×××-×-×----	1960, 88, 93 年カーボナタイト溶岩流
116	ニーラゴンゴ Nyiragongo	1 31 S 29 15 E	コンゴ民主共和国	3470	×××××---×----	ビルンガ火山群, キブ湖北方 20 km, 2002 年 1 噴火でゴマ市中に溶岩流入
117	ニアムラギラ Nyamulagira	1 24 S 29 12 E	コンゴ民主共和国	3058	×××××---×-×-×	ニーラゴンゴ火山の北隣, アフリカでもっとも 繁に噴火, 1994 年に 11 年ぶりに溶岩湖
118	テレキ(バリア火山群) Teleki(The Barrier)	2 19 N 36 34 E	ケニア	1032	×××-×--------	近くのアンドリュー火砕丘とともに, 時には割 目噴火
119	エルタアレ Erta Ale	13 36 N 40 40 E	エチオピア	613	××?-×---×----	1967 年より溶岩湖常在
120	カメルーン Cameroon	4 12 N 9 10 E	カメルーン	4095	×××××-×-×----	孤峰, 中西部アフリカ最高峰

番号	火山名 英語名	緯度 経度	所在地 (国名)	標高 (m)	おもな噴火形式 ABCDEFGHIJKLM	備　　考
21	ニオス湖（オク） Lake Nyos（Oku Volcanic Field）	6 15 N 10 30 E	カメルーン	3011	×-××-×----?--	ニオス湖1986年二酸化炭素噴出によって1 746人と家畜3 500頭が二酸化炭素中毒または窒息で死亡
22	アララト Ararat	39 47 N 44 18 E	トルコ	5165	-××--××------	1840年に火砕流で1 900人死亡（VEI=3）
23	サントリニ諸島 Santorini	36 24 N 25 24 E	ギリシャ	367	××××××××-×--×	BC1610年に大噴火（VEI=7），有史以後（BC197年～）数個の火山島生成
24	カンピフレグレイ Campi Flegrei	40 50 N 14 8 E	イタリア	458	×-××××-×××---	地熱活動活発，地震・地殻変動顕著で住民避難を繰り返す
25	ベスビオ Vesuvius	40 49 N 14 26 E	イタリア	1281	×××××××-----×	79年死者多数，1631年死者18 000人，ヨーロッパ最高の活火山．世界最古の火山観測所
26	ストロンボリ島 Stromboli	38 47 N 15 13 E	リパリ諸島 (イタリア)	924	×××-×××--×--×	過去24世紀にわたりほぼ連続的に噴火，ストロンボリ式噴火，通称「地中海の灯台」
27	ブルカノ島 Vulcano	38 24 N 14 58 E	リパリ諸島 (イタリア)	500	××××××××-×--×	ギリシア神話の神ブルカンの溶鉱炉とされた，ブルカノ式噴火
28	エトナ Etna	37 45 N 14 60 E	シチリア島 (イタリア)	3295	××××××××----×	BC693年から頻繁に噴火，1169年死者15 000人，1669年死者10 000人，向きを変えるため，1983年，92年溶岩流を爆破
29	ベーレンベルク (ヤンマイエン) Beerenberg (Jan Mayen)	71 5 N 8 9 W	ヤンマイエン島 (ノルウェー)	2197	×××××-×--×-×-	1971年大爆発，噴煙高さ15 000 m
30	クラフラ Krafla	65 43 N 16 44 W	アイスランド	800	×××××---×----	頻繁に割れ目噴火
31	アスケア Askja	65 2 N 16 47 W	アイスランド	1080	××××××--×-×--	玄武岩からデイサイトに至るマグマの活動，1631年噴火で死者3 500人
32	スナイフェルス ヨークトル Snaefellsjökull	64 48 N 23 47 W	アイスランド	1446	×××-×--------	ジュール・ヴェルヌ「地底探検」の入り口の火山
33	ラーキ (グルムスボトン) Laki（Lakagigar） (Grimsvötn)	64 25 N 17 19 W	アイスランド	1719	×××××××---××-	1783年長さ25 kmの割れ目噴火で溶岩台地生成，噴出物総量15 km^3，死者9 350人，1996年のグルムスボトンの氷河下の噴火はこの近傍
34	ヘクラ Hekla	63 59 N 19 40 W	アイスランド	1490	-××-×××-----×	長さ27 kmの火口列があり，割れ目噴火多し．1300年死者600人，1947年噴煙高さ27 000 m
35	カトラ Katla	63 38 N 19 5 W	アイスランド	1490	×××-×-×----×-	1625，1721，55年に大噴火（いずれもVEI=5）1918年にもVEI=4の噴火
36	エイヤフィヤトラ ヨークトル Eyjafjallajökull	63 38 N 19 38 W	アイスランド	1651	×××-×-×----×-	2010年噴火では火山灰によって6日間ヨーロッパの空域が閉鎖に
37	スルツェイ島（ヴェストマンナエイヤル） Surtsey(Vestmannaeyjar)	64 18 N 21 37 W	アイスランド	174	××××××--××---	1963-67年アイスランド南方30 kmの海底から誕生
38	ヘイマエイ島(ヴェストマンナエイヤル) Heimaey(Vestmannaeyjar)	63 25 N 20 16 W	アイスランド	283	××××××--××---	1973年噴火，溶岩流が港に迫ったため海水の大量放水で流路変更
39	ファイヤール島 Fayal	38 36 N 28 44 W	アゾレス諸島 (ポルトガル)	1043	××××××---×---	1957-58年新島カペリノス（150 m）誕生．本島につながったが，海食著しい
40	ピコ Pico	38 28 N 28 24 W	アゾレス諸島 (ポルトガル)	2351	-××-×----×---	16世紀以降5回噴火，最新の噴火は1963年
41	ファーナス (サンミゲル島) Furnas(Sao Miguel)	37 46 N 25 19 W	サンミゲル島アゾレス諸島 (ポルトガル)	805	×-×--×××-----	1630年噴火で死者191人
42	テネリフェ島 Tenerife	28 16 N 16 38 W	カナリア諸島 (スペイン)	3715	×××-×--×-----	別名テイデ，同諸島の最大最高の山
43	エルイエロ El Hierro	27 44 N 18 2 W	カナリア諸島 (スペイン)	1500	×××-×--------	2011年10月-2012年5月海底噴火
44	フォーゴ Fogo	14 57 N 24 21 W	カーボベルデ諸島 (カーボベルデ共和国)	2829	×××××--------	有史以後（1500年～）に約10回噴火

世界のおもな火山

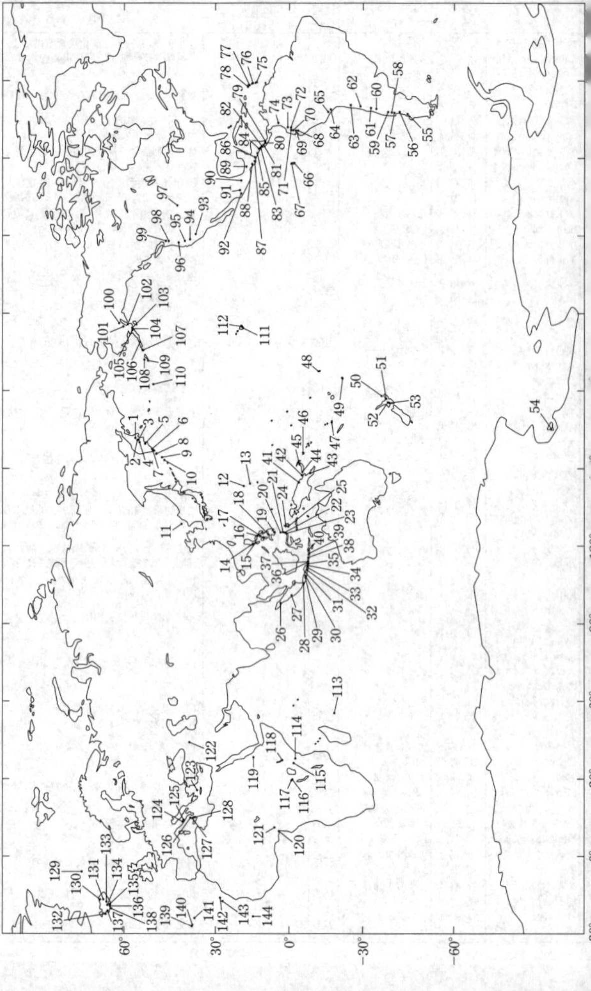

地第26図

2023年に噴火した世界の火山　(1)

火山名 英語名	緯度 経度	所在地 (国名)	噴火開始日	噴火停止日
レオトビ Lewotobi	8° 33′ S 122 47 E	フローレス島 (インドネシア)	2023/12/23	噴火継続中
レイキャネース Reykjanes	63 49 N 22 43 W	アイスランド	2023/12/18	噴火継続中
カナガ Kanaga	51 55 N 177 10 E	アリューシャン列島 (米国)	2023/12/18	2023/12/18
ブロモ（テンガー カルデラ） Bromo（Tengger Caldera）	7 57 S 112 57 E	ジャワ島 (インドネシア)	2023/12/13	2023/12/13
アンバエ（アオバ） Ambae（Aoba）	15 23 S 167 50 E	バヌアツ	2023/12/11	2023/12/21
マラピ* Marapi	0 23 S 100 28 E	スマトラ島 (インドネシア)	2023/12/ 3	噴火継続中
ポアス* Poas	10 12 N 84 14 W	コスタリカ	2023/12/ 1	噴火継続中
プラセ Purace	2 19 N 76 24 W	コロンビア	2023/11/16	2023/11/16
硫黄島 Ioto	24 45 N 141 17 E	小笠原諸島 (日本)	2023/10/18	噴火継続中
ホームリーフ Home Reef	18 59 S 174 46 W	トンガ	2023/10/12	2023/10/19
ルビー Ruby	15 36 N 145 34 E	米国	2023/ 9/14	2023/ 9/15
ポアス* Poas	10 12 N 84 14 W	コスタリカ	2023/ 8/ 2	2023/ 8/11
デンポ Dempo	4 1 S 103 7 E	スマトラ島 (インドネシア)	2023/ 7/25	2023/ 8/21
ウラウン Ulawun	5 3 S 151 20 E	ニューブリテン島 (パプアニューギニア)	2023/ 7/18	2023/12/31
シシャルディン* Shishaldin	54 45 N 163 58 W	アリューシャン列島 (米国)	2023/ 7/11	2023/11/ 3
ファグラダルスフィヤル Fagradalsfjall	63 54 N 22 15 W	アイスランド	2023/ 7/10	2023/ 8/ 5
サンクリストバル山 San Cristobal	12 42 N 87 0 W	ニカラグア	2023/ 7/ 5	2023/ 7/ 5
フルネーズ* Piton de la Fournaise	21 15 S 55 42 E	レユニオン島 (フランス海外県)	2023/ 7/ 2	2023/ 8/10
ウビナス Ubinas	16 21 S 70 54 W	ペルー	2023/ 6/22	2023/12/15
クリュチェフスコイ* Klyuchevskoy	56 3 N 160 39 E	カムチャツカ半島 (ロシア)	2023/ 6/22	2023/12/31
マヨン* Mayon	13 15 N 123 41 E	ルソン島 (フィリピン)	2023/ 4/27	噴火継続中
ウラウン Ulawun	5 3 S 151 20 E	ニューブリテン島 (パプアニューギニア)	2023/ 3/28	2023/ 3/28
アンバエ（アオバ） Ambae（Aoba）	15 23 S 167 50 E	バヌアツ	2023/ 2/20	2023/ 5/28
エピ（イーストエピ） Epi（East Epi）	16 40 S 168 23 E	バヌアツ	2023/ 1/31	2023/ 2/23
チクラチキ Chikurachki	50 19 N 155 28 E	千島列島 (ロシア)	2023/ 1/28	2023/ 2/ 8
マラピ* Marapi	0 23 S 100 28 E	スマトラ島 (インドネシア)	2023/ 1/ 7	2023/ 3/17

2023年に噴火した世界の火山　(2)

火山名 英語名	緯度 経度	所在地 (国名)	噴火開始日	噴火停止日
バレン島 Barren Island	12° 17′ N 93 51 E	アンダマン諸島 (インド)	2022/12/30	2023/ 8/18
ラスカー* Lascar	23 22 S 67 44 W	チリ	2022/12/10	2023/ 2/ 3
エトナ* Etna	37 45 N 14 60 E	シチリア島 (イタリア)	2022/11/27	噴火継続中
アヒイ Ahyi	20 25 N 145 2 E	マリアナ諸島 (米国)	2022/11/18	2023/ 6/11
サン ミゲル* San Miguel	13 26 N 88 16 W	エルサルバドル	2022/11/15	2023/ 5/27
コトパクシ* Cotopaxi	0 41 S 78 26 W	エクアドル	2022/10/21	2023/ 7/ 6
ケリンチ Kerinci	1 42 S 101 16 E	スマトラ島 (インドネシア)	2022/10/15	2023/ 2/27
西之島 Nishinoshima	27 15 N 140 52 E	小笠原諸島 (日本)	2022/10/ 1	2023/10/13
エベコ Ebeko	50 41 N 156 1 E	千島列島 (ロシア)	2022/ 6/11	噴火継続中
カヴァチ Kavachi	8 59 S 157 59 E	ソロモン諸島	2020/ 3/16	噴火継続中
キラウエア* Kilauea	19 25 N 155 17 W	ハワイ (米国)	2021/ 9/29	2023/ 9/16
リンコン・デ・ラ・ヴィエハ Rincon de la Vieja	10 50 N 85 19 W	コスタリカ	2021/ 6/28	噴火継続中
クラカタウ* Krakatau	6 6 S 105 25 E	スンダ海峡 (インドネシア)	2021/ 5/25	2023/12/20
グレートシトキン島* Great Sitkin	52 5 N 176 8 W	アリューシャン列島 (米国)	2021/ 5/25	噴火継続中
セミソポシュノイ Semisopochnoi	51 56 N 179 35 E	アリューシャン列島 (米国)	2021/ 2/ 2	2023/ 5/ 5
メラピ* Merapi	7 32 S 110 27 E	ジャワ島 (インドネシア)	2020/12/31	噴火継続中
レウォトロ Lewotolok	8 16 S 123 3 E	レンバータ島 (インドネシア)	2020/11/27	噴火継続中
サンガイ* Sangay	2 0 S 78 20 W	エクアドル	2019/ 3/26	噴火継続中
ティナクラ Tinakula	10 23 S 165 48 E	サンタクルーズ諸島 (ソロモン諸島)	2018/12/ 8	噴火継続中
カランゲタン* Karangetang	2 47 N 125 24 E	サンギヘ諸島 (インドネシア)	2018/11/25	2023/ 9/ 5
ニアムラギラ* Nyamulagira	1 24 S 29 12 E	コンゴ民主共和国	2018/ 4/18	噴火継続中
カドバー島 Kadovar	3 36 S 144 35 E	パプアニューギニア	2018/ 1/ 5	2023/ 5/14
スメル* Semeru	8 6 S 112 55 E	ジャワ島 (インドネシア)	2017/ 6/ 6	噴火継続中
オルドイニョレンガイ* Ol Doinyo Lengai	2 46 S 35 55 E	タンザニア	2017/ 4/ 9	噴火継続中
桜島 Sakurajima	31 36 N 130 39 E	鹿児島県 (日本)	2017/ 3/25	噴火継続中
ベズイミアニ* Bezymianny	55 58 N 160 36 E	カムチャツカ半島 (ロシア)	2016/12/ 5	噴火継続中

2023年に噴火した世界の火山　(3)

火山名 英語名	緯度 経度	所在地 (国名)	噴火開始日	噴火停止日
サバンカヤ Sabancaya	15° 47′ S 71 51 W	ペルー	2016/11/ 6	噴火継続中
ランギラ* Langila	5 32 S 148 25 E	ニューブリテン島 (パプアニューギニア)	2015/10/22	噴火継続中
マサヤ* Masaya	11 59 N 86 10 W	ニカラグア	2015/10/ 3	噴火継続中
トフア Tofua	19 45 S 175 4 W	トンガ	2015/10/ 2	噴火継続中
ビジャリカ* Villarrica	39 25 S 71 56 W	チリ	2014/12/ 2	噴火継続中
ネバドデル　ルイス* Nevado del Ruiz	4 54 N 75 19 W	コロンビア	2014/11/18	噴火継続中
サンダース島 Saunders	57 48 S 26 29 W	サウスサンドウィッチ諸島 (英国海外領土)	2014/11/12	噴火継続中
マナム* Manam	4 5 S 145 2 E	ニューギニア島 (パプアニューギニア)	2014/ 6/29	噴火継続中
ハード Heard	53 6 S 73 31 E	南インド洋 (オーストラリア)	2012/ 9/ 5	噴火継続中
レベンタドール* Reventador	0 5 S 77 39 W	エクアドル	2008/ 7/27	噴火継続中
イブ Ibu	1 29 N 127 38 E	ハルマヘラ島 (インドネシア)	2008/ 4/ 5	噴火継続中
ポポカテペトル* Popocatépetl	19 1 N 98 37 W	メキシコ	2005/ 1/ 9	噴火継続中
諏訪之瀬島 Suwanosejima	29 38 N 129 43 E	鹿児島県（南西諸島) (日本)	2004/10/23	噴火継続中
ニーラゴンゴ* Nyiragongo	1 31 S 29 15 E	コンゴ民主共和国	2002/ 5/17	噴火継続中
フエゴ* Fuego	14 28 N 90 53 W	グアテマラ	2002/ 1/ 4	噴火継続中
バガナ Bagana	6 8 S 155 12 E	ブーゲンビル島 (パプアニューギニア)	2000/ 2/28	噴火継続中
シュベルチ* Sheveluch	56 39 N 161 22 E	カムチャツカ半島 (ロシア)	1999/ 8/15	噴火継続中
エレバス* Erebus	77 32 S 167 10 E	ロス島 (南極圏)	1972/12/16以前	噴火継続中
エルタアレ* Erta Ale	13 36 N 40 40 E	エチオピア	1967/ 7/ 2	噴火継続中
ストロンボリ島* Stromboli	38 47 N 15 13 E	リパリ諸島 イタリア	1934/ 2/ 2	噴火継続中
デュコノ Dukono	1 42 N 127 54 E	ハルマヘラ島 (インドネシア)	1933/ 8/13	噴火継続中
サンタマリア* Santa María	14 45 N 91 33 W	グアテマラ	1922/ 6/22	噴火継続中
ヤスール* Yasur	19 32 S 169 27 E	タンナ島 (バヌアツ)	1270年以前	噴火継続中

噴火のデータはSmithsonian Institution: Global Volcanism Program（GVP）による.
噴火継続中：2024年1月1日現在.　＊世界のおもな火山（**地 106-111**）に記述のある火山.

世界のおもな広域テフラ（火山灰）

分布は地第27図に示す

テフラ名および給源火山（地域）	噴出年代 (ka:1000年前)	総体積 (km^3)	備考
ヨーロッパ			
① アヴェリーノ(Z−1)：ベスビオ(イタリア)	前17世紀	～40	ポンペイを埋めた噴火（AD79年の1つ前の大噴火産物
② ミノア(Z−2)：サントリーニ(エーゲ海)	前16～17世紀	>40	ミノア文明に大打撃を与えた大噴火
③ ラーヘルゼー(ドイツ・アイフェル)	12.5ka	16	アイフェルからデンマーク・ボルンホルム島やイタリアの方向にまでテフラが分布．考古学的にも重要な示標層
④ カンパニア(Y−5)：カンピ・フレグレイ(イタリア)	36～37ka	500	東地中海一帯に分布する大規模テフラ
南アジア			
⑤ タンボラ(インドネシア・スンバワ島)	AD1815	150	歴史時代最大の噴火
⑥ トバ：トバ湖(インドネシア・スマトラ)	70ka	2500–3000	世界最大噴火の1つ
東アジア			
⑦ 白頭山苫小牧：白頭山(長白山，中国・北朝鮮国境)	10～11世紀	50	北日本にも分布．平安時代遺跡を覆う
⑧ 鬼界アカホヤ：鬼界(鹿児島)	7.3ka	>170	西日本に広く分布．縄文早期末の文化に大打撃を与えた
⑨ 姶良 Tn：姶良(鹿児島)	26～29ka	>450	日本でもっとも広域を覆う．最終氷期，旧石器時代の示標層
⑩ 阿蘇4：阿蘇(熊本)	85～90ka	>600	
⑪ 洞爺：洞爺(北海道)	112～115ka	>150	北日本に広く分布
ニュージーランド			
⑫ タウポ：タウポ湖(ニュージーランド・北島)	1.85ka	120	ニュージーランド最新の大噴火
⑬ カワカワ：タウポ湖(ニュージーランド・北島)	26.5ka	>750	湖水をまき込んだ大噴火
⑭ ロトイチ／ロトエフ：オカタイナ(ニュージーランド・北島)	64ka	240	
北アメリカ			
⑮ カトマイ：ノバラプタ(アラスカ)	AD1912	31–35	20世紀最大の噴火の1つ
⑯ オールドクロウ：エモンス湖(アラスカ)？	140ka	>300	
⑰ マザマ：クレータレイク(カスケード)	7.63ka	78	クレータレイクカルデラを生じた
⑱ ロックランド：ブロケオフ？(カリフォルニア)	614ka	>80	
⑲ ラバクリーフ：イエローストーンⅢ(ワイオミング)	660ka	≧1000*	アメリカ合衆国の大部分に分布
⑳ ビショップ：ロングバレー(カリフォルニア)	759ka	500*	
㉑ メサ・フォール：イエローストーンⅡ(アイダホ)	1270ka	≧280*	
㉒ ハックルベリー・リッジ：イエローストーンⅠ(ワイオミング)	2060ka	≧2500*	世界最大のテフラの1つ
中央アメリカ			
㉓ ロッソー：ミコトリン(ドミニカ)	30ka	>25	太平洋，カリブ海，メキシコ湾の3つの海に分布
㉔ ロス・チョコヨス：アティトラン(グアテマラ)	84ka	280	

＊　マグマの体積に換算した値.

火山噴出物のうち，火口からばらばらの固体の状態で噴出するものを**テフラ**(ギリシア語で灰の意味)または火砕物という．テフラは粒度に応じて火山岩塊，火山礫(ラピリ)，**火山灰**(2 mm より細粒のもの)に分けられる．「火山灰」は一方で，粒度に関わりなく，テフラと同じ広い意味でも用いられる．

テフラを噴出する火山活動は溶岩を出すものに比べて爆発的で，ガスを多く含みケイ酸分に富むマグマの活動やマグマが水と接触するために起こることが多い．火口上空に立ち上った噴煙柱からは，風で吹き飛ばされ降下堆積する**降下テフラ**を生む．一方，噴煙柱が崩壊するとテフラとガスからなる**火砕流**が生ずる．降下テフラもまた火砕流堆積物もごく短時間にきわめて広い面積に拡がる性質をもつ．地第27図には世界の有数の広域に分布するテフラの分布を示す．これはいずれも低頻度の巨大な爆発的噴火の産物である．

町田　洋・新井房夫：新編「火山灰アトラス［日本列島とその周辺］」，東京大学出版会(2003).

世界のおもな広域テフラ

地第27図　代表的広域テフラの分布域(太線で囲ったもの，数字は前頁に掲げたテフラの番号)，粗粒テフラ分布域（影の部分）.

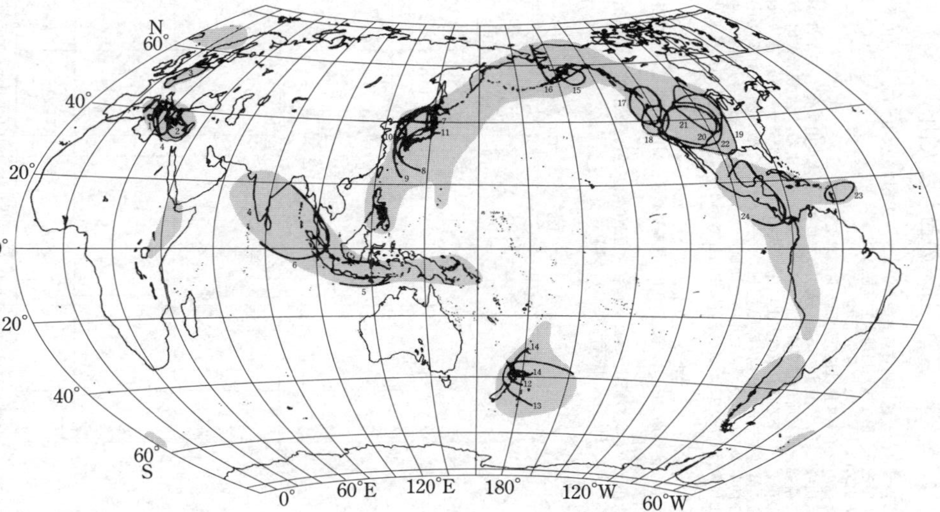

町田　洋・新井房夫：新編「火山灰アトラス［日本列島とその周辺］」，東京大学出版会（2003）.

日本のおもな火山

1) 火山番号は産総研地質調査総合センター「第四紀火山」に，活火山番号は気象庁「
火山総覧（第 4 版）追補版」に従った．
2) 火山名の（　）はよみを示す．
3) 標高のマイナス値は最低水面からの水深である．
4) 火山の構成は，日本の第四紀火山カタログ（日本火山学会），日本の第四紀火山（産
技術総合研究所地質調査総合センター）などによる．S：成層火山（溶岩流と火砕
の互層からなる円錐形の火山）・複成火山，C：カルデラ，Mg：単成火山，L：溶岩流
D：溶岩ドーム，P：火砕丘，Ma：マール（マグマが地下浅所で地下水と接触し，
発的噴火が起きたためにできた凹地），N：貫入岩，岩頚（火道を埋めていた溶岩が
山体の侵食などによって地表に露出したもの），T：火砕流，M：海底火山・海底噴火
U：形式不明
5) おもな岩石　b：玄武岩，a：安山岩，d：デイサイト，r：流紋岩，o：アルカリ岩
6) おもな活動期　Ho：完新世，LP：後期更新世，MP：中期更新世，EP：前期更新世
PL：鮮新世
7) 火山名の右肩の記号　＊：第四紀火山から除外された火山，＊＊：第四紀火山デー
ベースでは他の火山に統合された火山

地第 28 図

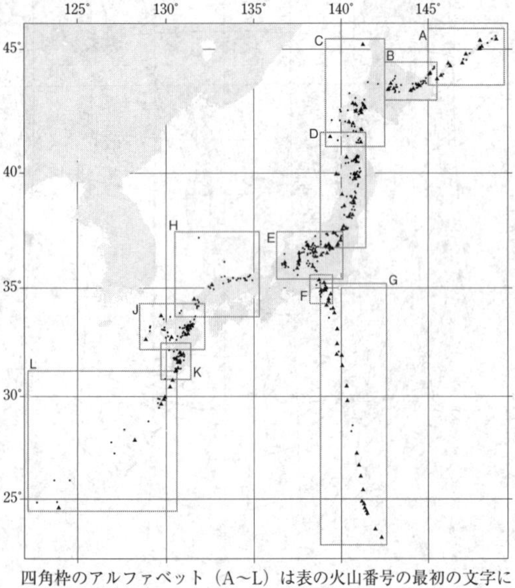

四角枠のアルファベット（A～L）は表の火山番号の最初の文字に対応する．

地第 29 図　日本のおもな火山

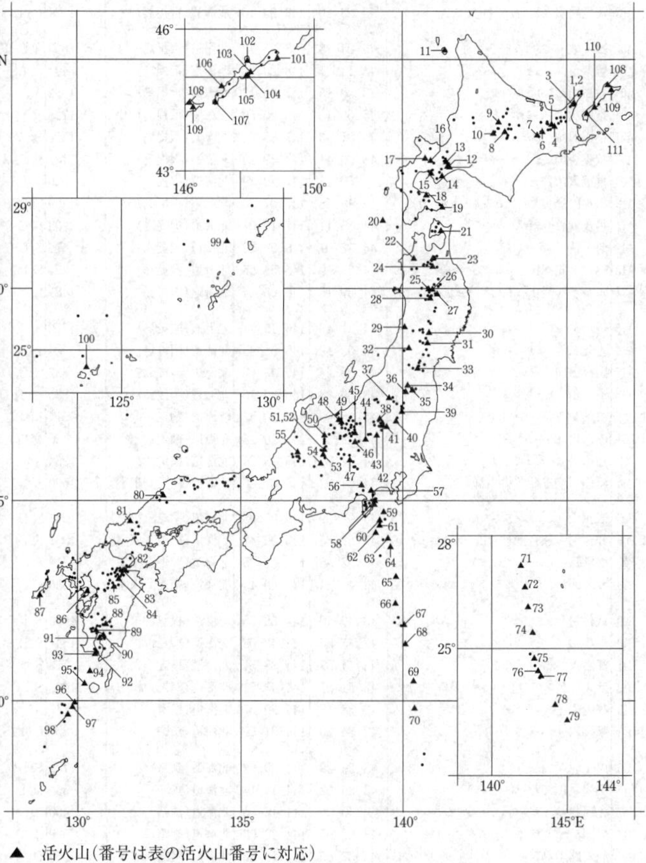

▲ 活火山(番号は表の活火山番号に対応)
• 活火山ではない第四紀火山

番号	火山名（よみ）	緯度	経度	所在地	標高(m)	火山の型式
A01	神威岳（かむいだけ）	45°30′57″	148°48′22″	北海道(択捉島)	1323	S, C
A02	茂世路岳（もよろだけ）	45 23 20	148 50 16	北海道(択捉島)	1124	C-T, S
A03	薬　取（しべとろ）	45 24 18	148 35 12	北海道(択捉島)	853	S, C-T
A04	留茶留（るちゃる）	45 14 37	148 20 38	北海道(択捉島)	437	P, L
A05	散布山（ちりっぷやま）	45 20 15	147 55 12	北海道(択捉島)	1582	S
A06	指臼山（さしうすやま）	45 06 13	148 00 50	北海道(択捉島)	1128	S
A07	小田萌山（おだもいやま）	45 01 43	147 55 01	北海道(択捉島)	1208	S, C
A08	択捉焼山（えとろふやけやま）	45 00 41	147 52 20	北海道(択捉島)	1147	S, P, C
A09	単冠火山群（ひとかっぷかざんぐん）	44 50 23	147 20 39	北海道(択捉島)	1629	S, P
A10	択捉阿登佐岳（えとろふあとさだけ）	44 48 28	147 07 50	北海道(択捉島)	1209	S, C, P
A11	得茂別（うるもんべつ）	44 35 11	147 10 01	北海道(択捉島)	908	S, C
A12	萌　消（もいけし）	44 37 01	146 59 32	北海道(択捉島)	512	S, C-T
A13	ベルタルベ山（べるたるべさん）	44 27 42	146 55 55	北海道(択捉島)	1221	S, P
A14	ルルイ・岩山（るるい・いわやま）	44 27 15	146 08 24	北海道(国後島)	1481	S
A15	爺爺岳（ちゃちゃだけ）	44 21 13	146 15 11	北海道(国後島)	1772	S, C, P
A16	古釜布（ふるかまっぷ）	44 02 12	145 51 43	北海道(国後島)	34	L
A17	国後羅臼山（くなしりらうすやま）	43 58 44	145 43 57	北海道(国後島)	882	S, C, D
A18	泊　山（とまりやま）	43 50 38	145 30 16	北海道(国後島)	535	C-T, D
B01	モイレウシ（もいれうし）	44 16 00	145 20 42	北海道(網走)	514	M(S)
B02	赤　岩（あかいわ）	44 19 39	145 20 38	北海道(網走)	20	M(S)
B03	知床岳（しれとこだけ）	44 14 09	145 16 26	北海道(網走)	1254	S
B04	羅臼・知床硫黄火山群（らうす・しれとこいおうかざんぐん）	44 04 32	145 07 20	北海道(網走，根室)	1660	S, D
B05	天頂山（てんちょうざん）	44 02 39	145 05 08	北海道(網走，根室)	1046	S, D
B06	知西別・遠音別（ちにしべつ・おんねべつ）	43 59 36	145 00 47	北海道(網走，根室)	1331	S, D
B07	海別岳（うなべつだけ）	43 52 36	144 52 35	北海道(網走，根室)	1419	S
B08	カスシナイカルデラ（かすしないかるでら）	43 45 34	144 49 13	北海道(網走，根室)	330	C
B09	武佐岳（むさだけ）	43 40 40	144 52 55	北海道(根室)	1006	S, D
B10	斜里岳（しゃりだけ）	43 45 56	144 43 03	北海道(網走)	1547	S, D
B11	江鳶山（えとんびやま）	43 44 37	144 35 51	北海道(網走)	713	S
B12	サマッケヌプリ山（さまっけぬぷりやま）	43 41 01	144 43 54	北海道(網走，根室)	1063	S
B13	養老牛岳（ようろううしだけ）	43 38 12	144 39 27	北海道(根室)	847	S
B14	摩　周（ましゅう）	43 34 20	144 31 39	北海道(釧路)	857	C-T, S, D
B15	弟子屈（てしかが）	43 29 29	144 20 22	北海道(釧路)	732	C, S
B16	美羅尾山（びらおやま）	43 30 02	144 24 14	北海道(釧路)	554	D, L
B17	先屈斜路（せんくっしゃろ（くっちゃろ））	43 40 06	144 18 15	北海道(釧路)	400	S
B18	屈斜路カルデラ（くっしゃろ（くっちゃろ）かるでら）	43 37 05	144 20 02	北海道(釧路)	999	C-T
B19	屈斜路中島（くっしゃろ（くっちゃろ）なかじま）	43 37 56	144 18 30	北海道(釧路)	355	D

もな石	おもな活動期	活火山番号	火山の概要・補足事項
	LP		神威岳とラッキベツ岳からなる火山群
, b	MP-Ho	101	Medvezhia カルデラと茂世路岳，硫黄岳，焼山を含む6個の後カルデラ火山から構成される．硫黄岳で噴気活動．カルデラ形成は数万年前
	EP-MP		直径6 km のカルデラ．先カルデラ火山として5個の複成火山がある．薬取岳はその一部
, b	MP-LP		留茶留山，ポロス山などから構成される
	LP-Ho	102	散布山と北散布山から構成される．噴気活動あり
	MP-Ho	103	噴気活動が活発
	LP-Ho	104	直径3-3.5 km のカルデラ．山頂南側の火口で噴気活動がある
	LP-Ho	105	東から大山-本登山-焼山と連なる火山群．焼山の中央火口丘で噴気活動
	MP-Ho		西から西単冠山，単冠山，恩根登山から構成される
	LP-Ho	106	複成火山の頂部に直径1-2 km のカルデラがある
	MP		得茂別カルデラ（直径約6 km）の南西側の下位に六甲カルデラが半分埋もれている
, d	LP-Ho		萌消湾は直径約9 km カルデラ．カルデラ形成は8.5-8 ka
d	LP-Ho	107	噴気活動あり
d	MP	108	スミルノフ火山とも．ルルイ岳北西山麓で噴気活動．岩山の南方には複数の新鮮な溶岩ドーム地形あり（活火山名：ルルイ岳）
a	LP	109	頂上部に直径約2 km のカルデラがあり，その中に中央火口丘がある
	EP (1.3 Ma)		台地を作る複数枚の溶岩流．噴出地点不明
d	MP-Ho	110	知床半島の羅臼岳と区別するために，国後羅臼火山とする．噴気活動が認められる（活火山名：羅臼山）
d	MP-Ho	111	直径約5 km のカルデラあり，カルデラ内中央で噴気活動が活発
a	EP (1.7 Ma)		陸上に隆起した海底火山
a	EP (0.9 Ma)		陸上に隆起した海底火山
	MP (0.6-0.2 Ma)		—
d	MP-Ho (0.25 Ma～)	1, 2	知床硫黄山から羅臼岳までの火山群（活火山名：知床硫黄山，羅臼岳）
	LP-Ho (ca. 0.1 Ma～)	3	天頂山には北東-南西方向の複数の火口列がある
	MP (0.4-0.1 Ma)		—
b	EP-MP (0.9-0.5 Ma)		2.5-2.2 Ma の崎無異や873 m 峰を含む
	EP (2.2 Ma)		根北峠から瑠辺斯岳南東方の東西5 km，南北3 km の範囲にデイサイト質の溶結凝灰岩（カスシナイ火山岩類）が分布
d	EP-MP (1.5-0.5 Ma)		武佐岳（1.5-0.5 Ma）と古武佐岳（1.3 Ma）を一括
d, b	MP (0.3-0.25 Ma)		—
	EP (1.7-1.6 Ma)		斜里岳と比べて優位に古い火山体
	EP (1.1-0.8 Ma)		標津岳を含む火山群
	EP (1.3 Ma)		サマッケヌプリ火山と活動時期が重なる
a	LP-Ho (17 ka～)	4	西別岳は先カルデラ火山．アタクッチャは摩周火山の外輪山で第四紀に相当．カムイヌプリ，カムイシュ島はいずれも後カルデラ火山
b	EP (2.0-1.1 Ma)		弟子屈カルデラと後カルデラ火山．屈斜路カルデラ以前にカルデラを形成した可能性あり．ペレケは後カルデラ火山
d, r	MP-LP (0.5-0.1 Ma)		屈斜路火山群の一部．美羅尾火山と札友内火山から構成され，屈斜路カルデラの形成期に活動した
b	EP (2.6-1.0 Ma)		
r, b, a	MP-LP		屈斜路火山群の一部．カルデラ形成は0.34-0.03 Ma（約10回噴火）．美羅尾山はカルデラ形成期に活動
r	LP (＜23 ka)		屈斜路火山群の一部．屈斜路カルデラの後カルデラ火山．タフリングが形成され，その中に2個の溶岩ドームが形成された

番号	火山名（よみ）	緯　度	経　度	所　在　地	標　高 (m)	火山の型
B20	アトサヌプリ（あとさぬぷり）	43° 36′ 36″	144° 26′ 19″	北海道(釧路)	508	S-C, D
B21	トマウシ（とまうし）	43 39 07	144 07 22	北海道(釧路)	453	S
B22	先阿寒（せんあかん）	43 21 06	144 03 47	北海道(釧路)	1010	S
B23	阿寒カルデラ（あかんかるでら）	43 27	144 07	北海道(釧路)	420	C-T
B24	雄阿寒岳（おあかんだけ）	43 27 14	144 09 53	北海道(釧路)	1370	S, D
B25	雌阿寒岳（めあかんだけ）	43 23 11	144 00 32	北海道(釧路)	1499	S
B26	常呂中山（ところなかやま）	43 36 01	143 27 21	北海道(上川)	905	L
B27	足寄藻岩山（あしょろもいわやま）	43 19 46	143 21 02	北海道(十勝)	636	S
B28	椎常呂山（しいところやま）	43 36 46	143 10 49	北海道(十勝)	1336	L, D
B29	クマネシリ岳（くまねしりだけ）	43 31 08	143 13 59	北海道(十勝)	1635	S
B30	十勝三股カルデラ(とかちみつまたかるでら)	43 31	143 09	北海道(十勝)	650-700	C-T, D
B31	ニペソツ・丸山火山群（にぺそつ・まるやまかざんぐん）	43 27 21	143 01 55	北海道(十勝)	2013	S
B32	十勝えぼし火山群(とかちえぼしかざんぐん)	43 22 44	143 07 44	北海道(十勝)	1291	D
B33	糠　平（ぬかびら）	43 19 56	143 06 51	北海道(十勝)	1421	S
B34	然別火山群（しかりべつかざんぐん）	43 18 54	143 05 30	北海道(十勝)	1401	D
B35	幌加湧別・白滝(ほろかゆうべつ・しらたき)	43 57 06	143 07 37	北海道(上川)	1262	C, D
B36	白滝カルデラ（しらたきかるでら）	43 50 52	143 05 03	北海道(上川)	700	C
B37	北大雪火山群（きたたいせつかざんぐん）	43 46 47	142 59 07	北海道(上川)	1883	S
B38	十勝カルデラ（とかちかるでら）	43 27 11	142 44 58	北海道(上川)	—	C-T
B39	大雪火山群（たいせつかざんぐん）	43 39 48	142 51 14	北海道(上川)	2291	S-C, S, D
B40	トムラウシ・忠別火山群（とむらうし・ちゅうべつかざんぐん）	43 31 37	142 50 55	北海道(上川, 十勝)	2141	D, S
B41	十勝岳火山群（とかちだけかざんぐん）	43 25 05	142 41 11	北海道(上川, 十勝)	2077	C-T, S, P,
C01	利尻山（りしりざん）	45 10 42	141 14 31	北海道(宗谷), 利尻島	1721	S, P, D,
C02	滝川火山群（石山, コップ山）（たきかわかざんぐん）	43 45 34	142 05 50	北海道(十勝)	313	Mg
C03	イルムケップ山（いるむけっぷやま）	43 38 46	142 06 37	北海道(十勝)	864	S
C04	暑寒別岳（しょかんべつだけ）	43 42 55	141 31 23	北海道(空知, 留萌)	1492	S
C05	藻岩山（もいわやま）	43 01 20	141 19 20	北海道(石狩)	531	S
C06	積丹岳（しゃこたんだけ）	43 16 14	140 28 49	北海道(後志)	1255	S
C07	赤井川カルデラ（あかいがわかるでら）	43 05	140 49	北海道(後志)	725	S-C
C08	札幌岳*（さっぽろだけ）	42 54 00	141 12 01	北海道(石狩)	1293	L, S
C09	空沼岳*（そらぬまだけ）	42 51 54	141 15 12	北海道(石狩)	1251	L, S
C10	漁　岳*（いざりだけ）	42 49 17	141 14 05	北海道(石狩)	1318	S
C11	支笏カルデラ（しこつかるでら）	42 46 17	141 21 27	北海道(石狩)	248（湖面）	C-T
C12	恵庭岳（えにわだけ）	42 47 36	141 17 07	北海道(石狩)	1320	S, P, D
C13	風不死岳（ふっぷしだけ）	42 43 01	141 21 32	北海道(石狩)	1102	S, D
C14	樽前山（たるまえ（たるまい）さん）	42 41 25	141 22 37	北海道(石狩, 胆振)	1041	P, D
C15	ホロホロ・徳舜瞥(ほろほろ・とくしゅんべつ)	42 38 00	141 08 33	北海道(胆振)	1322	S

おもな岩石	おもな活動期	活火山番号	火山の概要・補足事項
a, r	LP-Ho(30 ka～)	5	屈斜路火山群の一部. 屈斜路カルデラの後カルデラ火山. アトサヌプリ複成火山に生じた小型のアトサヌプリカルデラとその後に生じたアトサヌプリ, マクワンチサップなどから構成される. アトサヌプリ溶岩ドームが最新
d	EP(0.9 Ma)		
b	EP(2.8-2.2 Ma)		ホロカマハシリ, イユダニヌプリを含む
r	MP(0.2-0.15 Ma)		
d	LP-Ho(14 ka～)	6	阿寒カルデラの後カルデラ火山
d	LP-Ho(50 ka～)	7	阿寒カルデラの後カルデラ火山. 阿寒富士・ポンマチネシリ・ナカマチネシリの3つ火山群から構成される
	EP(2.2-1.9 Ma)		
	EP(1.8 Ma)		西部の女夫山周辺の藻岩山溶岩は中新世の年代を示す
d	EP(1.5-1.4 Ma)		—
d	EP(1.3 Ma)		十勝三股カルデラの先カルデラ活動
	EP(1.0 Ma)		
d, r	MP(0.65-0.2 Ma)-Ho	8	ニペソツ山や東大雪丸山などの火山群とする. 丸山のみが活火山（活火山名：丸山）
d	EP-MP(1.0-0.7 Ma)		溶岩ドームまたは岩頸からなる
d	EP(2.0-1.7 Ma)		遠望山, 温泉山, ナイタイ山など
d	MP-LP(0.3 Ma～)		西ヌプカウシヌプリ, 東ヌプカウシヌプリ, 天望山, 白雲山などの10個の溶岩ドームから構成される火山群
	EP(2.7-2.2 Ma)		2.7 Ma の幌加湧別カルデラと 2.2 Ma の白滝黒曜石流紋岩から構成される
	EP(2.2 Ma)		
b, d	EP(1.6-1.0 Ma)		天狗, 平山, 比麻良山, ニセウカウシュッペ, 北見峠を一括
	EP(1.9-1.1 Ma)		重力と地形から推定. 1.9 Ma の美瑛火砕流, 1.1-1.2 Ma の十勝火砕流の給源
d	EP-Ho(1.1 Ma～)	9	旭岳の地獄谷で噴気活動中. 地獄谷火口の形成は 3-2 ka の山体崩壊. 御鉢カルデラの形成は 38 ka(活火山名：大雪山)
. d	EP-LP(1.1-0.1 Ma)		忠別火山, 黄金ヶ原火山, 五色ヶ原火山, 沼ノ原火山, トムラウシ火山, 二股火山, カウンナイ火山から構成される火山群
b, d	EP-Ho(1.0 Ma～)	10	十勝岳, 富良野岳, 美瑛岳, 上ホロカメットク山, 美瑛富士などからなる火山群(活火山名：十勝岳)
, a, d, r	MP-Ho(0.2 Ma～)	11	
	EP(2.0-1.7 Ma)		コップ山と石山は第四紀に属する
	EP(2.5 Ma)		K-Ar 年代と正帯磁が報告されている
	EP(4.0-2.0 Ma)		一部は第四紀に属すると考えられる
	EP(2.6-2.4 Ma)		
	EP(2.5-2.0 Ma)		
, d, r	EP(1.7-1.3 Ma)		
	Pliocene		2.88±0.07 Ma などの年代が報告されたため, 第四紀火山から除外
	Pliocene		地形的に札幌岳と同時代（鮮新世）と推定されたため, 第四紀火山から除外
	Pliocene		漁岳, 狭薄山, 丹鳴岳から構成される. 狭薄山の年代が 3.26±0.31 Ma と示されたことにより第四紀火山から除外
, r, a	LP(50-40 ka)		先カルデラと位置づけられるイチャンコッペ山, 紋別山, モラップ山, 多峰古峰山などは鮮新世ないし前期更新世と考えられるが, 時代が確定せず
, d	LP-Ho(>15 ka～)	13	支笏カルデラの後カルデラ火山
, d	LP-Ho(40 ka～)	12	支笏カルデラの後カルデラ火山（活火山名：樽前山）
	Ho(9 ka～)	12	支笏カルデラの後カルデラ火山
	EP-MP(1.7-0.6 Ma)		年代未詳の蟠渓山を含める

番号	火山名（よみ）	緯 度	経 度	所 在 地	標 高 (m)	火山の型 式
C16	オロフレ・来馬（おろふれ・らいば）	42° 33′ 57″	141° 05′ 13″	北海道(胆振)	1231	S
C17	倶多楽・登別火山群(くったら・のぼりべつかざんぐん)	42 29 28	141 09 35	北海道(胆振)	549	S-C, D
C18	鷲別岳（わしべつだけ）	42 26 08	141 00 11	北海道(胆振)	911	S
C19	虻　田（あぶた）	42 35 28	140 45 40	北海道(後志, 胆振)	625	S
C20	洞爺カルデラ（とうやかるでら）	42 37 11	140 52 35	北海道(胆振)	84（湖面）	C-T
C21	洞爺中島（とうやなかじま）	42 36 13	140 50 35	北海道(胆振)	455	D
C22	有珠山（うすざん）	42 32 38	140 50 20	北海道(胆振)	733	S, D
C23	尻別岳（しりべつだけ）	42 46 21	140 54 37	北海道(後志)	1107	D
C24	羊蹄山（ようていざん）	42 49 35	140 48 41	北海道(後志)	1898	S, P, D
C25	ニセコ・雷電火山群(にせこ・らいでんかざんぐん)	42 52 30	140 39 31	北海道(後志)	1308	S, D
C26	写万部山（しゃまんべやま）	42 35 27	140 23 09	北海道(後志, 胆振)	499	S
C27	狩場山（かりばやま）	42 36 48	139 56 26	北海道(後志, 檜山)	1520	S
C28	カスベ岳（かすべだけ）	42 32 42	139 58 56	北海道(檜山)	1049	S
C29	勝澗山（かつまやま）	42 11 45	139 27 51	北海道(檜山)奥尻島	428	D
C30	長　磯（ながいそ）	42 11 00	139 56 02	北海道(檜山, 渡島)	613	S
C31	砂蘭部岳（さらんべだけ）	42 08 21	140 14 05	北海道(渡島)	984	S
C32	濁川カルデラ（にごりがわかるでら）	42 07 11	140 26 47	北海道(渡島)	—	C-T
C33	渡島毛無山（おしまけなしやま）	42 05 15	140 28 14	北海道(渡島)	684	L
C34	北海道駒ヶ岳（ほっかいどうこまがたけ）	42 03 48	140 40 38	北海道(渡島)	1131	S
C35	横津岳（よこつだけ）	41 56 16	140 46 17	北海道(渡島)	1167	S
C36	木地挽山（きじびきやま）	41 57 07	140 36 09	北海道(渡島)	683	S
C37	恵山丸山（えさんまるやま）	41 51 07	141 05 35	北海道(渡島)	691	S
C38	恵　山（えさん）	41 48 16	141 09 58	北海道(渡島)	618	S, D
C39	函館山（はこだてやま）	41 45 33	140 42 14	北海道(渡島)	334	S
C40	銭　亀（ぜにかめ）	41 44 21	140 51 05	北海道(渡島)	−30	C-T
C41	知　内（しりうち）	41 32 33	140 22 17	北海道(渡島)	855	S, D
C42	渡島小島（おしまこじま）	41 21 27	139 48 27	北海道(渡島)	282	S
C43	渡島大島（おしまおおしま）	41 30 35	139 22 02	北海道(渡島)	732	S
D01	野平カルデラ（のだいかるでら）	41 16	140 52	青森	175	C
D02	大畑カルデラ（おおはたかるでら）	41 22	140 59	青森	150	C
D03	於法岳（おほうだけ）	41 15 47	140 57 29	青森	540	S
D04	陸奥燧岳（むつひうちだけ）	41 26 20	141 03 10	青森	781	S
D05	恐　山（おそれざん）	41 16 42	141 07 11	青森	878	P-C, D
D06	八甲田黒森（はっこうだくろもり）	40 38 51	140 57 18	青森	1023	S
D07	八甲田八幡岳（はっこうだはちまんだけ）	40 42 11	140 59 54	青森	1020	S
D08	八甲田カルデラ（はっこうだかるでら）	40 41	140 55	青森	—	C-T
D09	南八甲田火山群(みなみはっこうだかざんぐん)	40 36 12	140 50 33	青森	1517	S
D10	北八甲田火山群(きたはっこうだかざんぐん)	40 39 32	140 52 38	青森	1585	S, D
D11	藤沢森（ふじさわもり）	40 31 53	140 48 14	青森	815	L
D12	沖浦カルデラ（おきうらかるでら）	40 34	140 44	青森	985	C-T, D
D13	碇ヶ関カルデラ(いかりがせきかるでら)	40 30 35	140 36 35	青森	約 100	C-T

もな石	おもな活動期	活火山番号	火山の概要・補足事項
	MP(0.6 Ma)		オロフレ山と来馬岳からなる
, a, b	LP-Ho(80 ka～)	14	クッタラ火山群とも．地獄谷，大湯沼，日和山などで噴気活動が活発（活火山名：倶多楽）
	MP(0.5 Ma)		前期更新世とされる稀府岳，紋別岳，関内岳，幌別岳を含む
	EP(1.8 Ma)		
	MP(0.14 Ma)		0.14 Ma にカルデラ形成
a	LP(40-30 ka)		洞爺カルデラの後カルデラ火山
r, b, a	LP-Ho(>20 ka～)	15	洞爺カルデラの後カルデラ火山．昭和新山は有珠火山の一部
	MP		—
d	LP-Ho(>50 ka～)	16	
	EP-Ho(2.0 Ma～)	17	雷電山(古期火山群)とニセコアンヌプリ，イワオヌプリ(硫黄山)，ニトヌプリ，チセヌプリなど中期，新期の火山群(活火山名：ニセコ)
	EP(2.6-2.5 Ma)		
	MP(0.8-0.25 Ma)		—
	EP		
	MP(0.3-0.2 Ma)		幌内川カルデラ，勝潤山火口，勝潤山西火口の 3 つの噴出中心を持つ
	EP(2.2-1.7 Ma)		
	EP(1.8 Ma)		
a	LP		—
	EP		横岳溶岩（砂欄部岳溶岩）同様，鮮新世（瀬棚層相当）とされている
	LP-Ho(>30 ka～)	18	—
	EP(1.1 Ma～)		横津岳，泣面山，熊泊山，雁皮山を一括
	EP(1.9 Ma～)		
	MP(0.2 Ma)		—
	LP-Ho	19	複数の溶岩ドーム群
	EP(1.2-0.9 Ma)		—
d	LP		銭亀沢火砕流を噴出した直径約 2 km の水没カルデラ
	EP(2.5-1.4 Ma)		渡島丸山から改称
	MP-LP(0.16-0.11 Ma)		
a	LP-Ho	20	無人島
	EP(1.9 Ma)		
	EP(3.0-1.8 Ma)		
	EP(1.6-1.3 Ma)		
d	EP-MP(1.2-0.5 Ma)		—
d	EP-LP(1.3-0.02 Ma)	21	山頂部に直径約 5 km の宇曽利カルデラがある．宇曽利湖半で噴気活動が活発
	EP(1.75-1.6 Ma)		
	EP(1.8-1.6 Ma)		高森山，八幡岳，法量北，大中台を一括
	EP-MP(0.90-0.40 Ma)		
a, d	EP-MP(1.1-0.3 Ma)		八甲田カルデラの先カルデラ火山
b, d	MP-Ho(0.4 Ma～)	23	八甲田カルデラの後カルデラ火山．地獄沼で活発な噴気活動（活火山名：八甲田山）
a	EP(3.5-1.7 Ma)		尾開山凝灰岩より上位，温川土石流より下位
	EP(1.5 Ma)		
a, r	EP(2.6-2.3 Ma)		阿闍羅山と三ツ森安山岩は碇ケ関カルデラと別の火山としてそれぞれ分離

番号	火山名（よみ）	緯 度	経 度	所 在 地	標 高 (m)	火山の型 式
D14	十和田（とわだ）	40° 28′ 12″	140° 52′ 45″	青森，秋田	690 400(湖面)	C-T, D
D15	岩木山（いわきさん）	40 39 21	140 18 11	青森	1625	S, D
D16	田代岳（たしろだけ）	40 25 42	140 24 31	秋田	1178	S, D
D17	太良駒ヶ岳（だいらこまがたけ）	40 24 46	140 15 04	秋田	1158	S
D18	稲庭岳（いなにわだけ）	40 11 54	141 02 47	岩手	1078	S
D19	七時雨山（ななしぐれやま）	40 04 09	141 06 20	岩手	1063	S, C-T,
D20	荒木田山（あらきだやま）	40 01 35	141 02 27	岩手	954	S
D21	高倉・黒森（たかくら・くろもり）	40 04 06	140 55 23	岩手	1051	S
D22	八幡平火山群（はちまんたいかざんぐん）	39 57 28	140 51 14	秋田，岩手	1613	S
D23	秋田焼山（あきたやけやま）	39 57 49	140 45 25	秋田	1366	S, D
D24	玉川カルデラ（たまがわかるでら）	39 54 00	140 46 38	秋田	1300	C-T
D25	森吉山（もりよしざん）	39 58 36	140 32 38	秋田	1454	S, D
D26	大仏岳（だいぶつだけ）	39 48 49	140 30 56	秋田	1167	S
D27	田沢湖カルデラ（たざわこかるでら）	39 43 14	140 39 43	秋田	249(湖面)	C, S, D
D28	荷葉岳（かようだけ）	39 48 23	140 43 50	秋田	1254	S, L, D
D29	秋田駒ヶ岳（あきたこまがたけ）	39 45 40	140 47 57	秋田	1637	S, L
D30	乳頭・高倉（にゅうとう・たかくら）	39 48 17	140 50 18	秋田，岩手	1478	S, D
D31	岩手山（いわてさん）	39 51 09	141 00 04	岩手	2038	S
D32	戸 賀（とが）	39 57 12	139 42 52	秋田	—	Ma
D33	目 潟（めがた）	39 57 33	139 44 25	秋田	178	P(Ma)
D34	寒風山（かんぷうざん）	39 56 01	139 52 31	秋田	355	L, S, D
D35	青ノ木森（あおのきもり）	39 31 53	140 57 40	岩手	831	S
D36	松倉山（まつくらやま）	39 26 48	140 56 13	岩手	968	S
D37	川尻三森山（かわしりみつもりやま）	39 13 24	140 46 28	岩手	1102	S
D38	焼石岳（やけいしだけ）	39 09 49	140 49 43	岩手	1547	S
D39	鳥海山（ちょうかいさん）	39 05 57	140 02 55	秋田，山形	2236	S, D
D40	甑 山（こしきやま）	39 00 44	140 18 38	秋田，山形	981	D
D41	小比内山（こびないやま）	39 01 15	140 31 11	秋田	1004	S
D42	高松岳（たかまつだけ）	38 58 03	140 36 22	秋田	1348	S
D43	栗駒山（くりこまやま）	38 57 39	140 47 18	秋田，岩手，宮城	1626	S, D
D44	鬼首カルデラ（おにこうべかるでら）	38 49 58	140 41 30	宮城	—	C-T, D
D45	鳴子カルデラ(なるこ(なるご)かるでら)	38 43 44	140 44 03	宮城	470	C-T, D
D46	赤倉カルデラ（あかくらかるでら）	38 42 55	140 36 24	宮城，山形	766	C, D
D47	向町カルデラ（むかいまちかるでら）	38 45	140 31	山形	657	C-T, D
D48	肘折カルデラ（ひじおりかるでら）	38 36 31	140 10 29	山形	517	C-T, D
D49	月 山（がっさん）	38 32 56	140 01 37	山形	1984	S
D50	薬莱山（やくらいさん）	38 34 32	140 42 19	宮城	553	D
D51	七ツ森カルデラ（ななつもりかるでら）	38 26 10	140 45 55	宮城	621	C, D

もな石	おもな活動期	活火山番号	火山の概要・補足事項
, a, b	MP-Ho(0.2 Ma～)	24	二重のカルデラ(ほぼ外側が十和田湖，内側が中湖)と後カルデラ火山(御倉山など)からなる
	MP-Ho(0.65 Ma～)	22	—
	MP(0.6 Ma～)		—
	MP(0.2 Ma)		—
a	EP(3.0-2.6 Ma)		—
	EP(1.1-0.9 Ma)		—
	EP(2.1-1.9 Ma)		
	EP(3.2-2.5 Ma)		時代が異なるので八幡平と分離
b, d	EP-Ho(1.2 Ma～)	26	茶臼岳-前森山火山群，八幡平-諸桧岳火山群，大深岳-曲崎山火山群，さらに狭義の八幡平火山，蒸湯火山，諸桧岳火山，茶臼岳火山などから構成される（活火山名：八幡平）
d	MP-Ho(0.5 Ma～)	25	—
r	EP(2.0 Ma, 1.0 Ma)		玉川溶結凝灰岩を噴出したカルデラ
d, b	EP-MP(1.1-0.7 Ma)		
	EP(3.0-2.1 Ma)		ジェラシアン期に活動
d, a, b	EP(1.8-1.4 Ma)		田沢湖の湖底に辰子堆と振興堆の２つの溶岩ドーム．太平湖火砕堆積物，春山火砕堆積物，倉沢溶結凝灰岩ブロックを含む流紋岩火山灰が分布する
b	EP(2.2-0.9 Ma)		—
a	LP-Ho(<0.1 Ma)	28	—
d, b	MP(0.6-0.1 Ma)		乳頭山，高倉山，平ヶ倉山，丸森・三角山，笊森山，笹森山，湯森山などから構成される火山群
a	MP-Ho(0.7 Ma～)	27	西岩手カルデラを中心とする西岩手火山とその東側の円錐形をした東岩手火山からなる
	MP(0.42 Ma)		
a	LP(30-20 ka)		一ノ目潟，二ノ目潟，三ノ目潟火山から構成される．三ノ目潟の噴出物の下位にはAT火山灰あり
b	LP(30-10 ka)		1810年の噴火記録については，具体的な噴火や災害の状況を示す資料はない
d	EP(2.1-2.0 Ma)		鮮新世の鶯沢軽石凝灰岩相当層を覆う
	EP		
	EP(2.4 Ma)		三森山の年代が焼石岳の活動期間よりも明確に古く，新基準の第四紀に入る
	EP-MP(1.0-0.2 Ma)		焼石岳，横岳，経塚山，胆沢川より北側の国見山安山岩
b	MP-Ho(0.6 Ma～)	29	鶯川安山岩，天狗森火砕岩，下玉田川層，山体南側に分布する庄内層群中の火山岩を含む．山麓には大規模な山体崩壊による堆積物が広く分布
	EP(2.0-1.4 Ma)		女川層を貫いている．甑山石英安山岩（デイサイト）と西側の西甑山デイサイト
d	EP-MP(1.0-0.6 Ma)		母沢(ぼさわ)層として記載されているもの．葭長凝灰岩部層，三途川層を覆う．川井山石英安山岩を含む
	MP(0.3-0.2 Ma)		高松岳と北側に分布する木地山火砕流を含む．高松岳北麓の川原毛地獄では噴気活動あり
d	MP-Ho(0.8 Ma～)	30	昭和火口の場所は以前から火口跡だったらしいが，現在の昭和湖が形成されたのは1944年
a	MP(0.3-0.2 Ma)		高日向山は後カルデラ期の溶岩ドーム．片倉森溶岩ドームは先カルデラ？　荒雄岳は再生ドーム
	LP-Ho(0.17 Ma～)	31	荷坂火砕流は御岳Pm-1を覆い阿蘇4火山灰に覆われる．柳沢火砕流は阿蘇4火山灰を覆う．火砕流以前に岩出山軽石，一迫軽石が噴出（活火山名：鳴子）
	EP		赤倉カルデラとみみずく山デイサイト
a	EP-MP(0.8-0.6 Ma)		
	LP	32	直径約2.5 kmのカルデラ（活火山名：肘折）
d	EP-MP(0.9-0.3 Ma)		雨告山溶岩～姥ヶ岳下部溶岩類
	EP(1.7-1.0 Ma)		船形山（泉ヶ岳火山）の活動期とほぼ同じ時期に活動した溶岩円頂丘
a	EP(2.5?-1.6 Ma)		カルデラ形成時の火砕流により宮床凝灰岩を形成．七ツ森の溶岩ドーム群，赤崩山・大畑山は後カルデラ火山

番号	火山名（よみ）	緯　度	経　度	所　在　地	標　高 (m)	火山の型式
D52	船形山（ふながたやま）	38° 27′ 19″	140° 37′ 11″	宮城，山形	1500	S
D53	安　達（あだち）	38 13 15	140 39 02	宮城	—	P
D54	大東岳（だいとうだけ）	38 18 07	140 31 24	宮城，山形	1365	S, D
D55	神室岳（かむろだけ）	38 15 20	140 29 07	宮城，山形	1356	S
D56	雁戸山（がんとやま（がんどさん））	38 11 56	140 28 38	宮城，山形	1485	S
D57	青麻山（あおそやま）	38 05 05	140 36 26	宮城	799	S-C, D
D58	蔵王山（ざおうざん，ざおうさん）	38 08 37	140 26 21	宮城，山形	1841	S, P
D59	三吉・葉山（さんきちはやま）	38 08 20	140 18 42	山形	687	S
D60	白鷹山（しらたかやま）	38 13 21	140 10 23	山形	994	S, D
D61	笹森山（ささもりやま）	37 39 29	140 23 16	福島	650	S
D62	吾妻山（あづまやま）	37 44 17	140 08 26	福島，山形	2035	S, L, P
D63	安達太良山（あだたらやま）	37 37 56	140 16 58	福島	1709	S, D
D64	磐梯山（ばんだいさん）	37 36 03	140 04 19	福島	1816	S
D65	猫魔ヶ岳（ねこまがだけ）	37 36 41	140 01 42	福島	1404	S
D66	会津布引山（あいづぬのびきやま）	37 19 27	140 00 52	福島	1108	S
D67	二岐山（ふたまたやま）	37 14 47	139 58 02	福島	1544	S, D
D68	塔のへつりカルデラ群（とうのへつりかるでらぐん）	37 12 07	139 58 59	福島	1642	C-T, D
D69	桧和田カルデラ*（ひわだかるでら）	37 18 38	139 48 28	福島	1379	C-T, D
D70	那須岳（なすだけ）	37 07 29	139 57 47	栃木，福島	1915	S
D71	博士山（はかせやま）	37 21 46	139 42 53	福島	1482	S
D72	砂子原カルデラ（すなごはらかるでら）	37 27 26	139 41 02	福島	729	C, D
D73	沼　沢（ぬまざわ）	37 26 40	139 33 58	福島	835	D, C
D74	八十里越（はちじゅうりごえ）	37 24 38	139 11 50	新潟，福島	1135	S
D75	守門岳（すもんだけ）	37 23 51	139 08 10	新潟	1537	S
D76	浅草岳（あさくさだけ）	37 20 36	139 14 02	新潟，福島	1585	S
D77	三ツ森（みつもり）	40 29 54	140 41 49	青森	802	S
D78	阿闍羅山（あじゃらやま）	40 29 37	140 35 36	青森	709	S
D79	先十和田（せんとわだ）	40 27 10	141 00 05	秋田，青森	1159	S
D80	柴倉岳（しばくらだけ）	39 59 44	140 42 49	秋田	1202	S
D81	網張火山群（あみはりかざんぐん）	39 51 03	140 57 06	岩手	1517	S
D82	西鴉川（にしからすがわ）	37 39 52	140 15 47	福島	約 1330	S
D83	甲　子（かっし）	37 11 14	139 58 10	福島	1579	S
D84	奥宮山（おくみややま）	39 02 13	140 35 30	秋田	762	S
E01	塩原カルデラ（しおばらかるでら）	36 58 22	139 48 59	栃木	—	C-T
E02	高原山（たかはらやま）	36 53 59	139 46 36	栃木	1795	S, D
E03	男体・女峰火山群（なんたい・にょほうかざんぐん）	36 45 54	139 29 26	栃木	2486	S, D
E04	根名草山（ねなくさやま）	36 50 20	139 23 41	栃木	2330	D
E05	鬼怒沼（きぬぬま）	36 52 58	139 22 18	群馬，栃木	2141	L, T
E06	燧ヶ岳（ひうちがたけ）	36 57 18	139 17 07	福島	2356	S
E07	アヤメ平（あやめだいら）	36 53 51	139 14 22	群馬	2024	S
E08	四郎岳（しろうだけ）	36 50 38	139 19 47	群馬	2156	S

もな石	おもな活動期	活火山番号	火山の概要・補足事項
	EP-MP(1.5-0.5 Ma)		泉ヶ岳火山と船形火山．白髪山，関山寒風山，甑岳なども船形火山群の一部
	LP(0.08 Ma)		安達-愛島軽石を噴出した単成火山．阿蘇 4 に覆われる
	EP(1.7 Ma?)		大東岳は神室岳とほぼ同じと考えられる．面白山をこれに含める
	EP(1.7 Ma)		雁戸火山と神室火山は北蔵王といわれ，広義の蔵王火山群に含まれる．山頂は山形神室岳と仙台神室岳
	MP(0.4-0.3 Ma)		
d	MP(0.4-0.3 Ma)		カルデラ形成を境に，活動は前期と後期に区分
	EP-Ho(1.0 Ma～)	33	北西-南東方向に並ぶ瀧山（北蔵王）・蔵王（中央蔵王）・南蔵王などから構成
	EP(2.4-2.3 Ma)		
d	EP(1.0-0.8 Ma)		
	EP(3.7-1.8 Ma)		蓬莱火砕流 1.9-1.8 Ma
b, d	EP-Ho(1.3 Ma～)	34	西吾妻火山群と東吾妻火山群に大別．東吾妻に一切経山や吾妻小富士がある
b	MP-Ho(0.55 Ma～)	35	西鴉川は古期安達太良の一部ともされるが，別火山として分離した
	MP-Ho(0.7 Ma～)	36	—
	EP(1.0-0.8 Ma)		山頂部に雄国沼カルデラ．すべて逆帯磁
d	EP(1.4 Ma)		噴出中心は不明，現存する火山体は会津布引山の西方 2 km 付近のみに分布．白河火砕流群に覆われる
	MP-LP(0.14-0.09 Ma)		—
	EP(1.4-1.1 Ma)		白河火砕流群の給源．小野カルデラ，成岡カルデラ，塔のへつりカルデラ
r	Pliocene		火砕流の年代測定値から大部分は鮮新世と考えられ，第四紀火山から除外する
b	MP-Ho(0.5 Ma～)	39	茶臼岳のみが活火山で，噴気活動が活発．那須火山群の最高点は三本槍岳
a	EP(2.8-2.5 Ma)		
	MP(0.29-0.22 Ma)		—
r	LP-Ho(0.11 Ma～)	37	直径 2.0×1.5 km の沼沢湖カルデラ
	EP(2.4 Ma)		—
	EP(2.2-1.8 Ma)		—
b	EP(1.6 Ma)		—
d, b	EP(1.9-1.3 Ma)		碇ヶ関カルデラ火山（D13）から分離
	EP(ca. 1.0 Ma)		碇ヶ関カルデラ火山（D13）から分離
b	MP(0.62-0.45 Ma)		十和田火山から先カルデラ火山を分離
	EP(2.6-1.2 Ma)		柴倉岳と栂森溶岩ドームから構成される
b	EP-MP(1.6-0.3 Ma)		岩手火山群から分離．また，松川安山岩を網張火山群に含める
	EP(1.9-1.1 Ma)		北に隣接する吾妻山の最下部，塩ノ川岩体と活動期が共通
	EP(1.3-1.2 Ma)		那須火山群よりかなり古い
	EP(2.3-1.7 Ma)		活動年代の違いにより，高松岳から分離．鮮新世の三途川カルデラの中に位置
	MP(0.35-0.30 Ma)		栃木県北部の塩原温泉付近を中心に直径 7 km のカルデラと大田原火砕流
b, d	MP-Ho(0.3 Ma～)	40	塩原カルデラ南部に成長した後カルデラ火山
b, d	EP-Ho(0.9 Ma～)	41	大真名子火山群，女峰・赤薙，男体山などを含むの火山群（活火山名：男体山）
	MP(0.3 Ma)		根名草山火山は 30 万年前前後の溶岩ドーム・火砕流
	MP(0.24-0.20 Ma)		—
d	MP-Ho(0.16 Ma～)	38	—
	EP(1.6 Ma)		—
	EP(2.5-2.2 Ma)		念仏平（仮称）2.5 Ma を含む

番号	火山名（よみ）	緯　度	経　度	所　在　地	標　高 (m)	火山の型
E09	日光白根山（にっこうしらねさん）	36° 47′ 54″	139° 22′ 33″	群馬，栃木	2578	L, S, D
E10	錫ヶ岳（すずがたけ）	36 46 30	139 21 03	群馬	2338	S
E11	沼上山（ぬまのかみやま）	36 46 28	139 16 34	群馬	1541	S
E12	皇海山（すかいさん）	36 41 22	139 20 13	群馬，栃木	2144	S
E13	上州武尊山（じょうしゅうほたかやま）	36 48 18	139 07 57	群馬	2158	S
E14	奈良俣カルデラ（ならまたかるでら）	36 52 40	139 06 13	群馬	—	C-T
E15	赤城山（あかぎさん）	36 33 37	139 11 35	群馬	1828	S-C, D
E16	子持山（こもちやま）	36 35 30	138 59 52	群馬	1296	S, D
E17	小野子山（おのこやま）	36 34 50	138 56 13	群馬	1208	S
E18	榛名山（はるなさん）	36 28 38	138 51 02	群馬	1449	S-C, D,
E19	鼻曲山（はなまがりやま）	36 24 40	138 38 43	群馬，長野	1655	S
E20	荒船山（あらふねやま）	36 12 14	138 38 13	長野，群馬	1423	S
E21	浅間山（あさまやま）	36 24 23	138 31 23	群馬，長野	2568	S, L, D
E22	烏帽子火山群（えぼしかざんぐん）	36 26 00	138 23 13	長野，群馬	2227	S, D
E23	四阿山（あずまやさん）	36 32 31	138 24 47	群馬，長野	2354	S, D
E24	草津白根山（くさつしらねさん）	36 37 22	138 31 54	群馬	2171	S
E25	御飯岳（おめしだけ）	36 37 43	138 27 30	群馬，長野	2160	S
E26	志　賀（しが）	36 41 26	138 30 58	長野，群馬	2041	L, S
E27	志賀高原火山群（しがこうげんかざんぐん）	36 45 44	138 30 36	長野，群馬	2010	S
E28	高社山（たかやしろやま）	36 47 57	138 24 13	長野	1351	S
E29	鳥甲山（とりかぶとやま）	36 50 21	138 35 02	長野	2038	S
E30	苗場山（なえばさん）	36 50 45	138 41 24	長野，新潟	2145	S
E31	毛無山（けなしやま）	36 53 52	138 29 10	長野	1650	S
E32	関　田（せきた）	36 58 36	138 22 56	長野	1289	S
E33	茶屋池（ちゃやいけ）	36 59 51	138 23 59	長野	約 1140	S
E34	黒岩山（くろいわやま）	36 54 49	138 20 53	長野	911	S
E35	飯士山（いいじさん）	36 57 23	138 49 58	新潟	1112	S
E36	桝形山（ますがたやま）	37 04 41	138 49 46	新潟	748	L
E37	米　山（よねやま）	37 18 20	138 30 47	新潟	510	L
E38	箱　山（はこやま）	36 45 02	138 23 26	長野	695	S
E39	雁田山（かりたさん）	36 41 20	138 20 25	長野	759	S
E40	皆神山（みなかみやま）	36 33 13	138 13 20	長野	659	D
E41	奇妙山（きみょうさん）	36 34 09	138 14 33	長野	1100	S
E42	三峰山*（みつみねやま）	36 29 08	138 04 21	長野	1131	S
E43	篠　山（しのやま）	36 32 37	138 04 43	長野	908	S
E44	髻　山（もとどりやま）	36 43 13	138 14 36	長野	744	D
E45	斑尾山（まだらおやま）	36 50 14	138 16 27	長野	1382	S, D
E46	飯縄山（いいづなやま）	36 44 22	138 08 01	長野	1917	S, D
E47	黒姫山（くろひめやま）	36 48 48	138 07 38	長野	2053	S, D
E48	妙高山（みょうこうさん）	36 53 28	138 06 48	新潟	2454	S-C, D
E49	容雅山（ようがさん）	36 57 09	138 06 42	新潟	1499	S
E50	新潟金山（にいがたかなやま）	36 54 16	138 00 49	新潟	2245	S

もな 石	おもな活動期	活火山番号	火山の概要・補足事項
	LP-Ho	**42**	奥白根溶岩ドームと座禅山溶岩ドームなどからなる
	EP(2.7-2.0 Ma)		笠ヶ岳，三ヶ峰を一括
	EP(1.1 Ma)		—
, b	EP(1.6-0.9 Ma)		袈裟丸山，庚申山を含む
	EP(1.2-1.0 Ma)		—
	EP(2.1 Ma)		—
	MP-LP(>0.3 Ma～)	**43**	明らかに噴火活動と思われる1251年の古文書記録がある
	EP-MP(0.9-0.2 Ma)		山体は開析され，多数の岩脈が露出している
	EP(1.3-1.2 Ma)		—
, d	MP-Ho(0.5 Ma～)	**44**	二ッ岳伊香保噴火はAD538-566年，二ッ岳渋川噴火はAD491-500年
	EP-MP(2.7-0.6 Ma)		王城，管峰，先鼻曲を鼻曲に含む
	EP(2.2 Ma)		
	LP-Ho(0.13 Ma～)	**46**	浅間牧場や高度山の火山岩（0.13 Ma）を含む
	MP(0.8-0.3 Ma)		烏帽子岳-湯ノ丸山，西篭ノ登山-東篭ノ登山，高峰山，桟敷山，村上山など
	EP-MP(0.9-0.3 Ma)		西麓の鳴岩付近に分布する火山岩類は別火山として分離した
	MP-Ho(0.6 Ma～)	**45**	
	EP(1.1 Ma)		—
	MP-LP(0.25-0.01 Ma)		新期志賀は0.25 Ma以降．これを志賀火山と再定義
	EP-MP(2.7-0.7 Ma)		古期志賀を改称．横手，笠ヶ岳，焼額，岩菅，カヤノ平などを含む
	MP(0.3-0.2 Ma)		—
	EP-MP(0.9-0.7 Ma)		—
	MP(0.8-0.2 Ma)		筍山は古期苗場
	EP(1.6-1.0 Ma)		—
	EP		黒岩山，仏ヶ峰，鍋倉山，黒倉山，牧峠，伏野峠，三方岳などが連なる関田山脈に分布する火山岩類
	EP-MP(0.8 Ma)		関田峠周辺に分布する火山岩類
	EP-MP		黒岩山周辺に南北に10 kmほどにわたって分布する火山岩類．黒岩山山頂は本火山ではない
	MP(0.3-0.2 Ma)		—
	EP(1.1 Ma)		—
	EP		米山層・阿相島層・八石山層・黒姫層・駒の間層の火山岩相
	EP(2.1 Ma)		
	EP(2.8-2.4 Ma)		
	MP(0.3 Ma)		松代群発地震（1965-71年）の震源地は皆神山の直下
	EP(2.9-2.4 Ma)		
	PL		鮮新世ないし更新世の三峰山火山岩とされているが，根拠に乏しい
	EP		猿丸層の上位
	MP(0.2 Ma)		単成火山．三千寺も同時期？
d	MP(0.7-0.5 Ma)		3つ活動期あり
d, b	MP(0.34-0.15 Ma)		3つ活動期あり
d, b	MP-LP(0.25-0.05 Ma)		3つ活動期あり
d	MP-Ho(0.3 Ma～)	**49**	南地獄谷等で噴気活動がある
	MP(0.4 Ma)		容雅山に分布する火山岩類である
	MP		新潟焼山南西，金山周辺に分布する火山岩類

番号	火山名（よみ）	緯度	経度	所在地	標高 (m)	火山の型
E51	新潟焼山（にいがたやけやま）	36°55′14″	138°02′08″	新潟	2400	D, S
E52	新潟江星山（にいがたえぼしやま）	37 04 10	138 00 48	新潟	517	S
E53	岩戸山（いわとやま）	36 44 13	137 54 16	長野	1356	S
E54	太郎山（たろうやま）	36 36 50	137 52 08	長野	1051	Mg, L
E55	白馬大池（しろうまおおいけ）	36 47 18	137 47 57	長野，新潟	2469	S, D
E56	爺ヶ岳（じいがたけ）	36 35 18	137 45 03	富山，長野	2670	C-T
E57	立　山（弥陀ヶ原）（たてやま）	36 34 16	137 35 22	富山	2621	S-C, T,
E58	上廊下（かみのろうか）	36 28 27	137 35 44	富山	2465	L
E59	鷲羽・雲ノ平（わしば・くものたいら）	36 24 40	137 35 28	富山，長野	2825	L, S
E60	穂高岳（ほたかだけ）	36 17 21	137 38 52	長野，岐阜	3190	C-T
E61	樅沢岳（もみさわだけ）	36 21 59	137 36 28	岐阜，長野	2755	T
E62	焼　岳（やけだけ）	36 13 36	137 35 13	岐阜，長野	2455	D
E63	乗鞍岳（のりくらだけ）	36 06 23	137 33 12	岐阜，長野	3026	S, D
E64	上　宝（かみたから）	36 12 12	137 29 56	岐阜	1831	T
E65	地蔵峠火山群（じぞうとうげかざんぐん）	36 01 34	137 35 58	長野，岐阜	2121	S
E66	御嶽山（おんたけさん）	35 53 34	137 28 49	岐阜，長野	3067	S-C, S
E67	上野火山群（うえのかざんぐん）	35 35 35	137 30 08	岐阜	606	L, S
E68	湯ヶ峰（ゆがみね）	35 48 21	137 16 50	岐阜	1067	D
E69	烏帽子・鷲ヶ岳（えぼし・わしがたけ）	35 56 25	136 58 17	岐阜	1671	S
E70	毘沙門岳（びしゃもんだけ）	35 56 20	136 47 32	福井，岐阜	1386	S
E71	大日ヶ岳（だいにちがたけ）	36 00 04	136 50 16	岐阜	1709	S
E72	両白丸山（りょうはくまるやま）	36 02 58	136 47 49	岐阜	1786	S
E73	願教寺・三ノ峰（がんきょうじ・さんのみね）	36 03 24	136 44 23	福井，岐阜	1691	S
E74	銚子ヶ峰（ちょうしがみね）	36 03 42	136 45 55	福井，岐阜	1810	D
E75	白　山（はくさん）	36 09 18	136 46 17	石川，岐阜	2702	S
E76	取立山（とりたてやま）	36 06 25	136 36 31	福井，石川	1307	S
E77	経ヶ岳（きょうがたけ）	36 02 47	136 37 18	福井，石川	1625	S
E78	戸室山（とむろやま）	36 31 52	136 44 49	石川	548	D
E79	諏訪神宮寺（すわじんぐうじ）	35 59 43	138 07 27	長野	839	D
E80	環諏訪湖（かんすわこ）	36 06 44	138 01 53	長野	1439	S
E81	美ヶ原（うつくしがはら）	36 13 32	138 06 26	長野	2034	L
E82	霧ヶ峰（きりがみね）	36 06 10	138 11 47	長野	1925	L, S, D
E83	八柱火山群（やばしらかざんぐん）	36 05 05	138 21 33	長野	2114	S
E84	八ヶ岳火山群（やつがたけかざんぐん）	35 58 15	138 22 12	長野，山梨	2899	S, D
E85	南八ヶ岳(八ヶ岳火山群に含む)(みなみやつがたけ)	35 58 15	138 22 12	長野，山梨	2899	S
E86	飯盛山（めしもりやま）	35 55 10	138 28 27	長野，山梨	1635	S
E87	黒富士火山群（くろふじかざんぐん）	35 48 11	138 32 10	山梨	1642	D
E88	茅ヶ岳（かやがたけ）	35 48 11	138 30 34	山梨	1704	S
E89	水ヶ森火山群（みずがもりかざんぐん）	35 45 30	138 36 17	山梨	1553	Mg, D

もな石	おもな活動期	活火山番号	火山の概要・補足事項
d	Ho(3 ka～)	48	早川火砕流は1233年頃
	EP(1.2 Ma)		江星山周辺に分布する火山岩類．鳥ヶ首層の江星山火山岩部層に相当
	EP(2.0 Ma～)		岩戸山層の一部
	EP(2.1 Ma)		溶岩のほか，南北方向の岩脈からなる
d	MP(0.8 Ma)-LP		風吹大池周辺に割れ目火口列や爆裂火口跡がある
a	EP(1.7-1.6 Ma)		爺ヶ岳カルデラおよび白沢天狗カルデラから構成され,東方に分布する大峰火砕流の給源
d	MP-Ho(0.22 Ma～)	50	立山カルデラは浸食カルデラ（活火山名：弥陀ヶ原）
d	MP(0.4-0.2 Ma)		薬師見平デイサイト，スゴ乗越安山岩，読売新道安山岩などから構成される
d, b	EP(0.9 Ma)-LP		鷲羽・雲ノ平火山は鷲羽池火山，雲ノ平火山，岩苔小谷火山から構成される．硫黄沢の噴気活動は本火山の活動とみなされていない
d	EP(1.7 Ma)		槍ヶ岳北の北鎌尾根から上高地の南方まで延びたカルデラ形成時の火砕流堆積物やそれに貫入した閃緑斑岩などが埋積した古い火山体．丹生川火砕流は穂高グラーベンから噴出した火砕流
r	MP(0.4 Ma)		水鉛谷火道と奥飛騨火砕流堆積物から構成される
d	LP(0.12 Ma～)	51, 52	焼岳,白谷山,アカンダナ山,割谷山などをあわせて焼岳火山群(活火山名：焼岳,アカンダナ山)
d	EP-Ho(1.3 Ma～)	53	古期乗鞍火山と新期乗鞍火山．権現池火口は完新世
r	MP(0.7 Ma)		貝塩火道と上宝火砕流堆積物からなる
	EP(3.4-1.6 Ma)		野麦峠岩体，奥峰岩体，西野岩体，地蔵峠岩体，才児岩体．野麦峠岩体はカルデラ状凹地を埋積した砕屑物と貫入岩体
a, d, r	MP-Ho(0.75 Ma～)	54	古期御嶽 0.75-0.42 Ma，新期御嶽 90-20 ka．新期御嶽の初期にカルデラ形成
a	EP(2.8-0.9 Ma)		単成火山群の大部分は 2.8-1.3 Ma に活動，最南端の摺鉢山は 0.93 Ma
	LP(0.1 Ma)		
	EP(1.6-1.1 Ma)		—
	MP(0.3 Ma)		—
d	EP(1.1-0.9 Ma)		—
	MP(0.4-0.3 Ma)		
	EP(3.1-2.5 Ma)		
	EP(1.5 Ma)		願教寺山火山から区分
d	MP-Ho(0.4 Ma～)	55	加賀室火山，古白山，新白山火山とうぐいす平火山
	EP(1.0-0.8 Ma)		赤兎山，大長山，取立山など
d	EP-MP(1.4-0.7 Ma)		赤兎山，取立山，大長山などは別火山体に区分
d	MP(0.4-0.3 Ma)		戸室山，キゴ山，田島城跡などの溶岩ドーム．戸室山の崩壊は約 18 ka
	EP		
	EP(2.2-1.1 Ma)		塩嶺火山岩類のうち，美ヶ原火山と霧ヶ峰火山を除いたものに相当
	EP(2.1-1.2 Ma)		美ヶ原周辺の火山．広義の塩嶺火山岩類の一部
d, r	EP-MP(1.3-0.75 Ma)		広義の塩嶺火山岩類の一部
a, d	EP(1.2-0.8 Ma)		八ヶ岳火山の古八ヶ岳期にほぼ相当．八ヶ岳から分離
d, b	MP-Ho(0.5 Ma～)	47	北部の蓼科山，横岳，縞枯山，茶臼山，双子峰，天狗岳などを北八ヶ岳，南部の硫黄岳，横岳，赤岳，阿弥陀岳，編笠山などを南八ヶ岳と呼ぶことがある（活火山名：横岳）
b	MP-LP(0.5-0.1 Ma)		八ヶ岳南部の硫黄岳，横岳，赤岳，阿弥陀岳，編笠山などをあわせて南八ヶ岳火山
	EP(2.5-1.8 Ma)		
	EP-MP(1.0-0.5 Ma)		黒富士は溶岩ドーム群．剣ヶ峰，木賊峠を含む
	MP(0.2 Ma)		金ヶ岳-茅ヶ岳は複成火山．黒富士と分離
	EP(2.4-1.7 Ma)		

番号	火山名（よみ）	緯　度	経　度	所　在　地	標　高 (m)	火山の型式
E90	金精山（こんせいやま）	36° 48′ 52″	139° 23′ 27″	群馬，栃木	2244	D
E91	螢塚山（けいづかやま）	36 48 23	139 20 35	群馬	約 1790	L
E92	新潟高峰（にいがたたかみね）	37 02 55	137 58 10	新潟	751	S
E93	鳴　岩（なるいわ）	36 36 29	138 22 06	長野	約 870	S
F01	富士山（ふじさん）	35 21 38	138 43 38	静岡，山梨	3776	S, P, L
F02	愛鷹山（あしたかやま）	35 14 17	138 47 38	静岡	1504	S, D
F03	岩　淵（いわぶち）	35 08 19	138 35 02	静岡	568	D, L
F04	箱根火山群（はこねかざんぐん）	35 14 00	139 01 15	神奈川，静岡	1438	S-C, L, S
F05	伊豆山火山群（いずやまかざんぐん）	35 06 56	139 04 58	静岡	170	L
F06	宇佐美・多賀火山群（うさみ・たがかざんぐん）	35 00 19	139 02 49	静岡	592	S
F07	初　島（はつしま）	35 02 16	139 10 19	静岡	約 50	L
F08	伊豆東部火山群（いずとうぶかざんぐん）	34 54 11	139 05 40	静岡	1197	P, L, D
F09	手石海丘（ていしかいきゅう）	34 59 36	139 07 48	静岡	—	Ma
F10	天城山（あまぎさん）	34 51 46	139 00 06	静岡	1406	L, S
F11	達磨山（だるまやま）	34 57 17	138 50 22	静岡	982	S
F12	天　子（てんし）	34 55 40	138 57 52	静岡	608	S
F13	猫　越（ねっこ）	34 51 27	138 51 49	静岡	1035	S
F14	棚場山（たなばやま）	34 54 35	138 50 54	静岡	933	S
F15	小下田（こしもだ）	34 52 59	138 49 46	静岡	—	S
F16	長九郎山（ちょうくろうやま）	34 47 19	138 52 05	静岡	996	S
F17	蛇　石（じゃいし）	34 42 47	138 47 00	静岡	520	L, S
F18	南　崎（なんざき）	34 36 27	138 49 45	静岡	106	P, L
G01	伊豆大島（いずおおしま）	34 43 28	139 23 41	東京（伊豆諸島）	758	S-C, P, L
G02	大室海穴（大室ダシ）（おおむろかいけつ）	34 32 48	139 26 30	東京（伊豆諸島）	—	S
G03	利　島（としま）	34 31 13	139 16 45	東京（伊豆諸島）	508	S
G04	鵜渡根島（うどねじま）	34 28 21	139 17 37	東京（伊豆諸島）	209	S
G05	新島火山群（にいじまかざんぐん）	34 23 48	139 16 13	東京（伊豆諸島）	432	P, D
G06	神津島火山群（こうづしまかざんぐん）	34 13 10	139 09 11	東京（伊豆諸島）	572	P, D
G07	三宅島（みやけじま）	34 04 55	139 31 33	東京（伊豆諸島）	775	S-C, P
G08	大野原島（おおのはらじま）	34 02 53	139 23 02	東京（伊豆諸島）	114	D
G09	御蔵島（みくらじま）	33 52 28	139 36 06	東京（伊豆諸島）	851	S, D
G10	藺灘波島（いなんばじま）	33 39 05	139 17 57	東京（伊豆諸島）	74	D
G11	八丈島火山群（はちじょうじまかざんぐん）	33 08 13	139 45 57	東京（伊豆諸島）	854	S-C, S, P
G12	青ヶ島（あおがしま）	32 27 28	139 45 32	東京（伊豆諸島南方）	423	S-C, P
G13	明神海丘（みょうじんかいきゅう）	32 06	139 51	東京（伊豆諸島南方）	−364	M, C, D
G14	ベヨネース海丘（べよねーすかいきゅう）	31 58	139 44	東京（伊豆諸島南方）	—	—
G15	明神礁（みょうじんしょう）	31 55 07	140 01 13	東京（伊豆諸島南方）	−50	M
G16	明神（ベヨネース列岩を含む）（みょうじん）	31 53 16	139 55 05	東京（伊豆諸島南方）	11	S-C
G17	須美寿島（すみすじま）	31 26 22	140 03 02	東京（伊豆諸島南方）	136	M-C, S

もな 石	おもな活動期	活火山番号	火山の概要・補足事項
	LP (ca. 0.09 Ma)		
	MP (ca. 0.55 Ma)		
	MP (ca. 0.65 Ma)		年代差が大きいことから新潟江星山から分離
d	MP (0.29 Ma)		活動時期に差があることから四阿山から分離
	LP-Ho (0.1 Ma〜)	56	富士火山の活動は約 0.1 Ma〜，約 0.1 Ma の小御岳，それ以前の先小御岳を含む
a, d	MP-LP (0.18-0.08 Ma)		—
b	EP-MP (1.1-0.6 Ma)		
b, d	MP-Ho (0.65 Ma〜)	57	最後のマグマ噴火は冠ヶ岳約 3.2 ka（活火山名：箱根山）
	MP-LP (0.6-0.1 Ma)		—
b, d	EP-MP (1.2-0.3 Ma)		—
a	MP (0.7-0.3 Ma)		—
a, d, r	MP-Ho (0.3 Ma〜)	58	東伊豆単成火山群とその東方沖の東伊豆沖海底火山群を含む．大室山，小室山，遠笠山，矢筈山，巣雲山，カワゴ平など，多くのスコリア丘や溶岩ドームがある
	Ho	58	伊豆東部火山群の一部（活火山名：伊豆東部火山群）
	MP (0.7-0.2 Ma)		—
	MP (0.8-0.5 Ma)		大瀬崎，井田，達磨を統合
d	EP (1.7-1.4 Ma)		—
d	EP (0.9-0.8 Ma)		
	EP (1.5-1.2 Ma)		—
	EP (1.6-1.5 Ma)		
	MP (0.6-0.4 Ma)		
	EP (1.4-1.3 Ma)		—
	MP (0.45-0.4 Ma)		—
a	LP-Ho	59	伊豆大島火山の下位の筆島火山，岡田火山，行者窟火山は時代未詳
d, b	Ho		
a	LP-Ho	60	
	LP		—
b	LP-Ho	61	向山，阿土山，宮塚山など10数個の単成火山群（活火山名：新島）
	LP-Ho	62	10数個の単成火山からなる（活火山名：神津島）
a	LP-Ho	63	—
	LP		—
a	LP-Ho	64	
	MP		—
a, d	LP-Ho	65	八丈島西山周辺海域に多数ある海底火山と八丈小島を含む（活火山名：八丈島）
a	LP-Ho	66	1.7×1.5 km のカルデラ（池の沢火口）がある
	Ho		
–	Ho		
a	Ho	67	明神礁カルデラのカルデラ縁に位置する後カルデラ火山（活火山名：ベヨネース列岩）
	LP-Ho		明神火山は先カルデラ火山，明神礁カルデラ，後カルデラ火山からなる．明神礁カルデラには中央火口丘の高根礁がある．ベヨネース列岩は先カルデラ火山の一部
	LP	68	須美寿島はスミスカルデラのカルデラ縁に位置する．白根は後カルデラ丘，カルデラの中央には比高約 200 m の小型の火口丘

番号	火山名（よみ）	緯　度	経　度	所　在　地	標　高 (m)	火山の型　式
G18	伊豆鳥島（いずとりしま）	30° 29′ 01″	140° 18′ 10″	東京(伊豆諸島南方)	394	S-C, P, [illegible]
G19	孀婦岩（そうふがん）	29 47 36	140 20 32	東京(伊豆諸島南方)	99	N
G20	水曜海山（すいようかいざん）	28 36	140 38	東京(伊豆諸島南方)	−1418	M-C, D
G21	木曜海山（もくようかいざん）	28 19	140 34	東京(伊豆諸島南方)	−920	M-C, D
G22	西之島（にしのしま）	27 14 49	140 52 27	東京(火山列島北方)	160	S
G23	海形海山（かいかたかいざん）	26 40	141 00	東京(火山列島北方)	−162	M
G24	海徳海山（かいとくかいざん）	26 07 33	141 05 55	東京(火山列島)	−97	M
G25	噴火浅根（ふんかあさね）	25 26 58	141 14 07	東京(火山列島)	−14	M
G26	北硫黄島（きたいおうとう）	25 25 40	141 16 51	東京(火山列島)	792	S
G27	海勢西の場（かいせいにしのば）	24 53	141 10	東京(火山列島)	—	M
G28	硫黄島（いおうとう）	24 45 28	141 17 14	東京(火山列島)	170	S-C, P
G29	海神海丘（かいじんかいきゅう）	24 33 36	141 19 30	東京(火山列島)	—	M
G30	北福徳堆（きたふくとくたい）	24 25 06	141 24 56	東京(火山列島)	−73	M
G31	福徳岡ノ場（ふくとくおかのば）	24 17 16	141 28 55	東京(火山列島)	−14	M
G32	南硫黄島（みなみいおうとう）	24 14 02	141 27 48	東京(火山列島)	916	S
G33	南日吉海山（みなみひよしかいざん）	23 30 04	141 56 13	東京(火山列島南方)	−97	M
G34	日光海山（にっこうかいざん）	23 04 48	142 18 18	東京(火山列島南方)	−612	M
H01	宝　山（たからやま）	35 20 46	134 55 07	京都，兵庫	350	P, L, S
H02	玄武洞（げんぶどう）	35 35 08	134 47 11	兵庫	259	P, L, S
H03	上佐野・目坂（かみさの・めさか）	35 31 20	134 43 20	兵庫	362	P, L
H04	神鍋火山群（かんなべかざんぐん）	35 30 25	134 40 30	兵庫	494	P, L, S
H05	大屋・轟（おおや・とどろき）	35 20 26	134 35 28	兵庫	835	L
H06	照　来（てらぎ）	35 21 13	134 30 50	兵庫	1510	T, L
H07	佐　坊（さぼう）	35 25 25	134 28 34	兵庫	1239	L
H08	美方火山群（みかたかざんぐん）	35 25 41	134 30 09	兵庫	約 930	P, L
H09	扇ノ山（おうぎのせん）	35 26 23	134 26 27	鳥取	1310	P, L
H10	郡　家（こおげ）	35 25 42	134 14 33	鳥取	340	L
H11	槇　原（まきはら）	35 25 27	134 06 45	鳥取	300	L
H12	三　朝（みささ）	35 21 25	134 01 10	鳥取，岡山	1252	L, D
H13	倉　吉（くらよし）	35 26 41	133 49 38	鳥取	129	L
H14	北条八幡（ほうじょうはちまん）	35 28 41	133 48 25	鳥取	59	P, L
H15	三平山*（みひらやま）	35 16 40	133 34 08	鳥取，岡山	1010	D
H16	蒜　山（ひるぜん）	35 19 30	133 39 49	鳥取，岡山	1202	S
H17	大　山（だいせん）	35 22 16	133 32 46	鳥取，岡山	1729	D, P, L
H18	シゲグリ（しげぐり）	35 31 48	133 21 06	島根	−19	D
H19	大根島（だいこんじま）	35 29 44	133 10 16	島根	42	P, L
H20	横田火山群（よこたかざんぐん）	35 12 15	133 15 52	島根，鳥取	967	P, L
H21	森田山（もりたやま）	35 09 31	132 36 50	島根	664	D

もな石	おもな活動期	活火山番号	火山の概要・補足事項
a, d	LP-Ho	69	鳥島カルデラのカルデラ縁上にある後カルデラ火山. 鳥島には直径 1.5 km のカルデラがあり, その中に 2 つの中央火口丘(子持山, 硫黄山). 硫黄山山頂部に弱い噴気あり
ba	LP	70	基底直径約 28 km, 比高 2200 m の大型の海山. その頂部にカルデラらしき地形に直径 3 km 程度, 比高 200-300 m 以上の火山体があり, その中心部に孀婦岩が屹立
d	Ho		
	Ho		
	LP-Ho	71	2019 年 6 月時点で面積 2.89 km^2, 標高 160 m
b	Ho	72	
d	Ho	73	基部 40 km, 比高 2500 m の海山. 北峯, 南の西海徳場と東海徳場の 3 つのピークを持つ
a	Ho	74	海徳海山とともに, 北硫黄島付近海底火山と呼ぶことがある
	MP(0.14 Ma)		—
	Ho		
	LP-Ho	75	直径 40 km 高さ約 2000 m の大規模な複成火山の頂部に形成された海底カルデラのカルデラ縁上の後カルデラ火山
	Ho		—
	Ho	76	—
	Ho	77	新島形成（1904, 14, 86, 2021 年）
	LP(0.03 Ma)		—
or b	Ho	78	海底噴火, 海水変色
a	Ho	79	海水変色
	MP(0.4-0.3 Ma)		北但馬単成火山群の単成火山の 1 つ
	EP(1.6 Ma)		円山川の両岸に分布する単成火山. 北但馬単成火山群の一部
	MP(0.23-0.13 Ma)		北但馬単成火山群の単成火山の 1 つ
	MP-LP(0.7 Ma～)		神鍋山・大机山など, 7 つの単成火山群. 北但馬単成火山群の一部
	EP(2.8-2.4 Ma)		単成火山
r, d	EP(3.1-2.2 Ma)		活動初期に照来コールドロン形成, 2.8-2.3 Ma に安山岩質火山活動
	EP(1.7 Ma)		照来コールドロンを不整合に覆うデイサイト
a	EP-MP(1.7-0.2 Ma)		兵庫県村岡町から関宮町にかけて, 北から味取, 春来, 相岡, 和田, 長板, 貫田, 備, 葛畑に分布する単成火山. 北但馬単成火山群の一部
a	EP-MP(1.2-0.4 Ma)		—
	EP(2.1 Ma)		単成火山
	MP(0.8-0.7 Ma)		溶岩が基盤の谷を埋めるように分布
b	EP(1.4-1.3 Ma)		広範囲に火山岩が分布
a	EP-MP(1.8-0.5 Ma)		複数の火山（単成火山群？）で構成
	EP(2.2-1.1 Ma)		単成火山
	Pre-PL		年代測定の結果, 先第四紀と判明, 第四紀火山から除外
	EP-MP(1.0-0.5 Ma)		1.0-0.5 Ma の東西の火山列をなす成層火山群. 活動期間は古期大山と重複
, a	EP-LP(1.0-0.017 Ma)		
d	EP(0.9 Ma)		逆帯磁
	MP(0.25-0.2 Ma)		—
	EP(2.4-1.0 Ma)		鳥取県日南町, 島根県横田町, 伯太町などに分布する 10 数個の単成火山, 野呂玄武岩, 鶴田玄武岩なども含む
	EP(1.2-1.0 Ma)		森田山周辺に分布するデイサイト溶岩. 三瓶カルデラの先カルデラ火山

番号	火山名（よみ）	緯　度	経　度	所　在　地	標　高 (m)	火山の型　式
H22	三瓶山（さんべさん）	35° 08′ 25″	132° 37′ 17″	島根	1126	C-T, P,
H23	女亀山（めんがめやま）	34 56 53	132 43 14	広島	830	P, L
H24	川　本（かわもと）	34 59 44	132 31 09	島根	315	L
H25	大江高山（おおえたかやま）	35 03 49	132 25 43	島根	808	D
H26	阿武火山群（あぶかざんぐん）	34 29 53	131 35 56	山口	641	P, L, S,
H27	青野山火山群（あおのやまかざんぐん）	34 27 43	131 47 53	島根，山口	907	D
H28	盛太ヶ岳（もったがたけ）	34 22 16	131 51 38	島根	891	D
H29	徳山金峰山（とくやまみたけさん）	34 11 30	131 50 30	山口	790	D
H30	千石岳（せんごくだけ）	34 11 21	131 45 29	山口	661	D
H31	長者ヶ原（ちょうじゃがはら）	34 16 26	131 40 00	山口	約 390	L, P
H32	四熊ヶ岳（しくまがたけ）	34 06 05	131 45 30	山口	504	D
H33	下関火山群（しものせきかざんぐん）	33 58 36	130 51 50	山口	104	L
H34	隠岐島後（おきどうご）	36 10 46	133 19 54	島根（隠岐島後）	162	P, L, S
H35	竹　島（たけしま）	37 14 25	131 52 09	島根（竹島）	168	S, C
J01	姫　島（ひめしま）	33 43 18	131 39 59	大分	267	D, P
J02	両子山（ふたごさん）	33 34 59	131 36 05	大分	720	D, L
J03	大蔵山（おおぞうやま）	33 28 24	131 22 24	大分	543	D
J04	日　出（ひじ）	33 22 02	131 34 35	大分	67	L
J05	鹿鳴越火山群（かなごえかざんぐん）	33 23 21	131 29 45	大分	623	S
J06	人見岳（ひとみだけ）	33 20 10	131 17 35	大分	921	S
J07	高平火山群（たかひらかざんぐん）	33 15 45	131 23 48	大分	896	S, D
J08	観海寺**（かんかいじ）	33 16 46	131 28 37	大分	—	S
J09	高崎山（たかさきやま）	33 15 08	131 31 27	大分	628	D
J10	鶴見岳（つるみだけ）	33 17 11	131 25 47	大分	1375	S, D
J11	由布岳（ゆふだけ）	33 16 56	131 23 24	大分	1583	S, D
J12	雨乞火山群（あまごいかざんぐん）	33 13 44	131 22 26	大分	1168	S
J13	立石火山群（たていしかざんぐん）	33 17 14	131 19 01	大分	1236	S, D
J14	カルト山火山群（かるとやまかざんぐん）	33 16 03	131 17 17	大分	1034	S
J15	時山火山群（ときさんかざんぐん）	33 09 47	131 21 27	大分	1055	S, D
J16	庄内火山群（しょうないかざんぐん）	33 09 11	131 24 35	大分	768	S
J17	猪牟田カルデラ（ししむたかるでら）	33 10 20	131 13 06	大分	—	C-T
J18	九重山（くじゅうさん）	33 05 09	131 14 56	大分	1791	S, D
J19	涌蓋火山群（わいたかざんぐん）	33 08 23	131 09 51	大分，熊本	1500	S, D
J20	野稲火山群（のいねかざんぐん）	33 08 59	131 18 42	大分	1310	S, D
J21	小松台火山群（こまつだいかざんぐん）	33 19 26	131 13 33	大分	約 890	S
J22	玖珠火山群（くすかざんぐん）	33 16 54	131 11 27	大分	816	S, D
J23	万年山火山群（はねやまかざんぐん）	33 13 52	131 07 50	大分	1140	S
J24	月出山岳（かんとうだけ）	33 18 47	131 03 37	大分	709	S
J25	渡神岳（とがみだけ）	33 10 20	130 55 41	大分	1150	S
J26	日向神火山群（ひゅうがみかざんぐん）	33 12 33	130 46 39	福岡，熊本	905	L
J27	杖立火山群（つえたてかざんぐん）	33 11 33	131 01 28	熊本，大分	741	S

もな 石	おもな活動期	活火山 番号	火山の概要・補足事項
a	LP-Ho(0.1 Ma〜)	80	三瓶カルデラと男三瓶，女三瓶，子三瓶などの後カルデラ期の溶岩ドーム
	EP(1.8 Ma)		単成火山
	EP(2.1 Ma)		単成火山
	EP(2.6-1.5 Ma)		大江高山，三子山，矢滝城山，馬路高山などの溶岩ドーム群
a	EP-Ho(1.9 Ma〜)	81	大島，相島，笠山，千石台，羽賀台，伊良尾山，鍋山など約 50 の小火山体
d	EP-LP(1.3-0.07 Ma)		青野山，野坂山，雲井峰，鍋山など約 15 の溶岩ドーム群
	MP(0.6 Ma)		盛太ヶ岳と鳶ノ子山の 2 つの溶岩ドーム
d	MP(0.43 Ma)		単成火山
	MP(0.6-0.5 Ma)		千石岳とその北方の白井岳，835 m 峰（0.36 Ma），円山などの溶岩ドーム
	MP(0.17 Ma)		単成火山
	MP(0.45 Ma)		四熊ヶ岳と嶽山の溶岩ドーム
	EP(1.2 Ma)		東方約 7 km に玄武岩質のスコリア丘と溶岩流から構成される貴船火山
	EP-MP(2.8-0.4 Ma)		岬玄武岩，西郷玄武岩，池田玄武岩，崎山岬玄武岩など
	EP(2.7-2.1 Ma)		
r	MP(0.3-0.1 Ma)		矢筈岳火山，達磨山火山，城山火山，稲積火山などからなる火山群
d	EP(1.9-1.1 Ma)		両子山・奥台山などの溶岩ドーム群と屋山・鷲巣岳などの溶岩台地
	EP(0.8 Ma)		
d	MP(0.4-0.3 Ma)		別府湾内に噴出中心を推定．丘陵南部の海岸は著しく熱水変質
	EP-MP(1.1-0.6 Ma)		2 回の大規模な山体崩壊
	EP(2.4-1.9 Ma)		—
d	MP(0.5-0.15 Ma)		水口山，高平山，実相寺山などの火山群
	EP		雨乞火山群の一部
	MP(0.5 Ma)		—
d	LP-Ho(<0.09 Ma)	82	伽藍岳，鬼箕山を含む（活火山名：鶴見岳・伽藍岳）
d	LP-Ho(<0.09 Ma)	83	
d	MP(0.6-0.4 Ma)		雨乞岳，城ヶ岳，小鹿山などの火山群．観海寺火山（J08）はこの火山群の一部
d	MP(0.6-0.2 Ma)		立石山，福万山，飛岳などの火山群
d	EP(1.4-1.0 Ma)		カルト山，高陣ヶ尾，川西などの火山群
r, d	EP-MP(0.9-0.6 Ma)		時山，上峠，熊群山などの火山群．由布川火砕流よりも下位
r, d	EP(2.0-1.3 Ma)		鹿倉，庄司，飛龍野などの火山群
	EP(1.0-0.85 Ma)		猪牟田カルデラからは，耶馬溪火砕流と今市火砕流が噴出
d	MP-Ho(0.2 Ma〜)	84	黒岳，中岳，久住山，黒岩山，三俣山などの溶岩ドームからなる火山群
	MP(1.0-0.4 Ma)		涌蓋山，みそこぶし山，コトバキ山などの火山群
d	MP(0.6-0.3 Ma)		野稲岳，鹿伏岳，崩平山，花牟礼山などの火山群
d, a	EP(1.7-1.1 Ma)		小松台，鬼丸からなる火山群
d	EP(1.4-1.0 Ma)		鏡山，岩扇山，宝山，平家山などの火山群
d, a	EP-MP(0.8-0.4 Ma)		万年山，亀石山などの火山群
	EP(2.6-2.0 Ma)		—
	EP(2.8-2.1 Ma)		—
a, d	EP(2.8-2.6 Ma)		竹山安山岩や黒木流紋岩，日向神デイサイト
a	EP(1.5-1.1 Ma)		山甲川および上滴水からなる火山群

番号	火山名（よみ）	緯　度	経　度	所　在　地	標　高 (m)	火山の型式
J28	吉ノ本（よしのもと）	33° 01′ 35″	130° 59′ 37″	熊本，大分	1041	S
J29	荻　岳（おぎだけ）	32 55 07	131 14 39	熊本，大分	—	D
J30	先阿蘇（せんあそ）	32 57 12	130 56 02	熊本	1118	S, L, T
J31	根子岳（ねこだけ）	32 53 01	131 08 40	熊本	1433	S
J32	阿蘇カルデラ（あそかるでら）	32 58	131 04	熊本	1236	C-T
J33	阿蘇山（あそさん）	32 53 03	131 06 14	熊本	1592	S, P
J34	大　峰（おおみね）	32 50 08	130 55 30	熊本	409	P, L
J35	船野山（ふなのやま）	32 45 52	130 49 57	熊本	308	S
J36	赤　井（あかい）	32 46 42	130 49 31	熊本	33	S, Mg
J37	金峰山（きんぼうざん（きんぽうざん））	32 48 50	130 38 20	熊本	665	S, D
J38	大　岳（おおたけ）	32 39 08	130 34 40	熊本	478	S
J39	南島原（みなみしまばら）	32 38 27	130 12 32	長崎	410	L, P
J40	雲仙岳（うんぜんだけ）	32 45 40	130 17 55	長崎	1483	D, S
J41	有　喜（うき）	32 48 58	130 06 13	長崎	280	L, P
J42	牧　島（まきしま）	32 44 59	129 59 03	長崎	52	L
J43	多良岳（たらだけ）	32 59 14	130 04 34	佐賀，長崎	1076	S, D
J44	虚空蔵山（こくぞうざん）	33 05 26	129 55 17	佐賀，長崎	609	S
J45	佐世保火山群（させぼかざんぐん）	33 07 04	129 45 57	長崎	202	Mg
J46	弘法岳（こうぼうだけ）	33 06 07	129 50 45	長崎	387	S
J47	有　田（ありた）	33 12 51	129 54 07	佐賀	516	Mg
J48	道伯・妙見（どうはく・みょうけん）	33 52 12	130 46 23	福岡	62	L, N
J49	黒　瀬（くろせ）	33 41 54	130 13 50	福岡	8	N
J50	加唐島（かからしま）	33 35 42	129 51 29	佐賀	123	Mg
J51	壱岐火山群（第3-5期）（いきかざんぐん）	33 44 28	129 42 36	長崎（壱岐島）	213	P, L
J52	宇久島（うくじま）	33 16 22	129 06 28	長崎（五島列島）	259	S
J53	小値賀島火山群（おじかじまかざんぐん）	33 12 43	129 05 15	長崎（五島列島）	111	P, L, S
J54	曽　根（そね）	33 03 11	129 05 00	長崎（五島列島）	143	P, L
J55	福江火山群（ふくえかざんぐん）	32 39 23	128 50 56	長崎（五島列島）	315	P, L
K01	肥薩火山群（ひさつかざんぐん）	32 11 16	130 36 51	熊本，鹿児島	962	S
K02	招川内（まんば）	32 06 49	130 25 44	熊本，鹿児島	664	L
K03	長　島（ながしま）	32 10 32	130 09 59	鹿児島	395	S, L, T
K04	えびの火山群（えびのかざんぐん）	32 05 33	130 49 11	熊本，鹿児島	861	S
K05	加久藤カルデラ（かくとうかるでら）	32 02 44	130 45 53	宮崎	—	C-T
K06	小林カルデラ（こばやしかるでら）	31 59 27	130 58 34	宮崎	—	C-T
K07	長尾山（ながおやま）	31 52 08	131 01 42	宮崎	429	L, S
K08	先霧島（せんきりしま）	31 54 49	130 47 09	鹿児島，宮崎	763	S
K09	霧島山（きりしまやま）	31 56 03	130 51 41	鹿児島，宮崎	1700	S, P, D, M
K10	財　部（たからべ）	31 42 12	130 59 44	鹿児島，宮崎	337	L, S
K11	北薩火山群（ほくさつかざんぐん）	31 52 29	130 36 21	鹿児島	703	L, P
K12	雨祈岡（あまりのおか）	31 52 26	130 41 04	鹿児島	398	D
K13	藺牟田（いむた）	31 49 21	130 27 40	鹿児島	509	D

もな石	おもな活動期	活火山番号	火山の概要・補足事項
	EP (2.8–2.5 Ma)		吉ノ本安山岩
r	MP (>0.1 Ma)		荻岳と下荻岳の2つの溶岩ドーム
d, r, b	MP (0.8–0.4 Ma)		鞍岳や阿蘇カルデラ壁に露出．阿蘇カルデラの先カルデラ火山
b	MP (0.14–0.12 Ma)		先阿蘇より若い
a	MP-LP (0.27–0.09 Ma)		
a, b	LP-Ho (0.09 Ma〜)	85	阿蘇カルデラの後カルデラ火山群．中岳，高岳，杵島岳，米塚など
	LP (0.09 Ma)		小型の単成火山．阿蘇火山の側火山とみなすこともある
	MP (0.5 Ma)		船野山安山岩（鮮新世？）とも
	MP (0.15 Ma)		阿蘇火山の側火山とみなすこともある
d	EP-MP (1.4–0.2 Ma)		
	EP (1.5–1.4 Ma)		—
b	EP-MP (1.4–0.5 Ma)		南島原，有明海付近に分布する雲仙岳より古い火山岩
d	MP-Ho (0.5 Ma〜)	86	古期は 0.5–0.3 Ma，中期は 0.3–0.15 Ma，新期は 0.15 Ma〜
b	EP (2.4–1.3 Ma)		—
a	EP (2.8–2.3 Ma)		
b, d	EP-MP (1.3–0.4 Ma)		古期は 1.3–1.0 Ma，新期は 0.8–0.4 Ma
b	EP (2.5–2.2 Ma)		—
	EP (2.6–1.9 Ma)		牛ノ岳や大崎半島など
a	EP (2.3–2.2 Ma)		白岳や弘法岳から構成される
a, r	EP (2.7–2.0 Ma)		
	EP (2.7–2.4 Ma)		妙見山，道伯山などの単成火山
	EP (1.1 Ma)		玄界島の北の小さな岩礁
	EP (2.6–2.5 Ma)		—
a	EP-MP (2.5–0.6 Ma)		約 4.3 Ma から活動した単成火山群のうち第3期以降が第四紀火山
a, d	EP (1.3–1.1 Ma)		—
	EP-MP (1.1–0.3 Ma)		斑島火山，大島火山，納島火山，番岳火山，本城岳火山などから構成される単成火山群
	MP (0.19 Ma)		底径約 1 km のスコリア丘．曽根火山赤ダキ断崖として天然記念物に指定
	MP-Ho (0.8 Ma〜)	87	鬼岳，火ノ岳，城岳，黒島，黄島，赤島などから構成される単成火山群
d, r, b	EP (3.2–1.8 Ma)		
	EP (1.2 Ma)		
a	EP (3.7–2.5 Ma)		阿久根 1，2 火砕流を含む．給源不明
d, r	EP-MP (1.8–0.5 Ma)		加久藤カルデラの先カルデラ火山
r	MP (0.35–0.3 Ma)		15×10 km のカルデラ．東側に小林カルデラ
	MP (0.5–0.4 Ma)		—
	EP (1.1 Ma)		霧島火山東方に分布する火山岩（橘八重，岩瀬，長尾山）
d	MP (0.3 Ma)		佐賀利山や高岡山など．加久藤火砕流の下位
d	MP-Ho (0.3 Ma〜)	88	韓国岳，新燃岳，高千穂峰など，20 余の多くの火山の集合体
	EP (2.1–1.1 Ma)		曽於市と都城市の境界（財部）付近に露出する安山岩
d	EP (2.5–0.8 Ma)		烏帽子岳，矢止岳，長尾山，中岳，国見岳，安良岳など
	EP (0.8 Ma)		新期北薩火山岩類と区分されていた
	MP (0.5–0.35 Ma)		藺牟田池は，山体の崩壊あるいは陥没により形成．飯森山溶岩ドームが最新

番号	火山名（よみ）	緯　度	経　度	所　在　地	標　高 (m)	火山の型　式
K14	薩摩丸山（さつままるやま）	31° 48′ 09″	130° 24′ 32″	鹿児島	218	D
K15	川　内（せんだい）	31 44 04	130 26 54	鹿児島	677	L, P
K16	米丸・住吉池（よねまる・すみよしいけ）	31 46 32	130 33 53	鹿児島	15	Ma
K17	先姶良（せんあいら）	31 41 50	130 34 51	鹿児島	約 580	T, L, N
K18	姶良カルデラ（あいらかるでら）	31 38	130 42	鹿児島	—	C-T
K19	若尊カルデラ（わかみこかるでら）	31 40	130 47	鹿児島	水深 200 m 程度	M-C
K20	桜　島（さくらじま）	31 35 33	130 39 24	鹿児島	1117	S
K21	輝　北（きほく）	31 33 31	130 48 46	鹿児島	594	L
K22	横尾岳（よこおだけ）	31 18 37	130 49 44	鹿児島	485	S, L
K23	阿多カルデラ（あたかるでら）	31 20	130 40	鹿児島	—	C-T
K24	尾巡山（おめぐりやま）	31 18 40	130 31 33	鹿児島	577	S, L
K25	指宿火山群（いぶすきかざんぐん）	31 13 23	130 35 41	鹿児島	466	S, D, L
K26	池　田（いけだ）	31 14 05	130 33 51	鹿児島	256	C, D, Ma
K27	開聞岳（かいもんだけ）	31 10 48	130 31 42	鹿児島	924	S, D
L01	鬼　界（きかい）	30 45 38	130 21 41	鹿児島(大隅諸島)	—	M-C, S, P
L02	黒　島（くろしま）	30 49 41	129 56 14	鹿児島(大隅諸島)	620	S
L03	口永良部島（くちのえらぶじま）	30 26 36	130 13 02	鹿児島(大隅諸島)	657	S
L04	口之島（くちのしま）	29 58 04	129 55 32	鹿児島(トカラ列島)	628	S, D
L05	小臥蛇島（こがじゃじま）	29 52 50	129 37 12	鹿児島(トカラ列島)	301	D
L06	臥蛇島（がじゃじま）	29 54 11	129 32 29	鹿児島(トカラ列島)	497	S
L07	中之島（なかのしま）	29 51 33	129 51 25	鹿児島(トカラ列島)	979	S
L08	諏訪之瀬島（すわのせじま）	29 38 18	129 42 50	鹿児島(トカラ列島)	796	S-C, P
L09	平　島（たいらじま）	29 41 30	129 32 01	鹿児島(トカラ列島)	243	S
L10	悪石島（あくせきじま）	29 27 53	129 35 40	鹿児島(トカラ列島)	584	S, D
L11	横当島（よこあてじま）	28 48 02	128 59 40	鹿児島(トカラ列島)	495	S
L12	硫黄鳥島（いおうとりしま）	27 52 52	128 13 20	沖縄(硫黄鳥島)	212	S, D, P
L13	南奄西海丘（みなみえんせいかいきゅう）	28 24	127 38	沖縄(沖縄トラフ)	−550	—
L14	伊平屋海凹北部海丘（いへやかいおうほくぶかいきゅう）	27 47 12	126 53 54	沖縄(沖縄トラフ)	−1000	—
L15	伊是名海穴（いぜなかいけつ）	27 15	127 04 5	沖縄(沖縄トラフ)	−1300	—
L16	西表島北北東海底火山（いりおもてじまほくほくとうかいていかざん）	24 34	123 56	沖縄(沖縄トラフ)	—	M
L17	鳩間海丘（はとまかいきゅう）	24 51	123 50	沖縄(沖縄トラフ)	−1400	—
L18	第四与那国海丘（だいよんよなぐにかいきゅう）	24 50	122 42	沖縄(沖縄トラフ)	−1300	—
L19	大正島（たいしょうとう）	25 55 22	124 33 36	沖縄(尖閣諸島)	75	S
L20	久場島（くばじま）	25 55 24	123 40 51	沖縄(尖閣諸島)	117	S

もな石	おもな活動期	活火山番号	火山の概要・補足事項
	MP(0.5 Ma)		2つの溶岩ドーム
a	EP(2.5-1.0 Ma)		北薩火山岩類（中期～新期）の一部．八重山，平ノ山，上床などの8つの火山体
	Ho	89	
a, r, b	EP-MP(1.2-0.1 Ma)		青敷火山岩類を含む
, a	LP(C：25 ka)		
	LP-Ho(C：19 ka)	90	
d	LP-Ho(22 ka～)	91	姶良カルデラの後カルデラ火山
	EP(1.4 Ma)		産状は凝灰角礫岩・火山角礫岩（塊状溶岩の周辺岩相）
	EP(1.4-1.3 Ma)		野里を含む
d	LP(C：0.11 Ma)		
	EP(2.3-2.1 Ma)		南薩火山岩類の池田湖の北方付近に分布する新期とその周辺の中期の一部
d, b	EP-LP(1.1-0.03 Ma)		阿多火砕流より古い古期・中期指宿火山群と新しい指宿火山と池田火山からなる
d, a	Ho	92	指宿火山群の一部．直径約4 kmのカルデラ．鰻池・池底・松ヶ窪・成川・山川マールなどが一連の活動で形成（活火山名：池田・山川）
a	Ho	93	
, a	LP-Ho	94	二重の大型カルデラ．カルデラ縁にある薩摩硫黄島の矢筈岳などや竹島は先カルデラ火山．硫黄岳・稲村岳や新硫黄島は後カルデラ火山．海底には多数の中央火口丘があり．K-Ah（鬼界-アカホヤ）火山灰は7300年前のカルデラ形成に伴う広域火山灰（活火山名：薩摩硫黄島）
	EP(1.0-0.9 Ma)		—
	MP-Ho(0.5 Ma～)	95	古文書記録に残る噴火はすべて新岳．現在も噴気活動が活発
	LP-Ho(0.5 Ma～)	96	燃岳溶岩ドーム山頂に複数の爆裂火口あり，噴気活動あり
	LP(0.03-0.02 Ma)		弱い噴気活動が認められる
	MP(0.2 Ma)		—
d	MP-Ho(0.5 Ma～)	97	御岳の山頂火口内では硫黄の採掘が行われていた
	MP-Ho(0.15 Ma～)	98	作地カルデラ内の御岳火口が活動中
	MP(0.7-0.6 Ma)		
d	LP(0.1-0.03 Ma)		最新はAT火山灰より下位．噴気活動あり
	LP(<10 ka)-Ho		横当島と上ノ根島からなる．横当島は弱い噴気あり．いずれも後カルデラ火山
	LP-Ho	99	数万年より新しい
	Ho		
r	Ho		熱水活動継続中
	Ho		
	Ho	100	
	Ho		
	Ho		
	EP(2.5 Ma)		
	LP		東西約1 km，南北約1 kmの円形に近い火山島．数万年より新しい

日本の活火山

番号	火山名	英語名	番号	火山名	英語名
1	知床硫黄山	Shiretoko-Iozan	57	箱根山	Hakoneyama
2	羅臼岳	Rausudake	58	伊豆東部火山群	Izu-Tobu Volcanoes
3	天頂山	Tenchozan	59	伊豆大島	Izu-Oshima
4	摩　周	Mashu	60	利　島	Toshima
5	アトサヌプリ	Atosanupuri	61	新　島	Niijima
6	雄阿寒岳	Oakandake	62	神津島	Kozushima
7	雌阿寒岳	Meakandake	63	三宅島	Miyakejima
8	丸　山	Maruyama	64	御蔵島	Mikurajima
9	大雪山	Taisetsuzan	65	八丈島	Hachijojima
10	十勝岳	Tokachidake	66	青ヶ島	Aogashima
11	利尻山	Rishirizan	67	ベヨネース列岩	Beyonesu (Beyonnaise) Rocks
12	樽前山	Tarumaesan	68	須美寿島	Sumisujima (Smith Rocks)
13	恵庭岳	Eniwadake	69	伊豆鳥島	Izu-Torishima
14	倶多楽	Kuttara	70	孀婦岩	Sofugan
15	有珠山	Usuzan	71	西之島	Nishinoshima
16	羊蹄山	Yoteisan	72	海形海山	Kaikata Seamount
17	ニセコ	Niseko	73	海徳海山	Kaitoku Seamount
18	北海道駒ケ岳	Hokkaido-Komagatake	74	噴火浅根	Funka Asane
19	恵　山	Esan	75	硫黄島	Ioto
20	渡島大島	Oshima-Oshima	76	北福徳堆	Kita-Fukutokutai
21	恐　山	Osorezan	77	福徳岡ノ場	Fukutoku-Okanoba
22	岩木山	Iwakisan	78	南日吉海山	Minami-Hiyoshi Seamount
23	八甲田山	Hakkodasan	79	日光海山	Nikko Seamount
24	十和田	Towada	80	三瓶山	Sanbesan
25	秋田焼山	Akita-Yakeyama	81	阿武火山群	Abu Volcanoes
26	八幡平	Hachimantai	82	鶴見岳・伽藍岳	Tsurumidake and Garandake
27	岩手山	Iwatesan	83	由布岳	Yufudake
28	秋田駒ケ岳	Akita-Komagatake	84	九重山	Kujusan
29	鳥海山	Chokaisan	85	阿蘇山	Asosan
30	栗駒山	Kurikomayama	86	雲仙岳	Unzendake
31	鳴　子	Naruko	87	福江火山群	Fukue Volcanoes
32	肘　折	Hijiori	88	霧島山	Kirishimayama
33	蔵王山	Zaozan (Zaosan)	89	米丸・住吉池	Yonemaru and Sumiyoshiike
34	吾妻山	Azumayama	90	若　尊	Wakamiko
35	安達太良山	Adatarayama	91	桜　島	Sakurajima
36	磐梯山	Bandaisan	92	池田・山川	Ikeda and Yamagawa
37	沼　沢	Numazawa	93	開聞岳	Kaimondake
38	燧ヶ岳	Hiuchigatake	94	薩摩硫黄島	Satsuma-Iojima
39	那須岳	Nasudake	95	口永良部島	Kuchinoerabujima
40	高原山	Takaharayama	96	口之島	Kuchinoshima
41	男体山	Nantaisan	97	中之島	Nakanoshima
42	日光白根山	Nikko-Shiranesan	98	諏訪之瀬島	Suwanosejima
43	赤城山	Akagisan	99	硫黄鳥島	Io-Torishima
44	榛名山	Harunasan	100	西表島北北東海底火山	Submarine Volcano NNE of Iriomotejima
45	草津白根山	Kusatsu-Shiranesan			
46	浅間山	Asamayama	101	茂世路岳	Moyorodake
47	横　岳	Yokodake	102	散布山	Chirippusan
48	新潟焼山	Niigata-Yakeyama	103	指臼岳	Sashiusudake
49	妙高山	Myokosan	104	小田萌山	Odamoisan
50	弥陀ヶ原	Midagahara	105	択捉焼山	Etorofu-Yakeyama
51	焼　岳	Yakedake	106	択捉阿登佐岳	Etorofu-Atosanupuri
52	アカンダナ山	Akandanayama	107	ベルタルベ山	Berutarubesan
53	乗鞍岳	Norikuradake	108	ルルイ岳	Ruruidake
54	御嶽山	Ontakesan	109	爺爺岳	Chachadake
55	白　山	Hakusan	110	羅臼山	Raususan
56	富士山	Fujisan	111	泊　山	Tomariyama

活火山番号，火山名は気象庁編「日本活火山総覧（第4版）追補版」による.
https://www.data.jma.go.jp/svd/vois/data/tokyo/STOCK/souran/main/kakkazanrisut_b.pdf

最近70年間に噴火した日本の火山 (1)

噴火年	火山数	噴火火山
1954	8	十勝岳，樽前山，伊豆大島，ベヨネース列岩，北福徳堆，阿蘇山，桜島，諏訪之瀬島
1955	7	雌阿寒岳，樽前山，浅間山，伊豆大島，ベヨネース列岩，阿蘇山，桜島
1956	6	十勝岳，雌阿寒岳，浅間山，阿蘇山，桜島，諏訪之瀬島
1957	7	雌阿寒岳，秋田焼山，伊豆大島，硫黄島，阿蘇山，桜島，諏訪之瀬島
1958	7	十勝岳，雌阿寒岳，浅間山，伊豆大島，阿蘇山，桜島，諏訪之瀬島
1959	7	茂世路岳，十勝岳，雌阿寒岳，阿蘇山，霧島山新燃岳，桜島，諏訪之瀬島
1960	7	雌阿寒岳，那須岳，伊豆大島，ベヨネース列岩，硫黄鳥島，桜島，諏訪之瀬島
1961	6	十勝岳，浅間山，伊豆大島，阿蘇山，桜島，諏訪之瀬島
1962	8	十勝岳，雌阿寒岳，焼岳，伊豆大島，三宅島，阿蘇山，桜島，諏訪之瀬島
1963	6	那須岳，新潟焼山，伊豆大島，阿蘇山，桜島，諏訪之瀬島
1964	5	雌阿寒岳，伊豆大島，阿蘇山，桜島，諏訪之瀬島
1965	6	雌阿寒岳，浅間山，伊豆大島，阿蘇山，桜島，諏訪之瀬島
1966	6	雌阿寒岳，伊豆大島，阿蘇山，桜島，口永良部島，諏訪之瀬島
1967	5	硫黄鳥島，硫黄島，阿蘇山，桜島，諏訪之瀬島
1968	6	択捉焼山，伊豆大島，硫黄鳥島，桜島，口永良部島，諏訪之瀬島
1969	5	硫黄島，阿蘇山，桜島，口永良部島，諏訪之瀬島
1970	7	択捉焼山，秋田駒ヶ岳，伊豆大島，ベヨネース列岩，阿蘇山，桜島，諏訪之瀬島
1971	5	秋田駒ヶ岳，霧島山，桜島，口永良部島，諏訪之瀬島
1972	3	阿蘇山，桜島，諏訪之瀬島
1973	8	択捉焼山，爺爺岳，浅間山，伊豆大島，西之島，桜島，口永良部島，諏訪之瀬島
1974	8	爺爺岳，新潟焼山，西之島，福徳岡ノ場，阿蘇山，桜島，口永良部島，諏訪之瀬島
1975	8	爺爺岳，鳥海山，硫黄島，南日吉海山，阿蘇山，桜島，口永良部島，諏訪之瀬島
1976	6	吾妻山，草津白根山，南日吉海山，阿蘇山，桜島，諏訪之瀬島
1977	4	有珠山，阿蘇山，桜島，諏訪之瀬島
1978	6	爺爺岳，有珠山，樽前山，硫黄島，桜島，諏訪之瀬島
1979	6	樽前山，御嶽山，日光海山，阿蘇山，桜島，諏訪之瀬島
1980	5	硫黄島，阿蘇山，桜島，口永良部島，諏訪之瀬島
1981	4	爺爺岳，樽前山，桜島，諏訪之瀬島
1982	4	草津白根山，硫黄島，桜島，諏訪之瀬島
1983	6	草津白根山，浅間山，新潟焼山，三宅島，桜島，諏訪之瀬島
1984	4	海徳海山，阿蘇山，桜島，諏訪之瀬島
1985	4	十勝岳，阿蘇山，桜島，諏訪之瀬島
1986	4	伊豆大島，福徳岡ノ場，桜島，諏訪之瀬島
1987	5	伊豆大島，福徳岡ノ場，阿蘇山，桜島，諏訪之瀬島
1988	6	雌阿寒岳，十勝岳，伊豆大島，阿蘇山，桜島，諏訪之瀬島
1989	6	択捉焼山，十勝岳，伊豆東部火山群，伊豆大島，桜島，諏訪之瀬島

最近70年間に噴火した日本の火山 (2)

噴火年	火山数	噴 火 火 山
1990	5	浅間山，阿蘇山，雲仙岳，桜島，諏訪之瀬島
1991	7	御嶽山，伊豆大島，阿蘇山，雲仙岳，霧島山新燃岳，桜島，諏訪之瀬島
1992	6	福徳岡ノ場，阿蘇山，雲仙岳，霧島山新燃岳，桜島，諏訪之瀬島
1993	5	硫黄島，阿蘇山，雲仙岳，桜島，諏訪之瀬島
1994	5	硫黄島，阿蘇山，雲仙岳，桜島，諏訪之瀬島
1995	6	焼岳，九重山，阿蘇山，雲仙岳，桜島，諏訪之瀬島
1996	6	雌阿寒岳，北海道駒ヶ岳，秋田焼山，雲仙岳，桜島，諏訪之瀬島
1997	3	新潟焼山，桜島，諏訪之瀬島
1998	6	雌阿寒岳，北海道駒ヶ岳，新潟焼山，伊豆鳥島，薩摩硫黄島，諏訪之瀬島
1999	5	茂世路岳，硫黄島，桜島，薩摩硫黄島，諏訪之瀬島
2000	6	有珠山，北海道駒ヶ岳，三宅島，桜島，薩摩硫黄島，諏訪之瀬島
2001	6	有珠山，三宅島，硫黄島，桜島，薩摩硫黄島，諏訪之瀬島
2002	5	三宅島，伊豆鳥島，桜島，薩摩硫黄島，諏訪之瀬島
2003	6	浅間山，三宅島，阿蘇山，桜島，薩摩硫黄島，諏訪之瀬島
2004	8	十勝岳，浅間山，三宅島，硫黄島，阿蘇山，桜島，薩摩硫黄島，諏訪之瀬島
2005	4	硫黄島，福徳岡ノ場，桜島，諏訪之瀬島
2006	5	雌阿寒岳，三宅島，福徳岡ノ場，桜島，諏訪之瀬島
2007	5	御嶽山，三宅島，福徳岡ノ場，桜島，諏訪之瀬島
2008	6	雌阿寒岳，浅間山，三宅島，霧島山新燃岳，桜島，諏訪之瀬島
2009	5	浅間山，三宅島，阿蘇山，桜島，諏訪之瀬島
2010	5	三宅島，福徳岡ノ場，霧島山新燃岳，桜島，諏訪之瀬島
2011	5	硫黄島，阿蘇山，霧島山新燃岳，桜島，諏訪之瀬島
2012	4	択捉焼山，硫黄島，桜島，諏訪之瀬島
2013	7	択捉焼山，三宅島，西之島，硫黄島，桜島，薩摩硫黄島，諏訪之瀬島
2014	6	御嶽山，西之島，阿蘇山，桜島，口永良部島，諏訪之瀬島
2015	8	浅間山，箱根，西之島，硫黄島，阿蘇山，桜島，口永良部島，諏訪之瀬島
2016	5	新潟焼山，硫黄島，阿蘇山，桜島，諏訪之瀬島
2017	4	西之島，霧島山新燃岳，桜島，諏訪之瀬島
2018	8	草津白根山本白根山，西之島，硫黄島，霧島山硫黄山，霧島山新燃岳，桜島，口永良部島，諏訪之瀬島
2019	7	浅間山，西之島，阿蘇山，桜島，薩摩硫黄島，口永良部島，諏訪之瀬島
2020	7	西之島，硫黄島，阿蘇山，桜島，薩摩硫黄島，口永良部島，諏訪之瀬島
2021	6	西之島，硫黄島，福徳岡ノ場，阿蘇山，桜島，諏訪之瀬島
2022	5	西之島，噴火浅根，硫黄島，桜島，諏訪之瀬島
2023	4	西之島，硫黄島，桜島，諏訪之瀬島

日本の活火山に関する噴火記録 (1)

) 番号および火山名は,「日本の活火山」に対応する.
) 火山名の右側には, おもな噴火形式 (=発生しやすい噴火現象) を示した.
○：山頂噴火, ♂：山腹噴火, ↑：普通の火山爆発 (ストロンボリ式, ブルカノ式, プリニー式など), ∨：水蒸気爆発, ⇒：溶岩流, →：火砕流, ～：火山泥流, ∩：溶岩ドーム, M：海底噴火, m：湖底噴火, ∞：噴火津波
) 噴火年代は, 同世紀に噴火が繰り返された場合は, 下2桁のみを記す. 噴火月日を記してあるのは, 西暦 (陽暦) による. ローマ数字は月を, それに続く数字は日を示す. なお, ▲は現在も噴火継続中を表す.
) 噴火記録は, 気象庁編「日本活火山総覧 (第4版)」に準拠する.

知床硫黄山　○∨？
857～58(硫黄流出), 76, 89～90(硫黄流出, 明治22～23), 1935～36(硫黄流出約20万トン, 昭和11)

. 羅臼岳　↑
200～2300年前以降, 複数回噴火の証拠あり

. 天頂山　∨
噴火記録なし

. 摩　周　↑∨
噴火記録なし. 時々地震群発

. アトサヌプリ　↑∨
噴火記録なし. 時々地震群発. 狭義のアトサヌプリ (硫黄山) は硫気活発

. 雄阿寒岳　↑
噴火記録なし

. 雌阿寒岳　○∨
955(V～VI, 山林耕地被害, X, 昭和30)～60, 62, 64～66, 88, 96, 98, 2006, 08

. 丸　山　∨
1898(水蒸気爆発)

. 大雪山
噴火記録はないが, 260年前以降に水蒸気爆発の痕跡

10. 十勝岳　○♂↑→～
1857, 87, 1925～26(V24, 普通の火山爆発, 火山泥流, 2村落埋没, 死者・行方不明144, 傷者約200, 山林耕地被害, 大正15)～28, 52, 54, 56, 58, 59, 61, 62(VI29～30, 普通の火山爆発, 死者5, 傷者11, 硫黄鉱山施設・山林耕地被害, 昭和37), 85, 88～89, 2004

11. 利尻山　↑
噴火記録なし

12. 樽前山　○↑∩
1667, 1739, 1804～17(普通の火山爆発, 死傷者多数(？), 文化1～14), 67, 74(普通の火山爆発, 溶岩円頂丘崩壊, 明治7), 83, 85～87, 94, 1909(普通の火山爆発, 溶岩円頂丘再生, 明治42), 17～21, 23, 26, 28, 33, 36, 44, 51, 53～55, 78～79, 81

13. 恵庭岳　↑∨
17世紀以降, 水蒸気爆発の痕跡. 山頂東側の火口底で噴気活動中

14. 倶多楽　↑∨
噴火記録なし. 約200年前に水蒸気爆発の痕跡

15. 有珠山　○♂↑→～∩
1663(山頂噴火, 普通の火山爆発, 溶岩円頂丘, 小有珠生成, 死者5, 家屋・山林耕地被害, 寛文3), 1769, 1822(山頂噴火, 普通の火山爆発, 火砕流, 1村落全滅, 死者50～103, 傷者53, 家畜・山林耕地被害, 文政5), 53(山頂噴火, 普

日本の活火山に関する噴火記録 (2)

通の火山爆発，溶岩円頂丘，大有珠生成，嘉永6)，1910(VII～XI，山腹噴火，普通の火山爆発，火山泥流，明治新山生成，死者1，家屋・山林・耕地被害，明治43)，44(VI)～45(IX)(山腹噴火，普通の火山爆発，溶岩円頂丘，昭和新山生成，死者1，家屋・山林・耕地被害，昭和19～20)，77～78(VIII，山頂噴火，普通の火山爆発，噴出物総量8900万 m^3，泥流，降灰砂，地盤変動で死者・行方不明3，山林・耕地・家屋被害，昭和52～53)，2000～01(III31～，山腹噴火，普通の火山爆発，泥流，降灰砂，地盤変動で家屋・山林・道路・耕地被害，平成12～13)

16. 羊蹄山　↑
噴火記録なし

17. ニセコ　↑∨
噴火記録なし

18. 北海道駒ケ岳　○↑→～∞
1640(普通の火山爆発，噴火津波，溺死者700余，寛永17)，94，1765？，1856(普通の火山爆発，1村落焼失，死者19～27，安政3)，88，1905(普通の火山爆発，火山泥流，明治38)，19，23～24，29(VI17～IX6，普通の火山爆発，火砕流，噴出物総量5億 m^3，死者2，傷者4，家屋被害1915，家畜・山林・耕地被害，昭和4)，37，42，96，98，2000

19. 恵　山　○↑～
1846，74

20. 渡島大島　○↑∞
1741(VIII29，普通の火山爆発，噴火津波，北海道沿岸で溺死者1467，寛保1)，42，59

21. 恐　山　↑∨
噴火記録なし，時々地震群発

22. 岩木山　○↑∨
1782～83，1845

23. 八甲田山
13～14世紀に1回，15～17世紀に2回の水蒸気爆発

24. 十和田　↑∨
915(大規模噴火，広域に火砕物降下，延喜15

25. 秋田焼山　○∨～
807？，1300～1460のいずれか，1678，1867，87
90，1929，48～49，51，57，97

26. 八幡平
噴火記録なし

27. 岩手山　○♂↑∨⇒～
1686(普通の火山爆発，溶岩流，火山泥流，家屋
山林耕地被害，貞享3)，1732(山腹噴火，普通の
火山爆発，溶岩流 焼走り熔岩流，享保16)
1919，98(火山性地震頻発・熱異常)

28. 秋田駒ケ岳　○↑∨⇒
915年以前，1890～91，1932，70～71(山頂噴火
普通の火山爆発，溶岩流，昭和45～46)

29. 鳥海山　○↑∨～∩
708～15，810～23，30，71(普通の火山爆発，火
山泥流，貞観13)，939，1659～63，1740(普通の
火山爆発，火山泥流，天文5)～47，1801(山頂噴
火，普通の火山爆発，溶岩円頂丘，享和岳(新
山)生成，死者8，寛政12)～04，21，34？，
1974(III1～V28，山頂噴火，水蒸気爆発，火山泥
流，昭和49)

30. 栗駒山　○↑～
1744，1944

31. 鳴　子　∨
837

32. 肘　折　∨？
噴火記録なし

33. 蔵王山　○∨～m
773，8～13世紀のいずれか，1183，1227，30，
12～15世紀のいずれか，1620，22，23～24，30，
41，68～70，94，1794，96，1804，06，09，21，
22，30～31，33，67(湖底噴火，火山泥流，死者

日本の活火山に関する噴火記録 (3)

慶応 3), 73, 94, 95(水蒸気爆発, 湖底噴火, 山泥流, 明治 28), 1918~23(御釜沸騰, ガス出), 40

4. 吾妻山　○↑または∨

331, 1711, 1893(普通の火山爆発または水蒸気爆発, VI7 噴火調査者殉職 2, 明治 26)~95, 950, 52?, 77

注) 有史以後の噴火はすべて一切経山

5. 安達太良山　○↑または∨

899, 1900(普通の火山爆発または水蒸気爆発, II, 死者 72, 傷者 10, 硫黄鉱山施設・山林地被害, 明治 33)

6. 磐梯山　○∨~

06, 1888(VII15, 山頂噴火, 水蒸気爆発, 火山泥流, 山体破裂, 噴出物総量 1.2 km³, 諸村落埋, 死者 461 または 477, 家屋・山林耕地被害, 原湖など生成, 明治 21)

7. 沼　沢　↑∨

噴火記録なし

8. 燧ヶ岳

544. 約 500 年前に御池岳溶岩ドーム形成

9. 那須岳　○∨~

408~10(山頂噴火, 普通の火山爆発, 火山泥流, 死者 180 余, 応永 15), 1846, 81, 1953, 60, 63

40. 高原山　↑∨

噴火記録なし

41. 男体山　↑∨~m

噴火記録なし

42. 日光白根山　∨

1649, 1872~73, 89

43. 赤城山　∨

1251?

44. 榛名山

噴火記録なし. 5 世紀から 6 世紀に 3 回の噴火があった証拠あり

45. 草津白根山　○∨~m

1805, 82, 97(普通の火山爆発, 硫黄鉱山施設破壊, 明治 30), 1900, 02(普通の火山爆発, 硫黄鉱山施設破壊, 明治 35), 05, 25, 27~28, 32(水蒸気爆発, 火山泥流, 硫黄鉱山施設破壊, 死者 2, 傷者 7, 昭和 7), 37~39, 40~41, 42, 58 または 59, 76, 82, 83, 2018(I23, 本白根山より水蒸気爆発, 死者 1, 傷者 11, 平成 30)

46. 浅間山　○↑⇒→~

685, 1108(普通の火山爆発, 火山泥流, 溶岩流, 山林耕地被害, 天仁 1), 28, 1281?, 1527~28?, 32(普通の火山爆発, 火山泥流, 家屋・道路被害, 享禄 4), 34, 82, 90, 91, 95?, 96(普通の火山爆発, 死者多数, 慶長 1), 97, 1600, 05, 09, 44~45, 47~48 (普通の火山爆発, 火山泥流, 家屋流出, 正保 4)~52, 55~61, 69, 95?, 1703~04, 06, 08~11, 13, 17~21(普通の火山爆発, 死者 5, 享保 6)~23, 28~29, 32~33, 52, 54(普通の火山爆発, 噴火, 山林耕地被害, 宝暦 4), 76~77, 83(V9~VIII5, 普通の火山爆発, 火砕流, 火山泥流, 溶岩流, 鬼押出し, 噴出物総量 2 億 m³, 死者 1151, 家屋流出・焼失・全壊 1182, 山林耕地被害, 気候異変助長, 天明 3), 1803(普通の火山爆発, 家屋倒壊, 享和 3), 1815, 67, 69, 75, 79, 89, 94, 99, 1900, 01, 02, 04, 07~09(普通の火山爆発, 空振・降灰で被害, 明治 42)~11(普通の火山爆発, 投出岩塊・降灰・空振で大被害, 死傷者多数, 明治 44)~13(普通の火山爆発, 死者 1, 傷者 1, 大正 2)~14, 15~17, 19~20(普通の火山爆発, 投出岩塊で山火事, 家屋焼失 1, 大正 9)~22, 24, 27~28(普通の火山爆発, 投出岩塊で家屋焼失 1, 昭和 3)~30(普通の火山爆発, 山火事, 投出岩塊で死者 6, 昭和 5)~31(普通の火山爆発, 昭和 6)~32, 34~35(普通の火山爆発, 投出岩塊で山火事, 降灰・空振でも被害, 昭和 10)~36 (普通の火山爆発, 投出岩塊で死者 2, 昭和 11)~42,

日本の活火山に関する噴火記録 (4)

44～47(VIII14，普通の火山爆発，投出岩塊で死者9，山火事，昭和22)，49～50(IX23，投出岩塊で死者1，傷者1，降灰・空振でも被害，昭和25)～55，58(普通の火山爆発，空振で被害，昭和33)～59, 61(VIII18，普通の火山爆発，死者・行方不明1，山林耕地被害，昭和36)，65，73，82～83，90，2003，04，08，09，15，19

47. 横　岳　↑

噴火記録なし

48. 新潟焼山　○♂∨～

887，989，1361，1773，1852～54，1949，62，63，74(VII28，水蒸気爆発，火山泥流，割れ目噴火，投出岩塊で死者3，昭和49)，83，97～98，2016

49. 妙高山

430～690の間

50. 弥陀ヶ原　↑

1836

51. 焼　岳　○♂↑∨～

630, 685, 1270, 1440, 60, 1570, 1746, 1907～14，15(VI，水蒸気爆発，火山泥流，大正池生成，大正4)，16，19，22～27，29～32，35，39，62(水蒸気爆発，火山泥流，投出岩塊で傷者2，昭和37)～63

52. アカンダナ山　↑

噴火記録なし

53. 乗鞍岳　↑∨

噴火記録なし

54. 御嶽山　↑∨

1979(X28，山頂で水蒸気爆発，火山灰降下，昭和54)，1991，2007，2014(IX27，山頂で水蒸気爆発，低温火砕流，火山灰降下，火山礫・投出岩塊で死者58，行方不明5，平成26)

55. 白　山　○↑∨～

1042，1177？，1239？，1547，48？，54～56(
規模火砕流，投出岩塊，社堂破壊)，79(火山
流，投出岩塊，社堂破壊，天正7)，1659

56. 富士山　○♂↑⇒

781, 800～02(普通の火山爆発，足柄路が降灰
に埋没，箱根路開かる，延暦19～21)，26 ま
は27, 64～66(普通の火山爆発，溶岩流「青木
原溶岩流」が「せの海」を西湖と精進湖に2分
人家埋没), 70？, 937, 52？, 93？, 99, 1017？
33(普通の火山爆発，長元5), 83, 1427？, 35
たは36，1511，1707(XII16，普通の火山爆発
噴出物総量7億 m^3，降灰砂は東方90 km の
崎で厚さ5 cm，大被害，宝永4)～08

57. 箱根山

12世紀後半から13世紀頃3回の水蒸気噴
(大涌谷付近)．しばしば地震群発，2015(V
29～，大湧谷での小規模な水蒸気爆発)

58. 伊豆東部火山群

しばしば地震群発，1989[VII13，伊東市沖で
底噴火，手石海丘(－118 m) を形成]

59. 伊豆大島　○♂↑∨⇒

680？，84？(天武天皇12)，5～8世紀，8世紀
9世紀，838，10～11世紀，11～12世紀または
1112, 12世紀, 13世紀, 14世紀, 1338, 15世紀
1421，42～43，15世紀，1552(天文21)，1600 ま
たは01春，12または13春，23，34，36または
37，37～38，84，90(溶岩流，北東海岸に達す
「貞享の大噴火」)，95，1777～92(溶岩流，北東
および南西海岸に達す．「安永の大噴火」，安永
6～8)，1803，21，22～24，46，70，76～77(明
治9～10)，87～1909，12～14(溶岩流，明治
45～大正3), 15, 19, 22～23, 33～34, 35, 38～40,
50～51(VII16～VI28，溶岩流，三原砂漠埋没，噴
出物総量3000万 m^3，昭和25～26)，53～54(溶
岩流，昭和28～29)，55～56，57～58(X13，普
通の火山爆発，死者1，傷者53，昭和32)，
59～60，62～70，74，86(XI15～XII18，普通

日本の活火山に関する噴火記録 (5)

の火山爆発，溶岩流，北側山腹割れ目噴火を伴う，噴出物総量 4000 万 m^3，全島民島外避難，昭和 61)，87～88，90

0. 利　島　↑

噴火記録なし

1. 新　島　↑→～∩

38～86 のいずれか，86～87(向山生成，仁和)，しばしば地震群発

2. 神津島　↑→～∩

38(天上山生成，承和 5)，しばしば地震群発

3. 三宅島　○♂↑⇒M

32, 50, 86～1154 のいずれか, 1085, 1154, 1469, 535，95，1643(溶岩流，1 村落全滅，山林耕地被害，寛永 20)，1712(溶岩流，泥土噴出し家屋埋没多数，正徳元)，63～69(普通の火山爆発，家屋・山林耕地被害，宝暦 13～明和 6)，1811(普通の火山爆発，溶岩流？，文化 8)，35(溶岩流，天保 6)，74(VII，普通の火山爆発，溶岩流，噴出物総量 1600 万 m^3，1 村落 45 軒全滅，死者 1，明治 7)，1940(VII12～VIII8，普通の火山爆発，溶岩流，噴出物総量 1900 万 m^3，死者 11，傷者 20，全壊・焼失家屋 24，山林耕地水産被害，昭和 15)，62(VIII24～25，普通の火山爆発，溶岩流，噴出物総量 1000 万 m^3，家屋焼失 5，山林耕地被害，学童島外へ避難，昭和 37)，83(X3～4，普通の火山爆発，マグマ噴火，溶岩流，海岸でマグマ－水蒸気爆発，噴出物総量 1200 万 m^3，家屋埋没約 400，昭和 58)，2000 [VI27～，海底噴火，普通の火山爆発，水蒸気爆発，マグマ水蒸気噴火(海面変色)，泥流の発生，山頂に陥没カルデラ形成，降灰，有毒火山ガスの長期大量放出，全住民島外へ避難(2005 年 II 避難解除)] ～06，08，09，10，13

64. 御蔵島　↑

噴火記録なし

65. 八丈島　○♂↑M

1487, 1518(普通の火山爆発, 山林耕地被害, 永正 15)～23, 1605(普通の火山爆発，山林耕地被害，慶長 10)，06(海底噴火，火山島生成，慶長 10)

66. 青ヶ島　○↑～m

1652？, 70～80, 1780～85(普通の火山爆発, 溶岩流, カルデラ内に火砕丘生成, 死者約 130～140, 家屋はほとんど焼失，残存島民は八丈島へ避難，以後約 50 年間無人島，安永 9～天明 5)

67. ベヨネース列岩　○↑∩M

1869, 70, 71, 96(海底噴火, 新島出没, 明治 29), 1906, 15, 34, 46(海底噴火, 新島出没, 昭和 21), 52～53[52(IX17)～53(IX)，海底噴火，新島「明神礁」出没，52(IX24)(観測船第 5 海洋丸遭難，全乗員 31 殉職)，昭和 27～28]，54，55，60，70

68. 須美寿島

1870(海底噴火，新島出没，明治 3)，1916(海底噴火，島の西端付近，大正 15)

69. 伊豆鳥島　○↑∨M

1902(VIII, 山頂噴火, 水蒸気爆発, 海底噴火, 中央火口丘爆砕消失，全島民 125 死亡，明治 35)，39(VIII18～VII, 普通の火山爆発, 溶岩流, 中央火口丘再生, 全島民島外に去る, 昭和 14), 98, 2002

70. 孀婦岩

噴火記録なし

71. 西之島　↑⇒M

1973(海底噴火，普通の火山爆発，VII11 に新島発見，昭和 48)～74(海底噴火，普通の火山爆発，溶岩流，新島の面積は約 238,000 m^2 となり，旧島につながる，昭和 49)，2013(海底噴火，普通の火山爆発，XI20 に新島発見，溶岩流，XII26 に新島は旧島につながる，平成 25)～15(普通の火山爆発，溶岩流，島の面積は XII22 時点約 2.67 km^2，XI 以降噴火は確認されず，平成 27)，17 (IV20 噴火確認，VIII 噴火停止，普通の火山爆発，溶岩流，島の面積は VI 現在 2.91 km^2，平成 29)，18(VII12，再噴火確認，普通の火山爆発，

日本の活火山に関する噴火記録（6）

溶岩流，VII30 噴火停止，平成 30)，19（XII5 再噴火確認，普通の火山爆発，溶岩流，令和1)〜20（VII 末頃噴火停止），21（VIII14），22（X1〜12），23（I25，IV11，VII9〜10，X4）

72．海形海山
噴火記録なし

73．海徳海山　↑ M
1543？，1984(III〜VI，海底噴火)，
2022（VIII19)〜23（I4)海水変色

74．噴火浅根　↑ M
1780，1880，1930〜45，2022（III27〜28，北硫黄島付近で有色噴煙らしきもの観測）
（注）北硫黄島付近海底火山とも呼ばれる

75．硫黄島　○∨
1889 または 90(水蒸気爆発)，1922(水蒸気爆発)，35(水蒸気爆発，千鳥飛行場滑走路で，昭和 10)，44(水蒸気爆発)，57(水蒸気爆発，島の中央部，昭和 32)，67〜68(水蒸気爆発)，69，75，78，80，82，93〜94，99(水蒸気爆発)，2001，04(水蒸気爆発)，11，12，13，15，16，18，20，21，22，23，24

76．北福徳堆　↑
1953〜54

77．福徳岡ノ場　↑ M
1904〜05(海底爆発，標高 145 m の新島出没，明治 37〜38)，14(海底噴火，標高 300 m の新島出没，大正 3)，74，86，87，92，2005〜07，10，21（VIII13〜15，海底噴火，新島出現，軽石漂流)，しばしば海水変色がある

78．南日吉海山　↑
1975，76

79．日光海山　↑
1979 年海水変色

80．三瓶山　↑∨
噴火記録なし

81．阿武火山群
噴火記録なし

82．鶴見岳・伽藍岳　∨
771(宝亀 3)，867(貞観 9)

83．由布岳　↑
噴火記録なし

84．九重山　∨
1675？(硫黄流出？)，1738？，1995〜96

85．阿蘇山　○↑∽
有史以来すべて中央火口丘・中岳(1323 m)のストロンボリ式噴火．553？(日本最古の噴火記録，欽明天皇 14)，864，67，1239〜40，65，69，71〜74(耕地被害)，81，86，1305，24，31〜33，35(堂舎被害，建武 2)，40(興国 1)，43，75〜76(天授 1〜2)，87，1434，38，73〜74(文明 5)，85(火砕丘生成，文明 16)，1505〜06，22，33，42，58〜59，62，73，74，76，82〜83，84(耕地荒廃，天正 12)，87(火砕丘生成)，92(火砕丘生成)，98，1611〜13，20，31，37，49，75，83，91，1709，65，72〜88，1804，06，14〜16(死者 1，耕地荒廃，文化 11〜13)，26〜28，30(火砕丘「朝間山」生成，耕地荒廃，天保 1)〜32，35，37，38，54，56，72(死者数人，明治 5)〜74，84，94，97，1906〜08，10，11〜12，16，18〜20，23，26〜30(山林耕地荒廃，昭和元〜5)，32〜33(傷者 13，山林耕地荒廃，昭和 7〜8)，34〜37，39〜51，53(IV27，普通の火山爆発，死者 6，傷者 90 余，昭和 28)〜58(VI24，死者 12，傷者 28，観光施設破壊，山林耕地荒廃，昭和 33)〜64，65(X31，観光施設破壊，昭和 40)，66〜68，69〜73，74〜77，78，79(IX6，死者 3，傷者 11，昭和 54)，80，84，85，88，89，90，91，92，93，94，95，2003，04，05，09，11，14〜15(マグマ水蒸気噴火，連続的火山灰噴出，平成 27)〜16（X8，マグマ水蒸気噴火)，19，20，21（X20)

86．雲仙岳　○♂↑∨⇒→〜∩
1663(普通の火山爆発，溶岩流「古焼溶岩」，寛

日本の活火山に関する噴火記録 (7)

3),1792(普通の火山爆発，溶岩流「新焼溶岩」，強震，山崩れ，火山泥流，有明海に噴火津波，死者約 15000，有史以来の日本最大噴火災害，寛政 4)，1990～96(普通の火山爆発，溶岩円頂丘，火砕流，火山泥流，198 年ぶりの噴火，溶岩円頂丘形成，火砕流多発，死者・行方不明 44，家屋消失，山林耕地被害)

7. 福江火山群
噴火記録なし

8. 霧島山　○↑∨→～m
742，788×，900～1100 頃のいずれか，1112(神社焼失，天永 3)，67，1235(文暦元)×，50～1350 頃のいずれか×，1300～1500 頃のいずれか×，1350 頃×，1350～1500 頃のいずれか×，1500～1700 頃のいずれか×，1554～55×，66×，74×，76～78×，87×，88×，98～1600 頃のいずれか×，13×～14×，15×～16×，17×～18×，20×，28？，37～38，50×，1650～1700 頃のいずれか×，59×～64×，77×～78×，1706×(神社焼失，宝永 2)，16△～17△(死者 5，傷者 31，神社仏閣焼失，家屋焼失，破壊 600，山林耕地・牛馬被害，享保元～2)，68(韓国岳で山体崩壊)，71×～72×，1822△，32？，80×，87×～89×，91×，93×～95×(死者 4，家屋消失 22，明治 28)～96×(死傷者 2，明治 29)～97×(耕地被害，明治 30)～1900×(死者 2，傷者 3，明治 33)，03×，13×～14×，23×(死者 1，大正 12)，59△(山林耕地被害，昭和 34)，68(えびの地震)，71(水蒸気爆発，昭和 46)，91～92△，2008△，10△，11△ (9 月 7 日以降噴火なし)，17△，18△(溶岩流流出)，18(えびの高原(硫黄山)で水蒸気爆発)
(注) ×印は高千穂峰御鉢火口，△印は新燃岳山頂火口，他は噴火地点不明か，別地点

89. 米丸・住吉池
噴火記録なし

90. 若　尊　↑
噴火記録なし

91. 桜　島　○♂↑∨⇒→～M∽
708？，16？，17？，64(鍋山出現，長崎鼻溶岩(瀬戸溶岩)流出，天平宝字 8)，66(天平神護 2)，950 年頃，1200 年頃，1468，71～76(普通の火山爆発，溶岩流，人畜死傷・家畜埋没など多数，文明 3～8)，78？，1642，78，1706，42，49，56，79(「安永大噴火」，普通の火山爆発，溶岩流，海底噴火新島「燃島」生成，噴火津波，死者 153，家屋・耕地被害，安永 8)～82(普通の火山爆発，噴火津波，死者 15，天明 1)，83，85，90～91，92，94，97，99，1860，99，1914(I12～IV，「大正大噴火」，普通の火山爆発，溶岩流，大隅半島とつながる．噴出物総量 20 億 m^3，地震鳴動顕著，諸村落埋没焼失，死者 58，傷者 112，焼失家屋約 2140，大正 3)，35，38～45，46(I～XI，普通の火山爆発，溶岩流，噴出物総量 1 億 m^3，死者 1，村落埋没焼失，家屋・山林耕地被害，昭和 21)，48，50，54，55(X13，マグマ爆発，死者 1，傷者 9，山林耕地被害，昭和 30)～56(普通の火山爆発に転ず．昭和 31)～64(普通の火山爆発，傷者 8)～73(普通の火山爆発，傷者 1)～74(普通の火山爆発，山林耕地・家屋被害，VI17，二次的火山泥流で死者 3，VIII9，二次的火山泥流で死者 5，昭和 49)～2006(VI，58 年ぶりに昭和火口から噴火，平成 18)～15(VIII15～16，マグマ貫入による急激な地殻変動，平成 27)～24▲

92. 池田・山川　↑∨
噴火記録なし

93. 開聞岳　↑
874，85

94. 薩摩硫黄島　↑M
15～16 世紀，1934(海底噴火，新島出没，昭和 9)～35[海底噴火，新島再生，標高約 50 m の島(昭和硫黄島) として現存，昭和 10]，98～99，2000～04，13，19 (X12，噴火，令和 1)，20 (IV29，X6 噴火，令和 2)

95. 口永良部島　○♂↑∨～

日本の活火山に関する噴火記録（8）

1841，1931（水蒸気爆発，火山泥流，死者8，傷者26，1村落全焼，山林耕地被害，昭和6），33～34，45，66（水蒸気爆発，傷者3，昭和41），68～69，72～74，76，80，2014（VIII3，水蒸気爆発，低温火砕流，平成26），15（V29～，水蒸気爆発，低温火砕流，全島民島外に避難，平成27），18，19～20（I11～12，II3～21，IV5～V14，VIII29，令和2）

96．口之島　↑

噴火記録なし

97．中之島　○∨

1914（御岳）

98．諏訪之瀬島　○↑⇒

1813（普通の火山爆発，溶岩流，全島民島外に去り，約70年間無人島となる，文化10），77，84（普通の火山爆発，溶岩流，明治17）～85，89，1921～22，25，38，40，49～54，56～97，99～2023（2019年15回，2020年764回，2021年2015回，2022年1329回，2023年186回）

（注）ストロンボリ式およびブルカノ式噴火を継続中

99．硫黄鳥島　○↑

1664，1796，1829，55，68，1903（全島民が一時久米島へ移住，明治36），59（全島民が移住，無人島となる，昭和34），67，68

100．西表島北北東海底火山　↑ M

1924（X31，海底噴火，多量の軽石が黒潮にのって漂流，日本列島の大部分の海岸に漂着，大正13）

101．茂世路岳　↑

1778あるいは79，1883，1946，58，99

102．散布山　↑∨

1843，60

103．指臼岳　↑？

1951？

104．小田萌山

噴火記録なし

105．択捉焼山　↑

1968，70，73，89，2012，13

106．択捉阿登佐岳　↑→

1812，1932？

107．ベルタルベ山　↑？

1812？

108．ルルイ岳

噴火記録なし

109．爺爺岳　○↑

1812，1973～75，78，81

110．羅臼山　♂↑

1880，1900？

111．泊　山　↑

1948

日本のおもな第四紀後期広域テフラ

火山・テフラ名	(略号)	種 類	噴出年代
北 海 道			
樽前 a	(Ta-a)	pfa	1739AD
樽前 b	(Ta-b)	pfa	1667AD
有珠 b	(Us-b)	pfa	1663AD
駒ヶ岳 d	(Ko-d)	pfa, afa	1640AD
＊白頭山苫小牧	(B-Tm)	afa	10 世紀
摩周 b	(Ma-b)	pfa	1ka
摩周 f	(Ma-f)	pfl	7.3-8ka
摩周 g～j	(Ma-g～j)	pfa	
樽前 d	(Ta-d)	pfa	8-9ka
摩周 l	(Ma-l)	pfa	＞14ka
利尻ワンコノ沢	(Rs-Wn)	pfa	＜15ka
恵庭 a	(En-a)	pfa	19-21ka
＊クッチャロ庶路	(Kc-Sr)	pfl, afa	35-40ka
支笏火砕流	(Spfl)	pfl	40-45ka
＊支笏第1	(Spfa-1)	pfa	
銭亀女那川	(Z-M)	pfa	＞45ka
クッタラ第1	(Kt-1)	pfa	＞43ka
クッタラ第6	(Kt-6)	pfa	75-85ka
＊洞爺	(Toya)	afa	112-115ka
洞爺火砕流	(Toya pfl)	pfl	
＊クッチャロ羽幌	(Kc-Hb)	afa	115-120ka
クッチャロ4	(Kc-4)	pfl	
東 北			
十和田 a	(To-a)	pfa, afa	915AD
沼沢1	(Nm-1)	pfa	5ka
十和田中掫	(To-Cu)	pfa	6ka
十和田南部	(To-Nb)	pfa	8.6ka
肘折尾花沢	(Hj)	pfa	11-12ka
十和田八戸火砕流	(To-Hpfl)	pfl	15ka
十和田八戸	(To-HP)	pfa	
秋田駒柳沢	(Ak-Y)	pfa	11.0-11.9ka
鳴子柳沢	(Nr-Y)	pfl, afa	41-63ka
安達愛島	(Ac-Md)	pfa	90-100ka
関東・中部			
浅間天明	(As-A)	pfa	1783AD
富士宝永	(F-Ho)	sfa	1707AD
浅間天仁	(As-B)	pfa	1108AD
神津島天上山	(Iz-Kt)	afa	838AD
榛名二ツ岳渋川	(Hr-FA)	pfa	6 世紀初頭
天城カワゴ平	(Kg)	pfa	3.1ka
男体今市・七本桜	(Nt-I・S)	pfa	14-15ka
浅間草津	(As-K)	pfa	15-16.5ka
浅間板鼻黄色	(As-YP)	pfa	
浅間白糸	(As-Sr)	pfa	15-20ka
赤城鹿沼	(Ag-KP)	pfa	＞45ka
箱根新期火砕流	(Hk-Tpfl)	pfl	60-65ka
箱根東京	(Hk-TP)	pfa	
立山E	(Tt-E)	pfa	60-75ka
箱根小原台	(Hk-OP)	pfa	80-85ka
＊御岳第1	(On-Pm1)	pfa	100ka
立山D	(Tt-D)	pfa	120-130ka
近畿・中国			
＊鬱陵隠岐	(U-Oki)	pfa	10.7ka
＊大山倉吉	(DKP)	pfa	＞55ka
大山生竹	(DNP)	pfa	＞80ka
＊三瓶木次	(SK)	pfa	110-115ka
大山松江	(DMP)	pfa	＜130ka
九 州			
桜島大正	(Sz-1)	pfa	1914AD
桜島文明	(Sz-3)	pfa	1471AD
池田湖	(Ik)	pfa	6.4ka
＊鬼界アカホヤ	(K-Ah)	afa	7.3ka
鬼界幸屋火砕流	(K-Kypfl)	pfl	
鬼界幸屋	(K-KyP)	pfa	
桜島薩摩	(Sz-S)	pfa	12.8ka
霧島小林	(Kr-Kb)	pfa	＜16ka
＊姶良 Tn	(AT)	afa	26-29ka
姶良入戸	(A-Ito)	pfl	
姶良大隅	(A-Os)	pfa	
九重第1	(Kj-P1)	pfa	50ka
＊阿蘇4	(Aso-4)	afa	85-90ka
阿蘇4火砕流	(Aso-4pfl)	pfl	
姶良福山	(A-Fk)	pfa	90ka
＊鬼界葛原	(K-Tz)	afa	95ka
阿多	(Ata)	afa	105-110ka
阿多火砕流	(Ata pfl)	pfl	

注)　＊：地第 30 図に分布の大要を示したもの.
　　pfa：降下軽石，sfa：降下スコリア，afa：降下火山灰，pfl：火砕流.
　　ka：1000 年前，AD：西暦.

町田　洋・新井房夫：新編「火山灰アトラス［日本列島とその周辺]」，東京大学出版会(2003).

日本列島およびその周辺地域の第四紀後期広域テフラ

地第 30 図

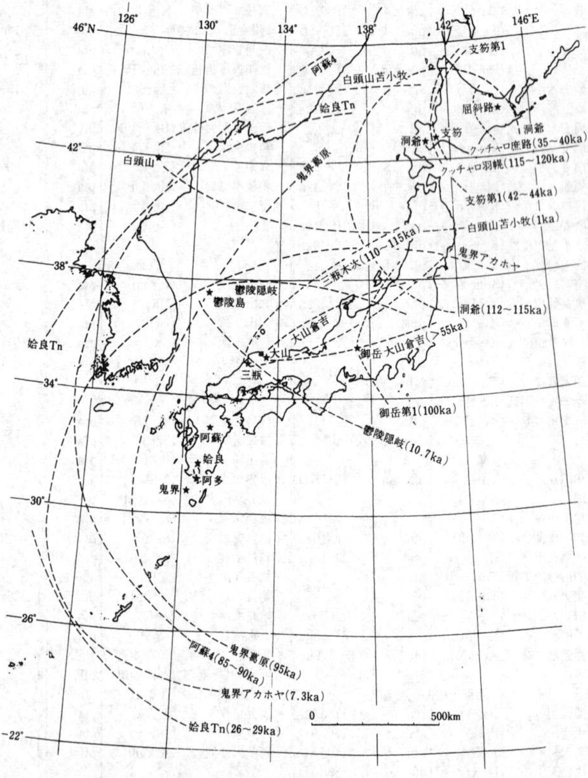

肉眼で認定できる分布のおよその外縁を破線で示す．かっこの数字は噴出年代を示す(ka：1000 年前).

町田　洋・新井房夫：新編「火山灰アトラス[日本列島とその周辺]」，東京大学出版会(2003).

死者1000人以上の火山災害（西暦1700年以降）

火山名	所在地	火山爆発指数	噴火年	おもな死因 火砕流	ラハール	岩屑なだれ	津波	飢饉	総死者数
アウ	サンギヘ島（インドネシア）	3	1711	3 000					3 000
渡島大島	日本	4	1741				2 000		2 000
マキアン	ハルマヘラ島（インドネシア）	4	1760		2 000				2 000
パパンダヤン	ジャワ島（インドネシア）	3	1772			2 951			2 951
ラーキ（グルムスボトン）	アイスランド	4	1783					9 350	9 350
浅間山	日本	4	1783		1 400				1 400
雲仙岳	日本	2	1792				14 792		14 792
タンボラ	スンバワ島（インドネシア）	7	1812	12 000				49 000	61 000
ガルングン	ジャワ島（インドネシア）	5	1822	4 011					4 011
アララト	トルコ	3	1840	1 900					1 900
アウ	サンギヘ島（インドネシア）	3	1856		2 806				2 806
クラカタウ	スンダ海峡（インドネシア）	6	1883	2 000			36 000		38 000
リッター島	パプアニューギニア	2	1888				1 650		1 650
アウ	サンギヘ島（インドネシア）	3	1892		1 250				1 250
ペレー（旧モンプレー）	西インド諸島マルチニーク島（仏領）	4	1902	28 000					28 000
サンタマリア	グアテマラ	6	1902	2 000	2 000				4 000
スーフリエール＝セントビンセント	西インド諸島セントビンセント島	4	1902		1 351				1 351
ペレー（旧モンプレー）	西インド諸島マルチニーク島（仏領）	4	1902	1 350					1 350
タール	ルソン島（フィリピン）	3	1911	1 335					1 335
ケルート	ジャワ島（インドネシア）	4	1919		5 110				5 110
メラピ	ジャワ島（インドネシア）	3	1930		1 369				1 369
ラミントン	ニューギニア島（パプアニューギニア）	4	1951	2 942					2 942
アグン	バリ島（インドネシア）	5	1963	1 000					1 000
エルチチョン	メキシコ	5	1982	2 000					2 000
ネバドデル ルイス	コロンビア	3	1985		24 000				24 000
ニオス湖（オク）	カメルーン	NA	1986	（二酸化炭素ガスにより1 746人死亡）					1 746
サンクリストバル	ニカラグア	2	1999		1 274				1 274
マヨン	ルソン島（フィリピン）	1	2006		1 266				1 266

Brown et al.（2017）による．

最近のおもな噴火とマグマ噴出量

火山名	所在地	西暦年	マグマ噴出量（kg）
ラーキ（グルムスボトン）	アイスランド	1783	3.4×10^{13}
浅間山	日本	1783	4×10^{11}
タンボラ	スンバワ島（インドネシア）	1815	2.4×10^{14}
クラカタウ	スンダ海峡（インドネシア）	1883	2.7×10^{13}
サンタマリア	グアテマラ	1902	（5.5 km^3）*
カトマイ	アラスカ（米国）	1912	$1.2\sim1.5\times10^{13}$
桜島	日本	1914	3×10^{12}
アグン	バリ島（インドネシア）	1963	2.4×10^{12}
スルツェイ島	アイスランド	1963	2.8×10^{12}
ヘイマエイ島	アイスランド	1973	3.6×10^{11}
スーフリエール＝セントビンセント	西インド諸島セントビンセント島	1979	4.0×10^{10}
セントヘレンズ	ワシントン州（米国）	1980	6.5×10^{11}
クラフラ	アイスランド	1981	5.6×10^{10}
エルチチョン	メキシコ	1982	5.0×10^{11}
ピナツボ	ルソン島（フィリピン）	1991	5.0×10^{12}

Palis and Sigurdsson（1989）などに追加．

＊ Sapper（1972）による．

噴 火 の 規 模

火山爆発指数

火山噴火の規模や激しさを定量的に表現しようとする試みのうち，もっとも普及している指標が火山爆発指数(VEI, Volcanic Explosivity Index)であり，スミソニアン博物館の世界噴火カタログでも使用されている．この指標は爆発的噴火の噴出物量に着目して噴火の規模を段階的に分けるもので，噴出物が 10^4 m^3 以下から 10^{12} m^3 以上の噴火を 0 から 8 までの 9 段階に区分する．噴出物量が 10 倍増えるごとに指数は 1 段階あがる．噴出物量のほかに噴出率や，噴煙高度なども指数を決める目安としている．

VEI	0	1	2	3	4	5	6	7	8
規　模	非爆発的噴火	小規模	中規模	やや大規模	大規模	非常に大規模			
テフラ体積(m^3)	1×10^4	1×10^6	1×10^7	1×10^8	1×10^9	1×10^{10}	1×10^{11}	1×10^{12}	
噴煙高度(km)									
火口上	<0.1	0.1－1	1－5						
海面上				3－15	10－25	>25			
噴火のタイプ	←ハワイ式→	←ストロンボリ式→	←ブルカノ式→	←プリニー式→	←ウルトラプリニー式→				

Newhall and Self (1982) による．

噴火マグニチュードと噴火強度

火山爆発指数は爆発的噴火に対して定義されたものであり，溶岩の流出を主体とした噴火には適用できないので，溶岩を主体とする噴火にも適用可能な噴火マグニチュード，噴火の勢いを示す噴火強度指数も提唱されている．この噴火マグニチュードは爆発的噴火に対しては，火山爆発指数と整合的な値を示すよう工夫されている．

$$噴火マグニチュード = \log_{10}（噴出物量，kg）- 7$$
$$噴火強度指数 = \log_{10}（噴出率，kg/s）+ 3$$

爆発的噴火のマグニチュードと強度

噴　火 (所在地)	総噴出量(kg)	熱エネルギー(J)	地震エネルギー(J)	最大噴煙高度(km)	最大噴出率(kg/s)	マグニチュード	強度
トバ(約 75000 年前)(インドネシア)	7×10^{15}	7×10^{21}	—	—	—	8.8	—
タンボラ 1815(インドネシア)	2×10^{14}	2×10^{20}	—	43	2.8×10^8	7.3	11.4
タウポ(紀元 180 年頃)(ニュージーランド)	8×10^{13}	8×10^{19}	—	51	1.1×10^9	6.9	12.0
カトマイ 1912(アラスカ)	3×10^{13}	3×10^{19}	1.6×10^{16}	25	1×10^8	6.5	11.0
クラカタウ 1883(インドネシア)	3×10^{13}	3×10^{19}	—	25	ca.5×10^7	6.5	10.7
サンタマリア 1902(グアテマラ)	2×10^{13}	2×10^{19}	—	34	1.7×10^8	6.3	11.2
ピナツボ 1991(フィリピン)	1.1×10^{13}	10^{19}	6.3×10^{13}	35	4×10^8	6.0	11.6
ベスビオ 79(イタリア)	6×10^{12}	6×10^{18}	—	32	1.5×10^8	5.8	11.2
ベズイミアニ 1956(ロシア)	10^{12}	10^{18}	—	36	2.2×10^8	5.3	11.3
セントヘレンズ 1980(米国)	1.3×10^{12}	10^{18}	2×10^{13}	19	2×10^7	4.8	10.3
セントオーガスチン 1986.3.31(米国)	6×10^{10}	8×10^{16}	—	12	7×10^6	3.8	9.8
セントオーガスチン 1986.3.27	1×10^{10}	1.5×10^{16}	—	8	1×10^6	3	9
セントオーガスチン 1986.3.30	4×10^8	5×10^{14}	—	4	7×10^4	1.6	7.8
セントオーガスチン 1986.3.27	3×10^7	4×10^{13}	—	1.8	3 600	0.5	6.6
セントオーガスチン 1986.4.6	1×10^7	1.5×10^{13}	—	0.8	130	0	5.1

Pyle (2000) による．

非爆発的噴火のマグニチュードと強度

噴　火（所在地）	総噴出量 (kg)	熱エネルギー(J)	地震エネルギー(J)	最大噴出率(kg/s)	平均噴出率(kg/s)	マグニチュード	最大強度
ラーキ 1783(アイスランド)	3×10^{13}	5×10^{20}	—	2.4×10^{7}	1.4×10^{6}	6.5	10.4
マウナロア 1950.6(米国)	10^{12}	2×10^{18}	—	7×10^{6}	5×10^{5}	5	9.8
桜　島 1914 西山腹	5×10^{11}	7×10^{17}	—	5×10^{6}	1.5×10^{5}	4.7	9.7
コンキメイ 1988-1990(チリ)	5×10^{11}	7×10^{17}	10^{13}	1.4×10^{5}	1.4×10^{4}	4.7	8.1
エトナ 1991-1993(イタリア)	5×10^{11}	7×10^{17}	—	6×10^{4}	10^{4}	4.7	7.8
ヘクラ 1991(アイスランド)	3×10^{11}	5×10^{17}	—	4×10^{6}	7×10^{5}	4.5	9.6
エトナ 1792(イタリア)	2×10^{11}	3×10^{17}	—	3×10^{5}	6 000	4.3	8.5
ニーラゴンゴ 1977(コンゴ)	4×10^{10}	6×10^{16}	—	—	10^{7}	3.6	>10
キラウエア 1965.3(米国)	3×10^{10}	5×10^{16}	—	10^{6}	4×10^{4}	3.5	9
キラウエア 1991(米国)	8×10^{9}	1×10^{16}	—	6 000	3 400	2.9	6.8
オルドニオレンガイ 1988(タンザニア)	2×10^{5}	1.5×10^{11}	—	20	4	−1.7	4.3

Pyle (2000) による.

マグマ中の H_2O の溶解度

マグマは種々のケイ酸塩の混合物が高温下で融解し流体となったものであるが，地下におけるマグマの中には H_2O や CO_2 のようなガス成分(揮発性物質）が相当の量溶けこんでいる．表には代表的な3種のマグマ中に H_2O が最大限どのくらい含まれ得るかを，種々の圧力について示した．実際のマグマにはこの値より少ない量の H_2O が含まれている場合が多いが，マグマが上昇するにつれ周囲の圧力が下るため H_2O などのガス成分は結局飽和点に達して気泡となり，マグマから分離するようになる．このとき全体の体積は急激に増大(膨張）する．これが火山の爆発の原動力である.

実験で決められた H_2O の溶解度

圧力 (MPa)	玄武岩（コロンビア台地玄武岩）	安山岩（フード火山溶岩）	流紋岩（ハーディング·ペグマタイト）
	1 100 ℃	1 100 ℃	660-720 ℃
50	(1.6)	(2.7)	(3.0)
100	3.1	4.5	4.6
200	4.6	6.0	6.5
300	5.9	7.4	8.3
500	8.5	9.8	10.9

Hamilton et al. (1964), Burnham et al. (1962) による.

モデル計算で求められた H_2O の溶解度

圧力 (MPa)	玄武岩(JB2)		安山岩(JA2)		流紋岩(JR2)	
	1 100 ℃	1 200 ℃	1 100 ℃	1 200 ℃	850 ℃	1 100 ℃
50	1.4	1.3	1.5	1.5	2.3	2.1
100	2.4	2.3	2.6	2.6	3.6	3.4
200	4.0	4.0	4.4	4.4	5.2	5.4
300	5.3	5.4	5.8	5.9	6.3	7.1
400	6.6	6.7	7.2	7.3	7.4	8.5
500	7.9	8.0	8.5	8.7	9.5	10.0

Papale(1997)の方法で計算，岩石番号は産業技術総合研究所地質調査総合センター標準資料番号.

火山ガスの化学組成

マグマ中に溶けこんでいた揮発性成分が分離して火山ガスとなるが，爆発的な噴火を起こす火山の場合，マグマから放出される火山ガスが直接採取されることはなく，噴火が沈静化した後に噴気孔から採取されるので，マグマから分離した後，地表に到達するまでの過程で組成が変化する可能性がある．一方，溶岩湖などから採取された火山ガスは，マグマから分離した揮発性成分の組成を示すと考えられる．

	火　山	(採取年)	温度(℃)	濃度(モル%) H_2O	CO_2	SO_2	H_2S	HCl	H_2	CO	N_2
(a)	**溶岩湖ガス，溶岩流ガス**										
1	キラウエア(ハワイ)	1918-1919	1 200	37.1	48.9	11.9	—	0.08	0.49	1.50	—
2	キラウエア(ハワイ)	1983	1 120	83.4	2.78	11.1	1.02	0.1	1.54	0.09	—
3	マウナロア(ハワイ)		1 100	73.4	4.15	21.0	0.56	0.16	0.48	0.16	—
4	ニーラゴンゴ(コンゴ)	1959	1 020	42.5	41.5	4.5	—	—	0.75	2.4	8.3
5	スルツェイ(アイスランド)	1965	1 127	86.2	6.47	1.8	—	0.40	4.70	0.36	0.07
6	エルタアレ(エチオピア)	1974	1 134	79.4	10.4	6.5	—	0.42	1.49	0.46	0.18
7	エトナ(イタリア)	1976	1 000	81.0	1.9	15.1	—	—	4.1	<0.05	<2.3
8	トルバチク(ロシア)	1976	1 135	97.4	0.3	0.5	0.3	0.5	1.0	—	<0.2
(b)	**噴気孔ガス**										
9	モモトンボ(ニカラグア)	1978	800	93.0	4.7	1.2	0.02	0.4	0.6	<0.02	<0.1
10	メラピ(インドネシア)	1978	900	94.0	4.3	0.5	0.5	0.2	0.5	<0.01	<0.1
11	クラカタウ(インドネシア)	1980	700	99.0	0.25	0.7	6×10^{-4}	—	0.02	3×10^{-4}	<0.2
12	セントヘレンズ(米国)	1981	660	98.9	0.9	0.07	0.10	0.4	0.03	$<2\times10^{-3}$	<0.1
13	ホワイトアイランド(ニュージーランド)	1971	650	79.6	13.9	4.82	1.51	0.11	0.16	—	—
14	薩摩硫黄島(日本)	1961	745	97.8	0.34	0.92	0.06	0.57	<0.24	—	—
15	薩摩硫黄島(日本)	1967	570	98.1	0.47	0.82	0.05	0.49	0.07	1×10^{-4}	4×10^{-3}
16	那須岳(日本)	1964	365	99.7	0.11	0.03	0.12	0.03	0.02	—	0.02
17	昭和新山(日本)	1954	800	98.0	1.2	0.043	4×10^{-4}	0.05	0.63	3×10^{-3}	0.06
18	有珠山(日本)	1979	663	96.0	2.64	0.22	0.54	0.16	0.34	5×10^{-3}	0.06

日下部実・松葉谷治 (1986) による．

実測された溶岩流の粘度

温度は光学温度計で測定する場合がもっとも多いが熱電対による場合もある．粘度の測定には断面の形と傾斜がわかっている通路を流下する溶岩の速度から求める方法，貫入試験機，回転式粘度計による方法などが用いられる．実験室での測定と異なり，温度なども場所により異なるため測定値にバラツキが出ることも多い．一般にシリカの量が増加する玄武岩，安山岩，デイサイトの順に粘度が増加する．

火　山	噴 火 年	溶 岩 名	温 度(℃)	粘 度 $\log\eta$(Pa s)
三宅島	1940	玄武岩	1000	5
パリクティン	1945-1946	玄武岩質安山岩	1070	4-5
ヘクラ	1948	玄武岩質安山岩	1150	5-6
昭和新山	1945	デイサイト	900-1000	8-10
桜　島	1946	安山岩	856-1000	6-8
伊豆大島	1950	玄武岩	1040-1060	3-7
伊豆大島	1950	玄武岩	950-1100	5-6
マウナロア	1950	玄武岩	950-1100	2-3
伊豆大島	1951	玄武岩	1150-1200	2
伊豆大島	1951	玄武岩	1038-1125	3-4
エトナ	1957	玄武岩	1110-1120	3
ニーラゴンゴ	1959	ベイサナイト	1180	2
エトナ	1971	玄武岩	1050-1100	1-2
スルツェイ	1964	玄武岩	1140	3
キラウエア (マカオプヒ)	1965	玄武岩	1130	3
エトナ	1973	玄武岩	1083	3
エトナ	1973	玄武岩	1086	4
クリュチェフスコイ	1983	玄武岩	—	4-6
エトナ	1983	玄武岩	1095	3
オルドイニョレンガイ	1988	カーボナタイト	—	2
キラウエア	1994	玄武岩	1146	2-3
トルバチク	2013	玄武岩	1082	4-5
キラウエア	2016	玄武岩	1144	3

マグマの粘度(Pa s)の計算式

$$\log \eta = A + \frac{B}{T(K) - C}$$

$A = -4.55\ (\pm 0.21)$ で化学組成によらない定数.（　）内は95%信頼区間（下表も同様）.
，C は酸化物等（モル %）と下表の常数からそれぞれ下式に従って求める.

$$B = \sum_{i=1}^{7}[b_i M_i] + \sum_{j=1}^{3}[b_{1j}(M1_{1j} \cdot M2_{1j})],\quad C = \sum_{i=1}^{6}[c_i N_i] + [c_{11}(N1_{11} \cdot N2_{11})]$$

M_i と N_i は下表の酸化物（モル %）の組み合わせに対応

1	$SiO_2 + TiO_2$	159.6(7)	c_1	SiO_2	2.75(0.4)
2	Al_2O_3	−173.3(22)	c_2	TA[c]	15.7(1.6)
3	FeO(T) + MnO + P_2O_5	72.1(14)	c_3	FM[d]	8.3(0.5)
4	MgO	75.7(13)	c_4	CaO	10.2(0.7)
5	CaO	−39.0(9)	c_5	NK[e]	−12.3(1.3)
6	Na_2O + V[b]	−84.1(13)	c_6	ln(1 + V)	−99.5(4)
7	V + ln(1 + H_2O)	141.5(19)	c_{11}	(Al_2O_3 + FM + CaO-P_2O_5) * (NK + V)	0.30(0.04)
11	($SiO_2 + TiO_2$) * (FM)	−2.43(0.3)			
12	(SiO_2 + TA + P_2O_5) * (NK + H_2O)	−0.91(0.3)			
13	(Al_2O_3) * (NK)	17.6(1.8)			

V = $H_2O + F_2O_{-1}$,　TA = $TiO_2 + Al_2O_3$,　FM = FeO(T) + MnO + MgO,　NK = $Na_2O + K_2O$
Giordano, Russell & Dingwell (2008) による.

マグマの密度の計算式

$$\rho = \frac{\Sigma X_i \cdot M_i}{V_{\mathrm{liq}}(T, P, X)}$$

ただし
- X_i = 酸化物のモル分率
- M_i = 酸化物のモル質量(kg/mol)
- $V_{\mathrm{liq}}(T, P, X)$ = マグマのモル体積で下式で与えられる.

$$V_{\mathrm{liq}}(T, P, X) = \Sigma X_i[\overline{V}_{i,1673\mathrm{K}} + (\partial \overline{V}_i/\partial T)_{\mathrm{P}}(T - 1673\ \mathrm{K}) + (\partial \overline{V}_i/\partial P)_{\mathrm{T}} P]$$

ただし $\overline{V}_{i,1673\mathrm{K}}$ = 酸化物の部分モル体積(1673 K における)

酸化物成分	$\overline{V}_{i,1673\mathrm{K}}$ (10^{-6} m^3/mol)	$(\partial \overline{V}_i/\partial T)_{\mathrm{P}}$ (10^{-9} m^3/mol·K)	$(\partial \overline{V}_i/\partial P)$ (10^{-6} m^3/mol·GPa)
SiO_2	26.86 ± 0.3	0.0	−1.89 ± 0.02
TiO_2	23.16 ± 0.26	7.24 ± 0.46	−2.31 ± 0.06
Al_2O_3	37.42 ± 0.09	0.0	−2.26 ± 0.09
Fe_2O_3	42.13 ± 0.28	9.09 ± 3.49	−2.53 ± 0.09
FeO	13.65 ± 0.15	2.92 ± 1.62	−0.45 ± 0.03
MgO	11.69 ± 0.08	3.27 ± 0.17	0.27 ± 0.07
CaO	16.53 ± 0.06	3.74 ± 0.12	0.34 ± 0.05
Na_2O	28.88 ± 0.06	7.68 ± 0.10	−2.40 ± 0.05
K_2O	45.07 ± 0.09	12.08 ± 0.20	−6.75 ± 0.14
Li_2O	16.85 ± 0.15	5.25 ± 0.81	−1.02 ± 0.06
H_2O	26.27 ± 0.5	9.46 ± 0.83	−3.15 ± 0.61
CO_2	33.0 ± 1.0	0.0	0.0

Spera (2000) のまとめによる. 源データは Lange & Carmichael (1990), Lange (1997), Ochs & Lange (1997).

地　震

地震関係公式諸表

1. 気象庁震度階級(1996)

震度階級	計測震度
0	0.5 未満
1	0.5 以上 1.5 未満
2	1.5 以上 2.5 未満
3	2.5 以上 3.5 未満
4	3.5 以上 4.5 未満
5 弱	4.5 以上 5.0 未満
5 強	5.0 以上 5.5 未満
6 弱	5.5 以上 6.0 未満
6 強	6.0 以上 6.5 未満
7	6.5 以上

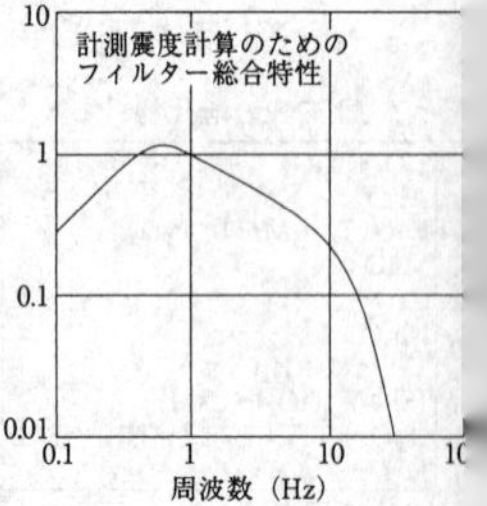

2. 気 象 庁 震 度 階 級

震度階級	人の体感・行動	屋内の状況	屋外の状況
0	人は揺れを感じないが，地震計には記録される．	—	—
1	屋内で静かにしている人の中には，揺れをわずかに感じる人がいる．	—	—
2	屋内で静かにしている人の大半が，揺れを感じる．眠っている人の中には，目を覚ます人もいる．	電灯などのつり下げ物が，わずかに揺れる．	—
3	屋内にいる人のほとんどが，揺れを感じる．歩いている人の中には，揺れを感じる人もいる．眠っている人の大半が，目を覚ます．	棚にある食器類が音を立てることがある．	電線が少し揺れる．
4	ほとんどの人が驚く．歩いている人のほとんどが，揺れを感じる．眠っている人のほとんどが，目を覚ます．	電灯などのつり下げ物は大きく揺れ，棚にある食器類は音を立てる．座りの悪い置物が，倒れることがある．	電線が大きく揺れる．自動車を運転していて，揺れに気付く人がいる．
5 弱	大半の人が，恐怖を覚え，物につかまりたいと感じる．	電灯などのつり下げ物は激しく揺れ，棚にある食器類，書棚の本が落ちることがある．座りの悪い置物の大半が倒れる．固定していない家具が移動することがあり，不安定なものは倒れることがある．	まれに窓ガラスが割れて落ちることがある．電柱が揺れるのがわかる．道路に被害が生じることがある．
5 強	大半の人が，物につかまらないと歩くことが難しいなど，行動に支障を感じる．	棚にある食器類や書棚の本で，落ちるものが多くなる．テレビが台から落ちることがある．固定していない家具が倒れることがある．	窓ガラスが割れて落ちることがある．補強されていないブロック塀が崩れることがある．据付けが不十分な自動販売機が倒れることがある．自動車の運転が困難となり，停止する車もある．
6 弱	立っていることが困難になる．	固定していない家具の大半が移動し，倒れるものもある．ドアが開かなくなることがある．	壁のタイルや窓ガラスが破損，落下することがある．
6 強	立っていることができず，はわないと動くことができない．揺れにほんろうされ，動くこともできず，飛ばされることもある．	固定していない家具のほとんどが移動し，倒れるものが多くなる．	壁のタイルや窓ガラスが破損，落下する建物が多くなる．補強されていないブロック塀のほとんどが崩れる．
7		固定していない家具のほとんどが移動し倒れたりし，飛ぶこともある．	壁のタイルや窓ガラスが破損，落下する建物がさらに多くなる．補強されているブロック塀も破損するものがある．

「計測震度」とは地震動の強さを表す指標として，つぎの算式により算出した I の数第３位を四捨五入し，小数第２位を切り捨てたものをいう．

$$I = 2\cdot\log(a_0) + 0.94$$

は，$\int w(t, a)\,dt \geqq 0.3$ を満たす a の最大値．t は時間(s)，a は地震動の加速度に係パラメータ(cm/s^2)で，積分範囲は地震動が継続している時間とする．$w(t, a)$ は，$(t) < a$ のとき 0，$v(t) \geqq a$ のとき 1 の値をとる関数．$v(t)$ は，地震動の直交する 3分の加速度にそれぞれフィルターをかけた後，ベクトル合成した値(cm/s^2)．(気庁告示および https://www.jma.go.jp/jma/ より)

ィルターの種類および算式

フィルターの種類	算　式
周期の効果を表すフィルター	$(1/f)^{1/2}$
ハイカットフィルター	$(1+0.694y^2+0.241y^4+0.0557y^6+0.009664y^8+0.00134y^{10}+0.000155y^{12})^{-1/2}$
ローカットフィルター	$\{1-\exp[-(f/0.5)^3]\}^{1/2}$

注) f は地震動の周波数(Hz)，y は $f/10$．

関連解説表(2009)

震度階級	木造建物(住宅)		鉄筋コンクリート造建物		地盤の状況	斜面等の状況
	耐震性が高い	耐震性が低い	耐震性が高い	耐震性が低い		
5弱	—	壁などに軽微なひび割れ・亀裂がみられることがある．	—	—	亀裂や液状化が生じることがある．	落石やがけ崩れが発生することがある．
5強	—	壁などにひび割れ・亀裂がみられることがある．	—	壁，梁(はり)，柱などの部材に，ひび割れ・亀裂が入ることがある．		
6弱	壁などに軽微なひび割れ・亀裂がみられることがある．	壁などのひび割れ・亀裂が多くなる．壁などに大きなひび割れ・亀裂が入ることがある．瓦が落下したり，建物が傾いたりすることがある．倒れるものもある．	壁，梁(はり)，柱などの部材に，ひび割れ・亀裂が入ることがある．	壁，梁(はり)，柱などの部材に，ひび割れ・亀裂が多くなる．	地割れが生じることがある．	がけ崩れや地すべりが発生することがある．
6強	壁などにひび割れ・亀裂がみられることがある．	壁などに大きなひび割れ・亀裂が入るものが多くなる．傾くものや，倒れるものが多くなる．	壁，梁(はり)，柱などの部材に，ひび割れ・亀裂が多くなる．	壁，梁(はり)，柱などの部材に，斜めや x 状のひび割れ・亀裂がみられることがある．1 階あるいは中間階の柱が崩れ，倒れるものがある．	大きな地割れが生じることがある．	がけ崩れが多発し，大規模な地すべりや山体の崩壊が発生することがある．
7	壁などのひび割れ・亀裂が多くなる．まれに傾くことがある．	傾くものや，倒れるものがさらに多くなる．	壁，梁(はり)，柱などの部材に，ひび割れ・亀裂がさらに多くなる．1 階あるいは中間階が変形し，まれに傾くものがある．	壁，梁(はり)，柱などの部材に，斜めや x 状のひび割れ・亀裂が多くなる．1 階あるいは中間階の柱が崩れ，倒れるものが多くなる．		

*「ライフライン・インフラ等への影響」，「大規模構造物への影響」は省略した．

「気象庁震度階級関連解説表」は，ある震度が観測された場合，その周辺で実際どのような現象や被害が発生するかを示すものです．この表を使用される際は，下の点にご注意ください．

(1) 気象庁が発表する震度は，震度計による観測値であり，この表に記述される象から決定するものではありません．

(2) 震度が同じであっても，対象となる建物，構造物の状態や地震動の性質によて，被害が異なる場合があります．この表では，ある震度が観測された際に常発生する現象を記述していますので，これより大きな被害が発生したり，に小さな被害にとどまる場合もあります．

(3) 地震動は，地盤や地形に大きく影響されます．震度は，震度計が置かれてい地点での観測値ですが，同じ市町村であっても場所によっては震度が異なるとがあります．また，震度は通常地表で観測していますが，中高層建物の上階では一般にこれより揺れが大きくなります．

(4) 大規模な地震では長周期の地震波が発生するため，遠方において比較的低い度であっても，エレベーターの障害，石油タンクのスロッシングなどの長周の揺れに特有な現象が発生することがあります．

(5) この表は，おもに近年発生した被害地震の事例から作成したものです．今後，新しい事例が得られたり，構造物の耐震性の向上などで実状と合わなくなっ場合には，内容を変更することがあります．

(https://www.jma.go.jp/jma/より)

3. マグニチュード M の決め方

1) 最初の定義（C. F. Richter, 1935）

$$M = \log A + \log B$$

A はウッド・アンダーソン式地震計（固有周期 0.8 秒，減衰定数 0.8，倍率 2800の水平 1 成分の記録紙上の最大振幅（単位は μm）で，$\log B$ は下に示すような震央距離 $\varDelta$（単位は km）の関数である．

$\varDelta$	50	100	150	200	250	300	350	400	450	500	550	600
$\log B$	−0.37	0	0.29	0.53	0.79	1.02	1.26	1.46	1.62	1.74	1.84	1.94

$\log B$ は地震波の減衰を補正する項であり，基準の震央距離 100 km でゼロとなるよう決めてある．カリフォルニアの浅い近地地震に対して定義されたもので，ローカルマグニチュード M_L と呼ばれる．リヒターによるマグニチュードの定義の要点は，振幅の常用対数を用いることであり，これがその後のさまざまな定義の基準となっている．

2) 表面波マグニチュード（B. Gutenberg, 1945）

$$M_S = \log A + \log B$$

A は周期20秒前後の表面波の水平動最大振幅（水平動2成分をベクトル合成したものの絶対値の最大．単位は μm）である．$\log B$ は震央距離 Δ（単位は度）の関数で，Δ が15°から130°の範囲では次式で表される．

$$\log B = 1.656 \log \Delta + 1.818$$

現在，国際的に広く用いられている表面波マグニチュードは，下に示すような Vaněk ほか (1962) によるものである．

$$M_S = \log(A/T) + 1.66 \log \Delta + 3.3$$

T は表面波の周期（単位は秒）で，この式は震央距離が20°から160°の範囲について用いられる．上下動の A と T を使うことも多い．

) 実体波マグニチュード (B. Gutenberg, 1945)

$$m_B = \log(A/T) + Q(\Delta, h)$$

A は実体波 (P, PP, S) の上下動または水平動（上記に同じ）の最大振幅（単位は μm），T はその周期（単位は秒）である．Q は震央距離 Δ と震源の深さ h の関数で，それぞれの実体波の上下動と水平動について，複雑な表によって示されている．この Q は後に改訂されてグラフで示され (Gutenberg and Richter, 1956)，現在でも広く用いられている．グーテンベルグやリヒターが m_B を決めた時代の地震計は比較的周期が長く，T は数秒程度である．最近の実体波マグニチュードは短周期地震計を用いて決めるため T も1秒前後であり，同じ式を使っていても m_B とは同等でない．これを区別するために m_b と記すことがある．

4) 気象庁マグニチュード（2003年9月25日改訂）

下記の式を用いてできるだけ多くの観測点につき M を求めそれぞれの平均をとる．平均値は b), a), c) の順で優先される（H は震源の深さ）．

a) $M = \log A + 1.73 \log \Delta - 0.83$

b) $M = \log A_h + \beta_D(\Delta, H) + C_D$

c) $M = \log A_z/0.85 + \beta_V(\Delta, H) + C_V$

A_h は中周期変位型地震計による水平動最大振幅（2)に同じ，周期5秒以下，単位は μm)，A は A_h のうち気象官署で観測されたもの．A_z は短周期速度型地震計による最大地動速度振幅（上下動，単位は 10^{-3} cm/s)，Δ は震央距離（単位は km）で，C_D，C_V は地震計の種類や設置状況に応じた補正項である．距離減衰項 $\beta_D(\Delta, H)$，$\beta_V(\Delta, H)$ は表で示されている．M_J と表記されることがある．

5) 地震動の継続時間を用いたマグニチュード

$$M = C_1 \log(F-P) + C_2 \Delta + C_3$$

$F-P$ は，地震記録上の始まり (P) から終わり (F) までの継続時間であり，定数 C_1，C_2，C_3 は観測点や地震計の特性により異なった値となる．この式によれば，地震動が大きすぎて記録が振り切れ，最大振幅が読みとれないような地震についても，M を決めることができる．また，一般に C_2 は小さいので，震源がわからな

くてもだいたいの M を推定することができる.

6)　震度を用いたマグニチュード

河角(1943)は，震央距離 100 km における平均の震度(気象庁震度階)を規模 M と定義した．この M_k と通常の M との関係を示す式が，いくつか求められている．このほか，ある震度以上の地域の面積や有感半径などを用いる方法もある．たとえば，震度 5 以上の地域の面積 S_5（単位は km^2）を用いたつぎの式がよく使われる

$$M = \log S_5 + 3.2 \quad (村松，1969)$$

こうした方法によれば，地震計による観測のない時代や地方の地震についても M を推定することができる.

7)　モーメントマグニチュード（金森，1977）

$$M_w = (\log M_0 - 9.1)/1.5$$

M_0 は地震波の波形，地殻変動などから求められる地震モーメント(単位は N·m で，断層運動としての地震の大きさを表す量である．震源断層の面積を S，平均変位量を D，地震の起こった場所の剛性率を μ とすると，地震モーメントは次式で表される.

$$M_0 = \mu DS$$

M_S や m_b は限られた周期の地震計により決められるので，それぞれ 8.5，7 程度で頭うちとなる現象が認められるが，モーメントマグニチュードにはこうした現象はない.

4. 地震の規模とエネルギーとの関係

(Gutenberg and Richter，1956；宇津，2001)

$$\log E = 4.8 + 1.5\,M_S$$

ただし，E：地震波として出されたエネルギー（単位は J).

5. 地震の規模と発生頻度との関係

(Gutenberg and Richter，1944)

ある地域で一定期間に起こった地震について次式が成り立つ.

$$\log n(M) = a - bM$$

$n(M)$ はマグニチュードが M の地震の数で，実際には dM を適宜，選んでマグニチュード M から $M + dM$ までの地震の数を使う．係数 b はしばしば b 値と呼ばれる．b 値には地域性があるほか，前震，余震，群発地震で差があるといわれている.

北緯 25～48°，東経 125～150° の範囲で，1961 年から 1999 年の間に気象庁が決めた M 5 以上の地震の数はつぎの表のとおりである．横軸を M，縦軸を地震数の対数としてグラフをつくってみると，グーテンベルグ-リヒターの関係がよく成り立っていることがわかる.

M	5.0	5.1	5.2	5.3	5.4	5.5	5.6	5.7	5.8	5.9
地震数	632	581	469	379	306	285	217	216	160	126
M	6.0	6.1	6.2	6.3	6.4	6.5	6.6	6.7	6.8	6.9
地震数	109	80	63	48	40	34	33	23	15	14
M	7.0	7.1	7.2	7.3	7.4	7.5	7.6	7.7	7.8	7.9
地震数	15	12	7	2	3	4	3	3	4	2
M	8.0	8.1								
地震数	0	2								

6. ある観測点で記録された地震動の最大振幅と出現頻度との関係（石本・飯田, 1939）

$$n = ka^{-m}$$

ただし，n：最大振幅が a である地震の頻度．　k：定数

m：定数．一般の地震，余震について 1.8〜2.2 程度

7. 被害等級

宇津（1982, 地震研究所彙報, 57, 401-463）による被害等級は以下のとおり．

1：壁や地面に亀裂が生じる程度の微小被害（火山など特殊な場所の地割れなどは除く）

2：家屋の破損，道路の損壊などが生じる程度の小被害

3：複数の死者または複数の全壊家屋が生じる程度（ただし 4 には達しない）

4：死者 20 人以上または家屋全壊 1000 戸以上（ただし 5 には達しない）

5：死者 200 人以上または家屋全壊 1 万戸以上（ただし 6 には達しない）

6：死者 2000 人以上または家屋全壊 10 万戸以上（ただし 7 には達しない）

7：死者 2 万人以上または家屋全壊 100 万戸以上

8. 津波規模

今村・飯田（Iida, K., 1958, J. Earth Sci., Nagoya Univ., 6, 101-112）による津波規模は以下のとおり．

規模階級	津波の高さ	被害程度
−1	50 cm 以下	無被害
0	1 m 程度	非常にわずかの被害
1	2 m 前後	海岸および船の被害
2	4〜6 m	若干の内陸までの被害や人的損失
3	10〜20 m	400 km 以上の海岸線に顕著な被害
4	30 m 以上	500 km 以上の海岸線に顕著な被害

9. 地震記象に現れる種々の相の記号

P：P 波　　　　　　　　　S：S 波
K：外核の中を通る P 波　　　c：核の表面で反射した波
I：内核の中を通る P 波　　　J：内核の中を通る S 波

P：震源から直接観測点に到達した P 波.
S：　　　　〃　　　　　　S 波.
PP, PPP：P 波が地表で1回，または2回反射して，P 波として観測点に到達した波
〔類例〕SS，SSS
PS：P 波が地表で 1 回反射して，S 波に変わって観測点に到達した波.
〔類例〕SP，PSS，SPP など
PcP：P 波が核の表面で反射して，P 波として観測点に到達した波.
〔類例〕ScS，ScP，PcS
PKP：P 波が屈折して核内に入り，外核内を P 波として伝わり，屈折して核外に出て，P 波として観測点に到達した波. P′ とも記す.
〔類例〕SKS，PKS，SKP，PKKP など
PKPPKP：PKP 波が地表で反射して，再び PKP 波として観測点に到達した波.
〔類例〕SKSSKS，SKPPKP など

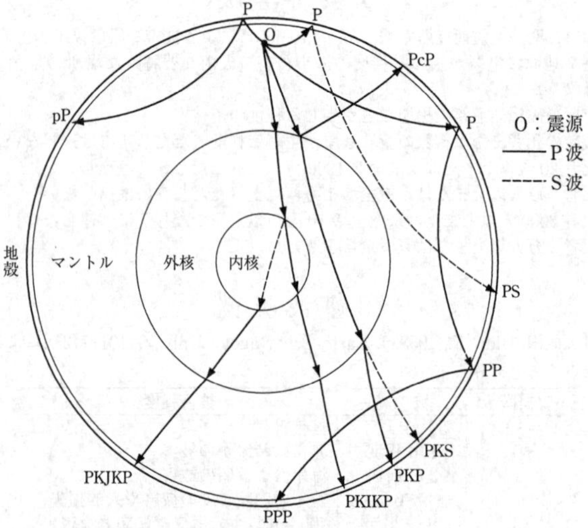

地第 31 図　種々の地震波の伝播経路

KIKP：PKP 波が内核に達し，そこをP波として伝わった波.
KJKP：PKP 波が内核に達し，そこをS波として伝わった波.
P：P波が震源から上向きに射出されて地表で反射して観測点に到達した波.
〔類例〕sP，pS，sS，pPP，nPS など
：表面波，LQ：ラブ波，LR：レイリー波.

これら各種の波が震央距離：$\Delta°$ の地点まで伝わるに要する時間をグラフに表したものが地第 38 図の走時曲線である.

10. 震央距離の求め方

（地心緯度については**地 3** 参照）

φ_0, λ_0：震央の地心緯度，経度

φ, λ：観測所の地心緯度，経度

Δ：角震央距離

$$\cos\Delta = \sin\varphi_0 \sin\varphi + \cos\varphi_0 \cos\varphi \cos(\lambda_0 - \lambda)$$

実際の計算には，

$$A = \cos\varphi_0 \cos\lambda_0,\quad B = \cos\varphi_0 \sin\lambda_0,\quad C = \sin\varphi_0$$
$$a = \cos\varphi \cos\lambda,\quad b = \cos\varphi \sin\lambda,\quad c = \sin\varphi$$

とすれば $\cos\Delta = aA + bB + cC$

11. 地球内部の構造

Preliminary Reference Earth Model (PREM), Dziewonski and Anderson (1981) による. α，β はP波，S波速度，ρ は密度，Q_μ と Q_κ は減衰のパラメータ.

深さ（km）	α（km/s）	β（km/s）	ρ（g/cm^3）	Q_μ	Q_κ
0.0	1.45	0.00	1.02	0.0	57 823.0
3.0	1.45	0.00	1.02	0.0	57 823.0
3.0	5.80	3.20	2.60	600.0	57 823.0
15.0	5.80	3.20	2.60	600.0	57 823.0
15.0	6.80	3.90	2.90	600.0	57 823.0
24.4	6.80	3.90	2.90	600.0	57 823.0
24.4	8.11	4.49	3.38	600.0	57 823.0
71.0	8.08	4.47	3.38	600.0	57 823.0
80.0	8.08	4.47	3.37	600.0	57 823.0
80.0	8.08	4.47	3.37	80.0	57 823.0
171.0	8.02	4.44	3.36	80.0	57 823.0
220.0	7.99	4.42	3.36	80.0	57 823.0
220.0	8.56	4.64	3.44	143.0	57 823.0
271.0	8.66	4.68	3.47	143.0	57 823.0
371.0	8.85	4.75	3.53	143.0	57 823.0
400.0	8.91	4.77	3.54	143.0	57 823.0
400.0	9.13	4.93	3.72	143.0	57 823.0
471.0	9.50	5.14	3.81	143.0	57 823.0

（続く）

深さ (km)	α (km/s)	β (km/s)	ρ (g/cm³)	Q_μ	Q_κ
571.0	10.01	5.43	3.94	143.0	57 823.0
600.0	10.16	5.52	3.98	143.0	57 823.0
670.0	10.27	5.57	3.99	143.0	57 823.0
670.0	10.75	5.95	4.38	312.0	57 823.0
771.0	11.07	6.24	4.44	312.0	57 823.0
871.0	11.24	6.31	4.50	312.0	57 823.0
971.0	11.42	6.38	4.56	312.0	57 823.0
1 071.0	11.58	6.44	4.62	312.0	57 823.0
1 171.0	11.73	6.50	4.68	312.0	57 823.0
1 271.0	11.88	6.56	4.73	312.0	57 823.0
1 371.0	12.02	6.62	4.79	312.0	57 823.0
1 471.0	12.16	6.67	4.84	312.0	57 823.0
1 571.0	12.29	6.73	4.90	312.0	57 823.0
1 671.0	12.42	6.78	4.95	312.0	57 823.0
1 771.0	12.54	6.83	5.00	312.0	57 823.0
1 871.0	12.67	6.87	5.05	312.0	57 823.0
1 971.0	12.78	6.92	5.11	312.0	57 823.0
2 071.0	12.90	6.97	5.16	312.0	57 823.0
2 171.0	13.02	7.01	5.21	312.0	57 823.0
2 271.0	13.13	7.06	5.26	312.0	57 823.0
2 371.0	13.25	7.10	5.31	312.0	57 823.0
2 471.0	13.36	7.14	5.36	312.0	57 823.0
2 571.0	13.48	7.19	5.41	312.0	57 823.0
2 671.0	13.60	7.23	5.46	312.0	57 823.0
2 741.0	13.68	7.27	5.49	312.0	57 823.0
2 771.0	13.69	7.27	5.51	312.0	57 823.0
2 871.0	13.71	7.26	5.56	312.0	57 823.0
2 891.0	13.72	7.26	5.57	312.0	57 823.0
2 891.0	8.06	0.00	9.90	0.0	57 823.0
2 971.0	8.20	0.00	10.03	0.0	57 823.0
3 071.0	8.36	0.00	10.18	0.0	57 823.0
3 171.0	8.51	0.00	10.33	0.0	57 823.0
3 271.0	8.66	0.00	10.47	0.0	57 823.0
3 371.0	8.80	0.00	10.60	0.0	57 823.0
3 471.0	8.93	0.00	10.73	0.0	57 823.0
3 571.0	9.05	0.00	10.85	0.0	57 823.0
3 671.0	9.17	0.00	10.97	0.0	57 823.0
3 771.0	9.28	0.00	11.08	0.0	57 823.0
3 871.0	9.38	0.00	11.19	0.0	57 823.0
3 971.0	9.48	0.00	11.29	0.0	57 823.0
4 071.0	9.58	0.00	11.39	0.0	57 823.0
4 171.0	9.67	0.00	11.48	0.0	57 823.0
4 271.0	9.75	0.00	11.57	0.0	57 823.0
4 371.0	9.84	0.00	11.65	0.0	57 823.0
4 471.0	9.91	0.00	11.73	0.0	57 823.0
4 571.0	9.99	0.00	11.81	0.0	57 823.0
4 671.0	10.06	0.00	11.88	0.0	57 823.0
4 771.0	10.12	0.00	11.95	0.0	57 823.0

(続く)

深さ (km)	α (km/s)	β (km/s)	ρ (g/cm^3)	Q_μ	Q_κ
4 871.0	10.19	0.00	12.01	0.0	57 823.0
4 971.0	10.25	0.00	12.07	0.0	57 823.0
5 071.0	10.31	0.00	12.12	0.0	57 823.0
5 149.5	10.36	0.00	12.17	0.0	57 823.0
5 149.5	11.03	3.50	12.76	84.6	1 327.7
5 171.0	11.04	3.51	12.77	84.6	1 327.7
5 271.0	11.07	3.54	12.82	84.6	1 327.7
5 371.0	11.11	3.56	12.87	84.6	1 327.7
5 471.0	11.14	3.58	12.91	84.6	1 327.7
5 571.0	11.16	3.60	12.95	84.6	1 327.7
5 671.0	11.19	3.61	12.98	84.6	1 327.7
5 771.0	11.21	3.63	13.01	84.6	1 327.7
5 871.0	11.22	3.64	13.03	84.6	1 327.7
5 971.0	11.24	3.65	13.05	84.6	1 327.7
6 071.0	11.25	3.66	13.07	84.6	1 327.7
6 171.0	11.26	3.66	13.08	84.6	1 327.7
6 271.0	11.26	3.67	13.09	84.6	1 327.7
6 371.0	11.26	3.67	13.09	84.6	1 327.7

地第 32 図　地球内部の構造 (PREM)

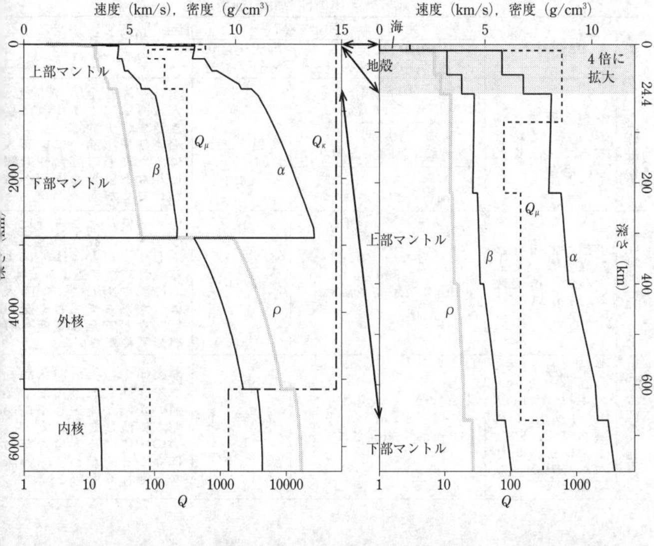

津波警報・津波注意報・津波情報

気象庁は従来から,災害のおそれのある津波が予想される場合に津波警報・津波注意報を津波予報区(次頁)ごとに発表してきた．ところが，東北地方太平洋沖地震の際にはこれらが有効に機能せず，津波被害を大きくした例も見られたので改善の取り組みが行われ，2013 年 3 月から以下の体制で運用されている．

津波の高さの予想は，気象庁マグニチュード M_J により推定される地震の規模を用いて行われる．しかし，規模がモーメントマグニチュード 8 を超えるような巨大地震では，M_J による規模の推定が過小評価となり，その結果津波の高さの予想も過小評価となることがある．そこで，規模の推定を監視する手法を導入して，過小評価が検知されたときは，地震が発生した海域で想定されている最大規模が適用されるようになった．また，従来の GPS 波浪計だけでなく，ケーブル式海底水圧計の観測値も活用されるようになった．

このように予想された巨大地震の津波の高さは，まず「巨大」など定性的な表現の津波警報(下表)を発表することにより非常事態であることが伝えられる．その後，地震の規模が精度よく求められた時点で津波警報が更新され，津波の高さの数値が発表される．なお，津波警報・津波注意報が発表されるときには，津波の高さだけでなく到達予想時刻，満潮時刻や津波観測の情報などの津波情報が併せて発表される．

津波警報・津波注意報の種類

種類	発表基準	発表される津波の高さ 数値での発表 (津波の高さ予想の区分)	発表される津波の高さ 巨大地震の場合の発表	想定される被害 取るべき行動
大津波警報	予想される津波の高さが高いところで 3 m を超える場合	**10 m 超** (10 m＜予想高さ)	巨　大	木造家屋が全壊・流失し，人は津波による流れに巻き込まれます． **沿岸部や川沿いにいる人は，ただちに高台や避難ビルなど安全な場所へ避難してください．**
		10 m (5 m＜予想高さ≦10 m)		
		5 m (3 m＜予想高さ≦5 m)		
津波警報	予想される津波の高さが高いところで 1 m を超え，3 m 以下の場合	**3 m** (1 m＜予想高さ≦3 m)	高　い	標高の低いところでは津波が襲い，浸水被害が発生します．人は津波による流れに巻き込まれます． **沿岸部や川沿いにいる人は，ただちに高台や避難ビルなど安全な場所へ避難してください．**
津波注意報	予想される津波の高さが高いところで 0.2 m 以上，1 m 以下の場合であって，津波による災害のおそれがある場合	**1 m** (0.2 m≦予想高さ≦1 m)	(表記しない)	海の中では人は速い流れに巻き込まれ，また，養殖いかだが流失し小型船舶が転覆します． **海の中にいる人はただちに海から上がって，海岸から離れてください．**

地第33図　津波予報区

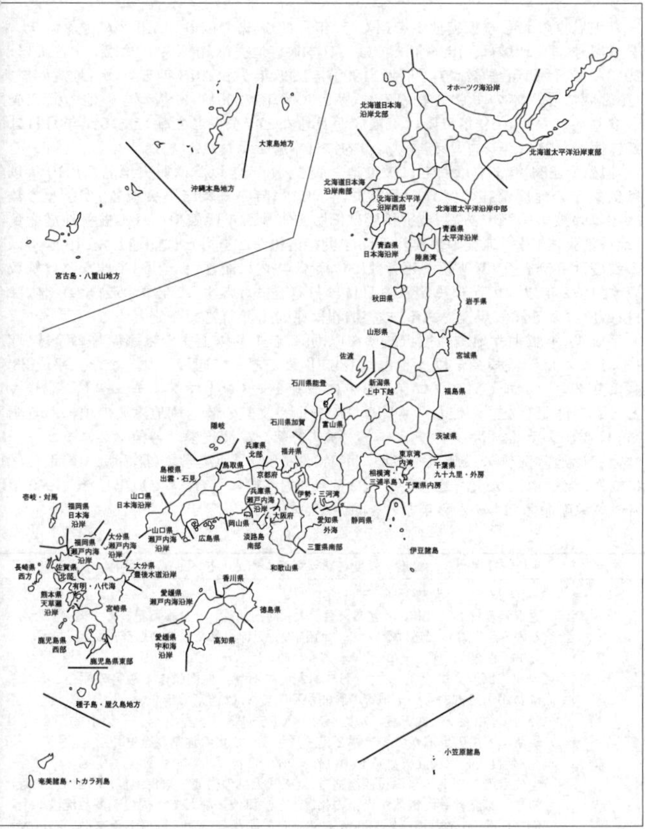
オホーツク海沿岸
北海道日本海
沿岸北部
北海道太平洋沿岸東部
北海道日本海
沿岸南部
北海道太平洋
沿岸西部
北海道太平洋沿岸中部
大東島地方
沖縄本島地方
宮古島・八重山地方
青森県
太平洋沿岸
青森県
日本海沿岸
陸奥湾
秋田県
岩手県
山形県
宮城県
佐渡
石川県能登
新潟県
上中下越
福島県
石川県加賀
富山県
茨城県
隠岐
兵庫県
北部
福井県
東京湾
内湾
千葉県
九十九里・外房
鳥取県
島根県
出雲・石見
京都府
相模湾・
三浦半島
千葉県内房
山口県
日本海沿岸
兵庫県
瀬戸内海
沿岸
伊勢・三河湾
壱岐・対馬
福岡県
日本海
沿岸
大阪府
岡山県
愛知県
外海
静岡県
山口県
瀬戸内海
沿岸
広島県
淡路島
南部
三重県南部
福岡県
瀬戸内海
沿岸
大分県
瀬戸内海
沿岸
伊豆諸島
長崎県
西方
佐賀県
北部
大分県
豊後水道沿岸
和歌山県
有明・八代海
香川県
熊本県
天草灘
沿岸
宮崎県
愛媛県
瀬戸内海沿岸
徳島県
鹿児島県
西部
愛媛県
宇和海
沿岸
高知県
鹿児島県東部
種子島・屋久島地方
小笠原諸島
奄美諸島・トカラ列島

日本付近のおもな被害地震年代表

有史以来のおもな被害地震を選んだ. 年月日, 震央の位置, M_J 相当のマグニチュー
ド（記号 M), 地域は, 1884 年までは『日本被害地震総覧』(599–2012, 宇佐美ほか
2013) と『地震活動総説』(宇津, 1999), 1885 年から 1918 年までは『地震の事典
(第 2 版の「日本の主な地震の表」, 茅野・宇津, 2001) に基づき, 他の研究成
も取り入れた. 1919 年以降は気象庁が月報などで公開した値である. 年月日は
初に西暦（常にグレゴリオ暦), ( )内に日本暦を示した.

地域は 1884 年まではおもに被災地を表し, 1885 年以降は震央地名（1919 年以
は気象庁の地震情報の区分）を表す. ＊印は当時の気象庁震央地名. 3などの数
は宇津の被害等級である. 被害摘要は旧版被害地震年代表や『日本被害地震総覧』
『地震活動総説』,『地震の事典』, 消防庁災害情報などをもとに記述した. 1996 年以
の震度は計測震度. 関連死を死者数に含めず( )内に記した. 全壊, 半壊などは棟数
表す. 1872 年以前の記事に現れる日付は日本暦に対応する. 記事の最後の[ ]内は
村・飯田による津波規模である. 被害情報は原則, 5 年経過で確定とする.

平成 17 年版より地震の選択基準を原則「死者 1 名以上または家屋等の全壊（潰
1 以上または津波規模 1 以上」とし 1885 年まで遡って適用した. また, 平成 23 年
版よりグローバル CMT プロジェクトによるモーメントマグニチュードを記号 Mw
とともに併記した. ただし, ＊印は防災科研や文献の値. 遠地津波の項にある記
Ms は震源の表面波マグニチュード. 被害等級, 津波規模, 各種マグニチュードに
ついては地震関係公式諸表を参照. 名称はおもに『地震学』(第 3 版, 宇津, 2001
に従ったが, 誤った元号を含むときはそれを日本暦に〈 〉付きで追記した. 1960 年以
降は気象庁命名のものから年などを除いたもの.

番号	西暦(日本暦)　緯度　経度　M＝マグニチュード／地域：(名称：)被害摘要
1	416　8 23　(允恭天皇　5　7 14) 遠飛鳥宮付近（大和)：『允恭天皇の大和河内地震』：「日本書紀」に「地震」とあるのみ, 被害の記述はないが, わが国の歴史に現れた最初の地震. 疑わしきか？
2	599　5 28　(推古天皇　7　4 27) 大和：倒潰家屋を生じた.「日本書紀」にあり, 地震による被害の記述としてはわが国最古のもの. 被害の範囲が不明で M は推定できない.
3	679　1/2　−(天武天皇　7 12　−)　M6.5～7.5 筑紫：家屋の倒潰が多く, 幅 2 丈, 長さ 3 千余丈の地割れを生じた.
4	684 11 29　(天武天皇 13 10 14)　M≒8 ¼ 土佐その他南海・東海・西海地方：『天武天皇の南海・東海地震』：山崩れ, 河湧き, 家屋社寺の倒潰, 人畜の死傷多し, 津波来襲して土佐の船多数沈没. 土佐で田苑 50 余万頃（約 12 km^2）沈下して海となった. 南海トラフ沿いの巨大地震と考えられる. [3]
5	701　5 12　(大宝　1　3 26) 丹波：地震うこと 3 日. 被害が不明なので M も不明. 藤原京では感じなかったらしい. 若狭湾内の凡海郷が海に没したという「冠島伝説」は否定されている.

番 号	西暦(日本暦)　緯度　経度　M＝マグニチュード／地域：(名称：)被害摘要
6	715　7　4　(和銅　8　5 25)　35.1°N 137.8°E　M6.5～7.5 遠江：山崩れが天竜川を塞いだ．数十日後決壊，民家 170 余区が水没した．
7	715　7　5　(和銅　8　5 26)　34.8°N 137.4°E　M6.5～7.0 三河：正倉 47 が破潰，民家もあちこちで陥没した．
8	734　5 18　(天平　6　4　7) 畿内：民家倒潰し圧死多く，山崩れ，川塞ぎ，地割れが無数に生じた．生駒断層帯の活動によるものか？
9	745　6　5　(天平 17　4 27)　35.2°N 136.6°E　M≒7.9 美濃：『天平の美濃地震』：櫓館・正倉・仏寺・堂塔・民家が多く倒潰し，摂津では余震が 20 日間止まなかった．地割れや液状化の記録がある．
10	762　6　9　(天平宝字　6　5　9) 美濃・飛騨・信濃：被害不詳．罹災者に対し１戸につき穀物２斛を賜った．
11	818　8/9 －(弘仁　9　7 －)　36～37°N 139～140°E　M≧7.5 関東諸国：山崩れ谷埋まること数里，百姓が多数圧死した．従来，津波があったとされていたが，おそらく洪水であろう．
12	827　8 11　(天長　4　7 12)　35.0°N 135 ¾°E　M6.5～7.0 京都：舎屋多く潰れ，余震が翌年６月まであった．
13	830　2　3　(天長　7　1　3)　39.8°N 140.1°E　M7.0～7.5 出羽：秋田の城郭・官舎・寺社悉く倒れる．家屋も倒潰し，圧死 15，傷 100 余．地割れ多く，河岸の崩れや川の氾濫があった．
14	841　－　－　(承和　8　－　－)　36.2°N 138.0°E　M≧6.5 信濃：墻屋が倒壊した．同年２月 13 日以前の地震．
15	841　－　－　(承和　8　－　－)　35.1°N 138.9°E　M≒7.0 伊豆：『承和の北伊豆地震』：建物や住民に大きな被害があった．同年５月３日以前の地震．丹那断層の活動によるものか？
16	850　－　－　(嘉祥　3　－　－)　39.0°N 139.7°E　M≒7.0 出羽：地裂け，山崩れ，国府の城柵は傾頽し，山裂け圧死多数．最上川の岸崩れ，海水は国府から６里のところまで迫った．[2]
17	856　4/5 －(斉衡　3　3 －)　M6.0～6.5 京都：京都およびその南方で屋舎が破壊し，仏塔が傾いた．
18	863　7 10　(貞観　5　6 17) 越中・越後：山崩れ，谷埋まり，水湧き，民家破壊し，圧死多数．直江津付近にあった数個の小島が潰滅したという．
19	868　8　3　(貞観 10　7　8)　34.8°N 134.8°E　M≧7.0 播磨・山城：播磨諸郡の官舎・諸定額寺の堂塔悉く頽れ倒れた．京都では垣屋に崩れたものがあった．山崎断層の活動によるものか？
20	869　7 13　(貞観 11　5 26)　38.5°N 144.0°E　M8.3 ± ¼　Mw8.4* 三陸沿岸：『貞観の三陸沖地震』：城郭・倉庫・門櫓・垣壁など崩れ落ち倒潰するもの無数．津波が多賀城下を襲い，溺死約１千．流光昼のごとく隠映すという．三陸沖の巨大地震とみられる．Mw は津波堆積物の調査による．[4]
21	878 11　1　(元慶　2　9 29)　35.5°N 139.3°E　M7.4 関東諸国：相模・武蔵が特にひどく，5～6 日震動が止まらなかった．公私の屋舎一つも全きものなく，地陥り往還不通となる．圧死多数．京都で有感．伊勢原断層の活動によるものか？

番号	西暦(日本暦)　緯度　経度　M＝マグニチュード／地域：(名称：)被害摘要
22	880 11 23 (元慶 4 10 14) 35.4°N 133.2°E M≒7.0 出雲：社寺・官舎・民家の倒潰・傾斜・破損が多く，余震は10月22日に至るも止まらなかった．本震は京都でも強く感じたというがこの地震とは無関係で，規模ももっと小さかったとする説がある．
23	881 1 13 (元慶 4 12 6) M6.4 京都：宮城の垣墻・官庁・民家の頽損するものはなはだ多く，余震が翌年まで続いた．
24	887 8 26 (仁和 3 7 30) 33.0°N 135.0°E M8.0～8.5 五畿・七道諸国：『仁和の南海・東海地震』：京都で民家・官舎の倒潰多く，圧死多数．津波が沿岸を襲い溺死多数，特に摂津で津波の被害が大きかった．南海トラフ沿いの巨大地震と考えられる．[3]
25	890 7 10 (寛平 2 6 16) M≒6.0 京都：家屋傾き，ほとんど倒潰寸前のものがあった．
26	934 7 16 (承平 4 5 27) M≒6.0 京都：午刻に地震2回，京中の築垣が多く転倒した．
27	938 5 22 (承平 8 4 15) 35.0°N 135.8°E M≒7.0 京都・紀伊：宮中の内膳司頽れ，死4．舎屋・築垣倒れるもの多く，堂塔・仏像も多く倒れる．高野山の諸伽藍破壊．余震多く，8月6日に強震があった．
28	976 7 22 (天延 4 6 18) 34.9°N 135.8°E M≧6.7 山城・近江：宮城で諸役所，左右両京で諸舎屋・諸仏寺の転倒多く，死50以上．近江の国府・国分寺や関寺（大津市）で被害．余震が多かった．
29	1027 4 17 (万寿 4 3 2) 京都：舎屋は転倒に至らなかった．築垣は頽壊した．「総覧」に不記載．
30	1028 5 13 (万寿 5 4 10) 大宰府：大宰府で大揺れ，宇佐八幡宮の弥勒寺講堂転倒．
31	1038 1/2 －(長暦 1 12 －) 34.3°N 135.6°E 紀伊：高野山中の伽藍・院宇に転倒するものが多かった．
32	1041 8 25 (長久 2 7 20) 京都：法成寺の鐘楼が転倒した．
33	1070 12 1 (延久 2 10 20) 34.8°N 135.8°E M6.0～6.5 山城・大和：東大寺の巨鐘の鈕が切れて落ちた．京都では家々の築垣に被害があった．
34	1091 9 28 (寛治 5 8 7) 34.7°N 135.8°E M6.2～6.5 山城・大和：法成寺の仏像倒れ，その他の建物・仏像にも被害．
35	1093 3 19 (寛治 7 2 14) M6.0～6.3 京都：所々の塔が破損した．
36	1096 12 17 (嘉保 3〈永長 1〉11 24) 33 ¾～34 ¼°N 137～138°E M8.0～8.5 畿内・東海道：『永長の東海地震』：大極殿小破，東大寺の巨鐘落ちる．京都の諸寺に被害があった．近江の勢多橋落ちる．津波が伊勢・駿河を襲い，駿河で社寺・民家の流失400余．余震が多かった．東海沖の巨大地震とみられる．[2]
37	1099 2 22 (承徳 3〈康和 1〉1 24) 32.5～33.5°N 135～136°E M8.0～8.3 南海道・畿内：『康和の南海地震』：興福寺・摂津天王寺で被害．土佐で田千余町みな海に沈む．津波の記事は未発見．土佐の沈降は1096年の地震によるとし，この地震を畿内の内陸地震とする説もある．

番号	西暦(日本暦)　緯度　経度　M＝マグニチュード／地域：(名称：)被害摘要
38	1177 11 26 (治承 1 10 27) 34.7°N 135.8°E M6.0〜6.5 大和：東大寺で巨鐘が落ちるなどの被害．京都でも揺れが強かった．
39	1185 8 13 (元暦 2〈文治 1〉7 9) 35.0°N 135.8°E M≒7.4 近江・山城・大和：『文治の京都地震』：京都，特に白河辺りの被害が大きかった．社寺・家屋の倒潰破損多く死多数．比叡山でも多くの建物が倒潰．宇治橋落ち，死1. 9月まで余震多く，特に8月12日の強い余震では多少の被害があった．
40	1213 6 18 (建暦 3 5 21) 鎌倉：山崩れ，地裂け，舎屋が破潰した．
41	1227 4 1 (嘉禄 3 3 7) 鎌倉：地裂け，所々の門扉・築垣が転倒した．
42	1230 3 15 (寛喜 2 閏1 22) 鎌倉：大慈寺の後山が崩れた．
43	1240 3 24 (延応 2 2 22) 鎌倉：鶴岡神宮寺が風がないのに倒れ，北山が崩れた．
44	1241 5 22 (仁治 2 4 3) M≒7.0 鎌倉：津波を伴い，由比ヶ浜大鳥居内拝殿流失，岸にあった船10艘が破損した．津波は風浪とする説もある．[1]
45	1245 8 27 (寛元 3 7 27) 京都：壁・築垣や所々の家々に破損が多かった．
46	1257 10 9 (正嘉 1 8 23) 35.2°N 139.5°E M7.0〜7.5 関東南部：鎌倉の社寺に無被害なものはなく，山崩れ，家屋転倒し，築地悉く破損．地割れを生じ，水が湧きでた．余震多数．同日三陸沿岸に津波が来襲したというが，疑わしい．
47	1293 5 27 (正応 6 4 13) M≒7.0 鎌倉：鎌倉強震，建長寺・寿福寺をはじめとする寺社および家屋が多数倒壊．建長寺は炎上した．山崩れも多発し，大慈寺が顛倒・埋没したともいわれる．余震活動はきわめて活発で，非常に強い揺れも続発した．死数千あるいは2万3千余．津波は明記されていないが，浜辺の死体140は津波による死者の可能性がある．相模トラフの巨大地震？
48	1317 2 24 (正和 6 1 5) 35.0°N 135.8°E M6.5〜7.0 京都：これより先1月3日京都に強震，余震多く，5日にこの大地震．白河辺りの人家悉く潰れ，死5．諸寺に被害，清水寺出火．余震が5月になっても止まなかった．
49	1325 12 5 (正中 2 10 21) 35.6°N 136.1°E M6.5±¼ 近江北部：荒地・中山崩れる．琵琶湖の竹生島の社寺の堂舎が損壊した．日吉神社の懸仏少々落ちる．京都で強く感じ，余震が年末まで続いた．
50	1331 8 15 (元徳 3 7 3) 33.7°N 135.2°E M≧7.0 紀伊：紀伊国千里浜（田辺市の西）の遠干潟20余町が隆起して陸地となったというが，疑わしい．
51	1350 7 6 (正平 5 5 23) 35.0°N 135.8°E M≒6.0 京都：祇園社の石塔の九輪が落ち砕けた．余震が7月初旬まで続いた．
52	1360 11 22 (正平 15 10 5) 33.4°N 136.2°E M7.5〜8.0 紀伊・摂津：4日に前震，5日にこの地震，6日の六ツ時過ぎに津波が熊野尾鷲から摂津兵庫まで来襲し，人馬牛の死が多かったというが，疑わしい．[2]

番号	西暦(日本暦)　緯度　経度　M=マグニチュード／地域：(名称：)被害摘要
53	1361　8　1　(正平 16　6 22) 畿内諸国：『正平の畿内地震』：この月18日より京都付近に地震多く，この日の地震で法隆寺の築地多少崩れる．23日にも地震あり．次の地震に先行した東海地震という見方が有力．
54	1361　8　3　(正平 16　6 24)　33.0°N 135.0°E　M8 ¼～8.5 畿内・土佐・阿波：『正平の南海地震』：摂津四天王寺の金堂転倒し，圧死5．その他，諸寺諸堂に被害が多かった．津波で摂津・阿波・土佐に被害，特に阿波の雪（由岐）湊で流失1700戸，流死60余．余震多数．南海トラフ沿いの巨大地震と思われる．[3]
55	1369　9　7　(正平 24　7 28) 京都：東寺の講堂が傾いた．史料少なく震源もMも不明．
56	1408　1 21　(応永 14 12 14)　33.0°N 136.0°E　M7.0～8.0 紀伊・伊勢：熊野本宮の温泉の湧出80日間止まる．熊野で被害，紀伊・伊勢・鎌倉に津波があったという．史料の信憑性に問題ありか？ [1]
57	1425 12 23　(応永 32 11　5)　35.0°N 135.8°E　M≒6.0 京都：築垣などが多く崩れる．余震があり，この日は終日揺れた．
58	1433　2 23　(永享　5　1 24) 伊勢：京都で強い揺れを感じた．伊勢国で激しく，鈴鹿山の大石が崩れ落ちた．「総覧」に不記載．
59	1433 11　6　(永享　5　9 16)　34.9°N 139.5°E　M≧7.0 相模：相模大山仁王の首落ちる．鎌倉で社寺・築地の被害が多かった．当時東京湾に注いでいた利根川の水が逆流，津波か？余震が多かった．[1]
60	1449　5 13　(文安　6　4 12)　35.0°N 135 ¾°E　M5 ¾～6.5 山城・大和：10日から地震があった．洛中の堂塔・築地に被害多く，東山・西山で所々地裂ける．山崩れで人馬の死多数．淀大橋・桂橋落ちる．余震が7月まで続いた．
61	1454 12 22　(享徳　3 11 24) 陸奥：大地震があり，陸奥国に津波が押し寄せた．津波は山の奥まで入り，多くの人々が海に引き込まれて死んだという．「総覧」に不記載．
62	1456　2 14　(康正　1 12 29) 紀伊：熊野神社の宮殿・神倉崩れる．
63	1466　5 29　(文正　1　4　6) 京都・奈良：天満社・糺社の石灯籠倒れる．奈良でも揺れが強かった．
64	1494　6 19　(明応　3　5　7)　34.6°N 135.7°E　M≒6.0 大和：諸寺破損，矢田庄（大和郡山の西）の民家多く破損．余震が翌年に及んだ．
65	1495　9 12　(明応　4　8 15) 鎌倉：鎌倉で大揺れ．由比ヶ浜では海水が鶴岡八幡宮の千度壇まで到達し，「大仏殿」にまで侵入．津波・洪水の溺死者200余．京都で有感．相模トラフ沿いの巨大地震？ [2]
66	1498　7　9　(明応　7　6 11) 畿内：日向灘の大地震と考えられてきたが，九州での甚大な被害を記述した史料の信憑性は乏しく，次の地震と混同している可能性がある．京都・奈良ではこの地震による強い揺れを感じたが，被害は記録されていない．その後しばらく余震が続いた．

番号	西暦(日本暦)　緯度　経度　M＝マグニチュード／地域：(名称：)被害摘要
67	1498 9 20 (明応 7 8 25) 34.0°N 138.0°E M8.2～8.4 東海道全般：『明応の東海地震』：紀伊から房総にかけての海岸と甲斐で震動が大きく，熊野本宮の神殿が倒れ，遠江では山崩れ地裂けた．津波が紀伊から房総の海岸を襲い，伊勢大湊で家屋流失1千戸，溺死5千，伊勢・志摩で溺死1万，静岡県志太郡で流死2万6千など．南海トラフ沿いの巨大地震とみられる．[3]
68	1502 1 28 (文亀 1 12 10) 37.2°N 138.2°E M6.5～7.0 越後南西部：越後の国府（現直江津）で潰家，死多数．会津でも強く揺れた．
69	1510 9 21 (永正 7 8 8) 34.6°N 135.6°E M6.5～7.0 摂津・河内：摂津・河内の諸寺で被害．大阪で死者があった．余震が70余日続いた．
70	1517 7 18 (永正 14 6 20) 越後：倒家が多かった．史料少なく詳細不明．
71	1520 4 4 (永正 17 3 7) 33.0°N 136.0°E M7.0～7 ¾ 紀伊・京都：熊野・那智の寺院破壊．津波があり，民家流失．京都で禁中の築地所々破損．暴風雨によるか？ [1]
72	1525 9 20 (大永 5 8 23) 鎌倉：由比ヶ浜の川・入江・沼が埋まって平地となったというが，疑わしい．27日まで昼夜地震があった．
73	1579 2 25 (天正 7 1 20) 34.7°N 135.5°E M6.0±¼ 摂津：四天王寺の鳥居崩れ，余震3日にわたる．
74	1586 1 18 (天正 13 11 29) 36.0°N 136.9°E M7.8±0.1 畿内・東海・東山・北陸諸道：『天正の飛騨美濃近江地震』：飛騨白川谷で大山崩れ，帰雲山城，民家300余戸埋没し，死多数．飛騨・美濃・伊勢・近江など広域で被害．木曽川下流で民家のゆり込み，亡所となるところ多し．余震は翌年まで続いた．いろいろと解明すべき点のある地震．御母衣（白川）断層の他に阿寺・養老・桑名・四日市の各断層も動いた．
75	1589 3 21 (天正 17 2 5) 34.8°N 138.2°E M≒6.7 駿河・遠江：民家多く破損し，興国寺・長久保・沼津の城の塀などが破損した．
76	1592 10 8 (天正 20 9 3) M6.7 下総：この日，強震が3度あり，5日にも揺れを感じた．江戸で被害．
77	1596 9 1 (文禄 5〈慶長 1〉閏7 9) 33.3°N 131.6°E M7.0±¼ 豊後・伊予：『慶長の豊後地震』：前月より前震があった．この日の大地震で高崎山など崩れ，八幡村柞原八幡社拝殿など倒壊．海水が引いた後大津波が来襲し，別府湾沿岸で被害．大分などで家屋ほとんど流失．「瓜生島」（大分の北にあった沖ノ浜とされる）の80%陥没し，死708という．伊予でも被害．[2]
78	1596 9 5 (文禄 5〈慶長 1〉閏7 13) 34.7°N 135.6°E M7 ½±¼ 畿内および近隣：『慶長の京都地震』：京都では三条より伏見の間で被害が最も多く，伏見城天守大破，石垣崩れて圧死約600．諸寺・民家の倒潰も多く，死傷多数．堺で死600余．奈良・大阪・神戸でも被害が多かった．余震が翌年4月まで続いた．

番 号	西暦(日本暦)　緯度　経度　M=マグニチュード／地域：(名称：)被害摘要
79	1605 2 3 (慶長 9 12 16) A：33.5°N 138.5°E M7.9 B：33.0°N 134.9°E M7.9 東海・南海・西海諸道：『慶長の南海-房総沖地震』：震害の記録は見当たらない．一方，津波が犬吠崎から九州までの太平洋岸に来襲して，八丈島で死 57 (異本によれば 75)，浜名湖近くの橋本で 100 戸中 80 戸流され，死多数．紀伊西岸広村で 1700 戸中 700 戸流失，阿波宍喰で波高 2 丈，死 1500 余，土佐甲ノ浦で死 350 余，佐喜浜で死 50 余，室戸岬付近で死 400 余など，ほぼ同時に二つの地震 A，B が起こったと考えられる．紀伊以東の津波は東海沖の地震としても説明される．いずれにしても“津波地震”の可能性が大きい．[3]
80	1611 9 27 (慶長 16 8 21) 37.6°N 139.8°E M≒6.9 会津：『慶長の会津地震』：若松城下とその付近で社寺・民家の被害が大きく，死 3700 余．山崩れが会津川・只見川を塞ぎ，南北 80 km の間に多数の沼を作った．
81	1611 12 2 (慶長 16 10 28) 39.0°N 144.0°E M≒8.1 三陸沿岸および北海道東岸：『慶長の三陸沖地震』：三陸地方で強震．震害は未発見．津波の被害が大きかった．伊達領内で死 1783，南部・津軽で人馬の死 3 千余という．三陸沿岸で家屋の流出が多く，北海道東部でも溺死が多かった．1933 年の三陸地震津波に似ている．[4]
82	1614 11 26 (慶長 19 10 25) 従来，越後高田の地震とされていたもの．大地震の割に史料が少なく，震源については検討すべきことが多い．京都で家屋・社寺などが倒壊し，死 2，傷 370 という．京都付近の地震とする説がある．
83	1615 6 26 (慶長 20 6 1) 35.7°N 139.7°E M6 ¼～6 ¾ 江戸：家屋が倒壊し，死傷多く，地割れを生じた．
84	1616 9 9 (元和 2 7 28) 38.1°N 142.0°E M7.0 仙台：仙台城の石壁・櫓など破損．江戸で有感？津波を伴う？
85	1619 5 1 (元和 5 3 17) 32.5°N 130.6°E M6.0 ± ¼ 肥後・八代：麦島城はじめ公私の家屋が破壊した．備後で有感．
86	1625 1 21 (寛永 1 12 13) 安芸：広島で大震．城中の石垣・多門・塀などが崩潰した．島根で有感．
87	1625 7 21 (寛永 2 6 17) 32.8°N 130.6°E M5.0～6.0 熊本：地震のため熊本城の火薬庫爆発，天守付近の石壁の一部が崩れた．城中の石垣にも被害，死約 50．
88	1627 10 22 (寛永 4 9 14) 36.6°N 138.2°E M6.0 ± ½ 松代：家屋倒潰 80 戸．死者があった．疑わしきか？
89	1628 8 10 (寛永 5 7 11) M6.0 江戸：江戸城の石垣所々崩れる．戸塚で道路破壊，八王子で有感．
90	1630 8 2 (寛永 7 6 24) 35 ¾°N 139 ¾°E M≒6 ¼ 江戸：江戸城の石垣崩れ，塀も破損した．
91	1633 3 1 (寛永 10 1 21) 35.2°N 139.2°E M7.0 ± ¼ 相模・駿河・伊豆：小田原城の矢倉・門塀・石壁悉く破壊．小田原で民家の倒潰多く，死 150．箱根で山崩れ．熱海に津波が襲来した．[1]
92	1635 3 12 (寛永 12 1 23) 35 ¾°N 139 ¾°E M≒6.0 江戸：長屋の塀など破損．増上寺の石灯籠ほとんど倒れる．戸塚で有感．

番号	西暦(日本暦)　緯度　経度　M＝マグニチュード／地域：(名称：)被害摘要
93	1640 7 31 (寛永 17 6 13) 42.1°N 140.7°E 北海道噴火湾：駒ヶ岳噴火に伴い津波があり，死700余，昆布舟流出100余. [2]
94	1640 11 23 (寛永 17 10 10) 36.3°N 136.2°E M6¼～6¾ 加賀大聖寺：家屋の損潰多く，人畜の死傷も多かった.
95	1644 10 18 (寛永 21 9 18) 39.4°N 140.0°E M6.5±¼ 羽後本荘：本荘城郭大破し，屋倒れ，死者があった．本荘領内で死63．市街で焼失が多かった．金浦村・石沢村で被害．院内村で地裂け，水が湧出した.
96	1645 11 3 (正保 2 9 15) 小田原：御城廻端々破損．詰門付近以西の石垣と櫓三つ崩壊．以後櫓は再建されなかった．江戸で有感.
97	1646 6 9 (正保 3 4 26) 38.1°N 140.65°E M6.5～6.7 陸前：仙台城・白石城で被害．会津で少々地割れ．日光東照宮で石垣など破損．江戸でも揺れがかなり強かった．津波の記事見当たらず.
98	1646 12 7 (正保 3 11 1) 江戸：方々の石垣崩れ，家も損じ，地割れがあった．江戸城の石垣が所々破損した．被害は「正事記」に載るのみ，疑わしきか？
99	1647 6 16 (正保 4 5 14) M6.5±¼ 武蔵・相模：江戸城や大名屋敷で被害，死者があった．小田原でも城の石垣が崩れるなどの被害．余震が多かった.
100	1648 6 13 (慶安 1 4 22) 35.2°N 139.2°E M≒7.0 相模・江戸：小田原城破損，領内で潰家が多かった．箱根で落石，死1．江戸で舟のごとく揺れ，瓦落ち，土蔵や練塀の半数が砕け倒れた．小田原や江戸の大きな被害は疑問とする説がある.
101	1649 3 17 (慶安 2 2 5) 33.7°N 132.5°E M7.0±¼ 安芸・伊予：松山城・宇和島城の石垣や塀が崩れ，民家も破損．広島では侍屋敷・町屋少々潰れ，破損が多かった.
102	1649 7 30 (慶安 2 6 21) 35.8°N 139.5°E M7.0±¼ 武蔵・下野：川越で大揺れ，町屋700軒ほど大破．江戸城で石垣など破損．藩邸・侍屋敷・長屋の破損・倒潰あり．死50余．日光東照宮破損．余震日々40～50回．余震は月を越えて続いた.
103	1649 9 1 (慶安 2 7 25) 35.5°N 139.7°E M6.4 川崎・江戸：川崎宿の民家140～150軒，寺7宇が崩潰．近くの村で民家が破倒し，人畜の負傷多数．江戸でも被害.
104	1650 4 24 (慶安 3 3 24) M6.0～6.5 日光：江戸・日光で揺れ強く，日光東照宮で石垣など破損.
105	1650 5 30 (慶安 3 5 1) 加賀：石垣破損.
106	1656 4 16 (明暦 2 3 22) 八戸：八戸城の御家蔵など戸障子破損，御土蔵の壁以下振落ちる.
107	1658 5 5 (明暦 4 4 3) 日光：軽微な被害があった.
108	1659 4 21 (万治 2 2 30) 37.1°N 139.8°E M6¾～7.0 岩代・下野：猪苗代城の石垣2ヶ所崩れる．南会津の田嶋町で人家297軒（一説では197軒）など倒れ，死8．塩原温泉元湯はほとんど土砂に埋まり，死11.

番号	西暦(日本暦)　緯度　経度　M＝マグニチュード／地域：(名称：)被害摘要
109	1661 12 10 (寛文 1 10 19) 土佐高知：高知城内石垣の石少々抜ける．
110	1662 6 16 (寛文 2 5 1) 35.3°N 135.9°E M7 ¼～7.6 山城・大和・河内・和泉・摂津・丹後・若狭・近江・美濃・伊勢・駿河・三河・信濃：『寛文の琵琶湖西岸地震』：比良岳付近の被害が甚大．唐崎・志賀で田畑 85 町湖中に没し潰家 1570．大溝で潰家 1020 余，死 37．彦根で潰家 1 千，死 30 余．榎村で死 300 余，町居村で死 260 余．京都で町屋倒壊 1 千，死 200 余など．諸所の城破損．花折断層北部と三方断層系の同時活動とする説がある．
111	1662 10 31 (寛文 2 9 20) 31.7°N 132.0°E M7 ½～7 ¾ 日向・大隅：日向灘沿岸に被害．城の破損，潰家多く，死者があった．山崩れ，津波を生じ，宮崎県沿岸 7 ヶ村周囲 7 里 35 町の地が陥没して海となった．日向灘の地震の中でも特に被害が大きかった．[2]
112	1664 1 4 (寛文 3 12 6) M5.9 京都・山城：二条城や伏見の諸邸破損，洛中の築垣所々崩れる．吉田神社・下加茂社の石灯籠倒れる．余震が月末まで続いた．
113	1664 8 3 (寛文 4 6 12) 紀伊・熊野：新宮丹鶴城の松の間崩れる．和歌山で有感．
114	1664 － －(寛文 4 － －) 琉球：琉球の鳥島で地震，石礫による死 1．近くの海底で噴火があったという解釈もある．津波があったらしい．[1]
115	1665 6 25 (寛文 5 5 12) M≒6.0 京都：二条城の石垣 12～13 間崩れ，二の丸殿舎など少々破損．
116	1666 2 1 (寛文 5 12 27) 37.1°N 138.2°E M≒6 ¾ 越後西部：積雪 14～15 尺のときに地震．高田城破損，侍屋敷 700 余潰れ，民家の倒潰も多かった．夜火災，死 1400～1500 (600 余？)．
117	1667 － －(寛文 7 － －) 琉球：宮古島で揺れが強く，洲鎌村の旱田 1210 坪約 3 尺沈下して水田となる．[1]
118	1667 8 22 (寛文 7 7 3) 40.6°N 141.6°E M6.0～6.4 八戸：市中の建物の破損が夥しかった．津軽・盛岡で大揺れ．
119	1668 6 14 (寛文 8 5 5) 越中：伏木・放生津・小杉で潰家があった．高岡城の橋潰れる．
120	1668 8 28 (寛文 8 7 21) M≒5.9 仙台：仙台城の石垣崩れる．迫町で道割れ，家破損．江戸で有感．
121	1669 6 29 (寛文 9 6 2) M5.9 尾張：名古屋城三ノ丸の坤方の門・枡形の石垣が少し崩れる．
122	1670 6 22 (寛文 10 5 5) 37.75°N 139.15°E M≒6 ¾ 越後中蒲原郡・南蒲原郡：上川 4 万石のうち農家 503 軒潰れ，死 13．弘前・盛岡・江戸でも有感．
123	1671 9/10 －(寛文 11 8 －) 花巻：町屋 10 軒ほど倒れ，庇の落下が多かった．
124	1672 7 28 (寛文 12 閏6 5) 40.65°N 140.3°E 岩木山：岩木山の南方が崩れた．
125	1674 4 15 (延宝 2 3 10) 40.6°N 141.6°E M≒6.0 八戸：城内・諸士屋敷・町屋に破損が多かった．

番号	西暦(日本暦)　緯度　経度　M＝マグニチュード／地域：(名称：)被害摘要
126	1676　7 12　(延宝　4　6　2)　34.5°N 131.8°E　M≒6.5 石見：津和野城や侍屋敷の石垣などに被害．家屋倒潰 133，死 7．
127	1677　4 13　(延宝　5　3 12)　40.5°N 142.3°E　M7.9 陸中・陸奥：『延宝の三陸沖地震』：八戸・盛岡在に家具破損などの震害があった．三陸一帯に津波があった．宮古代官所管内で流失家屋 35．余震が多かった．1968 年十勝沖地震と似ている．[2]
128	1677 11　4　(延宝　5 10　9)　35.5°N 142.0°E　M≒8.0 磐城・常陸・安房・上総・下総：『延宝の房総沖地震』：上旬より地震が多かった．磐城から房総にかけて津波があり，小名浜・中之作・薄磯・四倉・江名・豊間などで死・不明 130 余，水戸領内で溺死 36，房総で溺死 246 余，奥州岩沼領で死 123．陸に近い M6 級の地震とする説がある．[2]
129	1678 10　2　(延宝　6　8 17)　39.0°N 142.0°E　M≒7.5 陸中・出羽：花巻で城の石垣崩れ，家屋も損壊，死 1．白石城の石垣崩れる．秋田・米沢で家屋に被害．会津若松城が小破．江戸で天水桶の水溢れる．
130	1683　6 17　(天和　3　5 23)　36.7°N 139.6°E　M6.0～6.5 日光：『天和の日光地震』：4 月 5 日より地震多く，この日この地震．東照宮の石垣などに被害．江戸で有感．
131	1683　6 18　(天和　3　5 24)　36.75°N 139.65°E　M6.5～7.0 日光：『天和の日光地震』：卯刻から辰刻まで地震 7 回，巳ノ下刻にこの地震．石垣・灯籠がほとんど倒れた．夜中までに地震約 200 回．江戸でも小被害．
132	1683 10 20　(天和　3　9　1)　36.9°N 139.7°E　M7.0±¼ 日光：下野の三依川五十里村で山崩れが川を塞ぎ，湖を生じた．日光では山崩れで鬼怒川・稲荷川の水が流れず，修復半ばの石垣崩れなどの被害．1 日，2 日で地震 760 回余，1 日から晦日までで 1400 回余．江戸で有感．
133	1685 4/5 －(貞享　2　3 －) 三河：渥美郡で山崩れ．家屋倒潰し，人畜の死が多かった．「渥美郡誌」に載るのみ．疑わしい．
134	1685 11 22　(貞享　2 10 26) 江戸：この日に 5 回地震．隠州公御屋敷など少々損じる．日光で有感．
135	1686　1　4　(貞享　2 12 10)　34.0°N 132.6°E　M7.0～7.4 安芸・伊予：広島県中西部を中心に家屋などの被害が多く，死者があった．宮嶋・萩・岩国・松山・三原などで被害．
136	1686 10　3　(貞享　3　8 16)　34.7°N 137.6°E　M7.0±¼ 遠江・三河：遠江で新居の関所など少々被害，死者があった．三河で田原城の矢倉など破損，死者があった．
---	1687　10 22　(貞享　4 9 17) 陸前沿岸：南米ペルー沖の地震による遠地津波．塩釜で潮が 1.5～1.6 尺上昇．琉球にも津波．[0]
137	1694　6 19　(元禄　7　5 27)　40.2°N 140.1°E　M7.0 能代地方：能代地方に大きな被害，特に能代は壊滅的打撃を受けた．地方全体で死 394，家屋崩れ 1273，焼失 859 など．秋田・弘前でも被害．岩木山で岩石崩れ，硫黄平に火を発した．
138	1694　7 17　(元禄　7 閏 5 25) 伊予：大揺れ．別子銅山火事．焼死 300 という．坑内における死約 200．

番号	西暦(日本暦)　緯度　経度　M＝マグニチュード／地域：(名称：)被害摘要
139	1694 12 12 （元禄 7 10 26） 丹後：宮津で地割れて泥噴出．家屋破損，特に土蔵は大破損．
140	1696 6 1 （元禄 9 5 2） 宮古島：府庫・拝殿・寺院・仮屋などの石垣が崩潰した．
141	1697 11 25 （元禄 10 10 12）　35.4°N 139.6°E　M≒6.5 相模・武蔵：鎌倉で鶴岡八幡宮の鳥居倒れ，潰家があった．江戸城の石垣崩れる．日光で有感．
142	1698 10 24 （元禄 11 9 21）　33.1°N 131.5°E　M≒6.0 豊後：大分城の石垣・壁など崩れる．岡城破損．高鍋城で破損と石垣崩れ．佐賀で有感1日に6回．
---	1700 1 27 （元禄 12 12 9） 三陸～紀伊半島：北米オレゴン・ワシントン沖の巨大地震による遠地津波が，三陸～紀伊半島にかけて襲来．和歌山県田辺で新庄村御蔵へ汐入り．三陸沿岸の大槌浦に大汐上がり，漁師家2軒，塩釜2工破損．
143	1700 4 15 （元禄 13 2 26）　33.9°N 129.6°E　M≒7.0 壱岐・対馬：24日より地震，26日のこの地震で壱岐の村里の石垣・墓所悉く崩れ，家屋大半崩れる．対馬で石垣が崩れるなどの被害．佐賀・平戸・朝鮮半島南半分などで有感．
144	1703 12 31 （元禄 16 11 23）　33.25°N 131.35°E　M6.5±¼ 由布院・庄内：府内（大分）山奥22ヶ村で家潰273，破損369，死1．油布院筋・大分郡で農家580軒潰れる．豊後頭無村（現日出町豊岡）で家屋崩れ，人馬の死があった．
145	1703 12 31 （元禄 16 11 23）　34.7°N 139.8°E　M7.9～8.2 江戸・関東諸国：『元禄の関東地震』：相模・武蔵・上総・安房で震度大．特に小田原領で被害大きく，城下は全滅，12ヶ所から出火，潰家約8千，死約2300．東海道は川崎から小田原までほとんど全滅し，江戸・鎌倉などでも被害が大きかった．津波が犬吠崎から下田の沿岸を襲い，死数千．全体として死約1万，潰家約2万2千，流出家約6千．1923年関東地震に似た相模トラフ沿いの巨大地震と思われるが，地殻変動はより大きかった．[3]
146	1704 5 27 （宝永 1 4 24）　40.4°N 140.0°E　M7.0±¼ 羽後・津軽：能代の被害が最大．被害家屋1193のうち倒潰435，焼失758，死58．山崩れが多く，十二湖を生じた．岩館付近の海岸で最大190 cm隆起．弘前でも城・民家などに被害があった．
147	1705 5 24 （宝永 2 閏4 2）　33.0°N 131.2°E 阿蘇付近：阿蘇で坊の大破や崩れがあったという．岡城で被害があったという．
148	1706 1 19 （宝永 2 12 5）　38.6°N 139.9°E　M5¾±¼ 羽前：湯殿山付近のきわめて局地的な小被害．家屋の破損や地割れがあった．
149	1706 － －(宝永 3 － －) 琉球：宮古島で地震の揺れ．死あり．
150	1706 10 21 （宝永 3 9 15）　35.6°N 139.8°E　M≒5¾ 江戸：江戸城や大名屋敷などで多少の被害．

番号	西暦(日本暦)　緯度　経度　M＝マグニチュード／地域：(名称：)被害摘要
151	1707 10 28　(宝永　4 10　4)　33.2°N 135.9°E　M8.6 五畿・七道諸国：『宝永の南海・東海地震』：わが国最大級の地震の一つ．全体で確かな死5千余，潰家5万9千，流出家1万8千．震害は東海道・伊勢湾沿岸・紀伊半島で最もひどく，津波が伊豆半島から九州までの太平洋沿岸や瀬戸内海を襲った．津波の被害は土佐が最大．室戸・串本・御前崎で1〜2 m隆起し，高知の市街地約20 km^{2}が最大2 m沈下した．遠州灘沖から四国沖までの南海トラフ沿いの広範囲を震源とする巨大地震．11月23日に富士山が大爆発し宝永火口を作った．[4]
152	1707 10 29　(宝永　4 10　5) 駿河・甲斐：宝永の南海・東海地震の最大余震．潰家7397，潰寺254，死24.
153	1707 11 21　(宝永　4 10 28)　34.2°N 131.7°E　M≒5.5 防長：佐波郡上徳池村で倒家289軒．死3．傷15．地震昼夜40〜50回．徳山でも町家・侍屋敷破損多く，田熊・大返村で山崩れ，倒家.
154	1708　2 13　(宝永　5　1 22) 紀伊・伊勢・京都：地面が震え，汐が溢れて山田吹上町に至る．宝永の南海・東海地震の余震か？ [1]
155	1710　8 28　(宝永　7　8　4) 只見：只見で大地割れ，.戸が外れた．会津領で家潰・半潰14〜15軒．地割れ・山崩れもあった．二本松城の石垣少々崩れる.
156	1710　9 15　(宝永　7　8 22)　37.0°N 141.5°E　M6.5±½ 磐城：平（現いわき）で城などに被害．江戸で天水ひるがえるほど.
157	1710 10　3　(宝永　7 閏8 11)　35.5°N 133.7°E　M≒6.5 伯耆・美作：『宝永の伯耆地震』：河村・久米両郡（現鳥取県東伯郡）で被害最大．山崩れ人家を潰す．倉吉・八橋町・大山・鳥取で被害．死多数.
158	1711　3 19　(宝永　8　2　1)　35.2°N 133.8°E　M≒6¼ 因幡・伯耆・美作：『宝永の伯耆地震』：因伯両国で家380潰れ，死4．山崩れや田畠の被害があった．美作の大庭・真島両郡で全潰118，山崩れ，田畑の被害.
159	1712　5 28　(正徳　2　4 23)　40.5°N 141.5°E　M5.0〜5½ 八戸：八戸で御屋舗小破損．御家中・御町別条なし．余震は25日まで続いた．盛岡・弘前で有感.
160	1714　4 28　(正徳　4　3 15)　36.75°N 137.85°E　M≒6¼ 信濃北西部：現在のJR大糸線沿いの谷に被害，特に大町組（大町以北の北安曇郡）で死56，全潰194，半潰141．善光寺でも被害があった.
161	1715　2　2　(正徳　4 12 28)　35.4°N 136.6°E　M6.5〜7.0 大垣・名古屋・福井：大垣城・名古屋城で石垣崩れる．土蔵に痛み多く，塀がかなり崩れる．福井で崩家があり，奈良・京都・伊賀上野・松本で有感.
162	1717　5 13　(享保　2　4　3)　38½°N 142½°E　M≒7.5 仙台・花巻：仙台城の石垣崩れる．至る所で家・土蔵の崩れ・破損．花巻で破損家屋多く，地割れや泥の噴出があった．津軽・角館・盛岡・江戸などで有感.
163	1718　8 22　(享保　3　7 26)　35.3°N 137.9°E　M7.0±¼ 伊那・三河：伊那遠山谷で番所全潰．山崩れで死5，堰き止められた遠山川が後に決壊し，死50余．飯田から天龍川沿いに三河国境まで山崩れが多かった．三河・遠江で強い揺れ.

番号	西暦(日本暦)　緯度　経度　M=マグニチュード／地域：(名称：)被害摘要
164	1723 12 19 (享保 8 11 22)　32.9°N 130.6°E　M6.5±1/4 肥後・豊後・筑後：肥後で倒家980，死2．飽田・山本・山鹿・玉名・菊地・合志各郡で強く，柳川・諫早・佐賀でも強く感じた．
165	1725 5 29 (享保 10 4 18)　36.25°N 139.7°E　M≒6.0 日光：東照宮の石矢来・石灯籠倒れる．江戸でもやや強く感じた．
166	1725 6 17 (享保 10 5 7)　36.4°N 136.4°E　M≒6.0 加賀小松：城の石垣・蔵など少々破損．金沢で同日4～5回揺れた．
167	1725 8 14 (享保 10 7 7)　36.0°N 138.1°E　M6.0～6.5 伊那・高遠・諏訪：高遠城の石垣・塀・土居夥しく崩れる．諏訪高島城の石垣・塀・門夥しく崩れ，城内外侍屋敷の破損87．郷村36ヶ村で倒家347など，死4．山崩れがあった．江戸・八王子・奈良で有感．
168	1725 11 8·9 (享保 10 10 4·5)　32.7°N 129.8°E　M≒6.0 肥前・長崎：9月26日に80回以上の地震を感じた．その後，この両日は揺れが強く諸所で破損が多く，平戸でも破損が多かった．天草・大分で有感．
169	1729 3 8 (享保 14 2 9) 伊豆：大地割れ，川筋に水湧く．下田で家・土蔵傾倒．余震が20日過ぎまで続いた．
170	1729 8 1 (享保 14 7 7)　37.4°N 137.1°E　M6.6～7.0 能登：珠洲郡・鳳至郡で損・潰家791，死5，山崩れ31ヶ所．輪島村で潰家28，能登半島先端で被害が大きかった．
---	1730 7 9 (享保 15 5 25) 陸前：前日のチリのバルパライソ沖の地震による津波．陸前沿岸で田畑を損じた．[1]
171	1731 10 7 (享保 16 9 7)　38.0°N 140.6°E　M≒6.5 岩代：桑折で家屋300余崩れ，橋84落ちる．白石城で被害，城下や周辺で家屋など倒れ，死あり．蔵王の高湯で家の破損が多かった．仙台城で小破損があった．
172	1731 11 13 (享保 16 10 14) 近江八幡・刈谷：近江八幡で青屋橋の石垣破損し，刈谷で本城厩前の塀倒れる．
173	1733 9 18 (享保 18 8 11)　M6.6 安芸：奥郡に被害，因幡でも地大いに震う．京都・池田・讃岐で有感．
174	1735 5 6 (享保 20 閏3 14) 日光・守山：東照宮で石垣少々崩れる．守山（現郡山市）で稗蔵の壁所々割れる．江戸で有感．従来，閏なし3月14日とされていたもの．
175	1735 5 30 (享保 20 4 9) 江戸：幕府御書物方の西・東の蔵の目塗土が落ちた．日光で有感．
176	1736 4 30 (享保 21 3 20)　38.3°N 140.8°E　M≒6.0 仙台：仙台で城の石塁や澱橋など破損．余目・江戸で有感．
177	1738 1 3 (元文 2 閏11 13)　37.0°N 138.7°E　M≒5 1/2 中魚沼郡：蘆ヶ崎村（現津南町）付近．蔵の壁損じ，釜潰れる．東山所平（現津南町）で屋敷崩れ，信州青倉村（現栄村）で家蔵破損．余震は14日朝まで80回余，翌年に及ぶ．
178	1739 8 16 (元文 4 7 12) 陸奥・南部：南部高森で特に強く，青森で蔵潰れる．八戸で諸士，町家ともに被害が多かった．14日に樽前山噴火．

番 号	西暦(日本暦)　緯度　経度　M＝マグニチュード／地域：(名称：)被害摘要
179	1739 10 31 (元文 4 9 29) 佐渡：午前1～5時頃に4～5回の地震．相川の小家が少々破損した．新潟県中條村・日光で有感．
180	1740 7 20 (元文 5 6 27) 畿内：奈良で鳥居一つ倒れる．和泉国助松村で土手壁が多く痛んだ．
181	1741 8 29 (寛保 1 7 18)　41.6°N 139.4°E　M6.9 渡島西岸・津軽・佐渡：『寛保の渡島半島津波』：渡島大島この月の上旬より活動，13日に噴火した．18日深夜(西暦では翌日早朝)に津波，北海道で死1953(1467とも)，流出家屋729，船1521破壊．津軽で田畑の損壊も多く，流失潰家約125，死37．佐渡・能登・若狭にも津波．緯度，経度，Mは津波を地震によるとしたとき．[3]
182	1746 5 14 (延享 3 3 24) 江戸・日光：日光東照宮の石矢来約20間倒れ，石垣少々崩れる．岩手県大迫町・宮城県宮崎町・江戸・八王子・日光・福井・京都・津軽で有感．
183	1747 6 1 (延享 4 4 24)　M>5 ½? 瀬戸：瀬戸で陶器釜が揺り崩れる．合計61間余．田原で溜の水こぼれる．
184	1749 5 25 (寛延 2 4 10)　33.3°N 132.6°E　M6 ¾ 宇和島・大分：宇和島城で所々破損，矢倉大破．大分で千石橋破損．土佐・広島・岩国・佐賀・延岡で強く感じた．
185	1751 3 26 (寛延 4 2 29)　35.0°N 135.8°E　M5.5～6.0 京都：諸社寺の築地や町屋など破損．越中で強く感じ，因幡・金沢・大阪・池田・伊勢・長浜で有感．
186	1751 5 21 (寛延 4 4 26)　37.1°N 138.2°E　M7.0～7.4 越後・信濃：高田城で所々破損，町方3ヶ所から出火した．鉢崎・糸魚川間の谷で山崩れ多く，圧死多数．松代で死12．富山・金沢でも強く感じ，日光で有感．全体で死1500以上，家潰8千余．余震が多かった．
187	1753 2 11 (宝暦 3 1 9) 京都：洛中の築地などに小被害．知恩院の石碑が少し倒れた．池田・伊勢・鳥取などで有感．
188	1755 3 29 (宝暦 5 2 17) 陸奥八戸：殿中ならびに外通りに被害．津軽・盛岡などで有感．
189	1755 4 21 (宝暦 5 3 10)　36.75°N 139.6°E 日光：東照宮の石矢来・石垣などに被害．江戸・八王子・棚倉・弥彦で有感．
190	1756 2 20 (宝暦 6 1 21)　35.7°N 140.9°E　M5.5～6.0 銚子：蔵にいたみがあった．酒・醤油の桶を揺り返し，石塔倒れる．江戸・八王子・日光で有感．
191	1760 5 15 (宝暦 10 4 1) 琉球：城墻57ヶ所崩れる．余震があった．
192	1762 3 29 (宝暦 12 3 4)　37.8°N 139.0°E　M5.5～6.0 越後：新潟で土蔵に被害．三条付近で強く感じ，田畑や山林が崩れたという．新発田・佐渡などで有感．
193	1762 10 18 (宝暦 12 9 2) 土佐：高岡郡で瓦落ち，山崩れる．16日まで少しずつ余震．岩国・宇和島・筑後などで有感．

番 号	西暦(日本暦) 緯度 経度 M=マグニチュード/地域:(名称:)被害摘要
194	1762 10 31 (宝暦 12 9 15) 38.1°N 138.7°E M≒7.0 佐渡:石垣・家屋が破損,銀山道が崩れ,死者があった.津波により鵜島村で潮入り5戸,願村で流出18戸.新潟で地割れを生じ,砂と水を噴出.酒田・羽前南村山郡・弘前・日光・江戸などで有感.[1]
195	1763 1 21 (宝暦 12 12 8) 八戸:足軽家と番所小破.大迫(岩手県)で有感.史料2点のみ.
196	1763 1 29 (宝暦 12 12 16) 41.0°N 142.3°E M7.4 陸奥八戸:『宝暦の八戸沖地震』:11月はじめより地震があり,この日大地震.寺院・民家が破損した.平館・田名部・大畑で家潰5,死4.函館でも強震.津波があり,余震が多かった.1968年十勝沖地震と似ているので,もっと沖の大きな地震か.[1]
197	1763 3 11 (宝暦 13 1 27) 41.0°N 142.0°E M≒7 ¼ 陸奥八戸:前年12月の地震以来震動止まらず,この日強震.建物の被害が多かった.[0]
198	1763 3 15 (宝暦 13 2 1) 41.0°N 142.0°E M≒7.0 陸奥八戸:城の塀倒れ,御朱印蔵の屋根破損.
199	1764 10 29 (明和 1 10 5) 伊勢:伊勢神宮が所々破損というが内院は無事.京都で強く感じ,大阪で長く感じた.甲府・塩山などで有感.
200	1766 3 8 (明和 3 1 28) 40.7°N 140.5°E M7 ¼±¼ 津軽:弘前から津軽半島にかけて被害が大きかった.弘前城破損,各地に地割れ.津軽藩の被害(社寺含まず)は,潰家5千余,焼失200余,圧死約1千,焼死約300.余震が年末まで続いた.
201	1767 5 4 (明和 4 4 7) 陸中:鬼柳(現北上市)で潰家1,焼失20余.津軽・八戸・盛岡・花巻・羽前南村山郡・江戸・八王子・甲府などで有感.
202	1767 10 22 (明和 4 9 30) 35.7°N 139.8°E M≒6.0 江戸:瓦が落ち,14~15軒潰れ,所々破損があった.
203	1768 7 19 (明和 5 6 6) 35.3°N 139.05°E M≒5.0 箱根:矢倉沢で田畑に被害.1里先は小震という.江戸・八王子・甲府・塩山で有感.
204	1768 7 22 (明和 5 6 9) 26.2°N 127.5°E 琉球:王城などの石垣が崩れた.津波が来て,慶良間島で田園と民家9戸を損じた.[1]
205	1768 9 8 (明和 5 7 28) 陸奥八戸:和賀郡沢内で震動が強かった.29日にも2回地震,家屋・塀などの被害が少なくなかった.
206	1769 7 12 (明和 6 6 9) 40.6°N 141.6°E M≒6 ½ 八戸:八戸城の殿中および諸建物,塀,諸士町家の損害大.御殿通り・外側通りなどで破損,南宗寺で霊屋など破損.大橋5間落ちる.
207	1769 8 29 (明和 6 7 28) 33.0°N 132.1°E M7 ¾±¼ 日向・豊後・肥後:延岡城・大分城で被害多く,寺社・町屋の破損多数.熊本領内でも被害多く,宇和島で強震.津波あり.暴風雨被害も混在か?[1]
208	1771 4 24 (明和 8 3 10) 24.0°N 124.3°E M7.4 八重山・宮古両群島:『明和の八重山津波』:震害はなかったようである.津波による被害が大きく,石垣島が特にひどかった.全体で家屋流失2千余,溺死約1万2千.[4]

番号	西暦(日本暦)　緯度　経度　M=マグニチュード／地域：(名称：)被害摘要
209	1771　8 29　(明和　8　7 19) 西表島：南風見・仲間の二村で8月5~6日頃まで毎日7~8回の地震．仲間村で地陥り，水湧く．局所的群発地震？
210	1772　6　3　(明和　9　5　3)　39.35°N 141.9°E　M6 ¾ ± ½ 陸前・陸中：遠野・宮古・大槌・沢内で落石や山崩れ，死12．花巻城で所々破損，地割れあり．盛岡で石垣被害，家屋破損．江戸など有感．1987年1月9日の地震（「総覧」参照）に似ており，海岸近くのやや深い地震の可能性．
211	1774　1 22　(安永　2 12 11) 丹後：屋根石が多く落ちる（『宮津日記』：要史料批判）．京都・池田で有感．
212	1778　2 14　(安永　7　1 18)　34.6°N 132.0°E　M≒6.5 石見：那賀郡波佐村で石垣崩れ，極楽寺山・大野村・都茂村で落石，三隅川沿いで山崩れ・家潰れ．安芸より備前まで強震，筑前などで有感．
213	1778 11 25　(安永　7 10　7)　34.0°N 136.0°E　M≒6.0 紀伊：尾鷲で石垣が崩れた．京都・大阪・田辺・浅井・長浜で有感．
214	1780　5 31　(安永　9　4 28)　45.3°N 151.2°E　M7.0 ウルップ島：地震後に津波．ウルップ島に停泊中のロシア船が打ち上げられ，溺死4．[1]
215	1780　7 20　(安永　9　6 19)　38.9°N 139.9°E　M≒6.5 酒田：土蔵倒れかかって小家1軒潰れ，死2．亀ヶ崎城内で被害．余目・金浦でも小被害．
216	1782　8 23　(天明　2　7 15)　35.4°N 139.1°E　M≒7.0 相模・武蔵・甲斐：『天明の小田原地震』：月はじめより前震があり，15日に2度強震．小田原城破損，人家約800破損．箱根・大山・富士山で山崩れ．江戸でも潰家や死者があった．熱海で津波があったとする史料の報告があるが反論あり．
217	1786　3 23　(天明　6　2 24)　35.2°N 139.1°E　M5~5 ½ 箱根：23~24日で地震100回余．大石落ち，人家を多く破った．関所の石垣など破損．
218	1789　5 11　(寛政　1　4 17)　33.7°N 134.3°E　M7.0 ± 0.1 阿波：阿波富岡町で文珠院や町屋の土蔵に被害，山崩れがあった．南部の沿岸地方，土佐室津など広範囲に比較的軽い被害．鯖江・広島・鳥取・岡山・山口・佐賀などで有感．震央は紀伊水道の可能性もある．
219	1791　1　1　(寛政　2 11 27)　35.8°N 139.6°E　M6.0~6.5 川越・蕨：蕨で堂塔が転倒し，土蔵なども破損．川越や岩槻の寺院に被害．
220	1791　7 23　(寛政　3　6 23)　36.2°N 138.0°E　M≒6 ¾ 松本：松本城で塀など崩れる．人家・土蔵も多く崩れた．27日暮までに地震79回．高山・甲府・江戸で有感．
221	1792　5 21　(寛政　4　4　1)　32.8°N 130.3°E　M6.4 ± 0.2 雲仙岳：『寛政の島原地震』：前年10月から始まった地震が11月10日頃から強くなり，山崩れなどでたびたび被害があった．この日に強震2回，前山（天狗山）の東部が崩れ，崩土約0.325 km^3 が有明海に入り津波を生じた．対岸の肥後でも被害が多く，津波による死者は全体で約1万5千，「島原大変肥後迷惑」と呼ばれた．[3]
222	1792　6 13　(寛政　4　4 24)　43 ¾°N 140.0°E　M≒7.1 後志：津波があった．忍路で港頭の岸壁が崩れ，海岸に引き上げていたアイヌの船漂流，出漁中のアイヌ人5人溺死．美国郡でも溺死若干．[2]

番号	西暦(日本暦)　緯度　経度　M＝マグニチュード／地域：(名称：)被害摘要
223	1793 1 13 (寛政 4 12 2) 34.1°N 131.5°E M6 ¼～6 ½ 長門・周防・筑前：防府で家屋の損壊が多かったという．萩では30年来の大地震と史料にある．現在の福岡県各地で小被害．対馬で石垣崩れ．
224	1793 2 8 (寛政 4 12 28) 40.85°N 139.95°E M6.9～7.1 西津軽：『寛政の鰺ヶ沢地震』：鰺ヶ沢・深浦で被害が大きく，全体で潰家154，死12など．大戸瀬を中心に約12 kmの沿岸が最高3.5 m隆起した．小津波があり，余震が続いた．[1]
225	1793 2 17 (寛政 5 1 7) 38.3°N 144.0°E M8.0～8.4 陸前・陸中・磐城：仙台領内で家屋損壊1060余，死12．沿岸に津波が来て，全体で家潰流失1730余，船流破33，死44以上．余震が多かった．宮城県沖の巨大地震と考えられる（「総説」）．[2]
226	1793 4 17 (寛政 5 3 7) 三陸沖：笠間の牧野家御殿の壁が所々落ちる．津軽から甲府・高田まで有感．前の地震の余震の一つか．
227	1794 11 25 (寛政 6 11 3) 江戸：鳥取藩上屋敷・幕府書物方の蔵で被害．津軽・日光・甲府・矢祭・花巻などで有感．これも余震の一つか．
228	1796 1 3 (寛政 7 11 24) 35.7°N 134.3°E M5～6 因幡：岩美町で蔵の壁が落ち，石塔倒れ，地下水の異常があった．余震が翌年正月まであった．
229	1799 6 29 (寛政 11 5 26) 36.6°N 136.7°E M6.0 ± ¼ 加賀：上下動が激しく，屋根石が1尺も飛び上がったという．金沢城で石垣破損，城下で潰家26，損家4169．能美・石川・河北郡で損家1003，潰家964，死21．
230	1801 5 27 (享和 1 4 15) 35.3°N 140.1°E M6.5 上総：久留里城の塀など破損，民家の潰れるもの多かった．江戸などで有感．
231	1802 11 18 (享和 2 10 23) 35.2°N 136.5°E M6.5～7.0 畿内・名古屋：奈良春日大社・西大寺の石灯籠かなり倒れ，名古屋で本町御門西の土居の松倒れ，高壁崩れる．彦根・京都で小被害．やや深い地震か？
232	1802 12 9 (享和 2 11 15) 37.8°N 138.35°E M6.5～7.0 佐渡：『享和の佐渡小木地震』：巳刻の地震で微小被害，未刻のこの地震により，佐渡3郡全体で焼失328，潰家732，死19．島の西南海岸が最大2 m強隆起した．鶴岡で強く感じ，米沢・江戸・日光・高山・秋田・弘前で有感．
233	1804 7 10 (文化 1 6 4) 39.05°N 139.95°E M7.0 ± 0.1 羽前・羽後：『文化の象潟地震』：5月より付近で鳴動があった．被害は全体で潰家5千以上，死300以上．象潟湖が隆起して陸あるいは沼となった．余震が多かった．象潟・酒田などに津波の記事がある．
234	1810 9 25 (文化 7 8 27) 39.9°N 139.9°E M6.5 ± ¼ 羽後：『文化の男鹿半島地震』：男鹿半島の東半分で5月頃より鳴動があり，7月中旬から地震が頻発，27日にこの地震．寒風山を中心に被害があり，全潰1003（寺を含む），死57（163とも）．秋田で強く感じ，角館・大館・鰺ヶ沢・弘前・鶴岡で有感．
235	1811 1 27～30 (文化 8 1 3～6) 三宅島：噴火活動による地震．山崩れ・地割れを生じた．

番号	西暦(日本暦) 緯度 経度 M=マグニチュード／地域：(名称：)被害摘要
236	1812 4 21 (文化 9 3 10) 33.5°N 133.5°E M≒6.0 土佐：高知で土蔵壁落ち，瓦落下，塀の損傷があった．中村の方が強かったともいう．
237	1812 12 7 (文化 9 11 4) 35.45°N 139.65°E M6 ¼±¼ 武蔵・相模：江戸で小被害．最戸村（現横浜市港南区）で家19や寺堂3が倒れかかる．その他神奈川宿・川崎宿・保土ヶ谷などに潰家や死者があった．
238	1814 11 22 (文化 11 10 11) M≒6.0 土佐高知：垣壁少し破損．松阪・大阪・豊岡・善通寺・出雲・広島・岡山・琴平・近江・臼杵・佐賀で有感．
239	1815 3 1 (文化 12 1 21) 36.4°N 136.5°E M≒6.0 加賀小松：小松城が破損という．岐阜県白鳥町の悲願寺で香炉が落ちた．金沢などで揺れが強かった．
240	1817 12 12 (文化 14 11 5) 35.20°N 139.05°E M≒6.0 箱根：箱根で落石，江戸で幕府書物方の蔵に小被害．秩父・甲府・八王子などで有感．
241	1818 6 27 (文政 1 5 24) 岩代川俣：岩代川俣で屋根石や店の品物が落ちた．矢祭・日光・鶴岡・江戸・生麦で有感．
242	1818 9 5 (文政 1 8 5) 江戸：幕府書物方の壁に亀裂ができた．
243	1819 8 2 (文政 2 6 12) 35.2°N 136.3°E M7 ¼±¼ 伊勢・美濃・近江：近江八幡で潰家82，死5．木曽川下流では香取（多度町）で40軒全滅，金廻では海寿寺潰れ圧死70．名古屋・犬山・四日市・京都などのほか，金沢・敦賀・出石・大和郡山などでも被害．余震記事全く見当たらず，深い地震か．
244	1821 9 12 (文政 4 8 16) 津軽・青森・八戸：青森で小店の屋根落ち，子供1人死亡．八戸で蔵などに被害．
245	1821 12 13 (文政 4 11 19) 37.45°N 139.6°E M5.5～6.0 岩代：『文政の岩代地震』：大沼郡大石組の狭い範囲に強震．130軒壊れ，大小破300余，死若干．上下動が強く，山崩れがあった．翌年1月4日に再び強い揺れがあった．
246	1823 9 29 (文政 6 8 25) 40.0°N 141.1°E M5 ¾～6 陸中岩手山：山崩れあり，西根八ヶ村に被害，潰家105など．岩手山の北30 kmにある七時雨山も崩れ，死69，不明4.
247	1826 8 28 (文政 9 7 25) 36.2°N 137.25°E M≒6.0 飛騨大野郡：地裂け，石垣崩れる．土蔵の壁土落ち，石塔・石灯籠が倒れた．
248	1827 8 26 (文政 10 7 5) 日光：日光奥院で石柵など少々損じる．
249	1828 5 26 (文政 11 4 13) 32.6°N 129.9°E M≒6.0 長崎：出島の周壁が数ヶ所潰裂．天草で揺れが激しかったという．天草の海中で噴火に似た現象があったという．
250	1828 12 18 (文政 11 11 12) 37.6°N 138.9°E M6.9 越後：激震地域は信濃川流域の平地．三条・燕・見付・今町・与板などで被害が大きかった．全体で寺社の全潰91・焼失8，家屋の全潰13149・焼失1200，死1681．地割れから水や砂が噴出するなど，液状化現象がみられた．

番 号	西暦(日本暦)　緯度　経度　M＝マグニチュード／地域：(名称：)被害摘要
251	1830 8 19 (文政 13 7 2) 35.1°N 135.6°E M6.5±0.2 京都および隣国：洛中洛外の土蔵はほとんど被害を受けたが，民家の倒潰はほとんどなかった．御所・二条城などで被害．京都での死 280．上下動が強く，余震が非常に多かった．
252	1831 3 26 (天保 2 2 13) 35.65°N 139 ¾°E M≒5.5 江戸：幕府書物方の壁が損じ，瓦がせり出した．船橋・流山で有感．詳細不明．
253	1831 11 13 (天保 2 10 10) 会津：会津若松城内石垣所々崩れ，家中在方潰家多く，所々地割れ．白川・鶴岡・村上・上田・日光・船橋・江戸などで有感．
254	1832 3 15 (天保 3 2 13) 40.7°N 141.6°E M≒6 ½ 八戸：土蔵の破損が多かった．南宗寺・本寿寺の石碑所々痛む．
255	1833 5 27 (天保 4 4 9) 35.5°N 136.6°E M≒6 ¼ 美濃西部：大垣北方の村々で山崩れ多く，死者 11 という．余震が多く，8月まで続く．震源は根尾谷断層に近い．
256	1833 12 7 (天保 4 10 26) 38.9°N 139.25°E M7 ½±¼ 羽前・羽後・越後・佐渡：庄内地方で特に被害が大きく，潰家 475，死 46．津波が本庄から新潟に至る海岸と佐渡を襲い，能登で大破流出家約 345，死約 100． [2]
257	1834 2 9 (天保 5 1 1) 43.3°N 141.4°E M≒6.4 石狩：地割れ，泥噴出．アイヌの家 23 潰れる．その他，会所などに被害．
258	1835 3 12 (天保 6 2 14) 35.1°N 132.6°E M≒5 ½ 石見：島根県高畑村で石地蔵・石塔・墓石などが倒れ，蔵の壁が破れ，石垣が崩れた．
259	1835 7 20 (天保 6 6 25) 38.5°N 142.5°E M≒7.0 仙台：仙台城で石垣崩れ，藩内で被害．岩手県藤沢町で石垣崩れ，蔵の壁を損じた．
260	1835 9 11 (天保 6 閏7 19) 須賀川：福島県須賀川で土蔵ひび割れ，壁落ちる．江戸で有感．
261	1835 11 3 (天保 6 9 13) 日光：日光で石柵倒れ，所々破損．会津・関東・甲斐・信濃・越後・近江で有感．
262	1836 3 31 (天保 7 2 15) 34.4°N 139.2°E M5~6 伊豆新島：神社・寺の石垣崩れる．江戸で有感．2月末まで地震続く．
—	1837 11 9 (天保 8 10 12) 三陸：チリ沖の M>8 の地震による遠地津波が三陸に襲来．大船渡で田荒れ，塩流失 2000 俵．今泉で鮎川留破る．[1~2]
263	1839 5 1 (天保 10 3 18) M≒7.0 厚岸：国泰寺門前の石灯籠大破，戸障子破損．津軽で強く感じた．
264	1841 4 22 (天保 12 3 2) 35.0°N 138.5°E M≒6 ¼ 駿河：駿府城の石垣崩れ，久能山東照宮の堂・門など破損．江尻・清水辺りで家や蔵の壁が落ち，地裂け，水吹き出す．三保の松原の砂地が3千坪ほど沈下した．
265	1841 11 3 (天保 12 9 20) 33.2°N 132.4°E M≒6.0 宇和島：宇和島城の塀・壁など破損．四国・中国の西部と筑後で有感．
266	1841 12 9 (天保 12 10 27) 信濃：長野で石垣崩れる．上田・馬屋（新潟県清里村）で有感．

番号	西暦(日本暦)　緯度　経度　M＝マグニチュード／地域：(名称：)被害摘要
267	1842 4 17 (天保 13 3 7) 琉球：宮古島などで5日頃から地震，7日の地震で石墻が多く崩れた．14日まで数十回の地震があった．
268	1843 3 9 (天保 14 2 9)　35.35°N 139.1°E　M6.5±¼ 足柄・御殿場：足柄萱沼村で石垣・堤の崩れ多く，御殿場の近くや津久井でも被害があった．小田原で城内に破損があった．
269	1843 4 25 (天保 14 3 26)　42.0°N 146.0°E　M8.0 釧路・根室：『天保の根室釧路沖地震』：厚岸国泰寺で被害があった．津波があり，全体で死46．家屋破壊76．八戸にも津波．松前・津軽で強く感じ，江戸でも有感．[2]
270	1843 6 29 (天保 14 6 2)　39.45°N 140.7°E　M5～6 陸中沢内：所々崩れ，家痛む(『沢内年代記』)．雫石で山崩れという．
271	1843 9 27 (天保 14 9 4) 江戸：幕府書物方の庫が少々損じた．
272	1843 12 16 (天保 14 10 25) 江戸：幕府書物方の庫に損じ個所あり．群馬県高山村・日光・茨城県御前山村・坂戸・塩山で有感．
273	1844 8 8 (天保 15 6 25)　33.0°N 131.3°E 肥後北部：28日まで地震が多く，久住北里で特に強かった．杖立村で落石により百姓屋崩れる．
274	1847 5 8 (弘化 4 3 24)　36.7°N 138.2°E　M7.4 信濃北部および越後西部：『弘化の善光寺地震』：被害範囲は高田から松本に至る地域で，特に水内・更級両郡の被害が最大だった．松代領で潰家9550，死2695，飯山領で潰家1977(2977とも)，死586，善光寺領で潰家2285，死2486など．全国からの善光寺の参詣者7千～8千のうち，生き残ったもの約1割という．山地で山崩れが多く，松代領では4万ヶ所以上．虚空蔵山が崩れて犀川を堰き止め，上流は湖となったが，4月13日に決壊して流出家屋810，流死100余．
275	1847 5 13 (弘化 4 3 29)　37.2°N 138.3°E　M6½±¼ 越後頸城郡：善光寺地震の被害と区別できないところが多い．潰家・大破ならびに死傷があった．地割れを生じ，泥を噴出し，田畑が埋没したところもあった．
276	1848 1 10 (弘化 4 12 5)　33.2°N 130.4°E　M5.9 筑後：柳川で家屋の倒潰があった．
277	1848 1 14 (弘化 4 12 9)　40.7°N 140.6°E　M6.0±0.2 津軽：弘前の城内・城下で被害．黒石・猿賀(弘前の北東)辺りで特に強く，潰家があったらしい．
278	1848 1 25 (弘化 4 12 20)　32.85°N 130.65°E 熊本：熊本城内で石垣を損じ，座敷などの壁が落ちた．
279	1848 4 1 (嘉永 1 2 28) 長野：横山(現長野県城山)で瓦の家が落ちた家があり，羽尾村(現戸倉町)で潰家16という．
280	1848 6 9 (嘉永 1 5 9) 江戸：両国で行灯倒れる．加賀藩邸の土塀が少々破損．
281	1853 1 26 (嘉永 5 12 17)　36.6°N 138.1°E　M6.5±¼ 信濃北部：善光寺で被害．長野市中で下屋の破損があった．松代領で潰家23．

番号	西暦(日本暦)　緯度　経度　M＝マグニチュード／地域：(名称：)被害摘要
282	1853 3 11 (嘉永 6 2 2) 35.3°N 139.15°E M6.7±0.1 小田原付近：小田原で被害が大きく，城内で潰れや大破があった．小田原領で潰家1千余，死 24．山崩れが多かった．
283	1854 7 9 (嘉永 7〈安政 1〉6 15) 34.75°N 136.1°E M7 ¼±¼ 伊賀・伊勢・大和および隣国：『安政の伊賀地震』：12日頃から前震があった．伊賀上野・四日市・奈良・大和郡山付近で被害が大きかった．上野付近で潰家2千余，死約 600，奈良で潰家 700～800，死約 300 など，全体で死 1300 余．木津川断層の活動であろう．
284	1854 8 28 (嘉永 7 閏7 5) 40.6°N 141.6°E M6.5±¼ 陸奥：三戸・八戸で被害．地割れがあった．
285	1854 12 23 (嘉永 7〈安政 1〉11 4) 34.0°N 137.8°E M8.4 東海・東山・南海諸道：『安政の東海地震』：被害は関東から近畿に及び，特に沼津から伊勢湾にかけての海岸がひどかった．津波が房総から土佐までの沿岸を襲い，被害をさらに大きくした．この地震による居宅の潰・焼失は約3万軒，死者は2千～3千人と思われる．沿岸では著しい地殻変動が認められた．地殻変動や津波の解析から，震源域が駿河湾深くまで入り込んでいた可能性が指摘されており，すでに 100 年以上経過していることから，次の東海地震の発生が心配されている．[3]
286	1854 12 24 (嘉永 7〈安政 1〉11 5) 33.0°N 135.0°E M8.4 畿内・東海・東山・北陸・南海・山陰・山陽道：『安政の南海地震』：東海地震の 32 時間後に発生，近畿付近では二つの地震の被害をはっきりとは区別できない．被害地域は中部から九州に及ぶ．津波が大きく，波高は串本で 15 m，久礼で 16 m，種崎で 11 m など．地震と津波の被害の区別が難しい．死者数千．室戸・紀伊半島は南上がりの傾動を示し，室戸・串本で約1m 隆起，甲浦・加太で約1m 沈下した．[4]
287	1854 12 26 (嘉永 7 11 7) 33 ¼°N 132.0°E M7.3～7.5 伊予西部・豊後：南海地震の被害と区別が難しい．伊予大洲・吉田で潰家があった．鶴崎で倒れ屋敷 100，土佐でも強く感じた．
288	1855 3 15 (安政 2 1 27) 遠江・駿河：大井川の堤揺れ込み，焼津で古い割れ目から水が噴出．
289	1855 3 18 (安政 2 2 1) 36.25°N 136.9°E M6 ¾±¼ 飛騨白川・金沢：野谷村で寺・民家に破損があった．保木脇村で民家2軒が山抜けのため潰れ，死 12．金沢城で石垣など破損．
290	1855 9 13 (安政 2 8 3) 38.1°N 142.0°E M≒7 ¼±¼ 陸前：仙台で屋敷の石垣，堂寺の石塔・灯籠崩れる．山形県・岩手県南部・新潟県分水町・常陸太田で有感．
291	1855 11 7 (安政 2 9 28) 34.5°N 137.75°E M7.0～7.5 遠州灘：前年の東海地震の最大余震．掛塚・下前野・袋井・掛川辺りがひどく，ほとんど全滅．死者があった．津波があった．
292	1855 11 11 (安政 2 10 2) 35.65°N 139.8°E M7.0～7.1 江戸および付近：『安政の江戸地震』：下町で特に被害が大きかった．地震後 30 余ヶ所から出火したが，風が静かで焼失面積は 2.2 km^2 にとどまった．江戸町方の被害は，潰れ焼失1万4千余軒，死4千余．武家方には死約 2600 などの被害があり，合わせて死は計1万とも．瓦版が多数発行された．

番号	西暦(日本暦)　緯度　経度　M＝マグニチュード／地域：(名称：)被害摘要
293	1856 8 23 (安政 3 7 23) 41.0°N 142.3°E M≒7.5 日高・胆振・渡島・津軽・南部：『安政の八戸沖地震』：震害は少なかったが，津波が三陸および北海道の南岸を襲った．南部藩で流失 93，潰 100，溺死 26，八戸藩でも死 5 など．余震が多かった．1968 年十勝沖地震に津波の様子がよく似ており，もう少し海溝寄りの地震かもしれない．[2]
294	1856 11 4 (安政 3 10 7) 35.7°N 139.5°E M6.0～6.5 江戸・立川・所沢：江戸で壁の剥落や積瓦の落下があり，傷 23．粂川で家屋倒潰 15 という．
295	1857 7 8 (安政 4 閏 5 17) 34.4°N 131.4°E M≒6.0 萩：城内で石垣などに小被害．市中でも小被害があった．
296	1857 7 14 (安政 4 閏 5 23) 34.8°N 138.2°E M6 ¼ ± ¼ 駿河：田中城内で被害．藤枝・静岡で強く揺れ，相良で人家が倒れたという．
297	1857 10 12 (安政 4 8 25) 34.0°N 132.75°E M7 ¼ ± 0.5 伊予・安芸：今治で城内破損，郷町で潰家 3，死 1．宇和島・松山・広島などで被害．郡中で死 4．
298	1858 4 9 (安政 5 2 26) 36.4°N 137.2°E M7.0～7.1 飛騨・越中・加賀・越前：『安政の飛越地震』：飛騨北部・越中で被害が大きく，飛騨で潰家 323，死 209．山崩れも多く，常願寺川の上流が堰き止められ，後に決壊して流出および潰家 1600 余，溺死 140 の被害を出した．跡津川断層の運動（右横ずれ）によると考えられる．
299	1858 4 9 (安政 5 2 26) 丹後・宮津：地割れを生じ，家屋が大破した．
300	1858 4 23 (安政 5 3 10) 36.6°N 137.9°E M5.7 ± 0.2 信濃北西部：大町組で家・蔵が潰れ，山崩れがあった．この地震が引金で，2 月 26 日の地震で堰止められたところが崩れたと考えられる．
301	1858 7 8 (安政 5 5 28) 40.75°N 142.0°E M7.0～7.5 八戸・三戸：八戸・三戸で土蔵・堤水門・橋など破損．青森・弘前・陸奥・田名部・鯵ヶ沢・秋田で強く感じた．
302	1858 8 24 (安政 5 7 16) 紀伊：田辺で瓦が落ち，壁が崩れた家があった．
303	1858 9 29 (安政 5 8 23) 40.9°N 140.8°E M≒6.0 青森：安方町で米蔵潰れる．狩場沢村（現平内町）で道路に亀裂があった．
304	1859 1 5 (安政 5 12 2) 34.8°N 131.9°E M≒6.2 石見：島根県一帯で強く，波佐村で山崩れがあった．周布村・美濃村・下道川村などで被害．家潰 56．
305	1859 10 4 (安政 6 9 9) 34.5°N 132.0°E M6.0～6.5 石見：島根県那賀郡で強く，周布村でも潰家や地割れがあった．広島城内でも被害があった．
306	1861 3 24 (万延 2 2 14) 34.8°N 137.1°E M≒6.0 西尾：丑刻・寅刻と続けて大地震．寅刻の地震の方が強かった．白鳥村で庄屋の柱折れなどの小破損．額田郡 4 ヶ村で大破した家があった．
307	1861 10 21 (文久 1 9 18) 38.55°N 141.15°E M6.4 陸前・磐城：陸前の遠田・志田・登米・桃生などの各郡で特に被害が多く，潰家・死傷があった．江戸・新潟県分水町・長野・長万部・津軽まで有感．

番号	西暦(日本暦)　緯度　経度　M＝マグニチュード／地域：(名称：)被害摘要
308	1865　2 24　(元治　2　1 29)　35.0°N 135.0°E　M≒6 ¼ 播磨・丹波：加古川上流の杉原谷で家屋が多く破壊したという.
309	1866 11 24　(慶応　2 10 18) 銚子：銚子市後飯町の浅間社の石の鳥居倒れる. 日光・相馬・成田・江戸などで有感.
310	1870　5 13　(明治　3　4 13)　35.25°N 139.1°E　M6.0〜6.5 小田原：小田原城内の所々で壁などが破損した. 町田・江戸・塩山・馬籠・分水町で有感.
311	1872　3 14　(明治　5　2　6)　35.15°N 132.1°E　M7.1±0.2 石見・出雲：『浜田地震』：1週間ほど前から鳴動, 当日には前震もあった. 全体で全潰約5千, 死約550, 特に石見東部で被害が多かった. 海岸沿いに数尺の隆起・沈降がみられ, 小津波があった. [0]
312	1874　2 28　(明治　7)　44.6°N 141.6°E　M≒5.5 天塩：苫前郡風連別で止宿所の台所破損. 橋の過半数が破損. これより北約20 km の範囲の海岸で山崩れ10ヶ所余り.
---	1877　5 10　(明治 10) 太平洋沿岸：チリのイキケ沖の地震による津波. 波高は釜石で3 m など. 函館などで被害. 房総半島で死者があった.
313	1880　2 22　(明治 13)　35.4°N 139.75°E　M5.5〜6.0 横浜：『横浜地震』：横浜で煙突の倒潰・破損が多く, 家屋の壁が落ちた. 東京の被害は横浜より軽かった. この地震を機として日本地震学会が生まれた.
314	1881 10 25　(明治 14)　43.3°N 147.3°E　M≒7.0 北海道：国後島泊湊で板蔵など倒れ, または大破した. 津軽でも強く感じた.
315	1882　6 24　(明治 15) 高知市付近：市中で壁が落ち, 板塀が倒れ, 石灯籠の頭が落ちるなどの被害があった.
316	1882　7 25　(明治 15) 那覇・首里付近：家屋の倒潰なし. 那覇各村で241ヶ所, 首里各村で252ヶ所の石垣が崩壊. 余震が多かった.
317	1882　9 29　(明治 15)　35°07′N 139°05′E 熱海付近：熱海で落石, 墓石の転倒があった. 原・八王子で有感.
318	1884 10 15　(明治 17)　35.7°N 139.75°E 東京付近：多数の煙突が倒れ, 煉瓦作りの壁に亀裂が入った. 柱時計の70〜80%が止まった.
319	1886　7 23　(明治 19)　37.1°N 138.5°E　M5.3　[2] 新潟県南部：家屋倒損, 道路・石垣破損, 山崩れなどの小被害. 上高井地方で前震があった.
320	1889　7 28　(明治 22)　32.8°N 130.7°E　M6.3　[4] 熊本県西部：熊本市を中心に半径約20 km の範囲に被害があり. 県全体で全潰234, 死19. 橋の落下や破損が多かった.
321	1890　1　7　(明治 23)　36.5°N 138.0°E　M6.2　[2] 長野県北部：東筑摩・北安曇・更科・上水内の各郡で家屋の小破, 山崩れ, 道路破損などがあった. 死1.

番号	西暦(日本暦)　緯度　経度　M＝マグニチュード／地域：(名称：)被害摘要
322	1891 10 28 (明治 24)　35.6°N 136.6°E　M8.0　6⃞ 岐阜県西部：『濃尾地震』：仙台以南の全国で地震を感じた．わが国の内陸地震としては最大のもの．建物全潰 14 万余，半潰 8 万余，死 7273，山崩れ 1 万余．根尾谷を通る大断層を生じ，水鳥で上下に 6 m，水平に 2 m ずれた．1892 年 1 月 3 日，9 月 7 日，94 年 1 月 10 日の余震でも家屋破損などの被害があった．
323	1892 12 9・11 (明治 25)　(9 日) 37.1°N 136.7°E　M6.4　2⃞ (11 日) 37.0°N 136.7°E　M6.3　3⃞ 能登半島西岸：『能登地震』：9 日の地震により羽咋郡で家屋・土蔵の破損があった．加賀・越中の海岸で潮位異常とされるが資料は少ない．11 日にも同程度の地震がやや南で起きて，羽咋郡で全潰 2，死 1．[0]
324	1893 6 4 (明治 26)　43 ½°N 148°E　M7 ¾　1⃞ 色丹島沖：択捉島で震動が強く，岩石の崩壊があった．津波は色丹島で 2.1～2.4 m など．[1]
325	1893 9 7 (明治 26)　31.4°N 130.5°E　M5.3　2⃞ 鹿児島県南部：知覧村付近で被害が多く，家屋・土蔵・石垣・堤防など破損．近くの村々でも被害．倒家 2．
326	1894 3 22 (明治 27)　42 ½°N 146°E　M7.9　3⃞ 根室沖：『根室沖地震』：根室・厚岸で家屋・土蔵などに被害．死 1，家屋潰 12，津波は宮古 4.0 m，大船渡 1.5 m など．[2]
327	1894 6 20 (明治 27)　35.7°N 139.8°E　M7.0　Mw6.6*　4⃞ 東京府東部：『東京地震』：青森から中国・四国地方まで地震を感じた．東京・横浜の被害が大きかった．神田・本所・深川で全半壊多く，東京で死 24．川崎・横浜で死 7．鎌倉・浦和方面にも被害があった．
328	1894 10 22 (明治 27)　38.9°N 139.9°E　M7.0　5⃞ 山形県北西部：『庄内地震』：被害は主として庄内平野に集中した．山形県下で全潰 3858，半潰 2397，全焼 2148，死 726．
329	1895 1 18 (明治 28)　36.1°N 140.4°E　M7.2　3⃞ 茨城県南部：北海道・四国・中国の一部まで地震を感じた．被害範囲は関東東半分．全潰 53 (家屋 43，土蔵 10)，死 6．
330	1896 4 2 (明治 29)　37.5°N 137.3°E　M5.7　2⃞ 石川県北岸：蛸島村で土蔵倒潰 2，家屋破壊 15．禄剛崎燈台破損．
331	1896 6 15 (明治 29)　39.5°N 144.0°E　M8 ¼　Mw8.0*　7⃞ 岩手県沖：『三陸沖地震』：震害はない．津波が北海道より牡鹿半島に至る海岸に襲来し，死者総数は 21959 (青森 343，宮城 3452，北海道 6，岩手 18158)．家屋流失全半潰 8～9 千，船の被害約 7 千．波高は，吉浜 24.4 m，綾里 38.2 m，田老 14.6 m など．津波はハワイやカリフォルニアに達した．M は津波を考慮したもので，いわゆる“津波地震”．[4]
332	1896 8 31 (明治 29)　39.5°N 140.7°E　M7.2　5⃞ 秋田県東部：『陸羽地震』：秋田県の仙北郡・平鹿郡，岩手県の西和賀郡・稗貫郡で被害が大きく，両県で全潰 5792，死 209．千屋断層・川舟断層を生じた．
333	1897 2 20 (明治 30)　38.1°N 141.9°E　M7.4　2⃞ 宮城県沖：『宮城県沖地震』：岩手・山形・宮城・福島で小規模の被害．石巻で住家全倒 1，一ノ関で家屋大破 60 など．[0]

番 号	西暦(日本暦)　緯度　経度　M＝マグニチュード／地域：(名称：)被害摘要
334	1897　8　5　(明治 30)　38.3°N 143.3°E　M7.7　2 宮城県沖：津波により三陸沿岸に小被害．津波の高さは盛で 3 m，釜石で 1.2 m．[1]
335	1898　4　3　(明治 31)　34.6°N 131.2°E　M6.2　2 山口県北方沖：見島西部で強く，神社仏閣の損傷・倒潰，石垣の崩壊があった．
336	1898　4 23　(明治 31)　38.6°N 142.0°E　M7.2　2 宮城県沖：岩手・宮城・福島・青森の各県で小被害．花巻で土蔵全潰 1．小津波があった．[－1]
337	1899　3　7　(明治 32)　34.1°N 136.1°E　M7.0　3 三重県南部：『紀和地震』：奈良県吉野郡・三重県南牟婁郡で被害が大きく，木ノ本・尾鷲で死 7，全潰 35，山崩れ多数．奈良県では大和高田で全潰 2 など，大阪府で所々小被害．
338	1899 11 25　(明治 32)　(03 時 43 分) 31.9°N 132.0°E　M7.1　2 (03 時 55 分) 32.7°N 132.3°E　M6.9 宮崎県沖：宮崎・大分で家屋が小破し，土蔵が倒潰した．大分では 2 回目の方が強く揺れた．[－1]
339	1900　3 22　(明治 33)　35.8°N 136.2°E　M5.8　3 福井県中部：鯖江町・吉川村で被害が最も多かった．県全体で家屋全潰 2，半潰 10，破損 488 など．
340	1900　5 12　(明治 33)　38.7°N 141.1°E　M7.0　3 宮城県北部：遠田郡で最も激しく，県全体で死傷 17，家屋全潰 44，半潰 48，破損 1474．
341	1900 11　5　(明治 33)　33.9°N 139.4°E　M6.6　3 三宅島付近：4 日より前震があった．御蔵島・三宅島で海岸の崩壊などがあった．神津島で家屋全潰 2，半潰 3．
342	1901　8　9・10　(明治 34)　(9 日) 40.5°N 142.5°E　M7.2　3 (10 日) 40.6°N 142.3°E　M7.4 青森県東方沖：青森県で死傷 18，全潰家屋 8，秋田・岩手でも被害があった．宮古近海で高さ約 0.6 m の小津波が 7～8 回来襲した．[0]
343	1902　1 30　(明治 35)　40.5°N 141.3°E　M7.0　3 青森県東部：三戸・七戸・八戸などで倒潰家屋 3，死 1．前の地震の余震か？
344	1905　6　2　(明治 38)　34.1°N 132.5°E　M7.2　3 安芸灘：『芸予地震』：広島・呉・松山付近で被害が大きく，広島県で家屋全潰 56，死 11，愛媛県で家屋全潰 8．煉瓦造建物・水道管・鉄道の被害が多かった．1903 年以来，この近くで地震が多かった．
345	1905　6　7　(明治 38)　34.8°N 139.3°E　M5.8　2 伊豆大島：5 月 28 日頃からの群発地震の中の主震．家屋 3 が傾いた．土地・道路・石垣の崩壊・亀裂が多かった．
346	1909　3 13　(明治 42)　(08 時 19 分) 34.5°N 141.5°E　M6.7　2 (23 時 29 分) 34.5°N 141.5°E　M7.5 房総半島沖：『房総沖地震』：先の地震で家屋 2 が傾斜．前震か？　あとの方が揺れが強く，横浜で煙突・煉瓦壁の崩壊などの被害があった．
347	1909　8 14　(明治 42)　35.4°N 136.3°E　M6.8　4 滋賀県東部：『姉川地震』：虎姫付近で被害が最大．滋賀・岐阜両県で死 41，住家全潰 978．姉川河口の琵琶湖湖底が数十 m 深くなったという．

番号	西暦(日本暦)　緯度　経度　M＝マグニチュード／地域：(名称：)被害摘要
348	1909 8 29 (明治 42) 26°N 128°E M6.2 $\boxed{3}$ 沖縄本島付近：那覇・首里で家屋全半潰 6，死 1．その他で全半潰 10，死 1．
349	1909 11 10 (明治 42) 32.3°N 131.1°E M7.6 $\boxed{3}$ 宮崎県西部：宮崎市付近で被害が大きく，宮崎・大分・熊本・鹿児島・高知・愛媛・岡山・広島の各県に被害があった．家屋全潰 4．大きなやや深発地震で，深さ約 150 km．
350	1910 7 24 (明治 43) 42.5°N 140.85°E M5.1 $\boxed{2}$ 胆振西部：『有珠山地震』：15 日以来地震頻発，この地震などで虻田村で半潰・破損 15，その他でも小被害があった．この約 7 時間半後，有珠山が噴火した．
351	1911 6 15 (明治 44) 28.0°N 130.0°E M8.0 $\boxed{3}$ 奄美大島付近：『奄美大島沖地震』：有感域は中部日本に及び，喜界島・奄美大島・沖縄本島・徳之島などに被害．死 12，家屋全潰 422．この地域最大の地震．[0]
352	1913 6 29 (大正 2) 31.65°N 130.35°E M5.7 $\boxed{2}$ 鹿児島県西部：『鹿児島地震』：翌日再震（M 5.9)，翌日の方が大きく両方で家屋倒潰 1．地鳴りを伴った．
353	1914 1 12 (大正 3) 31.6°N 130.6°E M7.1 $\boxed{4}$ 鹿児島県中部：『桜島地震』：桜島の噴火で発生した地震．鹿児島市で住家全倒 39，死 13，鹿児島郡で住家全倒 81，死 22．小津波があった．[1]
354	1914 3 15 (大正 3) 39.5°N 140.4°E M7.1 $\boxed{4}$ 秋田県南部：『仙北地震』：仙北郡で最もひどく，全体で死 94，家屋全潰 640．地割れや山崩れが多かった．
355	1914 3 28 (大正 3) 39.2°N 140.4°E M6.1 $\boxed{3}$ 秋田県南部：前の地震の最大余震．藤木村で住家（本震で半壊状態）が全壊 1，沼館町で家屋全潰数戸？
356	1915 3 18 (大正 4) 42.1°N 143.6°E M7.0 $\boxed{3}$ 十勝沖：芽室村字美生村と戸蔦村で家屋倒潰，死各 1．
357	1915 11 16 (大正 4) 35.4°N 140.3°E M6.0 $\boxed{2}$ 房総半島：下香取郡万才村・長生郡西村・その他で崖崩れがあり，傷 5，人家・物置の潰れがあった．群発地震で，12 日から地震が続いていた．
358	1916 2 22 (大正 5) 36.5°N 138.5°E M6.2 $\boxed{3}$ 群馬県西部：『浅間山地震』：浅間山麓で激しく，嬬恋村で山崩れ，家屋全潰 7．その他，大笹・大前などで半潰 3，破損 109，土蔵破損 164．
359	1916 11 26 (大正 5) 34.6°N 135.0°E M6.1 $\boxed{3}$ 兵庫県南岸：神戸・明石・淡路北部で死 1，家屋倒潰 3 など．有馬温泉の泉温 1 ℃上がる．
360	1917 5 18 (大正 6) 35.0°N 138.1°E M6.3 $\boxed{3}$ 静岡県中部：『静岡県中部地震』：死 2．煉瓦塀・煉瓦煙突の被害が多かった．志田順による発震機構の先駆的な研究で知られる地震．
361	1918 9 8 (大正 7) 45 ½°N 152°E M8.0 $\boxed{2}$ ウルップ島沖：沼津まで有感，津波あり．津波の波高はウルップ島岩美湾で 6～12 m（死 24)，根室 1 m，父島 1.5 m など．千島海溝沿いの巨大地震．[1]

番 号	西暦(日本暦)　緯度　経度　M＝マグニチュード／地域：(名称：)被害摘要
362	1918 11 11 (大正 7)　(02 時 59 分) 36.5°N 137.9°E M6.1 [3] (16 時 04 分) 36.5°N 137.9°E M6.5 長野県北部：『大町地震』：震害があったのは大町および付近の村で，家屋全潰 6，半潰破損 2852，非住家全潰 16．2 回目の方が大きかった．大町を中心に 15 cm ほどの土地の隆起があった．
363	1921 12 8 (大正 10)　36.0°N 140.2°E M6.8 [2] 茨城県南部：『龍ケ崎地震』：千葉・茨城県境付近に家屋破損・道路亀裂などの小被害があった．従来，龍ケ崎市の地震とされていたもの．
364	1922 4 26 (大正 11)　35.3°N 139.7°E M6.8 [3] 神奈川県東部：『浦賀水道地震』：東京湾沿岸に被害があり，東京・横浜で死各 1．家屋・土蔵などに被害があった．
365	1922 12 8 (大正 11)　(01 時 50 分) 32.7°N 130.1°E M6.9 [4] (11 時 02 分) 32.7°N 130.1°E M6.5 橘湾：『島原地震』：被害はおもに島原半島南部・天草・熊本市方面．長崎県で死 26，住家全潰 195，非住家全潰 459．このうち 2 回目の地震による死 3．
366	1923 9 1 (大正 12)　35.3°N 139.1°E M7.9 Mw7.9* [7] 神奈川県西部：『関東地震』：『関東大震災』：東京で観測した最大地動振幅 14～20 cm．地震後火災が発生し被害を大きくした．全体で死・不明 10 万 5 千余，住家全潰 10 万 9 千余，半潰 10 万 2 千余，焼失 21 万 2 千余（全半潰後の焼失を含む）．山崩れ・崖崩れが多い．房総方面・神奈川南部は隆起し，東京付近以西・神奈川北方は沈下した．相模湾の海底は小田原―布良線以北は隆起，南は沈下した．関東沿岸に津波が襲来し，波高は熱海で 12 m，相浜で 9.3 m など．[2]
367	1924 1 15 (大正 13)　35.3°N 139.1°E M7.3 Mw6.9* [4] 神奈川県西部：『丹沢地震』：東京・神奈川・山梨・静岡各県に被害があり，死 19，家屋全潰 1300 余．特に神奈川県中南部で被害が著しかった．
368	1925 5 23 (大正 14)　35.6°N 134.8°E M6.8 [5] 兵庫県北部：『但馬地震』：円山川流域で被害多く，死 428，家屋全潰 1295，焼失 2180．河口付近に長さ 1.6 km，西落ちの小断層二つを生じた．葛野川の河口が陥没して海となった．
369	1927 3 7 (昭和 2)　35.6°N 134.9°E M7.3 [6] 京都府北部：『丹後地震』：被害は丹後半島の頸部が最も激しく，京都府を中心に淡路・福井・岡山・米子・徳島・三重・香川・大阪に及ぶ．全体で死 2912，家屋全潰 12502(住家 5024，非住家 7478)．郷村断層(長さ 18 km，水平ずれ最大 2.7 m)とそれに直交する山田断層(長さ 7 km)を生じた．測量により，地震に伴った地殻の変形が明らかになった．[－1]
370	1927 10 27 (昭和 2)　37.5°N 138.8°E M5.2 [2] 新潟県中越地方：『関原地震』：局部的強震．傷 2，住家半潰 23，住家大破 234．宮本村の田圃内に石油ガス噴出口を生じた．
371	1930 10 17 (昭和 5)　36.4°N 136.3°E M6.3 [2] 石川県西方沖：片山津で死 1．ほかでは煙突破損など小被害，砂丘による崖崩れなど．
372	1930 11 26 (昭和 5)　35.0°N 139.0°E M7.3 [5] 静岡県伊豆地方：『北伊豆地震』：2～5 月に伊東群発地震．この月 11 日より前震があり，余震も多かった．死 272，住家全潰 2165．山崩れ・崖崩れが多く，丹那断層（長さ 35 km，横ずれ最大 2～3 m）とそれに直交する姫之湯断層などを生じた．

番 号	西暦(日本暦)　緯度　経度　M＝マグニチュード／地域：(名称：)被害摘要
373	1931 9 21 (昭和 6) 36.2°N 139.2°E M6.9 ③ 埼玉県北部：『西埼玉地震』：死 16, 家屋全潰 207 (住家 76, 非住家 131).
374	1931 11 2 (昭和 6) 31.8°N 132.0°E M7.1 ③ 日向灘：宮崎県で家屋全潰 4, 死 1. 鹿児島県で家屋全潰 1. 室戸で津波 85 cm. [−1]
375	1933 3 3 (昭和 8) 39.1°N 145.1°E M8.1 ⑥ 三陸沖：『三陸沖地震』：震害は少なかった. 津波が太平洋岸を襲い, 三陸沿岸で被害は甚大. 死・不明 3064, 家屋流失 4034, 倒潰 1817, 浸水 4018. 波高は綾里湾で 28.7 m にも達した. 日本海溝付近で発生した巨大な正断層型地震と考えられている. [3]
376	1933 9 21 (昭和 8) 37.1°N 137.0°E M6.0 ③ 石川県能登地方：石川県鹿島郡で死 3, 家屋倒潰 2, 破損 143 などの被害があった. 富山県でも傷 2.
377	1935 7 11 (昭和 10) 35.0°N 138.4°E M6.4 ③ 静岡県中部：『静岡地震』：静岡・清水に被害が多く, 死 9, 住家全潰 363, 非住家全潰 451. 清水港で岸壁・倉庫が大破, 道路・鉄道に被害があった.
378	1936 2 21 (昭和 11) 34.5°N 135.7°E M6.4 ③ 奈良県：『河内大和地震』：死 9, 住家全潰 6, 半潰 53. 地面の亀裂や噴砂・湧水現象も見られた.
379	1936 11 3 (昭和 11) 38.3°N 142.1°E M7.4 ③ 宮城県沖：『宮城県沖地震』：宮城・福島両県で非住家全潰 3, その他の小被害. 小津波があった. [−1]
380	1936 12 27 (昭和 11) 34.3°N 139.3°E M6.3 ③ 新島・神津島近海：新島・式根島で死 3, 民家全潰 39, 半潰 473. 崖崩れが多く, 26 日頃から前震があった.
381	1938 5 23 (昭和 13) 36.6°N 141.3°E M7.0 ② 茨城県沖：小名浜付近の沿岸と福島・郡山・白川・若松付近に被害があった. 福島県で家屋の被害 250 など. 茨城県磯原で土蔵倒壊 1. 小津波があった. [−1]
382	1938 5 29 (昭和 13) 43.5°N 144.4°E M6.1 ③ 釧路地方北部：『屈斜路湖地震』：家屋倒潰 5, 死 1. 屈斜路湖付近で小被害. [−1]
383	1938 6 10 (昭和 13) 25.6°N 125.0°E M7.2 ① 宮古島北西沖：津波来襲, 平良港で高さ 1.5 m. 桟橋流失し, 帆船に被害があった. [1]
384	1938 11 5・6 (昭和 13) (5 日 17 時 43 分) 36.9°N 141.9°E M7.5 Mw7.9* ③ (5 日 19 時 50 分) 37.4°N 141.5°E M7.3 (6 日 17 時 54 分) 37.4°N 141.9°E M7.4 福島県沖：『福島県沖地震』：この後年末までに M7 前後の地震が多発した. 福島県下で死 1, 住家全潰 4, 非住家全潰 16. 小名浜・鮎川などで約 1 m の津波. [0]
385	1939 3 20 (昭和 14) 32.1°N 131.7°E M6.5 ② 日向灘：大分県沿岸で小被害, 宮崎県で死 1. 小津波があった. [−1]

番号	西暦(日本暦)　緯度　経度　M＝マグニチュード／地域：(名称：)被害摘要
386	1939　5　1　(昭和 14)　(14 時 48 分) 39.9°N 139.8°E　M6.8　4 (15 時 00 分) 40.0°N 139.6°E　M6.7 秋田県沿岸北部：『男鹿地震』：半島頸部で被害があり，死 27，住家全潰 479 など．軽微な津波があった．半島西部が最大 44 cm 隆起した．[−1]
387	1940　8　2　(昭和 15)　44.4°N 139.8°E　M7.5　Mw7.6*　3 北海道北西沖：『積丹半島沖地震』：震害はほとんどなく，津波による被害が大きかった．波高は，羽幌·天塩 2 m，利尻 3 m，隠岐 1.5 m など．天塩川河口で溺死．全体で死 10，流失建物 20，流失船舶 644．[2]
388	1941　7 15　(昭和 16)　36.7°N 138.2°E　M6.1　3 長野県北部：『長野地震』：長野市北東の村々に被害があり，死 5，住家全壊 29，半壊 115，非住家全壊 48.
389	1941 11 19　(昭和 16)　32.1°N 132.1°E　M7.2　3 日向灘：大分・宮崎・熊本の各県で被害があり，死 2，家屋全壊 27．九州東岸・四国西岸に津波があり，波高は最大 1 m．[1]
390	1943　3　4　(昭和 18)　35.4°N 134.1°E　M6.2　3 鳥取県東部：『鳥取県東部地震』：翌日にもほぼ同じ所に再震（M6.2），両方で傷 11，建物倒壊 68，半壊 515.
391	1943　8 12　(昭和 18)　37.3°N 139.9°E　M6.2　2 福島県会津地方：『田島地震』：崖崩れや壁の剥落など小被害があった.
392	1943　9 10　(昭和 18)　35.5°N 134.2°E　M7.2　5 鳥取県東部：『鳥取地震』：鳥取市を中心に被害が大きく，死 1083，家屋全壊 7485，半壊 6158．鹿野断層（長さ 8 km），吉岡断層（長さ 4.5 km）を生じた．地割れ・地変が多かった.
393	1943 10 13　(昭和 18)　36.8°N 138.2°E　M5.9　3 長野県北部：死 1，住家全壊 14，半壊 66，非住家全壊 20．その他，道路の亀裂などがあった.
394	1944 12　7　(昭和 19)　33.6°N 136.2°E　M7.9　Mw8.1*　5 紀伊半島南東沖*：『東南海地震』：静岡·愛知·三重などで合わせて死 1183，住家全壊 18143，半壊 36638，流失 2400．遠く長野県諏訪盆地での住家全壊 12 などを含む．津波が各地に襲来し，波高は熊野灘沿岸で 6～8 m，遠州灘沿岸で 1～2 m．紀伊半島東岸で 30～40 cm 地盤が沈下した．[3]
395	1945　1 13　(昭和 20)　34.7°N 137.1°E　M6.8　6 三河湾：『三河地震』：規模の割に被害が大きく，死 2306，住家全壊 7221，半壊 16555，非住家全壊 9187．特に幡豆郡の被害が大きかった．深溝断層（延長 9 km，上下ずれ最大 2 m の逆断層）を生じた．津波は蒲郡で 1 m など．[−1]
396	1945　2 10　(昭和 20)　40.9°N 142.4°E　M7.1　3 青森県東方沖：青森県で家屋倒壊 2，死 2．八戸などで微小被害．八戸で津波全振幅 35 cm．[−1]
397	1946 12 21　(昭和 21)　32.9°N 135.8°E　M8.0　5 紀伊半島南方沖*：『南海地震』：被害は中部以西の日本各地にわたり，死 1330，家屋全壊 11591，半壊 23487，流失 1451，焼失 2598．津波が静岡県より九州に至る海岸に来襲し，高知・三重・徳島沿岸で 4～6 m に達した．室戸・紀伊半島は南上がりの傾動を示し，室戸で 1.27 m，潮岬で 0.7 m 上昇，高知・須崎で 1.2 m 沈下．高知付近で田園 15 km^2 が海面下に没した．[3]

番号	西暦(日本暦) 緯度 経度 M＝マグニチュード／地域：(名称：)被害摘要
398	1947 9 27 (昭和 22) 24.7°N 123.2°E M7.4 [3] 与那国島近海：石垣島で死 1，西表島で死 4．瓦の落下・地割れ・落石などがあった．震央は国際地震輯報による．
399	1947 11 4 (昭和 22) 43.9°N 140.8°E M6.7 [1] 北海道西方沖：北海道の西岸に津波があり，波高は稚内区内で 2 m，羽幌付近で 0.7 m．小被害があった．〔1〕
400	1948 6 15 (昭和 23) 33.7°N 135.3°E M6.7 [3] 紀伊水道：和歌山県西牟婁地方で被害が大きかった．死 2，家屋倒壊 60．道路・水道などに被害があった．
401	1948 6 28 (昭和 23) 36.2°N 136.3°E M7.1 [6] 福井県嶺北地方：『福井地震』：被害は福井平野およびその付近に限られ，死 3769，家屋全壊 36184，半壊 11816，焼失 3851．土木構築物の被害も大きかった．南北に地割れの連続としての断層（延長約 25 km）が生じた．
402	1949 7 12 (昭和 24) 34.0°N 132.8°E M6.2 [3] 安芸灘：呉で死 2．壁の亀裂，屋根瓦の落下など小被害があった．
403	1949 12 26 (昭和 24) (08 時 17 分) 36.7°N 139.7°E M6.2 [3] (08 時 25 分) 36.7°N 139.8°E M6.4 栃木県北部：『今市地震』：死 10, 住家全壊 290, 半壊 2994, 非住家全壊 618．被害は石造建物に多く，山崩れも多かった．
404	1952 3 4 (昭和 27) 41.7°N 144.2°E M8.2 Mw8.1* [4] 十勝沖：『十勝沖地震』：北海道南部・東北北部に被害があり，津波が関東地方に及ぶ．波高は北海道で 3 m 前後，三陸沿岸で 1〜2 m．死 28，不明 5，家屋全壊 815，半壊 1324，流失 91．〔2〕
405	1952 3 7 (昭和 27) 36.5°N 136.1°E M6.5 [3] 石川県西方沖：『大聖寺沖地震』：福井・石川両県で死 7，家屋半壊 4 など．山崩れや道路の亀裂などもあった．
406	1952 7 18 (昭和 27) 34.5°N 135.8°E M6.7 [3] 奈良県：『吉野地震』：震源の深さ 61 km でやや広域の被害．近畿圏に加えて愛知・岐阜・石川各県にも小被害があった. 死 9, 住家全壊 20. 春日大社の石灯籠 1600 のうち 650 倒壊．
---	1952 11 5 (昭和 27) 52.3°N 161.0°E Ms8.2 Mw9.0* [2] カムチャツカ半島東方沖：太平洋沿岸に津波，波高は 1〜3 m 程度．広範囲で家屋の浸水があり，三陸沿岸では漁業関係の被害があった．震央と Ms・Mw は世界の年代表．〔1〕
407	1953 11 26 (昭和 28) 34.2°N 141.4°E M7.4 [1] 関東東方沖：『房総沖地震』：伊豆諸島で道路亀裂，八丈島で鉄管亀裂など．関東沿岸に小津波，銚子付近で最大 2〜3 m．〔1〕
408	1955 7 27 (昭和 30) 33.7°N 134.3°E M6.4 [2] 徳島県南部：死 1，傷 8．山崩れ多く，道路の破損・亀裂，トンネル崩壊などの小被害があった．
409	1955 10 19 (昭和 30) 40.3°N 140.2°E M5.9 [2] 秋田県沿岸北部：『二ツ井地震』：被害は二ツ井町・響村に限られ, 傷 4, 住家半壊 3，非住家全壊 1，半壊 310 など．

番号	西暦(日本暦)　緯度　経度　M＝マグニチュード／地域：(名称：)被害摘要
410	1956 9 30 (昭和 31) 38.0°N 140.6°E M6.0 [2] 宮城県南部：白石付近で死1，非住家倒壊あり．その他小被害があった．
411	1957 11 11 (昭和 32) 34.3°N 139.3°E M6.0 [3] 新島・神津島近海：『新島地震』：新島・式根島で石造家屋に被害(全壊2など)があった．6日頃より群発地震．
412	1958 11 7 (昭和 33) 44.3°N 148.5°E M8.1 [1] 択捉島南東沖：『択捉島沖地震』：震害は少なく，釧路地方で電話線・鉄道などに小被害があった．太平洋岸各地に津波があり，小被害．[1]
413	1959 1 31 (昭和 34) (05時38分) 43.4°N 144.4°E M6.3 [3] (07時16分) 43.5°N 144.5°E M6.1 釧路地方北部：『弟子屈地震』：後の地震で被害が生じた．弟子屈町・阿寒町・阿寒湖畔で被害が多く，構造物や建物の破損などがあった．全壊2（集合煙突の倒壊，澱粉工場の倒壊）．
---	1960 5 23 (昭和 35) 39.5°S 74.5°W Ms8.5 Mw9.5* [4] チリ沖：『チリ地震津波』：24日2時頃から津波が日本各地に襲来，最大全振幅は三陸沿岸で5～6 m，その他で3～4 m．北海道南岸・三陸沿岸・志摩半島付近で被害が大きく，沖縄でも被害があった．日本全体で死・不明142（うち沖縄で3），建物全壊1500余，半壊2千余．震央とMs・Mwは世界の年代表．[4]
414	1961 2 2 (昭和 36) 37.4°N 138.8°E M5.2 [3] 新潟県中越地方：典型的な局地地震で，被害は直径2 kmの範囲に集中した．死5，住家全壊220，半壊465．
415	1961 2 27 (昭和 36) 31.6°N 131.9°E M7.0 [3] 日向灘：宮崎・鹿児島両県で死2，建物全壊3．九州から中部の沿岸に津波，波高は最高50 cm．[0]
416	1961 8 12 (昭和 36) 42.9°N 145.3°E M7.2 [2] 釧路沖：釧路付近で家屋の一部破損11，集合煙突倒壊15，木橋全壊1，その他小被害．小津波．[−1]
417	1961 8 19 (昭和 36) 36.1°N 136.7°E M7.0 [3] 石川県加賀地方：『北美濃地震』：福井・岐阜・石川3県に被害があった．死8，家屋全壊12，道路損壊120，山崩れ99．
418	1962 4 23 (昭和 37) 42.5°N 143.8°E M7.1 [2] 十勝沖：十勝川流域・釧路方面に被害が多かった．建物半倒壊2，その他の小被害があった．
419	1962 4 30 (昭和 37) 38.7°N 141.1°E M6.5 [3] 宮城県北部：『宮城県北部地震』：瀬峰付近を中心とする径40 kmの範囲に被害が集中した．死3，家屋全壊340，半壊1114．橋梁・道路・鉄道の被害が多かった．
420	1962 8 26 (昭和 37) 34.1°N 139.4°E M5.9 [2] 三宅島近海：8月24日に三宅島噴火，これに伴い地震があり，傷30，住家破損141，溶岩に埋没消失5，翌年8月まで続いた．
421	1963 3 27 (昭和 38) 35.8°N 135.8°E M6.9 [3] 若狭湾：『越前岬沖地震』：敦賀・小浜間に小被害があった．住家全壊2，半壊4など．

番号	西暦(日本暦) 緯度 経度 M＝マグニチュード／地域：(名称：)被害摘要
422	1963 10 13 (昭和 38) 44.0°N 149.8°E M8.1 $\boxed{1}$ 択捉島付近：津波があり，三陸沿岸で軽微な被害．最大全振幅は花咲で1.2 m，八戸で1.3 m など．[2]
423	1964 5 7 (昭和 39) 40.4°N 138.7°E M6.9 $\boxed{3}$ 秋田県西方沖：青森・山形・秋田3県に民家全壊3などの被害があった．[−1]
424	1964 6 16 (昭和 39) 38.4°N 139.2°E M7.5 Mw7.6* $\boxed{4}$ 新潟県沖*：『新潟地震』：新潟・山形・秋田の各県を中心に被害があり，死26，住家全壊1960，半壊6640，浸水15297，その他船舶・道路の被害も多かった．新潟市や酒田市の各所で噴砂水がみられ，地盤の液状化による被害が著しかった．石油タンクの火災が発生．津波が日本海沿岸一帯を襲い，波高は新潟県沿岸で4 m 以上に達した．粟島が約1 m 隆起した．[2]
425	1965 4 20 (昭和 40) 34.9°N 138.3°E M6.1 $\boxed{3}$ 静岡県中部：死2，傷4，住家一部破損9．清水平野北部で被害が大きかった．
426	1965 8 3 (昭和 40) 36.6°N 138.3°E M5.4 (最大地震) $\boxed{3}$ 長野県北部：『松代群発地震』：この日に松代皆神山付近に始まり，少しずつ活動域を広げていった．ほとんど終息した1970年末までに松代で有感地震62821回，うち最大震度5，4の地震はそれぞれ9回，50回だった．被害を伴った地震は51回，全体で傷15，住家全壊10，半壊4，山（崖）崩れ60．1966年4月5日の最大地震はM5.4で，総エネルギーは，M6.4の地震1個に相当する．この間に皆神山が1 m 隆起した．
427	1967 4 6 (昭和 42) 34.2°N 139.2°E M5.3 $\boxed{3}$ 新島・神津島近海：神津島で傷3，式根島で住家全壊7，半壊9．
428	1968 2 21 (昭和 43) 32.0°N 130.8°E M6.1 $\boxed{3}$ 宮崎県南部山沿い：『えびの地震』：2時間ほど前にM5.7の前震，翌日にもM5.6の余震があった．死3，傷42，住家全壊368，半壊636．山崩れが多かった．3月25日にもM5.7とM5.4の地震があり，住家全壊18，半壊147．
429	1968 2 25 (昭和 43) 34.2°N 139.3°E M5.0 (最大地震) $\boxed{3}$ 新島・神津島近海：24～27日の群発地震．式根島・神津島で住家全壊2，半壊4，一部破損1，道路損壊4，山（崖）崩れ6．
430	1968 4 1 (昭和 43) 32.4°N 132.4°E M7.5 $\boxed{3}$ 日向灘：『1968年日向灘地震』：高知・愛媛で被害多く，傷57，住家全壊2，半壊38，道路損壊59など．津波があった．[1]
431	1968 5 16 (昭和 43) 40.7°N 143.6°E M7.9 Mw8.3* $\boxed{4}$ 青森県東方沖：『十勝沖地震』：青森を中心に北海道南部・東北地方に被害．死52，傷330，建物全壊673，半壊3004．青森県下で道路損壊も多かった．かなりの津波があり，三陸沿岸3～5 m，襟裳岬3 m，浸水529，船舶流失沈没127．鉄筋コンクリート造建築の被害が目立った．[2]
432	1968 8 6 (昭和 43) 33.3°N 132.4°E M6.6 $\boxed{2}$ 豊後水道：愛媛を中心に被害があり，傷22，家屋破損7，全焼1．道路の損壊や山崩れも多かった．重油が海に流出．
433	1969 9 9 (昭和 44) 35.8°N 137.1°E M6.6 $\boxed{2}$ 岐阜県美濃中西部：死1，傷10，住家一部破損86．崖崩れが多かった．
434	1970 1 21 (昭和 45) 42.4°N 143.1°E M6.7 $\boxed{3}$ 十勝地方南部：傷32，住家全壊2，半壊7，一部破損139などの被害があった．

番号	西暦(日本暦)　緯度　経度　M＝マグニチュード／地域：(名称：)被害摘要
435	1970 10 16 (昭和 45)　39.2°N 140.8°E　M6.2　2 秋田県内陸南部：傷 6，住家半壊 20，一部破損 446，全焼 1，山崖崩れ 19 などの被害があった．
436	1972 12 4 (昭和 47)　33.3°N 140.9°E　M7.2 八丈島東方沖：『八丈島東方沖地震』：八丈島と青ヶ島で落石・土砂崩れ・道路破損などの被害．八丈島震度 6 だが，人的被害，建物の被害は軽微．[－1]
437	1973 6 17 (昭和 48)　43.1°N 146.0°E　M7.4　Mw7.9*　3 根室半島南東沖：『根室半島沖地震』：根室・釧路地方に被害．全体で傷 26，家屋全壊 2，一部破損 1．津波があり，波高は花咲で 2.8 m，浸水 275，船舶流失沈没 10．また，6 月 24 日の余震（M7.1）で傷 1，家屋一部破損 2．小津波があった．[1]
438	1974 5 9 (昭和 49)　34.6°N 138.8°E　M6.9　4 伊豆半島南端：『伊豆半島沖地震』：伊豆半島南部に被害．死 30，傷 102，家屋全壊 134，半壊 240，全焼 5．御前崎などに小津波．石廊崎から北西に長さ 5.5 km の右ずれ断層が出現 [－1]
439	1975 1 23 (昭和 50)　33.0°N 131.1°E　M6.1　3 熊本県阿蘇地方：阿蘇山外輪山内にある一の宮町三野地区に被害が集中した．熊本県で傷 10，建物全壊 16，半壊 17，道路損壊 12，山崩れ 15．
440	1975 4 21 (昭和 50)　33.2°N 131.3°E　M6.4　3 大分県西部：傷 22，住家全壊 58，半壊 93，道路被害 182 など．
441	1978 1 14 (昭和 53)　34.8°N 139.3°E　M7.0　Mw6.6　4 伊豆大島近海：『伊豆大島近海の地震』：死 25，傷 211，住家全壊 96，半壊 616，道路損壊 1141，崖崩れ 191．前震が活発で，当日午前，気象庁から地震情報が出されていた．伊豆半島で被害が大きく，翌 15 日の最大余震（M5.8）でも伊豆半島西部にかなりの被害が出た．[－1]
442	1978 6 12 (昭和 53)　38.2°N 142.2°E　M7.4　Mw7.6　4 宮城県沖：『宮城県沖地震』：被害は宮城県に多く，全体で死 28，傷 1325，住家全壊 1183，半壊 5574，道路損壊 888，山（崖）崩れ 529．造成地に被害が集中した．ブロック塀などによる圧死 18．[－1]
443	1980 6 29 (昭和 55)　34.9°N 139.2°E　M6.7　Mw6.4　2 伊豆半島東方沖：群発地震の最中の最大地震．伊豆半島で家屋全壊 1，一部破損 17，傷 7 などの被害．神奈川でも傷 1 などの被害があった．[－1]
444	1982 3 21 (昭和 57)　42.1°N 142.6°E　M7.1　Mw6.9　3 浦河沖：『浦河沖地震』：被害は浦河・静内に集中したが，札幌などでも小被害が報告されている．傷 167，建物全壊 9，半壊 16，一部破損 174，鉄軌道被害 45．小津波があった．[－1]
445	1983 5 26 (昭和 58)　40.4°N 139.1°E　M7.7　Mw7.7　4 秋田県沖：『日本海中部地震』：被害は秋田県で最も多く，青森・北海道がこれに次ぐ．日本全体で死 104（うち津波によるもの 100），傷 163（同 104），建物全壊 934，半壊 2115，流失 52，一部破損 3258，船沈没 255，流失 451，破損 1187．津波は早い所では津波警報発令以前に沿岸に到達した．石川・京都・島根など遠方の府県にも津波による被害が発生した．[2〜3]

番号	西暦(日本暦) 緯度 経度 M=マグニチュード／地域：(名称：)被害摘要
446	1983 8 8 (昭和 58) 35.5°N 139.0°E M6.0 Mw5.6 [2] 山梨県東部*：丹沢山地で落石があり，死1，傷8．ほかに山梨・神奈川で傷25，家屋全半壊2．
447	1984 9 14 (昭和 59) 35.8°N 137.6°E M6.8 Mw6.2 [4] 長野県南部：『長野県西部地震』：王滝村に大きな被害をもたらした．全体で死29，傷10，住家全壊14，半壊73，一部破損517，道路損壊205など．死者および住家全壊は主として王滝川・濁川の流域などに発生した大規模な御岳の山崩れと土石流によるものである．
448	1987 3 18 (昭和 62) 32.0°N 132.1°E M6.6 Mw6.6 [2] 日向灘：死1，傷6のほか，建物・道路などに被害があった．
449	1987 12 17 (昭和 62) 35.4°N 140.5°E M6.7 Mw6.5 [3] 千葉県東方沖：千葉県を中心に被害があり，死2，傷161．住家全壊16，半壊102，一部破損7万余のほか，道路などにもかなりの被害があった．
450	1993 1 15 (平成 5) 42.9°N 144.4°E M7.5 Mw7.6 [3] 釧路沖：『釧路沖地震』：わが国では11年ぶりの震度6を釧路で記録，死2，傷967，建物や道路の被害もあった．北海道の下に沈み込む太平洋プレートの内部で発生した深さ約100 kmの地震で，この型の地震としては例外的に規模が大きかった．
451	1993 7 12 (平成 5) 42.8°N 139.2°E M7.8 Mw7.7 [5] 北海道南西沖：『北海道南西沖地震』：地震に加えて津波による被害が大きく，死202，不明28，傷323．特に地震後間もなく津波に襲われた奥尻島の被害は甚大で，島南端の青苗地区は火災もあって壊滅状態，夜10時過ぎの闇の中で多くの人命，家屋などが失われた．津波の浸水高は青苗の市街地で8 m以上となった．[3]
452	1994 10 4 (平成 6) 43.4°N 147.7°E M8.2 Mw8.3 [3] 北海道東方沖：『北海道東方沖地震』：北海道東部を中心に被害があり，傷436，住家全壊39，半壊382．津波は花咲で173 cm．震源に近い北方四島では死11など，地震動と津波で大きな被害．[3]
453	1994 12 28 (平成 6) 40.4°N 143.7°E M7.6 Mw7.7 [3] 三陸沖：『三陸はるか沖地震』：震度6の八戸を中心に被害，死3，傷788，住家全壊72，半壊429．道路や港湾の被害もあった．弱い津波があった．[1]
454	1995 1 17 (平成 7) 34.6°N 135.0°E M7.3 Mw6.9 [6] 淡路島付近*：『兵庫県南部地震』(Kobe earthquake)：『阪神・淡路大震災』：活断層の活動によるいわゆる直下型地震．神戸，洲本で震度6だったが，現地調査により淡路島の一部から神戸市，芦屋市，西宮市，宝塚市にかけて震度7の地域があることが明らかになった．多くの木造家屋，鉄筋コンクリート造，鉄骨造などの建物のほか，高速道路，新幹線を含む鉄道線路なども崩壊した．被害は死6434，不明3，傷43792，住家全壊104906，半壊144274，全半焼7132など．早朝であったため，死者の多くは家屋の倒壊と火災による．
455	1995 4 1 (平成 7) 37.9°N 139.2°E M5.6 Mw5.4 [3] 新潟県下越地方：豊浦町・水原町・笹神村などで傷82，住家全壊55，半壊181，一部破損1376．
456	1997 3 26 (平成 9) 32.0°N 130.4°E M6.6 Mw6.1 [3] 鹿児島県薩摩地方：宮之城町・鶴田町・川内市などで傷36，住家全壊4，半壊31．最大震度5弱や4の余震が続いた．

番号	西暦(日本暦)　緯度　経度　M＝マグニチュード／地域：(名称：)被害摘要
457	1997　5 13　(平成　9)　31.9°N 130.3°E　M6.4　Mw6.0　③ 鹿児島県薩摩地方：3月26日の地震と並行する断層による．川内市で震度6弱，傷 43，住家全壊 4，半壊 25.
458	1997　6 25　(平成　9)　34.4°N 131.7°E　M6.6　Mw5.8　② 山口県北部：陸域の横ずれ断層型地殻内地震．最大震度5強（益田市）．傷 2，住家全壊 1，半壊 2.
459	2000　6 26　(平成 12)　34.2°N 139.2°E　M6.5　Mw6.1　③ 三宅島近海，新島・神津島近海：この日に始まった三宅島の火山活動に伴う群発地震．西方に拡大して活動の中心は神津島東方沖．8月末までに M5 以上 41 地震，うち M6 以上 5 地震が発生して松代群発地震を超える活動となった．全体で死 1，傷 15，住家全壊 15，半壊 20，土砂崩れ 138 など．M，Mw は7月1日の最大地震．[−1]
460	2000 10　6　(平成 12)　35.3°N 133.3°E　M7.3　Mw6.7　③ 鳥取県西部：『鳥取県西部地震』：陸域の横ずれ断層型地殻内地震．鳥取県境港市，日野町で震度6強（計測震度導入後初めて），傷 182，住家全壊 435，半壊 3101．M7 級の地殻内地震にもかかわらず活断層が事前に指摘されておらず，明瞭な地表地震断層も現れなかった．
461	2001　3 24　(平成 13)　34.1°N 132.7°E　M6.7　Mw6.8　③ 安芸灘：『芸予地震』：フィリピン海プレート内部の正断層型の地震．いわゆるスラブ内地震（深さ約 50 km）で，呉市の傾斜地などで被害が目立った．被害は死 2，傷 288，住家全壊 70，半壊 774.
462	2003　5 26　(平成 15)　38.8°N 141.7°E　M7.1　Mw7.0　③ 宮城県沖：深さ約 70 km のスラブ内地震．震央の位置から三陸南地震とも呼ばれる．傷 174，住家全壊 2，半壊 21．深いため次の地震に比べ被害は小規模.
463	2003　7 26　(平成 15)　38.4°N 141.2°E　M6.4　Mw6.0　④ 宮城県北部*：陸域の逆断層型地殻内地震．同日に大きな前震 M5.6 と余震 M5.5 も起って連続地震と呼ばれた．M6 級だが浅く，震源域に局所的に大きな被害が出た．傷 677，住家全壊 1276，半壊 3809．3ヶ所で震度6強を記録した.
464	2003　9 26　(平成 15)　41.8°N 144.1°E　M8.0　Mw8.3　③ 十勝沖：『十勝沖地震』：太平洋プレート上面の逆断層型プレート境界地震で 1952 年とほぼ同じ場所．不明 2，傷 849，住家全壊 116，半壊 368．最大震度 6 弱（道内 9 町村），北海道および本州の太平洋岸に最大 4 m 程度の津波．[2]
465	2004　9　5　(平成 16)　(19 時 08 分) 33.0°N 136.8°E　M7.1　Mw7.2　① (23 時 57 分) 33.1°N 137.1°E　M7.4　Mw7.4 紀伊半島南東沖：フィリピン海プレートの逆断層型スラブ内地震（深さ 38 km と 44 km）．津波による小被害があり，長周期地震動が注目された．死 0，傷 30，住家全壊 0，半壊 0．最大震度 5 弱（前震が 2 市村，本震 4 市町村）．[1]
466	2004 10 23　(平成 16)　37.3°N 138.9°E　M6.8　Mw6.6　④ 新潟県中越地方：『新潟県中越地震』：「新潟-神戸歪み集中帯」に属する活褶曲帯で発生した逆断層型地震（深さ 13 km）．規模の大きな余震が多数発生（M6 以上 4 余震）して被害を助長，死 68，傷 4805，住家全壊 3175，半壊 13810．川口町で震度 7（計測震度導入後初めて），震源域の地質を反映して地すべりの被害が目立った.

番号	西暦(日本暦)　緯度　経度　M＝マグニチュード／地域：(名称：)被害摘要
467	2005　3 20　(平成 17)　33.7°N 130.2°E　M7.0　Mw6.6　[3] 福岡県西方沖*：『福岡県西方沖地震』：福岡県沿岸海域の左横ずれ断層型地殻内地震．最大震度は九州本土の6弱だが，玄界島ではそれ以上の可能性がある．死1，傷1204，住家全壊144，半壊353．
468	2005　8 16　(平成 17)　38.1°N 142.3°E　M7.2　Mw7.2　[2] 宮城県沖：日本海溝沿いやや陸寄り（深さ42 km）の逆断層型プレート境界地震で，1978年の震源域の南半分で発生．傷100，全壊1，半壊0．最大震度6弱（宮城県川崎町），東北地方太平洋岸で最大13 cm（石巻市）の津波．[－1]
469	2007　3 25　(平成 19)　37.2°N 136.7°E　M6.9　Mw6.7　[3] 能登半島沖：『能登半島地震』：海陸境界域の横ずれ成分を含む逆断層型地殻内地震．死1，傷356，住家全壊686，半壊1740．最大震度6強（石川県3市町），珠洲と金沢で0.2 m の津波．[－1]
470	2007　7 16　(平成 19)　37.6°N 138.6°E　M6.8　Mw6.6　[4] 新潟県上中越沖：『新潟県中越沖地震』：新潟県沿岸海域の逆断層型地殻内地震（深さ17 km）．2004年中越地震に近いが余震活動は不活発．震源域内の原子力発電所が被災した初めての例．死15，傷2346，住家全壊1331，半壊5710．最大震度6強（新潟県3市村，長野県1町），地盤変状・液状化なども目立った．日本海沿岸で最大35 cm（柏崎）の津波．[－1]
471	2008　6 14　(平成 20)　39.0°N 140.9°E　M7.2　Mw6.9　[3] 岩手県内陸南部：『岩手・宮城内陸地震』：岩手・宮城県境付近の山間地での逆断層型地殻内地震（深さ8 km）．死17，不明6，傷426，住家全壊30，半壊146．最大震度6強（岩手県1市，宮城県1市）や4000ガル以上の加速度などが観測されたが，建物被害よりも地すべりなどの斜面災害が目立った．
472	2008　7 24　(平成 20)　39.7°N 141.6°E　M6.8　Mw6.8　[2] 岩手県沿岸北部：太平洋プレートの正断層型スラブ内地震（深さ108 km）．死1，傷211，住家全壊1，半壊0．最大震度6弱（岩手県1村，青森県3市町，6強は後に取り消し）が観測されたが，短周期の揺れのため被害は比較的少なかった．
473	2009　8 11　(平成 21)　34.8°N 138.5°E　M6.5　Mw6.2*　[2] 駿河湾：横ずれ成分を含む逆断層型スラブ内地震（深さ23 km）．初めて東海地震観測情報が出されたが，東海地震には結びつかないと判定された．死1，傷319，住家全壊0，半壊6．最大震度6弱（静岡県4市）で，家具などによる負傷が多かった．最大0.4 m（御前崎）の津波．[－1]
474	2011　3 11　(平成 23)　38.1°N 142.9°E　M9.0　Mw9.1　[7] 三陸沖：『東北地方太平洋沖地震』(Tohoku earthquake)：『東日本大震災』：日本海溝沿いの沈み込み帯の大部分，三陸沖中部から茨城県沖までのプレート境界を震源域とする逆断層型超巨大地震（深さ24 km）．3月9日にM7.3 (Mw7.4)の前震，震源域内や付近の余震・誘発地震はM7.0以上が6回，M6.0以上が97回，死19775（関連死3802（復興庁）を含む），不明2550，傷6242，住家全壊122050，半壊283988（余震・誘発地震を一部含む；2024年3月現在）．死者の90%以上が水死で，原発事故を含む被害の多くは巨大津波（現地調査によれば最大約40 m）によるもの．最大震度7（宮城県栗原市），6強が宮城県13市町村，福島県11市町村，茨城県8市，栃木県5市町だが，揺れによる被害は津波に比べて大きくなかった．この領域では未知の規模で，869年貞観の三陸沖地震と1896年三陸沖地震級の津波地震が合わせて襲来したと考えられる．[4]

番 号	西暦(日本暦)　緯度　経度　M＝マグニチュード／地域：(名称：)被害摘要
475	2011　3 12　(平成 23)　37.0°N 138.6°E　M6.7　Mw6.3　[3] 長野県・新潟県県境付近：東北地方太平洋沖地震の遠方誘発地震で逆断層型地殻内地震（深さ 8 km）．傷 57，住家全壊 73，半壊 427（長野県・新潟県による；関連死を含まない）．最大震度 6 強（長野県栄村），震度 6 弱が新潟県 2 市町．
476	2011　4　7　(平成 23)　38.2°N 141.9°E　M7.2　Mw7.1　[3] 宮城県沖：東北地方太平洋沖地震の震源域内の地震だが，太平洋プレートの逆断層型スラブ内地震(深さ 66 km)．死 4, 傷 296, 住家全壊 36 以上, 半壊 27 以上（消防庁・宮城県による；2023 年 3 月現在）．最大震度 6 強（宮城県仙台市・栗原市），6 弱が宮城県 15 市町村，岩手県 6 市町．
477	2011　4 11　(平成 23)　36.9°N 140.7°E　M7.0　Mw6.7　[3] 福島県浜通り：東北地方太平洋沖地震の周辺誘発地震で正断層型地殻内地震（深さ 6 km）．井戸沢断層の近傍で地表地震断層が現れた．死 4, 傷 10(2023 年 3 月現在)．最大震度は 6 弱（福島県 3 市町村，茨城県 1 市）．
478	2011　6 30　(平成 23)　36.2°N 138.0°E　M5.4　Mw5.0*　[2] 長野県中部：東北地方太平洋沖地震の遠方誘発地震で横ずれ断層型地殻内地震（深さ 4 km）．牛伏寺断層の近傍で発生した．死 1，傷 17，住家半壊 24（長野県による）．最大震度は 5 強（長野県松本市）．
479	2012　3 14　(平成 24)　35.7°N 140.9°E　M6.1　Mw6.0　[2] 千葉県東方沖：東北地方太平洋沖地震の周辺誘発地震で正断層型地殻内地震（深さ 15 km）．死 1，傷 1．最大震度 5 強（茨城県神栖市，千葉県銚子市）．
480	2012　12 7　(平成 24)　38.0°N 143.9°E　M7.3　Mw7.3*　[2] 三陸沖：東北地方太平洋沖地震の周辺，日本海溝付近の正断層型地震（深さ 49 km）．死 1，傷 15．最大震度 5 弱（青森県・岩手県・宮城県・茨城県・栃木県の 9 市町村）．[0]
481	2013　4 13　(平成 25)　34.4°N 134.8°E　M6.3　Mw5.9　[3] 淡路島付近：逆断層型地殻内地震(深さ 15 km)．1995 年兵庫県南部地震の震源域に隣接していた. 傷 35, 住家全壊 8, 半壊 101. 最大震度 6 弱(兵庫県淡路市)．
482	2014 11 22　(平成 26)　36.7°N 137.9°E　M6.7　Mw6.2　[3] 長野県北部：逆断層型地殻内地震（深さ 5 km）．糸魚川-静岡構造線断層帯の北部部分で発生したと考えられる．傷 46，住家全壊 77，半壊 136．最大震度 6 弱（長野県長野市・小谷村・小川村）．
483	2016　4 14・16（平成 28）　(14 日) 32.7°N 130.8°E　M6.5　Mw6.2 (16 日) 32.8°N 130.8°E　M7.3　Mw7.0　[4] 熊本県熊本地方：『熊本地震』：右横ずれ断層型地殻内地震（深さ 11～12 km）．布田川および日奈久断層帯で発生．長さ 30 km 以上の領域で地表地震断層が現れた. 死 50（ほかに関連死 223），傷 2809，住家全壊 8667，半壊 34719．最大震度 7（熊本県益城町（2 回）・西原村）．
484	2016 10 21　(平成 28)　35.4°N 133.9°E　M6.6　Mw6.2　[3] 鳥取県中部：左横ずれ断層型地殻内地震（深さ 11 km）．関連する活断層は見つかっていなかった．死 0，傷 32，住家全壊 18，半壊 312．最大震度 6 弱（鳥取県倉吉市・湯梨浜町・北栄町）．
485	2018　4　9　(平成 30)　35.2°N 132.6°E　M6.1　Mw5.7　[3] 島根県西部：左横ずれ断層型地殻内地震（深さ 12 km）．死 0，傷 9，住家全壊 16，半壊 58．最大震度 5 強（島根県大田市）．

番号	西暦(日本暦)　緯度　経度　M＝マグニチュード／地域：(名称：)被害摘要
486	2018　6 18 (平成 30)　34.8°N 135.6°E　M6.1　Mw5.6 3 大阪府北部：初動は逆断層，CMT では横ずれのメカニズム（深さ 13 km）．都市直下の浅い地震で M に比べ被害大．死 6，傷 462，住家全壊 21，半壊 483．最大震度 6 弱（大阪府大阪市北区，高槻市，茨木市，箕面市，枚方市）．
487	2018　9　6 (平成 30)　42.7°N 142.0°E　M6.7　Mw6.7 4 北海道胆振地方中東部：『北海道胆振東部地震』：逆断層型の深い地殻内地震（深さ 37 km）．浅い所から出た強い地震動による地すべりと火力発電所停止（全道停電）があった．死 43，傷 782，住家全壊 469，半壊 1660．最大震度 7（北海道厚真町）．
488	2021　2 13 (令和　3)　37.7°N 141.7°E　M7.3　Mw7.1 3 福島県沖：太平洋プレートの逆断層型スラブ内地震（深さ 55 km）．東北地方太平洋沖地震の震源域で 10 年以内に発生したので，同地震の最後の公式な余震．死 2（ほかに関連死 1），傷 187，住家全壊 144，半壊 3070．最大震度 6 強（福島県国見町，相馬市，新地町，宮城県蔵王町）．
489	2022　3 16 (令和　4)　37.7°N 141.6°E　M7.4　Mw7.3 3 福島県沖：太平洋プレートの逆断層型スラブ内地震（深さ 57 km）．震源は上の地震にごく近い．死 3（ほかに関連死 1），傷 248，住家全壊 224，半壊 4630．最大震度 6 強（福島県相馬市，南相馬市，国見町，宮城県登米市，蔵王町）．［−1］
490	2023　5　5 (令和　5)　(14 時 42 分) 37.5°N 137.3°E　M6.5　Mw6.3 3 (21 時 58 分) 37.5°N 137.2°E　M5.9　Mw5.8 石川県能登地方：逆断層型地殻内地震（深さ 12 km と 14 km）．2020 年 12 月から活発化した群発地震活動のうちの最大およびそれに次ぐ地震．死 1，傷 52，住家全壊 40，半壊 313（2024 年 3 月現在）．最大震度 6 強（石川県珠洲市）．
491	2024　1　1 (令和　6)　37.5°N 137.3°E　M7.6　Mw7.5 5 石川県能登地方：『能登半島地震』：能登半島北端部と東の海域を震源域とする逆断層型地殻内地震（深さ 16 km）．上記の群発地震活動の影響を受けて発生し，地殻内地震としては最大級の規模．震源断層各部の上端は既知の海底活断層にほぼ一致．死 229（ほかに関連死 112），不明 3，傷 1334，住家全壊 6273，半壊 20892（2024 年 8 月現在）．最大震度 7（石川県輪島市，志賀町），半島北岸の隆起（最大 4 m）により港湾に被害，北東岸で津波（最大約 5 m）による被害，内灘町・新潟市などで液状化による被害．[2]

(2024 年 8 月現在)

日本付近のおもな被害地震の震央(1884 年以前)

地第 34 図

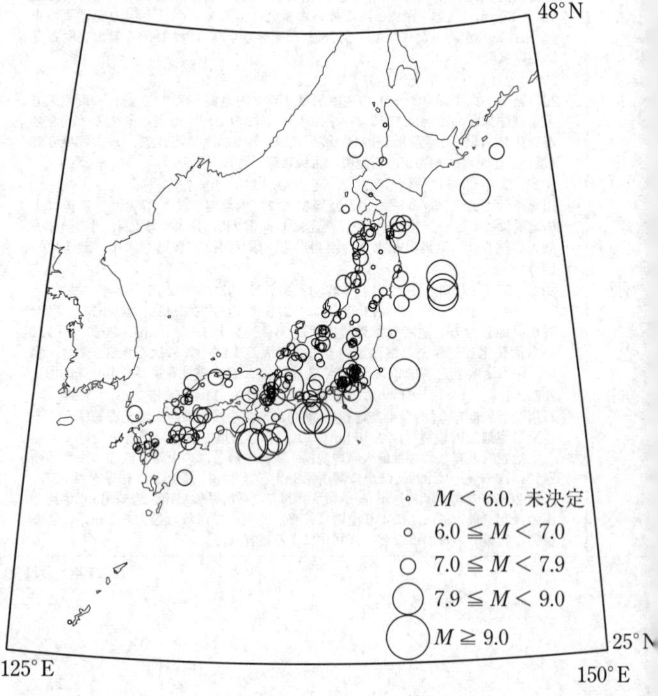

1884 年以前の歴史地震部分において，緯度・経度が決まっている被害地震の震央を地図に示した．M が未決定の場合は 6.0 未満の場合と同じ大きさとした．

日本付近のおもな被害地震の震央(1885 年以降)

地第 35 図

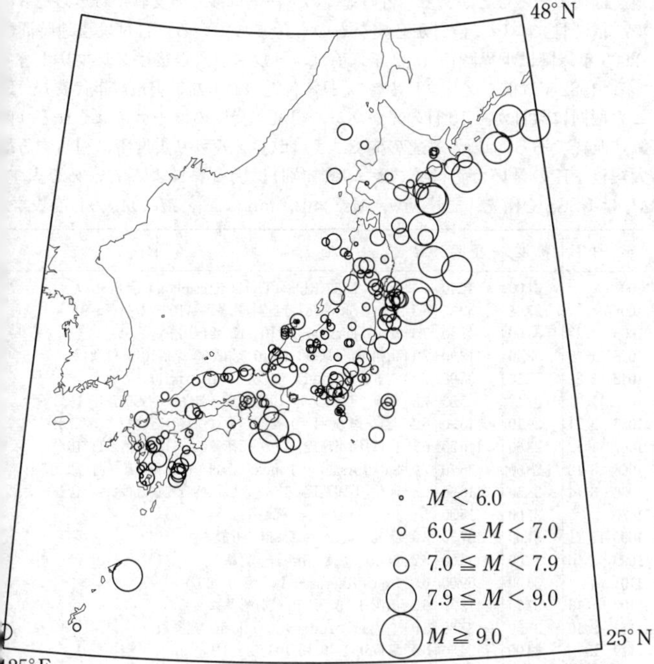

世界のおもな大地震・被害地震年代表

11 世紀以降のマグニチュード（おもに M_S . M_w , m_b なども）が 7.8 以上
たは死者が 1000 人以上の地震を，宇津徳治「世界の被害地震の表」から
んだ．2003 年以降は本書「世界のおもな地震」から抜粋．基準未満でも著名
地震は掲載することがある．古い地震のデータは多くの文献から集めたも
で，信憑性について検討が必要なものも含まれている．日付は現地時間
(2003 年以降は世界時)，1582 年以前はユリウス暦，以後はグレゴリオ暦
ある．1582 年以前もグレゴリオ暦の「日本付近のおもな被害地震年代表」とは
この期間に数日から 10 日の差がある．緯度，経度のマイナスはそれぞれ
緯，西経である．地域･被害の欄で，I は改良メルカリ震度階に相当する
大震度，H の付いた年はイスラム暦，(別) は別資料によるデータを表す
M_w は USGS を優先．記号 Mw，Ms，mB，mb は M_w , M_S , m_B , m_b を表す．

年　月日	緯度	経度	M	地　域　・　被　害
1007	31.00	47.40		Iraq：Dijla(Kijla)(Tigris-Ktesiphon) I＝8 死1万
1008　4	27.68	52.37	6.5	Iran：Siraf 死1万（別）死多数（1008/4/11～5/9）
1008　4 27	34.60	47.40	7.0	Iran：Dinavar I＝10～11 死1万6千
1038　1　9	38.40	112.90	7.3	山西［忻州地震］I＝10 死32300 余震10年（1/24か）
1042　8 21	35.10	38.90	7.2	Syria：Palmyra 死5万（434Hの元日）
1042 11　4	38.12	46.33	7.3	Iran：Tabriz I＝10 死4万（別）M7.6/死5万/I＝11?
1057　3 24	39.70	116.30	6.8	北京(南方) I＝9 死2万5千（別）死1万/数万（5/27か）
1067 11 12	23.60	116.50	6.8	広東［潮州地震］I＝9 死極多数（11/6以前，11/16か）
1068　3 18	28.50	36.70	7.0	Saudi Arabia：Tabuk/Israel：Elat 死2万（別）死2万5千
1068　8 14	38.50	116.50	6.5	河北［河間地震］I＝8 死1万（別）死数万(水害を含む) 大雨
1086	37.00	15.30		Italy：Syracuse 死数千
1096 12 11	34.00	137.50	8.3	永長1/11/24：東海道・近畿
1099　2 16	33.00	135.50	8.2	康和1/1/24：南海道・近畿
1101	36.00	59.00	6.5	Iran：Khorasan I＝9～10 死6万
1102　1 15	37.70	112.40	6.5	山西 I＝8 死1千（別）死多数
1114　8 10	37.50	37.80	8.0	Turkey：Antakya(Antioch) 死多数
1119　2	44.90	124.80	6.8	黒竜江 I＝9 死7103（2～3月）
1137　9 19	37.00	38.00	7.4	Iraq/Syria：Jazirah，Mosul I＝10 死23万（552Hの元日）
1139	40.30	46.30	6.8	Azerbaijan：Kiapas 死3万（9/30と同じか）
1139　9 30	40.30	46.20	7.7	Azerbaijan：Kirovabad(Ganza) I＝9～10 死23万 地震湖（9/25か）
1143　4	38.50	106.30	6.5	寧夏［銀川地震］I＝8 死5千（別）人畜死傷数万/死多数
1151	38.70	－9.10		Portugal：Lisbon 死数千
1154　9 11	14.10	44.10		Yemen：Ibb，San'a，Aden I＝8 死1345（別）死300/極多数

年　月 日	緯度	経度	*M*	地　域・被　害
1155	34.50°	36.50°		Turkey：Antakya/Syria：Latakia, Damascus 死2千（冬）
1157　2 13	36.30	37.30		Syria：Aleppo, Damascus 死極多数（別）死8千/8万（532Hの元日）
1158	34.50	36.50		Syria：Malatia, Tripoli, Damascus, Aleppo/Lebanon 死2万
1168	39.70	39.50	6.0	Turkey：Erzincan I＝9～10 死1万2千（1965～1967か）
1169　2　4	37.50	15.30	6.6	Italy：Catania(Sicily) I＝10 死1万5千（別）死1万4千/1万6千
1170　6 29	35.90	36.40	7.9	Syria to Israel：Latakia, Tripoli, Tyre, Baalbek 死極多数
1179　4 29	36.50	44.20	7.1	Iraq：Arbil(Irbil) I＝9～10 死極多数
1183	34.50	36.50		Turkey：Antakya/Syria：Damascus/Lebanon：Tripoli 死2万
1202　5 20	33.50	36.00	7.5	Jordan/Lebanon/Syria/Israel 死数千 断層
1208	42.00	60.00	6.1	Turkmenistan/Uzbekistan：Gurgandzhe I＝8～9 死2千
1208	36.05	59.22	7.3	Iran：Neyshabur(Nishapur) I＝9 死1万（605H）(1209か)
1209 12　6	36.00	111.80	6.5	山西[浮山地震] I＝8～9 死2500（別）死2千～3千/数千
1219　6　2	35.60	106.20	6.5	寧夏[固原地震] I＝8～9 死数万（別）死1万（5/21か）
1222 12 25	45.48	10.23	6.8	Italy：Basso Bresciano I＝9 死2800（別）死1万2千/I＝11
1227	43.60	5.30		France：Lambesc 死5千（冬）
1248	41.00	13.00		Italy：Sabaudia 死9千
1254　4 28	40.20	38.30	7.2	Turkey：I＝10 死1万6千（10/11か）
1254 10 11	39.90	39.00		Turkey：West of Erzincan 死1万5千（別）死5万6千 断層
1268	37.50	35.50		Turkey：Cilicia, Kozan 死6万（別）死5万（9/10か）
1268	39.80	40.00	7.2	Turkey：Erzincan I＝9～10 死1万5千
1270 10　7	36.25	58.75	7.1	Iran：Neyshabur I＝10 死1万
1290　9 27	41.60	119.30	6.8	内蒙古[寧城地震] I＝9 死7220（別）死傷数十万/死10万
1293　5 20	35.20	139.50	7.5	永仁1/4/13：鎌倉, 越後？ 死数千（別）死3万余
1303　8　8	34.00	28.00	7.6	Egypt：Faiyum, Alexandria, Acre/Syria/Greece(Crete) 死1万
1303　9 17	36.30	111.70	8.0	山西[洪洞・趙城地震] I＝11 死20万（別）死475800
1303 12	36.10	29.00	8.0	Greece：Crete, Peploponnesus, Rhodes
1304　8　8	36.30	27.30	8.0	Greece：Rhodes, Crete I＝11（1303/8/8か）
1305　5　3	39.80	113.10	6.5	山西[大同地震] I＝8～9 死2千
1306　9 12	35.90	106.10	6.5	寧夏[固原地震] I＝8～9 死5千
1328 12　4	42.85	13.02	6.5	Italy：Norcia, Le Preci I＝10 死5千（別）死2千/4千（12/1か）
1336 10 21	34.49	59.88	7.6	Iran：Jizd, Khwaf 死3万（別）死2万～3万（震後疫病で死1万1千）
1343	37.43	37.40	7.6	Turkey：I＝9 死5700（次と同じか）
1343　1　1	36.30	37.60		Turkey：Membij I＝8～9 死5700
1348　1 25	46.37	13.58	6.9	Austria：Villach/Italy/Slovenia I＝9 死1万（別）死5千/4万
1349　9　9	41.48	14.07	6.7	Italy：Sant'Elia Fiumerapido I＝10 死2500（別）死800/数千
1352 12 25	43.48	12.15	5.7	Italy：San Sepolcro I＝8～9 死2千（別）死3千/I＝10～11
1361　7　7	41.23	15.45	6.3	Italy：Ascoli Satriano I＝10 死4千
1361　7 26	33.00	135.00	8.4	正平16/6/24：近畿中部南部, 四国 死多数
1389　2　6	36.25	58.75	7.3	Iran：Neyshabur I＝10 死極多数（生存100人のみ?, 1/30～2/27か）
1405 11 23	36.25	58.75	7.2	Iran：Neyshabur I＝10 死3万

年 月 日	緯度	経度	M	地　域・被　害
1411 9 29	30.10°	90.50°	8.0	西蔵 I=10〜11 死多数 断層 山崩れ 9/28夜前震（早朝）
1440	28.42	53.08	6.9	Iran：Karzin, Qir 死1万（844H）
1444	38.60	42.20		Turkey：Nemrut Mountains 死3万（有毒ガス？）
1456 12 5	41.30	14.72	7.1	Italy：Campania, Basilicata I=11 死3万（別）死1万2千〜10
1457	31.20	34.20		Syria/Israel/Jordan? 死3万2千
1458 4	39.90	40.40	7.6	Turkey：Erzincan, Erzurum I=10 死3万2千（別）死3万
1471	−16.30	−71.00	8.0	Peru I=8〜9
1481	30.00	30.10		Egypt：Cairo/Palestine/Israel/Syria I=7 死3万（次と同じか
1481 3	39.90	40.40	7.7	Turkey：Erzurum I=10〜11 死3千
1482	39.90	40.40	7.5	Turkey：Ergincan, Erzurum I=10 死3万
1487 8 10	34.40	108.90	6.3	陝西[臨潼地震] I=8 死1900
1491 10	38.30	26.00		Greece：Kos(Cos) 死5千
1498	37.18	55.10	6.5	Iran：Old Gorgan, Jorjan I=9〜10 死1千（903H）
1498 9 11	34.00	138.00	8.3	明応7/8/25：東海道・紀伊ほか 死数万
1500 1 4	24.90	103.10	7.0	雲南[宜良地震] I≧9 死数万（別）M≧7.0
1505 7 6	34.70	69.20		Afghanistan：Kabul, Bala, Hicar, Pangan I=9〜10 死極多数
1509 9 14	41.00	28.80	7.4	Turkey：Tsurlu, Istanbul I=10〜11 死1万3千（別）死千 Mw7.2(9/10か
1513	−17.20	−72.30	8.7	Peru I=8
1515 6 17	26.60	100.70	7.8	雲南[鶴慶地震] I=10 死数千（別）死数百？
1522 10 22	38.00	−25.00		Azores：S. Miguel I=10 死5千
1531 1 26	39.00	−8.00		Portugal：Lisbon/Spain/Morocco 死3万（別）死多数/1千
1543	−19.00	−70.50	8.0	Chile I=10
1549 2 16	33.70	60.00	6.7	Iran：Qayin 死3千
1551 1 28	38.40	−9.10		Portugal：Lisbon I=9 死2千
1556 1 23	34.50	109.70	8.3	陝西[華県地震] I=11 死83万 死者数は名のわかった者
1561 7 25	37.50	106.20	7.3	寧夏[中寧地震] I=9〜10 死5千（別）死1千/多数
1562 10 28	−38.70	−73.15	8.0	Chile：Santiago, Arauco I=11 死多数
1566	3.00	−77.30	7.8	Colombia I=7
1570 2 8	−36.75	−73.00	8.3	Chile：Concepcion I=11 死あり（別）死2千以上
1574	34.00	51.40		Iran：Fin, Kashan 死1200（秋）（982H）
1575 12 16	−39.80	−73.20	8.5	Chile：Valdivia, Santiago I=10 死1500（別）死120
1582 1 22	−16.60	−71.60	8.2	Peru：Arequipa I=10 死多数（別）死30/40 Mw7.5
1582 8 15	−12.20	−77.60	7.8	Peru I=7
1584 6 17	40.00	39.00	6.6	Turkey：Erzincan I=9 死1万5千（死者数疑問）
1586 1 18	36.00	136.90	7.8	天正13/11/29：中部・近畿地方 死数千（別）35.3°/136.6°/M7.9
1586 7 10	−12.30	−77.70	8.1	Peru：Lima, Callao I=10 死多数（別）死20 強い前震あり Mw8.1
1588 8 9	24.00	102.80	7.0	雲南[通海地震] I≧9 死1千（別）死多数
1593 9	27.70	54.30	6.5	Iran：Lar 死3千（1001H 晩夏）
1596 9 5	34.65	135.60	7.5	慶長1/7/13：近畿(伏見, 大阪, 堺, 兵庫) 死数千（別）34.9°, 135.65°
1600 2 19	−16.80	−70.90	7.9	Peru：Arequipa, Volcan Huaynaputina I=11

年　月 日	緯 度	経 度	*M*	地　域・被　害
1604 11 24	−17.90	−70.90	8.4	Peru：Arequipa, Camana/Chile：Arica I=10～11 死多数 Mw8.7
1605 2 3	33.50	138.50	7.9	慶長9/12/16：東海・南海・西海諸道[慶長地震] 津波地震？ 死数千
1605 7 13	20.00	110.50	7.5	海南[琼山地震] I=11 死数千
1606 11 30	23.60	102.80	6.3	雲南[建水地震] I=9 死数千
1611 9 27	37.60	139.80	6.9	慶長16/8/21：会津 死3700 地震湖
1611 12 2	39.00	144.00	8.1	慶長16/10/28：三陸・北海道東岸 死5千 (別)死1783/3千
1618 5 26	18.90	72.90	6.9	India：Bombay (地震＋暴風雨？) I=9? 死2千
1618 8 25	46.30	9.50		Italy-Switzerland border：Piuro 山崩れ 死1200
1619 11 30	18.50	121.60	8.0	Philippines(Luzon)：Cagayan, Isabela I=10 死多数
1622 10 25	36.50	106.30	7.0	寧夏[固原地震] I=9～10 死1万2千 (別)死6千/1万5千
1626 6 28	39.40	114.20	7.0	山西[霊丘地震] I=9 死5200 (別)死数万？(霊丘のみで5200)
1627 7 30	41.73	15.35	6.8	Italy：San Severo, Lesina, Apricina I=10～12 死5千
1638 3 27	39.05	16.28	6.9	Italy：Calabria I=11 死3万 (別)死1580/9571/1万9千
1640 2	−1.70	−78.60		Ecuador 死5千
1641 2 5	37.90	46.10	6.8	Iran：Tabriz, Dehkharqan I=9 死12613 (別)死1200/3万
1645 11 30	15.60	121.20	7.9	Philippines(Luzon)：Manila, Cagayan 死600 (別)死500/3千
1647 5 13	−14.00	−76.50	7.9	Peru
1647 5 14	−33.40	−70.60	8.5	Chile：Santiago I=11 死2千 (別)死1千
1648 4 1	38.30	43.50	6.7	Turkey：Van, Hayotsdzor I=9～10 死2千
1650 3 31	−13.50	−71.70	8.1	Peru：Cuzco, Lima I=10
1652 7 13	25.20	100.60	7.0	雲南[弥渡地震] I=9強 死3千
1653 2 23	38.30	27.10		Turkey：Izmir I=10 死1万5千 (別)死2500/3千/8千
1654 7 21	34.30	105.50	8.0	甘粛[天水地震] I=11 死3万1千 (別)死1万2千 (夜)
1657 3 15	−36.83	−73.03	8.0	Chile：Concepcion, Chillan, Santiago I=11 死多数
1659 11 5	38.70	16.25	6.4	Italy：Panaia, Polia(C.Calabria) I=10 死2035
1660	40.00	41.30	6.5	Turkey：Erzurum I=9 死1500
1664 5 12	−14.10	−75.85	7.8	Peru：Ica, Piseo I=10～11 死400 (別)死15/300 Mw7.5
1666 2 1	37.10	138.20	6.8	寛文5/12/27：新潟県西部[高田地震] 火災 死1500 (別)138.3°
1667			6.9	Iran：Shirvan, Shamkha 死1万2千 (別)死8千 (11/18と同じ？)
1667 4 6	42.60	18.10	7.2	Croatia：Dubrovnik(Rugusa) I=10 死5千
1668 1 4	40.50	48.50	7.0	Azerbaijan：Shemakha I=11 死8万 (次と同じか, 昨12/17か)
1668 1 14	41.00	48.00	7.8	Azerbaijan：I=10 死8万
1668 7 25	34.80	118.50	8.5	山東 I≧11 死47615 (別)死3万3千強/5万
1668 8 17	40.50	35.00	8.0	Turkey：Anatolia(Bolu to Erzincan) 死8千 (別)死1万8千 断層
1669 1 14	40.60	48.60	5.7	Azerbaijan：Shemakha I=9 死7千 (別)死6千～7千 (1668年か)
1673 7 30	36.35	59.27	7.1	Iran：Meshed, Neyshabur(Khorasan) 死5600 (別)死4千
1674 2 12	−3.50	128.20		Indonesia(Moluccas)：Amboina 死2342 (別)震死79/流亡2244
1677 4 13	41.00	143.00	7.9	延宝5/3/12：三陸地方 死あり (1968年十勝沖と似ている？)
1677 11 4	35.00	141.50	8.0	延宝5/10/9：福島県・関東東岸・八丈島 津波地震 死540
1678 6 18	−12.30	−77.80	7.9	Peru：Lima, Salinas-Huaura, Callao, Chancay I=9 死あり Mw7.9

年	月	日	緯度	経度	M	地域・被害
1679	6	4	40°.20	44°.70	6.4	Armenia：Garnii, Yerevan, Dvina I=9～10 死7600
1679	9	2	40.00	117.00	8.0	河北[三河・平谷地震] I=11 死45500 (別)死数万 断層
1680	9	9	25.00	101.60	6.8	雲南[楚雄地震] I=9 死2700
1683	11	22	38.70	112.70	7.0	山西[原平地震] I=9 死8220 (別)死1千強/多数
1687	10	20	−15.20	−75.90	8.2	Peru：Lima, Callao, Ica I=10 死5千 (別)死200/600(10/21か) Mw8
1688	6	5	41.28	14.57	6.6	Italy：Campania I=11 死1万 (別)死3311/8千
1688	7	10	38.40	26.90	7.0	Turkey：Izmir(Smyrna) I=10 死17500
1692	6	7	17.80	−76.70		Jamaica：[Port Royal EQ] 死3千 (別)死2千
1693	1	11	37.13	15.02	7.4	Italy：Sicily[Catania EQ] I=11 死5万4千 (別)死1.8万/9.3万
1693	4	25	23.00	115.30	7.8	広東 I=6
1694	9	8	40.87	15.40	6.8	Italy：Basilicata I=10 死4820 (別)死4057/6500/1.5万/I=1
1695	5	18	36.00	111.50	7.8	山西[臨汾地震] I=10 死52600 (別)死3万/数万/10万?
1697	2	25	16.70	−99.20	7.8	Mexico：Acapulco, San Marcos, Mexico City (2/25～26)
1699	7	14	−11.80	−77.50	7.8	Peru：Lima
1700	1	26			9.0	USA(Oregon/Washington) Cascadia沈込み帯
1703	1	14	42.70	13.07	6.7	Italy：Norcia, L'Aquila I=11 死9761 (別)死1万/4万
1703	12	31	34.70	139.80	8.1	元禄16/11/23：関東南部[元禄地震] 火災 死1万
1706	11	3	42.08	14.08	6.7	Italy：Maiella I=10～11 死2400 (別)死1千/1万5千
1707			40.40	43.00		Turkey：Kars 死数千 (別)死多数
1707	10	28	33.00	136.00	8.6	宝永4/10/4：西日本[宝永地震] 日本史上最大 死5千 (別)死2万
1709	10	14	37.40	105.30	7.5	寧夏[中衛地震] I=9～10 死2千
1713	2	26	25.60	103.30	6.8	雲南[尋甸地震] I=9 死数千 (別)死2100/2300
1715	5		36.50	2.60		Algeria：Algiers 死2万 (1715～1717の死2万5回は同じもの?
1715	8	5	36.50	2.60		Algeria：Algiers 死2万
1716	2	3	36.90	2.90		Algeria：Algiers I=10 死2万 (被害は5月のものを含む)
1716	2	6	−17.20	−71.20	8.8	Peru：Torata I=9 死多数
1716	2	11	−13.70	−76.05	8.6	Peru I=9～10
1716	5		36.50	2.60		Algeria：Algiers 死2万
1717	8	5	36.90	2.90		Algeria：Algiers 死2万
1718	6	19	35.00	105.20	7.5	甘粛[通渭・甘谷地震] I=10 死7万5千 (別)死4万数千
1719	5	25	40.70	29.80	7.0	Turkey：Istanbul, Izmit I=9～10 死1千
1721	4	26	37.94	46.66	7.4	Iran：Tabriz I=11 死4万 (別)死8千/1万/10万/25万 断層
1721	9		23.00	120.20	6.0	台湾(台南) I=8 数千 (1/5か)
1725	1	7	−9.20	−79.30	7.5	Peru：Trujillo, Ancash I=9 死1500 土石流 (1/25か) Mw7.5
1725	2	1	56.50	118.50	8.2	Russia(Baikal region)：Velikoe I=11
1727	11	18	38.00	46.20	7.2	Iran：Tabriz I=8 死7万7千 (1721/4/26と同じか)
1730	7	8	−33.05	−71.63	8.7	Chile：Valparaiso, Santiago, Concepcion I=11 死あり
1732	3	27	40.90	14.80		Italy：Avellino 死2千 (11/29と同じか)
1732	11	29	41.08	15.05	6.6	Italy：Irpinia I=10～11 死1942 (別)死600/1500
1733	8	2	26.30	103.10	7.8	雲南[東川地震] I=10 死1200 (別)死数十/多数

年	月	日	緯度	経度	*M*	地域・被害
1737	10	17	51.10°	158.00°	8.3	Russia：Kamchatka I＝10 死あり 25〜50 mの大津波
1737	11	4	55.50	163.00	7.8	Russia：Kamchatka I＝10
1739	1	3	38.80	106.50	8.0	寧夏[平羅・銀川地震] I＝10強 死5万 断層
1741	8	29	41.60	139.40		寛保1/7/19：渡島半島ほか[渡島津波] 死2千 朝鮮津波 (大島噴火)
1746	10	29	−12.00	−77.20	8.4	Peru：Lima, Callao I＝10 死1万8千 (別)死4800/4941/7141 Mw8.6
1749	3	25	39.50	−0.40		Spain：Coast of Valencia Prov. I＝10 死5千
1750	6	7	36.30	22.80	7.0	Greece：Kythera, Morea, Cerigo I＝10 死2千
1751	3	25	−36.90	−73.00	8.5	Chile：Concepcion 死25 (5/25と同じか, M過大か)
1751	5	21	37.10	138.20	7.2	宝暦1/4/26：新潟県・長野県北部[高田地震] 死1541 (別)37.3°, 138.25°
1751	5	25	−36.80	−71.60	8.5	Chile：Concepcion, Chillan, Talca, Tutuben I＝9〜11 死65
1751	5	25	26.50	99.90	6.8	雲南[剣川地震] I＝9 死1050 (別)死940/3千?
1752	7	21	35.50	35.50	7.0	Syria：Latakia(Laodicea)/Lebanon：Tripoli 死2万
1754	9		30.00	32.00		Egypt：Grand Cairo[Tanta EQ] 死数千 (別)死4万
1755	6	7	33.97	51.35	5.9	Iran：Kashan, Tabriz 死1200 (別)死4万 (昼間)
1755	11	1	36.70	−10.00	8.5	Portugal/Spain/Morocco[Lisbon EQ] 死6万2千 (別)死5万5千 Mw8.5
1755	11	19	34.10	−5.30		Morocco：Mequinez(Mekenes), Fes I＝10 死3千
1757	2	22	−0.93	−78.61	7.0	Ecuador：Latacunga, Cotopaxi, Tungurahua I＝9 死1千
1757	4	15	34.00	−6.50		Morocco：Sale, Cap Cantin 死3千
1759	10	30	33.10	35.60	6.6	Syria：Baalbek, Damascus/Israel：Safad 死2千 (別)死2万
1759	11	25	33.70	35.90	7.4	Lebanon/Syria：Baalbec/Israel：Safad 死3万 (別)死1〜4万 断層
1763	12	30	24.20	102.80	6.5	雲南[通海地震] I＝8 死千 (死者通海で800, 他多数)
1765	9	2	34.80	105.00	6.5	甘粛[武山・甘谷地震] I＝8強 死2068 (別)死1189
1766	3	8	40.73	140.59	7.3	明和3/1/28：青森・弘前[津軽地震] 火災 死1335
1769	8	29	33.00	132.10	7.8	明和6/7/28：大分県・宮崎県・熊本県等 死あり
1771	4	24	24.00	124.30	7.4	尚穆王20(明和8)/3/10：八重山/宮古群島[八重山津波] 死1万2千
1773	6	3	14.60	−91.20		Guatemala：St. Jago(Santiago) 死2万 (別)死5千〜8千家族
1778	12	15	33.97	51.35	6.2	Iran：Kashan 死8千 (別)死3万
1780			34.00	58.00	6.5	Iran：Khurasan 死3千 (1194H)
1780	1	8	38.12	46.29	7.4	Iran：Tabriz I＝11 死5万 (別)死20万 断層 2/12と20余震被害
1783	2	5	38.38	15.97	6.9	Italy：[Calabria EQ] I＝11 火災 死3万5千 (別)死2.95万/4万/5万
1784	5	13	−16.50	−72.00	8.0	Peru：Arequipa, Camana I＝10 死400 (別)死54/300 Mw8.4
1784	7	18	39.50	39.70	7.6	Turkey：Erzincan, Erzurum 死5千 (別)傷5千 断層 (7/23?)
1786	6	1	29.90	102.00	7.8	四川[康定・瀘定地震] I≧10 河堰止 死446 (別)死442＋多数
1786	6	10	29.40	102.20	7.0	四川(瀘定) 大渡河堰止箇所決壊大洪水 死数万 (別)M≧7.0
1787			19.00	−66.00	8.0	Puerto Rico (5/12か)
1787	3	28	16.50	−98.50	8.2	Mexico：San Marcos, Teotitlan等 死11 (3/28〜4/3)
1789	5	29	39.00	40.00	7.0	Turkey：Palu I＝8〜9 死5万1千
1789	6	7	24.20	102.90	7.0	雲南(華寧) I＝9強 死1千 (別)死300(通海)＋多数
1790	10	9	35.70	0.60		Algeria：Oran I＝10 死3千
1792	5	21	32.80	130.30	6.4	寛政4/4/1：島原半島[島原大変(肥後迷惑)] 死1万5千 眉山崩壊

年 月 日	緯度	経度	*M*	地　域・被　害
1792 8 22	54.00°	162.00°	8.4	Russia：Kamchatka I=11
1793 2 17	38.50	144.50	8.2	寛政5/1/7：宮城県・岩手県・福島県 死39 (別)死720
1796 4 26	35.70	36.00	6.6	Syria：Latakia(Ladikije) I=8 死1500
1797 2 4	−1.67	−78.64	8.3	Ecuador：Riobamba, Quito 死4万 (別)死6千/6406/1万6千
1797 12 4	10.50	−64.50		Venezuela：Cumana, Cariaco 死1万6千 (被害は12/14を含むか
1799 8 27	23.80	102.40	7.0	雲南[石屏地震] I=9 死2251 (別)死2030
1805 7 26	41.50	14.47	6.6	Italy：Molise I=10～11 死5573 (別)死6千/6573
1810 2 16	35.65	25.00	7.8	Greece：Iraklion(Crete) I=10 死2千
1811 12 16	36.60	−89.60	8.0	USA(Missouri)：[New Madrid EQ] I=12 死1 (1回目)
1812 1 23	36.60	−89.60	8.0	USA：[New Madrid EQ] I=12 (2回目)
1812 2 7	36.60	−89.60	8.0	USA：[New Madrid EQ] I=12 断層(二次的) (3回目)
1812 3 8	43.70	83.50	8.0	新疆[伊寧地震] I=11 死多数 (別)死58 断層
1812 3 26	10.60	−66.90	6.3	Venezuela：Caracas I=9 死2万 (別)死1万/1万8千/2万6千/4万
1815 10 23	34.80	111.20	6.8	山西[平陸地震] I=9 死13090 (別)死>3万/3万7千 (10/21か)
1815 11 27	−8.00	115.20		Indonesia(Bali)：死10253
1816 12 8	31.40	100.70	7.5	四川[炉霍地震] I=10 死2945 (別)死2854
1819 4 11	−27.35	−70.35	8.3	Chile：Copiapo I=10
1819 6 16	23.30	70.00	8.3	India：[Cutch EQ] 死1440 (別)死1543/2千/3千 断層 Mw7.5
1821 7 10	−16.40	−72.30	8.2	Peru：Camana, Ocona, Caraveli, Arequipa I=7 死162
1822 8 13	36.70	36.90	7.4	Syria：Aleppo/Turkey：Antakya I=10 死2万 (別)死3～6万 断層
1822 9 5	35.00	36.00		Syria：Aleppo, Damascus/Turkey 死2万2千 (被害は8/13を含むか)
1822 11 20	−33.10	−71.60	8.5	Chile：Copiapo to Vladivia I=11 死多数 海岸隆起
1825 3 2	36.30	2.50		Algeria：Blida I=10 死7千 (別)死5千
1826	−45.80	166.50	8.0	New Zealand：Fjordland (M過大か)
1827 9 24	31.60	74.30		India：Punjab/Pakistan：Lahore I=8～9 死1千 (9/26か)
1828 6 6	34.20	74.50		India(Kashmir)：Srinagar I=9～10 死1千
1828 8 9	40.70	48.40	5.7	Azerbaijan：Shemakha I=8 死8千 (別)I=10
1828 12 18	37.60	138.90	6.9	文政11/11/12：新潟県[三条地震] 火災 死1681 (別)M7.2～7.3
1830 6 12	36.40	114.30	7.5	河北[磁県地震] I=10 死数千(磁県5485) (別)死7千/1万?
1832 1 22	36.50	71.00	7.4	Afghanistan/Tajikistan/Pakistan：Hindu Kush I=9 死極多数
1833 8 26	28.30	85.50	8.0	西藏/Nepal I≧10 死多数 (別)死414(Nepal)
1833 9 6	25.00	103.00	8.0	雲南[嵩明地震] I≧10 死6707 (別)死6万7千?
1833 11 24	−3.50	100.00	8.7	Indonesia(Sumatra)：Padang, Benkelen, Indrapura
1835 2 20	−36.80	−73.00	8.1	Chile：Concepcion, Valparaiso I=11 Hawaii 津波 死あり
1837 1 1	33.00	35.50	7.0	Israel：Safad/Syria/Lebanon 死5700 (別)死2千～3千/5千
1837 11 7	−39.80	−73.20	8.0	Chile：Valdivia, Concepcion I=10 死60
1838	32.00	34.50		Israel：Jaffa 死3千
1840 6 20	39.50	43.00		Turkey：Mt. Ararat 死1500 (被害は7/2のものか)
1840 7 2	39.50	43.90	7.4	Turkey：Balikgolu/Armenia：Nakhichevan 死1千 (別)死2063
1841 5 17	52.50	159.50	8.4	Russia：Kamchatka I=10～11 Hawaii 津波

年 月 日	緯度	経度	*M*	地域・被害
1842 5 7	19.70°	−72.80°		Dominica：St. Domingo, Santiago/Haiti 死4500 (別)死200/3千
1843 2 8	16.50	−61.00	7.8	Lesser Antilles：Guadaloupe, Antigua, Montserrat 死5千
1843 4 18	38.60	44.80	5.9	Iran：Khoy 死1千
1843 4 25	43.00	147.00	8.0	天保14/3/26：釧路・根室 死46 (Russ.によれば南千島地震 M8.2)
1844 5 12	33.62	51.36	6.4	Iran：Qohrud, Kashan 死1500 (5/10, 5/11か)
1844 5 13	37.50	47.97	6.9	Iran：Miyaneh, Garmrud I=9 死極多数
1845 4 7	16.60	−99.20	7.9	Mexico：Acapulco, Puebla, Tlaxacalla, Veracruz
1846 6 28	−14.00	−76.80	7.8	Peru I=6
1847 5 8	36.70	138.20	7.4	弘化4/3/24：信濃北部[善光寺地震] 死8174 (別)死8304 断層/洪水
1848 12 3	24.10	120.50	6.8	台湾[彰化地震] I=9 死2021 (別)死1千/1200
1850 9 12	27.80	102.30	7.5	四川[西昌地震] I=10 死23860 (別)死20652
1851 6	36.78	58.50	6.9	Iran：Sarvelayat, Quchan, Ma'dan I=9 死2千 (1852/2にも)
1851 8 14	40.95	15.67	6.3	Italy：Melfi I=10 死1千 (別)死62/671/700/1万4千?
1851 10 12	40.70	19.70	6.6	Albania：Vlore(Avlona), Berat, Elbasan I=10～11 死2千
1852 2 22	37.10	58.40	5.8	Iran：Quchan I=9 死2千 (1851/6と同じか)
1853 5 5	29.60	52.50	6.2	Iran：Shiraz 死9千 (別)死1万2千 (被害は前余震を含む)
1854 4 16	13.80	−89.20	6.6	El Salvador：San Salvador 死1千 (4/14前震か)
1854 7 9	34.75	136.00	7.3	安政1/6/15：伊賀・伊勢・大和[伊賀上野地震] 死1600
1854 12 23	34.00	137.80	8.4	安政1/11/4：東海・南海道[安政東海地震] 火災 死2千
1854 12 24	33.00	135.00	8.4	安政1/11/5：畿内・南海道[安政南海地震] 火災 死数千
1855 1 23	−41.00	175.00	8.0	New Zealand：[Wellington EQ] 海岸隆起・断層
1855 2 28	40.10	28.60	7.1	Turkey：Bursa, Tayabas I=10 死1900 (別)死300/700/少
1855 4 29	40.20	29.10	6.7	Turkey：Bursa 死1300 (4/11と同じか)
1855 11 11	35.65	139.80	6.9	安政2/10/2：江戸[安政江戸地震] 死7444 (別)死1万?
1856 3 2	3.50	125.50		Indonesia：Great Sangir(Volcanic) 死3千
1856 10 12	35.50	26.00	8.3	Greece：Crete, Rhodes/Egypt I=11 死20 (別)死10/538
1857 12 16	40.35	15.85	7.0	Italy：Basilicata I=11 死10939 (別)死13488/1万9千/2万4千?
1859 3 22	−0.30	−78.50	6.3	Ecuador：Quito, Pichincha I=8 死5千
1859 6 2	40.00	41.00	6.4	Turkey：Erzurum I=9～10 死2千 (別)死1万5千
1861 2 16	0.50	97.50	8.4	Indonesia(Sumatra)：Lagundi, Padang, Batu I., Nias I. 死極多数
1861 3 20	−32.90	−68.90	7.0	Argentina：Mendoza I=9 死1万8千 (別)死7千
1862 6 7	23.30	120.20	6.8	台湾[嘉義地震] I=9 死数千 (別)死500
1863 4 22	36.40	27.70	7.8	Greece：Rhodes, Kos(Cos) I=10～11 死あり
1863 12 30	38.13	48.52	6.1	Iran：Ardabil, Nir I=8～9 死1千 (別)死500
1868 4 2	19.00	−155.50	8.0	USA：South coast of Hawaii[Kau EQ] I=10 死81 (別)死77
1868 8 13	−18.50	−71.00	8.5	Chile/Peru I=11 死2万5千 (別)死2千/11500/4万 Mw8.8
1868 8 16	0.31	−78.18	7.7	Ecuador/Colombia：Quayaquil, Ibarra I=11 死7万 (別)死4万
1870 4 11	30.00	99.10	7.3	四川[巴塘地震] I=10 死2298 (別)死100/多数
1870 5 11	15.80	−96.70	7.9	Mexico：Puebla, Oaxaca, Ejulla 死24 (5/11と12と16)
1871 12 23	37.40	58.40	7.2	Iran：Quchan I=9 死2千 (別)I=7～8/M5.6

年 月 日	緯度	経度	*M*	地域・被害
1872 1 6	37.10	58.40	6.3	Iran：Quchan I=8〜9 死4千 (別)12/23と合わせて死3万
1872 4 3	36.40	36.50	7.2	Turkey：Antakya/Syria：Aleppo I=10 死1800 (4/2か)
1875 3 28	−21.00	167.00	8.0	New Caledonia/Loyalty Is.：Lifu 死あり
1875 5 3	38.10	30.00	6.7	Turkey：Civril, Dinar I=9 死2千 (別)死1300/数千
1875 5 5	38.10	30.20		Turkey 死1300 (5/3の被害を含むか)
1875 5 18	7.90	−72.50	7.3	Colombia：Cucuta 死1万6千 (別)死1千
1877 5 10	−19.60	−70.20	8.3	Chile：Iquique, Tarapaca I=11 死多数 (Hawaiiで死5)
1879 3 22	37.80	47.85	6.7	Iran：Buzqush, Garmrud, Ardabil I=10 死2千 (別)死>320
1879 7 1	33.20	104.70	8.0	甘粛[武都地震] I=11 死29480 (別)死9881(武都), 10792(文県
1881 4 3	38.30	26.20	6.5	Greece：Khios(Chios) I=9 死7866 (別)死3541/4千/4181, I=1
1883 7 28	40.75	13.88	5.6	Italy：Casamicciola[Ischia EQ] 死2333 (別)死3100/3300
1883 8 27	−5.80	106.30		Indonesia：Krakatoa 火山爆発/地震/津波 死数万 (別)死≧3万6千
1885 5 30	33.50	75.00		India：Srinagar, Sopur I=8 死3千 (別)死300/2千
1887 6 8	43.10	76.80	7.3	Kyrgyzstan：Alma-Ata(Verny) I=9〜10 山崩れ 死1800
1887 12 16	23.70	102.50	7.0	雲南[石屏地震] I=9強 死2256 (別)死200/2700強
1889 7 11	43.20	78.70	8.3	Kazakhstan：Chilik, Alma Ata I=10
1891 10 28	35.60	136.60	8.0	岐阜県西部[濃尾地震] 火災 死7273 断層
1893 3 31	38.30	38.50	7.0	Turkey：Malatya 死1500 (別)死400/469 (3/2と同じか)
1893 11 17	37.12	58.40	7.1	Iran：Quchan I=9〜10 死1万 D=150/1万8千
1894 3 22	42.50	146.00	7.9	根室沖 死1 Ms8.1
1895 1 17	37.08	58.40	6.8	Iran：Quchan I=9 死1千 (別)死180/700/1万1千
1896 1 4	37.70	48.30	6.7	Iran：Sangabad−Khalkhal I=9〜10 死1100 (別)死1600
1896 6 15	39.50	144.00	8.2	岩手県沖[三陸地震津波] 死2万2千 Hawaii被害 Ms7.2 Mw8.(
1897 1 10	26.90	56.00	6.4	Iran：Qeshm Is. 死1600 (別)死750/1万?
1897 6 12	26.00	91.00	8.3	India：[Assam EQ] 死1500 (別)死1425/1600 断層 Ms8.0
1897 9 20	6.00	122.00	7.9	Philippines(Mindanao)：Dapitan Ms7.4 (別)Ms8.1?
1897 9 21	7.10	122.10	8.7	Philippines(Mindanao/Sulu/Jolo) I=10 死100 Ms7.5 (別)Ms8.2?
1897 10 18	12.00	126.00	8.1	Philippines(Samar/Visayas) I=9 Ms7.3 (別)Ms7.7?
1897 10 20	12.00	126.00	7.9	Philippines：Off Samar Ms7.1 (別)Ms7.7?
1899 9 3	60.00	−142.00	8.4	USA(Alaska)：Yakutat Bay 死0 I=11 Ms7.9
1899 9 10	60.00	−140.00	8.6	USA(Alaska)：[Yakutat Bay EQ] I=11 隆起 Ms8.0
1899 9 20	37.90	28.80	6.9	Turkey：Aydin, Nazilli, Buldan I=9 死1117 断層 Ms6.9
1899 9 29	−3.00	128.50	7.4	Indonesia(Moluccas)：Ceram(south coast) 死3864 Ms7.1
1900 7 29	−10.00	165.00	8.1	Solomon Is.：Santa Cruz Is. Ms7.6
1900 10 9	60.00	−142.00	8.3	USA(Alaska)：Chugacha Mountains I=7〜8 死0 Ms7.7
1901 8 9	−22.00	170.00	8.4	Loyalty Is. Ms7.9
1902 4 19	14.93	−91.50	7.5	Guatemala：Quezaltenango, S.Marcos I=9 死2千 (別)死1500 Ms7.5
1902 8 22	39.80	76.20	8.1	Kyrgyzstan/China：Kashgar I=9〜10 死多数 (別)死200/2500 Ms7.7
1902 12 16	40.80	72.30	6.4	Uzbekistan：Andizhan I=9 死4725 (別)死700/4500
1903 4 28	39.14	42.65	7.0	Turkey：Malazgirt I=9 死3560 (別)死600/2200/6千 (5/9と12も)

年	月	日	緯度	経度	M	地　域　・　被　害
1903	5	28	40.90°	42.80°	5.4	Turkey：Ardahan, Varginis, Cardahli I=7～8 死1千
1903	8	11	36.00	23.00	7.9	Greece：Kythera I=10～11 死2 (別)死多数
1905	4	4	33.00	76.00	8.6	India：[Kangra EQ] 死2万 (別)死10600/18815 (M過大) Ms7.5 Mw7.8
1905	7	23	49.30	96.20	8.2	Mongolia/Russia：Bolna I=10 断層320 km Ms7.7
1906	1	31	1.00	−81.50	8.8	Ecuador/Colombia I=9 死1千 (別)死400/600 Ms8.2 Mw8.8
1906	3	17	23.60	120.50	6.8	台湾[嘉義地震] 死1258 断層
1906	4	18	37.70	−122.50	8.3	USA：[San Francisco EQ] I=11 火災 死700 (別)死3千? 断層 Ms7.8
1906	8	17	51.00	179.00	8.3	USA：Rat Is.(Aleutian Is.) Ms7.8
1906	8	17	−33.00	−72.00	8.4	Chile：Valparaiso I=11 死3760 (別)死1500/2万 Ms8.1
1907	1	4	2.00	96.30	7.8	Indonesia(Sumatra)：Gunung Sitoli(Nias) 死400 Ms7.5
1907	1	14	18.20	−76.70	6.5	Jamaica：Kingston, Port Royal 死1千 (別)死1700
1907	10	21	38.50	67.90	7.4	Uzbekistan/Tajikistan：Karatag 死1万5千 (別)死1万2千 Ms7.2
1908	3	26	18.00	−99.00	8.1	Mexico：Chilapa, Chilpancingo (Mは過大) mB7.5
1908	12	28	38.15	15.68	7.1	Italy：[Messina EQ] I=11 死8万2千 (別)死7.5万/11万/20万 Ms7.0
1909	1	23	33.40	49.10	7.3	Iran：Silakor 死5500 (別)死6千～8千 断層 Ms7.0
1909	2	22	−18.00	−179.00	7.9	Fiji mB7.6
1909	7	30	17.00	−100.50	7.8	Mexico：Acapulco, Guerrero Ms7.3
1910	4	12	25.50	122.50	7.8	台湾 死20 mB7.6
1910	6	16	−19.00	169.50	8.6	Vanuatu：New Hebrides Is. (Mは過大) mB7.9
1910	11	9	−15.00	166.00	7.9	Vanuatu：New Hebrides Is. mB7.5
1911	1	3	42.90	76.90	8.2	Kazakhstan：Alma-Ata, Kemin I=10～11 死450 断層 Ms7.8
1911	6	7	19.70	−103.70	7.9	Mexico：Jalisco, Mexico City 死1300 (別)死45 Ms7.7
1911	6	15	28.00	130.00	8.0	奄美大島付近[喜界島地震] 死12 mB8.1
1911	7	12	9.00	126.00	7.8	Philippines(Mindanao) I=10 Ms7.5
1911	8	16	7.00	137.00	8.1	Caroline Is. mB7.7
1912	5	23	21.00	97.00	8.0	Myanmar/Thai：Taunggyi 死あり Ms7.7
1912	7	24	−5.62	−80.41	8.1	Peru：Huancabamba, Cajamarca/Ecuador I=10 死多数 Ms7.0
1912	8	9	40.75	27.20	7.4	Turkey：Saros-Marmara I=10 死2836 (別)死216/1950 Ms7.6
1912	11	19	19.90	−99.80	7.8	Mexico：Acambay, Tixmadeje, Timilpan 死多数 断層 mB6.9
1913	3	14	4.50	126.50	8.3	Indonesia(Sangihe) I=9 死あり (111人の村埋没) Ms7.9
1913	8	6	−15.80	−73.50	7.8	Peru：Chuquibamba I=10 死あり Ms7.8
1913	10	14	−19.50	169.00	8.1	Vanuatu：New Hebrides Is. mB7.6
1913	12	21	24.10	102.40	7.0	雲南[峨山地震] I=9 死1314 (別)死942/1900強 Ms7.2
1914	1	30	−33.30	−66.30	8.2	Argentina：San Luis Province (Mは過大) Ms7.5
1914	5	26	−2.00	137.00	7.9	Indonesia(Irian Jaya)：Japen Is. 死あり Ms8.0
1914	6	25	−4.00	102.50	8.1	Indonesia(Sumatra)：Benkulen 死多数 (別)死11/20 Ms7.6
1914	10	3	37.82	30.27	7.0	Turkey：Burdur I=9～10 死4千 (別)死あり/300 Ms7.1
1914	11	24	22.00	143.00	8.7	Marianas mB7.9
1915	1	13	41.98	13.65	7.0	Italy：[Avezzano EQ] I=11 死32610 (別)死3万/3万5千 断層 Ms6.9
1915	5	1	47.00	155.00	8.1	Russia：Kuriles Ms8.0

年 月 日	緯度	経度	M	地　域　・　被　害
1915 10 2	40°.50	−117°.50	7.8	USA(Nev.)：[Pleasant Valley EQ] I=11 断層 Ms7.7
1916 1 1	−4.00	154.00	7.9	Papua New Guinea：New Ireland Ms7.8
1916 1 13	−3.00	135.50	8.1	Indonesia(Irian Jaya) Ms7.7
1917 1 20	−8.30	115.00		Indonesia(Bali) 死1300
1917 1 30	55.20	164.50	8.1	Russia：Kamchatka I=11 Ms7.8
1917 5 1	−29.00	−177.00	8.6	New Zealand(Kermadec Is.) (Mは過大) Ms7.9
1917 5 31	54.50	−160.00	7.9	USA：Alaska Pen. Ms7.9 Mw7.4
1917 6 26	−15.50	−173.00	8.7	Tonga/Samoa Ms8.4
1917 7 31	28.00	104.00	6.8	雲南[大関地震] I=9 死1879 Ms7.5
1918 5 20	−28.50	−71.50	7.9	Chile mB7.6
1918 8 15	5.50	123.00	8.5	Philippines(Mindanao)：Cotabato 死50 (別)死102 Ms8.0
1918 9 7	45.60	151.10	8.2	Russia：Kuriles 死24 Hawaii小被害 Ms8.2
1918 11 8	44.90	151.40	7.9	Russia：Kuriles Ms7.7
1918 11 18	−7.00	129.00	8.1	Indonesia：Banda Sea (Mは過大) mB7.5
1918 12 4	−26.00	−71.00	7.8	Chile：Copiapo, Caldera Ms7.6
1918 12 18	−27.30	−70.50	8.2	Chile：Copiapo (M過大か, 上と同じか)
1919 1 1	−19.50	−176.50	8.3	Tonga mB7.7
1919 4 30	−19.00	−172.50	8.4	Tonga Ms8.2
1919 5 6	−5.00	154.00	7.9	Papua New Guinea：New Ireland 死あり Ms7.9
1920 6 5	23.50	122.70	8.0	台湾[花蓮地震] 死5 Ms8.0
1920 9 20	−20.00	168.00	8.3	Vanuatu：New Hebrides Is. Ms7.9
1920 12 16	36.70	104.90	8.5	寧夏[海原地震] I=12 死235502 (別)死22万/24万6千 断層 Ms8.
1921 11 15	36.50	70.50	8.1	Afghanistan(Hindu Kush) mB7.6
1921 12 18	−2.50	−71.00	7.9	Colombia-Peru border mB7.5
1922 11 11	−28.50	−70.00	8.5	Chile：Atacama 死1千 (別)死600 Ms8.3 Mw8.5
1923 2 3	53.00	161.00	8.5	Russia：Kamchatka I=11 死あり (Hawaii津波 死6) Ms8.
1923 5 25	35.30	59.20	5.5	Iran：Kaj Derakht, Torbat 死2219 (別)死300/770/5千以上
1923 6 14	31.30	100.80	5.8	四川(康定) I=7 死1300
1923 9 1	35.33	139.14	7.9	関東南東部[関東地震] 火災 死10万5千 断層 Ms8.2 Mw7.9
1924 4 14	6.50	126.50	8.3	Philippines(Mindanao)：Davao Bay I=9 Ms8.3
1924 6 26	−56.00	157.50	8.3	Tasman Sea, Macqurie Is. (Mは過大) Ms7.7
1925 3 16	25.70	100.40	7.0	雲南[大理地震] I=9 死5808 (別)3600/5847 Ms7.0
1926 6 26	36.50	27.50	8.0	Greece：Rhodes I=11 死110 mB7.7
1926 10 3	−49.00	161.00	7.9	Tasman Sea, N of Macquarie Is. Ms7.5
1926 10 26	−3.20	138.50	7.9	Indonesia(Irian Jaya) Ms7.6
1927 3 7	35.63	134.93	7.3	京都府北部[(北)丹後地震] (火災) 死2925 断層 Ms7.6 Mw7.1
1927 5 23	37.70	102.20	8.0	甘粛[古浪地震] I=11 死41419 (別)死4千/35495/8万 断層 Ms7.9
1928 3 9	−2.50	88.50	8.1	Indian Ocean：[Ninetyeast Ridge EQ] Ms7.7
1928 6 17	16.20	−98.00	7.9	Mexico：Oaxaca Ms7.8 Mw8.0
1928 12 1	−35.00	−72.00	8.0	Chile：Talca I=10 死225 (別)死218 Ms8.0

年	月	日	緯度	経度	M	地域・被害
1929	5	1	37.80	57.80	7.2	Iran：Kopet-Dagh 死3257 (別)死3800/5803 断層 Ms7.2
1929	6	27	−54.00	−29.50	8.3	Atlantic Ocean (Mは過大) Ms7.7
1930	5	6	38.00	44.70	7.3	Iran：Salmas I＝9～10 死2514 (別)死1360/3千 断層 Ms7.2
1930	7	23	41.05	15.37	6.7	Italy：Vulture(Irpinia) I＝10 死1404 (別)死1883/3千
1931	1	15	16.00	−96.70	7.9	Mexico：Oaxaca I＝10 死68 (別)死114 Ms7.8
1931	2	2	−39.50	176.90	7.9	New Zealand：[Hawke's Bay EQ] 死256 (別)死225/285 Ms7.8
1931	3	31	12.15	−86.28	6.0	Nicaragua：[Managua EQ] 火災 死1千 (別)死2千/2450 断層
1931	8	11	47.10	89.80	8.0	新疆[富蘊地震] I＝11 死1万 (別)死300 断層 Ms7.9 Mw8.0
1931	10	3	−10.50	161.70	7.9	Solomon Is. 死50 Ms7.9
1932	5	14	0.50	126.00	8.3	Indonesia：Molucca Passage 死5 (別)死6/多数 Ms8.0
1932	5	26	−25.50	179.20	7.9	Fiji Basin mB7.5
1932	6	3	19.50	−104.30	8.1	Mexico：Guadalajara, Colima, Zamora I＝11 死60 Ms8.2 Mw8.1
1932	6	18	19.50	−104.30	7.9	Mexico：Guadalajara, Colima 死52 (別)死30 Ms7.8
1933	3	3	39.23	144.52	8.1	岩手県沖[三陸沖地震] 死3064 Ms8.5 Mw8.4
1933	8	25	31.90	103.40	7.5	四川[叠渓地震] 死6865 地震湖決壊洪水 死2500 Ms7.5
1934	1	15	26.50	86.50	8.3	India/Nepal：[Bihar-Nepal EQ] 死10700 (別)死7253 Ms8.3 Mw8.2
1934	2	14	17.50	119.00	7.9	Philippines(Luzon) Ms7.6
1934	7	18	−11.70	166.50	8.1	Santa Cruz Is. Ms8.1
1935	4	21	24.30	120.80	7.1	台湾[苗栗地震/新竹・台中地震] 死3276 断層 Ms7.1
1935	5	30	29.50	66.80	7.5	Pakistan：[Quetta EQ] 死6万 (別)死2万5千/3万 Ms7.6
1935	9	20	−3.50	141.70	7.9	Papua New Guinea Ms7.9
1935	12	28	0.00	98.20	8.1	Indonesia(Sumatra) I＝8 Ms7.7
1937	4	16	−21.50	−177.00	8.1	Tonga mB7.5
1937	8	1	35.40	115.10	7.0	山東[菏沢地震] I＝9 死3833 (別)死多数/3350
1938	2	1	−5.20	130.50	8.5	Indonesia：Banda Sea I＝7 Ms8.2 Mw8.5
1938	5	19	−1.00	120.00	7.9	Indonesia(Sulawesi)：Dongala, Mambara 死8 (別)死多数 Ms7.6
1938	11	10	55.50	−158.00	8.7	USA(Alaska) Ms8.3 Mw8.3
1939	1	25	−36.25	−72.25	7.8	Chile：[Chillan EQ] I＝10 死2万8千 (別)死3万 Ms7.8
1939	1	30	−6.50	155.50	7.8	Papua New Guinea/Solomon Is. Ms7.8
1939	4	30	−10.50	158.50	8.1	Solomon Is. 死12 Ms8.0
1939	12	21	0.00	123.00	8.6	Indonesia(Sulawesi)：Minahassa Pen. mB7.8
1939	12	26	40.10	38.20	7.8	Turkey：[Erzincan EQ] I＝11～12 死32968 (別)死4万5千 断層 Ms7.8
1940	5	24	−12.50	−77.00	8.0	Peru：Lima, Callao I＝10 死250 (別)死179 Ms7.9 Mw8.2
1940	11	10	45.80	26.80	7.3	Romania：Vrancea Region, Bucharest 死1千 (別)死350 mB7.3
1941	1	11	16.60	43.30	5.8	Yemen I＝9 死1200 (2/4と2/23に余震被害あり)
1941	6	26	12.50	92.50	8.1	India：Andaman, Colombo, Madras, Calcutta 死あり (別)死5千? Ms7.7
1941	11	25	37.50	−18.50	8.4	N. Atlantic Ocean Ms8.2
1942	4	8	13.50	121.00	7.8	Philippines(Mindanao) Ms7.5
1942	5	14	−0.70	−81.50	7.9	Peru/Ecuador I＝9 死200 (別)死多数 Ms7.9 Mw8.2
1942	8	6	13.90	−90.90	7.9	Guatemala：Tecpan, Totonicapan, San Marcos 死38 (別)死9 Ms7.9

年 月 日	緯度	経度	M	地域・被害
1942 8 24	−15.00°	−76.00°	8.1	Peru：Nazca I=10 死30 (別)死22 Ms8.2
1942 11 10	−49.50	32.00	8.3	Indian Ocean：Prince Edward Is. Ms7.9
1942 12 20	40.70	36.80	7.3	Turkey：Niksar, Erbaa I=9 死3千 (別)死1千/1100 断層 Ms7
1943 4 6	−30.75	−72.00	7.9	Chile：Illapel, Salamanca 死18 (別)死11 Ms7.9 Mw8.2
1943 5 25	7.50	128.00	7.9	Philippines：Off E. Mindanao Ms7.7
1943 7 23	−9.50	110.00	8.1	Indonesia(Java)：Jogyakarta 死213 mB7.6
1943 7 29	19.20	−67.50	7.9	Puerto Rico：San Juan, Mona Passage Ms7.7
1943 9 6	−53.00	159.00	7.9	Macquarie Is. region Ms7.7
1943 9 10	35.47	134.19	7.2	鳥取県東部[鳥取地震] 火災 死1083 断層 Ms7.4 Mw7.0
1943 11 26	41.00	34.00	7.6	Turkey：Ladik 死4020 (別)死2824/2900/5千 断層 Ms7.6
1944 1 15	−31.50	−68.60	7.4	Argentina：San Juan 死8千 (別)死2900/5千/5600 断層 Ms7.
1944 2 1	41.50	32.50	7.6	Turkey：Gerede(Bolu) 死3959 (別)死2381/2790/5千 断層 Ms7
1944 12 7	33.57	136.18	7.9	三重県沖[東南海地震] 死1251 Ms8.0 Mw8.1
1945 1 13	34.70	137.11	6.8	愛知県南部[三河地震] 死2306 (別)死1961 断層 Ms6.8 Mw6.
1945 11 27	25.00	63.50	8.0	Iran/Pakistan：Makran coast 死300 (別)死4千 Ms8.0
1945 12 28	−6.00	150.00	7.8	Papua New Guinea：New Britain Is. Ms7.7
1946 5 31	40.00	41.50	6.0	Turkey：Ustukran I=7～8 死1300 (別)死839
1946 8 4	19.20	−69.00	8.1	Dominica/Puerto Rico 死100 Ms8.0
1946 8 8	19.50	−69.50	7.9	Dominica/Puerto Rico Ms7.6
1946 9 12	23.50	96.00	7.8	Myanmar Ms7.8
1946 9 29	−4.50	153.50	7.8	Papua New Guinea：New Ireland region Ms7.7
1946 11 10	−8.50	−77.50	7.3	Peru：Ancash I=11 死1400 (別)死800/1500/1613 断層 Ms7
1946 12 21	32.93	135.85	8.0	紀伊半島沖 [南海地震] 火災 死1330 Ms8.2 Mw8.1
1947 7 29	28.50	94.00	7.9	India/Bhutan Ms7.5
1948 1 24	10.50	122.00	8.3	Philippines：Sulu Sea, Iloilo, Jaro 死72 Ms8.2
1948 6 28	36.17	136.30	7.1	福井県北部[福井地震] 火災 死3769 (別)死3895/5390 Ms7.3 Mw7.
1948 9 8	−21.00	−174.00	7.9	Tonga Ms7.8
1948 10 5	37.70	58.70	7.3	Turkmenistan：[Ashkhabad EQ] 死19800 (別)死1万/数万/11万 Ms7.
1949 7 10	39.20	70.80	7.4	Tajikistan：[Khait EQ] I=9～10 死1万2千 (別)死数千/2万 Ms7.
1949 8 5	−1.50	−78.25	6.8	Ecuador：[Pelileo EQ] I=11 死6千 (別)死5050 Ms6.4
1949 8 22	53.70	−133.20	8.1	Canada：[Queen Charlotte Is. EQ] 断層 Ms8.1
1949 12 17	−54.00	−71.00	7.8	Chile：Punta Arenas 死1 Ms7.7
1949 12 17	−54.00	−71.00	7.8	Chile 死3 Ms7.7
1950 2 28	46.00	144.00	7.9	Russia：Off Sakhalin mB7.5
1950 8 15	28.40	96.70	8.6	西蔵[察隅地震] I=11 死3300 (別)死2486/Indiaで死者 Ms8.6 Mw8.6
1950 10 5	10.00	−85.70	7.9	Costa Rica：Nicoya Ms7.7
1950 11 2	−6.50	129.50	8.1	Indonesia：Banda Sea mB7.4
1950 12 2	−18.20	167.50	8.1	Vanuatu：New Hebrides Is. Ms7.2 mB7.6
1950 12 9	−23.50	−67.50	8.0	Chile/Argentina I=7 死4 (別)死1 mB7.7
1950 12 14	−19.20	−175.70	7.9	Fiji mB7.5

年	月	日	緯度	経度	M	地域・被害
1951	11	18	31.10°	91.40°	8.0	西蔵[当雄地震] 断層 Ms8.0
1951	12	8	−34.00	57.00	7.9	Indian Ocean Ms7.4
1952	3	4	41.80	144.13	8.2	十勝沖[十勝沖地震] 死33 Ms8.3 Mw8.1
1952	3	19	9.50	127.20	7.9	Philippines：Off Mindanao I＝6 Ms7.6
1952	11	4	52.30	161.00	9.0	Russia[Kamchatka EQ] I＝11 死多数 Ms8.2 Mw9.0
1953	3	18	40.02	27.53	7.4	Turkey：Onon 死1103 (別)死224/265/1070 断層 Ms7.2
1953	12	12	−3.40	−80.60	7.8	Peru/Ecuador：Tumbes I＝9 死7 Ms7.4
1954	9	9	36.31	1.47	6.7	Algeria：El Asnam(Orleanville) 死1409 (別)死1243 断層
1955	2	27	−28.00	−175.50	7.8	New Zealand(Kermadec Is.) Ms7.7
1957	3	9	51.30	−175.80	8.6	USA：Andreanof Is.(Aleutian Is.) 死0 I＝8 MはUSGS Ms8.1 Mw9.1
1957	7	2	36.10	52.70	7.1	Iran：Mazandaran 死1200 (別)死1100/1500/2千 Ms7.0
1957	11	29	−21.00	−66.00	7.8	Bolivia/Chile mB7.4
1957	12	4	45.20	99.40	8.3	Mongolia：[Gobi-Altai EQ] 死多数 (別)死30/1200 断層 Ms8.0 Mw8.1
1957	12	13	34.50	48.00	7.2	Iran：Farsinaj 死2千 (別)死1130/1200/1392/2500 断層 Ms6.8
1958	1	19	1.37	−79.34	7.8	Ecuador：Esmeraldas/Colombia I＝9 死20 Ms7.3
1958	7	9	58.60	−137.10	7.9	USA(Alaska)：Lituya Bay 死5 (別)死3/6 断層 Ms7.9 Mw8.2
1958	11	7	44.38	148.58	8.1	択捉島沖[エトロフ沖地震] 死0 Ms8.1 Mw8.3
1960	2	29	30.45	−9.62	5.7	Morocco：[Agadir EQ] I＝10 死13100 (別)死1万2千/1万4千/1万5千
1960	5	22	−39.50	−74.50	9.5	Chile：[Chilean EQ] 死5700 (別)死1743/2231 Ms8.5 Mw9.5
1962	9	1	35.60	49.90	7.2	Iran：Buyin-Zahra[Qazvin EQ] 死12225 (別)死1万 断層 Ms6.9
1963	7	26	42.00	21.40	6.1	Macedonia：[Skopje EQ] I＝9～10 死1070 (別)死1200
1963	10	13	44.80	149.50	8.5	Russia(Kuriles)：Urup Is. I＝9 Ms8.1 Mw8.5
1963	11	4	−6.80	129.60	8.2	Indonesia：Banda Sea mB7.8
1964	3	27	61.00	−147.80	9.2	USA：[Alaska EQ] I＝9～10 死131 地殻変動 Ms8.4 Mw9.2
1965	2	4	51.30	178.60	8.7	USA：Aleutian Is.[Rat Island EQ] Ms8.2 Mw8.7
1965	8	23	16.30	−95.80	7.8	Mexico：Oaxaca 死5 (別)死6 Ms7.6
1966	3	22	37.50	115.10	7.2	河北[寧晉地震] I＝10 死8064 (3/8等の被害を含む) Ms7.1
1966	6	15	−10.40	160.90	7.8	Solomon Is. 死0 Ms7.7
1966	8	19	39.15	41.55	6.8	Turkey：Varto I＝9 死2517 (別)死2394/2964/3千強 断層
1966	12	28	−25.51	−70.74	7.8	Chile：Taltal I＝8 死3 Ms7.7
1968	2	12	−5.50	153.20	7.8	Papua New Guinea：New Ireland Ms7.1
1968	5	16	40.73	143.58	7.9	青森県東方沖[十勝沖地震] 死52 Ms8.1 Mw8.2
1968	8	31	33.97	59.02	7.3	Iran：[Dasht-i Biyaz EQ] 死1万5千 (別)死11588/12100 断層 Ms7.1
1969	2	28	36.01	−10.57	8.0	Atlantic Ocean/Portugal/Morocco 死13 (別)死7/23 Ms7.8
1969	8	12	43.44	147.82	7.8	色丹島沖[北海道東方沖地震] 死0 (別)42.70°, 147.62° Ms7.8 Mw8.2
1970	1	5	24.20	102.70	7.8	雲南[通海地震] I＝10強 死15621 断層 Ms7.3
1970	3	28	39.20	29.50	7.1	Turkey：Gediz I＝9 死1086 (別)死1098 断層
1970	5	31	−9.36	−78.87	7.8	Peru：[Peruvian EQ] I＝10 死66794 (別)死5万4千/5～7万 Ms7.5 Mw7.9
1970	12	15	55.90	163.40	7.8	Russia：Kamchatka I＝10

年 月 日	緯度	経度	*M*	地 域 ・ 被 害
1971 1 10	−3.13°	139.70°	8.1	Indonesia(Irian Jaya):Djajapura, Sentani Ms7.9
1971 7 14	−5.47	153.88	7.9	Papua New Guinea:New Britain Is. I=7 死2 Ms7.8
1971 7 26	−4.94	153.17	7.9	Papua New Guinea:New Ireland Ms7.7
1971 12 15	55.90	163.20	7.8	Russia:Kamchatka I=10 Ms7.5
1972 1 25	22.60	122.30	8.0	台湾東方沖 死1 Ms7.4
1972 4 10	28.40	52.80	6.8	Iran:[Ghir(Qir) EQ] 死5010 (別)死5374/5400 断層 Ms6
1972 12 2	6.47	126.60	7.8	Philippines(Mindanao) mB7.4
1972 12 23	12.15	−86.27	6.3	Nicaragua:[Managua EQ] 死1万 (別)死5千/6千/8千/1万1千 断層 Ms(
1973 2 6	31.30	100.70	7.6	四川[炉霍地震] I=10 死2199 (別)死2175 断層 Ms7.2
1973 12 28	−14.46	166.60	7.8	Vanuatu:Espiritu Santo, Luganvillle Ms7.3
1974 5 11	28.20	104.10	7.1	雲南[大関・永善地震] I=9 死1541 (別)死1423/1641/2万
1974 12 28	35.05	72.87	6.2	Pakistan:Patan 死5300 (別)死700/900 Ms6.0
1975 2 4	40.70	122.80	7.3	遼寧[海城地震] I=9強 死1328 予報 断層 Ms7.2
1975 5 26	36.00	−17.65	8.1	Azores Ms7.8
1975 7 20	−6.59	155.05	7.9	Papua New Guinea:Bougainville Is. I=8 Ms7.6
1975 9 6	38.50	40.70	6.7	Turkey:Lice I=9 死2370 (別)死2100/2385/3千 断層
1975 10 11	−24.89	−175.12	7.8	Tonga Ms7.7
1975 12 26	−16.26	−172.47	7.8	Tonga I=5 Ms7.5
1976 1 14	−29.20	−177.80	7.8	New Zealand(Kermadec Is.) Ms7.7
1976 1 14	−28.43	−177.66	8.2	New Zealand(Kermadec Is.) Ms7.9
1976 2 4	15.16	−89.18	7.5	Guatemala:[Guatemala EQ] I=9 死22870 断層 Ms7.5
1976 6 25	−4.60	140.09	7.1	Indonesia(Irian Jaya) 死6千 (別)死422 不明5~9千 Ms6.9
1976 7 28	39.40	118.00	7.8	河北[唐山地震] I=11 死242800 断層 Ms7.8
1976 8 16	6.26	124.02	7.9	Philippines(Mindanao) I=10 死8千 (別)死6500/3792 Ms7.8 Mw8
1976 10 29	−4.52	139.92	7.2	Indonesia(Irian Jaya) I=8 死6千 (別)死108/133
1976 11 24	39.12	44.03	7.3	Turkey:Muradiye/Iran 死3900 (別)死3626/3840/1万 断層 Ms7.
1977 3 4	45.77	26.76	7.2	Romania:Vrancea, Bucharest 死1581 (別)死1387 mB7.1 Mw7.
1977 8 19	−11.09	118.46	7.9	Indonesia:[Sumbawa Is. EQ] 死189 正断層型 Ms8.1 Mw8.
1978 9 16	33.39	57.43	7.4	Iran:[Tabas EQ] 死18220 (別)死1.5万/2万強 断層 Ms7.2 Mw7.
1979 9 12	−1.68	136.04	7.9	Indonesia(Irian Jaya):Yapan 死15 Ms7.7 Mw7.5
1979 12 12	1.60	−79.36	7.9	Colombia:Port-Tumaco-Buenaventura area 死600 Ms7.6 Mw8.
1980 7 17	−12.53	165.92	7.9	Solomon Is.:Santa Cruz Is. 死0 Ms7.7 Mw7.7
1980 10 10	36.20	1.35	7.3	Algeria:El Asnam 死3500 (別)死2590~5千 断層 Ms7.1 Mw7.
1980 11 23	40.91	15.37	6.7	Italy:[Irpinia EQ] 死2483 (別)死2735/3105/4680 断層 Mw6.
1981 1 19	−4.58	139.23	6.7	Indonesia(Iria Jaya):Jayawijaya Mts. 死1300 (別)死261 Mw6.
1981 6 11	29.91	57.71	6.7	Iran:Kerman Province, Golbaft 死3千 断層 Mw6.6
1981 7 28	30.01	57.79	7.1	Iran:Kerman Province 死1500 (別)死8千 断層 Mw7.2
1982 12 13	14.70	44.38	6.0	Yemen Arab Republic:Dhamar 死2800 (別)死1900/3千 断層 Mw6.
1983 10 30	40.33	42.19	6.9	Turkey:[Narman-Horasan EQ] I=8 死1400 (別)死1155/1300~2千 Mw6.6
1984 3 6	29.34	138.92	7.6	鳥島近海 深発地震 ショック死1 Mw7.4

年 月 日	緯度	経度	*M*	地域・被害
1985 3 3	−33.14	−71.87	7.8	Chile：San Antonio, Valparaiso 死177 Mw7.9
1985 9 19	18.19	−102.53	8.1	Mexico：[Michoacan EQ] Mexico Cityで被害大 死9500 Mw8.0
1986 10 10	13.83	−89.12	5.4	El Salvador：San Salvador 死1500（別）死1千強 断層 Mw5.7
1986 10 20	−28.12	−176.37	8.2	New Zealand(Kermadec Is.) Ms8.1 Mw7.7
1986 11 14	23.90	121.57	7.8	台湾 死13（別）死15/16 Mw7.3
1987 3 6	0.15	−77.82	6.9	Ecuador/Colombia：Quito, Tulcan, Riobamba 死5千（別）死1千 Mw7.1
1988 8 20	26.76	86.62	6.6	Nepal/India：Bihar Prov. 死1450（別）死721(Nep)＋280(Bih) Mw6.8
1988 12 7	40.99	44.19	6.8	Armenia：Spitak, Leninakan/E.Turkey 死2万5千 断層 Mw6.7
1989 5 23	−52.34	160.57	8.2	Macquarie Ridge(New Zealandと南極大陸の間) 死0 Mw8.0
1990 6 20	36.96	49.41	7.7	Iran：Manjil, Rudbar/Azerbaijan 死3.5万（別）死3万〜5万 断層 Mw7.4
1990 7 16	15.68	121.17	7.8	Philippines(Luzon)：Baguio, Cabanatuan 死2430 断層 Mw7.7
1991 10 19	30.78	78.77	7.0	India：[Uttarkashi EQ] 死2千（別）死768 Mw6.8
1992 12 12	−8.48	121.90	7.5	Indonesia(Flores)：Maumere, Babi Is. 死1740（別）死2080 Mw7.7
1993 1 15	42.92	144.36	7.8	釧路沖[釧路沖地震] やや深発地震 死2 Mw7.6
1993 7 12	42.78	139.18	7.8	奥尻島沖[北海道南西沖地震] 死230 Russia(不明3)/Korea Mw7.7
1993 8 8	12.98	144.80	8.0	Marianas：Guam 死0 Mw7.8
1993 9 29	18.07	76.45	6.2	India：Latur-Osmanabad area 死9748（別）死7601 Mw6.2
1994 6 9	−13.84	−67.55	8.2	Bolivia/Peru：[Bolivian Deep EQ] 死10 Mw8.2
1994 10 4	43.37	147.68	8.2	色丹島沖[北海道東方沖地震] ショック死1 Mw8.3
1995 1 17	34.59	135.04	7.3	[兵庫県南部地震] 阪神・淡路大震災 死6434 断層 Ms6.8 Mw6.9
1995 4 7	−15.20	−173.53	8.0	Tonga 死0 Mw7.4
1995 5 27	52.63	142.83	7.5	Russia(Sakhalin)：Neftegorsk 死1989（別）死1841 断層 Mw7.1
1995 8 16	−5.80	154.18	7.8	Solomon Is. 死0 Mw7.7
1995 12 3	44.66	149.30	7.9	択捉島沖 死0 Mj7.2 Ms7.9 Mw7.9
1996 2 17	−0.89	136.95	8.1	Indonesia(Irian Jaya)：Biak, Supiori 死166 Mw8.2
1997 2 28	38.08	48.05	6.1	Iran：Ardebil 死1100（別）死965 Mw6.1
1997 4 21	−12.58	166.68	7.9	Santa Cruz Is. 死0 Mw7.7
1997 5 10	33.83	59.81	7.3	Iran：Qayen, Birjand 死1572（別）死1640 断層 Mw7.2
1997 11 8	35.07	87.32	7.9	西蔵 死0 Mw7.6
1998 2 4	37.05	70.09	6.1	Afghanistan：Rostaq area 死2323 Mw5.9
1998 3 25	−62.88	149.53	8.0	Antarctica：Balleny Is. region 死0 Mw8.1
1998 5 30	37.11	70.11	6.9	Afghanistan：Badakhshan and Takhar Provinces 死4千 Mw6.6
1998 7 17	−2.96	141.93	7.1	Papua New Guinea：Sissano 死2700 Mw7.0
1999 1 25	4.46	−75.72	5.7	Colombia：Armenia, Calarca, Pereira[Quindio EQ] 死1900 Mw6.2
1999 8 17	40.75	29.86	7.8	Turkey：[Kocaeli EQ, Izmit EQ] 死17118 不明多数？ 断層 Mw7.5
1999 9 21	23.77	120.98	7.7	台湾[集集地震] 死2413 断層 Mw7.7
2000 6 4	−4.72	102.09	8.0	Indonesia(Sumatra)：Bengkulu 死103（別）死90 Mw7.9
2000 6 18	−13.80	97.45	7.8	Indian Ocean 死0 Mw7.6
2000 11 16	−3.98	152.17	8.2	Papua New Guinea：New Ireland 死2 Mw8.0
2000 11 16	−5.23	153.10	7.8	Papua New Guinea：New Ireland 死0 Mw7.6

年 月 日	緯度	経度	M	地　域・被　害
2000 11 17	−5°.50	151°.78	8.0	Papua New Guinea：New Britain Is. 死0 Mw7.5
2001 1 13	13.05	−88.66	7.8	El Salvador/Guatemala 山崩れ多発(死者の大半) 死852 Mw7.
2001 1 26	23.42	70.23	8.0	India：Bhuj, Bhachau, Anjar(Gujarat)/Pakistan 死20023 Mw7
2001 6 23	−16.26	−73.64	8.2	Peru：Arequipa-Camana-Tacna area/Chile：Arica 死139 Mw8.
2001 11 14	35.95	90.54	8.0	西蔵・青海[Kokoxili EQ] 死0 断層 Mw7.8
2002 3 25	36.06	69.32	6.2	Afghanistan：Baghlan Province(Nahrin) 死1000 Mw6.1
2002 11 3	63.52	−147.44	7.9	USA：Alaska 死0 断層 Ms8.5 Mw7.9
2003 1 20	−10.49	160.77	7.8	Solomon Is. Mw7.3
2003 5 21	36.96	3.63	6.9	Algeria：Algiers-Boumerdes-Dellys-Thenia area 死2266 Mw6.
2003 9 25	41.82	143.91	8.1	十勝沖[十勝沖地震] Mj8.0 Mw8.3
2003 12 26	29.00	58.31	6.8	Iran：Bam 死43200 Mw6.6
2004 12 26	3.30	95.98	9.1	Indonesia：Sumatra 大津波 死・不明227898 MはUSGSのMw Mw9.0
2005 3 28	2.09	97.11	8.4	Indonesia：Sumatra 津波 死1303以上 Mw8.6
2005 10 8	34.54	73.59	7.7	Pakistan：Kashmir 死86000以上 Mw7.6
2006 5 3	−20.19	−174.12	7.8	Tonga Mw8.0
2006 5 26	−7.96	110.45	6.2	Indonesia(Java)：Bantul-Yogyakarta 死5749以上 Mw6.3
2006 11 15	46.59	153.27	7.8	Kuril Mw8.3
2007 1 13	46.24	154.52	8.2	Kuril Mw8.1
2007 4 1	−8.47	157.04	7.9	Solomon Is. 津波 死52 Mw8.1
2007 8 15	−13.39	−76.60	7.9	Peru 死514以上 Mw8.0
2007 9 12	−4.44	101.37	8.5	Indonesia：Sumatra 死25 Mw8.5
2007 9 12	−2.63	100.84	8.1	Indonesia：Kepulauan-Mentawai Mw7.9
2007 12 9	−26.00	−177.51	7.8	Fiji MはMw
2008 5 12	31.00	103.32	8.1	四川[汶川地震] I＝11 死69227 断層 Mw7.9
2009 4 6	42.33	13.33	6.3	Italy：[L'Aquila EQ] I＝7 死309 MはMw
2009 9 29	−15.49	−172.10	8.1	Samoa Is. 津波 死192以上 Mw8.1
2009 9 30	−0.72	99.87	7.1	Indonesia(Sumatra)：Padang 死1117以上 Mはmb Mw7.5
2009 10 7	−12.52	166.38	7.9	Santa Cruz Is. 津波 Mw7.8
2010 1 12	18.44	−72.57	7.3	Haiti：Port-au-Prince 死316000 Mw7.0
2010 2 27	−36.12	−72.90	8.5	Chile：Bio-Bio沖 日本津波 I＝9 死521以上 Mw8.8
2010 4 6	2.38	97.05	7.9	Indonesia：Sumatra 津波 死0 Mw7.8
2010 4 13	33.17	96.55	7.0	青海 死2220以上 Mw6.9
2010 10 25	−3.49	100.08	7.3	Indonesia：南Sumatra 津波 死445以上 Mw7.8
2011 3 11	38.30	142.37	9.1	三陸沖[東北地方太平洋沖地震] 大津波 死・不明22000以上 MはMw
2011 3 11	36.28	141.11	7.9	上記の最大余震 MはMw
2012 4 11	2.33	93.06	8.6	Indonesia：Sumatra沖 小津波 死10以上 MはMw
2012 4 11	0.80	92.46	8.2	上記の最大余震 MはMw
2012 10 28	52.79	−132.10	7.8	Canada：太平洋で小津波 MはMw

年 月 日	緯度	経度	M	地域・被害
2013 2 6	−10.80°	165.11°	8.0	Santa Cruz Is. 津波 死10 MはMw
2013 5 24	54.89	153.22	8.3	オホーツク海 深さ600 km MはMw
2014 4 1	−19.61	−70.77	8.2	Chile：北部沿岸 MはMw
2014 6 23	51.83	178.75	7.9	Aleutian Is.(Rat Is.) MはMw
2015 4 25	28.23	84.73	7.8	Nepal：[Gorkha EQ] I＝8 死・不明9164以上 雪崩 MはMw
2015 5 30	27.84	140.49	7.8	小笠原諸島 深さ664 km MはMw
2016 2 5	22.94	120.64	6.4	台湾[美濃地震] I＝7 死117以上 ビル倒壊 MはMw
2016 3 2	−4.95	94.33	7.8	Indonesia(Sumatra)：I＝5 MはMw
2016 4 6	0.38	−79.92	7.8	Ecuador：I＝8 死・不明677以上 小津波 MはMw
2016 4 15	32.79	130.75	7.0	熊本県[熊本地震] 死50 MはMw
2016 8 24	42.72	13.19	6.2	Italy：[Central Italy EQs] 死297以上 MはMw 10月30日北でMw6.6 死2
2016 9 3	36.43	−96.93	5.8	USA：Oklahoma 誘発地震 MはUSGSのMw Mw5.7
2016 11 13	−42.74	173.05	7.8	New Zealand：[Kaikoura EQ] 死2 MはMw
2016 12 8	−10.68	161.33	7.8	Solomon Is. MはMw
2016 12 17	−4.51	153.52	7.9	Papua New Guinea：New Ireland region MはMw
2017 1 22	−6.25	155.17	7.9	Solomon Is. 死3 MはMw
2017 9 8	15.02	−96.93	8.2	Mexico：Chiapas 沖 死96以上 MはMw
2018 6 17	34.83	135.64	5.5	大阪府：死6 MはMw
2018 9 5	42.69	141.93	6.6	北海道[北海道胆振東部地震] 死43 大規模停電 MはMw
2018 9 6	−18.47	179.35	7.9	Fiji：MはMw
2018 9 28	−0.26	119.85	7.5	Indonesia：Sulawesi 死2077以上 MはMw
2019 5 16	−5.81	−75.27	8.0	Peru：Loreto内陸 深さ123 km 死2 MはMw
2019 7 6	35.77	−117.60	7.1	USA：California[Ridgecrest EQ] 全壊50 断層 MはMw 34時間前にMw6.5の地震
2020 7 22	55.07	−158.60	7.8	USA：Alaska半島 MはMw
2020 10 30	37.90	26.78	7.0	Greece：ドデカネス諸島 津波 死119以上 おもにトルコに被害 MはMw
2021 3 4	−29.72	−177.28	8.1	New Zealand(Kermadec Is.) 津波 MはMw
2021 7 29	55.36	157.89	8.2	USA：Alaska 半島 津波 MはMw
2021 8 12	−58.38	−25.26	8.1	South Sandwich Is. MはMw
2021 8 14	18.43	−73.48	7.2	Haiti：Nippes 死 2248 以上 不明 329 MはMw
2022 1 15	−20.55	−175.39	5.7	Tonga：海底火山の噴火 津波 空振 死 5
2022 6 21	33.02	69.46	6.0	Afghanistan：死 1162 以上 M は Mw
2023 2 6	37.23	37.01	7.8	Turkey：[Kahramanmaras EQs] 東 Anatolia 断層 M は Mw 9 時間後に北側で Mw7.5 Syria でも被害 死 58875 以上 I＝9 断層
2023 9 8	31.06	−8.39	6.8	Morocco：死 2946 以上 I＝7 M は Mw
2023 10 7	34.60	61.93	6.3	Afghanistan：M は Mw 1 時間後に Mw6.3 死 1482 以上

(2023 年 12 月現在)

日本付近のおもな地震 (2023 年) (1)

気象庁が決定した M 5 以上の地震．月日時分秒は中央標準時である．

月	日	時	分	秒	緯度 °	緯度 ′	経度 °	経度 ′	深さ (km)	M
1	3	3	22	50.2	45	16.4 N	150	39.1 E	117	5.4
	3	8	1	14.7	31	9.9 N	141	56.3 E	54	5.1
	3	16	8	35.4	40	8.8 N	142	37.0 E	37	5.1
	15	13	42	12.9	29	55.7 N	139	28.6 E	410	5.4
	15	20	37	33.3	25	6.8 N	125	50.9 E	30	5.3
	15	22	15	41.1	46	32.0 N	153	14.2 E	30	5.0
	16	13	49	50.9	28	58.9 N	139	44.0 E	422	5.9
	20	14	48	27.4	38	53.0 N	142	5.7 E	46	5.0
	25	7	54	57.8	28	0.0 N	139	41.2 E	521	5.0
	25	10	0	50.8	37	35.5 N	141	34.8 E	55	5.1
	26	22	56	51.2	23	8.1 N	123	20.9 E	53	5.0
	30	19	25	13.2	23	6.2 N	123	56.9 E	47	5.3
2	5	9	3	21.9	32	40.8 N	141	42.2 E	61	5.9
	8	19	49	58.7	23	24.1 N	121	33.7 E	39	5.0
	13	14	57	3.5	45	54.0 N	151	33.5 E	30	5.4
	17	10	46	33.4	26	32.9 N	128	44.6 E	24	5.3
	22	3	5	34.0	27	15.7 N	143	37.3 E	31	5.0
	25	22	27	43.7	42	45.3 N	145	4.5 E	63	6.0
	28	20	12	11.2	32	58.0 N	141	51.3 E	49	5.6
3	2	15	47	39.9	33	14.8 N	139	26.5 E	14	5.0
	7	7	24	47.3	42	20.7 N	144	35.6 E	20	5.0
	21	10	45	20.3	23	36.8 N	121	21.5 E	13	5.1
	22	16	37	0.1	40	15.0 N	143	4.4 E	20	5.7
	23	8	31	58.0	19	35.9 N	121	22.4 E	0	5.3
	24	13	25	28.0	30	3.5 N	142	0.7 E	47	5.4
	27	0	4	20.7	38	18.4 N	141	37.0 E	60	5.3
	28	18	18	29.0	41	9.5 N	142	51.0 E	28	6.2
	31	14	52	18.0	26	58.5 N	142	15.2 E	80	5.7
4	4	16	7	25.3	26	59.1 N	142	21.6 E	76	5.1
	7	11	22	44.2	48	8.8 N	155	57.9 E	30	6.0
	10	3	45	37.8	24	19.3 N	122	57.5 E	49	5.0
	16	12	53	10.9	27	34.7 N	143	22.5 E	58	5.1
	18	8	26	10.4	45	56.5 N	152	28.8 E	30	5.2
	24	9	19	42.1	28	17.4 N	142	42.8 E	28	5.0
	27	0	41	48.8	45	13.3 N	151	11.3 E	30	5.4
	27	16	43	40.5	26	7.4 N	128	37.4 E	32	5.5
5	1	11	22	31.1	26	6.4 N	128	37.6 E	29	5.5
	1	12	22	10.0	26	2.9 N	128	44.1 E	18	6.4
	1	13	2	33.1	26	0.3 N	128	36.3 E	31	5.0
	1	16	59	40.9	26	3.2 N	128	40.4 E	30	5.3
	3	21	5	38.5	27	8.2 N	143	40.7 E	78	5.0
	5	14	42	4.1	37	32.3 N	137	18.3 E	12	6.5
	5	14	42	33.9	37	31.2 N	137	18.9 E	15	5.4
	5	14	53	37.2	37	31.5 N	137	13.3 E	13	5.0
	5	21	58	4.2	37	31.6 N	137	14.1 E	14	5.9
	6	2	47	16.3	41	28.5 N	142	5.2 E	56	5.7
	10	21	54	47.9	37	39.1 N	137	17.3 E	13	5.0
	11	4	16	41.9	35	10.3 N	140	11.1 E	40	5.2
	11	18	52	44.6	42	22.4 N	143	0.4 E	55	5.5
	11	22	33	15.1	24	13.6 N	125	14.8 E	33	5.9
	13	16	10	27.7	29	55.7 N	130	0.9 E	12	5.1
	14	17	11	56.3	33	22.0 N	139	18.8 E	17	5.6
	14	17	21	41.2	33	21.0 N	139	16.8 E	12	5.9
	14	17	44	10.8	33	21.1 N	139	20.9 E	16	5.1
	14	19	11	34.6	33	25.3 N	139	17.1 E	19	5.9
	14	23	3	30.6	33	20.2 N	139	18.8 E	16	5.5
	15	1	22	53.7	33	27.1 N	139	19.0 E	24	5.2
	15	7	0	13.8	44	54.8 N	148	30.7 E	144	5.0
	22	7	20	5.6	29	44.9 N	129	27.2 E	191	5.4
	22	16	42	41.3	34	28.5 N	139	13.0 E	11	5.3

＊　4 月以降は暫定値である．

日本付近のおもな地震（2023 年）(2)

月	日	時	分	秒	緯度 °	緯度 ′	経度 °	経度 ′	深さ (km)	M
	22	19	46	26.2	34	27.9 N	139	14.7 E	11	5.1
	25	22	48	29.3	21	21.0 N	122	2.0 E	0	5.0
	26	19	3	23.9	35	38.4 N	140	40.3 E	50	6.2
	30	9	52	9.6	24	2.6 N	143	15.8 E	97	6.5
6	3	19	35	40.5	42	0.4 N	142	34.3 E	65	5.1
	11	11	58	5.2	45	37.5 N	153	2.0 E	30	5.5
	11	18	54	44.6	42	33.6 N	141	55.0 E	136	6.2
	17	8	53	28.0	45	45.0 N	152	30.5 E	30	5.0
	17	9	26	16.6	41	8.1 N	142	50.6 E	30	5.7
	17	19	15	21.8	19	37.9 N	121	8.4 E	0	5.0
	17	20	35	59.8	47	11.7 N	147	50.9 E	457	5.8
	17	20	42	39.7	41	23.1 N	142	41.3 E	35	5.0
	19	13	50	46.0	42	29.4 N	143	1.2 E	59	5.0
	21	8	33	47.4	33	43.7 N	136	8.4 E	413	5.1
	22	10	24	18.6	26	24.8 N	127	54.5 E	39	5.2
	24	2	39	13.4	45	42.3 N	143	11.0 E	338	5.8
	24	9	58	31.2	37	17.2 N	141	48.7 E	40	5.0
	25	10	17	24.0	29	54.9 N	140	18.4 E	30	5.4
	28	8	38	18.2	42	9.4 N	134	28.1 E	518	6.3
7	5	1	32	6.9	28	41.4 N	139	41.9 E	454	5.5
	9	4	47	11.0	21	49.6 N	121	35.9 E	39	5.8
	9	6	22	3.3	21	50.2 N	121	34.9 E	35	5.0
	13	13	43	54.0	40	2.1 N	142	43.3 E	34	5.0
	13	23	10	41.6	32	48.8 N	141	58.3 E	61	5.1
	14	0	52	8.4	29	55.3 N	139	5.8 E	451	5.3
	14	11	1	52.3	28	43.1 N	142	55.2 E	38	5.5
	16	6	11	41.0	46	59.5 N	154	58.7 E	30	5.5
	22	21	14	27.0	32	36.9 N	132	13.7 E	37	5.0
	25	10	36	48.2	46	58.1 N	155	12.9 E	30	5.2
	27	8	38	9.4	31	46.2 N	138	23.4 E	378	5.1
	27	20	6	55.9	43	59.6 N	147	37.0 E	85	5.2
	31	7	18	40.3	45	3.0 N	150	2.9 E	30	5.1
8	1	16	10	49.7	44	59.0 N	150	54.1 E	30	5.0
	1	17	3	19.4	19	38.6 N	121	10.4 E	0	5.3
	1	17	9	36.7	19	41.6 N	121	9.3 E	0	5.1
	2	20	35	20.7	45	58.9 N	152	11.2 E	30	5.4
	7	3	12	44.5	30	46.1 N	131	28.8 E	43	5.4
	11	9	14	34.1	41	7.6 N	142	54.7 E	28	6.2
	13	10	43	9.9	20	49.5 N	121	34.5 E	0	5.5
	17	0	2	46.0	47	37.6 N	156	25.4 E	30	5.3
	17	3	43	50.7	47	33.5 N	156	28.0 E	30	5.1
	19	3	33	5.4	42	21.2 N	143	5.9 E	51	5.1
	23	19	19	52.4	38	51.2 N	122	29.6 E	8	5.5
	25	7	48	24.3	39	29.3 N	143	20.3 E	15	6.0
	28	18	8	33.4	37	8.2 N	142	18.4 E	11	5.0
9	2	5	50	0.5	49	11.4 N	156	48.0 E	202	6.0
	5	18	30	39.1	23	28.9 N	120	17.7 E	4	5.2
	8	18	28	48.8	38	54.1 N	142	6.0 E	46	5.4
	9	3	8	13.5	29	19.1 N	129	20.4 E	19	5.1
	11	0	1	59.7	29	18.7 N	129	23.3 E	18	5.3
	12	10	0	40.4	45	34.9 N	151	57.7 E	30	5.2
	12	19	43	53.5	31	50.5 N	140	54.3 E	40	5.0
	12	20	3	18.6	19	43.2 N	121	14.1 E	0	6.4
	18	20	31	10.0	29	43.4 N	139	17.7 E	462	5.2
	18	22	21	22.5	26	28.7 N	125	13.3 E	182	6.5
	19	4	33	4.5	38	28.4 N	141	37.4 E	57	5.6
	19	15	22	37.5	31	0.8 N	142	5.7 E	42	6.1
	20	7	17	47.7	30	55.0 N	142	3.0 E	44	5.2
	20	9	49	13.5	40	17.1 N	145	8.9 E	25	5.0
	22	6	22	12.1	30	57.8 N	141	51.7 E	28	5.9

＊ すべて暫定値である.

日本付近のおもな地震（2023年）(3)

月	日	時	分	秒	緯度 (°)	緯度 (′)	経度 (°)	経度 (′)	深さ (km)	*M*
	23	1	33	15.9	30	54.7 N	142	4.0 E	38	5.0
	29	2	40	3.8	44	22.7 N	148	53.6 E	30	6.2
10	3	20	38	2.7	29	45.3 N	139	49.0 E	22	6.4
	4	0	22	34.9	29	42.8 N	139	42.7 E	12	6.2
	4	4	16	56.9	28	21.9 N	139	3.6 E	527	5.6
	4	5	32	39.3	30	3.1 N	140	57.8 E	40	5.5
	4	9	13	46.8	29	56.6 N	140	19.5 E	39	5.5
	4	11	19	7.9	29	48.7 N	139	47.8 E	42	5.7
	4	13	55	47.8	31	3.1 N	141	59.1 E	36	5.8
	4	14	57	18.1	30	50.9 N	142	13.2 E	44	5.9
	4	20	5	17.1	29	38.8 N	139	44.3 E	30	5.5
	5	2	22	40.6	29	44.8 N	139	48.1 E	26	5.4
	5	8	18	11.5	29	50.4 N	140	7.9 E	42	5.1
	5	10	59	57.0	29	43.2 N	139	46.4 E	17	6.5
	5	11	6	34.9	29	57.5 N	140	11.3 E	38	5.2
	5	11	15	15.5	29	45.3 N	139	33.7 E	43	5.0
	5	11	53	12.4	29	52.2 N	139	36.1 E	33	5.7
	5	15	22	12.4	29	55.3 N	139	39.7 E	31	5.7
	6	10	31	29.9	29	40.3 N	139	28.5 E	19	6.0
	6	12	49	7.8	30	17.1 N	138	53.0 E	461	5.3
	6	14	49	20.7	30	5.2 N	139	43.4 E	15	5.5
	6	22	15	27.5	30	3.8 N	139	43.5 E	25	5.1
	7	4	21	24.8	46	17.5 N	154	1.2 E	30	5.2
	8	14	36	35.8	29	49.3 N	139	58.9 E	47	5.4
	9	5	13	48.5	29	31.8 N	139	47.7 E	1	5.2
	9	14	9	40.6	44	29.0 N	146	22.5 E	175	5.5
	11	19	36	55.5	23	13.6 N	121	28.4 E	3	5.1
	12	21	16	28.0	22	56.4 N	120	27.7 E	1	5.0
	13	7	33	36.4	44	20.8 N	148	41.6 E	30	5.2
	13	18	59	51.9	41	3.8 N	140	14.6 E	171	5.0
	14	16	53	30.7	23	55.4 N	122	18.3 E	21	5.2
	15	18	13	24.9	33	53.0 N	141	50.6 E	0	5.5
	16	19	42	11.0	25	10.3 N	125	35.0 E	33	6.0
	17	2	22	57.2	23	50.6 N	141	51.1 E	161	5.1
	19	7	15	6.8	30	54.0 N	141	28.4 E	47	5.1
	19	12	51	57.6	25	59.1 N	128	31.4 E	41	5.0
	24	8	5	25.1	23	59.5 N	122	35.6 E	33	5.9
11	6	2	10	8.9	37	49.7 N	141	37.7 E	56	5.0
	10	19	10	6.9	45	14.8 N	150	45.0 E	130	5.9
	11	5	50	30.7	31	19.8 N	130	48.3 E	104	5.0
	19	13	1	36.9	18	54.9 N	145	26.4 E	629	6.5
	20	6	1	31.2	41	10.1 N	142	17.6 E	52	5.9
	24	18	4	57.6	20	24.0 N	146	18.5 E	0	7.5
	26	13	31	10.7	23	58.0 N	122	26.3 E	23	5.2
	26	18	39	48.9	26	58.1 N	126	59.0 E	104	5.0
	28	12	37	51.2	44	16.2 N	149	0.6 E	30	5.1
12	10	9	49	22.4	25	2.7 N	140	48.2 E	153	5.2
	16	18	50	57.4	20	32.0 N	145	38.6 E	0	6.3
	21	23	4	13.5	35	14.1 N	141	9.1 E	3	5.4
	22	5	45	24.5	35	14.6 N	141	6.9 E	9	5.1
	26	15	30	55.1	30	24.6 N	138	56.7 E	455	5.2
	28	18	15	13.3	44	36.2 N	149	9.3 E	30	6.6
	28	18	37	27.5	44	17.1 N	148	57.9 E	30	5.1

＊ すべて暫定値である．

世界のおもな地震（2023年）(1)

アメリカ地質調査所（USGS）で決められた M_w, $M_s \geqq 6$ または $m_b \geqq 5.8$ の地震，および死者の発生した地震を採用した．M（マグニチュード）欄の英字S，B，W，Lは M_s, m_b, M_w, M_L を表す（2012年より M_w 優先）．時刻は世界時，地域欄の（　）内は死者数を表し，矢印は上記または下記の数字に含まれることを意味する．

月	日	時	分	M	緯度	経度	深さ (km)	地域
1	5	14	26	6.0 W	36.5° N	70.7° E	203	Badakhshan, Afghanistan
	8	12	33	7.0 W	14.9 S	166.9 E	29	Vanuatu
	9	17	48	7.6 W	7.1 S	130.0 E	105	Pulau Pulau Tanimbar, Indonesia
	12	9	37	2.8 L	49.9 N	18.6 E	5	Moravskoslezský, Czech Republic (1)
	15	22	30	6.1 W	2.0 N	98.0 E	37	Nias region, Indonesia
	16	4	50	6.3 W	29.0 N	139.3 E	405	Bonin Islands, Japan region
	18	0	35	6.0 W	0.0 S	123.2 E	154	Sulawesi, Indonesia
	18	6	6	7.0 W	2.7 N	127.0 E	30	Molucca Sea
	20	11	24	6.1 W	16.1 N	62.2 W	162	Guadeloupe region, Leeward Islands
	20	22	10	6.8 W	26.8 S	63.1 W	597	Santiago del Estero, Argentina
	24	8	59	5.4 W	29.6 N	81.7 E	33	Far-Western, Nepal (4)
	24	18	37	6.4 W	26.7 S	63.1 W	580	Santiago del Estero, Argentina
	26	10	46	6.0 W	30.2 S	178.7 W	131	Kermadec Islands, New Zealand
	28	18	15	5.9 W	38.4 N	44.9 E	16	West Azarbaijan, Iran (≧3)
2	1	10	45	6.0 W	7.7 N	126.1 E	19	Compostela Valley, Philippines
	6	1	18	7.8 W	37.2 N	37.0 E	10	K. Maras, Turkey (≧58875)
	6	1	28	6.7 W	37.2 N	36.9 E	10	Gaziantep, Turkey
	6	10	25	7.5 W	38.0 N	37.2 E	7	K. Maras, Turkey (↑)
	6	10	27	6.0 B	38.0 N	38.1 E	10	Malatya, Turkey
	6	10	36	5.8 B	38.0 N	37.8 E	10	Malatya, Turkey
	6	12	2	6.0 B	38.1 N	36.5 E	9	K. Maras, Turkey
	13	9	18	6.1 W	29.4 S	179.0 W	354	Kermadec Islands, New Zealand
	15	18	10	6.1 W	12.3 N	123.9 E	8	Masbate region, Philippines
	17	9	38	6.1 W	6.6 S	132.1 E	40	Pulau Pulau Tanimbar, Indonesia
	20	17	4	6.3 W	36.2 N	36.0 E	16	Hatay, Turkey (≧8)

世界のおもな地震（2023 年）(2)

月	日	時	分	*M*	緯度	経度	深さ (km)	地域
2	23	0	38	6.9 W	38.1° N	73.2° E	9	Gorno-Badakhshan, Tajikistan
	23	20	3	6.3 W	3.3 N	128.1 E	92	north of Halmahera, Indonesia
	25	13	28	6.0 W	42.8 N	145.0 E	55	Hokkaido, Japan region
	25	21	25	6.2 W	6.1 S	149.8 E	34	West New Britain, Papua New Guinea
	27	9	5	5.2 W	38.2 N	38.3 E	10	Malatya, Turkey (2)
3	1	5	36	6.6 W	4.8 S	149.5 E	601	Bismarck Sea
	2	18	5	6.5 W	15.4 S	166.4 E	17	Vanuatu
	4	6	41	6.9 W	29.5 S	178.8 W	211	Kermadec Islands, New Zealand
	14	0	49	6.3 W	5.4 S	146.8 E	213	eastern New Guinea region, Papua New Guinea
	16	0	56	7.0 W	30.2 S	176.2 W	10	Kermadec Islands region
	18	17	13	6.8 W	2.8 S	79.9 W	68	near the coast of Ecuador (≧15)
	21	16	47	6.5 W	36.5 N	70.9 E	192	Badakhshan, Afghanistan (≧19)
	22	16	1	6.4 W	23.4 S	66.5 W	228	Jujuy, Argentina
	27	22	19	6.2 W	8.2 S	158.9 E	79	Solomon Islands
	28	9	18	6.0 W	41.1 N	142.8 E	37	Hokkaido, Japan region
	30	17	33	6.3 W	35.7 S	73.5 W	26	Offshore Maule, Chile
	31	17	2	3.4 B	30.4 N	66.7 E	10	Baluchistan, Pakistan (3)
4	2	18	4	7.0 W	4.3 S	143.2 E	70	East Sepik, Papua New Guinea (≧8)
	3	3	7	6.5 W	52.7 N	158.5 E	101	Kamchatka, Russia
	3	15	0	6.1 W	0.8 N	98.8 E	84	Nias region, Indonesia
	4	12	55	6.2 W	13.7 N	125.5 E	10	Philippine Islands region
	4	22	18	6.3 W	7.6 N	82.3 W	16	south of Panama
	13	15	55	6.0 W	49.2 N	129.6 W	7	Vancouver Island, Canada region
	14	9	56	7.0 W	6.0 S	112.0 E	597	Java, Indonesia (1)
	18	4	32	6.7 W	22.3 S	179.5 E	580	south of the Fiji Islands
	19	9	6	6.3 W	5.9 S	149.6 E	40	West New Britain, Papua New Guinea
	22	8	24	6.2 W	5.3 S	125.6 E	4	Banda Sea
	24	0	42	7.1 W	30.0 S	177.8 W	47	Kermadec Islands, New Zealand
	24	20	1	7.1 W	0.8 S	98.5 E	34	Kepulauan Batu, Indonesia
	28	3	14	6.0 B	25.1 S	178.5 E	588	south of the Fiji Islands

世界のおもな地震（2023年）（3）

月	日	時	分	*M*	緯度	経度	深さ (km)	地域
4	28	3	14	6.6 W	25.1° S	178.4° E	563	south of the Fiji Islands
5	5	5	42	6.2 W	37.5 N	137.3 E	10	near the west coast of Honshu, Japan (1)
	10	16	2	7.6 W	15.6 S	174.5 W	210	Tonga
	17	23	2	6.4 W	15.1 N	90.8 W	252	Quiché, Guatemala
	19	2	57	7.7 W	23.2 S	170.7 E	18	southeast of the Loyalty Islands
	19	3	6	5.9 B	23.2 S	170.7 E	33	southeast of the Loyalty Islands
	20	1	51	7.1 W	23.0 S	170.6 E	27	southeast of the Loyalty Islands
	20	2	10	6.5 W	23.0 S	170.6 E	10	southeast of the Loyalty Islands
	21	14	57	6.8 W	43.4 S	39.3 E	28	Prince Edward Islands region
	21	15	45	6.1 W	10.3 S	161.4 E	82	Makira Ulawa, Solomon Islands
	23	6	42	6.1 W	23.0 S	170.3 E	10	southeast of the Loyalty Islands
	24	15	50	6.2 W	6.9 S	129.5 E	158	Banda Sea
	25	3	6	6.5 W	8.9 N	77.1 W	13	Panama-Colombia border region
	26	10	3	6.1 W	35.5 N	140.5 E	42	near the east coast of Honshu, Japan
	26	22	18	6.0 W	39.0 S	91.4 W	10	West Chile Rise
	27	0	11	6.0 W	18.5 S	175.2 W	222	Tonga
	28	5	50	5.3 W	36.6 N	71.1 E	230	Badakhshan, Afghanistan (1)
	31	2	21	6.3 W	49.6 S	163.9 E	15	Auckland Islands, New Zealand region
6	6	9	11	4.9 W	18.7 N	74.2 W	10	Haiti region (4)
	7	9	54	4.8 B	16.9 N	95.5 E	10	Ayeyarwady, Myanmar (3)
	11	9	55	6.2 W	42.5 N	141.9 E	121	Hokkaido, Japan region
	15	2	19	6.2 W	13.8 N	120.7 E	112	Mindoro, Philippines
	15	18	6	7.2 W	23.0 S	177.1 W	179	south of the Fiji Islands
	16	8	12	6.0 W	23.5 S	175.9 W	20	Tonga region
	16	19	11	6.2 W	23.6 S	175.6 W	16	Tonga region
	17	11	26	6.1 W	23.5 S	175.5 W	22	Tonga region
	18	20	30	6.4 W	23.2 N	108.7 W	4	Gulf of California
	18	21	59	6.0 W	48.7 S	31.1 E	8	south of Africa
	19	11	18	6.2 W	4.5 S	144.8 E	24	Madang, Papua New Guinea
	25	7	17	6.2 W	24.1 S	175.6 W	9	south of Tonga

世界のおもな地震（2023 年）（4）

月	日	時	分	M	緯 度	経 度	深さ (km)	地 域
					°	°		
6	30	12	58	5.9 W	8.6 S	110.0 E	76	Java, Indonesia (1)
7	2	10	28	6.9 W	17.9 S	174.9 W	229	Tonga
	10	20	28	6.6 W	20.1 N	61.1 W	14	North Atlantic Ocean
	14	9	29	6.3 W	14.9 N	93.9 W	34	Offshore Chiapas, Mexico
	16	6	48	7.2 W	54.4 N	160.8 W	25	Alaska Peninsula
	16	6	51	5.8 B	54.6 N	160.8 W	35	Alaska Peninsula
	17	3	5	6.6 W	38.2 S	70.4 W	186	Neuquén, Argentina
	19	0	22	6.5 W	12.8 N	88.1 W	71	Offshore El Salvador
	24	2	50	6.0 W	24.1 S	178.7 E	523	south of the Fiji Islands
	26	12	45	6.4 W	14.7 S	167.9 E	13	Vanuatu
8	5	7	20	6.2 W	28.2 S	63.2 W	575	Santiago del Estero, Argentina
	8	18	39	6.1 W	15.2 S	173.2 W	42	Tonga
	14	10	40	6.0 W	43.5 S	39.1 E	10	Prince Edward Islands region
	14	13	52	6.1 W	13.3 N	147.5 E	8	Mariana Islands region
	16	12	48	6.5 W	13.9 S	167.2 E	188	Vanuatu
	17	16	41	6.0 W	0.3 S	19.6 W	10	central Mid-Atlantic Ridge
	17	17	5	6.1 W	4.3 N	73.6 W	10	Meta, Colombia (2)
	23	14	23	6.2 W	26.9 S	63.3 W	554	Santiago del Estero, Argentina
	28	19	56	7.1 W	6.8 S	116.5 E	500	Bali Sea
9	1	20	50	6.1 W	50.7 N	156.3 E	137	Sakhalin, Russia
	6	23	48	6.3 W	30.3 S	71.5 W	36	Coquimbo, Chile
	8	9	10	6.6 W	32.8 S	179.4 W	79	south of the Kermadec Islands
	8	22	11	6.8 W	31.1 N	8.4 W	19	Marrakech - Tensift - Al Haouz, Morocco (≧2946)
	9	14	43	6.0 W	0.0 N	119.8 E	13	Minahasa, Sulawesi, Indonesia
	11	12	52	6.0 W	1.1 N	127.5 E	151	Maluku Utara, Indonesia
	12	11	3	6.2 W	19.2 N	121.2 E	31	Babuyan Islands region, Philippines
	13	11	49	6.1 W	36.2 S	97.9 W	10	West Chile Rise
	18	13	21	6.3 W	26.5 N	125.2 E	176	northeast of Taiwan
	21	21	12	6.1 W	14.0 S	167.2 E	185	Vanuatu
	28	14	40	6.1 W	15.6 S	167.7 E	125	Vanuatu

世界のおもな地震（2023 年）（5）

月	日	時	分	*M*	緯 度	経 度	深さ (km)	地 域
10	3	9	21	5.7 W	29.5° N	81.2° E	13	Far-Western, Nepal (1)
	3	11	38	6.0 W	29.9 N	140.0 E	10	Izu Islands, Japan region
	4	11	22	6.4 W	5.3 N	126.0 E	113	Mindanao, Philippines
	5	2	0	6.1 W	29.8 N	140.0 E	10	Izu Islands, Japan region
	6	1	31	6.1 W	30.1 N	140.0 E	10	Izu Islands, Japan region
	7	6	41	6.3 W	34.6 N	61.9 E	14	Hirat, Afghanistan (≧1482)
	7	7	13	6.3 W	34.5 N	61.9 E	8	Hirat, Afghanistan (↑)
	7	8	34	6.7 W	5.6 S	146.1 E	55	Madang, Papua New Guinea (1)
	7	8	40	6.9 W	5.5 S	146.1 E	52	eastern New Guinea region, Papua New Guinea (↑)
	10	10	2	6.0 W	22.9 S	66.3 W	253	Jujuy, Argentina
	11	0	42	6.3 W	34.5 N	62.1 E	8	Hirat, Afghanistan (≧3)
	11	20	5	6.3 W	52.0 S	139.6 E	10	west of Macquarie Island
	15	3	36	6.3 W	34.7 N	62.1 E	9	Hirat, Afghanistan (4)
	16	11	36	6.4 W	52.6 N	176.9 W	174	Andreanof Islands, Aleutian Islands, Alaska
	23	10	10	6.0 W	29.9 S	177.5 W	19	Kermadec Islands, New Zealand
	29	4	32	6.0 W	19.4 S	168.8 E	68	Vanuatu
	31	11	11	6.5 W	17.5 S	179.0 W	560	Fiji region
	31	12	34	6.6 W	28.7 S	71.6 W	34	Offshore Atacama, Chile
11	1	21	5	6.1 W	10.1 S	123.8 E	51	Timor region, Indonesia
	3	18	3	5.7 W	28.9 N	82.2 E	12	Mid-Western, Nepal (≧154)
	8	4	53	6.7 W	6.4 S	129.8 E	10	Banda Sea
	8	4	54	7.1 W	6.4 S	129.5 E	6	Banda Sea
	8	13	2	6.7 W	6.1 S	129.9 E	10	Banda Sea
	10	20	45	6.1 W	6.1 S	130.1 E	10	Banda Sea
	13	7	44	6.1 W	3.9 S	151.1 E	10	New Ireland region, Papua New Guinea
	14	7	1	6.1 W	4.0 S	87.1 E	9	South Indian Ocean
	17	8	14	6.7 W	5.6 N	125.0 E	52	Mindanao, Philippines (≧11)
	22	2	49	6.0 W	1.8 N	127.2 E	102	Halmahera, Indonesia (1)
	22	4	48	6.7 W	15.0 S	168.0 E	13	Vanuatu
	24	9	5	6.9 W	20.1 N	145.5 E	22	Maug Islands region, Northern Mariana Islands

世界のおもな地震（2023年）(6)

月	日	時	分	M	緯度	経度	深さ (km)	地域
11	27	21	47	6.5 W	3.6° S	144.0° E	10	near the north coast of New Guinea, Papua New Guine
12	2	14	37	7.6 W	8.5 N	126.4 E	40	Mindanao, Philippines (≧3)
	2	15	7	5.8 B	8.3 N	127.0 E	62	Philippine Islands region
	2	16	4	6.4 W	8.4 N	126.8 E	35	Mindanao, Philippines
	2	17	40	6.1 B	8.4 N	126.7 E	36	Mindanao, Philippines
	2	18	9	6.3 W	8.4 N	126.9 E	46	Mindanao, Philippines
	2	20	52	6.0 W	8.4 N	126.8 E	9	Mindanao, Philippines
	3	10	36	6.6 W	8.5 N	126.7 E	19	Mindanao, Philippines
	3	14	36	6.0 W	8.7 N	126.8 E	13	Mindanao, Philippines
	3	19	50	6.9 W	9.0 N	126.6 E	20	Mindanao, Philippines (↑)
	7	12	57	7.1 W	20.6 S	169.3 E	48	Vanuatu
	11	6	34	6.2 W	18.8 S	175.7 W	248	Tonga
	20	12	11	6.2 W	15.9 S	72.5 W	93	Arequipa, Peru
	21	14	56	6.1 W	51.2 N	175.3 W	20	Andreanof Islands, Aleutian Islands, Alaska
	22	17	37	6.1 W	52.1 S	28.0 E	10	south of Africa
	24	2	1	5.8 B	20.5 S	169.1 E	10	Vanuatu
	28	9	15	6.5 W	44.6 N	149.0 E	31	Kuril Islands
	30	17	16	6.3 W	3.0 S	139.4 E	33	Papua, Indonesia

地第 36 図

世界の浅い地震（$M \geqq 4.0$，深さ 100 km 以下，1991〜2010 年）の分布図

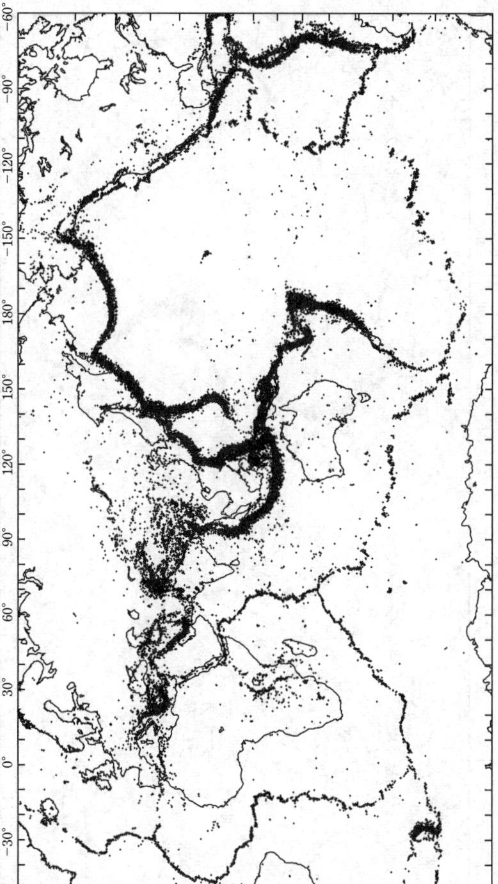

（国際地震センター ISC の資料による）

＊ 浅い地震はプレート境界（地第 37 図灰色線）に沿った帯状の地域を中心に生じていることがよくわかる．

世界のプレート境界と深い地震（$M \geqq 4.0$, 深さ 100 km 以上, 1991～2010 年）の分布図

地第 37 図

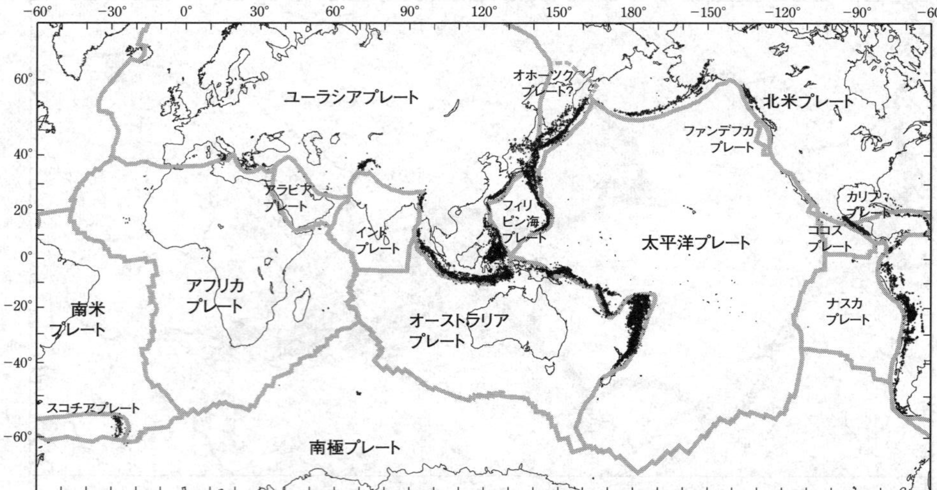

（国際地震センター ISC の資料による）

＊ 深い地震は環太平洋やインドネシア沖など限られた地域でしか起きていない．起きている場所がプレート境界（灰色線）からやや離れているのはプレートが斜めに沈み込んでいるため．

理論的な走時曲線

第38図　(H. Jeffreys and K. E. Bullen による)

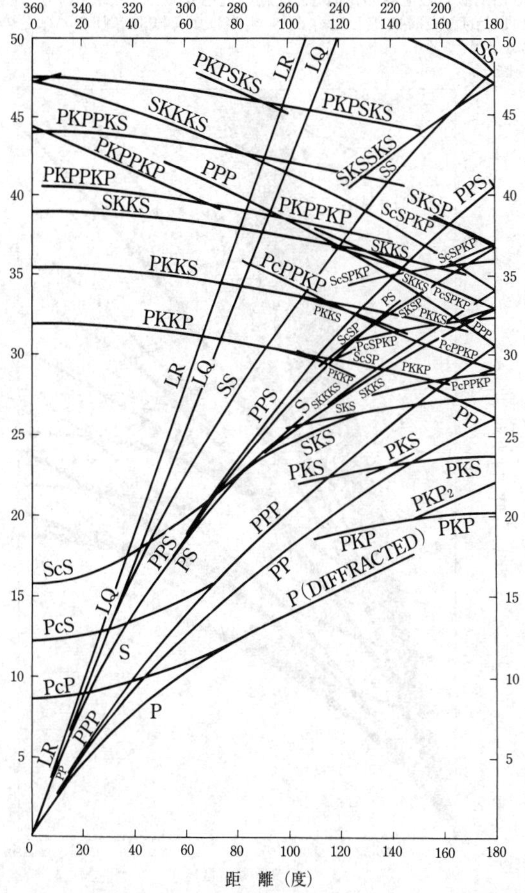

観測データに基づく走時曲線

国際地震センターのカタログをもとに, 2010 年に世界で起こった M 5 以上
深さ 50 km までの地震の走時 19 万点以上をプロットしたもの. 地第 38 図
示した理論的な走時曲線と比べると, 実際によく観測されるのはどのような
であるかがわかる.

地第 39 図

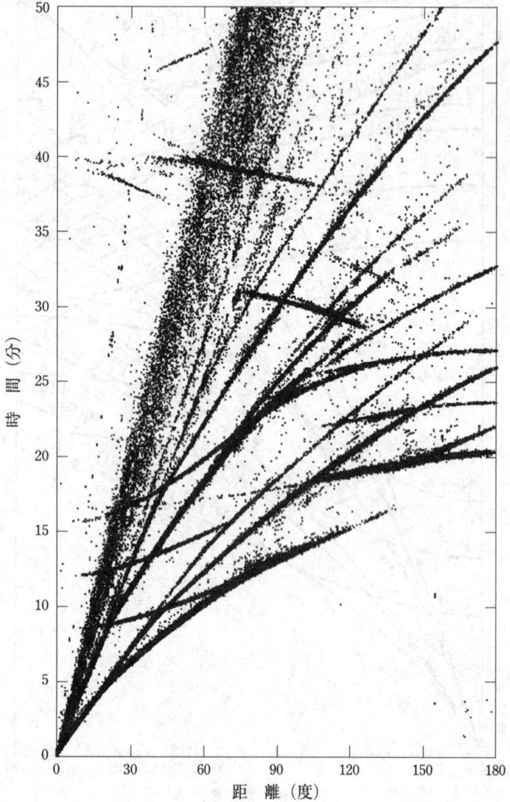

地震学上のおもな出来事 (1)

年 代	事 項	発明または発見者(生国)
1872	日本で振り子による地震の観測	フルベッキ(オランダ) クニッピング(独)
1880	横浜地震を機に日本地震学会設立(世界最初の地震学会)	
1880	近代的機械式地震計による観測	ユーイング(英)
1884	東京気象台により全国から地震報告の収集始まる．わが国初の４階級震度階	関谷清景
1885	レイリー波(表面波の一種)の理論	レイリー(英)
1892	前年の濃尾地震を機に震災予防調査会発足	
1894	余震数の減少に関する公式	大森房吉
1899	初期微動継続時間と震源距離との関係	大森房吉
1907	走時曲線による地下構造の解析	ヘルグロッツ(独)
1907	電磁式地震計の開発	ガリチン(露)
1910	モホロビチッチ不連続面の発見	モホロビチッチ(クロアチア)
1911	ラブ波(表面波の一種)の理論	ラブ(英)
1911	地震の発生に関する弾性反発説	リード(米)
1913	地球の核の半径の推定	グーテンベルク(独)
1916	設計震度導入(「家屋耐震構造論」)	佐野利器
1917	地震波の初動分布の発見	志田　順
1919	構造物の振動と耐震の理論	物部長穂
1925	1923 年関東地震の調査終了を機に震災予防調査会廃止，地震研究所設立	
1926	マントル低速度層の提唱	グーテンベルク(独)
1927	深発地震の存在を確認	和達清夫
1929	日本付近の地殻構造の推定	松沢武雄
1931	地震の力学モデルとしてダブルカップルを提唱	本多弘吉
1931～	走時表の作成	ジェフリース(英)
1933	日本付近のＰ波の走時表	和達清夫・鷺坂清信・益田国母

地震学上のおもな出来事 (2)

年代	事　項	発明または発見者(生国)
1935	地震のマグニチュードの提唱	リヒター(米)
1936	内核の存在を提唱	レーマン(デンマーク)
1949	体系的地震カタログ	グーテンベルク(独)・リヒター(米)
1949	前年の福井地震を機に震度階に7追加	中央気象台
1951	「大日本地震史料」の完成	武者金吉
1952	日本で津波警報業務開始	
1960	チリ地震による地球自由振動観測	
1961	世界標準地震計網の設置開始	
1963,4	食い違いの弾性論，ダブルカップルの証明	丸山卓男，バーリッジ・ノポフ（米)
1964	移動震源モデルの研究	ハスケル(米)
1966	地震モーメントの提唱	安芸敬一
1967	沈み込むプレートの地震学モデル	宇津徳治，オリバー・アイザックス(米)
1970	国際地震センター設立	
1973,5	二重地震面の発見	津村建四朗，海野徳仁・長谷川昭
1976	地震波トモグラフィー	安芸敬一
1977	モーメントマグニチュードの提唱	金森博雄
1986	Global Seismographic Network 開始	IRIS・USGS
1995	兵庫県南部地震を機に地震調査研究推進本部設置，基盤的観測網開始	
1996	気象庁で計測震度を導入	
2002	深部低周波微動の発見	小原一成
2011	超巨大地震（東北地方太平洋沖地震）を稠密観測	基盤的観測網

地磁気および重力

日本各地の地磁気要素（2020.0 年値）

磁気点	緯度(N)	経度(E)	偏角(W)	伏　角	水平分力	全磁力
	° ′	° ′	° ′	° ′	nT	nT
礼文島	45 25.5	141 02.5	9 11.1	60 36.9	25 153	51 264
滝の上	44 12.1	143 02.3	9 49.2	58 34.6	26 277	50 400
旭　川	43 57.2	142 37.1	10 05.7	58 18.6	26 452	50 354
留　萌	43 50.5	141 35.3	9 36.2	58 18.7	26 595	50 629
標　津	43 38.1	145 10.1	8 58.7	58 06.0	26 233	49 642
釧　路	43 08.5	144 13.2	8 39.7	57 52.9	26 404	49 662
帯　広	42 59.3	143 19.9	9 08.6	57 25.4	26 729	49 642
今　金	42 24.3	140 00.5	9 54.6	57 12.7	27 115	50 070
茅　部	41 57.6	140 55.4	9 06.4	56 40.5	27 271	49 640
秋　田	39 40.0	140 04.1	8 47.6	54 09.4	28 561	48 775
酒　田	38 51.0	139 47.4	8 36.4	53 17.3	28 994	48 502
石　巻	38 29.5	141 10.9	8 35.6	53 05.7	28 987	48 271
出雲崎	37 30.9	138 39.6	8 25.1	52 04.4	29 577	48 118
若　松	37 22.8	139 49.3	8 20.0	51 33.4	29 492	47 434
十日町	37 05.4	138 46.1	8 13.9	51 28.2	29 900	48 000
氷　見	36 52.3	136 55.0	8 27.5	51 20.9	30 052	48 115
富　岡	36 12.7	138 54.9	7 59.6	50 28.6	30 069	47 248
鳥　取	35 25.0	134 18.5	8 07.0	50 03.5	30 931	48 179
今　津	35 24.8	135 59.2	7 59.9	49 49.2	30 684	47 557
松　江	35 23.3	133 01.3	8 20.0	50 53.3	30 601	48 509
清　水	35 10.0	138 25.3	6 55.3	48 53.4	30 737	46 748
岡　山	34 46.9	133 47.2	8 04.8	49 28.2	31 217	48 037
山　口	34 17.6	131 25.2	7 44.3	49 10.6	31 596	48 332
淡　路	34 17.4	134 40.6	7 46.1	48 37.9	31 275	47 322
川之江	33 56.8	133 39.1	7 42.1	48 26.3	31 445	47 398
長　崎	32 51.5	129 45.0	7 24.4	47 43.5	32 159	47 806
中　村	32 48.6	132 45.4	7 23.6	47 07.4	32 016	47 053
種子島	30 44.0	131 04.0	6 43.0	44 30.7	32 996	46 271

国土地理院が実施している地磁気測量による．
ただし，緯度(N)，経度(E)，偏角(W) はそれぞれ北緯，東経，西偏の数値である．

地第 40 図　　磁 気 図（偏角）（2020.0 年値）

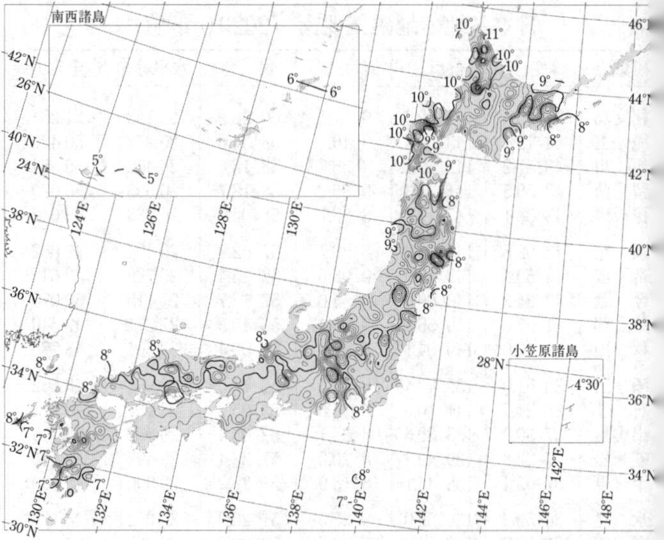

偏角(西偏)：真北と磁北のなす角(°
太線：1°ごと　細線：10′ごと
国土地理院

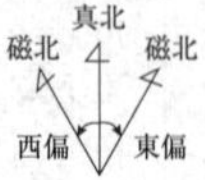

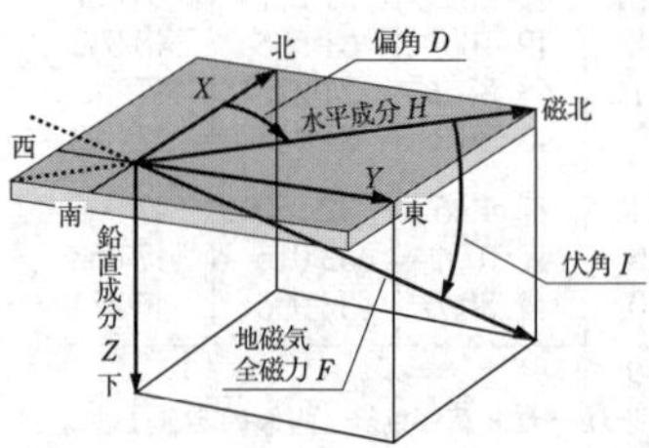

地磁気とは地球の持つ磁場のことであり，その強さは通常磁束密度の単位である nT で表現される．その要素（地磁気成分ともいう）には全磁力 (*F*)，北向き成分（*X*），東向き成分（*Y*），鉛直下向き成分（*Z*），水平成分（*H*），偏角（真北から東向きに測った角度，*D*），伏角（水平面から下向きに測った角度，*I*）の 7 つがある．なお，*X*，*Y*，*Z*，*H* は地磁気のそれぞれの方向への強さであるので，それぞれ北向き分力，東向き分力，鉛直分力，水平分力とも呼ばれる．

地第 41 図　　磁　気　図(伏角)　(2020.0 年値)

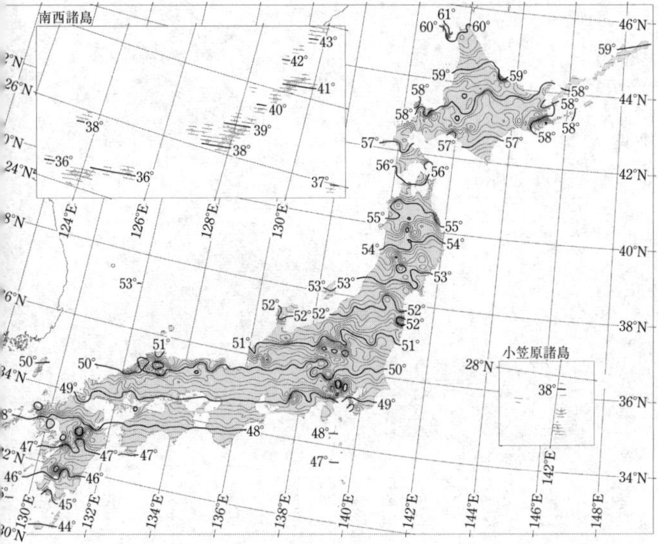

伏角：水平面と地磁気方向のなす角（°）
太線：1° ごと　細線：10′ ごと
国土地理院

偏角 D (2020.0 年値) 分布を緯度，経度の 2 次式で近似

$$D(^\circ)=8^\circ15'.822+18'.462\,\Delta\varphi-7'.726\,\Delta\lambda+0'.007(\Delta\varphi)^2$$
$$-0'.007\,\Delta\varphi\Delta\lambda-0'.655(\Delta\lambda)^2$$

$\Delta\varphi=\varphi-37^\circ\mathrm{N}$，$\Delta\lambda=\lambda-138^\circ\mathrm{E}$ (φ は緯度，λ は経度で度単位で表す)

伏角 I (2020.0 年値) 分布を緯度，経度の 2 次式で近似

$$I(^\circ)=51^\circ26'.559+72'.683\,\Delta\varphi-8'.642\,\Delta\lambda-0'.943(\Delta\varphi)^2$$
$$-0'.142\,\Delta\varphi\Delta\lambda+0'.585(\Delta\lambda)^2$$

$\Delta\varphi=\varphi-37^\circ\mathrm{N}$，$\Delta\lambda=\lambda-138^\circ\mathrm{E}$ (φ は緯度，λ は経度で度単位で表す)

地第 42 図　磁気図（水平分力）（2020.0 年値）

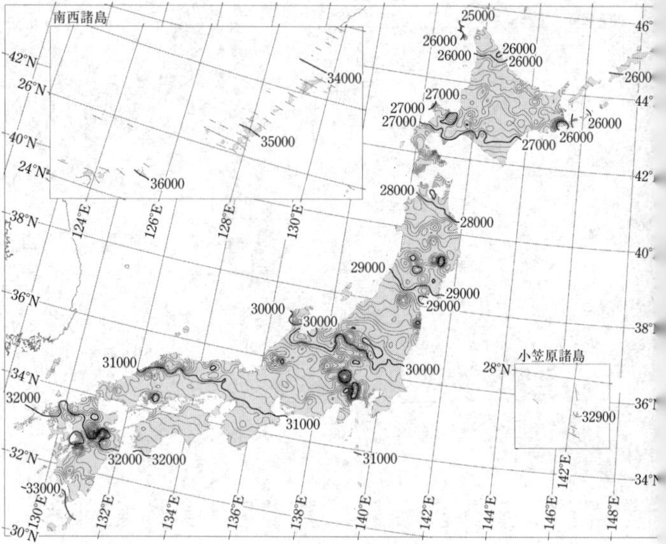

水平分力：地磁気の大きさの水平成分（n

太線：1 000 nT ごと　細線：100 nT ご

国土地理

水平分力 H（2020.0 年値）分布を緯度，経度の 2 次式で近似

$$H\,(\mathrm{nT}) = 29\,855.926 - 439.613\,\Delta\varphi - 74.293\,\Delta\lambda - 6.703(\Delta\varphi)^2 + 7.987\,\Delta\varphi\Delta\lambda - 5.094(\Delta\lambda)^2$$

$\Delta\varphi = \varphi - 37°\mathrm{N}$，$\Delta\lambda = \lambda - 138°\mathrm{E}$（$\varphi$ は緯度，λ は経度で度単位で表す）

（注）地磁気の水平分力には，水平を意味する Horizontal の頭文字 H が慣習的に用いられている．これは，磁場の強度を表すために用いられている記号 H とは異なる．

地第 43 図　磁気図（全磁力）（2020.0 年値）

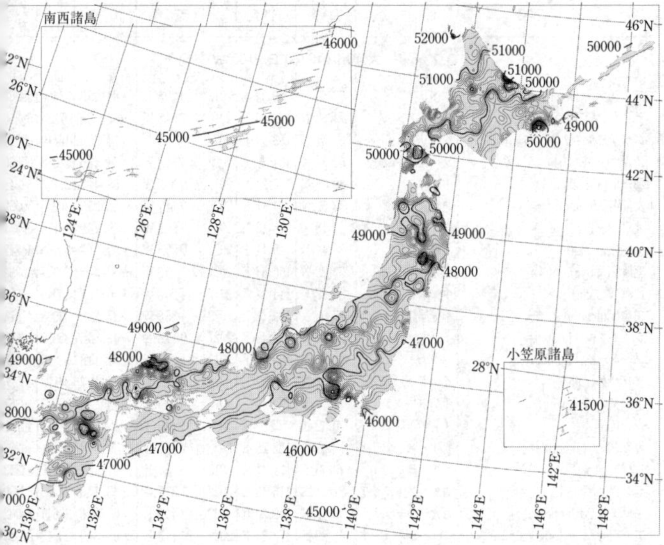

全磁力：地磁気の大きさ（nT）
太線：1 000 nT ごと　細線：100 nT ごと
国土地理院

全磁力 F (2020.0 年値) 分布を緯度，経度の 2 次式で近似

$$F\,(\mathrm{nT}) = 47\,881.463 + 547.650\,\Delta\varphi - 256.043\,\Delta\lambda - 2.388\,(\Delta\varphi)^2 - 2.750\,\Delta\varphi\Delta\lambda + 5.199\,(\Delta\lambda)^2$$

$\Delta\varphi = \varphi - 37°\mathrm{N}$, $\Delta\lambda = \lambda - 138°\mathrm{E}$ (φ は緯度，λ は経度で度単位で表す)

世界各地の地磁気要素 (1)

地 名	所 在 地	緯 度	経 度	観測年	偏 角	伏 角	水平分力	全磁力
アジア・大洋州地域 (60°E—165°W)								
		° ′	° ′		° ′	° ′	nT	nT
ディクソン (Dixon)	シベリア	73 33 N	80 34 E	2016	30 20.8 E	+84 43.3	5406	58768
ティキシ (Tixie Bay)	シベリア	71 35 N	129 00 E	2016	17 54.8 W	+83 3.6	7234	59860
ノボシビルスク (Novosibirsk)	シベリア	54 51 N	83 14 E	2020	8 3.9 E	+74 25.4	16119	60024
イルクーツク (Irkutsk)	シベリア	52 10 N	104 27 E	2022	4 24.8 W	+72 23.6	18318	60560
満州里 (Manzhouli)	中 国	49 36 N	117 24 E	2017	9 34.9 W	+68 41.2	21171	58246
女満別 (Memambetsu)	北海道	43 55 N	144 11 E	2022	9 14.7 W	+58 25.6	26215	50069
北京 (Beijing)	中 国	40 18 N	116 12 E	2021	8 30.8 W	+59 23.9	28176	55351
柿岡 (Kakioka)	茨城県	36 14 N	140 11 E	2022	7 50.8 W	+50 1.3	30099	46847
鹿屋 (Kanoya)	鹿児島県	31 25 N	130 53 E	2022	7 5.5 W	+45 32.2	32777	46794
武漢 (Wuhan)	中 国	30 32 N	114 34 E	2017	4 20.8 W	+46 52.6	33946	49660
父島 (Chichijima)	小笠原諸島	27 06 N	142 11 E	2023	4 35.8 W	+37 22.9	32908	41414
ジャイプル (Jaipur)	インド	26 52 N	75 49 E	2021	0 17.3 E	+42 3.5	35355	47619
フートゥイ (Phu Thuy)	ベトナム	21 02 N	105 57 E	2019	1 37.5 W	+31 14.8	38856	45448
アリバグ (Alibag)	インド	18 38 N	72 52 E	2022	0 31.5 E	+28 10.3	38193	43326
トンダノ (Tondano)	インドネシア	1 17 N	124 57 E	2017	0 10.4 E	−13 1.6	39323	40361
ガン (Gan)	インド洋	0 42 N	73 09 E	2020	4 4.3 W	−18 35.3	38178	40280
カカドゥ (Kakadu)	北オーストラリア	12 41 S	132 28 E	2022	2 38.7 E	−39 49.9	35481	46203
アピア (Apia)	サモア島	13 48 S	171 47 W	2018	12 2.9 E	−31 2.7	33279	38843
ジンジン (Gingin)	西オーストラリア	31 21 S	115 43 E	2022	1 37.7 W	−65 17.9	24230	57980
キャンベラ (Canberra)	東オーストラリア	35 19 S	149 22 E	2022	12 44.6 E	−65 56.6	23644	58002
アイアーウェル (Eyrewell)	ニュージーランド	43 29 S	172 24 E	2022	24 14.8 E	−68 34.0	20943	57315
マッコーリー (Macquarie Island)	マッコーリー島	54 30 S	158 57 E	2022	33 8.5 E	−78 32.6	12703	63951
ケーシー (Casey)	南 極	66 17 S	110 32 E	2022	97 57.6 W	−81 59.1	8940	64125
モーソン (Mawson)	南 極	67 36 S	62 53 E	2022	69 29.7 W	−67 53.9	18544	49285
ヴォストーク (Vostok)	南 極	78 27 S	106 52 E	2019	124 49.9 W	−76 41.4	13650	59291
ヨーロッパ・アフリカ地域 (30°W—60°E)								
ホーンスン (Hornsund)	スバールバル島	77 00 N	15 33 E	2022	10 12.2 E	+81 51.3	7770	54844
トロムソー (Tromso)	ノルウェー	69 40 N	18 57 E	2018	6 55.5 E	+78 19.4	10849	53608
ソダンキレ (Sodankyla)	フィンランド	67 22 N	26 38 E	2020	12 34.4 E	+77 32.4	11456	53099
レイルヴォグール (Leirvogur)	アイスランド	64 11 N	21 42 W	2023	9 34.0 W	+75 45.0	12790	51962
ドンボス (Dombas)	ノルウェー	62 04 N	9 07 E	2018	2 30.7 E	+74 3.4	14100	51335
ラーウィック (Lerwick)	スコットランド	60 08 N	1 11 W	2023	0 0.2 E	+72 52.5	15069	51174
ウプサラ (Uppsala)	スウェーデン	59 54 N	17 21 E	2022	6 49.1 E	+72 56.7	15165	51709
アーティー (Arti)	ロシア	56 26 N	58 34 E	2018	13 40.1 E	+73 32.5	15992	56449
エスクダレミュア (Eskdalemuir)	スコットランド	55 19 N	3 12 W	2023	0 59.8 W	+69 20.9	17608	49927
ヘル (Hel)	ポーランド	54 36 N	18 49 E	2023	6 2.3 E	+69 46.7	17536	50734
ドゥルブス (Dourbes)	ベルギー	50 06 N	4 36 E	2022	1 59.4 E	+65 36.5	20175	48853

世界各地の地磁気要素 (2)

地　　名	所在地	緯度	経度	観測年	偏角	伏角	水平分力	全磁力
ヨーロッパ・アフリカ地域(30°W—60°E)								
		° ′	° ′		° ′	° ′	nT	nT
ニーメク(Niemegk)	ドイツ	52 04 N	12 41 E	2022	4 23.9 E	+67 37.7	18906	49671
ハートランド(Hartland)	イギリス	51 00 N	4 29 W	2023	0 49.9 W	+66 0.2	19842	48792
シャンボンラフォレ(Chambon-La-Foret)	フランス	48 01 N	2 16 E	2022	1 23.3 E	+63 45.0	21278	48108
グロッカ(Grocka)	セルビア	44 38 N	20 46 E	2022	5 13.1 E	+61 47.2	22787	48202
エブロ(Ebro)	スペイン	40 57 N	0 20 E	2023	1 15.4 E	+56 7.0	25357	45482
イズニック(Iznik)	トルコ	40 30 N	29 44 E	2022	5 46.7 E	+58 15.0	25191	47873
コインブラ(Coimbra)	ポルトガル	40 13 N	8 25 W	2023	1 20.6 W	+54 33.8	25864	44609
サンフェルナンド(San Fernando)	スペイン	36 40 N	5 56 W	2022	0 33.1 W	+50 3.3	27730	43191
バージオラ(Bar Gyora)	イスラエル	31 43 N	35 05 E	2019	4 28.9 E	+48 0.1	30079	44954
グイマー(Guimar)	カナリア諸島	28 19 N	16 26 W	2022	6 20.4 W	+38 43.5	28024	35921
タマンラセット(Tamanrasset)	アルジェリア	22 48 N	5 32 E	2022	0 45.9 E	+26 52.9	33877	37980
アセンション島(Ascension Island)	南大西洋	7 57 S	14 23 W	2022	13 55.2 W	−44 58.5	20316	28719
ツァム(Tsumeb)	ナミビア	19 12 S	17 35 E	2022	8 43.8 W	−60 45.5	14170	29009
マプト(Maputo)	モザンビーク	25 55 S	32 35 E	2022	20 27.7 W	−60 17.0	14687	29629
ハーマナス(Hermanus)	南アフリカ	34 25 S	19 14 E	2022	26 36.5 W	−64 48.0	10753	25255
昭和基地(Syowa Station)	南　極	69 00 S	39 35 E	2023	52 4.0 W	−63 13.9	19327	42913
南北アメリカ地域(165°W—30°W)								
チューリ(Thule/Qanaq)	グリーンランド	77 29 N	69 10 W	2022	40 41.4 W	+85 44.6	4180	56311
レゾリュートベイ(Resolute Bay)	カナダ	74 41 N	94 54 W	2022	16 58.2 W	+86 53.7	3113	57458
バロウ(Barrow)	アラスカ	71 19 N	156 37 W	2022	11 47.9 E	+80 46.9	9169	57235
ゴッドハヴン(Godhavn)	グリーンランド	69 15 N	53 32 W	2022	30 28.3 W	+80 46.8	9042	56436
カレッジ(College)	アラスカ	64 52 N	147 52 W	2022	16 10.5 E	+77 2.1	12642	56348
ベイカーレイク(Baker Lake)	カナダ	64 20 N	96 02 W	2019	2 29.0 W	+83 7.5	7002	58495
シトカ(Sitka)	アラスカ	57 04 N	135 20 W	2021	18 6.3 E	+73 17.7	15829	55067
ミーヌック(Meanook)	カナダ	54 37 N	113 21 W	2022	14 8.9 E	+75 32.0	14166	56711
セントジョーンズ(St. John's)	カナダ	47 36 N	52 41 W	2022	16 58.9 W	+66 34.0	20188	50765
フレデリックバーグ(Fredericksburg)	アメリカ	38 12 N	77 22 W	2022	10 33.0 W	+64 38.7	21641	50539
ツーソン(Tucson)	アメリカ	32 10 N	110 44 W	2022	8 44.8 E	+59 1.4	24062	46751
ホノルル(Honolulu)	ハワイ	21 19 N	158 00 W	2022	9 41.7 E	+37 58.9	27128	34418
サンファン(San Juan)	プエルトリコ島	18 07 N	66 09 W	2022	13 14.3 W	+42 0.4	27091	36459
サンタエレナ(Santa Elena)	コスタリカ	10 55 N	85 37 W	2018	1 15.4 W	+38 36.0	27317	34954
テツオカ(Tatuoca)	ブラジル	1 12 S	48 31 W	2021	20 15.6 W	− 3 42.9	26312	26367
ワンカイヨ(Huancayo)	ペルー	12 02 S	75 19 W	2021	3 52.1 W	− 1 13.7	24550	24556
ヴァスーラス(Vassouras)	ブラジル	22 24 S	43 39 W	2021	22 54.8 W	−40 33.1	17680	23269
ピラー(Pilar)	アルゼンチン	31 40 S	63 53 W	2022	6 30.5 W	−35 12.9	18432	22561

各観測所における過去の値は，https://geomag.bgs.ac.uk/data_service/data/annual_means.shtml

任意の地点の地磁気要素は，IGRF（https://wdc.kugi.kyoto-u.ac.jp/igrf/point/index-j.html）からモデル値を求めることができる．

国際標準地磁気展開係数（2020.0 年，IGRF-13）

n	m	g_n^m (nT)	$\dot{g}_n^m$ (nT/年)	h_n^m (nT)	$\dot{h}_n^m$ (nT/年)	n	m	g_n^m (nT)	$\dot{g}_n^m$ (nT/年)	h_n^m (nT)	$\dot{h}_n^m$ (nT/年)	n	m	g_n^m (nT)	h_n^m (nT)
1	0	−29404.8	5.7			8	0	23.7	0.0			11	5	0.3	0.6
1	1	−1450.9	7.4	4652.5	−25.9	8	1	9.7	0.1	8.4	−0.2	11	6	−0.7	−0.2
2	0	−2499.6	−11.0			8	2	−17.6	−0.1	−15.3	0.6	11	7	−0.1	−1.7
2	1	2982.0	−7.0	−2991.6	−30.2	8	3	−0.5	0.4	12.8	−0.2	11	8	1.4	−1.6
2	2	1677.0	−2.1	−734.6	−22.4	8	4	−21.1	−0.1	−11.7	0.5	11	9	−0.6	−3.0
3	0	1363.2	2.2			8	5	15.3	0.4	14.9	−0.3	11	10	0.2	−2.0
3	1	−2381.2	−5.9	−82.1	6.0	8	6	13.7	0.3	3.6	−0.4	11	11	3.1	−2.6
3	2	1236.2	3.1	241.9	−1.1	8	7	−16.5	−0.1	−6.9	0.5	12	0	−2.0	
3	3	525.7	−12.0	−543.4	0.5	8	8	−0.3	0.4	2.8	0.0	12	1	−0.1	−1.2
4	0	903.0	−1.2			9	0	5.0				12	2	0.5	0.5
4	1	809.5	−1.6	281.9	−0.1	9	1	8.4		−23.4		12	3	1.3	1.4
4	2	86.3	−5.9	−158.4	6.5	9	2	2.9		11.0		12	4	−1.2	−1.8
4	3	−309.4	5.2	199.7	3.6	9	3	−1.5		9.8		12	5	0.7	0.1
4	4	48.0	−5.1	−349.7	−5.0	9	4	−1.1		−5.1		12	6	0.3	0.8
5	0	−234.3	−0.3			9	5	−13.2		−6.3		12	7	0.5	−0.2
5	1	363.2	0.5	47.7	0.0	9	6	1.1		7.8		12	8	−0.3	0.6
5	2	187.8	−0.6	208.3	2.5	9	7	8.8		0.4		12	9	−0.5	0.2
5	3	−140.7	0.2	−121.2	−0.6	9	8	−9.3		−1.4		12	10	0.1	−0.9
5	4	−151.2	1.3	32.3	3.0	9	9	−11.9		9.6		12	11	−1.1	0.0
5	5	13.5	0.9	98.9	0.3	10	0	−1.9				12	12	−0.3	0.5
6	0	66.0	−0.5			10	1	−6.2		3.4		13	0	0.1	
6	1	65.5	−0.3	−19.1	0.0	10	2	−0.1		−0.2		13	1	−0.9	−0.9
6	2	72.9	0.4	25.1	−1.6	10	3	1.7		3.6		13	2	0.5	0.6
6	3	−121.5	1.3	52.8	−1.3	10	4	−0.9		4.8		13	3	0.7	1.4
6	4	−36.2	−1.4	−64.5	0.8	10	5	0.7		−8.6		13	4	−0.3	−0.4
6	5	13.5	0.0	8.9	0.0	10	6	−0.9		−0.1		13	5	0.8	−1.3
6	6	−64.7	0.9	68.1	1.0	10	7	1.9		−4.3		13	6	0.0	−0.1
7	0	80.6	−0.1			10	8	1.4		−3.4		13	7	0.8	0.3
7	1	−76.7	−0.2	−51.5	0.6	10	9	−2.4		−0.1		13	8	0.0	−0.1
7	2	−8.2	0.0	−16.9	0.6	10	10	−3.8		−8.8		13	9	0.4	0.5
7	3	56.5	0.7	2.2	−0.8	11	0	3.0				13	10	0.1	0.5
7	4	15.8	0.1	23.5	−0.2	11	1	−1.4		0.0		13	11	0.5	−0.4
7	5	6.4	−0.5	−2.2	−1.1	11	2	−2.5		2.5		13	12	−0.5	−0.4
7	6	−7.2	−0.8	−27.2	0.1	11	3	2.3		−0.6		13	13	−0.4	−0.6
7	7	9.8	0.8	−1.8	0.3	11	4	−0.9		−0.4					

IGRF は International Geomagnetic Reference Field の略．IGRF-13 とは，IGRF の 13th Generation（第 13 世代）モデルの意味である．IGRF-13 は，従来の命名では，IGRF 2020 となる最新のモデル係数に，1900 年以降 5 年ごとのモデル係数をセットにしたモデル係数群である．2000 年以降のモデルでは，次数は 13 までである．

詳細は，https://www.ngdc.noaa.gov/IAGA/vmod/igrf.html を参照のこと．

2020.0 年における国際標準地磁気分布の値は，以下の式で計算される．

$$X\,(\text{北向き}) = \frac{1}{r}\frac{\partial V}{\partial \theta},\quad Y\,(\text{東向き}) = \frac{-1}{r\sin\theta}\frac{\partial V}{\partial \lambda},\quad Z\,(\text{下向き}) = \frac{\partial V}{\partial r}$$

ただし

$$V = a\sum_{n=1}^{13}\sum_{m=0}^{n}\left(\frac{a}{r}\right)^{n+1}\left[g_n^m \cos m\lambda + h_n^m \sin m\lambda\right]P_n^m(\mu)$$

$$P_n^m(\mu) = \frac{1}{2^n\, n!}\left[\frac{\varepsilon_m (n-m)!\,(1-\mu^2)^m}{(n+m)!}\right]^{1/2}\frac{d^{m+n}(\mu^2-1)^n}{d\mu^{m+n}}$$

$(\mu=\cos\theta,\ \varepsilon_m=1,\ m=0,\ \varepsilon_m=2,\ m\geqq 1,\ a=6371.2\ \text{km})$

である．また，2020 年以降の年 t での係数値は，t_0 を 2020.0 として

$$g_n^m(t) = g_n^m(t_0) + (t-t_0)\,\dot{g}_n^m(t_0),\quad h_n^m(t) = h_n^m(t_0) + (t-t_0)\,\dot{h}_n^m(t_0)$$

と表すことができる．ここに，$\dot{g}_n^m$，$\dot{h}_n^m$ は g_n^m，h_n^m の変化率（nT/年）である．

地磁気の永年変化

年	双極子項 (nT)			四重極子項 (nT)				
	g_1^0	g_1^1	h_1^1	g_2^0	g_2^1	h_2^1	g_2^2	h_2^2
1900	−31543	−2298	5922	−677	2905	−1061	924	1121
1905	−31464	−2298	5909	−728	2928	−1086	1041	1065
1910	−31354	−2297	5898	−769	2948	−1128	1176	1000
1915	−31212	−2306	5875	−802	2956	−1191	1309	917
1920	−31060	−2317	5845	−839	2959	−1259	1407	823
1925	−30926	−2318	5817	−893	2969	−1334	1471	728
1930	−30805	−2316	5808	−951	2980	−1424	1517	644
1935	−30715	−2306	5812	−1018	2984	−1520	1550	586
1940	−30654	−2292	5821	−1006	2981	−1614	1566	528
1945	−30594	−2285	5810	−1244	2990	−1702	1578	477
1950	−30554	−2250	5815	−1341	2998	−1810	1576	381
1955	−30500	−2215	5820	−1440	3003	−1898	1581	291
1960	−30421	−2169	5791	−1555	3002	−1967	1590	206
1965	−30334	−2119	5776	−1662	2997	−2016	1594	114
1970	−30220	−2068	5737	−1781	3000	−2047	1611	25
1975	−30100	−2013	5675	−1902	3010	−2067	1632	−68
1980	−29992	−1956	5604	−1997	3027	−2129	1663	−200
1985	−29873	−1905	5500	−2072	3044	−2197	1687	−306
1990	−29775	−1848	5406	−2131	3059	−2279	1686	−373
1995	−29692	−1784	5306	−2200	3070	−2366	1681	−413
2000	−29619.4	−1728.2	5186.1	−2267.7	3068.4	−2481.6	1670.9	−458.0
2005	−29554.6	−1669.1	5078.0	−2337.2	3047.7	−2594.5	1657.8	−515.4
2010	−29496.6	−1586.4	4944.3	−2396.1	3026.3	−2708.5	1668.2	−575.7
2015	−29441.5	−1501.8	4796.0	−2445.9	3012.2	−2845.4	1676.4	−642.2
2020	−29404.8	−1450.9	4652.5	−2499.6	2982.0	−2991.6	1677.0	−734.6

国際標準地磁気展開係数 (g_n^m, h_n^m) については**地 254** 参照.

地第 44 図 偏 角 (IGRF-13)

2020.0 年 単位：度 間隔：5° ━━ ：0° ┅┅ ：180°

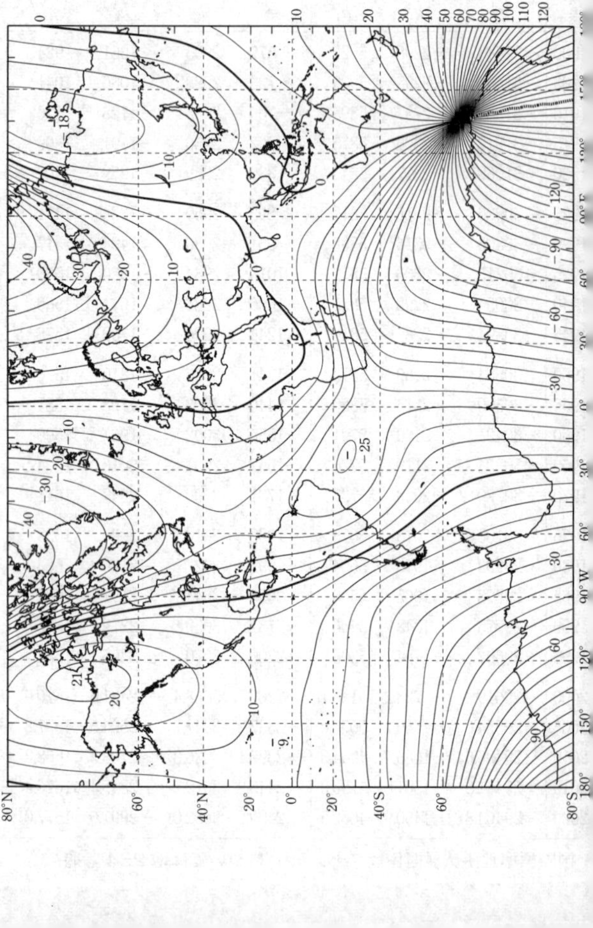

地第 45 図　極地方の偏角（IGRF-13）

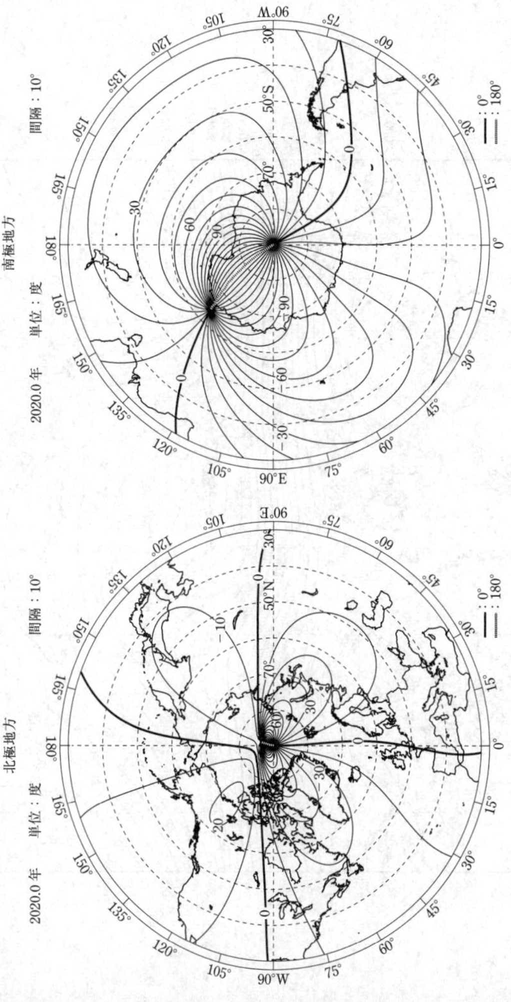

地第46図　鉛　直　分　力（IGRF-13）

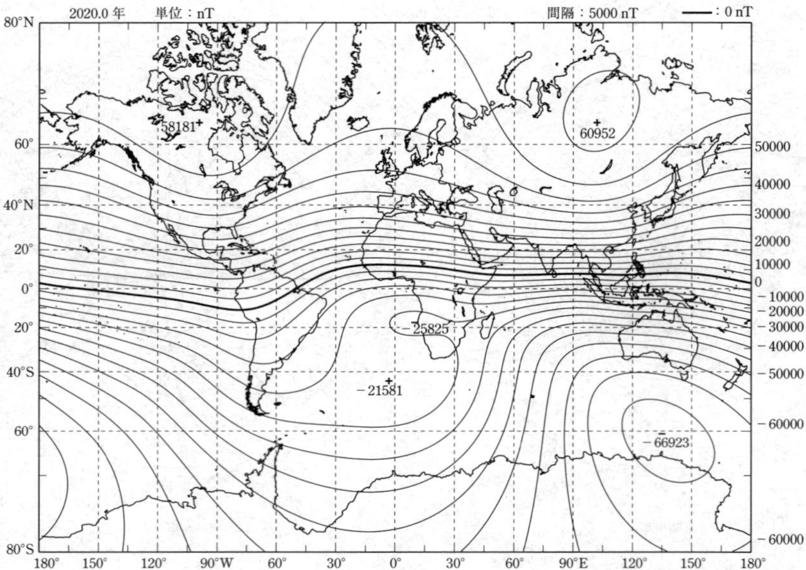

地第 47 図　極地方の鉛直分力（IGRF-13）

北極地方

2020.0 年　単位：nT　間隔：2500 nT

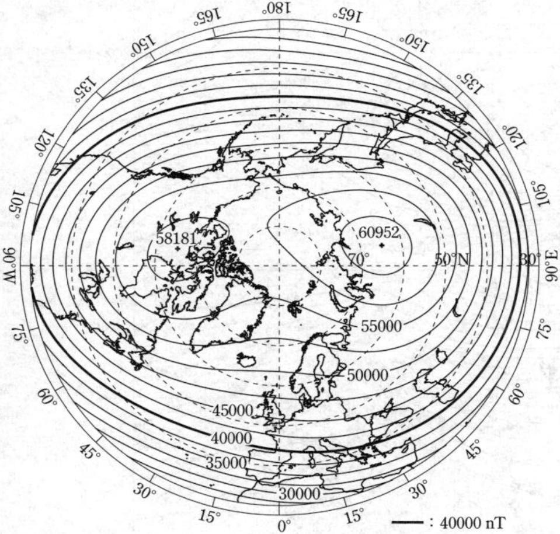

━：40000 nT

南極地方

2020.0 年　単位：nT　間隔：2500 nT

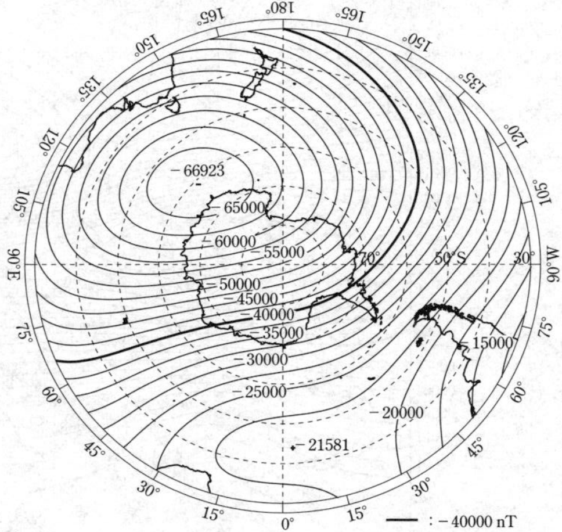

━：−40000 nT

地第 48 図　水　平　分　力（IGRF-13）

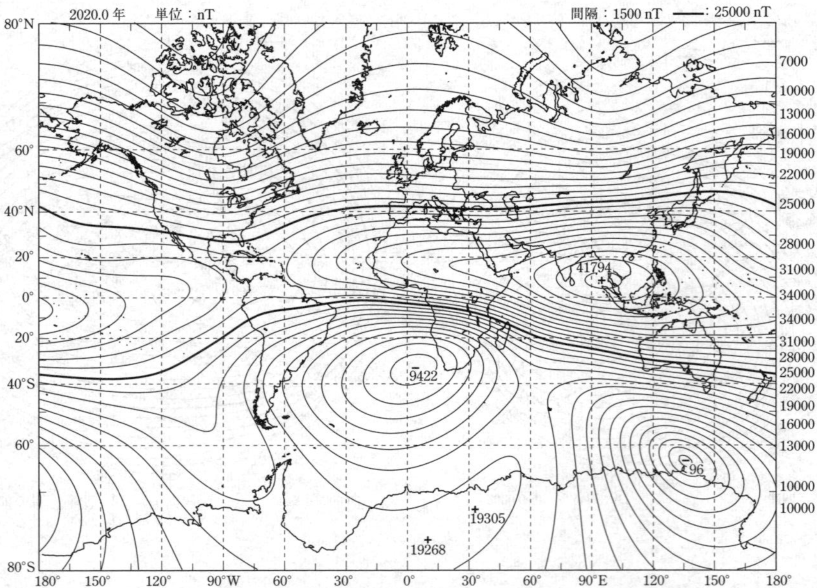

地第 49 図　極地方の水平分力 (IGRF-15)

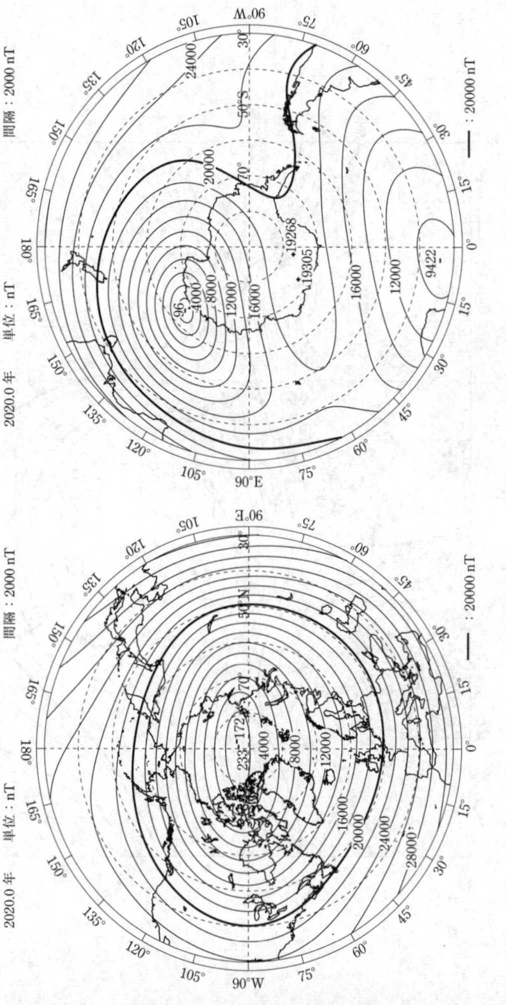

地第50図 全磁力 (IGRF-13)

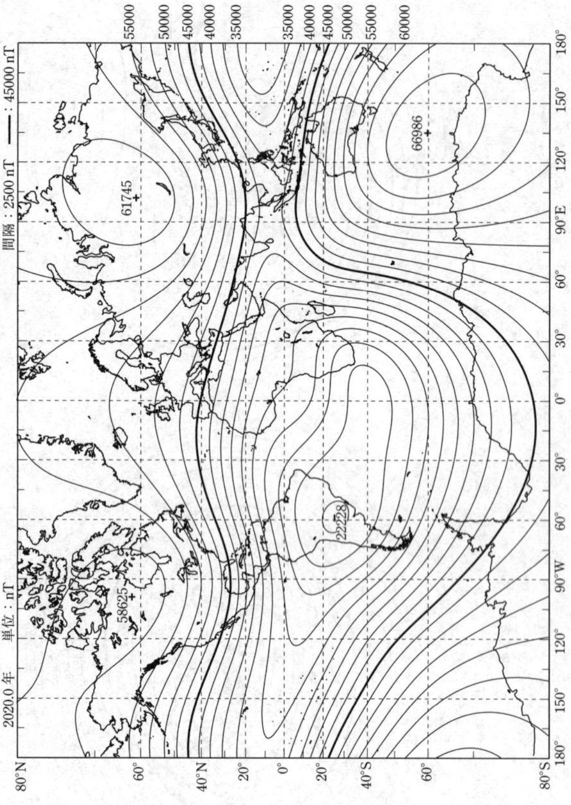

地第 51 図　極地方の全磁力 (IGRF-13)

2020.0 年　単位：nT　南極地方　間隔：2000 nT

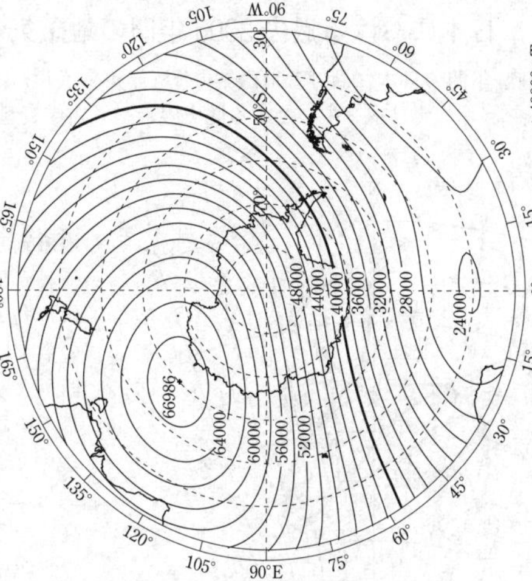

━ ：40000 nT

2020.0 年　単位：nT　北極地方　間隔：2000 nT

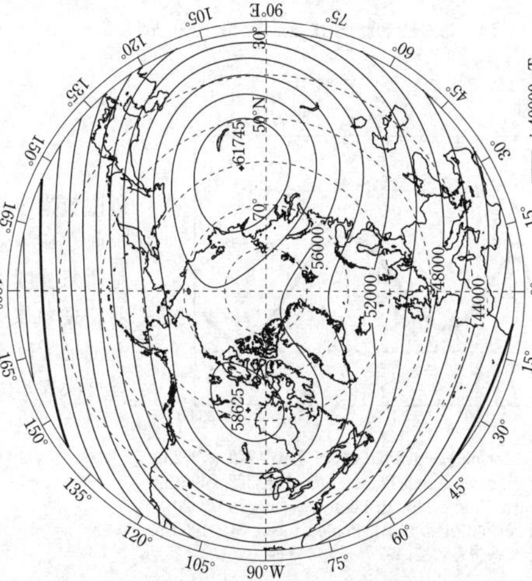

━ ：40000 nT

日本における過去 2000 年間の地磁気変化

過去 2000 年間の日本における地磁気方位（偏角，伏角）および地磁気強度の変化．主として西日本を中心とする歴史溶岩や考古学資料を用いて推定．

地第 52 図

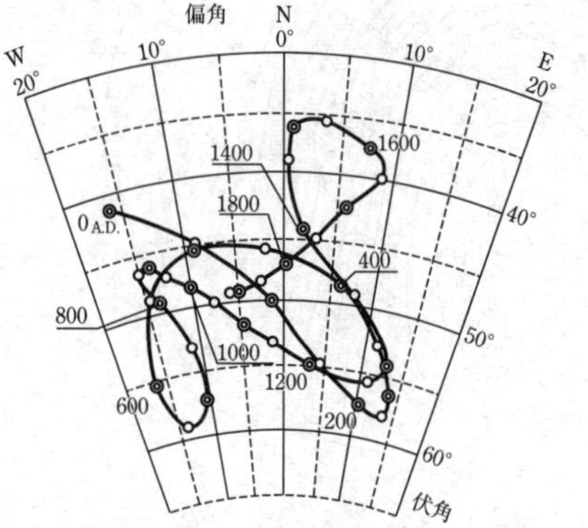

参照：広岡公夫，第四紀研究，第 15 巻，第 4 号，200-203, 1977.

地磁気方位の変化

横軸が偏角(D)，縦軸が伏角(I)を表す．曲線横の数字は西暦．方位は関西（大阪）を基準に変換している．東日本(東京)との差異は約 2° 程度．伏角については，緯度が高くなるに従い大きくなり，鹿児島と北海道では 10° 程度は異なる．

地第 53 図

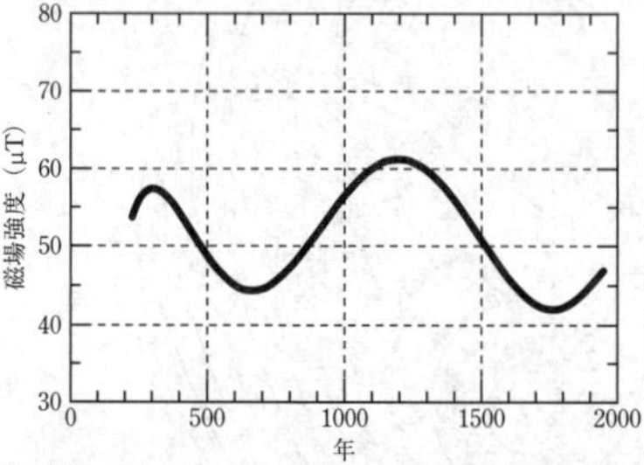

Yoshihara A. et al. Earth Planet. Sci. Lett., **210**, 219-231, 2003, Hong, H. et al. Earth Planet. Sci. Lett., **383**, 142-152, 2013, Kitahara, Y. et al. Earth Planets Space, **70**, 79, 2018, Kitahara, Y. et al. Phys. Earth Planet. Inter., **310**, 106596, 2021 において報告されているデータの分析による．

地磁気強度の変化

縦軸が磁場強度，横軸は西暦．地磁気強度は，緯度が高くなるに従い強くなり，鹿児島と北海道では 4 μT (＝4000 nT) 程度異なる．

地磁気極と磁極

地磁気極（Geomagnetic pole）とは，地磁気を地球中心に置いた磁気双極子による磁場で近似したとき，その双極子の軸と地表との交点のことで，地磁気双極子極，あるいは磁軸極とも呼ばれる．南北両半球に1ヵ所ずつ，地球中心に対して対称点にあり，それぞれ地磁気南極，地磁気北極と呼ばれる．他方，磁極（Magnetic pole）とは，伏角が±90°になる地点を指す．その定義から南北両半球に1つずつとは限らず沢山あることもあり得るが，現在の地磁気は双極子成分が卓越しているので，IGRF-13によれば両半球に1ヵ所ずつで，それぞれ磁南極（あるいは南磁極），磁北極（あるいは北磁極）と呼ばれる．

地磁気極・磁極の地理緯度・経度，磁気双極子モーメント (1900～2020年)

年	地磁気北極		地磁気南極		磁北極		磁南極		双極子モーメント (10^{22} Am²)
	緯度	経度	緯度	経度	緯度	経度	緯度	経度	
1900	78.7° N	68.8° W	78.7° S	111.2° E	70.5° N	96.2° W	71.7° S	148.3° E	8.32
1905	78.7 N	68.7 W	78.7 S	111.3 E	70.7 N	96.5 W	71.5 S	148.5 E	8.30
1910	78.7 N	68.7 W	78.7 S	111.3 E	70.8 N	96.7 W	71.2 S	148.6 E	8.27
1915	78.6 N	68.6 W	78.6 S	111.4 E	71.0 N	97.0 W	70.8 S	148.5 E	8.24
1920	78.6 N	68.4 W	78.6 S	111.6 E	71.3 N	97.4 W	70.4 S	148.2 E	8.20
1925	78.6 N	68.3 W	78.6 S	111.7 E	71.8 N	98.0 W	70.0 S	147.6 E	8.16
1930	78.6 N	68.3 W	78.6 S	111.7 E	72.3 N	98.7 W	69.5 S	146.8 E	8.13
1935	78.6 N	68.4 W	78.6 S	111.6 E	72.8 N	99.3 W	69.1 S	145.8 E	8.11
1940	78.5 N	68.5 W	78.5 S	111.5 E	73.3 N	99.9 W	68.6 S	144.6 E	8.09
1945	78.5 N	68.5 W	78.5 S	111.5 E	73.9 N	100.2 W	68.2 S	144.4 E	8.08
1950	78.5 N	68.8 W	78.5 S	111.2 E	74.6 N	100.9 W	67.9 S	143.5 E	8.06
1955	78.5 N	69.2 W	78.5 S	110.8 E	75.2 N	101.4 W	67.2 S	141.5 E	8.05
1960	78.6 N	69.5 W	78.6 S	110.5 E	75.3 N	101.0 W	66.7 S	140.2 E	8.03
1965	78.6 N	69.9 W	78.6 S	110.1 E	75.6 N	101.3 W	66.3 S	139.5 E	8.00
1970	78.7 N	70.2 W	78.7 S	109.8 E	75.9 N	101.0 W	66.0 S	139.4 E	7.97
1975	78.8 N	70.5 W	78.8 S	109.5 E	76.2 N	100.6 W	65.7 S	139.5 E	7.94
1980	78.9 N	70.8 W	78.9 S	109.2 E	76.9 N	101.7 W	65.4 S	139.3 E	7.91
1985	79.0 N	70.9 W	79.0 S	109.1 E	77.4 N	102.6 W	65.1 S	139.1 E	7.87
1990	79.2 N	71.1 W	79.2 S	108.9 E	78.1 N	103.7 W	64.9 S	138.9 E	7.84
1995	79.4 N	71.4 W	79.4 S	108.6 E	79.0 N	105.3 W	64.8 S	138.7 E	7.81
2000	79.6 N	71.6 W	79.6 S	108.4 E	81.0 N	109.6 W	64.7 S	138.3 E	7.79
2005	79.8 N	71.8 W	79.8 S	108.2 E	83.2 N	118.2 W	64.5 S	137.8 E	7.77
2010	80.1 N	72.2 W	80.1 S	107.8 E	85.0 N	132.8 W	64.4 S	137.3 E	7.75
2015	80.4 N	72.6 W	80.4 S	107.4 E	86.3 N	160.0 W	64.3 S	136.6 E	7.72
2020	80.7 N	72.7 W	80.7 S	107.3 E	86.5 N	162.9 E	64.1 S	135.9 E	7.71

IGRF-13に基づく．

図の白丸は，国際標準地球磁場（IGRF-13）による1900年から2025年までの地磁気極の位置を示している．地磁気北極は2020年には北緯80.7°，西経72.7°のエルズミア島（グリーンランドの北西），地磁気南極は南緯80.7°，東経107.3°の南極大陸の太平洋寄りにあり，それらは地磁気永年変化と呼ばれる，おもに地球中心核起源のゆっくりした主磁場の変化により移動している．図の黒丸は，IGRF-13に基づく1900年から2025年までの磁極の位置を示す．地磁気には非双極子成分があるため，磁極は地磁気極とはかなりずれている．地磁気極と同様に地磁気永年変化により移動するが，動きが地磁気極に比べて速いことや，近年磁北極の動きがとりわけ速くなっていることが注目される．

地第54図

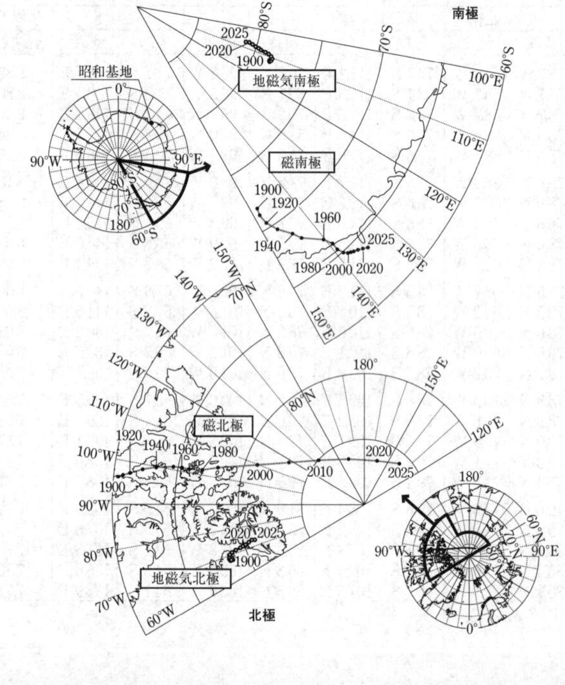

地磁気逆転の歴史

海洋底プレートを構成する岩石の帯磁とその推定年代から求めた，現在から過去約1億7000万年前までの地磁気極性の図と表を示す．図中，正は現在と同じ極性すなわち北半球がS極で南半球がN極，逆は現在とは逆の極性を意味する．数値は100万年単位で，各極性に対応する期間を黒で示す．年代表には現在と同じ極性(正極）の期間とその名称（クロン名，chron），および直前の逆転期間のクロン名を記載している．逆転期間とは，正極期間の下限と，直前の正極期間の上限の間の期間である．たとえば，C1r.1r は 0.773−0.990（×100万年）の逆転期の間を指す．

地第55図

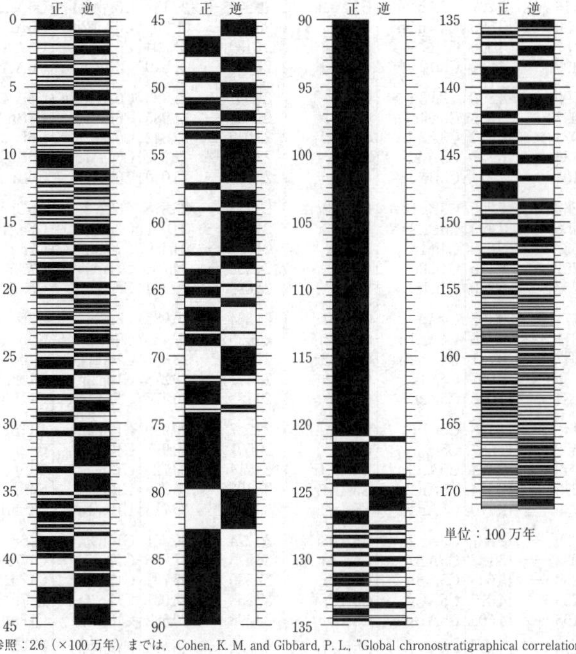

参照：2.6（×100万年）までは，Cohen, K. M. and Gibbard, P. L., "Global chronostratigraphical correlation table for the last 2.7 million years, version 2019 QI-500", Quaternary International, 2019．それ以前については，Ogg, J. G., "Geomagnetic Polarity Time Scale", Gale et al., "The Cretaceous Period", The Geological Time Scale 2020, Amsterdam（Elsevier), 2020.

地磁気正極年代表　(1)

正極の期間 (上限)　(下限)	クロン名	逆転期クロン名	正極の期間 (上限)　(下限)	クロン名	逆転期クロン名
0.000 — 0.773	C1n	C1r.1r	16.303 — 16.472	C5Cn.2n	C5Cn.2r
0.990 — 1.071	C1r.1n	C1r.2r	16.543 — 16.721	C5Cn.3n	C5Cr
1.187 — 1.208	C1r.2n	C1r.3r	17.235 — 17.533	C5Dn	C5Dr.1r
1.780 — 1.925	C2n	C2r.1r	17.717 — 17.740	C5Dr.1n	C5Dr.2r
2.116 — 2.137	C2r.1n	C2r.2r	18.007 — 18.497	C5En	C5Er
2.595 — 3.032	C2An.1n	C2An.1r	18.636 — 19.535	C6n	C6r
3.116 — 3.207	C2An.2n	C2An.2r	19.979 — 20.182	C6An.1n	C6An.1r
3.330 — 3.596	C2An.3n	C2Ar	20.448 — 20.765	C6An.2n	C6Ar
4.187 — 4.300	C3n.1n	C3n.1r	21.130 — 21.204	C6AAn	C6AAr.1r
4.493 — 4.631	C3n.2n	C3n.2r	21.441 — 21.519	C6AAr.1n	C6AAr.2r
4.799 — 4.896	C3n.3n	C3n.3r	21.691 — 21.722	C6AAr.2n	C6AAr.3r
4.997 — 5.235	C3n.4n	C3r	21.806 — 21.985	C6Bn.1n	C6Bn.1r
6.023 — 6.272	C3An.1n	C3An.1r	22.042 — 22.342	C6Bn.2n	C6Br
6.386 — 6.727	C3An.2n	C3Ar	22.621 — 22.792	C6Cn.1n	C6Cn.1r
7.104 — 7.214	C3Bn	C3B.1r	22.973 — 23.040	C6Cn.2n	C6Cn.2r
7.262 — 7.305	C3Br.1n	C3Br.2r	23.212 — 23.318	C6Cn.3n	C6Cr
7.456 — 7.499	C3Br.2n	C3Br.3r	24.025 — 24.061	C7n.1n	C7n.1r
7.537 — 7.650	C4n.1n	C4n.1r	24.124 — 24.459	C7n.2n	C7r
7.701 — 8.125	C4n.2n	C4r.1r	24.654 — 24.766	C7An	C7Ar
8.257 — 8.300	C4r.1n	C4r.2r	25.099 — 25.264	C8n.1n	C8n.1r
8.771 — 9.105	C4An	C4Ar.1r	25.304 — 25.987	C8n.2n	C8r
9.311 — 9.426	C4Ar.1n	C4Ar2r	26.420 — 27.439	C9n	C9r
9.647 — 9.721	C4Ar.2n	C4Ar.3r	27.859 — 28.087	C10n.1n	C10n.1r
9.786 — 9.937	C5n.1n	C5n.1r	28.141 — 28.278	C10n.2n	C10r
9.984 — 11.056	C5n.2n	C5r.1r	29.183 — 29.477	C11n.1n	C11n.1r
11.146 — 11.188	C5r.1n	C5r.2r	29.527 — 29.970	C11n.2n	C11r
11.592 — 11.657	C5r.2n	C5r.3r	30.591 — 30.977	C12n	C12r
12.049 — 12.174	C5An.1n	C5An.1r	33.214 — 33.726	C13n	C13r
12.272 — 12.474	C5An.2n	C5Ar.1r	35.102 — 35.336	C15n	C15r
12.735 — 12.770	C5Ar.1n	C5Ar.2r	35.580 — 35.718	C16n.1n	C16n.1r
12.829 — 12.887	C5Ar.2n	C5Ar.3r	35.774 — 36.351	C16n.2n	C16r
13.032 — 13.183	C5AAn	C5AAr	36.573 — 37.385	C17n.1n	C17n.1r
13.363 — 13.608	C5ABn	C5ABr	37.530 — 37.781	C17n.2n	C17n.2r
13.739 — 14.070	C5ACn	C5ACr	37.858 — 38.081	C17n.3n	C17r
14.163 — 14.609	C5ADn	C5ADr	38.398 — 39.582	C18n.1n	C18n.1r
14.775 — 14.870	C5Bn.1n	C5Bn.1r	39.666 — 40.073	C18n.2n	C18r
15.032 — 15.160	C5Bn.2n	C5Br	41.030 — 41.180	C19n	C19r
15.974 — 16.268	C5Cn.1n	C5Cn.1r	42.196 — 43.450	C20n	C20r

単位：100 万年

地磁気正極年代表　(2)

正極の期間	クロン名	逆転期クロン名	正極の期間	クロン名	逆転期クロン名
(上限)　(下限)			(上限)　(下限)		
46.235 — 47.760	C21n	C21r	136.657 — 136.936	M14n	M14r
48.878 — 49.666	C22n	C22r	137.658 — 138.020	M15n	M15r
50.767 — 50.996	C23n.1n	C23n.1r	138.482 — 139.649	M16n	M16r
51.047 — 51.724	C23n.2n	C23r	140.186 — 140.492	M17n	M17r
52.540 — 52.930	C24n.1n	C24n.1r	141.752 — 142.305	M18n	M18r
53.020 — 53.120	C24n.2n	C24n.2r	142.626 — 142.740	M19n.1n	M19n.1r
53.250 — 53.900	C24n.3n	C24r	142.778 — 143.741	M19n.2n	M19r
57.101 — 57.656	C25n	C25r	143.968 — 144.295	M20n.1n	M20n.1r
58.959 — 59.237	C26n	C26r	144.351 — 145.046	M20n.2n	M20r
62.278 — 62.530	C27n	C27r	145.716 — 146.580	M21n	M21r
63.537 — 64.645	C28n	C28r	147.009 — 148.294	M22n.1n	M22n.1r
64.862 — 65.700	C29n	C29r	148.337 — 148.380	M22n.2n	M22n.2r
66.380 — 68.178	C30n	C30r	148.424 — 148.486	M22n.3n	M22r
68.351 — 69.271	C31n	C31r	149.100 — 149.237	M22An	M22Ar
71.451 — 71.691	C32n.1n	C32n.1r	149.431 — 149.828	M23n	M23r.1r
71.851 — 73.651	C32n.2n	C32r.1r	150.136 — 150.164	M23r.1n	M23r.2r
73.951 — 74.051	C32r.1n	C32r.2r	150.853 — 151.118	M24n	M24r.1r
74.201 — 79.900	C33n	C33r	151.632 — 151.661	M24r.1n	M24r.2r
82.875 — 120.964	C34n	M0r	151.891 — 152.035	M24An	M24Ar
121.400 — 123.783	M1n	M1r	152.333 — 152.736	M24Bn	M24Br
124.169 — 124.717	M3n	M3r	152.910 — 153.237	M25n	M25r
126.514 — 127.526	M5n	M5r	153.442 — 153.574	M25An.1n	M25An.1r
127.920 — 128.145	M6n	M6r	153.642 — 153.723	M25An.2n	M25An.2r
128.294 — 128.593	M7n	M7r	153.826 — 153.860	M25An.3n	M25Ar
128.951 — 129.282	M8n	M8r	154.016 — 154.160	M26n.1n	M26n.1r
129.601 — 129.926	M9n	M9r	154.228 — 154.259	M26n.2n	M26n.2r
130.297 — 130.683	M10n	M10r	154.320 — 154.434	M26n.3n	M26n.3r
131.125 — 131.462	M10Nn.1n	M10Nn.1r	154.541 — 154.564	M26n.4n	M26r
131.509 — 131.829	M10Nn.2n	M10Nn.2r	154.778 — 154.943	M27n	M27r
131.852 — 132.139	M10Nn.3n	M10Nr	155.128 — 155.467	M28n	M28r
132.552 — 133.323	M11n	M11r.1r	155.637 — 155.750	M28An	M28Ar
133.565 — 133.588	M11r.1n	M11r.2r	156.016 — 156.074	M28Bn	M28Br
133.785 — 134.294	M11An.1n	M11An.1r	156.173 — 156.295	M28Cn	M28Cr
134.348 — 134.426	M11An.2n	M11Ar	156.398 — 156.490	M28Dn	M28Dr
134.515 — 134.740	M12n	M12r.1r	156.616 — 156.795	M29n.1n	M29n.1r
135.586 — 135.668	M12r.1n	M12r.2r	156.829 — 156.905	M29n.2n	M29r
135.828 — 136.104	M12An	M12Ar	157.177 — 157.233	M29An	M29Ar
136.198 — 136.391	M13n	M13r	157.310 — 157.453	M30n	M30r

地磁気正極年代表　(3)

正極の期間	クロン名	逆転期クロン名	正極の期間	クロン名	逆転期クロン名
(上限)　(下限)			(上限)　(下限)		
157.639 — 157.755	M30An	M30Ar	165.861 — 165.984	M39n.8n	M39r
157.791 — 157.972	M31n.1n	M31n.1r	166.079 — 166.129	M40n.1n	M40n.1r
158.068 — 158.100	M31n.2n	M31n.2r	166.355 — 166.439	M40n.2n	M40n.2r
158.149 — 158.200	M31n.3n	M31r	166.553 — 166.635	M40n.3n	M40n.3r
158.263 — 158.290	M32n.1n	M32n.1r	166.924 — 166.964	M40n.4n	M40r
158.325 — 158.439	M32n.2n	M32n.2r	167.053 — 167.156	M41n.1n	M41n.1r
158.500 — 158.535	M32n.3n	M32r	167.394 — 167.478	M41n.2n	M41n.2r
158.633 — 158.983	M33n	M33r	167.611 — 167.687	M41n.3n	M41n.3r
159.139 — 159.232	M33An	M33Ar	167.819 — 167.853	M41n.4n	M41r
159.315 — 159.395	M33Bn	M33Br	167.994 — 168.128	M42n.1n	M42n.1r
159.530 — 159.575	M33Cn.1n	M33Cn.1r	168.264 — 168.291	M42n.2n	M42n.2r
159.638 — 159.783	M33Cn.2n	M33Cr	168.346 — 168.411	M42n.3n	M42n.3r
160.026 — 160.121	M34n.1n	M34n.1r	168.460 — 168.492	M42n.4n	M42n.4r
160.207 — 160.260	M34n.2n	M34n.2r	168.514 — 168.565	M42n.5n	M42n.5r
160.295 — 160.322	M34n.3n	M34n.3r	168.595 — 168.626	M42n.6n	M42n.6r
160.389 — 160.427	M34An	M34Ar	168.645 — 168.682	M42n.7n	M42n.7r
160.583 — 160.692	M34Bn.1n	M34Bn.1r	168.713 — 168.742	M42n.8n	M42n.8r
160.766 — 160.800	M34Bn.2n	M34Br	168.796 — 168.883	M42n.9n	M42n.9r
160.838 — 160.918	M35n	M35r	169.044 — 169.074	M42n.10n	M42n.10r
161.093 — 161.220	M36n.1n	M36n.1r	169.311 — 169.343	M42n.11n	M42r
161.287 — 161.340	M36An	M36Ar	169.464 — 169.485	M43n.1n	M43n.1r
161.366 — 161.401	M36Bn	M36Br	169.656 — 169.787	M43n.2n	M43n.2r
161.573 — 161.658	M36Cn	M36Cr	169.894 — 169.963	M43n.3n	M43n.3r
161.809 — 162.106	M37n.1n	M37n.1r	170.023 — 170.066	M43n.4n	M43n.4r
162.247 — 162.383	M37n.2n	M37r	170.156 — 170.248	M43n.5n	M43r
162.501 — 162.663	M38n.1n	M38n.1r	170.353 — 170.417	M44n.1n	M44n.1r
162.723 — 162.904	M38n.2n	M38n.2r	170.474 — 170.506	M44n.2n	M44n.2r
162.954 — 163.051	M38n.3n	M38n.3r	170.572 — 170.619	M44n.3n	M44n.3r
163.189 — 163.463	M38n.4n	M38n.4r	170.801 — 170.823	M44n.4n	M44n.4r
163.548 — 163.741	M38n.5n	M38r	170.897 — 170.920	M44n.5n	M44n.5r
163.823 — 164.039	M39n.1n	M39n.1r	171.019 — 171.034	M44n.6n	M44n.6r
164.181 — 164.358	M39n.2n	M39n.2r	171.125 — 171.138	M44n.7n	M44n.7r
164.441 — 164.599	M39n.3n	M39n.3r	171.193 — 171.265	M44n.8n	M44n.8r
164.759 — 164.943	M39n.4n	M39n.4r	171.300 — 171.353	M44n.9n	M44r
165.157 — 165.311	M39n.5n	M39n.5r	171.402 — 171.433	M45n	M45r
165.469 — 165.590	M39n.6n	M39n.6r			
165.718 — 165.804	M39n.7n	M39n.7r			

太陽風と地球磁気圏

太陽は，全体として常時 3.9×10^{26} W ものエネルギーを放出している．太陽のエネルギーは大きく３つに分けられ，そのほとんどは太陽の光といわれている可視光および赤外線のエネルギーである．２番目はＸ線・紫外線の類で，これらのエネルギーのほとんどは地球大気の成層圏より上部で吸収されてしまう．太陽は第３のエネルギーとして，高エネルギー粒子やプラズマを四方八方に放出している．このプラズマの流れは太陽風と呼ばれ，100－1000 万 K もの高温のコロナから吹き出されている．

太陽風

太陽風のエネルギー量は，Ｘ線・紫外線とほぼ同じ程度であるが，この量は太陽光の100 万分の１にすぎない．風とはいうが，太陽風の中には荷電粒子は 1 cm^3 あたりわずか10 個程度．現代の工学技術でつくり出される最高の真空でさえ，1 cm^3 に分子を数千個も含んでいることを考えれば，極めて希薄な無衝突プラズマである．太陽の巨大な重力をふり切って飛び出す太陽風は，地球近くで平均的には毎秒 300－450 km の速さで，太陽表面由来の磁場を伴っている．この磁場を惑星間空間磁場という．

地球磁気圏

太陽風は，地球に近い場所ではその磁場の影響を受け，地球を避けるような流れをとっている．そのような流れになる場所では，東向きに流れる電流が生じ，地球の磁場がそれより外には広がらない下図のようなドーム状の空間を生み出している．このドーム状の領域が磁気圏である．その外壁とその壁を東向きに流れる電流を，それぞれ，磁気圏圏界面，磁気圏圏界面電流と呼ぶ．

磁気圏は，太陽と反対向きには吹き流しのような構造になっている．そこでは，地球の磁場が遠方までほぼまっすぐ延びるローブ領域が，北半球側と南半球側に１つずつ存在している．地球の磁場が太陽側へと延びている領域とローブ領域の間では，磁場の向きが大きく変化しており，この領域をカスプという．太陽風プラズマの一部は，カスプを通ることで電離圏まで入ってくる．カスプの途中で跳ね返されて，その後ろ側に広がる領域へと入っていくプラズマもある．そのようなプラズマはプラズママントルと呼ばれる領域を形成している．カスプやプラズママントルでは，磁力線は惑星間空間磁場とつながっている．プラズママントルのプラズマの中には，ローブを通って磁気中性面の方向に進むものもあり，それらがおもな構成要素となってプラズマシートが形成されている．プラズマシートの中の電子は，電離圏の高度で光るオーロラの要因である．プラズマシートは南北に一定の幅をもつ構造で，その中央部には東向きに磁気中性面電流が流れている．この電流は，磁気圏圏界面の下流側部分を流れている尾部電流とつながっている．

磁気圏では，地球の磁力線に沿って電離圏との間で電流が流れており，これを沿磁力線電流という．また，地球を取り囲むようにも電流が流れており，これは環電流と呼ばれる．この環電流が流れる領域のすぐ内側には，電離圏から上がってきたプラズマが広がっているプラズマ圏がある．

地第 56 図　地球磁気圏

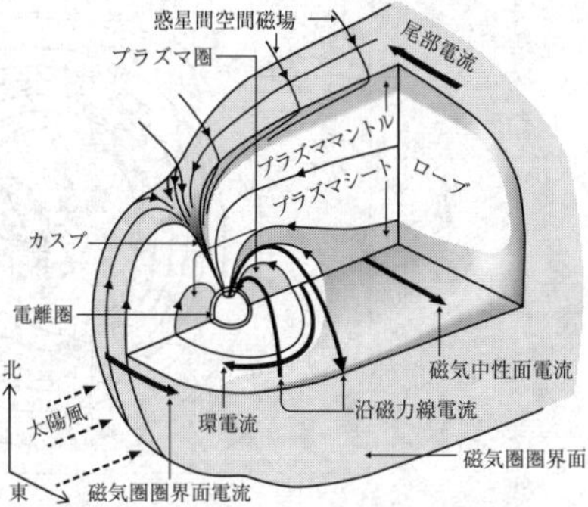

(C. T. Russell ほかによる)

オーロラ（極光）

極地の夜空を彩るオーロラは，地球磁気圏から磁力線に沿って降り込む電子や陽子に
よって超高層大気の酸素原子，窒素分子，窒素分子イオンなどが励起され発光する現象
発光層の高さは，発光する原子や分子および降り込む電子や陽子のエネルギーにより異な
るが，およそ 90－400 km である．

オーロラ帯

地磁気極を取り囲むオーロラ出現確率がもっとも高い帯状の領域をオーロラ帯という．図で 100 という線は，この地域では 1 年平均 100 晩オーロラが見えることを表す．日本付近では，北海道の北を 0.1 という線が通っているが，これは 1 年に 0.1 晩，つまり 10 年に 1 回オーロラが見えることを表している．

オーロラオーバル

オーロラ帯がオーロラの出現確率に基づく分布を表すのに対して，オーロラオーバルは，ある時刻において実際にオーロラが地磁気極を取り囲んで，どのように分布しているのかを表す．

代表的なスペクトル

酸　素　原　子：	波長 557.7 nm（緑），630.0－636.4 nm（赤）
窒　素　分　子：	波長 646.0－670.5 nm（赤）
窒素分子イオン：	波長 391.4 nm，427.8 nm（青紫）

明るさ

オーロラの明るさを表すため，酸素緑線の明るさを基準としてつぎの 4 段階が決められている：Ⅰ 天の川の明るさ 0.0003 ルクス，Ⅱ 月に照らされた巻雲の明るさ 0.003 ルクス，Ⅲ 月に照らされた積雲の明るさ 0.03 ルクス，Ⅳ 満月下の明るさ 0.3 ルクス．

毎晩のようにオーロラが見られるオーロラ帯でも，普通に見られるオーロラは，東西にアーチをかけたようなぼんやりしたⅠあるいはⅡ程度の明るさのものである．Ⅲ以上の明るさのオーロラは，オーロラ嵐（専門用語でオーロラ･サブストームという）の発達過程で見られる．オーロラ嵐は，真夜中付近で明るい光が突然激しく動き出し，カーテン状のオーロラなどさまざまな形，色が全天を舞う現象である．このオーロラの乱舞は，5－20 分程度続く．

地第 57 図　オーロラ出現確率の世界分布

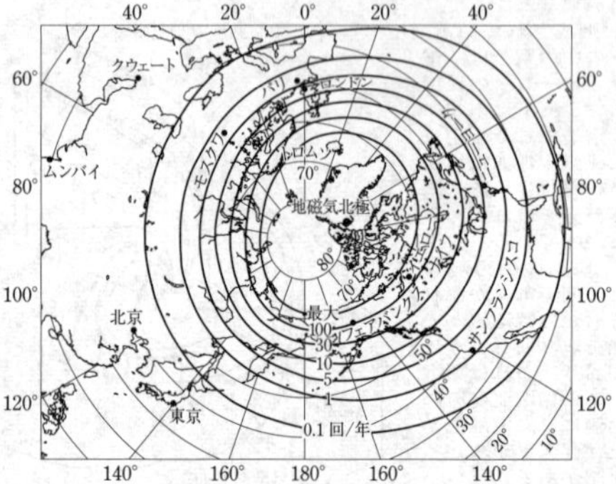

（H. Fritz, 1881 による）

もな太陽系天体のオーロラ

地球以外の惑星でも，大気と磁場を持っている星にはオーロラが確認されている．

	水　星	金　星	地　球	火　星	木　星	土　星	天王星	海王星	ガニメデ
磁気双極子モーメント (Am^2)	2.8×10^{19}	$<10^{18}$	7.7×10^{22}	$<10^{19}$	1.5×10^{27}	4.7×10^{25}	3.7×10^{24}	1.9×10^{24}	1.3×10^{20}
大　気	×	○	○	○	○	○	○	○	希薄
オーロラ	×	△	○	○	○	○	○	○	○

○：ある，×：ないか非常に弱い，△：よくわからない

地磁気活動度指数

地球磁場全体の活動を表現するために，地磁気活動度指数（あるいは，地磁気擾乱指数）が使われる．地球磁場の変動をこのような指数で表すことの利点は，複雑な現象の大まかな定量的目安が迅速に把握できることである．しかし，それぞれの指数は独特の物理的意味を持っており，使用にあたっては注意が必要である．

参照：P. N. Mayaud, *Derivation, Meaning, and Use of Geomagnetic Indices*, Geophysical Monograph 22, American Geophysical Union, Washington, D. C., 1980.

よく使われている地磁気活動度指数には以下のものがある．

***Kp* 指数**：1日を3時間ごとに（グリニッジ時で，0−3，3−6，…，21−24時），*H*，D成分（または，*X*，*Y*成分）のうちの最大変動に対し，各観測所で0から9までの10段階で表す．これを*K*指数という．スケールは，準対数(semi-logarithmic)で，各観測所ごとに与えられる．世界13ヵ所（地磁気緯度で50度付近）の*K*指数を重み付き平均した値が，*Kp*指数である．添字*p*は，ドイツ語のplanetanscheの略で，「地球全体で」という意味．

***Ap* 指数**：これは1日単位の指数で，*Kp*指数が準対数的であるのに対し，この指数は磁気擾乱の絶対値(nT，ナノテスラ)を表す．たとえば，*Ap*指数が100であるということは，中緯度地域では100 nTぐらいの乱れがあることを意味する．また，3時間ごとに1日分の平均をとったものが*Ap**指数である．

***Dst* 指数**：経度がほぼ等間隔の4ヵ所の低緯度観測所で得られた地磁気水平成分の変動から算出される（単位nT）．おもに磁気嵐のときの，環電流の強さを表す．環電流が発達すると*Dst*指数は負となりその絶対値が大きくなる．

***AE* 指数**：オーロラ帯に位置する12ヵ所の地磁気水平成分の変動から算出され，オーロラジェット電流の全体的な強弱を表す（単位nT）．オーロラ活動が活発なときに大きくなる．

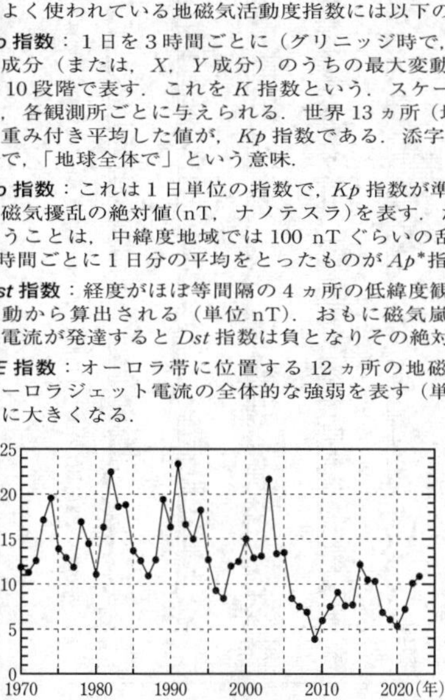

地第58図

地磁気活動度の年変化

1日単位の指数である*Ap*指数について，1970年以降の各年の1年間(1月1日から12月31日)の平均値を示す．

地第59図　地磁気活動度（Kp 指数）　2023年6月～2024年6月

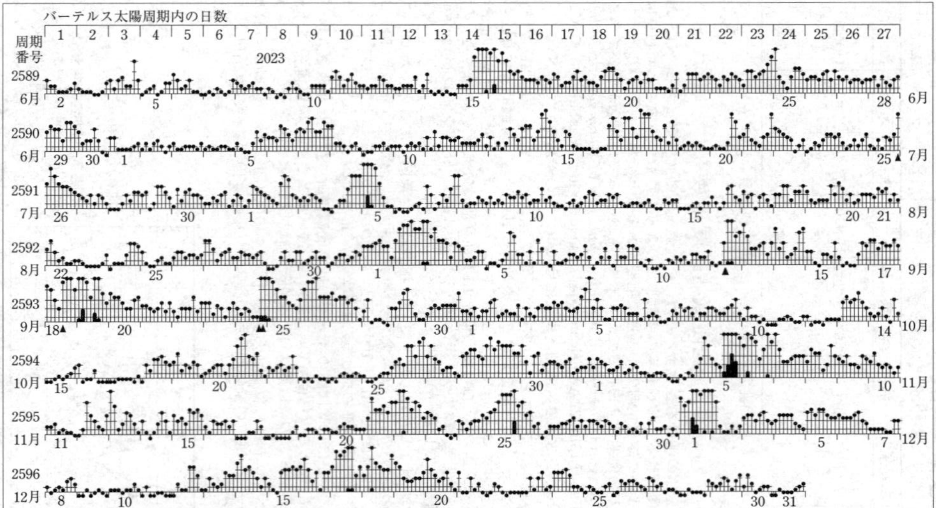

（バーテルス太陽周期は27日を1周期とし，1832年2月8日を周期番号1の第1日と定義されている.）

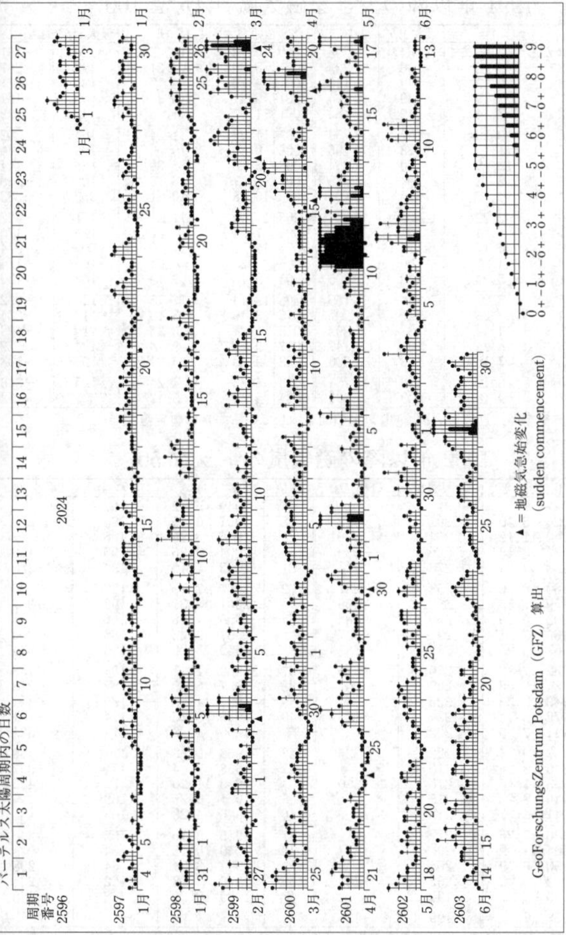
バーテルス太陽周期内の日数
周期番号
2024
▲＝地磁気急始変化
(sudden commencement)
GeoForschungsZentrum Potsdam (GFZ) 算出

1991 年以降の大きな磁気嵐（$Ap^* \geqq 100$）

年	月 日	月 日	最大 Ap^*	最小 Dst	年	月 日	月 日	最大 Ap^*	最小 Dst
1991	3 23 から	3 26 まで	164	−298	2000	10 3 から	10 5 まで	126	−181
1991	6 3	6 6	196	−223	2001	3 30	3 31	192	−387
1991	6 8	6 13	149	−140	2001	4 10	4 12	124	−271
1991	7 7	7 9	129	−194	2001	10 21	10 22	105	−187
1991	7 12	7 14	149	−183	2001	11 5	11 6	142	−292
1991	10 26	10 29	157	−254	2001	11 23	11 24	104	−202
1991	10 30	11 2	128	−196	2002	9 30	10 2	103	−176
1991	11 7	11 9	180	−354	2003	5 28	5 30	129	−144
1992	5 9	5 11	194	−288	2003	8 17	8 18	108	−148
1993	4 4	4 5	116	−165	2003	10 28	10 31	252	−383
1994	2 20	2 22	130	−144	2003	11 19	11 21	171	−422
1994	4 1	4 4	101	−111	2004	7 24	7 27	195	−170
1994	4 16	4 17	114	−201	2004	11 7	11 10	206	−374
1995	4 6	4 7	100	−149	2005	8 23	8 24	105	−184
1998	5 1	5 4	120	−205	2005	9 10	9 13	102	−139
1998	8 26	8 27	144	−155	2006	12 14	12 15	120	−162
1998	9 24	9 25	127	−207	2015	3 16	3 18	117	−234
2000	4 5	4 7	137	−292	2015	6 21	6 23	110	−198
2000	5 23	5 24	101	−147	2017	9 7	9 8	124	−122*
2000	7 13	7 16	192	−300	2023	3 23	3 24	109	−163*
2000	8 10	8 12	129	−234	2023	4 22	4 24	125	−213*
2000	9 17	9 18	103	−201	2024	5 9	5 12	301	−412*

日付は世界標準時．期間は Ap^* が 40 以上の間を示している．＊は暫定値．

1932 年以降の磁気嵐のトップ 50

順位	年 月 日	最大 Ap^*	最小 Dst	順位	年 月 日	最大 Ap^*	最小 Dst
1	1941 9 18	312		27	1949 5 12	197	
2	2024 5 10	301	−412	28	1991 6 5	196	−223
3	1960 11 12	294	−339	29	1946 3 25	195	
4	1989 3 13	286	−589		2004 7 26	195	−170
5	1940 3 24	278		31	1992 5 10	194	−288
6	1960 10 6	258	−287	32	2000 7 15	192	−300
7	1959 7 15	252	−429		2001 3 31	192	−387
8	2003 10 29	252	−383	34	1956 4 26	186	
9	1960 3 31	251	−327		1957 9 22	186	−303
10	1967 5 25	242	−387		1959 3 26	186	−234
11	1982 7 13	230	−325	37	1959 7 17	184	−183
12	1986 2 8	229	−307	38	1957 6 30	182	−218
13	1940 3 29	226		39	1991 11 8	180	−354
14	1972 8 4	224	−125	40	1959 8 16	174	−181
15	1941 7 5	222			1960 4 30	174	−325
16	1957 9 4	222	−324	42	1966 9 3	173	−189
17	1946 3 28	216		43	1958 9 4	171	−302
	1958 7 8	216	−330		2003 11 20	171	−422
19	1946 9 22	215		45	1951 9 25	169	
20	1941 3 1	212		46	1946 4 23	168	
	1946 7 26	212		47	1956 5 16	165	
22	2004 11 9	206	−374	48	1949 10 15	164	
23	1950 8 19	204			1991 3 24	164	−298
24	1982 9 5	202	−289	50	1970 3 8	162	−284
25	1946 2 7	199			1989 10 20	162	−268
	1958 2 11	199	−426				

日付は世界標準時．1956 年以前の Dst 指数は未算出．

種々の緯度に対する重力の正規値

緯度	重力式 1967	重力式 1980	緯度	重力式 1967	重力式 1980
°	Gal	Gal	°	Gal	Gal
0	978.031 846	978.032 677	40	980.168 966	980.169 830
5	978.071 066	978.071 898	41	980.258 295	980.259 160
10	978.187 550	978.188 384	42	980.348 078	980.348 944
15	978.377 803	978.378 640	43	980.438 204	980.439 072
20	978.636 113	978.636 954	44	980.528 565	980.529 434
25	978.954 716	978.955 561	45	980.619 050	980.619 920
26	979.024 856	979.025 703	46	980.709 549	980.710 420
27	979.096 945	979.097 793	47	980.799 951	980.800 824
28	979.170 895	979.171 744	48	980.890 147	980.891 022
29	979.246 617	979.247 467	49	980.980 026	980.980 902
30	979.324 019	979.324 870	50	981.069 480	981.070 357
31	979.403 008	979.403 860	55	981.506 554	981.507 438
32	979.483 487	979.484 341	60	981.916 949	981.917 839
33	979.565 360	979.566 215	65	982.288 125	982.289 020
34	979.648 527	979.649 383	70	982.608 720	982.609 620
35	979.732 888	979.733 745	75	982.868 902	982.869 806
36	979.818 339	979.819 198	80	983.060 682	983.061 588
37	979.904 778	979.905 638	85	983.178 162	983.179 070
38	979.992 100	979.992 961	90	983.217 728	983.218 637
39	980.080 198	980.081 061			

日本各地の重力実測値 (1)

g は国土地理院による重力実測値，γ_{1980} は測地基準系 1980 楕円体に基づく正規重力式による正規重力値．フリーエア異常とは測定地点の高度による影響を補正した値と正規重力値との差，ブーゲー異常とはさらに物質の分布の影響を補正した値と正規重力値との差．

地　名	緯　度 (φ)	経　度 (λ)	高　さ (H)	重力実測値 (g)	正規重力値 (γ_{1980})	フリーエア異常 F	ブーゲー異常 B
	° ′ ″	° ′ ″	m	mGal	mGal	mGal	mGal
稚　内	45 24 55	141 40 42	3.05	980 642.54	657.51	−13.16	−13.25
利　尻	45 14 47	141 13 53	69	980 669.64	642.22	49.57	45.09
名　寄	44 21 53	142 27 40	95.45	980 574.04	562.43	41.93	31.73
網　走	44 01 06	144 16 47	37.39	980 589.10	531.09	70.42	66.72
旭　川	43 45 28	142 22 22	114.48	980 531.38	507.52	60.05	47.52
根　室	43 22 01	145 48 04	13.10	980 682.18	472.20	214.89	213.44
札　幌	43 04 20	141 20 30	15.21	980 477.54	445.60	37.50	36.31
釧　路	42 59 10	144 22 41	−0.91	980 603.00	437.82	165.77	165.92
帯　広	42 55 21	143 12 44	38.95	980 418.15	432.08	−1.04	−5.28
千　歳	42 47 09	141 40 50	24.40	980 421.55	419.74	10.21	7.57
長万部	42 30 30	140 22 24	5.62	980 421.88	394.73	29.75	29.40
函　館	41 49 34	140 44 52	43.43	980 399.28	333.30	80.25	75.96
む　つ	41 18 03	141 12 48	18.57	980 357.31	286.12	77.79	76.11
青　森	40 49 19	140 46 07	3.37	980 311.07	243.22	69.76	69.79
三　沢	40 40 35	141 22 34	45.40	980 302.68	230.20	87.36	82.34
弘　前	40 35 17	140 28 25	50.90	980 261.21	222.31	55.48	50.30
盛　岡	39 41 55	141 09 57	153.83	980 189.62	143.01	94.94	79.37
宮　古	39 38 50	141 57 56	45.25	980 270.40	138.44	146.79	142.85
大船渡	39 03 55	141 42 52	36.70	980 210.67	86.85	136.02	134.53
仙　台	38 15 07	140 50 38	130.99	980 065.09	15.08	91.29	77.41
秋　田	39 43 46	140 08 12	27.87	980 175.73	145.74	39.46	36.62
新　庄	38 45 27	140 18 45	100.74	980 060.08	59.63	32.40	21.81
いわき	36 56 52	140 54 12	4.15	980 008.49	901.11*	109.53	109.21
つくば	36 06 14	140 05 13	21.64	979 951.03	828.14	130.44	128.06
高　崎	36 23 43	139 01 00	132.10	979 819.38	853.26	7.75	−6.28
川　越	35 53 25	139 31 36	8	979 844.94	809.77	38.51	37.65
銚　子	35 44 23	140 51 29	20.09	979 866.88	796.86	77.09	74.91
鹿野山	35 15 19	139 57 22	351.24	979 690.82	755.45	44.60	8.90
羽　田	35 32 57	139 47 02	−2.44	979 759.47	780.54	−20.95	−20.62
父　島	27 05 32	142 11 28	2.51	979 439.62	104.54	336.72	336.78
箱　根	35 14 38	139 03 35	426	979 709.24	754.49	87.04	46.09
油　壺	35 09 37	139 36 56	4.67	979 774.65	747.37	29.59	29.23
相　川	38 01 47	138 14 24	5	980 076.67	995.57*	83.51	84.10
阿賀野	37 49 20	139 13 01	8.00	979 976.83	977.38	2.79	2.20
長　岡	37 25 26	138 46 36	58.97	979 931.45	942.55	7.96	1.71
富　山	36 42 35	137 12 09	9.31	979 867.42	880.45	−9.29	−9.71
金　沢	36 32 45	136 42 29	106	979 841.65	866.26	8.96	−1.90

(1) 加速度の単位 Gal（ガル）については**物 12** 参照.
(2) 緯度・経度・高さは，日本測地系 2011（**地 4** 参照）による.
(3) 高さ(H)で，小数点以下の数値が記載していないものは，地図からの読み取りなどにより，高さを決定したものである.
(4) 表中の＊の数値は，重力実測値の上 3 桁が 980 の場合，正規重力値の上 3 桁は 979 である．同様に，979 の場合は 978 である.

日本各地の重力実測値 (2)

地名	緯度 (φ)	経度 (λ)	高さ (H)	重力実測値 (g)	正規重力値 (γ_{1980})	フリーエア異常 F	ブーゲー異常 B
	° ′ ″	° ′ ″	m	mGal	mGal	mGal	mGal
福井	36 03 20	136 13 22	8.96	979 838.12	823.97	17.79	17.15
甲府	35 40 03	138 33 14	273.39	979 705.90	790.67	0.44	−26.92
富士吉田	35 27 13	138 45 45	1029.39	979 566.26	772.37	112.33	0.10
松代	36 32 38	138 12 11	409.17	979 774.08	866.10	35.08	−2.00
飯田	35 30 04	137 49 57	467.04	979 666.98	776.44	35.49	−13.20
岐阜	35 24 02	136 45 45	12.08	979 745.81	767.85	−17.44	−18.65
静岡	34 58 34	138 24 13	14.45	979 741.61	731.73	15.21	14.10
浜松	34 45 14	137 42 42	46	979 738.32	712.89	40.50	35.43
御前崎	34 36 40	138 12 21	41.76	979 741.08	700.81	54.03	49.47
名古屋	35 09 18	136 58 08	42.22	979 733.37	746.92	0.35	−3.97
津	34 44 04	136 31 12	−1.26	979 714.99	711.23	4.24	4.55
尾鷲	34 03 38	136 11 54	14.86	979 716.28	654.47	67.27	69.56
舞鶴	35 27 02	135 19 03	2.72	979 794.90	772.12	24.49	25.41
京都	35 01 50	135 46 59	59.79	979 707.68	736.34	−9.35	−15.11
伊丹	34 47 28	135 26 27	15.33	979 703.23	716.03	−7.20	−8.69
姫路	34 50 25	134 37 21	40.06	979 722.72	720.19	15.76	11.75
和歌山	34 13 46	135 09 52	13.70	979 689.27	668.64	25.73	24.36
串本	33 31 13	135 50 11	25.67	979 735.39	609.32	134.86	133.03
鳥取	35 29 17	134 14 18	8	979 790.56	775.32	18.58	18.28
松江	35 29 13	133 03 59	8.38	979 794.85	775.23	23.08	22.41
岡山	34 39 39	133 54 59	−1	979 711.45	705.00	7.01	7.22
広島	34 22 20	132 27 57	0.95	979 658.59	680.65	−20.90	−20.61
萩	34 26 23	131 25 00	16.17	979 685.74	686.35	5.25	4.18
下関	33 56 56	130 55 36	0.12	979 675.28	645.10	31.09	31.19
鳴門	34 10 19	134 36 18	0.75	979 670.86	663.80	8.16	8.21
高松	34 19 06	134 03 16	9	979 698.81	676.12	26.34	25.50
愛媛	33 51 04	132 46 30	30.84	979 597.73	636.93	−28.81	−31.24
高知	33 33 25	133 32 01	−0.69	979 625.62	612.39	13.89	14.95
室戸	33 14 53	134 10 41	10.14	979 669.85	586.73	87.12	88.03
足摺	32 44 09	132 58 33	125.27	979 589.70	544.45	84.77	73.18
福岡	33 35 55	130 22 35	31.51	979 628.56	615.84	23.31	20.30
対馬	34 08 09	129 12 24	384.82	979 625.39	660.77	84.21	47.87
壱岐	33 44 34	129 44 05	91.38	979 631.78	627.86	32.98	24.06
長崎	32 44 01	129 52 06	23.70	979 588.02	544.27	51.93	50.12
福江	32 43 03	128 45 25	72.19	979 564.45	542.96	44.63	40.11
熊本	32 49 01	130 43 40	22.81	979 551.64	551.12	8.43	6.26
大分	33 14 11	131 37 10	5.10	979 541.83	585.75	−41.48	−41.75
延岡	32 37 01	131 34 38	165.37	979 465.62	534.69	−17.19	−31.14
宮崎	31 56 18	131 24 51	9.36	979 429.49	479.35	−46.10	−47.02
鹿児島	31 33 19	130 32 55	4.58	979 471.21	448.37	25.12	24.86
名瀬	28 22 47	129 29 45	3.70	979 250.33	200.29	52.05	52.65
那覇	26 12 27	127 41 13	21.09	979 095.92	40.50	62.80	60.49
宮古島	24 47 41	125 16 41	38.74	978 997.66	941.41	69.08	64.85
石垣島	24 20 12	124 09 53	6.67	979 006.02	910.15*	98.80	98.09
西表島	24 17 03	123 52 54	14.02	979 012.23	906.60*	110.83	109.53

国際重力基準網1971

現時点での最高精度を保持し，ほぼ全世界をカバーする国際重力基準網1971(IGSN71)は国際測地学および地球物理学連合により1971年に採択された．IGSN71は，つぎのように構成されている．

1) セーブル(仏)，テディントン(英)，ゲイザースバーグ(米)など8ヵ所における延べ10個の，いずれも落体法による絶対測定値を基礎とする．
2) ガルフ(米)，ケンブリッジ(英)，国土地理院(日)など6種類の重力振子による約1 200個の相対測定．
3) ラコスト重力計による約12 000個の長距離あるいは国際的な相対測定および各種重力計による約11 700個の同一都市内の補助点に関する測定．

以上を資料として，最小二乗法による平均計算を行い，全世界の494都市における総計1854点の重力値を決定した．決定された重力値は，地球上の重力値の全範囲について，絶対値の精度0.1 mGal以上である．

なお国際測地学および地球物理学連合は，1979年に新しい測地基準系1980（**地 1** 参照）を採用した．それに伴い測地基準系1980楕円体に基づく正規重力式は下のようになる．

$$\gamma_{1980} = 978.032\ 677\ 15 \times \frac{1 + 0.001\ 931\ 851\ 353 \times \sin^2\varphi}{\sqrt{1 - 0.006\ 694\ 380\ 022\ 90 \times \sin^2\varphi}}\ \mathrm{Gal}$$

日本重力基準網2016

IGSN71が採択された当時，日本国内ではすでに国土地理院によって精密な重力網が設定されており，IGSN71に含まれる11都市39重力点の重力値に基づいて，1976年に絶対値の精度0.1 mGal以上の日本重力基準網1975（JGSN75）が決定された．それ以来，日本国内ではJGSN75に基づいて重力値が決定されてきた．

JGSN75の公開から約40年が経過し，その間の地殻変動などによって実際の重力分布とJGSN75の間に乖離が生じる地域が出てきたため，国土地理院では，最新の測定に基づく信頼性が高い「日本重力基準網2016（JGSN2016）」を構築し，2017年に公開した．

JGSN2016では，FG5絶対重力計を用いて全国に34の基準重力点を設けるとともに，ラコスト重力計を用いて全国に262の一等重力点（同等の水準点等を含む）を設けることで，全国を約100 kmの平均間隔で網羅する重力値の基準を実現している．JGSN2016の精度は，基準重力点で0.006 mGal，一等重力点で0.019 mGalであり，JGSN75と比べて1桁高い精度である．また，JGSN2016構築に用いたFG5絶対重力計は，国際度量衡局の支援で実施されている絶対重力計の国際相互比較に参加した重力計と日本国内で比較観測を行い，国際標準との整合性を確保している．

地第 60 図　　日本のジオイド高分布図

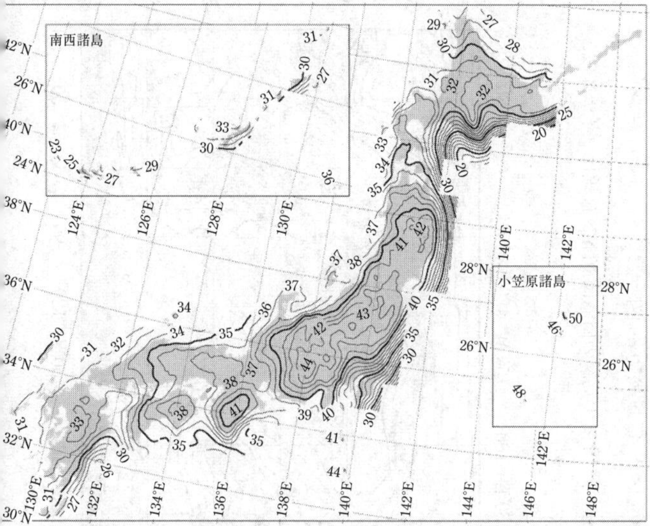

測地基準系は日本測地系 2011 に準拠
単位：m，等ジオイド高線間隔：1 m
国土地理院による．

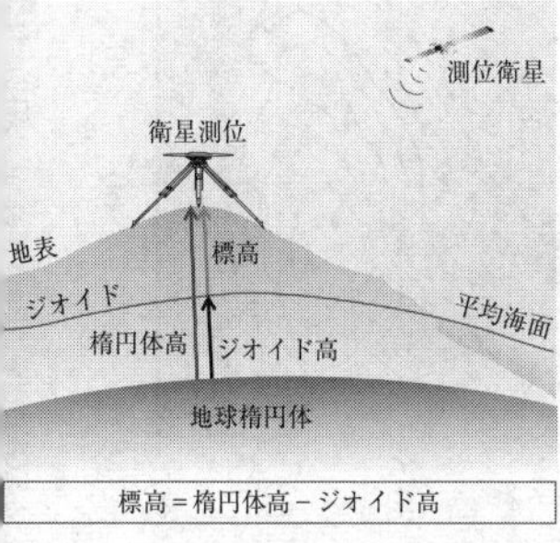

ジオイドとは，重力の等ポテンシャル面の1つで，地表や地殻構造の不均質等を反映し，場所によって起伏を持つ．日本では，離島部を除き東京湾平均海面に一致する面をジオイドとし標高の基準と定義している．ジオイド高は，地球を回転楕円体とみなした際の楕円体面からジオイドまでの高さのことであり，日本では地球楕円体として GRS80（**地 2** 参照）を採用している．衛星測位で得られる楕円体高（楕円体面から地表までの高さ）からジオイド高を引くことにより，標高を得ることができる．

地第61図 世界のジオイド高分布図

（WGS 84の座標系，楕円体に準拠，単位：m，等ジオイド高線の間隔は10 m，破線はマイナスのジオイド高を示す）

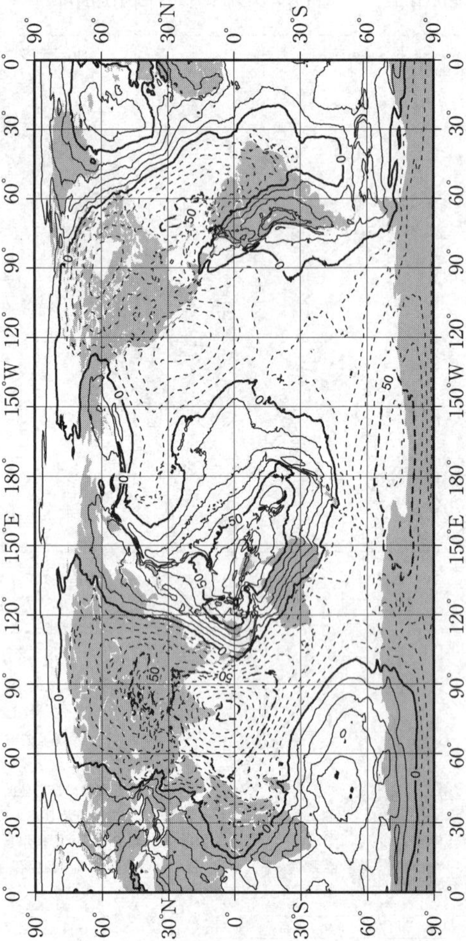

EGM2008（Pavlis et al. 2012）による．

電　離　圏

地第 62 図　地球高層大気物性の高さ分布

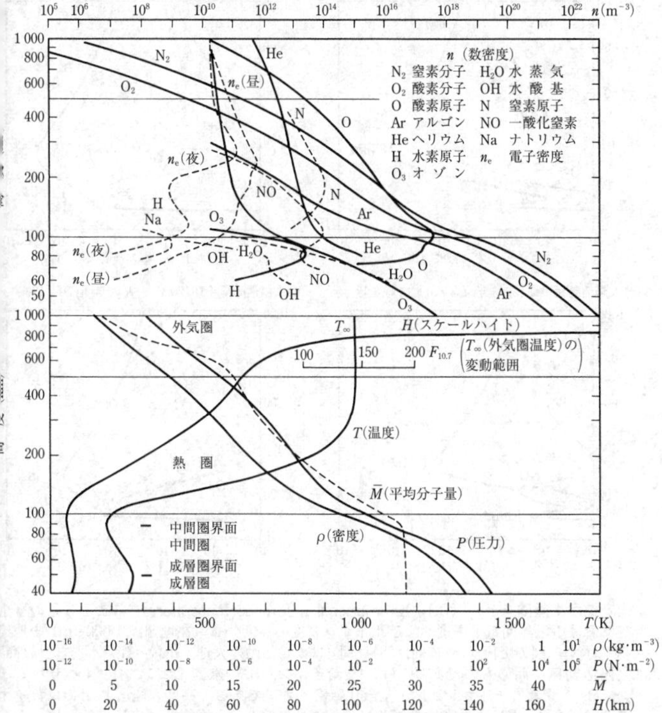

宇宙空間研究委員会（COSPAR：Committee on Space Research）が決定した1972 年の国際標準大気（CIRA：COSPAR International Reference Atmosphere 1972）による高度 40 km～1 000 km の地球高層大気の平均的な物理特性の高さ分布を地第 62 図に示す．平均的とは中程度の太陽活動期（波長 10.7 cm の太陽電波強度指数 $F_{10.7}$＝145）における，緯度 30° での平均を意味する．地第 62 図上段に示した大気成分 H_2O，OH，N，NO，Na，n_e の数密度は CIRA 以外の文献による．

東京(3月)上空電離圏の電子・イオン密度の高さ分布(IRI-2016)

地第63図

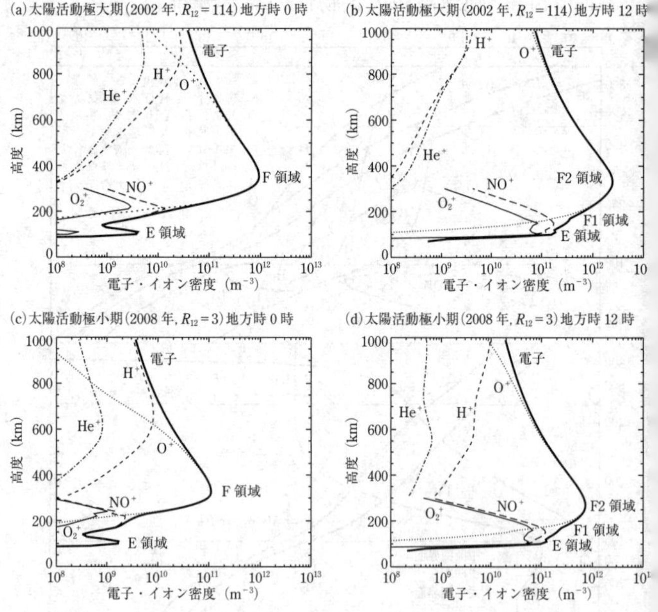

国際標準電離圏モデル (IRI : International Reference Ionosphere)* による3月の東京上空における電離圏電子密度および正イオン密度の高度分布 (高度80～1 000 km) を地第63図に示す. 図の上段 ((a)夜間, (b)昼間) は太陽活動極大期, 下段 ((c)夜間, (d)昼間) は太陽活動極小期のものであり, O^+ : 酸素イオン, H^+ : 水素イオン, He^+ : ヘリウムイオン, $O_2{}^+$: 酸素分子イオン, NO^+ : 酸化窒素イオンである. 高度80 km以上では負イオン密度は小さく, 正イオン密度の総和は電子密度に等しい. 電離圏は高度の低いほうからD領域 (密度が低いため図には示されていない), E領域, F領域 (昼間はF1領域とF2領域に分かれる) と呼ばれる層領域に分けられる. またE領域にはしばしば突発的にEs層 (スポラディックE層) と呼ばれる電子・イオン密度の高い層が現れる.

* 国際電波科学連合 (URSI) および宇宙空間研究委員会 (COSPAR) が組織するIRI作業委員会が決定した電離圏モデル.

電離圏の電波観測記録（イオノグラム）

地第 64 図

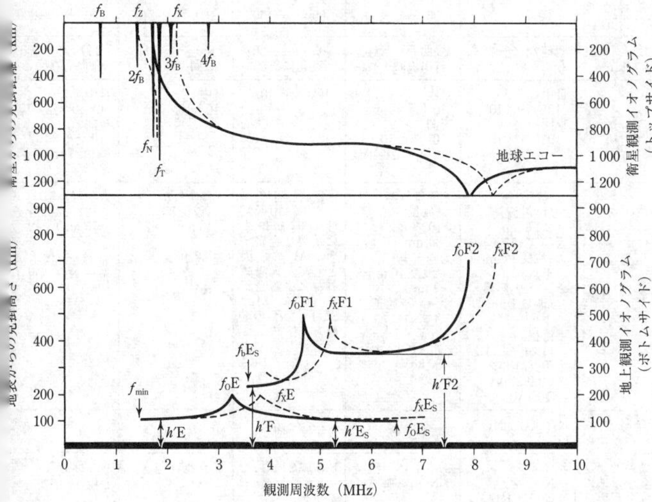

地上からパルス電波を上方に向けて発射すると，電離圏からの反射波を地上で受信することができる．このときの電波の遅延時間から反射点の見掛高さ（h'）を得る．

地第 64 図下段は，地上観測により得られる反射波の観測周波数対反射点見掛高さの記録（ボトムサイド・イオノグラム）を示し，これにより高度 300 km 付近の F2 領域または F 領域の最大電子密度の高度（地第 63 図参照）より下側（ボトムサイド）の電離圏構造を観測することができる．同様に人工衛星に搭載した観測器により，最大電子密度の高度より上側（トップサイド）の電離圏を観測することができる．地第 64 図上段は衛星観測により得られる観測周波数対反射点見掛距離の記録（トップサイド・イオノグラム）を示す．トップサイド・イオノグラムには，F 領域の臨界周波数を超えた高い周波数で地表面からの反射エコー（地球エコー）が受信される．

電離圏の特徴 (1)

特性＼名称	D　領　域	E　領　域	Es　層	F1　領　域	F2 / F 領域
分布高度 (km)	60 ～ 90	90 ～ 130	95 ～ 130	130 ～ 210	210 ～ 1000
ピーク高度 (km)	明確なピークをもたない	昼間　～105 日出没時～120	95 ～ 130 変化に富む	160 ～ 180 昼間のみ出現	250 ～ 400 常時存在する
ピーク電子密度 (m^{-3})	日中 10^9 ～ 10^{10} 夜間 10^8 ～ 10^9	日中 10^{10} ～ 10^{11} 夜間 10^9 ～ 10^{10} (地第72図参照)	10^{11} ～ 10^{12}	日中 10^{11}～5×10^{11}	日中 4×10^{11}～4×10^{12} 夜間 10^{11}～5×10^{11} (地第74～77図参照)
主電離源	太陽紫外線 (L_α, 波長121.6 nm) 太陽X線 (波長1 nm以下) オーロラX線 (波長1 nm以下) 宇宙線 (1 GeV以上) 太陽プロトン (100 MeV～1 GeV)	太陽紫外線 (波長102.7 nm～80 nm) 太陽X線 (波長10 nm～1 nm) オーロラ粒子 (プロトン10 keV～1 MeV, 電子1 keV～30 keV)	E領域と同じ. ただし, 中低緯度のEs層形成に重要な金属イオンM^+の成因として, 太陽紫外線による金属原子(Na, Mg, Si, Feなど)の電離も寄与する.	太陽紫外線 (波長80 nm～15 nm) 極域低エネルギー粒子(電子1 keV以下)	太陽紫外線 (波長80 nm～15 nm) 極域低エネルギー粒子(電子1 keV以下)
電離生成一次イオン	N_2^+, O_2^+, NO^+, O^+	N_2^+, O_2^+, O^+, M^+	E領域と同じ	N_2^+, O_2^+, O^+	N_2^+, O_2^+, O^+
電離および化学反応により形成される層の主イオン	正イオン NO^+, O_2^+, $H_3O^+\cdot(H_2O)_n$ 負イオン $NO_3^-\cdot(H_2O)_n$	正イオン NO^+, O_2^+, M^+	E領域と同じ	正イオン NO^+, O_2^+	正イオン O^+
成層要因	正・負のイオンおよび電子を含む, 電離生成および化学反応による生成・消滅の平衡状態としてD領域が形成される.	正イオンおよび電子の電離生成および化学反応による生成・消滅の平衡状態としてE領域が形成される.	電離生成および化学反応による生成・消滅の効果に加えて, イオンおよび電子の運動による集積・発散の効果が重要である. 極域型：オーロラ・ジェット電流に伴うイオン・電子の密度の乱れ 中低緯度型：大気風による金属イオンおよび電子の集積 磁気赤道型：赤道ジェット電流に伴うイオン・電子の密度の乱れ	正イオンおよび電子の電離生成および化学反応による生成・消滅の平衡状態としてF1領域が形成される.	正イオンおよび電子の電離生成および化学反応による生成・消滅の効果に加えて, イオンおよび電子の重力拡散運動による集積・発散の効果がF2領域の形成に重要である.

電離圏の特徴 (2)

名称 / 特性	D 領域	E 領域	Es 層	F1 領域	F2 / F 領域
日変化	主電離源が太陽紫外線・X 線であるため，日中の電子密度は太陽天頂角に支配される．	主電離源が太陽紫外線・X 線であるため，日中の電子密度は太陽天頂角に支配される．(地第 67, 72 図参照)	極域型：夜間に発生 中低緯度型：日中から夕方にかけて発生 磁気赤道型：日中に発生	主電離源が太陽紫外線であるため，日中の電子密度はおもに太陽天頂角に支配される．(地第 67 図参照)	電離源の影響で，電子密度は日中高く，夜間低いが，イオン・電子の運動の効果が電子密度分布に強く影響する．(地第 68, 74～77 図参照)
季節変化	同じ太陽天頂角に対して，夏季よりも冬季に電子密度が高くなる冬季異常現象が高・中緯度でみられる．	全季節を通して，太陽天頂角に従って電子密度が変化する．(地第 72 図参照)	中低緯度型 Es 層は季節依存が顕著であり，夏季 (北半球では 5～8 月，南半球では 11～2 月) に発生頻度が極めて高い．	成層は夏季に明瞭となり，冬季には一般に層は現れにくい．(地第 69 図参照)	日中の電子密度は，夏季よりも冬季に高くなる季節異常現象が高・中緯度でみられる．昼夜間とも，春秋季に電子密度が極大となる半年変化がみられる．(地第 69 図参照)
太陽活動度依存	電子密度は太陽活動に依存し，太陽活動極大期と極小期における電子密度の比は約 1.5.	D 領域とほぼ同じ．(地第 70 図参照)	太陽活動度依存は特に認められない．	太陽活動の極大期と極小期におけるピーク電子密度の比は約 2. 太陽活動極小期に層は明瞭に現れる．(地第 70 図参照)	太陽活動の極大期と極小期におけるピーク電子密度の比は約 4. (地第 70 図参照)
地理的分布	太陽天頂角に従い日中は低緯度ほど電子密度が高い．ただし，高中緯度で冬季異常が現れる．極域では粒子電離の影響を強く受ける．	太陽天頂角に従い日中は低緯度ほど電子密度が高い．(地第 71 図参照)．極域ではオーロラ粒子電離の影響を強く受ける．	極域，中低緯度，磁気赤道でそれぞれ出現特性が異なる．中低緯度型 Es 層の出現率は日本付近の極東地域で最大．(地第 73 図参照)	太陽天頂角に従い，日中は低緯度ほど電子密度が高い．極域では低エネルギー粒子電離の影響を受ける．	ピーク電子密度が磁気赤道をはさむ南北磁気緯度 15° 付近で極大となる赤道異常現象が日中から夕方にかけてみられる．(地第 74～77 図参照) 極域では磁気圏の影響を強く受ける．
電波伝搬への影響	VLF (超長波) 帯電波の反射層となる．MF (中波)・HF (短波) 帯電波の吸収層となる．通常の電波観測では反射エコーは得られない．(地第 64 図参照)	昼間は MF・HF 帯電波の反射層となる．	HF・VHF (超短波) 帯電波の反射層となり，とくに VHF 帯電波の見透し外異常伝搬によるテレビ混信の原因となる．	MF・HF・帯電波の反射層となる．	HF 帯電波の反射層となる．電子密度の乱れは，スプレッド F, VHF 帯電波の散乱，衛星電波シンチレーションの原因となる．(地第 78 図参照)

おもな電離圏擾乱現象

名称 ＼ 特徴	概　要	地理的分布	高度領域	時間変化	電波伝播への影響
突発性電離圏擾乱（SID）	太陽フレア時に放射されるX線や紫外線で異常電離され, 電子密度が突発的に増加する現象.	昼間側で, 太陽天頂角に従って電子密度が増大する.	D, E, F1 領域	フレア直後に増加し, 数分～数時間継続する.	短波の吸収や周波数微少変動, VLF 位相異常等が発生する.
極冠域吸収 (PCA)	太陽フレア時に放射される太陽プロトンにより, 極冠域が異常電離され電子密度および電波吸収が増加する現象.	極冠域（磁気緯度 70° 以上）で発生する. (地第 65 図参照)	D 領域	フレア発生から 30 分～数時間後に発生し, 数日続くこともある.	短波の吸収や周波数微少変動, VLF 位相異常等が発生する.
プラズマバブル	磁気赤道域の日没後, 電子密度が局所的に低下する現象. 磁力線に沿って南北方向に延びた構造を持つ.	磁気赤道から赤道異常帯（南北磁気緯度 15° 付近で極大）に拡がる. (地第 65 図参照)	F 領域	数時間継続する. 季節依存性や経度依存性があり, 東アジア域では春秋に多く発生する.	散乱による VHF 異常伝播, 衛星電波* の振幅シンチレーションや電離圏遅延量の急減が発生する.
正相電離圏嵐	地磁気嵐に伴い, 電子密度が通常よりも大きく増大する現象. 中緯度では赤道に向う中性風, または磁気圏起源の電場による電離圏の上昇, またはその両方により生じる.	汎世界的に発生する.	F 領域	数時間～1 日程度継続する.	衛星電波* の電離圏遅延量が増大する.
負相電離圏嵐	地磁気嵐に伴い, 電子密度が通常よりも大きく減少する現象. オーロラ活動に伴う大気組成比の変化 ($[N_2]/[O]$ の増大）により生じる.	高緯度ほど強く現れる. 夏半球では低緯度域まで発達, 冬半球では高緯度に限られる.	F 領域	地磁気嵐の開始から数時間～1 日後に発生し, 1～3 日程度継続する.	衛星電波* の電離圏遅延量が減少する. 短波の反射周波数が低下する.
移動性電離圏擾乱 (TID)	電子密度変動が波状構造を持って移動する現象. 地磁気嵐に伴ってオーロラ帯から伝播する大規模 TID（波長 1000 km 以上）と, 地磁気活動に関係しない中規模 TID（波長数 100 km）に分類される.	汎世界的に発生する.	F 領域	大規模 TID：周期 30～120 分. 中規模 TID：周期 15～60 分程度, 昼と夜で伝播特性が異なり, 季節依存性や経度依存性がある.	衛星電波* の電離圏遅延量が周期的に変動する.

* 周波数が低いほど影響が大きい.

地第 65 図　地理座標上で表した等磁気緯度線**

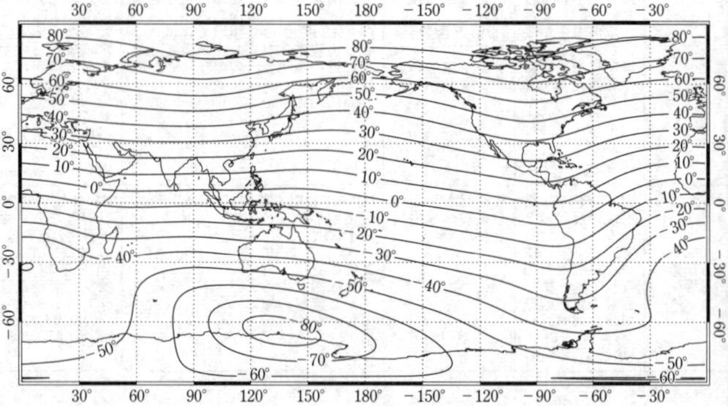

** 国際標準地球磁場（IGRF-13）により算出した 2024 年地球磁場モデルに基づく.

電離圏の電波観測により得られる特性周波数

地上観測イオノグラム(地第 64 図下段参照)には，電波の正常波(O)モード反射エコー(太い実線)と異常波(X)モード反射エコー(細い破線)が観測される．これは地球磁場の存在により電離圏が電波伝搬に対して複屈折性を持つためである．各電離圏領域（E，Es，F1，F2）の最大電子密度に対応する特性周波数(臨界周波数)$f_{\rm O}$E, $f_{\rm O}$Es, $f_{\rm O}$F1, $f_{\rm O}$F2(O モード)および$f_{\rm X}$E, $f_{\rm X}$Es, $f_{\rm X}$F1, $f_{\rm X}$F2(X モード)が観測される．O モード臨界周波数を$f_{\rm O}$(MHz)，X モード臨界周波数を$f_{\rm X}$(MHz)とすると，両者には$f_{\rm O}^2 = f_{\rm X}^2 - f_{\rm X} \cdot f_{\rm B}$の関係がある．$f_{\rm B}$(MHz)は電子のジャイロ周波数$f_{\rm B}$(MHz) = 2.80×10^4 B（テスラ）である（地第 66 図参照）．電離圏の最大電子密度 $N_{\rm m}$(m^{-3}) は $N_{\rm m}$(m^{-3}) = $1.24 \times 10^{10} \cdot [f_{\rm O}(\text{MHz})]^2$ で与えられる．

衛星観測イオノグラム（地第 64 図上段参照）には，正常波（O）モード反射エコー(太い実線)と異常波(X，Z)モード反射エコー(細い破線)に加えて，衛星近傍における共鳴スパイク（縦の太線）が周波数 $n \cdot f_{\rm B}$（n=1，2，…），$f_{\rm N}$，$f_{\rm T}$ $(=\sqrt{f_{\rm N}^2 + f_{\rm B}^2})$ において観測される．

高度 200 km における電子ジャイロ周波数$f_{\rm B}$(MHz)*の世界分布図

地第 66 図

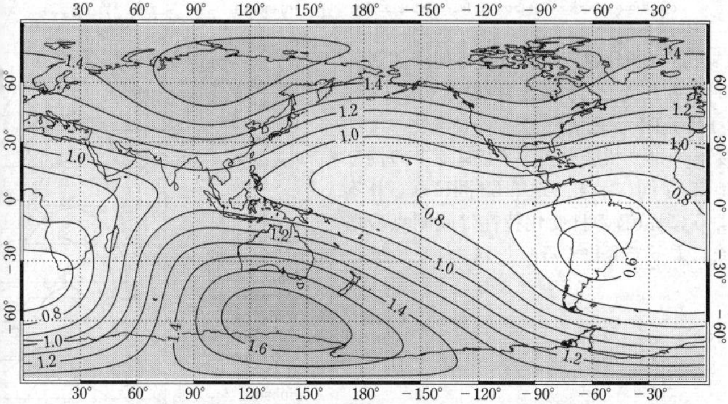

*　国際標準地球磁場(IGRF-13)により算出した 2024 年地球磁場モデルに基づく．

特性周波数等の日変化例

地第 67 図

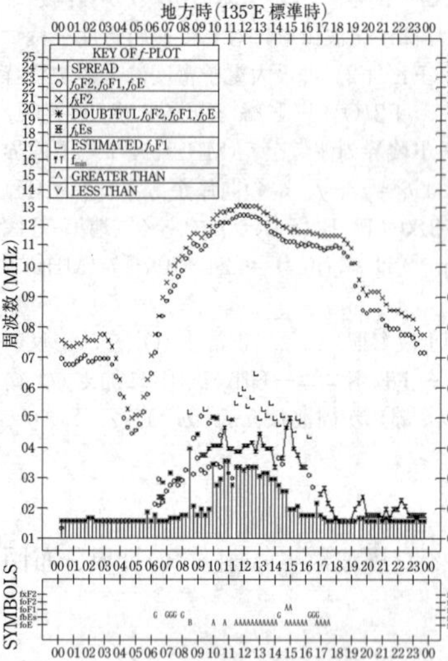

東京(国分寺)における電離圏観測より得られた 2024 年 3 月 20 日の f_XF2, f_0F2, f_0F1, f_0E, f_bEs, f_{min} の日変化および受信エコー状態を表す f プロットの例を地第 67 図に示す．地第 68 図にみられるように f_0F2 の日変化特性は観測点の地域によって変化する．

各観測所における月平
の f_0F2 日変化特性例

地第 68 図

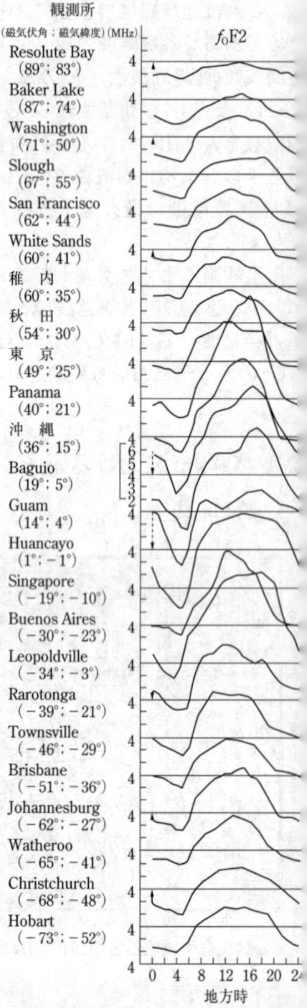

東京（国分寺）における正午の f_0F2，f_0F1，f_0E の年間逐日変化（2023 年）

地第 69 図

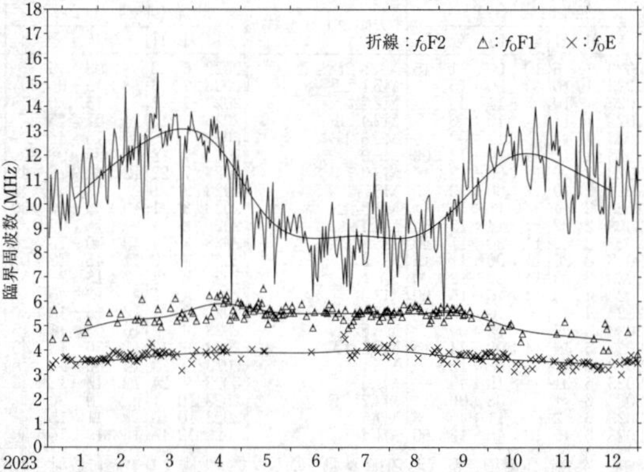

東京（国分寺）における正午の f_0F2，f_0F1，f_0E の月中央値の経年変化および波長 10.7 cm 太陽電波強度指数 (ϕ_{12})，太陽相対黒点数 (R_{12}) の 12 ヵ月移動平均値の経年変化

地第 70 図

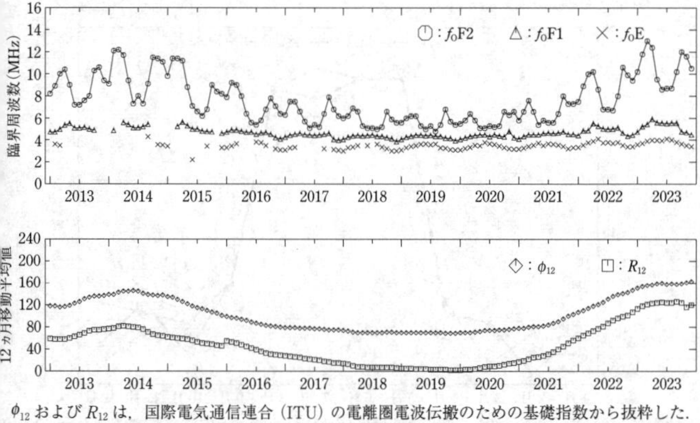

ϕ_{12} および R_{12} は，国際電気通信連合（ITU）の電離圏電波伝搬のための基礎指数から抜粋した．R_{12} は，ベルギー王立天文台の黒点数・太陽長期観測世界データセンター（WDC-SILSO，ブリュッセル）のデータに基づく．

日本で観測されたデリンジャー現象*（2023 年）

発生時刻（UT）				太陽フレア規模	発生時刻（UT）				太陽フレア規模
年	月	日	時　分		年	月	日	時　分	
2023	1	6	10：00－11：15	X1.2/2B	2023	6	23	08：45	M4.8
2023	1	10	09：15	M5.1/SF	2023	7	3	8：15－9：00	X1.0 LDE
2023	1	10	11：45	M2.6/2N	2023	7	7	15：30	M4.0/2B
2023	1	11	10：00	M2.4/SF	2023	7	12	07：15	M5.8
2023	1	11	11：00	M5.6/1B	2023	7	15	16：45	M2.9/2B
2023	1	15	12：30－13：00	M6.0	2023	7	18	8：30－9：30	M5.0 および M5.7
2023	2	9	12：00－12：15	M3.0	2023	7	22	12：30－12：45	M3.1/2N
2023	2	10	12：00－12：15	M3.7/2N	2023	8	1	13：45	M2.2/1N
2023	2	14	11：15	M1.8/1N	2023	8	1	13：45－14：00	M2.2/1N
2023	2	22	14：15	M1.4	2023	8	1	16：00	M3.6
2023	3	6	11：30－11：45	M5.8/2N	2023	8	4	13：00－13：30	M1.9/1N
2023	3	20	11：00－11：15	M1.2	2023	8	5	11：45－12：00	C9.7
2023	3	29	11：30－12：00	X1.2	2023	8	6	7：15－7：45	X1.6
2023	4	6	14：45－15：00	M3.0	2023	8	7	13：45	M2.4
2023	4	8	10：45	M2.9/1N	2023	9	1	12：15－13：30	M1.2 LDE
2023	5	9	13：00	M6.5/1N	2023	9	2	16：00－16：15	M3.3/SF
2023	5	19	14：00－14：15	M2.5/1N	2023	9	12	13：30－13：45	M1.9/1B
2023	5	21	08：15	M5.1	2023	9	22	12：00－12：45	M1.2
2023	5	31	13：45	M1.3	2023	9	24	12：15－12：45	M4.4/1N
2023	6	1	08：00	M4.2/SF	2023	10	1	10：30	M2.5
2023	6	2	11：45	M1.5	2023	10	10	11：15	M1.6
2023	6	19	12：45－13：00	M1.4	2023	12	15	16：15－16：30	M6.3

* 突発性電離圏擾乱（**地 288** 参照）の 1 つで，太陽フレア時に放射される X 線や紫外線によ
る異常電離により D 領域の電子密度が突発的に増加し，短波電波の吸収が起こる現象.

スポラディック E 層発生日数（2023 年）

地第 71 図

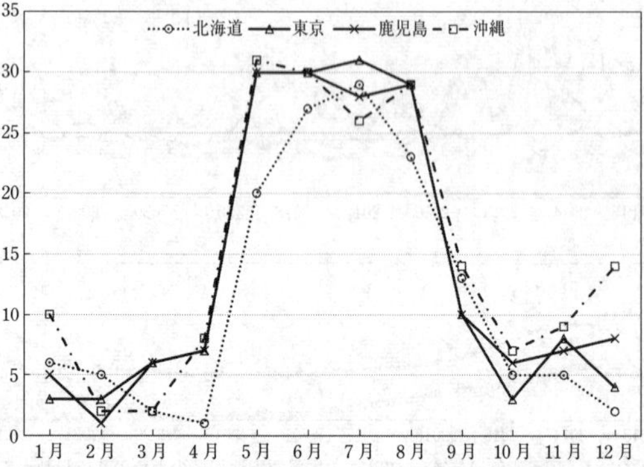

北海道（稚内），東京（国分寺），鹿児島（山川），沖縄（大宜味）で観測された 2023 年の強い（8 MHz 以上）スポラディック E 層（Es 層）の各月発生日数.

東京(国分寺)における地方時12時のf_0Eの各月別中央値(MHz)

観測所名	年＼月	1	2	3	4	5	6	7	8	9	10	11	12
東　京	2013	—	3.60	3.48	—	—	—	—	—	—	—	—	—
(国分寺)	2014	—	—	—	—	—	—	—	—	4.28	—	3.56	3.52
35°43′N	2015	3.42	—	—	—	—	2.20	—	—	3.42	—	—	3.28
139°29′E	2016	3.28	3.44	3.64	—	—	—	3.80	3.74	3.48	—	3.18	3.08
	2017	3.08	3.26	3.32	—	—	—	—	—	3.20	—	3.12	3.06
	2018	3.00	3.28	3.34	3.48	—	3.48	—	3.60	3.34	3.20	3.00	3.00
	2019	3.08	3.28	3.40	3.48	3.60	3.64	3.56	3.62	3.28	3.24	3.08	3.00
	2020	3.08	3.22	3.22	3.50	3.46	3.76	3.64	3.58	3.44	3.36	3.20	3.16
	2021	3.16	3.32	3.40	3.52	3.70	3.48	3.64	3.60	3.52	3.40	3.20	3.30
	2022	3.32	3.52	3.74	3.88	(4.08)	3.72	3.76	3.68	3.76	3.50	3.36	3.38
	2023	3.56	3.68	3.88	3.96	(3.96)	(3.92)	4.08	(3.98)	3.78	3.62	3.48	3.40

東京(国分寺)における地方時12時のf_0Esの各月別中央値(MHz)

観測所名	年＼月	1	2	3	4	5	6	7	8	9	10	11	12
東　京	2013	3.8	3.8	—	4.2	5.6	5.6	5.8	4.5	—	3.8	4.2	4.1
(国分寺)	2014	4.1	—	—	4.4	5.5	7.1	5.5	4.6	4.2	4.0	4.0	3.8
35°43′N	2015	—	4.0	4.1	4.4	5.1	6.2	8.4	5.3	3.9	3.9	3.9	3.6
139°29′E	2016	4.0	3.9	3.6	4.1	4.9	6.7	6.3	4.5	3.9	3.7	3.5	—
	2017	3.6	4.0	—	3.9	5.3	8.3	5.7	5.0	—	3.6	3.5	3.7
	2018	3.6	3.6	3.6	3.9	6.3	7.1	9.3	4.8	3.8	3.8	3.4	3.3
	2019	3.4	3.5	—	4.0	5.6	6.6	5.8	4.8	3.8	4.1	3.6	3.6
	2020	3.6	3.8	3.8	3.8	5.9	7.2	6.0	5.2	3.6	3.2	3.8	3.6
	2021	(3.7)	(4.3)	3.7	4.0	5.4	8.2	7.0	4.8	4.1	3.8	3.5	(3.7)
	2022	3.4	3.7	(4.2)	4.2	5.3	6.9	6.9	6.6	4.0	4.1	3.6	(3.8)
	2023	3.6	4.0	4.0	4.3	5.0	7.2	5.4	5.1	(4.8)	4.0	4.1	4.1

(注)　**地293-295**表において，空白は資料未入手，(　)の数値は不確か，—は数量表現不可能を表す．

地方時の0時におけるf_0F2の各月別中央値(MHz)

観測所名	年＼月	1	2	3	4	5	6	7	8	9	10	11	12
東　京	2013	3.2	3.7	5.0	6.6	7.6	7.2	6.8	6.0	5.3	4.5	3.6	3.5
(国分寺)	2014	3.5	4.4	6.8	7.4	7.9	6.8	7.3	6.4	5.8	5.2	4.0	3.7
35°43′N	2015	3.5	4.2	5.2	7.0	7.1	7.4	6.0	5.2	4.4	4.0	3.5	3.2
139°29′E	2016	3.3	3.7	4.3	4.9	5.7	5.2	5.0	4.4	4.1	3.6	3.2	2.8
	2017	2.9	3.3	3.5	4.4	4.3	4.5	3.8	4.0	3.8	3.7	3.2	3.0
	2018	2.7	3.2	3.6	3.8	4.0	4.4	3.8	3.5	3.4	3.2	3.0	2.9
	2019	2.8	3.0	3.2	3.8	4.0	4.1	3.1	3.4	3.2	3.2	3.0	2.7
	2020	2.6	3.0	3.2	3.8	3.4	3.8	3.4	3.6	3.2	3.2	3.8	3.6
	2021	3.0	3.2	3.6	4.1	4.6	4.5	4.7	4.4	4.3	3.8	3.2	3.1
	2022	3.2	3.6	4.8	6.4	7.3	7.2	6.7	5.6	5.4	4.8	3.7	3.6
	2023	3.9	4.8	6.4	7.4	7.6	8.4	7.7	7.2	6.0	6.0	4.4	3.9
Chumphon	2013	6.7	7.8	8.8	10.5	10.6	6.8	7.5	8.7	9.6	9.6	8.3	8.2
10°43′N	2014	7.5	10.2	10.6	11.9	(10.7)			9.2	10.3	9.8	8.9	7.8
99°22′E	2015	7.4	9.2	11.2	(11.8)								
	2016	(6.7)	8.2	8.8	8.6	6.1	4.8	4.5				3.9	
	2017			6.15									
	2018			4.5	4.4	3.2	3.0	2.7	(2.9)	(2.7)			
	2019	(3.8)	4.0	5.0	4.5	3.5	(2.9)	(2.9)	2.5	2.8	4.3		(2.8)
	2020	2.9	4.0	6.0	4.5	(2.4)	2.9	2.9	3.8			5.5	3.9
	2021	2.9	3.9	6.2	(5.8)								
	2022									7.6	8.1	7.3	6.9
	2023	7.5	8.8	11.0	10.9					11.4	9.0	8.9	7.5
南極昭和基地	2013	5.0	3.3	3.2	1.6	2.8	2.1	2.6	2.2	2.0	3.3	4.4	5.4
69°00′S	2014	5.0	3.7	2.5	2.1	2.4	3.0	2.0	3.5	2.0	3.1	4.2	4.8
39°35′E	2015	4.4	3.4	3.3	3.6	2.4	2.0	2.8	1.6	2.5	2.9	3.7	4.1
	2016	4.1	3.5	2.7	2.1	3.7	1.6	2.4	2.5	1.6	2.4	3.9	3.7
	2017	3.3	3.1	1.8	3.1	3.2	2.4	2.6	2.8	2.1	2.2	3.9	3.8
	2018	3.6	2.6	1.7	2.6	2.2				2.1	2.8	3.6	3.5
	2019	3.3	2.1	1.4	4.4	2.2	1.8	3.4	2.8	1.4	1.8	3.4	3.6
	2020	3.4	2.6	2.0	2.9	2.1	2.6	2.6	2.6	2.2	2.8	3.9	3.9
	2021	3.6	2.8	1.8	2.8	2.5	2.0	2.8	1.8	2.3	3.0	3.6	4.1
	2022	4.0	3.6	2.0	(3.0)	(5.2)		(4.0)	(2.0)	(2.0)	3.3	4.2	4.5
	2023	4.5	4.2	3.6	(3.0)	(2.2)	(2.4)	(4.6)	(3.5)	(2.4)	4.2	4.3	4.8

地方時の 12 時における f_0F2 の各月別中央値(MHz)

観測所名	年＼月	1	2	3	4	5	6	7	8	9	10	11	12
東　京	2013	8.2	8.9	10.0	10.4	9.0	7.2	7.2	7.6	8.0	10.3	10.6	9.4
(国分寺)	2014	9.1	12.1	12.2	11.7	9.4	7.3	8.0	7.3	9.1	11.5	11.4	11.1
35°43′N	2015	9.8	11.4	11.4	11.2	8.8	7.1	6.6	6.2	6.8	9.0	8.4	8.2
139°29′E	2016	7.9	9.2	9.0	8.0	6.4	5.6	5.4	5.8	6.8	7.8	7.1	6.4
	2017	6.3	7.5	7.5	6.6	5.7	5.1	5.4	5.2	6.4	7.9	6.8	6.2
	2018	6.0	6.2	6.9	6.6	5.3	5.1	5.1	5.0	5.2	6.6	5.9	5.6
	2019	5.6	6.0	6.2	6.2	5.3	5.0	5.3	4.8	5.4	6.9	5.7	5.4
	2020	5.5	5.8	6.4	5.8	5.1	5.1	5.3	5.2	5.3	6.7	6.2	6.6
	2021	5.8	6.6	7.6	6.6	5.4	5.8	5.6	5.6	6.4	8.0	7.4	7.3
	2022	7.6	8.9	10.0	10.2	8.6	6.8	6.8	6.7	8.0	10.6	9.9	9.4
	2023	10.2	11.8	13.0	12.4	9.5	8.6	8.7	8.7	10.2	12.0	11.7	10.5
Chumphon	2013	8.4	8.2	8.9	9.2	9.4	8.5	8.2	8.4	8.0	9.3	9.7	10.0
10°43′N	2014	8.9	9.8	10.2	10.5	9.3			8.8	9.9	10.3	10.6	10.4
99°22′E	2015	9.6	10.6	9.8	9.6								
	2016	(8.7)	8.8	8.4	7.8	7.6	6.6	6.4				7.7	
	2017			6.55									
	2018			7.0	6.6	6.4	6.0	5.2	(5.8)				
	2019	(5.5)	6.2	5.9	6.4	6.2	5.5	(5.3)	5.4	5.8	6.0		(6.0)
	2020	6.5	6.7	6.1	6.4	(6.0)	5.6	5.6	5.6			7.3	6.9
	2021	6.4	6.6	7.0	(7.0)								
	2022									10.2	9.8	9.6	9.6
	2023	9.1	9.6	9.5	9.3					(9.4)	9.4	9.7	9.5
南極昭和基地	2013	7.6	6.4	7.2	8.0	7.4	5.0	5.2	6.4	7.0	8.2	7.8	8.2
69°00′S	2014	7.4	8.0	9.8	9.4	6.9	5.5	5.7	6.6	7.1	7.7	6.7	6.4
39°35′E	2015	6.6	7.2	7.2	8.2	7.0	5.5	5.2	5.8	6.0	6.8	6.6	6.4
	2016	6.2	6.0	6.2	5.5	5.3	4.1	4.4	5.1	5.4	5.3	5.4	5.2
	2017	4.9	4.8	4.6	4.6	4.6	3.7	3.6	4.4	5.0	4.8	5.0	5.4
	2018	4.8	4.7	4.3	4.5	4.6	3.4	3.6	4.1	4.2	4.5	4.4	4.6
	2019	4.4	4.0	4.1	4.5	4.2	3.2	3.2	4.0	4.3	4.2	4.6	4.8
	2020	4.7	4.5	4.4	4.2	4.4	3.3	3.4	4.1	4.2	4.4	5.1	5.3
	2021	5.0	4.6	4.7	4.5	4.9	4.1	4.0	4.4	5.2	5.1	5.0	5.3
	2022	5.5	5.6	6.2	5.8	6.9		5.2	5.6	6.4	6.8	6.2	6.0
	2023	6.6	6.8	7.6	7.4	7.4	6.2	6.4	8.0	7.3	8.8	7.2	6.8

地第 72 図　太陽活動極小期*における f_0E(MHz)の世界分布図

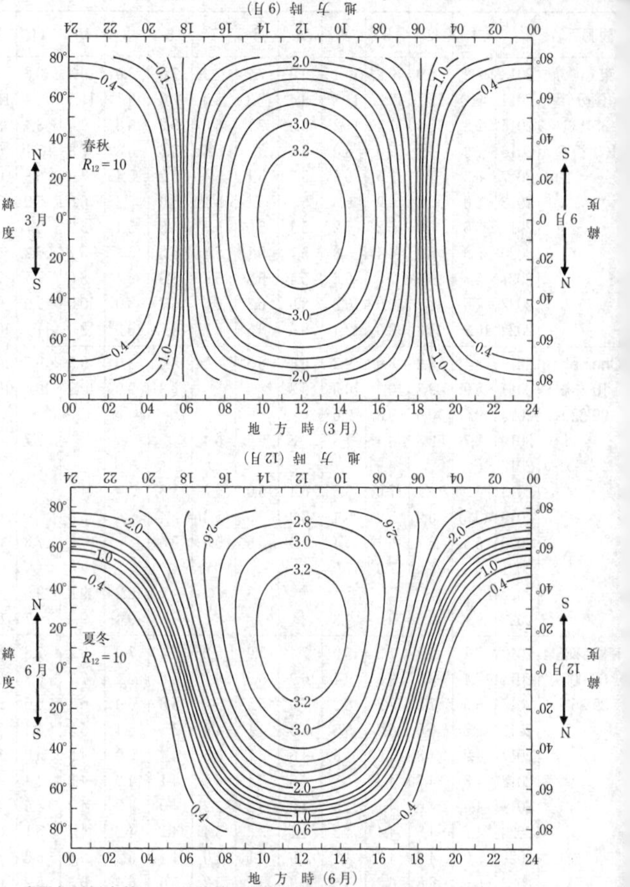

*　太陽相対黒点数 12 ヵ月移動平均値 $R_{12}=10$．これは波長 10.7 cm の太陽電波強度指数の月平均値 $\phi \approx 70$ に相当する．

地第72図のf_0E世界分布図モデルはCCIR Rep. 340－4に準じたものでつぎのとおりである．太陽相対黒点数12ヵ月移動平均値R_{12}．波長10.7 cm太陽電波強度指数月平均値ϕ，太陽の赤緯δ(°)のとき，地理緯度λ(°)，太陽天頂角χ(°)の地点でのf_0Eは次式で与えられる．

$$\phi = R_{12} + 46 + 23\exp(-0.05\,R_{12})$$

$$f_0\mathrm{E(MHz)} = [\{1 + 0.0094(\phi - 66)\}\cdot(\cos N)^m\cdot(92 + 35\cos\lambda)\cdot D]^{0.25}$$

$$\begin{cases} N\,(°) = \lambda - \delta, & \cdots\cdots|\lambda-\delta| < 80 \\ N\,(°) = 80, & \cdots\cdots|\lambda-\delta| \geqq 80 \end{cases}$$

$$m = 0.11 - 0.49\cos\lambda$$

$$\begin{cases} D = (\cos\chi)^{1.2} & \cdots\cdots\chi \leq 73 \\ D = [\cos\{\chi - 6.27\times10^{-13}(\chi-50)^{8.20}\}]^{1.2} & \cdots\cdots 73 < \chi < 90 \\ D = (0.072)^{1.2}\cdot\exp(25.2 - 0.28\,\chi) & \cdots\cdots 90 \leq \chi \end{cases}$$

中低緯度におけるf_0Es(>7 MHz)の発生時間確率(%)の世界分布図*

地第73図

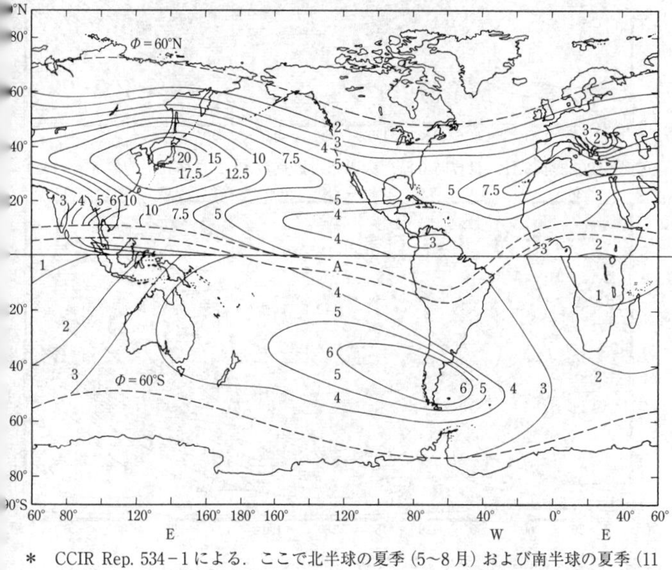

＊　CCIR Rep. 534－1による．ここで北半球の夏季（5～8月）および南半球の夏季（11～2月）における時間発生確率が示されており，磁気赤道地帯（A）および高緯度地域（磁気緯度　$\Phi \geqq 60°$）は除外されている．

春季（2023年3月）および夏季（2023年6月）における f_0F2(MHz）の世界分布図*

地第74図

春季（2023年3月，世界時0時，太陽相対黒点数12ヵ月移動平均値 $R_{12}=94$）

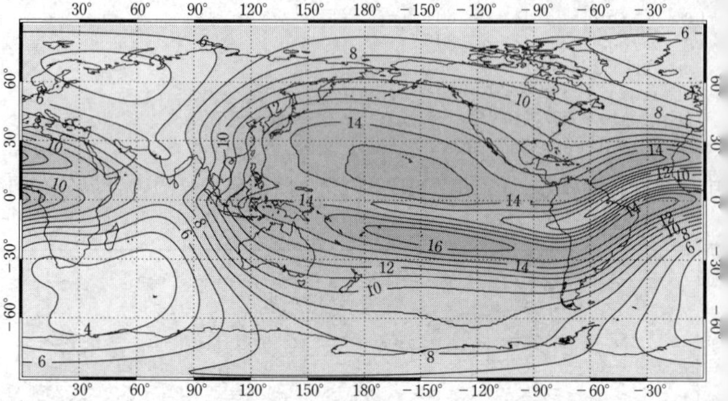

夏季（2023年6月，世界時0時，太陽相対黒点数12ヵ月移動平均値 $R_{12}=112$）

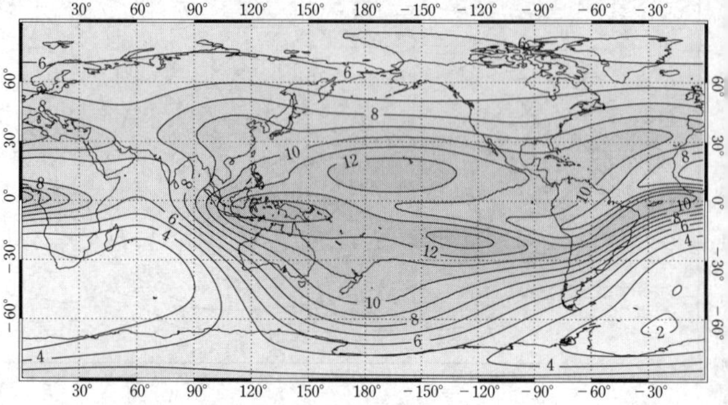

* 国際標準電離圏モデル（IRI-2016）に基づく．

秋季（2023 年 9 月）および冬季（2023 年 12 月）における f_0F2(MHz) の世界分布図*

地第 75 図

秋季（2023 年 9 月，世界時 0 時，太陽相対黒点数 12 ヵ月移動平均値 R_{12} = 130）

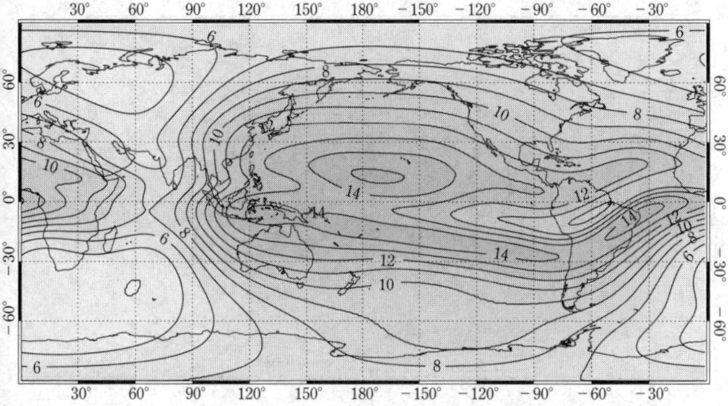

冬季（2023 年 12 月，世界時 0 時，太陽相対黒点数 12 ヵ月移動平均値 R_{12} = 142）

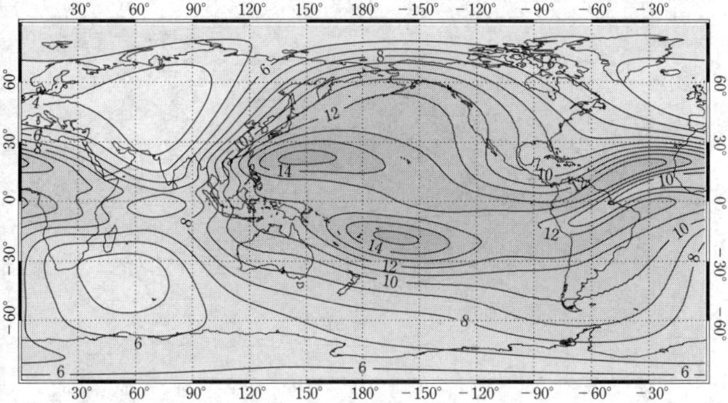

*　国際標準電離圏モデル（IRI-2016）に基づく．

春季（2023 年 3 月）および夏季（2023 年 6 月）における電離圏全電子数（10^{16} 個/m^2）の世界分布図*

地第 76 図

春季（2023 年 3 月平均，世界時 0～2 時）

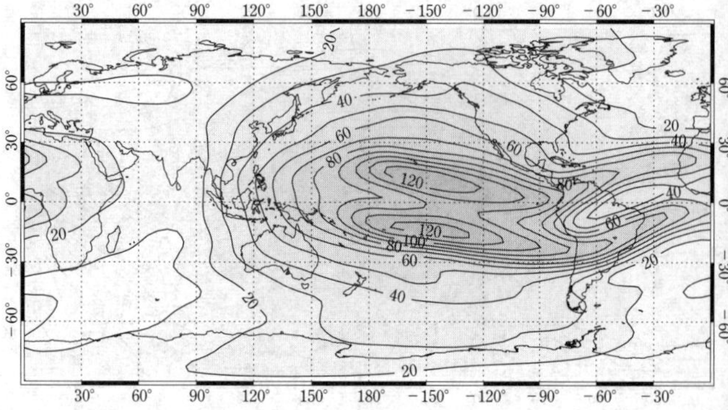

夏季（2023 年 6 月平均，世界時 0～2 時）

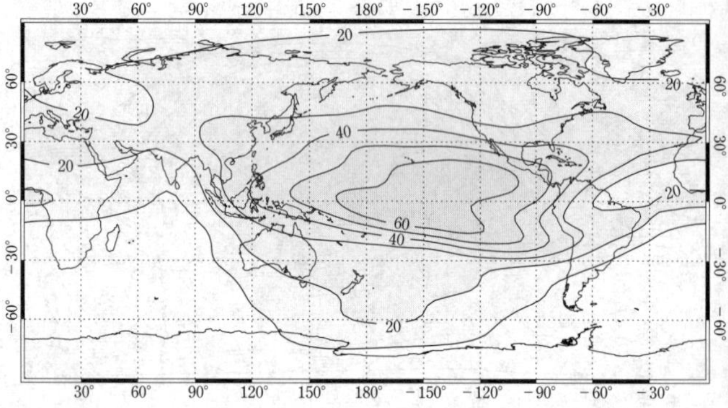

*　国際 GNSS 事業（IGS）が提供する GNSS 受信機網を利用した電離圏全電子数観測値に基づく．

秋季（2023 年 9 月）および冬季（2023 年 12 月）における電離圏全電子数（10^{16} 個/m^2）の世界分布図*

地第 77 図

秋季（2023 年 9 月平均，世界時 0～2 時）

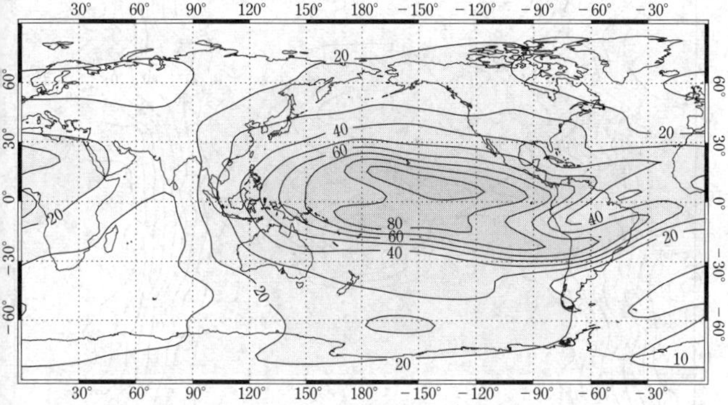

冬季（2023 年 12 月平均，世界時 0～2 時）

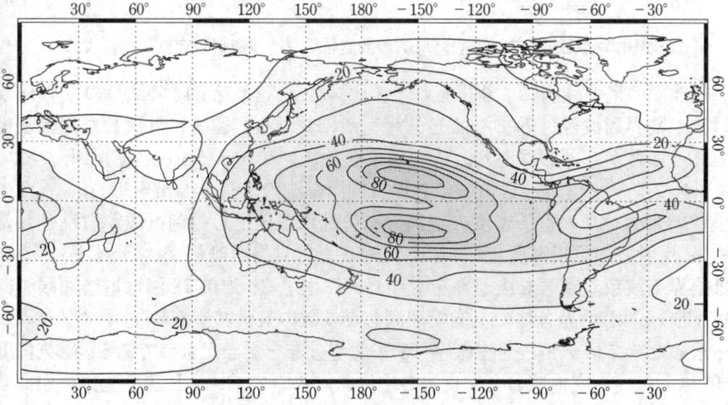

＊ 国際 GNSS 事業（IGS）が提供する GNSS 受信機網を利用した電離圏全電子数観測値に基づく．

トップサイド・スプレッドF発生確率(%)の世界分布図*

地第78図

1978年8月〜12月

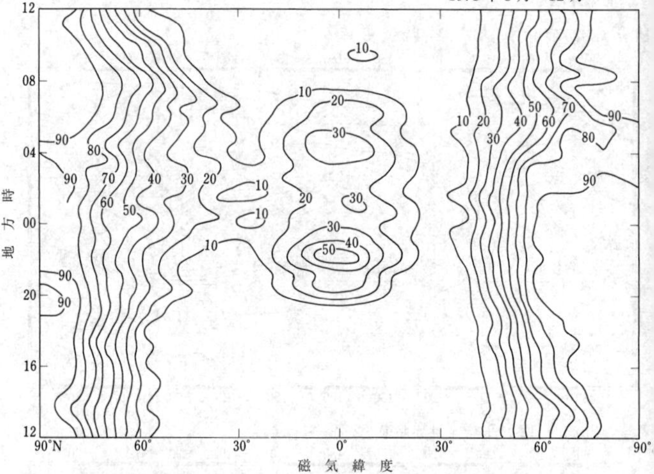

*　わが国の電離圏観測衛星（ISS-b）の観測結果（情報通信研究機構）による.

電離圏の電波観測により得られるイオノグラム(地第64図参照)のF領域反射波が臨界周波数付近またはF領域全般にわたって顕著に拡散した記録が得られることがしばしばあり，この現象をスプレッドF(Spread-F)と呼んでいる. スプレッドFは，F領域において観測電波の波長（10 m〜300 m）程度の小さいスケールの電子密度の空間分布に乱れが発生し観測電波が散乱される結果, 反射波の見掛高度(ボトムサイド)または見掛距離(トップサイド)あるいは臨界周波数が顕著な広がりをもつために生ずる. 地第78図は電離圏観測衛星（ISS-b）が世界各地の上空で観測した多数のトップサイド・イオノグラムから求めたスプレッドF発生確率(%)の世界分布を示したものである. 磁気緯度60°以上の高緯度地域および夜間の磁気赤道域でスプレッドF発生確率が高くなっている.

電離圏・宇宙天気に関する世界資料センター

国際地球観測年（IGY：1957～1958）に際し，世界各国の電離層観測所（約50ヵ所）の資料を集積，交換し，研究者の利用に供するため，国際学術連合（ICSU）の勧告により世界資料センター（WDC：World Data Center）が国際地球観測特別委員会（CSAGI）により1957年に設立された．2008年には近年の情報科学技術の進歩や，分野を横断したデータ利用などへの対応のために，WDCを発展的に解消して，世界データシステム（WDS：World Data System）が設立された．わが国では，国立研究開発法人情報通信研究機構が電離圏・宇宙天気に関する世界資料センターを運用している．

国際宇宙環境サービス日本地域警報センター

太陽活動，地磁気活動および電離圏擾乱を含む太陽地球環境に関する諸情報を国際的に交換し，宇宙環境擾乱および電波伝搬擾乱の予報・警報資料として利用するため，国際宇宙環境サービス（ISES：International Space Environment Service）機関がIGY以後の1962年に組織され，現在も活動が続けられている．わが国では，国立研究開発法人情報通信研究機構がISESの地域警報センターを分担している．

ICAO グローバル宇宙天気センター

国連の専門機関の一つ，国際民間航空機関（ICAO）では民間航空における短波通信，衛星通信，衛星測位，被ばくに対する宇宙天気の影響を検討してきた．そのリスクに備えるため，ICAO グローバル宇宙天気センターを定め，2019年11月7日より運用を開始した．国立研究開発法人情報通信研究機構はICAO グローバル宇宙天気センターの一員として承認され，民間航空会社に現況および最大24時間後までの予測情報を提供している．

宇宙天気予報

国立研究開発法人情報通信研究機構では，以下のURLにおいて宇宙天気予報を公開している．

https://www.nict.go.jp（情報通信研究機構ウェブサイトよりリンク）

生　物　部

生物のかたちと系統

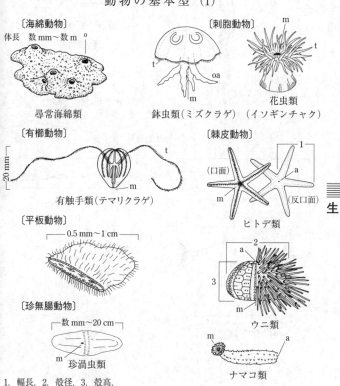

動物の基本型 (1)

〔海綿動物〕

体長　数 mm～数 m

尋常海綿類

〔刺胞動物〕

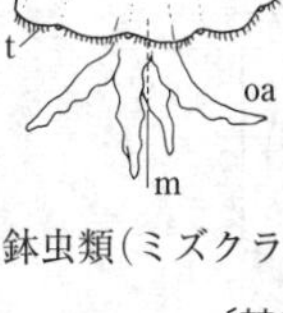

鉢虫類(ミズクラゲ)

花虫類
(イソギンチャク)

〔有櫛動物〕

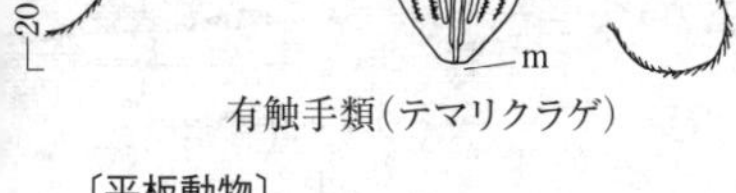

有触手類(テマリクラゲ)

〔平板動物〕

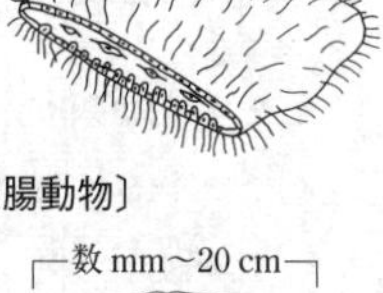

〔珍無腸動物〕

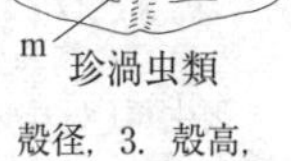

珍渦虫類

〔棘皮動物〕

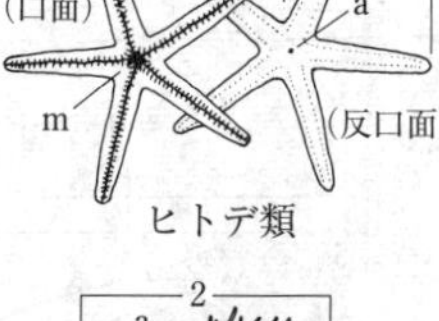

ヒトデ類

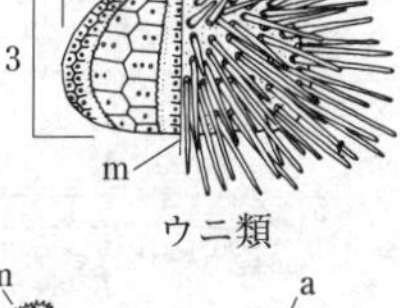

ウニ類

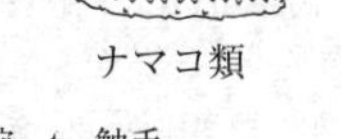

ナマコ類

1. 輻長, 2. 殻径, 3. 殻高,
a. 肛門の位置, m. 口の位置, o. 出水口, oa. 口腕, t. 触手

動物の基本型 (2)

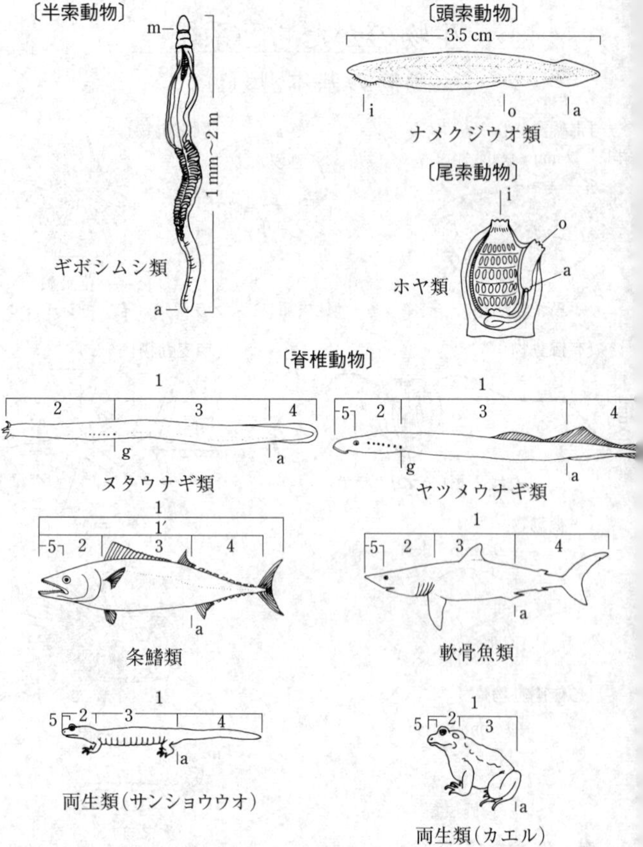

1. 全長，1′. 標準体長，2. 頭部，3. 胴部，4. 尾部，5. 吻，a. 肛門の位置，g. 鰓孔，i. 入水口，m. 口の位置，o. 出水口

動物の基本型 (3)

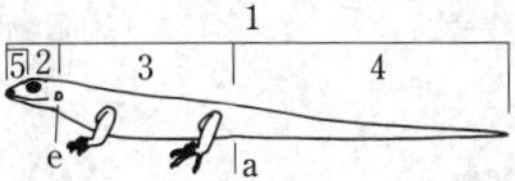

爬虫類(トカゲ)

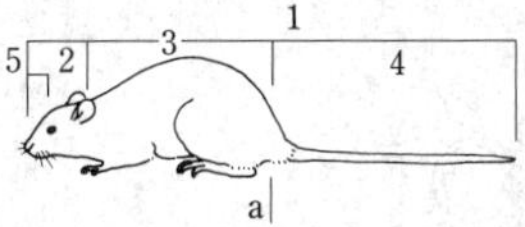

哺乳類

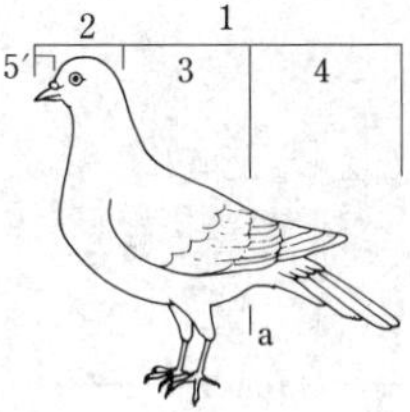

鳥　類

〔毛顎動物〕

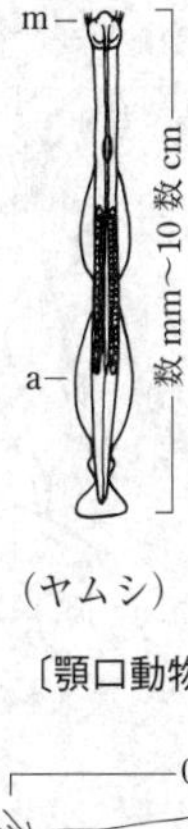

(ヤムシ)

〔二胚動物〕

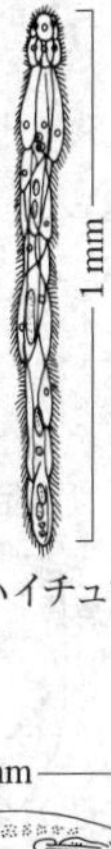

(ニハイチュウ)

〔直泳動物〕

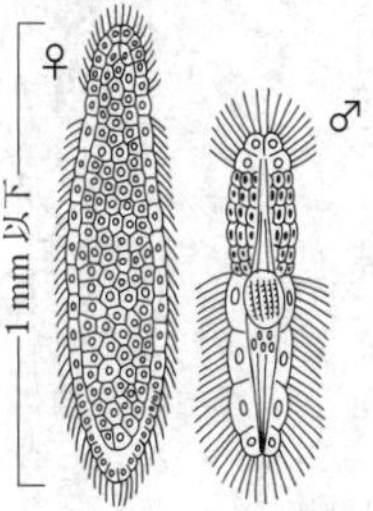

〔扁形動物〕

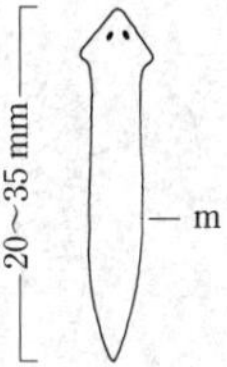

三岐腸類
(プラナリア)

〔腹毛動物〕

イタチムシ類

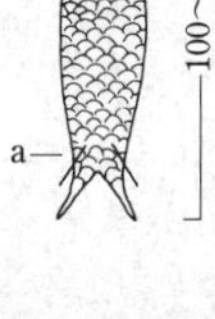

〔顎口動物〕

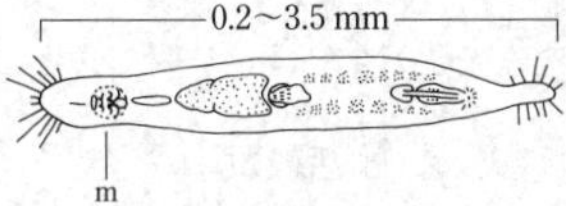

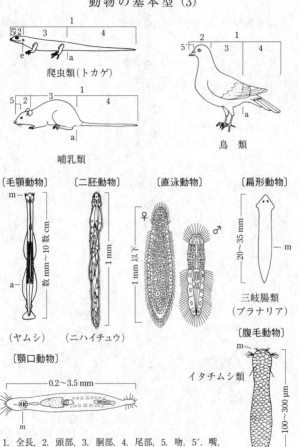

1. 全長, 2. 頭部, 3. 胴部, 4. 尾部, 5. 吻, 5′. 嘴,
a. 肛門または総排出口の位置, e. 耳孔, m. 口の位置

動物の基本型 (4)

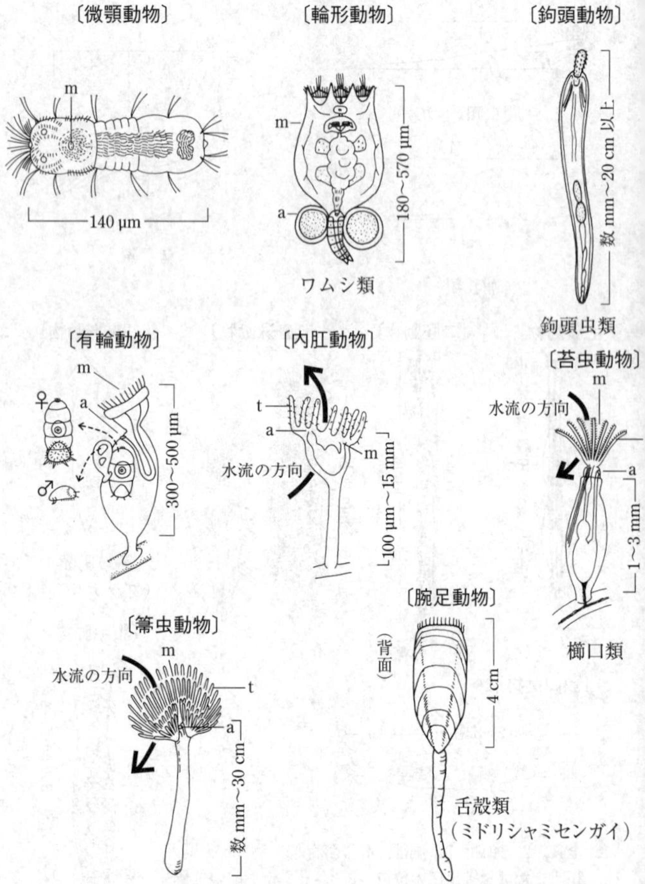

a. 肛門の位置, m. 口の位置, t. 触手

動物の基本型 (5)

〔紐形動物〕

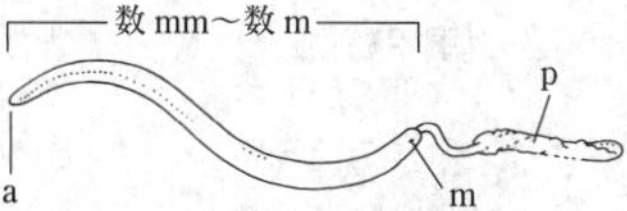

〔軟体動物〕

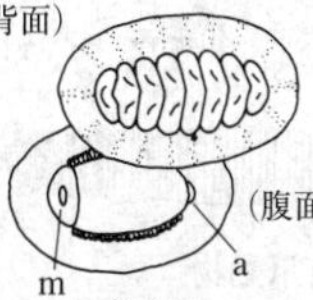

多板類

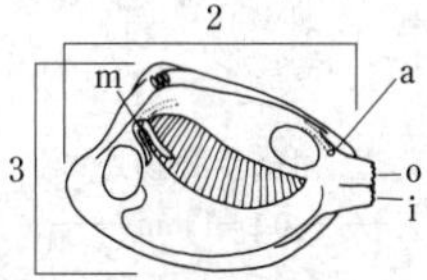

二枚貝類

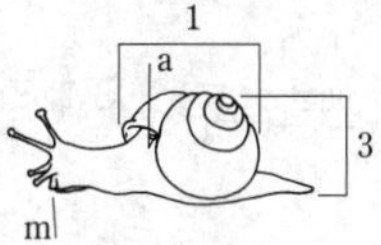

腹足類

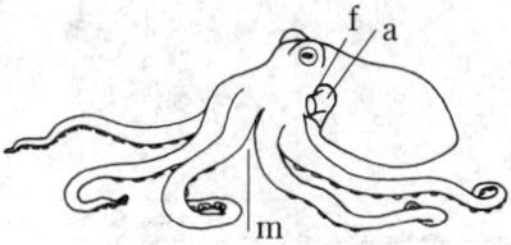

頭足類

〔環形動物〕

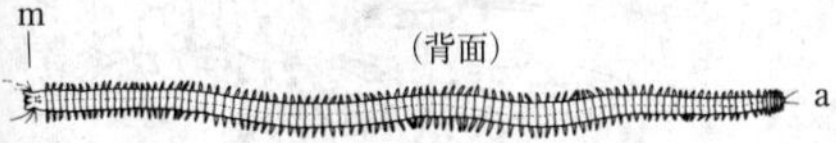

サシバゴカイ類(ゴカイ)

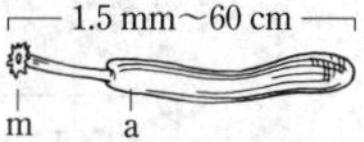

ホシムシ類

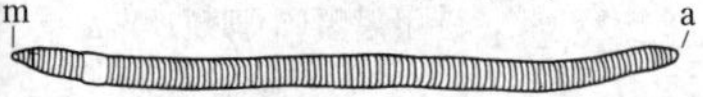

環帯類(ミミズ)

〔類線形動物〕

〔線形動物〕

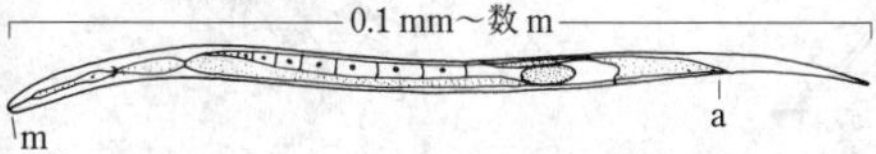

体長　2.2 mまで

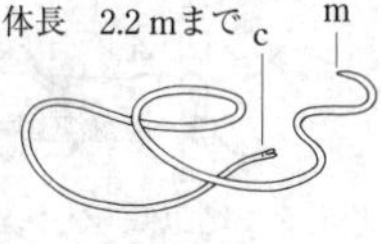

1. 殻径，2. 殻長，3. 殻高，a. 肛門の位置，c. 総排出口，f. 漏斗，i. 入水口，m. 口の位置，o. 出水口，p. 吻

動物の基本型 (6)

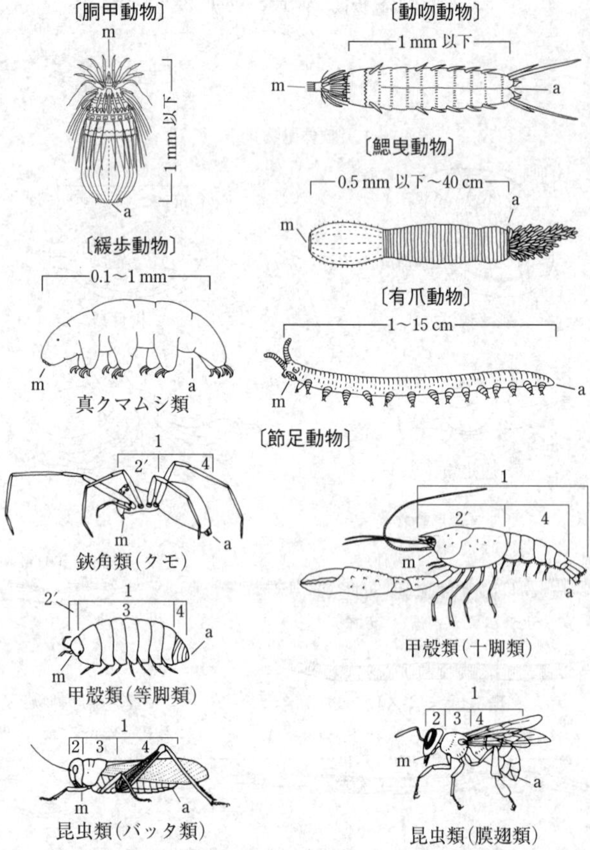

1. 全長, 2. 頭部, 2′. 頭胸部, 3. 胸部, 4. 腹部, a. 肛門の位置, m. 口の位置

菌類の基本型

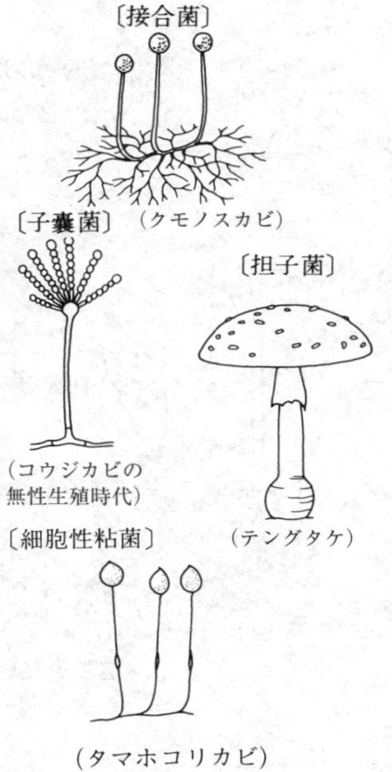
〔接合菌〕
(クモノスカビ)
〔子嚢菌〕
(コウジカビの
無性生殖時代)
〔担子菌〕
(テングタケ)
〔細胞性粘菌〕
(タマホコリカビ)

生活環

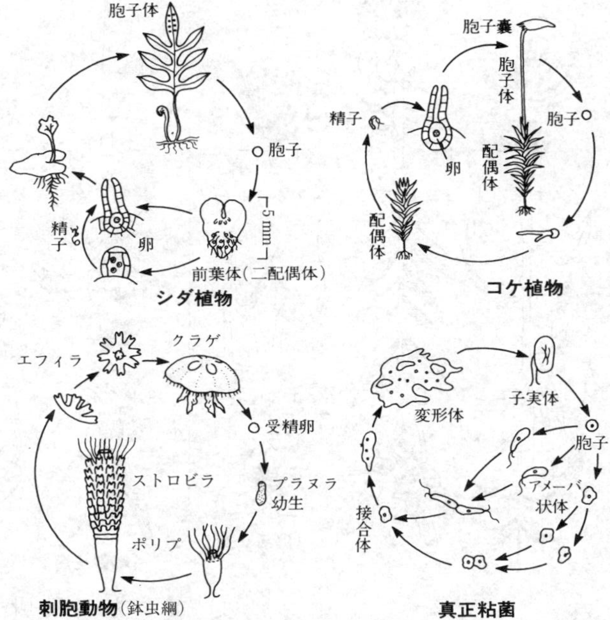
胞子体
胞子
5 mm
前葉体(二配偶体)
卵
精子
シダ植物
胞子嚢
胞子体
胞子
配偶体
卵
精子
配偶体
コケ植物
エフィラ
クラゲ
受精卵
プラヌラ
幼生
ストロビラ
ポリプ
刺胞動物(鉢虫綱)
子実体
変形体
胞子
アメーバ
状体
接合体
真正粘菌

植物の基本型 (1)

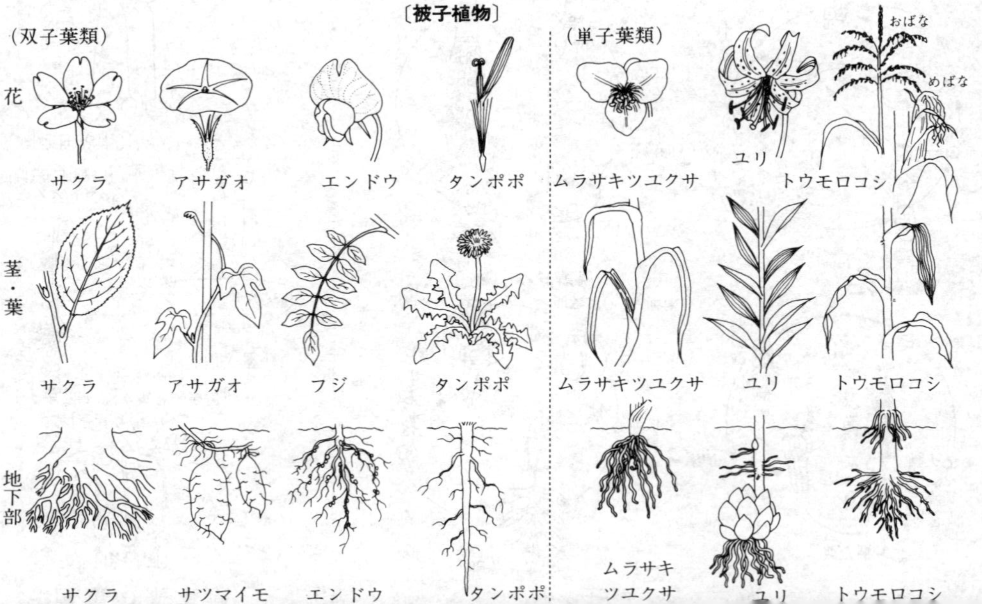
〔被子植物〕
(双子葉類)
(単子葉類)
花
サクラ
アサガオ
エンドウ
タンポポ
ムラサキツユクサ
ユリ
おばな
めばな
トウモロコシ
茎・葉
サクラ
アサガオ
フジ
タンポポ
ムラサキツユクサ
ユリ
トウモロコシ
地下部
サクラ
サツマイモ
エンドウ
タンポポ
ムラサキツユクサ
ユリ
トウモロコシ

植物の基本型 (2)

〔被子植物〕

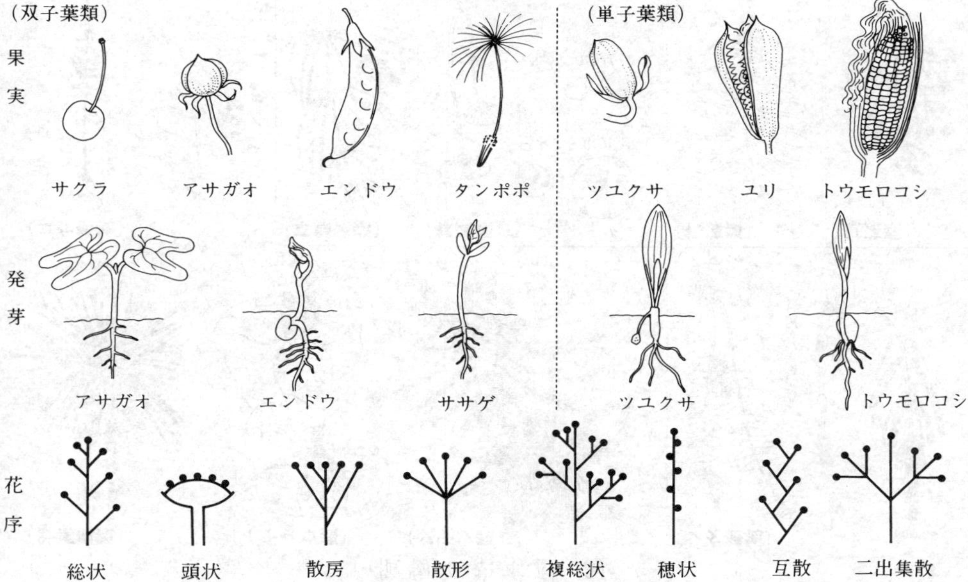

植物の基本型（3）

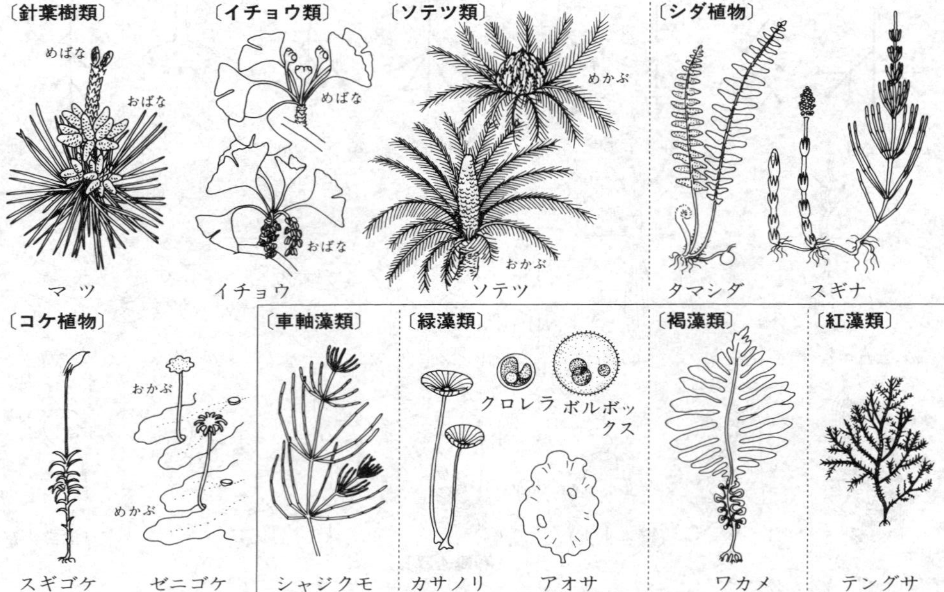

原生生物（藻類）の基本型

生物の系統（Spang et al., 2022 ほかをもとに角井敬知作図）

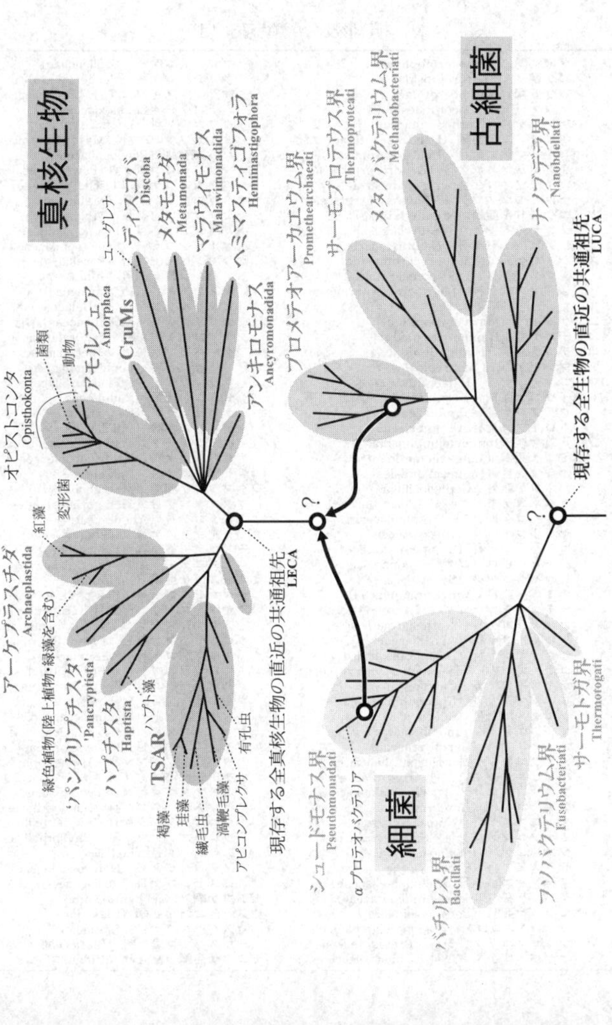

真核生物
アーケプラスチダ
Archaeplastida
紅藻
緑色植物(陸上植物・緑藻を含む)
'パンクリプチスタ'
'Pancryptista'
ハプチスタ
Haptista
ハプト藻
TSAR
褐藻
珪藻
繊毛虫
渦鞭毛藻
アピコンプレクサ
有孔虫
変形菌
オピストコンタ
Opisthokonta
動物
菌類
アモルフェア
Amorphea
CruMs
ユーグレナ
ディスコバ
Discoba
メタモナダ
Metamonada
マラウィモナス
Malawimonadida
ヘミマスティゴフォラ
Hemimastigophora
アンキロモナス
Ancyromonadida
現存する全真核生物の直近の共通祖先
LECA
?
プロメテオアーカエウム界
Promethearchaeati
サーモプロテウス界
Thermoproteati
メタノバクテリウム界
Methanobacteriati
ナノブデラ界
Nanobdellati
古細菌
現存する全生物の直近の共通祖先
LUCA
?
シュードモナス界
Pseudomonadati
αプロテオバクテリア
細菌
サーモトガ界
Thermotogati
フソバクテリウム界
Fusobacteriati
バチルス界
Bacillati

植物分類表 (1)

ツノゴケ植物門 (Anthocerotophyta)
ツノゴケ綱 (Anthocerotopsida)
ツノゴケ亜綱 (Anthocerotidae)
ツノゴケ目 (Anthocerotales)
ツノゴケ科 (Anthocerotaceae)
キノボリツノゴケ亜綱 (Dendrocerotidae)
キノボリツノゴケ目 (Dendrocerotales)
キノボリツノゴケ科 (Dendrocerotaceae)
ナガイモツノゴケ目 (Phymatocerotales)
ナガイモツノゴケ科 (Phymatocerotaceae)
ツノゴケモドキ亜綱 (Notothylatidae)
ツノゴケモドキ目 (Notothyladales)
ツノゴケモドキ科 (Notothyladaceae)
スジツノゴケ綱 (Leiosporocerotopsida)
スジツノゴケ目 (Leiosporocerotales)
スジツノゴケ科 (Leiosporocerotaceae)

ゼニゴケ植物門 (Marchantiophyta)
コマチゴケ綱 (Haplomitriopsida)
コマチゴケ亜綱 (Haplomitriidae)
コマチゴケ目 (Calobryales)
コマチゴケ科 (Haplomitriaceae)
トロイブゴケ亜綱 (Treubiidae)
トロイブゴケ目 (Treubiales)
トロイブゴケ科 (Treubiaceae)
ツボミゴケ綱 (Jungermanniopsida)
ツボミゴケ亜綱 (Jungermanniidae)
ツボミゴケ目 (Jungermanniales)
ヤバネゴケ亜目 (Cephaloziineae)
ケハネゴケモドキ科 (Adelanthaceae)
アミバゴケ科 (Anastrophyllaceae)
ヤバネゴケ科 (Cephaloziaceae)
コヤバネゴケ科 (Cephaloziellaceae)
イチョウウロコゴケ科 (Lophoziaceae)
ヒシャクゴケ科 (Scapaniaceae)
ツボミゴケ亜目 (Jungermanniineae)
チチブイチョウゴケ科 (Acrobolbaceae)
カサナリゴケ科 (Antheliaceae)
アルネルゴケ科 (Arnelliaceae)
ヤクシマゴケ科 (Balantiopsidaceae)
コオイゴケモドキ科 (Blepharidophyllaceae)
ツキヌキゴケ科 (Calypogeiaceae)
エンドゲンマ科 (Endogemmataceae)
ソコマメゴケ科 (Geocalycaceae)
ミゾゴケ科 (Gymnomitriaceae)
ネジミゴケ科 (Gyrothyraceae)
カマウロコゴケ科 (Harpanthaceae)
エゾヒメヤバネゴケ科 (Hygrobiellaceae)
タカサゴソコマメゴケ科 (Jackiellaceae)
ツボミゴケ科 (Jungermanniaceae)
キウロコゴケ科 (Notoscyphaceae)
イボソコマメゴケ科 (Saccogynaceae)
ソロイゴケ科 (Solenostomataceae)
サウスビア科 (Southbyaceae)
ステファニエラ科 (Stephaniellaceae)
ケバゴケ科 (Trichotemnomataceae)
ウロコゴケ亜目 (Lophocoleineae)
マツバウロコゴケ科 (Blepharostomataceae)
ソコマメゴケダマシ科 (Brevianthaceae)
コヤバネゴケモドキ科 (Chonecoleaceae)
グローレゴケ科 (Grolleaceae)
キリシマゴケ科 (Herbertaceae)
ヤクシマスギバゴケ科 (Lepicoleaceae)
ムチゴケ科 (Lepidoziaceae)
ウロコゴケ科 (Lophocoleaceae)
オオサワラゴケ科 (Mastigophoraceae)
ハネゴケ科 (Plagiochilaceae)
マツバウロコゴケ科 (Pseudolepicoleaceae
ムクムクゴケ科 (Trichocoleaceae)
カタウロコゴケ亜目 (Myliineae)
カタウロコゴケ科 (Myliaceae)
ペルソンゴケ亜目 (Perssoniellineae)
ペルソンゴケ科 (Schistochilaceae)
クラマゴケモドキ目 (Porellales)
ヒメウルシゴケ亜目 (Jubulineae)
ヤステゴケ科 (Frullaniaceae)
ヒメウルシゴケ科 (Jubulaceae)
クサリゴケ科 (Lejeuneaceae)
クラマゴケモドキ亜目 (Porellineae)
ゲーベルゴケ科 (Goebeliellaceae)
サワラゴケ科 (Lepidolaenaceae)
クラマゴケモドキ科 (Porellaceae)
ケビラゴケ亜目 (Radulineae)
ケビラゴケ科 (Radulaceae)
テガタゴケ科 (Ptilidiales)
ヘルツォークゴケ科 (Herzogianthaceae)
サワラゴケ科 (Neotrichocoleaceae)
テガタゴケ科 (Ptilidiaceae)
フタマタゴケ亜綱 (Metzgeriidae)
フタマタゴケ目 (Metzgeriales)
スジゴケ科 (Aneuraceae)
フタマタゴケ科 (Metzgeriaceae)
ミズゴケモドキ目 (Pleuroziales)
ミズゴケモドキ科 (Pleuroziaceae)
ミズゼニゴケ亜綱 (Pelliidae)
ウロコゼニゴケ目 (Fossombroniales)
ミヤマミズゼニゴケ亜目 (Calyculariineae)
ミヤマミズゼニゴケ科 (Calyculariaceae)
ウロコゼニゴケ亜目 (Fossombroniineae)
アリソンゴケ科 (Allisoniaceae)
ウロコゼニゴケ科 (Fossombroniaceae)
ハナビラゼニゴケ科 (Petalophyllaceae)
マキノゴケ亜目 (Makinoiineae)
マキノゴケ科 (Makinoaceae)
クモノスゴケ目 (Pallaviciniales)
クモノスゴケ亜目 (Pallaviciniineae)
コケシノブダマシ科 (Hymenophytaceae)
チヂレヤハズゴケ科 (Moerckiaceae)
クモノスゴケ科 (Pallaviciniaceae)
ヤマトヤハズゴケ科 (Sandeothallaceae)
ウロコゴケダマシ亜目 (Phyllothalliineae)
ウロコゴケダマシ科 (Phyllothalliaceae)
ミズゼニゴケ目 (Pelliales)
ノテロクラダ科 (Noterocladaceae)
ミズゼニゴケ科 (Pelliaceae)
ゼニゴケ綱 (Marchantiopsida)
ウスバゼニゴケ亜綱 (Blasiidae)
ウスバゼニゴケ目 (Blasiales)
ウスバゼニゴケ科 (Blasiaceae)
ゼニゴケ亜綱 (Marchantiidae)

植物分類表 (2)

ミカヅキゼニゴケ目 (Lunulariales)
ミカヅキゼニゴケ科 (Lunulariaceae)
ゼニゴケ目 (Marchantiales)
ジンガサゴケ科 (Aytoniaceae)
ジンチョウゴケ科 (Cleveaceae)
ジャゴケ科 (Conocephalaceae)
ゼニゴケモドキ科 (Corsiniaceae)
ヒカリゼニゴケ科 (Cyathodiaceae)
ケゼニゴケ科 (Dumortieraceae)
ジャゴケモドキ科 (Exormothecaceae)
ゼニゴケ科 (Marchantiaceae)
ミミカキゴケ科 (Monocleaceae)
ヤワラゼニゴケ科 (Monosoleniaceae)
ハタケゴケモドキ科 (Oxymitraceae)
ウキゴケ科 (Ricciaceae)
ハマグリゼニゴケ科 (Targioniaceae)
アズマゼニゴケ科 (Wiesnerellaceae)
ホジソンゴケ目 (Neohodgsoniales)
ホジソンゴケ科 (Neohodgsoniaceae)
ダンゴゴケ目 (Sphaerocarpales)
アワゼニゴケ科 (Monocarpaceae)
リエラゴケ科 (Riellaceae)
ダンゴゴケ科 (Sphaerocarpaceae)

蘚植物門 (Bryophyta)
ナンジャモンジャゴケ亜門 (Takakiophytina)
ナンジャモンジャゴケ綱 (Takakiopsida)
ナンジャモンジャゴケ目 (Takakiales)
ナンジャモンジャゴケ科 (Takakiaceae)
ミズゴケ亜門 (Sphagnophytina)
ミズゴケ綱 (Sphagnopsida)
ミズゴケ目 (Sphagnales)
ミズゴケ科 (Sphagnaceae)
ムカシミズゴケ目 (Ambuchananiales)
ムカシミズゴケ科 (Ambuchananiaceae)
マゴケ亜門 (Bryophytina)
クロゴケ綱 (Andreaeopsida)
クロゴケ亜綱 (Andreaeidae)
クロゴケ目 (Andreaeales)
クロゴケ科 (Andreaeaceae)
クロマゴケ亜綱 (Andreaeobryidae)
クロマゴケ目 (Andreaeobryales)
クロマゴケ科 (Andreaeobryaceae)
イシヅチゴケ綱 (Oedipodiopsida)
イシヅチゴケ目 (Oedipodiales)
イシヅチゴケ科 (Oedipodiaceae)
ヨツバゴケ綱 (Tetraphidopsida)
ヨツバゴケ目 (Tetraphidales)
ヨツバゴケ科 (Tetraphidaceae)
スギゴケ綱 (Polytrichopsida)
スギゴケ目 (Polytrichales)
スギゴケ科 (Polytrichaceae)
マゴケ綱 (Bryopsida)
キセルゴケ亜綱 (Buxbaumiidae)
キセルゴケ目 (Buxbaumiales)
キセルゴケ科 (Buxbaumiaceae)
イクビゴケ亜綱 (Diphysciidae)
イクビゴケ目 (Diphysciales)
イクビゴケ科 (Diphysciaceae)
クサスギゴケ亜綱 (Timmiidae)
クサスギゴケ目 (Timmiales)
クサスギゴケ科 (Timmiaceae)
ヤリカツギ亜綱 (Encalyptidae)
ヤリカツギ目 (Encalyptales)
ヤリカツギ科 (Encalyptaceae)
ヒョウタンゴケ亜綱 (Funariidae)
ヒョウタンゴケ目 (Funariales)
ヒョウタンゴケ科 (Funariaceae)
ヨレエゴケ科 (Disceliaceae)
ハイツボゴケ亜綱 (Gigaspermidae)
ハイツボゴケ目 (Gigaspermales)
ハイツボゴケ科 (Gigaspermaceae)
シッポゴケ亜綱 (Dicranidae)
ゴルフクラブゴケ目 (Catoscopiales)
ゴルフクラブゴケ科 (Catoscopiaceae)
クロカワナガレゴケ目 (Scouleriales)
オオミゴケ科 (Drummondiaceae)
クロカワナガレゴケ科 (Scouleriaceae)
エビゴケ目 (Bryoxiphiales)
エビゴケ科 (Bryoxiphiaceae)
ギボウシゴケ目 (Grimmiales)
ギボウシゴケ科 (Grimmiaceae)
チヂレゴケ科 (Ptychomitriaceae)
キヌシッポゴケ科 (Seligeriaceae)
ツチゴケ目 (Archidiales)
ツチゴケ科 (Archidiaceae)
ミナミヒカリゴケ目 (Mitteniales)
ミナミヒカリゴケ科 (Mitteniaceae)
シッポゴケ目 (Dicranales)
イヌカメゴケ科 (Amphidiaceae)
ハタキゴケ科 (Aongstroemiaceae)
ブルッフゴケ科 (Bruchiaceae)
カタシロゴケ科 (Calymperaceae)
シッポゴケ科 (Dicranaceae)
ススキゴケ科 (Dicranellaceae)
キンシゴケ科 (Ditrichaceae)
ヒナノハイゴケ科 (Erpodiaceae)
エビゴケモドキ科 (Eustichiaceae)
ホウオウゴケ科 (Fissidentaceae)
シラガゴケ科 (Leucobryaceae)
コブゴケ科 (Oncophoraceae)
キブネゴケ科 (Rhachitheciaceae)
ヒカリゴケ科 (Schistostegaceae)
エツキカゲロウゴケ科 (Viridivelleraceae)
ワーディア科 (Wardiaceae)
センボンゴケ目 (Pottiales)
カゲロウゴケ科 (Ephemeraceae)
ニセカタシロゴケ科 (Hypodontiaceae)
ツヤサワゴケ科 (Pleurophascaceae)
センボンゴケ科 (Pottiaceae)
ハイヨリイトゴケ科 (Serpotortellaceae)
マゴケ亜綱 (Bryidae)
ヒジキゴケ目 (Hedwigiales)
ブリオウィーキア科 (Bryowijkiaceae)
ヒジキゴケ科 (Hedwigiaceae)
ミナミヒジキゴケ科 (Rhacocarpaceae)
ホゴケモドキ目 (Helicophyllales)
ホゴケモドキ科 (Helicophyllaceae)
タマゴケ目 (Bartramiales)
タマゴケ科 (Bartramiaceae)

植物分類表 (3)

オオツボゴケ目 (Splachnales)
　ヌマチゴケ科 (Meesiaceae)
　オオツボゴケ科 (Splachnaceae)
マゴケ目 (Bryales)
　ハリガネゴケ科 (Bryaceae)
　ハリヤマゴケ科 (Leptostomataceae)
　チョウチンゴケ科 (Mniaceae)
　カタフチゴケ科 (Phyllodrepaniaceae)
　ニセキンシゴケ科 (Pseudoditrichaceae)
　ウツクシナゾゴケ科 (Pulchrinodaceae)
タチヒダゴケ目 (Orthotrichales)
　タチヒダゴケ科 (Orthotrichaceae)
タチハゴケ目 (Orthodontiales)
　タチハゴケ科 (Orthodontiaceae)
ヒモゴケ目 (Aulacomniales)
　ヒモゴケ科 (Aulacomniaceae)
ヒノキゴケ目 (Rhizogoniales)
　ヒノキゴケ科 (Rhizogoniaceae)
キダチゴケ目 (Hypnodendrales)
　ブレイスウェイトゴケ科 (Braithwaiteaceae)
　キダチゴケ科 (Hypnodendraceae)
　ハネキダチゴケ科 (Pterobryellaceae)
　ホゴケ科 (Racopilaceae)
スジイタチゴケ目 (Ptychomniales)
　スジイタチゴケ科 (Ptychomniaceae)
アブラゴケ目 (Hookeriales)
　ホソバツガゴケ科 (Daltoniaceae)
　アブラゴケ科 (Hookeriaceae)
　クジャクゴケ科 (Hypopterygiaceae)
　ホソハシゴケ科 (Leucomiaceae)
　カサイボゴケ科 (Pilotrichaceae)
　ヤリバアブラゴケ科 (Saulomataceae)
　シンパーゴケ科 (Schimperobryaceae)
ハイゴケ目 (Hypnales)
　ヤナギゴケ科 (Amblystegiaceae)
　キヌイトゴケ科 (Anomodontaceae)
　イトバゴケ科 (Antitrichiaceae)
　アオギヌゴケ科 (Brachytheciaceae)
　ササバゴケ科 (Calliergonaceae)
　フナバハイゴケ科 (Catagoniaceae)
　コウヤノマンネングサ科 (Climaciaceae)
　イトヒバゴケ科 (Cryphaeaceae)
　コワバゴケ科 (Echinodiaceae)
　ツヤゴケ科 (Entodontaceae)
　コゴメゴケ科 (Fabroniaceae)
　カワゴケ科 (Fontinalaceae)
　コモチゴケ科 (Habrodontaceae)
　イトツルゴケ科 (Heterocladiaceae)
　イワダレゴケ科 (Hylocomiaceae)
　ハイゴケ科 (Hypnaceae)
　コクサゴケ科 (Lembophyllaceae)
　ミナミイタチゴケ科 (Lepyrodontaceae)
　ウスグロゴケ科 (Leskeaceae)
　イタチゴケ科 (Leucodontaceae)
　ハイヒモゴケ科 (Meteoriaceae)
　スジバヒナノハイゴケ科 (Microtheciellaceae)
　マイリンゴケ科 (Myriniaceae)
　ナワゴケ科 (Myuriaceae)
　ヒラゴケ科 (Neckeraceae)
　ニセフナバゴケ科 (Orthorrhynchiaceae)
　フナバゴケ科 (Phyllogoniaceae)
　サナダゴケ科 (Plagiotheciaceae)
　サガリノコギリゴケ科 (Prionodontaceae)
　タカネゴケ科 (Pseudoleskeaceae)
　クサリウスグロゴケ科 (Pseudoleskeellaceae
　ネジレイトゴケ科 (Pterigynandraceae)
　ヒムロゴケ科 (Pterobryaceae)
　キヌゴケ科 (Pylaisiaceae)
　コモチイトゴケ科 (Pylaisiadelphaceae)
　ニセウスグロゴケ科 (Regmatodontaceae)
　フトゴケ科 (Rhytidiaceae)
　アフリカトラノオゴケ科 (Rutenbergiaceae)
　スコーピディウム科 (Scorpidiaceae)
　ナガハシゴケ科 (Sematophyllaceae)
　スケバゴケ科 (Sorapillaceae)
　カタハゴケ科 (Stereophyllaceae)
　ウニゴケ科 (Symphyodontaceae)
　ヒゲゴケ科 (Theliaceae)
　シノブゴケ科 (Thuidiaceae)
　オオハシゴケ科 (Trachylomataceae)

維管束植物門 (Tracheophyta)
小葉植物亜門 (Lycophytina)
　ヒカゲノカズラ綱 (Lycopodiopsida)
　　ヒカゲノカズラ目 (Lycopodiales)
　　　ヒカゲノカズラ科 (Lycopodiaceae)
　　ミズニラ目 (Isoëtales)
　　　ミズニラ科 (Isoëtaceae)
　　イワヒバ目 (Selaginellales)
　　　イワヒバ科 (Selaginellaceae)
大葉植物亜門 (Euphyllophytina)
　大葉シダ植物上綱 (Moniliformopses)
　ウラボシ綱 (Polypodiopsida)
　トクサ亜綱 (Equisetidae)
　　トクサ目 (Equisetales)
　　　トクサ科 (Equisetaceae)
　ハナヤスリ亜綱 (Ophioglossidae)
　　マツバラン目 (Psilotales)
　　　マツバラン科 (Psilotaceae)
　　ハナヤスリ目 (Ophioglossales)
　　　ハナヤスリ科 (Ophioglossaceae)
　リュウビンタイ亜綱 (Marattiidae)
　　リュウビンタイ目 (Marattiales)
　　　リュウビンタイ科 (Marattiaceae)
　ウラボシ亜綱 (Polypodiidae)
　　ゼンマイ目 (Osmundales)
　　　ゼンマイ科 (Osmundaceae)
　　コケシノブ目 (Hymenophyllales)
　　　コケシノブ科 (Hymenophyllaceae)
　　ウラジロ目 (Gleicheniales)
　　　マトニア科 (Matoniaceae)
　　　ヤブレガサウラボシ科 (Dipteridaceae)
　　　ウラジロ科 (Gleicheniaceae)
　　フサシダ目 (Schizaeales)
　　　カニクサ科 (Lygodiaceae)
　　　フサシダ科 (Schizaeaceae)
　　　アネミア科 (Anemiaceae)
　　サンショウモ目 (Salviniales)
　　　サンショウモ科 (Salviniaceae)
　　　デンジソウ科 (Marsileaceae)

植物分類表 (4)

ヘゴ目 (Cyatheales)
チルソプテリス科 (Thyrsopteridaceae)
ロクソマ科 (Loxsomataceae)
クルキタ科 (Culcitaceae)
キジノオシダ科 (Plagiogyriaceae)
タカワラビ科 (Cibotiaceae)
メタキシア科 (Metaxyaceae)
ディクソニア科 (Dicksoniaceae)
ヘゴ科 (Cyatheaceae)
ウラボシ目 (Polypodiales)
サッコロマ亜目 (Saccolomatineae)
サッコロマ科 (Saccolomataceae)
ホングウシダ亜目 (Lindsaeineae)
シストディウム科 (Cystodiaceae)
ロンキティス科 (Lonchitidaceae)
ホングウシダ科 (Lindsaeaceae)
イノモトソウ亜目 (Pteridineae)
イノモトソウ科 (Pteridaceae)
コバノイシカグマ亜目 (Dennstaedtiineae)
コバノイシカグマ科 (Dennstaedtiaceae)
チャセンシダ亜目 (Aspleniineae)
ナヨシダ科 (Cystopteridaceae)
ヌリワラビ科 (Rhachidosoraceae)
イワヤシダ科 (Diplaziopsidaceae)
デスモフレビウム科 (Desmophlebiaceae)
ヘミディクティウム科 (Hemidictyaceae)
チャセンシダ科 (Aspleniaceae)
イワデンダ科 (Woodsiaceae)
コウヤワラビ科 (Onocleaceae)
シシガシラ科 (Blechnaceae)
メシダ科 (Athyriaceae)
ヒメシダ科 (Thelypteridaceae)
ウラボシ亜目 (Polypodiineae)
ディディモクラエナ科 (Didymochlaenaceae)
キンモウワラビ科 (Hypodematiaceae)
オシダ科 (Dryopteridaceae)
タマシダ科 (Nephrolepidaceae)
ツルキジノオ科 (Lomariopsidaceae)
ナナバケシダ科 (Tectariaceae)
ツルシダ科 (Oleandraceae)
シノブ科 (Davalliaceae)
ウラボシ科 (Polypodiaceae)
ラディアトプセス上綱 (Radiatopses)
裸子植物類 (Gymnospermae)
ソテツ綱 (Cycadopsida)
ソテツ目 (Cycadales)
ソテツ科 (Cycadaceae)
ザミア科 (Zamiaceae)
イチョウ綱 (Ginkgopsida)
イチョウ目 (Ginkgoales)
イチョウ科 (Ginkgoaceae)
マツ綱 (Pinopsida)
ヒノキ亜綱 (Cupressidae)
ナンヨウスギ目 (Araucariales)
ナンヨウスギ科 (Araucariaceae)
マキ科 (Podocarpaceae)
ヒノキ目 (Cupressales)
コウヤマキ科 (Sciadopityaceae)
ヒノキ科 (Cupressaceae)
イヌガヤ科 (Cephalotaxaceae)
イチイ科 (Taxaceae)
マツ亜綱 (Pinidae)
マツ目 (Pinales)
マツ科 (Pinaceae)
グネツム亜綱 (Gnetidae)
マオウ目 (Ephedrales)
マオウ科 (Ephedraceae)
ウェルウィッチア目 (Welwitschiales)
ウェルウィッチア科 (Welwitschiaceae)
グネツム目 (Gnetales)
グネツム科 (Gnetaceae)
被子植物類 (Angiospermae)
モクレン綱 (Magnoliopsida)
アンボレラ上目 (Amborellanae)
アンボレラ目 (Amborellales)
アンボレラ科 (Amborellaceae)
スイレン上目 (Nymphaeanae)
スイレン目 (Nymphaeales)
ヒダテラ科 (Hydatellaceae)
ジュンサイ科 (Cabombaceae)
スイレン科 (Nymphaeaceae)
シキミ上目 (Austrobaileyanae)
シキミ目 (Austrobaileyales)
アウストロバイレヤ科 (Austrobaileyaceae)
トリメニア科 (Trimeniaceae)
マツブサ科 (Schisandraceae)
モクレン上目 (Magnolianae)
カネラ目 (Canellales)
カネラ科 (Canellaceae)
シキミモドキ科 (Winteraceae)
コショウ目 (Piperales)
ドクダミ科 (Saururaceae)
コショウ科 (Piperaceae)
ウマノスズクサ科 (Aristolochiaceae)
モクレン目 (Magnoliales)
ニクズク科 (Myristicaceae)
モクレン科 (Magnoliaceae)
デゲネリア科 (Degeneriaceae)
ヒマンタンドラ科 (Himantandraceae)
ユーポマティア科 (Eupomatiaceae)
バンレイシ科 (Annonaceae)
クスノキ目 (Laurales)
ロウバイ科 (Calycanthaceae)
シパルナ科 (Siparunaceae)
ゴモルテガ科 (Gomortegaceae)
アセロスペルマ科 (Atherospermataceae)
ハスノハギリ科 (Hernandiaceae)
モニミア科 (Monimiaceae)
クスノキ科 (Lauraceae)
所属未定 (incertae sedis)
センリョウ目 (Chloranthales)
センリョウ科 (Chloranthaceae)
ユリ上目 (Lilianae)
ショウブ目 (Acorales)
ショウブ科 (Acoraceae)
オモダカ目 (Alismatales)
サトイモ科 (Araceae)
チシマゼキショウ科 (Tofieldiaceae)
オモダカ科 (Alismataceae)
ハナイ科 (Butomaceae)

植物分類表(5)

トチカガミ科 (Hydrocharitaceae)
ホロムイソウ科 (Scheuchzeriaceae)
レースソウ科 (Aponogetonaceae)
シバナ科 (Juncaginaceae)
マウンディア科 (Maundiaceae)
アマモ科 (Zosteraceae)
ヒルムシロ科 (Potamogetonaceae)
ポシドニア科 (Posidoniaceae)
カワツルモ科 (Ruppiaceae)
ベニアマモ科 (Cymodoceaceae)
サクライソウ目 (Petrosaviales)
サクライソウ科 (Petrosaviaceae)
ヤマノイモ目 (Dioscoreales)
キンコウカ科 (Nartheciaceae)
ヒナノシャクジョウ科 (Burmanniaceae)
ヤマノイモ科 (Dioscoreaceae)
タコノキ目 (Pandanales)
ホンゴウソウ科 (Triuridaceae)
ベロジア科 (Velloziaceae)
ビャクブ科 (Stemonaceae)
パナマソウ科 (Cyclanthaceae)
タコノキ科 (Pandanaceae)
ユリ目 (Liliales)
カンピネマ科 (Campynemataceae)
コルシア科 (Corsiaceae)
シュロソウ科 (Melanthiaceae)
ペテルマンニア科 (Petermanniaceae)
ユリズイセン科 (Alstroemeriaceae)
イヌサフラン科 (Colchicaceae)
フィレジア科 (Philesiaceae)
リポゴヌム科 (Ripogonaceae)
サルトリイバラ科 (Smilacaceae)
ユリ科 (Liliaceae)
クサスギカズラ目 (Asparagales)
ラン科 (Orchidaceae)
ボリア科 (Boryaceae)
ブランドフォルディア科 (Blandfordiaceae)
アステリア科 (Asteliaceae)
ラナリア科 (Lanariaceae)
キンバイザサ科 (Hypoxidaceae)
ドリアンテス科 (Doryanthaceae)
イクシオリリオン科 (Ixioliriaceae)
テコフィラエア科 (Tecophilaeaceae)
アヤメ科 (Iridaceae)
クセロネマ科 (Xeronemataceae)
ワスレグサ科 (Asphodelaceae)
ヒガンバナ科 (Amaryllidaceae)
クサスギカズラ科 (Asparagaceae)
ヤシ目 (Arecales)
ダシポゴン科 (Dasypogonaceae)
ヤシ科 (Arecaceae)
ツユクサ目 (Commelinales)
ミズオモト科 (Hanguanaceae)
ツユクサ科 (Commelinaceae)
タヌキアヤメ科 (Philydraceae)
ミズアオイ科 (Pontederiaceae)
ヘモドルム科 (Haemodoraceae)
ショウガ目 (Zingiberales)
ゴクラクチョウカ科 (Strelitziaceae)
ロウィア科 (Lowiaceae)
オウムバナ科 (Heliconiaceae)
バショウ科 (Musaceae)
カンナ科 (Cannaceae)
クズウコン科 (Marantaceae)
オオホザキアヤメ科 (Costaceae)
ショウガ科 (Zingiberaceae)
イネ目 (Poales)
ガマ科 (Typhaceae)
パイナップル科 (Bromeliaceae)
ラパテア科 (Rapateaceae)
トウエンソウ科 (Xyridaceae)
ホシクサ科 (Eriocaulaceae)
マヤカ科 (Mayacaceae)
ツルニア科 (Thurniaceae)
イグサ科 (Juncaceae)
カヤツリグサ科 (Cyperaceae)
サンアソウ科 (Restionaceae)
トウツルモドキ科 (Flagellariaceae)
ジョインビレア科 (Joinvilleaceae)
エクデイオコレア科 (Ecdeiocoleaceae)
イネ科 (Poaceae)
マツモ上目 (Ceratophyllanae)
マツモ目 (Ceratophyllales)
マツモ科 (Ceratophyllaceae)
真正双子葉類 (Eudicots)
キンポウゲ上目 (Ranunculanae)
キンポウゲ目 (Ranunculales)
フサザクラ科 (Eupteleaceae)
ケシ科 (Papaveraceae)
キルケアスター科 (Circaeasteraceae)
アケビ科 (Lardizabalaceae)
ツヅラフジ科 (Menispermaceae)
メギ科 (Berberidaceae)
キンポウゲ科 (Ranunculaceae)
ヤマモガシ上目 (Proteanae)
ヤマモガシ目 (Proteales)
アワブキ科 (Sabiaceae)
ハス科 (Nelumbonaceae)
スズカケノキ科 (Platanaceae)
ヤマモガシ科 (Proteaceae)
ヤマグルマ上目 (Trochodendranae)
ヤマグルマ目 (Trochodendrales)
ヤマグルマ科 (Trochodendraceae)
ツゲ上目 (Buxanae)
ツゲ目 (Buxales)
ツゲ科 (Buxaceae)
ミロタムヌス上目 (Myrothamnanae)
グンネラ目 (Gunnerales)
ミロタムヌス科 (Myrothamnaceae)
グンネラ科 (Gunneraceae)
ビワモドキ上目 (Dillenianae)
ビワモドキ目 (Dilleniales)
ビワモドキ科 (Dilleniaceae)
ユキノシタ上目 (Saxifraganae)
ユキノシタ目 (Saxifragales)
ペリディスクス科 (Peridiscaceae)
ボタン科 (Paeniaceae)
フウ科 (Altingiaceae)
マンサク科 (Hamamelidaceae)
カツラ科 (Cercidiphyllaceae)

植物分類表（6）

ユズリハ科（Daphniphyllaceae）
ズイナ科（Iteaceae）
スグリ科（Grossulariaceae）
ユキノシタ科（Saxifragaceae）
ベンケイソウ科（Crassulaceae）
アファノペタルム科（Aphanopetalaceae）
テトラカルペア科（Tetracarpaeaceae）
タコノアシ科（Penthoraceae）
アリノトウグサ科（Haloragaceae）
シノモリウム科（Cynomoriaceae）
バラ上目（Rosanae）
ブドウ目（Vitales）
ブドウ科（Vitaceae）
ハマビシ目（Zygophyllales）
クラメリア科（Krameriaceae）
ハマビシ科（Zygophyllaceae）
マメ目（Fabales）
キラジャ科（Quillajaceae）
マメ科（Fabaceae）
スリアナ科（Surianaceae）
ヒメハギ科（Polygalaceae）
バラ目（Rosales）
バラ科（Rosaceae）
バルベヤ科（Barbeyaceae）
ディラクマ科（Dirachmaceae）
グミ科（Elaeagnaceae）
クロウメモドキ科（Rhamnaceae）
ニレ科（Ulmaceae）
アサ科（Cannabaceae）
クワ科（Moraceae）
イラクサ科（Urticaceae）
ブナ目（Fagales）
ナンキョクブナ科（Nothofagaceae）
ブナ科（Fagaceae）
ヤマモモ科（Myricaceae）
クルミ科（Juglandaceae）
モクマオウ科（Casuarinaceae）
ティコデンドロン科（Ticodendraceae）
カバノキ科（Betulaceae）
ウリ目（Cucurbitales）
アポダンテス科（Apodanthaceae）
アニソフィレア科（Anisophylleaceae）
コリノカルプス科（Corynocarpaceae）
ドクウツギ科（Coriariaceae）
ウリ科（Cucurbitaceae）
テトラメレス科（Tetramelaceae）
ナギナタソウ科（Datiscaceae）
シュウカイドウ科（Begoniaceae）
ニシキギ目（Celastrales）
カタバミノキ科（Lepidobotryaceae）
ニシキギ科（Celastraceae）
カタバミ目（Oxalidales）
フア科（Huaceae）
マメモドキ科（Connaraceae）
カタバミ科（Oxalidaceae）
クノニア科（Cunoniaceae）
ホルトノキ科（Elaeocarpaceae）
フクロユキノシタ科（Cephalotaceae）
ブルネリア科（Brunelliaceae）
キントラノオ目（Malpighiales）
パンダ科（Pandaceae）
イービンギア科（Irvingiaceae）
クテノロフォン科（Ctenolophonaceae）
ヒルギ科（Rhizophoraceae）
コカノキ科（Erythroxylaceae）
オクナ科（Ochnaceae）
ボンネティア科（Bonnetiaceae）
フクギ科（Clusiaceae）
テリハボク科（Calophyllaceae）
カワゴケソウ科（Podostemaceae）
オトギリソウ科（Hypericaceae）
バターナットノキ科（Caryocaraceae）
ハネミカズラ科（Lophopyxidaceae）
ツゲモドキ科（Putranjivaceae）
ケントロプラクス科（Centroplacaceae）
ミゾハコベ科（Elatinaceae）
キントラノオ科（Malpighiaceae）
バラノプス科（Balanopaceae）
トリゴニア科（Trigoniaceae）
カイナンボク科（Dichapetalaceae）
ユーフロニア科（Euphroniaceae）
クリソバラヌス科（Chrysobalanaceae）
フミリア科（Humiriaceae）
アカリア科（Achariaceae）
スミレ科（Violaceae）
ゴウピア科（Goupiaceae）
トケイソウ科（Passifloraceae）
ラキステマ科（Lacistemataceae）
ヤナギ科（Salicaceae）
ペラ科（Peraceae）
ラフレシア科（Rafflesiaceae）
トウダイグサ科（Euphorbiaceae）
アマ科（Linaceae）
イクソナンテス科（Ixonanthaceae）
ピクロデンドロン科（Picrodendraceae）
コミカンソウ科（Phyllanthaceae）
フウロソウ目（Geraniales）
フウロソウ科（Geraniaceae）
フランコア科（Francoaceae）
フトモモ目（Myrtales）
シクンシ科（Combretaceae）
ミソハギ科（Lythraceae）
アカバナ科（Onagraceae）
ボキシア科（Vochysiaceae）
フトモモ科（Myrtaceae）
ノボタン科（Melastomataceae）
クリプテロニア科（Crypteroniaceae）
アルザテア科（Alzateaceae）
ペネア科（Penaeaceae）
ミツバウツギ目（Crossosomatales）
アフロイア科（Aphloiaceae）
ゲイッソロマ科（Geissolomataceae）
ストラスブルゲリア科（Strasburgeriaceae）
ミツバウツギ科（Staphyleaceae）
グアマテラ科（Guamatelaceae）
キブシ科（Stachyuraceae）
クロッソソマ科（Crossosomataceae）
ピクラムニア目（Picramniales）
ピクラムニア科（Picramniaceae）
フエルテア目（Huerteales）

植物分類表 (7)

ゲラーディナ科 (Gerrardinaceae)
ペテネア科 (Petenaeaceae)
タピシア科 (Tapisciaceae)
ディペントドン科 (Dipentodontaceae)
ムクロジ目 (Sapindales)
ビーベルステイニア科 (Biebersteiniaceae)
ソーダノキ科 (Nitrariaceae)
カーキア科 (Kirkiaceae)
カンラン科 (Burseraceae)
ウルシ科 (Anacardiaceae)
ムクロジ科 (Sapindaceae)
ミカン科 (Rutaceae)
ニガキ科 (Simaroubaceae)
センダン科 (Meliaceae)
アオイ目 (Malvales)
シティヌス科 (Cytinaceae)
ナンヨウザクラ科 (Muntingiaceae)
ニューラダ科 (Neuradaceae)
アオイ科 (Malvaceae)
スフェロセパルム科 (Sphaerosepalaceae)
ジンチョウゲ科 (Thymelaeaceae)
ベニノキ科 (Bixaceae)
ハンニチバナ科 (Cistaceae)
サーコレナ科 (Sarcolaenaceae)
フタバガキ科 (Dipterocarpaceae)
アブラナ目 (Brassicales)
アカニア科 (Akaniaceae)
ノウゼンハレン科 (Tropaeolaceae)
ワサビノキ科 (Moringaceae)
パパイヤ科 (Caricaceae)
リムナンテス科 (Limnanthaceae)
セッチェランツス科 (Setchellanthaceae)
ケーベルリニア科 (Koeberliniaceae)
バティス科 (Bataceae)
サルバドラ科 (Salvadoraceae)
エンブリンギア科 (Emblingiaceae)
トバリア科 (Tovariaceae)
ペンタディプランドラ科 (Pentadiplandraceae)
ギロステモン科 (Gyrostemonaceae)
モクセイソウ科 (Resedaceae)
フウチョウボク科 (Capparaceae)
フウチョウソウ科 (Cleomaceae)
アブラナ科 (Brassicaceae)
メギモドキ上目 (Berberidopsanae)
メギモドキ目 (Berberidopsidales)
エクストキシコン科 (Aextoxicaceae)
メギモドキ科 (Berberidopsidaceae)
ビャクダン上目 (Santalanae)
ビャクダン目 (Santalales)
オラクス科 (Olacaceae)
カナビキボク科 (Opiliaceae)
ツチトリモチ科 (Balanophoraceae)
ビャクダン科 (Santalaceae)
ミソデンドルム科 (Misodendraceae)
ボロボロノキ科 (Schoepfiaceae)
オオバヤドリギ科 (Loranthaceae)
ナデシコ上目 (Caryophyllanae)
ナデシコ目 (Caryophyllales)
フランケニア科 (Frankeniaceae)
ギョリュウ科 (Tamaricaceae)
イソマツ科 (Plumbaginaceae)
タデ科 (Polygonaceae)
モウセンゴケ科 (Droseraceae)
ウツボカズラ科 (Nepenthaceae)
ドロソフィルム科 (Drosophyllaceae)
ディオンコフィルム科 (Dioncophyllaceae
ツクバネカズラ科 (Ancistrocladaceae)
ラブドデンドロン科 (Rhabdodendraceae
ホホバ科 (Simmondsiaceae)
フィセナ科 (Physenaceae)
アステロペイア科 (Asteropeiaceae)
マカーツリア科 (Macarthuriaceae)
ミクロテア科 (Microteaceae)
ナデシコ科 (Caryophyllaceae)
アカトカーパ科 (Achatocarpaceae)
ヒユ科 (Amaranthaceae)
ステグノスペルマ科 (Stegnospermataceae
リメウム科 (Limeaceae)
ロフィオカープス科 (Lophiocarpaceae)
キューア科 (Kewaceae)
バービューイア科 (Barbeuiaceae)
ギセキア科 (Gisekiaceae)
ハマミズナ科 (Aizoaceae)
ヤマゴボウ科 (Phytolaccaceae)
ジュズサンゴ科 (Petiveriaceae)
サーコバッス科 (Sarcobataceae)
オシロイバナ科 (Nyctaginaceae)
ザクロソウ科 (Molluginaceae)
ヌマハコベ科 (Montiaceae)
カナボウノキ科 (Didiereaceae)
ツルムラサキ科 (Basellaceae)
ハロフィツム科 (Halophytaceae)
ハゼラン科 (Talinaceae)
スベリヒユ科 (Portulacaceae)
アナカンプセロス科 (Anacampserotaceae)
サボテン科 (Cactaceae)
キク上目 (Asteranae)
ミズキ目 (Cornales)
ヌマミズキ科 (Nyssaceae)
ヒドロスタキス科 (Hydrostachyaceae)
アジサイ科 (Hydrangeaceae)
シレンゲ科 (Loasaceae)
カーティシア科 (Curtisiaceae)
グルッビア科 (Grubbiaceae)
ミズキ科 (Cornaceae)
ツツジ目 (Ericales)
ツリフネソウ科 (Balsaminaceae)
マークグラビア科 (Marcgraviaceae)
テトラメリスタ科 (Tetrameristaceae)
フォウクイエリア科 (Fouquieriaceae)
ハナシノブ科 (Polemoniaceae)
サガリバナ科 (Lecythidaceae)
スラデニア科 (Sladeniaceae)
サカキ科 (Pentaphylacaceae)
アカテツ科 (Sapotaceae)
カキノキ科 (Ebenaceae)
サクラソウ科 (Primulaceae)
ツバキ科 (Theaceae)
ハイノキ科 (Symplocaceae)
イワウメ科 (Diapensiaceae)

植物分類表 (8)

エゴノキ科 (Styracaceae)
サラセニア科 (Sarraceniaceae)
ロリドゥラ科 (Roridulaceae)
マタタビ科 (Actinidiaceae)
リョウブ科 (Clethraceae)
シリラ科 (Cyrillaceae)
ツツジ科 (Ericaceae)
ヤッコソウ科 (Mitrastemonaceae)
クロタキカズラ目 (Icacinales)
オンコテカ科 (Oncothecaceae)
クロタキカズラ科 (Icacinaceae)
メッテニウサ目 (Metteniusales)
メッテニウサ科 (Metteniusaceae)
アオキ目 (Garryales)
トチュウ科 (Eucommiaceae)
アオキ科 (Garryaceae)
リンドウ目 (Gentianales)
アカネ科 (Rubiaceae)
リンドウ科 (Gentianaceae)
マチン科 (Loganiaceae)
ゲルセミウム科 (Gelsemiaceae)
キョウチクトウ科 (Apocynaceae)
ムラサキ目 (Boraginales)
ムラサキ科 (Boraginaceae)
バーリア目 (Vahliales)
バーリア科 (Vahliaceae)
ナス目 (Solanales)
ヒルガオ科 (Convolvulaceae)
ナス科 (Solanaceae)
モンティニア科 (Montiniaceae)
ナガボノウルシ科 (Sphenocleaceae)
セイロンハコベ科 (Hydroleaceae)
シソ目 (Lamiales)
プロコスペルマ科 (Plocospermataceae)
カールマンニア科 (Carlemanniaceae)
モクセイ科 (Oleaceae)
テトラコンドラ科 (Tetrachondraceae)
イワタバコ科 (Gesneriaceae)
オオバコ科 (Plantaginaceae)
ゴマノハグサ科 (Scrophulariaceae)
スティルベ科 (Stilbaceae)
アゼナ科 (Linderniaceae)
ビブリス科 (Byblidaceae)
ツノゴマ科 (Martyniaceae)
ゴマ科 (Pedaliaceae)
キツネノマゴ科 (Acanthaceae)
ノウゼンカズラ科 (Bignoniaceae)
タヌキモ科 (Lentibulariaceae)
シュレーゲリア科 (Schlegeliaceae)
トマンデルシア科 (Thomandersiaceae)
クマツヅラ科 (Verbenaceae)
シソ科 (Lamiaceae)
サギゴケ科 (Mazaceae)
ハエドクソウ科 (Phrymaceae)
キリ科 (Paulowniaceae)
ハマウツボ科 (Orobanchaceae)
モチノキ目 (Aquifoliales)
ステモヌルス科 (Stemonuraceae)
ヤマイモモドキ科 (Cardiopteridaceae)
フィロノマ科 (Phyllonomaceae)
ハナイカダ科 (Helwingiaceae)
モチノキ科 (Aquifoliaceae)
キク目 (Asterales)
ロウッセア科 (Rousseaceae)
キキョウ科 (Campanulaceae)
ユガミウチワ科 (Pentaphragmataceae)
スティリディウム科 (Stylidiaceae)
アルセウオスミア科 (Alseuosmiaceae)
フェリネ科 (Phellinaceae)
アーゴフィルム科 (Argophyllaceae)
ミツガシワ科 (Menyanthaceae)
クサトベラ科 (Goodeniaceae)
カリケラ科 (Calyceraceae)
キク科 (Asteraceae)
エスカロニア目 (Escalloniales)
エスカロニア科 (Escalloniaceae)
ブルニア目 (Bruniales)
コルメリア科 (Columelliaceae)
ブルニア科 (Bruniaceae)
パラクリフィア目 (Paracryphiales)
パラクリフィア科 (Paracryphiaceae)
マツムシソウ目 (Dipsacales)
ガマズミ科 (Viburnaceae)
スイカズラ科 (Caprifoliaceae)
セリ目 (Apiales)
ペンナンティア科 (Pennantiaceae)
トリケリア科 (Torricelliaceae)
グリセリニア科 (Griseliniaceae)
トベラ科 (Pittosporaceae)
ウコギ科 (Araliaceae)
ミオドカープス科 (Myodocarpaceae)
セリ科 (Apiaceae)

ツノゴケ類・ゼニゴケ類の分類は Söderström et al. (2016), 蘚類は Frey (2009) に従った. 維管束植物の上位分類については Frey (2015) に従い, シダ植物の内部分類については The Pteridophyte Phylogeny Group (2016), 裸子植物の内部分類については Yang et al. (2022) に従った. 被子植物の内部分類については The Angiosperm Phylogeny Group (2016) の体系を基に, 米倉 (2019) に従って修正し, Frey(2015)に示された上目の分類を追加した. また和名については日本植物分類学会(2012a, b), 米倉 (2019) などを参照した.

参考文献：Frey (ed.) “Syllabus of Plant Families, 13th ed., 3” Borntraeger (2009), Frey (ed.) “Syllabus of Plant Families, 13th ed., 4” Borntraeger (2015), 日本植物分類学会監修『新しい植物分類学 I・II』講談社 (2012a, b), Söderström et al. *PhytoKeys* **59**: 1-828 (2016), The Angiosperm Phylogeny Group *Bot. J. Linn. Soc.* **181**: 1-20 (2016), The Pteridophyte Phylogeny Group *J. Syst. Evol.* **54**: 563-603 (2016), Yang et al. *Plant Div.* **44**: 340-350 (2022), 米倉『新維管束植物分類表』北隆館 (2019).

(仲田崇志, 2024)

藻類分類表 (1)

門（一部綱）までの分類体系

原核藻類（Prokaryotic algae）
シアノバクテリア門
(Cyanobacteria/Cyanophyta)
真核藻類（Eukaryotic algae）
アーケプラスティダ（Archaeplastida）
灰色植物（Glaucobionta）
灰色植物門
(Glaucophyta/Glaucocystophyta)
ローダリア（Rhodaria）
ロデルフィス門（Rhodelphidia）
紅色植物門（Rhodophyta）
緑色植物（Chloroplastida）
緑藻植物門（Chlorophyta）
ストレプト植物門（Streptophyta）
プラシノデルマ植物門
(Prasinodermophyta)
パンクリプティスタ（Pancryptista）
クリプティスタ（Cryptista）
クリプト植物門（Cryptophyta）
ハプティスタ（Haptista）
ハプト植物門（Haptophyta）
SAR（Sar）
ストラメノパイル（Stramenopiles）
オクロ植物門（Ochrophyta）
アルベオラータ（Alveolata）
クロメラ植物門（Chromeridophyta）
渦鞭毛植物門
(Dinophyta/Dinoflagellata/Dinozoa)
リザリア（Rhizaria）
ケルコゾア門（Cercozoa）
クロララクニオン綱（Chlorarachnea）
エクスカバータ類（Excavates）
ディスコーバ（Discoba）
ユーグレノゾア門（Euglenozoa）
ユーグレナ藻綱（Euglenophyceae）

真核生物の大分類はおもに Frey（2015），Adl et al.（2019），矢﨑ら（2023）に基づき，Moore et a（2008），Gawryluk et al.（2019），Li et al.（2020），Cavalier-Smith（2022），Yazaki et al.（2022），矢﨑ら（2022）を参考に修正を加えた．一部の学名は藻類としての語尾に修正した．ケルコゾア門の中ではクロララクニオン綱，ユーグレノゾア門の中ではユーグレナ藻綱のみを藻類およびその関連群として扱った．

参考文献：Adl et al. *J. Eukaryot. Microbiol.* **66**: 4-119（2019），Cavalier-Smith *Protoplasma* **259**: 487-593（2022），Frey（ed.）"Syllabus of Plant Families, 13th ed., 2/1" Borntraeger（2015），Gawryluk e al. *Nature* **572**: 240-243（2019），Li et al. *Nat. Ecol. Evol.* **4**: 1220-1231（2020），Moore et al. *Nature* **45** 959-963（2008），Yazaki et al. *Open Biol.* **12**: 210376（2022），矢﨑ら 藻類 **70**: 199-204（2022），矢﨑ら編『原生生物学事典』朝倉書店（2023）．

門から目までの分類体系

シアノバクテリア門
(Cyanobacteria/Cyanophyta)
バンピロビブリオ綱
(Vampirovibrionia/Vampirovibrionophyceae)
バンピロビブリオ目（Vampirovibrionales）
シアノバクテリア綱
(Cyanobacteria/Cyanophyceae)
グロエオバクター目（Gloeobacterales）
サーモスティクス目（Thermostichales）
エゲオコックス目（Aegeococcales）
シュードアナベナ目（Pseudanabaenales）
グロエオマルガリータ目（Gloeomargaritales）
アカリオクロリス目（Acaryochloridales）
プロクロロスリックス目
(Prochlorotrichales)
シネココックス目（Synechococcales）
ノドシリネア目（Nodosilineales）
オクラテラ目（Oculatellales）
レプトリングビア目（Leptolyngbyales）
ガイトレリネマ目（Geitlerinematales）
デセルティフィルム目（Desertifilales）
ユレモ目（Oscillatoriales）
コレオファシクルス目（Coleofasciculales）
スピルリナ目（Spirulinales）
クロオコックス目（Chroococcales）
ゴモンティエラ目（Gomontiellales）
クロオコッキディオプシス目
(Chroococcidiopsidales)
ネンジュモ目（Nostocales）

灰色植物門（Glaucophyta/Glaucocystophyta）
灰色藻綱
(Glaucophyceae/Glaucocystophyceae)
グラウコキスティス目（Glaucocystales）
グロエオケーテ目（Gloeochaetales）
シアノフォラ目（Cyanophorales）

ロデルフィス門（Rhodelphidia）
ロデルフィス綱（Rhodelphea）
ロデルフィス目（Rhodelphida）

紅色植物門（Rhodophyta）
イデユコゴメ亜門（Cyanidiophytina）
イデユコゴメ藻綱（Cyanidiophyceae）

藻類分類表 (2)

門から目までの分類体系

イデユコゴメ目 (Cyanidiales)
シアニディオシゾン目 (Cyanidioschyzonales)
カベルヌリコーラ目 (Cavernulicolales)
ガルディエリア目 (Galdieriales)
原始紅藻亜門 (Proteorhodophytina)
チノリモ藻綱 (Porphyridiophyceae)
チノリモ目 (Porphyridiales)
オオイシソウ藻綱 (Compsopogonophyceae)
オオイシソウ目 (Compsopogonales)
エリスロペルティス目 (Erythropeltidales)
ロドケーテ目 (Rhodochaetales)
ロデラ藻綱 (Rhodellophyceae)
ロデラ目 (Rhodellales)
ディクソニエラ目 (Dixoniellales)
グラウコスフェラ目 (Glaucosphaerales)
ベニミドロ藻綱 (Stylonematophyceae)
ベニミドロ目 (Stylonematales)
ルフシア目 (Rufusiales)
真正紅藻亜門 (Eurhodophytina)
ウシケノリ藻綱 (Bangiophyceae)
ウシケノリ目 (Bangiales)
真正紅藻綱 (Florideophyceae)
ベニマダラ亜綱 (Hildenbrandiophycidae)
ベニマダラ目 (Hildenbrandiales)
ウミゾウメン亜綱 (Nemaliophycidae)
ウミゾウメン目 (Nemaliales)
アクロケティウム目 (Acrochaetales)
バルビアニア目 (Balbianiales)
バリア目 (Balliales)
カワモズク目 (Batrachospermales)
ベニマユダマ目 (Colaconematales)
エントウィスレイア目 (Entwisleiales)
ダルス目 (Palmariales)
ロダクリア目 (Rhodachlyales)
チスジノリ目 (Thoreales)
コリノダクティルス目 (Corynodactylales)
オッティア目 (Ottiales)
サンゴモ亜綱 (Corallinophycidae)
サンゴモ目 (Corallinales)
ハパリディウム目 (Hapalidiales)
ロドゴルゴン目 (Rhodogorgonales)
エンジイシモ目 (Sporolithales)
コラリナペトラ目 (Corallinapetrales)
イタニグサ亜綱 (Ahnfeltiophycidae)
イタニグサ目 (Ahnfeltiales)
ピヒエラ目 (Pihiellales)
マサゴシバリ亜綱 (Rhodymeniophycidae)
マサゴシバリ目 (Rhodymeniales)
アクロシンフィトン目 (Acrosymphytales)
カギケノリ目 (Bonnemaisoniales)
イギス目 (Ceramiales)
テングサ目 (Gelidiales)
スギノリ目 (Gigartinales)
オゴノリ目 (Gracilariales)
イソノハナ目 (Halymeniales)
ヒメウスギヌ目 (Nemastomatales)
イワノカワ目 (Peyssonneliales)
ユカリ目 (Plocamiales)
ヌラクサ目 (Sebdeniales)
アトラクトフォラ目 (Atractophorales)
カテネロプシス目 (Catenellopsidales)
インキュリーア目 (Inkyuleeales)

緑藻植物門 (Chlorophyta)
ネフロセルミス藻綱 (Nephroselmidophyceae)
ネフロセルミス目 (Nephroselmidales)
マミエラ藻綱 (Mamiellophyceae)
マミエラ目 (Mamiellales)
ドリコマスティクス目 (Dolichomastigales)
モノマスティクス目 (Monomastigales)
ピラミモナス藻綱 (Pyramimonadophyceae)
ピラミモナス目 (Pyramimonadales)
クロロピコン藻綱 (Chloropicophyceae)
クロロピコン目 (Chloropicales)
ピコキスティス藻綱 (Picocystophyceae)
ピコキスティス目 (Picocystales)
ペディノ藻綱 (Pedinophyceae)
ペディノモナス目 (Pedinomonadales)
マースピオモナス目 (Marsupiomonadales)
スコールフィールディア目 (Scourfieldiales)
クロロデンドロン藻綱 (Chlorodendrophyceae)
クロロデンドロン目 (Chlorodendrales)
トレボウクシア藻綱 (Trebouxiophyceae)
トレボウクシア目 (Trebouxiales)
クロレラ目 (Chlorellales)
ミクロタムニオン目 (Microthamniales)
カワノリ目 (Prasiolales)
ワタナベア目 (Watanabeales)
緑藻綱 (Chlorophyceae)
ケトペルティス目 (Chaetopeltidales)
ケトフォラ目 (Chaetophorales)
サヤミドロ目 (Oedogoniales)
ヨコワミドロ目 (Sphaeropleales)
オオヒゲマワリ目 (Volvocales)
(=コナミドリムシ目 Chlamydomonadales)
アオサ藻綱 (Ulvophyceae)
アオサ目 (Ulvales)
クロロキスティス目 (Chlorocystidales)
ソロツビニア目 (Solotvyniales)
シキディオン目 (Sykidiales)
ヒビミドロ目 (Ulotrichales)
モツレグサ目 (Acrosiphoniales)
ウミイカダモ目 (Oltmannsiellopsidales)
イグナティウス目 (Ignatiales)
スコティノスフェラ目 (Scotinosphaerales)
ハネモ目 (Bryopsidales)
シオグサ目 (Cladophorales)
カサノリ目 (Dasycladales)
スミレモ目 (Trentepohliales)
所属不明

藻類分類表（3）

門から目までの分類体系

シュードスコールフィールディア目（Pseudoscourfieldiales）

ストレプト植物門（Streptophyta）
メソスティグマ藻綱（Mesostigmatophyceae）
メソスティグマ目（Mesostigmatales）
クロロキブス藻綱（Chlorokybophyceae）
クロロキブス目（Chlorokybales）
クレブソルミディウム藻綱（Klebsormidiophyceae）
クレブソルミディウム目（Klebsormidiales）
エントランシア目（Entransiales）
ホルミディエラ目（Hormidiellales）
コレオケーテ藻綱（Coleochaetophyceae）
コレオケーテ目（Coleochaetales）
ケトスフェリディウム目（Chaetosphaeridiales）
ホシミドロ藻綱（Zygnematophyceae）
ホシミドロ目（Zygnematales）
チリモ目（Desmidiales）
アオミドロ目（Spirogyrales）
セリテニア目（Serritaeniales）
スピログロエア目（Spirogloeales）
車軸藻綱（Charophyceae）
シャジクモ目（Charales）

プラシノデルマ植物門（Prasinodermophyta）
プラシノデルマ藻綱（Prasinodermophyceae）
プラシノデルマ目（Prasinodermales）
パルモフィルム藻綱（Palmophyllophyceae）
パルモフィルム目（Palmophyllales）
プラシノコックス目（Prasinococcales）

クリプト植物門（Cryptophyta）
クリプト藻綱（Cryptophyceae）
クリプトモナス目（Cryptomonadales）
ゴニオモナス綱（Goniomonadea）
ゴニオモナス目（Goniomonadida）

ハプト植物門（Haptophyta）
パブロバ藻綱（Pavlovophyceae）
パブロバ目（Pavlovales）
ラピ藻綱（Rappephyceae）
パブロムリナ目（Pavlomulinales）
プリムネシウム藻綱（Prymnesiophyceae）
プリムネシウム目（Prymnesiales）
フェオキスティス目（Phaeocystales）
イソクリシス目（Isochrysidales）
コッコスフェラ目（Coccosphaerales）

オクロ植物門（Ochrophyta）
（＝不等毛植物門 Heterokontophyta）
珪藻類（Diatoms/Diatomeae）
コアミケイソウ綱（Coscinodiscophyceae）
イガクリケイソウ亜綱（Corethrophycidae）
イガクリケイソウ目（Corethrales）
タルケイソウ亜綱（Melosirophycidae）
タルケイソウ目（Melosirales）
コアミケイソウ亜綱（Coscinodiscophycidae）
キクノハナケイソウ目（Chrysanthemodiscales）
コアミケイソウ目（Coscinodiscales）
オオコアミケイソウ目（Ethmodiscales）
ニセヒトツメケイソウ目（Stictocyclales）
クンショウケイソウ目（Asterolamprales）
クモノスケイソウ目（Arachnoidiscales）
ハスノミケイソウ目（Stictodiscales）
ツツガタケイソウ目（Rhizosoleniales）
チュウカンケイソウ綱（Mediophyceae）
イトマキケイソウ亜綱（Biddulphiophycidae）
イトマキケイソウ目（Biddulphiales）
アミカケケイソウ目（Toxariales）
オビダマシケイソウ亜綱（Cymatosirophycidae）
オビダマシケイソウ目（Cymatosirales）
ツノケイソウ亜綱（Chaetocerotophycidae）
シマヒモケイソウ目（Hemiaulales）
ミズマクラケイソウ目（Anaulales）
ツノケイソウ目（Chaetocerotales）
ニセコアミケイソウ亜綱（Thalassiosirophycidae）
ヨツメケイソウ目（Eupodiscales）
サンカクチョウチンケイソウ目（Lithodesmiales）
ホソミドロケイソウ目（Leptocylindrales）
ニセコアミケイソウ目（Thalassiosirales）
オビケイソウ亜綱（Fragilariophyceae）
ニセハネケイソウ目（Plagiogrammales）
オカメケイソウ目（Rhaphoneidales）
ケルナレラ目（Koernerellales）
オビケイソウ目（Fragilariales）
ヌサガタケイソウ目（Tabellariales）
ドウナガケイソウ目（Rhabdonematales）
シンツキケイソウ目（Cyclophorales）
オウギケイソウ目（Licmophorales）
ハラスジケイソウ目（Striatellales）
ウミノイトケイソウ目（Thalassionematales）
ハジメノミゾモドキケイソウ目（Protoraphidales）
クサリケイソウ綱（Bacillariophyceae）
イチモンジケイソウ亜綱（Eunotiophycidae）
イチモンジケイソウ目（Eunotiales）
クサリケイソウ亜綱（Bacillariophycidae）
タテゴトモヨウケイソウ目（Lyrellales）
チクビレツケイソウ目（Mastogloiales）
ニセチクビレツケイソウ目（Dictyoneidales）
クチビルケイソウ目（Cymbellales）
ツメケイソウ目（Achnanthales）
フナガタケイソウ目（Naviculales）

藻類分類表（4）

門から目までの分類体系

ハンカケケイソウ目（Thalassiophysales）
クサリケイソウ目（Bacillariales）
クシガタケイソウ目（Rhopalodiales）
コバンケイソウ目（Surirellales）

その他オクロ植物（other ochrophytes）
ボリド藻綱（Bolidophyceae）
ボリドモナス目（Bolidomonadales）
ディクティオカ藻綱（Dictyochophyceae）
フロレンシエラ目（Florenciellales）
ディクティオカ目（Dictyochales）
リゾクロムリナ目（Rhizochromulinales）
ペディネラ目（Pedinellales）
ペラゴ藻綱（Pelagophyceae）
サルシノクリシス目（Sarcinochrysidales）
ペラゴモナス目（Pelagomonadales）
ピングイオ藻綱（Pinguiophyceae）
ピングイオクリシス目（Pinguiochrysidales）
オリストディスクス藻綱（Olisthodiscophyceae）
オリストディスクス目（Olisthodiscales）
真正眼点藻綱（Eustigmatophyceae）
ユースティグマトス目（Eustigmatales）
ゴニオクロリス目（Goniochloridales）
ピコファグス綱（Picophagea）
ピコファグス目（Picophagales）
シンクロマ藻綱（Synchromophyceae）
シンクロマ目（Synchromales）
クラミドミクサ目（Chlamydomyxales）
黄金色藻綱（Chrysophyceae）
シヌラ目（Synurales）
パラフィソモナス目（Paraphysomonadales）
オクロモナス目（Ochromonadales）
クロムリナ目（Chromulinales）
ヒッバーディア目（Hibberdiales）
クリソサックス目（Chrysosaccales）
フェオプラカ目（Phaeoplacales）
ミズオ目（Hydrurales）
ラフィド藻綱（Raphidophyceae）
シャットネラ目（Chattonellales）
アウレアレナ藻綱（Aurearenophyceae）
アウレアレナ目（Aurearenales）
フェオタムニオン藻綱（Phaeothamniophyceae）
フェオタムニオン目（Phaeothamniales）
黄緑色藻綱（Xanthophyceae）
プリューロクロリデラ目（Pleurochloridellales）
クロロアメーバ目（Chloramoebales）
リゾクロリス目（Rhizochloridales）
ヘテログロエア目（Heterogloeales）
ミスココックス目（Mischococcales）
トリボネマ目（Tribonematales）
フウセンモ目（Botrydiales）
フシナシミドロ目（Vaucheriales）
クリソパラドクサ藻綱（Chrysoparadoxophyceae）
クリソパラドクサ目（Chrysoparadoxales）
フェオサッキオン藻綱（Phaeosacciophyceae）
フェオサッキオン目（Phaeosacciales）
シゾクラディア藻綱（Schizocladiophyceae）
シゾクラディア目（Schizocladiales）
褐藻綱（Phaeophyceae）
タマクシゲ亜綱（Discosporangiophycidae）
タマクシゲ目（Discosporangiales）
イシゲ亜綱（Ishigeophycidae）
イシゲ目（Ishigeales）
アミジグサ亜綱（Dictyotophycidae）
アミジグサ目（Dictyotales）
オンスロウィア目（Onslowiales）
クロガシラ目（Sphacelariales）
ウスバオウギ目（Syringodermatales）
ヒバマタ亜綱（Fucophycidae）
アスコセイラ目（Ascoseirales）
アステロクラドン目（Asterocladales）
ウルシグサ目（Desmarestiales）
シオミドロ目（Ectocarpales）
ヒバマタ目（Fucales）
ツルモ目（Chordales）
コンブ目（Laminariales）
ネモデルマ目（Nemodermatales）
フェオシフォニエラ目（Phaeosiphoniellales）
イソガワラ目（Ralfsiales）
スキトタムヌス目（Scytothamnales）
ケヤリモ目（Sporochnales）
ティロプテリス目（Tilopteridales）
シチャポビア目（Stschapoviales）

クロメラ植物門（Chromeridophyta）
コルポデラ藻綱（Colpodellophyceae）
コルポデラ目（Colpodellales）

渦鞭毛植物門（Dinophyta/Dinoflagellata/Dinozoa）
パーキンスス綱（Perkinsea）
パーキンスス目（Perkinsida）
ラストリモナス目（Rastrimonadida）
ファゴディニウム目（Phagodinida）
オキシリス藻綱（Oxyrrhidophyceae）
オキシリス目（Oxyrrhinales）
エロビオプシス藻綱（Ellobiophyceae）
タラッソミケス目（Thalassomycetales）
シンディニウム藻綱（Syndiniophyceae）
シンディニウム目（Syndiniales）
コッキディニウム目（Coccidiniales）
ヤコウチュウ藻綱（Noctiluciphyceae）
ヤコウチュウ目（Noctilucales）
渦鞭毛藻綱（Dinophyceae）
デスモマスティクス目（Desmomastigales）
ディノアメービディウム目（Dinamoebidiales）
アンフィディニウム目（Amphidiniales）

藻類分類表 (5)

門から目までの分類体系

ギムノディニウム目 (Gymnodiniales)
ゴニオラクス目 (Gonyaulacales)
ペリディニウム目 (Peridiniales)
トラコスフェラ目 (Thoracosphaerales)
スエシア目 (Suessiales)
トベリア目 (Tovelliales)
フィトディニウム目 (Phytodiniales)
グロエオディニウム目 (Gloeodiniales)
プロロケントルム目 (Prorocentrales)
ディノフィシス目 (Dinophysales)
ハプロゾーン目 (Haplozoonales)
トロディニウム目 (Torodiniales)

ケルコゾア門 (Cercozoa)
クロララクニオン綱 (Chlorarachnea)
ミノリサ目 (Minorisida)
クロララクニオン目 (Chlorarachniales)

ユーグレノゾア門 (Euglenozoa)
ユーグレナ藻綱 (Euglenophyceae)
ユーグレナ亜綱 (Euglenophycidae)
ユーグレナ目 (Euglenales)
ユートレプティア目 (Eutreptiales)
ラパザ亜綱 (Rapazia)
ラパザ目 (Rapazida)

分類体系の枠組みはそれぞれおもに下線の文献に基づき，他の文献を参考に修正を加えた．また，Guiry & Guiry (2024)，鈴木 (2024) を分類群・学名・和名の採否において参照した．シアノバクテリア:Strunecký et al. (2023)，灰色植物門:Frey (2015)，ロデルフィス門・紅色植物門: Frey (2017)，Muñoz-Gómez et al. (2017)，Park et al. (2023)，矢﨑ら (2023)，Saunders et al. (2016, 2017)，Díaz-Tapia et al. (2019)，Gawryluk et al. (2019)，Jeong et al. (2021)，Fang et al. (2022)，緑藻植物門:Frey (2015)，Ruggiero et al. (2015)，Lopes dos Santos et al. (2017)，Daugbjerg et al. (2020)，Darienko et al.(2021)，Li et al.(2021)，Darienko & Pröschold(2024)，ストレプト植物門:Frey(2015)，Ruggiero et al. (2015)，Hess et al. (2022)，Bierenbroodspot et al. (2024)，プラシノデルマ植物門：Li et al. (2020)，クリプト植物門・ハプト植物門：矢﨑ら (2023)，Frey (2015)，オクロ植物門（珪藻類）：鈴木・南雲 (2013)，Frey (2015)，Lobban & Ashworth (2022)，オクロ植物門（その他）：Frey (2015)，矢﨑ら (2023)，Kawai et al. (2015)，Starko et al. (2019)，Wetherbee et al. (2019)，Graf et al. (2020)，Barcytė et al. (2021)，クロメラ植物門：Moore et al. (2008)，Molinari-Novoa & Guiry (2023)，渦鞭毛植物門：Frey (2015)，Moestrup & Calado (2015)，Boutrup et al. (2016)，クロララクニオン綱：Shiratori et al. (2024)，ユーグレナ藻綱：Cavalier-Smith (2016)．

参考文献：Barcytė et al. *J. Phycol.* **57**: 1094-1118 (2021)，Bierenbroodspot et al. *Curr. Biol.* **34**: 670-681 (2024)，Boutrup et al. *Phycologia* **55**: 147-164 (2016)，Cavalier-Smith *Eur. J. Protistol.* **56**: 250-276 (2016)，Darienko & Pröschold *Microorganisms* **2024** (12) : 868 (2024)，Darienko et al. *Microorganisms* **2021** (9) : 1586 (2021)，Daugbjerg et al. *Eur. J. Phycol.* **55**: 49-63 (2020)，Díaz-Tapia et al *Mol. Phylogenet. Evol.* **137**: 76-85 (2019)，Fang et al. *J. Oceanol. Limnol.* **40**: 1245-1256 (2022)，Frey (ed.) "Syllabus of Plant Families, 13th ed., 2/1" Borntraeger (2015)，Frey (ed.) "Syllabus of Plant Families, 13th ed., 2/2" Borntraeger (2017)，Gawryluk et al. *Nature* **572**: 240-243 (2019)，Graf et al *Protist* **171**: 125781 (2020)，Guiry & Guiry "AlgaeBase" https://www.algaebase.org (2024)，Hess et al. *Curr. Biol.* **32**: 4473-4482 (2022)，Jeong et al. *J. Phycol.* **57**: 849-862 (2021)，Kawai et al. *J. Phycol.* **51**: 918-928 (2015)，Li et al. *Nat. Ecol. Evol.* **4**: 1220-1231 (2020)，Li et al. *J. Phycol.* **57**: 1167-1186 (2021)，Lobban & Ashworth *Notulae Algarum* **264**: 1-4 (2022)，Lopes dos Santos et al. *Sci. Rep.* **7**: 14019 (2017)，Moestrup & Calado "Süßwasserflora von Mitteleuropa 6" Springer Spektrum (2015)，Molinari-Novoa & Guiry *Notulae Algarum* **304**: 1-3 (2023)，Moore et al. *Nature* **451**: 959-963 (2008)，Muñoz-Gómez et al. *Curr. Biol.* **27**: 1677-1684 (2017)，Park et al. *J. Phycol.* **59**: 444-466 (2023)，Ruggiero et al. *PLoS ONE* **10**: e0119248 (2015)，Saunders et al. *J. Phycol.* **52**: 505-522 (2016)，Saunders et al. *Botany* **95**: 561-566 (2017)，Shiratori et al. *Phycol. Res.* **72**: 27-35 (2024)，Starko et al. *Mol. Phylogenet. Evol.* **136**: 138-150 (2019)，Strunecký et al. *J. Phycol.* **59**: 12-51 (2023)，鈴木『日本産海藻リスト』https://tonysharks.com/Seaweeds_list/Seaweed_list_top.html (2024)，鈴木・南雲 日本プランクトン学会報 **60**: 60-79 (2013)，Wetherbee et al. *J. Phycol.* **55**: 257-278 (2019)，矢﨑ら編『原生生物学事典』朝倉書店 (2023)．

菌類分類表 (1)

真菌界 (Fungi)
アフェリジウム門 (**Aphelidiomycota**)
アフェリジウム綱 (**Aphelidiomycetes**)
アフェリジウム目 (Aphelidiales)

子嚢菌門 (Ascomycota)
アーケリゾミケス綱 (**Archaeorhizomycetes**)
アーケリゾミケス目 (Archaeorhizomycetales)
ホシゴケ綱 (Arthoniomycetes)
ホシゴケ目 (Arthoniales)*
リケノスティグマ目 (Lichenostigmatales)
ロウソクゴケ綱 (**Candelariomycetes**)
ロウソクゴケ目 (Candelariales)*
ヌカゴケ綱 (**Coniocybomycetes**)
ヌカゴケ目 (Coniocybales)*
クロイボタケ綱 (**Dothideomycetes**)
アブロタルス目 (Abrothallales)
アクロスペルムム目 (Acrospermales)
アステリナ目 (Asterinales)
ボトリオスファエリア目 (Botryosphaeriales)
カプノジウム目 (Capnodiales)
カチネラ目 (Catinellales)
クラドリエラ目 (Cladoriellales)
コレモプシジウム目 (Collemopsidiales)
クロイボタケ目 (Dothideales)
ジフロロミケス目 (Dyfrolomycetales)
エレミタルス目 (Eremithallales)
エレモミケス目 (Eremomycetales)
グロニウム目 (Gloniales)
モジカビ目 (Hysteriales)
ヤーヌラ目 (Jahnulales)
キルシュステイニオテリア目 (Kirschsteiniotheliales)
レンボシナ目 (Lembosinales)
リケノテリア目 (Lichenotheliales)
タテガタキン目 (Microthyriales)
ミヌチスファエラ目 (Minutisphaerales)
トゲミゴケ目 (Monoblastiales)
ムラマランゴミケス目 (Murramarangomycetales)
ムイオコプロン目 (Muyocopronales)
ミリアンギウム目 (Myriangiales)
ミチリニジオン目 (Mytilinidiales)
ナチプシラ目 (Natipusillales)
パルムラリア目 (Parmulariales)
パテラリア目 (Patellariales)
ファエオトリクム目 (Phaeotrichales)
プレオスポラ目 (Pleosporales)*
スチグマトジスクス目 (Stigmatodiscales)
アオバゴケ目 (Strigulales)*
スペルストラトミケス目 (Superstratomycetales)
チクビゴケ目 (Trypetheliales)*
ツベウフィア目 (Tubeufiales)
バルサリア目 (Valsariales)
ベンツリア目 (Venturiales)
ゼロアスペリスポリウム目 (Zeloasperisporiales)
エウロチウム綱 (**Eurotiomycetes**)
アラクノミケス目 (Arachnomycetales)
カエトチリウム目 (Chaetothyriales)*
ビンタマカビ目 (Coryneliales)
エウロチウム目 (Eurotiales)
クギゴケ目 (Mycocaliciales)
ホネタケ目 (Onygenales)
ファエオモニエラ目 (Phaeomoniellales)
サネゴケ目 (Pyrenulales)*
スクレロコックム目 (Sclerococcales)
アナイボゴケ目 (Verrucariales)*
テングノメシガイ綱 (**Geoglossomycetes**)
テングノメシガイ目 (Geoglossales)
ラブルベニア綱 (**Laboulbeniomycetes**)
ヘルポミケス目 (Herpomycetales)
ラブルベニア目 (Laboulbeniales)
ピクシジオフォラ目 (Pyxidiophorales)
チャシブゴケ綱 (**Lecanoromycetes**)
ホウネンゴケ目 (Acarosporales)*
ヒロハセンニンゴケ目 (Baeomycetales)*
ピンゴケ目 (Caliciales)*
モジゴケ目 (Graphidales)*
サラゴケ目 (Gyalectales)*
チャシブゴケ目 (Lecanorales)*
ゴイシゴケ目 (Lecideales)*
ヒメキゴケ目 (Leprocaulales)*
ミクロペルチジウム目 (Micropeltidales)
ピンタケ目 (Ostropales)*
ツメゴケ目 (Peltigerales)*
トリハダゴケ目 (Pertusariales)*
チズゴケ目 (Rhizocarpales)*
サルラメアナ目 (Sarrameanales)*
シャエレリア目 (Schaereriales)*
ホウネンゴケモドキ目 (Sporastatiales)*
ダイダイキノリ目 (Teloschistales)*
オオアミゴケ目 (Thelenellales)*
ツルクオイセオミケス目 (Turquoiseomycetales)
イワタケ目 (Umbilicariales)*

菌類分類表 (2)

ズキンタケ綱 (Leotiomycetes)
　カエトメラ目 (Chaetomellales)
　キッタリア目 (Cyttariales)
　ビョウタケ目 (Helotiales)
　ラーミア目 (Lahmiales)
　ラウリオミケス目 (Lauriomycetales)
　ズキンタケ目 (Leotiales)
　リキノジウム目 (Lichinodiales)
　マルサミケス目 (Marthamycetales)
　メデオラリア目 (Medeolariales)
　ミクラスピス目 (Micraspidales)
　ファキジウム目 (Phacidiales)
　リチスマ目 (Rhytismatales)
　テレボルス目 (Thelebolales)
ツブノリ綱 (Lichinomycetes)
　ツブノリ目 (Lichinales)*
ヒメカンムリタケ綱 (Neolectomycetes)
　ヒメカンムリタケ目 (Neolectales)
オルビリア綱 (Orbiliomycetes)
　オルビリア目 (Orbiliales)
チャワンタケ綱 (Pezizomycetes)
　チャワンタケ目 (Pezizales)
プネウモキスチス綱(Pneumocystidomycetes)
　プネウモキスチス目 (Pneumocystidales)
サッカロミケス綱 (Saccharomycetes)
　サッカロミケス目 (Saccharomycetales)
ブンレツコウボキン綱 (Schizosaccharomycetes)
　ブンレツコウボキン目 (Schizosaccharomycetales)
フンタマカビ綱 (Sordariomycetes)
　アンフィスファエリア目(Amphisphaeriales)
　アンプリストロマ目 (Amplistromatales)
　アンヌラタスクス目 (Annulatascales)
　アトラクトスポラ目 (Atractosporales)
　ヘタタケ目 (Boliniales)
　カロスファエリア目 (Calosphaeriales)
　セファロテカ目 (Cephalothecales)
　ケトスファエリア目 (Chaetosphaeriales)
　コニオカエタ目 (Coniochaetales)
　コニオスキファ目 (Conioscyphales)
　コロノフォラ目 (Coronophorales)
　デロニキコラ目 (Delonicicolales)
　ジアポルテ目 (Diaporthales)
　ジストセプティスポラ目 (Distoseptisporales)
　ファルコクラジウム目 (Falcocladiales)
　フスコスポレラ目 (Fuscosporellales)
　グロメレラ目 (Glomerellales)
　ボタンタケ目 (Hypocreales)
　ジョベリシア目 (Jobellisiales)
　コラリオナステス目 (Koralionastetales)
　ルルウォージア目 (Lulworthiales)
　マグナポルテ目 (Magnaporthales)
　メリオラ目 (Meliolales)
　ミクロアスカス目 (Microascales)
　ミルメクリジウム目 (Myrmecridiales)
　オフィオストマ目 (Ophiostomatales)
　パララミクロリジウム目 (Pararamichloridiales)
　パラシンポジエラ目 (Parasympodiellales)
　フォマトスポラ目 (Phomatosporales)
　クロカワキン目 (Phyllachorales)
　ピソリスポリウム目 (Pisorisporiales)
　プレウロテキウム目 (Pleurotheciales)
　プセウドダクチラリア目 (Pseudodactylariales)
　サボリエラ目 (Savoryellales)
　フンタマカビ目 (Sordariales)
　スパツロスポラ目 (Spathulosporales)
　スポリデスミウム目 (Sporidesmiales)
　チリスポレラ目 (Tirisporellales)
　トグニニア目 (Togniniales)
　トロペドスポラ目 (Torpedosporales)
　トラキラ目 (Tracyllalales)
　ベルミクラリオプシエラ目 (Vermiculariopsiellales)
　キセノスパジコイデス目(Xenospadicoidales)
　クロサイワイタケ目 (Xylariales)
タフリナ綱 (Taphrinomycetes)
　タフリナ目 (Taphrinales)
キシロボトリウム綱 (Xylobotryomycetes)
　キシロボトリウム目 (Xylobotryales)
キシロナ綱 (Xylonomycetes)
　シンビオタフリナ目 (Symbiotaphrinales)
　キシロナ目 (Xylonales)

バシジオボルス門 (Basidiobolomycota)
バシジオボルス綱 (Basidiobolomycetes)
　バシジオボルス目 (Basidiobolales)

担子菌門 (Basidiomycota)
ハラタケ綱 (Agaricomycetes)
　ハラタケ目 (Agaricales)*
　アミロコルチキウム目 (Amylocorticiales)
　コツブコウヤクタケ目 (Atheliales)
　キクラゲ目 (Auriculariales)
　イグチ目 (Boletales)

菌類分類表 (3)

アンズタケ目 (Cantharellales)*
コウヤクタケ目 (Corticiales)
ヒメツチグリ目 (Geastrales)
キカイガラタケ目 (Gloeophyllales)
ラッパタケ目 (Gomphales)
タバコウロコタケ目 (Hymenochaetales)
ヒステランギウム目 (Hysterangiales)
ヤーピア目 (Jaapiales)
レピドストロマ目 (Lepidostromatales)
スッポンタケ目 (Phallales)
タマチョレイタケ目 (Polyporales)
ベニタケ目 (Russulales)
ロウタケ目 (Sebacinales)
ステレオプシス目 (Stereopsidales)
イボタケ目 (Thelephorales)
トレキスポラ目 (Trechisporales)
トレメロデンドロプシス目 (Tremellodendropsidales)

アガリコスチルブム綱 (Agaricostilbomycetes)
アガリコスチルブム目 (Agaricostilbales)

アトラクチエラ綱 (Atractiellomycetes)
アトラクチエラ目 (Atractiellales)

バルテレチア綱 (Bartheletiomycetes)
バルテレチア目 (Bartheletiales)

クラシクラ綱 (Classiculomycetes)
クラシクラ目 (Classiculales)

クリプトミココラクス綱 (Cryptomycocolacomycetes)
クリプトミココラクス目 (Cryptomycocolacales)

フクロタンシキン綱 (Cystobasidiomycetes)
ブクレイジマ目 (Buckleyzymales)
フクロタンシキン目 (Cystobasidiales)
エリスロバシジウム目 (Erythrobasidiales)
ナオヒデア目 (Naohideales)
サカグキア目 (Sakaguchiales)

アカキクラゲ綱 (Dacrymycetes)
アカキクラゲ目 (Dacrymycetales)
ウニラクリマ目 (Unilacrymales)

モチビョウキン綱 (Exobasidiomycetes)
ケラケオソルス目 (Ceraceosorales)
ドアサンシア目 (Doassansiales)
エンチロマ目 (Entylomatales)
モチビョウキン目 (Exobasidiales)
ゲオルゲフィスケリア目 (Georgefischeriales)
ゴルベビア目 (Golubeviales)
ミクロストロマ目 (Microstromatales)
ロッバウエラ目 (Robbauerales)
ナマグサクロボキン目 (Tilletiales)

マラセチア綱 (Malasseziomycetes)
マラセチア目 (Malasseziales)

ミクロボトリウム綱 (Microbotryomycetes)
ヘテロガストリジウム目 (Heterogastridiales)
クリエゲリア目 (Kriegeriales)
レウコスポリジム目 (Leucosporidiales)
ミクロボトリウム目 (Microbotryales)
スポリジオボルス目 (Sporidiobolales)

ミクシア綱 (Mixiomycetes)
ミクシア目 (Mixiales)

モニリエラ綱 (Moniliellomycetes)
モニリエラ目 (Moniliellales)

サビキン綱 (Pucciniomycetes)
ムラサキモンパキン目 (Helicobasidiales)
パクノキベ目 (Pachnocybales)
プラチグロエア目 (Platygloeales)
サビキン目 (Pucciniales)
モンパキン目 (Septobasidiales)

スピクログロエア綱 (Spiculogloeomycetes)
スピクログロエア目 (Spiculogloeales)

シロキクラゲ綱 (Tremellomycetes)
キストフィロバシジウム目 (Cystofilobasidiales)
フィロバシジウム目 (Filobasidiales)
ニカワツノタケ目 (Holtermanniales)
シロキクラゲ目 (Tremellales)
トリコスポロン目 (Trichosporonales)

トリチラチウム綱 (Tritirachiomycetes)
トリチラチウム目 (Tritirachiales)

クロボキン綱 (Ustilaginomycetes)
ウレイエラ目 (Uleiellales)
ウロキスチス目 (Urocystidales)
クロボキン目 (Ustilaginales)
ビオラセオミケス目 (Violaceomycetales)

ワレミア綱 (Wallemiomycetes)
ゲミニバシジウム目 (Geminibasidiales)
ワレミア目 (Wallemiales)

コウマクノウキン門 (Blastocladiomycota)

コウマクノウキン綱 (Blastocladiomycetes)
コウマクノウキン目 (Blastocladiales)
カリマスチクス目 (Callimastigales)
カテノミケス目 (Catenomycetales)

フィソデルマ綱 (Physodermatomycetes)
フィソデルマ目 (Physodermatales)

カルカリスポリエラ門 (Calcarisporiellomycota)

カルカリスポリエラ綱 (Calcarisporiellomycetes)
カルカリスポリエラ目 (Calcarisporiellales)

菌類分類表(4)

カウロキトリウム門 (Caulochytriomycota)
  カウロキトリウム綱 (Caulochytriomycetes)
    カウロキトリウム目 (Caulochytriales)

ツボカビ門 (Chytridiomycota)
  ツボカビ綱 (Chytridiomycetes)
    ツボカビ目 (Chytridiales)
    ネフィリジオファーガ目(Nephridiophagales)
    ポリファーグス目 (Polyphagales)
    サッコポジウム目 (Saccopodiales)
  エダツボカビ綱 (Cladochytriomycetes)
    エダツボカビ目 (Cladochytriales)
  ロブロミケス綱 (Lobulomycetes)
    ロブロミケス目 (Lobulomycetales)
  メソキトリウム綱 (Mesochytriomycetes)
    グロモキトリウム目 (Gromochytriales)
    メソキトリウム目 (Mesochytriales)
  ポリキトリウム綱 (Polychytriomycetes)
    ポリキトリウム目 (Polychytriales)
  リゾフリクチス綱 (Rhizophlyctidomycetes)
    リゾフリクチス目 (Rhizophlyctidales)
  フタナシツボカビ綱 (Rhizophydiomycetes)
    フタナシツボカビ目 (Rhizophydiales)
  スピゼロミケス綱 (Spizellomycetes)
    スピゼロミケス目 (Spizellomycetales)
  サビツボカビ綱 (Synchytriomycetes)
    サビツボカビ目 (Synchytriales)

ハエカビ門 (Entomophthoromycota)
  ハエカビ綱 (Entomophthoromycetes)
    ハエカビ目 (Entomophthorales)
  ネオジギテス綱 (Neozygitomycetes)
    ネオジギテス目 (Neozygitales)

エントリザ門 (Entorrhizomycota)
  エントリザ綱 (Entorrhizomycetes)
    エントリザ目 (Entorrhizales)
    タルボチオミケス目 (Talbotiomycetales)

グロムス門 (Glomeromycota)
  アルカエオスポラ綱(Archaeosporomycetes)
    アルカエオスポラ目 (Archaeosporales)
  グロムス綱 (Glomeromycetes)
    ジウエルシスポラ目 (Diversisporales)
    ギガスポラ目 (Gigasporales)
    グロムス目 (Glomerales)
  パラグロムス綱 (Paraglomeromycetes)
    パラグロムス目 (Paraglomerales)

キクセラ門 (Kickxellomycota)
  アセラリア綱 (Asellariomycetes)
    アセラリア目 (Asellariales)
  バルバトスポラ綱 (Barbatosporomycetes)
    バルバトスポラ目 (Barbatosporales)
  ジマルガリス綱 (Dimargaritomycetes)
    ジマルガリス目 (Dimargaritales)
  ハルペラ綱 (Harpellomycetes)
    ハルペラ目 (Harpellales)
  キクセラ綱 (Kickxellomycetes)
    キクセラ目 (Kickxellales)
  エダショクダイカビ綱
  (Ramicandelaberomycetes)
    エダショクダイカビ目(Ramicandelaberales

サヤミドロモドキ門 (Monoblepharomycota)
  ヒアロラフィジウム綱(Hyaloraphidiomycetes
    ヒアロラフィジウム目 (Hyaloraphidiales)
  サヤミドロモドキ綱(Monoblepharidomycetes
    サヤミドロモドキ目 (Monoblepharidales)
  サンキトリウム綱 (Sanchytriomycetes)
    サンキトリウム目 (Sanchytriales)

クサレケカビ門 (Mortierellomycota)
  クサレケカビ綱 (Mortierellomycetes)
    クサレケカビ目 (Mortierellales)

ケカビ門 (Mucoromycota)
  アツギケカビ綱 (Endogonomycetes)
    アツギケカビ目 (Endogonales)
  ケカビ綱 (Mucoromycetes)
    ケカビ目 (Mucorales)
  ウムベロプシス綱 (Umbelopsidomycetes)
    ウムベロプシス目 (Umbelopsidales)

ネオカリマスチクス門(Neocallimastigomycota)
  ネオカリマスチクス綱
  (Neocallimastigomycetes)
    ネオカリマスチクス目(Neocallimastigales)

フクロカビ門 (Olpidiomycota)
  フクロカビ綱 (Olpidiomycetes)
    フクロカビ目 (Olpidiales)

ロゼラ門 (Rozellomycota)
  微胞子虫綱 (Microsporidea)
    アンブリオスポラ目 (Amblyosporida)
    グルゲア目 (Glugeida)
    ネオペレジア目 (Neopereziida)

菌類分類表 (5)

ノゼマ目 (Nosematida)
オバベシクラ目 (Ovavesiculida)
ルジミクロスポラ綱 (Rudimicrosporea)
メッニコベラ目 (Metchnikovellida)

トリモチカビ門 (Zoopagomycota)
トリモチカビ綱 (Zoopagomycetes)
トリモチカビ目 (Zoopagales)

変形菌類
ユーミケトゾア門 (Eumycetozoa)
タマホコリカビ綱 (Dictyosteliomycetes)
エツキタマホコリカビ目 (Acytosteliales)
タマホコリカビ目 (Dictyosteliales)
ツノホコリ綱 (Ceratiomyxomycetes)
ツノホコリ目 (Ceratiomyxales)
変形菌綱 (Myxomycetes)
クビナガホコリ目 (Clastodermatales)
アミホコリ目 (Cribrariales)
ハリホコリ目 (Echinosteliales)
ニセハリホコリ目 (Echinosteliopsidales)
コホコリ目 (Liceales)
クロミルリホコリ目 (Meridermatales)
モジホコリ目 (Physarales)
ドロホコリ目 (Reticulariales)
ムラサキホコリ目 (Stemonitidales)
ケホコリ目 (Trichiales)

ストラメノパイル類
卵菌門 (Oomycota)
ツユカビ綱 (Peronosporomycetes)
シロサビキン目 (Albuginales)
ツユカビ目 (Peronosporales)
オウギミズカビ目 (Rhipidiales)
ミズカビ綱 (Saprolegniomycetes)
フシミズカビ目 (Leptomitales)
ミズカビ目 (Saprolegniales)
所属綱不明
アニソルピジウム目 (Anisolpidiales)
ユーリカスマ目 (Eurychasmales)
ハリフソロス目 (Haliphthorales)
ハプトグロッサ目 (Haptoglossales)
ミラクラ目 (Miraculales)
フクロカビモドキ目 (Olpidiopsidales)
ポンチスマ目 (Pontismatales)
ロゼロプシス目 (Rozellopsidales)

サカゲツボカビ門 (Hyphochytriomycota)
サカゲツボカビ綱 (Hyphochytriomycetes)
サカゲツボカビ目 (Hyphochytriales)

ラビリンツラ門 (Labyrinthulomycota)
ラビリンツラ綱 (Labyrinthulomycetes)
アンフィフィラ目 (Amphifilida)
アンフィトレマ目 (Amphitremida)
ラビリンツラ目 (Labyrinthulales)
オブロンギキトリウム目 (Oblongichytriales)
ヤブレツボカビ目 (Thraustochytriales)

系統を反映した真菌類の分類体系の構築は現在まさに進行中であり，毎年のように改訂がなされている不安定な状況である．現在に至るまでの定番となっている体系には Kirk et al. (2008) があるが，若干古いと言わざるを得ない．しかしその一方で，多くの人が納得できる体系が提唱されているわけでもない．本書では，現在までのところ，最も網羅的といえる Wijayawardene et al. (2020) の体系に従った．本体系は，分子系統学的知見をもとに真菌類の分類体系を再編したものであるが，細部についてはまだ議論の余地がある．また，現在では真菌類とは異なる生物群であることがわかっている変形菌類（ユーミケトゾア門），サカゲツボカビ門，卵菌門についても本書では扱った．変形菌類の上位分類の体系は，Wijayawardene et al. (2020) に従った．

分類群の日本語表記にあたっては，勝本(2010)に収載されているものは，それに従った．勝本(2010)に収載されていないものは，タイプ属のラテン語読みを基本としたカナ表記とした．

また，菌類の一部には，藻類と共生することによって地衣化するものが知られている．地衣化する主要な分類群にはアスタリスク (*) を付した．

Kirk et al. Dictionary of the Fungi. 10th edition. CABI. (2008).
勝本　謙：日本産菌類集覧，日本日本菌学会関東支部 (2010).
Wijayawardene et al.：Outline of Fungi and fungus-like taxa. Mycosphere 11：1060-1456 (2020).

（細矢　剛ら，2024）

生殖・発生・成長

哺乳類の生殖

種　名 (学　名)	性成熟♀	繁殖期	発情周期	妊娠期間	同腹子数
ヒト (*Homo sapiens*)	11－16y	通年	28.3d	253－303d	1
チンパンジー (*Pan troglodytes*)	8－11y	通年	36(33－38)d	216－260d	1
アカゲザル (*Macaca mulatta*)	3－4y	通年	28(23－33)d	144－197d	1
ニホンザル (*Macaca fuscata*)	3－4y	10－4月	28d	144－197d	1
ホオヒゲコウモリ (*Myotis lucifugus*)	最初の夏	秋, 春	——1)	50－60d	1
欧州産トガリネズミ (*Sorex araneus*)	2y	3－9月	——	13－19d	7
モルモット (*Cavia procellus*)	55－70d	通年	16－19d	68(58－75)d	3(1－8)
マウス (*Mus musculus*)	35d	通年	4d	19－31d	6(1－12)
ラット (*Rattus norvegicus*)	40－60d	通年	4－5d	21d	6－9
ハイイロリス (*Sciurus carolinensis*)	1－2y	12－8月	——	44d	4(1－6)
カイウサギ (*Oryctolagus cuniculus*)	5.5－8.5mo	通年	——1)	31(30－35)d	8(1－13)
イヌ (*Canis familiaris*)	6－8mo	春～秋	9d	63(53－71)d	7(1－12)
ネコ (*Felis catus*)	6－15mo	2－7月	15－28d1)	63(52－69)d	4
ウシ (*Bos taurus*)	6－10mo	通年	14－23d	284(210－335)d	1
ブタ (*Sus scrofa*)	7(5－8)mo	通年	18－24d	114(101－130)d	9(6－15)
ヒツジ (*Ovis aries*)	7－8mo	秋～晩秋	14－20d	151(144－152)d	1－4
ヤギ (*Capra hircus*)	8mo	秋, 冬	21d	151(135－160)d	1－5
ウマ (*Equus caballus*)	15－18mo	春	21－23d	333d	1
ロバ (*Equus asinus*)	1y	3－8月	2－7d	365d	1

1)　交尾排卵．d：日，mo：月，y：年．

(Hafez, E. S. E. ら，1972 より)

胚・胎児成長速度 (哺乳類，鳥類)

成長段階	ヒト	アカゲザル	ラット	ハムスター	カイウサギ	ブタ	ヒツジ	ニワトリ	スズメ
2　細　胞	38h	24h	24h	16h	8h	30h	30h	3h	——
4　細　胞	48h	36h	48h	40h	11h	40h	34h	3.25h	——
着床開始	6.5d	9d	6d	4.5d	7d	——	10d	/	/
原　条	19d	19d	8.5d	6.5－7d	6.5d	11d	13d	1.5d	1.5d
13～20 体節	27d	25d	10.5d	8d	9d	16d	17d	3d	2.5d
尾芽形成	29d	26d	11.5d	8.5d	9.5d	17d	18d	3.25d	3.25d
胚期終了	36d	28d	12.5d	9d	10d	20d	21d	5d	5d
胎児形成完了	60d	40d	16.5d	13.5d	14d	35d	32d	8.5d	8d
眼瞼融合	70d	48d	18d	——	19d	50d	42d	13d	11d
眼瞼離開	140d	——	38d	——	42d	90d	84d	21d	20d
分　娩(孵化)	267d	164d	22d	16d	32d	112d	150d	22d	14d

h：時間，d：日．

(Witschi, E., 1972 より)

爬虫類の生殖

種　名（学　名）	性成熟	産卵期	孵化日数
ミドリカメレオン（*Anolis carolinensis*）	1y	4－8月	42－49d
ウミイグアナ（*Amblyrhynchus cristatus*）	♀3－5y, ♂6－8y	12－1月	112d
トカゲ（*Eumeces fasciatus*）	2y	5月	27－47d
カナヘビ（*Takydromus tachydromoides*）	1y	5－9月	42d
シマヘビ（*Elaphe obsoleta*）	4y	4－5月	～60d
インドニシキヘビ（*Python molurus*）	5y	12－2月	57－66d
北米産マムシ（*Agkistrodon contortrix*）	3y	5月	～142d[1)]
ミシシッピワニ（*Alligator mississippiensis*）	5－10y	1－9月	56－66d

1) 卵胎生. d：日, y：年.

(Hugi, H と Sánchez-Villagra, M.R., 2012, Fitch, H. S. ら, 1972 などより)

両生類の生殖

種　名（学　名）	性成熟	繁殖期	放 卵 数	発生期間	幼生期間
トラフサンショウウオ (*Ambystoma tigrinum*)	1y	12－6月	1－110	12－40d	61－118d
北米産イモリ (*Triturus viridescens*)	2－4y	4－6月	200－376	10－35d	60－120d
ウシガエル (*Rana catesbeiana*)	3y	2－11月	6 000－20 000	2－15.5d	365－1095d
ヒョウモンガエル (*Rana pipiens*)	3y	3－8月	2 000－6 500	4－20d	60－84d
アメリカヒキガエル (*Bufo americanus*)	2y	2－6月	2 000－20 603	1－385d	22－68d
アマガエル (*Hyla regilla*)	2y	1－7月	500－1 500	6－14d	50－90d
アフリカツメガエル					
(*Xenopus laevis*)	1.5y	通年	500－15 000	1.5－7d	28－84d
(*Xenopus tropicalis*)	5mo	通年	1 000－5 000	0.5－2d	10－20d

d：日, mo：月, y：年.

(Brown, L. E. と Vial, J. L., 1972 より)

魚類の生殖：産卵期と卵数

種　名（学名）	産卵期	産 卵 数	種　名（学名）	産卵期	産 卵 数
チョウザメ (*Acipenser fulvescens*)	春～夏	128 000－1 000 000	キハダ (*Thunnus albacares*)	春～夏	500 000－8 500 000
ニシン (*Clupea harengus*)	春～秋	20 000－40 000	メカジキ (*Xiphias gladius*)	春～夏	16 000 000
ニジマス (*Oncorhynchus mikiss*=*Salmo gairdneri*)	春	1 590－3 459	オヒョウ (*Hippoglossus stenolepis*)	冬	176 381－3 402 931
カワマス (*Salvelinus fontinalis*)	秋	18－7 000	マンボウ (*Mola mola*)	(初)秋	300 000 000
マスノスケ (*Oncorhynchus tshawytscha*)	春～秋	1 718－11 012	シュモクザメ (*Sphyrna zygaena*)	夏	29－37[3)]
キンギョ（フナ） (*Carassius auratus*)	春～夏	3 000－14 000	アブラツノザメ (*Squalus acanthias*)	秋～冬	3－14[3)]
コ　イ (*Cyprinus carpio*)	春～夏	36 000－7 000 000	ガンギエイ (*Raja binoculata*)	通年	2－7
タ　ラ (*Gadus morhua*)	春, 秋～冬	3 000 000－9 000 000	アカエイ (*Dasyatis dipterura*)	春～夏	3－5[3)]
イトヨ (*Gasterosteus aculeatus*)	春	50－500[1)]	ヤツメウナギ (*Lampetra lamottei*)	春～夏	1 085－3 648
タツノオトシゴ (*Hippocampus hudsonius*)	春～夏	150－200[2)]	ヌタウナギ (*Myxine glutinosa*)	通年	19－30

1) ♂巣卵保護, 2) ♂孵卵嚢, 3) 卵胎生

(Nakatsubo, T. ら, 2007, Furumitsu, K. ら, 2019, Porter, P. E. ら, 1972 などより)

胚・幼生成長速度（両生類）

成長段階	トウキョウダルマガエル	ヒキガエル	アフリカツメガエル	イモリ	トラフサンショウオ
2細胞	2.25 h	3.2 h	1.5 h	6 h	6 h
4細胞	3.08 h	4 h	2 h	9 h	8 h
8細胞	3.92 h	5 h	2.25 h	12 h	10 h
16細胞	4.75 h	6.2 h	2.75 h	15 h	13 h
桑実胚	7.75 h	8 h	3.5 h	18 h	24 h
胞　胚	10.5 h	10.5 h	4 h	1 d 5 h	1.5 d
原口出現	22 h	1 d 4 h	9 h	1 d 20 h	3.5 d
原腸胚	1 d 3 h	1 d 8 h	11.75 h	2 d 10 h	4 d
卵黄栓	1 d 6 h	1 d 10 h	12.5 h	3 d	5.5 d
神経板	1 d 22 h	2 d	14.75 h	3 d 16 h	7.5 d
神経管	2 d 8 h	2 d 9 h	20.75 h	5 d 4 h	8 d
尾　芽	2 d 16 h	2 d 16 h	1 d 11 h	5 d 10 h	12 d
鰓　芽	3 d 16 h	3 d 13 h	2 d	10 d	22 d
孵　化	4 d 12 h	4 d 14 h	3 d	20 d	41 d
鰓　蓋	8 d 1 h	6 d 10 h	4 d 2 h	——	——
後肢芽	10 d 14 h	6 d 10 h	7 d 12 h	——	——
尾退化開始	71 d	75 d	42 d	/	/
前肢出現	71 d	70 d	43 d	12 d	49 d
変　態	79 d	82 d	56 d	——	——
水温（℃）	19*	18	22−24	18	10

* 11日以後 21−29℃．h：時間，d：日．

（Ichikawa, M. ら，1966；Nieuwkoop, P. D. ら，1967；Iwasawa, H. ら，1980

胚発生速度（魚類）

成長段階	メダカ	ニジマス	カワマス	マダイ	アイナメ
2細胞	1.5 h	9−10 h	8−10 h	1.5 h	4−4.5 h
4細胞	2.5 h	16 h	10−12 h	2 h	6−7 h
8細胞	3.5 h	24 h	18−20 h	2.5 h	8−9 h
16細胞	4.3 h	24−36 h	24 h	3 h	10−12 h
桑実胚	6.5 h	2−3.5 d	1−2 d	8 h	20 h
胞胚初期	8.5 h	3.5−5.5 d	2−6 d	10 h	24 h
胞胚後期	17 h	——	——	14 h	——
原腸胚初期	19 h	4.5−6.5 d	4−8 d	16 h	1 d 6 h
原腸胚後期	23 h	——	——	18 h	——
神経胚	1 d 3 h	7−7.5 d	9−10 d	20 h	2 d
眼胞分化	1 d 10 h	7−9 d	12 d	1 d	3 d
3体節	1 d 14 h	——	——	——	4 d
10〜12体節	2 d 8 h	7−9 d	12 d	——	——
18体節	2 d 20 h	9−10 d	——	——	——
22〜25体節	3 d 6 h	10−11 d	13−13.5 d	1 d 16 h	——
口，胸鰭	4 d	17−22 d	25 d	2 d	15 d
胸鰭運動	6 d	22−25 d	37 d	2 d	16 d
下顎分化	8 d	25−27 d	42 d	3 d	——
孵　化	11 d	33 d	53 d	2 d 2 h	23 d
水温（℃）	23	10	10	17	11−15

h：時間，d：日．　（Matsui, K., 1949；Ballard, W. W., 1972；Suehiro, Y., 1974 より）

昆虫類の発生・成長期間

種　名（学　名）	産卵数	発　生	幼　虫	蛹	成　虫
マダラシミ（*Thermobia domestica*）	50	12-13d	60-120d	/*	1-2.5y
メリケンフキバッタ（*Melanoplus sanguinipes*）	300-400	90-120d	40-60d	/*	30-60d
チャバネゴキブリ（*Blattella germanica*）	218-267	17d	40-42d	/*	80-232d
ワモンゴキブリ（*Periplaneta americana*）	200-1 000	32-58d	285-616d	/*	102-558d
モモアカアブラムシ（*Myzus persicae*）	—	120d	9-12d	/*	10-49d
カイコガ（*Bombyx mori*）	300-500	9-12d	21-25d	14-21d	2-3d
モンシロチョウ（*Pieris rapae*）	200-500	7d	14d	7-14d	—
アカイエカ（*Culex pipiens*）	200-1 000	1-2d	5-8d	2-3d	50-70d
キイロショウジョウバエ（*Drosophila melanogaster*）	100	<1d	3-11d	2-8d	14d
イエバエ（*Musca domestica*）	75-720	1-3d	4-10d	4-18d	10-50d
クロキンバエ（*Phormia regina*）	100-500	1-2d	4-15d	3-13d	10-40d
ネコノミ（*Ctenocephalides felis*）	200-450	2-4d	8-24d	5-7d	50-200d
チャイロコメノゴミムシダマシ（*Tenebrio molitor*）	276	12-16d	120-350d	18-20d	60-90d
メキシコワタミゾウムシ（*Anthonomus grandis*）	20-400	3-5d	7-12d	3-5d	1-250d
ミツバチ（*Apis mellifera*）	600 000[1)]	3d	7d	11d	35-40d[2)]

＊ 不完全変態．1）女王，2）働き蜂．d：日，y：年．（Schmidt, C. H. ら，1972 より）

昆虫類の年間世代数

種　名（学　名）	越冬形態	世代数/繁殖期	種　名（学　名）	越冬形態	世代数/繁殖期
マダラシミ	—	3-7	アカイエカ	成虫	2-18
クロツヤコオロギ（*Acheta domesticus*）	卵	1	ヒトスジシマカ	全形態*	3-12
			キイロショウジョウバエ	幼虫，成虫	5-6
メリケンフキバッタ	卵	1-2	イエバエ	全形態*	4-18
チャバネゴキブリ	全形態*	1-4	クロキンバエ	成虫	2-4
ワモンゴキブリ	全形態*	1以下	ネコノミ	蛹	約10
モモアカアブラムシ	卵	14	ホシテントウ	成虫	1-3
ヒトジラミ（*Pediculus* sp.）	全形態*	10-12	コクヌストモドキ	—	4-5
ヤママユガ（*Platysamia cecropia*）	蛹	1	チャイロコメノゴミムシダマシ	幼虫	1
			メキシコワタミゾウムシ	成虫	3-7
モンシロチョウ	蛹	3-6			

＊ 通年繁殖．（Schmidt, C. H. ら，1972 より）

年次別・年齢別・性別平均体位（日本人）

年齢＼年次	1980		1990		2000		2010		2017		2018		2019	
	身長	体重	身長	体重	身長	体重	身長	体重	身長	体重	身長	体重	身長	体重
男性														
1	79.9	10.8	80.0	10.9	80.8	11.2	—	—	78.6	10.5	79.7	10.4	79.6	10.3
2	89.2	12.9	89.7	13.1	90.1	13.0	—	—	89.4	12.8	88.6	12.6	89.0	12.2
3	96.7	14.9	96.5	14.8	96.3	14.9	—	—	95.8	14.5	96.0	14.2	95.6	13.8
4	102.4	16.4	104.0	16.5	103.4	16.1	—	—	102.3	15.9	101.2	15.4	103.7	16.4
5	110.1	18.8	110.3	19.2	110.9	19.4	—	—	108.3	18.0	110.0	18.2	110.5	18.2
6	115.3	21.1	115.9	21.2	117.6	22.4	117.1	20.9	116.9	21.2	115.6	20.4	114.9	20.6
7	120.6	23.3	122.5	24.3	121.8	24.2	120.8	23.6	121.3	24.1	122.0	24.2	122.7	24.7
8	126.8	26.6	127.7	26.8	128.5	28.0	129.4	27.2	127.7	27.0	127.8	26.6	126.3	25.8
9	131.5	28.8	132.3	29.4	132.5	30.6	132.7	30.8	134.9	29.4	131.8	29.1	132.5	30.1
10	136.8	32.4	138.6	33.8	138.7	33.5	138.5	32.9	137.4	34.2	138.4	33.8	138.1	33.9
11	142.8	36.7	144.2	38.3	143.6	37.8	143.8	36.2	144.4	38.9	145.7	38.8	147.2	41.3
12	149.4	40.9	152.1	43.3	150.0	42.6	151.9	44.5	150.8	41.5	153.1	43.4	148.0	41.3
13	156.7	46.5	157.5	48.3	159.7	49.3	159.6	46.9	158.0	45.6	160.3	50.4	156.5	44.7
14	162.7	52.2	163.1	52.3	165.1	56.2	164.4	52.6	165.4	53.1	165.2	51.0	166.8	56.1
15	166.9	57.3	167.7	58.5	166.7	56.0	169.0	56.7	168.4	57.9	168.0	57.9	169.3	59.2
16	167.3	58.0	168.0	59.5	169.4	59.9	168.5	57.7	170.4	61.0	173.9	62.6	168.9	60.8
17	169.7	61.6	170.9	62.2	170.9	59.1	170.9	60.9	171.9	61.3	169.2	57.3	171.5	64.0
18	169.3	59.2	170.5	62.7	170.9	62.4	172.5	62.5	168.9	63.6	170.0	61.1	171.1	61.2
19	169.5	60.6	170.2	61.9	171.6	61.1	169.0	59.4	170.7	63.0	174.0	64.3	170.4	60.6
20	170.4	61.0	171.3	63.7	170.4	65.1	171.0	61.8	171.7	64.4	169.1	61.4	170.2	57.0
21	169.5	60.1	170.9	63.8	173.1	65.3	170.2	60.7	171.9	67.3	172.5	65.1	168.7	64.8
22	170.0	60.8	170.9	64.4	170.4	61.9	170.1	69.5	173.7	67.0	172.6	64.0	172.3	65.3
23	169.2	61.0	170.4	62.3	171.2	64.9	171.9	65.7	171.5	73.3	169.4	62.8	171.6	72.7
24	167.1	59.0	171.6	63.8	171.0	63.0	171.5	62.9	171.8	65.0	171.5	63.9	172.7	68.6
25	167.6	60.6	170.8	64.3	170.7	67.0	169.6	63.5	170.9	67.6	173.5	70.3	171.3	63.6
26～29	167.2	61.2	170.4	66.0	171.0	66.8	170.4	66.5	171.0	69.5	171.7	66.0	171.8	70.4
30～39	166.1	62.4	168.7	65.3	170.6	68.2	171.5	69.6	171.2	71.0	172.1	71.0	171.5	70.0
40～49	163.2	61.5	166.4	64.7	168.8	67.2	170.6	70.4	171.2	71.3	171.3	71.1	171.5	72.8
50～59	161.1	58.7	162.8	61.7	165.5	64.6	168.0	68.2	170.2	69.2	170.8	70.4	169.9	71.0
60～69	159.0	55.8	161.0	58.7	163.0	62.5	165.3	64.6	167.3	67.2	167.2	67.1	167.4	67.3
70～	156.9	52.6	158.3	55.2	159.5	57.5	160.9	59.9	162.5	61.7	162.7	62.7	163.1	62.4
女性														
1	79.5	10.5	78.3	10.1	78.9	10.1	—	—	76.8	9.9	77.2	10.2	76.6	9.7
2	88.2	12.5	89.0	12.5	88.3	12.4	—	—	87.9	12.2	87.5	12.3	88.2	12.3
3	95.2	14.2	95.2	14.2	96.7	14.3	—	—	93.8	13.9	96.1	14.6	95.7	13.9
4	102.2	16.4	102.9	16.6	102.8	16.4	—	—	102.8	16.0	102.3	15.9	102.9	16.5
5	108.2	17.8	108.5	18.2	109.1	18.5	—	—	109.1	17.9	109.3	18.1	107.5	17.7
6	114.5	20.3	115.4	20.9	115.0	20.8	115.1	20.1	115.3	20.8	114.8	20.3	114.7	20.4
7	120.2	22.6	121.3	23.8	121.2	23.2	121.8	23.5	122.0	23.3	119.6	22.3	121.1	21.8
8	125.4	25.3	126.8	26.6	126.1	26.1	128.4	26.5	126.7	24.7	125.7	26.0	125.5	25.9
9	131.4	28.3	131.5	28.5	133.6	30.9	135.2	30.8	134.2	29.8	134.4	29.7	133.1	30.4
10	137.8	32.7	139.7	34.1	138.9	34.3	139.2	33.1	138.3	31.7	140.6	33.7	138.7	32.2
11	144.5	36.6	145.2	37.6	146.0	38.5	145.3	36.8	148.1	39.4	146.6	37.1	144.0	36.5
12	149.3	41.0	152.2	43.9	153.0	45.3	150.8	40.8	149.5	41.8	150.1	41.9	150.9	41.9
13	154.0	46.1	154.5	45.9	153.9	46.3	155.7	46.2	154.7	45.6	154.6	47.2	154.8	48.8
14	154.8	48.8	156.8	48.7	156.9	49.0	156.1	48.4	157.4	49.0	154.9	48.7	155.5	48.4
15	156.5	51.0	157.4	50.0	157.1	50.2	156.6	51.0	157.2	51.6	158.2	49.5	159.2	51.2
16	156.7	52.0	157.1	52.2	158.8	52.2	158.0	51.0	157.7	50.2	156.6	49.9	158.0	48.9
17	156.6	51.5	157.8	52.3	157.4	50.8	158.0	51.9	159.1	51.6	154.8	47.2	158.4	52.6
18	155.7	50.9	157.5	52.0	157.7	50.7	157.7	56.3	155.5	51.0	157.4	50.1	156.0	49.6
19	157.1	51.7	157.9	50.6	157.7	49.2	159.2	55.2	158.0	52.2	156.6	51.2	156.7	48.7
20	155.5	50.7	157.1	51.7	158.2	52.5	159.5	55.0	154.9	49.9	157.0	50.7	158.6	49.0
21	155.9	51.8	157.9	51.3	156.8	48.7	156.7	49.4	158.9	52.4	157.1	52.2	158.7	54.6
22	155.9	50.8	156.8	51.4	158.0	51.1	157.2	50.3	158.3	50.2	158.8	52.3	159.0	52.3
23	154.8	51.5	157.5	50.8	157.9	50.8	154.8	48.4	158.3	50.7	159.3	54.6	155.9	51.3
24	155.4	50.8	158.4	50.4	157.8	50.6	159.1	49.8	157.5	50.0	157.5	50.9	155.9	49.2
25	155.2	52.6	157.8	52.3	157.5	49.1	157.7	50.2	157.9	50.3	160.1	53.3	156.9	52.4
26～29	154.3	51.0	157.2	51.9	158.1	51.8	158.7	51.8	157.7	52.5	159.4	54.0	157.9	53.4
30～39	153.4	51.9	155.7	52.7	157.6	53.3	158.3	54.0	158.6	54.4	158.3	53.4	158.2	54.3
40～49	151.8	53.5	153.4	53.6	155.8	55.0	157.8	54.7	158.2	55.8	158.7	55.8	158.1	55.6
50～59	149.5	52.0	151.4	53.7	153.2	54.0	155.2	54.1	156.7	55.4	157.0	55.2	156.9	55.2
60～69	147.3	49.8	148.6	51.9	150.6	53.6	151.8	53.4	153.9	54.7	153.9	54.2	154.0	54.7
70～	142.6	45.8	144.3	47.3	146.1	49.3	147.7	50.4	148.9	51.0	149.0	51.3	149.4	51.1

身長：(cm)，体重：(kg)．(令和元年国民健康・栄養調査報告—厚生労働省—．ただし，1970 年のデータは昭和 61 年国民栄養の現状—厚生省—より)

脊椎動物の寿命

種　名 (和　名)	記録された 最長寿命(年)	種　名 (和　名)	記録された 最長寿命(年)	種　名 (和　名)	記録された 最長寿命(年)
ヒ　ト	122.5	キクガシラコウモリ	30.5	ニワトリ	30
チンパンジー	59.4	ヒトイロハリネズミ	7	ツバメ	16
オランウータン	59	ネ　コ	30	イエスズメ	23
ゴリラ	60.1	ライオン	27	オオサマペンギン	26
ニホンザル	38.5	ト　ラ	26.3	アメリカアリゲーター	73.1
コモンツパイ	12.4	ジャイアントパンダ	36.8	ガラパゴスゾウガメ	177
アナウサギ(イエウサギ)	9	レッサーパンダ	19	ムカシトカゲ	90
ハツカネズミ	4	ホッキョクグマ	43.8	ホライモリ	102
ドブネズミ	3.8	ヒグマ	40	アホロートル	17
ハダカデバネズミ	31	イ　ヌ	24	アカハライモリ	25
ゴールデンハムスター	3.9	ハイイロオオカミ	20.6	チョウセンスズガエル	15.8
モルモット	12	アカキツネ	21.3	ヨーロッパヒキガエル	40
ウ　シ	20	オオアリクイ	31	トッケイヤモリ	23.5
イノシシ	27	アフリカゾウ	65	ミズウミチョウザメ	152
ヤ　ギ	20.8	ジュゴン	73	ヨーロッパウナギ	88
ヒツジ	22.8	アカカンガルー	25	メヌケの仲間	205
キリン	39.5	キタオポッサム	6.6	コ　イ	70～100*
ウ　マ	57	カモノハシ	22.6	ジンベイザメ	54
ニホンジカ	26.3	ダチョウ	50	シロザケ	7
モグラ	3.2	オカメインコ	50	ウミヤツメ	9
ホッキョククジラ	211	カモメ	33.7	ビッグマウス・ バッファロー(淡水魚)	112
シャチ	90	フクロウ	23.8		
シロナガスクジラ	110	ハ　ト	35	ニシオンデンザメ	512

* 1977 年に 226 歳で死亡した例外的に長寿のコイ「花子」の報告もある（L. Barton, The Guardian, 2007 Apr 12., 全日本錦鯉振興会　http://jnpa.info/zen/hanako.htm).

AnAge；The Animal Ageing and Longevity Database（http://genomics.senescence.info/species/），数値でみる生物，丸善出版(2012)，Communications Biology **2**, 197(2019)，Science **353**, 6300, 702-704(2016)．より．

無脊椎動物の寿命

種　名 (和　名)	記録された 最長寿命	種　名 (和　名)	記録された 最長寿命	種　名 (和　名)	記録された 最長寿命
ナメクジウオ	3 年	イエバエ	76 日	イケチョウガイ	100 年
アメリカオオキタムラサキウニ	200 年	ヒトジラミ	30 日	エスカルゴ	>18 年
		タランチュラ	15 年	アイスランドカイ	507 年
ヒトデ	5 年	ダイオウサソリ	5~8 年	カキ	12 年
キイロショウジョウバエ	0.3 年	アメリカンロブスター	100 年	プラナリア	14 ヵ月
ミツバチ（女王）	8 年	カブトガニ	>20 年(20~40 年)	サナダムシ	35 年
ミツバチ(働き蜂)	0.2～0.4 年	ムカデ(イシムカデ)	5~6 年	センチュウ(野生型)	10 日
シロアリ（女王）	25 年	ミミズ	10 年	カイチュウ	5 年
マネシヒカゲ(蝶)の仲間	0.5 年	ヒル	27 年	ゾウリムシ	7~8 ヵ月
ハサミムシ	7 年	ハオリムシ	250 年		
カイコ	1～2 ヵ月	コウイカ	5 年		

AnAge；The Animal Ageing and Longevity Database，数値でみる生物学，丸善出版（2012），Centers for Disease Control and Prevention HP，University of Michigan MUSEUM OF ZOOLOGY Animal Diversity Web，National Wildlife Federation HP，Boetius A, *PLoS Biol* **3** (3)：e102 (2005)，Nature Methods **10**, 665-670 (2013)，日本動物学会 第 85 回一般公開要旨集などの文献による．

給餌制限と寿命

動物種		給餌制限後の平均生存日数（最大生存日数		
種　名（和　名）	系　統*1	無（自由給餌）	中程度（25% 減）	高度（40～50% 減
繊毛虫（トコフィリア）		7 日	10 日	13 日
ワムシ		35 日	45 日	55 日
センチュウ		15～16 日	—	26 日
ミジンコ		30 日(46 日)	—	40 日(48 日)
キイロショウジョウバエ		17～19 日	—	29 日
カイコ		—	効果有り	—
サラグモ科の一種		42.3 日	63.9 日	81.3 日
セイヨウカサガイ		2.5 年	—	16 年
グッピー（♀）		600 日	—	800 日
マウス*	A/J	21 週(27 週)	—	23 週(30 週)
	C57BL/6	21 週(27 週)	—	24 週(32 週)
	C57BL/6（6 週開始）	26 週(31 週)	—	29 週(37 週)
	C57BL/6（25 週開始）	29 週(—)	—	29 週(—)
	(A/J x C57BL) F1	24 週(32 週)	—	28 週(37 週)
	C3H	15 週(17 週)	—	23 週(31 週)
	NZB	15 週(20 週)	—	17 週(25 週)
ラット*2	Wistar	25 週(35 週)	—	30 週(38 週)
	Wistar（12 週開始）	31 週(—)	—	35 週(—)
	Sprague-Dawley	23 週(33 週)	—	36 週(43 週)
	Fischer 344	23 週(29 週)	—	32 週(43 週)
	Holtzman	20 週(24 週)	—	24 週(28 週)
	Long Evans（6 週開始）	30～33 週(40 週)	—	37 週(43 週)
ハムスター（12 週開始）		23 週(28 週)	—	30 週(33 週)
イヌ（6ヵ月開始）	Labrador retrievers	11.2 年	13 年	ND

注）霊長類についての給餌制限の有効性は 2 研究機関から相反的実験結果が公表され，その効果は疑 視されていたが，両機関の共同による体重，肥満度，その他の長期的に収集されたデータの再吟味の 結果，給餌制限がアカゲザル（*Macaca mulatta*）の寿命延長にも効果的であることが最近報告された

＊1　特記しない系統の給餌制限は離乳後（3 週間後）開始.

＊2　マウス，ラットについては 1934 年から 2012 年までにそれぞれ 72 報，53 報の論文が公表されており ファンネルプロットによる検定で有意である判定結果を持つメタ解析においても，マウスで 4～27%, ラットで 14～45% の平均寿命の延長が認められている．ここでは，そのうちの代表的と思われるもの を選んだ.

参考文献：Julie A. Mattison et al. (2017), Swindell, WR (2012), Weindruch, R. & Walford, RL (1988) Albert I. Lansing (1947), Austad, SN (1989), Dennis F. Lawler, DF. et al. (2008).

年次別・性別人口*・出生・死亡数（日本人）

年次	男性 人口	男性 出生数	男性 死亡数	女性 人口	女性 出生数	女性 死亡数
1900	22 051 000	727 916	464 072	21 796 000	692 618	446 664
1905	23 421 000	735 948	505 290	23 199 000	716 822	499 365
1910	24 650 000	872 779	535 076	24 534 000	840 078	529 156
1915	26 465 000	918 296	556 179	26 287 000	881 030	537 610
1920	28 044 185	1 035 134	720 655	27 918 868	990 430	701 441
1925	30 013 109	1 060 827	621 357	29 723 713	1 025 264	589 349
1930	32 390 155	1 069 551	603 995	32 059 850	1 015 549	566 871
1935	34 734 133	1 122 867	603 566	34 520 015	1 067 836	558 367
1940	35 387 400	1 084 282	615 311	36 545 600	1 031 585	571 284
1945	33 894 100	—	—	38 104 000	—	—
1950	40 811 760	1 203 111	467 073	42 387 877	1 134 396	437 803
1955	43 860 718	889 670	365 246	45 414 811	841 022	328 277
1960	45 877 602	824 761	377 526	47 540 899	781 280	329 073
1965	48 244 445	935 366	378 716	50 030 516	888 331	321 722
1970	50 600 539	1 000 403	387 880	52 518 908	933 836	325 082
1975	54 724 867	979 091	377 827	56 526 640	922 349	324 448
1980	57 201 287	811 418	390 644	59 119 071	765 471	332 157
1984	58 793 000	764 597	402 220	60 730 000	725 183	338 027
1985	59 044 000	735 284	407 769	61 221 700	696 293	344 514
1986	59 438 000	711 301	406 918	61 508 000	671 645	343 702
1987	59 723 000	692 304	408 094	61 811 000	654 354	343 078
1988	59 964 000	674 883	428 094	62 062 000	639 123	364 920
1989	60 171 000	640 506	427 114	62 289 000	606 296	361 480
1990	60 248 969	626 971	443 718	62 472 428	594 614	376 587
1991	60 425 000	628 615	450 344	62 677 000	594 630	379 453
1992	60 597 000	622 136	465 544	62 879 000	586 853	391 099
1993	60 730 000	610 244	476 462	63 057 000	578 038	402 070
1994	60 839 000	635 915	476 080	63 230 000	602 413	399 853
1995	60 919 153	608 547	501 276	63 379 794	578 517	420 863
1996	61 115 000	619 793	488 605	63 594 000	586 762	407 606
1997	61 210 000	610 905	497 796	63 753 000	580 760	415 606
1998	61 311 000	617 414	512 128	63 941 000	585 733	424 356
1999	61 358 000	604 769	534 778	64 074 000	572 900	447 253
2000	61 488 005	612 148	525 903	64 124 628	578 399	435 750
2001	61 595 000	600 918	528 768	64 313 000	569 744	441 563
2002	61 591 000	592 840	535 305	64 417 000	561 015	447 074
2003	61 620 000	576 736	551 746	64 520 000	546 874	463 205
2004	61 597 000	569 559	557 097	64 579 000	541 162	471 505
2005	61 617 893	545 032	584 970	64 587 009	517 498	498 826
2006	61 568 000	560 439	581 370	64 586 000	532 235	503 081
2007	61 511 000	559 847	592 784	64 574 000	529 971	515 550
2008	61 424 000	559 513	608 711	64 523 000	531 643	533 696
2009	61 339 000	548 994	609 042	64 481 000	521 042	532 823
2010	61 571 727	550 743	633 701	64 810 001	520 562	563 313
2011	61 453 000	538 271	656 542	64 727 000	512 536	596 526
2012	61 328 000	531 781	655 526	64 630 000	505 451	600 833
2013	61 186 000	527 657	658 685	64 518 000	502 160	609 753
2014	61 041 000	515 572	660 340	64 391 000	488 037	612 685
2015	61 022 756	515 468	666 728	64 296 543	490 253	623 782
2016	60 866 773	502 012	674 946	64 153 479	475 230	633 212
2017	60 675 736	484 478	690 770	63 972 735	461 668	649 797
2018	60 454 898	470 851	699 138	63 763 387	447 549	663 332
2019	60 208 034	443 430	707 421	63 523 142	421 809	673 672
2020	60 002 838	430 713	706 834	63 396 124	410 122	665 921
2021	59 686 643	415 903	738 141	63 093 844	395 719	701 715
2022	59 313 678	395 257	799 420	62 716 845	375 502	769 630

（人口動態統計—厚生労働省より）

地域範囲	1900 年～1940 年	北海道，本州，四国，九州，沖縄
	1950 年	鹿児島県大島郡，沖縄県，小笠原諸島，北海道の一部（歯舞，千島）を除く．
	1955 年～	鹿児島県大島郡を算入
	1968 年～	小笠原諸島を算入
	1973 年～	沖縄県を算入
人的範囲	1900 年～1915 年	内地人
	1920 年～1966 年	外国籍を含む人口
	1967 年～	日本国籍のみの人口

年次別・年齢別・性別人口（日本人）

年齢＼年次	1960	1970	1980	1990	2000	2010	2015	2018	2019	2020	2021	2022
男性												
0～4	4 013	4 483	4 337	3 317	3 002	2 689	2 528	2 439	2 397	2 282	2 203	2 131
5～9	4 702	4 141	5 109	3 810	3 066	2 842	2 699	2 621	2 575	2 580	2 540	2 492
10～14	5 620	3 976	4 564	4 358	3 335	3 014	2 855	2 733	2 711	2 724	2 714	2 684
15～19	4 678	4 538	4 195	5 108	3 809	3 096	3 074	2 980	2 927	2 883	2 827	2 781
20～24	4 125	5 280	3 932	4 438	4 255	3 228	3 015	3 063	3 063	3 016	3 006	2 987
25～29	4 095	4 491	4 513	4 036	4 894	3 643	3 210	3 011	3 000	3 038	3 036	3 028
30～34	3 747	4 159	5 388	3 892	4 366	4 180	3 653	3 408	3 300	3 245	3 163	3 098
35～39	2 763	4 103	4 569	4 500	4 035	4 927	4 191	3 805	3 724	3 676	3 604	3 529
40～44	2 274	3 647	4 138	5 333	3 883	4 382	4 922	4 538	4 341	4 203	4 046	3 923
45～49	2 257	2 657	4 017	4 472	4 436	4 015	4 365	4 821	4 892	4 915	4 849	4 712
50～54	2 041	2 140	3 531	3 990	5 186	3 807	3 982	4 151	4 255	4 328	4 590	4 685
55～59	1 802	2 029	2 494	3 782	4 275	4 297	3 750	3 779	3 809	3 913	3 853	3 980
60～64	1 438	1 746	1 933	3 234	3 740	4 937	4 181	3 715	3 682	3 639	3 616	3 644
65～69	1 027	1 393	1 734	2 189	3 353	3 934	4 699	4 507	4 192	3 970	3 794	3 634
70～74	694	958	1 312	1 557	2 667	3 235	3 609	3 851	4 076	4 314	4 541	4 381
75～79	377	531	846	1 197	1 621	2 593	2 807	3 089	3 225	3 132	2 976	3 136
80～84	169	241	417	678	913	1 700	2 010	2 187	2 191	2 223	2 301	2 383
85～89	48	71	138	276	477	747	1 065	1 222	1 271	1 321	1 383	1 425
90～94	8	17	33	81	176	243	336	451	481	498	529	559
95～99	—	—	—	—	—	56	63	76	87	93	104	111
100～	—	—	—	—	—	6	8	9	9	10	10	10
女性												
0～4	3 832	4 264	4 121	3 152	2 858	2 565	2 415	2 323	2 282	2 177	2 104	2 032
5～9	4 502	3 959	4 858	3 627	2 919	2 708	2 569	2 499	2 456	2 457	2 419	2 373
10～14	5 397	3 823	4 336	4 138	3 172	2 870	2 718	2 606	2 583	2 591	2 580	2 555
15～19	4 631	4 460	4 020	4 860	3 625	2 932	2 904	2 823	2 779	2 736	2 681	2 637
20～24	4 193	5 315	3 852	4 284	4 045	3 076	2 869	2 900	2 897	2 900	2 884	2 850
25～29	4 115	4 547	4 464	3 940	4 732	3 512	3 083	2 882	2 862	2 914	2 914	2 910
30～34	3 771	4 169	5 320	3 821	4 243	4 034	3 532	3 283	3 175	3 119	3 041	2 976
35～39	3 275	4 068	4 582	4 446	3 943	4 761	4 047	3 678	3 605	3 552	3 481	3 405
40～44	2 745	3 658	4 158	5 284	3 823	4 269	4 764	4 388	4 199	4 057	3 907	3 790
45～49	2 560	3 183	4 041	4 518	4 409	3 951	4 254	4 685	4 749	4 764	4 697	4 564
50～54	2 161	2 637	3 639	4 078	5 205	3 801	3 927	4 078	4 175	4 241	4 488	4 572
55～59	1 839	2 373	3 088	3 932	4 424	4 360	3 770	3 775	3 797	3 896	3 835	3 955
60～64	1 494	1 964	2 510	3 512	3 972	5 118	4 308	3 807	3 768	3 714	3 683	3 704
65～69	1 133	1 580	2 213	2 902	3 739	4 296	5 011	4 808	4 462	4 200	4 006	3 829
70～74	870	1 169	1 700	2 253	3 223	3 752	4 143	4 344	4 569	4 826	5 079	4 903
75～79	578	735	1 185	1 818	2 518	3 379	3 523	3 815	3 986	3 899	3 703	3 858
80～84	314	408	674	1 153	1 696	2 663	3 002	3 143	3 119	3 159	3 239	3 336
85～89	108	158	271	557	1 054	1 699	2 084	2 283	2 332	2 410	2 477	2 517
90～94	24	48	86	208	524	783	1 024	1 221	1 277	1 309	1 370	1 425
95～99	—	—	—	—	—	242	297	362	392	406	432	449
100～	—	—	—	—	—	38	53	60	60	70	75	77

単位：千人.　　　　　（人口動態統計―厚生労働省―より）
2000 年までの 90～94 歳は，90 歳以上の数値.

年次別・年齢別・性別死亡数（日本人）

年齢＼年次	1950	1960	1970	1980	1990	1995	2000	2005	2010	2015	2018	2019	2020	2021	2022
男性															
0～4	1183	362	191	94	45	39	29	23	19	15	13	12	11	10	10
5～9	106	48	24	17	8	8	4	4	3	3	2	2	2	2	2
10～14	50	33	17	10	8	7	5	4	4	3	3	2	2	2	2
15～19	107	62	50	30	32	24	17	12	9	8	7	8	8	8	8
20～24	187	88	68	34	35	36	29	23	20	15	14	14	15	14	14
25～29	159	94	65	41	29	32	33	29	24	18	15	14	15	15	15
30～34	125	88	72	55	33	33	37	39	32	23	21	20	20	18	18
35～39	141	81	103	73	55	44	46	49	49	35	30	29	28	28	28
40～44	157	93	128	105	98	82	68	68	66	62	52	49	48	44	46
45～49	191	142	133	176	142	156	131	106	96	87	88	88	89	87	87
50～54	233	208	170	223	202	219	241	195	146	128	126	126	127	135	141
55～59	287	302	267	230	329	305	318	342	271	195	183	183	185	187	192
60～64	350	382	381	292	427	472	422	434	462	361	300	292	280	277	289
65～69	410	441	521	439	427	598	610	553	575	614	599	552	510	484	478
70～74	424	484	583	572	517	609	764	802	735	769	778	806	849	931	970
75～79	306	428	521	639	693	685	739	993	1027	970	1012	1051	1044	1022	1100
80～84	170	294	364	511	679	779	735	895	1198	1268	1296	1285	1259	1321	1447
85～89	63	117	166	264	456	565	627	701	899	1208	1334	1354	1359	1444	1596
90～94	17	30	52	98	218	250	308	426	492	646	838	884	899	977	1107
95～99	—	—	—	—	—	57	76	128	178	199	238	258	275	323	387
100～	—	—	—	—	—	6	10	17	29	37	40	41	42	48	56
女性															
0～4	1046	285	138	69	35	31	23	18	15	12	11	11	9	9	9
5～9	92	34	14	10	5	5	3	2	2	2	2	2	2	1	1
10～14	52	23	10	6	5	5	3	2	2	2	2	2	2	2	2
15～19	106	37	20	11	11	9	7	6	5	4	4	4	4	4	5
20～24	172	57	36	14	13	14	12	11	8	6	6	6	7	7	7
25～29	170	64	39	22	14	14	15	13	10	8	7	7	8	8	8
30～34	139	68	43	32	18	18	18	20	17	12	10	10	9	10	10
35～39	140	74	58	42	31	24	24	26	27	19	17	16	16	15	17
40～44	137	81	76	56	55	46	36	34	35	36	31	29	29	27	27
45～49	148	115	99	85	75	85	66	52	50	49	52	52	52	50	52
50～54	171	143	126	118	101	110	117	94	74	69	69	69	71	74	77
55～59	197	185	178	150	146	142	141	153	122	93	91	91	90	91	95
60～64	263	237	239	197	200	211	185	189	199	161	133	129	125	124	131
65～69	348	302	331	298	273	293	281	256	256	269	264	243	220	212	209
70～74	417	409	439	422	381	415	401	406	368	374	367	374	392	428	443
75～79	364	476	494	562	582	569	571	600	604	565	571	586	578	566	602
80～84	257	414	471	592	716	799	735	847	915	957	955	938	907	931	1028
85～89	119	212	304	409	655	779	863	953	1174	1354	1433	1436	1406	1479	1610
90～94	40	76	138	226	449	473	601	850	1028	1326	1509	1571	1553	1665	1851
95～99	—	—	—	—	—	142	216	377	575	708	854	908	919	1017	1165
100～	—	—	—	—	—	21	38	78	147	211	243	250	259	295	346

単位：百人．1950～1970 年は沖縄県を除く．　（人口動態統計—厚生労働省—より）
1950～1990 年の 90～94 歳は，90 歳以上の数値．

細胞・組織・器官

細胞の微細構造（真核細胞）

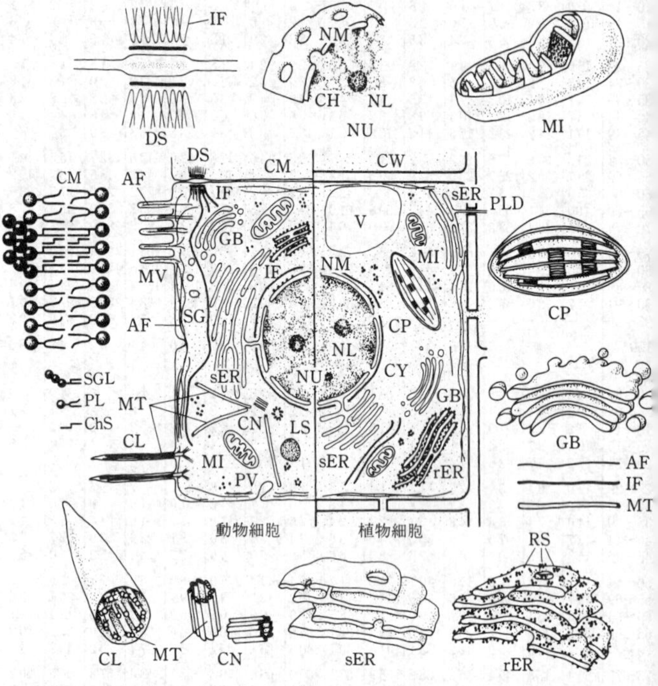

AF：アクチンフィラメント，CH：染色質，ChS：コレステロール，CL：繊毛，CM：細胞膜，CN：中心体，CP：葉緑体，CW：細胞壁，CY：細胞質ゾル，DS：デスモソーム，GB：ゴルジ体，IF：中間径フィラメント，LS：リソソーム，MI：ミトコンドリア，MT：微小管，MV：微絨毛，NL：核小体，NM：核膜，NU：核，PL：リン脂質，PLD：プラスモデスム，PV：ピノソーム，rER：粗面小胞体，RS：リボソーム，sER：滑面小胞体，SG：分泌顆粒，SGL：スフィンゴ糖脂質，V：液胞

真核細胞の構成要素と機能

構成要素	サイズ	機能
細胞膜	7.5 nm(厚さ)	細胞内外間の物質の輸送，刺激の受容
細胞質		
細胞質ゾル(サイトゾール)		中間代謝
細胞骨格		
微小管	25 nm(直径)	鞭毛や繊毛の形成，細胞分裂，細胞壁の形成
中間径フィラメント	10 nm(直径)	細胞内網目構造，細胞間結合
アクチンフィラメント	7 nm(直径)	収縮装置，細胞運動
細胞小器官		
葉緑体	4.0〜8.0 μm(直径)	光合成，脂質の合成
ミトコンドリア	0.5〜0.8 μm(直径)	好気呼吸，ATP の生成
ゴルジ体	0.2〜5.5 μm(長さ)	分泌顆粒の生成，細胞板・細胞壁の生成
小胞体(ER)	4〜7 nm (厚さ)	生成物の輸送，脂質の代謝
リソソーム	0.4 μm(直径)	細胞内不要物の消化
ペルオキシソーム	0.5〜1.5 μm(直径)	グリコール酸の代謝，過酸化物の分解
リボソーム	15〜20 nm(直径)	タンパク質合成
核	5.0〜25 μm(直径)	DNA の合成(遺伝コードの複製)
核小体	1〜4 μm(直径)	rRNA の合成

原核細胞と真核細胞の構造の比較

項目	原核細胞	真核細胞
生物種	細菌・アーキア (古細菌)	原生生物・菌類・植物・動物
細胞の大きさ	一般的に直径 2 μm 以下	一般的に直径 2 μm より大きく 100 μm 以下
核膜	持たない (核様体を持つ)	持つ (核を持つ)
細胞膜	ステロールないかまれに存在	ステロール存在
細胞壁	ペプチドグリカン(真正細菌)	セルロース(藻類・植物)
	タンパク質(アーキア)	キチン(菌類)
細胞内膜	メソゾーム	小胞体・ゴルジ体・リソソーム・ミクロボディー・液胞 (植物)
	チラコイド(シアノバクテリア)	
リボソーム	沈降係数 70 S 分子量 2.7×10^6 D	沈降係数 80 S 分子量 4×10^6 D
DNA	ほとんど環状	直線状
	ヒストンと結合していない	ヒストンと結合している
核内 (核域) 以外の DNA	プラスミド	ミトコンドリア・葉緑体
核小体	なし	あり
鞭毛	フラジェリンよりなる 1 本の繊維で構成	チューブリンよりなる微小管で構成*
その他の繊維	ピリンよりなる線毛(運動性なし)	微小管よりなる繊毛(運動性あり)
細胞骨格	なし	あり
細胞分裂	無糸分裂	有糸分裂
中心粒	なし	あり*
原形質流動	なし	あり
飲食作用・開口分泌	なし	あり

* ほとんどの種子植物には鞭毛，繊毛，中心粒はない.
石原勝敏ら編：生物学データ大百科事典(上)，朝倉書店 (2002) より.

細胞小器官の膜による分類

細胞小器官の種類	細胞小器官
単膜系細胞小器官	ゴルジ体，小胞体，リソソーム，ペルオキシソーム，液胞，核*
複膜系細胞小器官	ミトコンドリア，プラスチド(葉緑体，白色体，有色体)

* 核膜は複膜様であるが，単膜が袋状の構造をとっているものである.

動物組織細胞の種類

組織細胞		細胞種
上皮組織細胞	構成，形態別	扁平上皮，立方上皮，円柱上皮，単層上皮，多層上皮，移行上皮，偽多層上皮の各細胞
	機能別	被蓋（保護）上皮，吸収上皮，腺上皮，感覚上皮，生殖上皮の各細胞
内皮細胞		脊椎動物血管・リンパ管・心臓内腔壁の単層扁平上皮細胞
結合組織・支持組織細胞		繊維芽細胞，マスト細胞，組織球，間充織細胞，網状細胞，精巣間質細胞（ライディッヒ細胞），卵巣間質細胞，脂肪球，色素胞，軟骨細胞，骨細胞，平滑筋細胞，横紋筋細胞，心筋細胞
神経組織細胞		ニューロン（無極性，単極性，双極性，偽単極性，多極性の各神経細胞），グリア細胞
血液細胞		好中球，好塩基球，好酸球，単球，リンパ球，赤血球，形質細胞，血小板
幹細胞		多層表皮基底細胞，生殖細胞形成細胞，骨髄芽細胞，腸上皮形成細胞，細網細胞，神経幹細胞

幹細胞の種類と分化能（動物）

種類	幹細胞とその由来	分化能
生体に存在する幹細胞	臍帯血幹細胞，骨髄幹細胞，結合組織（間葉系）幹細胞	きわめて広い分化能
	各組織・臓器中の幹細胞（小腸，皮膚，筋肉，骨，肝臓，神経，生殖腺など）	限定的分化能
人工的に作製された幹細胞	胚性幹（ES）細胞（哺乳類の内部細胞塊の培養によって得られる）	ほとんどすべての細胞に分化しうる
	人工多能性幹（iPS）細胞（体細胞などにいくつかの遺伝子を導入して得られる）	ほとんどすべての細胞に分化しうる
	胚性生殖（EG）細胞（始原生殖細胞を培養して得られる）	ほとんどすべての細胞に分化しうる

形態に基づいた組織・細胞の種類（植物）

組織系	組織・細胞種
表皮系	表皮細胞，気孔の孔辺細胞，毛状突起（毛，鱗片，乳頭突起，根毛，腺毛，排水毛）
基本組織系	柔組織（柵状組織，海綿状組織など），厚角組織，厚壁組織（厚壁異形細胞，繊維）
維管束系	道管要素，道管，仮道管，木部繊維，木部柔組織，師管要素，伴細胞，師部繊維，師部柔組織，維管束鞘

機能に基づいた器官・組織・細胞の種類（植物）

構造	器官・組織・細胞種
成長・分化構造	頂端分裂組織（茎頂分裂組織，根端分裂組織），側部分裂組織（形成層，コルク形成層），介在分裂組織
保護構造	周皮，毛状突起，芽鱗，托葉，葉針，種皮，表皮細胞
支持構造	厚角組織，厚壁組織（繊維など），道管要素，仮道管，つる植物の付着盤（吸盤）
吸収構造	寄生根，吸収毛，根毛
同化構造	葉肉組織（柵状組織，海綿状組織）
通道構造	道管要素，道管，仮道管，師管，伴細胞，師管要素
貯蔵構造	貯蔵柔組織（ジャガイモ塊茎，タマネギ鱗片葉，サツマイモ塊根など），貯水組織
通気構造	細胞間隙の発達した組織（水生植物の浮き，呼吸根など），気孔
分泌構造	分泌毛，蜜腺，排水組織，分泌道（樹脂道，ゴム道），乳管，分泌細胞（油細胞，粘液細胞，タンニン細胞）
運動構造	葉枕，気孔，捕虫葉（ハエジゴクなど）
生殖構造	有性生殖――花，がく片，花弁，雄ずい（花糸，葯，花粉），雌ずい（子房，胚珠，胚嚢，卵細胞），花粉管，精細胞，種子，無性生殖――不定芽，塊茎(ジャガイモなど)，地下茎(アヤメなど)，鱗芽（オニユリなど）など

(Hara, N., 1984 より改変)

細胞の大きさ

生物群	細胞種	直径または長径(単位 μm)	生物群	細胞種	直径または長径(単位 μm)
真正細菌	マイコプラズマ	0.2-1	真核生物	ムラサキイガイ	70
	大腸菌	(2-5)×(0.5-1)		ヒゲコケムシ	18
	ブドウ球菌	1		ウニ類	90-110
	糞便連鎖球菌	2		ギボシムシ	330-420
	シュードモナス	2-3		ハツカネズミ	60-70
	シネコシスティス	1.5-2		フクロネコ	240
	枯草菌	2.5		ダチョウ	110 000
	スピロヘータ	数 μm×数百 μm(長さ)		ネズミザメ	220 000
古細菌				イヌ，ヤギ，ヒト	140
(メタン菌)	*Methanobrevibacter*	3		[植物細胞]	
(好熱好酸菌)	*Sulfolobus*	1		シロイヌナズナ	
真核生物	[単細胞生物]			茎頂分裂組織の細胞	5-10
	ランブル鞭毛虫	(9-20)×(5-15)		ムラサキツユクサ	
	出芽酵母(*Saccharomyces*)	3-8		おしべの毛の細胞	(150-200)×(90-100)
	ゾウリムシ	200-300(長さ)		タマネギ	
	ミドリムシ	38(長さ)		表皮細胞	(300-400)×(30-40)
	クロレラ	5-10		マカラスムギ	
	アカシオモ	10		葉肉細胞	(20-30)×(50-70)
	ハネケイソウ	100-120(長さ)		[ヒト組織細胞]	
	クラミドモナス	10		肝細胞	20-35
	赤痢アメーバ	15-60		軟骨細胞	3-30
	太陽虫	150-270		神経細胞	4-135
	[卵細胞]			横紋筋細胞	1 000-40 000
	ゴカイ	100		平滑筋	
	コブシボラ	1 000-1 700		消化管壁	200-250
	ホタテガイ	60-65		小血管壁	12-15

ヒト器官（臓器）・組織重量および臓器指数の年齢変化（率）

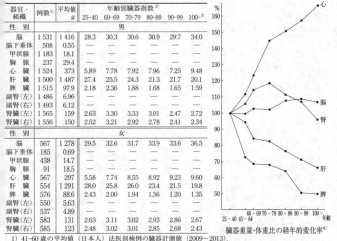

器官・組織	例数[1]	平均値 g	年齢別臓器指数[2] 25-40	60-69	70-79	80-89	90-99	100-[3]
性別			男					
脳	1 531	1 416	28.3	30.3	30.6	30.9	29.7	34.0
脳下垂体	508	0.55	—	—	—	—	—	—
甲状腺	1 183	18.1	—	—	—	—	—	—
胸腺	237	29.4	—	—	—	—	—	—
心臓	1 524	373	5.89	7.78	7.92	7.96	7.25	9.48
肝臓	1 500	1 487	27.4	25.5	24.3	21.3	21.7	20.1
脾臓	1 515	97.9	2.18	2.36	1.88	1.68	1.65	1.59
副腎(左)	1 486	6.96	—	—	—	—	—	—
副腎(右)	1 493	6.12	—	—	—	—	—	—
腎臓(左)	1 565	159	2.63	3.30	3.33	3.01	2.47	2.72
腎臓(右)	1 556	150	2.52	3.21	2.92	2.78	2.41	2.34
性別			女					
脳	567	1 278	29.5	32.6	31.7	33.9	33.6	36.5
脳下垂体	185	0.69	—	—	—	—	—	—
甲状腺	438	14.7	—	—	—	—	—	—
胸腺	91	18.5	—	—	—	—	—	—
心臓	567	297	5.58	7.74	8.55	8.92	9.23	9.60
肝臓	554	1 291	28.0	25.8	26.0	23.4	21.5	19.8
脾臓	576	88.6	2.43	2.00	1.94	1.56	1.20	1.35
副腎(左)	550	5.63	—	—	—	—	—	—
副腎(右)	537	4.89	—	—	—	—	—	—
腎臓(左)	583	131	2.63	3.11	3.02	2.93	2.86	2.67
腎臓(右)	585	123	2.48	3.02	3.01	2.85	2.68	2.43

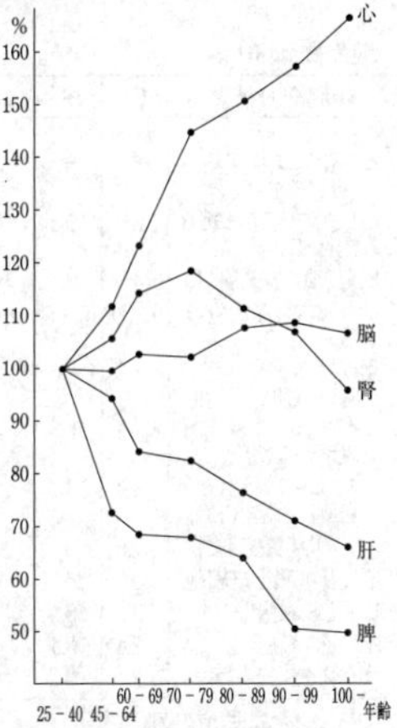

臓器重量·体重比の経年的変化率[4]

1）41-60 歳の平均値（日本人）法医剖検例の臓器計測値（2009～2013）.
2）臓器重量/体重×1 000, 平均値(日本人). Inoue, T., Otsu, S.：Acta Pathol Jpn., **37**(3)：343-359, 1987.
3）各臓器の平均値に基づく換算値. Sawabe et al：Pathol Int 56：315-323, 2006.
4）25-40 歳の臓器指数＝100%

細　胞　周　期

細胞周期の所要時間

正常細胞（生体内）

細胞の種類	G_1	S	G_2	M	c*
	h	h	h	h	h
ヒト結腸上皮細胞	15	20	3	1	39
マウス結腸上皮細胞	18.5	7.2	1.7	—	27.4
マウス小腸上皮細胞	9	7.5	1.5	1	19
マウス十二脂腸上皮細胞	5.9	6.9	0.7	1.8	15.3
マウス卵胞顆粒膜細胞	8.0	6.8	1.8	—	16.3
マウス毛包細胞	3.4	7.0	1.0	0.5	11.4
マウス皮膚表皮細胞	87	11.6	2.0	—	101
マウス骨髄赤芽球	0.5	5.5	1.3	—	7.3
キンギョ腸上皮細胞	5	9	1	2	17
タマネギ根端細胞	10	7	3	5	25
ムラサキツユクサ根端細胞	1〜4	10.5	2.5〜3	3	17〜22
ヒマワリ根端細胞	3.5	4	1.4	1.6	10.5

（Mendelsohn, M. L., 1976 より）

培養細胞

細胞株の種類	G_1	S	G_2	M	c*
	h	h	h	h	h
ヒト胎児繊維芽細胞（WI－38）	6	6	4	0.8	17
ヒト子宮頸管がん細胞（HeLaS3）	8	9.5	3	0.7	21.2
ヒト腎臓上皮細胞（T）	14	8	5	0.8	27
マウス繊維芽細胞（L－60）	9〜11	6〜7	2〜4	1	20
マウスリンパ腫瘍細胞（L5178Y）	1.8	7.3	1.2	0.5	8〜11
マウスエールリッヒ腹水がん細胞	5〜7	8.5	3.8	1	19
チャイニーズハムスター卵巣上皮細胞（CHO）	4.7	4.1	2.8	0.8	12.4
ニワトリ胚繊維芽細胞	7.5	6	4.5	1	19.5
イモリ虹彩上皮細胞	25	36	6	1.4	69
ヒト ES 細胞[1]	3	10	3（2＋1）		16
サル ES 細胞[2]	2.4	8.4	4.2		15
マウス ES 細胞[3]	2	6	2		10

＊　c：全周期所要時間

（ES 細胞以外は Han, A., 1976 より）

1）Becker et al., J. Cell. Physiol., 2006.

2）Fluckiger et al., Stem Cells, 2006.

3）Savatier et al., Oncogene, 1994.　Stead et al., Oncogene, 2002.

iPS 細胞は ES 細胞に準ずる．（細胞種の由来に依存したバラツキ有り）

細胞周期の位相とチェックポイント

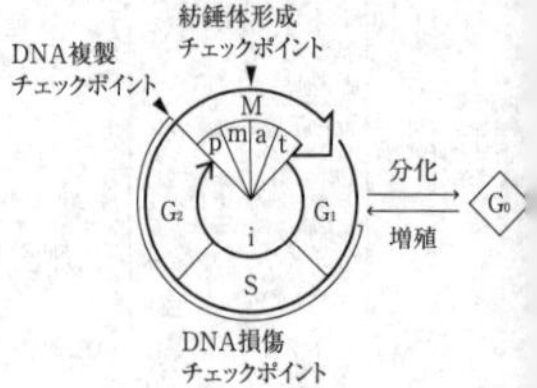

S　：DNA 合成期
G_1：第 1 間隙期
（M 期と S 期の間）
G_2：第 2 間隙期
（S 期と M 期の間）
G_0：休止期
M　：分裂期
p　：前期，m：中期，a：後期，
t　：終期，i：間期

高等真核細胞における細胞周期制御因子群の概要

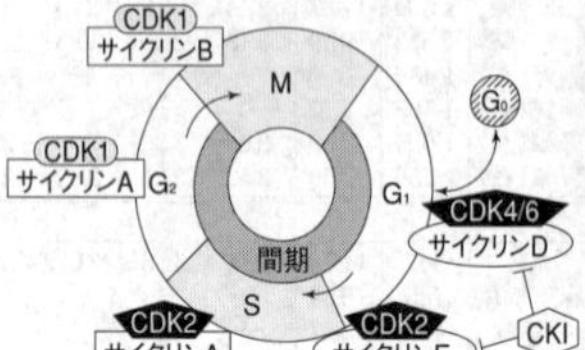

サイクリン-CDK 複合体の活性制御の原理

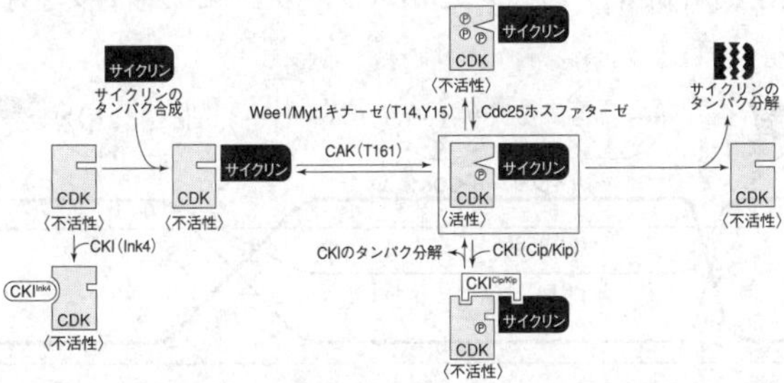

(Martin-Castellanos, C. & Moreno, S., Trends Cell Biol., 1997 より)

脊椎動物と酵母における CDK*1, サイクリン, CKI*2

CDK	結合するサイクリン	機　能	生理的に結合する CKI
脊椎動物			
CDK1 (＝Cdc2)	サイクリン A1, A2, B1, B2, (B3, B4, B5)	G_2/M 期移行, M 期進行	—
CDK2	サイクリン A1, A2	S 期通過	p21[Cip1]
CDK2	サイクリン E1, E2	G_1/S 期移行	p21[Cip1], p27[Kip1]
CDK3	サイクリンC, (A1, A2, E1, E2)	G_0/G_1 期移行	−
CDK4	サイクリン D1, D2, D3	G_0/G_1 期移行, G_1 期通過	p15[Ink4b], p16[Ink4a], p21[Cip1], p27[Kip1]
CDK5	(p35, サイクリンとは異なる)	(神経細胞で発現)	−
CDK6	サイクリン D1, D2, D3	G_0/G_1 期移行, G_1 期通過	p15[Ink4]b, p16[Ink4a], p21[Cip1], p27[Kip1]
CDK7	サイクリン H	全細胞周期においてCDKの活性化	—
CDK8	サイクリン C	(RNAポリメラーゼⅡの活性化)	
CDK9	サイクリン T1, T2, K	(RNAポリメラーゼⅡの活性化)	
酵　母			
CDC28 (出芽酵母)	CLN1〜3	G_1 期 (スタート) 通過	FAR1
CDC28 (出芽酵母)	CLB5, 6	G_1/S 期移行	SIC1
CDC28 (出芽酵母)	CLB3, 4	G_2/M 期移行	—
CDC28 (出芽酵母)	CLB1, 2	G_2/M 期移行, M 期進行	—
cdc2 (分裂酵母)	cdc13	G_2/M 期移行, M 期進行	—
cdc2 (分裂酵母)	cig1	M 期制御	—
cdc2 (分裂酵母)	cig2	G_1 期通過	rum1

*1 CDK (cyclin-dependent kinase, サイクリン依存性キナーゼ), *2 CKI (CDK inhibitor, CDK 阻害因子)
(Malumbres, M. & Barbacid, M., Trends Biochem. Sci., 2005 より)

G_2／M／G_1 期におけるサイクリン B-CDK1 (M 期統御キナーゼ) とホスファターゼの活性の拮抗

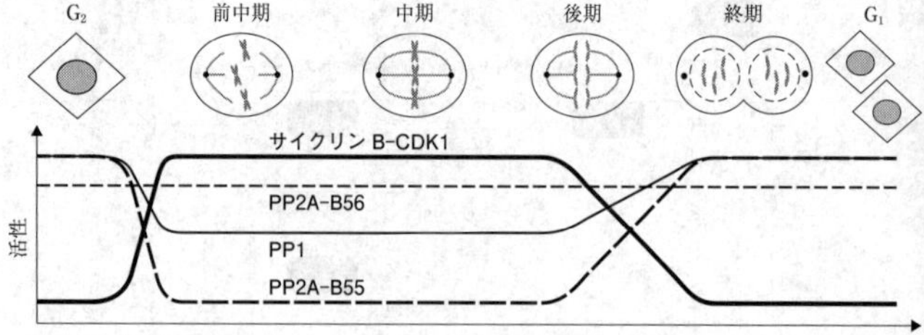

PP：protein phosphatase

(Nilsson, J., J. Cell Biol., vol. 218, 395-409, 2019 より)

チェックポイント制御因子

	DNA 損傷・複製チェックポイント[1]			紡錘体形成チェックポイント[2]
	哺　乳　類	分裂酵母	出芽酵母	
センサー	ATR ATM	Rad3 Tel1	Mec1 Tel1	Mad1-Mad2
アダプター (メディエーター)	Claspin MDC1/53BP1	Mrc1 Crb2/Rhp1	Mrc1 Rad9	MCC (Mitotic Checkpoint Complex) (C-Mad2-CDC20-BubR1-Bub3 複合体)
エフェクター	Chk1 Chk2	Chk1 Cds1	Chk1 Rad53	APC/C (anaphase-promoting complex/cyclosome)
標　的	Cdc25A, Cdc25C, p53	Cdc25, Wee1	Pds1, Cdc5, Swe1	securin, cyclinB

1) Morgan, D. O., The Cell Cycle：Principle of Control, Oxford Univ. Press, 2006 より.
2) London, N. & Biggins, S., Nat. Rev. Mol. Cell Biol., 2014 より.

細胞成長因子・サイトカイン

ごく微量で細胞表面の特異的レセプターを介して生理活性を示す一群のホルモン様タンパク質が多細胞動物中に広く存在する．それらを細胞成長因子（細胞増殖因子）・サイトカインと称する．表中の名称の（　）は別称を示す．分子量，アミノ酸構成数および遺伝子座（*e.g.* 4 q 25–q 27）はヒトの場合である．

名　　称	分子構造・遺伝子座（ヒト）	標的細胞・機能・臨床応用
EGF epidermal growth factor 上皮成長因子（ウロガストロン）	53 個のアミノ酸からなる． prepro 型；1 217 個のアミノ酸． proEGF；細胞表面に発現し，成長因子活性あり． 分子内に特徴的な 3 つのジスルフィド結合を持ち，他の多くのタンパク質にもみられ，EGF モチーフと称される． 4 q 25–q 27	体液，分泌液に広く見出される． 骨，血管内皮細胞，線維芽細胞，角化細胞等多くの細胞の増殖を促進する． 胃酸の分泌を抑制する． 上皮の治療． 眼瞼開裂．
TGF-α transforming growth factor-α トランスフォーミング（形質転換）成長因子-α	prepro 型；160 個のアミノ酸． EGF と 30〜40％の相同性を有する． proTGF-α はジャクスタリン増殖活性を示す． 2 p 11–p 13	TGF-α の作用は，EGF レセプターを介する． 肝細胞，乳腺上皮細胞，表皮細胞，線維芽細胞の増殖を促進する． 血管新生因子作用，尋常性乾癬に関与する．
HB-EGF heparin-binding EGF-like growth factor ヘパリン結合性 EGF 様成長因子（ジフテリア毒素レセプター）	208 個のアミノ酸からなる prepro 型として合成され，プロセッシングにより 75〜87 個のアミノ酸からなる遊離型になる． proHB-EGF はジフテリア毒素レセプターであるが，同時にジャクスタリン増殖活性を示す．5 q 23	proHB-EGF はジフテリア毒素のレセプターとして働く． 血管平滑筋細胞，線維芽細胞，肝細胞，表皮角化細胞の増殖を促進する． 心臓弁の形成に必須である． 動脈硬化，創傷治癒に関与する．
AR amphiregurin アンフィレグリン	膜貫通ドメインを持つ prepro 型として合成され，遊離型は 78〜84 個のアミノ酸からなる．EGF モチーフを持ち，類似の因子として SDGF，β-セルリン（BTC），エピレグリン，エピジェン等あり．	上皮細胞の膜貫通型メタロプロテアーゼ（ADAM 17）により切断され遊離型となりストローマ細胞に作用する． EGF レセプターに結合してシグナルを伝達する． 一部のヒトがん由来細胞株の増殖を抑制する． 腎細胞株の増殖を促進する． 乳腺の管構造の形成に関与．
NRG1 neuregulin 1 ニューレグリン-1 （NDF/HRG/ARIA/GGF）	6 つのグループに分けられる，15 種類以上のアイソフォームがあり，いずれも EGF モチーフを持つ． 8 p 11–p 12	ErbB 3，ErbB 4 に結合し，神経系と心臓の正常な発生を促す． 欠損は，心臓形成不全，シュワン細胞への分化不全，シナプス形成不全等を引き起こす． 類似の分子として，NRG 2，3，4，5，6 がある．
PDGF A, B platelet-derived growth factor A, B 血小板由来成長因子 A, B	A 鎖，B 鎖のホモまたはヘテロダイマーで分子量は約 30 kDa である． PDGF-BB は 24 kDa の膜結合型として細胞表面にある． A；7 p 22，B；22 q 12.3-13.1	血小板の α-顆粒に存在し，主として間葉系の細胞の遊走，分化を促進する．多くの中胚葉由来細胞が各アイソフォームを産生する．微小血管の周細胞の遊走，増殖，肺胞筋線維芽細胞の発生，分化に関与する．平滑筋の増殖を促し，動脈硬化を引き起こす要因ともなる．平滑筋の分化に必須である．
PDGF C, D 血小板由来成長因子 C, D	潜在型として細胞外へ分泌され，プロテアーゼにより切断を受け活性型となる． ホモ二量体である． C；4 q 32，D；11 q 22.3	PDGF-CC は α 受容体と PDGF-DD は β 受容体と結合する．PDGF-C は平滑筋細胞，PDGF-D は線維芽細胞で発現． 平滑筋細胞の増殖促進，血管新生促進．
VEGF-A vascular endothelial growth factor-A 血管内皮成長因子-A （vascular permiability factor，血管透過性因子）	スプライシングの違いにより，4 つのサブタイプがある；$VEGF_{121}$，$VEGF_{165}$，$VEGF_{189}$，$VEGF_{206}$． $VEGF_{165}$ が最も多い．二量体からなり分子量約 38 kDa．PDGF と相同性が高い． 6 p 12–p 21	血管内皮細胞の増殖促進活性，血管透過性亢進活性を示す．*in vivo* の血管新生を促す． 血管内皮細胞の遊走，プラスミノーゲンアクチベーターの発現を促進．制がん剤としての抗 VEGF 中和抗体が期待されている． VEGF は低酸素と低グルコースにより誘導される． VEGF ファミリーとして，PIGF-1, -2（placenta growth factor），VEGF-B，V-EGF-E 等がある．さらに，リンパ管新生に働く VEGF-C，VEGF-D がある．

名　称	分子構造・遺伝子座（ヒト）	標的細胞・機能・臨床応用
FGF-1 fibroblast growth factor-1 線維芽細胞成長因子-1 (aFGF)	154 個のアミノ酸からなる (18 kDa). PI 5.6, シグナルペプチドを持たない. 5 q 31-q 33	血管内皮細胞の増殖, 遊走, 管腔形成促進. 皮膚の創傷治癒, 心筋虚血や下肢血行障害の改善.
FGF-2 線維芽細胞成長因子-2 (bFGF)	分子量 18 kDa の外に, 22～24 kDa の高分子量のアイソフォームもある (HMW FGF-2). PI 9.6, シグナルペプチドを持たない. 4 q 26-q 27	FGF-1 と同じ受容体に結合し, 同様の作用を示す. FGF-1 よりも広く存在する. とくにがん組織の血管誘導促進の際にがん細胞から分泌されて作用する. 骨や軟骨形成.
FGF-3～-25 線維芽細胞成長因子-3～-25	がん遺伝子産物(FGF-3～-6), 上皮細胞の増殖因子(FGF-7), グリア細胞因子(FGF-9)等が同定される. 各 FGF は 150～200 個のアミノ酸残基からなる. アミノ酸配列中に高い相同性を示すコア領域がある. シグナルペプチドを持つもの(FGF-3～-8, -17～-19, -21～-22等), 持たないもの(FGF-11～-14)とあり.	線維芽細胞およびその他の多くの細胞に対して増殖や分化を促進する. FGF-7 は KGF(keratinocyte growth factor)に同じ, FGF-8 は AIGF(androgen induced growth factor), FGF-9 は GAF(glia activating factor) FGF-23 は Klotho と結合して, 副甲状腺ホルモンの合成, ビタミン D の調節やカルシウムやリンなどミネラル代謝を調節する. FGF-24, -25 (FGF-10 のオルソログ) はゼブラフィッシュのヒレ芽形成に関与する. FGF-11～-14 は, FGF 受容体を活性化しない.
IGF-Ⅰ insulin-like growth factor-Ⅰ インスリン様成長因子-Ⅰ	70 個のアミノ酸からなる. インスリンと同じファミリーを構成する. 12 q	成長ホルモンの制御により, おもに肝で産生される. 骨組織の増殖, 分化, 神経細胞における変性疾患への応用, アポトーシスの抑制.
IGF-Ⅱ インスリン様成長因子-Ⅱ	67 個のアミノ酸からなる. インスリンと同じファミリーの一員である. 11 p (インスリン遺伝子と近接)	胎生期に分泌が盛んである. ICF-Ⅱ遺伝子は, インプリント遺伝子で, 母由来の遺伝子は不活化されている. IGF-Ⅱ産生腫瘍は低血糖の原因になる. IGF-Ⅲは硬骨魚にあり卵巣の成熟を調節する.
HGF hepatocyte growth factor 肝細胞成長因子 (scatter factor)	728 個のアミノ酸からなる prepro 体として合成される. 最終的に二本鎖からなる活性型 HGF になる. 分子量 62 kDa の α 鎖はヘアピン領域および 4 つのクリングルドメインからなる. 32～34 kDa の β 鎖はセリンプロテアーゼ様の構造を持つ. スプライシングの違いによりバリアント NK1 と NK2 が存在する. 7 q 21	上皮系細胞を中心に, 広範な細胞に, 増殖促進, 遊走, 形態形成促進作用を示す. 成熟個体における細胞増殖, 神経系形成への関与. 肝臓病の治療薬, 血管新生に関する治療薬として期待されている. ゼブラフィッシュには, 2 種の HGF (ⅠとⅡ) があり, ともに Met のシグナリングを介して特異的に各種器官形成を調節する.
NGF nerve growth factor 神経成長因子	118 個のアミノ酸からなる二量体. 同じファミリーに NGF 2, neurotrophin 3～7 および BDNA がある.	NGF は末梢交感, 感覚等限られたニューロンに作用する. 同じファミリーに属する neurotrophin3～7, BDNA 等はそれぞれ異なるニューロンに作用する. アルツハイマー型痴呆との関連で注目されている.
midkine ミッドカイン	分子量 13 kDa. 11 p 11.2 同じファミリーに PTN (pleiotrophin) がある.	神経栄養因子様活性, 線溶系亢進, 血管新生活性を有する. ヒト悪性腫瘍が異常に多量に放出し, それらの進展に関与する. 近年がんのマーカータンパク質として注目されてきた.
angiopoietin-1 アンジオポエチン-1	分子量 70～75 kDa. 類似のアンジオポエチン-2～-4がある. さらに, 6 種類のアンジオポエチン関連タンパク質 (ANGPTL1～6) がある.	受容体 TIE2/TEK に結合し, 周皮細胞や血管平滑筋細胞を呼び込み, 脈管形成や血管新生を担う.
TGF-β transforming growth factor-β トランスフォーミング成長因子-β	分子量 12.5 kDa のタンパク質が二量体を形成する. サブユニットのアイソフォームは 3 種が知られており, おもにホモ二量体として存在する (TGF-β_1, β_2, β_3).	上皮細胞, 内皮細胞, 血球系細胞など多くの細胞の増殖を抑制する. 細胞外基質の蓄積促進, プロテアーゼ阻害因子の産生亢進, 成長因子やサイトカインの産生を促進したり抑制したりする. TGF-β_3 は, avotermin と呼ばれ瘢痕 (scar) を伴わない創傷治癒作用が注目される. 細胞に及ぼす作用は極めて多彩である.
activin アクチビン	インヒビンの β サブユニットの二量体である (24 kDa). β サブユニットは 4 種.	アフリカツメガエルの初期胚における中胚葉誘導, 臓器の左右非対称性の決定.

名　称	分子構造・遺伝子座（ヒト）	標的細胞・機能・臨床応用
GDNF glial cell line-derived neurotrophic factor グリア細胞株由来神経栄養因子	134 個のアミノ酸からなる．TGF-β スーパーファミリーに属する．5 p 13 同じファミリーに，NTN(neurturin)，PSP(persephin)等あり．	ドーパミン作動性ニューロン，運動神経，交感神経等の生存を促進する． 毛包幹細胞をも標的とし，毛包の形成と皮膚の剣傷治癒を促進する．
FS follistatin フォリスタチン	分子量 35 kDa の一本鎖ペプチド． FS_{315} と FS_{288} の 2 つのスプライシングフォームがある．近縁の分子として，FLRG がある．	アクチビンとモル比 1：2 でアクチビンのレセプターへの結合を阻害する．
BMP bone morphogenetic protein 骨形成因子（DVR）	BMP は TGF-β スーパーファミリーの中で最も大きなサブファミリーを形成している（約 20 種類）． 110〜150 個のアミノ酸からなるタンパク質の二量体．20 p 12	骨の発生，成長，リモデリングに関与する． 歯科，整形外科領域への応用．
MIS Mullerian inhibiting substance ミューラー管抑制因子	分子量 70 kDa のサブユニットのホモ二量体． TGF-β との相同性がある． 19 p 13.3	精巣のセルトリ細胞から産生され，ミューラー氏管を退縮させる．
myostatin マイオスタチン (GDF-8，MSTN)	TGF-β ファミリーに属する．二量体で存在．	筋のサテライト細胞の増殖を抑制し，筋芽細胞から筋管への分化を抑制して骨格筋組織の構築を制御する．カヘキシア(悪液質，重度の骨格筋の萎縮を伴う)や筋ジストロフィーの治療に応用できる可能性がある． ゲノム編集等によりこの遺伝子をノックアウトすると，家畜や養殖魚の筋肉量が著しく増す． 糖脂質代謝を制御する．
CT-1 cardiotrophin-1 カルデオトロフィン-1	分子量 21.5 kDa． IL-6 ファミリーに属する． 16 p 11	アンジオテンシンⅡ，FGF-2，活性酸素等により心臓および骨格筋，前立腺等から産生される．心筋細胞の成長を促すとともに，血流にのり体循環し多くの組織に作用する．
TNF-α tumor necrosis factor-α 腫瘍壊死因子	膜結合型(28 kDa)と可溶型(16 kDa)がある． 同じファミリーに LT(lymphotoxin)等約 20 種あり．第 6 染色体	炎症や免疫に広く関与する． 腫瘍細胞の傷害，増殖抑制． 血管内皮細胞の増殖抑制，接着因子(VCAM など)の産生促進．
Fas Ligand Fasリガンド(Fas L)	分子量 40 kDa の膜タンパク質．TNF ファミリーに属する．	末梢の活性化 T 細胞の除去． 多くの細胞にアポトーシスを誘導する．
IFN-α/β interferon-α/β インターフェロン-α/β （Ⅰ型インターフェロン）	α 型は 15 以上のアイソフォームがある． β 型は単一のもの．双方とも 9 p 22 にある． 165〜166 個のアミノ酸からなる．	ウイルス感染やその他生体防御機構に関連． 細胞増殖抑制，抗腫瘍効果，マクロファージの活性化等多彩な作用がある． B 型肝炎，C 型慢性肝炎等の治療薬．
IFN-γ インターフェロン-γ （Ⅱ型 IFN）	143 個のアミノ酸からなる． IFN-α とは異なるファミリーに属する． 12 q 15	T 細胞が発現する．抗ウイルス効果，細胞増殖抑制，抗腫瘍効果，マクロファージの活性化，免疫応答調節作用． C 型慢性肝炎，腎がんの治療．
IL-1 interleukin-1 インターロイキン-1 (内因性発熱物質)	IL-1α と -1β の 2 種ある． 分子量 31 kDa． 2 q 13	リンパ球，ミクログリア，内皮細胞等が産生する． 炎症反応の誘導，免疫反応の調節，造血機能の調節，細胞増殖作用． 放射線治療等に応用．
IL-2 インターロイキン-2 (TCGF)	133 個のアミノ酸からなる分子量 15〜30 kDa の糖タンパク質．	活性化された T 細胞が産生する． T 細胞の増殖，B 細胞の増殖と抗体産生能の増強，NK 細胞の増殖．
IL-3 インターロイキン-3 (多能性コロニー刺激因子)	152 個のアミノ酸からなる分子量 25 kDa の糖タンパク質． IL-5，GM-CSF とサブファミリーを構成．5 q	活性化 T 細胞が産生． 血液細胞の増殖を促進する． 多能性造血幹細胞の生存，増殖，分化の促進．
IL-4 インターロイキン-4 (BCGF)	分子量 20 kDa の糖タンパク質． 5 q 23.3-q 31.2	活性化 T 細胞，肥満細胞が産生する． 多くの血液細胞の増殖や免疫系の調節に関与する． 感染症，自己免疫疾患，がん等の治療．
IL-5 インターロイキン-5 (TRF)	分子量 50〜60 kDa のホモ二量体．	活性化 T 細胞，肥満細胞が産生． 好酸球の増殖，分化，スーパーオキシド産生促進． 気管支喘息の治療．

名　　称	分子構造・遺伝子座（ヒト）	標的細胞・機能・臨床応用
IL-6 インターロイキン-6	184 個のアミノ酸からなる分子量 21〜28 kDa の糖タンパク質. IL-11, LIF 等とレセプターを共有する. 7 p 21	B 細胞や形質細胞（プラズマサイト）の増殖因子. 血小板の増加を誘導. 神経細胞の分化, 骨吸収の促進.
IL-7 インターロイキン-7 (LP-1)	152 個のアミノ酸からなる. 8 q 12-q 13	ストローマ細胞から分泌. B 細胞前駆細胞の増殖. 細胞傷害性 T 細胞や LAK 活性性を誘導する.
IL-8 インターロイキン-8 (NCF)	分子量 8 kDa でヘパリン結合性が強い. ケモカインファミリーの一員. 4 q 12-q 13	好中球, リンパ球等の遊走活性を示す. 好中球の血管内皮細胞への接着増強, 血管新生.
IL-9 インターロイキン-9 (TCGF Ⅲ)	分子量 40 kDa. 5 q 31-q 35	T 細胞の増殖を促進する. IL-9 の遺伝子が気管支喘息の遺伝子座に一致した.
IL-10 インターロイキン-10	分子量 35〜40 kDa のホモ二量体タンパク質. 第 1 染色体に存在.	IFN-γ の産生を抑制, マクロファージを抑制. T 細胞増殖, 抗炎症剤.
IL-11 インターロイキン-11	分子量 23 kDa で 178 個のアミノ酸からなる. 19 q 13.3-q 13.4	造血幹細胞の増殖を誘導する. 巨核球, 血小板の産生を促進する. 赤芽球に作用して造血を促進する.
IL-12 インターロイキン-12	分子量 35 kDa と 40 kDa のヘテロ二量体. 3 q 12-q 13.2, 5 q 31-q 33	B 細胞やマクロファージから産生される. T 細胞や NK 細胞の機能を調節.
IL-13 インターロイキン-13	分子量 10 kDa.	B 細胞その他免疫細胞の作用調節. 内皮細胞, ケラチノサイト, 線維芽細胞にも作用.
IL-14 インターロイキン-14	分子量 53 kDa. IL-14 α, -14 β とある.	B 細胞の増殖を促進する.
IL-15 インターロイキン-15	分子量 14〜15 kDa の糖タンパク質. 4 q 31	T 細胞, NK 細胞, B 細胞等に作用.
IL-16 インターロイキン-16	neuronal IL-16 (141 kDa), leukocyte IL-16 (67 kDa) とある.	T 細胞の遊走を促進する.
IL-17 インターロイキン-17	155 個のアミノ酸からなるタンパク質の二量体. 6 つのサブファミリーからなる. 2 q 31	活性化された T 細胞から産生. 滑膜細胞に作用し, 多くのサイトカイン産生を誘導する.
IL-18 インターロイキン-18	分子量 18 kDa. 同じファミリーに IL-33, IL-36, IL-37 がある.	IFN-γ 産生の誘導. 細胞傷害性の増強.
IL-19 インターロイキン-19	インターロイキン-10 の関連サイトカインである. これに属するものに, IL-20, 22, 24, 26 がある. IL-19 は 176 個のアミノ酸からなる.	単球では, LPS や GM-CSF の刺激により誘導される. TNF-α, IL-6 を産生しアポトーシスを誘導する.
IL-21 インターロイキン-21	分子量 15 kDa の糖タンパク質. 4 q 26-q 27	活性化 T 細胞が産生する. NK 細胞の分化や活性化を促進する.
IL-23 インターロイキン-23	IL-6 類似の p 19 と IL-12 p 40 とのヘテロ二量体である. IL-35 は同じファミリーに属する.	樹状細胞, メモリー T 細胞に IFN-γ 産生を誘導する.
IL-25 インターロイキン-25	IL-17 と同じファミリーに属する. 177 個のアミノ酸からなる. ホモ二量体を形成する. 14 q 11.2	前立腺, 気管, 脳等で発現される. 種々のサイトカインの発現を誘導し, 好酸球を増加させる. アレルギー性気管支喘息に関与.
IL-26 インターロイキン-26	IL-10 ファミリーに属する（旧称 AK 155). 12 q 15 ホモ二量体を形成.	リスザルのがんウイルスで形質転換したヒト T 細胞で強く発現.
IL-27 インターロイキン-27	p 28 (IL-30) と EB13 よりなる.	ヘルパー T 細胞に作用.
IL-28, IL-29 インターロイキン-28,-29	タイプ I インターフェロンの新しいメンバーで, IFNsλ と呼ばれる. 第 19 染色体.	抗ウイルス作用.

名　　称	分子構造・遺伝子座（ヒト）	標的細胞・機能・臨床応用
IL-31～-33 インターロイキン-31～-33	IL-32；16 p 13.3	IL-31 は Th2 応答に関与. IL-32, -33 は十分に調べられていないが，アレルギーや自己免疫疾患の炎症応答に関与.
IL-34 インターロイキン-34	M-CSF（CSF-1）と受容体を共有.	単球-樹状細胞-マクロファージ系の細胞増殖と分化を促進する.
IL-35 インターロイキン-35	B 細胞の亜集団（Breg）が産生する.	自己免疫疾患に関与.
IL-36 インターロイキン-36	上皮組織および骨髄由来細胞が分泌する．新規に発見された.	肺のバクテリア感染に初動対応する.
IL-37 インターロイキン-37	マクロファージより産生される新規の IL-1 ファミリーの一員. IL-18R に結合.	抗免疫応答.
IL-38 インターロイキン-38	分子量 16.9 kDa（プリカーサー） 2 p 13 IL-1 ファミリーの一員.	心臓，胎盤，胎児肝，B 細胞等で発現. IL-IR，IL-36Ra に結合し，炎症性サイトカインの産生を促し，種々の慢性疾患にかかわる.
IL-39 インターロイキン-39	IL-23 p 19 と Ebi 3（Epstein-Barr virus-Induced 3）のヘテロダイマー.	マクロファージより炎症に応答して産生され，自然免疫と獲得免疫にかかわる.
IL-40 インターロイキン-40	第 17 染色体 ～27 kDa （他のサイトカインとの関連はない，2017 年に報告）	骨髄，胎児肝，活性化 B 細胞等により発現される．B 細胞を介して多くの免疫作用を調節.
IL-41 インターロイキン-41	分子量 28 kDa 17 q 25.3	Metrnl/IL-41 とも記される新規（2019 年）のサイトカイン．乾癬性の皮膚で高濃度に発現される．関節包と滑膜の線維芽細胞，活性化マクロファージ，粘膜等から分泌される.
LIF leukemia inhibitory factor 白血病阻害因子	IL-6 ファミリーに属する．180 個のアミノ酸からなる分子量 38～62 kDa の糖タンパク質.	胚生幹細胞（ES 細胞）の分化を抑制し，その全能性を保持する．ES 細胞や iPS 細胞の研究に寄与.
royalactin ロイヤラクチン	分子量 57 kDa EGF 類似. EGF 受容体を介してシグナルを伝達する.	ミツバチのローヤルゼリーより単離され，女王バチへの発育を促進する．ネマトーダ，ショウジョウバエの寿命延長および哺乳類の多分化能細胞の維持作用.
GM-CSF granulocyte-macrophage colony stimulating factor 顆粒球-マクロファージコロニー刺激因子	127 個のアミノ酸からなる分子量 23 kDa の糖タンパク質.	骨髄系細胞の分化・増殖．血管内皮細胞の増殖や遊走促進. 再生不良性貧血の治療.
G-CSF granulocyte-CSF 顆粒球コロニー刺激因子	204 個のアミノ酸からなる. 17 q 11-q 22，IL-6 と相同性あり.	単球マクロファージ，血管内皮細胞などで産生される. IL-3, -5 などと協力して好中球系前駆細胞と好中球系細胞の増殖，分化機能亢進. 再生不良性貧血や AIDS の治療薬. 神経栄養因子としても働き，脳虚血など神経性疾患に対する治療薬として期待される.
EPO erythropoietin エリスロポエチン	分子量 18 kDa のタンパク質に 12 kDa の糖が結合. 7 q 21-q 22	成体では腎臓で産生．酸素分圧の低下により EPO の発現が高まる. 赤血球の分化に重要な役割を持つ. 腎性貧血の治療薬. ヒト iPS 細胞から肝細胞の系譜へ分化誘導し，エリスロポエチン産生細胞を得た.
CSF-1 コロニー刺激因子-1 （M-CSF）	分子量 70～90 kDa. 5 q 33.1	マクロファージの分化. 神経細胞の生存と増殖に関与.
SCF/SLF stem cell factor/ steel factor 幹細胞因子	分子量 53 kDa の二量体形成.	受容体 c-kit に結合し，おもに多能性乾細胞に作用し，分化増殖を促す. 巨核球系幹細胞の増殖を促進. 始原生殖細胞やメラノサイトの増殖. マスト細胞の増殖促進.
TPO thrombopoietin トロンボポエチン	332 個のアミノ酸からなる. 3 q 26.33-q 27	巨核球コロニー刺激活性および血小板産生を促進.

（加治和彦，2023 より）

染色体数（脊椎動物）

種名（学名）	二倍体	一倍体	性染色体
ヒト (*Homo sapiens*)	46	23♂	♂XY
チンパンジー (*Pan troglodytes*)	48	24♂	♂XY
ゴリラ (*Gorilla gorilla*)	48	24♂	♂XY
アカゲザル (*Macaca mulatta*)	42	21♂	♂XY
ニホンリス (*Sciurus lis*)	40	20♂	♂XY
ニホンモモンガ (*Pteromys momonga*)	38	19♂	♂XY
モルモット (*Cavia porcellus*)	64	32♂	♂XY
マウス (*Mus musculus*)	40	20♂	♂XY
ラット (*Rattus norvegicus*)	42	21♂	♂XY
モリネズミ (*Neotoma floridane*)	52	26♂	♂XY
カイウサギ (*Oryctolagus cuniculus*)	44	22♂	♂XY
ナキウサギ (*Ochotona hyperborea*)	40	20♂	♂XY
イヌ (*Canis familiaris*)	78	39♂	♂XY
ネコ (*Felis catus*)	38	19♂	♂XY
ウシ (*Bos taurus*)	60	30♂	♂XY
ブタ (*Sus scrofa domestica*)	38	19♂	♂XY
ヒツジ (*Ovis aries*)	54	27♂	♂XY
ヤギ (*Capra hircus*)	60	30♂	♂XY
ウマ (*Equus caballus*)	64	32♂	♂XY
インドホエジカ (*Muntiacus muntjak*)	7 6	3♂ 3♀	♂X_1X_2Y, ♀XX
オオカンガルー (*Macropus gigantea*)	22	11♂	♂XY
ガチョウ(ハイイロガン) (*Anser anser*)	80	—	♂ZZ, ♀ZW
アヒル(カモ) (*Anas platyrhynchos*)	80	—	♂ZZ, ♀ZW
ウズラ (*Coturnix japonica*)	78	39♂	—
ニワトリ (*Gallus domesticus*)	78	—	♂ZZ, ♀ZW
コウライキジ (*Phasianus colchicus*)	82	—	♂ZZ, ♀ZW
シチメンチョウ (*Meleagris gallopavo*)	80	—	♂ZZ, ♀ZW
カモメ (*Larus canus*)	66	—	♂ZZ, ♀ZW
ハト(カワラバト) (*Columba livia*)	80	—	♂ZZ, ♀ZW
スズメ (*Passer montanas*)	78	—	♂ZZ, ♀ZW
タンチョウ (*Grus japonensis*)	80	—	♂ZZ, ♀ZW

種名（学名）	二倍体	一倍体	性染色体
イシガメ (*Clemmys japonica*)	52	—	—
アカウミガメ (*Caretta caretta*)	56	—	♂ZZ, ♀ZW
トゲオオトカゲ (*Varanus acanthurus*)	40	—	♂ZZ, ♀ZW
ニホンカナヘビ (*Takydromus tachydromoides*)	40	—	♂ZZ, ♀ZW
アオダイショウ (*Elaphe climacophora*)	36	—	♂ZZ, ♀ZW
ヤマカガシ (*Rhabdophis tigrinus*)	36	—	♂ZZ, ♀ZW
マムシ (*Agkistrodon halys*)	36	—	♂ZZ, ♀ZW
ヨコバイガラガラヘビ (*Crotalus cerastes*)	36	—	♂ZZ, ♀ZW
トウキョウサンショウウオ (*Hynobius tokyoensis*)	56	—	♂ZZ, ♀ZW
スベイモリ (*Lissotriton vulgaris*)	24	—	♂XY, ♀XX
ニホンアカガエル (*Rana japonica*)	26	13♂	♂XY, ♀XX
ヨーロッパヒキガエル (*Buf bufo*)	22	—	♂ZZ, ♀ZW
アマガエル (*Hyla arborea japonica*)	24	—	♂XY, ♀XX
アフリカツメガエル (*Xenopus laevis*)	36	—	♂ZZ, ♀ZW
サケ (*Oncorhynchus keta*)	74	—	—
ニジマス (*Oncorhynchus mikiss* (=*Salmo gairdneri*))	58–60	—	—
カワマス (*Salvelinus fontinalis*)	84	—	—
キンギョ(フナ) (*Carassius auratus*)	100	—	—
コイ (*Cyprinus carpio*)	100	—	—
ニホンメダカ (*Oryzias latipes*)	48	—	♂XY, ♀XX
ゼブラフィッシュ (*Danio rerio*)	50	—	—
ヨーロッパウナギ (*Anguilla anguilla*)	36	—	—
ウナギ (*Anguilla japonica*)	38	—	—
ナマズ (*Silurus asotus*)	58	—	—
クサフグ (*Takifugu niphobles*)	44	—	—
アブラザメ (*Squalus suckleyi*)	62	31♂	—
メダマカスベ (*Raja meerdervoortii*)	104	52♂	—
スナヤツメ (*Entosphenus reiss neri*)	165–174	—	—
ホソヌタウナギ (*Myxine glutinosa*)	28	44♂	—

(Makino, S., 1972；King, M., 1990；Olmo, E., 1980 より．Yoshida, M., 2005)

染色体数（無脊椎動物）

種　名（学名）	二倍体	一倍体	種　名（学名）	二倍体	一倍体
カタユウレイボヤ(*Ciona intestinalis*)	18	——	モンカゲロウ(*Ephemera danica*)	11	——[1]
ヌタナメクジウオ(*Amphioxus lanceolatum*)	24	12♀	トノサマバッタ(*Locusta migratoria*)	23	11, 12♂
マヒトデ(*Asterias forbesi*)	36	18♂	チャバネゴキブリ(*Blattella germanica*)	23, 24	11, 12♂[1]
アルバシアウニ(*Arbacia punctulata*)	ca.40	——	カイコガ(*Bombyx mori*)	56	28♂
ハスノハカシパン(*Echinarachnius parma*)	52	——	アカイエカ(*Culex pipiens*)	6	3♂
ナマコ(*Stichopus regalis*)	28-36	16-18♂	キイロショウジョウバエ(*Drosophila melanogaster*)	8	4
マダニ(*Ixodes ricinus*)	28	——	イエバエ(*Musca domestica*)	12	6♂
イエタナグモ(*Tegenaria domestica*)	43	23♂	クロキンバエ(*Phormia regina*)	12	6♂[2]
カブトガニ(*Tachypleus tridentatus*)	26	13♂	マメコガネ(*Popillia japonica*)	18	9♂
アルテミアサリーナ(*Artemia salina*)	42	21♀	セイヨウミツバチ(*Apis mellifera*)	32♀	16♂
オオミジンコ(*Daphnia magna*)	20	10♀	モノアラガイ(*Radix japonica*)	36	18♂
エボシガイ(*Lepas anatifera*)	26	13♂ 13♀	カイチュウ(*Ascaris lumbricoides*)	43, 48	19, 24♂ 24♀
クルマエビ(*Marsupenaeus japonicus*)	92	46♂	ハリガネムシ(*Gordius tolosanus*)	4	2♀
アメリカザリガニ(*Cambarus clarkii*)	200	100♂	カンテツ(*Fasciola hepatica*)	12	6♀
タラバガニ(*Paralithodes camtschaticus*)	208	104♂	ヨーロッパプラナリア(*Planaria torva*)	16	8♀
サワガニ(*Potamon dehaanii*)	82	41♂	エダフトオベリア(*Obelia geniculata*)	34	17♀

1) 性染色体♂XO, 2) 性染色体♂XY　(Makino, S., 1972 より. O'Brien, S. J., 1993 より Yoshida, M., 1998)

染色体数（植物(1)）

種　名（学名）	二倍体	種　名（学名）	二倍体
サトウダイコン(*Beta unlgaris*)	18	キュウリ(*Cucumis sativus*)	14
キャベツ(*Brassica oleracea*)	18	セイヨウカボチャ(*Cucurbita pepo*)	40
リンゴ(*Malus domestica*)	34	ヒマワリ(*Helianthus annuns*)	34
モモ(*Prunus persica*)	16	ダイズ(*Glycine max*)	40
セイヨウスモモ(*Prunus demestica*)	48	エンドウ(*Pisum sativum*)	14;28
セイヨウナシ(*Pirus communis*)	34;51	ムラサキツメクサ(*Trifolium pratense*)	14;28;56
レモン(*Citrus limon*)	18;36	キササゲ(*Catalpa speciosa*)	40
オリーブ(*Olea europaea*)	46	マカラスムギ(*Avena sativa*)	42
セイヨウヒイラギ(*Ilex aquifolium*)	40	イネ(*Oryza sativa*)	24
ブドウ(*Vitis vinifera*)	38;76	サトウキビ(*Saccharum officinarum*)	80
ニンジン(*Daucus carota*)	18	コムギ(*Triticum aestivum*)	42
サツマイモ(*Ipomea batatas*)	90	トウモロコシ(*Zea mays*)	20
トマト(*Lycopersicon esculentum*)	24;48	ヤシ(*Cocos nucifera*)	32
タバコ(*Nicotiana tabacum*)	48	北米産ムラサキツユクサ(*Tradescantia paludosa*)	12
ジャガイモ(*Solanum tuberosum*)	48	タマネギ(*Allium cepa*)	16;32
トウガラシ(*Capsicum frutescens*)	24	アスパラガス(*Asparagus officinalis*)	20;40
キンギョソウ(*Antirrhinum majus*)	16;32	イチョウ(*Ginkgo biloba*)	24
スイカ(*Citrullus vulgaris*)	22;33	シロイヌナズナ(*Arabidopsis thaliana*)	10
バナナ(*Musa sapientum*)	22;33	ペチュニア(*Petunia hybrida*)	14

(Riley, H. P. ら, 1972 より. O'Brien, S. J., 1993 より Yoshida, M., 1998)

染色体数（植物(2) および真菌）

種　名（学名）	一倍体	種　名（学名）	一倍体
クジャクシダ(*Adiantum pedatum*)	58	ヒバマタ(*Fucus vesiculosus*)	10;32
オニヤブソテツ(*Cyrtomium falcatum*)	123	コンブ(*Laminaria digitata*)	27-31
コタニワタリ(*Phyllitis scolopendrium*)	72	チシマクロノリ(*Porphyra umbilicalis*)	5
スギナ(*Equisetum arvense*)	216	マッシュルーム(*Agaricus campestris*)	12
シッポゴケ(*Dicranum scoparium*)	12	ササクレヒトヨタケ(*Coprinus comatus*)	14
ウマスギゴケ(*Polytrichum commune*)	7	サルノコシカケ(*Fomes annosus*)	7
ゼニゴケ(*Marchantia polymorpha*)	9	コウボ(*Saccharomyces cerevisiae*)	16
カズノゴケ(*Riccia fluitans*)	8	コウジカビ(*Aspergillus nidulans*)	8
ヒカゲノカズラ(*Lycopodium clavatum*)	68	アオカビ(*Penicillum expansum*)	4-5
ホウネンゴケ(*Acarospora fuscata*)	3	アカパンカビ(*Neurospora crassa*)	7

(Storok, R. ら, 1972 より. O'Brien, S. J., 1993 より Yoshida, M., 1998)

ゲノムサイズ一覧表*

ウイルス・細菌・ミトコンドリア・葉緑体		サイズ(kb)
ウイルス	SV40	5
	インフルエンザ	2.3
	T4 ファージ	168
細　菌	枯草菌(*Bacillus subtilis*)	4 138
	大腸菌(*Escherichia coli* T4)	5 131
ミトコンドリア	酵母	86
	トウモロコシ	569
	ゾウリムシ	3.4
	ウニ	15
	マウス	16
葉緑体	ミドリムシ	15
	イネ	134

種　名(学名)	サイズ(Mb)
コウジカビ(*Aspergillus oryzae*)	37.4
アカパンカビ(*Neurospora crassa*)	41.3
クリプトコッカス(*Cryptococcus neoformans*)	18.6
パン酵母(*Saccharomyces cerevisiae*)	11.8
キイロタマホコリカビ(*Dictyostelium discoideum*)	34.2
変形菌(*Physarum polycephalum*)	205.1
フェオダクチラム(*Phaeodactylum tricornutum*)	27.4
マコンブ(*Saccharina japonica*)	539.4
コナミドリムシ(*Chlamydomonas reinhardtii*)	112.4
シアニディオシゾン(*Cyanidioschyzon merolae*)	16.5
クロレラ(*Chlorella vulgaris*)	39.1
ゼニゴケ(*Marchantia polymorpha*)	250.8
ヒメツリガネゴケ(*Physcomitrella patens*)	477.9
イヌカタヒバ(*Selaginella moellendorfii*)	212.5
テーダマツ(*Pinus taed*)	22 103.6
イネ(*Oryza sativa*)	385.3
トウモロコシ(*Zea mays*)	2 198.2
シロイヌナズナ(*Arabidopsis thaliana*)	119.7
ジャガイモ(*Solanum tuberosum*)	760.2
トマト(*Solanum lycopersicum*)	809.1
モモ(*Prunus persica*)	220.8
ホワイトオーク(*Quercus lobata*)	846.0
パンコムギ(*Triticum aestivum*)	15 418.8
ヒマワリ(*Helianthus annuus*)	3 010.0
ダイコン(*Raphanus sativus*)	414.7
キヌア(*Chenopodium quinoa*)	1 333.5
ラッカセイ(*Arachis ipaensis*)	1 353.5
ソバ(*Fagopyrum esculentum*)	1 194.4
イチジク(*Ficus carica*)	290.2
ソラマメ(*Vicia faba*)	80.3
ブドウ (*Vitis vinifera*)	427.1

種　名(学名)	サイズ(Mb)
ゾウリムシ(*Paramecium tetraurelia*)	72.0
赤痢アメーバ(*Entamoeba histolytica*)	17.5
マラリア原虫(*Plasmodium falciparum*)	23.5
ケナルカエウム(*Cenarchaeum symbiosum*)	2.0
線虫(*Caenorhabditis elegans*)	103.2
マレー糸状虫(*Brugia malayi*)	93.6
日本住血吸虫(*Schistosoma japonicum*)	386.3
カイコ(*Bombyx mori*)	429.0
ハマダラカ(*Anopheles gambiae*)	250.7
キイロショウジョウバエ(*Drosophila melanogaster*)	137.6
ネッタイシマカ(*Aedes aegypti*)	1 274.1
セイヨウミツバチ(*Apis mellifera*)	226.5
コクヌストモドキ(*Tribolium castaneum*)	165.9
ツェツェバエ(*Glossina morsitans*)	355.5
イソギンチャク(*Nematostella vectensis*)	356.6
ウニ(*Strongylocentrotus purpuratus*)	921.8
ナメクジウオ(*Branchiostoma floridae*)	513.4
カタユウレイボヤ(*Ciona intestinalis*)	122.9
ミドリフグ(*Tetraodon nigroviridis*)	342.4
トラフグ(*Takifugu rubripes*)	384.1
ゼブラフィッシュ(*Danio rerio*)	1 405.1
メダカ(*Oryzias latipes*)	732.2
アフリカツメガエル(*Xenopus laevis*)	2 730.4
ゾウザメ(*Callorhinchus milii*)	974.4
セキショクヤケイ(*Gallus gallus*)	1 037.1
カモノハシ(*Ornithorhynchus anatinus*)	1 924.8
ダマヤブワラビー(*Macropus eugenii*)	2 220.5
ハイイロジネズミオポッサム(*Monodelphis domestica*)	3 598.4
コアラ(*Phascolarctos cinereus*)	3 398.2
タスマニアデビル(*Sarcophilus harrisii*)	3 174.6
マウス(*Mus musculus*)	2 689.6
ドブネズミ(*Rattus norvegicus*)	2 632.1
ウサギ(*Oryctolagus cuniculus*)	2 780.3
ブタ(*Sus scrofa*)	2 459.9
ネコ(*Felis catus*)	2 521.8
イヌ(*Canis familiaris*)	2 344.0
ウシ(*Bos taurus*)	2 715.8
ウマ(*Equus caballus*)	2 474.9
アカゲザル(*Macaca mulatta*)	2 970.6
アヌビスヒヒ(*Papio anubis*)	2 914.6
スマトラオランウータン(*Pongo abelii*)	3 253.1
ゴリラ(*Gorilla gorilla*)	3 063.3
チンパンジー(*Pan troglodytes*)	3 050.4
ボノボ(*Pan paniscus*)	3 169.2
ヒト(*Homo sapiens*)	2 864.1

* NCBI 2023 に基づく.

遺 伝・免 疫

メンデルの法則

メンデルの法則

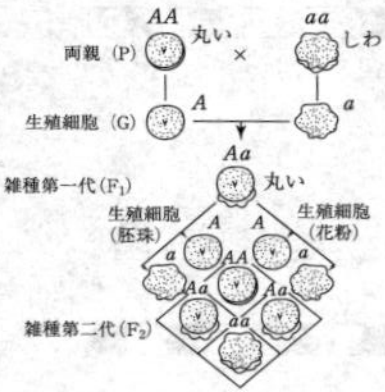

丸い：しわ＝3：1

メンデルの顕性および分離の法則

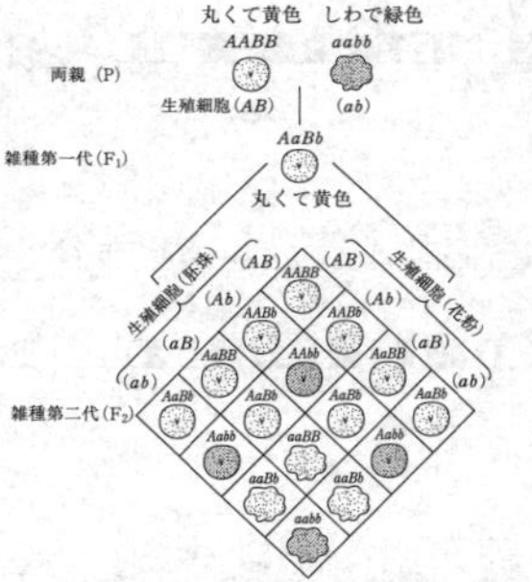

丸くて黄色：丸くて緑色：しわで黄色：しわで緑色
＝9：3：3：1

メンデルの独立の法則

メンデルが用いた7つの対立形質

形　質	F_2の総数	顕　性		潜　性		F_2の分離比
種子の形	7 324	丸い	5 474	しわ	1 850	2.96：1.00
子葉の色	8 023	黄色	6 022	緑色	2 001	3.01：1.00
種皮の色	929	灰褐色	705	白色	224	3.15：1.00
熟した莢の形	1 181	ふくらんで大きい	882	ちぢんで小さい	299	2.95：1.00
未熟の莢の色	580	緑色	428	黄色	152	2.82：1.00
花の着き方	858	腋生	651	頂生	207	3.14：1.00
茎の高さ	1 064	高い（2 m）	787	低い（25～50 cm）	277	2.84：1.00

メンデル（1866）は，表に示したエンドウの7対の対立形質を用いて交配実験をし，遺伝学上重要なつぎの3つの法則を発見した．

（1）**顕性の法則**　種子の形が丸いものと，しわがよって角ばったものとを交配すると，雑種第一代（F_1）はすべて丸いものばかりとなり，しわのよったものは現れない．エンドウの7対の対立形質にはすべて，このように顕性の形質と潜性の形質とがある．この現象を遺伝子型で表すと，丸いものはAA，しわのものはaaで，交配によって生じたF_1はAaとなり，Aはaに対して顕性である．

（2）**分離の法則**　上の実験で得られたF1どうしを交配すると，雑種第二代（F_2）では丸いものとしわのものとが3：1の比で生じる．これを遺伝子型で示すとF_2ではAA：Aa：Aa：aa＝1：1：1：1の比で生じ，Aはaに対して顕性なので表現型は丸いもの：しわのもの＝3：1の比で生じる．

（3）**独立の法則**　上の2つの法則はいずれも1対の対立形質についての法則であるが，2対以上の異なる対立形質の遺伝様式についてはこの独立の法則が成立する．たとえば，エンドウの種子の形が丸くて子葉の色が黄色のもの（$AABB$）と，種子の形がしわで角ばり子葉が緑色のもの（$aabb$）とを交配すると，F_1はすべて種子の形は丸く子葉の色は黄色（$AaBb$）となる．このF_1どうしを交配すると，F_2では種子が丸くて子葉が黄色のもの（$AABB$，$AABb$，$AaBB$，$AaBb$）と，種子が丸くて子葉が緑色のもの（$AAbb$，$Aabb$），種子がしわで子葉が黄色のもの（$aaBB$，$aaBb$），および種子がしわで子葉が緑色のもの（$aabb$）が9：3：3：1の比で生じる．

これらの7対の対立形質はいずれも異なる染色体上に遺伝子が存在するために独立の法則が成立するが，同じ染色体上に2つ以上の遺伝子が存在する場合には，これらは独立には遺伝しないで，その染色体と行動をともにして連鎖（連関）の現象が現れる．最近では次世代シーケンサーによるSNPsを利用した連鎖解析により，疾患の責任遺伝子などの同定が広く行われている．　　（黒田行昭，米川博通による）

ヒト染色体の遺伝子

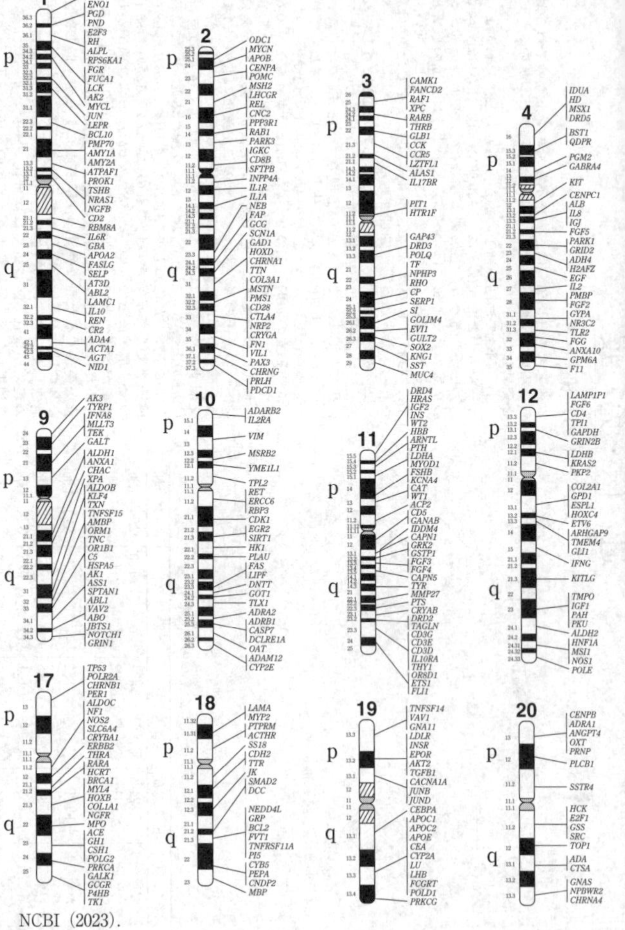
1
p
q
GNB1 ENO1 PGD PND E2F3 RH ALPL RPS6KA1 FGR FUCA1 LCK AK2 MYCL JUN LEPR BCL10 PMP70 AMY1A AMY2A ATPAF1 PROK1 TSHB NRAS1 NGFB CD2 RBM8A IL6R GBA APOA2 FASLG SELP AT3D ABL2 LAMC1 IL10 REN CR2 ADA4 ACTA1 AGT NID1
2
ODC1 MYCN APOB CENPA POMC MSH2 LHCGR REL CNC2 PPP3R1 RAB1 PARK3 IGKC CD8B SFTPB INPP4A IL1R IL1A NEB FAP GCG SCN1A GAD1 HOXD CHRNA1 TTN COL3A1 MSTN PMS1 CD28 CTLA4 NRP2 CRYGA FN1 VIL1 PAX3 CHRNG PRLH PDCD1
3
CAMK1 FANCD2 RAF1 XPC RARB THRB GLB1 CCK CCR5 LZTFL1 ALAS1 IL17BR PIT1 HTR1F GAP43 DRD3 POLQ TF NPHP3 RHO CP SERP1 SI GOLIM4 EVI1 GULT2 SOX2 KNG1 SST MUC4
4
IDUA HD MSX1 DRD5 BST1 QDPR PGM2 GABRA4 KIT CENPC1 ALB IL8 IGJ FGF5 PARK1 GRID2 ADH4 H2AFZ EGF IL2 PMBP FGF2 GYPA NR3C2 TLR2 FGG ANXA10 GPM6A F11
9
AK3 TYRP1 IFNA8 MLLT3 TEK GALT ALDH1 ANXA1 CHAC XPA ALDOB KLF4 TXN TNFSF15 AMBP ORM1 TNC OR1B1 C5 HSPA5 AK1 ASS1 SPTAN1 ABL1 VAV2 ABO JBTS1 NOTCH1 GRIN1
10
ADARB2 IL2RA VIM MSRB2 YME1L1 TPL2 RET ERCC6 RBP3 CDK1 EGR2 SIRT1 HK1 PLAU FAS LIPF DNTT GOT1 TLX1 ADRA2 ADRB1 CASP7 DCLRE1A OAT ADAM12 CYP2E
11
DRD4 HRAS IGF2 INS WT2 HBB ARNTL PTH LDHA MYOD1 FSHB KCNA4 CAT WT1 ACP2 CD5 GANAB IDDM4 CAPN1 GRK2 GSTP1 FGF3 FGF4 CAPN5 TYR MMP27 PTS CRYAB DRD2 TAGLN CD3G CD3E CD3D IL10RA THY1 OR8D1 ETS1 FLI1
12
LAMP1P1 FGF6 CD4 TPI1 GAPDH GRIN2B LDHB KRAS2 PKP2 COL2A1 GPD1 ESPL1 HOXC4 ETV6 ARHGAP9 TMEM4 GLI1 IFNG KITLG TMPO IGF1 PAH PKU ALDH2 HNF1A MSI1 NOS1 POLE
17
TP53 POLR2A CHRNB1 PER1 ALDOC NF1 NOS2 SLC6A4 CRYBA1 ERBB2 THRA RARA HCRT BRCA1 MYL4 HOXB COL1A1 NGFR MPO ACE GH1 CSH1 POLG2 PRKCA GALK1 GCGR P4HB TK1
18
LAMA MYP2 PTPRM ACTHR SS18 CDH2 TTR JK SMAD2 DCC NEDD4L GRP BCL2 FVT1 TNFRSF11A PI5 CYB5 PEPA CNDP2 MBP
19
TNFSF14 VAV1 GNA11 LDLR INSR EPOR AKT2 TGFB1 CACNA1A JUNB JUND CEBPA APOC1 APOC2 APOE CEA CYP2A LU LHB FCGRT POLD1 PRKCG
20
CENPB ADRA1 ANGPT4 OXT PRNP PLCB1 SSTR4 HCK E2F1 GSS SRC TOP1 ADA CTSA GNAS NPBWR2 CHRNA4

NCBI (2023).

地図（概略図）

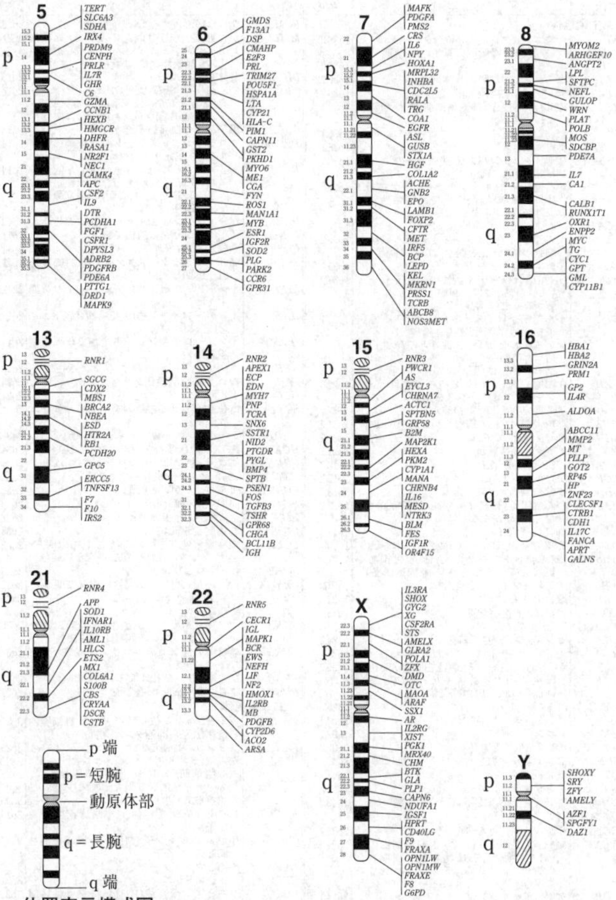

位置表示模式図

ヒト遺伝子座表

遺伝子	形　質	座位
第1染色体		
GNB1	グアニンヌクレオチド結合タンパク質(細胞内情報伝達に関与)	1p36.33
ENO1	エノラーゼ1	1p36.23
PGD	ホスホグルコン酸脱水素酵素	1p36.22
PND	ナトリウム尿排泄亢進	1p36.22
E2F2	E2F2 転写因子(細胞増殖制御, 骨髄腫などに関与)	1p36.12
RH	Rh 式血液型	1p36.11
ALPL	アルカリホスファターゼ	1p36.11
RPS6KA1	リボソームタンパク質 S6 キナーゼ(細胞増殖に関与)	1p36.11
FGR	がん遺伝子(チロシンキナーゼ：骨髄球・リンパ球増殖, 慢性再発性多発性骨髄炎, 前立腺がんなどに関与)	1p35.3
FUCA1	α-L-フコース分解酵素	1p35.3
LCK	がん遺伝子(チロシンキナーゼ：成熟 T 細胞の活性化, 大腸がんなどに関与)	1p35.2
AK2	アデニル酸キナーゼ 2	1p35.1
MYCL	DNA 結合転写因子活性がん遺伝子(乳房のアポクリン腺腫, 下唇がん, 肺がんなどに関与)	1p34.2
JUN	がん遺伝子(FOS と結合し AP-1 転写因子を生成；細胞分化・増殖, アポトーシスなどを制御, 急性リンパ球性白血病などに関与)	1p32.1
LEPR	レプチン受容体(肥満症関連)	1p31.3
BCL10	B 細胞白血病 10(カスパーゼ動員ドメインを持ちアポトーシスを誘導するタンパク質：MALT リンパ腫から同定された)	1p22.3
PMP70	ペルオキシソーム膜タンパク質 70-kDa	1p21.3
AMY1A	アミラーゼ(唾液)	1p21.1
AMY2A	アミラーゼ(膵液)	1p21.1
ATPAF1	ATP 合成酵素 1	1p13.3
PROK1	プロキネシチン 1	1p13.3
TSHB	甲状腺刺激ホルモン β 鎖	1p13.2
NRAS1	がん遺伝子(神経芽細胞腫・結腸直腸がん・大腸がんなどに関与)	1p13.2
NGF	神経成長因子	1p13.2
CD2	T 細胞表面 CD2 抗原(免疫応答に関与)	1p13.1
RBM8A	RNA 結合タンパク質 8A(橈骨欠損血小板減少症(TAR 症候群)原因遺伝子)	1q21.1
IL6R	インターロイキン 6 受容体	1q21.3
GBA	酸性 β グルコシダーゼ	1q22
APOA2	アポリポタンパク質	1q23.3
FASLG	FAS リガンド	1q24.3
SELP	セレクチン(細胞接着因子)	1q24.2
AT3D	先天性アンチトロンビンⅢ欠損症	1q25.1
ABL2	がん遺伝子(急性骨髄性白血病/染色体転座 t(1;12)により *ABL2-ETV6* 融合遺伝子生成し白血病発症)	1q25.2
LAMC1	ラミニン γ1	1q25.3
IL10	インターロイキン 10	1q32.1
REN	レニン	1q32.1
CR2	EB ウイルス受容体 2	1q32.2
PSEN2	プレセニリン 2(アルツハイマー病に関与)	1q42.13
ACTA1	骨格筋アクチン	1q42.13
AGT	アンジオテンシノーゲン	1q42.2
NID1	ニドゲン 1(基底膜構成タンパク質)	1q42.3
第2染色体		
ODC1	オルニチンデカルボキシラーゼ 1	2p25.1
MYCN	MYC ファミリーに属する転写制御因子(MAX と結合し細胞増殖・周期などの制御, 神経芽腫, 肺がん, 乳がんなどに関与)	2p24.3
APOB	アポリポタンパク質	2p24.1
CENPA	動原体タンパク質 A	2p23.3
POMC	プロオピオメラノコルチン	2p23.3
MSH2	がん抑制遺伝子(DNA ミスマッチ修復作用：大腸がん, 胃がん, 子宮内膜, 遺伝性リンチ症候群などに関与)	2p21
LHCGR	黄体形成ホルモン	2p16.3
REL	がん遺伝子(転写因子：アポトーシス, 炎症, 免疫応答などの調節：ホジキンリンパ腫, B 細胞リンパ腫などに関与)	2p16.1
CNC2	黒子症および腫瘍多発症	2p16
PPP3R1	プロテインフォスファターゼ 3 調節サブユニット Bα アイソフォーム	2p14
RAB1	Ras スーパーファミリーに属する低分子量 GTP 結合タンパク質(小胞輸送制御因子；膵臓がん, 大腸がん, 前立腺がんなどに関与)	2p14
PARK3	パーキンソン病 3(レビー小体に関与)	2p13
IGKC	免疫グロブリン κ 遺伝子群	2p11.2
CD8B	T 細胞 CD8 抗原	2p11.2
SFTPB	肺サーファクタントタンパク質 B(肺胞蛋白症に関与)	2p11.2
INPP4A	イノシトールポリホスフェート-4-リン酸ⅠA	2q11.2
IL1R	インターロイキン-1β(炎症性サイトカイン)	2q12.1
IL1A	インターロイキン-1α(さまざまな細胞機能調節)	2q14.1
NEB	ネブリン	2q23.3
FAP	線維芽細胞活性化タンパク質 α	2q24.2
GCG	グルカゴン	2q24.2
SCN1A	電位依存性ナトリウムチャネル α サブユニット 1	2q24.3
GAD1	グルタミン酸デカルボキシラーゼ 1	2q31.1
HOXD	HOXD 遺伝子群アンチセンス RNA1	2q31.1
CHRNA1	ニコチン性アセチルコリン受容体 α1	2q31.1
TTN	タイチン(骨格筋タンパク質)	2q31.2
COL3A1	Ⅲ型コラーゲン α1 鎖	2q32.2
MSTN	筋肉増殖抑制因子	2q32.2
PMS1	ミスマッチ修復系遺伝子	2q32.2
CD28	T 細胞活性化抗原	2q33.2
CTLA4	細胞傷害性 T リンパ球抗原 4(糖尿病, セリアック病, 慢性甲状腺炎などに関与)	2q33.2
NRP2	ニューロピリン 2	2q33.3
CRYGA	γA-クリスタリン(先天性白内障に関与)	2q33.3
FN1	フィブロネクチン 1	2q35
VIL1	ビリン 1	2q35
PAX3	ペアードボックス 3(胎生期の器官形成, ワーデンブルグ症候群 1 型に関与)	2q36.1
CHRNG	ニコチン性アセチルコリン受容体 γ サブユニット	2q37.1
PRLH	プロラクチン放出ホルモン	2q37.3
PDCD1	プログラム細胞死遺伝子	2q37.3
第3染色体		
CAMK1	カルモジュリン依存性キナーゼ 1(細胞内情報伝達系関連タンパク質)	3p25.3
FANCD2	ファンコニ貧血 D2 群	3p25.3
RAF1	がん遺伝子(セリン/スレオニンキナーゼ：細胞周期, アポトーシス, 直腸腺がん, ヌーナン症候群 5 型などに関与)	3p25.2
XPC	色素性乾皮症 C 群	3p25.1
RARB	レチノイン酸受容体 β(小眼球症関連遺伝子)	3p24.2
THRB	甲状腺ホルモン受容体 β(甲状腺機能を調節)	3p24.2
GLB1	β-ガラクトシダーゼ 1	3p22.3
CCK	コレシストキニン	3p22.1
CCR5	ケモカイン受容体(HIV 感染感受性に関与)	3p21.31

遺伝子	形　質	座位
LZTFL1	ロイシンジッパー転写因子様-1(バルデー・ビードル症候群関連)	3p21.31
ALAS1	δ-アミノレブリン酸シンターゼ	3p21.2
IL17BR	インターロイキン 17 受容体 B	3p21.1
HTR1F	セロトニン受容体	3p11.2
PIT1	下垂体成長ホルモン転写因子-1	3p11.2
GAP43	ニューロモジュリン(神経成長関連遺伝子)	3q13.31
DRD3	ドーパミン D3 受容体(老人で発達する原因不明の震動, 統合失調症などに関与)	3q13.31
POLQ	DNA ポリメラーゼ θ	3q13.33
GATA2	GATA-2 結合タンパク質(造血組織, 神経・泌尿器系の発生・分化, 転座や逆位による *EVI1* との融合遺伝子により白血病発症)	3q21.3
TF	トランスフェリン	3q22.1
NPHP3	嚢胞性腎疾患	3q22.1
RHO	ロドプシン(視紅)	3q22.1
CP	セルロプラスミン	3q24
SERP1	小胞体結合ストレスタンパク質 1	3q25.1
SI	スクラーゼ-イソマルターゼ	3q26.1
GOLIM4	ゴルジリン酸化タンパク質 4	3q26.2
MECOM	*MDS1-EVI1* 融合遺伝子(inv(3)逆位または t(3;3)転座により形成；造血・神経幹細胞分化を制御機能, 難治性骨髄性白血病などに関与)	3q26.2
GLUT2	グルコース輸送体 2	3q26.2
SOX2	ソックス遺伝子(胚発生時の細胞分化に関与)	3q26.33
KNG1	キニノーゲン 1(血管拡張に関与)	3q27.3
SST	ソマトスタチン	3q27.3
MUC4	ムチン 4(気管支炎関連遺伝子)	3q29
第 4 染色体		
IDUA	イズロニダーゼ α-L 型	4p16.3
HD	ハンチントン病	4p16.3
MSX1	MSH ホメオボックス遺伝子(外胚葉異形性に関与)	4p16.2
DRD5	ドーパミン D5 受容体	4p16.1
BST1	骨髄間質細胞抗原 1	4p15.32
QDPR	キノイドジヒドロプテリジン還元酵素	4p15.32
PGM2	ホスホグルコムターゼ 2	4p14
GABRA4	γ-アミノ酪酸 A 受容体 α4	4p12
KIT	がん遺伝子(受容体型チロシンキナーゼ；消化管間質腫瘍, 肥満細胞腫, 急性骨髄性白血病などに関与)	4q12
CENPC1	動原体タンパク質 C1	4q13.2
ALB	アルブミン	4q13.3
IL8	インターロイキン 8	4q13.3
IGJ	J 鎖	4q13.3
FGF5	線維芽細胞増殖因子 5	4q21.21
PARK1	パーキンソン病1(α-シヌクレインの関与)	4q22.1
GRID2	δ-2 型グルタミン酸受容体	4q22
ADH4	アルコール脱水素酵素 4	4q23
H2AFZ	ヒストン H2A 成分メンバー Z	4q23
EGF	上皮増殖因子	4q25
IL2	インターロイキン 2	4q27
PMBP	プロゲステロン受容体膜成分 2	4q28.2
FGF2	線維芽細胞増殖因子 2	4q28.1
GYPA	グリコホリン A(MNS 式血液型に関与)	4q31.21
NR3C2	ミネラルコルチコイド核内受容体(高血圧症に関与)	4q31.23
TLR2	Toll 様受容体 2	4q31.3
FGG	フィブリノーゲン γ 鎖	4q32.1
ANXA10	アネキシン A10	4q32.3
GPM6A	糖タンパク質 M6A	4q34.2
F11	血液凝固第 XI 因子	4q35.2
第 5 染色体		
TERT	テロメラーゼ逆転写酵素	5p15.33
SLC6A3	ドーパミントランスポーター(神経細胞の線条体に放出されたドーパミンを再取り込みする働き, ニコチン依存症に関与)	5p15.33
SDHA	コハク酸デヒドロゲナーゼ	5p15.33
IRX4	Iroquosis ホメオボックス遺伝子 4(初期胚発生に関与)	5p15.33
PRDM9	PR ドメイン含有タンパク質 9	5p14.2
CENPH	セントロメアタンパク質 H	5q13.2
PRLR	プロラクチン受容体	5p13.2
IL7R	インターロイキン 7 受容体	5p13.2
GHR	成長ホルモン受容体	5p13.2
C6	補体第 6 成分	5p13.1
GZMA	グランザイム	5q11.2
CCNB1	サイクリン B1	5q13.2
HEXB	ヘキサミダーゼ B(サンドホフ病に関与)	5q13.3
HMGCR	ヒドロキシ-メチルグルタリル-CoA 還元酵素	5q13.3
DHFR	ジヒドロ葉酸リダクターゼ	5q14.1
RASA1	RAS p21 タンパク質活性化因子 1(毛細血管奇形-動静脈奇形 1, 基底細胞がんなどに関与)	5q14.3
NR2F1	核内受容体サブファミリー 2 グループ F1(視神経萎縮症候群に関与)	5q15
NEC1	プロタンパク質転換酵素 1(神経・内分泌病に関与)	5q15
CAMK4	カルモジュリン依存性プロテインキナーゼ IV(脳内神経機能に関連)	5q22.1
APC	がん抑制遺伝子(家族性大腸腺腫症に関与)	5q22.2
CSF2	コロニー刺激因子 2	5q31.1
IL9	インターロイキン 9	5q31.1
DTR	ジフテリア毒素受容体	5q31.3
PCDHA1	プロトカドヘリン α1	5q31.3
FGF1	線維芽細胞増殖因子 1	5q31.3
CSFR1	コロニー刺激因子 1 受容体	5q32
DPYSL3	ジヒドロピリミジナーゼ 3(ジヒドロピリミジナーゼ欠損症に関与)	5q32
ADRB2	β2 アドレナリン受容体	5q32
PDGFRB	血小板由来増殖因子	5q32
PDE6A	ホスホジエステラーゼ 6A(網膜症に関与)	5q32
PTTG1	セキュリン(姉妹染色分体分離タンパク質)	5q33.3
DRD1	D1 ドーパミン受容体(ホルモン分泌, ドーパミン生合成に関与)	5q35.2
MAPK9	分裂促進因子活性化タンパク質キナーゼ 9(細胞増殖や細胞分化, アポトーシスなどに関与)	5q35.3
第 6 染色体		
GMDS	GDP-マンノース-4, 6-デヒドラターゼ(GDP 糖合成系における触媒作用)	6p25.3
F13A1	血液凝固第 XIII 因子(高中性脂肪血症・潰瘍性大腸炎などに関与)	6p25.1
DSP	デスモプラキン(細胞接着因子；手掌足底角化症に関与)	6p24.3
CMAHP	シチジンモノホスホ-N-アセチルノイラミン酸ヒドロキシラーゼ(偽遺伝子)	6p22.3
E2F3	E2F3 転写因子(細胞増殖制御に関与, 前立腺がん, 膀胱がんなどに関与)	6p22.3
PRL	プロラクチン(乳汁分泌促進ホルモン)	6p22.3
TRIM27	リングフィンガータンパク質	6p22.1
POU5F1	POU ドメインを含む DNA 結合転写因子(初期発生における細胞分化に関与)	6p21.33
HSPA1A	熱ショックタンパク質 70	6p21.33
LTA	リンホトキシン α(腫瘍壊死因子に関与)	6p21.33
CYP21	シトクロム P450, サブファミリー XXIA	6p21.33
HLA-C	ヒト白血球型抗原	6p21.33
PIM1	がん遺伝子(セリン/スレオニンキナーゼ；細胞周期, 造血系悪性腫瘍, 前立腺がんなどに関与)	6p21.2

遺伝子	形　質	座位
CAPN11	カルパイン 11	6p21.1
GST2	グルタチオン S-トランスフェラーゼ α1(解毒タンパク質)	6p12.2
PKHD1	フィブロシスチン/ポリダクチン	6p12.3
MYO6	ミオシン VI	6q14.1
ME1	リンゴ酸酵素 1	6q14.2
CGA	糖タンパク質ホルモン	6q14.3
FYN	がん遺伝子(チロシンキナーゼ；細胞増殖制御，慢性骨髄性白血病などに関与)	6q21
ROS1	がん遺伝子(チロシンキナーゼ受容体 1；神経膠芽腫に関与)	6q22.1
MAN1A1	α-マンノシダーゼ 1A	6q22.31
MYB	がん遺伝子(転写因子；造血系細胞増殖・分化，骨髄性白血病などに関与)	6q23.3
ESR1	エストロゲン受容体 1(遺伝子転写制御関連；乳がん，前立腺がんなどに関与)	6q25.1
IGF2R	インスリン様成長因子 2 受容体	6q25.3
SOD2	スーパーオキシドジスムターゼ 2	6q25.3
PLG	プラスミノーゲン(血栓溶解因子)	6q26
PARK2	若年性パーキンソン病 2	6q26
CCR6	CC ケモカイン受容体 6(細胞運動促進・分化などに関与)	6q27
GPR31	G タンパク質共役受容体 31(嗅・味覚受容体，神経伝達物質受容体などに関与)	6q27

第 7 染色体

遺伝子	形　質	座位
MAFK	がん遺伝子(bZIP 型転写因子；細胞分化や機能発現制御，乳がんや多発性骨髄腫などに関与)	7p22.3
PDGFA	血小板由来増殖因子サブユニット A	7p22.3
PMS2	ミスマッチ修復系遺伝子	7p22.1
CRS	頭蓋骨縫合早期癒合症	7p21.1
IL6	インターロイキン 6(免疫応答や炎症反応の調節作用)	7p15.3
NPY	神経ペプチド Y(摂食調節に関与)	7p15.3
HOXA1	ホメオボックス A1	7p15.2
MRPL32	ミトコンドリアリボソームタンパク質 L32(遺伝性痙性対麻痺に関与)	7p14.1
INHBA	インヒビン βA サブユニット	7p14.1
CDC2L5	サイクリン βA サブユニット	7p14.1
RALA	*RAS* がん遺伝子(膵がん，大腸がん，肺がん，多発性骨髄腫などに関与)	7p14.1
TRG	T 細胞受容体 γ 鎖	7p14
COA1	シトクロム c 酸化酵素(食べ物を酸化する反応の最終段階を制御)	7p13
EGFR	上皮成長因子受容体	7p11.2
ASL	アルギニノコハク酸リアーゼ	7q11.21
GUSB	β-グルクロニダーゼ	7q11.21
STX1A	シンタキシン 1A	7q11.23
HGF	肝細胞増殖因子	7q21.11
COL1A2	I 型コラーゲン α2 鎖	7q21.3
ACHE	アセチルコリン分解酵素	7q22.1
GNB2	G タンパク質 β2 サブユニット	7q22.1
EPO	エリスロポエチン	7q22.1
LAMB1	ラミニンサブユニット β1	7q31.1
FOXP2	転写制御因子(言語機能発達関連遺伝子)	7q31.1
CFTR	嚢胞性線維症膜コンダクタンス制御因子	7q31.2
MET	がん遺伝子(肝細胞増殖因子(HGF)と結合するチロシンキナーゼ受容体；肝細胞がん，胃がん，腎細胞がんなどに関与)	7q31.2
IRF5	インターフェロン調節因子 5	7q32.1
BCP	オプシン 1	7q32.1
LEPD	レプチン(肥満・体重調節タンパク質)	7q32.1
KEL	Kell 式血液型	7q34
MKRN1	マコリンリングフィンガータンパク質 1	7q34
PRSS1	プロテアーゼ(タンパク質分解酵素)	7q34
TCRB	T 細胞受容体 β 鎖	7q34
ABCB8	ATP 結合カセット B サブファミリー 8	7q36.1
NOS3	一酸化窒素合成酵素 3(血管拡張作用)	7q36.1

第 8 染色体

遺伝子	形　質	座位
MYOM2	ミヨメシン 2(ミオシン結合タンパク質)	8p23.3
ARHGEF10	Rho グアニンヌクレオチド交換因子 10	8p23.3
ANGPT2	アンジオポエチン 2	8p23.1
LPL	リポタンパク質リパーゼ	8p21.3
SFTPC	サーファクタントタンパク質 C	8p21.3
NEFL	ニューロフィラメント L	8p21.2
GULOP	壊血病関連	8p21.1
WRN	ウェルナー症候群	8p12
PLAT	プラスミノーゲン活性化因子	8p11.21
POLB	DNA ポリメラーゼ β	8p11.21
MOS	がん遺伝子(セリン/トレオニンキナーゼ；細胞分裂抑制に関与)	8q12.1
SDCBP	シンデカン結合タンパク質	8q12.1
PDE7A	ホスホジエステラーゼ 7A	8q13.1
IL7	インターロイキン 7	8q21.13
CA1	炭酸脱水酵素 1	8q21.2
CALB1	カルビンディン 1	8q21.3
RUNX1T1	がん遺伝子(転写因子；造血系・神経系・脂肪細胞分化，(8;21)転座による *AML1-RUNX1T1* 融合遺伝子が急性骨髄性白血病発症に関与)	8q21.3
OXR1	酸化ストレス抵抗性遺伝子 1(小脳形成不全に関与)	8q23.1
ENPP2	オートタキシン(がん細胞の浸潤・転移や肝臓の線維化進展などの診断マーカー)	8q24.12
MYC	がん遺伝子(転写因子；細胞増殖・腫瘍化，バーキットリンパ腫，造血系がん，乳がん，脳腫瘍などに関与)	8q24.21
TG	チログロブリン(甲状腺ホルモンに関与)	8q24.22
CYC1	シトクロム c1(アポトーシスに関与)	8q24.3
GPT	グルタミン酸ピルビン酸トランスアミナーゼ	8q24.3
GML	GPI アンカー様プロテイン	8q24.3
CYP11B1	シトクロム P450-11B1(薬物代謝，アルドステロン症などに関与)	8q24.3

第 9 染色体

遺伝子	形　質	座位
AK3	アデニル酸キナーゼ 3	9p24.1
TYRP1	チロシナーゼ関連タンパク質 1	9p23
IFNA8	インターフェロン α8	9p21.3
MLLT3	骨髄性/リンパ性白血病((9;11)転座による造血細胞の増殖を促進する遺伝子 *KMT2A* との融合遺伝子の作用で白血病を発症)	9p21.3
TEK	TEK 受容体チロシンキナーゼ	9p21.2
GALT	ガラクトース-1-リン酸ウリジルトランスフェラーゼ	9p13.3
ALDH1	アルデヒド脱水素酵素 1 ファミリー A1	9q21.13
ANXA1	アンネキシン A1	9q21.13
CHAC	コレインタンパク質(有棘赤血球性舞踏病に関与)	9q21.2
XPA	色素性乾皮症 A 群	9q22.33
ALDOB	B 型アルドラーゼ(遺伝性フルクトース不耐症に関与)	9q31.1
KLF4	クルッペル様因子 4(細胞増殖・分化などに関与)	9q31.2
TXN	チオレドキシン	9q31.3
TNFSF15	腫瘍壊死因子 15	9q32
AMBP	α1-マイクログロブリン(腎・尿路病変の診断に有用)	9q32
ORM1	オロソムコイド 1	9q32
TNC	テナシン C	9q33.1
C5	補体 C5	9q33.2
HSPA5	熱ショックタンパク質(細胞防御反応・細胞内タンパク質輸送などに関与)	9q33.3
AK1	アデニル酸キナーゼ 1	9q34.11
ASS1	アルギニノコハク酸合成酵素 1(シトルリン血症に関与)	9q34.11

遺伝子	形　質	座位
SPTAN1	α スペクトリン(赤血球細胞原形質膜の骨格構築に関与)	9q34.11
ABL1	がん遺伝子(チロキシナーゼ；(9;22)転座による *BCR-ABL1* 融合遺伝子が慢性骨髄性白血病，急性骨髄性白血病などに関与)	9q34.12
VAV2	がん遺伝子(グアニンヌクレオチド交換因子 2；細胞間接着・細胞運動制御，関節リウマチになどに関与)	9q34.2
ABO	ABO 式血液型	9q34.2
JBTS1	ジュベール症候群 1(小脳発育不全)	9q34.3
NOTCH1	Notch 受容体 1(細胞間シグナル伝達に関与)	9q34.3
GRIN1	グルタミン酸受容体 1(神経伝達物質に関与)	9q34.3
第 10 染色体		
ADARB2	RNA 特異的アデノシンデアミナーゼ B2	10p15.3
IL2RA	インターロイキン 2 受容体サブユニット α	10p15.1
VIM	ビメンチン	10p13
MSRB2	メチオニンスルオキシドレダクターゼ B2	10p12.2
YME1L1	プレセニリン関連メタロプロテアーゼ	10p12.1
TPL2	がん遺伝子(分裂促進因子活性化タンパク質キナーゼ；炎症応答を調節，ユーイング腫瘍，オーサカ甲状腺がんなどに関与)	10p11.2
RET	がん遺伝子(チロシンキナーゼ受容体；甲状腺髄様がん，多発性内分泌腫瘍症 2 型，褐色細胞腫などに関与)	10q11.21
ERCC6	除去修復タンパク質(コケイン症候群 B に関与)	10q11.23
RBP3	レチノール結合タンパク質 3	10q11.22
CDK1	サイクリン依存性キナーゼ 1(細胞周期調節に関与)	10q21.1
EGR2	初期胚増殖応答タンパク質 2	10q21.3
SIRT1	サーチュイン遺伝子(細胞周期・細胞老化・アポトーシス制御，ストレス抵抗性，インスリンの分泌促進や代謝などに関与)	10q21.3
HK1	ヘキソキナーゼ 1	10q22.1
PLAU	プラスミノーゲン活性化因子	10q22.2
FAS	細胞死受容体(アポトーシス誘導に関与)	10q23.31
LIPF	リパーゼ(脂肪分解消化酵素)	10q23.31
DNTT	DNA ヌクレオチド転移酵素	10q24.1
GOT1	グルタミン酸-オキサロ酢酸トランスアミナーゼ 1	10q24.2
TLX1	T 細胞白血病ホメオボックス 1	10q24.31
ADRA2	α2A-アドレナリン受容体	10q25.2
ADRB1	β1-アドレナリン受容体	10q25.3
CASP7	カスパーゼ 7	10q25.3
DCLRE1A	DNA クロスリンク修復 1A	10q25.3
OAT	オルニチンアミノトランスフェラーゼ(脳回転状網膜脈絡膜萎縮に関与)	10q26.13
ADAM12	ADAM メタロペプチダーゼ-ドメイン 12(筋肉・脂肪組織形成に関わる膜タンパク質，肺がんに関与)	10q26.2
CYP2E	シトクロム P450 ファミリー 2 サブファミリー B-1	10q26.3
第 11 染色体		
DRD4	ドーパミン D4 受容体(自律神経系機能障害に関与)	11p15.5
HRAS	がん遺伝子(GTP 結合タンパク質；細胞増殖に関連，甲状腺がん，膀胱がん，子宮頸がん，前立腺がんなどに関与)	11p15.5
IGF2	インスリン様増殖因子 2	11p15.5
INS	インスリン(血糖調節ホルモン)	11p15.5
WT2	ウィルムス腫瘍	11p15.5
HBB	β グロビン遺伝子(鎌状赤血球症，異常ヘモグロビン症などに関与)	11p15.4
ARNTL	芳香族炭化水素受容体	11p15.3
PTH	副甲状腺ホルモン	11p15.3
LDHA	乳酸脱水素酵素 A	11p15.1
MYOD1	筋形成 1	11p15.1
FSHB	卵胞刺激ホルモン β サブユニット	11p14.1
KCNA4	カリウムチャネルサブファミリー A-4	11p14.1
CAT	カタラーゼ	11p13
WT1	ウィルムス腫瘍 1	11p13
ACP2	酸性ホスファターゼ 2	11p11.2
CD5	CD5 抗原(T 細胞活性化)	11q12.2
GANAB	グルコシダーゼ IIα サブユニット	11q12.3
CAPN1	カルパイン 1(細胞増殖・分化などに関与)	11q13.1
IDDM4	インスリン依存型糖尿病 4	11q13.2
GRK2	G タンパク質共役型受容体キナーゼ 2(心不全，自己免疫疾患などに関与)	11q13.2
GSTP1	グルタチオン S-トランスフェラーゼ π1	11q13.2
FGF3	繊維芽細胞増殖因子 3(中胚葉誘導，血管新生，内耳の発達などに関与)	11q13.3
FGF4	繊維芽細胞増殖因子 4(血管新生，脊椎動物の四肢の発達，胃がんなどに関与)	11q13.3
CAPN5	カルパイン 5	11q13.5
TYR	チロシナーゼ 4	11q14.3
MMP27	マトリックスメタロプロテアーゼ 27	11q22.2
PTS	ピルボイルテトラヒドロプテリン合成酵素	11q23.3
CRYAB	αB-クリスタリン(白内障に関与)	11q23.1
DRD2	ドーパミン D2 受容体(統合失調症に関与)	11q23.2
TAGLN	トランスゲリン	11q23.2
CD3G	CD3 抗原 γ(T 細胞抗原受容体，自己免疫不全 17 などに関与)	11q23.3
CD3E	CD3 抗原 ε(T 細胞抗原受容体，免疫不全 18 などに関与)	11q23.3
CD3D	CD3 抗原 δ(T 細胞抗原受容体，乳児の免疫不全 19 などに関与)	11q23.3
IL10RA	インターロイキン 10 受容体 α	11q23.3
PTS	ピルボイルテトラヒドロプテリン合成酵素(高フェニルアラニン血症に関与)	11q23.3
THY1	Thy-1 細胞表面抗原	11q23.3
OR8D1	嗅覚受容体ファミリー 8 サブファミリー D-1	11q24.2
ETS1	がん遺伝子(転写因子；細胞増殖骨・軟骨など組織破壊型の機能，関節リウマチ，腸炎などに関与)	11q24.3
FLI1	がん遺伝子(転写因子；(11;22)転座による *EWS-FLI1* 融合遺伝子を構成しユーイング肉腫を誘発)	11q24.3
第 12 染色体		
LAMP1P1	リソソーム関連膜タンパク質 1 偽遺伝子 1	12p13.3
FGF6	線維芽細胞増殖因子 6	12p13.32
CD4	CD4 抗原(ヘルパー T 細胞分化・活性化に関与)	12p13.31
TPI1	トリオースリン酸イソメラーゼ 1	12p13.31
GAPDH	グリセルアルデヒド-3-リン酸脱水素酵素	12p13.31
GRIN2B	グルタミン酸受容体チャネル 2B	12p13.1
LDHB	乳酸脱水素酵素 B	12p12.1
KRAS2	がん遺伝子(GTP 結合タンパク質；胆管がん，膵がん，結腸がん，子宮内膜がん，卵巣がんなどに関与)	12p12.1
PKP2	プラコフィリン 2	12p11.21
COL2A1	II 型コラーゲン α1 鎖	12q13.11
GPD1	グリセロール-3-リン酸脱水素酵素 1	12q13.12
ESPL1	染色体分離タンパク質 1	12q13.13
HOXC4	ホメオボックス C4	12q13.13
ETV6	がん遺伝子(転写抑制因子；染色体転座による *ETV6* と他遺伝子との融合により，種々の白血病を発症する)	12p13.2
ARHGAP9	Rho GTP 結合タンパク質 9	12q13.3
TMEM4	膜貫通型タンパク質 4	12q13.3
GLI1	GLI ファミリージンクフィンガー 1(グリオーマに関与)	12q13.3

遺伝子	形　質	座位
IFNG	インターフェロンγ	12q15
KITLG	KITリガンド(幹細胞因子；造血細胞の分化・増殖および生存に関与)	12q21.32
TMPO	チモポエチン	12q23.1
IGF1	インスリン様増殖因子1	12q23.2
PAH	フェニルアラニンヒドロキシラーゼ	12q23.2
PKU	フェニルケトン尿症	12q23.2
ALDH2	2型アルデヒド脱水素酵素	12q24.12
HNF1A	HNF1ホメオボックスA(肝細胞核因子に関与)	12q24.31
MSI1	RNA結合タンパク質Musashi1(初期神経細胞の分化，神経膠腫，メラノーマ，乳がんなどに関与)	12q24.31
NOS1	一酸化窒素合成酵素1	12q24.31
POLE	DNAポリメラーゼε	12q24.33
第13染色体		
RNR1	リボソームRNA1	13p12
SGCG	γ-サルコグリカン	13q12.12
CDX2	腸特異的転写因子(腸分化や大腸がんなどに関与)	13q12.2
MBS1	メビウス症候群1	13q12.2
BRCA2	がん抑制遺伝子(損傷DNAを修復；早発型乳がん2，卵巣がん，前立腺がん，ファンコニ貧血などに関与)	13q13.1
NBEA	ニューロベアチン	13q13.3
ESD	エステラーゼD	13q14.2
HTR2A	セロトニン2A受容体(感情や意識制御，うつ病などに関与)	13q14.2
RB1	がん抑制遺伝子(細胞周期の進行を制御；網膜芽細胞腫，骨肉腫，小細胞がんなどに関与)	13q14.2
PCDH20	プロトカドヘリン20	13q21.2
GPC5	グリピカン-5(シグナル伝達経路を制御)	13q31.3
ERCC5	除去修復タンパク質(色素性乾皮症G群に関与)	13q33.1
TNFSF13B	TNF(腫瘍壊死)スーパーファミリー13b	13q33.3
F7	血液凝固第VII因子	13q34
F10	血液凝固第X因子	13q34
IRS2	インスリン受容体基質2(生体機能・免疫調節などに関与)	13q34
第14染色体		
RNR2	リボソームRNA2	14p12
APEX1	アプリン核酸分解酵素1	14q11.2
ECP	好酸球カチオン性タンパク質(抗寄生虫活性タンパク質)	14q11.2
EDN	好酸球由来ニューロトキシン(RNAウイルス除去)	14q11.2
MYH7	ミオシン重鎖7	14q11.2
PNP	プリンヌクレオシドホスホリラーゼ	14q11.2
TCRA	T細胞受容体α鎖	14q11.2
SNX6	ネキシン6	14q13.1
SSTR1	ソマトスタチン受容体1	14q21.1
NID2	ナイドジェン2(細胞接着性タンパク質)	14q22.1
PTGDR	プロスタグランジンD2受容体	14q22.1
PYGL	グリコーゲンホスホリラーゼL	14q22.1
BMP4	骨形成タンパク質4	14q22.2
SPTB	β-スペクトリン	14q23.3
PSEN1	プレセニリン1(アルツハイマー病に関与)	14q24.2
FOS	がん遺伝子(転写因子；細胞増殖・分化，骨肉腫，急性リンパ球白血病，網膜芽細胞腫，乳がんなどに関与)	14q24.3
TGFB3	トランスフォーミング増殖因子β3	14q24.3
TSHR	甲状腺刺激ホルモン受容体	14q31.1
GPR68	Gタンパク質共役受容体68(シグナル伝達機能)	14q32.11
CHGA	クロモグラニンA	14q32.12
BCL11B	がん抑制遺伝子(ジンクフィンガー転写因子；T細胞分化機能，B細胞リンパ腫/白血病などに関与)	14q32.2
IGH	免疫グロブリン重鎖	14q32.3
第15染色体		
RNR3	リボソームRNA3	15p12
PWCR1	プラダー・ウィリ症候群(15番染色体15q11-q13領域の欠失，片親性ダイソミー，同領域のメチル化などによる)	15q11.2
AS	アンジェルマン症候群(15番染色体15q11.2領域の欠失が原因)	15q11.2
EYCL3	瞳の色素遺伝子(青/茶)	15q13.1
CHRNA7	アセチルコリン受容体	15q13.3
ACTC1	α-アクチン(骨格筋関連)	15q14
SPTBN5	スペクトリンβ，非赤血球性5	15q15.1
GRP58	グルコース調節タンパク質58	15q15.3
B2M	β2-マイクログロブリン	15q21.1
MAP2K1	MAPキナーゼキナーゼ(分裂促進に関与)	15q22.3
HEXA	α-ヘキソアミニダーゼ	15q23
PKM2	ピルビン酸キナーゼM1/M2	15q23
CYP1A1	シトクロムP450ファミリー1サブファミリーA1	15q24.1
MANA	α-マンノシダーゼ	15q24.2
CHRNB4	コリン受容体β4サブユニット	15q25.1
IL16	インターロイキン16	15q25.1
MESD	間充織組織(結合組織の分化に関与)	15q25.1
NTRK3	神経栄養因子チロシンキナーゼ受容体3	15q25.3
BLM	ブルーム症候群	15q26.1
FES	がん遺伝子(チロシンキナーゼ；細胞骨格再編成，急性前骨髄球性白血病などに関与)	15q26.1
IGF1R	インスリン様成長因子1受容体	15q26.3
OR4F15	嗅覚受容体15	15q26.3
第16染色体		
HBA1	ヘモグロビンα1	16p13.3
HBA2	ヘモグロビンα2	16p13.3
GRIN2A	グルタミン酸受容体2A	16p13.2
PRM1	プロタミン1(精子形成タンパク質)	16p13.13
GP2	糖タンパク質2型	16p12.3
IL4R	インターロイキン4受容体	16p12.1
ALDOA	アルドラーゼA(溶血性貧血，横紋筋融解症などに関与)	16p11.2
ABCC11	ATP結合カセットCサブファミリー(耳垢のウェット/ドライ型に関与)	16q12.1
MMP2	マトリックスメタロプロテアーゼ-2(基底膜のIV型コラーゲンを分解)	16q12.2
MT	メタロチオネイン1A(金属結合タンパク質)	16q13
PLLP	プロテオリピドタンパク質	16q13
GOT2	グルタミン酸オキサロ酢酸トランスアミナーゼ2(肝炎，心筋梗塞などの診断に利用)	16q21
RP45	網膜色素変性症45	16q21
HP	ハプトグロビン(感染症，悪性腫瘍などの活動性の指標)	16q22.2
ZNF23	ジンクフィンガータンパク質23	16q22.2
CLECSF1	C型レクチンファミリー3-A	16q23.1
CTRB1	キモトリプシノーゲンB1(プロテアーゼ・キモトリプシンの酵素前駆体)	16q23.1
CDH1	カドヘリン1(細胞接着タンパク質；遺伝性びまん性胃がん，乳がんなどに関与)	16q23.3
IL17C	インターフェロン17C(細菌感染防御に関与)	16q24.2
FANCA	ファンコニ貧血相補性群A	16q24.3
APRT	アデニンホスホリボシル基転移酵素(腎障害に関与)	16q24.3
GALNS	ガラクトサミン-6-スルファターゼ(ムコ多糖代謝異常症に関与)	16q24.3

遺伝子	形　　質	座位
第 17 染色体		
TP53	がん抑制遺伝子(がん抑制タンパク質 p53；細胞増殖抑制，細胞周期停止，アポトーシス，リ・フラウメニ症候群などに関与)	17p13.1
POLR2A	RNA ポリメラーゼⅡサブユニット A	17p13.1
CHRNB1	コリン受容体 β1	17p13.1
PER1	時計遺伝子(体内時計調節タンパク質 1)	17p13.1
ALDOC	アルドラーゼ C	17q11.2
NF1	神経線維腫症 1 型	17q11.2
NOS2	一酸化窒素合成酵素 2	17q11.2
SLC6A4	セロトニントランスポーター(セロトニン輸送に関与)	17q11.2
CRYBA1	βA1 クリスタリン	17q11.2
ERBB2	がん遺伝子(受容体型チロシンキナーゼ；細胞の分化・増幅・生存の制御，乳がん，肺腺がん，卵巣がん，胃がんなどに関与)	17q12
THRA	甲状腺ホルモン受容体 α	17q21.1
RARA	レチノイン酸受容体(急性前骨髄球性白血病に関与)	17q21.2
HCRT	オレキシンタンパク質(睡眠・覚醒制御に関与)	17q21.2
BRCA1	がん抑制遺伝子(DNA 損傷修復，アポトーシス，乳がん，卵巣がんなどに関与)	17q21.31
MYL4	ミオシン軽鎖 4(胎児由来)	17q21.32
HOXB	ホメオボックス遺伝子 B(形態形成・器官形成・細胞分化などに関与)	17q21.32
COL1A1	Ⅰ型コラーゲン α1	17q21.33
NGFR	神経成長因子受容体	17q21.33
MPO	ミエロペルオキシダーゼ	17q22
ACE	アンジオテンシン(血圧調節に関与)	17q23.3
GH1	成長ホルモン 1	17q23.3
CSH1	絨毛性乳腺刺激ホルモン	17q23.3
POLG2	DNA ポリメラーゼ γ2	17q23.3
PRKCA	プロテインキナーゼ Cα(分泌反応・転写調節・細胞・分化などに関与)	17q24.2
GALK1	ガラクトキナーゼ 1	17q25.1
GCGR	グルカゴン受容体	17q25.3
P4HB	プロコラーゲン-プロリンジオキシゲナーゼ(コール-カーペンター症候群 1)	17q25.3
TK1	チミジンキナーゼ 1	17q25.3
第 18 染色体		
LAMA	ラミニン α1	18p11.31
MYP2	マイオピア 2(近視遺伝子)	18p11.31
PTPRM	受容体型チロシンホスファターゼ	18p11.23
ACTHR	メラノコーチン 2 受容体(副腎皮質の発生，ステロイド合成，糖新生などに関与)	18p11.2
SS18	がん遺伝子(転写調節因子；染色体転座(X;18)による *SS18-SSX* 融合遺伝子により滑膜肉腫発症)	18q11.2
CDH2	カドヘリン 2(細胞接着タンパク質；胃がん，乳がんなどに関与)	18q12.1
TTR	トランスサイレチン(アミロイドーシス症，腫瘍マーカーなどに関与)	18q12.1
JK	Kidd 式血液型	18q12.3
SMAD2	がん抑制遺伝子(転写因子；細胞増殖抑制，膵がんなどに関与)	18q21.2
DCC	がん抑制遺伝子(ネトリン受容体；神経回路形成，結腸直腸がん，子宮内膜がんなどに関与)	18q21.2
NEDD4L	E3 ユビキチンリガーゼ(呼吸系障害，本態性高血圧などに関与)	18q21.3
GRP	ガストリン放出ペプチド(肺がん，胃がん，神経芽細胞腫などの腫瘍のマーカー)	18q21.32
BCL2	がん遺伝子(アポトーシス制御；染色体転座(14;18)による *IGH-ABL2* 融合遺伝子による濾胞性リンパ腫発症，B 細胞白血病がんなどに関与)	18q21.33
TNFRSF11A	腫瘍壊死因子受容体スーパーファミリーメンバー 11a(細胞の増殖，生存，死滅などに関与)	18q21.33
PI5	プロテアーゼインヒビター(タンパク質分解阻害)	18q21.33
CYB5	シトクロム b5 タイプ A	18q22.3
PEPA	ペプチダーゼ A	18q22.3
CNDP2	カルノシンジペプチダーゼ(乳酸生成・活性酸素抑制に関与)	18q22.3
MBP	ミエリン塩基性タンパク質(多発性硬化症，神経ベーチェット病に関与)	18q23
第 19 染色体		
TNFSF14	腫瘍壊死因子リガンド 14(増殖の刺激・アポトーシス制御)	19p13.3
VAV1	がん遺伝子(グアニンヌクレオチド交換因子 1；B および T 細胞増殖・活性化機能，リンパ球性白血病などに関与)	19p13.3
GNA11	グアニンヌクレオチド結合タンパク質 11	19p13.3
LDLR	リポタンパク質受容体(家族性高コレステロール血症に関連)	19p13.2
INSR	インスリン受容体	19p13.2
EPOR	エリスロポエチン受容体	19p13.2
AKT2	がん遺伝子(セリン/スレオニンキナーゼ；グルコース代謝，膵がん，乳がん，卵巣がんなどに関与)	19p13.2
TGFB1	トランスフォーミング増殖因子 β1	19p13.2
CACNA1A	カルシウムチャネル 1A(神経伝達物質移動に関与)	19p13.13
JUNB	がん遺伝子(転写因子 Ap-1 サブユニット；赤芽球分化，ホジキンリンパ腫，未分化大細胞型リンパ腫などに関与)	19p13.13
JUND	がん遺伝子(転写因子 Ap-1 サブユニット；細胞増殖制御，アポトーシス，成人 T 細胞白血病などに関与)	19p13.11
CEBPA	エンハンサー結合タンパク質	19q13.11
APOC1	アポリポタンパク質 C1(統合失調症，胃がんなどに関与)	19q13.32
APOC2	アポリポタンパク質 C2(高脂血症，肝硬変などに関与)	19q13.32
APOE	アポリポタンパク質 E(アルツハイマー病，動脈硬化症などに関与)	19q13.32
CEA	がん胎児性抗原	19q13.32
CYP2A	シトクロム P450-2A6(肺がん抵抗性に関与)	19q13.32
LU	Lutheran 式血液型	19q13.32
LHB	黄体形成ホルモン β 鎖	19q13.3
FCGRT	IgG-Fc フラグメント受容体および輸送体	19q13.33
POLD1	DNA ポリメラーゼ δ1	19q13.33
PRKCG	プロテインキナーゼ Cγ	19q13.42
第 20 染色体		
CENPB	動原体タンパク質 B	20p13
ADRA1	α1D アドレナリン受容体(血管収縮，瞳孔散大などに関与)	20p13
ANGPT4	アンジオポエチン 4(血管新生，糖代謝，慢性炎症などに関与)	20p13
OXT	オキシトシン	20p13
PRNP	プリオンタンパク質(プリオン病に関与)	20p13
PLCB1	ホスホリパーゼ Cβ1(生体膜リン脂質の加水分解酵素；早期発症てんかん性脳症などに関与)	20p12.3
SSTR4	ソマトスタチン受容体 4	20p11.21
HCK	がん遺伝子(Src ファミリーチロシンキナーゼ；単球遺伝子発現の調節因子，急性骨髄性白血病などに関与)	20q11.21
E2F1	転写因子(細胞周期調節，DNA 合成に関与)	20q11.22
GSS	グルタチオン合成酵素(抗酸化成分；解毒代謝に関与)	20q11.22

遺伝子	形　　質	座位
SRC	がん遺伝子(チロシンキナーゼ：細胞周期, 細胞分裂・増殖, 結腸直腸がん, 乳がんなどに関与)	20q11.23
TOP1	トポイソメラーゼ 1(DNA の立体構造の維持・変化に関与する酵素)	20q12
ADA	アデノシンデアミナーゼ(ADA 欠損症に関与)	20q13.12
CTSA	カテプシン A(タンパク質分解酵素)	20q13.12
GNAS	グアニンヌクレオチド結合タンパク質	20q13.32
NPBWR2	神経ペプチド B/W 受容体 2	20q13.33
CHRNA4	コリン作動性受容体ニコチン作用 α4(神経伝達物質)	20q13.33

第 21 染色体

遺伝子	形　　質	座位
RNR4	リボソーム RNA4	21p12
APP	アミロイド β 前駆体タンパク質(アルツハイマー病に関与)	21q21.3
SOD1	スーパーオキシドジスムターゼ 1(活性化酸素除去酵素)	21q22.11
IFNAR1	インターフェロン α/β 受容体サブユニット 1	21q22.11
IL10RB	インターロイキン 10 受容体	21q22.11
AML1	がん遺伝子(転写因子；骨髄系の細胞分化, (8;21)転座による *RUNX1T1-AML1* 融合遺伝子が急性骨髄性白血病発症に関与)	21q22.12
HLCS	ホロカルボキシラーゼ合成酵素(ホロカルボキシラーゼ合成酵素欠損症)	21q22.13
ETS2	がん遺伝子(転写因子:細胞分化・アポトーシスの制御, 前立腺がん, 乳がん, 急性骨髄性白血病などに関与)	21q22.2
MX1	ミキソウイルス抵抗性 1	21q22.3
COL6A1	VI 型コラーゲン α1(幼児期に発症するベスレムミオパチー, ウルリヒ型先天性筋ジストロフィーに関与)	21q22.3
S100B	S100 カルシウム結合タンパク質 B	21q22.3
CBS	シスタチオニン β 合成酵素(ホモシスチン尿症に関与)	21q22.3
CRYAA	αA-クリスタリン(眼のレンズ水晶体タンパク質)	21q22.3
DSCR	ダウン症候群責任領域(染色体異常：21 トリソミー)	21q22.3
CSTB	システイン B(てんかん, 進行性ミオクローヌス 1A に関与)	21q22.3

第 22 染色体

遺伝子	形　　質	座位
RNR5	リボソーム RNA5	22p12
CECR1	ネコ眼症候群染色体領域 1	22q11.1
IGL	免疫グロブリン L 鎖 λ	22q11.2
MAPK1	分裂促進因子活性化タンパク質キナーゼ 1	22q11.22
BCR	がん遺伝子(セリン/トレオニンキナーゼ；Ph 染色体による *BCR-ABL* 融合遺伝子構成し慢性骨髄性白血病を誘発)	22q11.23
EWS	がん遺伝子(RNA 結合タンパク質；(11;22)転座による *EWS-FL1* 融合遺伝子を構成しユーイング肉腫を誘発)	22q12.2
NEFH	ニューロフィラメント重鎖ポリペプチド(シャルコー・マリー・トゥース病, 筋萎縮性側索硬化症などに関与)	22q12.2
LIF	白血病抑制因子(正常な白血球細胞および骨髄性白血病細胞における造血分化の誘導, 神経細胞分化の誘導)	22q12.2
NF2	神経線維腫 II 型(両側聴神経腫瘍に関与)	22q12.2
HMOX1	ヘムオキシゲナーゼ 1(抗酸化活性, 細胞保護作用)	22q12.3
IL2RB	インターロイキン 2 受容体 β(リンパ系細胞の分化・増殖などに関与)	22q12.3
MB	ミオグロビン	22q12.3
PDGFB	血小板由来増殖因子サブユニット B	22q13.1
CYP2D6	シトクロム P450-2D6(生体異物を代謝)	22q13.2
ACO2	アコニターゼ 2	22q13.2
ARSA	アリルスルファターゼ A	22q13.3

X 染色体

遺伝子	形　　質	座位
IL3RA	インターロイキン 3 受容体 α(急性骨髄性白血病に関与)	Xp22.33
SHOX	低身長ホメオボックス遺伝子(ターナー症候群, レリーワイル症候群などに関連)	Xp22.33
GYG2	グリコゲニン 2(肝臓と心筋で発現)	Xp22.33
XG	Xg 式血液型	Xp22.33
CSF2RA	コロニー刺激因子 2 受容体 α(造血細胞の増殖, 分化および機能的活性化)	Xp22.32
STS	ステロイドスルファターゼ	Xp22.31
AMELX	アメロゲニン(エナメル質形成不全)	Xp22.2
GLRA2	グリシン受容体 α2	Xp22.2
POLA1	DNA ポリメラーゼ α1	Xp22.11
ZFX	ジンクフィンガータンパク質(初期の神経の発達を調整)	Xp22.11
DMD	ジストロフィン(デュシェンヌ型筋ジストロフィー)	Xp21.2
OTC	オルニチンカルバモイルトランスフェラーゼ	Xp11.4
MAOA	モノアミン酸化酵素(うつ病や統合失調症などの精神疾患や神経疾患)	Xp11.3
ARAF	がん遺伝子(セレン・スレオニンキナーゼ：細胞増殖・発生に関与)	Xp11.3
SSX1	がん関与遺伝子(滑膜肉腫 X 切断部位タンパク質；(X;18)転座による *SSX1-SS18* 融合遺伝子が滑膜肉腫, 膵臓がん, 乳がんなどに関与)	Xp11.23
AR	アンドロゲン受容体	Xq12
IL2RG	インターロイキン 2 受容体 γ	Xq13.1
XIST	X 染色体不活性化特異的転写物	Xq13.2
PGK1	ホスホグリセリン酸キナーゼ 1	Xq21.1
MRX40	精神遅滞症候群(X 連鎖)	Xq21.1
CHM	先天性脈絡膜欠如(夜盲症関連遺伝子)	Xq21.2
BTK	ブルトンチロシンキナーゼ(無ガンマグロブリン血症に関与)	Xq22.1
GLA	α-ガラクトシダーゼ(ファブリー病に関与)	Xq22.1
PLP1	プロテオリピドタンパク質 1(神経系ミエリン形成不全)	Xq22.2
CAPN6	カルペイン 6	Xq23
NDUFA1	ユビキノン酸化還元酵素 1α(ミトコンドリア病に関与)	Xq24
IGSF1	免疫グロブリンスーパーファミリー 1	Xq25
HPRT	ヒポキサンチンホスホリボシルトランスフェラーゼ 1(レッシュナイハン症候群に関与)	Xq26.2
CD40LG	CD40 抗原リガンド(B 細胞分化・増殖, 抗体産生などに関与)	Xq26.3
F9	血液凝固第 IX 因子(血友病 B)	Xq27.1
FRAXA	脆弱部位 A(脆弱 X 症候群)	Xq27.3
OPN1LW	赤色識別遺伝子(色覚異常に関与)	Xq28
OPN1MW	緑色識別遺伝子(色覚異常に関与)	Xq28
FRAXE	脆弱部位 E(脆弱 X 症候群)	Xq28
F8	血液凝固第 VIII 因子(血友病 A)	Xq28
G6PD	グルコース-6-リン酸脱水素酵素(溶血性貧血発症に関与)	Xq28

Y 染色体

遺伝子	形　　質	座位
SHOXY	低身長ホメオボックス Y 連鎖遺伝子	Yp11.2
SRY	性決定遺伝子	Yp11.2
ZFY	ジンクフィンガータンパク質-Y 連鎖(精子形成に関与)	Yp11.2
AMELY	アメロゲニン Y 結合(歯のサイズと形状の調節に関与)	Yp11.2
SPGFY1	精子形成障害 Y 連鎖 1(無精子症因子)	Yq11
DAZ1	精子形成因子 1	Yq11.22

免疫グロブリンの構造（ヒト）

抗体は免疫グロブリンとも呼ばれる．H 鎖定常領域のわずかな相違により IgA，IgD，gE，IgG，IgM の5つのクラスに分けられる．

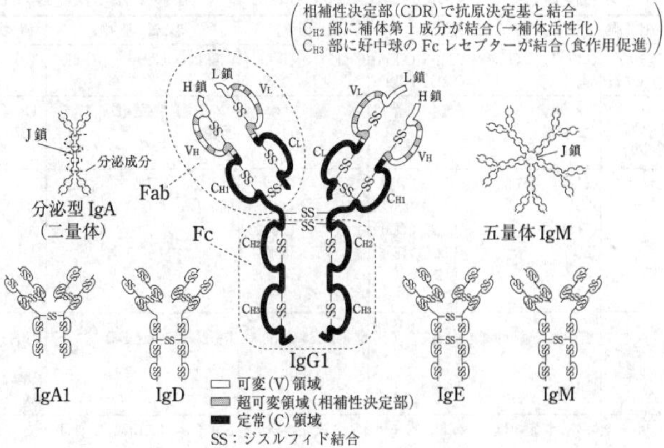

白血球の血管外遊出にかかわる白血球と血管内皮細胞上の接着分子

白血球が微生物などの侵入部に遊走していくには血中から血管外に遊出していく必要がある．

血流中の白血球は血管内皮細胞上で転がりながら（ローリング）付着し，しっかり接着して，内皮細胞間を通り抜け血管外へ遊出する．炎症のある部位では血管内皮細胞上の接着分子の表出が高まり，その部位から白血球が遊出しやすくなる．

	過程								
	ローリング			接着			血管外遊出		
白血球表面の接着分子	LECAM-1 (L セレクチン)	糖鎖 (CD15s)	CD44	LFA-1	Mac-1	VLA-4	LFA-1	CD31	CD99
血管内皮細胞表面の接着分子	糖鎖 (Gly-CAM-1)	LECAM-2 (E セレクチン)	ヒアルロン酸	ICAM-1	ICAM-2	VCAM-1	JAM-A	CD31	CD99

インテグリンファミリー：VLA-4(CD49d/CD29)，LFA-1(CD11a/CD18)，LPAM-1($\alpha_4\beta_7$ インテグリン) symbol，Mac-1(CD11b/CD18)

セレクチンファミリー：L セレクチン(LECAM-1，CD62L)，E セレクチン(LECAM-2，CD62E)

免疫グロブリンファミリー：LFA-3（CD58），ICAM-1（CD54），VCAM-1（CD106），JAM(CD321〜323)，CD31

リンクタンパクファミリー：CD44

シアロムチンファミリー：Gly-CAM-1，MadCAM-1，シアリルルイス X(CD15s)

カドヘリンファミリー：VE カドヘリン

（矢田純一，上羽悟史，2024 より）

リンパ球などのホーミングにかかわるケモカイン

各々のリンパ球が目的とする部位に移行するには，その部位で産生されるケモカインの種類と，リンパ球がそれに対するレセプターを持つかで決定される．

細胞	T細胞				B細胞		形質細胞			樹状細胞	
ケモカインレセプター	CCR7	CXCR5	CCR4 CCR10	CCR6 CCR9	CXCR5	CCR7 CXCR4	CXCR4	CCR9	CCR10	CCR7	CCR6
ホーミング部位	リンパ組織 T細胞領域	リンパ濾胞	皮膚	腸管	リンパ濾胞	パイエル板	リンパ節髄質 赤脾髄 骨髄	粘膜固有層	気管支	リンパ組織 T細胞領域	小腸 皮膚
ケモカイン	CCL21 (SLC) CCL19 (ELC)	CXCL13 (BLC)	CCL17 (TARC) CCL22 (MDC) CCL28 (MEC)	CCL20 (LARC) CCL25 (TECK)	CXCL13 (BLC)	CCL21 (SLC) CXCL12 (SDF-1)	CXCL12 (SDF-1)	CCL25 (TECK)	CCL28 (MEC)	CCL21 (SLC)	CCL20 (LARC
ケモカイン産生細胞	血管内皮 樹状細胞	濾胞樹状細胞	血管内皮 表皮細胞	小腸上皮細胞	濾胞樹状細胞	血管内皮	基質細胞	小腸上皮細胞	気管支上皮細胞	血管内皮 細網線維細胞	上皮細 表皮細

ホーミング：特定組織への帰趨，ケモカイン：走化誘導サイトカイン（矢田純一，上羽悟史，2024 より

リンパ球の特定組織へのホーミングに関与する接着分子

各組織の血管内皮細胞では互いに異なった接着分子が表出されている．それぞれに対応する接着分子を持つリンパ球がその部位に定着する．

	T細胞			B細胞				形質細胞	
ホーミング部位	リンパ節	腸管 リンパ組織	皮膚	脾 辺縁帯		リンパ節	腸管 リンパ組織	骨髄・赤脾髄・ リンパ節髄質	腸管 リンパ組織
表出接着分子 リンパ球	Lセレクチン	LPAM-1	CLA由来物質	LFA-1	VLA4	Lセレクチン	LPAM-1	VLA4	LPAM-1
	↕	↕	↕	↕	↕	↕	↕	↕	↕
表出接着分子 血管内皮細胞	Gly-CAM-1	MadCAM-1	Eセレクチン	ICAM-1	VCAM-1	Gly-CAM-1	MadCAM-1	VCAM-1	MadCAM-1

VLA4：$\alpha_4\beta_1$ インテグリン，LPAM-1：$\alpha_4\beta_7$ インテグリン，LFA-1：$\alpha_L\beta_2$ インテグリン

（矢田純一，上羽悟史，2024 より）

マクロファージ・樹状細胞などの病原体関連分子パターン(PAMPs)を認識するレセプター

マクロファージ・樹状細胞は病原体に普遍的に存在する分子を認識するレセプターで病原体を捕え細胞内に取込み，あるいはレセプターへの相手の結合で活性化されてそれを処理する．（　）内は病原体に存在する結合相手分子．

レクチン	Toll 様レセプター（TLR）	そ　の　他
Dectin-1（ザイモザン・βグルカン）	TLR 1（リポタンパク質）	NOD 1*（ペプチドグリカン由来物質）
DC-SIGN（フコース・マンノース）	TLR 2（リポアラビノマンナン・リポタイコ酸・ペプチドグリカン・ザイモザン）	NOD 2*（ペプチドグリカン由来物質）
DCIR（フコース・マンノース）		RIG-I*（二本鎖 RNA）
Langerin（マンノース・ザイモザン）	TLR 3**（二本鎖 RNA）	Mda 5*（二本鎖 RNA）
BDCA2（マンノース）	TLR 4（リポ多糖体・フィブロネクチン）	DAI*（二本鎖 DNA）
MGL-1（ガラクトース）	TLR 5（フラゲリン）	AIM 2*（二本鎖 DNA）
マンノースレセプター（マンノース）	TLR 6（リポペプチド・リポタイコ酸・ザイモザン）	スキャベンジャーレセプター/SR（リポ多糖体，リポタンパク質）
Siglec（シアル酸）	TLR 7**（一本鎖 RNA）	
DEC205（マンノース，シアル酸）	TLR 8**（一本鎖 RNA）	ペプチドグリカン認識タンパク質/PGRP（ペプチドグリカン）
mincle（トレハロース，マンノース）	TLR 9**（DNA の CpG 配列）	
	TLR 11（原虫プロフィリン様タンパク質）	LRR タンパク質/CD14（リポ多糖体，リポタイコ酸）
		NLRC4/Ipaf*（フラゲリン）
		Naip-5*（フラゲリン）
		NLRP3/NALP3*（微生物核酸，ムラミルジペプチド）

*　細胞質に存在，**　エンドソームに存在，ほかは細胞表面に存在．（矢田純一，上羽悟史，2024 より）

T 細胞の B 細胞補助作用における表面相互作用分子とサイトカイン

多くの抗原について，それに反応した B 細胞が抗体を産生するには T 細胞の補助作用が必要である．それは T 細胞の産生するサイトカインの作用と T 細胞上の分子が B 細胞上の対応分子に結合する作用とによる．

T 細胞の産生サイトカイン		IL-2　IL-4 IL-5　IL-10 IL-13 IL-21	IL-2　IL-4　IL-5 IL-6　IL-10　IL-11 IL-13　インターフェロン γ　TGF-β
T 細胞表面の分子	CD154　ICOS ↕　↕	↓	↓
B 細胞表面の分子	CD40　B7RP ↓　↓ 活性化　活性化	活性化 (増殖)	抗体産生細胞への分化（IL-5，IL-6，IL-10） 免疫グロブリンクラススイッチ （IL-4：IgG1，IgE インターフェロン γ：IgG1（ヒト），IgG2a（マウス） IL-13：IgE TGF-β：IgA）

〰〰 活性化により発現　　（矢田純一，上羽悟史，2024 より）

微生物・異物侵入部位への白血球の遊走とケモカイン

ケモカインは共通した分子構造を持つサイトカインで，おもに白血球走化作用を示す．

N 末端から最初の 2 つのシステインの位置関係により CXCL(17 種)，CCL(28 種)，CL(2 種)，CX_3CL(1 種)に分類される．

微生物の侵入などの原因刺激により局所の組織細胞（線維芽細胞，血管内皮細胞，表皮細胞，上皮細胞，マクロファージなど）はケモカインを産生し白血球を集める．集まってきた白血球は微生物の処理などにあたるが，それらもケモカインを産生し他の白血球を集める．

白血球の種類	おもなケモカイン	白血球の種類	おもなケモカイン
好中球 （食菌・殺菌・炎症惹起）	CXCL8(IL-8/NAP-1) CXCL2(MIP-2α) CXCL3(MIP-2β) CXCL1(NAP-3)	T 細胞	CCL8(MCP-2) CCL19(ELC) CCL21(SLC)
単球 （食菌・殺菌・異物処理・炎症惹起）	CCL2(MCP-1) CCL8(MCP-2) CCL7(MCP-3) CCL3(MIP-1α) CCL4(MIP-1β) CCL5(RANTES) CXCL10(IP-10)	B 細胞 （抗体産生）	CXCL9(Mig) CXCL10(IP-10) CXCL12(SDF-1) CXCL13(BLC) CCL19(ELC) CCL21(SLC)
T 細胞 （マクロファージの活性化・感染細胞の破壊・抗体産生補助）	CXCL9(Mig) CXCL10(IP-10) CXCL11(I-TAC) CCL2(MCP-1) CCL3(MIP-1α) CCL4(MIP-1β) CCL5(RANTES) CCL7(MCP-3)	好酸球 （寄生虫への殺作用・炎症惹起）	CCL8(MCP-2) CCL11(Eotaxin-1) CCL24(Eotaxin-2) CCL26(Eotaxin-3) CCL5(RANTES)
		好塩基球 （炎症惹起）	CXCL8(IL-8/NAP-1) CCL2(MCP-1) CCL3(MIP-1α) CCL5(RANTES) CCL11(Eotaxin-1)

ケモカイン名の（　）内は別称　　（矢田純一，上羽悟史，2024 より）

T 細胞と抗原提示細胞との相互作用における作用分子

T 細胞は T 細胞レセプターで抗原提示細胞上の MHC 分子と抗原ペプチドとの組み合わせに反応し，両細胞上の分子同士の接着や産生されるサイトカインの作用を受けることが加わって活性化され仕事を開始する．

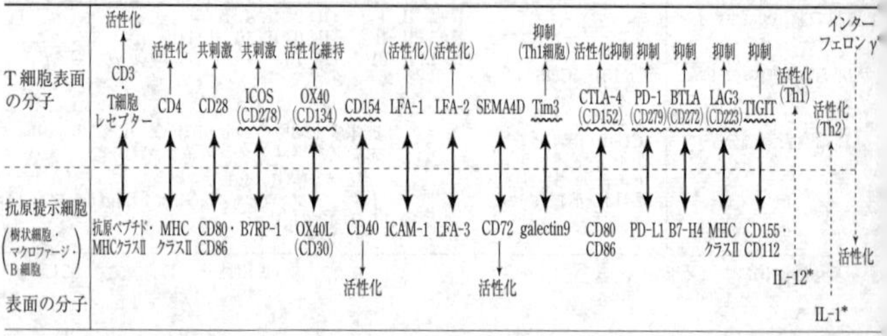

〜　活性化により発現　　（矢田純一，上羽悟史，2024 より）

＊　サイトカイン

免疫担当細胞の種類と分化

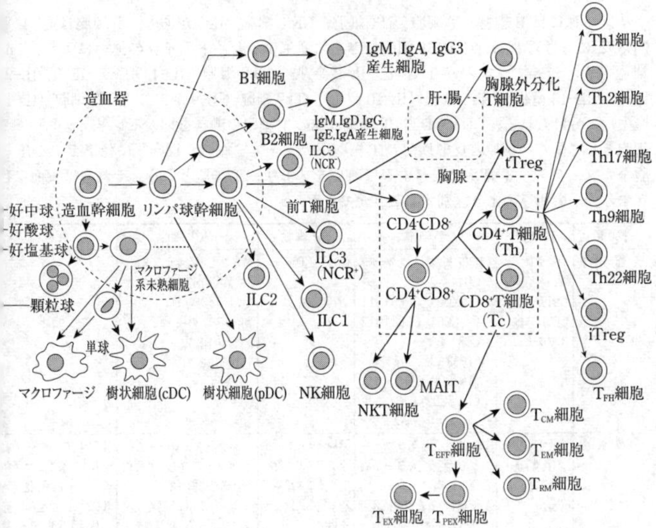

Th（ヘルパーT細胞）：抗体産生の補助，マクロファージの活性化
Tc（細胞傷害性T細胞）：移植細胞・被感染細胞・腫瘍細胞の破壊
Th1細胞：インターフェロンγなど産生，マクロファージ・Tcの活性化
Th2細胞：IL-4など産生，抗体産生補助
Th9細胞：IL-9産生，マスト細胞活性化
Th17細胞：IL-17産生，好中球誘導，炎症惹起
Th22細胞：IL-22産生，上皮の支持
T_{FH}細胞：IL-21産生，リンパ濾胞でのB細胞補助
cDC：古典的樹状細胞
pDC：形質細胞様樹状細胞
tTreg T細胞（胸腺由来制御性T細胞）：他のT細胞の抑制
NK細胞：ウイルス感染細胞・腫瘍細胞の破壊
NKT細胞：腫瘍細胞の破壊，免疫調節
樹状細胞（DC）：抗原提示（T細胞へ）
マクロファージ：抗原提示，異物消化，食菌・殺菌
ILC2（NH細胞，Ih細胞，nuocyte）：IL-5，IL-13産生
ILC3（NCR^+）：IL-22産生，上皮の支持
ILC1：インターフェロンγ産生
ILC3（NCR^-）：IL-17産生，好中球誘導
（ILC：innate lymphoid cells）
顆粒球：好中球は食菌・殺菌
MAIT（mucosal associated invariant T cell）：サイトカイン産生
iTreg T細胞（誘導性制御性T細胞）：他のT細胞の抑制
T_{EFF}細胞（エフェクターT細胞）：移植細胞・被感染細胞・腫瘍細胞の破壊
T_{CM}細胞（セントラルメモリー細胞）：循環型リンパ組織指向性
T_{EM}細胞（エフェクターメモリーT細胞）：循環型末梢組織組織指向性
T_{RM}細胞（組織常在型メモリーT細胞）：末梢組織常在型
T_{PEX}細胞（疲弊前駆T細胞）：増殖性高，細胞傷害性低
T_{EX}細胞（疲弊T細胞）：増殖性低，細胞傷害性低

（上羽悟史，2024より）

各免疫担当リンパ球に特徴的な表面分子と機能

リンパ球にはB細胞，T細胞，NK細胞，NKT細胞，ILCがあり，T細胞は$CD4^{+}$と$CD8^{+}$とに分けられる．$CD4^{+}$T細胞はさらに産生するサイトカインの違いにより，Th細胞（インターフェロンγ，TNF-α，IL-2産生），Th2細胞（IL-4，IL-5，IL-6，IL-9，IL-10，IL-13産生），Tr1細胞（IL-10産生），Th9細胞（IL-9産生），Th17細胞（IL-1産生）に分けられる．$CD4^{+}CD25^{+}$T細胞は他のT細胞の働きを抑えるレギュラトリーT細胞として働く．抗原と反応以前のT細胞をナイーブT細胞，反応後に仕事をするT細胞をエフェクターT細胞，残存するT細胞をメモリーT細胞という．それらは表面に存在する分子の相違により区別することができる．

事　項	B細胞	T細胞	NK細胞	NKT細胞	ILC
表面分子	免疫グロブリン， CD19，CD20， CD21（補体レセプター）	CD3（T細胞レセプター） CD4：ヘルパー CXCR3，CCR5：Th1 CCR4，CCR3：Th2 CD8：キラー CD45RA：ナイーブ CD45RO：メモリー CD4・CD25： レギュラトリー	CD56，CD16	特定のT細胞レセプター （マウス Vα14Vβ8.2 ヒト Vα24Vβ11） NKレセプター （マウス NK 1.1 ヒト NKR-P1）	
分担機能	免疫グロブリン（抗体）産生， T細胞への抗原提示	Th1細胞：マクロファージの活性化，キラーT細胞の誘導 Th2細胞：B細胞の抗体産生への補助 Tr1細胞：他のT細胞・マクロファージ・樹状細胞の機能抑制 $CD4^{+}CD25^{+}$T細胞：他のT細胞の機能抑制 Th17細胞：好中球を集め炎症惹起 $CD8^{+}$T細胞：パーフォリン・グランザイムを放出しウイルス感染細胞・移植細胞・腫瘍細胞を傷害	パーフォリン・グランザイムを放出しウイルス感染細胞・腫瘍細胞などを傷害 インターフェロンγを産生し，マクロファージ・樹状細胞・Th1細胞を活性化	インターフェロンγないしIL-4を産生し，T細胞の反応を制御（インターフェロンγはTh1細胞・マクロファージ・樹状細胞を活性化，IL-4はTh2細胞を誘導） IL-17を産生し好中球を活性化 パーフォリン・グランザイムを放出し腫瘍細胞を傷害	ILC1：インターフェロンγ産生，マクロファージ活性化 ILC2：IL-13産生，抗体産生補助，IL-5産生，好酸球活性化 ILC17（NCR^{-}ILC3）：IL-17産生，好中球活性化 ILC22（NCR^{+}ILC3）：IL-22産生，上皮から抗菌ペプチド産生誘導・粘膜上皮の増殖
分裂誘導物質（マイトゲン）	PWM，LPS	PHA，ConA，PWM			

CD：CD（Cluster of differentiation）表示抗原，CXCR：CXCケモカインレセプター，
CCR：CCケモカインレセプター，IL：インターロイキン，ILC：innate lymphoid cells，
PHA：フィトヘマグルチニン，ConA：コンカナバリンA，PWM：pokeweed mitogen，
LPS：リポ多糖体，TNF：腫瘍壊死因子

（上羽悟史，2024より）

生　理

大気中の CO_2 と最適な温度条件下における個葉の純光合成速度の光反応

植物のグループ	光補償点 I_c (μmol 光量子 $m^{-2}s^{-1}$)	飽和する光強度 (μmol 光量子 $m^{-2}s^{-1}$)	植物のグループ	光補償点 I_c (μmol 光量子 $m^{-2}s^{-1}$)	飽和する光強度 (μmol 光量子 $m^{-2}s^{-1}$)
陸上植物			木本植物		
草本の顕花植物			熱帯ではない場所の常緑広葉樹		
C_4 植物	20-50	>1 500	陽　葉	10-30	600-1 000
砂漠の植物	>1 500		陰　葉	2-10	100-300
農業で使われる C_3 植物	20-40	1 000-1 500	針葉樹		
湿生植物	20-40	1 000-1 500	陽　葉	30-40	800-1 100
春の地中植物	10-20	300-1 000	陰　葉	2-10	150-200
陰生植物	5-10	100-200(400)	シダ植物		
			明るい場所に生えるもの	約 50	400-600(800)
木本植物			暗い場所に生えるもの	1-5	50-150
熱帯林の樹木			セン類	5-20	150-300
陽　葉	15-25	(400)600-1 500	地衣類	50-150	300-600
陰　葉	5-10	200-300	水生植物		
幼　木	2-5	50-150	プランクトン性の藻類		200-500
落葉広葉樹と落葉低木			潮間帯の海藻	5-8	200-500
陽　葉	20-50(100)	600->1 000	深い水中の藻類	2	150-400
陰　葉	10-15	200-500	沈水生の維管束植物	8-20(30)	(60)100-200(400)

(Larcher, W. 1994 より)

光合成色素の種類と生物種†

生　物　種	クロロフィル *a*	クロロフィル *b*	クロロフィル *c*	クロロフィル *d*	バクテリオクロロフィル	クロロビウムクロロフィル	フィコビリン フィコエリスリン	フィコビリン フィコシアニン	おもなカロテノイド カロテン	おもなカロテノイド キサントフィル
高等植物，シダ類，コケ植物	+	+	−	−	−	−	−	−	β-カロテン	ルテイン ビオラキサンチン ネオキサンチン
緑藻類	+	+	−	−	−	−	−	−	β-カロテン	ルテイン ビオラキサンチン ネオキサンチン
褐藻類	+	−	+	−	−	−	−	−	β-カロテン	フコキサンチン
紅藻類	+	−	−	+	−	−	+	+	α-カロテン β-カロテン	ルテイン ゼアキサンチン
ミドリムシ	+	+	−	−	−	−	−	−	β-カロテン	ビオラキサンチン ジアジノキサンチン ネオキサンチン
褐色鞭毛藻類	+	−	+	−	−	−	+	+	α-カロテン	アロキサンチン
珪藻類	+	−	+	−	−	−	−	−	β-カロテン	フコキサンチン ネオフコキサンチン
黄色鞭毛藻類	+	−	+	−	−	−	−	−	β-カロテン	フコキサンチン ジアジノキサンチン
藍色細菌（シアノバクテリウム）	+	−	−	−	−	−	+	+	β-カロテン	エキネノン ミキソキサントフィル
紅色イオウ細菌	−	−	−	−	+	−	−	−		スピロキサンチン
紅色非イオウ細菌	−	−	−	−	+	−	−	−	リコピン	スピロキサンチン
緑色イオウ細菌	−	−	−	−	+	+	−	−	クロロバクテン γ-カロテン	ヒドロオキシクロロバクテン

† 清水碩：植物生理学　第三版，裳華房(1982)より．

クロロフィル類の吸収スペクトル

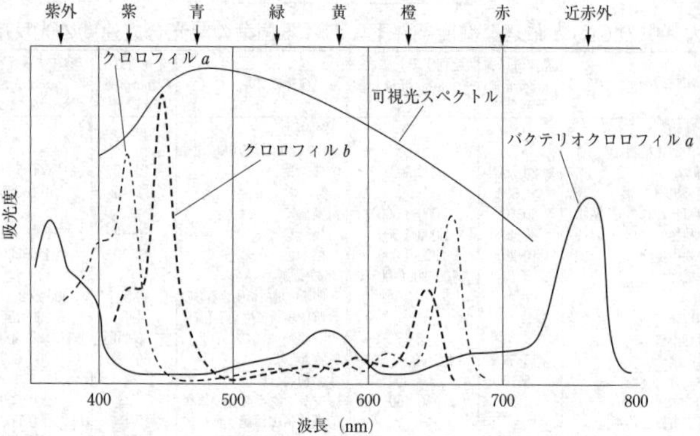

杉山達夫 監修：植物の生化学・分子生物学，学会出版センター（2005）をもとに作成．

その他の光合成色素類の吸収スペクトル

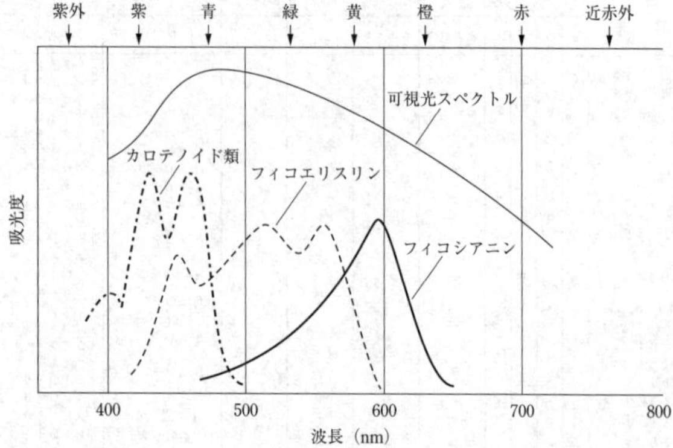

杉山達夫 監修：植物の生化学・分子生物学，学会出版センター（2005）をもとに作成．

酸素消費量(哺乳類，鳥類)

種　名	体　重	酸素消費量*
	g	
チンパンジー	38 000	0.249
アカゲザル	3 200	0.43
ブラリナトガリネズミ	20	3.5
ハリネズミ	684	0.73
モルモット	500	0.78
マウス	35.7	1.59
ラット	545	0.84
ハイイロリス	543.1	0.79
シマリス	107	1.25
カイウサギ	1 520	0.470
イ　ヌ	13 900	0.327
キツネ	4 400	0.43
ネ　コ	3 000	0.44
ミンク	700	0.738
ウ　シ	500 000	0.125
ラクダ	407 000	0.099
ブ　タ　♂	250 000	0.130
♀	250 000	0.121
ヒツジ	51 500	0.256
ヤ　ギ	20 600	0.272
ウ　マ	703 000	0.145
インドゾウ	3 833 000	0.07
ゴマフアザラシ	33 000	0.496
カナダヅル	3 890	0.37
ガチョウ	3 300	0.58
	5 000	0.49
	5 890	0.40
コクガン 夏	1 130	0.85
冬	1 168	0.71
アオサギ	1 880	0.56
アヒル	1 870	0.73
アメリカチョウゲンボウ	108	1.37
ウズラ	97	2.06
ニワトリ	2 000	0.423
シチメンチョウ	3 700	0.43
カイバト	266	1.1
モリバト	150	0.98

* mL/g/h [体重 1 g あたり 1 時間に消費する酸素量(mL)] (Hudson, J. W. らと Lasiewski, R. C., 1974 より)

酸素消費量(両生類，魚類)

種　名	体　重	温　度	酸素消費量*
	g	°	
トラフサンショウウオ	15.0	10	0.0595
	16.5	15	0.0918
	14.9	25	0.1052
ウシガエル	47.3	15	0.0571
	35.0	25	0.0430
アメリカヒキガエル	19.0	15	0.1101
	21.1	25	0.1217
アフリカツメガエル	63.3	15	0.0338
カワマス	100	10	0.035
	100	15	0.075
	100	20	0.103
フ　ナ	100	10	0.011
	100	20	0.021
	100	30	0.050
コ　イ	100	10	0.012
	100	20	0.035
	100	30	0.070
タ　ラ	500	10	0.052
	1 000	10	0.048
	3 000	10	0.042
	500	15	0.064
イトヨ	1.0	18	0.300

* mL/g/h [体重 1 g あたり 1 時間に消費する酸素量(mL)] (Hutchison, V. H. と Fry, F. E. J. ら, 1974 より)

シマリス*の体温と心拍数

性別	飼育温度	体　温	心拍数
	℃	℃	/min
♂	24	38.8	493.5
♀	6.5	33.0	399.0
♂	24	39.2	485.0
♀	6.5	35.8	476.7
♀	6.5	16.8	244.4**
♂	6.5	12.9	199.0**
♂	6.5	12.3	195.4**
♀	6.5	9.4	96.2**
♀	6.5	8.6	77.5**
♀	6.5	8.3	68.4**
♂	6.5	8.1	63.4**

* *Tamias sibricus asiaticus*.　** 冬眠
(Nomaguchi, T. A., 1982)

各種競技動物の最大酸素摂取量の比較

	スポーツ選手(ヒト)	競走馬(サラブレッド)	ドッグレース犬(グレーハウンド種)	レース用ラクダ
最大酸素摂取量*(mL/kg/min)	69—85	160	100	51
走速度(m/sec)	10—11	19	16.6	10—11

* V_{O_2max} (天田明男, 1998 より引用), mL/kg/min [体重 1 kg あたり 1 分間に摂取する酸素量(mL)])

ウマの駐立時および運動時の呼吸機能，熱産生量，熱放散量

	歩行様式			
	駐　立	常　歩	速　歩	駆　歩
走速度(m/min)	0	115	240	340
肺換気量(L/min)	212	288	599	948
酸素消費量(L/min)	2.5	12.2	22.5	37.8
熱産生量(kJ/min)	50	170	325	550
熱放散量(kJ/min)	50	146	276	468

体重 700 kg の乗馬におけるそれぞれ 1 分間あたりの量を示す．
(天田明男, 1998 より引用)

シロナガスクジラの心拍数

	心拍数
	/min
最　低	2
水面上	25—37
潜水中	4—8

Goldbogen et al. PNAS 116 (50) 25329-25332, 2019

心拍数，呼吸指標，血液量および赤血球性状

種　名（測定条件）	心拍数	呼吸数	呼吸量	血液量	赤血球体積	赤血球径
	/min	/min	L/min	mL/kg	μm³	μm
ヒ　ト　♂	64	10.1-13.1	5.8-10.3	71-78	87	6.5-8.0
♀	69	10.4-13.0	4.0-5.1	65-71	87	6.5-8.0
アカゲザル	192	31-52	0.31-1.41	44.3-66.6	—	7.4
モルモット	280-300	69-104	0.10-0.38	67.0-92.4	71-83	7.0-7.5
マウス	600-655	84-230	0.011-0.036	—	48-51	6.0
ラット	362	66-114	0.05-0.101	57.5-69.9	57-65	6.0-7.5
カイウサギ	205-220	26.7-36.8	0.170-0.188	44.0-70.0	60-68	6.5-7.5
イ　ヌ	50-130	11-37	3.3-7.4	86.2	59-68	6.2-8.0
ネ　コ（横臥，覚醒）	110-140	20-40	0.68-1.36	47.3-65.7	51-63	5.0-7.0
ウ　シ（乳牛，起立時）	45	26-35	82-109	52.4-60.6	47-54	5.9
ブ　タ（体重 23～27 kg）	60-86	32-58	4.8-8.7	61-68	59-63	—
ヒツジ	60-80	15.7-23.6	5.95-7.69	59.7-73.8	30-32	4.8
ヤ　ギ	60-100	19	5.7	56.8-89.4	19.3	—
ウ　マ（サラブレッド，1歳以上）	23-46	10-14	60-72	56.0-118.1	—	5.5
アフリカゾウ（麻酔下）	50 (38-62)	10 (7-13)	—	—	—	—
ガチョウ　♂	80-144	20	—	—	—	—
♀	80-144	40	—	—	—	—
アヒル　♂	120-200	42	—	30	—	—
♀	120-200	110	—	25	—	—
ニワトリ　♂	150-400	17	0.777	22	120-137	11.2×6.8
♀	150-400	27	0.766	16	120-137	11.2×6.8
シチメンチョウ　♂	93	28	—	—	—	15.5×7.5
♀	93	49	—	—	—	15.5×7.5
カイバト	120-360	25-30	—	49	—	11.5-14.5 ×5.7-8.5
イエスズメ	640-910	81-112	—	—	—	—
カナリア	570-840	96-120	—	—	—	—
ミシシッピワニ	—	—	—	10.4-13.8	450.0	23.2×12.1
アンヒウマイモリ*	—	—	—	—	13 200-14 513	78×46
ウシガエル	—	—	—	—	625-716	24.8×15.3
フ　ナ	36-40	—	—	—	—	8.8×13.4
コ　イ	40-78	—	—	—	278-340	—
ウナギ	48-56	—	—	—	141-170	13.0×8.0
タ　ラ	48-60	—	—	—	159-201	12.2×9.0
アブラツノザメ	40-50	—	—	—	820.0	22.7×15.2
ガンギエイ	16-50	—	—	—	646-910	23.7×14.4
ヌタウナギ	—	—	—	—	1 470-1 560	24.6×18.3

* *Amphiuma means.*

測定条件のないものは安静時．

（Dawe, A. R. ら，Kruta, V. ら，Gleysteen, J. J. ら，Reynolds, M., Altland, P. D. ら，1974, Swenson, M. J., 1984, Heard, D. J. ら，1988 などより）

ヒト血液成分の基準範囲

年齢	赤血球数 (10^6/μL)		年齢	ヘマトクリット (%)		年齢	ヘモグロビン (g/dL)		年齢	白血球数 (10^3/μL)	
	男	女		男	女		男	女		男	女
成人	4.35〜5.55	3.86〜4.92	成人	40.7〜50.1	35.1〜44.4	成人	13.7〜16.8	11.6〜14.8	成人	3.3〜8.6	3.3〜8.6

(Kiyoshi Ichihara et al.：Collaborative derivation of reference intervals for major clinical laboratory tests in Japan. Ann Clin Biochem, 0004563215608875, first published on September 11, 2015 より)

血清・血漿成分の基準範囲　(1)

年齢を特記していないものは成人の値を示す.

総タンパク (Biuret 法, g/dL)		アルブミン (BCP 改良法, g/dL)		チモール混濁試験(TTT) (U)		硫酸亜鉛混濁試験(ZTT) (U)	
男	女	男	女	男	女	男	女
6.6〜8.1*2	6.6〜8.1*2	4.1〜5.1*2	4.1〜5.1*2	<5.0	<4.6	1.6〜13.2	3.2〜13.5

空腹時血糖 (mg/dL)		総コレステロール (酵素法, mg/dL)		HDL コレステロール (ホモジニアス法, mg/dL)		LDL コレステロール (ホモジニアス法, mg/dL)	
男	女	男	女	男	女	男	女
73〜109*2	73〜109*2	142〜248*2	142〜248*2	38〜90*2	48〜103*2	65〜163*2	65〜163*2

トリグリセリド(中性脂肪) (酵素法, mg/dL)		遊離脂肪酸 (酵素法, mEq/L)		リン脂質 (酵素法, mg/dL)		ヘモグロビン A1c (HPLC 法, 免疫法, 酵素法, %)	
男	女	男	女	男	女	男	女
40〜234*2	30〜117*2	0.14〜0.85	0.14〜0.85	152〜303	157〜289	4.9〜6.0	4.9〜6.0

AST(GOT) (JSCC 標準化対応法, U/L)		ALT(GPT) (JSCC 標準化対応法, U/L)		LDH(LD) (IFCC 標準化対応法, U/L)		ALP(アルカリホスファターゼ) (IFCC 標準化対応法, U/L)	
男	女	男	女	男	女	男	女
13〜30*2	13〜30*2	10〜42*2	7〜23*2	124〜222	124〜222	38〜113	38〜113

γGT(γGTP) (JSCC 標準化対応法, U/L)		総ビリルビン (酵素法, mg/dL)		コリンエステラーゼ(ChE) (JSCC 標準化対応法, U/L)		アミラーゼ (JSCC 標準化対応法, U/L)	
男	女	男	女	男	女	男	女
13〜64*2	9〜32*2	0.4〜1.5*2	0.4〜1.5*2	240〜486*2	201〜421*2	44〜132*2	44〜132*2

クレアチンキナーゼ(CK) (JSCC 標準化対応法, U/L)		尿素窒素(BUN, UN) (ウレアーゼ・UV 法, mg/dL)		クレアチニン(Cr) (酵素法, mg/dL)		尿酸(UA) (ウリカーゼ・POD 法, mg/dL)	
男	女	男	女	男	女	男	女
59〜248*2	41〜153*2	8〜20*2	8〜20*2	0.65〜1.07	0.46〜0.79	3.7〜7.8*2	2.6〜5.5*2

血清 Na (イオン選択電極法, mEq/L)		血清 K (イオン選択電極法, mEq/L)		血清 Cl (イオン選択電極法, mEq/L)		血清 Ca (キレート比色法, 酵素法 mg/dL)	
男	女	男	女	男	女	男	女
138〜145*2	138〜145*2	3.6〜4.8*2	3.6〜4.8*2	101〜108*2	101〜108*2	8.8〜10.1*2	8.8〜10.1*2

血清・血漿成分の基準範囲　(2)

血清リン (モリブデン酸直接法，酵素法，mg/dL)		血清マグネシウム(Mg) (キシリジルブルー法，mg/dL)		血清鉄(Fe) (バソフェナンスロリン直接法，ニトロソ-PSAP 法，μg/dL)		総鉄結合能(TIBC) (バソフェナンスロリン直接法，ニトロソ-PSAP 法，μg/dL)	
男	女	男	女	男	女	男	女
2.7～4.6[*2]	2.7～4.6[*2]	1.9～2.5	1.9～2.4	40～188[*2]	40～188[*2]	253～365	246～410

血清銅(Cu) (原子吸光分析法，比色法，μg/dL)		CRP(C 反応性タンパク) (ラテックス凝集免疫比濁法，免疫比濁法，免疫比朧法，mg/dL)		α_1-アンチトリプシン (TIA 法，ネフェロメトリー法，mg/dL)		ハプトグロビン (TIA 法，ネフェロメトリー法，mg/dL)	
男	女	男	女	男	女	男	女
67～123	65～126	0.00～0.14[*2]	0.00～0.14[*2]	94～150[*1]	94～150[*1]	17～152[*1]	17～152[*1]

α_1-アシドグリコプロテイン (TIA 法，ネフェロメトリー法，mg/dL)		セルロプラスミン (TIA 法，ネフェロメトリー法，mg/dL)		トランスフェリン (TIA 法，ネフェロメトリー法，mg/dL)		トランスサイレチン (プレアルブミン) (TIA 法，ネフェロメトリー法，mg/dL)	
男	女	男	女	男	女	男	女
45～98[*1]	39～86[*1]	21～37[*1]	21～37[*1]	190～300[*1]	200～340[*1]	23～42[*1]	22～34[*1]

α_2-マクログロブリン (TIA 法，ネフェロメトリー法，mg/dL)		免疫グロブリン G(IgG) (ラテックス凝集免疫測定法，TIA 法，ネフェロメトリー法，mg/dL)		免疫グロブリン A(IgA) (ラテックス凝集免疫測定法，TIA 法，ネフェロメトリー法，mg/dL)		免疫グロブリン M(IgM) (ラテックス凝集免疫測定法，TIA 法，ネフェロメトリー法，mg/dL)	
男	女	男	女	男	女	男	女
100～200	130～250	861～1 747[*2]	861～1 747[*2]	93～393[*2]	93～393[*2]	33～183[*2]	50～269[*2]

免疫グロブリン D(IgD) (ラテックス凝集免疫測定法，mg/dL)		非特異的免疫グロブリン E (IgE) (EIA，U/mL)		補体 C3 (ラテックス凝集免疫測定法，TIA 法，ネフェロメトリー法，mg/dL)		補体 C4 (ラテックス凝集免疫測定法，TIA 法，ネフェロメトリー法，mg/dL)	
男	女	男	女	男	女	男	女
＜9	＜9	＜170	＜170	73～138[*2]	73～138[*2]	11～31[*2]	11～31[*2]

総トリヨードサイロニン(T_3) (RIA 法，ng/mL)		遊離トリヨードサイロニン (FT_3) (RIA 法，pg/mL)		総サイロキシン(T_4) (RIA 法，μg/dL)		遊離サイロキシン(FT_4) (RIA 法，ng/dL)	
男	女	男	女	男	女	男	女
0.8～1.6	0.8～1.6	0.9～1.7	0.9～1.7	6.1～12.4	6.1～12.4	0.9～1.7	0.9～1.7

癌胎児性抗原(CEA)[*3] (免疫測定法，ng/mL)		CA19-9[*3] (免疫測定法，U/mL)		CA125[*3] (免疫測定法，U/mL)		神経特異エノラーゼ(NSE)[*3] (RIA 法，ng/mL)	
男	女	男	女	男	女	男	女
＜5	＜5	＜37	＜37	＜35	＜35	＜10	＜10

血清・血漿成分の基準範囲 (3)*3

年齢	成長ホルモン(GH) (IRMA, ng/mL) 男	女
1ヵ月		
6ヵ月		
1歳	0.17〜31.3	0.18〜24.3
5歳	0.10〜23.2	0.15〜21.9
10歳	0.08〜20.8	0.21〜26.6
15歳	0.08〜19.9	0.17〜24.2
成人	<0.42	0.66〜3.68

年齢	卵胞刺激ホルモン(FSH) (TR-FIA法, mIU/mL) 男	女
1ヵ月		
6ヵ月		
1歳	0.18〜 2.06	1.02〜 8.44
5歳	0.20〜 2.34	0.27〜 3.84
10歳	0.48〜 4.66	0.75〜 7.04
15歳	0.84〜 7.02	1.36〜10.1
成人	1.0 〜10.5	卵胞期初期 1.9 〜 9.5 排卵期ピーク 3.1 〜10.6 黄体期 0.5 〜 6.4

年齢	黄体形成ホルモン(LH) (TR-FIA法, mIU/mL) 男	女
1ヵ月		
6ヵ月		
1歳	0.04〜0.77	0.02〜 0.87
5歳	0.02〜0.36	0.02〜 0.52
10歳	0.07〜1.83	0.04〜 5.74
15歳	0.45〜5.32	0.21〜15.1
成人	1.0 〜8.4	卵胞期初期 1.6 〜 9.3 排卵期ピーク 13.8 〜71.8 黄体期 0.5 〜12.8

年齢	甲状腺刺激ホルモン(TSH) (免疫測定法, μU/mL) 男	女
成人	0.35〜4.94	0.35〜4.94

年齢	高感度副甲状腺ホルモン(M-PTH) (RIA2抗体法, pg/mL) 男	女
1ヵ月		
6ヵ月		
1歳	110〜430	110〜430
5歳	140〜510	140〜510
10歳		
15歳		
成人	160〜520	160〜520

年齢	アルドステロン(Ald) (RIA法, pg/mL) 男	女
1ヵ月		
6ヵ月		
1歳	16.4〜409	14.5〜524
5歳	〜280	〜353
10歳	13.8〜374	〜387
15歳	15.6〜399	12.9〜489
成人	35.7〜240	35.7〜240

年齢	11-ヒドロキシコルチコステロイド (11-OHCS)(蛍光法, μg/dL) 男	女
1ヵ月		
6ヵ月		
1歳	6.0〜37.6	6.7〜41.1
5歳	5.8〜36.9	6.4〜40.0
10歳	6.1〜38.1	6.5〜40.3
15歳	5.7〜36.4	6.8〜41.7
成人	7.0〜23.0	7.0〜23.0

年齢	テストステロン(T) (RIA法, ng/dL) 男	女
1ヵ月		
6ヵ月		
1歳		
5歳		
10歳	〜 317	〜44.3
15歳	125〜 767	9.4〜76.2
成人	250〜1 100	10 〜60

年齢	エストラジオール(E_2) (RIA法, pg/mL) 男	女
1ヵ月		
6ヵ月		
1歳		
5歳		
10歳		
15歳	〜51.2	12.3〜170
成人	20〜59	卵胞期初期 11 〜 82 卵胞期後期 52 〜230 排卵期ピーク 120 〜390 黄体期 9 〜230

年齢	プロゲステロン(P_4) (RIA法, ng/mL) 男	女
1ヵ月		
6ヵ月		
1歳	〜0.6	
5歳	〜0.6	
10歳	〜0.8	
15歳	〜0.9	
成人	<0.7	卵胞期 <1.7 排卵期 <1.9 黄体期 0.2〜31.6

年齢	フェリチン(FER) (ラテックス凝集法, ng/mL) 男	女
成人	24.3〜166.1	6.4〜144.4

年齢	アルファフェトプロテイン(AFP) (IRMA法, ng/mL) 男	女
成人	<10	<10

＊1　臨床病理特集 101 号　1996 年血清蛋白 13 項目の日本成人基準範囲（NCCLS Document C28-P および国際標準品 CRM 470 による 7 施設の共同作業の成績）.

＊2　Kiyoshi Ichihara et al.,：Collaborative derivation of reference intervals for major clinical laboratory tests in Japan. Ann Clin Biochem, 0004563215608875, first published on September 11, 2015.

＊3　大久保昭行，奈良信雄，眞重文子，大久保滋夫，2005.，小児基準値研究班編：日本人小児の臨床検査基準値，日本公衆衛生協会（1996）

栄養素等の平均摂取量*1

項目(単位) ＼ 年次		1975	1980	1985	1990	1995	2000	2005	2010	2015	2016	2017	2018	2019
エネルギー	(kcal)	2 188	2 084	2 088	2 026	2 042	1 948	1 904	1 849	1 889	1 865	1 897	1 900	1 903
総タンパク	(g)	80.0	77.9	79.0	78.7	81.5	77.7	71.1	67.3	69.1	68.5	69.4	70.4	71.4
動物性タンパク	(g)	38.9	39.2	40.1	41.4	44.4	41.7	38.3	36.0	37.3	37.4	37.8	38.9	40.1
総脂肪	(g)	52.0	52.4	56.9	56.9	59.9	57.4	53.9	53.7	57.0	57.2	59.0	60.4	61.3
動物性脂肪	(g)	27.4	27.2	27.6	27.5	29.8	28.8	27.3	27.1	28.7	29.1	30.0	31.8	32.4
炭水化物	(g)	337	313	298	287	280	266	267	258	258	253	255.4	251.2	248.3
カルシウム	(mg)	550	535	553	531	585	547	539	503	517	502	514	505	505
鉄	(mg)	13.4	13.1	10.8	11.1	11.8	11.3	8.0	7.4	7.6	7.4	7.5	7.5	7.6
食塩*2	(g)	14.0	13.0	12.1	12.5	13.2	12.3	11.0	10.2	9.7	9.6	9.5	9.7	9.7
ビタミンA	(IU)	1 602	1 576	2 188	2 567	2 840	2 654	—	—	—	—	—	—	—
	(μgRE)*3	—	—	—	—	—	—	604	529	534	524	519	518	534
ビタミンB_1	(mg)	1.11	1.16	1.34	1.23	1.22	1.17	0.87	0.83	0.86	0.86	0.87	0.90	0.95
ビタミンB_2	(mg)	0.96	1.01	1.25	1.33	1.47	1.40	1.18	1.13	1.17	1.15	1.18	1.16	1.18
ビタミンC	(mg)	117	107	128	120	135	128	106	90	98	89	94	95	94

*1　1人1日あたり，*2　ナトリウム換算（ナトリウム(mg)×2.54/1000），*3　RE：レチノール当量

（令和元年国民健康・栄養調査報告—厚生労働省—より）

食品の群別平均摂取量*

項目 ＼ 年次	1975	1980	1985	1990	1995	2000	2005	2010	2015	2016	2017	2018	2019
穀類　米・加工品	248.3	225.8	216.1	197.9	167.9	160.4	343.9	332.0	318.3	310.8	308.0	308.5	301.4
小麦・加工品	90.2	91.8	91.3	84.8	93.7	94.3	99.3	100.1	102.6	100.7	103.6	97.3	99.4
いも類	60.9	63.4	63.2	65.3	68.9	64.7	59.1	53.3	50.9	53.8	52.7	51.0	50.2
油脂類	15.8	16.9	17.7	17.6	17.3	16.4	10.4	10.1	10.8	10.9	11.3	11.0	11.2
豆類	70.0	65.4	66.6	68.5	70.0	70.2	59.3	55.3	60.3	58.6	62.8	62.9	60.6
緑黄色野菜	48.2	51.0	73.9	77.2	94.0	95.9	94.4	87.9	94.4	84.5	83.9	82.9	81.8
その他の野菜	189.9	192.3	178.1	162.8	184.4	180.1	185.3	180.0	187.6	181.5	170.8	164.5	167.5
果実類	193.5	155.2	140.6	124.8	133.0	117.4	125.7	101.7	107.6	98.9	105.0	96.7	96.4
きのこ類	8.6	8.1	9.7	10.3	11.8	14.1	16.2	16.8	15.7	16.0	16.1	16.0	16.9
藻類	4.9	5.1	5.6	6.1	5.3	5.5	14.3	11.0	10.0	10.9	9.9	8.5	9.9
砂糖・甘味料類	14.6	12.0	11.2	10.6	9.9	9.3	7.0	6.7	6.6	6.5	6.8	6.4	6.3
嗜好飲料類 }	119.7	109.4	113.4	137.4	190.2	182.3	601.6	598.5	788.7	605.1	623.4	628.6	618.5
調味料・香辛料類 }							92.8	87.0	85.7	93.5	86.5	60.7	62.5
菓子類	29.0	25.0	22.8	20.3	26.8	22.2	25.3	25.1	26.7	26.3	26.8	26.1	25.7
魚介類	94.0	92.5	90.0	95.3	96.9	92.0	84.0	72.5	69.0	65.6	64.4	65.1	64.1
肉類	64.2	67.9	71.7	71.2	82.3	78.2	80.2	82.5	91.0	95.5	98.5	104.5	103.0
卵類	41.5	37.7	40.3	42.3	42.1	39.7	34.2	34.8	35.5	35.6	37.6	41.1	40.4
乳類	103.6	115.2	116.7	130.1	144.5	127.6	125.1	117.3	132.2	131.8	135.7	128.8	131.2
補助栄養素・特定保健用食品	—	—	—	—	—	—	11.8	12.3	—	—	—	—	—

*　1人1日あたり．単位：g　　（令和元年国民健康・栄養調査報告—厚生労働省—より）

注）2001年より分類が変更されたため，2000年までとは接続しない．

神経，筋肉の電解質濃度と静止電位

種　名	組　織	細胞内 K^+ (mM)	細胞内 Na^+ (mM)	静止電位 (mV)
ヒト	筋肉	140～160	26	−70～−87
ラット	筋肉	74～165	16	−73
カエル	筋肉	138	22	−88～−95
ワモンゴキブリ	筋肉	112	46	～−60
	神経	140～182	84～103	−77
ウミザリガニ	筋肉	155	104	～−80
フジツボ(*Balanus nubilis*)	筋肉	168	81	−67
ヨーロッパオオヤリイカ	神経	400	50	−63～−72
ヨーロッパコウイカ	神経	268	32	−62
ニワマイマイ	神経	86～147	—	−33～−62
カイチュウ	筋肉	99	49	−33

(Caldwell, P. C., 1973 より)

神経，筋肉のイオンフラックス*

種名・組織	静止時 ($pM/cm^2/s$) Na^+ 内	Na^+ 外	K^+ 内	K^+ 外	Cl^- 内	Cl^- 外	興奮時のフラックス増分(pM/cm^2 興奮) Na^+ 内	K^+ 外	Cl^- 内
ヨーロッパアカガエル・半腱様筋	3.5	3.7	5.4	8.8	—	10	—	—	—
ヒョウモンガエル・縫工筋	6	—	—	9.6	—	—	15.6	9.6	—
ウミザリガニ・巨大神経線維	8	4	15	21	11.5	9.8	6.5	5.3	0.2
フジツボ・下引筋	48	39	28	60	144	143	—	—	—
単離筋	52	—	—	108	144	143	—	—	—
ヨーロッパオオヤリイカ・巨大神経線維	28	18	34	—	22.8	20.8	5.7	8.5	0.005
ヨーロッパコウイカ・巨大神経線維	32	39	17	58	−	—	—	—	—
アメフラシ・巨大ニューロン	—	5.8	—	6～8	5～37	—	—	—	—

* 単位面積の膜を通って単位時間に運ばれるイオン量．内向きのフラックス；細胞外→内，外向きのフラックス；細胞内→外．　(DeWeer, P. ら，1976 より)

膜　電　位

種　名	細　胞	電　位 (mV)	種　名	細　胞	電　位 (mV)
ヒト	赤血球	−8.0	マウス	未成熟卵	−8.3
	線維芽細胞	−70～−75		成熟卵	+1.9
	肺細胞	−21.1		受精卵	−9.2
	胎児肺細胞	−8.5～−14.7		2細胞期	−10.7
マウス	線維芽細胞	−0.6		桑実胚	−12.8
ラット	肝細胞	−50～−53		胚盤胞	−12.9
イヌ	肝細胞	−40	アフリカツメガエル	受精卵	−6.5
ニワトリ	胚肝細胞	−8～−45		2細胞期	−19.0
ウシ	精子	−6.1		16細胞期	−27.0
ウニ	未受精卵	−6～−14		桑実胚	−31.0
	受精卵	−60～−70		胞胚	−35.0

(Chowdhury, T. K. ら，1976 より)

神経毒と作用機序

毒の名称		所在等	LD_{50}(mg/kg)	作用場所	作用機序
テトロドトキシン		フグ等	0.01(マウス経口投与)	軸　索	Na チャネル閉鎖
シガトキシン(シグアトキシン)		バラフエダイ，ドクウツボ	0.45(マウス腹腔内注射)	軸　索	Na チャネル開放
バトラコトキシン		矢毒ガエル	0.002(?)	軸　索	Na チャネル開放
α-サソリ毒		サソリ	0.15～0.01(?)	軸　索	Na チャネル不活性化の遅延
α-ラトロトキシン		セアカゴケグモ等	0.55(マウス静脈内注射)	シナプス前膜	伝達物質過剰放出
イソギンチャク毒		イソギンチャク	—	軸　索	Na チャネル不活性化の遅延
パリトキシン		スナギンチャク	0.00015(マウス静脈内注射)	軸　索	Na チャネル・Ca チャネル開放
α-ブンガロトキシン		アマガサヘビ	0.3(マウス皮下注射)	骨格筋シナプス後膜	ニコチン様 ACh 受容体と結合
コノトキシン	ω		0.013(マウス?)	軸索末端	電位依存性 Ca チャネル阻害
	α	イモガイ	—	シナプス後膜	ACh 受容体を阻害
	μ		—	筋　肉	Na チャネル閉鎖
サキシトキシン		ムラサキイガイ	0.091～0.727(各種動物，経口投与)	軸　索	Na チャネル閉鎖
ジョロウグモ毒(JSTX)		ジョロウグモ等	—	シナプス後膜	Glu 受容体の阻害
ボツリヌス毒		ボツリヌス菌	0.00000032(推定)	軸索末端	ACh 放出の停止
クラーレ(*d*-ツボクラリン)		カズラ等	3.2(マウス腹腔内注射)	シナプス後膜	ACh 受容体と結合
グラヤノトキシン		アセビ等	0.2(?)	軸　索	Na チャネル開放
アトロピン		ベラドンナ	200(?)	シナプス後膜	ACh 受容体を阻害
アコニチン		トリカブト	0.31(マウス皮下注射)	軸　索	Na チャネル開放
ピクロトキシン		ツヅラフジ等	7.2(マウス腹腔内注射)	中枢神経	GABA と拮抗
ストリキニン		フジウツギ科	16(ラット経口投与)	シナプス後膜	Gly 受容体の阻害

—　データなし，　?　使用動物あるいは投与法が不明．

Curtis D. Klaassen, Mary O. Amdur, John Doull 監修/福田英臣ら監訳：トキシコロジー II．同文書院（1988）等を参考．

神経の伝導速度

種名・神経の種類*	線維の直径 (μm)	伝導速度 (m/s)	測定温度 (℃)
ネコ・運動神経線維(太いもの)*	15−20	80−110	37
(細いもの)*	2−6	10−30	35
カエル・運動神経線維(太いもの)*	15−20	30−40	24
(細いもの)*	4−8	7−15	24
コイ・マウスナー細胞*	55−65	55−63	20−25
アメリカザリガニ・内側巨大神経線維†	100−250	15−20	20
ワモンゴキブリ・巨大神経線維†	10−40	9−12	—
アメリカケンサキイカ・巨大神経線維†	260−520	18−35	23
ミミズ(*Lumbricus*)・内側巨大神経線維†	50−90	15−45	22
ミズクラゲ(*Aurelia*)・神経網†	6−12	0.5	—

*　有髄神経線維，†　無髄神経線維．有髄神経線維のほうが伝導速度が大きい．

神経細胞膜および細胞内容物の性質が同じならば，太い神経線維ほど伝導速度が大きい．下線は，その範囲で線維の直径が次第に変化していることを表す．

(Bullock, T. H. and Horridge, G. A.：Structure and Function of the Nervous Systems of Invertebrates. Vol.1, Freeman & Comp., 1965 より)

各種動物脳内の生体アミンの分布

動物名	ドーパミン	ノルエピネフリン	エピネフリン	オクトパミン	セロトニン
イヌ	80	130	30	—	180
ラット	70	150	40	26	410
ワモンゴキブリ	1 070	370	n.d.	3 450	3 150
サバクバッタ	870	110	n.d.	2 430	1 470
トノサマバッタ	1 310	240	n.d.	—	2 340
クロコオロギ	1 058	—	n.d.	2 019	2 440
ザリガニ	200	120	n.d.	540	150
アメフラシ	2 380	—	n.d.	350	2 210

単位は湿重量 1 g あたりの ng を示す．n.d. は検出できなかったことを，—は未分析を示す．

冨永佳也 編：昆虫の脳を探る，長尾隆司，p. 161，共立出版（1995）より．

動物の可聴範囲

動物名	最低周波数(kHz)	最高周波数(kHz)	動物名	最低周波数(kHz)	最高周波数(kHz)
脊椎動物			昆虫		
ヒト	0.031	17.6	トノサマバッタ (*Locusta migratoria*)	0.6	45
ニホンザル	0.028	34.5	ササキリ(*Conocephalus saltator*)	6	100
ブタ	0.042	40.5	ヨーロッパイエコオロギ (*Acheta domesticus*)	2	18
ヤギ	0.78	37	ヤマゼミ(*Cicada orni*)	2	15
マウス	2.3	85.5	タバコガ(*Heliothis zea*)	2	200
ハト	0.1	5.8	クサカゲロウ(*Chysopa carnea*)	13	120
アカミミガメ	0.068	0.84			
ウシガエル	0.1	2.5			

脊椎動物の可聴範囲は音圧が 60 dB のときの可聴周波数帯を示す．昆虫の可聴範囲は鼓膜器官で測定された値を示す．

(Heffner, H. E. and Heffner, R. S.：Hearing Range of Laboratory Animals. J. Am. Assoc. Anim. Sci., **46**(1)：20-22, 2007；Frazier, J. L.：Nervous system：sensory system. In：Fundamentals of Insect Physiology. ed. Blum M. S., p. 287-356, John Wiley & Sons, 1985 より)

声楽および楽器の周波数については**物87**参照.

脊椎動物内耳における聴覚有毛細胞の数

種名	場所あるいは種類	有毛細胞の数（片側）
ウシガエル	基底乳頭	60
	両生類乳頭	600
カメレオン		50
トッケイヤモリ		1 600
カメ，ヘビ類		数 100
ワニ類（クロコダイル）		11 000～13 000
フクロウ		12 000
イルカ		16 000～17 000
ネコ	内有毛細胞	2 600
	外有毛細胞	9 900
ヒト	内有毛細胞	3 500
	外有毛細胞	12 000～20 000

*　Wever, E. G.：The evolution of vertebrate hearing. "Handbook of sensory physiology" Vol V/1 Auditory System.（Keidel, W. D. et al. ed.), 1974；Schuknecht, H. F.：Neuroanatomical correlates of auditory sensitivity and pitch discrimination in the cat. "Neural mechanisms of the auditory and vestibular systems"（Rasmussen, G. L. et al. ed.), Thomas, Springfield. 1960；菅乃武男：聴覚"生理学"（入来正躬・外山敬介編）文光堂，1986 などを参考にまとめた.

神経伝達物質とその受容体

分類	名称	受容体	アンタゴニストなど	シナプス後電位	関連する事項
アミノ酸類	グルタミン酸	イオンチャネル型			
		NMDA型		fast EPSPの遅い成分	長期増強，記憶・学習
		AMPA型	キヌレン酸	fast EPSPの速い成分	長期増強，記憶・学習
		カイニン酸型	キヌレン酸		
		Gタンパク質共役型 mGluR1〜R8			長期抑制，記憶・学習
	γ-アミノ酪酸(GABA)	イオンチャネル型 $GABA_A$	ピキュキュリン， ピクロトキシン	fast IPSP	脊椎動物・無脊椎動物の中枢に分布
		Gタンパク質共役型 $GABA_B$	ファクロフェン	slow IPSP	
	グリシン	イオンチャネル型	ストリキニーネ	fast IPSP	脊髄レンショー細胞に分布
アミン類	アドレナリン(エピネフリン) ノルアドレナリン（ノルエピネフリン）	Gタンパク質共役型 $\alpha_{1,2}$ $\beta_{1\sim3}$	プラゾシン(α_1) プロプラノロール($\beta_{1,2}$)		過剰：躁状態，不足：意欲低下
	ドーパミン	Gタンパク質共役型 $D_{1\sim5}$	スルピライド(D_2)		過剰：統合失調症，トゥレット症候群 不足：精神機能･運動機能の低下，パーキンソン病
	ヒスタミン	Gタンパク質共役型 $H_{1\sim3}$(H_3：自己受容体)			覚醒･痛みの閾値の調整，痒みの感覚，血管拡張
	オクトパミン	Gタンパク質共役型			無脊椎動物の中枢に分布，昆虫の記憶･学習
	セロトニン (5-ヒドロキシトリプタミン：5-HT)	イオンチャネル型 $5\text{-}HT_3$	オンダンセトロン， ザコプライド		不足：うつ・パニック発作
		Gタンパク質共役型 $5\text{-}HT_1$　$5\text{-}HT_2$　$5\text{-}HT_4$ $5\text{-}HT_{5\sim7}$	ピンドロール	slow EPSP	嘔吐に関係
	メラトニン (N-アセチル-5-メトキシトリプタミン)	Gタンパク質共役型 MT_1			睡眠，体内時計に関係
ペプチド類	サブスタンスP	Gタンパク質共役型 NKR_1			タキキニンの一種，痛覚の伝達物質
	エンケファリン	Gタンパク質共役型 μ/δ-オピオイド			オピオイドペプチドの一種，モルヒネ様作用，腸管運動の減少
	βエンドルフィン	Gタンパク質共役型 κ-オピオイド			オピオイドペプチドの一種，モルヒネ様作用，鎮痛作用
	バソプレシン	Gタンパク質共役型 V_{1a}　V_{1b}　V_2			水の再吸収促進，血圧上昇
	プロクトリン	Gタンパク質共役型			無脊椎動物の筋収縮作用
	オキシトシン	Gタンパク質共役型			平滑筋収縮
その他	アセチルコリン	イオンチャネル型(ニコチン性) 筋型，ニューロン型	d-ツボクラリン， d-ニュートロキシン	EPP，fast EPSP	重症筋無力症では筋型受容体が減少
		Gタンパク質共役型(ムスカリン性) M_1〜M_5	アトロピン	slow EPSP，slow IPSP	
	一酸化窒素				血管弛緩作用
	一酸化炭素				ヘモグロビンの酸素運搬を阻害
	アデノシン	Gタンパク質共役型 A_1　A_{2A}　A_{2B}　A_3	カフェイン，テオフィリン		
	ATP	イオンチャネル型 P_{2X} Gタンパク質共役型 [illegible]		fast EPSP	共神経伝達物質(共存伝達物質)

キイロショウジョウバエの脳と食道下神経節に存在する神経ペプチド

ペプチド名	省略形	分布							
		神経線維					細胞体		
		触角葉	キノコ体	視葉	中心複合体	その他	時計細胞	神経分泌細胞 (MNC または LNC) *1	下行性神経細胞
アラトスタチン A (Allatostatin A)	AstA	○	—	○	○	○	—	○	—
アラトスタチン B/筋抑制ペプチド (Allatostatin B/myoinhibitory peptide)	AstB; MIP	○	—	○	○	○	—	nt	—
アラトスタチン C (Allatostatin C) *2	AstC	—	—	nt	—	○	○*3	nt	—
Capability	CAPA/PK	—	—	—	—	○	—	—	—
CCH アミド-1 (CCHamide-1) *2	CCHa1	—	—	○	—	○	○*3	nt	nt
CNM アミド (CNMamide)	CNMa	—	—	—	—	—	○*3	○	—
コラゾニン (Corazonin)	Crz	○	—	○*4	—	○	—	○*5	—
甲殻類心臓作用性ペプチド (Crustacean cardioactive peptide)	CCAP	—	—	—	—	○	—	—	○
利尿ホルモン 44 (Diuretic hormone 44)	DH_{44}	—	—	—	—	○	○	○	○
利尿ホルモン 31 (Diuretic hormone 31) *2	DH_{31}	—	—	nt	—	○	○	nt	nt
FMRF アミド (FMRFamide (extended))	dFMRFa	—	—	○	○	○	—	○	—
グリコプロテインベータ 5 (Glycoprotein beta 5) *3	GPB5	—	—	—	—	○	—	○	—
Hugin	hug-PK	—	—	—	—	○	○*3	○	○
インシュリン関連ペプチド (Insulin-like peptides)	ILP1,2,3,5	—	—	—	—	○	—	○*5	—
イオン輸送ペプチド (Ion transport peptide)	ITP	—	—	—	—	○	○	○*5	○
IPN アミド (IPNamide) *2	IPNa	○	—	○	—	○	○	—	—
Leucokinin	LK	—	—	—	—	○	—	—	○
ミオサプレッシン (Myosuppressin)	DMS	○	—	○	○	○	○*3	○	—
Natalisin	NTL	—	—	—	○	○	—	—	○
ニューロペプチド F (Neuropeptide F, long)	NPF	—	—	—	○	○	○	—	○
オルコキニン-A (Orcokinin-A)	OK-A	—	—	○	—	○	—	—	—
色素拡散因子 (Pigment-dispersing factor)	PDF	—	—	○	—	○	○	—	—
プロクトリン (Proctolin)	Proct	—	—	○	○	○	—	○*5	—
ショートニューロペプチド F (Short neuropeptide F)	sNPF	○	○	○	○	○	○	○*5	○
SIF アミド (SIFamide) *6	SIFa	○	○	○	○	○	—	—	○
スルファキニン (Sulfakinin)	DSK	—	—	○	—	○	—	○*5	○
タキキニン (Tachykinin)	DTK	○	—	○	○	○	—	○*5	○
Trissin *2	Tris	nt	nt	nt	nt	nt	○*3	nt	nt

ペプチドによっては幼虫脳でよく調べられており，成虫脳内の分布の記載は部分的であることに注意．○：存在する，—：検出されず，nt：調べていない

＊1　MNC：medial neurosecretory cells，LNC：lateral neurosecretory cells
＊2　Ast-C，CCHa-1，DH_{31}，IPNa，Tris の分布は成虫脳全体では詳細に調べられていない．
＊3　これら遺伝子の発現は，単一細胞の RNAseq や GAL4 を用いた GFP 標識により示されているが，組織におけるこれらペプチドの存在は示されていない．
＊4　おもに若い成虫に発現が見られる (Lee et al., 2008)．
＊5　これらの細胞はペプチドを使って，側心体でのペプチドホルモンの分泌やアラタ体を調節している可能性がある．
＊6　4つの神経細胞が脳のほとんどの領域に密に神経線維を伸ばしている．

(Nässel, D. R. and Zandawala, M.：Prog. Neurobiol., 179:101607, 2019 を一部変更)

収縮期（最高）血圧平均値の年齢別・性別状況

年齢＼年次	2000	2005	2009	2010	2011	2012	2013	2014	2015	2016	2017	2018	2019
男性													
総　数	135.7	135.8	135.6	135.9	135.7	134.6	135.3	135.3	133.8	134.3	135.2	134.7	132.[illegible]
20～29	120.7	121.1	118.1	120.1	119.6	119.2	119.9	120.6	117.5	120.4	116.6	116.8	115.[illegible]
30～39	123.8	122.0	122.8	123.1	124.5	122.4	121.7	123.1	123.3	121.9	119.5	120.9	117.[illegible]
40～49	130.2	128.3	127.8	127.2	126.4	126.5	126.1	125.7	125.7	126.8	128.3	126.0	125.[illegible]
50～59	137.3	133.7	136.8	135.4	134.8	135.7	134.9	134.5	133.1	134.7	133.4	134.1	131.[illegible]
60～69	142.1	139.9	140.8	139.7	139.6	138.7	138.1	138.7	137.9	137.6	138.2	138.8	135.[illegible]
70～	146.1	145.3	142.5	142.9	142.6	140.7	141.5	139.8	137.8	138.5	140.9	140.3	135.[illegible]
女性													
総　数	129.6	130.5	128.3	129.2	128.6	127.3	129.5	128.7	127.2	127.3	128.9	127.9	126.[illegible]
20～29	108.6	106.9	108.1	107.8	106.0	107.3	108.2	108.4	106.9	109.4	108.9	109.5	105.[illegible]
30～39	113.3	111.8	110.6	111.5	111.8	111.1	111.6	110.2	109.0	110.0	110.8	110.2	107.[illegible]
40～49	123.4	122.0	118.5	118.6	119.3	117.9	119.1	118.7	118.1	116.3	118.4	116.5	114.[illegible]
50～59	132.5	131.8	128.8	129.0	128.7	128.1	126.5	125.4	127.2	126.2	125.1	126.9	123.[illegible]
60～69	140.2	137.7	134.9	137.6	134.1	134.3	137.1	135.0	132.5	132.8	134.7	132.2	131.[illegible]
70～	144.7	144.0	140.5	140.4	140.8	138.5	140.1	138.5	137.8	137.2	138.4	138.5	136.[illegible]

単位：mmHg　　（各年次国民健康・栄養調査報告―厚生労働省―より）
注）　妊婦・血圧を下げる薬の使用者を含む．2 回の測定値の平均値．

拡張期（最低）血圧平均値の年齢別・性別状況

年齢＼年次	2000	2005	2009	2010	2011	2012	2013	2014	2015	2016	2017	2018	2019
男性													
総　数	82.0	81.9	82.3	82.0	81.6	81.2	81.7	81.1	81.3	80.9	82.3	82.3	76.2
20～29	74.5	74.6	73.4	76.0	74.3	73.6	74.1	73.0	72.3	74.3	74.5	74.1	67.7
30～39	78.5	78.1	77.8	79.7	80.2	79.2	78.0	78.8	79.0	78.9	79.1	79.6	73.7
40～49	83.9	83.4	84.5	83.6	82.4	82.3	82.8	81.9	84.3	82.6	83.9	84.3	81.3
50～59	85.3	84.6	86.2	86.3	85.8	86.1	86.9	85.9	85.1	86.0	86.4	86.8	82.0
60～69	84.1	83.6	84.7	83.8	83.6	83.2	84.0	83.4	84.0	82.9	85.0	85.1	78.5
70～	79.9	81.5	80.0	79.0	79.4	78.7	79.9	78.4	78.5	78.3	80.3	79.8	73.1
女性													
総　数	77.3	77.9	76.8	77.1	76.9	76.5	77.6	76.5	76.6	76.1	77.6	77.4	73.1
20～29	66.1	65.8	67.6	67.1	66.1	67.2	66.8	68.9	68.0	68.1	68.4	69.1	63.8
30～39	71.1	70.8	70.2	70.6	71.2	70.6	70.9	69.3	69.2	70.3	71.5	70.4	66.3
40～49	76.9	77.3	75.0	75.7	75.9	75.0	76.4	76.1	75.4	73.5	76.0	74.9	71.2
50～59	81.4	81.5	80.3	80.0	80.4	79.8	79.6	78.1	79.8	78.8	79.0	80.6	75.4
60～69	81.7	81.6	80.1	81.3	80.3	79.8	81.6	79.9	79.7	79.2	81.1	80.2	76.7
70～	78.5	79.1	77.6	77.3	77.8	77.2	78.4	76.4	76.6	76.6	78.0	78.2	73.0

単位：mmHg　　（各年次国民健康・栄養調査報告―厚生労働省―より）
注）　妊婦・血圧を下げる薬の使用者を含む．2 回の測定値の平均値．

各種動物の血圧

種　名	弛緩期*	収縮期**
	mmHg	mmHg
チンパンジー	80(76− 85)	136(125−147)
アカゲザル	127(112−152)	159(137−188)
モルモット	47(16− 90)	77(28−140)
マウス	81(67− 90)	113(95−125)
ラット	91(58−145)	129(88−184)
カイウサギ	80(60− 90)	110(95−130)
イルカ	118(111−130)	152(142−160)
イ　ヌ	56(43− 66)	112(95−136)
ネ　コ	123(90−145)	171(135−200)
ゴマフアザラシ	105	150
ウ　シ	110	160
ジラフ（キリン）	160	260
ヒトコブラクダ	169	209
ブ　タ	108(98−120)	169(144−185)
ヒツジ	93(75−103)	123(104−135)
ヤ　ギ	84(76− 90)	120(112−126)
ロ　バ	103	171
ウマ（サラブレッド）	99(77−121)	142(118−166)
アフリカゾウ	−	106(87−125)
アカカンガルー	79±18	122±23
キタオポッサム	135	175
アヒル（ペキンダック）	134	180
コリンウズラ	136	150
ウズラ	152	158
ニワトリ	61	207
シチメンチョウ	204	302
カイバト	105	135
コマツグミ	80	118(110−125)
カナリア	154(150−160)	175(110−250)
コムクドリ	130(100−160)	180(150−210)
トカゲ（*Tiliqua*）	10	14
エミスガメ（*Pseudemys*）	32	42
ウシガエル	21(18− 24)	32(28− 36)
ヒョウモンガエル	21(16− 26)	31(21− 36)
ニジマス	32(31− 33)	40(39− 41)
マスノスケ	46(16− 76)	80(50−110)
ベニマス	38	44
タ　ラ	18	29
オオクチバス	40	50
ホシザメ	19(17− 21)	26(22− 30)
ガンギエイ	7	16

*　最低血圧，　**　最高血圧.

(Lindsay, H. A. ら, Prosser, C. L., 1973, Swenson, M. J., 1984, Heard, D. J. ら, 1988 より)

脊椎動物の含水量*

動物種	全量	細胞内	細胞外	血液
ヤ　ギ	76%	40%	36%	9.9%
ミシシッピワニ	73	58	15	5.1
ジネズミヘビ	70	52	17	6.0
ウシガエル	79	57	22	5.3
コ　イ	71	56	15	3.0
フエダイ	71	57	14	2.2
ツノザメ	71	58	13	6.8
ヤツメウナギ	76	52	24	8.5

*　体重あたりの比率

体表面水分蒸発量

動物種	蒸発量*	動物種	蒸発量*
ヒト(非発汗)	48	ツェツェバエ	13
ラット	46	ケバエ	900
イグアナ	10	ワモンゴキブリ	49
カエル	300	サバクバッタ	22
サンショウウオ	600	コナダニ	2
ニワマイマイ(活動)	870	マダニ	0.8
ニワマイマイ(非活動)	39	ミミズ	400
ゴミムシダマシ	6		

*　室温，μg/h/cm² 体表面/mmHg 蒸発圧

生存 pH

pH	媒質	生存種
0.0	硫黄，塩	硫黄細菌
1.0−3.0	有機物	シワタケ(担子菌類)
3.2−4.6	泥炭地	ミズゴケ
3.4	食　酢	スセンチュウ，酢酸菌
5.2	発酵乳	乳酸菌
4.5−8.5	土　壌	森林，原野構成植物
5.2−9.0	土壌水	コケ植物(泥炭地)
6.8−8.6	河　水	河水性動植物
7.8−8.6	海　水	海産動植物
10.5	有機物培地	皮膚生菌類(たむし，みずむし，しらくも症菌)
9.3−11.1	有機物培地	アオカビ，コウジカビ

植物生育至適 pH

種名	pH
リンゴ	5.0−6.5
モ　モ	6.0−7.5
ナ　シ	6.0−7.5
ク　リ	4.5−6.5
ツバキ	4.5−6.0
ブドウ	6.0−8.0
ニンジン	5.5−7.0
サツマイモ	5.0−6.5
トマト	5.5−7.5
ジャガイモ	5.4−6.7
キュウリ	5.5−7.0
ダイズ	6.0−7.5
エンドウ	6.0−8.0
イ　ネ	5.0−6.5
コムギ	5.5−7.5
トウモロコシ	5.5−7.5
パイナップル	4.5−6.0
タマネギ	6.0−7.5
アスパラガス	6.0−8.0
モ　ミ	4.5−6.5
ツ　ガ	4.5−6.0
マ　ツ	4.5−6.5
カラマツ	4.5−7.5
イチョウ	5.5−7.0

(Welch, C. D. ら, 1973 より)

海産動物体液のイオン濃度 1)

動物種	Na^+	Mg^{2+}	Ca^{2+}	K^+	Cl^-	SO_4^{2-}	体液タンパク量 2)
メクラウナギ (*Myxine*)	537	18.0	5.9	9.1	542	6.3	67
ウニ (*Echinus*)	474	53.5	10.6	10.1	557	28.7	0.3
ジンドウイカ (*Loligo*)	456	55.4	10.6	22.2	578	8.1	150
ムラサキイガイ (*Mytilus*)	474	52.6	11.9	12.0	553	28.9	1.6
ワタリガニ (*Carcinus*)	531	19.5	13.3	12.3	557	16.5	60
ケアシガニ (*Maja*)	488	44.1	13.6	12.4	554	14.5	—
アカシャコ (*Nephrops*)	541	9.3	11.9	7.8	552	19.8	33
フナムシ (*Ligia*)	566	20.2	34.9	13.3	629	4.0	—
コガネウロコムシ (*Aphrodita*)	476	54.6	10.5	10.5	557	26.5	0.2
ミズクラゲ (*Aurelia*)	474	53.0	10.0	10.7	580	15.8	0.7
海　水	478.3	54.5	10.5	10.1	558.4	28.8	/

1)　mM/kg 体液，　2) g/L 体液　　(Schmidt−Nielsen, K., 1984 より)

植物生育の光効果

種　名	波長 (nm)	エネルギーレベル (erg/cm^2)	照射時間
発芽促進			
レタス	660	24 000	4 m
コマメグンバイナズナ[1]	660	6 000	8 m
マメグンバイナズナ	650	1 400 000	8 m
発芽抑制			
レタス	735	70 000	4 m
コマメグンバイナズナ[1]	735	180 000	8 m
マメグンバイナズナ	735	30 000	8 m
トマト	740	1 500	4 m
ホトケノザ	730	2	連続
茎の伸長促進			
ゴガツササゲ	735	7 000	5 m
茎の伸長抑制			
ゴガツササゲ	660	1 500 000	2 m
レタス	430	500	15 h
	730	1 100	8 h
ヤバネオオムギ	660	130 000	1.5 m

種　名	波長 (nm)	エネルギーレベル (erg/cm^2)	照射時間
花成促進			
アサガオ	650	320 000	2 m
オナモミ[2]	735	300 000	4 m
ヒヨス	650	15 000	6 m
ヤバネオオムギ	650	60 000	2 m
花成抑制			
アサガオ	740	1 200 000	2 m
オナモミ[2]	630	40 000	5 m
アカザ[3]	630	2 000	4 m
	750	7 500	90 m
ダイズ	630	50 000	30 s
色素合成（＊アントシアニン合成）			
カ　ブ*	725	100 000 000	8 h
キャベツ*	690	50 000 000	4 h
トマト	640	6 000	20 s
モロコシ*	470	30 000 000	4 h
リンゴ*[4]	650	260 000 000	16 h

1) *Lepidium densiflorum*, 2) *Xanthium pensylvanicum*, 3) *Chenopodium ruburum*, 4) *Males* sp.

（Downs, R. J., 1973 より）

植物の光環境センサー，フィトクロム

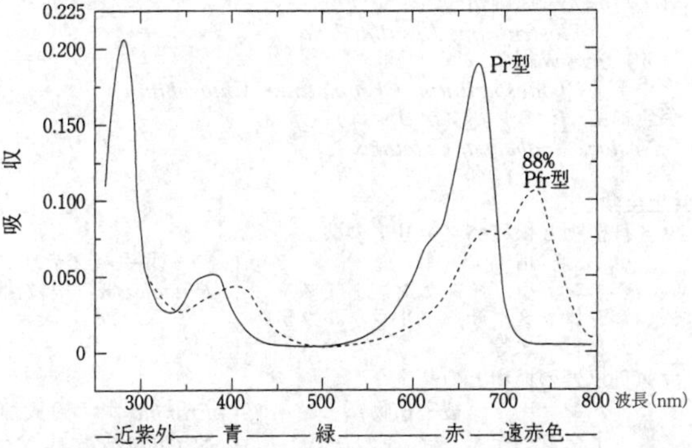

エンドウの「もやし」から精製したフィトクロムA．暗黒中では赤色光吸収型（Pr）で存在するフィトクロムは（赤色）光を吸収すると約 88% が遠赤色光吸収型（Pfr）に可逆的に光変換される（Pr ⇔ Pfr）．フィトクロムBも分光学的性質はほぼ同じである．フィトクロム分子は細胞質でPr型で合成されるが，光照射により核内に移行し，種々の光形態形成関連遺伝子の転写を制御する．

（中澤，眞鍋，1991 より）

光の波長と色については**物 89** 参照．

植物の光形態形成反応*1 の光受容色素

現　象　名	反応の特徴	光受容色素タンパク質
弱光反応（LFR）	赤−遠赤色光可逆的反応	フィトクロムB*2
強光反応（FR-HIR）	連続遠赤色光で誘導される	フィトクロムA*2
微弱光反応（VLFR）	光可逆性なし	フィトクロムA
青−近紫外光反応	胚軸伸長制御など	クリプトクロム*3
	光屈性，葉緑体移動など	フォトトロピン*3

*1　光による種子発芽の誘導，茎の伸長生長抑制，葉の展開促進，緑化など．
*2　開環テトラピロールを持つ色素タンパク質で赤色光と遠赤色光を吸収する２つの型 Pr と Pfr の間を可逆的に光変換する（前頁の図を参照）．
*3　フラビンタンパク質．

窒　素　固　定　生　物

A．非共生生物

1．細　菌

a．好気性細菌

Azotobacter, Beijerinckia, Azotmonas, Azotococcus

b．通性嫌気性細菌

Klebsiella, Bacillus

c．嫌気性細菌

（i）非光合成細菌

Clostridium, Desulfovibrio

（ii）光合成細菌

Rhodospirillum, Chromatium, Chlorobium

2．藍色細菌（シアノバクテリウム）

Nostoc, Anabaena, Calothrix

B．共生生物

1．マメ科植物と根粒バクテリアの共生

宿　主	共生バクテリア
エンドウ，インゲン，ダイズ，シロツメクサ，アルファルファ，ルピナス等	*Rhizobium*（根粒菌）

2．マメ科以外の植物との共生

ハンノキ　（被子植物）	*Frankia*　（放線菌）
ドクウツギ（　〃　）	*Streptomyces*（　〃　）
グンネラ　（　〃　）	*Nostoc*
Macrozamia（ソテツ植物）	*Nostoc, Anabaena*
アカウキクサ（シダ植物）	*Anabaena*
ウスバゼニゴケ（苔類）	*Nostoc*

代謝・生合成系

解糖および発酵（[C*n*] *n*＝炭素数）

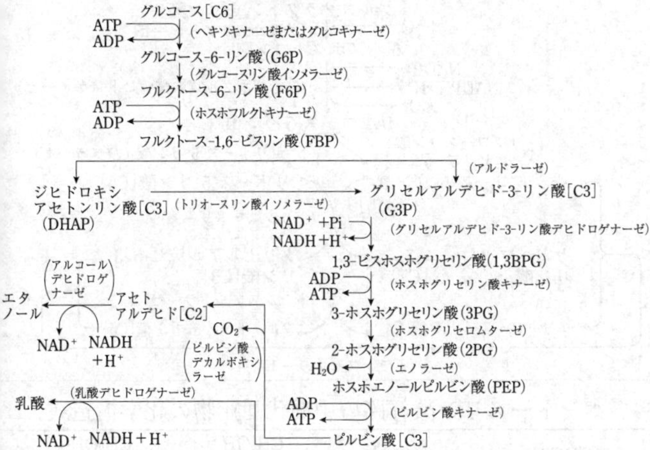

解糖の中間代謝産物の化学構造式

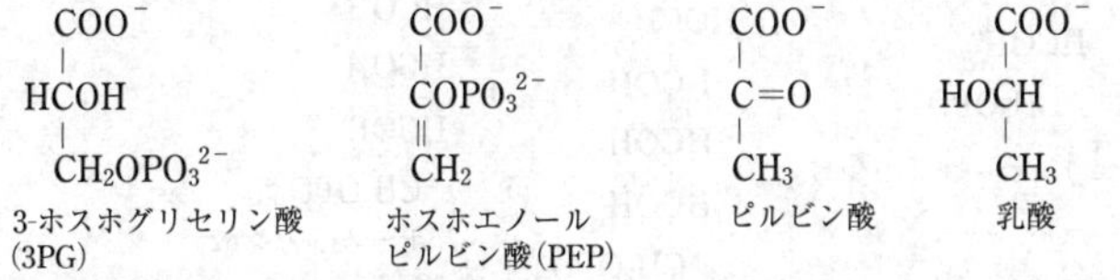

ATP，NAD の構造は物 205，210 参照.

ペントースリン酸経路

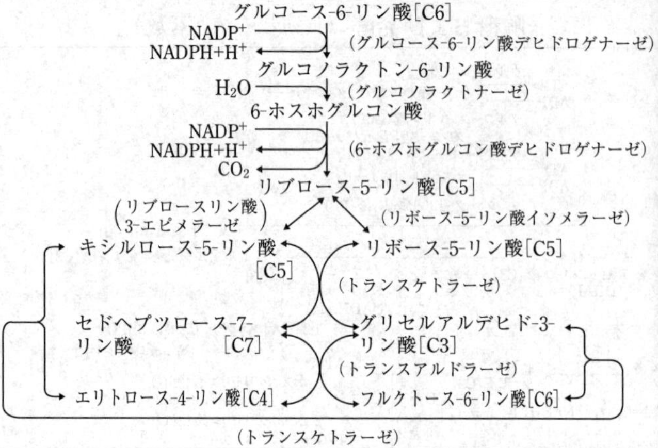

ペントースリン酸経路の中間代謝産物の化学構造式

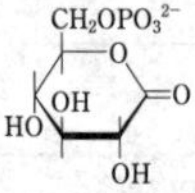

グルコノラクトン-6-リン酸

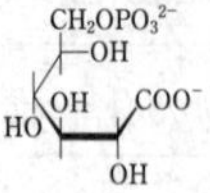

6-ホスホグルコン酸

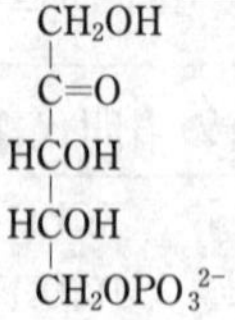

リブロース-5-リン酸

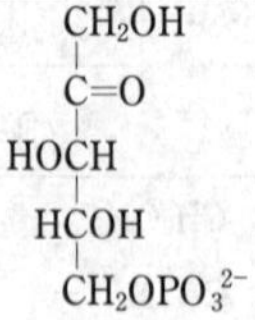

キシルロース-5-リン酸

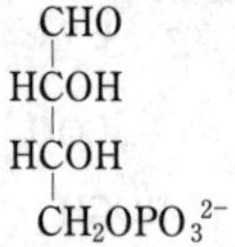

エリトロース-4-リン酸

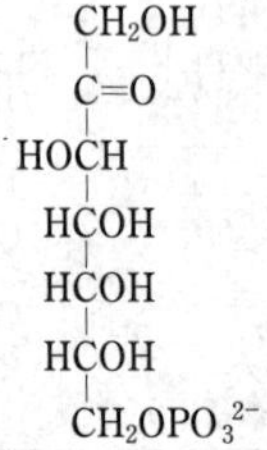

セドヘプツロース-7-リン酸

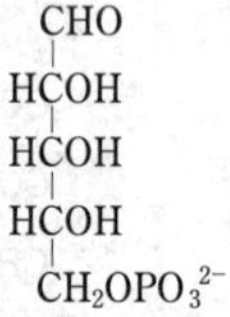

リボース-5-リン酸

クエン酸（トリカルボン酸，クレブス）回路

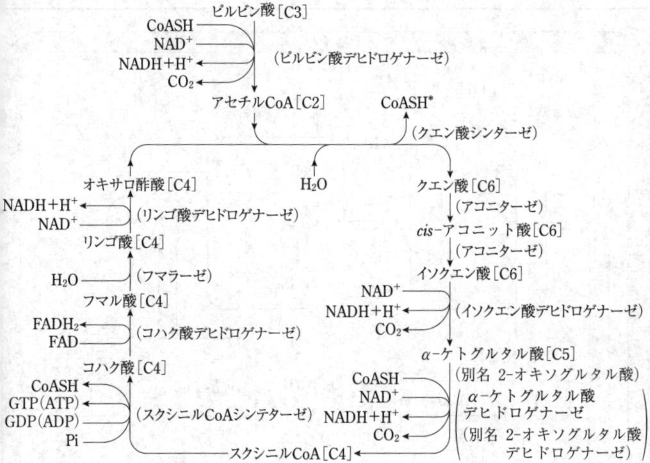

クエン酸回路の中間代謝産物の化学構造式

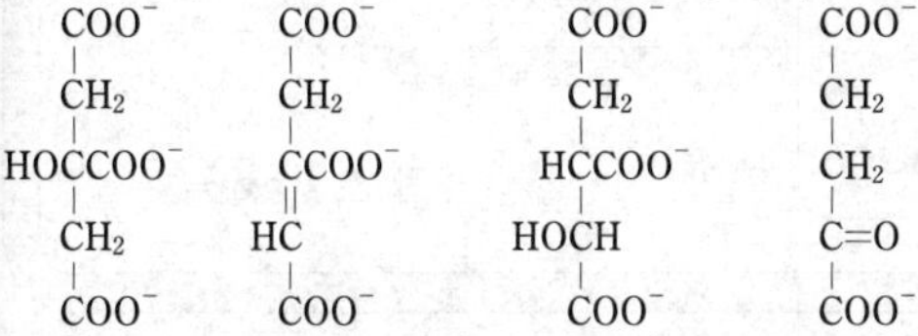

クエン酸　　*cis*-アコニット酸　　イソクエン酸　　α-ケトグルタル酸（別名 2-オキソグルタル酸）

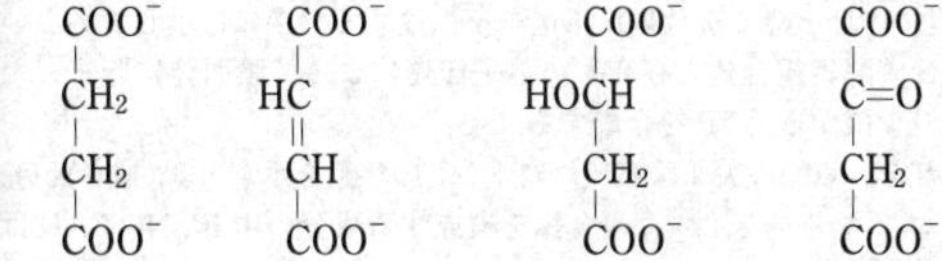

コハク酸　　フマル酸　　リンゴ酸　　オキサロ酢酸

* 補酵素 A (CoA)，NAD，FAD の構造は**物 210** 参照.

ミトコンドリア内膜における酸素呼吸の電子伝達系

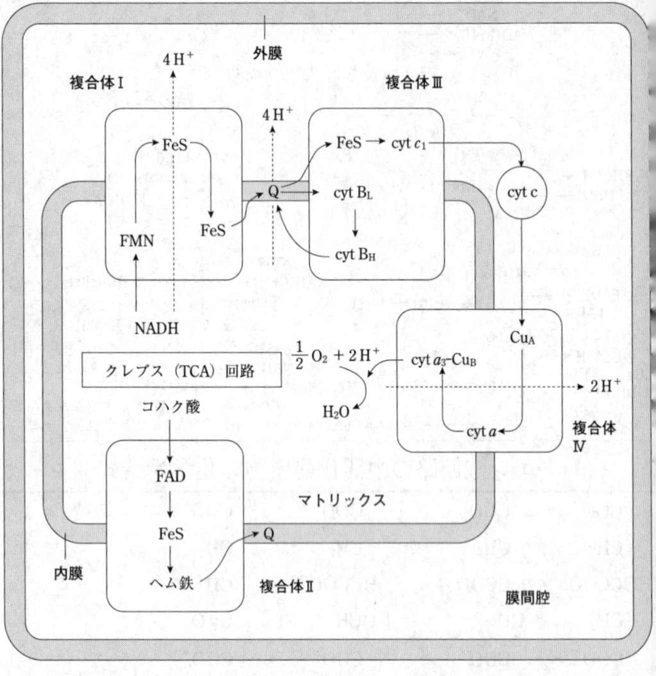

ミトコンドリア内膜には上記の 4 種類の膜貫通型タンパク質複合体が存在する．複合体 II でできた還元型 Q も複合体 III を経て複合体 IV に電子を伝達する．図には示していないが，内膜には他に ATP 合成酵素複合体も存在し，電子伝達によって膜間腔に貯まった H^+ 勾配を用いて ADP とリン酸から ATP を合成する．

図中の矢印は電子の流れを，点線の矢印は H^+（プロトン）の移動を示す．Q（補酵素 Q，CoQ）は膜中に存在するユビキノンを示す．複合体を構成する成分の中 FMN，FAD はフラビンを，FeS は鉄硫黄センター，cyt はシトクロムを示す．複合体 IV の中の Cu_A は銅二核中心，cyt a_3-Cu_B はシトクロム a_3-Cu_B 二核錯体を示す．

光合成の炭酸固定反応（カルビン回路）

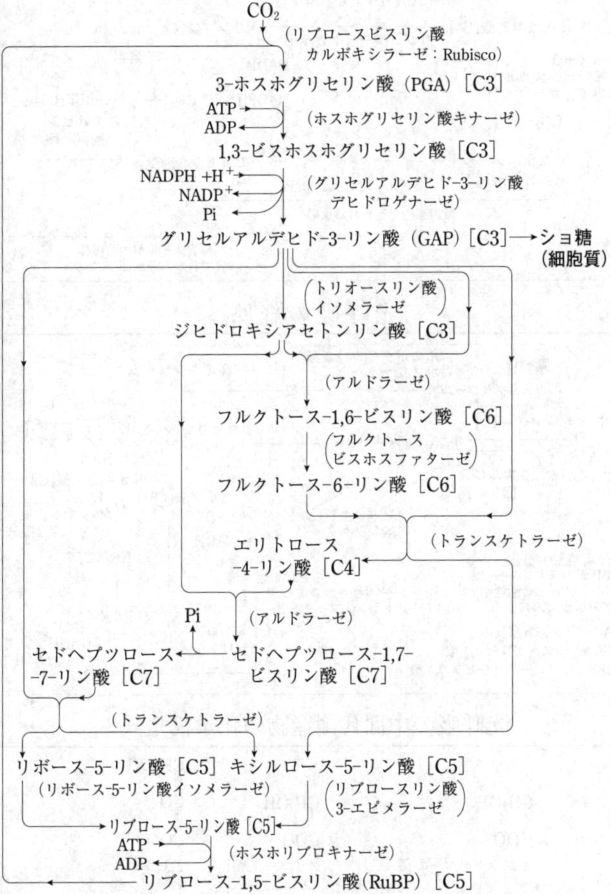

C4 型植物（NADP リンゴ酸酵素型）の炭酸ガス固定反応

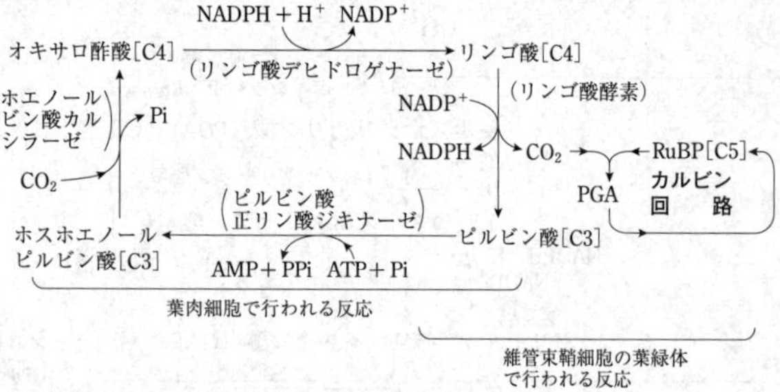

光呼吸の経路

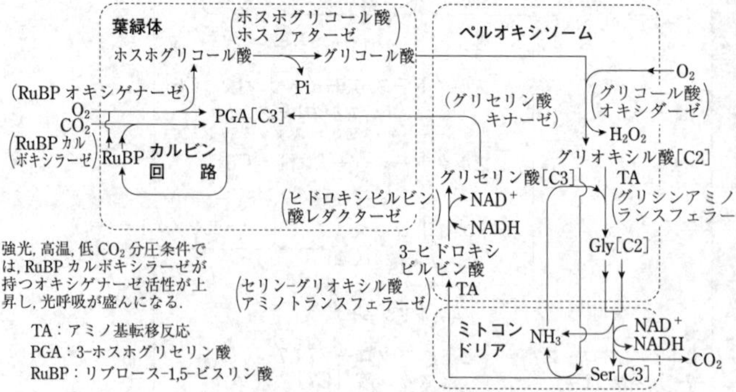

強光, 高温, 低 CO_2 分圧条件では, RuBP カルボキシラーゼが持つオキシゲナーゼ活性が上昇し, 光呼吸が盛んになる.

TA：アミノ基転移反応
PGA：3-ホスホグリセリン酸
RuBP：リブロース-1,5-ビスリン酸

光呼吸の中間代謝産物の化学構造式

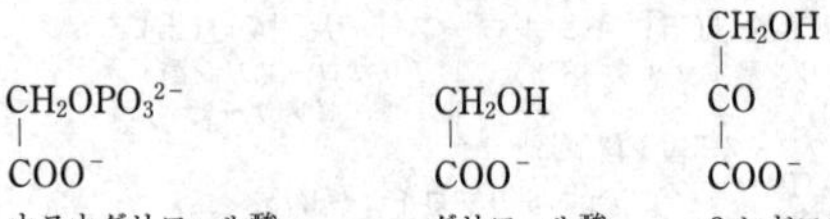

ホスホグリコール酸　グリコール酸　3-ヒドロキシピルビン酸

葉緑体チラコイド膜の光合成電子伝達系

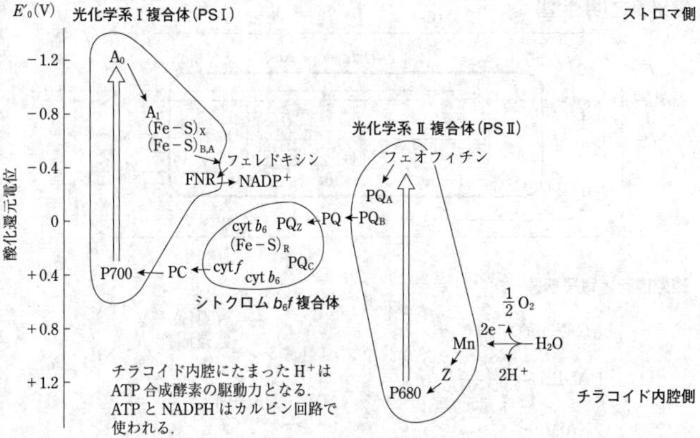

Mn:マンガン, Z:反応中心のチロシン残基, cyt:シトクロム, PQ:プラストキノン, Fe-S:鉄-硫黄センター, PC:プラストシアニン, A_0:1次電子受容体, FNR:Fd-NADPレダクターゼ, P680, P700はそれぞれPSⅡ, PSⅠの反応中心クロロフィルa

紅色非硫黄光合成細菌の電子伝達系

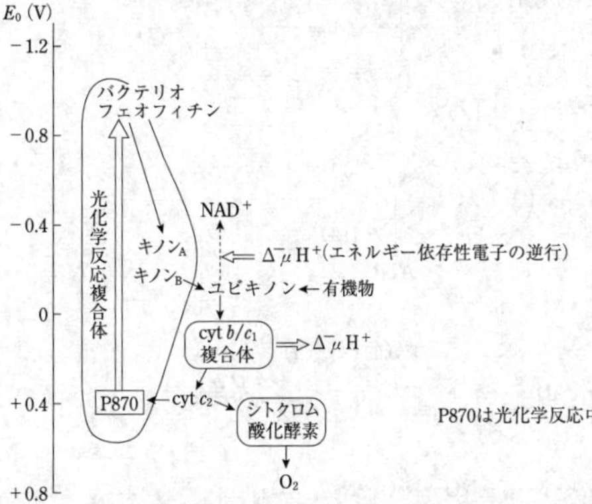

P870は光化学反応中心のバクテリオクロロフィル

窒素代謝

窒素固定(共生型)

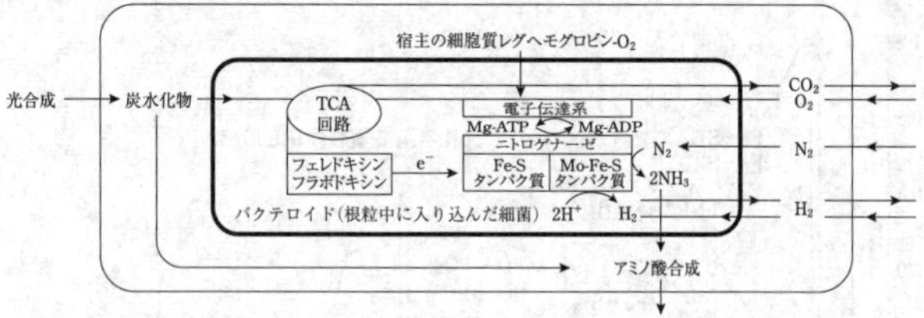

硝酸還元と電子伝達

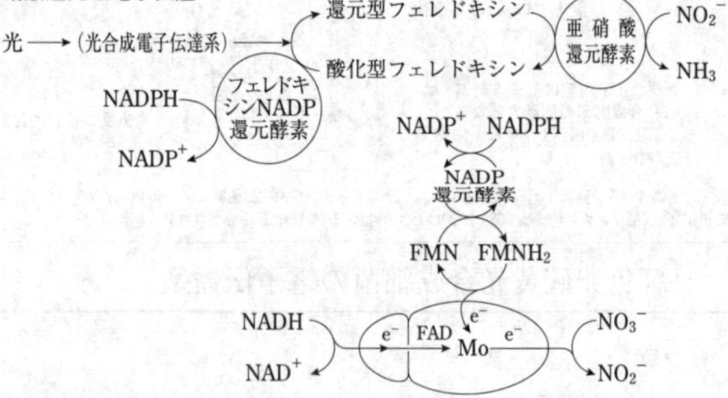

亜硝酸酸化と ATP の合成

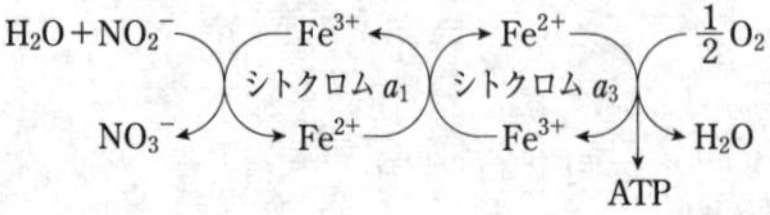

呼吸型硝酸還元(脱窒型)

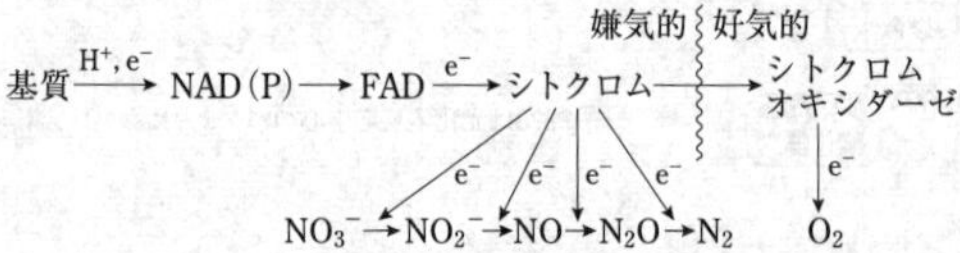

アミノ酸の生合成

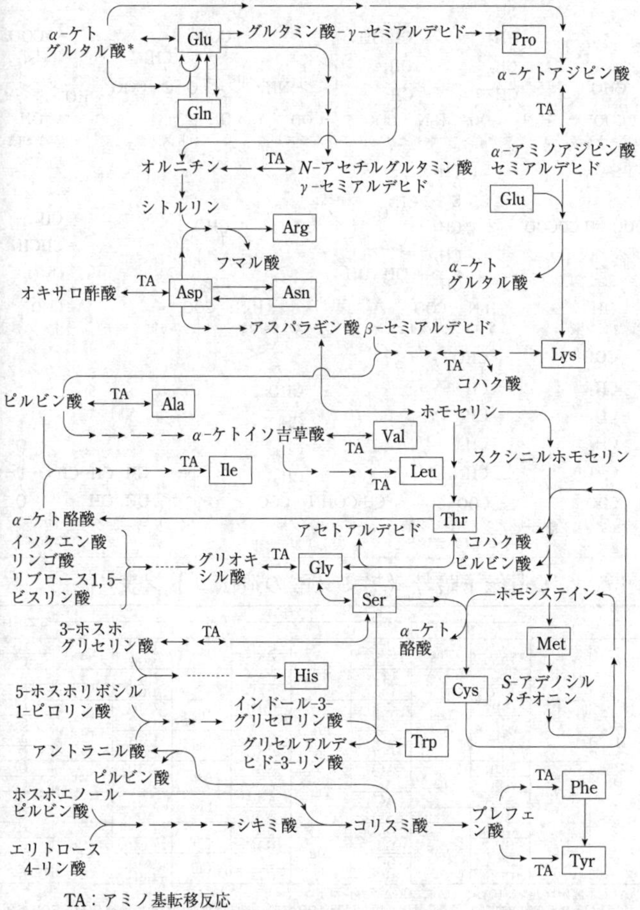

*　ケトグルタル酸は別名を 2-オキソグルタル酸とも呼ばれる.
アミノ酸の 3 文字および 1 文字略号については物 199 参照.

アミノ酸の生合成の中間代謝産物の化学構造式

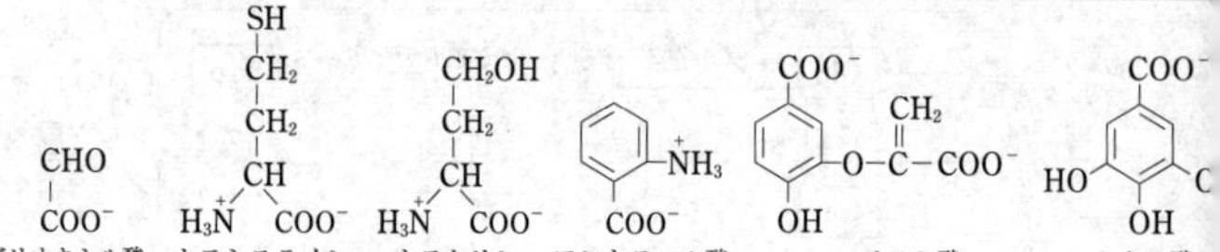

グリオキシル酸　ホモシステイン　ホモセリン　アントラニル酸　コリスミ酸　シキミ酸

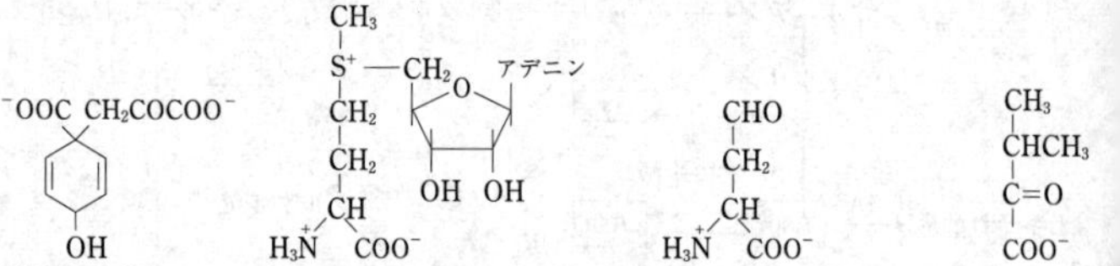

プレフェン酸　*S*-アデノシルメチオニン　アスパラギン酸-*β*-セミアルデヒド　*α*-ケトイソ吉草酸

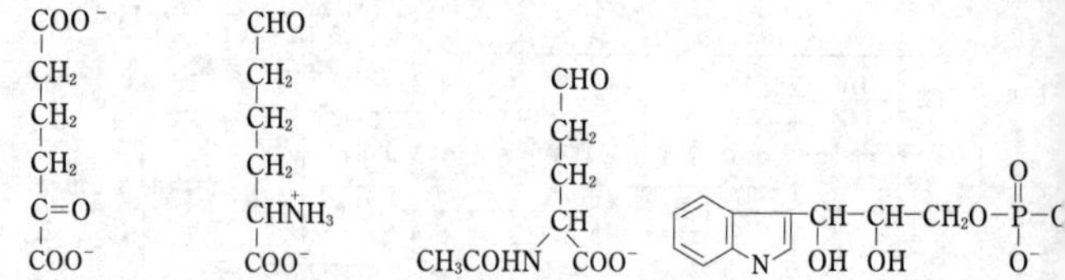

α-ケトアジピン酸　*α*-アミノアジピン酸セミアルデヒド　*N*-アセチルグルタミン酸 *γ*-セミアルデヒド　インドール-3-グリセロリン酸

遺伝子暗号（アミノ酸の遺伝コドン表）

1文字目	2文字目 U		2文字目 C		2文字目 A		2文字目 G		3文字目
U	UUU	Phe	UCU	Ser	UAU	Tyr	UGU	Cys	U
	UUC		UCC		UAC		UGC		C
	UUA	Leu	UCA		UAA	*	UGA	*	A
	UUG		UCG		UAG		UGG	Trp	G
C	CUU		CCU	Pro	CAU	His	CGU	Arg	U
	CUC		CCC		CAC		CGC		C
	CUA		CCA		CAA	Gln	CGA		A
	CUG		CCG		CAG		CGG		G
A	AUU	Ile	ACU	Thr	AAU	Asn	AGU	Ser	U
	AUC		ACC		AAC		AGC		C
	AUA		ACA		AAA	Lys	AGA	Arg	A
	AUG	Met	ACG		AAG		AGG		G
G	GUU	Val	GCU	Ala	GAU	Asp	GGU	Gly	U
	GUC		GCC		GAC		GGC		C
	GUA		GCA		GAA	Glu	GGA		A
	GUG		GCG		GAG		GGG		G

AUG：開始コドン；UAA，UAG，UGA：終止コドン（＊）

アミノ酸の3文字および1文字略号については物199参照．核酸の塩基については物204，205参照．

アミノ酸の分解と TCA 回路

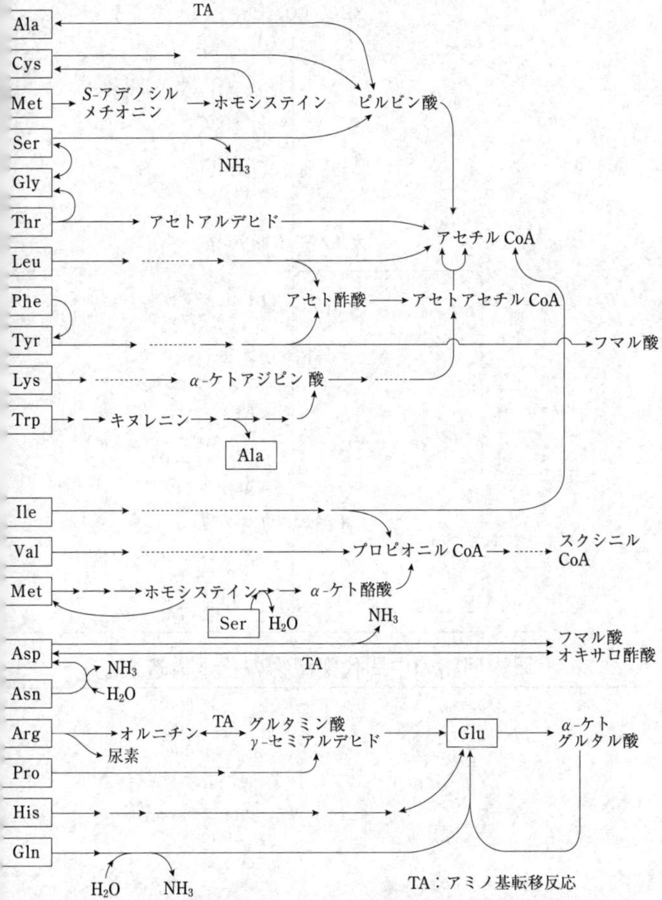

TA：アミノ基転移反応

アミノ酸の3文字および1文字略号については物 199 参照.

尿　素　回　路

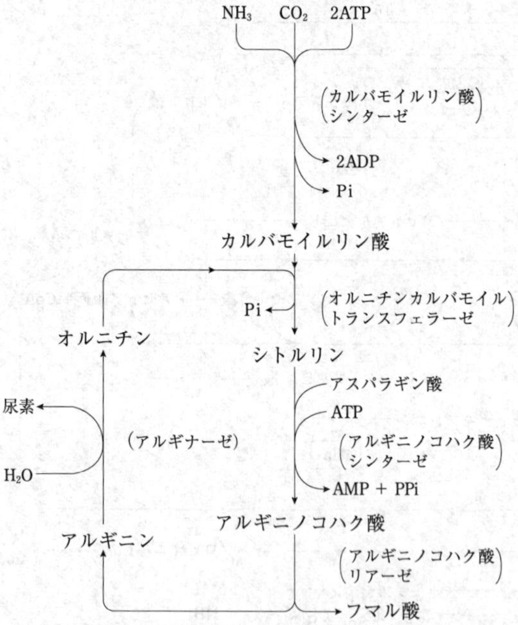

尿素回路の中間代謝産物の化学構造式

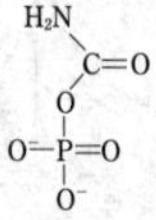

カルバモイルリン酸

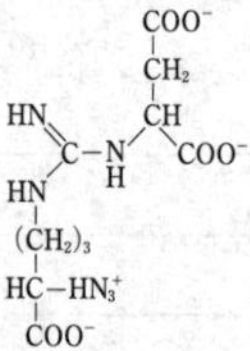

アルギニノコハク酸

ヌクレオチドの生合成

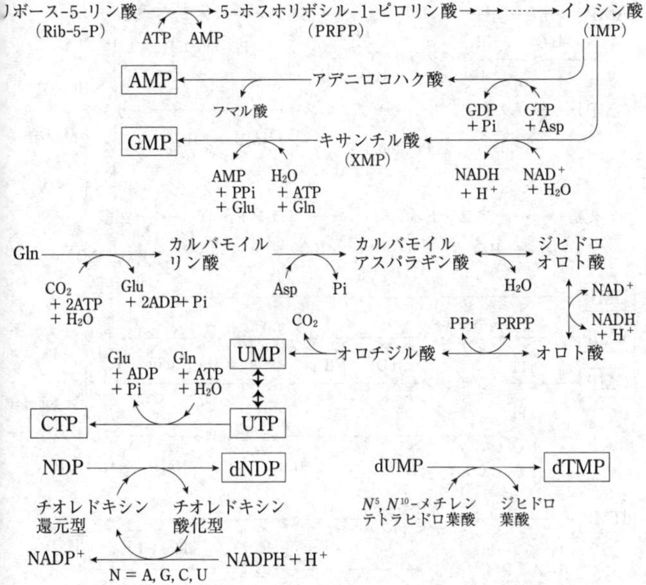

ヌクレオチドの生合成の中間代謝産物

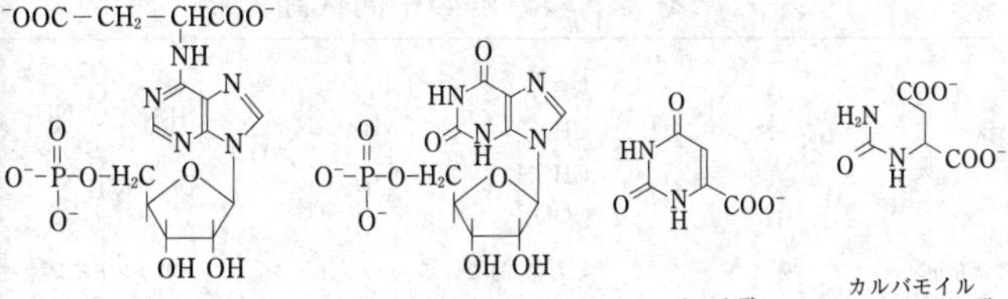

アデニロコハク酸　　キサンチル酸　　オロト酸　　カルバモイルアスパラギン酸

ヌクレオチドの分解

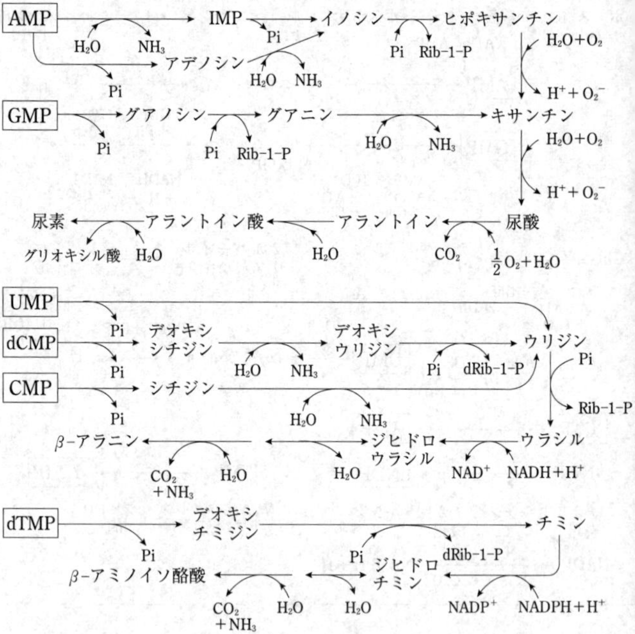

ヌクレオチドの分解の中間代謝産物

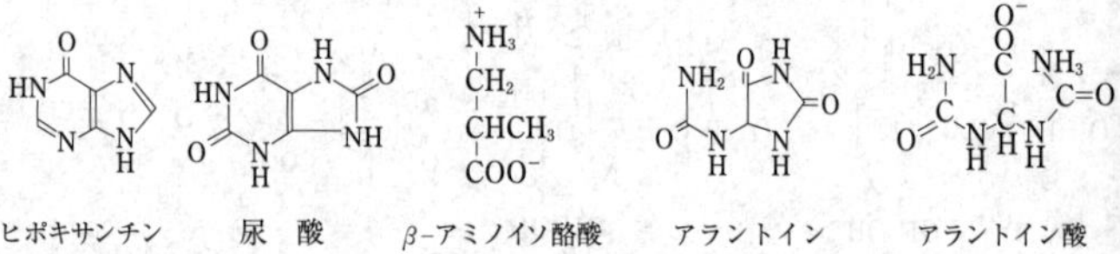

飽和脂肪酸および不飽和脂肪酸の生合成経路

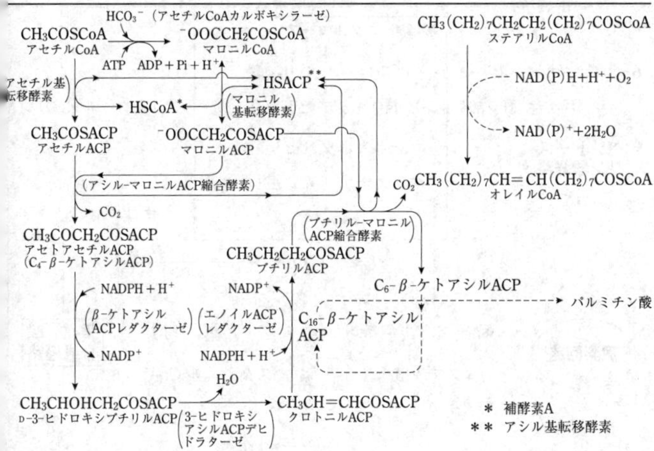

＊　補酵素A
＊＊　アシル基転移酵素

脂肪酸の酸化（β酸化）*

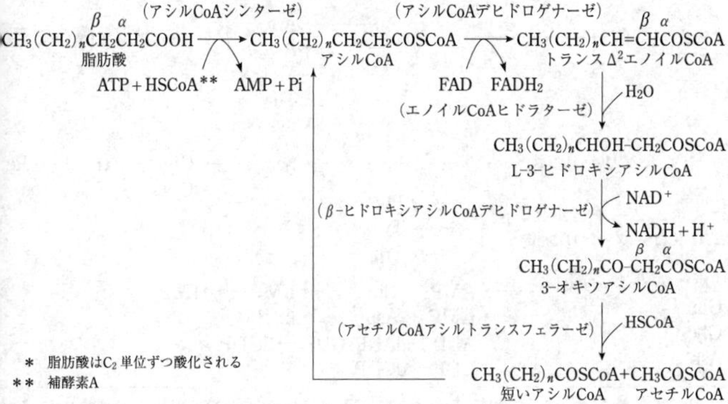

＊　脂肪酸はC_2単位ずつ酸化される
＊＊　補酵素A

主要代謝・生合成経路の相互関係*1

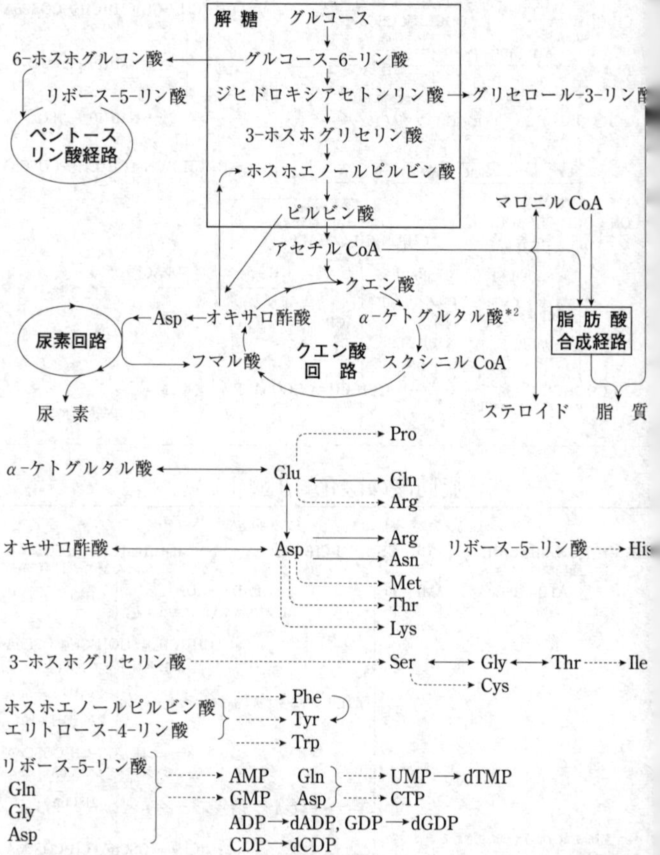

*1　解糖，ペントースリン酸経路，クエン酸回路，尿素回路，ステロイド合成，脂質合成，アミノ酸合成，およびヌクレオチド合成経路の相互関係．

*2　別名 2-オキソグルタル酸

アミノ酸の3文字および1文字略号については物 199 参照．

食品類の成分とエネルギー (熱量)

食品の可食部 100 g あたりの各成分のグラム数を示す．エネルギー（熱量）は可食部 100 g あたりの燃焼熱を kcal（キロカロリー）と kJ（キロジュール）で表した．
〔科学技術・学術審議会資源調査分科会報告「日本食品標準成分表 2020 年版(八訂)」より引用〕

食品名	可食部															
	エネルギー		水分	タンパク質	脂質	炭水化物	灰分	無機質								
								ナトリウム	カリウム	カルシウム	マグネシウム	リン	鉄	亜鉛	銅	マンガン
	kcal	kJ	g					mg								
牛肉(和牛, かた)	258	1069	58.8	17.7	22.3	0.3	0.9	47	280	4	19	150	0.9	4.9	0.07	0
豚肉(大型種肉, かた)	201	836	65.7	18.5	14.6	0.2	1.0	53	320	4	21	180	0.5	2.7	0.09	0.01
さんま(生)	277	1151	57.0	17.8	25.0	0.2	0.8	120	200	15	25	160	1.3	0.6	0.13	0.01
くろまぐろ(赤身, 生)	115	490	70.4	26.4	1.4	0.1	1.7	49	380	5	45	270	1.1	0.4	0.04	0.01
鶏卵(全卵, 生)	142	594	75.0	12.2	10.2	0.4	1.0	140	130	46	10	170	1.5	1.1	0.05	0.02
普通牛乳	61	256	87.4	3.3	3.8	4.8	0.7	41	150	110	10	93	0.02	0.4	0.01	Tr
無糖練乳	134	561	72.5	6.8	7.9	11.2	1.6	140	330	270	21	210	0.2	1.0	0.02	—
有塩バター	700	2880	16.2	0.6	81.0	0.2	2.0	750	28	15	2	15	0.1	0.1	Tr	0
精白米(うるち米)	342	1455	14.9	6.1	0.9	77.6	0.4	1	89	5	23	95	0.8	1.4	0.22	0.81
小麦粉(薄力粉, 1等)	349	1485	14.0	8.3	1.5	75.8	0.4	Tr	110	20	12	60	0.5	0.3	0.08	0.43
だいず(全粒, 国産, 乾)	372	1548	12.4	33.8	19.7	29.5	4.7	1	1900	180	220	490	6.8	3.1	1.07	2.27
木綿豆腐	73	304	85.9	7.0	4.9	1.5	0.7	9	110	93	57	88	1.5	0.6	0.16	0.41
バナナ(生)	93	392	75.4	1.1	0.2	22.5	0.8	Tr	360	6	32	27	0.3	0.2	0.09	0.26
りんご(皮つき, 生)	56	238	83.1	0.2	0.3	16.2	0.2	Tr	120	4	5	12	0.1	0.1	0.05	0.04
日本ぐり(生)	147	625	58.8	2.8	0.5	36.9	1.0	1	420	23	40	70	0.8	0.5	0.32	3.27
大根(根, 皮つき, 生)	15	62	94.6	0.5	0.1	4.1	0.6	19	230	24	10	18	0.2	0.2	0.02	0.04
にんじん(根, 皮つき, 生)	35	149	89.1	0.7	0.2	9.3	0.8	28	300	28	10	26	0.2	0.2	0.05	0.12
乾しいたけ(乾)	258	1072	9.1	21.2	2.8	62.5	4.4	14	2200	12	100	290	3.2	2.7	0.60	0.96
マヨネーズ(卵黄型)	669	2753	19.7	2.5	74.7	0.6	2.0	770	21	20	3	72	0.6	0.5	0.02	0.02
米みそ(甘みそ)	376	1552	(44.1)	(0.1)	(38.8)	(9.3)	(6.5)	(2500)	(3)	(1)	(Tr)	(3)	(Tr)	(Tr)	(Tr)	0
豆みそ	184	775	44.0	9.7	4.3	30.0	12.0	4200	340	80	55	120	3.0	0.9	0.31	—
カレールウ	267	1131	(29.9)	(5.5)	(1.7)	(59.1)	(3.8)	(1400)	(190)	(46)	(18)	(74)	(1.9)	(0.5)	(0.13)	(0.02)
こいくちしょうゆ	77	325	67.1	7.7	0	7.9	15.1	5700	390	29	65	160	1.7	0.9	0.01	1.00
うすくちしょうゆ	60	253	69.7	5.7	0	5.8	16.8	6300	320	24	50	130	1.1	0.6	0.01	0.66
穀物酢	37	158	93.3	0.1	0	2.4	Tr	6	4	2	1	2	Tr	0.1	Tr	—
米　酢	59	251	87.9	0.2	0	7.4	0.1	12	16	2	6	15	0.1	0.2	Tr	—
上白糖	391	1667	0.7	(0)	(0)	99.3	0	1	2	1	Tr	Tr	Tr	0	0.01	0
水あめ	341	1456	15.0	(0)	(0)	85.0	Tr	Tr	0	Tr	0	1	0.1	0	Tr	0.01

(0)：推定値，Tr：微量，—：未測定

生命科学上のおもな業績*

年　代	事　　項	研　究　者(生国)
400 B.C. 頃	四種類の体液説	ヒポクラテス(ギリシア)
340 B.C. 頃	動物分類，生物界の体系づけ，発生学	アリストテレス(ギリシア)
320 B.C. 頃	植物に関する博物学	テオフラストス(ギリシア)
50 頃	博物学	プリニウス(ローマ)
180 頃	医学研究とくに解剖学	ガレノス(ギリシア)
1000 頃	ギリシア・アラビア医学の集大成	アビセンナ(アラビア)
1500 頃	人体解剖学および比較解剖学	レオナルド・ダ・ヴィンチ(伊)
1530 頃	医化学の創設	パラケルスス(スイス)
1543	人体解剖	ヴェサリウス(ベルギー)
1561	女性生殖器官などの解剖学	ファロピウス(伊)
1604	静脈弁の発見，ニワトリ胚の発生学	ファブリキウス(伊)
1628	血液循環説	ハーヴィ(英)
1637	生命機械論	デカルト(仏)
1665	細胞(コルク)の顕微鏡観察	フック(英)
1668	自然発生説の否定	レディ(伊)
1674	顕微鏡による微生物の観察	レーウェンフック(蘭)
1682	植物解剖学	グルー(英)
1682	種の概念の確立	レー(英)
1694	おしべとめしべの発見	カメラリウス(独)
1700	植物分類学の整備	トゥルヌフォール(仏)
1727	植物の静力学	ヘイルズ(英)
1734	昆虫の解剖，胃液の消化作用	レオミュール(仏)
1735	生物分類の基礎	リンネ(スウェーデン)
1744	再生の実験的研究	トランブレー(スイス)
1749	博物学	ビュフォン(仏)
1758	動物命名法の基準(『自然の体系』第 10 版)	リンネ(スウェーデン)
1759	後成説の主張	ウォルフ(独)
1762	単為生殖の観察	ボネ(スイス)
1765	微生物自然発生説の否定	スパランツァーニ(伊)
1774	植物の呼吸と酸素の研究	プリーストリ(英)
1779	植物の炭酸同化	インゲンホウス(蘭)
1780	動物電気の発見	ガルヴァーニ(伊)
1796	種痘法の創始	ジェンナー(英)
1805	植物地理学	フンボルト(独)
1809	進化論の用不用説と獲得形質の遺伝	ラマルク(仏)
1812	比較解剖学と天変地異説	キュヴィエ(仏)
1816	脊髄神経生理学	マジャンディ(仏)
1817	発生における胚葉説	パンダー(露)

* 「化学上のおもな発明および発見」(**物 226-234**) も参照.　(Yasugi, S., 2024)

年代	事項	研究者(生国)
1822	奇形学の創始	ジョフロア サン-チレール(仏)
1826	感覚生理学の研究	ミュラー(独)
1827	高等植物の分類と器官学	ド・カンドル(スイス)
1831	細胞核の発見	ブラウン(英)
1837	胚葉説の確立	ベーア(独)
1837	発酵と触媒反応	ベルセーリウス(スウェーデン)
1838	植物の細胞説	シュライデン(独)
1839	細胞説の確立	シュワン(独)
1848	生物電気生理学	デュ ボワ-レーモン(独)
1852	色覚の三原色説	ヘルムホルツ(独)
1858	細胞病理学の体系	フィルヒョー(独)
1858	進化の自然選択説	ダーウィン(英), ウォレス(英)
1859	『種の起原』刊	ダーウィン(英)
1860	アルコール発酵の研究	パストゥール(仏)
1861	自然発生説の否定	パストゥール(仏)
1865	実験医学の方法論	ベルナール(仏)
1865	遺伝に関するメンデルの法則	メンデル(オーストリア)
1866	個体発生と系統発生の発生原則	ヘッケル(独)
1869	ヌクレイン(DNA)の発見	ミーシャー(スイス)
1873	神経細胞の染色法	ゴルジ(伊)
1876	炭疽菌の培養	コッホ(独)
1879	昆虫の博物学	ファーブル(仏)
1882	結核菌の単離	コッホ(独)
1883	白血球の食作用	メチニコフ(露)
1889	破傷風菌の培養	北里柴三郎(日)
1891	ジャワ原人の発見	デュボア(蘭)
1892	生殖質の連続性	ワイスマン(独)
1892	発生機構学の創始	ルー(独)
1893	ニューロンの研究	ラモン イ カハル(スペイン)
1894	ペスト菌の培養	北里柴三郎(日), エルザン(独)
1898	赤痢菌の発見	志賀潔(日)
1900	メンデルの法則の再発見	ド・フリース(蘭)ら
1901	突然変異説	ド・フリース(蘭)
1901	ABO式血液型の発見	ラントシュタイナー(オーストリア)
1902	セクレチンの発見	ベイリス(英), スターリング(英)
1903	条件反射の研究	パーヴロフ(露)
1904	遺伝の連鎖現象	ベーツソン(英)
1907	組織培養法	ハリソン(米)
1910	ショウジョウバエの遺伝学	モーガン(米)
1910	クロロフィルの発見	ウィルシュテッター(独)
1910	梅毒スピロヘータの証明	野口英世(日)
1912	ビタミンの必要性	ホプキンズ(英)
1913	最初の染色体地図	スタートヴァント(米)

年　代	事　　　　項	研　究　者（生国）
1916	植物群落遷移の研究	クレメンツ(米)
1919	人工癌の作成	山極勝三郎(日)
1921	神経の化学伝達の証明	レーヴィ(独)
1922	インスリンの発見	バンティング(加)，マクラウド(英)
1924	胚の形成体の発見	シュペーマン(独)
1924	呼吸機構の研究	ワールブルク(独)
1926	遺伝子説	モーガン(米)
1926	受容器の「全か無か」の法則	エードリアン(英)
1927	動物生態学	エルトン(英)
1927	人為的突然変異の創出	マラー(米)
1927	ミツバチの本能行動	フリッシュ(オーストリア)
1928	オーキシンの発見	ウェント(蘭)
1929	ATP の発見	ローマン(独)
1929	ペニシリンの発見	フレミング(英)
1930	自然選択の遺伝的基礎	フィッシャー(英)，ライト(米)
1930	ペプシンの結晶化	ノースロップ(米)
1931	コムギの染色体の研究	木原均(日)
1932	生命有機体説	ベルタランフィー(オーストリア)
1932	ホメオスタシスの概念	キャノン(米)
1933	解糖系の研究	エムデン(独)，マイエルホーフ(独)，パルナス(独)
1935	すり込み現象	ローレンツ(オーストリア)
1935	タバコモザイクウイルスの結晶化	スタンリー(米)
1936	生命起原のコアセルベート説	オパーリン(露)
1937	筋肉活動の熱力学	ヒル(英)
1942	ファージの生活史	デルブリュック(独)
1942	ATP によるアクトミオシンの収縮	セント-ジェルジ(ハンガリー)
1942	進化の総合学説	J.S. ハクスリ(英)，シンプソン(米)ら
1943	エピジェネティクスの概念提唱	ウォディントン(英)
1944	肺炎双球菌の形質転換	エーブリ(加)ら
1945	一遺伝子一酵素説	ビードル(米)
1948	ミトコンドリアの分離	パラディ(ルーマニア)
1948	サイバネティクスの提唱	ウィナー(米)
1950	核酸塩基含量の研究	シャルガフ(オーストリア)
1951	タンパク質の α-ヘリックス構造	ポーリング(米)，コリー(米)
1953	神経興奮におけるナトリウム説	ホジキン(英)，A. F. ハクスリ(英)
1953	DNA の二重らせん構造	ワトソン(米)，クリック(英)
1954	筋収縮のすべり説	H. E. ハクスリ(英)ら
1955	RNA の酵素的合成	オチョア(スペイン)
1956	神経成長因子の単離	レヴィ モンタルチーニ(伊)，コーエン(米)
1957	光合成の二酸化炭素固定経路	カルヴィン(米)
1957	環状 AMP の発見	サザランド(米)，ラル(米)

年　代	事　　項	研　究　者 (生国)
1957	免疫のクローン選択説	バーネット(オーストラリア)
1958	ニンジン単細胞から個体の形成	ステュワード(英)
1961	遺伝子制御のオペロン説	ジャコブ(仏)，モノ(仏)，ルウォフ(仏)
1962	フェロモンの化学的性質	ブーテナント(独)
1962	クローンカエルの作出	ガードン(英)
1963	抗体分子の一次構造	エーデルマン(米)
1965	遺伝暗号の解読	コラナ(インド)ら
1967	ミトコンドリア，葉緑体の共生起原説	マーギュリス(米)
1968	分子進化の中立説	木村資生(日)
1970	逆転写酵素の発見	テミン(米)，ボルチモア(米)
1972	生体膜の流動モザイクモデル	シンガー(米)，ニコルソン(米)
1972	進化の断続平衡説	グールド(米)，エルドリッジ(米)
1973	遺伝子組換え技術の発展	コーエン(米)，ボイヤー(米)ら
1975	遺伝子組換えに関するアシロマ会議	バーグ(米)ら
1975	単クロン抗体作製法	ケーラー(独)，ミルスタイン(アルゼンチン)
1975	社会生物学	ウィルソン(米)
1977	ファージの全塩基配列の決定	サンガー(英)
1977	抗体遺伝子の構造	利根川進(日)ら
1979	細胞性腫瘍遺伝子の検出	ビショップ(米)，バーマス(米)ら
1981	生命の RNA 起原説	アルトマン(加)，チェック(米)
1981	胚性幹細胞（ES 細胞）の樹立	エバンス(米)ら
1982	トランスジェニック動物	ブリンスター(米)ら
1982	プリオンの発見	プルシナー(米)
1983	ホメオボックスの発見	ゲーリング(スイス)ら
1983	AIDS の原因としての HIV の単離	モンタニエ(仏)，バレシヌシ(仏)
1986	腫瘍抑制遺伝子 *Rb* の発見	ワインバーグ(米)ら
1987	筋ジストロフィーに関連するジストロフィンの発見	クンケル(米)ら
1989	腫瘍抑制遺伝子 *p53* の発見	レヴィン(米)ら
1991	哺乳類の性決定遺伝子 *Sry* の発見	クープマン(英)ら
1991	花形成の ABC モデル	マイエロヴィッツ(米)
1992	酵母菌におけるオートファジーの研究	大隅良典(日)
1992	T 細胞の細胞死に関わる PD-1 の発見	本庶佑(日)
1996	クローン羊ドリーの作出	ウィルマット(英)ら
2000	ヒトゲノムのドラフト配列決定	国際ヒトゲノムシーケンス決定コンソーシアム
2000	約 600 万年前の人類オロリンの化石発見	ピックフォード(仏)ら
2004	原始紅藻類シゾンのゲノム解析	黒岩常祥(日)ら
2005	化学修飾による mRNA のワクチンとしての利用	カリコ(ハンガリー，米)，ワイスマン(米)
2006	マウス iPS 細胞の樹立	山中伸弥(日)ら
2007	ヒト iPS 細胞の樹立	山中伸弥(日)ら
2013	CRISPR/Cas 9 によるゲノム編集法	ダウドナ(米)，シャルパンティエ(仏)
2019	新型コロナウイルス感染症の報告	タン(中)ら
2022	ヒトゲノムの完全解読	テロメア・トゥ・テロメアコンソーシアム
2022	小惑星リュウグウの岩石中のアミノ酸検出	JAXA(日)ら

ヒト内因性小分子 RNA の機能と医療への展開

小分子 RNA は，特定のメッセンジャー RNA（mRNA）に相補的な塩基配列を介して結合し，その発現，すなわち mRNA の遺伝情報に基づいてタンパク質を産生する反応を抑制する 20〜30 塩基長の RNA である．20〜30 塩基長というと，平均して約 2000 塩基の長さを持つヒトの mRNA と比較すると非常に小さい．しかし，細胞内の特定の mRNA に選択的に結合するには十分な大きさである．小分子 RNA はそれ自体の生理活性を持たないため，単独で標的遺伝子の発現を抑制することはできない．そこで，小分子 RNA は Argonaute（アルゴノート）タンパク質ファミリーのメンバーと一対一で結合し，RISC（RNA-induced silencing complex）と称される複合体を形成し，機能を達成する．ヒトの内因性小分子 RNA には micro RNA（miRNA）と PIWI-interacting RNA（piRNA）がある．Argonaute はアミノ酸配列の相同性の程度によって AGO サブファミリーメンバーと PIWI サブファミリーメンバーに分類され，miRNA は AGO と，piRNA は PIWI と特異的に結合する．ちなみに piRNA という名前は，PIWI に特異的に結合する小分子 RNA であることに由来する．

miRNA は生物個体のほぼすべての細胞でつくられ，代謝や発生など様々な生体反応を巧みに制御することによって生物の恒常性，ひいては生命を維持する．次世代シーケンサーの開発やゲノムワイドな塩基配列解析の発展に伴い，miRNA をがんや遺伝性疾患，肥満などの疾患のバイオマーカーとして利用するための予備的な情報が蓄積しつつある．miRNA の発現や機能の異常は，腫瘍形成，がん細胞の浸潤や転移の原因となる可能性があることも知られる．miRNA の生合成機構に関する知見は多く蓄積しており，人工的に miRNA を設計し，特定の遺伝子発現を抑制することも実験室では可能となってきている．また，特定の内因性 miRNA の機能を阻害することで，疾患治療にアプローチする手法も開発されている．

miRNA の発現が全身性であるのに対し，piRNA や PIWI サブファミリータンパク質は生殖組織特異的に発現する．ヒトの piRNA の機能には不明点も残るが，多くのモデル動物では piRNA のおもな標的は転移性因子（トランスポゾン）である．これらの動物では，piRNA の機能欠損はトランスポゾンの転移性を異常に増大させ，ゲノム損傷を引き起こし，卵子・精子形成不全，ひいては不妊の原因となる．ヒトの男性不妊症（無精子症）患者においても，piRNA 機構の必須遺伝子に変異が見つかったという報告が相次いでいる．

さらに，近年は生殖器官とは異なる部位における疾患での piRNA の存在も注目されている．その最たる例が，がんである．肝臓がん，胃がん，肺がんなど多岐にわたるがん細胞で piRNA の異所発現が報告されている．例えば，肝臓がんでは特定の piRNA が過剰に発現し，がんの増殖や周囲組織への浸潤を促進するといわれている．また，がんのみならず，循環器疾患やパーキンソン病といった神経疾患においても piRNA の異常発現が報告されている．これらのことから，miRNA と同様に，piRNA も診断や治療に利用しようという動きがある．例として，大腸がん患者の血清中の piRNA 量の測定は，早期がんの発見や術後経過の評価手法として期待されている．しかし診断への活用については，多くの簡易な疾患スクリーニング検査と同様，裏付けとなる研究の進展と評価の確立を待つ必要がある．また，piRNA の増減が疾患の原因であり，治療戦略のターゲットとできるのかはまだ議論の余地がある．これらの課題を解決することで，piRNA を用いた新しい疾患診断法や治療法につながることが期待される．一方，piRNA や PIWI タンパク質の機能異常と不妊症の相関は明らかであり，piRNA や PIWI に関する応用研究は，不妊治療や診断薬開発につながる可能性が高い．piRNA は生殖組織特異的であるため，miRNA に比べ発見が遅れたこと，また研究材料の入手が困難であることから基礎研究も遅れをとっている．piRNA の生合成や機能発現メカニズムには未知の部分は多く，基礎・応用の両面から piRNA 研究のさらなる発展が望まれる．

【塩見美喜子／平形樹生／山﨑啓也】

小分子 RNA の機能発現

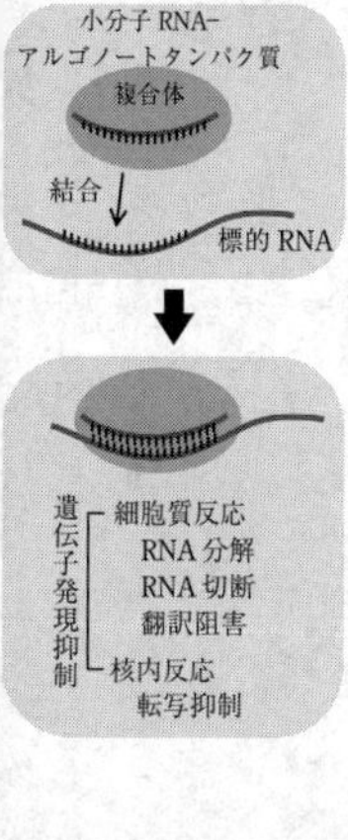

miRNA と piRNA

	miRNA	piRNA
アルゴノートタンパク質	AGO	PIWI
発現特異性	恒常的	生殖腺
機能	タンパク質遺伝子の発現抑制	トランスポゾンの発現抑制

疾患で見られた piRNA 欠損や異所発現の事例

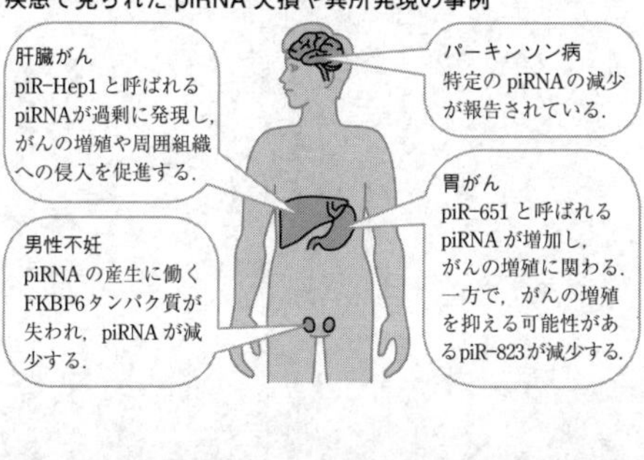

肝臓がん
piR-Hep1 と呼ばれる piRNAが過剰に発現し，がんの増殖や周囲組織への侵入を促進する．
パーキンソン病
特定の piRNAの減少が報告されている．
胃がん
piR-651 と呼ばれる piRNA が増加し，がんの増殖に関わる．一方で，がんの増殖を抑える可能性がある piR-823が減少する．
男性不妊
piRNA の産生に働く FKBP6タンパク質が失われ，piRNA が減少する．

環 境 部

気候変動・地球温暖化

気候系のエネルギー収支：温室効果

地球の気候系のエネルギー源は太陽からの放射である．地球の大気上端に達する太陽エネルギーの約 3 割が宇宙空間へ直接反射され，残りは地球表面に吸収される．また，一部は大気にも吸収される．地球は，平均すれば，吸収したエネルギーとほぼ同じ量のエネルギーを宇宙空間へ放射している．

地表面から射出されるエネルギーの多くは，水蒸気や二酸化炭素などの温室効果ガスに吸収され，地球へと放射し返される．これが「温室効果」と呼ばれるものである．温室効果がない場合，地表面の平均気温は約 −19 ℃になるが，この効果によって地球の気温は約 14 ℃となっている．しかし，人間活動に伴う温室効果ガスの排出によって，この温室効果が強化され，「地球温暖化」が引き起こされている．

現在の気候条件における，世界平均のエネルギー収支
IPCC 第 6 次評価報告書（2021）による

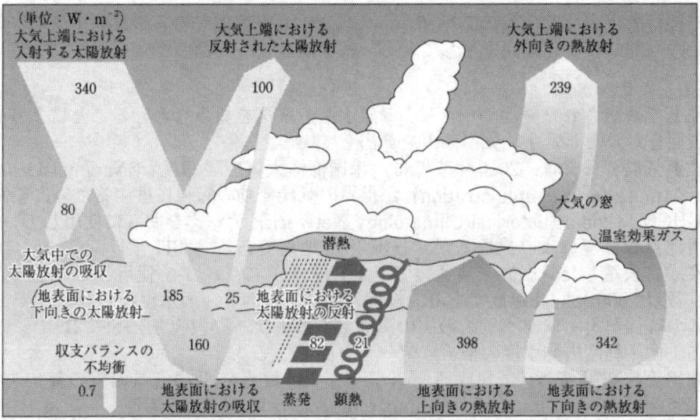

世界の年平均気温の偏差（1891～2023年）

2023年の世界の年平均気温（陸域における地表付近の気温と海面水温の平均）の1991～2020年平均基準における偏差は＋0.54℃（20世紀平均基準における偏差は＋1.09℃）で，1891年の統計開始以降，最も高い値となった．世界の年平均気温は長期的には100年あたり約0.76℃の割合で上昇している．また，最近の2014年から2023年までの値が上位10番目までを占めている．

世界の年平均気温偏差

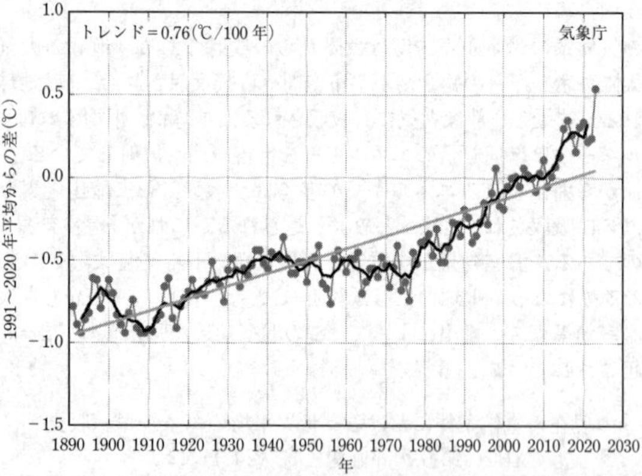

細線は各年の平均気温の基準値からの偏差，太線は偏差の5年移動平均値，直線はその長期的な変化傾向を示している．基準値は1991～2020年の30年平均値．

（使用したデータ）

陸上で観測された気温データに，海面水温データを組み合わせることにより，全地表面を対象とした平均気温偏差を算出している．

陸上気温データは，2010年までは，米国海洋大気庁（NOAA：National Oceanic and Atmospheric Administration）が世界の気候変動の監視に供するために整備したGHCN（Global Historical Climatology Network）データをおもに使用している．使用地点数は年により異なるが，300～4800地点である．2011年以降については，気象庁に入電した月気候気象通報（CLIMAT報）のデータを使用している．使用地点数は2300～2600地点である．海面水温データは，海面水温ならびに海上気象要素の客観解析データベースの中の海面水温解析データ（COBE-SST2）で，緯度方向1度，経度方向1度の格子点データを使用している．

算出方法の詳細は，気象庁ホームページの「世界の平均気温偏差の算出方法」（https://www.data.jma.go.jp/cpdinfo/temp/clc_wld.html）を参照．

日本の年平均気温の偏差（1898〜2023年）

2023年の日本の年平均気温の1991〜2020年平均基準における偏差は＋1.29℃（20世紀平均基準における偏差は＋2.19℃）で，1898年の統計開始以降，最も高い値となった．日本の年平均気温は，長期的には100年あたり約1.35℃の割合で上昇しており，とくに1990年代以降，高温となる年が多くなっている．

日本の年平均気温偏差

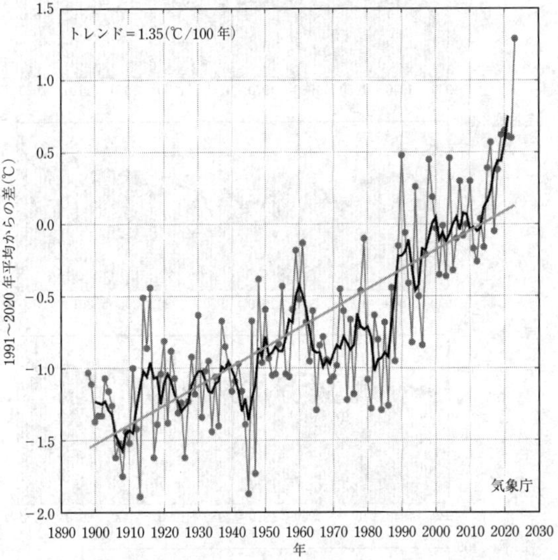

細線は各年の平均気温の基準値からの偏差，太線は偏差の5年移動平均値，直線はその長期的な変化傾向を示している．基準値は1991〜2020年の30年平均値．

(使用したデータ)

1898年以降観測を継続している気象観測所の中から，都市化による影響が比較的小さい地点を特定の地域に偏らないように選定しており，つぎの15地点を採用している．

網走，根室，寿都（すっつ），山形，石巻，伏木（高岡市），飯田*，銚子，境，浜田，彦根，多度津，宮崎*，名瀬，石垣島

（*　宮崎は2000年5月，飯田は2002年5月に観測露場を移転したため，これによる観測データへの影響を評価し，その影響を除去するための補正を行ったうえで利用している．）

各都市の日最高気温 30℃以上（真夏日）の年間日数（1931～2023 年）

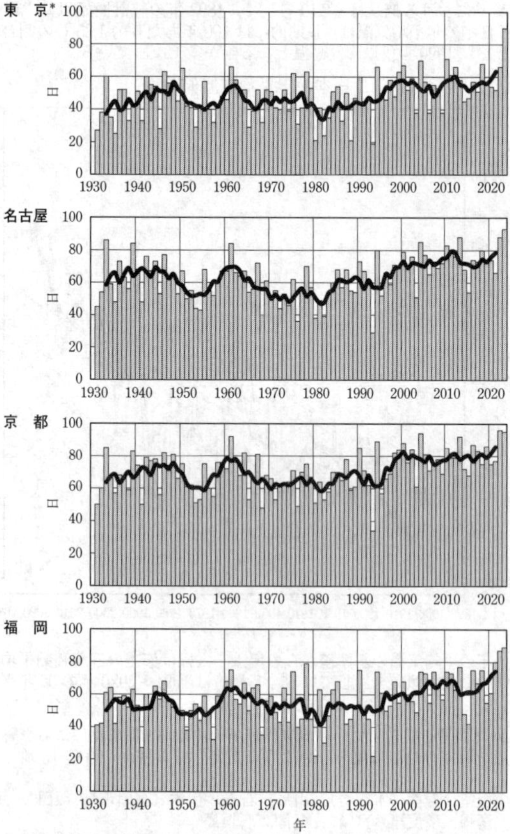

棒グラフは毎年の値，折線は 5 年移動平均を示す．

＊　東京は 2014 年 12 月 2 日に観測地点を移転．

各都市の日最低気温25℃以上（熱帯夜*1）の年間日数（1931～2023年）

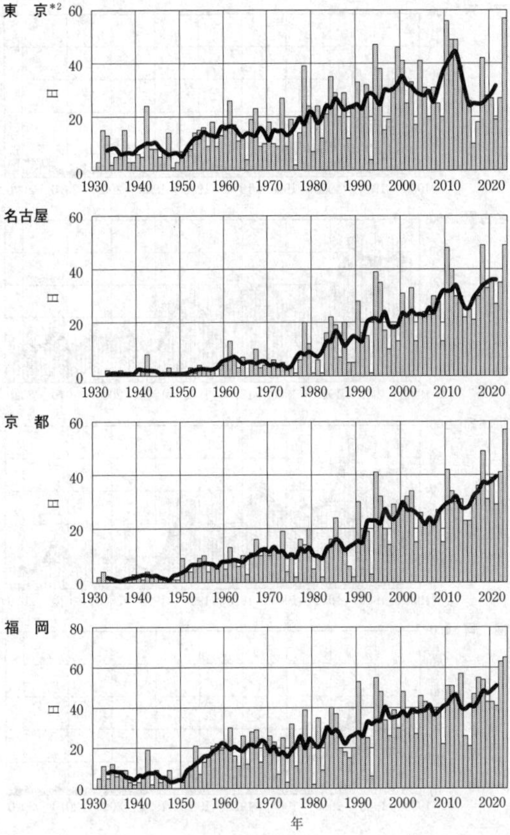

棒グラフは毎年の値，折線は5年移動平均を示す．

＊1 「熱帯夜」は夜間の気温が25℃以上であることを指すが，ここでは日最低気温25℃以上の日を「熱帯夜」として数えている．

＊2 東京は2014年12月2日に観測地点を移転．

各都市の日最低気温0℃未満（冬日）の年間日数（1931～2023年）

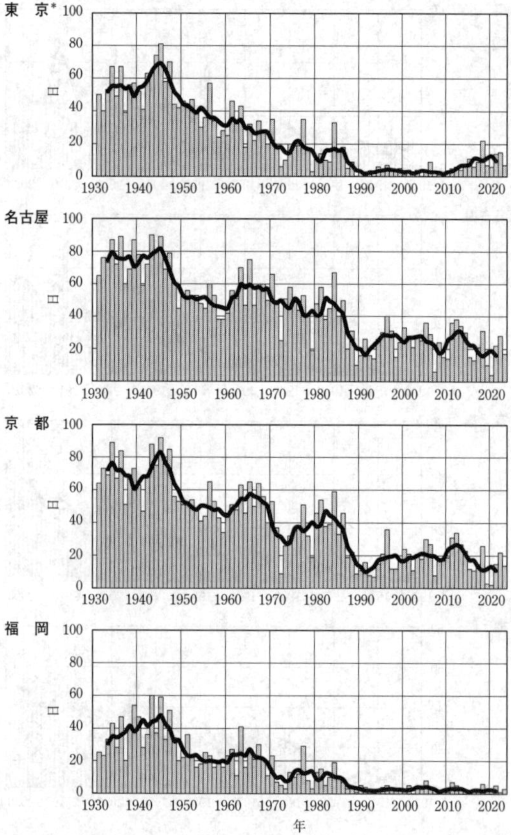

棒グラフは毎年の値，折線は5年移動平均を示す．
＊　東京は2014年12月2日に観測地点を移転．

サクラの開花日（1953〜2024 年）

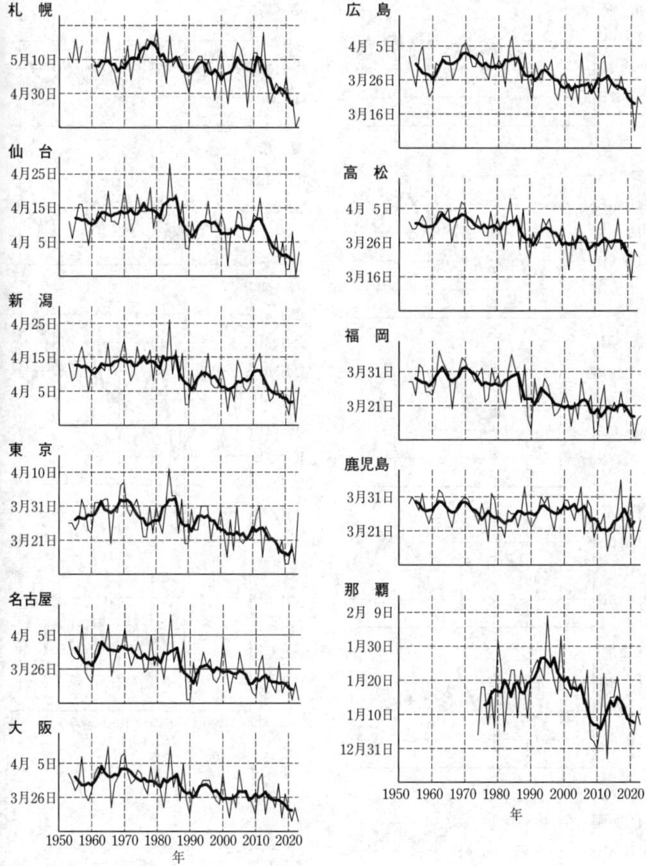

細実線：開花日，太実線：開花日の 5 年移動平均．
サクラの種目は「ソメイヨシノ」（那覇のみ「ヒカンザクラ」）
気象庁生物季節観測による．

イチョウの黄葉日（1953～2023年）

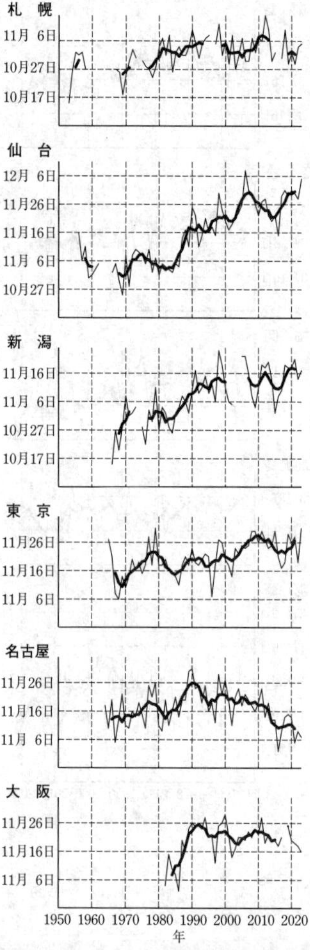

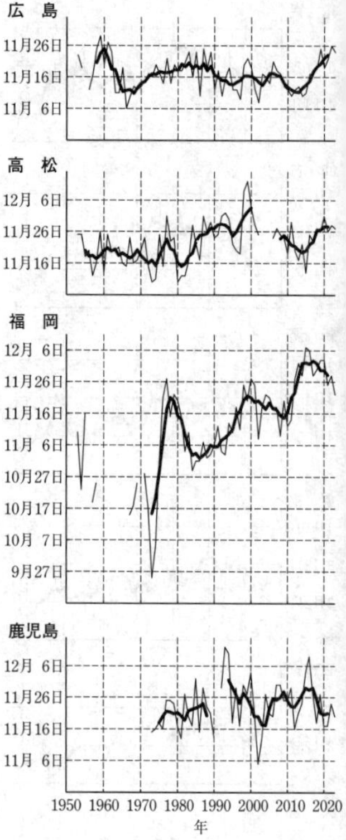

細実線：黄葉日，太実線：黄葉日の５年移動平均．
那覇では「イチョウの黄葉日」を観測していない．気象庁生物季節観測による．

地球温暖化による生物の活動への影響

多くの生物の活動は周囲の温度と密接な関係にあり，あらゆる生命活動が地球温暖化の影響を受ける．温暖化に順応・適応可能な温度は生物によって異なり，温度の日周・季節変動がもともと小さい海中に棲む生物は，温暖化の影響をとくに受けやすい（次頁上図参照）．さらに，温暖化のもとでは平均的には温度が上昇しつつも温度の年変動は増大すると考えられている．すると，急速な人為的温暖化の進行に対応しきれない種の増加により，次第に生物の多様性は減少すると予想される．温暖化対策の国際的枠組「パリ協定」の合意によれば，将来の温暖化による生態系や社会活動への影響を抑えるには，産業革命以前と比較し1.5℃の気温上昇に抑える努力が必要である．これと平行し，生存に関連する他の環境要因の改善，温暖化影響からの避難地の確保，より涼しい環境への分布移動など，人為的な対策を講じる気候変動適応策も検討・試行されている．

地球温暖化による生物活動への影響事例

影響の分類	事　例
熱波・寒波の増加の影響	熱波・寒波による生物の生育不良や大量死，温帯域における熱帯性の生物の出現・越冬・繁殖
繁殖への影響	植物の開花など繁殖時期の早期化 多くのカメやワニなど，卵の期間の温度が性の決定に影響
関連し合う生物の間の相互作用の変化	植物の開花と花粉を媒介する昆虫の発生のタイミングの不一致 サンゴなどに共生する藻類が減少した状態である白化現象．おもに熱波により生じ，平常水温に戻れば共生が回復するが，熱波が長期化すると回復が困難になりサンゴが死亡 生態系の基盤を構成する生物群（陸上の森林·草原，海洋の藻場〔海藻・海草が茂る海の森〕）自体への影響，生息する多くの生物へと間接的に影響が波及（次頁下図参照）
温暖化に伴う環境変化の影響	海洋や湖沼の表層から低層への酸素供給減少による魚類や低層の生物の酸素欠乏，酸素要求量が大きい回遊性魚類の小型化 海洋酸性化のもとでの炭酸カルシウム骨格形成の阻害による魚類，貝類，サンゴなどの減少，骨格形成をしないクラゲやソフトコーラルなどの増加
地理的分布範囲の変化	移動能力の高い生物ほど温暖化に伴い分布が変化しやすい（チョウなどの飛翔性昆虫，遊泳性の魚類，プランクトンなど）
地理的分布変化による社会的影響	農業害虫，感染症病原生物，熱帯性の外来種，有毒な魚類や中毒性プランクトンの分布北上 水産有用魚種を育む海藻藻場の分布南限付近の衰退 ダイビング産業にとって有用なサンゴや色鮮やかな南方魚類の分布北上

分布や季節性などの温暖化に対応した変化が確かめられている種の割合

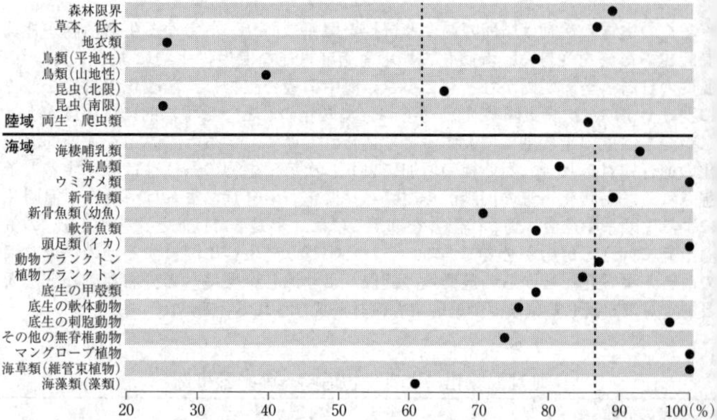

一部の分類群では種グループ単位の割合であることに注意．点線はそれぞれ陸域，海域の平均を表しており，陸域よりも海域のほうが温暖化に対応した変化を示す種が多いことを表している．(Parmesan & Yohe, 2003, Nature, Poloczanska et al., 2013, Nature Climate Change および Kumagai et al., 2018, Proceedings of the National Academy of Sciences of the United States of America (PNAS) の情報を抜粋し構成)

温暖化影響が生物間の相互作用を通じて，より大きな影響へと増幅する例

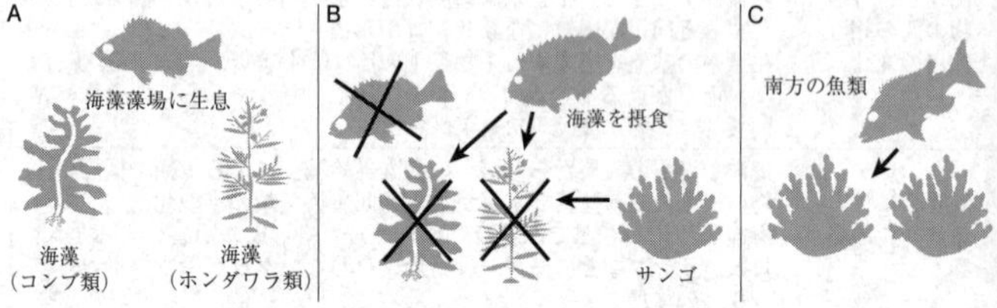

A：日本国内の温帯の沿岸域では，海藻による藻場が主要な生態系の1つであり，魚類や無脊椎動物の成育・繁殖の場の機能を持つ．B：近年の温暖化に伴い，移動分散能力が高いサンゴや海藻を食べる南方からの魚類(アイゴ類など)が新たに生息可能になった温帯へと分布を拡げている．一方，分散能力の低い温帯の海藻はゆっくりとしか分布を更新できない．このため，魚類が活発に海藻を摂食する範囲の拡大に伴い海藻の藻場は衰退している．C：その結果，次第に海藻の藻場からサンゴの群集へと置き換わる海域が温帯で増えている．サンゴの増加に伴って，サンゴの周囲に生息する南方の魚類や無脊椎動物もまた増加し始めている．これは沿岸漁業やダイビングなど産業構造にも波及する大きな影響である．(参照：Kumagai et al., 2018, PNAS)

日本近海の海面水温の長期変化傾向（1）

2023 年までの，およそ 100 年間にわたる船舶等による観測データを用いて統計的に評価した，日本近海の各海域における海面水温の上昇率(℃/100 年).

海域区分は，海面水温の変化傾向が類似している海域を選んで設定しており，おおむね日本近海の各海域における上昇率は，世界全体で平均した海面水温の上昇率よりも大きな値となっている.

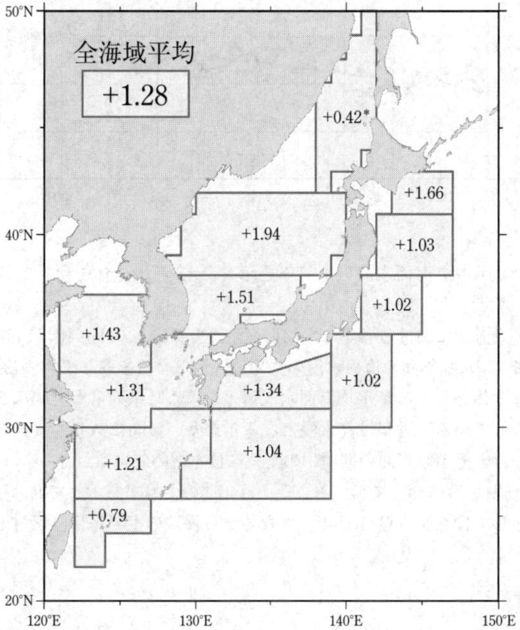

無印の値は信頼度水準 99% で統計的に有意.
＊付きの値は信頼度水準 95%で統計的に有意.

日本近海の海面水温の長期変化傾向 (2)

2023 年までの，およそ 100 年間にわたる船舶等による観測データを用いて統計的に評価した，日本近海全体の海面水温の長期変化の様子.

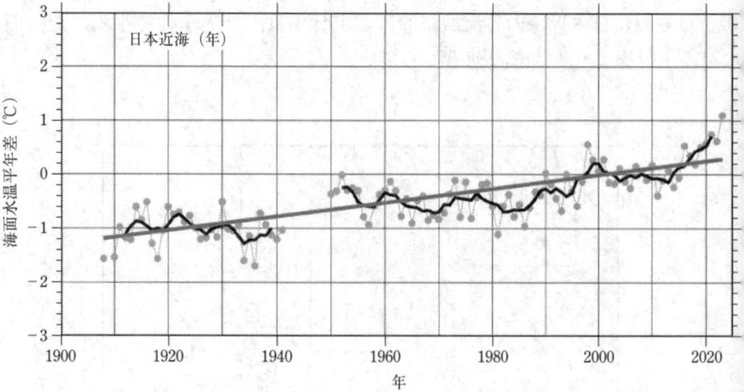

環 11 の図中で海面水温の上昇率を示した 13 海域全体を解析対象としている.

この対象海域における各年の平均海面水温を算出し，平年値（1991 年から 2020 年までの 30 年間の海面水温の平均値）からの差を取り平均することで，日本近海全体としての年平均海面水温偏差を求め時系列（太実線は 5 年移動平均）としている．近年は高水温となる年が多い傾向にあり，直近 3 年間の値が過去およそ 100 年間の期間中の上位 3 位を占めている.

斜め直線は 2023 年までの，およそ 100 年間の上昇率を示しており，日本近海全体としては 1.28（℃/100 年）となる．各海域の上昇率は，**環 11** に掲載している.

エルニーニョ／ラニーニャ現象

エルニーニョ現象は太平洋赤道域の中央部(日付変更線付近)から南米のペルー沿岸にかけての広い海域で海面水温が平年に比べて高くなり，その状態が半年～1年半程度続く現象である．これとは逆に，同じ海域で海面水温が平年より低い状態が続く現象をラニーニャ現象と呼ぶ．気象庁では，エルニーニョ監視海域（北緯5度～南緯5度，西経150度～西経90度）における平均海面水温の基準値（その年の前年までの30年間の各月の平均値）との差の5か月移動平均値が6か月以上続けて+0.5℃以上となった場合をエルニーニョ現象，6か月以上続けて−0.5℃以下となった場合をラニーニャ現象と定義している．

エルニーニョ／ラニーニャ現象の発生期間（1949年以降）

エルニーニョ現象	ラニーニャ現象
	1949年秋～1950/51年冬
1951年夏～1951/52年冬	
1953年春～1953年秋	1954年春～1956年夏
1957年春～1958年夏	
1963年夏～1963/64年冬	1964年春～1964/65年冬
1965年春～1965/66年冬	1967年夏～1968年春
1968年秋～1969/70年冬	1970年春～1971/72年冬
1972年春～1973年春	1973年夏～1974年春
	1975年春～1976年春
1976年夏～1977年春	
1979年秋～1979/80年冬	
1982年春～1983年秋	1984年夏～1985年夏
1986年秋～1987/88年冬	1988年春～1989年春
1991年春～1992年夏	
1993年春～1993年秋	1995年秋～1996年春
1997年春～1998年夏	1998年秋～1999年春
	1999年夏～2000年春
2002年春～2002/03年冬	2007年夏～2008年春
2009年夏～2010年春	2010年夏～2011年春
2014年春～2016年春	2017年秋～2018年春
2018年秋～2019年春	2020年夏～2021年春
	2021年秋～2022/23年冬
2023年春～	

(2024年5月現在)

エルニーニョ監視海域（北緯 5 度～南緯 5 度，西経 150 度～西経 90 度）(斜線部)

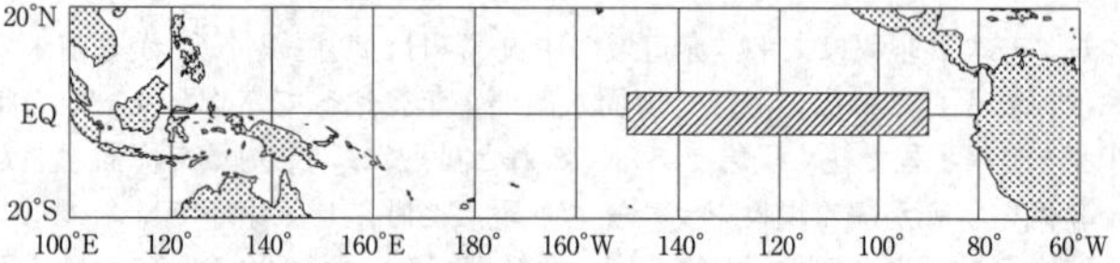

エルニーニョ監視海域の海面水温の基準値*との差（℃）

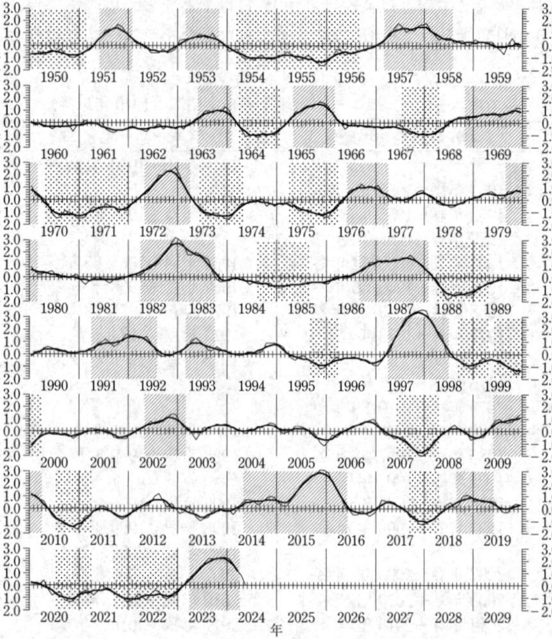

細い線は毎月の値，太い曲線は 5 ヵ月移動平均値を示し，斜線の陰影はエルニーニョ現象の発生期間を，点の陰影はラニーニャ現象の発生期間を表す（2024 年 5 月現在）.

＊　基準値はその前年までの過去 30 年間の各月の平均値.

オホーツク海の海氷域面積

前年12月からその年の5月までのオホーツク海の海氷域面積の推移（1971～2024年）．折線は各年の平均海氷域面積の変化を表す．

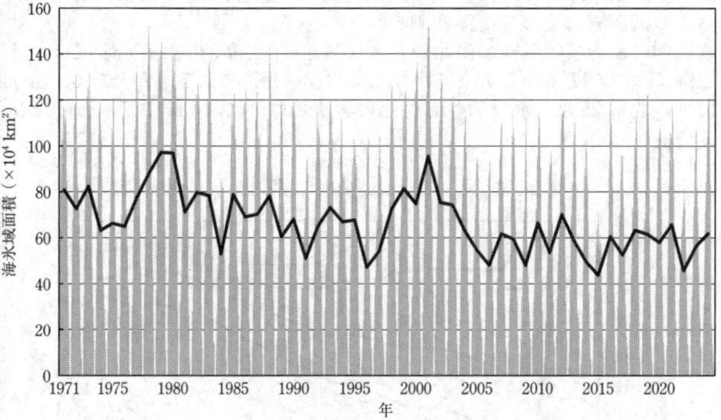

日本沿岸の年平均海面水位

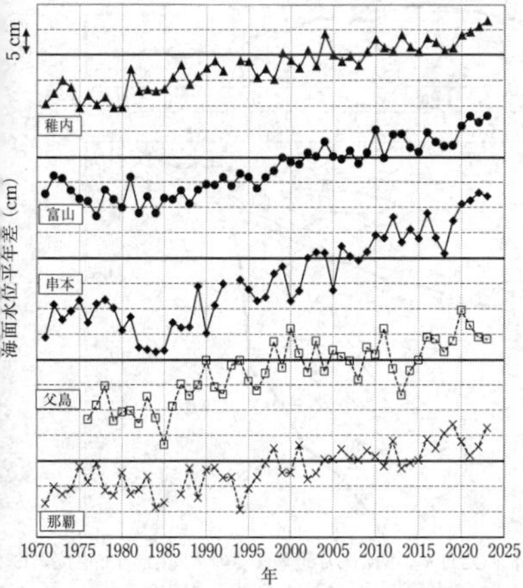

日本沿岸5ヵ所の検潮所における年平均海面水位（平年からの差）の変化を示す．平年値は1991～2020年の平均値で，検潮所毎に横軸の太線で示す（ただし，検潮所における地盤変動の影響が含まれている）．縦軸の一目盛りは5 cmに相当する．

なお，グラフのプロットのない箇所は，欠測であることを示す．

東経 137 度に沿った水温・塩分鉛直断面

日本の南（34°N）から赤道域（3°N）における水温と塩分の 30 年平均値の鉛直断面．気象庁では海洋環境の長期変動の実態を把握するために，1967 年からこの観測線に沿って海洋観測を行っている．

水温図において等温線の南北の大きな傾きは，北緯 34 度から 31 度にかけては黒潮に，北緯 17 度から 7 度にかけては北赤道海流によるものである．塩分図における北緯 25 度，水深 700 m 付近の極小域は，北太平洋中層水と呼ばれる

冬　季

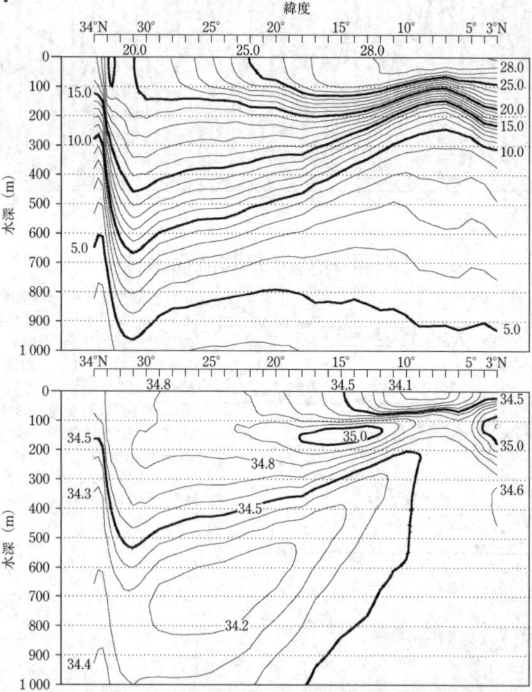

気象庁の観測船による東経 137 度に沿った日本の南から赤道域までの水温（上図；単位：℃）および塩分（下図；単位：実用塩分単位）の鉛直断面（1991～2020 年平均値）

氐塩分の水塊にあたり，日本の東方で親潮と黒潮が混合して形成されていると考えられる．水温，塩分ともに海面から約100 m の深さまでの表層は季節による変動が大きく，とくに北緯15度付近より北側で顕著である．気象庁ホームページ(https://www.jma.go.jp/)の各種データ・資料「海洋の健康診断表」を参照.

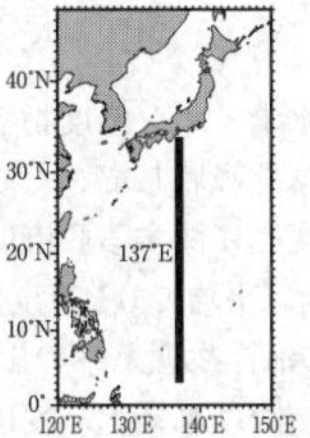

東経137度線に沿った観測線の位置

夏　季

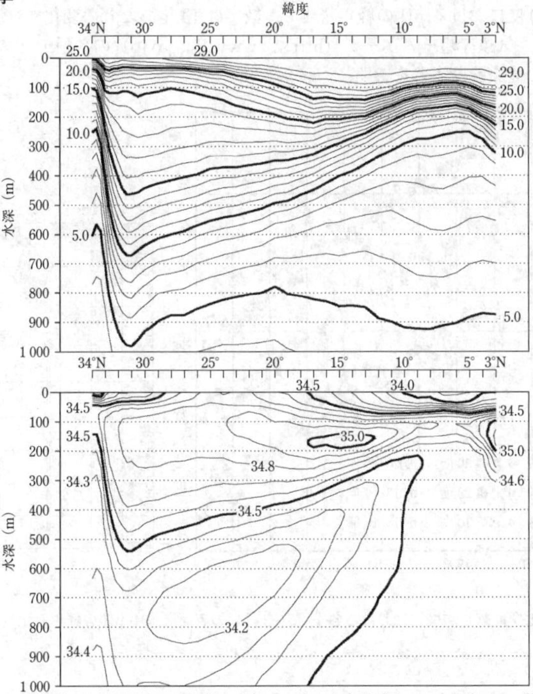

気象庁の観測船による東経137度に沿った日本の南から赤道域までの水温(上図；単位：℃)および塩分（下図；単位：実用塩分単位）の鉛直断面（1991～2020年平均値）

北西太平洋の海洋酸性化

表面海水の水素イオン濃度指数（pH）は，産業革命以降，大気中に放出された二酸化炭素を吸収してきたことにより低下してきた．これを，海洋酸性化という．気候変動に関する政府間パネル（IPCC）によると，産業革命前に比べて，すでに全球平均で 0.1 程度低下していると推定されている．海洋酸性化の進行により，海洋生態系への影響や，二酸化炭素の吸収能力の低下などが懸念されている．図は東経 137 度に沿った気象庁の観測線の北緯 10 度，20 度および 30 度における pH の経年変化で，数字は 10 年あたりの変化率（低下率）を示す．気象庁ホームページ（https://www.jma.go.jp）の各種データ・資料「海洋の健康診断表」を参照．

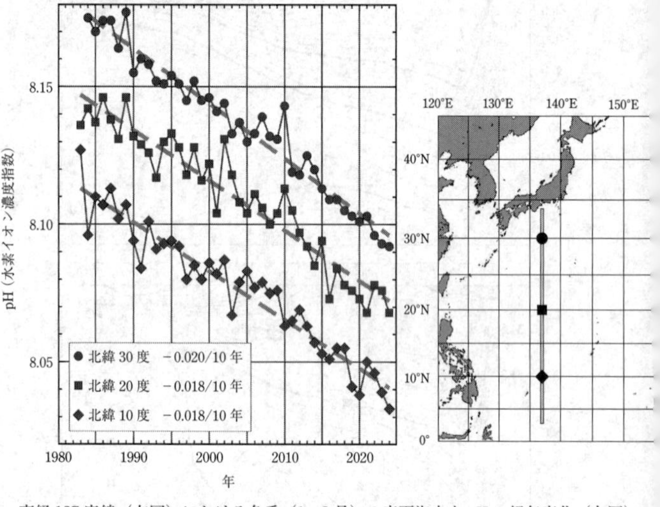

東経 137 度線（右図）における冬季（1～3 月）の表面海水中 pH の経年変化（左図）

温室効果ガス

気候変動に関する政府間パネル（IPCC）第6次評価報告書では，大気中の寿命が長く，対流圏内でよく混合された温室効果ガスとして，二酸化炭素（CO_2），メタン（CH_4），一酸化二窒素（N_2O），ハイドロフルオロカーボン（HFC），パーフルオロカーボン（PFC），六フッ化硫黄（SF_6），およびオゾン層破壊物質であるクロロフルオロカーボン（CFC），ハイドロクロロフルオロカーボン（HCFC）などを挙げている．このうち地球温暖化に及ぼす影響が大きい物質は順に二酸化炭素，メタン，一酸化二窒素である．短寿命の気体で大きな温室効果を持つものとしては，対流圏オゾン（O_3）が挙げられる．また，一酸化炭素（CO）は，それ自体は温室効果ガスではないが，大気中の化学反応を通じてほかの温室効果ガスの濃度変動に影響を与え，地球温暖化に間接的に寄与している．濃度は大気中に含まれる物質の分子数の比で表している．ppm は 10^{-6}（乾燥空気中の分子100万個中に1個），ppb は 10^{-9}（10億個中に1個），ppt は 10^{-12}（1兆個中に1個）を表す．本書に掲載している温室効果ガスのデータは，国際的な濃度基準の変更などにより，過去にさかのぼって修正する場合がある．大気中温室効果ガスの状況や観測データの詳細は，気象庁ホームページ「温室効果ガス」（https://www.data.jma.go.jp/ghg/info_ghg.html）および「大気・海洋環境観測年報」(https://www.data.jma.go.jp/env/data/report/data/）を参照．

温室効果ガスの例

	二酸化炭素（CO_2）	メタン（CH_4）	一酸化二窒素（N_2O）	フロン11（CFC-11）	ハイドロフルオロカーボン（HFC-23）	六フッ化硫黄（SF_6）	四フッ化炭素（CF_4）
工業化以前の大気中濃度	278.3±2.9 ppm	729.2±9.4 ppb	270.1±6.0 ppb	存在せず	存在せず	存在せず	34.05±0.33 ppt
2019年の大気中濃度	409.9±0.4 ppm	1866.3±3.3 ppb	332.1±0.4 ppb	226.2±1.1 ppt	32.4±0.1 ppt	9.95±0.03 ppt	85.5±0.2 ppt
濃度の変化率	2.4 ppm/年	7.9 ppb/年	1.0 ppb/年	−1.4 ppt/年	1.0 ppt/年	0.33 ppt/年	0.8 ppt/年
大気中の寿命	—	11.8年	109年	52年	228年	1000年	50 000年

IPCC 第6次評価報告書（2021）をもとに作成.

＊1　変化率は，2011～2019年の平均値.

＊2　大気中の寿命は，メタンと一酸化二窒素については応答時間（一時的な濃度増加の影響が小さくなるまでの時間）を，その他の温室効果ガスについては滞留時間（気体総量/大気中からの除去速度）を掲載.

二酸化炭素

二酸化炭素 (CO_2) は温室効果ガスの中で温暖化に対して最大の影響力を持ってい る．IPCC によると，工業化時代以降の温室効果ガスの増加による有効放射強制力 のうち，二酸化炭素の寄与は 65% と評価されている．海洋は二酸化炭素の大きな吸 収源の 1 つであるため，大気だけでなく，海洋の二酸化炭素の監視も重要である． 大気中の二酸化炭素については，全世界の観測所のデータによる緯度帯別の濃度変 化に加えて，気象庁の大気環境観測所（岩手県大船渡市三陸町綾里），南鳥島気象観 測所（東京都小笠原村），与那国島特別地域気象観測所（沖縄県八重山郡与那国町） での濃度変化を示す．海洋の二酸化炭素については，気象庁の観測船による北西太 平洋の東経 137 度に沿った濃度変化を掲載した．

緯度帯別二酸化炭素濃度

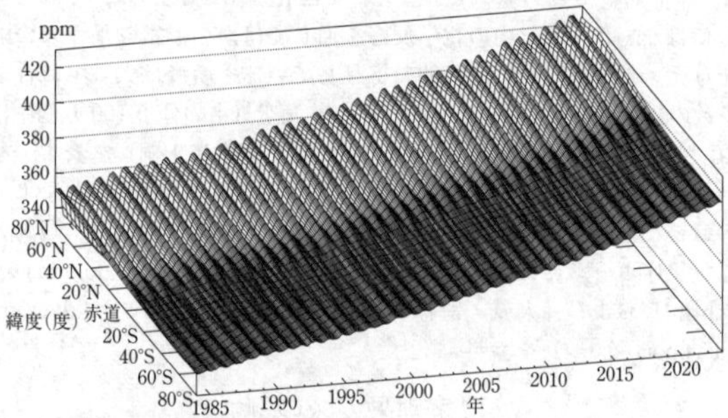

緯度帯別の大気中の二酸化炭素濃度変化の 3 次元表現図.
世界気象機関 (WMO) 温室効果ガス世界資料センター (WDCGG) のデータをもとに作成.
WDCGG：https://gaw.kishou.go.jp/jp

日本の大気中二酸化炭素濃度

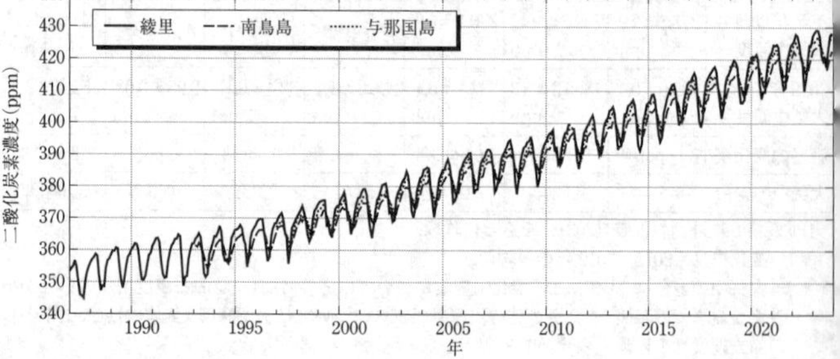

日本の大気中二酸化炭素の年平均濃度（ppm）

地　点	1992	1993	1994	1995	1996	1997	1998	1999	2000	2001	2002	2003	2004	2005	2006	2007
綾　里	358.7	359.6	362.0	363.9	365.4	366.6	369.6	371.5	372.9	373.7	376.1	379.0	380.7	382.8	385.6	386.9
南鳥島		358.5*	360.1	361.9	363.7	364.9	367.6	369.3	370.6	372.1	374.2	377.0	378.6	381.0	384.0*	384.9
与那国島						366.0	369.0	370.9	372.2	373.8	375.9	378.7	380.4	382.9	385.0	386.6
地　点	2008	2009	2010	2011	2012	2013	2014	2015	2016	2017	2018	2019	2020	2021	2022	2023
綾　里	388.7	390.0	393.8	394.6*	397.5	399.8	401.5	403.6	407.5	409.6	412.3	414.3	416.6	419.8	421.9	(425.0)
南鳥島	386.8	388.2	390.8	393.0	395.2	397.8	399.7	401.7	405.2	407.9	409.7	412.5	414.8	417.1	419.7	(421.8)
与那国島	388.2	389.6	392.9	394.6	397.3	399.7	402.0	404.1*	407.3	409.8	412.0	415.1	417.5	419.4	421.8	(424.4)

＊が付いた値は 11 個以下の月平均値から算出したもの，（ ）が付いた値は観測の基準となる標準ガスの濃度変化の確認が未了である速報値を表す．

標準ガスの濃度スケールなどの見直しにより年平均値が更新されることがあるため，最新の値を使用すること．

気象庁の観測船による北西太平洋の東経 137 度に沿った大気中(a)および表面海水中(b)の二酸化炭素濃度（ppm）

（1984～2024 年の冬季（1～3 月），北緯 7～33 度の平均）

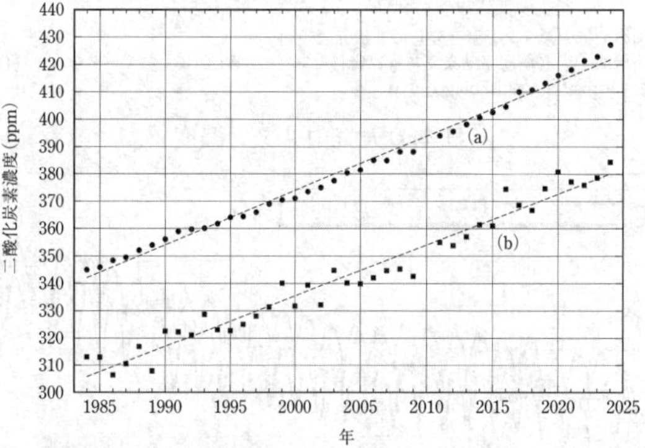

図中の破線は濃度増加の長期的な傾向（大気中＋2.0 ppm/年，海水中＋1.9 ppm/年）を示す．掲載値は，二酸化炭素についての世界的な濃度基準の変更により，過去にさかのぼって修正する場合がある．

メタン

メタン (CH_4) は，IPCC の評価によると工業化時代以降の温室効果ガスの増加による有効放射強制力のうち 16％の寄与とされており，二酸化炭素に次いで温暖化への影響が大きい温室効果ガスとして重要である．全世界の観測データによる緯度帯別の濃度変化に加えて，気象庁の大気環境観測所（岩手県大船渡市三陸町綾里），南鳥島気象観測所（東京都小笠原村），与那国島特別地域気象観測所（沖縄県八重山郡与那国町）での濃度変化を示す．

緯度帯別メタン濃度

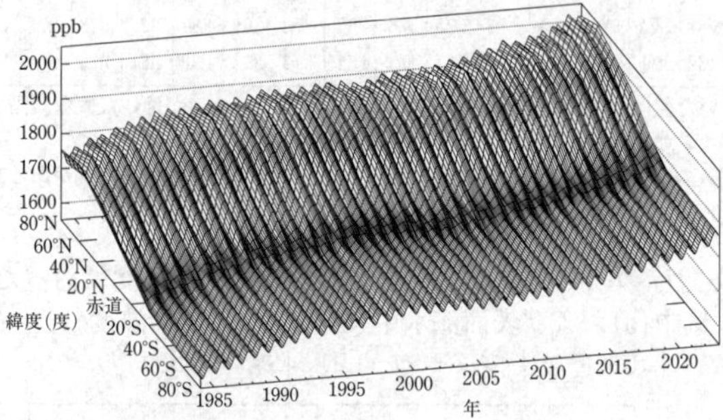

緯度帯別の大気中のメタン濃度変化の 3 次元表現図.
世界気象機関（WMO）温室効果ガス世界資料センター（WDCGG）のデータをもとに作成.
WDCGG：https://gaw.kishou.go.jp/jp

日本の大気中メタン濃度

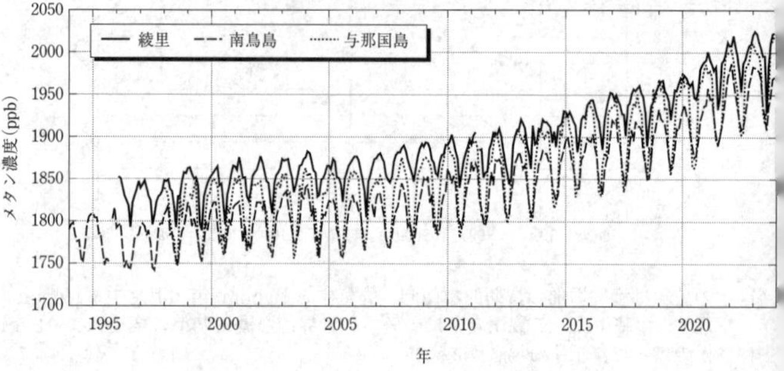

日本の大気中メタンの年平均濃度（ppb）

地点	1996	1997	1998	1999	2000	2001	2002	2003	2004	2005	2006	2007	2008	2009
綾里	1831*	1829	1837	1840	1845	1853	1852	1862	1860	1857	1858	1868	1875	1878
南鳥島	1770	1780	1787	1790	1796	1797	1799	1808	1806	1798	1804*	1804	1813	1822
与那国島			1806	1809*	1816	1825	1817	1825	1824	1823	1824	1824	1840	1851

地点	2010	2011	2012	2013	2014	2015	2016	2017	2018	2019	2020	2021	2022	2023
綾里	1881	1884*	1886	1901	1912	1919	1929	1939	1941	1954	1967	1983	1997	(2004)
南鳥島	1832	1837	1848	1850	1863	1874	1875	1889	1892	1902	1912	1931	1947	(1957)
与那国島	1852	1860	1869	1872	1879	1891*	1897	1905	1916	1928	1937	1950	1967	(1981)

＊が付いた値は11個以下の月平均値から算出したもの，—は機器の異常などによる欠測，( )が付いた値は観測の基準となる標準ガスの濃度変化の確認が未了である速報値を表す．

標準ガスの濃度スケールなどの見直しにより年平均値が更新されることがあるため，最新の値を使用すること．

一酸化二窒素

一酸化二窒素(N_2O)は，対流圏中ではきわめて安定で，寿命を考慮した単位量あたりの温暖化への寄与（地球温暖化係数）は，二酸化炭素の約273倍と大きい．IPCCでは，工業化時代以降の温室効果ガスの増加による有効放射強制力のうち，一酸化二窒素の寄与を6%と評価している．全世界の観測データによる緯度帯別の濃度変化に加え，気象庁の大気環境観測所（岩手県大船渡市三陸町綾里）での濃度変化を示す．なお，2004年の初めに観測装置を更新したため観測精度が向上し，観測値の変動が小さくなっている．

緯度帯別一酸化二窒素濃度

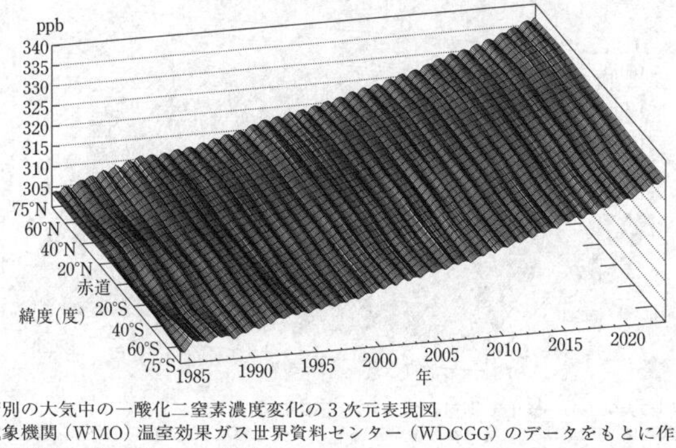

緯度帯別の大気中の一酸化二窒素濃度変化の3次元表現図．
世界気象機関（WMO）温室効果ガス世界資料センター（WDCGG）のデータをもとに作成．
WDCGG：https://gaw.kishou.go.jp/jp

日本（綾里）の大気中一酸化二窒素濃度

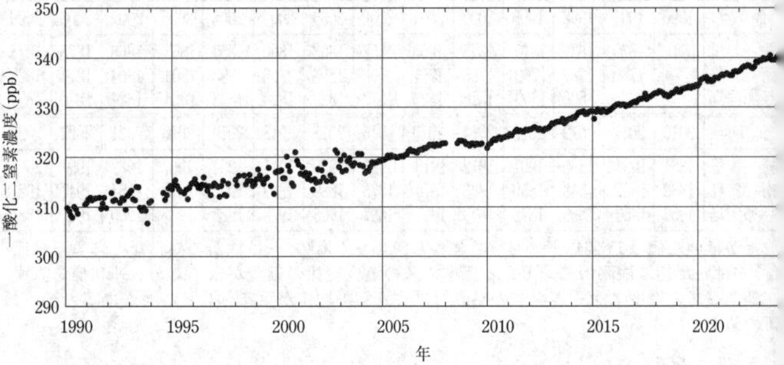

一酸化炭素

一酸化炭素(CO)は地球表面からの赤外放射をほとんど吸収しないため，それ自体は温室効果ガスではない．しかし，ヒドロキシル(OH)ラジカルとの化学反応を通じ，メタン，ハロカーボン類，また対流圏オゾンなどほかの温室効果ガスの濃度変動に影響を与える重要な働きをする．全世界の観測データによる緯度帯別の濃度変化に加え，気象庁の大気環境観測所（岩手県大船渡市三陸町綾里），南鳥島気象観測所(東京都小笠原村)，与那国島特別地域気象観測所(沖縄県八重山郡与那国町)での濃度変化を示す．

緯度帯別一酸化炭素濃度

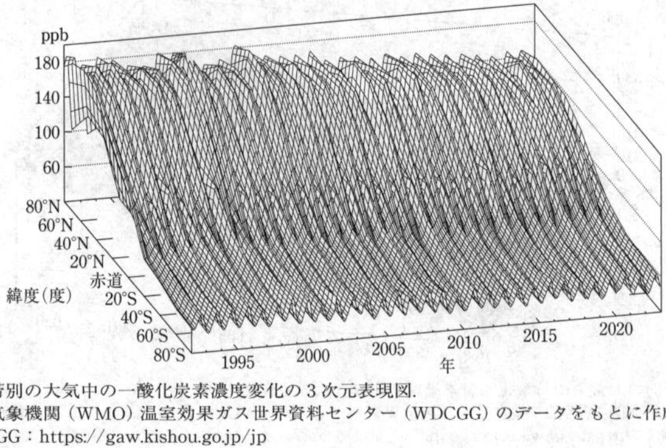

緯度帯別の大気中の一酸化炭素濃度変化の３次元表現図.
世界気象機関（WMO）温室効果ガス世界資料センター（WDCGG）のデータをもとに作成.
WDCGG：https://gaw.kishou.go.jp/jp

日本の大気中一酸化炭素濃度

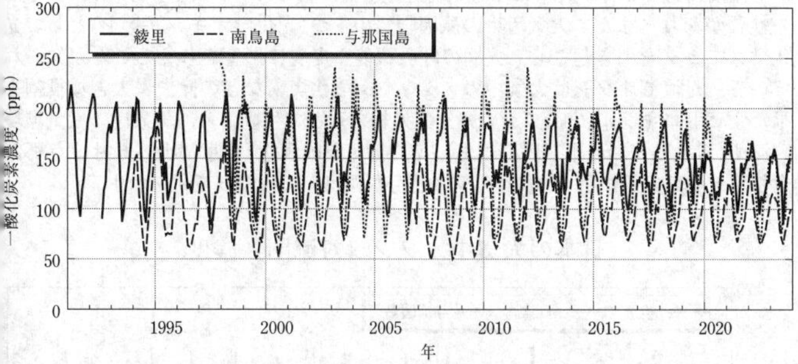

日本の大気中一酸化炭素の年平均濃度（ppb）

地点	1992	1993	1994	1995	1996	1997	1998	1999	2000	2001	2002	2003	2004	2005	2006	2007
綾里	170*	152	158	158	157	141*	177	154	159	155	159	162	156	146	152	153
南鳥島			106	118	94	108	111	89	93	94	99	112	—	—	—	93
与那国島							161	145	142	146	156	154	152	151	152	150

地点	2008	2009	2010	2011	2012	2013	2014	2015	2016	2017	2018	2019	2020	2021	2022	2023
綾里	156	149	158	149*	149	148	156	154	149	145	146	143	136	141	131	(137)
南鳥島	88	88	97	101	108	101	105	105	100	99	95	99	95	95	93	(94)
与那国島	144	148	150	143	161	149	144	146*	141	133	136	144	136	126	121	(127)

*が付いた値は11個以下の月平均値から算出したもの，—は機器の異常などによる欠測，(　)が付いた値は観測の基準となる標準ガスの濃度変化の確認が未了である速報値を表す．

南鳥島では観測装置の不具合および台風の被害により，2004年1月から2006年10月まで欠測としたため，2004年から2006年の年平均値を算出していない．

標準ガスの濃度スケールなどの見直しにより年平均値が更新されることがあるため，最新の値を使用すること．

オゾン（対流圏）

対流圏にあるオゾン(O_3)はオゾン総量の１割に満たないが，温室効果ガスとしての性質があり，また，大気汚染の原因物質の１つ(光化学オキシダント)として光化学スモッグを引き起こし，人間の呼吸機能や皮膚に影響を与えることが知られている．対流圏オゾンは大気中のメタンや一酸化炭素などの除去に大きな役割を果たすヒドロキシル(OH)ラジカルを紫外線のもとで生成する．気象庁の大気環境観測所(岩手県大船渡市三陸町綾里)，南鳥島気象観測所（東京都小笠原村)，与那国島特別地域気象観測所（沖縄県八重山郡与那国町）での濃度変化を示す．

日本の大気中オゾン（対流圏）濃度

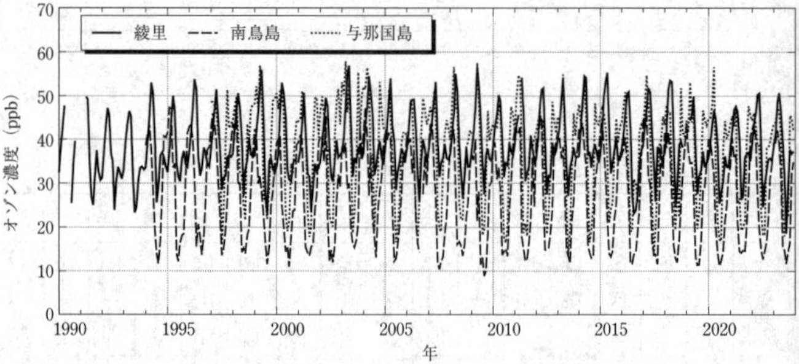

日本の大気中オゾン（対流圏）の年平均濃度（ppb）

地　点	1992	1993	1994	1995	1996	1997	1998	1999	2000	2001	2002	2003	2004	2005	2006	2007
綾　里	35.6	34.8	38.2	37.3	39.6	38.3	39.3	38.6	39.1*	35.5	38.6	41.1	41.0	39.3	39.4	39.8
南鳥島			30.0	29.6	28.8	31.1	28.3	27.2	25.9	26.0	27.2	28.3	30.6	29.1	30.4*	25.4
与那国島						40.7	39.3	41.4	38.4	39.3	39.0	43.4	42.1	35.7	38.7	38.2
地　点	2008	2009	2010	2011	2012	2013	2014	2015	2016	2017	2018	2019	2020	2021	2022	2023
綾　里	38.7	40.6	39.9	39.8*	39.1	39.3	40.9	41.1	36.8	40.1	40.6*	37.5*	36.3	38.3	38.4	(38.1)
南鳥島	25.8	23.6	26.7	27.2	29.9	28.8	29.8	28.3	25.4	28.8	28.1	27.0	24.8	26.2	26.7	(27.7)
与那国島	38.4	38.9	36.6	37.5	38.2	38.0	38.7	37.7	35.5	37.4	37.4	39.0	37.4	35.4	35.7	(37.0)

*が付いた値は 11 個以下の月平均値から算出したもの，（　）が付いた値は観測に用いているオゾン濃度計の出力の変化の確認が未了である速報値を表す．

濃度基準などの見直しにより年平均値が更新されることがあるため，最新の値を使用すること．

エーロゾル

大気には，雲粒のほかに固相，液相またはこれらの混合した相の半径0.001 μm 程度から 10 μm 程度の粒子が浮遊しており，これをエーロゾルと呼んでいる．エーロゾルには，人為起源・自然起源のガスから粒子変換で生成される硫酸（塩），海水の波しぶきが大気中で乾燥してできる海塩，風による巻き上げで発生するダスト（黄砂），化石燃料やバイオマスの燃焼によるすす（黒色炭素および有機炭素）などがある．また，大規模な火山噴火は大量の噴煙や火山ガスを成層圏に持ち込み，成層圏で大量のエーロゾルが滞留する原因となる．

エーロゾルは，太陽放射を散乱・吸収して直接的に放射バランスを変えるとともに，凝結核・氷晶核として雲の形成への寄与を介して間接的に放射バランスを変えることで気候へ大きな影響を及ぼしているが，その分布は時間や地域による変動が大きく，気候への影響を完全に把握することは難しい．エーロゾル変動の原因や観測の詳細は，気象庁ホームページ（https://www.jma.go.jp/）の各種データ・資料「地球環境・気候」の「エーロゾル」を参照．

エーロゾル光学的厚さ

気象庁では全国3地点において，太陽からの光を複数の波長で測定し，エーロゾルによる大気の濁り具合を観測している．エーロゾルによる大気全層の濁り具合は，エーロゾルの全量（大気気柱内に含まれる総量）に比例するエーロゾル光学的厚さで表すことができる．

光学的厚さとは，光の減衰を示す量であり，値が n のとき大気の上端から垂直に入射した光が大気の下端で $\exp(-n)$ に減衰していることを意味している．

また，波長 λ におけるエーロゾル光学的厚さは $\lambda^{-\alpha}$ に比例することが経験的に知られており，この α をオングストローム指数と呼んでいる．オングストローム指数は大きいほど粒径の小さい「エーロゾル」が相対的に多く存在していることを示している．

エーロゾル光学的厚さとオングストローム指数

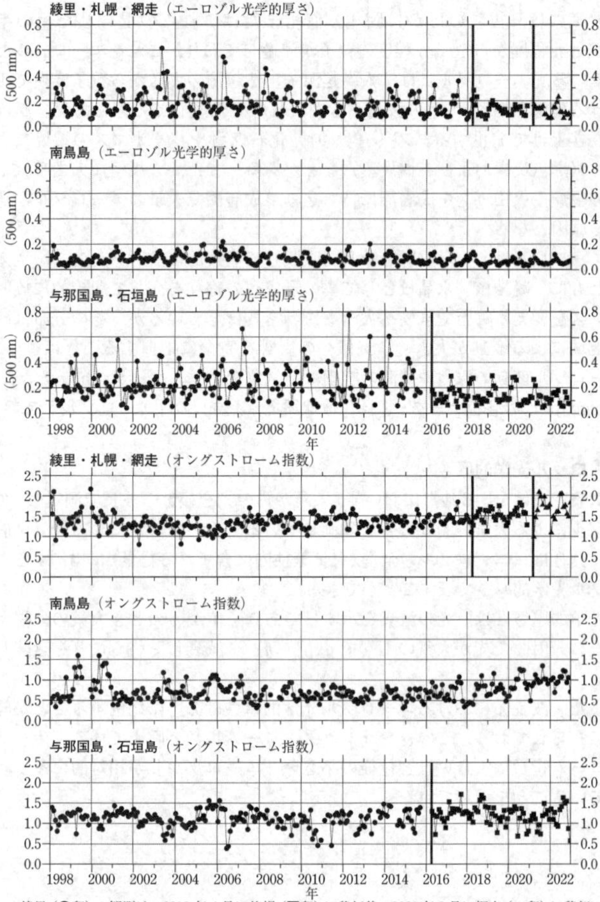

綾里（●印）の観測は，2018 年 4 月に札幌（■印）に移転後，2021 年 3 月に網走（▲印）に移転．
与那国島（●印）の観測は，2016 年 4 月に石垣島（■印）に移転．

エーロゾル光学的厚さとオングストローム指数の年平均値

エーロゾル光学的厚さ（波長 500 nm）

地　点	1998	1999	2000	2001	2002	2003	2004	2005	2006	2007	2008	2009
綾　　里	0.17	0.15	0.17	0.16	0.18	0.24	0.21	0.17	0.21	0.18	0.22	0.18
南 鳥 島	0.08	0.07	0.08	0.11	0.09	0.09	0.11	0.12	0.13	0.08	0.10	0.09
与那国島	0.17	0.23	0.21	0.21	0.21	0.22	0.22	0.26	0.23	0.30	0.23	0.25

地　点	2010	2011	2012	2013	2014	2015	2016	2017	2018	2019	2020	2021
綾　　里	0.17	0.16	0.16	0.14	0.18	0.17	0.15	0.15	0.13			
札　　幌									0.13	0.14	0.12	
網　　走												0.12
南 鳥 島	0.08	0.08	0.08	0.09	0.10	0.07	0.08	0.08	0.07	0.07	0.06	0.07
与那国島	0.24	0.19	0.21	0.27	0.25	0.25						
石 垣 島							0.12	0.14	0.14	0.15	0.14	0.12

地　点	2022
網　　走	0.12
南 鳥 島	0.07
石 垣 島	0.11

オングストローム指数

地　点	1998	1999	2000	2001	2002	2003	2004	2005	2006	2007	2008	2009
綾　　里	1.38	1.50	1.36	1.31	1.27	1.27	1.21	1.11	1.22	1.39	1.38	1.33
南 鳥 島	0.58	1.07	1.07	0.54	0.64	0.73	0.65	0.83	0.79	0.61	0.62	0.71
与那国島	1.12	1.16	1.09	1.26	1.12	0.94	1.01	1.32	1.05	1.18	1.13	1.03

地　点	2010	2011	2012	2013	2014	2015	2016	2017	2018	2019	2020	2021
綾　　里	1.35	1.47	1.37	1.30	1.38	1.32	1.39	1.47	1.29			
札　　幌									1.44	1.51	1.58	
網　　走												1.70
南 鳥 島	0.59	0.72	0.60	0.63	0.62	0.63	0.69	0.69	0.70	0.76	0.95	0.97
与那国島	0.89	1.09	1.02	1.15	1.17	1.17						
石 垣 島							1.12	1.34	1.33	1.13	1.14	1.12

地　点	2022
網　　走	1.62
南 鳥 島	1.00
石 垣 島	1.21

大気混濁係数

大気混濁係数は，太陽からの直達日射が地上に到達するまでに，エーロゾル・水蒸気・オゾンなどを含む地球大気によりどの程度減衰されるかを表す指標であり，それらの物質を含まない仮想的な大気による減衰の何倍であるかを示す．大気混濁係数が大きいほど，大気中の太陽光を吸収・散乱する物質の全量（気柱内に含まれる総量）が多いことになる．気象庁は，2023 年末現在，全国 5 地点（網走，つくば，福岡，石垣島，南鳥島）において日射放射観測を行っており（ただし，2020 年までは網走ではなく札幌にて観測），観測要素の 1 つである直達日射量から大気混濁係数が求められる．日本における大気混濁係数の経年変化を示す．大規模な火山噴火発生後の数年間は，成層圏におけるエーロゾル濃度が高くなることにより大気混濁係数は大きくなり，地上に到達する直達日射は減少する．

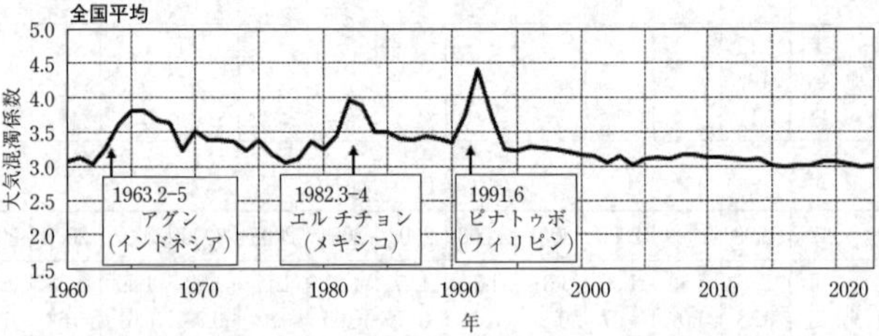

日本における大気混濁係数の経年変化．水蒸気や黄砂などの短期的な変化の影響を少なくするため，各地点における月最小値を用いて年平均値を求めた後，5 地点の平均値を算出した．図中の矢印は大規模な火山噴火を示す．

オゾン層

オゾン層破壊物質

20 世紀後半，人為起源の物質を原因とするオゾン層の破壊が知られるようになり，それによって地球に降り注ぐ有害紫外線が増加し，人間の健康や生態系に影響を与えることが危惧された．このため，オゾン層の保護を目的として 1985 年には「オゾン層の保護のためのウィーン条約」，1987 年には「オゾン層を破壊する物質に関するモントリオール議定書」が採択され，オゾン層を破壊するおそれのある物質の製造や移動が国際的な合意に基づいて規制されている．ここでは，オゾン層破壊への寄与度が比較的高いフロン 11 (CCl_3F)，フロン 12 (CCl_2F_2) およびフロン 113 (CCl_2FCClF_2) について，気象庁の大気環境観測所（岩手県大船渡市三陸町綾里）での大気中の濃度変化を示す．濃度は大気中に含まれる物質の分子数の比で表しており，ppt は 10^{-12}（乾燥空気中の分子 1 兆個中に 1 個）を表す．

日本の大気中フロン 11，12，113 の濃度

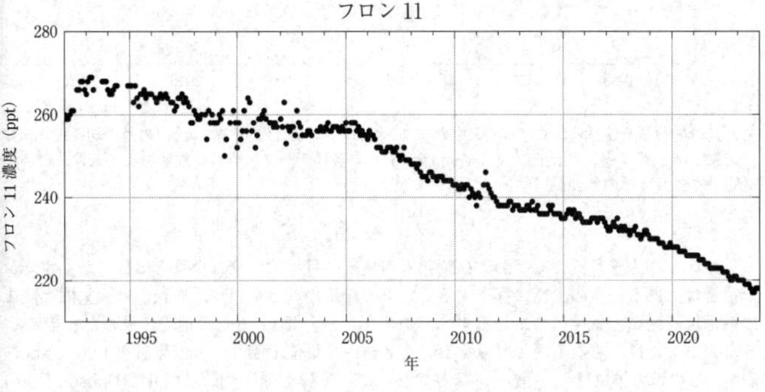

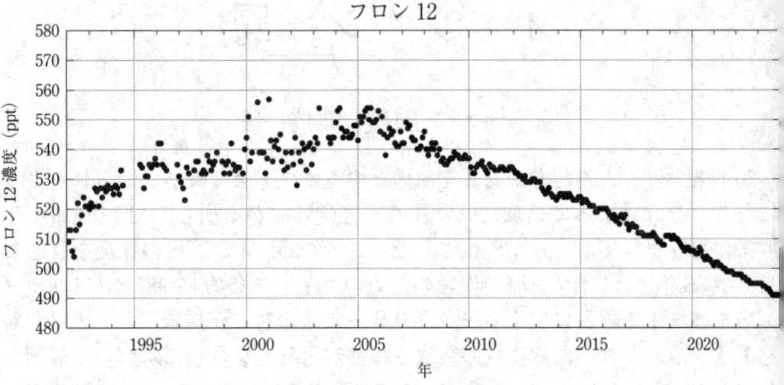

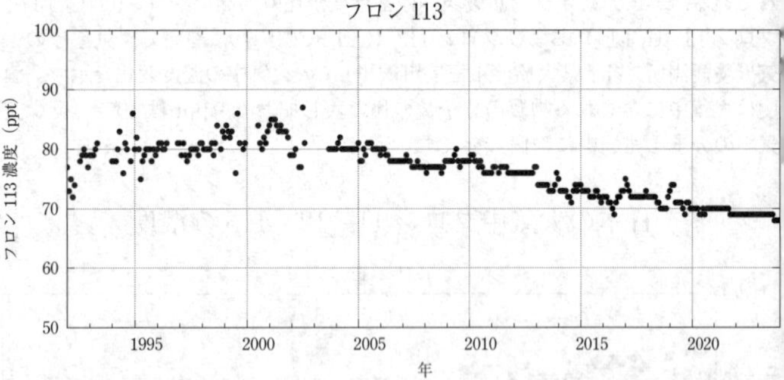

大気環境観測所(綾里)における大気中のフロン 11, フロン 12 およびフロン 113 の月平均濃度(ppt).

気象庁ホームページ (https://www.jma.go.jp/) の各種データ・資料「地球環境・気候」の「温室効果ガス」,「その他の温室効果ガス」を参照.

オゾン全量

気象庁が観測を行うつくばおよび昭和 (南極) の月平均オゾン全量を掲載した. オゾン全量とは, ある地点の上空に存在するオゾンの総量のことをいう. 地表から大気圏上限までの単位断面積の気柱に含まれるすべてのオゾンを 1 気圧, 0 ℃の地表に集めたときにできるオゾンだけからなる層の厚みをセンチメートル単位で測り, この数値を 1 000 倍して表す. この値の単位は m atm-cm (ミリアトムセンチメートル), または DU (Dobson Unit ; ドブソン単位) と呼ばれる. 測定装置の再較正やデータの見直しなどにより, 過去にさかのぼって値を修正することがある. 気象庁ホームページ (https://www.jma.go.jp/) の各種データ・資料「地球環境・気候」の「オゾン層・紫外線」,「オゾン層のデータ集」を参照.

オゾン全量の月平均値(m atm-cm)(1)

つくば

年	1月	2月	3月	4月	5月	6月	7月	8月	9月	10月	11月	12月
1991	334	353	339	338	349	321	312	294	281	270	270	291
1992	305	338	326	355	362	334	319	285	278	269	258	281
1993	278	308	329	339	325	317	305	286	275	271	267	281
1994	320	350	363	335	334	338	298	292	286	270	274	271
1995	299	339	347	319	326	332	293	287	273	264	290	314
1996	322	341	336	353	345	307	296	285	280	274	253	280
1997	312	322	317	323	323	314	297	281	274	274	284	296
1998	312	345	348	334	321	330	311	299	281	271	284	279
1999	302	330	312	348	343	319	300	288	281	282	288	305
2000	311	353	351	358	339	325	302	293	277	267	255	282
2001	329	309	365	346	345	326	299	298	282	279	282	286
2002	302	320	324	330	337	345	288	292	285	277	290	311
2003	335	357	364	329	341	321	318	293	284	274	263	286
2004	314	303	345	338	320	315	301	295	281	269	268	287
2005	330	342	350	349	345	326	311	296	278	273	277	310
2006	325	303	350	367	329	341	309	300	296	280	296	291
2007	317	337	352	363	353	334	309	295	274	270	272	301
2008	309	321	347	346	323	327	307	299	290	279	281	279
2009	312	315	352	350	338	329	302	287	286	277	275	307
2010	323	343	340	358	366	345	314	293	291	273	289	297
2011	316	348	365	352	324	318	292	287	274	271	283	303
2012	309	305	332	354	345	328	304	288	283	270	287	302
2013	305	320	325	344	348	325	308	301	284	262	292	317
2014	320	339	350	354	341	336	307	287	290	271	274	314
2015	320	357	361	336	337	336	299	293	295	278	282	291
2016	309	326	341	333	331	320	302	288	275	259	269	285
2017	312	334	362	356	342	338	304	291	291	267	280	309
2018	322	359	347	358	345	328	295	282	280	268	273	274
2019	295	293	334	350	347	339	310	283	270	269	278	291
2020	322	333	356	361	332	313	300	281	277	268	282	293
2021	300	327	336	347	333	327	313	289	293	279	301	303
2022	334	349	343	337	344	333	307	292	279	279	277	295
2023	313	312	337	324	333	318	300	281	277	292	290	306

オゾン全量の月平均値(m atm-cm)（2）

昭和（南極）

年	1月	2月	3月	4月	5月	6月	7月	8月	9月	10月	11月	12月
1991	306	291	295	281	219	295	309	249	211	299	265	318
1992	301	309	288	287	295	315	306	259	187	164	226	306
1993	301	310	308	306	301	324	305	247	200	192	229	292
1994	301	269	256	256	246	263	242	202	174	202	294	300
1995	292	287	269	284	280	287	264	228	193	166	248	253
1996	288	275	269	262	245	272	265	233	187	156	216	305
1997	295	292	279	272	296	270	299	247	232	164	303	290
1998	288	296	285	273	253	278	272	237	172	181	208	251
1999	279	276	278	274	252	285	268	223	203	171	198	227
2000	291	286	270	270	270	263	254	215	185	204	232	316
2001	303	291	289	278	271	284	252	232	172	158	192	284
2002	303	284	289	281	307	274	—	258	241	318	333	327
2003	311	295	276	267	258	257	253	224	165	159	253	296
2004	301	290	282	275	274	262	292	260	222	191	254	309
2005	291	295	276	250	278	284	243	218	173	194	241	311
2006	296	287	292	293	300	263	287	216	171	137	192	262
2007	294	296	291	268	300	286	233	204	180	170	259	268
2008	303	300	283	279	268	304	256	237	172	177	209	260
2009	297	292	279	270	260	253	265	222	186	160	343	308
2010	302	288	273	283	279	285	275	252	201	184	224	287
2011	298	280	272	283	303	290	300	242	183	212	217	257
2012	302	285	290	269	244	284	264	249	217	239	333	327
2013	301	293	292	282	284	271	295	237	242	236	308	311
2014	301	310	286	289	304	275	280	238	195	180	259	300
2015	303	292	284	280	257	284	275	233	203	168	219	247
2016	289	279	276	260	303	277	275	253	198	195	289	320
2017	300	298	281	273	281	282	282	249	236	224	266	323
2018	306	296	277	293	281	285	266	232	176	186	230	320
2019	297	295	290	295	240	246	260	250	296	259	342	319
2020	315	317	291	288	270	275	271	255	206	156	191	242
2021	293	300	272	290	266	279	261	253	188	176	203	258
2022	285	289	280	274	—	283	285	259	188	162	242	247
2023	287	281	282	286	274	280	256	235	211	173	182	290

「—」は，荒天等により観測値がなく月平均値が求められないことを示す．

世界のオゾン全量分布図(m atm-cm)　3月

世界のオゾン全量分布図は，米国航空宇宙局（NASA：National Aeronautics and Space Administration）によるアースプローブ衛星に搭載のオゾン全量マッピング分光計（TOMS：Total Ozone Mapping Spectrometer）およびオーラ衛星搭載のオゾン監視装置（OMI：Ozone Monitoring Instrument）の測定データを基に気象庁が作図したものである．ここでは代表的な分布として，1997年から2006年までの3月と9月の平均分布図を示す．

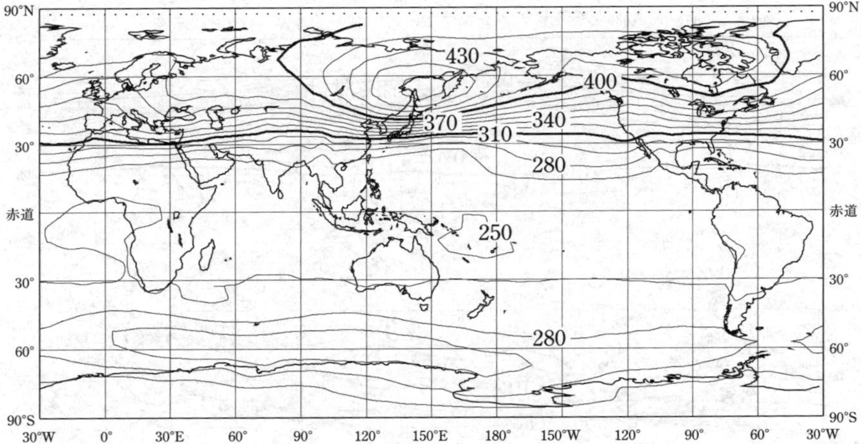

1997年～2006年の平均*．
等値線は15 m atm-cm毎.

世界のオゾン全量分布図(m atm-cm)　9月

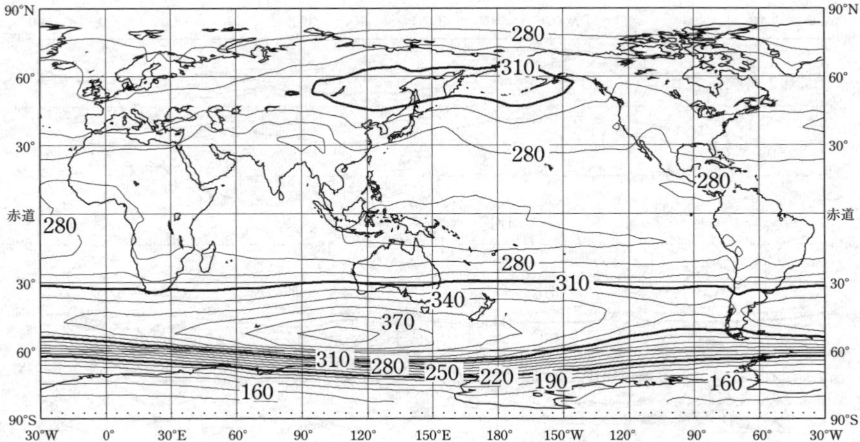

1997 年～2006 年の平均*.

等値線は 15 m atm-cm 毎.

* 気象庁では，オゾン・紫外線の変動を表すための基準として，世界平均のオゾン全量の減少傾向が止まり，オゾン全量が少ない状態で安定していた時期である 1994 年から 2008 年の平均値を用いている．このうち衛星観測によるオゾンの変動については，データの一部が存在しないなどの理由により 1997 年から 2006 年までの平均値を基準にしている．

オゾンホール

1980 年代初め頃から, 9 月から 11 月までの期間を中心に南極域上空のオゾン全量が著しく少なくなる現象が現れるようになった. 南極域上空を中心にオゾン全量の著しく減少した領域が, ちょうどオゾン層に穴のあいたような状態であることから「オゾンホール」と呼ばれている. オゾンホールの出現は, CFC 等のオゾン層破壊物質の増加が原因と考えられ, オゾンホールの規模の年々の変動からオゾン層破壊の状態の推移を知ることができる. 気象庁では, オゾンホールの領域を, オゾン全量が 220 m atm-cm 以下 (オゾンホール発生以前には広範囲に観測されなかった値) の領域と定義し, 衛星観測のデータを基にその領域面積を算出している.

10 月の月平均オゾン全量の南半球分布図

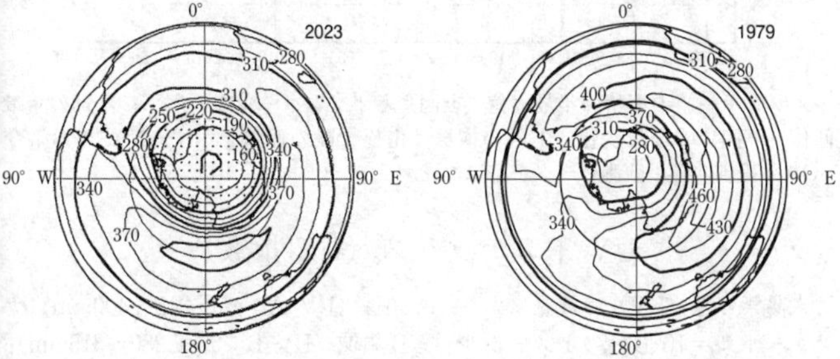

2023 年 10 月(左)とオゾンホールが出現する前の 1979 年 10 月(右)の月平均オゾン全量の南半球分布図. 等値線は 30 m atm-cm 毎. NASA 提供の衛星観測データを基に気象庁で作成. 点域は 220 m atm-cm 以下の領域.

オゾンホールの最大面積と最低オゾン全量

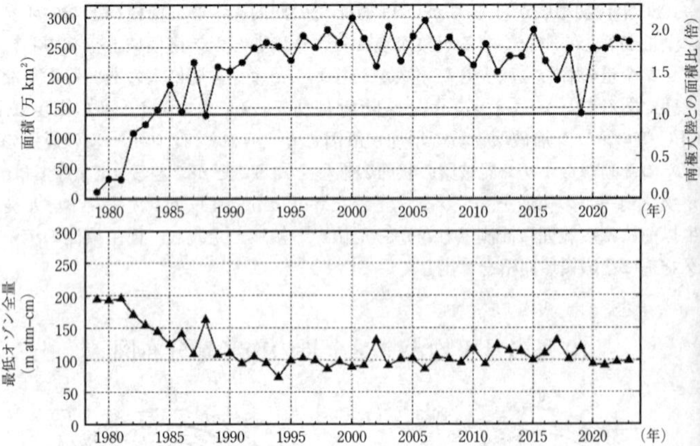

オゾンホールの面積の年最大値（上図）とオゾンホール内のオゾン全量の年最低値（下図）の経年変化．上図の横線は南極大陸の面積を示す．NASA および NOAA 提供の衛星観測データを基に作成．

UV インデックス（UV 指数）

太陽紫外線（UV）は波長により，A 領域（UV-A；波長 315～400 nm（ナノメートル＝10 億分の 1 メートル）），B 領域（UV-B；波長 280～315 nm），C 領域（UV-C；波長 100～280 nm）に分類される．このうち，UV-C は大気中の酸素やオゾンに吸収されて地上に到達することはないが，UV-A と UV-B は，大気中ですべては吸収されずその一部が地表まで到達している．とくに UV-B は，白内障や皮膚がんの原因となることが知られている．

世界保健機関（WHO）などは，近年，オゾン層破壊により地上へ到達する UV-B が増加することを懸念し，UV インデックスを活用した紫外線対策の実施を推奨している．UV インデックスとは，紫外線が人体に及ぼす影響の度合いをよりわかりやすく示すため，紫外線の強さを指標化したものである．WHO などが作成した「UV インデックスの運用ガイド」は，UV インデックスを以下のように定義している.

$$I_{\mathrm{CIE}}=\int_{250\mathrm{nm}}^{400\mathrm{nm}} E_\lambda S_{\mathrm{er}}\mathrm{d}\lambda \quad S_{\mathrm{er}}=\begin{cases}1.0 & (250\ \mathrm{nm}<\lambda<298\ \mathrm{nm})\\ 10^{0.094(298-\lambda)} & (298\ \mathrm{nm}\leq\lambda\leq 328\ \mathrm{nm})\\ 10^{0.015(139-\lambda)} & (328\ \mathrm{nm}<\lambda<400\ \mathrm{nm})\end{cases}$$

E_λ は波長 λ における紫外域日射強度であり，mW/(m^2·nm)(ミリワット毎平方メートル毎ナノメートル) の単位で表示される．この E_λ に国際照明委員会 (CIE) が定義した皮膚に対する波長別相対影響度を表す CIE 作用スペクトル S_{er} の重みをかけて波長積分すると，紅斑紫外域日射量 (CIE 紫外域日射量) I_{CIE} が得られる．これを 25 mW/m^2 で割って指標化したものが UV インデックス I_{UV} である.

$$I_{\mathrm{UV}}=I_{\mathrm{CIE}}/25$$

「UV インデックスの運用ガイド」では，UV インデックスが 8 以上の場合，日中の外出を控えるなどとくに配慮が必要としている．気象庁が観測しているつくばにおける毎時の UV インデックス 8 以上の出現率 (%) を月別に掲載する.

UV インデックス 8 以上の出現率 (%)

1990 年～2023 年の毎時観測データから作成.

	9 時	10 時	11 時	12 時	13 時	14 時	15 時
つくば							
1 月	0	0	0	0	0	0	0
2 月	0	0	0	0	0	0	0
3 月	0	0	0	0	0	0	0
4 月	0	0	1	2	0	0	0
5 月	0	1	10	10	2	0	0
6 月	0	3	13	16	7	0	0
7 月	0	9	28	34	21	0	0
8 月	0	6	28	33	17	0	0
9 月	0	0	4	4	1	0	0
10 月	0	0	0	0	0	0	0
11 月	0	0	0	0	0	0	0
12 月	0	0	0	0	0	0	0

大気汚染

日本の夜空の明るさ分布

夜空の明るさは，地上からの光害や大気中の光を散乱するダストなど，大気環境を測る1つの重要な目安になる．この地球大気の状態は目で直接確かめることは難しいが，何等までの星が見えるかを測定する方法により空の明るさ分布の情報を得ることができる．

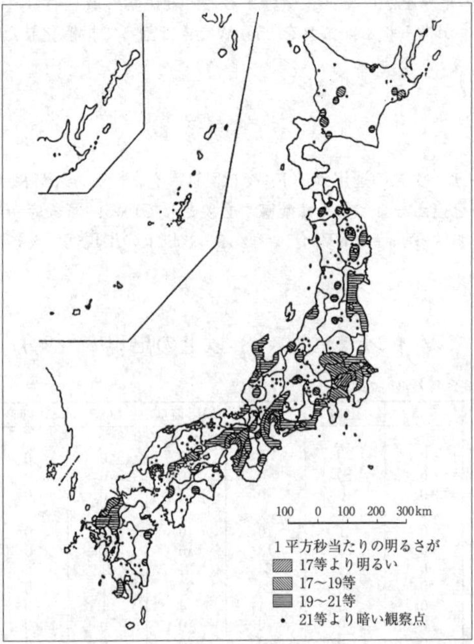

(平成8年版「環境白書総説」，p. 488より，原図 香西洋樹)

黄　砂

黄砂現象とは，大陸の砂漠や耕地の砂じんが強い風によって舞い上げられ，上空の西風によって遠くまで運ばれて徐々に降下し，天空が濁ったり，水平方向の見通せる距離（視程）が悪化したりする現象である．はなはだしいときは，砂じんが積もることや交通障害を引き起こすことがある．

黄砂の観測は気象台で目視によって行っている（2023 年 12 月 31 日時点で 11 地点）．気象状況などから明らかに黄砂と判断される場合は，視程にかかわらず記録する．

年別の黄砂観測日数（国内 11 地点）

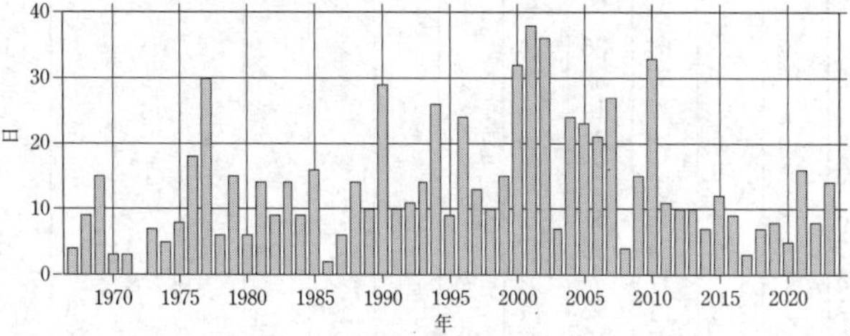

黄砂観測日数とは，国内のいずれかの観測点で黄砂現象を観測した日数である（同じ日に何地点で観測しても 1 日とする）．

年別の黄砂観測のべ日数（国内 11 地点）

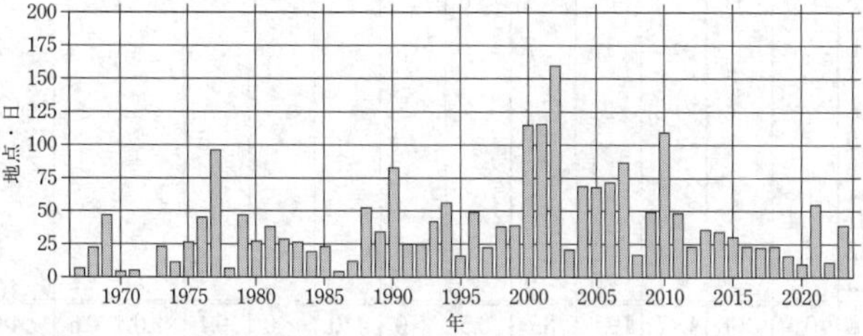

黄砂観測のべ日数とは，黄砂現象を観測した観測点の数の合計である（例：1日に 5 地点で観測した場合はのべ日数は 5日とする）．

月別の黄砂観測のべ日数

国内 11 地点

年	1月	2月	3月	4月	5月	6月	7月	8月	9月	10月	11月	12月	年合計
1991		1	3	2	19								25
1992				24						1			25
1993		6	1	30	5								42
1994		13	22	21									56
1995			8	6	2								16
1996	1	18	9	8	12						1		49
1997			8	14									22
1998			17	21									38
1999	13	8	9	9									39
2000			41	60	14								115
2001	2		64	36	14								116
2002		1	57	82		3					17		160
2003			7	14									21
2004		5	29	30	5								69
2005		9	2	38	3						16		68
2006			16	54	2								72
2007		4	14	32	37								87
2008			17										17
2009		18	21	2	1					2		5	49
2010			25	15	35						24	11	110
2011			3	3	42								48
2012			3	17	2							1	23
2013	2		28	1						5			36
2014					29	5							34
2015		11	5	4	4	6							30
2016				16	7								23
2017					22								22
2018			2	21									23
2019				8	1					5	2		16
2020				4	6								10
2021	4		29	2	20								55
2022			8	1								2	11
2023			1	25	9						3	2	40
平年値	0.6	3.1	13.7	19.1	8.7	0.5	0	0	0	0.4	2.0	0.6	48.7

平年値は，1991～2020 年の平均値．

水　循　環

世界の年蒸発散量（陸域）と年蒸発量（海洋）

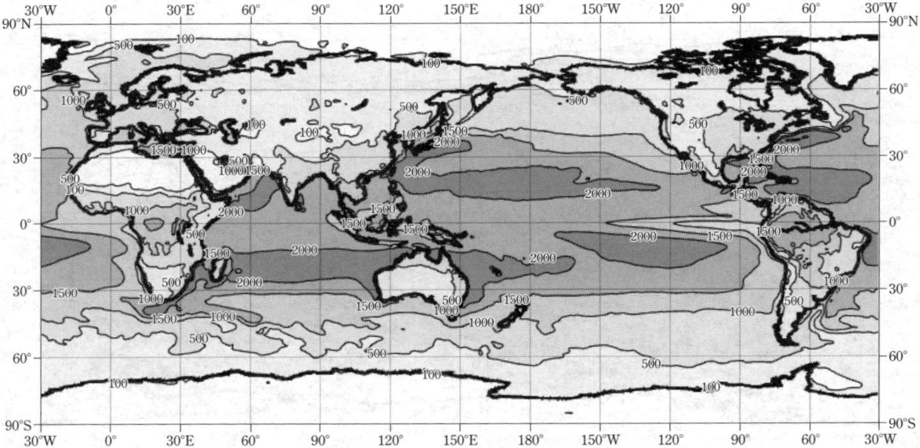

（等値線の単位：mm/年）

気象庁第３次長期再解析（JRA-3Q）の成果に基づく.

蒸発散量（陸域）および蒸発量（海洋）は，JRA-3Q の数値予報モデルにより計算された６時間予報値から積算した値である.

1991 年から 2020 年の期間で平均した年間の総蒸発散量（陸域）と総蒸発量（海洋）である．蒸発散量は蒸発量（地表から直接大気中に移動する水）と蒸散量（植物の葉を通して大気中に移動する水）の合計で表される．海洋では蒸発だけが行われる.

世界の年降水量

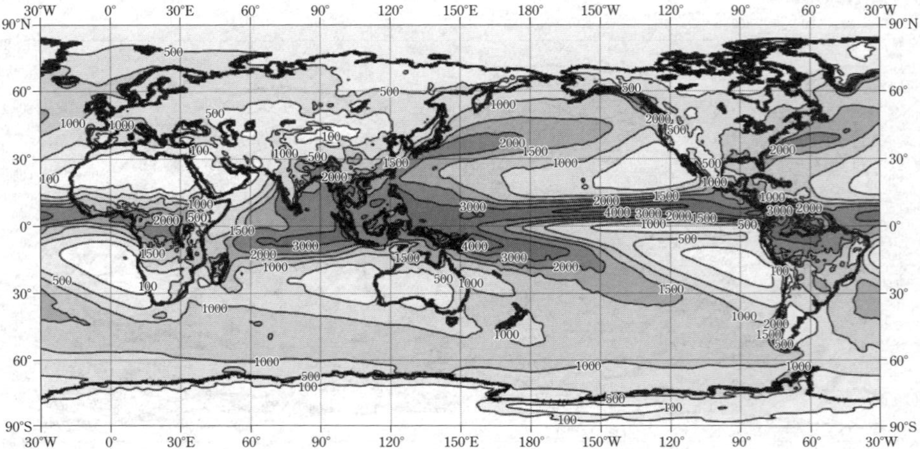

(等値線の単位：mm/年)

気象庁第3次長期再解析（JRA-3Q）の成果に基づく.

降水量は，JRA-3Q の数値予報モデルにより計算された6時間予報値から積算した値である．衛星観測を使った推定値などと比べると熱帯海洋上で1割程度多めになる場合がある.

1991 年から 2020 年の期間で平均した年間の総降水量である.

地球の水量の分布

地球の水は海水（海洋の水），陸水（氷河，地下水を含む陸地の水）および天水（大気中の水）に分けられる．

	貯留量 (10^3 km^3)			割合 (%)		
				対全量	対陸水	対その他
天水	13			0.001		
海水	1 348 850			97.4		
陸水	35 987			2.60		
陸水の内訳		氷河 27 500		1.986	76.42	
		地下水 8 200		0.592	22.79	
		その他 287		0.021	0.80	
その他の内訳			塩水湖 107.0	0.0077	0.297	37.28
			淡水湖 103.0	0.0074	0.286	35.89
			土壌水 74.0	0.0053	0.206	25.78
			河川水 1.7	0.0001	0.005	0.59
			動植物 1.3	0.0001	0.004	0.45
総計	1 384 850	35 987	287.0	100.0	100.0	100.0

貯留量は賄存量ともいう．
それぞれの貯留量には10%ほどの誤差が含まれる．
Speidel and Agnew (1988)，大森博雄 (1993) などによる．

地球の水の循環量

大気中の水の貯留量は13 000 km^3 で，降水量に換算すると，25 mm になる．
循環量のかっこ内は，循環量を面積で割った降水量換算値（mm）．
無印は入量，負の値（－）は出量を示す．

	面積 (10^6 km^2)	貯留量 (10^3km^3)	循環量 (10^3 km^3/年)		
			降水	蒸発	陸から海へ
大気	510	13	496 [972.6]	−496 [972.6]	
海洋	361	1 348 850	385 [1 066]	−425 [1 177]	40 [111]*1
陸地	149	35 987	111 [745]	−71 [477]	−40 [268]*2
陸地の内訳					
氷河地域	18	27 500	3.02 [169]	−1.04 [58]	−1.98 [111]
内陸流域	33	125.6	7.59 [230]	−7.59 [230]	0.00
外界流域	98	8 360	100.41 [1 024]	−62.41 [637]	−38.00 [387]

内陸流域：海に流出しない河川の流域．外界流域：海に流れ出す河川の流域．
陸地の蒸発は地表面から直接大気に戻る水分と植物を通して大気に戻る水分との合計（＝蒸発散量）．
＊1　海洋での降水量に換算．
＊2　陸地での降水量に換算．
Speidel and Agnew (1988)，大森博雄 (1993) などによる．

水体別滞留時間

滞留時間は，入った水がそこから出るまでの平均時間で，「滞留時間＝貯留量/循環量」で計算する．

	貯留量 (10^3 km^3)	循環量* (10^3 km^3/年)	滞留時間 (年)	滞留時間 (日)		貯留量 (10^3 km^3)	循環量* (10^3 km^3/年)	滞留時間 (年)	滞留時間 (日)
天水	13.0	496.00	0.03	10	淡水湖	103.0	24.00	4.29	1 566
海水	1 348 850.0	425.00	3 173.8	1 158 424	塩水湖	107.0	7.59	14.10	5 146
氷河	27 500.0	3.02	9 106.0	3 323 675	地下水	8 200.0	14.00	585.7	213 786
河川水	1.7	24.00	0.07	26	土壌水	74.0	84.00	0.88	322

滞留時間は水体の水が全部入れ替わるのに要する平均時間をもさし，通過時間，回転時間，更新時間，所要時間などとも呼ばれる．

*　河川水の循環量は1年間に陸から海に流出する流量（地下水の合流分は除く）．

淡水湖の循環量は河川水の循環量と同量．

塩水湖の循環量は内陸流域の降水量（＝蒸発量）と同量．

地下水の循環量は河川水に合流する量（12×10^3 km^3）と地下水のまま直接海に流入する量（2×10^3 km^3）の合計．

土壌水の循環量は陸地からの蒸発量（70×10^3 km^3）と土壌を通って地下水となる量（14×10^3 km^3）の合計．

Speidel and Agnew (1988)，大森博雄 (1993) などによる．

海洋の水循環

	面積 (10^6 km^2)	貯留量 (10^3 km^3)	循環量 (10^3 km^3/年) 降水量	河川からの流入量	蒸発量	増減
太平洋	181	695 000	228.50 [1 262]	12.20 [67]	213.00 [1 177]	27.70 [153]
インド洋	74	295 000	81.00 [1 095]	5.70 [77]	100.50 [1 358]	−13.80 [−186]
大西洋	94	350 000	74.65 [794]	19.40 [206]	111.00 [1 181]	−16.95 [−180]
北極海	12	8 850	0.85 [71]	2.70 [225]	0.50 [42]	3.05 [254]
合計	361	1 348 850	385 [1 066]	40 [111]	425 [1 177]	0

増減：（降水量＋河川からの流入量）−蒸発量．

循環量のかっこ内は，循環量を面積で割った降水量換算値（mm）．

Speidel and Agnew (1988)，大森博雄 (1993) などによる．

陸地から海洋への年間流入量

（単位：km^3）

	ヨーロッパ	アジア	アフリカ	北アメリカ	南アメリカ	オーストラリア	南極	グリーンランド	合計
太平洋	—	6 530	—	2 000	1 400	1 820	450	—	12 200
インド洋	—	3 600	760	—	—	590	750	—	5 700
大西洋	2 470	—	2 820	3 620	9 690	—	600	200*	19 400
北極海	40	2 340	—	320	—	—	—	0*	2 700
合計	2 510	12 470	3 580	5 940	11 090	2 410	1 800	200	40 000

*　グリーンランドからの流入量に関しては，北極海に 32 km^3，大西洋に 231 km^3 流入しているという計算値もある（Steger et al., 2017）．

Speidel and Agnew (1988)，大森博雄 (1993) などによる．

世界の乾燥地域

乾燥地域の面積は乾燥の度合いの計算方法によって異なるが，ソーンスウェートの湿潤指数を用いることが多い．極乾燥地～半乾燥地が広義の砂漠で，全陸地の約3分の1を占める．内訳は，極乾燥地（極砂漠）が7%，乾燥地（真砂漠）が11%，半乾燥地（半砂漠）が15%となる．極乾燥地と乾燥地は厳しい気候のもと，植物もまばらで農牧業はほとんど営まれない．半乾燥地には草原や疎林が広がり，農牧業の限界地域ではあるが，世界の小麦の主要生産地になっている．気候変化の影響が現れやすく，人的インパクトも受けやすいため，深刻な砂漠化が進んでいる．

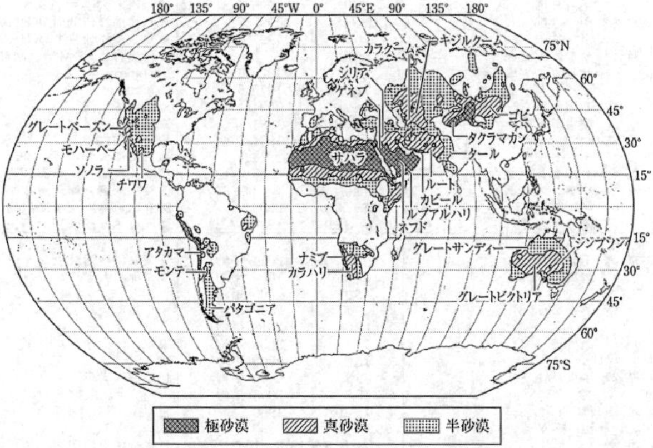

UNEP/GRID："Status of Desertification and Implementation of the United Nations Plan of Action to Combat Desertification"(1992)に基づくブリタニカ国際百科事典"砂漠"(2005)による．

水域環境

水域の透明度 (1)

透明度とは，水の清濁を表す指標である．直径 30 cm の白板を水面から下ろし見えなくなる深さで表している．透明度が大きい場合きれいな水域を，小さい場合濁った水域を表す．

海　域		透明度(m)	観測年/月/日	観測者または出典
外　洋				
太平洋	台湾近海	60.0		吉村信吉："湖沼学"(増補版)
	赤道海域	17.0～18.0	1996/12	東京海洋大学
	三陸沖	6.5～15.0	1997/5	東京大海洋研究所(KT-97-5)
	北太平洋西部	7.5～20.0	1997/7	東京大海洋研究所(KT-97-2)
	北太平洋東部	16.0～22.0	1997/8	東京大海洋研究所(KT-97-2)
東シナ海	沖縄本島沖	34.0	1996/7/20	東京海洋大学
	九州沖	11.5～15.0	1996/7/20	東京海洋大学
日本海	大和堆	27.0	1996/7/28	東京海洋大学
	能登沖	27.0	1996/7/29	東京海洋大学
	小樽沖	23.0	1996/7/31	東京海洋大学
ベーリング海	中央部	12.5～15.0	1997/7	東京大海洋研究所(KH-97-2)
	東部	20.0	1997/7/29	東京大海洋研究所(KH-97-2)
大西洋	サルガッソ海	66.0		吉村信吉："湖沼学"(増補版)
	サルガッソ海西部	48.0	1979/6	Broenkow
	ジョージアバンク	12.0	1979/6	Broenkow
インド洋	赤道海域	21.0～30.4	1994/1	東京海洋大学
	南半球東側	24.5～29.8	1994/1	東京海洋大学
アラビア海	オマーン湾	13.5	1994/1/4	東京海洋大学
	インド沖	20.0～27.0	1994/1	東京海洋大学
南大洋	ケルゲレン海台	13.0	2003/1/10	第9次海鷹丸南極海観測
	フランス基地沖	17.0	2003/2/3	第9次海鷹丸南極海観測
	南極大陸沖(オーストラリア南)	11.0～20.0	2003/2	第9次海鷹丸南極海観測
	南極半島沖	8.0～11.0	1987/12/24	開洋丸第5次南極海調査
沿岸域				
東京湾	千葉沿岸	3.2	2014(平均)	千葉県環境研究センター
	湾奥(Stn. 3)	3.5	2000(平均)	東京海洋大学
		3.0	2000(平均)	
	湾口(Stn. 6)	9.7	2000(平均)	東京海洋大学
		9.0	2012(平均)	
	湾外(Stn. 11)	14.7	2000(平均)	東京海洋大学
		15.3	2005(平均)	
相模湾	中央(Stn. S3)	16.8	2000(平均)	東京海洋大学
		13.7	2005(平均)	
駿河湾	湾西部	5.0～10.0	1966～1980	日本全国沿岸海洋誌
	湾東部	15.0～20.0		
遠州灘		1.0～16.5	1976～1982(平均)	日本全国沿岸海洋誌
三河湾		2.0～4.0	1952～1971(平均)	日本全国沿岸海洋誌
伊勢湾		4.0～8.0	1952～1971(平均)	日本全国沿岸海洋誌
大阪湾	北部	3.4	2000(平均)	環境省広域総合水質調査
	関西国際空港北側(A-6)	6.7	2011(平均)	大阪府環境科学センター
瀬戸内海	播磨灘	9.5	2015(平均)	香川県赤潮研究所
有明海	沿岸寄り	0.5～3.0	1990～2000	中田，野中 (2003)
	中央部	2.0～4.0		
	湾口	6.0～12.0		
大村湾	中央部	5.9～6.6	1979～2002(平均)	長崎県衛生公害研究所
	大村市沖	3.9～4.7		
白保	サンゴ礁	2.9～16.7[*1]	2000/6	大見謝，満本

水域の透明度 (2)

海域		透明度(m)	観測年/月/日	観測者または出典
沿岸域(続き)				
バルト海	中央部	8.1～10.0	1900～1999(平均)	T. Aarup
	入口	6.5～8.6		
	エルベ河口沖	0.6～2.8		
アドリア海	北部	7.0～14.0	1979～1985(平均)	M. Morović
	南部	14.0～25.0		
カリフォルニア	サンディエゴ沖	7.0～25.0	1976	B. Kimor
湖沼・河川				
北海道	摩周湖	41.6	1931/8/31	北海道水産試験所
		18.0	2002/8/23	国立環境研究所
		22.6	2013/5/26	
	支笏湖	17.5	1991/8	環境庁自然保護局
	倶多楽湖	22.0	1991/8	環境庁自然保護局
	洞爺湖	23.5	1938/8/26	田中館
		9.0～17.5	1993～1994	Nakano & Ban (2003)
	阿寒湖	5.0	1991/8	環境庁自然保護局
	屈斜路湖	6.0	1991/8	環境庁自然保護局
青森	小川原湖	3.2	1991/8	環境庁自然保護局
	十和田湖	20.5	1930/9/7	星野
		6～14	1990～1996	Takamura et al. (1999)
秋田	田沢湖	4.0	1991/8	環境庁自然保護局
福島	猪苗代湖	6.1	1991/8	環境庁自然保護局
茨城	霞ヶ浦 湖心	0.96	1980(平均)	国立環境研究所
		0.80	2014(平均)	
栃木	中禅寺湖	9.0	1991/8	環境庁自然保護局
新潟	佐渡加茂湖	4.0～5.0	1997～2001	神蔵勝明・県立両津高校理科部
神奈川	芦ノ湖	7.5	1991/8	環境庁自然保護局
山梨	河口湖	5.2	1991/7	環境庁自然保護局
	山中湖	5.5	1991/7	環境庁自然保護局
	本栖湖	11.2	1991/8	環境庁自然保護局
長野	木崎湖	4.3	1991/8	環境庁自然保護局
	諏訪湖 湖心	1.15	2006	信州大学山地水環境教育研究センター研究報告
静岡	浜名湖 湖心	3.3	2014(平均)	静岡県環境局生活環境課
滋賀	琵琶湖 北湖	4.8～6	1990～2000(平均)	滋賀県琵琶湖環境部
		5.8	2012(平均)	
	琵琶湖 南湖	1.5～2.0	1990～2000(平均)	滋賀県琵琶湖環境部
		2.2	2012(平均)	
島根	宍道湖 湖心	1.3～2.1	2003	後藤悦郎ら
	中海 湖心	2.6	2015(平均)	米子市
鹿児島	池田湖	6.5	1991/8	環境庁自然保護局
シベリア	バイカル湖	40.5	1911/4	Schostakowitsch
	バイカル湖(Bol'shie Koty)	23.0	2003/8/4	Jung et al.
オレゴン	クレーター湖	39.0*2	1969/8	Larson
カリフォルニア	タホ湖	23.7	2014	UC Davis
外蒙古	コソゴル湖	24.6	1903/7	Jelpatjewski
スイス	レマン湖	9.0～11.3	1889～1891	Forel
ドイツ	ワルヘン湖	25.0	1903/5/19	V. Aufsess
	ボーデン湖	0.8～16.0	1905/5/19	Straite & Hälbich
五大湖	オンタリオ湖	2.0～4.5		Bukata
	エリー湖	0.9～2.8	1984～1992(平均)	Holland
	ヒューロン湖	9～15		Bukata
	スペリオル湖	11～20		Bukata
高知	四万十川	7.4*1	1998～1999(冬季平均)	堀内ら
		5.5*1	1998～1999(夏季平均)	堀内ら
アメリカ	ミシシッピ川	1.3		Broenkow

*1　水平方向の透明度
*2　20 cm 径の透明度板による.

透明度(D)と放射照度の消散係数(K)の間には，外洋では $KD=1.7$ の関係が成り立つ(Poole & Atkins, 1929). 沿岸・内湾や湖沼では，この関係が異なる場合が多々見いだされている.

また，外洋における透明度 (Z) と植物プランクトンのクロロフィル a 濃度 (Chl) の間には，$Chl=457Z^{-2.37}$ の関係が経験的に求められている (Falkowski & Wilson, 1992).

世界の海洋の透明度は米国の NODC，日本周辺海域の透明度は JODC のデータベースに集約され，公開されている.

海水の含有元素濃度 (1)

原子番号	元素	溶存種	鉛直分布の型	濃度 (nmol/kg)				全海洋平均濃度 (ng/L)	全海洋の総量 (t)
				大西洋表層水*1	大西洋深層水*1	太平洋表層水*1	太平洋深層水*1		
1	H	H_2O	c	1.11×10^{11}	1.11×10^{11}	1.11×10^{11}	1.11×10^{11}	1.11×10^{11}	1.6×10^{17}
2	He	gas	c	1.7	1.7	1.7	1.7	6.8	9.5×10^{6}
3	Li	Li^+	c	2.6×10^{4}	2.6×10^{4}	2.6×10^{4}	2.6×10^{4}	1.8×10^{5}	2.5×10^{11}
4	Be	$BeOH^+$	s＋n	0.01	0.02	4×10^{-3}	0.025	0.2	3×10^{5}
5	B	$B(OH)_3$	c	1.1×10^{5}	1.1×10^{5}	1.1×10^{5}	1.1×10^{5}	1.2×10^{6}	1.7×10^{12}
6	C	HCO_3^-	n	2.0×10^{6}	2.2×10^{6}	2.0×10^{6}	2.4×10^{6}	2.8×10^{7}	3.9×10^{13}
7	N	N_2 gas	c	4.2×10^{5}	4.2×10^{5}	4.2×10^{5}	4.2×10^{5}	5.9×10^{6}	8.2×10^{12}
7	N	NO_3^-	n	10	2.0×10^{4}	10	4.0×10^{4}	4.2×10^{5}	5.9×10^{11}
8	O	O_2 gas	nと逆	2.0×10^{5}	2.5×10^{5}	2.0×10^{5}	1.5×10^{5}	3.2×10^{6}	4.5×10^{12}
9	F	F^-	c	6.8×10^{4}	6.8×10^{4}	6.8×10^{4}	6.8×10^{4}	1.3×10^{6}	1.8×10^{12}
10	Ne	gas	c	6.8	6.8	6.8	6.8	1.4×10^{2}	1.9×10^{8}
11	Na	Na^+	c	4.69×10^{8}	4.69×10^{8}	4.69×10^{8}	4.69×10^{8}	1.1×10^{10}	1.5×10^{16}
12	Mg	Mg^{2+}	c	5.28×10^{7}	5.28×10^{7}	5.28×10^{7}	5.28×10^{7}	1.3×10^{9}	1.8×10^{15}
13	Al	$Al(OH)_3$	s	13	14	2.1	2.0	220	3.0×10^{8}
14	Si	H_4SiO_4	n	1000	3.0×10^{4}	1000	1.5×10^{5}	2.5×10^{6}	3.5×10^{12}
15	P	HPO_4^{2-}	n	1	1400	1	2800	6.5×10^{4}	9.1×10^{10}
16	S	SO_4^{2-}	c	2.82×10^{7}	2.82×10^{7}	2.82×10^{7}	2.82×10^{7}	9.0×10^{8}	1.3×10^{15}
17	Cl	Cl^-	c	5.46×10^{8}	5.46×10^{8}	5.46×10^{8}	5.46×10^{8}	1.9×10^{10}	2.7×10^{16}
18	Ar	gas	c	1.1×10^{4}	1.1×10^{4}	1.1×10^{4}	1.1×10^{4}	4.4×10^{5}	6.2×10^{11}
19	K	K^+	c	1.02×10^{7}	1.02×10^{7}	1.02×10^{7}	1.02×10^{7}	4.0×10^{8}	5.6×10^{14}
20	Ca	Ca^{2+}	ほぼc	1.0×10^{7}	1.0×10^{7}	1.0×10^{7}	1.0×10^{7}	4.1×10^{8}	5.8×10^{14}
21	Sc	$Sc(OH)_3$	s＋n	0.014	0.020	8×10^{-3}	0.018	0.85	1.2×10^{6}
22	Ti	$Ti(OH)_4$	s＋n	0.06	0.3	5×10^{-3}	0.2	12	1.7×10^{7}
23	V	HVO_4^{2-}	ほぼc	35	35	33	35	1.8×10^{3}	2.5×10^{9}
24	Cr	CrO_4^{2-}(Ⅵ)	n	3.5	4.5	3	5	250	3.5×10^{8}
24	Cr	$Cr(OH)_3$(Ⅲ)	s			0.2	0.05	3	4×10^{6}
25	Mn	Mn^{2+}	s	1.5	0.18	1.2	0.33	14	2.0×10^{7}
26	Fe	$Fe(OH)_3$	s＋n	0.39	0.81	0.16	0.76	44	6.1×10^{7}
27	Co	Co^{2+}	s＋n	0.043	0.056	0.046	0.032	2.6	3.6×10^{6}
28	Ni	Ni^{2+}	n	2.8	5.1	3.3	8.9	410	5.8×10^{8}
29	Cu	Cu^{2+}	s＋n	0.84	1.9	0.94	2.9	150	2.1×10^{8}
30	Zn	Zn^{2+}	n	0.21	3.0	0.69	8.1	360	5.1×10^{8}
31	Ga	$Ga(OH)_4^-$	s＋n	0.036	0.031	0.0088	0.021	1.8	2.5×10^{6}
32	Ge	H_4GeO_4	n	0.001	0.020	5×10^{-3}	0.10	4.4	6.1×10^{6}
33	As	$HAsO_4^{2-}$(Ⅴ)	n	20	21	20	24	1.7×10^{3}	2.4×10^{9}
33	As	$As(OH)_3$(Ⅲ)	s			0.3	0.07	5	7×10^{6}
34	Se	SeO_4^{2-}(Ⅵ)	n	0.5	1.0	0.5	1.3	91	1.3×10^{8}
34	Se	SeO_3^{2-}(Ⅳ)	n	0.03	0.5	0.07	0.9	55	7.7×10^{7}
35	Br	Br^-	c	8.4×10^{5}	8.4×10^{5}	8.4×10^{5}	8.4×10^{5}	6.7×10^{7}	9.4×10^{13}
36	Kr	gas	c	2.4	2.4	2.4	2.4	200	2.8×10^{8}
37	Rb	Rb^+	c	1400	1400	1400	1400	1.2×10^{5}	1.7×10^{11}
38	Sr	Sr^{2+}	c	9.0×10^{4}	9.0×10^{4}	9.0×10^{4}	9.0×10^{4}	7.9×10^{6}	1.1×10^{13}
39	Y	YCO_3^+	s＋n			0.09	0.3	27	4×10^{7}
40	Zr	$Zr(OH)_4$	s＋n	0.02	0.2	0.028	0.17	17	2.4×10^{7}
41	Nb	$Nb(OH)_6^-$	s＋n	3×10^{-3}	3×10^{-3}	1.6×10^{-3}	2.2×10^{-3}	0.24	3.4×10^{5}
42	Mo	MoO_4^{2-}	c	107	107	104	104	1.0×10^{4}	1.4×10^{10}
44	Ru	RuO_4^-	?			$<5\times10^{-5}$		$<5\times10^{-3}$	
45	Rh	$Rh(OH)_3$	n			4×10^{-4}	1×10^{-3}	0.1	1×10^{5}
46	Pd	$PdCl_4^{2-}$	n			2×10^{-4}	6×10^{-4}	0.06	9×10^{4}
47	Ag	$AgCl_2^-$	n	7×10^{-4}	7×10^{-3}	1×10^{-3}	0.04	2.5	3.5×10^{6}

海水の含有元素濃度 (2)

原子番号	元素	溶存種	鉛直分布の型	濃度 (nmol/kg) 大西洋表層水*1	大西洋深層水*1	太平洋表層水*1	太平洋深層水*1	全海洋平均濃度 (ng/L)	全海洋の総量 (t)
48	Cd	$CdCl_2$	n	0.041	0.41	0.21	0.88	73	1.0×10^{8}
49	In	$In(OH)_3$	s	5×10^{-4}	2×10^{-4}	1×10^{-4}	5×10^{-5}	0.01	2×10^{4}
50	Sn	$SnO(OH)_3^-$	s	0.02	5×10^{-3}			0.6	8×10^{5}
51	Sb	$Sb(OH)_6^-$	ほぼc	1.6	1.6	1.7	2.0	220	3.1×10^{8}
52	Te	TeO_3^{2-}(Ⅵ)	s	9×10^{-4}	4×10^{-4}	1×10^{-3}	4×10^{-4}	0.05	7×10^{4}
52	Te	$Te(OH)_6^-$(Ⅳ)	s	4×10^{-4}	2×10^{-4}	3×10^{-4}	2×10^{-4}	0.03	4×10^{4}
53	I	IO_3^-(Ⅴ)	ほぼc	410	450	350	460	5.8×10^{4}	8.1×10^{10}
53	I	I^-(−Ⅰ)	s	0.035	0	0.1	0	4	6×10^{6}
54	Xe	gas	c	0.34	0.34	0.34	0.34	45	6.2×10^{7}
55	Cs	Cs^+	c	2.3	2.3	2.3	2.3	310	4.3×10^{8}
56	Ba	Ba^{2+}	n	43	70	35	120	1.3×10^{4}	1.8×10^{10}
57	La	$LaCO_3^+$	s+n	0.013	0.028	0.020	0.060	6	9×10^{6}
58	Ce	$Ce(OH)_4$	s	0.066	0.019	0.010	0.004	2	2×10^{6}
59	Pr	$PrCO_3^+$	s+n	3.0×10^{-3}	5.0×10^{-3}	2.0×10^{-3}	9.0×10^{-3}	1	1×10^{6}
60	Nd	$NdCO_3^+$	s+n	0.013	0.023	0.010	0.040	5	6×10^{6}
62	Sm	$SmCO_3^+$	s+n	2.7×10^{-3}	4.4×10^{-3}	2.0×10^{-3}	8.0×10^{-3}	0.9	1×10^{6}
63	Eu	$EuCO_3^+$	s+n	6×10^{-4}	1.0×10^{-3}	7.0×10^{-3}	2.0×10^{-3}	0.2	3×10^{5}
64	Gd	$GdCO_3^+$	s+n	3.4×10^{-3}	6.1×10^{-3}	2.0×10^{-3}	8.0×10^{-3}	1	2×10^{6}
65	Tb	$TbCO_3^+$	s+n	7×10^{-4}	1.0×10^{-3}	5×10^{-4}	2.7×10^{-3}	0.3	4×10^{5}
66	Dy	$DyCO_3^+$	s+n	5.0×10^{-3}	6.1×10^{-3}	3.0×10^{-3}	0.012	2	2×10^{6}
67	Ho	$HoCO_3^+$	s+n	1.5×10^{-3}	1.8×10^{-3}	8×10^{-4}	3.0×10^{-3}	0.4	6×10^{5}
68	Er	$ErCO_3^+$	s+n	3.6×10^{-3}	5.3×10^{-3}	2.0×10^{-3}	0.010	1	2×10^{6}
69	Tm	$TmCO_3^+$	s+n	8×10^{-4}	1.0×10^{-3}	4×10^{-4}	1.7×10^{-3}	0.2	3×10^{5}
70	Yb	$YbCO_3^+$	s+n	3.0×10^{-3}	4.5×10^{-3}	2.2×10^{-3}	0.012	1	2×10^{6}
71	Lu	$LuCO_3^+$	s+n	8×10^{-4}	1.2×10^{-3}	3×10^{-4}	2.0×10^{-3}	0.3	4×10^{5}
72	Hf	$Hf(OH)_4$	s+n	1×10^{-4}	5×10^{-4}	1.3×10^{-4}	4.0×10^{-4}	0.08	1×10^{5}
73	Ta	$Ta(OH)_5$	s+n	2×10^{-5}	5×10^{-5}	1.2×10^{-5}	1.6×10^{-5}	0.006	8×10^{3}
74	W	WO_4^{2-}	ほぼc	0.05	0.05	0.047	0.048	9.0	1.3×10^{7}
75	Re	ReO_4^-	c	0.041	0.041	0.041	0.041	8	1×10^{7}
76	Os	$H_3OsO_6^-$	?			3×10^{-5}	4×10^{-5}	8×10^{-3}	1×10^{4}
77	Ir	$IrCl_6^{3-}$	?			5×10^{-7}		1×10^{-4}	1×10^{2}
78	Pt	$PtCl_4^{2-}$	s+n			2×10^{-4}	3×10^{-4}	0.06	8×10^{4}
79	Au	$AuCl_2^-$	s+n			6×10^{-5}	2×10^{-4}	0.03	4×10^{4}
80	Hg	$HgCl_4^{2-}$	s+n	7.1×10^{-4}	9.8×10^{-4}	3.4×10^{-4}	9.7×10^{-4}	0.2	3×10^{5}
81	Tl	Tl^+	c	0.069	0.069	0.069	0.069	14	2.0×10^{7}
82	Pb	$PbCO_3$	s	0.19	0.020	0.028	7.5×10^{-3}	28	4.0×10^{6}
83	Bi	$Bi(OH)_3$	s	2.5×10^{-4}		2×10^{-4}	5×10^{-5}	0.01	2×10^{4}
90	Th	$Th(OH)_4$	s			5×10^{-5}	1.5×10^{-4}	0.04	5×10^{4}
92	U	$UO_2(CO_3)_3^{4-}$	c	13.5	13.5	13.5	13.5	3.2×10^{3}	4.5×10^{9}

*1　表層水：深さ 0〜100 m の平均，深層水：1 000 m 以深の平均

*2　c：保存成分型．表層から深層まで一定濃度．n：栄養塩型．表層で濃度が低く，深層で濃度が高い．s：スキャベンジ型．供給源近くで濃度が高く，深層で濃度が低い．

Li Y.-H.："Compendium of Geochemistry", pp.304-307, Table Ⅶ-1, Princeton University Press (2000).

Nozaki, Y.："Encyclopedia of Ocean Sciences" (eds. Steele, J. H., Thorpe, S. A. & Turekian, K. K.), pp.840-845, Table 1, Academic Press (2001).

Bruland, K. W. & Lohan, M. C., in The Oceans and Marine Geochemistry, "Treatise on Geochemistry" (ed. H. Elderfield), Vol. 6, pp. 23-47, Elsevier-Pergamon (2003).

GEOTRACES Intermediate Data Product Group (2023). The GEOTRACES Intermediate Data Product 2021v2 (IDP2021v2). NERC EDS British Oceanographic Data Centre NOC. doi:10.5285/ff46f034-f47c-05f9-e053-6c86abc0dc7e.

水域の富栄養化

ヨーロッパ，北アメリカ大陸の湖沼における窒素，リンの負荷量

地域・名称	期　間	TN	TIN	TP	TIP	表面積 (km^2)	平均水深 (m)	交換率 (年)
中央ヨーロッパ								
Aegeri See	1947-1951		2.40	0.16	0.035	7.24	49	7.9
Pfaffiker See	1950-1953	14.70		1.36	0.615	3.31	18	1.5
Greifen See	1950-1953		31.1	1.56	0.825	8.56	19	2.0
Turler See	1952-1953		7.50	0.30	0.139	0.48	14	2.1
Zurich See	1952-1953	26.20		1.32	0.73	67.3	50	1.25
Hallwiler See	1956-1957	12.80	5.25	0.56	0.26	10.3	28	3.9
Baldegger See	1957-1959		20.70	1.75	1.17	5.25	34	4.5
Lac Leman	1959-1961		9.50	0.70		581.4	155	12.0
Boden See	1960	20.8		4.07	0.28	476.0	100	4.0
Zeller See	1962	4.8		1.20		4.55	37	2.7
北ヨーロッパ								
Vatteru	1965	0.65		0.065		1300		
Vanern	1965	1.50		0.15		5560	21-28	60
Hjalmaren	1965	2.00		0.20				
Malaren	1965	8.00		0.70				
Norrirken	1961-1962	66.4		3.04		2.66	5.4	
Lough Neagh	1965	23.9		0.535		388	12	1
北アメリカ								
Washington	1957	31.4		1.34	0.77	87.6	33	3.2
Mendota	1942-1944	3.10	2.24	0.174	0.065	39.4	12	12.0
Menona	1942-1944		9.10	2.14	0.95	14.0	7.8	1.2
Waubesa	1942-1944		48.7	9.93	7.13	8.3	4.8	0.3
Kegonsa	1942-1944	14.65	18.1	6.64	4.24	12.7	4.6	0.35
Koshkonong	1959-1960		10.1					
Mosses	1963-1964	7.0		0.9		27.5	5.6	
Sebasticook	1964-1965	6.7		0.21		17.35	6.0	
Tahoe	1961-1962	0.23		0.04		497	303	700
Geist Reservoir	1963-1964		49.5	3.10		7.30		

TN：全窒素，TIN：無機態全窒素，TP：全リン，TIP：無機態全リン．
単位：Nkg m^{-2} 年$^{-1}$（窒素），Pkg m^{-2} 年$^{-1}$（リン）
科学技術資源調査所訳："OECD 水資源管理研究報告"（1971）より改変．

閉鎖性海域への COD, TN, TP の負荷量

（単位：t/日）

海　域　名		1979	1984	1989	1994	1999	2004	2009	2014	2019
東 京 湾	COD	477	413	355	286	247	211	183	163	154
	TN	364	333	319	280	254	208	185	170	162
	TP	41.2	30.2	25.9	23.0	21.1	15.3	12.9	12.3	12.1
伊 勢 湾	COD	307	286	272	246	221	186	158	141	131
	TN	188	185	168	161	143	129	118	110	106
	TP	24.4	20.4	18.8	17.3	15.2	10.8	9.0	8.2	8.0
瀬戸内海	COD	1012	900	838	746	672	561	468	404	374
	TN	666	639	656	697	596	476	433	390	380
	TP	62.9	47.0	42.7	41.1	40.4	30.6	28.0	24.6	24.3

環境省："環境統計集"（2020）．

広域的閉鎖性海域における水質(COD)

(単位：mg/L)

海域名	地点数*1	1994	1997	2000	2003	2006	2009	2012	2015	2017	2019	2020	2021	2022
東京湾	49	3.3	2.9	2.9	2.8	2.7	2.5	2.7	2.6	3.0	2.8	2.7	2.7	2.6
伊勢湾	32	3.1	3.4	3.5	3.2	3.3	2.9	2.8	3.1	3.3	3.2	2.8	3.2	3.2
大阪湾	28	2.9	2.8	2.6	3.0	2.7	2.8	2.7	2.6	2.4	2.8	2.7	2.9	2.7
瀬戸内海*2	426	2.0	2.0	1.9	2.1	2.1	1.9	1.9	2.0	1.9	1.9	1.9	2.0	1.9
有明海	34	—	—	2.4	1.9	1.8	1.8	2.3	1.9	1.7	2.0	2.0	2.1	2.0
八代海	29	—	—	2.1	1.6	1.9	1.7	1.9	1.7	1.8	1.9	2.0	2.0	2.0

広域的閉鎖性海域における水質(全窒素)

(単位：mg/L)

海域名	地点数*1	1995	1997	2000	2003	2006	2009	2012	2015	2017	2019	2020	2021	2022
東京湾	32	0.94	0.93	0.92	0.82	0.70	0.67	0.79	0.64	0.67	0.57	0.57	0.56	0.54
伊勢湾	33	—	0.48	0.45	0.44	0.41	0.40	0.36	0.38	0.37	0.40	0.35	0.34	0.34
大阪湾	23	0.73	0.52	0.57	0.43	0.38	0.33	0.35	0.33	0.31	0.29	0.30	0.27	0.26
瀬戸内海*2	280	—	0.27	0.27	0.24	0.23	0.20	0.19	0.20	0.20	0.18	0.18	0.19	0.18
有明海	31	—	—	0.37	0.35	0.38	0.30	0.33	0.32	0.27	0.26	0.26	0.29	0.26
八代海	14	—	—	0.27	0.20	0.20	0.15	0.16	0.17	0.16	0.14	0.16	0.18	0.17

広域的閉鎖性海域における水質(全リン)

(単位：mg/L)

海域名	地点数*1	1995	1997	2000	2003	2006	2009	2012	2015	2017	2019	2020	2021	2022
東京湾	22	0.073	0.074	0.070	0.060	0.066	0.059	0.066	0.058	0.061	0.053	0.048	0.057	0.051
伊勢湾	33	—	0.051	0.044	0.043	0.050	0.044	0.043	0.043	0.041	0.039	0.035	0.036	0.040
大阪湾	23	0.050	0.047	0.046	0.041	0.037	0.044	0.038	0.037	0.033	0.034	0.038	0.031	0.031
瀬戸内海*2	280	—	0.025	0.023	0.022	0.023	0.022	0.021	0.020	0.022	0.022	0.023	0.022	0.022
有明海	31	—	—	0.049	0.044	0.047	0.049	0.045	0.049	0.041	0.045	0.042	0.048	0.049
八代海	14	—	—	0.025	0.019	0.024	0.028	0.021	0.024	0.021	0.025	0.022	0.024	0.028

総環境基準点の年間平均値．COD：化学的酸素要求量．

＊1　地点数は環境基準点総数．地点数は海域ごとに年度により若干の違いがある．表中の地点数は最大数．

＊2　瀬戸内海は大阪湾を除く海域の平均値で示されている．

環境省："公共水域水質測定結果" より作成．

指定湖沼への COD, TN, TP の負荷量

（単位：kg/日

指定湖沼		1985	1990	1995	2000	2005	2010	2015	2020
霞ヶ浦	COD	33 151	31 877	30 292	28 328	24 385	26 876	23 750	24 916
	TN	15 020	14 932	15 351	14 966	12 743	14 251	13 057	11 857
	TP	939	900	975	910	642	685	656	882
手賀沼	COD	6 102	6 286	5 459	4 331	3 525	3 013	2 862	2 782
	TN	2 730	2 748	2 357	1 786	1 403	1 261	1 198	1 140
	TP	324	358	275	221	146	132	123	113
諏訪湖*	COD	4 824	5 413	4 629	4 183	3 787	3 303	3 403	3 404
	TN	1 929	1 642	1 318	1 201	1 088	1 072	1 227	1 213
	TP	247	226	111	94	80	56	58	58
琵琶湖	COD	67 662	66 706	64 570	56 219	49 903	46 959	45 826	44 904
	TN	16 945	16 889	17 088	15 970	14 098	13 247	12 916	12 259
	TP	1 253	1 199	1 171	970	786	662	649	573

＊　諏訪湖については，1986，1991，1996，2001，2006，2011，2016，2021 年の数値．
環境省："水質保全計画" より作成．
霞ヶ浦：霞ヶ浦に係る湖沼水質保全計画　令和 3～8 年度（第 8 期），手賀沼：手賀沼に係る湖沼水質保全計画　令和 3～8 年度（第 8 期），諏訪湖：諏訪湖に係る湖沼水質保全計画　令和 4～9 年度（第 8 期），琵琶湖：琵琶湖に係る湖沼水質保全計画　令和 3～8 年度（第 8 期）
指定湖沼では，水質保全のため湖沼ごとに様々な対策が実施されている．

世界の河川の BOD

（単位：mg/L

河川名	国名	1980	1985	1990	1995	2000	2005	2010
クレア川	アイルランド	—	1.7	1.3	1.9	1.5	0.6	0.6
バロウ川		—	1.7	1.7	2.5	1.5	1.4	1.2
ブラックウォーター川		—	1.7	2.8	1.9	2.0	2.1	1.4
ボイン川		—	1.7	1.7	1.8	2.1	1.5	1.7
ミシシッピ川	アメリカ合衆国	1.7	1.2	1.9	1.2	1.5	1.9	(4.9)
クライド川	イギリス	4.1	3.2	3.5	2.9	2.3	—	—
セバーン川		2.6	1.7	2.8	2.4	(1.9)	—	—
テムズ川		2.7	2.4	2.9	1.8	1.7	(5.2)	—
イン川	オーストリア	2.2	—	1.4	2.8	0.8	0.6	0.8
ドナウ川		3.3	—	3.8	3.0	1.2	0.4	—
ライン川	オランダ	3.2	2.3	1.6	1.9	—	—	—
クム川	韓国	—	—	—	4.5	3.5	3.7	—
ナクトン川		—	—	—	3.8	3.0	2.6	2.4
ハン川		—	—	3.4	3.8	2.7	3.1	3.2
ヨンサン川		—	—	—	2.6	2.1	5.3	4.3
エブロ川	スペイン	3.3	4.3	4.0	9.2	8.1	2.3	—
グアダルキブル川		11.8	8.8	9.8	77.1	5.9	3.9	—
グラデアナ川		2.7	1.6	4.6	11.0	3.7	3.5	—
ドーロ川		2.1	2.7	3.0	5.4	3.1	2.5	—
オドラ川	チェコ	12.3	10.1	5.9	7.1	5.8	4.3	3.5
モラバ川		7.8	7.8	7.9	4.6	2.9	3.0	—
ラーベ川		8.5	6.6	6.8	3.7	3.9	2.9	2.8
グーゼンオウ川	デンマーク	2.5	2.5	2.8	2.4	1.9	1.6	1.2
スキャンノ川		8.1	5.5	2.3	(2.3)	1.2	0.9	1.0
ドナウ川	ドイツ	3.1	3.2	2.8	2.7	2.1	1.7	1.6
ゲディズ川	トルコ	2.4	2.3	10.6	—	3.7	—	(5.2)
サカリヤ川		2.0	3.6	2.7	4.1	3.1	(3.2)	(4.0)
セーヌ川	フランス	6.4	4.3	5.6	4.4	3.2	—	1.1
ローヌ川		7.8	5.0	1.4	1.3	2.0	—	1.0
ロワール川		6.4	6.0	7.0	4.0	4.3	—	1.7
オーデル川	ポーランド	5.9	4.6	7.0	4.5	5.2	5.5	3.1
ビスラ川		3.7	5.6	6.0	4.2	4.7	4.3	2.9
グリハルバ川	メキシコ	4.3	1.5	2.2	2.0	1.8	2.2	4.3
ブラボ川		3.1	2.5	3.6	3.1	2.2	(3.0)	8.3
レルマ川		8.0	(2.6)	13.5	(9.6)	30.0	4.2	10.6

BOD：生物化学的酸素要求量．
調査地点は最下流の国境あるいは海水の影響のない地点．
（　）内の数字は前後に 1 年ずれている測定値．
総務省統計局，統計研究所（2002），"OECD 環境データ要覧"（2004，2009）より作成．
OECD Environment Statistics/Lake and river quality（2016）で補完．

日本の河川のBOD

（単位：mg/L）

河川名	測定地点	類型*	1980	1985	1990	1995	2000	2005	2010	2015	2017	2019	2020	2021	2022
石狩川	石狩大橋	B	1.5	1.5	1.2	1.3	1.0	0.9	0.8	0.9	0.8	1.1	0.9	1.0	0.9
十勝川	茂岩橋	B	1.5	1.2	0.8	0.9	1.5	1.4	1.0	1.4	1.4	1.4	1.3	1.2	1.3
北上川	千歳橋	A	1.7	1.4	1.4	1.1	1.0	1.2	0.9	1.0	1.0	1.1	1.0	1.0	0.9
最上川	両羽橋	A	1.3	0.9	0.9	1.0	0.8	0.9	0.7	0.7	0.6	0.7	0.6	0.8	0.9
利根川	利根大堰	A	1.8	1.8	1.4	1.5	1.5	1.4	1.2	0.8	0.7	1.1	1.0	1.0	1.5
隅田川	両国橋	C	5.1	3.6	2.7	2.8	2.6	2.1	2.5	2.4	2.1	2.7	1.7	2.7	1.9
多摩川	調布取水堰	B	6.7	4.7	4.6	3.8	2.0	1.5	1.1	1.3	1.2	1.3	1.4	1.0	1.7
信濃川	平成大橋(帝石橋)	A	—	1.6	2.2	1.3	1.0	1.0	1.3	1.2	1.1	0.9	1.3	0.9	1.1
神通川	萩浦橋	B	1.2	1.4	1.3	1.5	1.7	1.4	1.1	1.0	0.7	1.2	0.8	1.3	0.8
千曲川	立ヶ花橋	A	3.4	2.1	2.4	1.9	1.4	1.1	0.9	1.2	1.2	1.2	1.5	1.3	1.3
天竜川	鹿島橋	AA	—	0.7	0.7	0.6	0.6	0.6	<0.5	0.6	0.8	0.8	0.6	0.7	0.8
木曽川	濃尾大橋	A	0.8	0.9	0.8	0.9	0.6	0.6	0.7	0.6	0.6	0.6	0.8	0.7	1.0
瀬田川	唐橋流心	A	1.8	1.7	1.2	1.4	0.9	1.0	0.8	0.6	0.7	0.6	0.6	0.7	0.7
淀　川	枚方大橋	B	3.3	3.4	2.5	2.3	1.5	1.3	1.0	1.0	1.1	0.8	0.9	1.0	0.9
紀の川	船　戸	A	1.3	1.9	2.1	1.7	1.8	1.8	1.2	0.7	0.9	0.7	0.7	0.7	0.7
太田川	旭　橋	B	1.8	1.7	2.0	3.4	1.6	1.3	1.6	1.2	1.6	1.2	1.1	1.4	1.3
江の川	江川橋	A	0.6	0.9	1.4	1.4	0.8	0.6	0.5	0.6	0.6	0.6	0.6	0.8	0.9
吉野川	高瀬橋	A	0.9	0.8	0.7	1.0	0.7	0.8	0.5	0.6	0.6	0.6	0.6	0.6	0.6
筑後川	瀬ノ下	A	1.9	2.2	1.7	1.5	1.5	1.4	1.7	1.0	0.9	1.2	1.3	1.7	1.7
大淀川	相生橋	A	1.3	1.3	2.7	1.0	1.0	0.8	0.7	0.7	0.8	0.9	0.9	0.9	1.0
比謝川	ポンプ場	C	5.1	3.6	3.0	1.8	2.6	1.6	0.7	1.6	2.0	1.0	0.9	0.9	1.2

環境省："水環境総合サイト" より作成.

* 環境基準値（AA：1 mg/L 以下，A：2 mg/L 以下，B：3 mg/L 以下，C：5 mg/L 以下）

指定湖沼*1の水質（COD）

（単位：mg/L）

湖沼名		類型*2	1980	1985	1990	1995	2000	2005	2010	2015	2017	2019	2020	2021	2022
釜房ダム		AA	2.1	1.9	3.8	2.3	1.9	2.3	2.5	2.8	2.1	2.5	2.4	2.5	2.4
八郎湖		A	5.9	5.7	—	6.9	8.5	7.5	7.5	7.9	6.5	8.6	7.6	8.2	7.0
霞ヶ浦	西浦	A	9.3	8.1	7.8	9.0	7.6	7.6	8.2	7.8	6.9	6.5	6.7	7.2	6.9
	北浦	A	7.6	8.6	7.3	7.4	9.2	7.7	9.1	8.9	8.4	7.9	8.7	9.0	8.9
	常陸利根川	A	8.7	8.1	7.6	8.1	8.3	7.4	9.2	8.3	7.5	7.1	7.2	7.5	7.2
印旛沼		A	11	11	9.2	12	10	8.1	8.9	11	11	11	10	12	13
手賀沼		B	23	24	18	25	14	8.2	8.9	8.1	8.6	8.9	10	9.1	10
諏訪湖		A	7.8	5.1	6.9	5.1	6.0	5.7	4.5	4.7	5.2	4.1	4.0	3.9	3.9
野尻湖		AA	2.0	1.7	1.4	1.4	1.8	1.6	1.9	1.9	2.2	1.9	2.1	2.2	2.2
琵琶湖	北湖	AA	2.2	2.1	2.3	2.5	2.6	2.6	2.6	2.5	2.6	2.5	2.6	2.5	2.6
	南湖	AA	3.1	3.0	3.3	3.1	3.2	3.2	3.7	3.2	3.3	3.2	3.5	3.5	3.5
中　海		A	4.0	3.6	4.2	4.6	5.0	4.2	3.8	3.7	3.5	3.6	3.5	3.4	3.6
宍道湖		A	4.0	3.5	4.8	3.9	4.5	4.5	5.1	4.3	4.4	5.2	5.4	4.8	4.4
児島湖		B	8.6	10	10	11	8.2	7.5	7.6	7.0	7.5	7.4	7.3	7.4	7.6

総環境基準点の年間平均値. COD：化学的酸素要求量.

*1　湖沼水質保全特別措置法に基づき，湖沼の水質環境基準を保つためにとくに総合的な施策が必要として指定された湖沼. 水質保全のため湖沼ごとに様々な対策が実施されている.

*2　環境基準値（AA：1 mg/L 以下，A：3 mg/L 以下，B：5 mg/L 以下）

環境省："公共用水域水質測定結果"，国立環境研究所："環境数値データベース" より作成.

指定湖沼の水質(全窒素)

(単位：mg/L)

湖沼名		類型*	1985	1990	1995	2000	2005	2010	2015	2017	2019	2020	2021	2022
釜房ダム		—		0.60	0.50	0.63	0.61	0.59	0.57	0.46	0.36	0.40	0.38	0.44
八郎湖		IV				1.1	1.1	1.0	0.99	1.2	1.2	1.0	1.3	1.1
霞ヶ浦	西浦	III		1.08	0.96	1.0	1.1	1.3	1.1	1.0	1.1	0.82	0.82	0.62
	北浦	III		0.83	0.71	0.95	1.1	1.6	1.2	1.2	1.4	1.3	0.94	0.94
	常陸利根川	III		0.85	0.85	0.95	1.0	1.1	0.89	0.86	1.1	0.80	0.74	0.58
印旛沼		III	2.1	2.3	2.1	2.2	2.9	2.9	2.4	2.3	2.8	3.0	2.9	2.5
手賀沼		V	5.3	4.3	5.3	3.2	2.8	2.5	2.1	2.1	2.3	2.3	2.3	2.2
諏訪湖		IV	1.1	1.4	0.81	0.95	0.69	0.76	0.82	0.87	0.60	0.64	0.61	0.54
野尻湖		—		0.18	0.21	0.12	0.11	0.09	0.13	0.11	0.11	0.11	0.12	0.09
琵琶湖	北湖	II		0.31	0.32	0.29	0.30	0.24	0.24	0.21	0.20	0.19	0.20	0.20
	南湖	II	0.36	0.49	0.42	0.39	0.36	0.28	0.24	0.23	0.22	0.24	0.27	0.23
中海		III		0.56	0.49	0.61	0.42	0.46	0.40	0.41	0.37	0.36	0.34	0.39
宍道湖		III		0.50	0.54	0.56	0.54	0.59	0.44	0.47	0.46	0.45	0.40	0.47
児島湖		V		1.8	2.0	1.6	1.3	1.2	1.1	1.5	1.0	1.2	1.1	1.2

総環境基準点の年間平均値.

* 環境基準値（I：0.1 mg/L 以下，II：0.2 mg/L 以下，III：0.4 mg/L 以下，IV：0.6 mg/L 以下，V：1.0 mg/L 以下）

環境省："公共用水域水質測定結果" および国立環境研究所："環境数値データベース" より作成.

指定湖沼の水質(全リン)

(単位：mg/L)

湖沼名		類型*	1985	1990	1995	2000	2005	2010	2015	2017	2019	2020	2021	2022
釜房ダム		II		0.015	0.014	0.015	0.019	0.019	0.022	0.018	0.014	0.015	0.015	0.016
八郎湖		IV				0.067	0.082	0.074	0.075	0.073	0.077	0.074	0.086	0.068
霞ヶ浦	西浦	III		0.061	0.10	0.12	0.10	0.090	0.090	0.086	0.088	0.092	0.098	0.077
	北浦	III		0.057	0.093	0.12	0.092	0.13	0.11	0.11	0.11	0.13	0.11	0.096
	常陸利根川	III		0.061	0.082	0.080	0.093	0.10	0.090	0.088	0.091	0.097	0.095	0.083
印旛沼		III	0.081	0.10	0.14	0.12	0.11	0.14	0.13	0.14	0.15	0.14	0.16	0.14
手賀沼		V	0.55	0.44	0.51	0.26	0.17	0.16	0.13	0.15	0.15	0.17	0.16	0.16
諏訪湖		IV	0.083	0.13	0.064	0.051	0.053	0.042	0.049	0.052	0.036	0.037	0.038	0.035
野尻湖		I		0.006	0.006	0.005	0.005	0.006	0.006	0.005	0.005	0.005	0.005	0.006
琵琶湖	北湖	II		0.010	0.008	0.006	0.007	0.007	0.007	0.006	0.005	0.006	0.007	0.008
	南湖	II	0.020	0.033	0.021	0.020	0.018	0.016	0.012	0.014	0.011	0.015	0.016	0.014
中海		III		0.054	0.049	0.063	0.039	0.045	0.035	0.040	0.032	0.041	0.035	0.036
宍道湖		III		0.036	0.037	0.047	0.039	0.064	0.035	0.045	0.041	0.056	0.038	0.040
児島湖		V		0.23	0.20	0.19	0.19	0.19	0.17	0.18	0.18	0.20	0.20	0.17

総環境基準点の年間平均値.

* 環境基準値（I：0.005 mg/L 以下，II：0.01 mg/L 以下，III：0.03 mg/L 以下，IV：0.05 mg/L 以下，V：0.10 mg/L 以下）

環境省："公共用水域水質測定結果"，国立環境研究所："環境数値データベース" より作成.

世界の湖沼の水質（全窒素）

湖 沼 名	国 名	1980	1985	1990	1995	2000	2005	2010
Ennell	アイルランド	—	—	0.26	0.05	0.07	1.59	—
Owel		—	—	—	0.01	—	1.05	—
Bewl Water	イギリス	0.91	0.77	1.12	0.56	(1.29)	(3.35)	—
Lomond		0.30	0.29	0.13	0.39	(0.37)	—	—
Lough Neagh		0.48	0.48	0.77	0.42	0.40	—	—
Como	イタリア	—	0.96	0.96	0.88	0.88	1.07	0.93
Garda		—	0.43	0.41	0.32	0.03	1.17	0.35
Maggiore		0.91	0.90	0.99	0.82	0.82	—	—
Orta		9.90	7.66	4.71	2.70	1.97	—	(1.72)
Mondsee	オーストリア	0.48	0.56	0.62	0.57	—	—	—
Ossiacher See		—	0.30	0.33	0.47	—	—	—
Wallersee		—	—	—	1.10	—	—	—
Zeller See		—	—	—	0.28	—	—	—
Ijsselmeer	オランダ	4.40	4.16	3.88	3.55	3.31	2.83	2.81
Ketermee		5.43	5.89	5.30	4.44	3.57	4.00	3.21
Ontario	カナダ	0.48	0.54	0.54	—	(1.91)	1.92	1.86
Superior		—	0.42	1.48	—	(1.60)	1.68	(1.70)
Chunchonho	韓 国	—	1.05	0.60	1.53	1.43	1.26	1.29
Chungjuho		—	(1.44)	0.62	1.75	2.27	2.23	2.10
Constance	スイス	0.93	1.05	1.19	1.21	0.97	—	0.97
Lac Léman		0.66	0.73	0.69	0.67	0.68	—	—
Hjälmaren	スウェーデン	0.71	0.80	0.67	0.79	0.65	—	—
Mälaren		0.61	0.81	0.58	0.68	0.66	0.49	0.55
Vänern		0.87	0.92	0.79	0.80	0.82	0.78	0.60
Vättern		0.60	0.65	0.69	0.69	0.73	0.72	(0.65)
Alcántara	スペイン	2.86	—	0.91	0.11	(0.13)	—	0.73
Valdecanas		—	—	2.12	0.37	(0.45)	—	3.63
Arreso	デンマーク	—	4.08	3.50	3.39	2.61	2.62	1.63
Fureso		—	—	0.97	0.91	0.82	0.72	0.66
Bodensee	ドイツ	0.87	0.92	0.96	1.01	0.78	—	—
Altinapa	トルコ	1.55	0.55	(1.81)	1.76	(1.64)	—	—
Sapanca		0.94	0.62	(0.37)	0.17	—	—	—
Taupo	ニュージーランド	—	—	—	0.09	0.07	0.07	0.08
Mjoesa	ノルウェー	0.41	0.45	0.38	0.49	0.49	1.34	—
Randsfjorden		0.51	—	0.54	0.54	0.39	0.48	—
Balaton	ハンガリー	0.93	0.78	0.78	0.70	0.79	0.93	—
Velencei		—	—	3.63	1.83	1.66	2.10	—
Pääjänne	フィンランド	0.54	0.56	0.62	0.50	0.78	1.01	0.83
Pääjärvi		0.91	0.91	0.93	0.88	0.89	1.07	1.01
Lac d'Annecy	フランス	—	—	0.07	0.27	—	—	—
Parentis-Biscarrosse		—	—	0.86	1.00	1.10	—	—
Jasien Pólnocny	ポーランド	—	—	—	—	0.92	0.84	—
Wuksniki		—	—	—	—	0.57	0.74	—
Castero de Bode	ポルトガル	—	0.46	0.97	0.24	0.72	—	0.65
Chairel	メキシコ	—	0.17	—	0.11	0.31	(1.08)	0.38
Chapala		0.21	0.59	0.15	(0.23)	0.20	(2.58)	1.92
Remerschen	ルクセンブルク	—	—	0.29	0.02	(0.23)	(0.45)	—

年平均値，単位：mg/L
（ ）内の数字は前後に１年ずれている測定値．
"OECD 環境データ要覧"（2009）より作成．
OECD Environment Statistics/Lake and river quality（2016）で補完．

世界の湖沼の水質（全リン）

湖　沼　名	国　名	1980	1985	1990	1995	2000	2005	2010
Ennell	アイルランド	0.029	0.032	0.017	0.020	0.015	0.023	—
Owel		0.020	0.015	0.010	0.011	0.010	0.011	0.012
Sheelin		0.049	0.023	0.013	0.032	(0.019)	0.025	0.024
Bewl Water	イギリス	—	0.023	0.081	0.030	—	—	0.048
Lomond		0.009	0.009	0.019	0.009	—	—	—
Lough Neagh		0.108	0.115	0.096	0.120	0.145	—	(0.144)
Como	イタリア	0.078	0.052	0.047	0.038	0.039	0.024	0.027
Garda		0.020	0.011	0.015	0.017	0.018	0.024	0.017
Maggiore		0.036	0.019	0.015	0.009	0.011	—	—
Orta		0.004	0.006	0.004	0.004	0.005	(0.005)	—
Mondsee	オーストリア	0.025	0.014	0.009	0.008	0.008	0.008	0.007
Ossiacher See		0.012	0.013	0.014	0.009	0.011	0.013	0.010
Wallersee		0.030	0.025	0.027	0.016	0.016	0.014	0.022
Zeller See		0.018	0.010	0.011	0.009	0.006	0.005	0.004
Ijsselmeer	オランダ	0.350	0.286	0.177	0.139	0.141	0.111	0.045
Ketermee		0.480	0.480	0.247	0.190	0.153	0.144	0.151
Ontario	カナダ	0.015	0.011	0.010	0.008	(0.008)	0.007	0.006
Superior		—	0.003	0.003	(0.003)	(0.003)	0.003	(0.002)
Chunchonho	韓　国	—	0.036	0.014	0.136	0.015	0.023	0.029
Chungjuho		—	(0.012)	0.044	0.023	0.025	0.022	0.017
Constance	スイス	0.083	0.066	0.039	0.024	0.014	(0.010)	0.007
Lac Léman		0.083	0.073	0.055	0.041	0.036	(0.030)	—
Hjälmaren	スウェーデン	0.042	0.044	0.046	0.062	0.051	—	—
Mälaren		0.028	0.024	0.025	0.021	0.024	0.018	0.023
Vänern		0.014	0.009	0.009	0.008	0.006	0.007	0.006
Vättern		0.009	0.007	0.007	0.006	0.003	0.005	(0.005)
Alcántara	スペイン	0.428	0.141	0.251	0.193	—	—	0.172
Valdecanas		2.60	1.457	1.478	0.828	0.555	—	0.152
Arreso	デンマーク	—	1.113	0.514	0.406	0.194	0.175	0.089
Fureso		—	—	0.169	0.174	0.097	0.063	0.087
Bodensee	ドイツ	—	0.038	0.021	0.017	0.011	(0.009)	0.007
Altinapa	トルコ	0.020	0.150	0.110	0.110	—	—	—
Sapanca		0.030	0.030	0.030	0.040	—	—	—
Taupo	ニュージーランド	—	—	—	0.004	0.007	0.006	0.006
Mjoesa	ノルウェー	0.009	0.007	0.007	0.005	0.004	0.026	—
Randsfjorden		0.004	—	0.004	0.005	0.006	0.003	—
Balaton	ハンガリー	0.010	0.020	0.036	0.076	0.086	0.041	—
Velencei		—	0.163	0.087	0.072	0.065	0.079	—
Pääjänne	フィンランド	0.017	0.017	0.014	0.011	0.013	0.017	0.010
Pääjärvi		0.026	0.030	0.027	0.025	0.024	0.028	0.026
Lac d'Annecy	フランス	—	—	0.010	0.008	0.006	—	—
Parentis-Biscarrosse		—	—	0.084	0.091	0.086	—	0.373
Jasien Pólnocny	ポーランド	—	—	—	—	0.047	0.061	—
Wuksniki		—	—	—	—	0.040	0.027	—
Castero de Bode	ポルトガル	0.150	0.110	0.022	0.012	0.035	(0.029)	(0.025)
Chairel	メキシコ	—	0.010	0.040	0.020	0.120	0.080	0.060
Chapala		0.280	0.730	0.240	(0.320)	0.570	0.660	0.550
Remerschen	ルクセンブルク	—	0.500	0.600	0.100	(0.030)	(0.036)	—

年平均値，単位：mg/L
（　）内の数字は前後に 1 年ずれている測定値．
“OECD 環境データ要覧”（2009）より作成．
OECD Environment Statistics/Lake and river quality（2016）で補完．

海域・湖沼の鉛直生態区分

海（以下の鉛直区分名の日本語訳，各区分の深度の定義は研究者によって必ずしも一致しない）

底棲環境（Benthic environment）
海岸から沖合方向に以下のように区分される．

1. 潮 上 帯（Supralittoral zone）	：波，しぶきの影響下にある地帯
2. 潮 間 帯（Littoral zone）	：大潮の満潮線と小潮の干潮線の間の海岸地帯
3. 亜潮間帯（Sublittoral zone）	：小潮干潮線から水深約 200 m まで
4. 漸深海帯（Bathyal zone）	：水深 200 m から 2 000 m まで
5. 深 海 帯（Abyssal zone）	：水深 2 000 m から 6 000 m まで
6. 超深海帯（Hadal zone）	：水深 6 000 m 以深

水柱環境（Pelagic environment）

1. 表　層（Epipelagic zone）	：海表面から水深 200 m まで．水深が 200 m 以浅の海域を“沿岸域（Neritic zone）”，以深の海域を“外洋域（Oceanic zone）”と呼ぶ．
2. 中　層（Mesopelagic zone）	：水深 200 m から 1 000 m まで
3. 漸深層（Bathypelagic zone）	：水深 1 000 m から 4 000 m まで
4. 深　層（Abyssopelagic zone）	：水深 4 000 m から 6 000 m まで
5. 超深層（Hadopelagic zone）	：水深 6 000 m 以深

植物の光合成補償深度（海表面光強度の約 1%）以浅を明光層（Euphotic zone），以深を生物が光を感知できる限界の微光層（Disphotic zone）と無光層（Aphotic zone）に分ける．明光層と微光層を合わせて有光層（Photic zone）と呼ぶ．

Friendrich, H.：“Marine Biology”, Sidgwick & Jackson（1965）.
Lalli, C. M. & Parsons, T. R.（関文威監訳）：“Biological Oceanography”，講談社サイエンティフィク（1996）.

湖　沼（以下の鉛直区分名の日本語訳, 各区分の深度の定義は研究者によって必ずしも一致しない）

底棲環境（Benthic environment）

表沿岸帯（Epilittoral zone）	：水の影響がない地帯
上部沿岸帯（Supralittoral zone）	：水面上にあり水の飛沫を受ける地帯
沿岸帯（Littoral zone）—以下の 3 つに細分される．	
1. 真沿岸帯（Eulittoral zone）	：季節による最高水位と最低水位の間の地帯
2. 沿 岸 帯（Infralittoral zone）	：1 年を通して水面下にあり，高等顕花植物が繁茂する地帯．通常，上部から下部に向かい，挺水植物帯（Emergent vegetation），浮葉植物帯（Floating vegetation），沈水植物帯（Submerged vegetation）に分けられる．
3. 下部沿岸帯（Littoriprofundal zone）	：植物が散在する移行域で，深底をもつ湖沼では水温躍層の深度とほぼ一致する．
深底帯（Profundal zone）	：植物プランクトン光合成の補償深度以深．この深底帯は浅い湖沼にはない．

水柱環境（Pelagic environment）

沖　帯（Limnetic zone）	：沿岸帯に隣接するより深い水域で，表水面から植物プランクトン光合成の補償深度まで．この沖帯は浅い湖沼にはない．

夏期に水温躍層（Thermocline）が発達する湖沼では水温躍層上部から表面までを“表水層（Epilimnion）”，水温躍層下部から湖底までを“深水層（Hypolimnion）”という．また，水温躍層を“変水層（Metalimnion）”と呼ぶこともある．

Hutchinson, G. E.：“A Treatise on Limnology”, John Wiley & Sons Inc.（1967）.
吉村信吉：“湖沼学”，三省堂（1937）.

水域生物の大きさ区分

プランクトンの分類群(縦)とその大きさによる区分(横)

プランクトンは，その大きさによって生態系内での役割が異なり，また生物量を分けるうえでも比較的容易なため，等価粒径を利用して分ける場合がある．

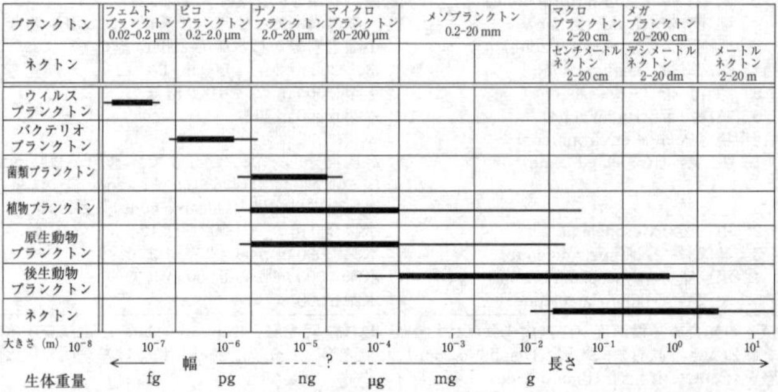

プランクトン
フェムトプランクトン 0.02-0.2 μm
ピコプランクトン 0.2-2.0 μm
ナノプランクトン 2.0-20 μm
マイクロプランクトン 20-200 μm
メソプランクトン 0.2-20 mm
マクロプランクトン 2-20 cm
メガプランクトン 20-200 cm
ネクトン
センチメートルネクトン 2-20 cm
デシメートルネクトン 2-20 dm
メートルネクトン 2-20 m
ウィルスプランクトン
バクテリオプランクトン
菌類プランクトン
植物プランクトン
原生動物プランクトン
後生動物プランクトン
ネクトン
大きさ (m)
幅
?
長さ
生体重量
fg
pg
ng
μg
mg
g

Sieburth, J. M., et al. : Pelagic ecosystem structure : Heterotrophic compartments of the plankton and their relationship to plankton size fractions. Limnol. Oceanogr. 23 : 1256-1263 (1978).

海洋プランクトンの深さ方向の現存量と各グループの割合

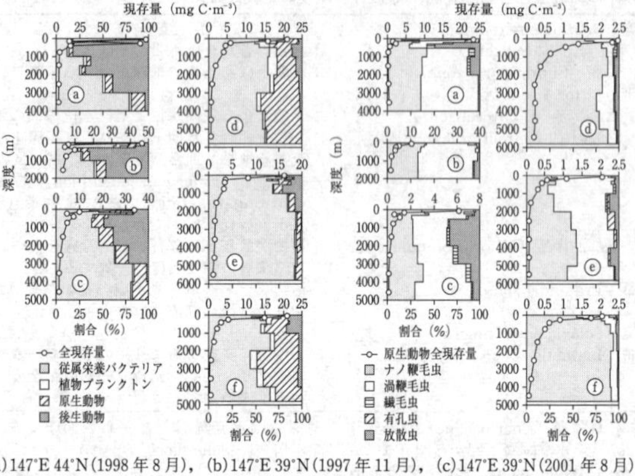

(a) 147°E 44°N (1998 年 8 月)，(b) 147°E 39°N (1997 年 11 月)，(c) 147°E 39°N (2001 年 8 月)，(d) 147°E 30°N (1999 年 10 月)，(e) 147°E 30°N (2000 年 10 月)，(f) 147°E 25°N (1999 年 9 月)

Yamaguchi, A. et al. : Latitudinal differences in the Planktonic Biomass and Community Structure Down to the Greater Depths in the Western North Pacific. J. Oceanogr. 60 : 773-787.

表層・中層・深層におけるプランクトンの分類群・大きさ別炭素態現存量

環60の上図に示すようにプランクトン群集はサイズ別に分けられる．ここでは，西部北太平洋の表層・中層・深層での，生物の分類群別にサイズごとの炭素量を示した．

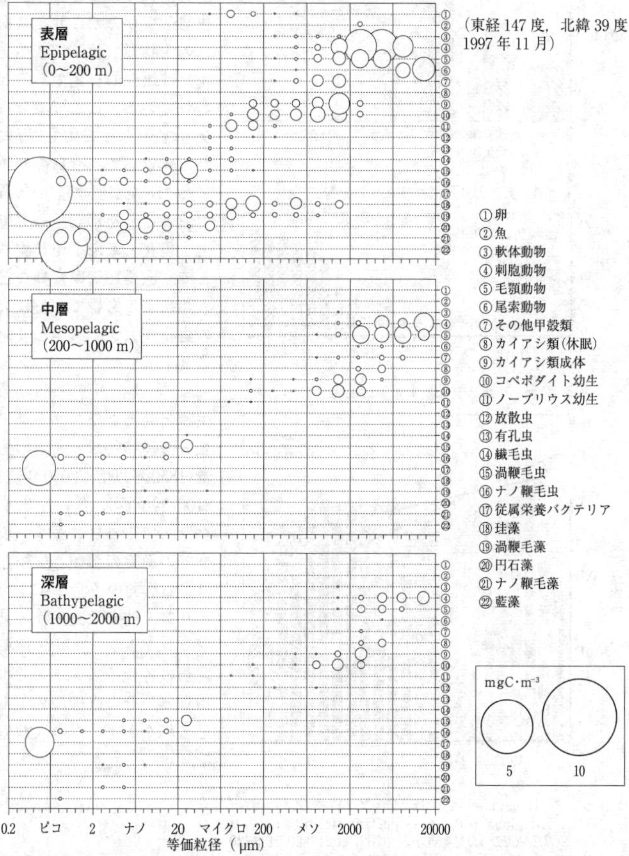

山口篤ほか：“西部太平洋におけるプランクトン群集の鉛直分布(WEST-COSMIC)”，日本プランクトン学会報，47：144-156(2000).

海洋のサイズ別生物量と人類の影響

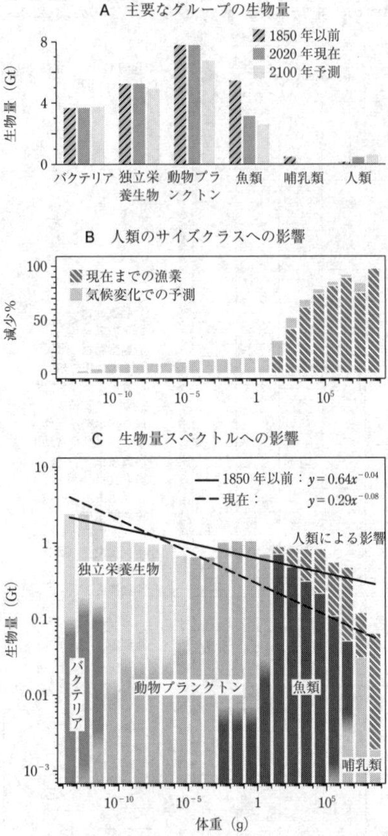

海洋にはさまざまな生物が生息しているが，サイズあたりの生物量（サイズスペクトル）は比較的一定であるといわれている．ここでは，バクテリアから鯨まで23桁にわたる体重幅で，全球のサイズスペクトルが湿重量 1 Gt 程度であることを示し，一方で過去・現在・未来を比較することで，漁業と気候変動などの人類による影響で，特に大型の生物が大きく減少していることを示した．

A：バクテリア・独立栄養生物・動物プランクトン・魚類・海棲哺乳類・人類の生物量(1850 年以前，2020 年現在，2100 年予測)，B：各サイズクラスで生物量の減少（現在までの漁業の影響と気候変化による影響の予測），C：バクテリア・独立栄養生物・動物プランクトン・魚類・海棲哺乳類の各サイズクラスでの生物量と，その直線関係（生物量スペクトル）への人類の影響．

Hatton, I. A., Heneghan, R. F., Bar-On, Y. M., & Galbraith, E. D. (2021). The global ocean size-spectrum from bacteria to whales. *SCIENCE ADVANCES*, 3732, 2021.04.03.438320. https://doi.org/10.1126/sciadv.abh3732

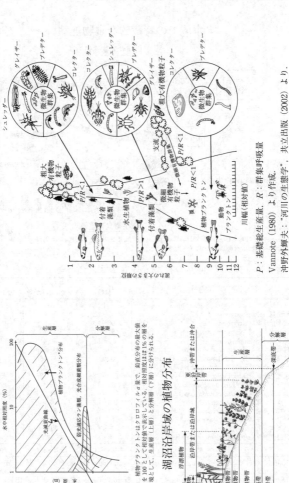

淡水域での生物種の特徴的分布

湖沼の沖合での植物プランクトンなどの垂直分布

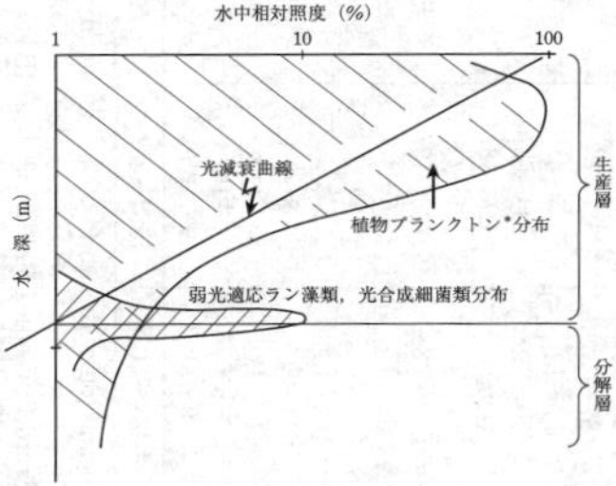

* 植物プランクトンはクロロフィル a 量で，鉛直分布の最大値を 100 として相対値で表示している．相対照度ほぼ 1% の層を境として，生産層（上層）と分解層（下層）に分けられる．

湖沼沿岸域の植物分布

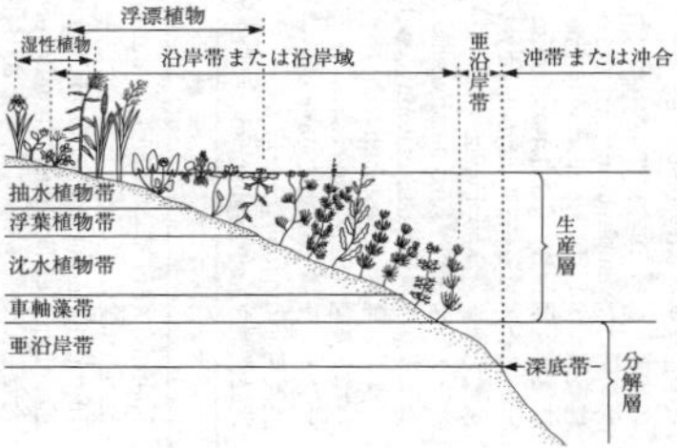

河川における底生生物・水生昆虫類の地理的分布

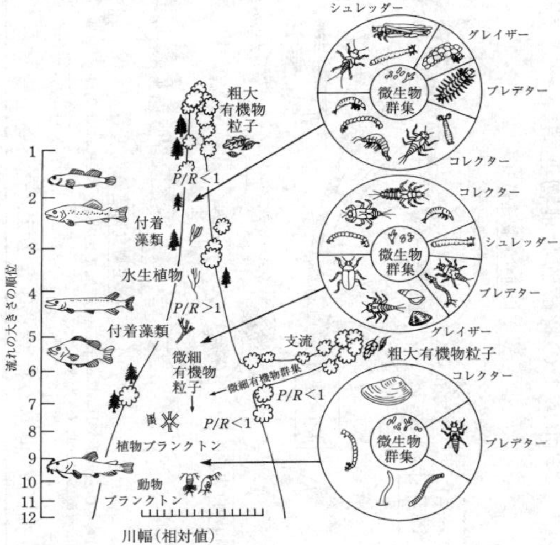

P：基礎総生産量，R：群集呼吸量

Vannote（1980）より作成．

沖野外輝夫："河川の生態学"，共立出版（2002）より．

水域での特徴的な食物連鎖

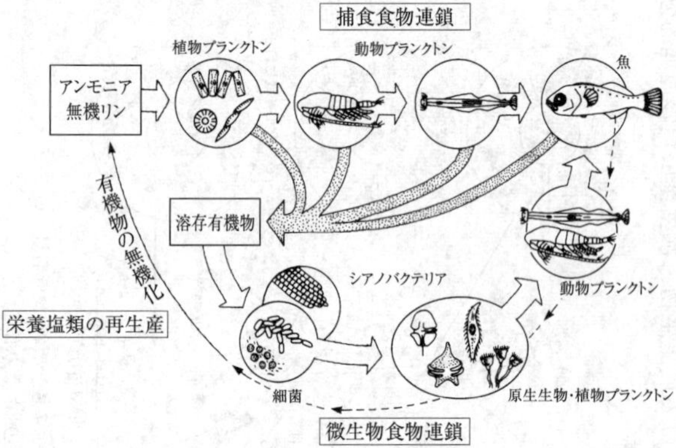

Beers, J. R. (1986) Organisms and food web, pp. 84-175. In: R. W. Eppley Ed., Plankton Dynamics of the Southern California Bight, Speringer-Verlag New York.

世界の有害・有毒プランクトン

分　類　群（綱）	プランクトン種数	赤潮原因プランクトン数	有毒プランクトン数
クロララクニオン藻綱（Chlorarachniophyceae）	1	0	0
緑藻綱（Chlorophyceae）	107～122	5～6	0
黄金色藻綱（Chrysophyceae）	96～126	6	1
クリプト藻綱（Cryptophyceae）	57～73	5～8	0
藍藻綱（Cyanophyceae）	7～10	3～4	1～2
珪藻綱；中心目（Bacillariophyceae；Centrales）	870～999	30～65	1～2
珪藻綱；羽状目（Bacillariophyceae；Pennales）	300	15～18	3～4
ディクチオカ藻綱（Dictyochophyceae）	1～3	1～2	0
渦鞭毛藻綱（Dinophyceae）	1 514～1 880	93～127	45～57
ユーグレナ藻綱（Euglenophyceae）	36～37	6～8	1
真正眼点藻綱（Eustigmatophyceae）	3	0	0
プラシノ藻綱（Prasinophyceae）	103～136	5	0
ハプト藻綱（Haptophyceae）	244～303	8～9	4～5
ラフィド藻綱（Raphidophyceae）	11～12	7～9	4～6
紅藻綱（Rhodophyceae）	6	0	0
黄緑藻綱（Xanthophyceae（＝Tribophyceae））	9～13	0	0
合　　計	3 365～4 024	184～267	60～78

Sournia, A. (1995)：Red tide and toxic marine phytoplankton of the world ocean：an inquiry into biodiversity.
Harmful Marine Algal Blooms. Lassus P., Arzul G., Erard E., Gentien P., Marcaillou C. (Eds.) Technique et Documentation-Lavoisier, Intercept Ltd., p.103-112.
ただし，分類体系は理科年表 2003 年版に従って改訂.

赤 潮 発 生 種

日本に出現する赤潮生物の分類群と種数

分類群	種数
藍色植物門 (CYANOPHYTA)	
藍藻綱 (Cyanophyceae)	
クロオコックス目 (Chroococcales)	
クロオコックス科 (Chroococcaceae)	2
ネンジュモ目 (Nostocales)	
ネンジュモ科 (Nostocaceae)	4
ユレモ科 (Oscillatoriaceae)	2
クリプト植物門 (CRYPTOPHYTA)	
クリプト藻綱 (Cryptophyceae)	
クリプトモナス目 (Cryptomonadales)	
クリプトモナス科 (Cryptomonadaceae)	2
不等毛植物門 (HETEROKONTOPHYTA)	
黄金色藻綱 (Chrysophyceae)	
オクロモナス目 (Ochromonadales)	
オクロモナス科 (Ochromonadaceae)	1
ディクチオカ藻綱 (Dictyochophyceae)	
ペディネラ目 (Pedinellales)	
ペディネラ科 (Pedinellaceae)	1
ディクチオカ目 (Dictyochales)	
ディクチオカ科 (Dictyochaceae)	2
エブリア科[*1] (Ebriaceae)	1
ラフィド藻綱 (Raphidophyceae)	
ラフィドモナス目 (Raphidomonadales)	
バクオラリア科 (Vacuolariaceae)	9
珪藻綱 (Bacillariophyceae)	
中心目 (Centrales)	
コスキノディスクス亜目 (Coscinodiscineae)	
タラシオシラ科 (Thalassiosiraceae)	37
メロシラ科 (Melosiraceae)	3
コスキノディスクス科 (Coscinodiscaceae)	5
ヘミディスクス科 (Hemidiscaceae)	2
アステロランプラ科 (Asterolampraceae)	1
ヘリオペルタ科 (Heliopeltaceae)	1
リゾソレニア亜目 (Rhizosoleniineae)	
リゾソレニア科 (Rhizosoleniaceae)	5
ビドゥルフィア亜目 (Biddulphiineae)	
ビドゥルフィア科 (Biddulphiaceae)	4
キマトシーラ科 (Cymatosiraceae)	2
カエトケロス科 (Chaetoceraceae)	6
リトデスミウム科 (Lithodesmiaceae)	3
ユーポディスクス科 (Eupodiscaceae)	2
羽状目 (Pennales)	
無縦溝亜目 (Araphidineae)	
ディアトマ科 (Diatomaceae)	6
縦溝亜目 (Raphidineae)	
ナビクラ科 (Naviculaceae)	1
ニッチア科 (Nitzschiaceae)	7
ハプト植物門 (HAPTOPHYTA)	
ハプト藻綱 (Haptophyceae)	
プリムネシウム亜綱 (Prymnesiophycidae)	
イソクリシス目 (Isochrysidales)	
ゲフィロカプサ科 (Gephyrocapsaceae)	2
プリムネシウム目 (Prymnesiales)	
プリムネシウム科 (Prymnesiaceae)	1
ファエオキスチス科 (Phaeocystaceae)	1
渦鞭毛植物門 (DINOPHYTA)	
渦鞭毛藻綱 (Dinophyceae)	
プロロケントルム目 (Prorocentrales)	
プロロケントルム科 (Prorocentraceae)	6
ディノフィシス目 (Dinophysiales)	
ディノフィシス科 (Dinophysiaceae)	3
ギムノディニウム目 (Gymnodiniales)	
ギムノディニウム科 (Gymnodiniaceae)	14
ポリクリコス科 (Polykrikaceae)	2
ウォルノビア科 (Warnowiaceae)	2
ノクティルカ目 (Noctilucales)	
ノクティルカ科 (Noctilucaceae)	1
ゴニオラクス目 (Gonyaulacales)	
ケラチウム科 (Ceratiaceae)	2
ゴニオドマ科 (Goniodomaceae)	2
ゴニオラクス科 (Gonyaulacaceae)	15
ペリディニウム目 (Peridiniales)	
コングルエンチディニウム科 (Congruentidiaceae)	1
ヘテロカプサ科 (Heterocapsaceae)	1
ペリディニウム科 (Peridiniaceae)	20
ユーグレナ植物門 (EUGLENOPHYTA)	
ユーグレナ藻綱 (Euglenophyceae)	
ユートレプチア目 (Eutreptiales)	
ユートレプチア科 (Eutreptiaceae)	1
ユーグレナ目 (Euglenales)	
ユーグレナ科 (Euglenaceae)	7
緑色植物門 (CHLOROPHYTA)	
プラシノ藻綱 (Prasinophyceae)	
プセウドスコウルフィエルディア目 (Pseudoscourfieldiales)	
ネフロセルミス科 (Nephroselmidaceae)	2
ピラミモナス目 (Pyramimonadales)	
プテロスペルマ科 (Pterospermataceae)	1
ピラミモナス科 (Pyramimonadaceae)	2
緑藻綱 (Chlorophyceae)	
クラミドモナス目 (Chlamydomonadales)	
ドゥナリエラ科 (Dunaliellaceae)	1
原生動物 (Protozoa)	
繊毛虫門 (CILIOPHORA)	
リトストマ綱 (Litostomatea)	
シオカメウズムシ目 (Haptorida)	
メソディニウム科 (Mesodiniidae)	1
有軸仮足虫門 (ACTINOPODA)	
太陽虫綱 (Heliozoea)	
ラブディオフリス目 (Rotosphaerida)	1

注1）貝毒の原因種も含む．
2）エブリア科[*1]は現在所属分類群不明とされる．

赤潮原因プランクトンは福代ほか編："日本の赤潮生物—写真と解説—"，内田老鶴圃（1995）を基本としたが，分類体系は理科年表2003年版，千原光雄・村野正昭編："日本産海洋プランクトン検索図説"，東海大学出版会（1997），Fensome, et al.：A classification of living and fossil dinoflagellates. Micropaleontology. Special Publication Number 7"，Sheridan Press（1993），および「原生生物情報サーバ：http://protist.i.hosei.ac.jp/index-J.html」に従って改訂．

赤潮の発生件数

おもな発生海域別の赤潮発生件数，被害件数，被害金額(1)

年	瀬戸内海および周辺海域*1							九　州*2			伊勢湾*3			三河湾*4		東京湾*5
	瀬戸内海		土佐湾		熊野灘(三重県除く)		被害金額	発生	被害	被害金額	発生	被害	被害金額	発生	被害	発生件数
	発生件数	被害件数	発生件数	被害件数	発生件数	被害件数	(千円)	件数	件数	(千円)	件数	件数	(千円)	件数	件数	
1950	4	0														
1955	5	0														
1960	18	0														
1965	44	0														
1970	79	35					0									
1971	136	39					6 700									
1972	164	23					7 147 060									
1973	210	18					1 350									
1974	269	17					70 150									
1975	255	29					88 000									
1976	299	18					83 605									
1977	196	27					2 970 000									14
1978	151	15	10	4			3 317 669							48	8	17
1979	172	17	9	0			1 114 678	58	3	11 752	69	3	不明	64	0	16
1980	188	8	4	1	3	1	391 414	106	6	32 727	33	0		74	2	20
1981	171	8	3	0	6	0	109 267	89	6	70 881	29	0		53	5	17
1982	166	18	6	2	5	2	1 098 221	69	6	142 040	25	3	19 512	45	1	32
1983	165	13	5	1	4	2	391 984	90	3	4 163	25	1	不明	45	6	19
1984	130	5	6	1	5	1	2 880 641	82	4	15 961	20	2	不明	68	8	12
1985	170	8	3	0	0	0	1 021 068	76	6	889 811	31	3	不明	57	6	18
1986	162	14	5	0	2	0	374 337	73	10	29 923	15	3	不明	73	3	23
1987	107	12	11	2	1	0	2 534 454	70	5	61 038	30	3	不明	43	4	18
1988	117	10	11	2	0	0	27 923	81	16	49 064	23	2	不明	54	7	16
1989	124	6	9	1	1	0	496 951	80	11	318 814	17	1	不明	39	7	14
1990	108	7	9	2	2	0	123 570	78	12	1 708 675	25	3	不明	61	9	17
1991	107	5	7	4	1	0	1 547 859	112	18	225 114	20	2	不明	41	2	15
1992	100	6	5	2	0	0	18 644	67	13	621 421	18	1	不明	33	0	12
1993	105	6	16	2	3	0	184 085	82	8	34 805	13	0		18	0	15
1994	96	2	4	3	4	0	806 885	60	7	232 520	15	2	不明	18	0	15
1995	90	10	6	0	1	0	963 826	84	13	1 019 485	18	3	不明	21	5	18
1996	89	12	8	0	9	0	142 632	67	9	7 523	14	3	不明	16	3	20
1997	135	11	8	3	6	0	579 057	60	3	不明	14	2	不明	21	2	19
1998	105	11	4	0	1	0	3 899 101	88	15	14 748	17	1	不明	28	0	19
1999	112	7	4	0	4	0	不明	85	10	819 779	10	0		21	2	20
2000	106	10	8	2	1	0	62 440	105	28	4 335 702	8	1	不明	22	4	20
2001	97	7	11	5	5	0	252 683	118	13	147 004	11	1	不明	19	0	19
2002	89	8	6	2	2	0	222 784	123	19	725 300	10	0		26	0	16
2003	106	8	10	3	6	0	1 299 224	114	15	829 682	16	0		30	0	18
2004	118	13	6	2	1	0	392 342	113	11	234 084	17	1	不明	24	2	18
2005	115	7	10	0	2	0	317 388	98	8	98 117	17	1	不明	22	1	22

おもな発生海域別の赤潮発生件数，被害件数，被害金額(2)

年	瀬戸内海および周辺海域*1							九　州*2			伊勢湾*3			三河湾*4		東京湾*5
	瀬戸内海		土佐湾		熊野灘(三重県除く)		被害金額(千円)	発生件数	被害件数	被害金額(千円)	発生件数	被害件数	被害金額(千円)	発生件数	被害件数	発生件数
	発生件数	被害件数	発生件数	被害件数	発生件数	被害件数										
2006	94	11	10	3	4	1	203 421	95	7	20 934	6	0		20	0	18
2007	99	9	9	2	3	1	423 660	131	10	33 530	11	1	不明	23	2	15
2008	116	19	13	3	6	0	111 973	90	8	186 506	4	0		17	0	16
2009	104	7	8	2	2	0	55 611	98	9	3 332 171	9	0		31	1	18
2010	91	9	6	1	10	0	19 154	91	11	5 463 638	12	0		26	4	15
2011	89	11	14	4	2	0	89 983	110	7	14 190	3	0		24	2	15
2012	116	18	7	1	2	0	1 532 837	129	15	391 895	9	0		26	2	18
2013	83	9	14	5	1	0	208 500	124	18	187 647	3	0		17	2	15
2014	97	13	8	5	3	1	124 376	103	16	138 627	2	1	不明	23	2	17
2015	80	16	9	4	5	0	441 329	142	24	242 268	1	0		26	1	16
2016	78	14	14	2	3	0	33 331	96	10	425 511	0	0		28	2	14
2017	71	12	8	4	2	0	14 048	80	9	611 365	1	0		20	3	13
2018	82	9	8	0	2	0	244 568	69	9	28 707	0	0		24	0	14
2019	58	6	9	2	0	0	395 196	65	13	180 974	1	0		18	2	16
2020	83	6	7	1	2	0	63 369	71	8	134 500	1	0		17	1	14
2021	70	12	11	2	1	0	59 711	100	16	91 524	0	0		20	2	16

注 1)　発生・被害件数のうち空欄は調査資料なし．
2)　九州の被害件数には被害金額不明の件数も含む．
3)　伊勢湾における漁業被害のほとんどは養殖ノリの色落ち被害であり，金額不明の場合が多い．
4)　東京湾については，対象海域は東京都の海域のみであり，また被害件数に関する資料がない．

＊1　水産庁瀬戸内海漁業調整事務局（1972〜1978）："瀬戸内海の赤潮"（昭和 46 年〜昭和 52 年）．
水産庁瀬戸内海漁業調整事務所（1979〜2022）："瀬戸内海の赤潮"（昭和 53 年〜令和 3 年）．
＊2　水産庁九州漁業調整事務所（2021）："九州海域の赤潮"（令和 3 年）．
＊3　三重県農林水産部水産事務局漁政課（1980）："昭和 54 年（1 月 1 日〜12 月 31 日）の三重県沿岸における赤潮発生状況"．
三重県農林水産部水産事務局漁政課（1981〜1982）："昭和 55 年（1 月〜12 月）に三重県沿岸海域に発生した赤潮について"，"昭和 56 年（1 月〜12 月）に三重県沿岸海域に発生した赤潮について"．
三重県農林水産部水産事務局（1983〜1985）："昭和 57 年（1 月〜12 月）に三重県沿岸海域に発生した赤潮について"〜"昭和 59 年（1 月〜12 月）に三重県沿岸海域に発生した赤潮について"．
三重県水産技術センター（1986〜1998）："昭和 60 年三重県沿岸海域に発生した赤潮"〜"平成 9 年三重県沿岸海域に発生した赤潮"．
三重県科学技術振興センター水産技術センター（1999〜2001）："平成 10 年三重県沿岸海域に発生した赤潮"〜"平成 12 年三重県沿岸海域に発生した赤潮"．
三重県科学技術振興センター水産研究部（2002〜2008）："平成 13 年三重県沿岸海域に発生した赤潮"〜"平成 19 年三重県沿岸域に発生した赤潮"．
三重県水産研究所（2009〜2022）："平成 20 年三重県沿岸海域に発生した赤潮"〜"令和 3 年三重県沿岸海域に発生した赤潮"．
＊4　愛知県水産試験場（1979〜2016）："伊勢湾・三河湾の赤潮発生状況"（昭和 53 年〜平成 27 年），愛知県水産試験場（2017〜2022）："伊勢湾・三河湾の赤潮・苦潮発生状況"（平成 28 年〜令和 3 年）．
＊5　東京都環境局自然環境部（2023）："令和 3 年度東京湾調査結果報告書"．

月別の赤潮発生件数（2012〜2021 年の平均）

海　域	1月	2月	3月	4月	5月	6月	7月	8月	9月	10月	11月	12月
瀬戸内海*1	4	4	4	6	9	19	24	26	15	7	5	4
九　州*2	3	3	3	7	9	16	19	12	9	7	6	4
伊勢湾*3	0	0	0	0	0	0	1	0	0	0	0	0
三河湾*4	2	1	2	1	3	4	3	4	3	2	1	1
東京湾*5	0	0	0	0	3	3	4	3	2	1	0	0

＊1　水産庁瀬戸内海漁業調整事務所（2013〜2022）："平成 24 年瀬戸内海の赤潮"〜"令和 3 年瀬戸内海の赤潮"．
＊2　水産庁九州漁業調整事務所（2013〜2022）："平成 24 年九州海域の赤潮"〜"令和 3 年九州海域の赤潮"．
＊3　三重県水産研究所（2013〜2022）："平成 23 年三重県沿岸海域に発生した赤潮"〜"令和 3 年三重県沿岸海域に発生した赤潮"．
＊4　愛知県水産試験場（2011〜2016）："伊勢湾・三河湾の赤潮発生状況"（平成 23 年〜平成 27 年），愛知県水産試験場（2017〜2022）："伊勢湾・三河湾の赤潮・苦潮発生状況"（平成 28 年〜令和 3 年）．
＊5　東京都環境局自然環境部（2023）："令和 3 年度東京湾調査結果報告書"．

原因プランクトン別の

年	ノクチルカ(夜光虫) *Noctiluca scintillans*		カレニア/ギムノディニウム *Karenia* spp./*Gymnodinium* spp.		ヘテロシグマ *Heterosigma akashiwo*		スケレトネマ *Skeletonema* spp.		プロロケントルム *Prorocentrum* spp.	
	瀬戸内	九州	瀬戸内	九州	瀬戸内	九州	瀬戸内	九州	瀬戸内	九州
1980	16.3	11.4	9.9	23.6	16.0	0.0	15.4	11.4	2.6	10.0
1981	18.6	9.7	5.7	14.0	18.6	0.0	14.0	4.3	5.7	10.8
1982	19.2	7.6	6.8	11.4	12.8	0.0	14.8	8.9	8.8	16.5
1983	20.8	12.1	5.3	12.1	17.4	15.2	10.2	7.1	9.8	12.1
1984	12.9	8.2	3.0	26.8	18.0	7.2	13.3	6.2	11.6	12.4
1985	18.6	2.1	13.1	18.1	14.0	12.8	10.0	8.5	5.0	11.7
1986	11.9	4.1	11.5	23.5	16.4	10.2	7.5	16.3	9.3	5.1
1987	8.5	4.9	14.2	9.8	14.2	8.8	7.8	9.8	9.2	16.7
1988	18.3	8.7	17.8	14.6	13.3	10.7	7.2	12.6	6.7	8.7
1989	9.6	7.5	8.3	10.8	14.0	10.8	12.1	5.4	10.2	12.9
1990	25.6	6.7	3.8	13.3	20.3	11.1	8.3	7.8	6.0	11.1
1991	15.3	5.3	15.3	12.9	22.6	5.3	11.3	9.8	8.1	11.4
1992	23.0	9.8	12.6	17.1	17.8	8.5	10.4	12.2	10.4	7.3
1993	27.6	13.9	6.3	21.3	17.3	6.5	11.0	9.3	8.7	13.9
1994	18.9	9.4	14.8	12.6	13.9	5.5	9.0	5.5	8.2	17.3
1995	17.3	14.2	21.2	12.4	10.6	10.6	11.5	8.8	11.5	2.7
1996	22.0	16.3	27.5	16.3	9.2	5.8	11.9	11.6	5.5	4.7
1997	17.3	7.5	13.0	8.8	9.3	18.8	8.0	8.8	13.0	7.5
1998	18.3	1.8	4.0	10.6	12.7	8.0	11.9	12.4	4.0	11.5
1999	11.2	7.4	6.0	17.4	9.7	6.6	9.7	11.6	14.2	11.6
2000	22.8	3.9	13.4	19.5	8.7	7.1	9.4	11.7	7.9	8.4
2001	13.0	13.2	13.0	8.2	13.9	11.9	7.0	8.8	3.5	6.9
2002	7.0	7.9	12.2	12.4	10.4	9.0	9.6	15.3	7.8	2.3
2003	13.6	9.0	9.8	7.8	7.6	9.0	9.8	10.2	9.8	3.0
2004	9.9	11.3	9.9	13.3	9.3	7.3	6.8	10.7	8.6	2.0
2005	20.1	10.3	10.1	11.5	6.5	7.9	10.1	11.5	8.6	6.7
2006	11.5	6.2	13.3	5.5	15.9	8.3	11.5	11.0	6.2	10.3
2007	14.8	9.4	4.9	4.4	9.2	7.2	12.0	10.0	5.6	3.3
2008	10.7	10.5	18.9	4.9	14.1	9.1	4.9	9.1	6.3	4.9
2009	6.1	11.5	8.3	5.8	12.8	4.3	11.1	13.7	6.7	8.6
2010	4.1	6.9	8.2	1.5	17.2	8.4	8.2	15.3	11.5	6.9
2011	10.4	11.4	4.8	2.1	20.8	15.7	9.6	13.6	3.2	3.6
2012	9.7	9.9	13.2	7.7	12.5	7.7	9.0	15.4	2.8	3.3
2013	10.0	2.8	2.0	8.4	13.0	9.6	8.0	11.2	1.0	6.2
2014	8.6	5.9	25.7	8.9	17.1	13.3	8.6	7.4	3.8	8.1
2015	8.2	7.0	30.6	13.5	24.7	13.5	9.4	9.7	3.5	4.3
2016	5.8	4.3	24.4	9.5	14.0	9.5	14.0	13.8	0.0	5.2
2017	10.5	1.7	23.7	12.0	15.8	11.1	13.2	20.5	1.3	1.7
2018	8.9	1.1	21.1	11.0	16.7	6.6	6.7	15.4	2.2	5.5
2019	3.2	1.3	19.0	16.9	6.3	11.7	12.7	19.5	1.6	1.3
2020	8.4	2.1	10.5	0.0	10.5	12.4	9.5	21.6	3.2	5.2
2021	8.9	4.0	3.8	9.7	11.4	8.9	12.7	15.3	3.8	4.0
平均	13.7	7.5	12.4	11.6	14.0	9.3	10.2	11.6	6.6	7.7

＊1　水産庁瀬戸内海漁業調整事務所（1981～2022）："瀬戸内海の赤潮"（昭和55年～令和3年）.
＊2　水産庁九州漁業調整事務所（2022）："九州海域の赤潮"（令和3年）.

赤潮発生件数の割合（%）

メソディニウム *Mesodinium rubrum*		カエトケロス *Chaetoceros* spp.		シャットネラ *Chattonella* spp.		コクロディニウム *Cochlodinium polykrikoides*	その他	
瀬戸内	九州	瀬戸内	九州	瀬戸内	九州	九州	瀬戸内	九州
5.8	7.1	2.9	1.4	1.3	0.0	5.0	29.8	30.0
8.0	22.6	3.4	7.5	1.5	0.0	6.5	24.6	24.7
4.4	11.4	4.8	3.8	5.2	1.3	8.9	23.2	30.4
3.0	16.2	4.9	1.0	9.1	0.0	4.0	19.6	20.2
9.0	14.4	5.6	6.2	3.4	2.1	2.1	23.2	14.4
4.1	14.9	5.9	4.3	1.8	1.1	3.2	27.6	23.4
5.8	3.1	1.8	10.2	4.4	0.0	0.0	31.4	27.6
8.5	13.7	2.1	9.8	12.8	1.0	1.0	22.7	24.5
4.4	12.6	4.4	5.8	0.0	6.8	1.0	27.8	18.4
14.6	18.3	4.5	5.4	3.8	6.5	3.2	22.9	19.4
4.5	10.0	6.8	6.7	0.8	10.0	3.3	24.1	20.0
6.5	15.2	5.6	3.8	0.0	0.0	4.5	15.3	31.8
2.2	8.5	5.2	6.1	2.2	11.0	3.7	16.3	15.9
4.7	5.6	4.7	1.9	3.1	4.6	0.9	16.5	22.2
4.1	6.3	5.7	7.1	0.0	3.1	0.8	25.4	32.3
4.8	6.2	4.8	8.8	1.9	3.5	1.8	16.3	31.0
2.8	9.3	0.9	3.5	0.0	4.7	2.3	20.2	25.6
17.9	10.0	4.3	7.5	3.7	2.5	3.8	13.6	25.0
7.9	10.6	6.3	11.5	0.8	4.4	4.4	34.1	24.8
13.4	7.4	5.2	2.5	6.7	5.8	5.0	23.9	24.8
4.7	5.2	9.4	7.8	2.4	7.1	1.9	21.3	27.3
12.2	10.1	4.3	11.3	7.8	2.5	9.4	25.2	17.6
11.3	10.7	8.7	10.2	9.6	2.3	6.8	23.5	23.2
7.6	11.4	9.1	8.4	9.1	9.6	9.6	23.5	22.2
14.2	21.3	4.9	5.3	14.2	5.3	4.0	22.2	19.3
5.8	12.1	8.6	8.5	3.6	7.9	6.7	26.6	17.0
5.3	9.0	9.7	7.6	3.5	3.4	4.1	23.0	34.5
7.7	17.8	6.3	5.6	3.5	5.6	5.0	35.9	31.7
4.4	7.7	5.3	5.6	4.9	8.4	4.9	30.6	35.0
12.8	4.3	8.9	8.6	11.7	10.1	4.3	21.7	28.8
7.4	9.2	8.2	4.6	8.2	12.2	3.1	27.0	32.1
11.2	18.6	4.8	7.1	19.2	0.0	3.6	16.0	24.3
11.8	8.2	5.6	6.0	5.6	9.9	3.3	29.9	28.6
12.0	12.9	12.0	7.9	6.0	5.1	3.4	36.0	32.6
9.5	6.7	5.7	3.7	3.8	5.9	4.4	17.1	35.6
1.2	3.8	3.5	1.1	2.4	6.5	6.5	16.5	34.1
1.2	10.3	4.7	6.9	12.8	6.9	4.3	23.3	29.3
3.9	6.8	2.6	6.8	10.5	6.0	6.0	18.4	27.4
3.3	9.9	4.4	11.0	10.0	5.5	1.1	26.7	33.0
1.6	0.0	4.8	10.4	7.9	7.8	2.6	42.9	28.6
7.4	0.0	2.1	11.3	11.6	1.0	4.1	36.8	42.3
7.6	10.5	1.3	11.3	25.3	4.8	3.2	25.3	28.2
7.2	10.0	5.4	6.8	6.1	5.1	3.9	24.5	26.6

年次別・主要魚種別・海面漁獲量*

種名 ＼ 年次	1960	1965	1970	1975	1980	1985	1990	1995	2000	2005	2010	2015	2020	2021	2022
マグロ類	390	430	291	311	378	391	293	332	286	239	208	190	177	148	122
クロマグロ	66	56	44	41	49	30	14	11	17	19	10	8	11	12	13
カツオ類	94	167	232	274	377	339	325	336	369	399	331	264	196	239	197
カツオ	79	136	203	259	354	315	301	309	341	370	303	248	188	232	191
サケ・マス類	147	146	118	159	123	203	223	282	179	246	180	140	63	61	91
サケ類	86	79	79	110	100	173	209	257	154	229	165	136	56	57	88
ニシン	15	50	97	67	11	9	2	4	2	9	3	5	14	14	21
マイワシ	78	9	17	526	2 198	3 866	3 678	661	150	28	70	311	698	640	642
ウルメイワシ	49	29	24	44	38	30	50	48	24	35	50	98	43	73	64
カタクチイワシ	349	406	365	245	151	206	311	252	381	349	351	169	144	119	123
アジ類	596	560	269	235	145	225	331	385	282	214	185	167	111	106	115
サバ類	351	669	1 302	1 318	1 301	773	273	470	346	620	492	530	390	442	320
サンマ	287	231	93	222	187	246	308	274	216	234	207	116	30	20	18
ブリ類	41	44	55	38	42	33	52	62	77	55	107	123	106	95	93
ヒラメ	6	7	7	7	7	8	6	8	8	6	8	8	6	6	6
カレイ類	503	209	288	341	282	206	72	76	71	54	49	41	40	36	36
タラ類	447	781	2 464	2 770	1 649	1 650	930	395	351	243	306	230	217	231	218
スケトウダラ	380	691	2 347	2 677	1 552	1 532	871	339	300	194	251	180	160	175	160
タイ類	45	40	38	29	28	26	25	27	24	25	25	25	23	24	24
エビ類	62	68	56	69	51	53	43	36	29	24	19	16	12	13	13
カニ類	64	64	90	76	78	100	61	57	42	34	32	29	21	21	20
貝　類	296	293	321	280	338	355	418	412	405	380	407	292	382	389	373
アサリ類	102	121	142	122	127	133	71	49	36	34	27	14	4	5	6
ホタテガイ	14	6	16	30	83	118	230	275	304	287	327	234	346	356	340
イカ類	542	499	519	538	687	531	565	547	624	330	267	167	82	64	59
タコ類	58	78	96	74	46	40	55	52	47	55	42	33	33	27	22
海藻類	286	253	212	231	183	184	208	151	119	105	97	94	63	62	57
コンブ類	140	127	111	158	125	133	132	121	94	79	74	72	45	45	41

*　単位：1 000 t.
農林水産省大臣官房統計部，海面漁業生産統計調査"令和 4 年漁業・養殖業生産統計"による．

年次別・主要魚種別・河川湖沼漁獲量*

種名 ＼ 年次	1960	1970	1975	1980	1985	1990	1995	2000	2005	2010	2015	2018	2020	2021	2022
サ ケ 類	1 465	1 750	6 603	9 207	10 694	15 284	17 736	12 326	16 269	12 580	12 330	6 696	6 609	4 873	9 694
ニジマス	259	604	698	725	504	552	597	536	328	…	…	…	…	…	…
イ ワ ナ	156	202	192	259	271	412	413	496	369	…	…	…	…	…	…
その他のサケ・マス類										307	237	205	153	157	150
ワカサギ	4 761	2 782	3 054	3 181	3 907	2 535	2 077	2 124	1 937	1 967	1 417	1 146	935	687	675
ア　　ユ	6 860	9 879	13 951	14 723	14 492	17 795	13 700	11 172	7 149	3 422	2 407	2 140	2 084	1 854	1 776
コ　　イ	2 205	4 043	6 699	8 479	7 830	6 302	4 896	4 079	1 484	401	227	210	162	143	121
フ　　ナ	7 870	10 443	9 890	10 066	7 987	5 853	4 286	3 423	2 021	778	555	456	396	377	339
ウ ナ ギ	2 871	2 726	2 202	1 936	1 526	1 128	899	765	484	245	70	69	66	63	59
シ ジ ミ	23 178	56 144	47 035	41 491	30 839	37 017	26 938	19 295	13 455	11 189	9 819	9 646	8 894	9 001	8 313
エ ビ 類	979	3 277	6 840	5 846	4 783	3 305	2 717	1 676	1 035	676	372	409	198	118	120

*　単位：t.　（農林水産省統計部「漁業・養殖業生産統計」）

注 1：2000 年までは全国のすべての河川・湖沼，2005 年は主要 106 河川 24 湖沼，2010 年は主要 108 河川 24 湖沼，2014～2018 年は主要 112 河川 24 湖沼，2019～2022 年は主要 113 河川 24 湖沼の漁獲量を掲載した．

注 2：2006 年より河川湖沼の漁獲量は販売を目的として漁獲された量のみであり，遊漁者による採捕量は含まない．また，2006 年より河川湖沼のニジマス・イワナは「その他のサケ・マス類」に含む．

年次別・河川湖沼別・種別漁獲量*

種名	水系＼年次	1970	1975	1980	1985	1990	1995	2000	2005	2010	2015	2019	2020	2021	2022
サケ	十勝川	623	779	436	600	480	608	563	1 136	x	x	x	242	132	752
	石狩川	1	—	437	493	1 296	1 708	692	993	341	672	621	811	787	1 351
	北上川	15	28	50	146	146	174	187	251	338	207	87	40	14	18
	阿武隈川	9	23	18	16	34	25	14	17	33	60	3	6	2	3
	最上川	8	10	12	11	19	28	23	41	17	60	40	32	17	26
	久慈川(岩手)	0	5	48	39	94	69	—	110	x	x	x	9	4	5
	久慈川(福島・茨城)	10	5	11	91	28	10	6	17	x	x	x	2	0	0
	那珂川	44	9	33	84	73	112	73	212	173	99	14	12	3	1
	利根川	17	24	4	11	5	15	7	49	10	13	1	3	1	0
	阿賀野川	17	34	33	19	17	21	32	61	59	134	66	59	28	24
	信濃川	27	44	83	50	90	70	57	88	63	114	53	53	18	29
	神通川	10	16	32	44	52	48	58	62	39	30	15	15	10	12
	九頭竜川	0	1	0	4	4	5	—	—	—	—	—	—	—	—
ワカサギ	石狩川	113	118	89	72	164	110	101	52	62	86	64	4	14	11
	筑後川	—	6	20	12	12	14	7	5	4	6	3	3	1	1
	網走湖	142	294	282	360	222	234	333	264	x	x	x	173	103	116
	小川原湖	252	532	771	467	534	638	656	512	x	x	x	348	192	211
	八郎潟	302	468	440	382	83	249	242	300	x	x	x	198	225	197
	霞ヶ浦	557	440	46	857	312	169	19	78	499	247	118	72	34	16
	北浦	216	129	353	234	151	68	32	108	21	26	1	1	0	0
	印旛沼	—	42	18	14	5	5	3	2	x	x	x	x	x	x
	諏訪湖	307	400	384	100	86	90	46	20	x	x	x	6	0	7
	宍道湖	405	34	115	180	290	5	2	1	x	x	x	—	—	—
アユ	那珂川	448	410	509	352	814	1 493	457	1 031	684	343	292	369	318	316
	利根川	1 062	857	1 157	857	801	398	249	181	7	0	—	—	—	—
	相模川	133	131	278	405	457	501	490	268	318	372	347	322	228	210
	神通川	153	221	260	243	183	190	114	96	85	67	65	61	63	68
	九頭竜川	190	353	506	529	571	253	253	195	31	15	17	27	25	20
	天竜川	241	498	477	716	758	202	291	162	15	17	4	0	0	1
	矢作川	72	108	165	312	271	204	102	76	1	2	1	x	0	0
	木曽川	220	259	320	277	430	430	277	222	43	35	26	21	21	21
	揖斐川	206	210	240	188	168	140	131	59	40	2	2	1	1	1
	紀の川	139	364	406	543	578	305	301	156	1	2	2	2	2	1
	淀川	157	211	218	344	396	308	234	173	14	4	9	4	11	10
	江の川	432	591	430	150	343	156	191	123	52	33	30	25	25	36
	高梁川	171	272	125	193	249	145	132	46	19	11	11	9	9	8
	吉野川	262	436	201	92	208	257	325	61	45	65	4	5	19	20
	四万十川	176	1 603	846	877	926	373	266	222	20	25	15	23	32	28
	球磨川	110	222	450	478	213	317	432	229	x	x	x	9	9	13
	琵琶湖	678	891	1 345	965	1 832	1 258	953	390	681	476	375	373	315	319
シジミ	那珂川	1 518	3 434	2 111	2 012	1 614	2 067	1 269	861	1 047	271	542	532	695	544
	利根川	37 955	18 151	14 908	5 064	3 142	6 588	1 418	15	5	1	0	0	0	0
	揖斐川	162	258	282	708	601	337	165	260	220	212	60	59	53	84
	吉野川	215	153	227	156	118	164	185	76	44	14	7	6	1	1
	筑後川	337	75	747	812	647	453	258	207	158	50	33	30	30	25
	網走湖	403	397	443	518	671	782	732	803	x	x	x	588	517	307
	十三湖	2 969	1 296	1 079	1 371	1 747	2 363	2 747	1 642	x	x	x	1 465	1 521	1 306
	小川原湖	120	420	1 748	2 800	3 615	2 349	2 496	1 534	x	x	x	850	758	727
	八郎潟	548	567	93	108	10 750	58	3	1	x	x	x	0	0	0
	涸沼	1 365	2 719	2 660	2 390	2 376	1 183	605	412	x	x	x	815	717	432
	北浦	3 372	1 155	458	106	—	—	—	—	—	—	—	—	—	—
	琵琶湖	1 725	992	700	313	211	113	80	161	41	36	41	37	48	38
	宍道湖	4 191	15 597	14 300	12 320	9 100	8 400	7 500	6 100	x	x	x	3 880	4 100	4 230

養殖収獲量を除く．＊ 単位：t.　　(農林水産省統計部「漁業・養殖業生産統計」)
—:事実のないもの．x:個人または法人その他の団体に関する秘密を保護するため，統計数値を公表せず．

おもな実験海産無脊椎動物の繁殖期*

（*数字は月を表す）

観測域／種　名	厚岸（北海道）	浅虫[1]（青森）	佐渡（新潟）	能登[2]（石川）	館山[3]（千葉）	三崎[4]（神奈川）	下田（静岡）	菅島（三重）	白浜[5]（和歌山）	隠岐（島根）	牛窓[6]（岡山）	向島（広島）	宇佐（高知）	中島（愛媛）	合津[7]（熊本）	天草（熊本）	瀬底[8]（沖縄）
ガンガゼ					7-8下	7中-8中			6下-9上								6中-8中
サンショウウニ		6下-8下		6下-8下	6下-9上			6下-9中	6中-10上		7-8	5下-8上	5下-7上		6下-7中	6中-8下	
キタサンショウウニ		6中-8	10下-1					7-8									
ニッポンコシダカウニ					7中-8下				6-8下								
キタムラサキウニ		9下-10下	9中-10下		9上-10中	10-12											
バフンウニ		12中-4上	1上-4中	1上-3中	1下-3下	1-3	12下-5上	12下-3中	1上-4上	1上-4中	1-3	1上-3下		1中-4中	1上-3中	1上-3下	
エゾバフンウニ	5中-8中	3中-4中，11															
ムラサキウニ			7上-8下	6下-8下	6下-8下	6-7	6上-10上	7上-8下	6上-9下	6中-9中	6	7上-9中	8上-9中	6上-8中	6上-7中	5下-8下	
アカウニ				11下-12中	10下-12下	10-12	10下-1下	10下-12下	10中-12下	11下-2中	10上-12上			10上-12中			
ツマジロナガウニ					7-8	6-7			7下-9上				7上-7下				
ラッパウニ					6上-8上				7上-8下				6下-7下				9中-1上
タコノマクラ				6下-7上	7中-8下	6下-8中	7-8中		6上-9上				5中-6下				
ハスノハカシパン		9中-10上									11			5-6下，9中-11下			
スカシカシパン					8上-8下	7-8											
ヨツアナカシパン				6中-7中		7-8											
オカメブンブク		4下-5														7下-9上	
マヒトデ	5上-7上	3中-4中			12上-4中	1-3					2-3			12中-3下		6上-7下	
イトマキヒトデ		9		5上-10下	5上-7中	4-6		5上-9下		5上-7下	12			6上-9中			
マナマコ		5中-6中		3下-4	2上-3中	4-6					4-5						
ミズクラゲ		7上-8下									6-7						
カミクラゲ		5									3-4						
アメフラシ		7，11									1-6						
マガキ	8上-10下	7上-8中	6下-8下			6-8	5中-10中	6下-9上				7上-9下			7下-8		
ケガキ				5下-9下	7上-8下	7-8	5上-11上	6中-9上	7上-8中		6中-8上	7上-9下				6中-8下	
ムラサキイガイ		3上-4上			12上-3下	12-4						12上-3下					
シロボヤ		11中-12上	7下-8				7上-9下	6中-8下	3中-11下							6上-8下	
ユウレイボヤ		5中-7中，10中-11中							3-7								

1）ツガルウニ（3），ニッポンヒトデ（3中-4上），マボヤ（10下-12下），ホタテガイ（2中-3中），ムラサキインコガイ（8），アズマニシキ（7下-8下），2）ニホンクモヒトデ（7中-8中），オオブンブク（6中-7中），ミサキギボシムシ（7中-8下），3）モミジガイ（6下-7下），テツイロナマコ（7上-8中），クロイソカイメン（7下-9上），アンドンクラゲ（7中-8中），4）トゲバネウミシダ（1-6），ニッポンウミシダ（10-11），イイジマフクロウニ（9中），5）ニセクロナマコ（7-8），ヤッコカンザシ（7-8），6）カタユウレイボヤ（6-7），イシコ（12），ナガトゲクモヒトデ（6），イイダコ（2-3），マダコ（3-4, 8-9），シリヤケイカ（5-6），カミナリイカ（6-7），アオリイカ（6），マツバガイ（7-9），マダラウミウシ（6-7），ウミフクロウ（6），タテジマフジツボ（5-9），スジホシムシモドキ（6-8），サメハダホシムシ（6-8），オオツノヒラムシ（5-6），ウスヒラムシ（2-4），カブトクラゲ（8），アカクラゲ（5-6），ユウレイクラゲ（6-7），ドフラインクラゲ（4-5），7）ツバサゴカイ（8），ベニボヤ（7中-8中），ナメクジウオ（6中-7上），ハクセンシオマネキ（7上-8上），8）オキナワハクセンシオマネキ（5上-8下），シラヒゲウニ（9中-1上），ホンナガウニ（7上-8下），リュウキュウヒザラガイ（8-9上），オニヒザラガイ（8-9上），キクノハナザラガイ（8-9上）．

（道端ら，2001；鈴木編，2009など改変）

おもな無脊椎動物の産卵期

種　名(学　名)	生　息　域	観　測　地	性成熟	全　長	産卵期	放卵数
マヒトデ (*Asterias amurensis*)	日本沿岸	陸奥湾	—	mm 55	3~5月	—
マヒトデ科の一種 (*Asterias forbesi*)	メキシコ~メーン(米)	ロングアイランド(米)	1~2 y	60~210	7~10月	数　千
マヒトデ科の一種 (*Asterias rubens*)	北大西洋沿岸	プリマス(英)	—	50~130	4~5月	数　千
マヒトデ科の一種 (*Asterias vulgaris*)	コッド岬(米)~ラブラドル半島(カ)	プリンスエドワード(カ)	1 y	20	5~6月	—
アスナロウニ (*Arbacia punctulata*)	メキシコ湾~コッド岬	ウッズホール(米)	1 y	30~50	初夏	数　万
ウスヒザラガイ科の一種 (*Ischnochiton magdalenensis*)	メキシコ~カリフォルニア(米)	—	2 y	35~36	—	57 970
アカネアワビ (*Haliotis rufescens*)	カリフォルニア(米)	—	6 y	100	2~4月	100 000~2 500 000
ヨーロッパタマキビガイ (*Littorina littorea*)	ニュージャージー(米)~ラブラドル半島	ノバスコシア(カ)	1 y	20~25	5~8月	5 000
カキナカセ (*Urosalpinx cinerea*)	ジョージア(米)~カナダ	ノースカロライナ(米)	15 mo	16.5~29.6	5~9月	252
トゲコブシボラ (*Busycon carica*)	メキシコ~コッド岬	ノースカロライナ(米)	—	30~210	3~6月,8~9月	4 000~6 000
ヨーロッパモノアラガイ (*Lymnaea stagnalis*)	全世界	ウィスコンシン(米)	4~14 mo	50~60	7~10月	6 000
エスカルゴ(マイマイ) (*Helix pomatia*)	米国・欧州	—	33~39 mo	7	5~8月	40~200
ヨーロッパイガイ (*Mytilus edulis*)	全世界	ノバスコシア(カ)	1~2 y	45~55	6~9月	5 000 000~12 000 000
アメリカガキ (*Crassostrea virginica*)	テキサス(米)~カナダ	ロングアイランド(米)	1 y	25~50	6~8月	500 000~1 000 000
ホンビノスガイ (*Mercenaria mercenaria*)	ユカタン半島(メ)~ノバスコシア	ニュージャージー(米)	1~2 y	50~70	6~8月	約 1 000 000
アメリカウバガイ (*Spisula solidissima*)	ハッテラス岬(米)~カナダ	ニュージャージー(米)	1.5~2 y	40~70	7, 10月	数　千
オオノガイ科の一種 (*Mya arenaria*)	ハッテラス岬~ラブラドル半島	メーン(米)	1~2 y	13~19	6~10月	1 000 000~4 000 000
アメリカケンサキイカ (*Loligo pealei*)	カリブ海~ノバスコシア	ウッズホール(米)	1~2 y	150~200	6~9月	5 000~12 000
アメリカカブトガニ (*Limulus polyphemus*)	ユカタン半島~ノバスコシア	デラウェア湾(米)	9~11 y	♂178~258 ♀243~251	5~6月	3 000
ハリナガミジンコ (*Daphnia longispina*)	北米, 欧州, アジア	フロリダ(米)	75~86 h	♂1.2 ♀1~9	冬期を除く	28(4~35)
メキシコクルマエビ (*Penaeus setiferus*)	メキシコ湾~ニュージャージー(米)	ジョージア(米)	1 y	♂130~170 ♀135~190	3~9月	500 000~1 000 000
アメリカウミザリガニ (*Homarus americanus*)	ノースカロライナ(米)~ニューファンドランド(カ)	北大西洋上	4~5 y	♂170~600 ♀180~400	7~9月	8 500
タラバガニ (*Paralithodes camtschatica*)	北太平洋	コジャック島(アラスカ)	5 y	100	3~5月	150 000~400 000
アオガニガザミ (*Callinectes sapidus*)	ウルグアイ~ノバスコシア	チェサピーク湾(米)	13 mo	♂135~215 ♀134~185	7~8月	1 750 000

(カ)カナダ, (メ)メキシコ, (米)米国, (英)英国.　　(Merrill, A. S. ら, 1972より改変)

陸 域 環 境

世界のバイオームの分布

おもに気候や地形によって形成される生物とその生育・生息環境のまとまりをバイオームと呼ぶ．バイオームの分類にはさまざまなものがあるが，気候条件が最も重要な条件になっている点は共通している．

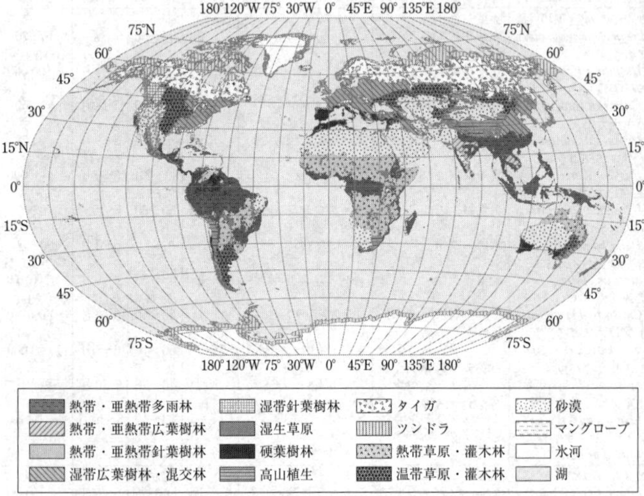

WWF : "Terrestrial ecoregion of the world" (2012) による．

日本の植生分布

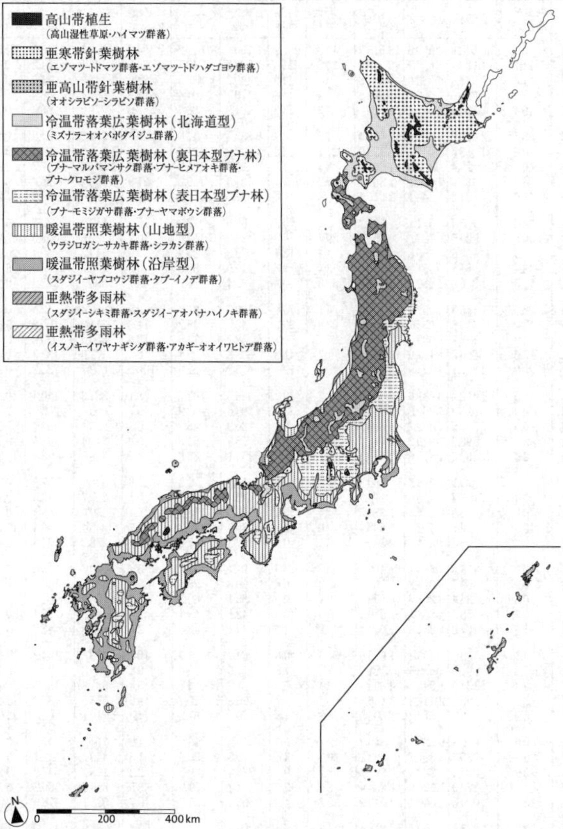

Miyawaki (1975) による.

大沢済, 吉良龍夫, 越田豊, 田沢仁, 本城市次郎編:“基礎生物学ハンドブック”, p.134, 岩波書店 (1980).

県別土地

地域	自然林の割合(%)	自然林	二次林	人工林	その他の森林	自然草地	二次草地	人工草地	その他の草地	水田	畑地	路傍	茶畑
北海道	85.4	35 578.9	4 653.8	13 615.2	14.8	957.9	1 760.1	6 619.2	2 484.6	2 638.1	6 303	1.5	0
青森	21.7	1 683	1 897.9	2 759.5	20.3	34	198.8	249.7	34.3	1 126.1	521.2	0	0
岩手	11.4	1 548.4	4 283.6	5 334.8	0	42.9	480.2	333.5	31.6	1 747.9	1 021.5	0	0
宮城	11	708.9	1 669.9	1 929	2.9	11.8	110.1	104.4	2.5	1 601	366.9	0	0
秋田	19.4	1 854.4	2 542.1	3 719	2.3	23.2	531.5	88.4	43.5	1 779.2	256.3	0	0
山形	28	2 020.7	2 820.6	1 593.5	1.7	44.7	333.8	47.5	48.7	1 372.7	181.6	0	0
福島	10.8	1 323.6	5 047.2	2 125.3	327.1	23.2	1 123.2	121.7	68.3	1 671.2	674.5	0	0
茨城	0.5	27.6	420.8	1 607.3	3.4	9.1	55.8	121.2	0.7	1 301.3	1 217.2	2.6	0.2
栃木	8.3	485	1 691	1 387.4	7.2	2.4	136.5	139.2	21.9	1 299.4	425.7	0	0
群馬	18.5	981.3	1 244.1	2 016.1	0.8	13.7	37	102.8	55.2	462.6	515.9	11.2	0.2
埼玉	4.3	155.4	571.1	508.7	2.2	0	68.5	72.2	15.2	817.7	370.7	26.5	17
千葉	0.5	26.5	783	853.6	39.7	6	94.9	114.6	12.2	1 220.6	698.6	88.8	0
東京	7.9	155.6	335.8	362.3	4	12.4	23.3	35.8	0.9	14.2	85.4	26.4	3.1
神奈川	3.8	87.4	451.2	337.7	3.3	8.3	115.6	38.6	9.2	109.6	196	5	0.5
新潟	12.5	1 376.6	4 439.8	1 467.4	939.8	90.8	82.4	56.7	65.7	2 530	273.2	0	0
富山	36.9	1 135.8	957.4	501.8	6.1	173.4	130.7	21.8	0.7	906.4	42.9	0	0
石川	12.2	450.9	1 656.7	649.7	23.8	35.3	43	45.2	11.5	711.2	100.8	5.6	0.7
福井	4.3	172.7	1 939.2	958.3	25	0.7	52.1	14.5	10.6	650.3	30.2	0	2.3
山梨	18.6	696.2	1 197.9	1 280.9	1.7	41.3	303.8	25.4	0.1	171.3	132.3	0	4
長野	20.8	2 317.1	4 224.9	3 380.6	9.8	112	476.2	92.3	100.3	1 072.7	733.2	0	0.2
岐阜	15.5	1 412.7	3 639.6	2 888.2	33.7	79.9	466.8	102.7	68.1	831.3	140.3	10.1	6
静岡	8.9	623.3	1 260.8	2 926.2	31.1	38	393.6	63.9	19.7	605	285.9	7.2	266.2
愛知	0.6	30.6	699.7	1 569.7	8.9	0.9	36.3	46.6	0.5	983.1	400.1	1.3	2.7
三重	3.6	198.8	1 029.2	2 616.4	16.7	6.8	75.9	54.5	5.3	848.4	163.5	0	56.4
滋賀	2.6	82.6	1 419.6	416.5	22.1	1.5	165.1	38.8	6.5	728	23.4	19.2	8.8
京都	1.6	70.1	2 424.8	960.8	44.8	2.6	17.5	22.5	6.8	508	57.8	0	23.1
大阪	0.4	7.4	415.6	178.7	12.6	0	15	26.7	0.1	287.7	3.5	0.1	0
兵庫	0.8	65.5	3 864.4	1 784.5	30.4	0.1	65.6	116.2	5.4	1 450.6	58.4	0	2.2
奈良	10.4	346.6	412.1	1 938.9	3.6	0	180.7	20.7	0.7	385.4	43.4	11.1	19.1
和歌山	2.2	102.2	1 244	2 364	3.1	0.2	27.5	17.2	0.4	268.2	34.3	0	0.6
鳥取	3.2	108.8	885.1	1 476.6	3.9	8.9	94.1	37.4	5	490.7	115.6	3.2	0
島根	0.9	60.7	3 313.8	1 769.8	53.3	0.8	109.8	28.5	3.8	805.7	106.3	0	1.7
岡山	0.5	35.4	3 268.3	839.8	16.4	0	865.1	60.3	6.3	1 186.9	281	0	0
広島	0.7	58.9	4 858.1	500.2	5	0	1 142.1	28.4	1.4	1 185.6	225.4	0	0
山口	1.8	107.8	3 351.9	1 060.4	45.2	1	47.1	42.6	2.5	885.3	43.7	3	1.2
徳島	4.1	163	1 255.4	1 698.6	33.3	0.3	64.9	7.9	10	410.8	164.2	13.4	1.3
香川	5.2	91.9	695.8	121.9	9	1.8	17.6	15.4	0	466.8	52	0	2.7
愛媛	2.4	134.8	1 346.5	2 693.4	2.4	0.3	31.8	24.1	8.4	551.8	189	7	0
高知	3.3	227	2 341.3	3 456	7.2	5.7	125.3	10.4	19.6	513.8	182.3	3.4	11.3
福岡	0.9	43.2	619.2	1 605.5	68.3	1.8	70	61.3	1.4	1 110.1	66.3	39.6	22.1
佐賀	0.8	19	320	849.3	19.4	0.5	10.2	16.5	1.2	714.2	47	0	17.8
長崎	0.7	30.3	1 597.7	828.1	80.9	3.6	79.5	20.9	1.3	449.1	442.1	0	9.4
熊本	2.9	209.2	1 222.4	2 999.8	38.1	0	383.4	129.3	12.2	1 163.5	547.2	0	5.2
大分	4.5	273.3	1 124.8	2 934.4	43.4	2	314.4	57.9	8.5	816.3	186.7	0	2.3
宮崎	13.2	909.8	1 069.1	3 640.9	32.2	4.7	502.1	37.7	10.7	615.1	478.9	9.9	12.2
鹿児島	25.4	1 885.4	709.1	3 018.1	146.2	26.5	254	75.1	101.4	768.9	1 437.5	1.1	69.3
沖縄	76.9	1 011.8	37.8	41	38.5	8.7	171.9	67.8	5.7	16.8	650.1	0	0.7

自然林の割合は，陸域植生・土地利用の合計面積に対して計算された．

国立環境研究所："日本全国標準土地利用メッシュデータ"（2013），環境省："第 4，5 回環境省自然環境保全基礎調査の植生調査データ"を基に作成．

利用面積

(単位：km^2)

果樹・桑・その他	緑の多い住宅地等	市街地	人工裸地	自然草原（塩沼）	湿地草原	水草（淡水）	海草	マングローブ	自然裸地	石灰岩植生	火山荒原・硫気孔原	崖	サンゴ礁植生	開放水域	不明
82	655.4	490.6	532.7	18.3	622.2	4	0	0	202.6	0	0	0	0	1 130.5	4.7
335.6	109.4	279.1	83.8	1	55.5	0	0	0	41.7	0	0.7	0	0	194.6	0.6
32.5	0	222	62.8	0	12.6	0	0	0	0	3	4.9	0	0	92.2	2.5
54.6	0	481.3	58.1	0	44.4	16.1	0	0	0	0	10.7	0	0	91.9	0
81.6	140.2	199.7	86	0	64.6	2.2	0	0	7.5	0	2.4	0.5	0	198.5	1.3
266.7	301.8	43.5	85.6	0	64	0.1	0	0	12.9	0	2.3	0	0	77.2	0.5
355.2	203.4	236.1	173.5	0	25.8	0	0	0	20.3	0	7.5	0	0	242.1	0.7
69.8	402.7	251.9	256.9	0	41.4	0	0	0	7.2	0	0	0	0	287.5	0.3
50.1	149.2	302	126.1	0	20.9	0	0	0	95	0	2.2	0	0	62.1	1.6
345.9	319.2	67.2	64.2	0	32.3	0.1	0	0	11.5	0	9.9	0	0	70	1.1
259.8	213.8	492.6	110	0	37.4	0	0	0	5.6	1	0	0	0	50.6	0.7
72.2	314.5	424.6	267	1.3	35.6	0	0	0	8.1	0	0	0	0	84.7	0.3
22.9	167.4	695.6	120.9	0	9.9	0	0	0	39	0	9.3	0	0.1	42.5	0.7
74.2	57.8	705.8	145.7	0	10.1	0.4	0	0	6.7	0	0.3	0	0	43.1	1.6
47.5	454.1	262.8	125.5	0.1	19.4	0	0	0	117.6	0	0	0	0	221.8	1
5.4	80.8	140.6	57.5	0	22.1	0	0	0	29.6	0	0	0	0	46.2	0.1
40.2	245.2	30.6	57	0	20.3	0.1	0	0	23.8	0	0	0	0	39	0
26.2	17.1	203.9	28.4	0	2.5	0	0	0	15.2	0	0	0	0	48.2	0.1
309.3	8.6	157.2	54.2	0	26.1	0.3	0	0	18.9	0	0	0	0	42.6	0.2
193.3	290.2	240.1	67	0	33.5	0	0	0	114.8	0	0	0	0	108.6	0.9
58.7	178.6	437.1	70.2	0	16.9	0	0	0	69.7	0	0	0	0	135.6	0.4
313.3	78.3	479.2	93	0	11.1	0	0	0	124.1	0	0	0	0	151.9	0.6
100.1	25.9	881.5	237.1	0	18.4	0	0	0	10.3	0	0	0	0	101.6	0.6
92	73.5	289.6	127.4	0	25.8	0	0	0	7.7	0	0	0	0	97.7	0
10.9	58	206.4	85.3	0	12.9	0	0	0	12.9	0	0	0	0	714.6	0
25.2	50	296.9	59	0	14	0	0	0	2.1	0	0	0	0	49.2	0.2
67.7	37.8	594.1	183.3	0	13.5	0	0	0	0.9	0	0	0	0	54.2	0
36.4	161.1	423.7	222.2	0	36.5	18.4	0	0	1.5	0	0	0	0	100.9	0.1
52.1	13.1	183.3	42.6	0	0.9	0	0	0	9.5	0	0	0	0	44.5	0.1
346.2	55.9	122	54.8	0.1	22.7	0.1	0	0	28	0	0	0	0	52.2	0
90.5	114.4	26.3	25.7	0	8.2	0	0	0	3.2	0	0	0	0	40.9	0.2
38.6	138.4	41.7	60.4	0	14.2	0.1	0	0	40.5	0	0	0	0	205.8	0.3
83.4	177.9	107.8	114.8	0	17.7	0	0	0	6.1	0	0	0	0	106.8	0
124.3	111.2	143.9	114.2	2.1	3.9	0	0	0	0	0	0	0	0	71.7	0.2
80.6	187.2	171.7	99.2	0	6.1	0.1	0	0	2	0	0	0	0	62.9	0.2
119	74	22.7	40.4	0	6.5	0	0	0	25.8	0	0	0	0	62.9	0.1
120.4	17.3	156.7	67.3	1	9.8	0	0	0	2.6	0	0	0	0	35.8	0
455.4	87.8	100	49.6	0.1	0.6	0	0	0	3.3	0	0	0	0	50.8	0
53.5	47.6	46.5	30.4	0	8.5	0	0	0	15.2	0	0	0	0	74.6	0.1
274.5	374.2	409.6	200.8	0.3	21.5	3.8	0	0	4.6	0	0	0	0	77.9	0.4
216.3	146.5	51.7	20.4	0	4	0	0	0	0.9	0	0	0	0	40.4	0.4
259.6	57.7	218.5	53.7	0.1	0.8	0	0	0	19.8	0	0	0	0	21.2	0.2
337.4	40.1	343.2	48.8	0	6	0	0	0	15.4	0	0.5	0	0	57.6	0.4
265.1	73	182.7	86.4	0.8	15.2	0	0	0	4.9	0	0	0	0	58.9	1.7
99	210.7	66.7	55.4	0	33.1	2.7	0.3	0	7.3	0	0.9	0.1	0	78.6	5
83	323.5	271.8	52.7	0.1	11	0	0	1	32.7	0	26.5	0	25.2	61.5	0.3
26.3	4.9	194	29.1	0	9.4	0	0	9	3.4	0	0	0	15.9	13.4	0

年次別・地域別・広葉樹林面積*

地域	1960		1970		1980		1990		2000		2005	
	人工林	天然林	人工林	天然林	人工林	天然林	人工林	天然林	人工林	天然林	人工林	天然林
北海道	27	3 499	27	3 240	30	3 155	43	3 052	47	2 767	41	2 757
青森	1	346	4	320	1	358	1	268	2	261	2	263
岩手	6	753	6	705	3	653	3	548	5	542	5	541
宮城	7	287	3	244	2	208	2	189	3	185	3	181
秋田	5	475	4	456	4	424	4	383	9	381	11	381
山形	1	511	1	477	1	436	1	425	2	424	3	421
福島	14	673	7	615	6	543	11	516	9	511	16	509
茨城	15	58	7	60	2	57	2	62	2	61	2	61
栃木	16	226	1	192	3	161	3	150	2	145	4	145
群馬	6	233	5	206	5	193	8	185	7	184	10	184
埼玉	5	69	0[1)]	61	0[8)]	56	0[12)]	52	0[14)]	51	0[16)]	45
千葉	13	51	2	63	1	64	1	70	1	77	1	75
東京	8	38	8	37	3	38	2	38	2	37	2	37
神奈川	8	50	3	50	1	45	1	52	1	50	1	49
新潟	1	624	2	574	3	549	4	533	3	547	4	546
富山	1	173	0[2)]	177	1	164	1	158	1	154	1	153
石川	2	193	1	184	2	167	2	152	2	147	1	131
福井	2	216	1	213	1	182	1	179	1	170	2	169
山梨	7	180	1	159	1	136	3	130	4	126	4	128
長野	3	417	2	406	1	373	1	362	2	354	2	360
岐阜	2	482	3	447	4	392	5	365	4	356	11	348
静岡	14	188	3	160	4	146	4	142	5	147	5	146
愛知	1	69	0[3)]	62	0[9)]	56	1	55	1	58	1	57
三重	5	157	2	134	1	119	1	120	2	120	2	119
滋賀	1	109	0[4)]	104	0[10)]	87	0[13)]	77	1	76	1	75
京都	5	172	1	161	0[11)]	148	1	139	0[15)]	136	1	133
大阪	3	14	4	13	2	12	2	13	2	13	2	13
兵庫	5	271	2	252	3	218	4	214	4	214	4	221
奈良	9	112	5	106	3	97	3	90	2	93	2	92
和歌山	3	163	1	143	2	121	2	127	1	126	1	126
鳥取	1	143	2	123	1	105	1	97	2	97	3	98
島根	2	340	1	340	1	293	1	265	2	265	3	265
岡山	11	197	2	187	2	167	3	159	3	159	3	158
広島	3	246	0[5)]	215	1	202	2	191	4	213	5	212
山口	3	171	1	177	1	159	2	161	3	167	4	166
徳島	3	133	1	120	1	100	3	95	3	99	3	99
香川	2	17	1	20	1	20	1	29	1	35	1	37
愛媛	21	130	0[6)]	114	1	95	3	112	3	113	4	113
高知	1	288	1	238	4	168	7	176	7	180	9	179
福岡	8	62	4	52	4	49	4	51	4	51	4	50
佐賀	3	35	1	30	1	26	1	27	1	26	1	26
長崎	3	147	0[7)]	137	1	123	1	120	2	123	2	122
熊本	3	184	3	154	6	137	9	143	9	141	9	142
大分	25	155	4	163	8	155	11	156	11	165	12	163
宮崎	18	308	16	252	16	214	22	198	23	205	25	201
鹿児島	13	275	10	242	8	225	13	219	15	230	17	231
沖縄	—	—	—	—	4	76	4	74	4	71	5	72

＊ 単位：1 000 ha.　　(農林水産省世界農林業センサスより)

1) 45 ha, 2) 367 ha, 3) 192 ha, 4) 396 ha, 5) 413 ha, 6) 245 ha, 7) 435 ha, 8) 178 ha, 9) 425 ha, 10) 312 ha, 11) 191 ha, 12) 206 ha, 13) 400 ha, 14) 182 ha, 15) 398 ha, 16) 218 ha

年次別・地域別・針葉樹林面積*

地域	1960		1970		1980		1990		2000		2005	
	人工林	天然林	人工林	天然林	人工林	天然林	人工林	天然林	人工林	天然林	人工林	天然林
北海道	528	1 104	877	964	1 341	655	1 467	677	1 477	891	1 465	823
青森	140	117	175	103	240	25	266	81	269	82	269	78
岩手	190	72	291	69	424	50	490	70	500	67	499	66
宮城	109	17	148	15	187	10	200	15	199	14	198	14
秋田	209	52	273	34	354	28	400	26	400	24	398	24
山形	112	11	139	13	171	18	180	19	181	17	180	19
福島	170	59	234	71	307	68	329	66	334	65	329	65
茨城	121	14	134	11	137	7	119	3	115	3	114	2
栃木	104	32	133	41	147	39	154	36	155	33	153	33
群馬	122	40	153	29	173	28	177	28	176	28	172	28
埼玉	44	15	54	14	58	10	60	10	60	9	59	9
千葉	92	3	98	0[1)]	85	0[2)]	78	1	62	0[3)]	61	0[4)]
東京	27	2	32	3	33	2	33	2	33	2	33	2
神奈川	36	2	40	1	37	1	35	1	36	1	35	1
新潟	103	24	119	24	141	24	158	22	161	17	160	17
富山	28	19	33	15	44	16	49	16	52	17	52	17
石川	51	29	64	22	81	21	94	19	100	18	100	33
福井	56	20	66	15	107	10	115	10	123	9	123	9
山梨	84	58	107	49	143	46	148	45	150	45	149	45
長野	289	240	349	214	419	192	436	184	442	188	442	180
岐阜	195	141	257	114	329	103	361	95	371	93	376	88
静岡	236	48	271	43	283	42	283	41	279	38	277	38
愛知	112	39	135	27	141	22	144	18	141	15	140	14
三重	179	32	218	22	234	18	234	16	231	14	230	14
滋賀	38	57	46	51	67	45	79	40	82	38	82	37
京都	69	86	89	81	111	76	123	71	128	67	128	65
大阪	27	19	25	21	25	17	25	14	26	14	26	13
兵庫	136	145	173	139	213	125	231	106	237	92	235	85
奈良	128	31	145	24	161	18	171	14	171	13	170	13
和歌山	161	28	191	20	217	20	220	11	220	10	219	10
鳥取	63	27	93	23	125	20	135	17	137	13	137	11
島根	83	56	108	44	164	45	194	42	203	35	203	35
岡山	87	148	118	146	165	135	190	120	194	112	194	111
広島	74	271	122	259	158	244	182	230	190	192	193	189
山口	81	151	127	106	168	88	183	71	188	57	190	56
徳島	126	36	151	26	182	22	190	17	191	13	190	13
香川	24	48	23	43	26	38	27	26	26	19	26	17
愛媛	180	55	207	62	232	58	243	27	244	25	243	25
高知	203	48	289	32	381	24	379	20	381	16	380	16
福岡	136	12	138	14	142	9	141	6	139	5	138	5
佐賀	57	4	62	3	68	1	71	1	72	1	72	1
長崎	67	13	75	10	95	5	103	4	103	3	103	3
熊本	201	5	232	10	267	7	276	7	277	6	274	6
大分	174	22	211	17	229	14	235	11	227	7	228	7
宮崎	196	26	265	22	326	14	340	13	335	9	331	11
鹿児島	198	37	252	27	287	26	294	22	292	20	285	22
沖縄	—	—	—	—	8	13	8	12	8	11	8	12

* 単位：1 000 ha.　　(農林水産省世界農林業センサスより)

1) 187 ha, 2) 211 ha, 3) 187 ha, 4) 195 ha

重要湿地

おもな湿地タイプ(•)	全体
高層湿原	67
中間湿原	41
低層湿原	55
雪田草原	22
河川	128
淡水湖沼	72
汽水湖沼	31
汽水域	39
干潟	105
塩性湿地	27
藻場	119
砂浜	20
浅海域	27
サンゴ礁	30
マングローブ湿地	29
水田	34
休耕田	12
ため池	62
水路	27
湧水	55
湧水湿地	25
その他湿地	102
計	1129

＊複合する湿地タイプの箇所があるので合計数は重要湿地の633ヵ所とは一致しない.

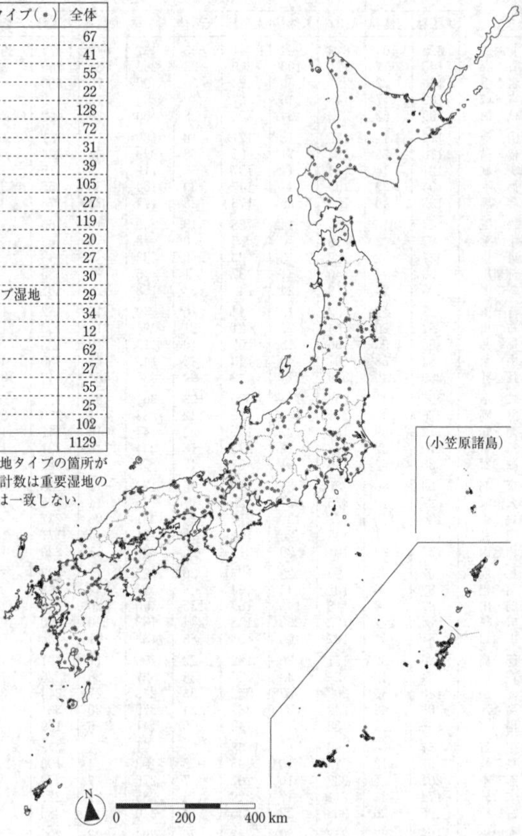

環境省:"生物多様性の観点から重要度の高い湿地"(2016).
http://www.env.go.jp/nature/import_wetland/index.htm

地球上の生物種数

現在，地球上で知られている(学名が付けられている)生物種数は約190万種であり，その半数が昆虫類である．しかし，まだ地球上には私たちが知らない生物種が多数存在する．地球上の総生物種数に関してはさまざまな推定が行われているが，その多くは1000万種から1億種の間であり，下表の推定はやや控えめな数である．

生物の既知種数と推定種数

生物群	既知種数	推定種数*
動物	1 424 153	6 836 330
菌類	98 998	1 500 000
植物	310 129	390 800
原生生物	53 915	1 200 500
原核生物	10 307	1 400 000
合計	1 897 502	11 327 630

無脊椎動物の既知種数と推定種数

無脊椎動物	既知種数	推定種数*
半索動物	108	110
棘皮動物	7 003	14 000
昆虫類	1 000 000	5 000 000
クモ類	102 248	600 000
ウミグモ類	1 340	不明
多足類	16 072	90 000
甲殻類	47 000	150 000
有爪動物	165	220
六脚類	9 048	52 000
軟体動物	85 000	200 000
環形動物	16 763	30 000
線形動物	25 000	500 000
鉤頭動物	1 150	1 500
扁形動物	20 000	80 000
刺胞動物	9 795	不明
海綿動物	6 000	18 000
その他	12 673	20 000
合計	1 359 365	6 755 830

植物の既知種数と推定種数

植物	既知種数	推定種数*
コケ植物	16 236	22 750
シダ植物	12 000	15 000
裸子植物	1 021	1 050
被子植物	268 600	352 000
緑藻・紅藻	12 272	不明
合計	310 129	390 800

*　不明の生物群を除いた数

脊索動物の既知種数と推定種数

脊索動物	既知種数	推定種数*
哺乳類	5 487	5 500
鳥類	9 990	10 000
爬虫類	8 734	10 000
両生類	6 515	15 000
魚類	31 153	40 000
無顎類	116	不明
ナメクジウオ類	33	不明
尾索動物	2 760	不明
合計	64 788	80 500

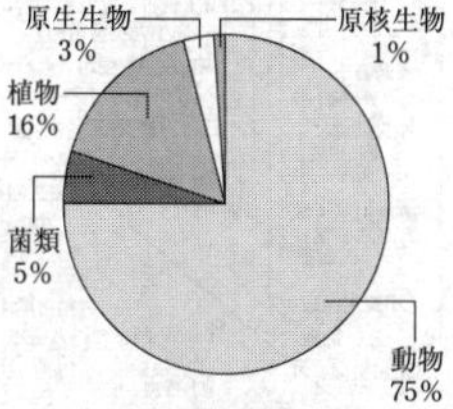

生物の既知種数の割合

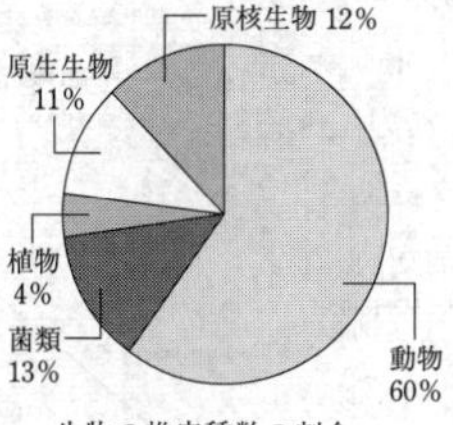

生物の推定種数の割合

Chapman 2009, “Numbers of Living Species in Australia and the World”, 2nd edition. ABRS.

水鳥のおもな渡来地

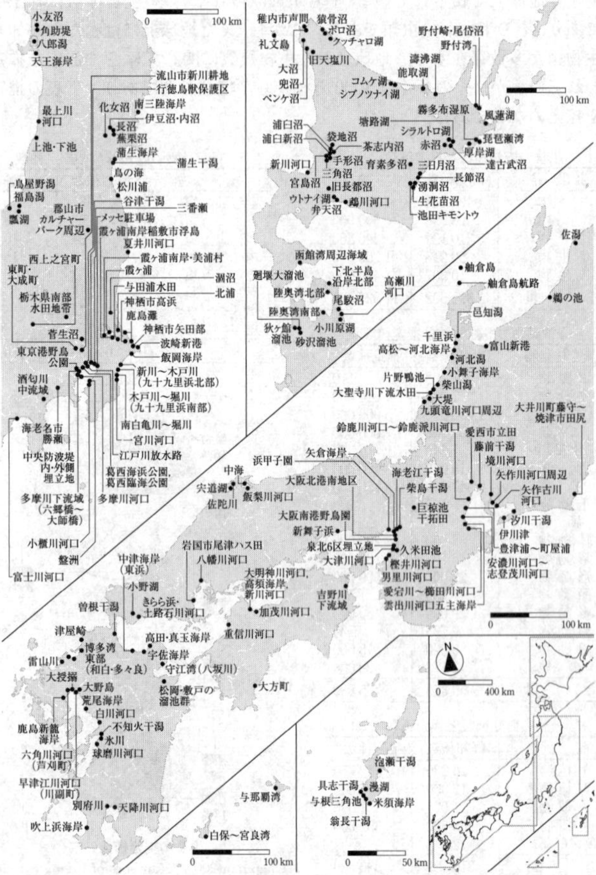

環境省モニタリングサイト1000における水鳥（ガン・カモ，シギ・チドリ）の観察サイト．

ハクチョウ類の観察数

環境省モニタリングサイト1000の観察サイトごとに2019年の種別の最大個体数を出し，それを上位のサイトから20サイトを棒グラフで表してある．参考として，グラフにはラムサール条約湿地の登録基準6で用いられる1%基準値を示してある．

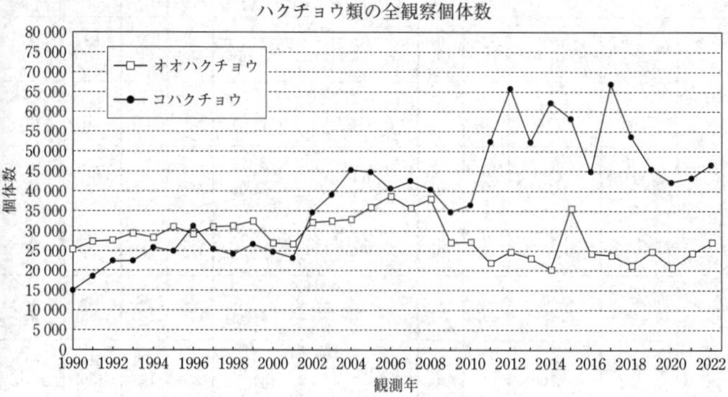

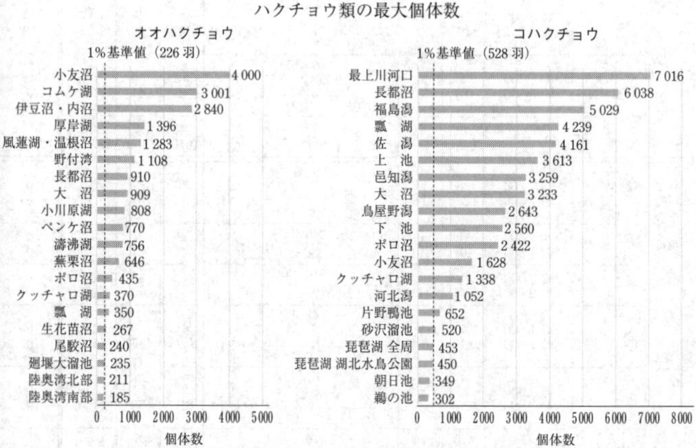

環境省：“重要生態系監視地域モニタリング推進事業（モニタリングサイト1000）ガンカモ類調査第1期取りまとめ報告書”．
URL：https://www.biodic.go.jp/moni1000/index.html

絶滅のおそれのある日本の野生生物の種数
(①環境省レッドリスト2020掲載種数表)

(2020年3月27日時点)

分類群		評価対象種数	絶滅 EX	野生絶滅 EW	絶滅危惧種	絶滅危惧Ⅰ類	ⅠA類 CR	ⅠB類 EN	絶滅危惧Ⅱ類 VU	準絶滅危惧 NT	情報不足 DD	掲載種数合計	絶滅のおそれのある地域個体群 LP
動物	哺乳類	160 (160)	7 (7)	0 (0)	34(33)	25(24)	12(12)	13(12)	9(9)	17 (18)	5 (5)	63 (63)	26 (23)
	鳥類	約700 (約700)	15 (15)	0 (0)	98(98)	55(55)	24(24)	31(31)	43(43)	22 (21)	17 (17)	152 (151)	2 (2)
	爬虫類	100 (100)	0 (0)	0 (0)	37(37)	14(14)	5(5)	9(9)	23(23)	17 (17)	3 (4)	57 (58)	5 (5)
	両生類	91 (76)	0 (0)	0 (0)	47(29)	25(17)	5(4)	20(13)	22(12)	19 (22)	1 (1)	67 (52)	0 (0)
	汽水・淡水魚類	約400 (約400)	3 (3)	1 (1)	169(169)	125(125)	71(71)	54(54)	44(44)	35 (35)	37 (37)	245 (245)	15 (15)
	昆虫類	約32 000 (約32 000)	4 (4)	0 (0)	367(363)	182(177)	75(71)	107(106)	185(186)	351 (350)	153 (153)	875 (870)	2 (2)
	貝類	約3 200 (約3 200)	19 (19)	0 (0)	629(616)	301(288)	39(33)	28(16)	328(328)	440 (445)	89 (89)	1 177 (1 169)	13 (13)
	その他無脊椎動物	約5 300 (約5 300)	1 (0)	0 (0)	65(65)	22(22)	0(0)	2(2)	43(43)	42 (42)	44 (44)	152 (151)	0 (0)
	動物小計		49 (48)	1 (1)	1 446(1 410)	749(722)			697(688)	943 (950)	349 (350)	2 787 (2 759)	63 (60)
植物等	維管束植物	約7 000 (約7 000)	28 (28)	11 (11)	1 790(1 786)	1 049(1 045)	529(525)	520(520)	741(741)	297 (297)	37 (37)	2 163 (2 159)	0 (0)
	蘚苔類	約1 800 (約1 800)	0 (0)	0 (0)	240(241)	137(138)			103(103)	21 (21)	21 (21)	282 (283)	0 (0)
	藻類	約3 000* (約3 000)	4 (4)	1 (1)	116(116)	95(95)			21(21)	41 (41)	40 (40)	202 (202)	0 (0)
	地衣類	約1 600 (約1 600)	4 (4)	0 (0)	63(61)	43(41)	2(0)	0(0)	20(20)	41 (41)	46 (46)	154 (152)	0 (0)
	菌類	約3 000* (約3 000)	25 (26)	1 (1)	61(62)	37(39)	0(0)	1(0)	24(23)	21 (21)	51 (50)	159 (160)	0 (0)
	植物等小計		61 (62)	13 (13)	2 270(2 266)	1 361(1 358)			909(908)	421 (421)	195 (194)	2 961 (2 956)	0 (0)
13分類群合計			110 (110)	14 (14)	3 616(3 676)	2 110(2 080)			1 606(1 596)	1 364 (1 371)	544 (544)	5 748 (5 715)	63 (60)

(②環境省版海洋生物レッドリスト掲載種数表)

(2020 年 3 月 27 日現在)

分類群	評価対象種数	絶滅	野生絶滅	絶滅危惧種	絶滅危惧Ⅰ類 IA類	絶滅危惧Ⅰ類 IB類	絶滅危惧Ⅱ類	準絶滅危惧	情報不足	掲載種数合計	絶滅のおそれのある地域個体群
		EX	EW		CR	EN	VU	NT	DD		LP
魚類	約 3 900 種	0	0	16	8	6	2	89	112	217	2
サンゴ類	約 690 種	1	0	6	0	1	5	7	1	15	0
甲殻類	約 3 000 種	0	0	30	8	11	11	43	98	171	2
軟体動物(頭足類)	約 230 種	0	0	0	0	0	0	3	0	3	0
その他無脊椎動物	約 2 300 種	0	0	4	1	2	1	20	13	37	1
合計		1	0	56	17	20	19	162	224	443	5

①環境省レッドリスト 2020 掲載種数表 注釈

(1) 表中の括弧内の数字は，レッドリスト 2019(2019 年公表)の種数(亜種，および植物等では変種を，さらに藻類では品種を含む) を示す．LP は対象集団数．

(2) 貝類およびその他無脊椎動物，地衣類，菌類の一部の種については絶滅危惧Ⅰ類をさらにＩＡ類(CR)とＩＢ類 (EN) に区分して評価を実施．

＊ 肉眼的に評価ができない種等を除いた種数．

カテゴリーは以下のとおり．

絶滅 (Extinct, EX)：我が国ではすでに絶滅したと考えられる種

野生絶滅 (Extinct in the Wild, EW)：飼育・栽培下，あるいは自然分布域の明らかに外側で野生化した状態でのみ存続している種

絶滅危惧Ⅰ類 (Critically Endangered＋Endangered)：絶滅の危機に瀕している種

絶滅危惧ＩＡ類 (Critically Endangered, CR)：ごく近い将来における野生での絶滅の危険性が極めて高いもの

絶滅危惧ＩＢ類 (Endangered, EN)：ＩＡ類ほどではないが，近い将来における野生での絶滅の危険性が高いもの

絶滅危惧Ⅱ類 (Vulnerable, VU)：絶滅の危険が増大している種

準絶滅危惧 (Near Threatened, NT)：現時点での絶滅危険度は小さいが，生息条件の変化によっては「絶滅危惧」に移行する要素を有するもの

情報不足 (Data Deficient, DD)：絶滅危惧種のカテゴリーに移行し得る属性を有しているが，評価するだけの情報が不足している種

(付属資料)

絶滅のおそれのある地域個体群 (Threatened Local Population, LP)：地域的に孤立している個体群で，絶滅のおそれが高いもの

外来生物法に基づき規制される生物 (1)

脊椎動物

分類群	目	科	属	特定外来生物[*1]	未判定外来生物[*2]
哺乳類 Mammalia	カンガルー目 Marsupialia	オポッサム科 Didelphidae	オポッサム属 *Didelphis*	なし	オポッサム属の全種
			オポッサム科の他の全属	なし	なし
		クスクス科 Phalangeridae	フクロギツネ属 *Trichosurus*	フクロギツネ (*T. vulpecula*)	クスクス科の全種 ただし，次のものを除く． ・フクロギツネ
			クスクス科の他の全属	なし	
	モグラ目 Insectivora	ハリネズミ科 Erinaceidae	ハリネズミ属 *Erinaceus*	ハリネズミ属の全種	なし
			アフリカハリネズミ属 *Atelerix* オオミミハリネズミ属 *Hemiechinus* メセキヌス属 *Mesechinus*	なし	アフリカハリネズミ属全種 オオミミハリネズミ属全種 メセキヌス属全種 ただし，次のものを除く． ・ヨツユビハリネズミ (*A. albiventris*)
	霊長目 (サル目) Primates	オナガザル科 Cercopithecidae	マカカ属 *Macaca*	タイワンザル (*M. cyclopis*)	マカカ属の全種 ただし，次のものを除く． ・タイワンザル　・カニクイザル ・アカゲザル　・ニホンザル
				カニクイザル (*M. fascicularis*)	
				アカゲザル (*M. mulatta*)	
				タイワンザル×ニホンザル (*M. cyclopis*×*M. fuscata*)	マカカ属に属する種間の交雑により生じた生物 ただし，次のものを除く ・タイワンザル×ニホンザル ・アカゲザル×ニホンザル
				アカゲザル×ニホンザル (*M. mulatta*×*M. fuscata*)	
	ネズミ目 Rodentia	パカ科 Agoutidae	パカ科の全属	なし	なし
		フチア科 Capromyidae	フチア科の全属	なし	なし
		パカラナ科 Dinomyidae	パカラナ科の全属	なし	なし
		ヌートリア科 Myocastoridae	ヌートリア属 *Myocastor*	ヌートリア (*M. coypus*)	なし
		リス科 Sciuridae	ハイガシラリス属 *Callosciurus*	クリハラリス (タイワンリス) (*C. erythraeus*)	ハイガシラリス属の全種 ただし，次のものを除く． ・クリハラリス (タイワンリス) ・フィンレイソンリス
				フィンレイソンリス (*C. finlaysonii*)	
			プテロミュス属 *Pteromys*	タイリクモモンガ (*P. volans*) ただし，次のものを除く． ・エゾモモンガ (*P. volans orii*)	なし
			リス属 *Sciurus*	トウブハイイロリス (*S. carolinensis*)	リス属の全種．ただし，次のものを除く． ・トウブハイイロリス ・ニホンリス (*S. lis*) ・キタリス (エゾリスも含む)
				キタリス (*S. vulgaris*) ただし，次のものを除く． ・エゾリス (*S. vulgaris orientis*)	
			リス科の他の全属	なし	なし
		ネズミ科 Muridae	マスクラット属 *Ondratra*	マスクラット (*O. zibethicus*)	なし

哺乳類 Mammalia	食肉目 (ネコ目) Carnivora	アライグマ科 Procyonidae	アライグマ属 *Procyon*	カニクイアライグマ (*P. cancrivorus*)	なし
				アライグマ (*P. lotor*)	
		イタチ科 Mustelidae	イタチ属 *Mustela*	アメリカミンク (*M. vison*)	イタチ属の全種．ただし，次のものを除く． ・オコジョ (*M. erminea*) ・ニホンイタチ (*M. itatsi*) ・イイズナ (*M. nivalis*) ・フェレット (*M. putoriusfuro*) ・チョウセンイタチ (*M. sibilica*) ・アメリカミンク
		マングース科 Herpestidae	エジプトマングース属 *Herpestes*	フイリマングース (*H. auropunctatus*)	マングース科の全種．ただし，次のものを除く． ・フイリマングース ・ジャワマングース ・シママングース ・スリカタ (*Suricata*)属の全種
				ジャワマングース (*H. javanicus*)	
			シママングース属 *Mungos*	シママングース (*M. mungo*)	
			マングース科の他の全属	なし	
	偶蹄目 (ウシ目) Artiodactyla	シカ科 Cervidae	アキシスジカ属 *Axis*	アキシスジカ属の全種	なし
			シカ属 *Cervus*	シカ属の全種．ただし，次のものを除く． ・ホンシュウジカ (*C. nippon centralis*) ・ケラマジカ (*C. nippon keramae*) ・マゲシカ (*C. nippon mageshimae*) ・キュウシュウジカ (*C. nippon nippon*) ・ツシマジカ (*C. nippon pulchellus*) ・ヤクシカ (*C. nippon yakushimae*) ・エゾシカ (*C. nippon yesoensis*)	
			ダマシカ属 *Dama*	ダマシカ属の全種	
			シフゾウ属 *Elaphurus*	シフゾウ (*E. davidianus*)	
			ホエジカ属 *Muntiacus*	キョン (*M. reevesi*)	ホエジカ属の全種．ただし，次のものを除く． ・キョン
鳥綱 Aves	カモ目 Anseriformes	カモ科 Anatidae	ブランタ属 *Branta*	カナダガン (*B. canadensis*)	ブランタ属の全種．ただし，次のものを除く． ・カナダガン (*B. canadensis*) ・シジュウカラガン (*B. hutchinsii leucopareia*) ・ヒメシジュウカラガン (*B. hutchinsii minima*) ・コクガン (*B. bernicla*)
	スズメ目 Passeriformes	ヒヨドリ科 Pyconotidae	シロガシラ属 *Pycnonotus*	シリアカヒヨドリ (*P. cafer*)	なし
		チメドリ科 Timaliidae	ガビチョウ属 *Garrulax*	ガビチョウ (*G. canorus*)	チメドリ科の全種 ただし，次のものを除く． ・ガビチョウ ・ヒゲガビチョウ ・カオジロガビチョウ ・カオグロガビチョウ ・ソウシチョウ
				ヒゲガビチョウ (*G. cineraceus*)	
				カオグロガビチョウ (*G. perspicillatus*)	
				カオジロガビチョウ (*G. sannio*)	
			ソウシチョウ属 *Leiothrix*	ソウシチョウ (*L. lutea*)	
			チメドリ科の他の全属	なし	
爬虫綱 Reptilia	カメ目 Testudinata	カミツキガメ科 Chelydridae	カミツキガメ属 *Chelydra*	カミツキガメ (*C. serpentina*)	なし
			カミツキガメ科の他の全属	なし	なし
		イシガメ科 Geoemydidae	イシガメ属 *Mauremys*	ハナガメ (タイワンハナガメ)(*M. sinensis*)	なし
				ハナガメ×ニホンイシガメ (*M. sinensis*×*M. japonica*)	
				ハナガメ×ミナミイシガメ (*M. sinensis*×*M. mutica*)	
				ハナガメ×クサガメ (*M. sinensis*×*M. reevesii*)	

外来生物法に基づき規制される生物（2）

分類群	目	科	属	特定外来生物[*1]	未判定外来生物[*2]
爬虫綱 Reptilia	トカゲ亜目 Squamata	アガマ科 Agamidae	キノボリトカゲ属 *Japalura*	スウィンホーキノボリトカゲ（*J. swinhonis*）	なし
		タテガミトカゲ科 （イグアナ） Iguanidae （Polychrotidae）	アノール属 *Anolis*	アノリス・アルログス（*A. allogus*）	アノール属およびノロプス属の全種 ただし，次のものを除く． ・アノリス・アルログス ・アノリス・アルタケウス ・アノリス・アングスティケプス ・グリーンアノール ・ナイトアノール ・ガーマンアノール ・アノリス・ホモレキス ・ブラウンアノール
				アノリス・アルタケウス（*A. alutaceus*）	
				アノリス・アングスティケプス（*A. angusticeps*）	
				グリーンアノール（*A. carolinensis*）	
				ナイトアノール（*A. equestris*）	
				ガーマンアノール（*A. garmanni*）	
				アノリス・ホモレキス（*A. homolechis*）	
				ブラウンアノール（*A. sagrei*）	
			ノロプス属 *Norops*	なし	
	ヘビ亜目 Serpentes	ナミヘビ科 Colubridae	オオガシラ属 *Boiga*	ミドリオオガシラ（*B. cyanea*）	オオガシラ属の全種 ただし，次のものを除く． ・ミドリオオガシラ ・イヌバオオガシラ ・マングローブヘビ ・ミナミオオガシラ ・ボウシオオガシラ
				イヌバオオガシラ（*B. cynodon*）	
				マングローブヘビ（*B. dendrophila*）	
				ミナミオオガシラ（*B. irregularis*）	
				ボウシオオガシラ（*B. nigriceps*）	
			チャマダラヘビ属 *Psammodynastes*	なし	なし
			ナメラ属 *Elaphe*	タイワンスジオ（*E. taeniura friesi*）	スジオナメラ（*E. taeniura*） ただし，次のものを除く． ・タイワンスジオ ・サキシマスジオ（*E. taeniura schmackeri*）
		クサリヘビ科 Viperidae	ハブ属 *Protobothrops*	タイワンハブ（*P. mucrosquamatus*）	ハブ属の全種．ただし，次のものを除く． ・サキシマハブ（*P. elegans*） ・ハブ（*P. flavoviridis*） ・タイワンハブ（*P. mucrosquamatus*） ・トカラハブ（*P. tokarensis*）
			ヤジリハブ属 *Bothrops*	なし	なし
両生綱 Amphibia	無尾目 （カエル目） Anura	ヒキガエル科 Bufonidae	ヒキガエル属 *Bufo*	プレーンズヒキガエル（*B. cognatus*）	ヒキガエル属の全種．ただし，次のものを除く． ・プレーンズヒキガエル　・キンイロヒキガエル ・オオヒキガエル　・アカボシヒキガエル ・オークヒキガエル　・テキサスヒキガエル ・コノハヒキガエル　・ヘリグロヒキガエル ・ニホンヒキガエル（*B. japonicus*） ・ミヤコヒキガエル （*B. gargarizans miyakonis*） ・ナガレヒキガエル（*B. torrenticola*） ・テキサスミドリヒキガエル（*B. debilis*） ・ロココヒキガエル（*B. paracnemis*） ・ナンブヒキガエル（*B. terrestris*） ・ガルフコーストヒキガル（*B. valliceps*）
				キンイロヒキガエル（*B. guttatus*）	
				オオヒキガエル（*B. marinus*）	
				ヘリグロヒキガエル（*B. melanostictus*）	
				アカボシヒキガエル（*B. punctatus*）	
				オークヒキガエル（*B. quercicus*）	
				テキサスヒキガエル（*B. speciosus*）	
				コノハヒキガエル（*B. typhonius*）	

両生綱 Amphibia	無尾目 (カエル目) Anura	ユビナガガエル科 Leptodactylidae	コヤスガエル属 *Eleutherodactylus*	コキーコヤスガエル (*E. coqui*)	なし
				ジョンストンコヤスガエル (*E. johnstonei*)	
				オンシツガエル (*E. planirostris*)	
		ジムグリガエル科 Microhylidae	ジムグリガエル属 *Kaloula*	アジアジムグリガエル (*K. pulchra*)	なし
		アカガエル科 Ranidae	アカガエル属 *Rana*	ウシガエル (*R. catesbeiana*)	・ブロンズガエル (*R. clamitans*) ・ブタゴエガエル (*R. grylio*) ・リバーフロッグ (*R. heckscheri*) ・フロリダボッグフロッグ (*R. okaloosae*) ・ミンクフロッグ (*R. septentrionalis*) ・カーペンターフロッグ (*R. virgatipes*)
		アオガエル科 Rhacorhoridae	シロアゴガエル属 *Polypedates*	シロアゴガエル (*P. leucomystax*)	シロアゴガエル属の全種. ただし, 次のものを除く. ・シロアゴガエル
条鰭亜綱 (魚類) Osteichthyes	ガー目 Lepisosteiformes	ガー科 Lepisosteidae	ガー属 *AtractosteusLepisosteus*	ガー科の全種 (*Lepisosteidae* spp.)	なし
				ガー科に属する種間の交雑により生じた生物	
	コイ目 Cypriniformes	コイ科 Cyprinidae	タナゴ属 *Acheilognathus*	オオタナゴ (*Acheilognathus macropterus*)	なし
	ナマズ目 Siluriformes	ギギ科 Bagridae	ギバチ属 *Tachysurus*	コウライギギ (*T. fulvidraco*)	なし
		イクタルルス科 Ictaluridae	アメイウルス属 *Ameiurus*	ブラウンブルヘッド (*A. nebulosus*)	アメイウルス属の全種. ただし, 次のものを除く. ブラウンブルヘッド
			イクタルルス属 *Ictalurus*	チャネルキャットフィッシュ (*I. punctatus*)	イクタルルス属の全種. ただし, 次のものを除く. ・チャネルキャットフィッシュ
			ピロディクティス属 *Pylodictis*	フラットヘッドキャットフィッシュ (*P. olivaris*)	なし
		ナマズ科 Siluridae	ナマズ属 *Silurus*	ヨーロッパナマズ (ヨーロッパオオナマズ)(*S. glanis*)	なし
	カワカマス (パイク)目 Esociformes	カワカマス (パイク)科 Esocidae	カワカマス (パイク)属 *Esox*	カワカマス科の全種 (*Esocidae*)	なし
				カワカマス科に属する種間の交雑により生じた生物	
	カダヤシ目 Cyprinodontiformes	カダヤシ科 Poeciliidae	カダヤシ属 *Gambusia*	カダヤシ (*G. affinis*)	なし
				ガンブスィア・ホルブロオキ (*G. holbrooki*)	
	スズキ目 Perciformes (Percoidei)	サンフィッシュ科 Centrarchidae	ブルーギル属 *Lepomis*	ブルーギル (*L. macrochirus*)	サンフィッシュ科の全種 ただし, 次のものを除く. ・オオクチバス ・コクチバス ・ブルーギル
			オオクチバス属 *Micropterus*	コクチバス (*M. dolomieu*)	
				オオクチバス (*M. salmoides*)	
			サンフィッシュ科の他の全属	なし	
		ハゼ科 Gobiidae	ネオゴビウス属 *Neogobius*	ラウンドゴビー (*N. melanostomus*)	なし
		アカメ科 Latidae	アカメ属 *Lates*	ナイルパーチ (*L. niloticus*)	なし
			アカメ科の他の全属	なし	
		モロネ科 (狭義) Moronidae	モロネ科の他の全属	なし	モロネ科の全種. ただし, 次のものを除く. ・ホワイトパーチ ・ストライプトバス ・ホワイトバス
			モロネ属 *Morone*	ホワイトパーチ (*M. americana*)	
				ホワイトバス (*M. chrysops*)	
				ストライプトバス (*M. saxatilis*)	
				ホワイトバス×ストライプトバス (*M. saxatilis* × *M. chrysops*)	モロネ科に属する種間の交雑により生じた生物 ただし, 次のものを除く. ストライプトバス×ホワイトバス

外来生物法に基づき規制される生物（3）

分類群	目	科	属	特定外来生物[*1]	未判定外来生物[*2]
条鰭亜綱（魚類）Osteichthyes	スズキ目 Perciformes (Percoidei)	ナンダス科 Nandidae	ナンダス科全属	なし	なし
		ペルキクティス科（狭義）Percichthyidae	ガドプスィス属 *Gadopsis*	なし	ガドプスィス属の全種
			マクルロケルラ属 *Maccullochella*	なし	マクルロケルラ属の全種. ただし, 次のものを除く. ・マーレーコッド（*M. peelii*）
			マククアリア属 *Macquaria*	なし	マククアリア属の全種. ただし, 次のものを除く. ・ゴールデンパーチ（*M. ambigua*）
			ペルキクテュス属 *Percichthys*	なし	ペルキクテュス属の全種. ただし, 次のものを除く. ラッフ
		パーチ科 Percidae	ギュムノケファルス属 *Gymnocephalus*	ラッフ（*G. cernua*）	ギュムノケファルス属の全種. ただし, 次のものを除く. ラッフ
			ペルカ属 *Perca*	ヨーロピアンパーチ（*P. fluviatilis*）	ペルカ属の全種. ただし, 次のものを除く. ・ヨーロピアンパーチ
			サンデル属 *Sander*（*Stizostedion*）	パイクパーチ（*S. lucioperca*）	サンデル属の全種. ただし, 次のものを除く. ・パイクパーチ
			ズィンゲル属 *Zingel*	なし	ズィンゲル属全種
		ケツギョ科 Sinipercidae	ケツギョ属 *Siniperca*	ケツギョ（*S. chuatsi*） コウライケツギョ（*S. scherzeri*）	ケツギョ属の全種. ただし, 次のものを除く. ・ケツギョ ・コウライケツギョ

無脊椎動物

分類群	目	科	属	特定外来生物[*1]	未判定外来生物[*2]
昆虫綱 Insecta	チョウ目 Lepidoptera	タテハチョウ科 Nymphalidae	ゴマダラチョウ属 *Hestina*	アカボシゴマダラ（*Hestina assimillis*） ただし, 次のものを除く. ・アカボシゴマダラ奄美亜種 （*Hestina assimillis shirakii*）	なし
	コウチュウ目 Coleoptera	カミキリムシ科 Cerambycidae	ジャコウカミキリ属 *Aromia*	クビアカツヤカミキリ（*Aromia bungii*）	なし
		クワガタムシ科 Lucanidae	マルバネクワガタ属 *Neolucanus*	アングラートゥスマルバネクワガタ（*Neolucanus angulatus*）	なし
				バラデバマルバネクワガタ（*Neolucanus baladeva*）	なし
				ギガンテウスマルバネクワガタ（*Neolucanus giganteus*）	なし
				カツラマルバネクワガタ（*Neolucanus katsuraorum*）	なし
				マエダマルバネクワガタ（*Neolucanus maedai*）	なし
				マキシムスマルバネクワガタ（*Neolucanus maximus*）	なし
				ペラルマトゥスマルバネクワガタ（*Neolucanus perarmatus*）	なし
				サンダースマルバネクワガタ（*Neolucanus saundersii*）	なし
				タナカマルバネクワガタ（*Neolucanus tanakai*）	なし
				ウォーターハウスマルバネクワガタ	なし

昆虫綱 Insecta	コウチュウ目 Coleoptera	コガネムシ科 Scarabaeidae	テナガコガネ属 *Cheirotonus*	テナガコガネ属の全種. ただし, 次のものを除く. ・ヤンバルテナガコガネ (*C. jambar*)	なし
			クモテナガコガネ属 *Euchirus*	クモテナガコガネ属の全種	なし
			ヒメテナガコガネ属 *Propomacrus*	ヒメテナガコガネ属の全種	なし
	ハチ目 Hymenoptera	ミツバチ科 Apidae	マルハナバチ属 *Bombus*	セイヨウオオマルハナバチ	マルハナバチ属の全種. ただし, 次のものを除く. ・コマルハナバチ　・エゾコマルハナバチ ・ツシマコマルハナバチ　・ヒメマルハナバチ ・アイヌヒメマルハナバチ　・シコタンヒメマルハナバチ ・ナガマルハナバチ　・ハイイロマルハナバチ ・ホンシュウハイイロマルハナバチ ・トラマルハナバチ　・エゾトラマルハナバチ ・ノサップマルハナバチ　・ミヤママルハナバチ ・エゾミヤママルハナバチ　・アカマルハナバチ ・オオマルハナバチ　・エゾオオマルハナバチ ・クロマルハナバチ　・チシママルハナバチ ・ニセハイイロマルハナバチ ・シュレンクマルハナバチ ・ウルップシュレンクマルハナバチ ・クナシリシュレンクマルハナバチ ・セイヨウオオマルハナバチ ・ウスリーマルハナバチ　・エゾナガマルハナバチ
		アリ科 Formicidae	トゲフシアリ属 *Lepisiota*	ハヤトゲフシアリ (*Lepisiota frauenfeldi*)	なし
			アルゼンチンアリ属 *Linepithema*	アルゼンチンアリ (*L. humile*)	なし
			トフシアリ属 *Solenopsis*	ソレノプスィス・ゲミナタ種群の全種 [アカカミアリ(*S. geminata*)を含む]	なし
				ソレノプスィス・サエヴィスィマ種群の全種 [ヒアリ(*S. invicta*)を含む]	なし
				ソレノプスィス・トゥリデンス種群の全種	なし
				ソレノプスィス・ヴィルレンス種群の全種	なし
				上記4種群に属する種間の交雑により生じた生物	なし
			ワンスマニア属 *Wasmannia*	コカミアリ (*W. auropunctata*)	なし
		スズメバチ科 Vespidae	ベスパ属 *Vespa*	ツマアカスズメバチ (*V. velutina*)	なし
甲殻類 Crustacea	ヨコエビ目 Amphipoda	ヨコエビ科 Gammaridae	ディケロガンマルス属 *Dikerogammarus*	ディケロガンマルス・ヴィルロスス (*Dikerogammarus villosus*)	ディケロガンマルス属の全種 ただし, 次のものを除く. ・ディケロガンマルス・ヴィルロスス
	エビ目 Decapoda	ザリガニ科 Astacidae	ザリガニ科の全属	ザリガニ科の全種 [ウチダザリガニ (*Pacifastacus leniusculus*)を含む]	なし
		アメリカザリガニ科 Cambaridae	アメリカザリガニ科の全属	アメリカザリガニ科の全種. ただし, 次のものを除く. ・アメリカザリガニ (*Procambarus clarkii*)	なし
		アジアザリガニ科 Cambaroididae	アジアザリガニ科の全属	アジアザリガニ科の全種. ただし, 次のものを除く. ・ニホンザリガニ (*Cambaroides japonicus*)	なし
		ミナミザリガニ科 Parastacidae	ミナミザリガニ科の全属	ミナミザリガニ科の全種	なし
		モクズガニ科 Varunidae	モクズガニ属 *Eriocheir*	モクズガニ属の全種. ただし, 次のものを除く. ・モクズガニ (*Eriocheir japonica*) ・オガサワラモクズガニ (*Eriocheir ogasawaraensis*)	なし

外来生物法に基づき規制される生物（4）

分類群	目	科	属	特定外来生物[*1]	未判定外来生物[*2]
クモ綱 Arachnid	サソリ目 Scorpiones	キョクトウサソリ科 Buthidae	キョクトウサソリ科の全属	キョクトウサソリ科の全種	なし
	クモ目 Araneae	ジョウゴグモ科 Hexathelidae	アトラクス属 *Atrax*	アトラクス属の全種	なし
			ハドロニュケ属 *Hadronyche*	ハドロニュケ属の全種	なし
		イトグモ科 Loxoscelidae	イトグモ属 *Loxosceles*	ロクソスケレス・ガウコ（*L. gaucho*）	なし
				ロクソスケレス・ラエタ（*L. laeta*）	
				ロクソスケレス・レクルサ（*L. recl usa*）	
		ヒメグモ科 Theridiidae	ゴケグモ属 *Latrodectus*	ゴケグモ属の全種. ただし, 次のものを除く. ・アカオビゴケグモ（*L. elegans*）	なし
軟体動物門 Mollusca	イガイ目 Mytiloida	イガイ科 Mytilidae	カワヒバリガイ属 *Limnoperna*	カワヒバリガイ属の全種	なし
	マルスダレガイ目 Veneroida	カワホトトギス科 Dreissenidae	ドレイセナ属 *Dreissena*	クワッガガイ（*D. bugensis*）	なし
				カワホトトギスガイ（*D. polymorpha*）	
	マイマイ目 Stylommatophora	ハプロトレマティダエ科 Haplotrematidae	アンコトレマ属 *Ancotrema*	なし	ハプロトレマティダエ科の全種
			ハプロトレマ属 *Haplotrema*		
		オレアキニダエ科 Oleacinidae	オレアキニダエ科の全属	なし	オレアキニダエ科の全種
		ヌリツヤマイマイ科 Rhytididae	ヌリツヤマイマイ科の全属	なし	ヌリツヤマイマイ科の全種
		スピラクスィダエ科 Spiraxidae	エウグランディナ属 *Euglandina*	ヤマヒタチオビ（オカヒタチオビ）（*E. rosea*）	スピラクスィダエ科の全種 ただし, 次のものを除く. ・ヤマヒタチオビ
			スピラクスィダエ科の他の全属	なし	
		ネジレガイ（タワラガイ）科 Streptaxidae	ネジレガイ（タワラガイ）科の全属	なし	ネジレガイ科の全種. ただし, 次のものを除く. ・ソメワケダワラガイ（*Indoennea bicolor*） ・コメツブダワラガイ（*Sinoennea densecostata*） ・ツヤダワラガイ（*Sinoennea insularis*） ・タワラガイ（*Sinoennea iwakawa*） ・ミヤコダワラガイ（*Sinoennea miyakojimana*） ・ヨナクニダワラガイ（*Sinoennea yonakunijimana*）
		オカチョウジガイ科（オカクチキレガイ） Subulinidae	オカチョウジガイ（オカクチキレガイ）科の全属	なし	オカチョウジガイ科の全種 ただし, 次のものを除く. ・マルオカチョウジガイ（*Allopeas brevispirum*） ・オカチョウジガイ（*A. clavulinum kyotoense*） ・オオオカチョウジガイ（*A. gracilis*） ・ユウドウオカチョウジガイ（*A. heudei*） ・トクサオカチョウジガイ（*A. javanicum*） ・シリブトオカチョウジガイ（*A. mauritianum obesispira*） ・ホソオカチョウジガイ（*A. pyrgula*） ・サツマオカチョウジガイ（*A. satsumense*） ・オオクビキレガイ（*Rumina decollata*） ・オカクチキレガイ（*Subulina octona*）
扁形動物門 Platyhelminthes	三岐腸 Tricladida	ヤリガタリクウズムシ科 Rhynchodemidae	プラテュデムス属 *Platydemus*	ニューギニアヤリガタリクウズムシ（*P. manokwari*）	なし

植 物

分類群	科	属	特定外来生物*1	未判定外来生物*2
維管束植物 Tracheophyte	ヒユ科 Amaranthaceae	ツルノゲイトウ属 *Alternanthera*	ナガエツルノゲイトウ (*A. philoxeroides*)	なし
	セリ科 Apiaceae	チドメグサ属 *Hydrocotyle*	ブラジルチドメグサ (*H. ranunculoides*)	ヒュドロコティレ・ボナリエンスィス (*H. bonariensis*) ヒュドロコティレ・ウンベルラタ (*H. umbellata*)
	サトイモ科 Araceae	ボタンウキクサ属 *Pistia*	ボタンウキクサ (*P. stratiotes*)	なし
	アカウキクサ科 Azollaceae	アカウキクサ属 *Azolla*	アゾルラ・クリスタタ (*A. cristata*)	なし
	キク科 Compositae	ハルシャギク属 *Coreopsis*	オオキンケイギク (*C. lanceolata*)	なし
		ミズヒマワリ属 *Gymnocoronis*	ミズヒマワリ (*G. spilanthoides*)	なし
		ツルギク属 *Mikania*	ツルヒヨドリ (*M. micrantha*)	なし
		オオハンゴンソウ属 *Rudbeckia*	オオハンゴンソウ (通称：ルドベキア，ハナガサギク，ヤエザキハンゴンソウ等) (*R. laciniata*)	なし
		キオン(サワギク)属 *Senecio*	ナルトサワギク (*S. madagascariensis*)	なし
	ウリ科 Cucurbitaceae	アレチウリ属 *Sicyos*	アレチウリ (*S. angulatus*)	なし
	モウセンゴケ科 Droseraceae	モウセンゴケ属 *Drosera*	ナガエモウセンゴケ (*D. intermedia*)	なし
	アリノトウグサ科 Haloragaceae	フサモ属 *Myriophyllum*	オオフサモ (*M. aquaticum*)	なし
	タヌキモ科 Lentibulariaceae	タヌキモ属 *Utricularia*	エフクレタヌキモ (*Utricularia cf. platensis*)	なし
			ウトゥリクラリア・インフラタ (*Utricularia inflata*)	
			ウトゥリクラリア・プラテンスィス (*Utricularia platensis*)	
	アカバナ科 Onagraceae	チョウジタデ属 *Ludwigia*	ルドウィギア・グランディフロラ (※オオバナミズキンバイ等) (*L. grandiflora*)	なし
	イネ科 Poaceae	オオハマガヤ属 *Ammophila*	ビーチグラス (*A. arenaria*)	なし
		スパルティナ属 *Spartina*	スパルティナ属の全種 (*Spartina.* spp.)	なし
	ゴマノハグサ科 Scrophulariaceae	クワガタソウ属 *Veronica*	オオカワヂシャ (*V. anagallis-aquatica*)	なし

※ 輸入時には別名に注意.

*1 外来生物(海外起源の外来種)のなかで，生態系，人の生命・身体，農林水産業への被害を及ぼす，または及ぼすおそれがあるとして法律で指定された生物．飼養，栽培，保管，運搬，輸入といった取扱いが規制される．

*2 生態系，人の生命・身体，農林水産業へ被害を及ぼす疑いがあるか，実態がよくわかっていない海外起源の外来生物で，輸入する場合は事前に主務大臣に対して届け出る必要がある．

世界の農地利用状況

各地域の牧草地と農地

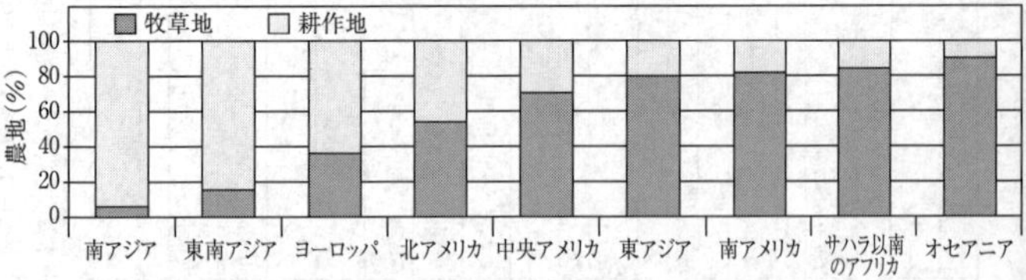

World Resources Institute：“World Resources 2000-2001”(2002).

世 界 の 米 作

世界のおもな国の米（もみ）の収穫量と収穫面積

国名	1995		2000		2005		2010		2015		2020	
	収穫量	収穫面積	収穫量	収穫面積	収穫量	収穫面積	収穫量	収穫面積	収穫量	収穫面積	収穫量	収穫面積
中国*	187 298	31 107	189 814	30 301	182 055	29 116	197 212	30 117	213 724	31 036	213 611	30 342
インド	115 440	42 800	127 465	44 712	137 690	43 660	143 963	42 862	156 540	43 390	186 500	45 070
インドネシア	49 744	11 439	51 898	11 793	54 151	11 839	59 283	11 797	61 031	11 389	54 649	10 657
バングラデシュ	26 399	9 952	37 628	10 801	39 796	10 524	50 061	11 529	51 805	11 381	54 906	11 418
ベトナム	24 964	6 766	32 530	7 666	35 833	7 329	40 006	7 489	45 091	7 829	42 765	7 222
タイ	22 015	9 113	25 844	9 891	30 648	10 225	35 703	11 932	27 702	9 718	30 231	10 402
フィリピン	10 541	3 759	12 389	4 038	14 603	4 070	15 772	4 354	18 150	4 656	19 295	4 719
ブラジル	11 226	4 374	11 135	3 665	13 193	3 916	11 236	2 722	12 301	2 138	11 091	1 678
パキスタン	5 950	2 162	7 204	2 377	8 321	2 621	7 235	2 365	10 202	2 739	12 630	3 335
アメリカ	7 887	1 252	8 658	1 230	10 108	1 361	11 027	1 463	8 725	1 042	10 320	1 208
カンボジア	3 448	1 924	4 026	1 903	5 986	2 415	8 245	2 777	9 335	2 799	11 248	3 323
日本	13 435	2 118	11 863	1 770	11 342	1 706	10 692	1 643	10 925	1 589	10 469	1 462
ナイジェリア	2 920	1 796	3 298	2 199	3 567	2 494	4 473	2 433	6 256	3 122	8 172	4 195
韓国	6 389	1 056	7 197	1 072	6 435	980	5 811	892	5 771	799	4 713	726
ネパール	3 579	1 497	4 216	1 560	4 290	1 542	4 024	1 481	4 789	1 425	5 551	1 459
スリランカ	2 810	890	2 860	832	3 246	915	4 301	1 060	4 819	1 243	5 121	1 066
マダガスカル	2 450	1 150	2 480	1 209	3 392	1 250	4 738	1 307	3 722	841	4 228	1 675
ミャンマー	17 670	6 033	20 987	6 302	27 246	7 384	32 065	8 011	26 210	6 769	25 983	6 830
世界計	547 162	149 579	598 668	154 002	634 226	155 267	694 035	160 257	731 952	160 207	711 483	146 787

もみ換算による数値．公式数値，準公式数値または推計値を含む．収穫量：1000 t，収穫面積：1000 ha

＊ 香港，マカオおよび台湾を含む．

FAO：“FAOSTAT-Production-Crops”による（2023年8月20日現在）.

日本の稲の作付面積と収穫量

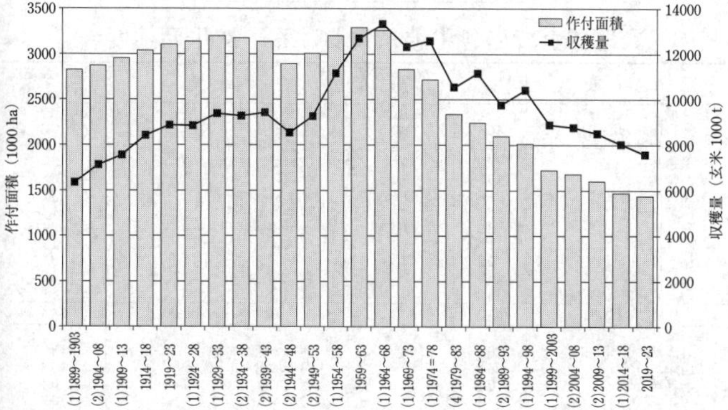

5 年毎の平均値．（　）内の数字は 5 年間のうちに起こった凶作年数を示す．
農林水産省：作物統計調査より作図．

世界のおもな農作物量

地域別おもな作物の収穫面積・収穫量（2022 年）

作物種類	世界計		アフリカ		北中米		南米		アジア		ヨーロッパ		ロシア		オセアニア	
	収穫量	面積	収穫量	面積	収穫量	面積	収穫量	面積	収穫量	面積	収穫量	面積	収穫量	面積	収穫量	面積
穀物計	30 596	7 316	2 181	1 254	5 178	783	2 603	541	14 810	3 367	5 232	1 167	1 531	447	573	197
小麦	8 084	2 192	273	101	828	250	362	110	3 428	976	2 827	627	1 042	294	366	128
大麦	1 549	471	59	39	148	39	71	19	213	105	911	218	234	79	147	51
らい麦	131	40	1	1	8	3	2	1	9	4	110	32	22	9	0	0
えん麦	264	95	2	2	62	18	27	11	13	6	143	51	45	21	18	8
とうもろこし	11 635	2 035	928	418	3 944	426	1 830	333	3 899	682	1 027	175	159	26	6	1
米（もみ）	7 765	1 650	399	165	101	15	239	41	6 988	1 424	31	5	9	2	7	1
ばれいしょ	3 748	178	271	18	269	6	177	9	2 033	103	981	41	189	11	15	0
かんしょ	864	72	295	42	18	2	14	1	527	26	—	—	—	—	9	2
大豆	3 489	1 338	45	39	1 232	372	1 734	629	352	235	124	63	60	34	1	0
葉たばこ	58	31	6	5	3	1	8	4	39	20	1	1	0	0	0	0
さとうきび	19 221	261	976	15	1 598	22	8 134	111	8 206	109	—	—	0	0	307	4
てんさい	2 610	43	156	3	308	5	7	0	378	7	1 761	29	489	10	—	—

収穫量：10 万 t，面積：10 万 ha
公式数値，準公式数値または推計値を含む．
FAO：“FAOSTAT-Production-Crops” による（2024 年 8 月 13 日現在）．

物　質　循　環

地球上での各生態系における一次生産速度

生態系	面積 (10^{12} m^2)	一次生産速度 (10^{15} g C/年)	生態系	一次生産速度 (10^{15} g C/年)
陸　域			**陸　域**	
熱帯雨林と湿潤林	10.4	8.3	熱帯雨林	17.8
熱帯乾燥林	7.7	4.8	広葉落葉樹林	1.5
温帯林	9.2	6	広葉と針葉の混合林	3.1
寒帯林	15	6.4	サバンナ	16.8
熱帯低木林とサバンナ	24.6	11.1	針葉常緑樹林	3.1
温帯ステップ	15.1	4.9	針葉落葉樹林	1.4
砂　漠	18.2	1.4	多年性草原	2.4
ツンドラ	11	1.4	広葉灌木	1
湿　地	2.9	3.8	ツンドラ	0.8
耕　地	15.9	12.1	砂　漠	0.5
岩およびアイス	15.2	0	耕　地	8
陸域総計	145.2	60.2	合　計	56.4
海　域			**海　域**	
外洋域	326	42	熱帯・亜熱帯域	13
沿岸域	36	9	温帯域	16.3
湧昇域	0.36	0.15	極　域	6.4
			沿岸域	10.7
			塩性湿地・汽水域・海藻・海草	1.2
			サンゴ礁	0.7
海域総計	362.36	51.15	合　計	48.3

陸域生態系：Houghton & Skole (1990).　　Geider ほか (2001).
海域生態系：Martin ほか (1987).

地球上での植物と動物の生物量

生態系	面積 ($10^{12}m^2$)	植物量 (kg 乾重/m^2)	植物の全生物量 (10^9 乾重 t)	動物の全生物量 (10^6 乾重 t)
陸　域				
熱帯雨林	17.0	45	765	330
熱帯季節林	7.5	35	260	90
温帯常緑林	5.0	35	175	50
温帯落葉樹林	7.0	30	210	110
北方針葉樹林	12.0	20	240	57
疎林と低木林	8.5	6	50	45
サバンナ	15.0	4	60	220
温帯イネ科草原	9.0	1.6	14	60
ツンドラと高山荒原	8.0	0.6	5	3.5
砂漠と半砂漠	18.0	0.7	13	8
岩質・砂質砂漠と氷原	24.0	0.02	0.5	0.02
耕　地	14.0	1	14	6
沼沢と湿地	2.0	15	30	20
湖沼と河川	2.0	0.02	0.05	10
陸域総計	149	12.3	1 837	1 010
海　域				
外洋域	332.0	0.003	1.0	800
湧昇域	0.4	0.02	0.008	4
大陸棚	26.6	0.01	0.27	160
藻場とサンゴ礁	0.6	2	1.2	12
入り江	1.4	1	1.4	21
海域総計	361	0.01	3.878	997

Whittaker & Likens (1973), Woodwell & Pecan (1973).

地球上での各生態系における分類別の生物量

陸域生態系		海域生態系		地球深部地下生態系	
分類群	生物量 (Gt C)	分類群	生物量 (Gt C)	分類群	生物量 (Gt C)
植　物	450	海洋細菌	1.3	陸域深部地下細菌	60
土壌菌類	12	海洋原生生物	2	海域深部地下細菌	7
土壌細菌	7	海洋節足動物	1	陸域深部地下古細菌	4
陸域原生動物	1.6	魚　類	0.7	海域深部地下古細菌	3
土壌古細菌	0.5	海洋菌類	0.3		
陸域節足動物	0.2	海洋古細菌	0.3		
環形動物	0.2	海洋軟体動物	0.2		
家　畜	0.1	刺胞動物	0.1		
人　類	0.06	海洋線虫類	0.01		
野生哺乳類	0.007				
陸域線虫類	0.006				
野生鳥類	0.002				
合計*	470		6		70

* 有効数字を考慮して算出した値.

Y. M. Bar-On, R. Phillips, R. Milo (2018) PNAS.

地球表層（生物圏）における炭素の循環

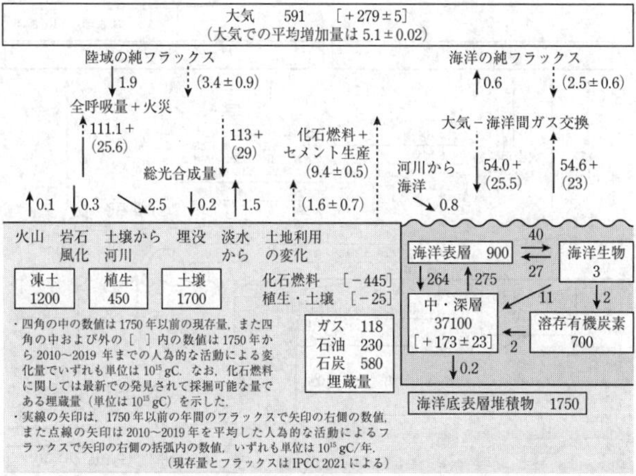

・四角の中の数値は 1750 年以前の現存量，また四角の中および外の［　］内の数値は 1750 年から 2010〜2019 年までの人為的な活動による変化量でいずれも単位は 10^{15} gC．なお，化石燃料に関しては最新での発見されて採掘可能な量である埋蔵量（単位は 10^{15} gC）を示した．

・実線の矢印は，1750 年以前の年間のフラックスで矢印の右側の数値，また点線の矢印は 2010〜2019 年を平均した人為的な活動によるフラックスで矢印の右側の括弧内の数値，いずれも単位は 10^{15} gC/年．

（現存量とフラックスは IPCC 2021 による）

地球表層（生物圏）における窒素の循環

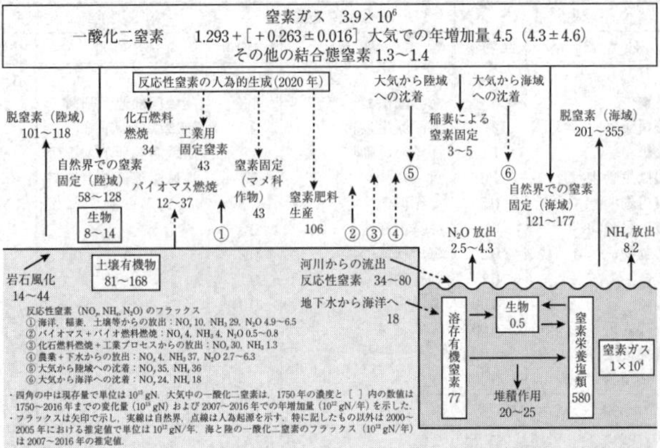

反応性窒素（NO_y, NH_x, N_2O）のフラックス
① 海洋，稲妻，土壌等からの放出：NO_y 10，NH_3 29，N_2O 4.9～6.5
② バイオマス＋バイオ燃料燃焼：NO_y 4，NH_3 4，N_2O 0.5～0.8
③ 化石燃料燃焼＋工業プロセスからの放出：NO_y 30，NH_3 1.3
④ 農業＋下水からの放出：NO_y 4，NH_3 37，N_2O 2.7～6.3
⑤ 大気から陸域への沈着：NO_y 35，NH_x 36
⑥ 大気から海洋への沈着：NO_y 24，NH_x 18

・四角の中は現存量で単位は 10^{15} gN．大気中の一酸化二窒素は，1750 年の濃度と［ ］内の数値は 1750～2016 年までの変化量（10^{15} gN）および 2007～2016 年での年増加量（10^{12} gN/年）を示した．
・フラックスは矢印で示し，実線は自然界，点線は人為起源を示す．特に記したもの以外は 2000～2005 年における推定値で単位は 10^{12} gN/年．海と陸の一酸化二窒素のフラックス（10^{12} gN/年）は 2007～2016 年の推定値．

フラックスは IPCC2013, 2021, Zhang ら (2020), Galloway ら (2021), Robin ら (2023), Fowler ら (2013), Sutton ら (2013)．現存量は Galloway ら (2004) ほかによる．

地球表層（生物圏）における硫黄の循環

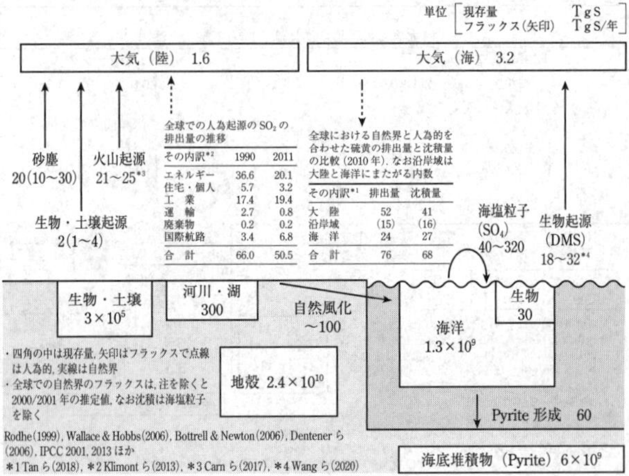

全球での人為起源の SO_2 の排出量の推移

その内訳*2	1990	2011
エネルギー	36.6	20.1
住宅・個人	5.7	3.2
工　業	17.4	19.4
運　輸	2.7	0.8
廃棄物	0.2	0.2
国際航路	3.4	6.8
合　計	66.0	50.5

全球における自然界と人為的を合わせた硫黄の排出量と沈積量の比較（2010 年）．なお沿岸域は大陸と海洋にまたがる内数

その内訳*1	排出量	沈積量
大　陸	52	41
沿岸域	(15)	(16)
海　洋	24	27
合　計	76	68

・四角の中は現存量，矢印はフラックスで点線は人為的，実線は自然界
・全球での自然界のフラックスは，注を除くと 2000/2001 年の推定値，なお沈積は海塩粒子を除く

Rodhe (1999), Wallace & Hobbs (2006), Bottrell & Newton (2006), Dentener ら (2006), IPCC 2001, 2013 ほか
＊1 Tan ら (2018)，＊2 Klimont ら (2013)，＊3 Carn ら (2017)，＊4 Wang ら (2020)

地球表層（生物圏）におけるリンの循環

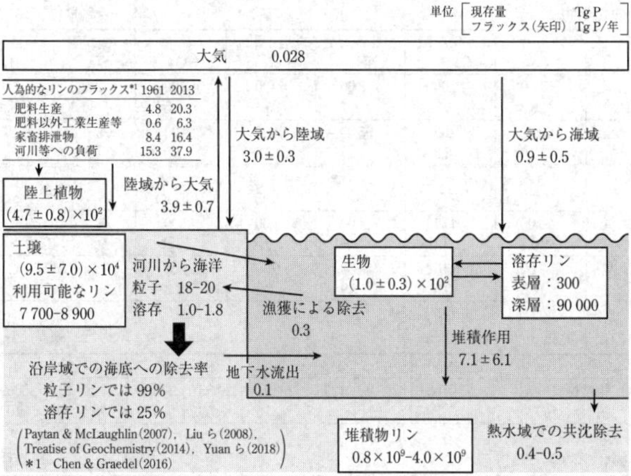
単位 現存量 Tg P
フラックス(矢印) Tg P/年
大気 0.028
人為的なリンのフラックス*1 1961 2013
肥料生産 4.8 20.3
肥料以外工業生産等 0.6 6.3
家畜排泄物 8.4 16.4
河川等への負荷 15.3 37.9
大気から陸域 3.0±0.3
大気から海域 0.9±0.5
陸上植物 (4.7±0.8)×10²
陸域から大気 3.9±0.7
土壌 (9.5±7.0)×10⁴
利用可能なリン 7 700-8 900
河川から海洋
粒子 18-20
溶存 1.0-1.8
生物 (1.0±0.3)×10²
溶存リン
表層：300
深層：90 000
漁獲による除去 0.3
堆積作用 7.1±6.1
沿岸域での海底への除去率
粒子リンでは 99%
溶存リンでは 25%
地下水流出 0.1
堆積物リン 0.8×10⁹-4.0×10⁹
熱水域での共沈除去 0.4-0.5
(Paytan & McLaughlin (2007), Liu ら (2008), Treatise of Geochemistry (2014), Yuan ら (2018)
*1 Chen & Graedel (2016))

地球表層（生物圏）におけるケイ素の循環

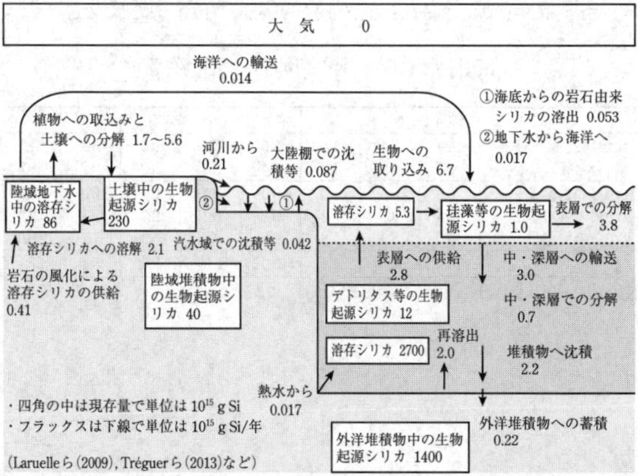
大 気 0
海洋への輸送 0.014
①海底からの岩石由来シリカの溶出 0.053
②地下水から海洋へ 0.017
植物への取込みと土壌への分解 1.7〜5.6
河川から 0.21
大陸棚での沈積等 0.087
生物への取り込み 6.7
陸域地下水中の溶存シリカ 86
土壌中の生物起源シリカ 230
溶存シリカ 5.3
珪藻等の生物起源シリカ 1.0
表層での分解 3.8
溶存シリカへの溶解 2.1
汽水域での沈積等 0.042
表層への供給 2.8
中・深層への輸送 3.0
岩石の風化による溶存シリカの供給 0.41
陸域堆積物中の生物起源シリカ 40
デトリタス等の生物起源シリカ 12
中・深層での分解 0.7
溶存シリカ 2700
再溶出 2.0
堆積物へ沈積 2.2
熱水から 0.017
・四角の中は現存量で単位は 10¹⁵ g Si
・フラックスは下線で単位は 10¹⁵ g Si/年
外洋堆積物への蓄積 0.22
外洋堆積物中の生物起源シリカ 1400
(Laruelle ら (2009), Tréguer ら (2013) など)

河川水質に影響を与える大気・海洋・地殻中の化学物質

大気中の化学物質　　(単位：10^{-9} g/m^3)

	ナトリウム Na^+	カリウム K^+	アンモニア NH_4^+	塩　素 Cl^-	硝　酸 NO_3^-	硫　酸 SO_4^{2-}	硫酸メチル $CH_3SO_4^-$
自由大気	51.00	13.00	8.00	69.00	3.00	22.00	0.91
割合(%)	26.2	6.7	4.1	35.4	1.5	11.3	0.5
森林上空	162.00	20.00	105.00	74.00	13.00	256.00	27.00
割合(%)	18.9	2.3	12.3	8.6	1.5	29.9	3.2

	リン酸 PO_4^{3-}	フッ素 F^-	シュウ酸 $C_2O_4^{2-}$	ギ　酸 $HCOO^-$	酢　酸 CH_3COO^-	計
自由大気	20.00	0.74	4.00	1.00	2.00	194.65
割合(%)	10.3	0.4	2.1	0.5	1.0	100.0
森林上空	157.00	5.10	25.00	0.50	11.00	855.60
割合(%)	18.3	0.6	2.9	0.1	1.3	100.0

海水中の化学物質　　(単位：mg/kg)

	Na^+	K^+	Mg^{2+}	Ca^{2+}	Cl^-	SO_4^{2-}	HCO_3^-	計
化学物質量	10762.0	399.0	1293.0	411.0	19353.0	2709.0	142.0	35069.0
割 合 (%)	30.7	1.1	3.7	1.2	55.2	7.7	0.4	100.0

地殻中の化学物質　　(単位：%)

	SiO_2	Na_2O	K_2O	MgO	CaO	FeO	Al_2O_3	TiO_2	計
Poldervaart (1955)	55.2	2.9	1.9	5.2	8.8	8.6	15.3	1.6	99.6
Taylor (1964)	60.5	3.2	2.5	3.9	5.8	7.2	15.6	1.0	99.7
Clarke & Washington (1924)	59.1	3.7	3.1	3.5	5.1	6.8	15.2	1.0	97.5

小野ら (1975), Smith (1976), Summerfield (1991), 大森博雄 (1993) などによる.

河川水中の化学物質と供給源

(単位：mg/kg＝ppm)

	SiO_2	Na^+	K^+	Mg^{2+}	Ca^{2+}	Cl^-	SO_4^{2-}	HCO_3^-	計
化学物質量	10.4	7.4	1.4	3.6	13.5	9.6	8.8	52.1	106.8
割 合 (%)	9.7	6.9	1.3	3.4	12.6	9.0	8.2	48.8	100.0
大気からの供給量	0.0	0.0	0.0	0.0	0.0	0.0	0.0	29.7	29.7
地殻からの供給量	10.4	3.5	0.2	3.1	13.2	2.7	7.1	22.4	62.6
雨水からの供給量	0.0	3.9	1.2	0.5	0.3	6.9	1.7	0.0	14.5
計	10.4	7.4	1.4	3.6	13.5	9.6	8.8	52.1	106.8

Smith (1976), Summerfield (1991), 大森博雄 (1993) による.

河川による海水中への化学物質の供給量と供給年数*

海水中の化学物質	Na^+	K^+	Mg^{2+}	Ca^{2+}	Cl^-	SO_4^{2-}	HCO_3^-	計
海水中の溶存化学物質濃度(mg/kg)	10 762.0	399.0	1 293.0	411.0	19 353.0	2 709.0	142.0	35 069.0
溶存化学物質量(Gt)	14 819 274	549 423	1 780 461	565 947	26 649 081	3 730 293	195 534	48 290 013
河川からの年流入量(Kt)	177 600	33 600	86 400	324 000	230 400	211 200	1 250 400	2 313 600
河川からの供給年数(百万年)	83.4	16.4	20.6	1.7	115.7	17.7	0.2	20.9

＊ (溶存化学物質量)/(河川からの年間流入量) より計算.
海水の全量：1 377 000 兆 t
河川水の年間流量：24 兆 t
陸地から流出する土砂量：200 億 t
Smith (1976), Summerfield (1991), 大森博雄 (1993) による.

世界のおもな河川の侵蝕（侵食）速度

河川名	地域・国	侵蝕速度	河川名	地域・国	侵蝕速度
寒冷・乾燥地域（更新世永久凍土地帯）			**温暖・乾燥地域（半乾燥・乾燥地帯）**		
マッケンジー川	カナダ北部	30	ウラル川	カザフスタン南部	13
スレーブ川	カナダ北部	12	チグリス川	イラク	0.05
サスカチェワン川	カナダ北部	5	ユーフラテス川	イラク	6
ユーコン川	アラスカ	16	インダス川	パキスタン	182
インジギルカ川	ロシア北東部	14	黄河（ホワンホー）	中国北部	1160
ヤナ川	ロシア北東部	6	ホワイト川	アメリカ南西部	59
レナ川	ロシア北東部	18	オレンジ川	ボツワナ	56
寒冷・乾燥地域（大陸森林地帯）			マーレー川	オーストラリア南東部	12
アムール川	ロシア南東部	24	**熱帯・乾燥地域**		
エニセイ川	ロシア中北部	15	ナイル川	エジプト	13
オビ川	ロシア中北部	29	青ナイル川	スーダン	15
北ドヴィナ川	ロシア北西部	18	シャリ川	チャド	3
ボルガ川	ロシア南部	21	ロゴン川	チャド	13
ドニプロ川	ウクライナ	8	ザンベジ川	モザンビーク	30
セントローレンス川	カナダ南東部	18	パラナ川	アルゼンチン	32
ミズーリ川	アメリカ中部	55	ウルグアイ川	ウルグアイ	14
オハイオ川	アメリカ中部	85	**熱帯・湿潤地域**		
コロンビア川	アメリカ北西部	14	コンゴ川	ザイール	22
温暖・湿潤地域（中緯度海岸森林地帯）			ソンコイ川	ベトナム北部	431
西ドヴィナ川	ロシア西部	12	メコン川	ベトナム南部	174
テムズ川	イギリス	17	チャオプラヤ川	タイ	42
ライン川	オランダ	32	エーヤワディ川	ミャンマー	328
セーヌ川	フランス	18	ダモダル川	インド東部	560
サバンナ川	アメリカ南東部	50	マハナジ川	インド東部	187
ミシシッピ川	アメリカ南部	59	オリノコ川	ベネズエラ	36
長江(チャンジャン)	中国中東部	216	アマゾン川	ブラジル	58

侵蝕速度：河川流域からの土砂流出量（単位：m^3/km^2/年）
侵蝕速度は同じ地域でも流域の地形や気候によって大きく異なる．また，河口部における浮流物質によって計測されているものが多い．
Ohmori (1983), Summerfield (1991), 大森博雄 (1993) などによる.

化学物質・放射線

温室効果ガス排出量

世界の CO_2 排出量（1901 年以降）

年	総 CO_2 排出量	天然ガス	石油	石炭	セメント製造	ガスフレアリング	一人当りの CO_2 排出量	年	総 CO_2 排出量	天然ガス	石油	石炭	セメント製造	ガスフレアリング	一人当りの CO_2 排出量
1901	552	4	18	531	0	0	0	1961	2 580	240	904	1 349	45	42	0.85
1902	566	4	19	543	0	0	0	1962	2 686	263	980	1 351	49	44	0.87
1903	617	4	20	593	0	0	0	1963	2 833	286	1 052	1 396	51	47	0.90
1904	624	4	23	597	0	0	0	1964	2 995	316	1 137	1 435	57	51	0.93
1905	663	5	23	636	0	0	0	1965	3 130	337	1 219	1 460	59	55	0.95
1906	707	5	23	680	0	0	0	1966	3 288	364	1 323	1 478	63	60	0.98
1907	784	5	28	750	0	0	0	1967	3 393	392	1 423	1 448	65	66	0.99
1908	750	5	30	714	0	0	0	1968	3 566	424	1 551	1 448	70	73	1.02
1909	785	6	32	747	0	0	0	1969	3 780	467	1 673	1 486	74	80	1.05
1910	819	7	34	778	0	0	0	1970	4 053	493	1 839	1 556	78	87	1.11
1911	836	7	36	792	0	0	0	1971	4 208	530	1 947	1 559	84	88	1.13
1912	879	8	37	834	0	0	0	1972	4 376	560	2 057	1 576	89	95	1.15
1913	943	8	41	895	0	0	0	1973	4 614	588	2 241	1 581	95	110	1.19
1914	850	8	42	800	0	0	0	1974	4 623	597	2 245	1 579	96	107	1.17
1915	838	9	45	784	0	0	0	1975	4 595	604	2 132	1 673	95	92	1.14
1916	901	10	48	842	0	0	0	1976	4 864	630	2 314	1 710	103	108	1.18
1917	955	11	54	891	0	0	0	1977	5 016	650	2 398	1 756	108	104	1.20
1918	936	10	53	873	0	0	0	1978	5 074	680	2 392	1 780	116	106	1.19
1919	806	10	61	735	0	0	0	1979	5 357	721	2 544	1 875	119	98	1.24
1920	932	11	78	843	0	0	0	1980	5 301	737	2 422	1 935	120	86	1.20
1921	803	10	84	709	0	0	0	1981	5 138	755	2 289	1 908	121	65	1.15
1922	845	11	94	740	0	0	0	1982	5 095	738	2 196	1 976	121	64	1.12
1923	970	14	111	845	0	0	0	1983	5 076	739	2 176	1 977	125	58	1.09
1924	963	16	110	836	0	0	0	1984	5 258	807	2 199	2 074	128	51	1.11
1925	975	17	116	842	0	0	0	1985	5 417	835	2 186	2 216	131	49	1.12
1926	983	19	119	846	0	0	0	1986	5 583	830	2 293	2 277	137	46	1.14
1927	1 062	21	136	905	0	0	0	1987	5 725	892	2 306	2 339	143	44	1.15
1928	1 065	23	143	890	10	0	0	1988	5 936	935	2 412	2 387	152	50	1.17
1929	1 145	28	160	947	10	0	0	1989	6 066	982	2 459	2 428	156	41	1.17
1930	1 053	28	152	862	10	0	0	1990	6 052	1 026	2 492	2 359	135	41	1.15
1931	940	25	147	759	8	0	0	1991	6 120	1 051	2 601	2 284	138	46	1.14
1932	847	24	141	675	7	0	0	1992	6 039	1 083	2 496	2 279	144	37	1.11
1933	893	25	154	708	7	0	0	1993	6 091	1 114	2 513	2 275	150	38	1.10
1934	973	28	162	775	8	0	0	1994	6 136	1 115	2 530	2 293	159	40	1.09
1935	1 027	30	176	811	9	0	0	1995	6 271	1 145	2 563	2 355	168	39	1.10
1936	1 130	34	192	893	11	0	0	1996	6 432	1 187	2 618	2 413	173	40	1.11
1937	1 209	38	219	941	11	0	0	1997	6 500	1 198	2 686	2 401	176	40	1.11
1938	1 142	37	214	880	12	0	0	1998	6 493	1 211	2 734	2 338	174	36	1.09
1939	1 192	38	222	918	13	0	0	1999	6 639	1 265	2 774	2 385	181	34	1.10
1940	1 299	42	229	1 017	11	0	0	2000	6 808	1 299	2 818	2 457	188	46	1.11
1941	1 334	42	236	1 043	12	0	0	2001	6 859	1 302	2 835	2 478	197	47	1.11
1942	1 342	45	222	1 063	11	0	0	2002	7 029	1 337	2 841	2 593	208	50	1.12
1943	1 391	50	239	1 092	10	0	0	2003	7 420	1 388	2 948	2 811	223	49	1.17
1944	1 383	54	275	1 047	7	0	0	2004	7 683	1 437	3 039	2 910	241	55	1.19
1945	1 160	59	275	820	7	0	0	2005	7 992	1 489	3 067	3 116	259	61	1.23
1946	1 238	61	292	875	10	0	0	2006	8 253	1 515	3 091	3 307	280	60	1.25
1947	1 392	67	322	992	12	0	0	2007	8 464	1 567	3 080	3 454	298	64	1.27
1948	1 469	76	364	1 015	14	0	0	2008	8 661	1 616	3 079	3 597	300	69	1.28
1949	1 419	81	362	960	16	0	0	2009	8 538	1 577	3 038	3 543	310	70	1.25
1950	1 630	97	423	1 070	18	23	0.66	2010	9 004	1 704	3 103	3 807	321	69	1.30
1951	1 767	115	479	1 129	20	24	0.70	2011	9 291	1 743	3 142	3 985	356	65	1.32
1952	1 795	124	504	1 119	22	26	0.70	2012	9 484	1 783	3 205	4 056	373	66	1.33
1953	1 841	131	533	1 125	24	27	0.70	2013	9 569	1 814	3 227	4 082	381	66	1.33
1954	1 865	138	557	1 116	27	27	0.70	2014	9 628	1 842	3 269	4 066	384	67	1.32
1955	2 043	150	625	1 208	30	31	0.75	2015	9 639	1 863	3 345	3 987	380	64	1.31
1956	2 177	161	679	1 273	32	32	0.79	2016	9 721	1 928	3 418	3 919	387	69	1.30
1957	2 270	178	714	1 309	34	35	0.80	2017	9 851	1 983	3 443	3 965	386	74	1.30
1958	2 330	192	731	1 336	36	35	0.81	2018	10 111	2 072	3 471	4 086	408	74	1.32
1959	2 454	206	789	1 382	40	36	0.83	2019	10 175	2 146	3 456	4 082	413	79	1.32
1960	2 569	227	849	1 410	43	39	0.86	2020	9 730	2 123	3 156	3 950	425	77	1.25

単位：炭素換算百万 t（一人当りの CO_2 排出量は t/人）
Hefner, M; Marland G (2023) : Global, Regional, and National Fossil-Fuel CO_2 Emissions : 1751-2020 CDIAC-FF, Research Institute for Environment, Energy, and Economics, Appalachian State University.
https://energy.appstate.edu/research/work-areas/cdiac-appstate

世界の CO_2 排出量

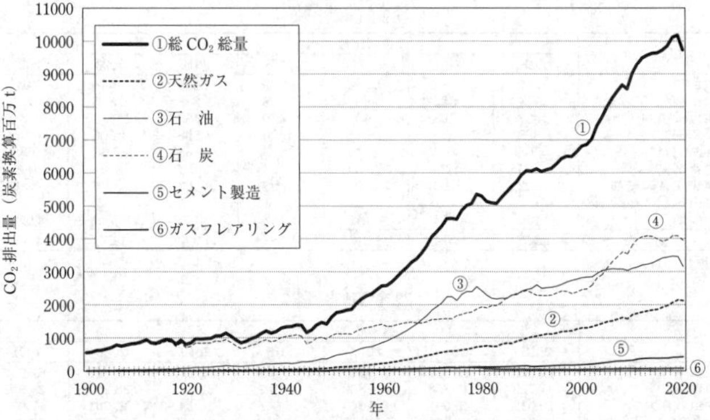

日本の温室効果ガスの総排出量*1

温室効果ガス名	GWP	1990	1993	1994	1995	1996	1997	1998	1999	2000	2001	2002	2003	2004	2005
二酸化炭素（CO_2）	1	1 163	1 177	1 232	1 244	1 256	1 249	1 209	1 245	1 268	1 253	1 283	1 291	1 286	1 294
メタン（CH_4）	28	49.8	48.0	48.1	46.7	45.3	44.8	42.9	42.5	41.7	40.4	39.5	38.5	38.2	38.2
一酸化二窒素（N_2O）	265	28.9	28.6	29.6	29.9	30.7	31.4	30.1	24.6	26.9	23.7	23.0	23.2	23.0	22.7
ハイドロフルオロカーボン類（HFCs）	HFC-134a：1300 など	13.4	15.4	18.0	21.6	21.1	21.1	20.5	21.1	19.8	17.0	14.4	14.5	11.4	11.8
パーフルオロカーボン類（PFCs）	PFC-14：6630 など	6.2	10.1	12.4	16.2	16.7	18.2	15.0	11.8	10.5	8.7	8.2	8.0	8.3	7.8
六フッ化硫黄（SF_6）	23500	13.8	16.8	16.1	17.6	18.3	15.8	14.5	10.3	8.2	6.9	6.6	6.2	6.2	5.8
三フッ化窒素（NF_3）	16100	0.0	0.0	0.1	0.2	0.2	0.1	0.2	0.3	0.3	0.3	0.3	0.4	0.4	1.4
計		1 275	1 296	1 356	1 376	1 389	1 380	1 332	1 356	1 376	1 350	1 375	1 382	1 374	1 381

	2006	2007	2008	2009	2010	2011	2012	2013	2014	2015	2016	2017	2018	2019	2020	2021	2022
CO_2	1 270	1 306	1 235	1 166	1 217	1 267	1 308	1 318	1 266	1 225	1 205	1 190	1 145	1 107	1 042	1 064	1037
CH_4	37.5	36.8	35.9	35.3	34.8	33.5	32.7	32.7	32.1	31.7	31.6	31.4	30.9	30.6	30.4	30.4	29.9
N_2O	22.7	22.3	21.5	20.9	20.6	20.2	19.9	19.9	19.5	19.2	18.7	19.0	18.5	18.0	17.7	17.6	17.3
HFCs	13.6	15.6	18.0	19.7	22.0	24.6	27.7	30.3	33.8	37.1	39.5	41.0	42.3	44.5	46.1	46.9	46.1
PFCs	8.2	7.2	5.2	3.7	3.8	3.4	3.1	3.0	3.1	3.0	3.1	3.2	3.2	3.2	3.2	2.9	3.0
SF_6	5.9	5.4	4.7	2.8	2.8	2.5	2.5	2.3	2.3	2.4	2.4	2.3	2.3	2.2	2.2	2.2	2.1
NF_3	1.3	1.5	1.4	1.3	1.4	1.7	1.4	1.5	1.0	0.5	0.6	0.4	0.3	0.3	0.3	0.3	0.3
計	1 360	1 395	1 322	1 249	1 303	1 353	1 396	1 407	1 358	1 319	1 301	1 287	1 242	1 206	1 142	1 164	1 135

＊1　100 万 t CO_2 換算

＊2　地球温暖化係数（京都議定書第二約束期間における値）

環境省資料："2022 年度の我が国の温室効果ガス排出・吸収量について"（2024）.

農　薬

登録農薬数

区　分	農薬年度						
	2015	2016	2017	2018	2019	2020	2021
殺虫剤	1 097	1 088	1 062	1 069	1 059	1 046	1 047
殺菌剤	911	885	896	888	888	885	892
殺虫殺菌剤	527	498	481	475	458	413	408
除草剤	1 509	1 515	1 551	1 526	1 558	1 606	1 633
農薬肥料	68	68	69	68	68	68	67
殺そ剤	24	23	23	23	23	21	22
植物成長調整剤	92	92	93	91	93	96	99
殺虫・殺菌植調剤	1	1	1	1	1	1	1
その他	146	144	141	141	142	139	138
合　計	4 375	4 314	4 317	4 282	4 290	4 275	4 307

単位：件.

農薬出荷量

区　分	農薬年度						
	2015	2016	2017	2018	2019	2020	2021
殺虫剤	76 202	73 381	73 340	73 174	71 727	68 622	67 247
殺菌剤	41 722	41 753	41 852	39 287	39 763	38 290	38 922
殺虫殺菌剤	19 053	18 001	17 543	16 648	16 130	16 961	17 950
除草剤	78 766	83 001	82 955	81 713	81 570	85 674	89 351
農薬肥料	4 677	4 721	4 925	5 347	5 590	6 012	6 385
殺そ剤	315	336	324	309	291	267	286
植物成長調整剤	1 457	1 477	1 532	1 496	1 562	1 480	1 533
殺虫・殺菌植調剤	6	9	10	10	8	7	10
その他	5 480	5 371	5 200	5 245	5 203	4 822	4 784
合　計	227 779	228 050	227 680	223 230	221 844	222 136	226 468

農薬年度は，前年 10 月～当年 9 月まで．出荷量に石灰窒素は含まない．
単位：t, kL（液体の農薬については kL=t として集計）．
農林水産省大臣官房統計部："農林水産統計"（2022）．
農林水産省消費・安全局資料による．

殺虫剤，殺菌剤，除草剤等の日本の輸出入

年	殺虫剤		殺菌剤		除草剤		その他	
	数量	価額	数量	価額	数量	価額	数量	価額
輸　入								
2014	12 439	26 370	16 168	27 852	22 265	41 600	240	691
2015	14 361	29 901	12 429	23 986	24 402	44 032	296	833
2016	12 107	25 825	11 684	23 921	24 169	43 044	382	1 029
2017	11 954	27 197	13 314	25 013	25 054	39 281	249	1 004
2018	12 748	31 482	9 461	19 929	27 303	39 857	378	1 096
2019	11 708	29 732	9 957	21 768	23 210	43 748	372	966
2020	11 168	28 594	7 637	20 675	27 179	48 023	322	992
2021	10 138	30 792	5 940	21 029	26 749	49 867	291	1 075
輸　出								
2014	10 982	62 585	20 248	46 783	15 001	46 230	329	1 497
2015	9 581	63 448	21 597	45 434	15 666	53 525	290	2 151
2016	8 303	52 931	22 494	45 105	18 769	54 874	134	1 449
2017	8 511	51 006	22 151	40 084	17 508	53 479	244	1 790
2018	9 749	50 942	15 786	37 959	18 841	52 944	421	3 094
2019	9 339	49 364	12 927	32 338	17 863	52 039	330	2 423
2020	10 266	49 345	15 520	35 289	19 537	47 285	212	1 121
2021	10 894	59 541	16 542	37 974	19 073	46 086	365	2 268

数量：t，kL（t＝kL として集計），価額：100 万円
農林水産省大臣官房統計部："農林水産統計"（2022）．
農林水産省消費・安全局資料による．

化学物質の許容濃度

許容濃度とは，労働者が1日8時間，週間40時間程度，肉体的に激しくない労働強度で，呼吸保護具を装着していない状況において，有害物質に曝露され，それを吸入したとき，大半の労働者に健康上悪影響が及ばないと判断される濃度である．なお，短時間の曝露や弱い労働強度の場合も，許容濃度を超える曝露は避けるべきである．

本表の値は，日本産業衛生学会の勧告値(2024)である．この値は，当該の物質が単独で空気中に存在する場合のものである．複数の物質に曝露される場合，個々の物質の許容濃度のみで判断してはならない．また，以下の値を利用するにあたっては，労働強度，温熱条件などを考慮しなければならない．これらの条件が負荷される場合，有害物質の健康への影響が増強されることもありうる．

許容濃度等の性格および利用上の注意（抜粋）

・許容濃度等は，労働衛生についての十分な知識と経験をもった人々が利用すべきものである．
・許容濃度等は，許容濃度等を設定するにあたって考慮された曝露時間，労働強度を超えている場合には適用できない．
・許容濃度等は，産業における経験，人および動物についての実験的研究から得られた多様な知見に基礎をおいており，許容濃度等の設定に用いられた情報の量と質は必ずしも同等のものではない．
・許容濃度等を決定する場合に考慮された生体影響の種類は物質等によって異なり，ある種のものでは，明瞭な健康障害に，また他のものでは，不快，刺激，中枢神経抑制などの生体影響に根拠が求められている．したがって，許容濃度等の数値は，単純に，毒性の強さの相対的比較の尺度として用いてはならない．
・人の有害物質等への感受性は個人毎に異なるので，許容濃度等以下の曝露であっても，不快，既存の健康異常の悪化，あるいは職業病の発生を防止できない場合がありうる．
・許容濃度等は，安全と危険の明らかな境界を示したものと考えてはならない．したがって，労働者に何らかの健康異常がみられた場合に，許容濃度等を超えたことのみを理由として，その物質等による健康障害と判断してはならない．また逆に，許容濃度等を超えていないことのみを理由として，その物質等による健康障害ではないと判断してはならない．
・許容濃度等の数値を，労働の場以外での環境要因の許容限界値として用いてはならない．

物質名	化学式	許容濃度		提案年度
		ppm	mg/m^3	
アクリルアミド(皮)	$CH_2=CHCONH_2$	—	0.1	'04
アクリルアルデヒド	$CH_2=CHCHO$	0.1	0.23	'73
アクリル酸メチル	$C_4H_6O_2$	2	7	'04
アクリロニトリル(皮)	$CH_2=CHCN$	2	4.3	'88
アセトアルデヒド	CH_3CHO	10*	18*	'21
アセトン	CH_3COCH_3	200	470	'72
アトラジン	$C_8H_{14}ClN_5$	—	2	'15
o-アニシジン(皮)	$H_3COC_6H_4NH_2$	0.1	0.5	'96
p-アニシジン(皮)	$H_3COC_6H_4NH_2$	0.1	0.5	'96
アニリン(皮)	$C_6H_5NH_2$	1	3.8	'88
2-アミノエタノール	$H_2NCH_2CH_2OH$	3	7.5	'65
アリルアルコール(皮)	$CH_2=CHCH_2OH$	1	2.4	'78
アルシン	AsH_3	0.01 0.1*	0.032 0.32*	'92
アンチモンおよびアンチモン化合物(Sbとして，スチビンを除く)	Sb	—	0.1	'13
アンモニア	NH_3	25	17	'79
イソブチルアルコール	$(CH_3)_2CHCH_2OH$	50	150	'87
イソプレン	C_5H_8	3	8.4	'17
イソプロチオラン	$C_{12}H_{18}O_4S_2$	—	5	'93
イソプロピルアルコール	$CH_3CH(OH)CH_3$	400*	980*	'87
イソペンチルアルコール	$(CH_3)_2CHCH_2CH_2OH$	100	360	'66
インジウムおよびインジウム化合物	In	血清中生物学的許容値	3 μg/L	'07
一酸化炭素	CO	50	57	'71
エチリデンノルボルネン	C_9H_{12}	2	10	'18
エチレンイミン(皮)	C_2H_5N	0.05	0.09	'18
エチルアミン	$C_2H_5NH_2$	10	18	'79
エチルエーテル	$(C_2H_5)_2O$	400	1200	('97)
2-エチル-1-ヘキサノール	$C_8H_{18}O$	1	5.4	'17
エチルベンゼン	$C_6H_5C_2H_5$	20	87	'02
エチレンイミン(皮)	C_2H_5N	0.5	0.88	('90)
エチレンオキシド	C_2H_4O	1	1.8	'90
エチレングリコールモノエチルエーテル(皮)	$C_2H_5OCH_2CH_2OH$	5	18	'85
エチレングリコールモノエチルエーテルアセテート(皮)	$C_2H_5OCH_2CH_2OCOCH_3$	5	27	'85
エチレングリコールモノメチルエーテル(皮)	$CH_3OCH_2CH_2OH$	0.1	0.31	'09
エチレングリコールモノメチルエーテルアセテート(皮)	$CH_3OCH_2CH_2OCOCH_3$	0.1	0.48	'09
エチレングリコールモノブチルエーテル(皮)	$C_6H_{14}O_2$	20	97	'17
エチレンジアミン(皮)	$H_2NCH_2CH_2NH_2$	10	25	'91
エトフェンプロックス	$C_{25}H_{28}O_3$	—	3	'95
塩化亜鉛	$ZnCl_3$		4	'23
塩化水素	HCl	2*	3.0*	'14
塩化ビニル	$CH_2=CHCl$	2.5[a]	6.5[a]	'75
塩素	Cl_2	0.5*	1.5*	'99
黄リン	P_4	—	0.1	('88)
オクタン	$CH_3(CH_2)_6CH_3$	300	1400	'89
オゾン	O_3	0.1	0.2	'63
ガソリン		100[b]	300[b]	'85
カドミウムおよびカドミウム化合物(Cdとして)	Cd	—	0.05	'76
カルバリル(皮)	$C_{12}H_{11}NO_2$	—	5	'89
ギ酸	HCOOH	5	9.4	'78
キシレン(全異性体およびその混合物)	$C_6H_4(CH_3)_2$	50	217	'01

物質名	化学式	許容濃度		提案年度
		ppm	mg/m³	
銀および銀化合物(Agとして)	Ag	—	0.01	'91
クメン	C_9H_{12}	10	—	'19
グリホサート	$C_3H_8NO_5P$		1.5	'21
グルタルアルデヒド	$OHC(CH_2)_3CHO$	0.03*	—	'06
クレゾール(全異性体)(皮)	$C_6H_4CH_3(OH)$	5	22	'86
クロチアニジン　(暫)	$C_6H_8ClN_5O_2S$		0.4	'23
クロムおよびクロム化合物(Crとして)	Cr			'89
金属クロム		—	0.5	
三価クロム化合物		—	0.5	
六価クロム化合物		—	0.05	
ある種の六価クロム化合物		—	0.01	
クロロエタン	C_2H_5Cl	100	260	'93
クロロジフルオロメタン	$CHClF_2$	1000	3500	'87
クロロピクリン	Cl_3CNO_2	0.1	0.67	'68
クロロベンゼン	C_6H_5Cl	10	46	'93
クロロホルム	$CHCl_3$	3	14.7	'05
クロロメタン	CH_3Cl	50	100	'84
クロロメチルメチルエーテル(工業用)	CH_3OCH_2Cl	数値なし		'92
鉱油ミスト		—	3	'77
五塩化リン	PCl_5	0.1	0.85	'89
コバルトおよびコバルト化合物(タングステンカーバイトを除く)	Co	—	0.05	'92
酢酸	CH_3COOH	10	25	'78
酢酸イソプロピル	$CH_3COOCH(CH_3)_2$	100		'17
酢酸ペンチル類	$CH_3COO(CH_2)_2CH(CH_3)_2$	50	266.3	'08
		100*	532.5*	
酢酸エチル	$CH_3COOC_2H_5$	200	720	'95
酢酸ブチル	$CH_3COO(CH_2)_3CH_3$	100	475	'94
酢酸プロピル	$CH_3COO(CH_2)_2CH_3$	200	830	'70
酢酸メチル	CH_3COOCH_3	200	610	'63
三塩化リン	PCl_3	0.2	1.1	'89
酸化亜鉛ヒューム	ZnO	(検討中)		'69
酸化亜鉛ナノ粒子	ZnO		0.5	'21
三フッ化窒素	NF_3	0.4	1.2	'23
三フッ化ホウ素	BF_3	0.3	0.83	'79
シアン化カリウム(CNとして)(皮)	KCN	—	5*	'01
シアン化カルシウム(CNとして)(皮)	$Ca(CN)_2$	—	5*	'01
シアン化ナトリウム(CNとして)(皮)	NaCN	—	5*	'01
シアン化水素(皮)	HCN	5	5.5	'90
ジエチルアミン	$(C_2H_5)_2NH$	10	30	'89
四塩化炭素(皮)	CCl_4	5	31	'91
1,4-ジオキサン(皮)	$C_4H_8O_2$	1	3.6	'15
シクロヘキサノール	$C_6H_{11}OH$	25	102	'70
シクロヘキサノン	$C_6H_{10}O$	25	100	'70
シクロヘキサン	C_6H_{12}	150	520	'70
1,1-ジクロロエタン	Cl_2CHCH_3	100	400	'93
1,2-ジクロロエタン	$ClCH_2CH_2Cl$	10	40	'84
2,2′-ジクロロエチルエーテル(皮)	$(ClCH_2CH_2)_2O$	15	88	'67
1,2-ジクロロエチレン	$ClCH=CHCl$	150	590	'70
ジクロロジフルオロメタン	CCl_2F_2	500	2500	'87
2,2-ジクロロ-1,1,1-トリフルオロエタン	CF_3CHCl_2	10	62	'00
2,4-ジクロロフェノキシ酢酸(皮)	$C_8H_6Cl_2O_3$	—	2	'19
1,4-ジクロロ-2-ブテン	$C_4H_6Cl_2$	0.002	—	'15
1,2-ジクロロプロパン	$C_3H_6Cl_2$	1	4.6	'13
o-ジクロロベンゼン	$C_6H_4Cl_2$	25	150	'94
p-ジクロロベンゼン	$C_6H_4Cl_2$	10	60	'98
ジクロロメタン(皮)	CH_2Cl_2	50	170	'99
		100*	100*	
3,3′-ジクロロ-4,4′-ジアミノジフェニルメタン(MBOCA)(皮)	$CH_2(C_6H_3NH_2Cl)_2$	—	0.005	'12

物質名	化学式	許容濃度		提案年度
		ppm	mg/m³	
ジフェニルメタン-4,4′-ジイソシアネート(MDI)	$CH_2(C_6H_4NCO)_2$	—	0.05	'93
1,2-ジニトロベンゼン(皮)	$C_6H_4(NO_2)_2$	0.15	1	'94
1,3-ジニトロベンゼン(皮)	$C_6H_4(NO_2)_2$	0.15	1	'94
1,4-ジニトロベンゼン(皮)	$C_6H_4(NO_2)_2$	0.15	1	'94
ジボラン	B_2H_6	0.01	0.012	'96
N,N-ジメチルアセトアミド(皮)	$(CH_3)_2NCOCH_3$	10	36	'90
N,N-ジメチルアニリン(皮)	$C_6H_5N(CH_3)_2$	5	25	'93
ジメチルアミン	$(CH_3)_2NH$	2	3.7	'16
N,N-ジメチルホルムアミド(DMF)(皮)	$(CH_3)_2NCHO$	10	30	'74
臭化メチル(皮)	CH_3Br	1	3.89	'03
臭素	Br_2	0.1	0.65	'64
硝酸	HNO_3	2	5.2	'82
シラン	SiH_4	100*	130*	'93
人造鉱物繊維**				
ガラス長繊維, グラスウール, ロックウール, スラグウール		1 (繊維/mL)		'03
水銀蒸気	Hg	—	0.025	'98
水酸化カリウム	KOH	—	2*	'78
水酸化ナトリウム	NaOH	—	2*	'78
水酸化リチウム	LiOH	—	1	'95
スチレン(皮)	$C_6H_5CH=CH_2$	10	42.6	'99
石綿		過剰発がんリスクあり		'00
セレンおよびセレン化合物(Seとして, セレン化水素, 六フッ素化セレンを除く)	Se	—	0.1	'00
セレン化水素	SeH_2	0.05	0.17	'63
ダイアジノン(皮)	$C1_2H_{21}N_2O_3PS$	—	0.1	'89
多層カーボンナノチューブ(無機炭素として)	Cn		0.01 (吸入性粉塵)	'23
タルク(滑石)	$H_2Mg_3O_{12}Si_4$			
石綿線維・結晶質シリカ含まず		—	4(総粉塵)	'23
		—	1(吸入性粉塵)	'23
チウラム	$C_6H_{12}N_2S_4$	—	0.1	'08
テトラエチル鉛(Pbとして)(皮)	$Pb(C_2H_5)_4$	—	0.075	'65
テトラエトキシシラン	$Si(OC_2H_5)_4$	10	85	'91
1,1,2,2-テトラクロロエタン(皮)	$Cl_2CHCHCl_2$	1	6.9	'84
テトラクロロエチレン(皮)	$Cl_2C=CCl_2$	(検討中)		'72
テトラヒドロフラン(皮)	C_4H_8O	50	148	'15
テトラメトキシシラン	$Si(OCH_3)_4$	1	6	'91
テレビン油		50	280	'91
テレフタル酸ジメチル	$C_{10}H_{10}O_4$	—	8	'02
トリクロルホン(皮)	$C_4H_8Cl_3O_4P$	—	0.2	'10
1,1,1-トリクロロエタン	Cl_3CCH_3	200	1100	'74
1,1,2-トリクロロエタン(皮)	Cl_2CHCH_2Cl	10	55	('78)
トリクロロエチレン	$Cl_2C=CHCl$	25	135	'15
1,1,2-トリクロロ-1,2,2-トリフルオロエタン	$Cl_2FCCClF_2$	500	3800	'87
トリクロロフルオロメタン	CCl_3F	1000*	5600*	'87
トリシクラゾール	$C_9H_7N_3S$	—	3	'90
トリニトロトルエン(全異性体)(皮)	$C_6H_2CH_3(NO_2)_3$	—	0.1	'93
1,2,3-トリメチルベンゼン	$C_6H_3(CH_3)_3$	25	120	'84
1,2,4-トリメチルベンゼン	$C_6H_3(CH_3)_3$	25	120	'84
1,3,5-トリメチルベンゼン	$C_6H_3(CH_3)_3$	25	120	'84
o-トルイジン(皮)	$CH_3C_6H_4NH_2$	1	4.4	'91
トルエン(皮)	$C_6H_5CH_3$	50	188	'94
トルエンジイソシアネート類(TDI)	$C_6H3CH_3(NCO)_2$	0.005	0.035	'92
		0.02*	0.14*	
鉛および鉛化合物(Pbとして, アルキル鉛化合物を除く)	Pb	—	0.03	'16

物質名	化学式	許容濃度 ppm	許容濃度 mg/m^3	提案年度
二塩化二硫黄	S_2Cl_2	1*	5.5*	'76
二酸化硫黄	SO_2	(検討中)		'61
二酸化炭素	CO_2	5000	9000	'74
二酸化チタンナノ粒子	TiO_2	—	0.3	'13
二酸化窒素	NO_2	(検討中)		'61
ニッケル	Ni	—	1	'67
ニッケル化合物(総粉じん)				
水溶性ニッケル化合物(Niとして)		—	0.01	'11
不溶性ニッケル化合物(Niとして)		—	0.1	'11
ニッケルカルボニル	$Ni(CO)_4$	0.001	0.007	'66
p-ニトロアニリン(皮)	$H_2NC_6H_4NO_2$	—	3	'95
ニトログリコール(皮)	$O_2NOCH_2CH_2ONO_2$	0.05	0.31	'86
ニトログリセリン(皮)	$(O_2NOCH_2)_2CHONO_2$	0.05*	0.46*	'86
p-ニトロクロロベンゼン(皮)	$C_6H_4ClNO_2$	0.1	0.64	'89
ニトロベンゼン(皮)	$C_6H_5NO_2$	1	5	('88)
二硫化炭素(皮)	CS_2	1	3.13	'15
ノナン	$CH_3(CH_2)_7CH_3$	200	1050	'89
n-ブチル-2,3-エポキシプロピルエーテル	$C_7H_{14}O_2$	0.25	1.33	'16
パーフルオロオクタン酸	$C_8HF_{15}O_2$		0.005	'08
白金(水溶性白金塩，Ptとして)	Pt	—	0.001	'00
バナジウム化合物				
五酸化バナジウム	V_2O_5	—	0.05	'03
フェロバナジウム粉じん	FeV dust	—	1	'68
パラチオン(皮)	$(C_2H_5O)_2PSOC_6H_4NO_2$	—	0.1	('80)
ヒ素およびヒ素化合物(Asとして)	As	過剰発がんリスクあり		'00
ピリダフェンチオン(皮)	$C_{14}H_{17}N_2O_4PS$	—	0.2	'89
フェニトロチオン(皮)	$C_9H_{12}NO_5PS$	—	0.2	'22
o-フェニレンジアミン	$C_6H_4(NH_2)_2$	—	0.1	'99
m-フェニレンジアミン	$C_6H_4(NH_2)_2$	—	0.1	'99
p-フェニレンジアミン	$C_6H_4(NH_2)_2$	—	0.1	'97
フェノブカルブ(皮)	$C_{12}H_{17}NO_2$	—	5	'89
フェノール(皮)	C_6H_5OH	5	19	'78
フェンチオン(皮)	$C_{10}H_{15}O_3PS_2$	—	0.2	'89
フサライド	$C_8H_2Cl_4O_2$	—	10	'90
1-ブタノール(皮)	$CH_3CH_2CH_2CH_2OH$	50*	150*	'87
2-ブタノール	$CH_3CH(OH)CH_2CH_3$	100	300	'87
フタル酸ジエチル	$C_6H_4(COOC_2H_5)_2$	—	5	'95
フタル酸ジ-2-エチルヘキシル	$C_{24}H_{38}O_4$	—	5	'95
フタル酸ジブチル	$C_6H_4(COOC_4H_9)_2$	—	5	'96
o-フタロジニトリル(皮)	$C_6H_4(CN)_2$	—	0.01	'09
ブタン(全異性体)	C_4H_{10}	500	1200	'88
ブチルアミン(皮)	$CH_3CH_2CH_2CH_2NH_2$	5*	15*	('94)
t-ブチルアルコール	$(CH_3)_3COH$	50	150	'87
フッ化水素(皮)	HF	3*	2.5*	'02
ブプロフェジン	$C_{16}H_{23}N_3OS$	—	2	'90
フルトラニル	$C_{17}H_{16}NO_2F_3$	—	10	'90
フルフラール(皮)	$C_5H_4O_2$	2.5	9.8	('89)
フルフリルアルコール	$C_4H_3OCH_2OH$	5	20	'78
プロピレンイミン(2-メチルアジリジン)(皮)	C_3H_7N	0.2	0.45	'17
1-ブロモプロパン	$Br-CH_2CH_2CH_3$	0.5	2.5	'12
2-ブロモプロパン(皮)	$CH_3CHBrCH_3$	0.5	2.5	'21
ブロモホルム	$CHBr_3$	1	10.3	'97
ヘキサクロロエタン(皮)	C_2Cl_6	1	9.7	'22
ヘキサクロロブタジエン(皮)	C_4Cl_6	0.01	0.12	'13
ヘキサン(皮)	$CH_3(CH_2)_4CH_3$	40	140	'85
ヘキサン-1,6-ジイソシアネート	$OCN(CH_2)_6NCO$	0.005	0.034	'95
ベノミル	$C_{14}H_{18}N_4O_3$	—	1	'18
ヘプタン	$CH_3(CH_2)_5CH_3$	200	820	'88

物質名	化学式	許容濃度 ppm	許容濃度 mg/m^3	提案年度
ベリリウムおよびベリリウム化合物(Be として)	Be	—	0.002	'63
ベンジルアルコール	C_7H_8O	—	25	'19
ベンゼン(皮)	C_6H_6	過剰発がんリスクあり		'97
ペンタクロロフェノール(皮)	C_6Cl_5OH	—	0.5	('89)
ペンタン	$CH_3(CH_2)_3CH_3$	300	880	'87
ホスゲン	$COCl_2$	0.1	0.4	'69
ホスフィン	PH_3	0.3*	0.42*	'98
ポリ塩化ビフェニル類(皮)	$C_{12}H_{(10-n)}Cl_n$	—	0.01	'06
ホルムアルデヒド	HCHO	0.1	0.12	'07
		0.2*	0.24*	
マラチオン(皮)	$C_{10}H_{16}O_6PS_2$	—	10	'89
マンガンおよびマンガン化合物	Mn	—		
吸入性粉じん		—	0.02	'21
総粉じん		—	0.1	'21
無水酢酸	$(CH_3CO)_2O$	5*	21*	'90
無水トリメリット酸(皮)	$C_9H_4O_5$	—	0.0005	'15
			0.004*	
無水ヒドラジンおよび	H_2NNH_2 および	0.1	0.13	'98
ヒドラジン一水和物(皮)	$H_4N_2H_2O$		および 0.21	
無水フタル酸	$C_8H_4O_3$	0.33*	2*	'98
無水マレイン酸	$C_4H_2O_3$	0.1	0.4	'15
		0.2*	0.8	
メタクリル酸	$C_4H_6O_2$	2	7.0	'12
メタクリル酸 2,3-エポキシプロピル (メタクリル酸グリシジル)(皮)	$C_7H_{10}O_3$	0.01	0.06	'18
メタクリル酸メチル	$C_5H_8O_2$	2	8.3	'12
メタノール	CH_3OH	200	260	'63
メチルアミン	CH_3NH_2	5	6.5	'02
メチルイソブチルケトン	$CH_3COCH_2CH(CH_3)_2$	50	200	'84
メチルエチルケトン(皮)(暫)	$C_2H_5COCH_3$	75	221	'24
メチルシクロヘキサノール	$CH_3C_6H_{10}OH$	50	230	'80
メチルシクロヘキサノン(皮)	$CH_3C_6H_9O$	50	230	'87
メチルシクロヘキサン	$CH_3C_6H_{11}$	400	1600	'86
メチルテトラヒドロ無水フタル酸	$C_9H_{10}O_3$	0.007	0.05	'02
		0.015*	0.1*	
N-メチル-2-ピロリドン(皮)	C_5H_9NO	1	4	'02
メチル-*n*-ブチルケトン(皮)	$CH_3CO(CH_2)_3CH_3$	5	20	'84
4,4′-メチレンジアニリン(皮)	$CH_2(C_6H_4NH_2)_2$	—	0.4	'95
メプロニル	$C_{17}H_{19}NO_2$	—	5	'90
ヨウ素	I_2	0.1	1	'68
硫化水素	H_2S	5	7	'01
硫酸	H_2SO_4	—	1*	'00
硫酸ジメチル(皮)	$(CH_3)_2SO_2$	0.1	0.52	'80
リン酸	H_3PO_4	—	1	('90)
ロジウム(可溶性化合物, Rh として)	Rh		0.001	'07

ppm の単位表示での気体容積は 25 ℃, 1 気圧の条件によるもの.
提案年度欄の( )内は再検討を行った年度を示す.
(皮) 液体あるいは溶液が, 経皮的に侵入し, 全身的影響を起こしうる物質.
(暫) 暫定的に定められた値.
* 作業中常時この濃度以下に保つこと(最大許容濃度).
** メンブレンフィルター法で捕集し, 長さ 5 μm 以上, 太さ 3 μm 未満, 長さと太さの比(アスペクト比) 3:1 以上の繊維.
[a] 暫定的に 2.5 ppm とするが, できる限り検出可能限界以下に保つよう努めること.
[b] ガソリンについては, 300 mg/m^3 を許容濃度とし, mg/m^3 から ppm への換算はガソリンの平均分子量を 72.5 と仮定して行った.

WHO/国際がん研究機構（IARC）*においてヒト発がん物質（要因）(Group 1）とされた化学物質の用途と曝露経路(1)

ヒト発がん物質（要因）とされた化学物質・製造工程など	化学式（組成式）	用途・おもな曝露/摂取経路など
アキソン法（炭化ケイ素セラミックス製造工程）		職場曝露*1
アクリロニトリル	C_3H_3N	化学工業中間体
アザチオプリン	$C_9H_7N_7O_2S$	免疫抑制剤
アスベスト（アモサイト，アンフィソライト，クリソタイル，クロシドライトなど）		建材など製造と建設職場曝露*2
アセトアルデヒド（エチルアルコールの代謝物）	C_2H_4O	酒類多飲行為
アフラトキシン類	$C_{17}H_{12}O_6$	ピーナッツ・木の実類に含まれるカビ毒
アヘン（Opium）		麻薬・向精神剤として病的使用行為
4-アミノビフェニル	$C_{12}H_{11}N$	染料の合成中間体として使われた
アリストロキア酸およびアリストロキア酸を含む植物	$C_{17}H_{11}NO_7$	ウマノスズクサ由来の生薬に含まれる
アルミニウム製造	Al	職場曝露*1
イソプロピルアルコール製造（強酸を使用する製法）	C_3H_8O, H_2SO_4	職場曝露*1
エストロゲン治療	$C_{18}H_{24}O_2$	閉経後使用
エストロゲン-プロゲステロン併用	$C_{18}H_{24}O_2$，$C_{21}H_{30}O_2$	閉経期使用と経口避妊剤
エチルアルコールおよびアルコール飲料	C_2H_6O	酒類多飲行為
エチレンオキシド	C_2H_4O	医療器具の薫蒸消毒，エチレングリコール，エタノールアミンの製造
エトポシドおよびエトポシドとシスプラチン・ブレオマイシンの併用	$C_{29}H_{32}O_{13}$, $Cl_2H_6N_2Pt$, $C_{55}H_{84}N_{17}O_{21}S_3$	抗がん剤
エプスタイン-バーウィルス（ヒトヘルペスウイルス 4 型）		がん原性ウイルス(バーキットリンパ腫・上咽頭がん)
エリオナイト（エリオン沸石）	$(Na_2K_2CaMg)_{4.5}Al_9Si_{27}O_{72.27}H_2O$	火山性線維性鉱物・建材など
オーラミン染料製造	$C_{17}H_{22}ClN_3$	木綿・レーヨン・絹などの染料・職場曝露*1
屋外汚染大気および汚染粒子（PM2.5 を含む）		
加工肉の消費行為		食品
カドミウムおよびカドミウム化合物	Cd	ウッド合金成分，顔料，電池に使用
カポジ肉腫ヘルペスウィルス		ヒトヘルペスウイルス8型感染による
肝炎（B 型）および肝炎（C 型）ウィルス（慢性感染を伴う）		血液・体液による感染
肝吸虫（*Opisthorchis viverrini* および *Clonorchis sinensis*）感染		淡水魚の生食・不完全熱調理による摂食
金属溶接蒸気		職場曝露

*　WHO/国際がん研究機構による発がん物質（または要因）の分類
Group 1，確実；Group 2A，多分；Group 2B，可能性あり；Group 3，データ不足；Group 4，多分そうでない

*1　IARC による「Occupationally exposed」の記載のあるもの．製造工程に携わる従業員への曝露および職種特有の曝露による場合を指す．

*2　執筆担当者による追加記載．職場曝露が主であると考えられるが，曝露が製造現場以外および製品に及ぶと考えられるものも含む．

WHO/国際がん研究機構（IARC）においてヒト発がん物質（要因）(Group 1）とされた化学物質の用途と曝露経路(2)

ヒト発がん物質（要因）とされた化学物質・製造工程など	化学式（組成式）	用途・おもな曝露/摂取経路など
クロラムブシル	$C_{14}H_{19}Cl_2NO_2$	抗がん剤
クロロナファジン（ナイトロジンマスタード）	C_2H_5ClO	抗がん剤
結晶質シリカ粉塵（クォーツ，クリストバライト）		職場曝露*2
鉱物油（ミネラルオイル）(未精製および半精製品)		潤滑油・ワセリン製造
コークス製造工程		職場曝露*2
コールタール蒸留工程とコールタールピッチ（芳香族炭化水素を多量含有）		職場曝露*1
ゴム製造工程		職場曝露*1
シエール油（頁岩油）		採掘・精製職場曝露
ジエチルスチルベストロール	$HOC_6H_4C(C_2H_5)C(C_2H_5)C_6H_4OH$	合成エストロゲン
塩漬け魚（中華料理）		
紫外線（波長 10～400 nm に含まれる UVA, UVB, UVC）		太陽光曝露と人工日焼け行為
シクロホスファミド	$C_3ONHP(=O)N(CH_2CH_2Cl)_2 \cdot H_2O$	抗がん剤
シクロスポリン	$C_{62}H_{111}N_{11}O_{12}$	免疫抑制剤
1, 2-ジクロロプロパン	$C_3H_6Cl_2$	印刷インクなどの除去洗浄剤・職場曝露
スス（煙突由来）		煙突掃除人
石炭ガス化工程		職場曝露*2
石炭の室内燃焼		暖房・料理など
セムスチン	$C_{10}H_{18}ClN_3O_2$	抗がん剤
タバコ煙・喫煙行為		喫煙・受動喫煙
タバコ（無煙）		喫煙
タバコ煙成分：*N*-ニトロソノルニコチン（NNN）および4-(*N*-ニトロソメチルアミノ)-1-(3-ピリジル)-1-ブタノン（NNK），*N*-ビス(2-クロロエチル)-2-ナフチルアミン		喫煙行為
タモキシフェン	$(CH_3)_2NCH_2CH_2OC_6H_4(C_6H_5)C=C(C_6H_5)C_2H_5$	抗エストロゲン剤(抗がん剤)
チオテパ	$(CH_2CH_2N)_3P=S$	抗がん剤
ディーゼルエンジン排気ガス		職業曝露(輸送業など)
鉄および鋼の鋳造（鋳物製造）		職業曝露*1
2, 3, 7, 8-テトラクロロジベンゾ-パラ-ジオキシン（2, 3, 7, 8-TCDD）(ダイオキシン類)	$C_{12}H_4Cl_4O_2$	職場曝露，環境汚染
塗装業		職場曝露*1
トリクロロエチレン	C_2HCl_3	有機化合物の溶媒・職場曝露
o-トルイジン（アゾ色素等合成の中間体）	$CH_3C_6H_4NH_2$	職場曝露*2

WHO/国際がん研究機構（IARC）においてヒト発がん物質（要因）(Group 1）とされた化学物質の用途と曝露経路(3)

ヒト発がん物質（要因）とされた化学物質・製造工程など	化学式（組成式）	用途・おもな曝露/摂取経路など
トレオスルファン	$CH_3SO_2OCH_2CH(OH)CH(OH)CH_2OSO_2CH_3$	抗がん剤
2-ナフチルアミン（アゾ色素合成等の中間体）	$C_{10}H_7NH_2$	職場曝露*2
ニッケル化合物		職場曝露*2
皮革粉塵		皮革製品製造・職場曝露*2
ビス（クロロメチル）エーテルおよびクロロメチルメチルエーテル（工業用）	$ClCH_2OCH_2Cl$ および $ClCH_2OCH_3$	イオン交換樹脂・メトキシコロジメチル化剤
ヒ素および無機ヒ素化合物		飲水・土壌の汚染
ヒトT細胞リンパ腫ウィルス1型（HTLV-1）		母子感染と性行為感染
ヒトパピローマウィルス（16, 18, 31, 33, 35, 39, 45, 51, 52, 56, 58, 59型）		皮膚接触・性行為など
ヒト免疫不全ウィルス1型感染（HIV）		性行為など
塩化ビニル	C_2H_3Cl	塩化ポリビニル製造原料・職場曝露
ビルハルツ住血吸虫（*Schistosoma haematobium*）		寄生虫（水中感染）
ビンロウ種子（ベテルナッツ）噛みタバコとの併用		嗜好品（消石灰とともにキンマ葉に包んで噛む）
フェナセチンおよびフェナセチンを含む薬品	$CH_3CONHC_6H_4OCH_2CH_3$	鎮痛剤
ブスルファン	$C_6H_{14}O_6S_2$	抗がん剤
1, 3-ブタジエン	C_4H_6	合成ゴム，ABS樹脂合成原料・職場曝露*2
フッ素エデン線維性角閃石	$NaCa_2Mg_5(Si_7Al)O_{22}F_2$	建材など（イタリア）
ヘマタイト（宝石，赤鉄鉱）とヘマタイト採掘作業	Fe_2O_3	職場曝露*2
ベリリウムおよびベリリウム化合物	Be	合金の硬化剤（多くが銅合金）・職場曝露*2
ヘリコバクター・ピロリ（ピロリ菌）		経口感染
ペルフルオロオクタン酸（PFOA）	$C_8HF_{15}O_2$	消防士防護服，半導体工業
ベンジジンとベンジジン染料（代謝でベンジジンを生じる）	$C_{12}H_{12}N_2$	顔料，アゾ色の合成原料・職場曝露*2
ベンゼン	C_6H_6	スチレン，フェノール，ゴム，潤滑剤，色素，洗剤，医薬品，殺虫剤などの原料・職場曝露*2
ベンゾ[a]ピレン	$C_{20}H_{12}$	有機物質の不完全燃焼
2, 3, 4, 7, 8-ペンタクロロジベンゾフラン（PCDF・ダイオキシン類），3, 4, 5, 3′, 4′-ペンタクロロビフェニル（PCB-126・ダイオキシン類）	$C_{12}H_3Cl_5O$	電気機器の絶縁油，熱交換器の熱媒体，ノンカーボン紙に用いられた
ペンタクロロフェノール	C_6HCl_5O	日本住血吸虫媒介ミヤイリガイの駆除，除草，シロアリ駆除に用いられた

WHO/国際がん研究機構（IARC）においてヒト発がん物質（要因）(Group 1) とされた化学物質の用途と曝露経路(4)

ヒト発がん物質（要因）とされた化学物質・製造工程など	化学式（組成式）	用途・おもな曝露/摂取経路など
放射性物質・因子：		医療行為・天然曝露・職場曝露
X線とγ線照射行為		
放射性核種（α粒子およびβ粒子を放射）		
放射性ヨード（ヨード131を含む）		
核分裂生成物（ストロンチウム90を含む）		
電離放射線（α線・β線・中性子線・陽子線・X線・γ線）		
トリウム（232）とその崩壊生成物		
プルトニウム（239）		
ラジウム（224, 226, 228）（金属）およびそれらの崩壊生成物		
ラドン（222）（気体）およびその崩壊生成物，ラドン（気体）への曝露を伴う赤鉄鉱採鉱（地下）		
リン-32（リン酸塩として）		
ホルムアルデヒド	$HCHO$	接着剤，塗料，防腐剤，建材・職業性曝露
マジェンタ（色素）製造	$C_{20}H_{20}ClN_3$（1例）	職場曝露*1
マスタードガス	$C_4H_8Cl_2S$	化学兵器
4, 4'-メチレンビス（2-クロロアニリン）（MOCA）	$CH_2(C_6H_3ClNH_2)_2$	ポリウレタン硬化剤・染料など製造職場曝露*2
メトキサレン（8-メトキシプソラレン）と紫外線Aへの曝露	$C_{11}H_6O_3$	乾癬治療
メルファラン	$HOOCCH(NH_2)CH_2C_6H_4N(CH_2CH_2Cl)_2$	抗がん剤
木材粉塵（カシ，ブナなどの堅木）		職場曝露（家具製造など）
MOPP（メクロレタミン・ビンクリスチン・プロカルバジン・プレドニゾロンの略称）およびアルキル化剤などとの併用		抗がん剤
硫酸を含む強無機酸ミスト		化学工業の基礎原料・職場曝露*2
リンデン（γ-BHC）	$C_6H_6Cl_6$	殺虫剤
六価クロム Cr(VI)を含む化合物		土壌および地下水汚染

新たに製造・輸入される化学物質

現代の社会においては，さまざまな産業活動や日常生活の中で数万種にのぼるといわれる多種多様な化学物質が利用され，われわれの生活に利便を提供している．しかし，化学物質の中には，その製造，流通，使用，廃棄の各段階で適切な管理が行われない場合に環境汚染を引き起こし，人の健康や生態系に有害な影響を及ぼすものもある．日本においては，化学物質の審査および製造等の規制に関する法律（化審法）に基づき，新たな工業用化学物質（新規化学物質）の有害性を事前に審査するとともに，化学物質の有害性の程度に応じ，製造・輸入などについて必要な規制などの措置が取られている．

化審法に基づく新規化学物質届出状況

西暦（暦年）	1975	1980	1985	1990	1995	2000	2004	2005	2006	2007	2008	2009	2010
届出件数	82	253	376	272	296	373	305	443	482	603	666	622	580
うち低生産量（10 t 以下）							141	94	236	232	282	293	283
西暦（暦年）	2011	2012	2013	2014	2015	2016	2017	2018	2019	2020	2021	2022	2023
届出件数	684	702	552	624	578	597	517	574	357	431	322	372	281
うち低生産量（10 t 以下）	343	241	240	244	221	273	233	239	133	214	136	158	112

注）2004 年(暦年)は 4～12 月．2011 年までは暦年，2012 年以降は年度．
出典：1975～2000 年：(社)日本化学物質安全・情報センター　情報誌
2001～2023 年：経済産業省製造産業局化学物質安全室

化審法に基づく規制対象物質（2024 年 8 月現在）

第一種特定化学物質*1 (1)

No.	CAS	官報告示名	指定年月日	過去の用途例
1		ポリ塩化ビフェニル	1974 6 10	絶縁油など
2*5	2050-69-3 2198-75-6 1825-31-6 1825-30-5 2050-72-8 2050-73-9 2050-74-0 2050-75-1 2065-70-5 2198-77-8 28699-88-9	ポリ塩化ナフタレン （塩素数が 2 以上のものに限る．）	1979 8 20 （塩素数が 3 以上のもの） 2016 4 1 （塩素数が 2 以上のもの）	機械油など
3	118-74-1	ヘキサクロロベンゼン	1979 8 20	殺虫剤など原料
4	309-00-2	1,2,3,4,10,10-ヘキサクロロ-1,4,4*a*,5,8,8*a*-ヘキサヒドロ-エキソ-1,4-エンド-5,8-ジメタノナフタレン（別名：アルドリン）	1981 10 12	殺虫剤

第一種特定化学物質*1 (2)

No.	CAS	官報告示名	指定年月日	過去の用途例
5	60-57-1	1,2,3,4,10,10-ヘキサクロロ-6,7-エポキシ-1,4,4*a*,5,6,7,8,8*a*-オクタヒドロ-エキソ-1,4-エンド-5,8-ジメタノナフタレン（別名：ディルドリン）	1981 10 12	殺虫剤
6	72-20-8	1,2,3,4,10,10-ヘキサクロロ-6,7-エポキシ-1,4,4*a*,5,6,7,8,8*a*-オクタヒドロ-エンド-1,4-エンド-5,8-ジメタノナフタレン（別名：エンドリン）	1981 10 12	殺虫剤
7	50-29-3	1,1,1-トリクロロ-2,2-ビス（4-クロロフェニル）エタン（別名：DDT）	1981 10 12	殺虫剤
8		1,2,4,5,6,7,8,8-オクタクロロ-2,3,3*a*,4,7,7*a*-ヘキサヒドロ-4,7-メタノ-1*H*-インデン，1,4,5,6,7,8,8-ヘプタクロロ-3*a*,4,7,7*a*-テトラヒドロ-4,7-メタノ-1*H*-インデン及びこれらの類縁化合物の混合物（別名：クロルデン又はヘプタクロル）	1986 9 17	白アリ駆除剤など
9	56-35-9	ビス(トリブチルスズ)＝オキシド	1990 1 6	漁網防汚剤，船底塗料など
10		*N,N'*-ジトリル-パラ-フェニレンジアミン，*N*-トリル-*N'*-キシリル-パラ-フェニレンジアミン又は*N,N'*-ジキシリル-パラ-フェニレンジアミン	2001 1 6	ゴム老化防止剤，スチレンブタジエンゴム
11	732-26-3	2,4,6-トリ-*t*-ブチルフェノール	2001 1 6	酸化防止剤その他の調製添加剤（潤滑油用または燃料油用のものに限る），潤滑油
12	8001-35-2	ポリクロロ-2,2-ジメチル-3-メチリデンビシクロ[2.2.1]ヘプタン（別名：トキサフェン）	2002 9 4	殺虫剤，殺ダニ剤（農業用および畜産用）
13	2385-85-5	ドデカクロロペンタシクロ$[5.3.0.0^{2,6}.0^{3,9}.0^{4,8}]$デカン（別名：マイレックス）	2002 9 4	樹脂，ゴム，塗料，紙，織物，電気製品などの難燃剤，殺虫剤・殺蟻剤
14	10606-46-9 115-32-2	2,2,2-トリクロロ-1-(2-クロロフェニル)-1-(4-クロロフェニル)エタノール又は2,2,2-トリクロロ-1,1-ビス(4-クロロフェニル)エタノール（別名：ケルセン又はジコホル）	2005 4 1	防ダニ剤
15	87-68-3	ヘキサクロロブタ-1,3-ジエン	2005 4 1	溶媒
16	3846-71-7	2-(2*H*-1,2,3-ベンゾトリアゾール-2-イル)-4,6-ジ-*t*-ブチルフェノール	2007 11 10	紫外線吸収剤
17	1763-23-1 2795-39-3*2 4021-47-0*2 29457-72-5*2 29081-56-9*2 70225-14-8*2 56773-42-3*2 251099-16-8*2	ペルフルオロ(オクタン-1-スルホン酸)（別名：PFOS）又はその塩	2010 4 1	撥水撥油剤，界面活性剤
18	307-35-7	ペルフルオロ(オクタン-1-スルホニル)＝フルオリド（別名：PFOSF）	2010 4 1	PFOSの原料
19	608-93-5	ペンタクロロベンゼン	2010 4 1	農薬，副生成物
20	319-84-6	*r*-1,*c*-2,*t*-3,*c*-4,*t*-5,*t*-6-ヘキサクロロシクロヘキサン（別名：α-ヘキサクロロシクロヘキサン）	2010 4 1	No. 22の副生成物
21	319-85-7	*r*-1,*t*-2,*c*-3,*t*-4,*c*-5,*t*-6-ヘキサクロロシクロヘキサン（別名：β-ヘキサクロロシクロヘキサン）	2010 4 1	No. 22の副生成物
22	58-89-9	*r*-1,*c*-2,*t*-3,*c*-4,*c*-5,*t*-6-ヘキサクロロシクロヘキサン（別名：γ-ヘキサクロロシクロヘキサン又はリンデン）	2010 4 1	農薬，殺虫剤

第一種特定化学物質*1 (3)

No.	CAS	官報告示名	指定年月日	過去の用途例
23	143-50-0	デカクロロペンタシクロ[5.3.0.0^{2,6},0^{3,9}.0^{4,8}]デカン-5-オン（別名：クロルデコン）	2010 4 1	農薬，殺虫剤
24	36355-01-8	ヘキサブロモビフェニル	2010 4 1	難燃剤
25	40088-47-9*3	テトラブロモ(フェノキシベンゼン) (別名：テトラブロモジフェニルエーテル)	2010 4 1	難燃剤
26	32534-81-9*3	ペンタブロモ(フェノキシベンゼン) (別名：ペンタブロモジフェニルエーテル)	2010 4 1	難燃剤
27	68631-49-2*4 207122-15-4*4	ヘキサブロモ(フェノキシベンゼン) (別名：ヘキサブロモジフェニルエーテル)	2010 4 1	難燃剤
28	446255-22-7*4 207122-16-5*4	ヘプタブロモ(フェノキシベンゼン) (別名：ヘプタブロモジフェニルエーテル)	2010 4 1	難燃剤
29	115-29-7 959-98-8 33213-65-9	6,7,8,9,10,10-ヘキサクロロ-1,5,5*a*,6,9,9*a*-ヘキサヒドロ-6,9-メタノ-2,4,3-ベンゾジオキサチエピン=3-オキシド (別名：エンドスルファン又はベンゾエピン)	2014 5 1	農業
30	25637-99-4 3194-55-6 4736-49-6 65701-47-5 134237-50-6 134237-51-7 134237-52-8 138257-17-7 138257-18-8 138257-19-9 169102-57-2 678970-15-5 678970-16-6 678970-17-7	ヘキサブロモシクロドデカン	2014 5 1	難燃剤
31	87-86-5 131-52-2 27735-64-4 3772-94-9	ペンタクロロフェノール 又はその塩もしくはエステル	2016 4 1	
32	18993-26-5 36312-81-9 63981-28-2 219697-10-6 219697-11-7 221174-07-8 276673-33-7 601523-20-0 601523-25-5	ポリ塩化直鎖パラフィン (炭素数が10から13までのものであって，塩素の含有量が全重量の48%を超えるものに限る.)	2018 4 1	
33	1163-19-5	1,1′-オキシビス(2,3,4,5,6-ペンタブロモベンゼン)（別名：デカブロモジフェニルエーテル）	2018 4 1	
34	335-67-1 90480-56-1*6 3825-26-1*6 335-95-5*6 2395-00-8*6	ペルフルオロオクタン酸（別名：PFOA） 又はその塩	2021 10 22	フッ素ポリマー加工助剤，界面活性剤など
35	355-46-4 3871-99-6*7 55120-77-9*7 68259-08-5*7 70225-16-0*7 82382-12-5*7 68391-09-3*8 93572-72-6*8 など	ペルフルオロヘキサンスルホン酸（別名：PFHxS）もしくはその異性体又はこれらの塩	2024 2 1	泡消火薬剤，金属メッキ，織物，革製品および室内装飾品，研磨剤および洗浄剤，コーティング，含浸/補強剤，電子機器および半導体の製造など

*1　第一種特定化学物質については，製造または輸入の許可，使用の制限，政令指定製品の輸入制限，物質指定等の際の回収等措置命令等が規定されている.
*2　ペルフルオロオクタンスルホン酸塩の例
*3　商業用ペンタブロモジフェニルエーテルに含まれる代表的な異性体
*4　商業用オクタブロモジフェニルエーテルに含まれる代表的な異性体
*5　CAS 番号が付与されていないものであっても，名称に含まれる化学物質は対象となる.
*6　ペルフルオロオクタン酸塩の例
*7　ペルフルオロ（ヘキサン-1-スルホン酸）（PFHxS）塩の例
*8　ペルフルオロ（アルカンスルホン酸）（構造が分枝であって，炭素数が6のものに限る）塩の例

第二種特定化学物質*9

No.	CAS	官報告示名	指定年月日	過去の用途例
1	79-01-6	トリクロロエチレン	1989　4　1	金属洗浄用溶剤など
2	127-18-4	テトラクロロエチレン	1989　4　1	フロン原料，金属，繊維洗浄用溶剤など
3	56-23-5	四塩化炭素	1989　4　1	フロン原料，反応抽出溶剤など
4	1803-12-9	トリフェニルスズ=*N*,*N*-ジメチルジチオカルバマート	1990　1　6	漁網防汚剤船底塗料など
5	379-52-2	トリフェニルスズ=フルオリド	1990　1　6	漁網防汚剤船底塗料など
6	900-95-8	トリフェニルスズ=アセタート	1990　1　6	漁網防汚剤船底塗料など
7	639-58-7	トリフェニルスズ=クロリド	1990　1　6	漁網防汚剤船底塗料など
8	76-87-9	トリフェニルスズ=ヒドロキシド	1990　1　6	漁網防汚剤船底塗料など
9		トリフェニルスズ脂肪酸塩（脂肪酸の炭素数が，9,10又は11のものに限る.）	1990　1　6	漁網防汚剤船底塗料など
10	7094-94-2	トリフェニルスズ=クロロアセタート	1990　1　6	漁網防汚剤船底塗料など
11	2155-70-6	トリブチルスズ=メタクリラート	1990　9 12	漁網防汚剤船底塗料など
12	6454-35-9	ビス(トリブチルスズ)=フマラート	1990　9 12	漁網防汚剤船底塗料など
13	1983-10-4	トリブチルスズ=フルオリド	1990　9 12	漁網防汚剤船底塗料など
14	31732-71-5	ビス(トリブチルスズ)=2,3-ジブロモスクシナート	1990　9 12	漁網防汚剤船底塗料など
15	56-36-0	トリブチルスズ=アセタート	1990　9 12	漁網防汚剤船底塗料など
16	3090-36-6	トリブチルスズ=ラウラート	1990　9 12	漁網防汚剤船底塗料など
17	4782-29-0	ビス(トリブチルスズ)=フタラート	1990　9 12	漁網防汚剤船底塗料など
18	67772-01-4	アルキル=アクリラート・メチル=メタクリラート・トリブチルスズ=メタクリラート共重合物（アルキル=アクリラートのアルキル基の炭素数が8のものに限る.）	1990　9 12	漁網防汚剤船底塗料など
19	6517-25-5	トリブチルスズ=スルファマート	1990　9 12	漁網防汚剤船底塗料など
20	14275-57-1	ビス(トリブチルスズ)=マレアート	1990　9 12	漁網防汚剤船底塗料など
21	1461-22-9 7342-38-3	トリブチルスズ=クロリド	1990　9 12	漁網防汚剤船底塗料など
22	85409-17-2	トリブチルスズ=シクロペンタンカルボキシラート及びこの類縁化合物の混合物 (別名：トリブチルスズ=ナフテナート)	1990　9 12	漁網防汚剤船底塗料など
23	26239-64-5	トリブチルスズ=1,2,3,4,4*a*,4*b*,5,6,10,10*a*-デカヒドロ-7-イソプロピル-1,4*a*-ジメチル-1-フェナントレンカルボキシラート及びこの類縁化合物の混合物 (別名：トリブチルスズロジン塩)	1990　9 12	漁網防汚剤船底塗料など

*9　第二種特定化学物質については，製造，輸入の予定及び実績数量の国への報告，製造又は輸入予定数量の変更命令，環境汚染を防止するためにとるべき措置に関する技術上の指針の公表，表示の義務付け等，環境中への残留の程度を低減するための措置が規定されている.

その他，監視化学物質として38物質，優先評価化学物質として225物質が指定されており（2024年4月時点），製造・輸入実績数量等の報告義務，保有する有害性情報の報告の努力義務，取扱事業者に対する情報伝達の努力義務等の措置が規定されている.

監視化学物質，優先評価化学物質については，下記URL参照.

監視化学物質：http://www.env.go.jp/content/900410257.pdf

優先評価化学物質：https://www.env.go.jp/content/000221489.pdf

残留性有機汚染物質（POPs）/化学物質環境実態調査

環境中での残留性が高い PCB，DDT，ダイオキシン等の POPs（Persistent Organic Pollutants，残留性有機汚染物質）については，一部の国々の取組のみでは地球環境汚染の防止には不十分であり，国際的に協調して POPs の廃絶，削減などを行う必要から，2001 年 5 月，「残留性有機汚染物質に関するストックホルム条約」（POPs 条約）が採択された．日本は，2002 年 8 月に条約を締結しており，条約は 2004 年 5 月 17 日に発効した．

POPs 条約では，各締約国は，① 意図的な POPs の製造・使用の原則禁止または原則制限，② 非意図的に生成される POPs の排出削減，③ POPs を含む在庫および廃棄物の適正管理および処理，④ 条約の義務を履行するための国内実施計画の策定および実施，⑤ その他（新規 POPs の製造・使用を予防するための措置，POPs に関する調査研究・モニタリング・情報提供・教育等，途上国に対する技術・資金援助の実施）を講ずることとされている．

現在，以下の 34 物質が POPs 条約の対象となっている．

POPs 条約対象物質（2023 年 7 月現在）

物質名	用途
アルドリン	農薬・殺虫剤
ディルドリン	農薬・殺虫剤
エンドリン	農薬・殺虫剤
クロルデン類	農薬・殺虫剤
ヘプタクロル類	農薬・殺虫剤
トキサフェン類	農薬・殺虫剤
マイレックス	農薬・殺虫剤
ヘキサクロロベンゼン（HCB）	農薬・殺虫剤・意図せずに精製される副産物など
ポリ塩化ビフェニル（PCB）類	工業化学品・意図せずに精製される副産物など
クロルデコン	農薬・殺虫剤
ペンタクロロベンゼン（PeCB）	農薬・殺虫剤・意図せずに精製される副産物など
テトラ・ペンタブロモジフェニルエーテル	工業化学品
ヘキサ・ヘプタブロモジフェニルエーテル	工業化学品
ヘキサブロモビフェニル	工業化学品
リンデン（γ-HCH）	農薬・殺虫剤
α-ヘキサクロロシクロヘキサン（α-HCH）	農薬・殺虫剤
β-ヘキサクロロシクロヘキサン（β-HCH）	農薬・殺虫剤
ヘキサブロモシクロドデカン類	工業化学品
エンドスルファン類	農薬・殺虫剤
DDT 類	農薬・殺虫剤
ペルフルオロオクタンスルホン酸（PFOS）及びその塩・ペルフルオロオクタンスルホン酸フルオリド（PFOSF）	撥水撥油材・界面活性剤・工業化学品
ポリ塩化ジベンゾ-パラ-ジオキシン（ダイオキシン，PCDD）	農薬・殺虫剤・意図せずに精製される副産物など
ポリ塩化ジベンゾフラン	農薬・殺虫剤・意図せずに精製される副産物など
ポリ塩化ナフタレン類	防腐剤・意図せずに精製される副産物など
ヘキサクロロブタジエン	溶媒
ペンタクロロフェノール（PCP）とその塩及びエステル	農薬
デカブロモジフェニルエーテル（DecaBDE）	難燃剤
短鎖塩素化パラフィン（SCCP）	金属加工油・難燃剤
ジコホル	殺虫剤
ペルフルオロオクタン酸（PFOA）とその塩及び PFOA 関連物質	フッ素ポリマー加工助剤，界面活性剤など
ペルフルオロヘキサンスルホン酸（PFHxS）とその塩及び PFHxS 関連物質	泡消火薬剤，金属メッキ，織物など
デクロランプラス	難燃剤
メトキシクロル	殺虫剤
UV-328	紫外線吸収剤

また，POPs 条約第 16 条では，条約の有効性の評価のために長期継続的なモニタリングの実施と解析・評価を行うことが規定されている．この対応として，POPs 条約対象物質のうち，別途詳細なモニタリングが行われているダイオキシン類以外の物質について，環境中の残留実態を把握するため，国内における大気，水質，底質，生物などの残留実態調査を実施している．

2022 年度 POPs モニタリング調査結果（1）

調査媒体	水 質 (pg/L)	底 質 (pg/g-dry)	生 物 (pg/g-wet)			大 気 (pg/m³)
			貝 類	魚 類	鳥 類	温暖期
化学物質	範 囲 (検出頻度)	範 囲 (検出頻度)	範 囲 (検出頻度)	範 囲 (検出頻度)	範 囲 (検出頻度)	範 囲 (検出頻度)
総 PCB	nd～3 900 (46/48)	20～340 000 (61/61)	230～10 000 (3/3)	600～150 000 (18/18)	190 000～200 000 (2/2)	18～190 (36/36)
HCB	1.6～70 (48/48)	1.6～4 800 (61/61)	7.6～9.1 (3/3)	16～710 (18/18)	1 800～2 300 (2/2)	71～140 (36/36)
アルドリン	—	—	—	—	—	—
ディルドリン	—	—	—	—	—	—
エンドリン	—	—	—	—	—	—
DDT 類						
p,p'-DDT	—	—	—	—	—	—
p,p'-DDE	—	—	—	—	—	—
p,p'-DDD	—	—	—	—	—	—
o,p'-DDT	—	—	—	—	—	—
o,p'-DDE	—	—	—	—	—	—
o,p'-DDD	—	—	—	—	—	—
クロルデン類						
cis-クロルデン	—	—	—	—	—	—
trans-クロルデン	—	—	—	—	—	—
オキシクロルデン	—	—	—	—	—	—
cis-ノナクロル	—	—	—	—	—	—
trans-ノナクロル	—	—	—	—	—	—
ヘプタクロル類						
ヘプタクロル	—	—	—	—	—	—
cis-ヘプタクロルエポキシド	—	—	—	—	—	—
trans-ヘプタクロルエポキシド	—	—	—	—	—	—
トキサフェン類						
Parlar-26	—	—	—	—	—	—
Parlar-50	—	—	—	—	—	—
Parlar-62	—	—	—	—	—	—
マイレックス	—	—	—	—	—	—
HCH 類						
α-HCH	1.9～430 (48/48)	1.2～2 800 (61/61)	2.5～16 (3/3)	nd～82 (17/18)	35～63 (2/2)	2.9～100 (34/34)
β-HCH	9.5～540 (48/48)	2.2～2 900 (61/61)	10～35 (3/3)	2.2～230 (18/18)	970～1 300 (2/2)	0.23～14 (34/34)
γ-HCH (別名：リンデン)	tr(0.6)～120 (48/48)	tr(0.7)～2 100 (61/61)	tr(1.0)～8.4 (3/3)	nd～24 (17/18)	1.8～6.6 (2/2)	0.63～22 (34/34)
δ-HCH	nd～90 (41/48)	tr(0.6)～2 300 (61/61)	nd～3.0 (2/3)	nd～5.5 (13/18)	1.2～2.1 (2/2)	nd～12 (32/34)
クロルデコン	—	—	—	—	—	—
ヘキサブロモビフェニル類	—	—	—	—	—	—
ポリブロモジフェニルエーテル類(臭素数が 4 から 10 までのもの)						
テトラブロモジフェニルエーテル類	tr(2)～140 (48/48)	nd～1 800 (52/61)	tr(6)～94 (3/3)	tr(6)～230 (18/18)	180～250 (2/2)	nd～1.1 (20/36)
ペンタブロモジフェニルエーテル類	nd～31 (40/48)	nd～850 (45/61)	nd～26 (2/3)	nd～82 (17/18)	200～260 (2/2)	nd～0.31 (13/36)
ヘキサブロモジフェニルエーテル類	nd～10 (5/48)	nd～420 (46/61)	nd～5 (1/3)	nd～96 (17/18)	240～480 (2/2)	nd～0.6 (1/36)

2022 年度 POPs モニタリング調査結果 (2)

調査媒体 化学物質	水 質 (pg/L) 範 囲 (検出頻度)	底 質 (pg/g-dry) 範 囲 (検出頻度)	生 物 (pg/g-wet) 貝 類 範 囲 (検出頻度)	魚 類 範 囲 (検出頻度)	鳥 類 範 囲 (検出頻度)	大 気 (pg/m³) 温暖期 範 囲 (検出頻度)
ヘプタブロモジフェニルエーテル類	nd〜tr(6) (1/48)	nd〜940 (39/61)	nd (0/3)	nd〜tr(8) (4/18)	49〜96 (2/2)	nd〜1.0 (1/36)
オクタブロモジフェニルエーテル類	nd〜26 (17/48)	nd〜1 600 (45/61)	nd〜tr(1) (1/3)	nd〜29 (13/18)	150〜180 (2/2)	nd〜0.4 (12/36)
ノナブロモジフェニルエーテル類	nd〜670 (25/48)	nd〜43 000 (56/61)	nd (0/3)	nd (0/18)	nd〜10 (1/2)	nd〜1.0 (15/36)
デカブロモジフェニルエーテル	tr(7)〜5 600 (48/48)	tr(17)〜410 000 (61/61)	nd〜15 (1/3)	nd〜tr(7) (1/18)	nd〜tr(9) (1/2)	nd〜16 (33/36)
ペルフルオロオクタンスルホン酸(PFOS)	nd〜3 600 (46/48)	tr(5)〜710 (61/61)	9〜160 (3/3)	9〜7 200 (18/18)	5 200〜100 000 (2/2)	1.2〜8.6 (36/36)
ペルフルオロオクタン酸(PFOA)	170〜14 000 (48/48)	tr (5)〜370 (61/61)	tr (5)〜35 (3/3)	nd〜47 (17/18)	470〜2 600 (2/2)	4.1〜26 (36/36)
ペンタクロロベンゼン	0.9〜51 (48/48)	tr(0.5)〜1 300 (61/61)	1.9〜9.8 (3/3)	3.6〜78 (18/18)	260〜330 (2/2)	30〜130 (36/36)
エンドスルファン類						
α-エンドスルファン	—	—	—	—	—	—
β-エンドスルファン	—	—	—	—	—	—
1,2,5,6,9,10-ヘキサブロモシクロドデカン類						
α-1,2,5,6,9,10-ヘキサブロモシクロドデカン	nd (0/48)	nd〜9 600 (41/61)	80〜250 (3/3)	nd〜450 (14/18)	460〜750 (2/2)	nd〜19 (35/36)
β-1,2,5,6,9,10-ヘキサブロモシクロドデカン	nd (0/48)	nd〜4 000 (30/61)	nd (0/3)	nd (0/18)	nd (0/2)	nd〜4.1 (19/36)
γ-1,2,5,6,9,10-ヘキサブロモシクロドデカン	nd (0/48)	nd〜33 000 (41/61)	nd〜tr(30) (2/3)	nd〜tr (30) (8/18)	nd (0/2)	nd〜3.1 (32/36)
δ-1,2,5,6,9,10-ヘキサブロモシクロドデカン	nd (0/48)	nd〜tr (70) (1/61)	nd (0/3)	nd (0/18)	nd (0/2)	—
ε-1,2,5,6,9,10-ヘキサブロモシクロドデカン	nd (0/48)	nd (0/61)	nd (0/3)	nd (0/18)	nd (0/2)	—
総ポリ塩化ナフタレン	—	—	—	—	—	—
ヘキサクロロブタ-1,3-ジエン	nd (0/48)	nd〜370 (4/61)	nd (0/3)	nd〜290 (9/18)	nd (0/2)	1 700〜5 000 (108/108)
ペンタクロロフェノールならびにその塩およびエステル類ペンタクロロフェノール						
ペンタクロロフェノール	—	—	—	—	—	—
ペンタクロロアニソール	—	—	—	—	—	—
短鎖塩素化パラフィン類						
塩素化デカン類	nd〜1 100 (47/48)	nd〜6 500 (48/61)	nd〜tr(300) (1/3)	nd〜tr (400) (6/18)	nd〜tr (200) (1/2)	tr(40)〜490 (36/36)
塩素化ウンデカン類	nd〜2 200 (37/48)	nd〜16 000 (57/61)	nd〜tr (500) (1/3)	nd〜tr (700) (7/18)	nd (0/2)	nd〜2400 (22/36)
塩素化ドデカン類	nd〜2 400 (17/48)	nd〜19 000 (53/61)	nd〜900 (2/3)	nd〜tr(800) (13/18)	nd〜tr (500) (1/2)	nd〜430 (11/36)
塩素化トリデカン類	nd〜3 900 (47/48)	nd〜28 000 (54/61)	nd〜1 000 (2/3)	nd〜tr (700) (7/18)	nd〜900 (1/2)	nd〜tr(190) (3/36)
ジコホル	—	—	—	—	—	—
ペルフルオロヘキサンスルホン酸(PFHxS)	nd〜1 800 (42/48)	nd〜16 (28/61)	nd (0/3)	nd〜20 (10/18)	250〜630 (2/2)	0.79〜7.0 (36/36)

nd：検出下限値(MDL)未満．tr( )：検出下限値以上定量下限値(MQL)未満の値．—：調査対象外．
範囲は検体ベース，検出頻度は地点ベースで示したため，全地点において検出されても範囲がnd〜となる場合がある．
環境省環境保健部環境安全課："令和 4 年度版　化学物質と環境"(2023)．
http://www.env.go.jp/chemi/kurohon/2022/index.html を参照．

世界の自然放射線源による一人あたりの年間被ばく実効線量

被ばく源		年間実効線量(mSv) 平均	年間実効線量(mSv) 典型的範囲
宇宙放射線	荷電粒子(ミュー粒子など)	0.28(0.30)	(海面高度から標高の高い地域までの範囲) 0.3〜1.0
	非荷電粒子(中性子)	0.10(0.08)	
宇宙線生成放射性核種		0.01(0.01)	
	宇宙線と生成放射性核種の合計	0.39	
外部大地放射線	屋　外	0.07(0.07)	(土壌と建材の成分構成に依存する) 0.3〜0.6
	屋　内	0.41(0.39)	
	屋外と屋内の合計	0.48	
吸入被ばく	ウランおよびトリウム系列	0.006(0.01)	(ラドンガスの屋内濃度に依存する) 0.2〜10
	ラドン(^{222}Rn)	1.15(1.2)	
	トロン(^{220}Rn)	0.10(0.07)	
	吸入被ばくの合計	1.26	
摂取被ばく	^{40}K	0.17(0.17)	(食品と飲料水の放射性核種の成分構成に依存する) 0.2〜0.8
	ウランおよびトリウム系列	0.12(0.06)	
	摂取被ばくの合計	0.29	
合　計		2.4	1〜10

原子放射線の影響に関する国連科学委員会の総会に対する 2000 年報告書を(独)放射線医学総合研究所監訳で(株)実業広報社より 2002 年 3 月に出版したものを一部改変．かっこ内の数字は以前の評価結果．

世界の高自然放射線バックグラウンド地域

国　名	地　域	地域の特徴	概略の人口	空気吸収線量率 (nGy/h)*
ブラジル	グァラパリ	モナザイト砂，海岸域	73 000	90〜170(街路) 90〜90 000(浜)
中　国	広東省 陽江市	モナザイト粒子	80 000	370 平均
インド	ケララ チェンナイ	モナザイト砂，海岸域 長さ 200 km，幅 0.5 km	100 000	200〜4 000 1 800 平均
イラン	ラムサール マハラト	泉　水	2 000	70〜17 000 800〜4 000
イタリア	カンパニア州 オルヴィエート町	火山性土壌	5 600 000 21 000	200 平均 560 平均

*　宇宙線と大地放射線を含む．

原子放射線の影響に関する国連科学委員会の総会に対する 2000 年報告書を(独)放射線医学総合研究所が監訳で(株)実業公報社より 2002 年 3 月に出版．

X, γ 線全身 1 回照射による半数致死線量($LD_{50/30}$)* の種差

動物種	おおよその半数致死線量(Gy)	動物種	おおよその半数致死線量(Gy)
メダカ	20〜25	ウサギ	7〜9
ハツカネズミ(マウス)	5〜7	サ　ル	5〜6
ネズミ(ラット)	7〜8	イ　ヌ	2〜3
リ　ス	7	ブ　タ	2〜3
ハムスター	7〜8	ヒツジ	2
テンジクネズミ (モルモット)	3〜5	ロ　バ	2〜3
		ヒ　ト	4〜5(推定値)

*　半数致死線量($LD_{50/30}$)：照射後 30 日以内に 50% の個体が死亡する線量で，この場合の個体死は，主として造血臓器の障害によるので，造血死と呼ばれる．同じ種内でも系統差がある．ヒトの場合は $LD_{50/60}$ で表すが，医療を受ける状況で異なる．

放射線による生物影響の現れ方

どのような生物影響を測定するのかによって，放射線の生物影響の頻度が異なる．a-c，非しきい値直線仮説と呼ばれている．実験的に細菌・哺乳動物の培養細胞・ネズミ個体を用いての放射線誘発突然変異頻度や，放射線誘発染色体異常頻度ではこの非しきい値直線仮説になる．一般にGyレベルの線量の1回（急）照射で調べられている．低線量のところでの生物影響は類推されていることが多い．この非しきい値直線仮説が人体への放射線影響に関して，安全を見越して国際的に使用されることが多い．線量が0のとき，影響の値が0でないのは自然でも影響が現れる頻度を表している．a-b，低線量域(b)では直線関係よりも影響が大きくなるという現象で，被ばくを受けた細胞が近傍の被ばくを受けていない細胞に影響を与えるバイスタンダー効果に起因すると考えられている．哺乳動物の培養細胞を用いた実験で生存率や突然変異誘発頻度が解析されている．ネズミ個体での臓器への影響で見られることがある．d，線量や線量率が低い場合に影響が小さくなる効果を表しており，線量・線量率効果と呼ばれている．放射線を分割して同じ線量を照射したり，低線量率で連続的に照射したりした場合には1回（急）照射で見られる影響よりも低く現れる．生物には放射線による障害を軽減する能力(DNA修復能など）があるのでこのような現象が現れる．e_1-e_2，しきい値あり仮説と呼ばれ，低線量域では生物影響が現れない安全な線量域（e_1，しきい値）があるとされている．ネズミの放射線によるがん誘発実験では，この仮説によるとされている．f-e_2，ホルミシス仮説と呼ばれている．低線量域では自然放射線による生物影響よりも低くなり，むしろ体に良いとされている．ゾウリムシやショウジョウバエでの実験報告がある．ラジウム温泉などもこの例となるとされている．あらかじめの低線量放射線や低線量率放射線を生物に照射した後に，つぎに来る高線量放射線に抵抗性になる現象（放射線適応応答）がネズミ個体や哺乳動物の培養細胞で見られることと，このホルミシスとが混同される場合がある．g，放射線感受性の突然変異株や患者由来の培養細胞で見られる現象である．放射線によるDNA修復能が低下しているので，放射線の生物影響が低線量域でも高く現れる．また，放射線を照射しなくても自然に起こる頻度が高い場合がある（h）．自然の状態でもDNA損傷が起こることによると考えられている．

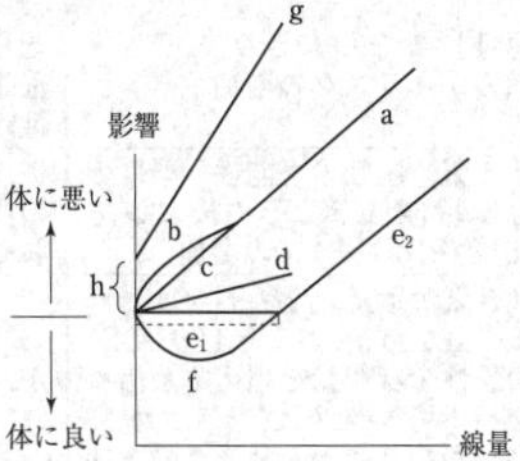

大西武雄 監修：低線量･低線量率放射線による生物影響発現，アイプリコム(2003)；放射線医科学，学会出版センター（2007）；からだと光の事典，朝倉書店（2010）.

人体に対する放射線の等価線量と実効線量の求め方

国際放射線防護委員会の1990年勧告（ICRP Publication 60）の取り入れなどによって改正された「放射性同位元素等による放射線障害の防止に関する法律施行規則」(障防法)は，2001年4月1日から施行された．その後，2019年9月1日「放射性同位元素等の規制に関する法律」(RI法）に改題された．ここでは，職業被ばくおよび公衆被ばくについて，線量限度（管理された行為による個人の等価線量または実効線量の超えてはならない値）が定められている．

放射線の線質の違いにより，同じ吸収線量（単位はJ/kgでGyとも呼ばれる）の放射線でも生体に及ぼす影響の程度に違いが生じることがある．これを考慮して，ある組織（T）に対する等価線量 H_T（単位はJ/kgで，シーベルト(Sv)）は，平均吸収線量 $D_{T,R}$ に放射線加重係数 w_R を掛けて求める．放射線加重係数は，放射線の種類やエネルギーによって1から20までの値をとる．

実効線量 E(単位はJ/kgで,シーベルト(Sv))は,個々の組織・臓器への等価線量 H_T に，組織加重係数 w_T を掛けた値を，あらゆる組織・臓器について積算して求める．組織加重係数は，人体が平均的に放射線に被ばくした場合のすべての組織・臓器の発がんに関する相対的寄与を表すが，生殖腺については遺伝性影響も対象にする．

H_T　：等価線量（Equivalent dose）
$D_{T,R}$：平均吸収線量（Average absorbed dose of radiation type R to tissue T）
w_R　：放射線加重係数（Radiation weighing factor）

$$H_T = \sum_R w_R D_{T,R}$$

E　：実効線量（Effective dose）
w_T　：組織加重係数（Tissue weighting factor）

$$E = \sum_T w_T H_T$$

放射線によって誘発されるヒトの健康影響についての要約

線　量	個人への影響	被ばくした集団に対する結果
極低線量：およそ10 mSv以下（実効線量）	急性影響なし；非常にわずかながんリスクの増加	大きな被ばく集団さえ，がん罹患率の増加は見られない
低線量：100 mSv程度まで（実効線量）	急性影響なし；その後，1%未満のがんリスクの増加	被ばく集団が大きい場合（おそらく約10万人以上)，がん罹患率の増加が見られる可能性がある
中程度の線量：1 000 mSv程度まで（急性全身線量）	吐き気，嘔吐の可能性，軽度の骨髄機能低下；その後およそ10%のがんリスクの増加	被ばくした集団が数百人以上の場合，がん罹患率の増加がおそらく見られる
高線量：約1 000 mSv以上（急性全身線量）	吐き気が確実,骨髄症候群が現れることがある；およそ4 000 mSvの急性全身線量を超えると治療を行わないと死亡リスクが高い，かなりのがんリスクの増加	がん罹患率の増加が見られる

ICRP Publication 96（2005）を（社)日本アイソトープ協会が2011年4月に翻訳出版．

放射線による人体影響

局部被ばく（mGy）		全身被ばく（mSv）		
10 000	皮膚に被ばく/急性潰瘍	7 000〜10 000	100% の人が死亡	
5 000	皮膚に被ばく/紅斑	3 000〜5 000	50% の人が死亡/30 日*	
3 000	皮膚に被ばく/脱毛	1 000	10% の人が悪心，嘔吐/2 時間	
2 500〜6 000	生殖腺に被ばく/永久不妊	500	末梢血中のリンパ球の減少	
500	水晶体に被ばく/白内障			
		5〜30	X 線 CT 検査	組織反応なし
		3	胃部 X 線検査	
		0.06	胸部 X 線検査	

* 医療環境で異なる.

公衆防護のために勧告される回避可能線量

対　　策	回避可能線量(対策が一般的に最適化されるための)
屋内避難	2 日で〜10 mSv(実効線量)
一時避難	1 週間で〜50 mSv(実効線量)
ヨウ素剤予防投与 (放射性ヨウ素が存在するとき)	〜100 mSv(甲状腺に対する等価線量)
移　住	〜1 000 mSv または最初の年に〜100 mSv(実効線量)

ICRP Publication 96（2005）を（社)日本アイソトープ協会が 2011 年 4 月に翻訳出版.

ヒトの全身被ばく後にすぐに現れる症状

症状または影響部位	全身急性被ばく線量（mSv）				
	軽　度 (1 000～2 000)	中等度 (2 000～4 000)	重　度 (4 000～6 000)	極めて重度 (6 000～8 000)	致死的 (>8 000)
嘔　吐 発現時間 発生率(%)	 2 時間以降 10～50	 1～2 時間 70～90	 1 時間以内 100	 30 分以内 100	 10 分以内 100
下　痢 発現時間 発生率(%)	なし — —	なし — —	軽　度 3～8 時間 <10	重　度 1～3 時間 >10	重　度 1 時間以内 ほぼ 100
頭　痛 発現時間 発生率(%)	わずか — —	軽　度 — —	中等度 4～24 時間 50	重　度 3～4 時間 80	重　度 1～2 時間 80～90
意　識 発現時間 発生率(%)	影響なし — —	影響なし — —	影響なし — —	おそらく変化あり — —	意識不明 数秒/数分持続 100(50 Sv 以上)
体　温 発現時間 発生率(%)	正　常 — —	上　昇 1～3 時間 10～80	発　熱 1～2 時間 80～100	高　熱 <1 時間 100	高　熱 <1 時間 100
医学的対応	外来での診察	総合病院での観察, 必要ならば専門病院での治療	専門病院での治療	専門病院での治療	緩和治療 (対症治療のみ)

ICRP Publication 96 (2005) を (社)日本アイソトープ協会が 2011 年 4 月に翻訳出版.

ヒトの全身被ばく後の急性放射線症状の重要段階の所見

症状または影響部位	全身急性被ばく線量（mSv）				
	軽　度 (1 000～2 000)	中等度 (2 000～4 000)	重　度 (4 000～6 000)	極めて重度 (6 000～8 000)	致死的 (>8 000)
発現時期	>30 日	18～28 日	8～18 日	<7 日	<3 日
リンパ球 (10^9/L)	0.8～1.5	0.5～0.8	0.3～0.5	0.1～0.3	<0.1
血小板 (10^9/L)	60～100 10～25%	30～60 25～40%	25～35 40～80%	15～25 60～80%	<20 80～100%*
臨床症状	倦怠感・脱力感	発熱・感染・出血・脱力感・脱毛	高熱・感染・出血・脱毛	高熱・下痢・嘔吐・めまいと見当識障害・低血圧	高熱・下痢・意識障害
死亡率(%) 発現時期	0 —	0～50 6～8 週	20～70 4～8 週	50～100 1～2 週	100 1～2 週
医学的対応	予　防	14～20 日目から特別な予防処置；10～20日目から隔離	7～10日目から特別な予防処置；最初から隔離	初日から特別な処置；最初から隔離	対症療法のみ

＊　非常に重篤な場合（線量 50 000 mSv）では血球減少より先に死亡する.

ICRP Publication 96 (2005) を (社)日本アイソトープ協会が 2011 年 4 月に翻訳出版.

国レベルの物質収支(資源生産性*1，循環利用率*2，最終処分量)

年度	GDP 国内総生産 (兆円)	DMI 天然資源等投入量 (直接物質投入量) (億 t)	GDP/DMI 資源生産性 (万円/t)	循環利用量 (百万 t)	循環利用率 (%)	産業廃棄物 最終処分量 (千 t/年)	一般廃棄物 最終処分量 (千 t/年)	廃棄物 最終処分量 (千 t/年)
1980	287.4	18.9	15.2	170	8.3	68 000	19 715	87 715
1985	355.1	17.4	20.4	155	8.2	91 000	16 048	107 048
1990	453.6	21.8	20.8	175	7.4	89 000	16 809	105 809
1991	464.2	21.4	21.7	171	7.4	91 000	16 379	107 379
1992	467.5	20.4	23.0	177	8.0	89 000	15 296	104 296
1993	465.3	19.9	23.4	170	7.9	84 000	14 959	98 959
1994	447.9	20.2	22.2	180	8.2	80 000	14 142	94 142
1995	462.2	20.1	23.0	193	8.7	69 000	13 602	82 602
1996	475.8	20.2	23.5	196	8.8	68 000	13 093	81 093
1997	475.2	19.7	24.2	192	8.9	67 000	12 008	79 008
1998	470.5	18.2	25.8	188	9.4	58 000	11 350	69 350
1999	473.3	18.3	25.9	195	9.7	50 000	10 869	60 869
2000	485.6	19.2	25.3	213	10.0	45 000	10 510	55 510
2001	482.1	19.4	24.9	207	9.6	42 000	9 949	51 949
2002	486.5	18.7	26.0	211	10.1	40 000	9 030	49 030
2003	495.9	17.6	28.1	222	11.2	30 440	8 452	38 892
2004	504.3	17.1	29.5	226	11.7	25 827	8 093	33 920
2005	515.1	16.5	31.3	228	12.1	24 229	7 341	31 570
2006	521.8	15.9	32.8	228	12.5	21 799	6 809	28 608
2007	527.3	15.6	33.8	243	13.5	20 143	6 349	26 492
2008	508.3	14.9	34.1	245	14.1	16 701	5 531	22 232
2009	495.9	13.1	37.9	229	14.9	13 591	5 072	18 663
2010	512.1	13.6	37.5	246	15.3	14 255	4 837	19 092
2011	514.7	13.3	38.6	238	15.2	12 439	4 821	17 260
2012	517.9	13.6	38.1	244	15.2	13 102	4 648	17 750
2013	532.1	14.1	37.9	269	16.1	11 721	4 538	16 259
2014	530.2	13.9	38.2	261	15.8	10 399	4 302	14 701
2015	539.4	13.6	39.7	251	15.6	10 085	4 165	14 250
2016	543.5	13.2	41.2	240	15.4	9 894	3 980	13 874
2017	553.2	13.5	40.9	237	14.9	9 697	3 859	13 556
2018	554.5	13.1	42.3	238	15.4	9 126	3 840	12 966
2019	550.1	12.6	43.6	235	15.7	9 152	3 798	12 950
2020	528.8	11.5	46.0	216	15.9	9 157	3 638	12 795
2021	543.6	11.9	45.7	235	16.5	9 089	3 424	12 513
2022	551.8					8 825	3 375	12 200

*1　資源生産性＝GDP/天然資源等投入量．GDP の基準年の違いにより，1993 年以前と 1994 年以降の直接の比較はできない．
*2　循環利用率＝循環利用量/(循環利用量＋天然資源等投入量)
GDP は，1980 年度～1993 年度まで連鎖方式（2000 年基準），1994 年度以降は連鎖基準年方式（2015 年基準）である．
DMI，循環利用量(1980～1989 年度)：環境省資料(2003 年 5 月 29 日時点)
DMI，循環利用量(1990～2014 年度)：環境省："環境統計集"（各年版），DMI，循環利用量（2015 年度～）：環境省："環境・循環型社会・生物多様性白書"（各年版）．
産業廃棄物最終処分量：厚生省，環境省："産業廃棄物の排出及び処理状況等について"（各年版）．
一般廃棄物最終処分量：厚生省，環境省："日本の廃棄物処理"（各年版），災害廃棄物は含まない．

各種製品群のリサイクル率 (1)

年	紙・板紙国内消費(千t)	古紙回収率[*1](%)	製紙用繊維原料消費合計(千t)	古紙利用率[*2](%) 紙用	板紙用	合計	ガラスびん 生産量(千t)	カレット使用量[*3](千t)	カレット利用率[*4](%)	カレット使用率[*5](%)
1990	28 227	49.7	28 399	25.2	85.8	51.5	2610		47.9	
1995	30 015	51.6	29 593	26.7	87.7	53.4	2233		61.3	
1996	30 735	51.3	29 943	27.2	87.8	53.6	2210		65.0	
1997	31 161	53.1	30 814	27.1	88.3	54.0	2160		67.4	
1998	29 931	55.3	29 761	29.2	89.0	54.9	1975		73.9	
1999	30 541	55.9	30 394	30.7	89.3	56.1	1906		78.6	
2000	31 758	57.7	31 648	32.1	89.5	57.0	1820	1416	77.8	
2001	31 072	61.5	30 910	33.8	90.3	58.0	1738	1425	82.0	
2002	30 646	65.4	30 752	36.2	91.1	59.6	1689	1408	83.3	
2003	30 930	66.1	30 560	36.5	92.3	60.2	1561	1410	90.3	
2004	31 377	68.5	30 957	37.1	92.4	60.4	1554	1409	90.7	
2005	31 382	71.1	31 057	37.4	92.6	60.3	1501	1370	91.3	
2006	31 541	72.4	31 225	38.1	92.7	60.6	1472	1383	94.5	71.4
2007	31 304	74.5	31 651	40.1	92.4	61.4	1433	1368	95.6	72.7
2008	30 303	75.1	30 954	40.5	92.8	61.9	1387	1343	96.7	74.2
2009	27 194	79.7	26 797	42.1	92.7	63.1	1330	1297		74.2
2010	27 752	78.2	27 850	40.5	92.8	62.5	1337	1295		73.4
2011	27 663	77.9	27 106	39.6	92.8	63.0	1342	1284		73.3
2012	27 230	79.9	26 501	41.1	93.0	63.7	1281	1285		75.9
2013	27 203	80.4	26 661	40.9	93.3	63.9	1287	1274		74.8
2014	26 917	80.8	26 918	40.3	93.2	63.9	1257	1230		74.4
2015	26 314	81.3	26 589	40.2	93.5	64.3	1246	1228		75.9
2016	26 132	81.3	26 712	39.2	93.8	64.2	1237	1211		75.4
2017	26 023	80.9	26 859	37.9	93.8	64.1	1195	1189		75.1
2018	25 332	81.6	26 512	37.3	93.4	64.3	1156	1160		74.7
2019	24 900	79.5	25 823	36.6	93.5	64.3	1075	1103		75.3
2020	22 224	84.9	23 517	37.4	94.2	67.2	961	1051		77.9
2021	22 752	81.1	24 456	34.7	93.8	66.0	1000	1025		75.2
2022	22 502	79.5	24 200	34.1	93.7	66.3	1018	1015		74.3
2023	21 124	81.6	22 473	35.0	93.6	66.8	980	981		74.1

＊1　古紙回収率＝古紙回収量÷紙・板紙国内消費
＊2　古紙利用率＝国内古紙消費÷製紙用繊維原料消費合計
古紙再生促進センター（2024 年 6 月 30 日現在）
＊3　“カレット”とはびんなどを細かく砕いたもの
＊4　カレット利用率＝カレット使用量÷ガラスびん生産量
＊5　カレット使用率＝カレット使用量÷総溶解量
総溶解量とは，ガラスびん生産のために溶解されたガラスびん原料（バージン原料＋カレット）の総量
ガラスびん３R 促進協議会（2024 年 6 月 30 日現在）

各種製品群のリサイクル率 (2)

年	スチール缶		アルミ缶				PET ボトル					
	消費重量(生産重量)(千t)	リサイクル率*6 (%)	消費重量(暦年) 缶数(億缶)	消費重量(暦年) 重量(千t)	リサイクル率*7 (%)	CAN TO CAN率*8	生産量/販売量*9 (千t)	国内再資源化量*10 (千t)	海外再資源化量*10 (千t)	市町村回収率*11 (%)	回収率*12 (%)	リサイクル率*13 (%)
1990	1459	44.8	91.5	161	42.6							
1995	1421	73.8	159.2	265	65.7	45.6	142.1			1.8		
1996	1422	77.3	163.9	271	70.2	71.2	172.9			2.9		
1997	1351	79.6	165.6	275	72.6	73.3	218.8			9.8		
1998	1285	82.5	166.5	271	74.4	79.0	281.9			16.9		
1999	1269	82.9	169.6	276	78.5	75.8	332.2			22.8		
2000	1215	84.2	167.5	266	80.6	74.5	361.9			34.5		
2001	1055	85.2	174.4	283	82.8	67.8	402.7			40.1	44.0	
2002	949	86.1	177.8	292	83.1	70.3	412.6			45.6	53.4	
2003	911	87.5	177.4	297	81.8	63.7	436.6			48.5	61.0	
2004	908	87.1	185.2	303	86.1	61.7	513.7			46.4	62.3	
2005	868	88.7	184.3	302	91.7	57.3	529.8			47.6	61.7	
2006	832	88.1	183.6	299	90.9	62.1	543.8	234	175	49.3	66.3	75.1
2007	834	85.1	185.2	301	92.7	62.7	572.2	235	229	49.5	69.3	81.2
2008	772	88.5	184.3	299	87.3	66.8	573.1	233	238	49.5	77.7	82.2
2009	699	89.1	182.4	293	93.4	62.5	564.7	245	263	50.9	77.4	89.9
2010	684	89.4	185.6	296	92.6	68.3	596.1	242	256	49.8	72.2	83.5
2011	682	90.4	188.1	298	92.5	64.5	604.0	265	253		79.6	85.8
2012	664	90.8	191.2	301	94.7	66.7	582.9	254	241		90.5	85.0
2013	611	92.9	194.0	304	83.8	68.4	578.7	258	239		91.3	85.8
2014	571	92.0	201.6	313	87.4	63.4	569.3	271	199		93.5	82.6
2015	486	92.9	222.0	332	90.1	74.7	563.0	261	227		91.1	86.7
2016	463	93.9	223.8	341	92.4	62.8	596.1	279	222		88.8	84.0
2017	451	93.4	219.3	336	92.5	67.3	587.4	298	201		92.2	84.9
2018	433	93.2	216.6	331	93.6	71.4	625.5	334	195		91.5	84.6
2019	427	93.3	217.3	330	97.9	66.9	593.4	328	182		93.1	85.9
2020	393	94.0	217.9	331	94.0	71.0	551.2	345	144		97.0	88.8
2021	390	93.1	217.8	331	96.6	67.0	580.9	377	122		94.1	86.0
2022	363	92.7	215.3	327	93.9	70.9	582.8	414	92		94.4	86.9
2023			209.7	315	97.5	73.8						

＊6　(1998 年以前) リサイクル率＝スチール缶屑使用重量÷スチール缶生産重量
(1999 年以降) リサイクル率＝スチール缶再資源化重量÷スチール缶消費重量
スチール缶リサイクル協会 (2024 年 6 月 30 日現在)

＊7　(2014 年度以前) リサイクル率＝再生利用量(国内分)÷消費重量
(2015 年度以降) リサイクル率＝再生利用量(国内分＋輸出分)÷消費重量
2013 年度のリサイクル率が急減した要因として，アルミくず輸出数量の急増が考えられている.

＊8　CAN TO CAN 率＝缶材向け重量÷再生利用重量(国内分)
アルミ缶リサイクル協会 (2024 年 6 月 30 日現在)

＊9　キャップ・ラベルを含まない PET ボトル本体のみの重量
(2004 年以前) 指定 PET ボトル (清涼飲料・しょうゆ・種類) 生産量．その他 PET ボトル (洗剤・シャンプー・食用油・調味料・化粧品・医薬品・その他) は含まない.
(2005 年以降) 指定 PET ボトル販売量

＊10　キャップ・ラベルを含まない再生材料としての量

＊11　キャップ・ラベルを含む重量を分子として算出
(2004 年以前) 市町村回収率＝市町村分別収集量÷指定 PET ボトル生産量
(2005 年以降) 市町村回収率＝市町村分別収集量÷指定 PET ボトル販売量

＊12　キャップ・ラベルを含む重量を分子として算出．事業系回収量を含む回収率.
(2004 年以前) 事業系回収量にボトル製造時の成型ロスを含む．分母は，指定 PET ボトル生産量.
(2005 年以降) 事業系回収量にボトル製造時の成型ロスを除いた「使用済み指定 PET ボトルの事業系回収量」としている．分母は，指定 PET ボトル販売量.

＊13　リサイクル率＝(国内再資源化量＋海外再資源化量) / 指定ボトル販売量
PET ボトルリサイクル推進協議会 (2024 年 6 月 30 日現在)

一般廃棄物の発生量

年度	ごみ総排出量・発生量(千 t)							1人1日あたりのごみ排出量(g/人・日)	焼却処理量(千 t)	資源化量(千 t)	最終処分量(千 t)
	集団回収量	自家処理量	市町村等による収集量	事業者等による搬入量	生活系	事業系	総排出量				
1975		3 987	27 916	10 262			42 165	1 033	19 939		21 017
1980		2 425	32 015	9 496			43 935	1 025	25 090		19 715
1985	564	1 919	35 383	6 147			43 449	982	29 335	1 619	16 048
1990	986	1 171	42 495	6 776			50 443	1 119	36 676	2 669	16 809
1995	2 318	788	44 100	5 806			50 694	1 105	39 495	5 100	13 602
2000	2 765	293	46 695	5 373	36 844	17 990	52 362	1 132	42 149	7 860	10 514
2001	2 837	253	46 528	5 316	37 381	17 300	52 097	1 124	42 280	8 246	9 949
2002	2 807	218	46 202	5 190	37 118	17 081	51 610	1 111	42 016	8 638	9 030
2003	2 829	165	46 044	5 398	37 321	16 950	51 607	1 106	42 012	9 157	8 452
2004	2 919	130	45 114	5 343	36 838	16 538	50 587	1 086	40 986	9 400	8 093
2005	2 996	92	44 633	5 090	36 471	16 249	52 720	1 131	40 283	10 026	7 328
2006	3 058	74	44 155	4 810	36 220	15 804	52 024	1 115	39 914	10 204	6 809
2007	3 049	56	42 629	5 138	35 724	15 092	50 816	1 089	38 737	10 305	6 349
2008	2 926	45	40 946	4 234	34 104	14 003	48 106	1 033	37 233	9 776	5 531
2009	2 792	31	39 616	3 845	32 974	13 278	46 252	994	35 989	9 502	5 072
2010	2 729	28	38 827	3 803	32 385	12 974	45 359	976	35 254	9 446	4 837
2011	2 682	37	39 025	3 724	32 385	13 045	45 430	976	35 419	9 375	4 821
2012	2 646	21	38 890	3 697	32 137	13 097	45 234	964	35 407	9 263	4 648
2013	2 583	19	38 546	3 745	31 757	13 117	44 874	958	35 146	9 268	4 538
2014	2 503	36	38 095	3 718	31 242	13 075	44 317	947	34 859	9 129	4 302
2015	2 394	22	37 867	3 720	30 935	13 046	43 981	939	34 813	9 001	4 165
2016	2 270	28	37 245	3 654	30 182	12 988	43 170	925	34 293	8 792	3 980
2017	2 172	13	37 092	3 630	29 880	13 014	42 894	920	34 181	8 683	3 859
2018	2 056	25	36 929	3 743	29 684	13 043	42 727	919	34 052	8 530	3 835
2019	1 909	8	37 020	3 808	29 714	13 022	42 737	918	34 428	8 398	3 798
2020	1 643	8	36 160	3 866	30 016	11 653	41 699	901	33 467	8 326	3 638
2021	1 593	6	35 658	3 702	29 246	11 706	40 952	890	32 999	8 157	3 424
2022	1 515	6	35 164	3 665	28 409	11 935	40 344	880	32 579	7 906	3 375

「生活系」ごみ排出量には集団回収量を含む.
「1人1日あたりのごみ排出量」= 総排出量 ÷ 総人口 ÷ 365（または366）
2004年以前の「ごみ総排出量」には「自家処理量」を含み,「集団回収量」は含まない.
2005年以降の「ごみ総排出量」には「自家処理量」を含まず,「集団回収量」は含む. 従来の定義でのごみ総排出量は, 2005年度49 828千t.
2010年度データは, 南三陸町（宮城県）を除く市区町村の集計値である.
2011年度以降のデータは, 注記がない限り災害廃棄物処理に係るものを除く値である. 2010年度以前については, 災害廃棄物処理に係るものを含む.
2012年度以降のデータは, 総人口に外国人人口を含む.
厚生省・環境省："日本の廃棄物処理"（各年版）.
環境省（以前は厚生省）による「一般廃棄物処理事業実態調査」を基にしている.

産業廃棄物の発生量

(単位：千 t)

年度＼種類	燃え殻	汚泥	廃油	廃酸	廃アルカリ	廃プラスチック類	紙くず	木くず	繊維くず	動植物性残渣	動物系固形不要物	ゴムくず	金属くず	ガラスくず，コンクリートくず及び陶磁器くず	鉱さい	がれき類（建設廃材）	動物のふん尿	動物の死体	ばいじん	その他	合計
1980	1 797	88 190	2 419	10 219	6 090	2 232	1 624	6 628	101	4 323		92	13 111	2 297	60 567	30 007	49 629	62	11 731	1 199	292 000
1985	2 409	112 821	3 672	4 320	923	2 816	1 472	8 058	98	2 207		78	8 877	3 910	41 649	48 948	62 462	96	6 224	1 230	312 000
1990	2 678	171 450	3 471	2 674	1 547	4 334	1 193	6 573	99	3 543		94	8 533	5 295	42 507	54 798	77 208	28	7 491	1 228	395 000
1995	3 258	185 508	3 173	4 441	2 020	6 253	1 897	7 161	84	3 961		87	6 482	6 067	24 242	58 460	72 996	145	7 578		394 000
2000	1 892	189 181	3 248	2 938	1 563	5 790	2 156	5 511	76	4 052		44	8 096	4 797	16 448	58 829	90 489	163	10 765		406 000
2005	1 857	187 688	3 471	2 477	2 079	6 052	1 748	5 951	93	3 117	97	55	10 947	4 555	26 186	60 562	87 204	196	17 342		422 000
2009	1 821	173 629	3 048	2 542	1 867	5 665	1 265	6 294	69	2 888	113	27	7 830	5 411	14 109	58 921	88 162	161	15 923		390 000
2010	1 835	169 885	3 251	2 483	2 563	6 185	1 153	6 121	79	2 902	126	32	7 246	6 031	16 006	58 264	84 847	156	16 823		386 000
2011	1 836	166 132	3 118	2 752	1 889	5 710	1 118	6 233	79	2 754	84	32	7 242	6 361	15 493	59 839	84 459	172	15 903		381 000
2012	1 869	164 638	3 212	2 595	1 778	5 691	1 020	6 229	68	2 572	70	34	7 267	6 083	16 398	58 887	85 434	153	15 138		379 000
2013	1 833	164 169	2 912	2 778	2 243	6 120	896	6 991	89	2 603	97	26	7 815	6 468	16 761	63 233	82 626	125	16 911		385 000
2014	2 046	168 821	3 044	3 191	2 306	6 509	985	7 487	103	2 706	83	28	9 284	8 267	14 563	64 394	81 416	126	17 479		393 000
2015	1 912	169 318	2 953	2 826	2 677	6 823	938	7 248	90	2 557	92	23	8 647	7 348	15 161	64 212	80 512	112	17 736		391 000
2016	1 967	167 316	3 049	2 740	2 348	6 836	988	7 098	120	2 604	81	36	8 221	8 002	14 089	63 587	80 465	114	17 373		387 000
2017	1 876	170 695	2 869	2 609	2 392	6 456	935	7 413	88	2 429	59	16	8 008	8 109	15 011	59 773	77 894	124	16 788		384 000
2018	2 456	167 378	3 081	2 752	2 262	7 064	1 094	7 532	72	2 407	66	16	7 435	8 856	13 660	56 278	80 509	123	15 791		379 000
2019	2 199	170 841	3 120	2 989	2 778	7 537	906	7 955	79	2 332	70	17	6 796	8 417	13 807	58 930	80 788	164	16 232		386 000
2020	2 059	163 648	2 906	2 971	2 435	6 938	856	7 790	88	2 377	102	18	6 150	7 832	10 778	59 713	81 855	166	15 136		374 000
2021	2 185	159 818	2 936	3 103	2 521	7 351	791	7 740	93	2 316	75	15	6 895	8 041	11 303	62 499	81 271	168	16 798		376 000

厚生省・環境省："産業廃棄物の排出及び処理状況等について"（各年版）.

産業廃棄物の再生利用量，中間処理減量，最終処分量

(単位：百万 t)

年度	再生利用量	減量化量	最終処分量	総排出量	年度	再生利用量	減量化量	最終処分量	総排出量	年度	再生利用量	減量化量	最終処分量	総排出量
1980	124	100	68	292	2006	215	182	22	418	2014	210	173	10	393
1985	129	92	91	312	2007	219	180	20	419	2015	208	174	10	391
1990	151	155	89	395	2008	217	170	17	404	2016	204	173	10	387
1995	147	178	69	394	2009	207	169	14	390	2017	200	174	10	384
1996	150	187	68	405	2010	205	167	14	386	2018	199	171	9	379
1996*	181	185	60	426	2011	200	169	12	381	2019	204	173	9	386
2000	184	177	45	406	2012	208	158	13	379	2020	199	166	9	374
2005	219	179	24	422	2013	205	168	12	385	2021	204	163	9	376

＊ ダイオキシン対策基本方針（ダイオキシン対策関係閣僚会議決定）に基づき，政府が 2010 年度を目標年度として設定した"廃棄物の減量化の目標量"（1999 年 9 月 28 日政府決定）における 1996 年度の排出量を示す．1997 年度以降の排出量は＊と同様の算出条件を用いている．

厚生省・環境省："産業廃棄物の排出及び処理状況等について"（各年版）.

コミュニケーションから言葉へ：言葉の歌起源説

コミュニケーションの生物学的な定義は「発信者が発した信号により受信者の行動が変化し，そのことによって送り手に長期的な利益があるような，動物どうしの相互作用」というものである（図1）．多くの動物はこの定義に合致したコミュニケーションをしているが，しかしそれは言葉を持っていることと同義ではない．言葉とコミュニケーションは，意志疎通という機能を持つ点では共通しているが，それぞれ独自の性質も持っているからだ（図2）．

動物のコミュニケーションは，危険や餌のありか，移動のタイミングなどを伝える．これらはみな，「いま・ここ」すなわち現時点・現地点に限定された情報である．これらの情報は，鳴き声やしぐさ，においなどによって伝達される．信号はおおむね生得的なものであり学習する必要はなく，多くても10数種類である．また，個別の信号を組み合わせて新たな意味をつくることはごくまれである．このような特徴により，動物は嘘をつくことをしない．

一方，ヒトの言葉は，過去のことも記述するし，未来のことにも言及する．さらに，想像上のこと，現実に反することも伝達する．「いま・ここ」から自由な信号である．ヒトの言葉は社会的環境から学ばれ，数千種類に及ぶ膨大な語彙を持ち，語彙の組み合わせにより新たな意味を創出できる．これにより，ヒトは言葉によって嘘をつくこともできる．ヒトは言葉によって思考し，計算し，自己の行動と感情を記述し，社会的な駆け引きをする．言葉は文字として書き記されることで累積的になり，空間を超え，時間を超えるようになった．なぜ，ヒトの言葉はコミュニケーション以外の機能を持つようになったのか．これを考えるには，言葉の起源を考える必要がある．これは歴史の問題でもあり，生物学的な正解を出すことはできない．多くの仮説のう

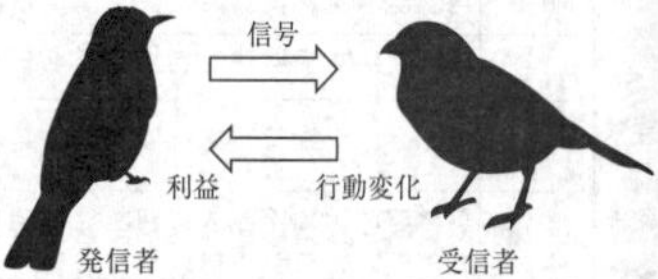

図1　コミュニケーション

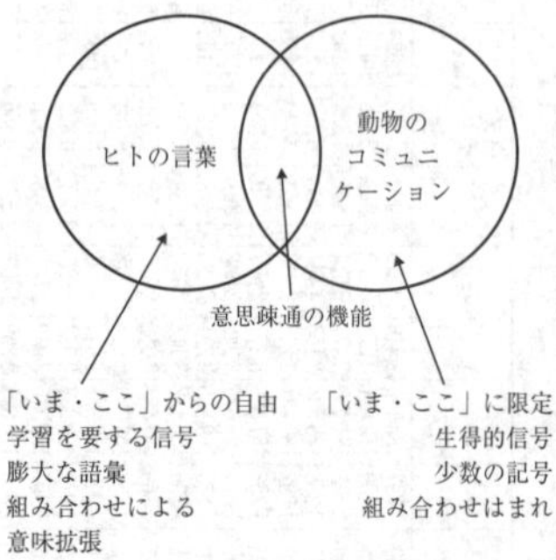

図2　言葉とコミュニケーション

ち，確からしさの高そうな仮説を選んでゆくしかない．ここでは「言葉の歌起源」仮説を紹介する．

言葉は学習される語彙とその組み合わせで可能になる．コミュニケーションの要素とその組み合わせを後天的に学習するようになったことが，言語の起源に関わるといえよう．ヒト以外の動物で発声信号を後天的に獲得する動物は限られている．鳥類，鯨類の多くは求愛の音声を同種の仲間から学ぶ．求愛の音声は，複数の要素がある程度規則的に配列されることから「歌」と呼ばれる．歌を学びうたうことは，その歌い手が順調な発達を遂げた生存力の強い個体であることを示す．このことで，異性は歌を手掛かりに繁殖の相手を選ぶ．しかし歌はあくまで生存力の指標であり，歌の個々の要素に特定の意味があるわけではない．

学習を要する歌が，求愛以外の場面で広く使われるようになり，歌の一部が特定の意味を担うようになると，歌から言葉へと歩み出すことになる．このような変化は，約400万年前，ヒトの祖先種とチンパンジーの祖先種が分岐して以降，生じたものであると考えられる．なぜなら，現生するチンパンジーは発声信号を学習しないからだ．ヒトの祖先種がどのような淘汰圧で発声学習をするようになったのか，定説はない．1つの仮説として，ヒトの祖先種が直立歩行により早産となり，体毛を失ったことによって，乳児が親との接触を維持するための効果的な手段が発声行動となったからではないか，と考える研究者もいる．実際，他の霊長類に比べて，ヒト乳児の「泣き声」は多様で大音量である．同様に，歌を学ぶ種類の鳥ではヒナが大音量で餌ねだりの声を出す．ヒトと鳥では，大脳皮質運動野から延髄呼吸発声中枢に直接連絡がある．これが発声学習に不可欠であるという仮説がある．また，ヒトと鳥では，種固有の音声に応答し，発声・発話時にも活動する「ミラーニューロン」がある．これらの脳構造や神経細胞は，他の霊長類では見つかっていない．発声学習に必要な神経機構であると考えられる．

発声学習を可能にしたヒトの祖先種は，歌を求愛だけではなく多様な社会的機能に役立てていったのであろう．歌と社会的な文脈が対応関係を持つようになり，歌の一部が特定の意味を担うようになり，歌の一部を組み替えることでより複雑な歌をうたえるようになれば，その機能を利用して言葉のような信号に至ると考えることができる．

ヒトは歌を求愛以外の社会的場面で使い，かつ発声学習の機能を得たことで，言葉を持つようになった．ヒトは言葉で文明をつくったが，言葉はまた，核や人工知能など，地球それ自体を破壊しかねないような技術をつくった．今後の人類の生存は，言葉をどう使ってゆくかにかかっているだろう．　【岡ノ谷一夫】

附　録

ノーベル賞受賞者・受賞理由

明らかな誤り以外は，全般的にノーベル財団公式サイト(http://nobelprize.org/)の記述に従った．

原則として年度，名前，国籍，受賞理由の順．

年度：賞の年度順に並べた．実際の決定が翌年の場合は，名前のあとにその旨を記した．

名前：姓以外はイニシャル．読み方は原則として受賞時のものを採用．

国：受賞時の国籍．

受賞理由：「発明」「発見」が明記されている場合にはそれを優先．多少変更した場合もある．

物理学賞

年度	名　前(国)	受　賞　理　由
1901	W.C.レントゲン(独)	レントゲン線（X線）の発見
1902	H.A.ローレンツ(蘭)，P.ゼーマン(蘭)	磁場が放射現象に与える影響の研究
1903	A.H.ベックレル(仏)	放射能の発見
	P.キュリー(仏)，M.S.キュリー(ポーランド，仏)	放射現象の研究
1904	レイリー卿(J.W.ストラット)(英)	気体の密度の研究，アルゴンの発見
1905	P.E.A.レーナルト(独)	陰極線の研究
1906	J.J.トムソン(英)	気体の電気伝導の理論的および実験的研究
1907	A.A.マイケルソン(米)	精密干渉計の考案，それを用いた分光学，メートル原器の研究
1908	G.リップマン(仏)	干渉現象を用いた天然色写真法
1909	G.マルコーニ(伊)，C.F.ブラウン(独)	無線電信の開発への貢献
1910	J.D.ファン・デル・ワールス(蘭)	気体・液体の状態方程式
1911	W.ヴィーン(独)	熱輻射に関する法則の発見
1912	N.G.ダレーン(スウェーデン)	灯台照明用ガスアキュミュレーターの自動調節器の発明
1913	H.カマリング・オネス(蘭)	液体ヘリウムの製造に至る低温物性の研究
1914	M.v.ラウエ(独)	結晶によるX線回折の発見
1915	W.H.ブラッグ(英)，W.L.ブラッグ(英)	X線を用いた結晶構造の解析
1916	受賞者なし	
1917	C.G.バークラ(英)〔翌年決定〕	諸元素に特異的なX線放射の発見
1918	M.K.E.L.プランク(独)〔翌年決定〕	エネルギー量子の発見
1919	J.シュタルク(独)	陽極線のドップラー効果とシュタルク効果の発見
1920	C.E.ギヨーム(スイス)	インヴァール合金の発見による精密測定への貢献
1921	A.アインシュタイン(スイス，独)〔翌年決定〕	理論物理学への貢献，特に光電効果の法則の発見

年度	名 前(国)	受 賞 理 由
1922	N.H.D.ボーア(デンマーク)	原子構造と原子からの輻射に関する研究
1923	R.A.ミリカン(米)	素電荷と光電効果に関する研究
1924	K.M.G.シーグバーン(スウェーデン)〔翌年決定〕	X線分光学の研究
1925	J.フランク(独)〔翌年決定〕, G.L.ヘルツ(独)〔翌年決定〕	原子への電子衝突を支配する諸法則の発見
1926	J.B.ペラン(仏)	物質の不連続的構造の研究，特に沈殿平衡の発見
1927	A.H.コンプトン(米)	コンプトン効果の発見
	C.T.R.ウィルソン(英)	霧箱による荷電粒子の軌跡の観測
1928	O.W.リチャードソン(英)〔翌年決定〕	熱電子現象の研究，特にリチャードソン効果の発見
1929	L.-V.P.R.ド・ブロイ(仏)	電子の波的性質の発見
1930	C.V.ラマン(印)	光の散乱の研究，ラマン効果の発見
1931	受賞者なし	
1932	W.K.ハイゼンベルク(独)〔翌年決定〕	量子力学の創始，特にオルト，パラ水素の発見
1933	E.シュレーディンガー(オーストリア), P.A.M.ディラック(英)	新しい形式の原子理論の発見
1934	受賞者なし	
1935	J.チャドウィック(英)	中性子の発見
1936	V.F.ヘス(オーストリア)	宇宙線の発見
	C.D.アンダーソン(米)	陽電子の発見
1937	C.J.デーヴィソン(米), G.P.トムソン(英)	結晶による電子の回折の発見
1938	E.フェルミ(伊)	中性子照射によってつくられる新しい放射性元素の発見，遅い中性子による核反応の発見
1939	E.O.ローレンス(米)	サイクロトロンの発明と改良，人工放射性元素の研究
1940	受賞者なし	
1941	受賞者なし	
1942	受賞者なし	
1943	O.スターン(米)〔翌年決定〕	分子線による実験方法の開発，陽子の磁気モーメントの発見
1944	I.I.ラビ(米)	原子核の磁気的性質を記録する共鳴法
1945	W.パウリ(オーストリア)	パウリの禁則（排他原理）の発見
1946	P.W.ブリッジマン(米)	超高圧装置の発明と高圧物理学における諸発見
1947	E.V.アップルトン(英)	上層大気の研究，特にアップルトン層の発見
1948	P.M.S.ブラケット(英)	ウィルソン霧箱の開発，核物理学・宇宙線物理学における発見
1949	湯川秀樹(日)	核力の理論研究に基づく中間子の存在の予言
1950	C.F.パウエル(英)	写真による核反応の研究方法の開発，中間子の発見
1951	J.D.コッククロフト(英), E.T.S.ウォルトン(アイルランド)	加速粒子による原子核変換に関する先駆的研究
1952	F.ブロッホ(米), E.M.パーセル(米)	核磁気共鳴法の開発とそれによる諸発見
1953	F.ゼルニケ(蘭)	位相差顕微鏡の発明
1954	M.ボルン(英)	量子力学の基礎研究，特に波動関数の統計的解釈
	W.ボーテ(西独)	コインシデンス法とそれによる諸発見

年度	名　前(国)	受　賞　理　由
1955	W.E.ラム(米)	水素スペクトルの微細構造に関する発見
	P.クッシュ(米)	電子の磁気モーメントの精密測定
1956	W.B.ショックリー(米)，J.バーディーン(米)，W.H.ブラッテン(米)	半導体の研究，トランジスター効果の発見
1957	C.N.ヤン(楊振寧)(中)，T.D.リー(李政道)(中)	パリティに関する法則の研究
1958	P.A.チェレンコフ(ソ)，I.M.フランク(ソ)，I.E.タム(ソ)	チェレンコフ効果の発見と解釈
1959	E.G.セグレ(米)，O.チェンバレン(米)	反陽子の発見
1960	D.A.グレーザー(米)	泡箱の発明
1961	R.ホフスタッター(米)	原子核による電子の散乱の研究，核子の構造に関する発見
	R.L.メスバウアー(西独)	γ線の共鳴吸収に関する研究，メスバウアー効果の発見
1962	L.D.ランダウ(ソ)	凝縮物質，特に液体ヘリウムに関する理論研究
1963	E.P.ウィグナー(米)	原子核・素粒子理論への貢献，対称性の原理の発見と応用
	M.ゲッパート-メイヤー(米)，J.H.D.イェンゼン(西独)	原子核の殻構造の発見
1964	C.H.タウンズ(米)，N.G.バソフ(ソ)，A.M.プロホロフ(ソ)	量子エレクトロニクスの基礎研究，メーザー・レーザーの発明
1965	朝永振一郎(日)，J.シュウィンガー(米)，R.P.ファインマン(米)	量子電気力学の基礎研究
1966	A.カスレ(仏)	原子のヘルツ波共鳴の光学的研究法の発見と開発
1967	H.A.ベーテ(米)	核反応の理論，特に天体におけるエネルギー発生に関する発見
1968	L.W.アルバレ(米)	素粒子物理学への貢献，特に水素泡箱を用いた共鳴状態の発見
1969	M.ゲル-マン(米)	素粒子の分類と相互作用に関する発見
1970	H.O.G.アルヴェーン(スウェーデン)	電磁流体力学の基礎研究，プラズマ物理学への応用
	L.E.F.ネール(仏)	反強磁性とフェリ磁性の基礎研究
1971	D.ガボール(英)	ホログラフィー法の発明と開発
1972	J.バーディーン(米)，L.N.クーパー(米)，J.R.シュリーファー(米)	超伝導に関するBCS理論
1973	江崎玲於奈(日)	半導体におけるトンネル効果の発見
	I.ギエーヴァー(米)	超伝導体におけるトンネル効果の発見
	B.D.ジョセフソン(英)	ジョセフソン効果の理論的予言
1974	M.ライル(英)	アパーチュア・シンセシスの発明
	A.ヒューイッシュ(英)	パルサーの発見
1975	A.N.ボーア(デンマーク)，B.R.モッテルソン(デンマーク)，L.J.レインウォーター(米)	原子核の集団運動模型の発見と原子核構造理論の発展
1976	B.リクター(米)，S.C.C.ティン(丁肇中)(米)	新種の重い素粒子（J/ψ粒子）の発見
1977	P.W.アンダーソン(米)，N.F.モット(英)，J.H.ヴァン・ヴレック(米)	磁性体と無秩序系の電子構造に関する理論研究
1978	P.L.カピッツァ(ソ)	低温物理学における発明と発見
	A.A.ペンジアス(米)，R.W.ウィルソン(米)	宇宙空間のマイクロ波背景放射の発見

年度	名　前(国)	受　賞　理　由
1979	S.L.グラショー(米)，A.サラム(パキスタン)，S.ワインバーグ(米)	弱い相互作用と電磁相互作用の統一理論，弱い中性カレントの存在の予言
1980	J.W.クローニン(米)，V.L.フィッチ(米)	中性K中間子の崩壊における基本的対称性の破れの発見
1981	N.ブルームバーゲン(米)，A.L.ショーロー(米)	レーザー分光学の発展への貢献
	K.M.シーグバーン(スウェーデン)	高分解能電子分光学の発展への貢献
1982	K.G.ウィルソン(米)	相転移に関連した臨界現象の理論
1983	S.チャンドラセカール(米)	天体の構造と進化の物理的過程に関する理論研究
	W.A.ファウラー(米)	宇宙空間における元素の形成にとって重要な核反応の研究
1984	C.ルビア(伊)，S.ファン・デル・メール(蘭)	弱い相互作用を媒介する場の粒子WおよびZの発見をもたらした研究計画への寄与
1985	K.クリッツィング(西独)	量子ホール効果の発見
1986	E.ルスカ(西独)	電子光学，電子顕微鏡の設計
	G.ビニッヒ(西独)，H.ローラー(スイス)	走査型トンネル電子顕微鏡の設計
1987	J.G.ベドノルツ(西独),K.A.ミュラー(スイス)	セラミック物質における超伝導の発見
1988	L.M. レーダーマン(米)，M. シュワーツ(米)，J.スタインバーガー(米)	ニュートリノ線による実験方法，ミューオン・ニュートリノの発見によるレプトンの双極子構造の証明
1989	N.F.ラムジー(米)	分離振動場法の発明とその水素メーザーなどの原子時計への応用
	H.G.デーメルト(米)，W.パウル(西独)	イオン捕捉技術の開発
1990	J.I.フリードマン(米)，H.W.ケンドール(米)，R.E.テイラー(加)	陽子と重水素核による電子の深部非弾性散乱の研究，クォーク模型への貢献
1991	P.-G.ド・ジャンヌ(仏)	単純な系の秩序現象の研究法が複雑な物質の形態，特に液晶やポリマーにも一般化できることの発見
1992	G.シャルパク(仏)	粒子検知器，特に多線式比例計数箱の発明と開発
1993	R.A.ハルス(米)，J.H.テーラー(米)	重力の研究に新しい可能性をもたらした新種のパルサーの発見
1994	B.N.ブロックハウス(加),C.G.シャル(米)	凝縮物質の研究のための中性子散乱法の開発，中性子分光学の発展
1995	M.L.パール(米)	レプトンの物理学への先駆的貢献，τレプトンの発見
	F.ライネス(米)	レプトンの物理学への先駆的貢献,ニュートリノの検知
1996	D.M.リー(米)，D.D.オシェロフ(米)，R.C.リチャードソン(米)	ヘリウム3の超流動の発見
1997	S.チュー(米)，C.コーエン-タヌジ(仏)，W.D.フィリップス(米)	レーザー光による原子の冷却と捕捉
1998	R.B.ラフリン(米)，H.L.シュテルマー(独)，D.C.ツイ(米)	分数電荷の励起状態を持つ新種の量子流体の発見
1999	G.ト・ホーフト(蘭)，M.フェルトマン(蘭)	弱電相互作用の量子構造の解明
2000	Z.I.アルフェロフ(露)，H.クレーマー(独)	高速エレクトロニクスおよび光エレクトロニクスに利用される半導体のヘテロ構造の開発
	J.S.キルビー(米)	集積回路の発明

年度	名　前(国)	受　賞　理　由
2001	E.A.コーネル(米)，W.ケターレ(独)，C.E.ワイマン(米)	アルカリ原子の希薄ガスにおけるボース・アインシュタイン凝縮の達成
2002	R.デイヴィス(米)，小柴昌俊(日)	宇宙ニュートリノ検出における先駆的貢献
	R.ジャコーニ(米)	宇宙におけるX線源の発見
2003	A.A.アブリコソフ(露,米)，V.L.ギンズブルク(露)，A.L.レゲット(米)	超伝導・超流動の理論に対する先駆的貢献
2004	D.J.グロス(米)，H.D.ポリツァー(米)，F.ウィルチェク(米)	強い相互作用の理論における漸近的自由性の発見
2005	R.J.グラウバー(米)	光学コヒーレンスの量子理論
	J.L.ホール(米)，T.W.ヘンシュ(独)	レーザーを用いた精密分光学，光コム技術
2006	J.C.マザー(米)，G.F.スムート(米)	宇宙マイクロ波背景放射の黒体性と異方性の発見
2007	A.フェール(仏)，P.グリュンベルク(独)	巨大磁気抵抗効果の発見
2008	南部陽一郎(米)	素粒子・原子核物理学における自発的対称性の破れの機構の発見
	小林誠(日)，益川敏英(日)	クォークの世代数を予言する対称性の破れの起源の発見
2009	C.K.カオ(英，米)	光通信用ファイバー中の光伝達に関する業績
	W.S.ボイル(加，米)，G.スミス(米)	CCDセンサーの発明
2010	A.ガイム(蘭)，K.ノヴォセロフ(英，露)	グラフェンに関する実験
2011	S.パールムッター(米)，B.P.シュミット(米，豪)，A.G.リース(米)	遠方の超新星の観測による宇宙の加速膨張の発見
2012	S.アロシュ(仏)，D.J.ワインランド(米)	個別の量子系の計測と操作
2013	F.アングレール(ベルギー)，P.ヒッグス(英)	質量の起源に関する理論的発見
2014	赤﨑勇(日)，天野浩(日)，中村修二(米)	効率的な青色発光ダイオードの発明
2015	梶田隆章(日)，A.B.マクドナルド(加)	ニュートリノ振動の発見
2016	D.J.サウレス(英,米)，F.D.M.ホールデン(英，米)，J.M.コスタリッツ(英，米)	トポロジカル相転移と物質のトポロジカル相の理論的発見
2017	R.ワイス(米)，B.C.バリッシュ(米)，K.S.ソーン(米)	重力波の検出
2018	A.アシュキン(米)	光ピンセットとその生体への応用
	G.ムル(仏)，D.ストリックランド(加)	高強度の極めて短いレーザーパルスの発生
2019	J.ピーブルズ(加，米)	物理的宇宙論における理論的発見
	M.マイヨール(スイス)，D.ケロー(スイス)	系外惑星の発見
2020	R.ペンローズ(英)	ブラックホールの特異点定理
	R.ゲンツェル(独)，A.ゲッズ(米)	銀河系の中心のブラックホールの観測
2021	眞鍋淑郎(米)，K.ハッセルマン(独)	気候の物理モデル化，変動の定量化，温暖化の予測
	G.パリージ(伊)	原子から惑星に至る物理システムの無秩序と変動の相互作用の発見
2022	A.アスペ(仏)，J.F.クラウザー(米)，A.ツァイリンガー(墺)	複数光子の量子もつれの実験，ベルの不等式の破れの立証，量子情報科学の開拓
2023	P.アゴスティーニ(仏)，F.クラウス(ハンガリー・オーストリア)，A.G.リュイリエ(仏・スウェーデン)	物質中の電子の動力学の研究に用いるアト秒パルス光を生成する実験的手法
2024	J.J.ホップフィールド(米)，G.E.ヒントン(英・カナダ)	人工ニューラルネットワークによる機械学習を可能にする基礎的発見と発明

附

化学賞

年度	名　前(国)	受　賞　理　由
1901	J.H.ファント・ホフ(蘭)	化学動力学と浸透圧の法則の発見
1902	H.E.フィッシャー(独)	糖およびプリン合成の研究
1903	S.A.アレニウス(スウェーデン)	電離の電極理論
1904	W.ラムゼー(英)	不活性気体元素の発見と周期表内でのそれらの位置の確定
1905	J.F.W.A.バイヤー(独)	有機染料とヒドロ芳香族化合物の研究による有機化学と化学工業への貢献
1906	H.モワサン(仏)	フッ素の研究と分離，モワサン電気炉の科学での利用
1907	E.ブフナー(独)	生化学の研究と無細胞発酵の発見
1908	E.ラザフォード(英)	元素の崩壊，放射性物質の化学
1909	W.オストヴァルト(独)	触媒の研究，化学平衡と反応速度の基礎原理
1910	O.ヴァラッハ(独)	脂環式化合物の分野における先駆的研究
1911	M.S.キュリー(ポーランド，仏)	ラジウムとポロニウムの発見，ラジウムの分離とその性質および化合物の研究
1912	V.グリニャール(仏)	グリニャール試薬の発見
	P.サバティエ(仏)	微細な金属粒子を用いる有機化合物水素化法の開発
1913	A.ヴェルナー(スイス)	分子内の原子の結合に関する研究
1914	T.W.リチャーズ(米)〔翌年決定〕	多くの元素の原子量の正確な決定
1915	R.M.ヴィルシュテッター(独)	植物の色素，特にクロロフィルの研究
1916	受賞者なし	
1917	受賞者なし	
1918	F.ハーバー(独)〔翌年決定〕	元素からのアンモニアの合成
1919	受賞者なし	
1920	W.H.ネルンスト(独)	熱化学の研究
1921	F.ソディー(英)〔翌年決定〕	放射性物質の研究，同位体の起源と性質の研究
1922	F.W.アストン(英)	質量分析による非放射性元素の同位体の発見，整数法則の発見
1923	F.プレーグル(オーストリア)	有機物の微量分析法の発明
1924	受賞者なし	
1925	R.A.ジグモンディ(独)〔翌年決定〕	コロイド溶液の不均一性の証明，コロイド研究法の開発
1926	T.スヴェドベリ(スウェーデン)	分散系の研究
1927	H.O.ヴィーラント(独)〔翌年決定〕	胆汁酸と関連物質の構造の研究
1928	A.O.R.ヴィンダウス(独)	ステリン類の構造とそれらのビタミンとの関係の研究
1929	A.ハーデン(英)，H.K.A.S.オイラー-フェルピン(スウェーデン)	糖の発酵と発酵酵素の研究
1930	H.フィッシャー(独)	ヘミンとクロロフィルの研究，ヘミンの合成
1931	C.ボッシュ(独)，F.ベルギウス(独)	化学における高圧法の発明と開発
1932	I.ラングミュア(米)	界面化学における発見と研究
1933	受賞者なし	
1934	H.C.ユーリー(米)	重水素の発見
1935	J.F.ジョリオ-キュリー(仏)，I.ジョリオ-キュリー(仏)	新種の放射性元素の合成
1936	P.J.W.デバイ(蘭)	双極子モーメントの研究，X線と気体中の電子の回折に関する研究
1937	W.N.ホーワース(英)	炭水化物とビタミンCの研究
1937	P.カーラー(スイス)	カロテノイド，フラビン，ビタミンAおよびB_2の研究

年度	名　前(国)	受　賞　理　由
1938	R.クーン(独)〔翌年決定〕	カロテノイドとビタミンの研究
(クーンはドイツ政府の要請で受賞を辞退したが，のちに賞状とメダルは受け取った)		
1939	A.F.J.ブーテナント(独)	性ホルモンの研究
(ブーテナントはドイツ政府の要請で受賞を辞退したが，のちに賞状とメダルは受け取った)		
	L.ルジチカ(スイス)	ポリメチレンおよび高位テルペンの研究
1940	受賞者なし	
1941	受賞者なし	
1942	受賞者なし	
1943	G.ド・ヘヴェシー(ハンガリー)〔翌年決定〕	化学反応の研究に同位体をトレーサーとして用いる方法
1944	O.ハーン(独)〔翌年決定〕	重い原子核の分裂の発見
1945	A.I.ヴィルタネン(フィンランド)	農業化学・栄養化学における研究と発明，特に飼料の保存法
1946	J.B.サムナー(米)	酵素が結晶化されることの発見
	J.H.ノースロップ(米)，W.M.スタンリー(米)	酵素とウイルスのタンパク質を純粋な形で調整
1947	R.ロビンソン(英)	植物の生成物，特にアルカロイドの研究
1948	A.W.K.ティセーリウス(スウェーデン)	電気泳動と吸着分析，特に血清タンパク質の複合性に関する発見
1949	W.F.ジオーク(米)	化学熱力学への貢献，特に極低温における物質の振舞いに関する研究
1950	O.P.H.ディールス(西独)，K.アルダー(西独)	ジエン合成の発見と展開
1951	E.M.マクミラン(米)，G.T.シーボーグ(米)	超ウラン元素の化学における発見
1952	A.J.P.マーティン(英)，R.L.M.シング(英)	分配クロマトグラフィーの発明
1953	H.シュタウディンガー(独)	高分子化学における発見
1954	L.C.ポーリング(米)	化学結合の性質の研究，複雑な物質の構造の解明
1955	V.デュ・ヴィニョー(米)	生化学的に重要なイオウ化合物の研究，特にポリペプチド・ホルモンの合成
1956	C.N.ヒンシェルウッド(英)，N.N.セミョーノフ(ソ)	化学反応の機構の研究
1957	A.R.トッド(英)	ヌクレオチドとヌクレオチド補酵素の研究
1958	F.サンガー(英)	タンパク質，特にインスリンの構造
1959	J.ヘイロフスキー(チェコスロヴァキア)	ポーラログラフィーの発見と展開
1960	W.F.リビー(米)	考古学，地質学，地球物理学等における炭素 14 を利用した年代測定法
1961	M.カルヴィン(米)	植物における二酸化炭素の同化(光合成)の研究
1962	M.F.ペルーツ(英)，J.C.ケンドリュー(英)	球状タンパク質の構造の研究
1963	K.ツィーグラー(西独)，G.ナッタ(伊)	高分子ポリマーの化学と技術における発見
1964	D.C.ホジキン(英)	X 線回折による重要な生化学物質の構造の決定
1965	R.B.ウッドワード(米)	有機合成における業績
1966	R.S.マリケン(米)	化学結合と分子の電子構造の分子軌道法による研究
1967	M.アイゲン(西独)，R.G.W.ノーリッシュ(英)，G.ポーター(英)	短時間エネルギーパルスによる高速化学反応の研究
1968	L.オンサーガー(米)	オンサーガーの相反定理の発見，不可逆過程の熱力学への貢献
1969	D.H.R.バートン(英)，O.ハッセル(ノルウェー)	立体配座の概念の展開とその化学への応用

年度	名　前(国)	受　賞　理　由
1970	L.F.ルロア(アルゼンチン)	糖ヌクレオチドと炭水化物の生合成におけるその役割の発見
1971	G.ヘルツベルク(加)	分子，特に遊離基の電子構造と幾何的構造
1972	C.B.アンフィンセン(米)	リボヌクレアーゼの研究，特にアミノ酸配列と立体構造の関係
	S.ムーア(米)，W.H.スタイン(米)	リボヌクレアーゼ分子の活性中心の化学構造と触媒作用の関係
1973	E.O.フィッシャー(西独)，G.ウィルキンソン(英)	サンドウィッチ構造の有機金属化合物の化学
1974	P.J.フローリー(米)	高分子化学の理論と実験
1975	J.W.コーンフォース(英)	酵素触媒反応の立体化学
	V.プレローグ(スイス)	有機分子と有機反応の立体化学
1976	W.N.リプスコム(米)	ボランの構造と化学結合の研究
1977	I.プリゴジン(ベルギー)	非平衡熱力学，散逸構造の理論
1978	P.D.ミッチェル(英)	生体におけるエネルギー伝達，化学浸透説
1979	H.C.ブラウン(米)	ホウ素を含む化合物の有機合成における利用
	G.ヴィティッヒ(西独)	リンを含む化合物の有機合成における利用
1980	P.バーグ(米)	核酸の生化学，DNA 組換えの研究
	W.ギルバート(米)，F.サンガー(英)	核酸の塩基配列の決定
1981	福井謙一(日)，R.ホフマン(米)	化学反応過程の理論
1982	A.クルーグ(英)	結晶学的電子分光法の開発，核酸・タンパク質複合体の構造の解明
1983	H.タウビー(米)	電子遷移反応の機構，特に金属錯体における
1984	R.B.メリフィールド(米)	固相反応による化学合成法
1985	H.A.ハウプトマン(米)，J.カール(米)	結晶構造の直接的な決定法
1986	D.R.ハーシュバック(米)，Y.T.リー(李遠哲)(米)，J.C.ポラーニ(加)	化学反応の素過程の動力学
1987	D.J.クラム(米)，J.-M.レーン(仏)，C.J.ペダーセン(米)	高い選択性のある構造特異的な相互作用を起こす分子の開発と利用
1988	J.ダイゼンホーファー(西独)，R.フーバー(西独)，H.ミヘル(西独)	光合成の反応中心の三次元構造の解明
1989	S.アルトマン(米，加)，T.R.チェック(米)	RNA の触媒的性質の発見
1990	E.J.コーリー(米)	有機合成の理論と方法
1991	R.R.エルンスト(スイス)	高分解能の核磁気共鳴分光法
1992	R.A.マーカス(米)	化学系における電子移動反応の理論
1993	K.B.マリス(米)	DNA の化学，ポリメラーゼ連鎖反応法
	M.スミス(加)	DNA の化学，オリゴヌクレオチドを利用した位置特異的突然変異法
1994	G.A.オラー(米)	炭素陽イオン化学への貢献
1995	P.J.クルツェン(蘭)，M.J.モリーナ(米)，F.S.ローランド(米)	大気化学，特にオゾンホール形成の研究
1996	R.F.カール(米)，H.W.クロート(英)，R.E.スモーリー(米)	フラーレンの発見
1997	P.D.ボイヤー(米)，J.E.ウォーカー(英)	ATP 合成の酵素的機構の解明
	J.C.スコー(デンマーク)	イオン輸送酵素の発見
1998	W.コーン(米)	密度関数理論の展開
	J.A.ポープル(英)	量子化学における計算機利用法

年度	名　前(国)	受　賞　理　由
1999	A.ズヴェイル(エジプト,米)	フェムトセカンド分光学を利用した化学反応における遷移状態の研究
2000	A.J.ヒーガー(米), A.G.マクダイアミド(米), 白川英樹(日)	導電性ポリマーの発見と開発
2001	W.S.ノールズ(米), 野依良治(日)	触媒による不斉水素化反応
	K.B.シャープレス(米)	触媒による不斉酸化反応
2002	J.B.フェン(米), 田中耕一(日)	生体高分子の質量分析法のための穏和な脱着イオン化法の開発
	K.ヴュートリヒ(スイス)	溶液中の生体高分子の立体構造決定のための核磁気共鳴分光法の開発
2003	P.アグレ(米)	細胞膜の水チャンネルの発見
	R.マッキノン(米)	イオンチャンネルの構造と機構の研究
2004	A.チカノヴァー(イスラエル), A.ハーシュコ(イスラエル), I.ローズ(米)	ユビキチンの媒介するタンパク質分解の発見
2005	Y.ショヴァン(仏), R.H.グラブズ(米), R.R.シュロック(米)	有機合成におけるメタセシス法の開発
2006	R.D.コーンバーグ(米)	真核生物における遺伝情報の転写の分子的基礎の研究
2007	G.エルトル(独)	固体表面の化学反応過程の研究
2008	下村脩(日), M.チャルフィー(米), R.Y.ツィエン(米)	緑色蛍光タンパク質(GFP)の発見と開発
2009	A.E.ヨナット(イスラエル), V.ラマクリシュナン(英), T.A.スタイツ(米)	リボソームの構造と機能の研究
2010	R.F.ヘック(米), 根岸英一(日), 鈴木章(日)	有機合成におけるパラジウム触媒を用いたクロスカップリング
2011	D.シェヒトマン(イスラエル)	準結晶の発見
2012	R.J.レフコウィッツ(米), B.K.コビルカ(米)	Gタンパク質共役受容体の研究
2013	M.カープラス(米, オーストリア), M.レヴィット(米, 英, イスラエル), A.ウォーシェル(米, イスラエル)	複雑な化学反応系に対する多重スケールモデルの開発
2014	E.ベッツィグ(米), S.W.ヘル(独), W.E.モーナー(米)	超解像蛍光顕微鏡の開発
2015	T.リンダール(スウェーデン), P.モドリッチ(米), A.サンジャル(トルコ, 米)	DNA修復機構の研究
2016	J.-P.ソヴァージュ(仏), J.F.ストッダート(英, 米), B.L.フェリンハ(蘭)	分子機械の設計と合成
2017	J.ドゥボシェ(スイス), J.フランク(独,米), R.ヘンダーソン(英)	クライオ電子顕微鏡の開発
2018	F.H.アーノルド(米)	酵素の指向性進化
	G.P.スミス(米), G.P.ウィンター(英)	ペプチドと抗体のファージディスプレイ
2019	J.B.グッドイナフ(米), M.S.ウィッティンガム(英, 米), 吉野彰(日)	リチウムイオン電池の開発
2020	E.シャルパンティエ(仏), J.ダウドナ(米)	ゲノム編集の方法の開発
2021	B.リスト(独), D.W.C.マクミラン(英, 米)	非対称な有機触媒の開発
2022	C.R.ベルトッツィ(米), M.P.メルダル(デンマーク), K.B.シャープレス(米)	クリック・ケミストリーと生体直交化学
2023	M.G.バウェンディ(米・仏・チュニジア), L.E.ブラス(米), A.I.エキモフ(露)	量子ドットの発見と合成
2024	D.ベーカー(米)	コンピューターによるタンパク質の設計
	D.ハサビス(英), J.M.ジャンパー(米)	コンピューターによるタンパク質の構造予測

生理学・医学賞

年度	名 前(国)	受 賞 理 由
1901	E. A. ベーリング(独)	血清療法の研究，特にジフテリアへの適用
1902	R. ロス(英)	マラリアの研究, 生体への侵入の機構の解明と治療法の確立
1903	N. R. フィンセン(デンマーク)	集中的な光照射による治療，特に狼瘡の治療法
1904	I. P. パヴロフ(露)	消化の生理学
1905	R. コッホ(独)	結核の研究
1906	C. ゴルジ(伊)，S. ラモン・イ・カハール(西)	神経系の構造の研究
1907	C. L. A. ラヴラン(仏)	疾病の発生における原虫類の役割の研究
1908	I. I. メチニコフ(露)，P. エールリヒ(独)	免疫の研究
1909	E. T. コッヒャー(スイス)	甲状腺の生理学・病理学・外科学
1910	A. コッセル(独)	核内物質を含むタンパク質の研究，細胞化学
1911	A. グルストランド(スウェーデン)	眼球の屈折光学
1912	A. カレル(仏)	血管縫合と血管・臓器の移植の研究
1913	C. R. リシェ(仏)	アナフィラキシーの研究
1914	R. バーラーニ(オーストリア)	内耳系の生理学と病理学
1915	受賞者なし	
1916	受賞者なし	
1917	受賞者なし	
1918	受賞者なし	
1919	J. ボルデ(ベルギー)〔翌年決定〕	免疫に関する発見
1920	S. A. S. クローグ(デンマーク)	毛細血管の運動の制御機構の発見
1921	受賞者なし	
1922	A. V. ヒル(英)〔翌年決定〕	筋肉中の熱発生に関する発見
	O. F. マイヤーホフ(独)〔翌年決定〕	筋肉における酸素の消費と乳酸の代謝の関係の発見
1923	F. G. バンティング(英)，J. J. R. マクラウド(加)	インスリンの発見
1924	W. アイントホーフェン(蘭)	心電図法の発見
1925	受賞者なし	
1926	J. A. G. フィビゲル(デンマーク)〔翌年決定〕	スピロプテラ・カルキノーマの発見
1927	J. ワグナー-ヤウレック(オーストリア)	麻痺性痴呆に対するマラリア接種の治療効果の発見
1928	C. J. H. ニコル(仏)	チフスの研究
1929	C. エイクマン(蘭)	抗神経炎ビタミンの発見
	F. G. ホプキンズ(英)	成長刺激ビタミンの発見
1930	K. ラントシュタイナー(オーストリア)	人間の血液型の発見
1931	O. H. ワールブルク(独)	呼吸酵素の性質と作用形態の発見
1932	C. S. シェリントン(英)，E. D. エイドリアン(英)	ニューロンの機能に関する発見
1933	T. H. モーガン(米)	染色体が遺伝において果たす役割の発見
1934	G. H. ウィップル(米)，G. R. マイノット(米)，W. P. マーフィー(米)	貧血の肝臓療法の発見
1935	H. シュペーマン(独)	胚の発生における誘導作用の発見
1936	H. H. デール(英)，O. レーヴィ(オーストリア)	神経刺激の化学的伝達に関する発見
1937	A. v. セント-ジェルジ ナギラポルト(ハンガリー)	生物学的燃焼反応，ビタミンCおよびフマル酸の触媒反応に関する発見
1938	C. J. F. ハイマンス(ベルギー)〔翌年決定〕	頸動脈洞と大動脈が呼吸調節において果たす役割の発見
1939	G. ドーマク(独)	プロントジルの抗菌作用の発見
	(ドーマクはドイツ政府により受賞を辞退させられたが，のちにメダルと賞状は受け取った)	
1940	受賞者なし	

年度	名　前(国)	受　賞　理　由
1941	受賞者なし	
1942	受賞者なし	
1943	H.C.P.ダム(デンマーク)〔翌年決定〕	ビタミンKの発見
	E.A.ドイジー(米)〔翌年決定〕	ビタミンKの化学的性質の発見
1944	J.アーランガー(米), H.S.ガッサー(米)	個々の神経繊維の高度に分化した機能に関する発見
1945	A.フレミング(英), E.B.チェイン(英), H.W.フローリー(英)	ペニシリンの発見, 感染症に対するペニシリンの治療効果の発見
1946	H.J.マラー(米)	X線照射による突然変異の発生の発見
1947	C.F.コリ(米), G.T.コリ(米)	グリコーゲンの消費の触媒反応の発見
	B.A.ウサイ(アルゼンチン)	糖代謝における脳下垂体前葉ホルモンの役割の発見
1948	P.H.ミュラー(スイス)	いくつかの節足動物に対してDDTが接触毒として持つ強い作用の発見
1949	W.R.ヘス(スイス)	間脳による内臓の活動の調節機能の発見
	A.C.A.F.E.モーニス(ポルトガル)	ある種の精神病に対する前額部大脳神経切断の治療的意義の発見
1950	E.C.ケンドール(米), T.ライヒシュタイン(スイス), P.S.ヘンチ(米)	副腎皮質ホルモン, その構造および生物学的作用に関する発見
1951	M.セーラー(南ア)	黄熱およびその治療法に関する発見
1952	S.A.ワクスマン(米)	結核に有効な抗生物質, ストレプトマイシンの発見
1953	H.A.クレブズ(英)	クエン酸回路（クレブス回路）の発見
	F.A.リップマン(米)	補酵素Aと代謝の過程におけるその重要性の発見
1954	J.F.エンダーズ(米), T.H.ウェラー(米), F.C.ロビンズ(米)	小児麻痺ウイルスのさまざまな組織の培地で増殖する能力の発見
1955	A.H.T.テオレル(スウェーデン)	酸化酵素の性質と作用形態に関する研究
1956	A.F.クールナン(米), W.フォルスマン(西独), D.W.リチャーズ(米)	心臓カテーテル法と循環系の病理学的変化に関する発見
1957	D.ボヴェ(伊)	体内物質の作用を阻害する合成化合物に関する発見, 特にこの化合物の脈管系および骨格筋への作用に関する発見
1958	G.W.ビードル(米), E.L.テータム(米)	遺伝子が特定の化学反応の調節によって作用することの発見
	J.レーダーバーグ(米)	遺伝子組換えと細菌の遺伝物質の構成に関する発見
1959	S.オチョア(米), A.コーンバーグ(米)	リボ核酸とデオキシリボ核酸の生体内での合成の機構の発見
1960	F.M.バーネット(豪), P.B.メダワー(英)	後天的な免疫的耐性の発見
1961	G.ベーケーシ(米)	蝸牛殻内の刺激の物理的機構の発見
1962	F.H.C.クリック(英), J.D.ワトソン(米), M.H.F.ウィルキンズ(英)	核酸の分子構造と生体での情報伝達に対するその意義の発見
1963	J.C.エクルズ(豪), A.L.ホジキン(英), A.F.ハクスリー(英)	神経細胞の膜の辺縁と中心部での興奮と抑制のイオン機構に関する発見
1964	K.ブロック(米), F.リネン(西独)	コレステロールと脂肪酸の代謝の機構と調節に関する発見
1965	F.ジャコブ(仏), A.ルウォフ(仏), J.モノー(仏)	酵素とウイルスの合成の遺伝的制御に関する発見
1966	P.ラウス(米)	発がん性ウイルスの発見
	C.B.ハギンズ(米)	前立腺がんのホルモン療法に関する発見
1967	R.グラニト(スウェーデン), H.K.ハートライン(米), G.ウォールド(米)	眼球における視覚の生理学的・化学的基礎過程に関する発見
1968	R.W.ホリー(米), H.G.コラーナ(米), M.W.ニーレンバーグ(米)	遺伝情報の解読とタンパク質合成におけるその機能の解明

年度	名 前(国)	受 賞 理 由
1969	M. デルブリュック(米), A. D. ハーシー(米), S.E. ルリア(米)	ウイルスの増殖機構と遺伝的構造に関する発見
1970	B. カッツ(英), U. v. オイラー(スウェーデン), J. アクセルロード(米)	神経末端での伝達物質とその貯蔵, 放出, 不活性化の機構に関する発見
1971	E. W. サザーランド(米)	ホルモンの作用機構に関する発見
1972	G. M. エーデルマン(米), R.R. ポーター(英)	抗体の化学構造に関する発見
1973	K. v. フリッシュ(西独), K. ローレンツ(オーストリア), N. ティンバーゲン(英)	個体行動および社会的行動の様式の組織化と誘発に関する発見
1974	A. クロード(ベルギー), C. ド・デューヴ(ベルギー), G.E. パラーデ(米)	細胞の構造と機能に関する発見
1975	D. ボルティモア(米), R. ダルベッコ(米), H. M. テミン(米)	腫瘍ウイルスと細胞の遺伝物質の相互作用に関する発見
1976	B. S. ブランバーグ(米), D. C. ガイジュセク(米)	感染症の起源と伝播の新しい機構に関する発見
1977	R. ギルマン(米), A. V. シャリー(米)	脳のペプチドホルモン生産に関する発見
	R. ヤロー(米)	ペプチドホルモンのラジオイムノアッセイ法の開発
1978	W. アルバー(スイス), D. ネーサンズ(米), H. O. スミス(米)	制限酵素の発見とその分子遺伝学への応用
1979	A.M. コーマック(米), G.N. ハウンズフィールド(英)	コンピューターを利用したX線断層撮影法の開発
1980	B. ベナセラフ(米), J. ドーセ(仏), G. D. スネル(米)	免疫反応を調節する, 遺伝的に決定された細胞表面の構造に関する発見
1981	R. W. スペリー(米)	大脳半球の機能特化に関する発見
	D. H. ヒューベル(米), T. N. ヴィーセル(スウェーデン)	大脳皮質視覚野の情報処理に関する発見
1982	S. K. ベリストレーム(スウェーデン), B. I. サムエルソン(スウェーデン), J. R. ヴェーン(英)	プロスタグランジンとこれに関連した生理活性物質に関する発見
1983	B. マクリントック(米)	動く遺伝子の発見
1984	N. K. ヤーネ(デンマーク), G. J. F. ケーラー(西独), C. ミルステイン(英, アルゼンチン)	免疫系の発達と制御の特定性に関する理論とモノクローナル抗体の生産の原理の発見
1985	M.S. ブラウン(米), J.L. ゴールドスティン(米)	コレステロール代謝の調節に関する発見
1986	S. コーエン(米), R. レヴィ-モンタルチーニ(伊, 米)	成長因子の発見
1987	利根川進(日)	抗体の多様性を生み出す遺伝的原理の発見
1988	J. W. ブラック(英), G. B. エリオン(米), G. H. ヒッチングズ(米)	薬物治療の重要な原理の発見
1989	J. M. ビショップ(米), H. E. ヴァーマス(米)	レトロウイルスのがん遺伝子が細胞起源であることの発見
1990	J. E. マレー(米), E. D. トーマス(米)	人間の疾病の治療における内臓と細胞の移植に関する発見
1991	E. ネーアー(独), B. ザクマン(独)	細胞の単一イオンチャネルの機能に関する発見
1992	E. H. フィシャー(米), E. G. クレブズ(米)	生体調節機構としての可逆的タンパク質リン酸化に関する発見
1993	R. J. ロバーツ(米), P. A. シャープ(米)	分断遺伝子の発見
1994	A. G. ギルマン(米), M. ロッドベル(米)	Gタンパク質とその細胞内信号変換における役割の発見
1995	E. B. ルイス(米), C. ニュスライン-フォルハルト(独), E. F. ウィーシャウス(米)	初期胚発生の遺伝的制御の発見
1996	P. C. ドハティー(豪), R. M. ツィンカーナーゲル(スイス)	細胞性免疫防御の特異性に関する発見

年度	名　前(国)	受　賞　理　由
1997	S.B.プルシナー(米)	感染の新しい生物学的原理としてのプリオンの発見
1998	R.F.ファーチゴット(米)，L.J.イグナロ(米)，F.ムラド(米)	一酸化窒素が心臓血管系の信号として働く分子であることの発見
1999	G.ブローベル(米)	タンパク質がその細胞内での輸送と配置を支配する固有の信号を持つことの発見
2000	A.カールソン(スウェーデン)，P.グリーンガード(米)，E.R.カンデル(米)	神経系での信号変換に関する発見
2001	L.H.ハートウェル(米)，R.T.ハント(英)，P.M.ナース(英)	細胞周期の主要な調節因子の発見
2002	S.ブレナー(英)，H.R.ホーヴィッツ(米)，J.E.サルストン(英)	器官の発達の遺伝的制御とプログラムされた細胞死に関する発見
2003	P.C.ローターバー(米)，P.マンスフィールド(英)	核磁気共鳴画像法の発見
2004	R.アクセル(米)，L.B.バック(米)	においの受容体と嗅覚系の機構の発見
2005	B.J.マーシャル(豪)，J.R.ウォレン(豪)	ヘリコバクター・ピロリ菌の発見
2006	A.Z.ファイアー(米)，C.C.メロー(米)	RNA 干渉の発見
2007	M.カペッキ(米)，O.スミシーズ(米)，M.エバンズ(英)	胚性幹細胞を使ったマウスの特定遺伝子変異の導入に関する原則の発見
2008	H.ツア・ハウゼン(独)	子宮頸がんを引き起こすヒトパピローマウイルス(HPV)の発見
	F.バレシヌシ(仏)，L.モンタニエ(仏)	ヒト免疫不全ウイルス(HIV)の発見
2009	E.H.ブラックバーン(米)，J.W.ショスタク(米)，C.W.グライダー(米)	染色体がテロメアとテロメラーゼ酵素により防御される機構の発見
2010	R.G.エドワーズ(英)	体外受精の開発
2011	B.A.ボイトラー(米)，J.A.ホフマン(仏)	自然免疫の活性化に関する発見
	R.M.スタインマン(米)	樹状細胞とその獲得免疫における役割の発見
2012	J.B.ガードン(英)，山中伸弥(日)	成熟した細胞が初期化され多能化されうることの発見
2013	J.E.ロスマン(米)，R.W.シェクマン(米)，T.C.スードフ(独，米)	小胞輸送の機構の発見
2014	J.オキーフ(米，英)，M.-B.モーセル(ノルウェー)，E.I.モーセル(ノルウェー)	脳内の位置把握機構を構成する細胞の発見
2015	W.C.キャンベル(アイルランド，米)，大村智(日)	線虫による感染症の新療法の発見
	屠呦呦(中)	マラリアの新療法の発見
2016	大隅良典(日)	オートファジー(自食作用)の機構の発見
2017	J.C.ホール(米)，M.ロスバッシュ(米)，M.W.ヤング(米)	概日リズムを制御する分子機構の発見
2018	J.P.アリソン(米)，本庶佑(日)	免疫抑制の阻害によるがん治療法の発見
2019	W.G.ケーリン(米)，P.J.ラトクリフ(英)，G.L.セメンザ(米)	細胞の低酸素応答
2020	H.J.オルター(米)，M.ホートン(英)，C.M.ライス(米)	C 型肝炎ウイルスの発見
2021	D.J.ジュリアス(米)，A.パタプティアン(米)	温覚と触覚の受容体の発見
2022	S.ペーボ(スウェーデン)	絶滅したヒト族のゲノムと人類の進化に関する発見
2023	K.カリコ(ハンガリー・米)，D.ワイスマン(米)	COVID-19 に対する効果的な mRNA ワクチンの開発を可能にしたヌクレオシド塩基修飾の発見
2024	V.R.アンブロス(米)，G.B.ラヴカン(米)	マイクロ RNA とその転写後遺伝子制御における役割の発見

ベッセル補間法公式

引数…，A_{-1}，A_0，A_1，…，その関数…，f_{-1}，f_0，f_1，…が与えられている表において，A_0，A_1 間の引数 A_n について，$n=(A_n-A_0)/(A_1-A_0)$ とおくとき，関数 f_n は

$f_n=f_0+n\Delta_{\frac{1}{2}}'+B''(\Delta_0''+\Delta_1'')+B'''\Delta_{\frac{1}{2}}'''+\cdots\cdots$ で与えられる．

ただし必要とする精度を単位として，$|\Delta''|<4$ のときは B'' の項以下を，また $|\Delta'''|\leqq 63$ で，$|\Delta^{iv}|\leqq 22$ のときは B''' 項以下を省略することができる．記号の意味はつぎのとおり．

関数	第 1 差	第 2 差	第 3 差
f_0		Δ_0''	
	$\Delta_{\frac{1}{2}}'$		$\Delta_{\frac{1}{2}}'''$
f_1		Δ_1''	

また係数は下の表から求められる．

n	B''	n	n	B''	n	n	B''	n
0.000	—	1.000	0.090	—	0.910	0.210	—	0.790
	0.000			0.021			0.042	
0.002		0.998	0.095		0.905	0.217		0.783
	0.001			0.022			0.043	
0.006		0.994	0.100		0.900	0.224		0.776
	0.002			0.023			0.044	
0.010		0.990	0.105		0.895	0.231		0.769
	0.003			0.024			0.045	
0.014		0.986	0.110		0.890	0.239		0.761
	0.004			0.025			0.046	
0.018		0.982	0.115		0.885	0.247		0.753
	0.005			0.026			0.047	
0.022		0.978	0.120		0.880	0.255		0.745
	0.006			0.027			0.048	
0.026		0.974	0.125		0.875	0.263		0.737
	0.007			0.028			0.049	
0.030		0.970	0.131		0.869	0.271		0.729
	0.008			0.029			0.050	
0.035		0.965	0.136		0.864	0.280		0.720
	0.009			0.030			0.051	
0.039		0.961	0.142		0.858	0.290		0.710
	0.010			0.031			0.052	
0.043		0.957	0.147		0.853	0.300		0.700
	0.011			0.032			0.053	
0.048		0.952	0.153		0.847	0.310		0.690
	0.012			0.033			0.054	
0.052		0.948	0.159		0.841	0.321		0.679
	0.013			0.034			0.055	
0.057		0.943	0.165		0.835	0.332		0.668
	0.014			0.035			0.056	
0.061		0.939	0.171		0.829	0.345		0.655
	0.015			0.036			0.057	
0.066		0.934	0.177		0.823	0.358		0.642
	0.016			0.037			0.058	
0.071		0.929	0.183		0.817	0.373		0.627
	0.017			0.038			0.059	
0.075		0.925	0.190		0.810	0.390		0.610
	0.018			0.039			0.060	
0.080		0.920	0.196		0.804	0.410		0.590
	0.019			0.040			0.061	
0.085		0.915	0.203		0.797	0.436		0.564
	0.020			0.041			0.062	
0.090	—	0.910	0.210	—	0.790	0.500	—	0.500

n	B'''	n
0.000		1.000
	0.000	
0.006		0.994
	+0.001 −	
0.019		0.981
	+0.002 −	
0.033		0.967
	+0.003 −	
0.049		0.951
	+0.004 −	
0.067		0.933
	+0.005 −	
0.088		0.912
	+0.006 −	
0.114		0.886
	+0.007 −	
0.153		0.847
	+0.008 −	
0.273		0.727
	+0.007 −	
0.321		0.679
	+0.006 −	
0.356		0.644
	+0.005 −	
0.386		0.614
	+0.004 −	
0.413		0.587
	+0.003 −	
0.439		0.561
	+0.002 −	
0.464		0.536
	+0.001 −	
0.488		0.512
	0.000	
0.500		0.500

B'' は常に負，n がちょうど限界値に当たるとき上方の値をとる．

B''' は左側の n に対しては正，右側の n に対しては負の値となる．

定　　数

$\sqrt{2} = 1.4142\ 13562\ 37309\ 50488$	$e = 2.7182\ 81828\ 45904\ 52354$
$\sqrt{3} = 1.7320\ 50807\ 56887\ 72935$	$1/e = 0.3678\ 79441\ 17144\ 23216$
$\sqrt{10} = 3.1622\ 77660\ 16837\ 93320$	$\pi = 3.1415\ 92653\ 58979\ 32385$
$\log_{10}2 = 0.3010\ 29995\ 66398\ 11952$	$1/\pi = 0.3183\ 09886\ 18379\ 06715$
$\log_{10}3 = 0.4771\ 21254\ 71966\ 24373$	$\sqrt{\pi} = 1.7724\ 53850\ 90551\ 60273$
$\log_{10}e = 0.4342\ 94481\ 90325\ 18277$	$\gamma = 0.5772\ 15664\ 90153\ 28606$
$\log_e 10 = 2.3025\ 85092\ 99404\ 56840$	（オイラーの定数）

数　学　公　式

代　　数

二次方程式　$ax^2+bx+c=0$ の根　$x=\dfrac{-b\pm\sqrt{b^2-4ac}}{2a}$

級数の和　$1+2+3+\cdots\cdots\cdots\cdots+n=\dfrac{n(n+1)}{2}$

$$1+r+r^2+\cdots\cdots\cdots\cdots+r^n=\frac{1-r^{n+1}}{1-r}$$

$$1^2+2^2+3^2+\cdots\cdots\cdots+n^2=\frac{n(n+1)(2n+1)}{6}$$

順　列　${}_nP_r=n(n-1)(n-2)\cdots\cdots(n-r+1)=\dfrac{n!}{(n-r)!}$

組合せ　${}_nC_r=\dfrac{n(n-1)(n-2)\cdots\cdots(n-r+1)}{1\cdot 2\cdot 3\cdots\cdots r}=\dfrac{n!}{(n-r)!\,r!}$

三角関数

$$\left.\begin{aligned}\sin(A\pm B)&=\sin A\cos B\pm\cos A\sin B\\ \cos(A\pm B)&=\cos A\cos B\mp\sin A\sin B\\ \tan(A\pm B)&=\frac{\tan A\pm\tan B}{1\mp\tan A\tan B}\end{aligned}\right\}\text{（複号同順）}$$

$$\sin A\pm\sin B=2\,{}^{\sin}_{\cos}\left(\frac{A+B}{2}\right){}^{\cos}_{\sin}\left(\frac{A-B}{2}\right)$$

$$\cos A\pm\cos B=2\,{}^{\cos}_{\sin}\left(\frac{B+A}{2}\right){}^{\cos}_{\sin}\left(\frac{B-A}{2}\right)$$

$\sin 2A=2\sin A\cos A$,　　$\cos 2A=\cos^2 A-\sin^2 A$

$\sin 3A=3\sin A-4\sin^3 A$,　　$\cos 3A=4\cos^3 A-3\cos A$

$\sin\dfrac{A}{2}=\sqrt{\dfrac{1}{2}(1-\cos A)}$,　　$\cos\dfrac{A}{2}=\sqrt{\dfrac{1}{2}(1+\cos A)}$

$\left(\dfrac{A}{2}\text{ の象限で正負を判断する}\right)$

$e^{iA}=\cos A+i\sin A$　　$i=\sqrt{-1}$

附

平面三角公式

$$a : b : c = \sin A : \sin B : \sin C$$

$$a = b\cos C + c\cos B \qquad S = \sqrt{s(s-a)(s-b)(s-c)}$$

$$a^2 = b^2 + c^2 - 2bc\cos A$$

$$\sin\frac{A}{2} = \sqrt{\frac{(s-b)(s-c)}{bc}},\quad \cos\frac{A}{2} = \sqrt{\frac{s(s-a)}{bc}} \qquad 2s = a+b+c$$

球面三角公式

$$\sin a : \sin b : \sin c = \sin A : \sin B : \sin C$$

$$\cos A = -\cos B\cos C + \sin B\sin C\cos a$$

$$\cos a = \cos b\cos c + \sin b\sin c\cos A$$

$$\sin a\cos B = \cos b\sin c - \sin b\cos c\cos A$$

$$\cot a\sin b = \cos b\cos C + \cot A\sin C$$

$$\sin\frac{A}{2} = \sqrt{\frac{\sin(s-b)\sin(s-c)}{\sin b\sin c}},\quad \cos\frac{A}{2} = \sqrt{\frac{\sin s\sin(s-a)}{\sin b\sin c}}$$

$$\sin\frac{a}{2} = \sqrt{\frac{-\cos S\cos(S-A)}{\sin B\sin C}},\quad \cos\frac{a}{2} = \sqrt{\frac{\cos(S-B)\cos(S-C)}{\sin B\sin C}}$$

$$2s = a+b+c \qquad 2S = A+B+C$$

$$\begin{matrix}\cos\\ \sin\end{matrix}\left(\frac{A+B}{2}\right)\cos\frac{c}{2} = \cos\frac{a\pm b}{2}\begin{matrix}\sin\\ \cos\end{matrix}\left(\frac{C}{2}\right)$$

$$\begin{matrix}\cos\\ \sin\end{matrix}\left(\frac{A-B}{2}\right)\sin\frac{c}{2} = \sin\frac{a\pm b}{2}\begin{matrix}\sin\\ \cos\end{matrix}\left(\frac{C}{2}\right)$$

三角形 ABC の面積 $= (A+B+C-\pi)r^2$ (半径 r)

$$= 4r^2\tan^{-1}\sqrt{\tan\frac{s}{2}\tan\frac{s-a}{2}\tan\frac{s-b}{2}\tan\frac{s-c}{2}}$$

平面図形	面　積	周　囲	
円	πa^2	$2\pi a$	(半径　a)
楕　円	πab	$4aE(k)$	(主軸 $2a, 2b$, 離心率 $k=\sqrt{1-b^2/a^2}$)

($E(k)$ は附 19 参照)

立体図形

	体　積	表面積	
円　柱	$\pi a^2 h$	$2\pi a(a+h)$	(半径 a, 高さ h)
円　錐	$(\pi/3)a^2 h$	$\pi a(a+\sqrt{a^2+h^2})$	(半径 a, 高さ h)
円　環	$2\pi^2 a^2 b$	$4\pi^2 ab$	(小半径 a, 大半径 b)
球	$(4\pi/3)a^3$	$4\pi a^2$	(半径 a)
回転楕円体	$\frac{4\pi}{3}a^2 c$	$2\pi\left(a^2+\frac{ac^2}{2\sqrt{a^2-c^2}}\ln\frac{a+\sqrt{a^2-c^2}}{a-\sqrt{a^2-c^2}}\right)$	$(a>c)$
(主軸 $2a, 2a, 2c$)		$2\pi\left(a^2+\frac{ac^2}{\sqrt{c^2-a^2}}\mathrm{Cos}^{-1}\frac{a}{c}\right)$	$(a<c)$

微 分

$$\frac{\mathrm{d}(uv)}{\mathrm{d}x}=u\frac{\mathrm{d}v}{\mathrm{d}x}+v\frac{\mathrm{d}u}{\mathrm{d}x}\qquad \frac{\mathrm{d}\left(\frac{u}{v}\right)}{\mathrm{d}x}=\frac{v\frac{\mathrm{d}u}{\mathrm{d}x}-u\frac{\mathrm{d}v}{\mathrm{d}x}}{v^2}$$

$$\frac{\mathrm{d}f(u)}{\mathrm{d}x}=\frac{\mathrm{d}f(u)}{\mathrm{d}u}\frac{\mathrm{d}u}{\mathrm{d}x}$$

$f(x)$	$\mathrm{d}f(x)/\mathrm{d}x$	$f(x)$	$\mathrm{d}f(x)/\mathrm{d}x$
x^n	nx^{n-1}	$\sin x$	$\cos x$
e^x	e^x	$\cos x$	$-\sin x$
a^x	$a^x\ln a$	$\tan x$	$\sec^2 x$
x^x	$x^x(1+\ln x)$	$\mathrm{Sin}^{-1}x$	$\frac{1}{\sqrt{1-x^2}}$
$\ln x$	$\frac{1}{x}$	$\mathrm{Cos}^{-1}x$	$-\frac{1}{\sqrt{1-x^2}}$
$\log_{10}x$	$\frac{1}{x}\cdot\log_{10}e$	$\mathrm{Tan}^{-1}x$	$\frac{1}{1+x^2}$

($\mathrm{Sin}^{-1}x$ は $\sin^{-1}x$ の主値，他も同じ)

不定積分

$$\int uv\,\mathrm{d}x=u\int v\,\mathrm{d}x-\int\left(\frac{\mathrm{d}u}{\mathrm{d}x}\int v\,\mathrm{d}x\right)\mathrm{d}x$$

$$\int a\,\mathrm{d}x=ax,\qquad \int ax^n\,\mathrm{d}x=\frac{a}{n+1}x^{n+1}\quad(n\neq-1)$$

$$\int\frac{a}{x}\,\mathrm{d}x=a\ln x,\qquad \int e^{ax}\,\mathrm{d}x=\frac{1}{a}e^{ax}$$

$$\int xe^{ax}\,\mathrm{d}x=\frac{x}{a}e^{ax}-\frac{e^{ax}}{a^2},\qquad \int a^{bx}\,\mathrm{d}x=\frac{a^{bx}}{b\ln a}$$

$$\int\ln ax\,\mathrm{d}x=x(\ln ax-1),\qquad \int x^n\ln x\,\mathrm{d}x=\frac{x^{n+1}}{n+1}\left(\ln x-\frac{1}{n+1}\right)\quad(n\neq-1)$$

$$\int\sin ax\,\mathrm{d}x=-\frac{1}{a}\cos ax,\qquad \int\cos ax\,\mathrm{d}x=\frac{1}{a}\sin ax$$

$$\int\tan ax\,\mathrm{d}x=-\frac{1}{a}\ln\cos ax,\qquad \int\cot ax\,\mathrm{d}x=\frac{1}{a}\ln\sin ax$$

$$\int\sec ax\,\mathrm{d}x=\frac{1}{a}\ln\tan\left(\frac{\pi}{4}+\frac{ax}{2}\right)=\frac{1}{2a}\ln\frac{1+\sin ax}{1-\sin ax}$$

$$\int\mathrm{cosec}\,ax\,\mathrm{d}x=\frac{1}{a}\ln\tan\frac{ax}{2}=-\frac{1}{2a}\ln\frac{1+\cos ax}{1-\cos ax}$$

$$\int\frac{\mathrm{d}x}{\sqrt{a^2-x^2}}=\mathrm{Sin}^{-1}\frac{x}{|a|},\qquad \int\frac{\mathrm{d}x}{\sqrt{x^2\pm a^2}}=\ln\left(x+\sqrt{x^2\pm a^2}\right)$$

$$\int\frac{\mathrm{d}x}{a^2+x^2}=\frac{1}{a}\mathrm{Tan}^{-1}\frac{x}{a},\qquad \int\frac{\mathrm{d}x}{a^2-x^2}=\frac{1}{2a}\ln\left|\frac{a+x}{a-x}\right|$$

定 積 分（m，n は正の整数または0）

$$\int_0^1 x(1-x)^{\alpha-1}dx=\frac{1}{\alpha(\alpha+1)}\quad(\alpha>0),\qquad \int_0^1 x^m(1-x^2)^n dx=\frac{(m-1)!!\,(2n)!!}{(m+2n+1)!!}$$

$$\int_a^b\sqrt{(x-a)(b-x)}\,dx=\frac{\pi}{8}(b-a)^2\quad(b>a),\qquad \int_a^b\frac{dx}{\sqrt{(x-a)(b-x)}}=\pi\quad(b>a)$$

$$\int_0^\infty\frac{dx}{(ax^2+b)^n}=\frac{(2n-3)!!}{(2n-2)!!}\,\frac{\pi}{2b^n}\sqrt{\frac{b}{a}}\quad(a,\ b>0)$$

$$\int_0^\infty\frac{x^{\alpha-1}}{x^2+a^2}dx=\frac{\pi}{2a^{2-\alpha}}\operatorname{cosec}\frac{\alpha\pi}{2}\quad(0<\alpha<2,\ a>0)$$

$$\int_0^\infty e^{-ax}\cos bx\,dx=\frac{a}{a^2+b^2}\quad(a>0),\qquad \int_0^\infty e^{-ax}\sin bx\,dx=\frac{b}{a^2+b^2}\quad(a>0)$$

$$\int_0^\infty e^{-ax}x^n dx=n!/a^{n+1}\quad(a>0),\qquad \int_0^\infty e^{-ax}\ln x\,dx=-(\gamma+\ln a)/a\quad(a>0)$$

$$\int_0^\infty e^{-ax^2}x^{2n}dx=\frac{(2n-1)!!}{2^{n+1}}\sqrt{\frac{\pi}{a^{2n+1}}}\quad(a>0),\qquad \int_0^\infty e^{-ax^2}x^{2n+1}dx=\frac{n!}{2a^{n+1}}\quad(a>0)$$

$$\int_0^\infty e^{-a^2x^2}\cos bx\,dx=\frac{\sqrt{\pi}}{2a}e^{-\frac{b^2}{4a^2}}\quad(a>0)$$

$$\int_0^{\frac{\pi}{2}}\cos^m x\sin^n x\,dx=\begin{cases}\dfrac{(m-1)!!\,(n-1)!!}{(m+n)!!}\,\dfrac{\pi}{2} & \left(\begin{array}{l}m,\ n\text{とも}\\ \text{に偶数}\end{array}\right)\\[2ex] \dfrac{(m-1)!!\,(n-1)!!}{(m+n)!!} & (\text{その他})\end{cases}$$

$$\int_0^{\frac{\pi}{2}}\cos^n x\cos nx\,dx=\frac{\pi}{2^{n+1}},\qquad \int_0^{\frac{\pi}{2}}\cos^n x\sin nx\,dx=\frac{1}{2^{n+1}}\sum_{r=1}^{n}\frac{2^r}{r}$$

$$\int_0^{\frac{\pi}{2}}\frac{dx}{a+b\cos x}=\begin{cases}\dfrac{1}{\sqrt{a^2-b^2}}\operatorname{Cos}^{-1}\dfrac{b}{a} & (a>b>0)\\[2ex] \dfrac{-1}{\sqrt{b^2-a^2}}\ln\dfrac{a}{b+\sqrt{b^2-a^2}} & (b>a>0)\\[2ex] \dfrac{1}{a} & (a=b>0)\end{cases}$$

$$\int_0^\pi\frac{\cos\alpha x}{a+b\cos x}dx=\frac{\pi}{\sqrt{a^2-b^2}}\left(\frac{\sqrt{a^2-b^2}-a}{b}\right)^\alpha\quad(a>b>0,\ \alpha>0)$$

$$\int_0^{\frac{\pi}{2}}\frac{\sin x}{\sin x\pm a\cos x}dx=\frac{a}{a^2+1}\left(\frac{\pi}{2a}\pm\ln a\right)\quad(a>0,\ \text{複号の}-\text{の場合は主値})$$

$$\int_0^{\frac{\pi}{2}}\frac{dx}{(a\sin x+b\cos x)^2}=\frac{1}{ab}\quad(ab>0)$$

$$\int_0^\infty\cos a^2x^2dx=\int_0^\infty\sin a^2x^2dx=\frac{1}{2a}\sqrt{\frac{\pi}{2}}\quad(a>0)$$

$$\int_0^\infty\frac{\sin ax}{x}dx=\frac{\pi}{2}\quad(a>0)$$

$m!!=m(m-2)(m-4)\cdots\cdots2$（または1），$0!!=(-1)!!=1$

級数展開

$$(1+x)^{\alpha}=1+\alpha x+\frac{\alpha(\alpha-1)}{2\,!}x^2+\frac{\alpha(\alpha-1)(\alpha-2)}{3\,!}x^3+\cdots\cdots\cdots \quad (|x|<1)$$

$$(1+x)^{\frac{1}{2}}=1+\frac{1}{2}x-\frac{1}{8}x^2+\frac{1}{16}x^3-\frac{5}{128}x^4+\frac{7}{256}x^5-\cdots\cdots\cdots \quad (|x|<1)$$

$$(1+x)^{-\frac{1}{2}}=1-\frac{1}{2}x+\frac{3}{8}x^2-\frac{5}{16}x^3+\frac{35}{128}x^4-\frac{63}{256}x^5+\cdots\cdots\cdots \quad (|x|<1)$$

$$e^x=1+x+\frac{x^2}{2\,!}+\frac{x^3}{3\,!}+\frac{x^4}{4\,!}+\cdots\cdots\cdots$$

$$\ln(1+x)=x-\frac{x^2}{2}+\frac{x^3}{3}-\frac{x^4}{4}+\cdots\cdots\cdots \quad (|x|\leqq 1,\ x\neq -1)$$

$$\sin x=x-\frac{x^3}{3\,!}+\frac{x^5}{5\,!}-\frac{x^7}{7\,!}+\cdots\cdots\cdots$$

$$\cos x=1-\frac{x^2}{2\,!}+\frac{x^4}{4\,!}-\frac{x^6}{6\,!}+\cdots\cdots\cdots$$

$$\tan x=x+\frac{1}{3}x^3+\frac{2}{15}x^5+\frac{17}{315}x^7+\cdots\cdots \quad \left(|x|<\frac{\pi}{2}\right)$$

$$=\frac{x}{1-x^2/(3-x^2/(5-x^2/(7-\cdots)))} \quad \left(\text{連分数展開},\ x\neq\frac{\pi}{2}\pm n\pi\right)$$

$$\mathrm{Sin}^{-1}x=x+\frac{1}{2}\frac{x^3}{3}+\frac{1}{2}\frac{3}{4}\frac{x^5}{5}+\frac{1}{2}\frac{3}{4}\frac{5}{6}\frac{x^7}{7}+\cdots\cdots \quad (|x|\leqq 1,\ x\neq\pm 1)$$

$$\mathrm{Tan}^{-1}x=x-\frac{1}{3}x^3+\frac{1}{5}x^5-\frac{1}{7}x^7+\cdots\cdots \quad (|x|\leqq 1,\ x\neq\pm i)$$

$$K(k)=\frac{\pi}{2}\left(1+\frac{1}{4}k^2+\frac{9}{64}k^4+\frac{25}{256}k^6+\cdots\cdots\right) \quad (\text{第 1 種完全楕円積分},\ |k|<1)$$

$$E(k)=\frac{\pi}{2}\left(1-\frac{1}{4}k^2-\frac{3}{64}k^4-\frac{5}{256}k^6-\cdots\cdots\right) \quad (\text{第 2 種完全楕円積分},\ |k|<1)$$

$$f(x+h)=f(x)+hf'(x)+\frac{h^2}{2\,!}f''(x)+\frac{h^3}{3\,!}f'''(x)+\cdots\cdots+\frac{h^n}{n\,!}f^{(n)}(x)\cdots\cdots$$

(テイラー級数)

$$f(x)=\frac{1}{2}a_0+\sum_{n=1}^{\infty}\left(a_n\cos\frac{n\pi}{c}x+b_n\sin\frac{n\pi}{c}x\right) \quad (\text{フーリエ級数})$$

$$a_n=\frac{1}{c}\int_{-c}^{+c}f(x)\cos\frac{n\pi x}{c}\,\mathrm{d}x, \qquad b_n=\frac{1}{c}\int_{-c}^{+c}f(x)\sin\frac{n\pi x}{c}\,\mathrm{d}x$$

三角関数表

	sin	cosec	tan	cot	sec	cos	
0°	0.000_{17}	$\infty_{\cdots}$	0.000_{17}	$\infty_{\cdots}$	1.000_{0}	1.000_{0}	90°
1	0.017_{18}	$57.299_{\cdots}$	0.017_{18}	$57.290_{\cdots}$	1.000_{1}	1.000_{1}	89
2	0.035_{17}	$28.654_{\cdots}$	0.035_{17}	$28.636_{\cdots}$	1.001_{0}	0.999_{0}	88
3	0.052_{18}	$19.107_{\cdots}$	0.052_{18}	$19.081_{\cdots}$	1.001_{1}	0.999_{1}	87
4	0.070_{17}	$14.336_{\cdots}$	0.070_{17}	$14.301_{\cdots}$	1.002_{2}	0.998_{2}	86
5	0.087_{18}	$11.474_{\cdots}$	0.087_{18}	$11.430_{\cdots}$	1.004_{2}	0.996_{1}	85
6	0.105_{17}	$9.567_{\cdots}$	0.105_{18}	$9.514_{\cdots}$	1.006_{2}	0.995_{2}	84
7	0.122_{17}	$8.206_{\cdots}$	0.123_{18}	$8.144_{\cdots}$	1.008_{2}	0.993_{3}	83
8	0.139_{17}	7.185_{793}	0.141_{17}	7.115_{801}	1.010_{2}	0.990_{2}	82
9	0.156_{18}	6.392_{633}	0.158_{18}	6.314_{643}	1.012_{3}	0.988_{3}	81
10	0.174_{17}	5.759_{518}	0.176_{18}	5.671_{526}	1.015_{4}	0.985_{3}	80
11	0.191_{17}	5.241_{431}	0.194_{19}	5.145_{440}	1.019_{3}	0.982_{4}	79
12	0.208_{17}	4.810_{365}	0.213_{18}	4.705_{374}	1.022_{4}	0.978_{4}	78
13	0.225_{17}	4.445_{311}	0.231_{18}	4.331_{320}	1.026_{5}	0.974_{4}	77
14	0.242_{17}	4.134_{270}	0.249_{19}	4.011_{279}	1.031_{4}	0.970_{4}	76
15	0.259_{17}	3.864_{236}	0.268_{19}	3.732_{245}	1.035_{5}	0.966_{5}	75
16	0.276_{16}	3.628_{208}	0.287_{19}	3.487_{216}	1.040_{6}	0.961_{5}	74
17	0.292_{17}	3.420_{184}	0.306_{19}	3.271_{193}	1.046_{5}	0.956_{5}	73
18	0.309_{17}	3.236_{164}	0.325_{19}	3.078_{174}	1.051_{7}	0.951_{5}	72
19	0.326_{16}	3.072_{148}	0.344_{20}	2.904_{157}	1.058_{6}	0.946_{6}	71
20	0.342_{16}	2.924_{134}	0.364_{20}	2.747_{142}	1.064_{7}	0.940_{6}	70
21	0.358_{17}	2.790_{121}	0.384_{20}	2.605_{130}	1.071_{8}	0.934_{7}	69
22	0.375_{16}	2.669_{110}	0.404_{20}	2.475_{119}	1.079_{7}	0.927_{6}	68
23	0.391_{16}	2.559_{100}	0.424_{21}	2.356_{110}	1.086_{9}	0.921_{7}	67
24	0.407_{16}	2.459_{93}	0.445_{21}	2.246_{101}	1.095_{8}	0.914_{8}	66
25	0.423_{15}	2.366_{85}	0.466_{22}	2.145_{95}	1.103_{10}	0.906_{7}	65
26	0.438_{16}	2.281_{78}	0.488_{22}	2.050_{87}	1.113_{9}	0.899_{8}	64
27	0.454_{15}	2.203_{73}	0.510_{22}	1.963_{82}	1.122_{11}	0.891_{8}	63
28	0.469_{16}	2.130_{67}	0.532_{22}	1.881_{77}	1.133_{10}	0.883_{8}	62
29	0.485_{15}	2.063_{63}	0.554_{23}	1.804_{72}	1.143_{12}	0.875_{9}	61
30	0.500_{15}	2.000_{58}	0.577_{24}	1.732_{68}	1.155_{12}	0.866_{9}	60
31	0.515_{15}	1.942_{55}	0.601_{24}	1.664_{64}	1.167_{12}	0.857_{9}	59
32	0.530_{15}	1.887_{51}	0.625_{24}	1.600_{60}	1.179_{13}	0.848_{9}	58
33	0.545_{14}	1.836_{48}	0.649_{26}	1.540_{57}	1.192_{14}	0.839_{10}	57
34	0.559_{15}	1.788_{45}	0.675_{25}	1.483_{55}	1.206_{15}	0.829_{10}	56
35	0.574_{14}	1.743_{42}	0.700_{27}	1.428_{52}	1.221_{15}	0.819_{10}	55
36	0.588_{14}	1.701_{39}	0.727_{27}	1.376_{49}	1.236_{16}	0.809_{10}	54
37	0.602_{14}	1.662_{38}	0.754_{27}	1.327_{47}	1.252_{17}	0.799_{11}	53
38	0.616_{13}	1.624_{35}	0.781_{29}	1.280_{45}	1.269_{18}	0.788_{11}	52
39	0.629_{14}	1.589_{33}	0.810_{29}	1.235_{43}	1.287_{18}	0.777_{11}	51
40	0.643_{13}	1.556_{32}	0.839_{30}	1.192_{42}	1.305_{20}	0.766_{11}	50
41	0.656_{13}	1.524_{30}	0.869_{31}	1.150_{39}	1.325_{21}	0.755_{12}	49
42	0.669_{13}	1.494_{28}	0.900_{33}	1.111_{39}	1.346_{21}	0.743_{12}	48
43	0.682_{13}	1.466_{26}	0.933_{33}	1.072_{36}	1.367_{23}	0.731_{12}	47
44	0.695_{12}	1.440_{26}	0.966_{34}	1.036_{36}	1.390_{24}	0.719_{12}	46
45	0.707	1.414	1.000	1.000	1.414	0.707	45
	cos	sec	cot	tan	cosec	sin	

各行の中間にある数値は第 1 差（**附 14** 参照）である．

四桁の対数表 (1)

	0	1	2	3	4	5	6	7	8	9	差
10	0000	0043	0086	0128	0170	0212	0253	0294	0334	0374	41
11	0414	0453	0492	0531	0569	0607	0645	0682	0719	0755	38
12	0792	0828	0864	0899	0934	0969	1004	1038	1072	1106	35
13	1139	1173	1206	1239	1271	1303	1335	1367	1399	1430	32
14	1461	1492	1523	1553	1584	1614	1644	1673	1703	1732	30
15	1761	1790	1818	1847	1875	1903	1931	1959	1987	2014	28
16	2041	2068	2095	2122	2148	2175	2201	2227	2253	2279	26
17	2304	2330	2355	2380	2405	2430	2455	2480	2504	2529	25
18	2553	2577	2601	2625	2648	2672	2695	2718	2742	2765	24
19	2788	2810	2833	2856	2878	2900	2923	2945	2967	2989	22
20	3010	3032	3054	3075	3096	3118	3139	3160	3181	3201	21
21	3222	3243	3263	3284	3304	3324	3345	3365	3385	3404	20
22	3424	3444	3464	3483	3502	3522	3541	3560	3579	3598	19
23	3617	3636	3655	3674	3692	3711	3729	3747	3766	3784	18
24	3802	3820	3838	3856	3874	3892	3909	3927	3945	3962	18
25	3979	3997	4014	4031	4048	4065	4082	4099	4116	4133	17
26	4150	4166	4183	4200	4216	4232	4249	4265	4281	4298	16
27	4314	4330	4346	4362	4378	4393	4409	4425	4440	4456	16
28	4472	4487	4502	4518	4533	4548	4564	4579	4594	4609	15
29	4624	4639	4654	4669	4683	4698	4713	4728	4742	4757	15
30	4771	4786	4800	4814	4829	4843	4857	4871	4886	4900	14
31	4914	4928	4942	4955	4969	4983	4997	5011	5024	5038	14
32	5051	5065	5079	5092	5105	5119	5132	5145	5159	5172	13
33	5185	5198	5211	5224	5237	5250	5263	5276	5289	5302	13
34	5315	5328	5340	5353	5366	5378	5391	5403	5416	5428	13
35	5441	5453	5465	5478	5490	5502	5514	5527	5539	5551	12
36	5563	5575	5587	5599	5611	5623	5635	5647	5658	5670	12
37	5682	5694	5705	5717	5729	5740	5752	5763	5775	5786	12
38	5798	5809	5821	5832	5843	5855	5866	5877	5888	5899	11
39	5911	5922	5933	5944	5955	5966	5977	5988	5999	6010	11
40	6021	6031	6042	6053	6064	6075	6085	6096	6107	6117	11
41	6128	6138	6149	6160	6170	6180	6191	6201	6212	6222	10
42	6232	6243	6253	6263	6274	6284	6294	6304	6314	6325	10
43	6335	6345	6355	6365	6375	6385	6395	6405	6415	6425	10
44	6435	6444	6454	6464	6474	6484	6493	6503	6513	6522	10
45	6532	6542	6551	6561	6571	6580	6590	6599	6609	6618	10
46	6628	6637	6646	6656	6665	6675	6684	6693	6702	6712	9
47	6721	6730	6739	6749	6758	6767	6776	6785	6794	6803	9
48	6812	6821	6830	6839	6848	6857	6866	6875	6884	6893	9
49	6902	6911	6920	6928	6937	6946	6955	6964	6972	6981	9
50	6990	6998	7007	7016	7024	7033	7042	7050	7059	7067	9
51	7076	7084	7093	7101	7110	7118	7126	7135	7143	7152	8
52	7160	7168	7177	7185	7193	7202	7210	7218	7226	7235	8
53	7243	7251	7259	7267	7275	7284	7292	7300	7308	7316	8
54	7324	7332	7340	7348	7356	7364	7372	7380	7388	7396	8
55	7404	7412	7419	7427	7435	7443	7451	7459	7466	7474	8

四桁の対数表 (2)

	0	1	2	3	4	5	6	7	8	9	差
55	7404	7412	7419	7427	7435	7443	7451	7459	7466	7474	8
56	7482	7490	7497	7505	7513	7520	7528	7536	7543	7551	8
57	7559	7566	7574	7582	7589	7597	7604	7612	7619	7627	8
58	7634	7642	7649	7657	7664	7672	7679	7686	7694	7701	7
59	7709	7716	7723	7731	7738	7745	7752	7760	7767	7774	7
60	7782	7789	7796	7803	7810	7818	7825	7832	7839	7846	7
61	7853	7860	7868	7875	7882	7889	7896	7903	7910	7917	7
62	7924	7931	7938	7945	7952	7959	7966	7973	7980	7987	7
63	7993	8000	8007	8014	8021	8028	8035	8041	8048	8055	7
64	8062	8069	8075	8082	8089	8096	8102	8109	8116	8122	7
65	8129	8136	8142	8149	8156	8162	8169	8176	8182	8189	7
66	8195	8202	8209	8215	8222	8228	8235	8241	8248	8254	7
67	8261	8267	8274	8280	8287	8293	8299	8306	8312	8319	6
68	8325	8331	8338	8344	8351	8357	8363	8370	8376	8382	6
69	8388	8395	8401	8407	8414	8420	8426	8432	8439	8445	6
70	8451	8457	8463	8470	8476	8482	8488	8494	8500	8506	6
71	8513	8519	8525	8531	8537	8543	8549	8555	8561	8567	6
72	8573	8579	8585	8591	8597	8603	8609	8615	8621	8627	6
73	8633	8639	8645	8651	8657	8663	8669	8675	8681	8686	6
74	8692	8698	8704	8710	8716	8722	8727	8733	8739	8745	6
75	8751	8756	8762	8768	8774	8779	8785	8791	8797	8802	6
76	8808	8814	8820	8825	8831	8837	8842	8848	8854	8859	6
77	8865	8871	8876	8882	8887	8893	8899	8904	8910	8915	6
78	8921	8927	8932	8938	8943	8949	8954	8960	8965	8971	6
79	8976	8982	8987	8993	8998	9004	9009	9015	9020	9025	5
80	9031	9036	9042	9047	9053	9058	9063	9069	9074	9079	5
81	9085	9090	9096	9101	9106	9112	9117	9122	9128	9133	5
82	9138	9143	9149	9154	9159	9165	9170	9175	9180	9186	5
83	9191	9196	9201	9206	9212	9217	9222	9227	9232	9238	5
84	9243	9248	9253	9258	9263	9269	9274	9279	9284	9289	5
85	9294	9299	9304	9309	9315	9320	9325	9330	9335	9340	5
86	9345	9350	9355	9360	9365	9370	9375	9380	9385	9390	5
87	9395	9400	9405	9410	9415	9420	9425	9430	9435	9440	5
88	9445	9450	9455	9460	9465	9469	9474	9479	9484	9489	5
89	9494	9499	9504	9509	9513	9518	9523	9528	9533	9538	5
90	9542	9547	9552	9557	9562	9566	9571	9576	9581	9586	5
91	9590	9595	9600	9605	9609	9614	9619	9624	9628	9633	5
92	9638	9643	9647	9652	9657	9661	9666	9671	9675	9680	5
93	9685	9689	9694	9699	9703	9708	9713	9717	9722	9727	5
94	9731	9736	9741	9745	9750	9754	9759	9763	9768	9773	5
95	9777	9782	9786	9791	9795	9800	9805	9809	9814	9818	5
96	9823	9827	9832	9836	9841	9845	9850	9854	9859	9863	5
97	9868	9872	9877	9881	9886	9890	9894	9899	9903	9908	4
98	9912	9917	9921	9926	9930	9934	9939	9943	9948	9952	4
99	9956	9961	9965	9969	9974	9978	9983	9987	9991	9996	4
100	0000	0004	0009	0013	0017	0022	0026	0030	0035	0039	4

慣用の計量単位

計量の単位と単位系は**物 1-17** に解説されているが，ほかにこれまで使われあるいは現在慣用されている単位がある．SI 単位による換算値は実用上必要なけた数だけを記す．

長　さ

尺 = 1/3.3 m = 0.30303 m
寸 = 1/10 尺 = 3.0303 cm
分 = 1/10 寸 = 3.0303 mm
間 = 6 尺 = 1.8182 m
町(丁) = 60 間 = 109.09 m
里 = 36 町 = 3.9273 km
ヤード(yd) = 0.9144 m
フィート(ft) = 1/3 ヤード = 0.3048 m
インチ(in) = 1/12 フィート = 2.54 cm
チェーン = 22 ヤード = 20.12 m
マイル = 1760 ヤード = 1.6093 km
ファゾム = 6 フィート = 1.8288 m
海里 = 1.852 km

面　積

歩 = 坪 = 1 平方間 = 3.3058 m^2
畝 = 30 歩 = 99.174 m^2
段(反) = 300 歩 = 991.74 m^2
町 = 3000 歩 = 9917.4 m^2
平方フィート = 929.03 cm^2
平方インチ = 6.4516 cm^2
平方マイル = 2.5900 km^2
エーカー(ac) = 10 平方チェーン = 4046.9 m^2

体　積

升 = 1.8039 L
合 = 1/10 升 = 180.39 cm^3
斗 = 10 升 = 18.039 L
石 = 10 斗 = 180.39 L
パイント = 0.5683 L
クォート = 1.137 L
ガロン(英) = 4.546 L
ガロン(米) = 3.785 L
ブッシェル(英) = 7.996 ガロン(英) = 36.35 L
ブッシェル(米) = 9.309 ガロン(米) = 35.24 L
バレル = 159.0 L
容積トン = 100 立方フィート = 2.832 m^3

質　量

貫 = 3.75 kg
匁 = 1/1000 貫 = 3.75 g
ポンド(lb)* = 453.6 g
オンス(oz)* = 1/16 ポンド = 28.35 g
英トン = 2240 ポンド = 1016.1 kg
米トン = 2000 ポンド = 907.2 kg
斤* = 160 匁 = 600 g
カラット = 200 mg(宝石の質量)

速　度

km/h = 0.2778 m/s
マイル/h (mph) = 0.4470 m/s
ノット = 1 海里/h = 0.5144 m/s

回　転　数

回転/min (rpm) = 1/60 Hz = 0.01667 Hz

圧　力

水銀柱ミリメートル(mmHg，torr) = 133.322 Pa
気圧(atm) = 760 torr = 101 325 Pa
ポンド/平方インチ(psi) = 6895 Pa

エネルギー(熱量)

BTU = 1055.06J
Q = 10^{18}BTU = 1.05506 × 10^{21} J

温　度

t/℃(摂氏度，セルシウス度) = T/K − 273.15
t/°F(華氏度，ファーレンハイト度)
　= 1.8 × t/℃ + 32

0 K =	−273.15 ℃ =	−459.67 °F
300 K =	26.85 ℃ =	80.33 °F
0 ℃ =	32 °F =	273.15 K
100 ℃ =	212 °F =	373.15 K
0 °F =	−17.78 ℃ =	255.37 K
100 °F =	37.78 ℃ =	310.93 K

*　これらの単位には計られる対象の種類によって異なるいくつかの変種がある．

索　引

か　行

自然科学研究機構　国立天文台
https://www.nao.ac.jp/

理科年表オフィシャルサイト
https://official.rikanenpyo.jp/

理科年表へのご意見・ご要望はこちらのWebサイトからお寄せください.

理 科 年 表　2025

令和6年11月30日　発　行

編纂者　自然科学研究機構　国立天文台
代表者 台長　土居　守

発行者　池　田　和　博

発行所　丸善出版株式会社
〒101-0051 東京都千代田区神田神保町二丁目17番
編集：電話(03)3512-3265／FAX(03)3512-3272
営業：電話(03)3512-3256／FAX(03)3512-3270
https://www.maruzen-publishing.co.jp

組版・三美印刷株式会社／印刷 製本・大日本印刷株式会社

ISBN 978-4-621-31029-8　C3040　Printed in Japan

元素

1	2	3	4	5	6	7	8	9
1 H [1.00784, 1.00811]								
3 Li [6.938, 6.997]	4 Be 9.0121831							
11 Na 22.98976928	12 Mg [24.304, 24.307]							
19 K 39.0983	20 Ca 40.078	21 Sc 44.955907	22 Ti 47.867	23 V 50.9415	24 Cr 51.9961	25 Mn 54.938043	26 Fe 55.845	27 Cc 58.933
37 Rb 85.4678	38 Sr 87.62	39 Y 88.905838	40 Zr 91.224	41 Nb 92.90637	42 Mo 95.95	43 Tc [99]	44 Ru 101.07	45 Rh 102.90
55 Cs 132.90545196	56 Ba 137.327	57～71 ※	72 Hf 178.486	73 Ta 180.94788	74 W 183.84	75 Re 186.207	76 Os 190.23	77 Ir 192.2
87 Fr [223]	88 Ra [226]	89～103 ※※	104 Rf [267]	105 Db [268]	106 Sg [271]	107 Bh [272]	108 Hs [277]	109 Mt [276

※	57 La 138.90547	58 Ce 140.116	59 Pr 140.90766	60 Nd 144.242	61 Pm [145]	62 Sm 150.36	63 Eu 151.964	64 Gd 157.2
※※	89 Ac [227]	90 Th 232.0377	91 Pa 231.03588	92 U 238.02891	93 Np [237]	94 Pu [239]	95 Am [243]	96 Cm [247

※ランタノイド　　※※アクチノイド

元素記号の上の数字は原子番号，下の数字は原子量をそれぞれ
安定同位体がなく，天然で特定の同位体組成を示さない元素につい
族番号（1～18）は IUPAC 無機化学命名法改訂版（1989）による